The New Encyclopædia Britannica

in 32 Volumes

FOUNDED 1768
15TH EDITION

ENCYCLOPÆDIA Britannica

Encyclopædia Britannica, Inc.
Jacob E. Safra, Chairman of the Board
Jorge Aguilar-Cauz, President

Chicago

London/New Delhi/Paris/Seoul

Sydney/Taipei/Tokyo

The information on this page refers to
The New Encyclopædia Britannica.

First Edition	1768 – 1771
Second Edition	1777 – 1784
Third Edition	1788 – 1797
Supplement	1801
Fourth Edition	1801 – 1809
Fifth Edition	1815
Sixth Edition	1820 – 1823
Supplement	1815 – 1824
Seventh Edition	1830 – 1842
Eighth Edition	1852 – 1860
Ninth Edition	1875 – 1889
Tenth Edition	1902 – 1903

Printed in U. S. A.

Library of Congress Control Number: 2006921233
International Standard Book Number-10: 1-59339-292-3
International Standard Book Number-13: 978-1-59339-292-5

Britannica may be accessed at http://www.britannica.com on the Internet.

不列颠百科全书

国际中文版

修订版

Encyclopædia Britannica
International Chinese Edition

1

中国大百科全书出版社

图书在版编目（CIP）数据

不列颠百科全书：国际中文版/美国不列颠百科全书公司编著；中国大百科全书出版社《不列颠百科全书》国际中文版编辑部编译．-2 版（修订版）．-北京：中国大百科全书出版社，2007.3

书名原文：Encyclopædia Britannica

ISBN 978-7-5000-7604-9

Ⅰ. 不…　Ⅱ. ①美…　②中…　Ⅲ. 百科全书－美国
Ⅳ. Z256.1

中国版本图书馆 CIP 数据核字（2006）第 157571 号

图字：01-1999-1332 号

不 列 颠 百 科 全 书

国 际 中 文 版

修 订 版

Encyclopædia Britannica
International Chinese Edition

中国大百科全书出版社《不列颠百科全书》国际中文版编辑部编译
中国大百科全书出版社出版发行
（北京阜成门北大街 17 号　邮政编码：100037　电话：010-88390317）
http://www.ecph.com.cn.
北京巴蜀阳光图文设计有限公司排版
安徽新华印刷股份有限公司印刷
新华书店经销

开本：889 毫米×1194 毫米　1/16　印张：711.5
字数：44 000 千字　插图：15 550　插页：4
2007 年4月第1 版　2024 年4月第15 次印刷

ISBN 978-7-5000-7604-9　　**全套（20 卷）定价：2800.00 元**

《不列颠百科全书》国际中文版

前　言

一

《不列颠百科全书》国际中文版(修订版)是中国大百科全书出版社和美国不列颠百科全书公司最新合作于2007年推出的新版本。这是一部大型的综合性参考工具书。全书共20卷,1～18卷为条目正文,19～20卷为索引;共收条目84 300余条,附有图片15 300余幅,地图250余幅;总字数约4 400万字。

二

《不列颠百科全书》又称《大英百科全书》,第一版于1768～1771年创始于苏格兰爱丁堡。20世纪初该书版权归美国人所有,现由总部设在美国芝加哥的不列颠百科全书公司出版。该书素以学术性强、权威性高著称,也是中国知识界最熟悉的英文百科全书。该书第15版于1974年问世,共30卷,1985年增至32卷,分为4个部分:《索引》2卷;《百科类目》1卷,是全书知识分类目录;《百科简编》12卷,有短条目80 000余条,又是一部可供单独使用的简明百科全书;《百科详编》17卷,有长条目670余条,系统地介绍各学科知识、重要人物、历史、地理等。该书每年增补和修改部分条目,出一新版,同时出版《年鉴》1卷。不列颠百科全书公司逐年扩大同外国的合作,到目前为止,《不列颠百科全书》除英文版外,还有法文、日文、土耳其文、希腊文、西班牙文、葡萄牙文、中文、韩文、匈牙利文和波兰文等多种外文版。

三

1979年1月中美建交后,不列颠百科全书公司和中国大百科全书出版社就出版《不列颠百科全书》中文版一事开始商谈。同年11月,以不列颠百科全书公司编委会副主席吉布尼先生为首的代表团应邀访华,受到邓小平同志的接见。当谈到双方合作出版《不列颠百科全书》中文版时,小平同志说:"这是个好事情。"他同时指出:"外国的部分搬你们的就是了。将来中国的部分我们自己来写。"1980年8月,双方签订了合作编译出版中文版《简明不列颠百科全书》(下称《简编》)的协议书。为解决编译中的歧见和争议,保证《简编》内所有条目符合双方都能接受的质量和客观性标准,协议规定成立中方以刘尊棋为首、美方以吉布尼为首的中美联合编审委员会,另成立《简编》编辑部负责全书编辑工作。

《简编》以翻译原书中的《百科简编》为主,对原文只译不改。由于篇幅所限,对科技类条目释文平均删节约20%,社会科学条目释文删节约30%。中国条目由中方组织各方面专家、学者撰写。地图方面,除"中华人民共和国"地图外,其余地图均照译原书。凡文、图、表中涉及领土、疆界等政治性问题,均为原书观点,不代表中国大百科全书出版社。

在各有关部门的大力支持下,有500多位专家学者、翻译和编辑人员参加了《简编》的工作。中美联合编审委员会先后召开了3次全体会议和10多次工作会议,解决了所出现的各种问题。经过全体人员持续5年的紧张工作,包括约71 000余个条目,5 000余幅图片,约2 400万字的10卷《简编》终于在1986年9月全部出版,在国内及国外同时发行。在该书编辑、出版和发行过程中,中国领导人邓小平、胡耀邦和江泽民同志(时任上海市长)等曾多次会见参与有关工作的中美双方负责人。在海外,美方先后主持了在新加坡、美国和香港举行的《简编》出版发行仪式和讨论会等。到1997年,《简编》在国内外共发行约17万套,受到广大读者的欢迎,在国外特别是在美国,产生了良好的影响。

四

在《简编》出版以后,我们一面注意倾听读者的反映,特别是了解该书存在的缺陷和差错,同时我们也进行自查,并和美方多次探讨如何改进新版工作。新版的准备工作于90年代初期就已开始。1995年2月正式组建《不列颠百科全书》编辑部。1996年9月中美双方签署合作出版新版《不列颠百科全书》国际中文版(下称国际中文版)的备忘录。双方同意,该书的编辑方针仍遵照1980年8月协议书的原则，除中国条目(包括中华人民共和国地图)由中方撰写外，其他条目包括文、图、表等均照译原书，反映原书的观点。鉴于《简编》编译工作中中美双方已就绝大部分有争议的问题达成了共识和谅解，为节省时间和提高效率，双方同意中美联合编审委员会由双方各派一位代表、一位秘书组成，原编审委员会的双方委员改任顾问。

较之《简编》，国际中文版在数量与质量方面有重大改进，其特色可归纳为以下几点：

1．**条目排列** 为方便读者查阅，全部条目按照英文版原书条目标题的外文词的字母顺序编排。

2．**全面修订** 为提高质量，增加内容，《简编》的原有条目按照各学科、专业分类，请各学科专家对照原书(英文版)新版(95、97、98年版)逐条修订，更新资料、增补内容和纠正差错。平均每个条目的字数增加20%。

3．**增加新条** 为适应新形势下读者的需要，凡《详编》中对人类产生过重大影响的古今中外人物(如政治家、哲学家、科学家、文学家、音乐家、神学家、画家)条目(共97人)均全文照译。世界71个大都市和美国50个州的条目也全部照译。为有利读者开阔视野和增长知识，还全译了《详编》中的“人权”、“舆论”和“孔子哲学”等条目。以上条目少则数千字，多则达数万字。10多年来因形势发展而出现的科技成就、政治变化、新的人物和事件等，均反映在历年增补的英文版《百科简编》新条目中，都已翻译收入。

4．**中国条目** 对《简编》原有的中国条目进行了全面的修订，除充实内容、补充更新资料以及纠正差错外，还增加了新条目约450条和参阅条目约1200条，总条数由原来的约2 450条增至约4 000条。

5．**专名统一** 外国人名、地名、机构名、专业名等各种译名的统一工作是一项非常繁重和复杂的工作。《简编》对译名统一虽然尽了努力，但仍有不少缺憾。此次修订时作为工作重点，除要求专家、学者密切配合外，编辑部抽出1/3的人员专门从事译名统一，力求有显著的改进。

6．**图片工作** 由于美方提供了13 800余幅图片，加上我方收集的约1 500余幅，总数达到15 300余幅；同时由于技术进步，国际中文版的配图比《简编》有了突出的改进，不但在数量上增加了2倍，在质量上也有明显的提高，体现了图文并茂的要求。书中全部地图也根据10多年来国际、国内等各种变化作了相应的修改，反映了当前的情况。

7．**改善功能** 国际中文版除补译了上万条参阅条外，另设索引卷2卷，包括“条目中文标题笔画索引”和按汉语拼音音序排列的“条目中文标题索引”。后者为改善应用功能，在中、外文条目标题后，还附有简短的定性(分类)，这样既方便读者的进一步查阅，其本身又是一部可以单独使用的简明百科词典。

五

中国大百科全书出版社和美国不列颠百科全书公司共同编译《简明不列颠百科全书》，是中美双方文化交流和出版合作的成果。它的成功首先归功于邓小平同志的关怀和在邓小平理论指引下制定的改革开放政策；归功于以刘尊棋为首的中美联合编审委员会中方成员的坚定领导和以吉布尼为首的美方成员的主动积极参与；归功于各有关部门的支持。500余位同志经过四年多的持续忘我工作，终于使该书较快地问世。

《不列颠百科全书》国际中文版是深化改革和中美关系进一步发展的新形势下的产物，于1999年出版，到2006年底共重印7次。为适应信息时代的新形势，更好地为广大读者服务，我们在国际中文版的基础上加以修订，出版《不列颠百科全书》国际中文版(修订版)。修订版对照原书(英文版)最新版以及随时更新的《不列颠百科全书》网络版，更新资料、增补内容，并根据时事变化增补了近年来出现的科技成就、政治变化、新的人物和事件等数千条条目，如基因复制、纳米技术、恐怖主义等。同时，对原有的中国条目也进行了全面的修订，除充实内容、补充更新资料外，还增加了数百条新条目。书中地图根据国际、国内等各种变化作了相应的修改。全书总篇幅有所增加。

百科全书涉及古今中外各个知识领域和各种文字，编译工作十分浩繁，由于编辑人员的知识和能力有限，本书中不免存在着差错和缺点。我们热诚地期待着读者的批评和建议，以便修订时改正。

中国大百科全书出版社《不列颠百科全书》编辑部

2007年3月

凡　例

一、编排

1．本书条目按条目外文标题的逐词排列法顺序排列。无论是单词标题，还是多词标题，均以单词为单位，按字母顺序、按单词在标题中所处的先后位置，顺序排列。如果第一个单词相同，再依次按第二个、第三个，余类推。

例如：**air**　空气
air force　空军
Air France　法国航空公司
Airbus Industrie　空中客车工业公司
aircraft carrier　航空母舰
All-England Championships　全英锦标赛
all-fours　全四牌
all-or-none law　全或无定律
Allāh　安拉
alliance　同盟

2．由拉丁字母转写的非英文标题，按与其对应形式的英文字母顺序排列。

例如：ā ʻa ạ —— a　ı i ī —— i　ü û ʻu —— u
č ć ç —— c　ł —— l　š ṣ ş —— s
é ê ę —— e　ô ö ø —— o　ž ẑ ẓ —— z

3．为了便于检索，本书部分条目外文标题将实质性内容的词（包括人名中的姓）放在最前面，用逗号与其他词分开。条目标题中第一个词的字母顺序完全一样时，按单词标题在先，多词标题在后；多词标题中又以逗号隔开的词在前；逗号前的词相同，按逗号后的词的字母顺序排列。

例如：**ball**　球
Ball, Albert　鲍尔
Ball, Hugo　鲍尔
ball bearing　滚珠轴承
ball cactus　仙人球
fox　狐
Fox, George　福克斯
Fox, William　福克斯
fox hunting　猎狐
fox terrier　猎狐㹴狗

4．外文标题中如有括号，括号内部分不纳入字母排列顺序。

例如：**Loewe,（Johann）Carl（Gottfried）**　勒威
Loewe, Frederick　勒威
* * * * * * * * * * * *
Marcus, Siegfried　马库斯
Marcus,（Harold）Stanley　马库斯

5．外文人名中的 Saint，Sir，Lord，Lady 等称号不纳入字母排列顺序。

例如：**Brown, Sir Arthur Whitten**　布朗
Brown, Herbert Charles　布朗
* * * * * * * * * * * *
Lucy, SAINT　露西，圣
Lucy, Richard de　露西

6．外文标题中的数字，排列时分以下两种情况：

(1)数字前没有拉丁字母，按数字的英文拼写方法排列（如 1922，按 nineteen twenty-two 多词排列）。

例如：**Niles, Hezekiah**　奈尔斯
1927, Generation of　1927 年一代
Nirgal Vallis　尼尔格峡谷

(2)数字前有拉丁字母，则先按字母顺序排列，再按数字顺序排列。

例如：**F-100**　F-100　战斗机
F-104　F-104　战斗机
M1 rifle　M1 型步枪
M16 rifle　M16 型步枪

二、外文

7．条目外文标题的拼写、顺序、大小写、标音、括号和标点等均根据原书《百科简编》(Micropædia)部分。

三、条目标题

8．按外文(包括拉丁字母转写方式)标题在前、中文标题在后的次序排列。

9．西方人物一般只译外文标题第一个逗号前的姓，部分宗教人物、封有爵位的人物，译出尊称“圣”或爵位名称；日本、朝鲜、越南等东方国家的人物，译全名。其他条目名称全译。

四、释文

10．每个条目(特别是人物条目)释文开头均有概括性定性叙述，一般不重复条目标题。

11．人物条目在中文标题后均括注其生卒日期、地点。

例如：**Brandeis，Louis（Dembitz）** **布兰代斯**(1856-11-13，美国肯塔基路易斯维尔～1941-10-05，华盛顿[哥伦比亚特区])

12．释文千字以下的一般不分段；千字以上的适当分段，长条目一般设置层次标题。

13．释文中的外文专名一般不附原文，个别情况例外。

14．计量单位从原书，英制、公制均照译，原则上不进行换算。

15．一个条目的内容涉及其他条目并需由其他条目的释文补充的，采用“参阅”的方式。所参阅的条目标题在本条释文中出现的，用楷体字排印，并在其后括号中附黑体外文。例如“她是意大利文学中*真实主义*(**verismo**)流派女作家”。所参阅条目的中文标题未在本条释文中出现的，可在释文中或释文结尾括注或直接写明被参阅条目标题的黑体外文，不附中译文。例如“关于热带地区的落叶林，参阅 **monsoon forest**。”

五、专名

16．外国人名大多数根据新华社译名室编辑的《世界人名翻译大辞典》译写并统一；有少数采取“名从主人、约定俗成”，各学科中已有定译的人名采取“名从主科、遵从定译”，数名通用时从众等原则；特殊情况可一名数译。

17．外国地名根据中国地名委员会审定的《世界地名录》统一。该书未收的地名，根据通用的译名表译出。

18．学术专名、作品名和机构团体名，参照专业工具书、《中国大百科全书》以及通用译名统一。

19．科学技术名词以全国科学技术名词审定委员会及各学科有关部门审定公布的为准，尚未统一的从习惯。

20．为避免混淆，在特殊情况下，同名不同译。

六、插图

21．本书在条目释文中配有与条目内容相关的插图(示意图、图片、地图等)，并加图注及供图单位。

七、索引

22．本书第19、20两卷中设有条目中文标题笔画索引及按汉语拼音音序排列的条目中文标题索引，标题后附有简单的定性(分类)及该条目所在的卷次、页码、区位。

A

a-ak(ancient East Asian music) 参阅 **gagaku** 雅乐。

a cappella 无伴奏合唱 意大利语原意为“按教堂风格”，指由无伴奏的人声演唱复调(多部的)乐曲。原用于宗教合唱音乐，现亦用于世俗音乐。约起源于15世纪末作曲家J.德普雷时代，至16世纪晚期在帕莱斯特里纳为梵蒂冈西斯廷礼拜堂所作音乐中达到登峰造极之境。因为乐谱中没有写明独立的器乐声部，后世学者便认为合唱是没有伴奏的，但现已查明，当时是有一架管风琴或其他乐器照式照样“重复”某一个或几个人声声部的。至17世纪，无伴奏音乐让位于康塔塔，在后者的乐谱中，乐器与人声声部均予写明。

A-ch'eng 参阅 **Acheng** 阿城。

A-erh-chin Mountains 参阅 **Altun Shan** 阿尔金山。

A-Ku-Ta 阿骨打 参阅 **Jintaizu Wanyan Min** 金太祖完颜旻。

A-Kuei(Chinese general) 参阅 **Agui** 阿桂。

A-pao-chi 阿保机 参阅 **Liaotaizu Yelü Yi** 辽太祖耶律亿。

A-p'i-ta-mo chü-she lun (Buddhist compendium) 参阅 **Abhidharmakośa**《阿毗达磨俱舍论》。

a posteriori knowledge 后天知识 在康德以来的西方哲学中，指从经验得来的知识，与不受一切特殊经验支配的先验知识相对。

a priori knowledge 先验知识 在康德时期以来的西方哲学中，指与一切具体经验无关的知识。它与从经验得来的后天知识相对立。拉丁语词组“从前面”和“从后面”在哲学中最初用来区别从原因出发的推论和从结果出发的推论。这两个词第一次出现在14世纪逻辑学家萨克森的阿尔贝特的著作中。在这些著作中，先验的推论被认为是“从原因到结果”，后天的推论被认为是“从结果到原因”。后来许多哲学家直到莱布尼兹都提出类似的定义。在具有这些意义的非哲学的文章中有时也出现这种词句。所以如果一个人从某被控告的人以前曾多次被判罪的事实推论出这人是有罪的，则他就会被认为是为先验知识作论证。不过，应当指出：中世纪的逻辑学家是在亚里士多德三段论的意义上使用“原因”这个词的，并不必然地意味着时间上在先的东西。我们不必求助于经验就可以认识的东西往往是诸如数学定理之类的必然真理，而那些只有通过经验才能认识的东西却被认为不是必然的。虽然用先验来辨认出我们在数学中所把握的那种知识是比较近期的事，但是哲学家对这类知识的兴趣却几乎与哲学本身的历史一样悠久。没有一个人会怀疑自己通过视、听和感觉能获得知识，但那些认真相信仅靠思维就有学得知识的可能性的哲学家们却经常认为这种观点需要加以某种特别的解释。柏拉图在他的《曼诺》篇和《费多》篇中认为只有当我们能够直接地沉思永恒的理念或形式、引起对先前存在所具有的知识的回忆时才能获得几何学真理。奥古斯丁和他中世纪的信徒同意柏拉图的设想，但不能接受他的理论的细节。他们认为理念在上帝心中，上帝经常给人们以理智的启示。笛卡儿则更甚，认为一切为先验知识所需要的观念都是个人的头脑中所固有的。所有这些理论都以我们有特殊的机会研究先验知识的题材为前提，来解释先验知识的可能性。在非柏拉图主义的先验知识理论中也重新提出这一概念。这一理论首先由T.霍布斯在他的《论物体》中加以阐明，在20世纪又为逻辑经验主义者所接受。根据这个理论，必然性的陈述可以成为先验的，因为它们仅仅是我们自己的使用语词规则的副产品。

A&P 参阅 **Great Atlantic & Pacific Tea Company, Inc.** 大西洋与太平洋茶叶公司。

AA 参阅 **Alcoholics Anonymous** 戒酒协会。

AAA 参阅 **Agricultural Adjustment Administration** 农业调整署、**Amateur Athletic Association** 业余田径协会。

Aabenraa(Denmark) 参阅 **Åbenrå** 奥本罗。

Aachen 亚琛 荷兰语作Aken(阿肯)，法语作Aix-la-Chapelle(艾克斯拉沙佩勒)。德国西北部北莱茵-威斯特伐利亚州城市。西与比利时、荷兰接壤。原为查理曼皇帝官邸，从中世纪到宗教改革时期成为神圣罗马皇帝和日耳曼国王的主要加冕地。1166和1215年两次获城市特许状。约1250年成为帝国自由城市。由于其位置接近法国边境，又由于其远离神圣罗马帝国中心，故不甚安全，遂开始衰落，1562年加冕地点改至美因河畔法兰克福。1668年起为数次和平会议会址。1794年被法国占领，1801年被法吞并。维也纳会议(1814～1815)后属普鲁士。第一次世界大战后有一个时期被比利时占领。第二次世界大战中受严重破坏，是第一个落入盟军之手的德国大城市(1944-10-20)。名胜有在第二次世界大战中被严重摧毁的各礼拜堂，以及兼有罗马风格和哥特式建筑的大教堂，亚琛大教堂1978年被联合国教科文组织列为世界文化遗产。在小礼拜堂附近有查理曼的大理石椅子，长久都在加冕时用。查理曼墓石板上角有1168年腓特烈一世(红胡子)所献的青铜枝形灯。市政厅(内有壮观的皇帝宫)、瑟埃尔蒙特艺术博物馆和业琛国际出版博物馆(展出16世纪以来的报纸)等。高等学府有1870年建立的莱茵-威斯特伐利亚工业大学。该城市以多含硫磺的温泉著名，其中以施韦特-奎利温泉温度为国内最高(76°C)。作为采煤区的铁路枢纽和工商业中心，当地有钢铁、纺织、家具制造、玻璃、机械等工业。人口约256 605(2003)。

亚琛市的矿泉疗养地

美国不列颠百科全书公司供图

Aaiún(Western Sahara) 参阅 **El Aaiún** 阿尤恩。

Aakjær, Jeppe 奥克亚(1866-09-10，丹麦奥克亚～1930-04-22，延勒) 丹麦诗人和小说家，丹麦地方文学和社会意识文学的主要倡导人。生长在日德兰农业区，深知本国农庄工人的苦难生活，早期小说主要以此为主题。1904年写的《愤怒的孩子们——一个雇工的传奇》被认为是他最有感染力的作品。但他还是以诗作最为出名，诗集有《自由的田野》(1905)和《裸麦之歌》(1906)。一些丹麦近代作曲家曾为他的诗谱曲。

Aalborg(Denmark) 参阅 **Ålborg** 奥尔堡。

Aalen 阿伦 德国南部巴登-符腾堡州城市。临科赫尔河，施瓦本山北麓，乌尔姆北48千米。1360年成为帝国自由城市。1802年归属符腾堡。保存有古要塞遗迹、17世纪市政厅和18世纪教堂等。1964年开放罗马文物陈列馆。1975年毗邻城市瓦瑟阿尔芬根并入阿伦。为通信中心，有金属加工、纺织和化工业。人口约62 812(1989)。

Aalsmeer 阿尔斯梅尔 荷兰西部北荷兰省城市。在阿姆斯特丹西南13千米处。濒环形运河和韦斯特艾恩德湖。城市老区建立在与海面等高的泥炭地上，四周是低于海面3～5米的肥沃圩田。现为荷兰养花业中心，有苗圃多处，还有世界最大的花卉市场和国立园艺实验站。花卉有石竹、玫瑰、丁香花、小苍兰、菊花以及盆栽植物诸如仙客来和秋海棠。许多鲜花空运出口，种籽和苗圃植物贸易十分兴旺昌盛。人口约 20 379(1984)。

Aalst 阿尔斯特 法语作 Alost(阿洛斯特)。比利时东佛兰德省城市。位于比利时中北部丹德河上，布鲁塞尔西北 24 千米处。有 52 座钟琴的市政厅(建于 12 世纪中叶)为比利时最古老的市政厅，档案馆里藏有 12 世纪卷宗原稿。1360 年毁于大火，旋即重建，其 13 世纪的钟楼则重建于 15 世纪。低地国家中的第一家印刷厂于 1473 年由马顿斯(后为卢万公教大学教授)兴建于此。在权力转移战

阿尔斯特的集市广场
美国不列颠百科全书公司供图

争期间，法国人于 1667 年占领阿尔斯特，南佛兰德转归法国。德国人在两次世界大战中都占领过该城镇。工业主要有纺织品、服装和纺织机械制造。周围地区向一些历史悠久的啤酒厂提供蛇麻子。未完成的哥特式圣马丁教堂(约 1480 年始建)保留许多拱顶绘画、一幅鲁本斯的画和一座迪凯努瓦雕刻的壁龛(1605)。人口:城市区约 78 068(1983)。

Aalto，(Hugo) Alvar (Henrik) 阿尔托 (1898-02-03，芬兰库奥尔塔内～1976-05-11，赫尔辛基) 国际上享有盛名的芬兰建筑师、城市规划家和家具设计师。青年时在赫尔辛基工学院学习建筑，中途爆发芬兰独立战争，因而辍学投身革命。1921 年毕业后游历欧洲，未几回国，在芬兰的于韦斯屈莱开业，1933 年迁居赫尔辛基。1927 和 1928 年先后设计了图尔库的图伦·萨诺马特大厦(报社)、帕伊米奥的结核病疗养院和维普里(今维堡)市立图书馆。这使他获得芬兰最优秀建筑师的地位，同时引起国际上的重视。1937 年巴黎博览会和 1939～1940 年纽约博览会中两座芬兰馆的优美形象，进一步提高了他的声誉。1938 年他设计的建筑物图片和家具样品，在纽约现代艺术博物馆展出。50 年代以后，他设计了西德不来梅的高层公寓(1958)、

美国不列颠百科全书公司供图

意大利博洛尼亚教堂(1966)、伊朗艺术博物馆(1970)。又为美国设计两件作品——麻省理工学院的宿舍和俄勒冈州的芒特安杰尔大教堂图书馆。最能表现他的自然风格的作品是芬兰赛于奈察洛市政厅建筑群:绿树环绕，规模不大，使用的材料是芬兰红砖、木材和铜材，其朴素雅致的结构具有一种宁静的魅力，使人感到隽永秀丽，意味深长。他是芬兰科学院院士，1963～1968 年兼科学院院长；1928～1956 年是国际现代建筑会议的成员。1957 年获英国皇家建筑师学会金质奖章，1963 年获美国建筑师学会金质奖章。一生设计了 200 多座建筑物。

他的作品为 20 世纪斯堪的纳维亚最优秀建筑的典范。早期的现代建筑设计通常采用刻板的几何图形的式样，而他是打破上述设计框框的先进者之一。他提倡自由活泼的建筑形式和个人的表现手法。他使用各种地方材料，注意建筑物与地形特点的协调，并着力处理好建筑物的每一处细部。他设计的作品具有浪漫主义和地方特色的风格，表现了芬兰及其人民的纯朴自然而热情奔放的精神。

Aarau 阿劳 瑞士北部阿尔高州首府，位于侏罗山脉南麓阿勒河右岸、苏黎世西，约 1240 年建城。1798 年为海尔维第共和国首都。著名建筑物有 13 世纪的几座城楼、市教堂(1471)、市政厅(1762)和一所州立图书馆，收藏有宗教改革家茨温利作过旁注的《圣经》。东北部为哈布斯堡家族旧居废墟。中世纪的伦茨堡城堡在阿劳以东，内有一所历史博物馆和一个经常举行会议的场所。城市新建部分有许多工业部门。工业产品有电器、钟、精密仪器、鞋、棉纺织品和化工产品。居民主要讲德语，约有 75% 的人信仰基督教新教。人口约 15 750 (1987)。

aardvark (*Orycteropus afer*) **土豚** 又作 antbear。又称蚁熊。管齿目土豚科的哺乳动物，产于撒哈拉沙漠以南的森林或平原，体型笨重似猪，故得名。体长达 180 厘米(包括 60 厘米尾长)。毛色各异，由黑色有光泽而浓密至沙黄色而稀疏。吻长，耳长如兔，腿短，趾长，并有大而扁平的利爪；第 2 和第 3 趾以蹼状组织相连。夏天产一仔。土豚穴居，白天在穴中休息，夜间方敢外出，掘开蚂蚁或白蚁巢穴，用其带黏性的长 30 厘米的舌头迅速舐食奔逃的昆虫。土豚虽无进攻性，但能用利爪抵挡狮和豹等的进攻。以前把土豚与食蚁兽、树懒和犰狳一并列入贫齿目，但土豚与贫齿目动物以及其他所有的哺乳类不同，其恒牙中央的髓腔辐射出多数细管横穿牙本

土豚(*Orycteropus afer*)
美国不列颠百科全书公司供图

质，管齿目因此得名。管齿目的系谱可追溯到 6 000 万年前。管齿目与其他哺乳动物目的亲缘关系仍待研究。

aardwolf (species *Proteles cristatus*) **土狼** 一种非洲食肉目哺乳动物，常归入鬣狗科，但有些权威将其分出单立一土狼科。其名来自南非语。形似小型的条纹鬣狗。体色浅黄，有垂直黑纹。尾毛浓密，尾尖黑色。沿背脊生有长而粗糙、能竖立的鬃毛。前腿比后腿长，耳大，吻尖，颚部和牙不坚。体长 55～80 厘米，尾长 20～30 厘米。体重 8～12 千克。土狼栖于非洲南部和东部开阔多草的平原。有两个地理分隔的种群，一个集中于南非，一个从坦桑尼亚中部向北分布到埃及南部。土狼主要以白蚁，尤其是 *Trinervitermes trinervoides* 为食。夜间活动，居于地穴。通常独居，但有时成小群觅食。每产 3～4 仔。土

土狼(*Proteles cristatus*)
美国不列颠百科全书公司供图

狼对人无害，胆怯。受攻击(如受狗攻击)时会喷出有麝香气味的液体，并可能与攻击者搏斗。

Aare River 阿勒河 莱茵河支流，全部在瑞士境内的最长河流(295 千米)，流域面积 17 779 平方千米。发源于瑞士中南部伯尔尼兹山，向北流经迈林根，穿过风景如画的阿勒峡谷。流过布里恩茨湖和图恩湖后，这条河向西北流过一深谷后围绕几乎整个伯尔尼城所在地环行，又向西流入沃伦湖，然后向北流经阿尔堡。继而向东北沿着侏罗山麓奔流，在布鲁格接纳罗伊斯河和利马特河后，在瑞士的科布伦茨注入莱茵河。

Aargau 阿尔高 法语称 Argovie(阿尔戈维)。瑞士北部一州,北邻德国,西与巴塞尔乡村半州和索洛图恩州交界,南为卢塞恩,东为楚格和苏黎世。面积 1 405 平方千米。地处阿勒河下游,在阿尔卑斯和侏罗山脉间形成大瑞士平原的东北部。宜人的树木葱葱的山丘与峡谷交替。1415 年瑞士联邦夺取这一地区,原主哈布斯堡家族发源于**阿劳(Aarau)**附近,伯尔尼保持西南部分。1798 年,伯尔尼部分成为海尔维第共和国阿尔高州,其余的组成巴登州。1803 年该两部分连同 1802 年奥地利割让的弗里克加入瑞士联邦成为阿尔高州,是瑞士最富饶地区之一。主要出产乳制品、水果、谷物和草帽辫。工业有电机、精密仪器、纺织品、水泥和雪茄,以及采掘和精制盐。在贝兹诺有几座核电站。居民几乎全部讲德语,有一小部分新教徒。人口约 484 308(1989)。

Aarhus (Denmark) 参阅 **Århus 奥胡斯**。

Aarlen (Belgium) 参阅 **Arlon 阿尔隆**。

Aaron 亚伦(活动时期约公元前14世纪) 传说中创立犹太教祭司制的第一位祭司。《旧约·出埃及记》载,亚伦是利未人暗兰娶约基别所生之子,比弟弟摩西大 3 岁。他同摩西一道,领导受苦难的以色列人离开埃及。摩西是实际上的领袖,亚伦作摩西的代言人。兄弟二人一同进见法老,由亚伦发言劝说法老允许以色列人出境,并以法杖行各种神迹,彰显上帝雅赫维的神力。法老终于同意以色列人出境,雅赫维乃指示亚伦和摩西设立逾越节,作为每年一度纪念出埃及的宗教节日。但雅赫维只允许摩西一人登西乃(西奈)山靠近他。摩西后来奉命将亚伦及其众子率领到雅赫维近处,使他们凭永远的定例受祭司的职分,亚伦的子孙要承袭祭司的圣衣。当摩西停留在西乃山上时,亚伦铸造金牛犊,百姓把它当作偶像崇拜。在一年一度的赎罪日,希伯来人各支派在会幕中献祭,亚伦可以进入会幕中的至圣所。当摩西娶异族古实女子为妻时,亚伦和妹妹米利暗谴责摩西;但是正如在前次拜金牛犊事件中一样,亚伦仅仅受到责备,而米利暗却受到惩罚。然而,在利未人可拉一党发动叛乱时,亚伦坚决站在摩西一边。据《民数记》第 20 章载,亚伦死于何珥山上,享年 123 岁;另据《申命记》第 10 章说,他死于摩西拉并葬于该地。传统上亚伦是《出埃及记》的中心人物,但是自从出了埃及后,他只成了摩西身边的一个影子。现在有的学者认为,摩西的轶事源出于以色列分裂后南方犹大国,而关于亚伦的旧传说则源自北方以色列国。又有人认为,有关摩西的传说主要是塑造一位先知,而关于亚伦的传说则是论述祭司的职分。有的学者认为,摩西代表王权思想,而亚伦则体现祭司制。《旧约》的律法书和历史书都反映国王与大祭司之间一向存在着矛盾。

Aaron, Hank 艾伦(1934-02-05,美国亚拉巴马莫比尔～) 原名 Henry Louis Aaron。美国职业棒球运动员。他在1954～

美国不列颠百科全书公司供图

1976 年 23 个赛季的重大联赛中的击球纪录超过了包括 B.鲁思、T.科布和 S.穆西埃尔在内的一些最优秀的球员。艾伦右手握棒,于 1952 年开始职业棒球生涯。他在美国黑人联赛中作为印第安纳波利斯小丑队的游击手打了几个月的球。后来全国棒球联盟波士顿勇士队买下了他的合同,指派他到小联赛队中去,先在威斯康星州的欧克莱尔、后在佛罗里达州的杰克逊维尔打球。1954 年,他加入当时已搬迁到密尔沃基的勇士队,在那里他主要打外场手的位置。1956 年他以 0.328 的击球率荣获联赛击球冠军。1957 年他带领他的队在世界系列赛中取胜,被选为联赛中最有价值的球员。1965 年年底,在勇士队搬到亚特兰大之前,艾伦击出了 398 个本垒打。1974 年 4 月 8 日,他在亚特兰大击出第 715 个本垒打,从而打破了由鲁思自 1935 年以来保持的纪录。1974 年赛季结束后,他被卖给美国棒球联盟的密尔沃基酿酒者队。1976 年赛季后,艾伦退出球员生活,重新加入亚特兰大勇士队,担任副主席,负责物色和培养球员的工作。1982 年 1 月 13 日入选棒球名人堂。艾伦的击球纪录包括 755 个本垒打、1 477 个多垒安全打和2 297个归功于击球员击球的跑垒得分。他运动生涯中的其他统计数字有:2 174次得分跑(仅次于科布),参加 3 298 场比赛(仅次于罗斯),上场击球 12 364 次,他的安全打数为3 771,仅为利布和罗斯超过,艾伦一生的安打率为 0.305。

Aaron ben Elijah 亚伦·本·以利亚(1328 或 1330,奥斯曼帝国尼科美底亚[今土耳其伊兹米特]～1369) 君士坦丁堡(今伊斯坦布尔)的犹太教神学家,他是以哲学为卡拉派教义辩解的唯一学者;卡拉派是犹太教内一派,8 世纪兴起于波斯,否定口传,不相信《塔木德》。

Aaronic priesthood 亚伦祭司 耶稣基督末世圣徒教会内两类祭司中的较低一类,主要负责教会财务和行政管理。参阅 **Mormon**。

Aasen, Ivar (Andreas) 奥森(1813-08-05,挪威孙默勒～1896-09-23,克里斯蒂安尼亚[奥斯陆]) 挪威语言学者、方言学家。曾构拟乡村语(今名新诺尔斯语或新挪威语),成为挪威两种官方语言之一。奥森学习古挪威语后,调查当代挪威方言,鉴定其为古挪威语真正支系,而受丹麦语影响的挪威书面语,则不是真正支系。研究结果发表在《挪威方言语法》(1848)和《挪威方言词典》(1850)两书中,为普及乡村语铺平了道路。他认为挪威作家的纯粹文学语言应是纯正的挪威语,而不是官方的丹麦-挪威语,所以他使用他所构拟的混合方言创作诗歌和剧本,继续扩展并改进他的语法和词典。1864 年定型语法出版,1873 年乡村语定型词典问世。他构拟的语言与挪威西部方言极为相似,略经修改,很快受到全国重视,终于获得与丹麦-挪威语同样的官方语言地位。1842 年奥森获得赞助金,得以集中全力进行语言学的考察。

AATUF 全非工会联合会 参阅 **African Trade Union Unity, Organization of 非洲工会统一组织**。

AAU 参阅 **Amateur Athletic Union of the United States 美国业余体育联盟**。

ABA 参阅 **American Basketball Association 美国篮球协会**。

Aba 阿巴 尼日利亚南部伊莫州城镇。位于阿巴河西岸,地处通往哈科特港、奥韦里、乌穆阿希亚、伊科特埃佩内和伊科特阿巴锡(奥波博)各公路的交叉点。1901 年建为英军据点之前一直是热带雨林伊格博人的传统市场城镇。1915 年与哈科特港(在其西南 58 千米处)之间建设铁路以来,成为农产品(主要为棕榈油和棕仁)的集散中心。到 20 世纪 30 年代已成为城镇社区,现为该州最大的工商业中心。建有 30 千米的输气管道,从伊莫河天然气田向阿巴工业区输送能源。镇内有纺织品、药品、肥皂、塑料、水泥、鞋类、化妆品等制造业,此外还有一家啤酒厂和一家酿酒厂。有一所艺术和科技学校、数所中学、一所师范学院以及数所技术和商业研究所。有一家官办总医院和几家私人医院。该镇以其手工艺品著称,并为地方政务会所在地。人口约 277 300(1993)。

abaca (*Musa textilis*) **蕉麻** 芭蕉科植物。叶柄中可提取纤维,其重要性在**叶纤维(leaf fibre)**中居第二位。本植物虽有旧称马尼拉麻、宿务麻、达沃麻,但与真麻无亲缘关系。原产于菲律宾,于 19 世纪成为制绳主要原料。1925 年荷兰人开始在苏门答腊种植蕉麻,美国农业部也在中美洲设立种植园。1930 年在英属北婆罗洲(今马来西亚沙巴)开始小规模商业性生产。第二次世界大战中盟军得不到菲律宾产的蕉麻,美洲的蕉麻产量激增。至今菲律宾仍是世界最大的蕉麻生产国。蕉麻植株和香蕉树(*M. sapientum*)近缘并相似。从根茎生长出可多至 25 个不含有纤维的肉质枝茎,丛生成环形。枝茎直径约 5 厘米,长有约 12～25 个叶柄,交叠包覆在直径约 30 ～ 40 厘米的非木质的假主茎上。叶柄上的长椭圆形叶片，上面呈鲜绿色，下面呈黄绿色，长约 1 ～ 2.5 米，最宽处约 20 ～ 30厘米。第一批叶柄从主茎底部长出，其余

剥蕉麻纤维（菲律宾）
美国不列颠百科全书公司供图

顺序从主茎上较高部位长出，因而最老的叶片在外面，新的叶片包在里面，顶端高可达 4 ～ 8米。叶柄和纤维的颜色，随生长的位置而异，外部最深，里层最浅。当叶柄长齐后，顶部开出一长串奶油色到深玫瑰色丛生的小花朵。香蕉状果实不能食用，长约 8 厘米，直径 2 ～ 2.5 厘米，皮绿，果肉白色，种籽粒大，呈黑色。植株适宜在排水良好的肥沃松质沙土中生长。一般用成熟的根茎繁殖，在雨季开始时种植，间距为 2 ～ 3 米。18 ～ 24 个月后，每株有 2 ～ 3 个主茎可收割，此后每隔 4 ～ 6个月收割 2 ～ 4 个主茎。枝茎和周围的叶柄一般在盛花期从近地面处割下。植株在 10 年后须重新种植。在菲律宾，含有纤维的外层从叶柄一端割开剥下成条状，用手工或机械挤去肉质，分离出纤维，然后晒干。中美洲广泛采用机械方法制麻：叶柄切成 0.6 ～ 2米长，用机械压挤并刮擦，干燥亦用器械进行。纤维束的平均长度 1 ～ 3 米，随叶柄的大小和加工方法而异。纤维色泽有白、棕、红、紫或黑色，因植株品种和枝梗位置而不同，有光泽，外层叶鞘的纤维强度最大。蕉麻由于强度极大、柔软、有浮力和抗海水侵蚀性好，主要用作船用绳缆、钓鱼线、吊车绳索、动力传递缆索和渔网线。有些蕉麻可用来制地毯、桌垫和纸。内层纤维可不经纺纱而制成耐穿的细布，在当地用于衣服和鞋帽。

Abacha, Sani　阿巴查（1943-09-20，尼日利亚卡诺～ 1998-06-08，阿布贾）　尼日利亚军事领袖，国家元首（1993 ～ 1998）。毕业于尼日利亚和英国的军事训练学院，1983 年已任旅长，帮助 I.巴班吉达推翻 S.沙加里。后曾任巴班吉达的副手。1993 年举行大选，M.阿比奥拉获胜，巴班吉达宣布选举无效，成立临时文官政府，阿巴查迅即予以推翻。阿巴查禁止一切政治活动，成立一支约 3 000 人的私人保安部队。他残酷镇压持不同政见者，以叛国罪监禁阿比奥拉和 O.奥巴桑乔，迫使诺贝尔奖获得者 W.索因卡逃亡国外。其最残酷的行为则是以叛国罪关押、审讯并最后处死作家 K.萨罗-维瓦和其他反对跨国公司榨取奥戈尼地区石油的活动家。1998 年 6 月猝死，继任的军事首脑 A.阿布巴卡尔于 1999 年还政于选举产生的文官政府。阿巴查死后，传言他和其家族曾窃取约 30 亿美元，大部分存在欧洲银行。2002 年奥巴桑乔政府和阿巴查家族达成协议，以归还大部分财产来换取停止刑事诉讼。

abacus　算盘　计算工具。算盘历史悠久，巴比伦、古埃及、古罗马等文明古国都有各自形制的算盘。但长期以来使用最广泛的首推中国算盘。中国算盘又称珠算盘。盘中有横梁，梁上二珠（亦有一珠或三珠者），以一当五。梁下五珠（亦有四珠者），以一当一。档自左向右，位值由大到小，如……万、千、百、十、个位，再往右有小数的分、厘、毫、丝、忽……算盘的档数可多至 30 档以上。中国珠算由古代筹算演变而来。从唐代中叶开始演变，至元末（一说宋代）形成。明代珠算已广泛使用。现存的早期珠算书籍大都是 16 世纪中叶的作品。以程大位《算法统宗》（1592）最为有名。中国珠算曾流传至朝鲜和日本。日本的算珠小，切面呈菱形，使用时

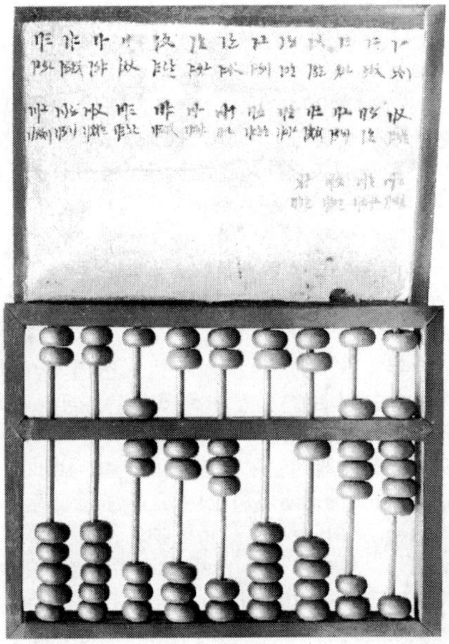

中国算盘
美国不列颠百科全书公司供图

用拇、食二指拨动。中国算盘算珠大，切面呈鼓形，用拇、食、中三指拨动。俄罗斯算盘属另一形制，横档、每档十珠，位值由上而下递减。熟练珠算手在加减法运算上可和普通计算机竞赛。

Ābādān　阿巴丹　阿拉伯语拉丁字母转写作ʿAbbādān。伊朗西南末端城市。在伊朗产油区胡齐斯坦省内。位于阿拉伯河东岸的同名岛上，距波斯湾 53 千米，因而坐落在与伊拉克交界处。阿巴丹岛西濒阿拉伯河，东临卡伦河的支流巴赫曼希尔河。岛长 68 千米、宽 3 ～ 19 千米。据说该岛为一神职人阿巴德于 8 世纪时所兴建。阿巴丹在阿拔斯时代是一繁荣的沿海城镇，以产盐和编席闻名。但由于淤泥沉积使阿拉伯河三角洲延伸，造成波斯湾海岸逐渐自阿巴丹退离。至 14 世纪阿拉伯地理学家伊本·巴图塔到达该城镇时，它被描绘成仅为一个在平坦、盐质平原上略大些的村庄。波斯和奥斯曼土耳其人久为阿巴丹的归属而争吵，不过波斯终于在 1847 年获得该地。20 世纪初期在胡齐斯坦境内发现油田前，其村庄状态仍未变。1909 年，英波石油公司（属伊朗部分于 1951 年国有化并成为伊朗国家石油公司）在阿巴丹建起管道终端炼油厂。1913 年炼油厂开始运转，至 1956 年，阿巴丹已发展成为拥有超过 22 万居民的城市，其经济完全以石油提炼和运输为主。炼油综合企业有管道从油田通往北方，后又新建管道从阿巴丹通往德黑兰和设拉子。至 20 世纪 70 年代末，该市的炼油厂也许是世界最大者。1980 年 9 月，在伊拉克突然入侵胡齐斯坦的过程中，阿巴丹几乎也被占领。但伊拉克终究未能得逞，只好以大炮和飞机轰炸摧毁了炼油厂，使该市几乎成为一片废墟。1988 年两伊战争停止后，伊朗在阿巴丹重建工厂，重新开始石油提炼，但规模较小。人口 206 873（1996）。

Abae　阿巴厄　希腊福基斯东北角一古镇，以镇上阿波罗神殿闻名，吕底亚国王克罗伊斯曾亲至神殿聆取神谕。公元前 480 年波斯人洗劫并焚烧神殿，但人们仍然前来聆听神谕，如公元前 371 年留克特拉战役前底比斯人曾来求示神谕。公元前 355 ～前 346 年的神圣战争期间，神殿再度被焚，罗马皇帝哈德良重建其中部分。古镇旧址上有城墙和卫城的废墟。

Abaha（people）　**阿巴哈人**　参阅 **Ha** 哈人。

Abahai　皇太极　参阅 **Qing——**：清朝帝王序列下 Qingtaizong Abahai 清太宗皇太极。

Abaiang Atoll　阿拜昂环礁　又拼 Apaiang。又称阿皮亚岛，旧名夏洛特岛。太平洋中西部基里巴斯所属的吉尔伯特群岛中的一个珊瑚环礁。包括北吉尔伯特群岛中的 6 个小岛，总陆地面积 16 平方千米。所环潟湖（26 千米 × 8 千米）为避风锚地。1788 年，欧洲人吉尔伯特船长发现该岛，以其船“夏洛特”号船主之名命名该岛的马修岛。他为潟湖命名夏洛特湾，为主要岛屿命名夏洛特岛。随后在名称上出了一些错误，该岛遂称为夏洛特岛。该地区第一位有影响的传教士是美国人宾厄姆，他于 1857 年到达当地。日本人于 1941 ～ 1943 年占领该环礁，随后美军又用之作为进攻马绍尔群岛的基地。阿拜昂环礁的行政中心和主要村庄为塔布拉奥。出口椰干。人口6 020（1995）。

Abakaliki　阿巴卡利基　尼日利亚东南部阿南布拉州城镇。位于通往埃努古、阿菲波和奥戈贾的公路的交叉处。该镇为伊格博人农产品（薯蓣、木薯、稻米、棕油和棕仁）贸易中心，地处著名的铅、锌矿和石灰石产地。殖民地时期以前已开采铅矿，但世界市场价格上涨后才大量开采。石灰石供给西北偏西 35 千米处的恩卡拉古的水泥厂。阿巴卡利基有数家医院和中学。为地方政务会所在

地。有生产家禽和禽蛋的国营农场。人口约83 651(1991)。

Abakan 阿巴坎 1931年以前称乌斯季-阿巴坎斯科耶市。俄罗斯中南部哈卡斯共和国的城市和行政中心。位于阿巴坎河左岸,近叶尼塞河支流处。是南西伯利亚铁路(1960年通车)的起点,连接新库兹涅茨克,然后由此通往巴尔瑙尔、阿克莫林斯克和马格尼托哥尔斯克。有金属加工、制鞋和食品加工等工业。附近有煤和铁矿并进行开采。人口约166 000(1997)。

abalone 鲍鱼 腹足纲前鳃亚纲鲍科鲍属(*Haliotis*)海生螺类,有数种。分布于世界各地温暖的海洋中。贝壳一枚,呈盘状,其外缘有一列小孔,随着生长小孔逐渐堵塞,但最后

鲍鱼(*Haliotis*)
美国不列颠百科全书公司供图

5～9个孔始终保持通畅用以排出废物。鲍鱼体型大小依种的不同而异,长数厘米至25厘米,高7.5厘米。鲍鱼贝壳内面亮泽,有虹彩光泽,可用以制造装饰品。其腹足大,可食,在一些国家被视为美味。在加利福尼亚、墨西哥、日本和南非有商业性的捕捞。最大的鲍鱼是美国西海岸的红鲍(*H. rufescens*),长30厘米。

Abancay 阿班凯 秘鲁南部印加地区阿普里马克省省会。位于马里诺河东岸凉爽干燥的山间盆地。海拔2 377米。阿班凯一名源于类似白百合的一种野花的克丘亚印第安语名称amankay。该城确切兴建时间不明,但在西班牙殖民时期(1533～1821)为重要商业中心。1873年设镇,1874年设市。现为本省广袤地区的农工业中心。甘蔗种植、榨糖、酿酒、采铜和养蚕为重要经济项目。阿班凯位于利马东南偏东480千米处,相当偏僻。有公路通安第斯山区城市阿亚库乔和库斯科,并在纳斯卡连接沿海的泛美公路。人口:市约49 513(1998)。

abandonment 放弃 在英美财产法中,指意图终止财产所有人对该财产的一切权益而不再占有财产。放弃的方式有:抛弃财产,遗失而不寻找,腾空房地产而无意回来重新使用,或以任何其他行为表示完全放弃对该财产的所有权。放弃的一般法律后果是,最先的占有人取得对该财产的全部所有权。在法国和民法法系国家中,放弃这个术语的技术性较强,意思是指债务人交出财产以清偿他对债权人所负的债务。

Abaoji 阿保机 参阅 **Liaotaizu Yelü Yi** 辽太祖耶律亿。

Abariringa Atoll (Kiribati) **阿巴里灵阿岛** 参阅 **Kanton Atoll** 坎顿岛。

Abasëyanık, Sait Faik 阿巴瑟亚纳克 (1907,奥斯曼帝国阿达帕扎勒[今在土耳其]～1954-05-11,伊斯坦布尔) 土耳其现代文学中杰出的短篇小说家。就读于君士坦丁堡和布尔萨。1931～1935年住在法国格勒诺布尔。回国后,开始在主要的先锋派期刊《生存》上发表短篇小说。他的短篇小说开创了土耳其文学的新风格:不定型,且缺乏常见的故事主线,但却用一段引人入胜的生活片断表达了人生的各种情绪。1936年阿巴瑟亚纳克出版第一部短篇小说集《茶炊》,随后,《废人》(1948)、《伴侣》(1951)等12部短篇小说集相继问世。《一群人》(1952)是他的试验性长篇小说,因就阶级差别发表强烈见解而受到审查。

Abate, Niccolò dell' (Italian painter) 参阅 **Abbate, Niccolò dell'** 阿巴特。

abatement 诉讼程序中断 在法律上,指被告人提出抗辩,阻止原告人在某个时间或以某种方式将诉讼进行下去,从而使法定的诉讼程序造成中断。被告人要求停止诉讼的抗辩可针对原告人主张的地点、方式或时间提出异议。曾有一个时期,衡平法上的诉讼程序中断与普通法上的诉讼程序中断是不同的。前者仅仅是指诉讼程序的暂时中止,一旦缺陷得到纠正,诉讼即恢复进行;后者则指终止诉讼程序,原告人只能重新起诉。现在更为通用的是后一种的中断诉讼程序。英文abatement一词在法律上也用来指排除或制止骚扰,例如制止胡闹或起哄等。

Abauzit, Firmin 阿鲍齐特 (1679-11-11,法国于泽斯～1767-03-20,瑞士日内瓦) 法文《新约》的译者之一。其双亲为新教胡格诺派信徒,在他10岁时将他送往日内瓦以避

美国不列颠百科全书公司供图

天主教迫害。晚年周游德意志、荷兰、英格兰各地,结识哲学家培尔和牛顿等名人。1726年参与翻译法文本《新约》,1727年成为日内瓦公民。法国狄德罗所著《百科全书》中的《启示》条目出自他的手笔。

'Abbādid DYNASTY 阿巴德王朝 11世纪西班牙科尔多瓦哈里发垮台后诸"帮派王国"(泰法)时期在塞维利亚兴起的安达卢西亚的穆斯林阿拉伯王期。1023年,宗教法官阿布卡西姆·穆罕默德·伊本·阿巴德宣布塞维利亚脱离科尔多瓦而独立。其子阿布阿姆·阿巴德(1042～1069)以穆阿台迪德而知名,强行兼并了梅尔图拉、涅夫拉、韦尔瓦、萨尔特斯、锡尔维什、圣玛丽亚-德阿尔加维等小王国而极大地扩充了自己的地盘。一位诗人和诗人的庇护者,穆阿台迪德,以残酷不仁而臭名昭著;1053年他将南安达卢西亚的若干柏柏尔酋长关在塞维利亚的一间蒸汽浴室里窒息而死,然后夺取了他们的阿戈斯、莫龙、龙达等王国。该王朝最后一位诗人国王穆罕默德·伊本·阿巴德·穆阿台米德(1069～1095)把塞维利亚建设成西班牙穆斯林文化的灿烂辉煌的中心,他于1071年占领了科尔多瓦。1075年前他在此维持了不很牢靠的统治。1078～1091年,其大臣和随行诗人伊本·阿马尔征服穆尔西亚时,他又占领了该城。但由于同卡斯蒂利亚国王阿方索六世发生冲突,又由于基督教在阿拉贡和巴伦西亚的发展和托莱多的陷落(1085),连同国内宗教狂热分子的压力,阿巴德王朝的地位被削弱了,穆阿台米德不得不与阿尔摩拉维德王朝的优素福·伊本·塔舒芬结成联盟。尽管阿巴德王朝在1086年的宰拉盖战役中支持过伊本·塔舒芬,但后来塔舒芬却转而反对自己的盟友并围攻塞维利亚。穆阿台米德进行了英勇的防御战,但终于被阿尔摩拉维德的同情者所出卖,该市于1091年陷落。随着穆阿台米德及其家庭被流放至摩洛哥,阿尔摩拉维德开始在西班牙占据统治地位。

Abbadie, Antoine-Thomson d'; and Abbadie, Arnaud-Michel d' 达巴迪兄弟 (安托万1810-01-03,爱尔兰都柏林～1897-03-19,意大利皮利利奈;阿尔诺1815-07-24,都柏林～1893-11-13,法国于吕涅) 法国两兄弟,地理学家兼旅行家。1838～1848年对埃塞俄比亚的地理、地质、考古和自然史进行了广泛考查。安托万发表过关于234件埃塞俄比亚手稿的分类目录和说明(1859)、地理发现(1860～1873)和埃塞俄比亚地理之一部分(1890)。对其地理发现曾有争议。后来探险者证明其论断大部是正确的。1873年,他发表了1836年在巴西科学考察的结果。阿尔诺·达巴迪著有《在上埃塞俄比亚十二年》(1868)一书。

Abbado, Claudio 阿巴多 (1933-06-26,意大利米兰～) 意大利指挥家,维也纳国家歌剧院音乐总监(1986～1991),维也纳爱乐乐团(自1971年起)、伦敦交响乐团(1979～1988)和柏林爱乐乐团(自1989年起)首席指

中国大百科全书出版社供图

挥。出身于米兰一历史悠久的音乐家族，其父米凯兰杰洛是小提琴家。16岁入威尔地音乐学院主修钢琴、作曲与指挥，后又在锡耶纳的基贾纳学院和维也纳音乐学院学指挥，师从H. 施瓦劳斯基。1958年在美国马萨诸塞州坦格尔伍德音乐节获库塞维茨基指挥奖，1963年获米特罗普洛斯指挥奖。1965年首次在英国演出，在曼彻斯特指挥哈勒管弦乐队；1966年开始与伦敦交响乐团长期合作，定期指挥乐团演出，至1979年。阿巴多曾任米兰拉斯卡拉歌剧院音乐总监多年，使之成为一座更能为工人阶级歌剧观众所接受的歌剧院。他指挥的日耳曼体系管弦乐曲目以及后来对G. 罗西尼和G. 威尔地音乐的特别爱好使他名闻遐迩。

ʿAbbas 阿拔斯 古代各统治者之名，按国别分列于后，并各以●为标记。

埃 及

●**ʿAbbās I 阿拔斯一世**（1813～1854-07-13，埃及本哈） 奥斯曼人统治下的埃及总督（1848～1854）。任内审慎地反对其祖父穆罕默德·阿里帕夏（1805～1848任总督）开始施行的西方化改革。他不信任欧洲人和接受欧洲教育的埃及人，反对穆罕默德·阿里所实行的各项改革。他关闭或废弃公办学校和军事学校以及工厂，裁减军队，停建三角洲水坝工程，反对法国人提出修建苏伊士运河的建议。但批准英国修建亚历山大—开罗铁路，以换取英国在他与奥斯曼政府在埃及推行西方化改革（tanzimat）问题上发生的争执中给予帮助。阿拔斯一世在克里米亚战争（1853）中派遣远征军支援奥斯曼人作战以示忠诚。他还废除了禁止奥斯曼人与欧洲列强签订合同的国家贸易垄断。由于反对改革，他落了个反动派的名声。然而他削减政府开支，通过豁免赋税、减少徭役和兵役使穷人得到利益。阿拔斯一世性情孤僻，独居本哈的宫中，后被两名仆人勒死。

●**ʿAbbās II 阿拔斯二世**（1874-07-14，埃及亚历山大～1944-12-20，瑞士日内瓦） 又称阿拔斯·希勒米帕夏。英国统治时期最后一任埃及总督（1892～1914）。他反对英国对埃及的统治，是民族主义运动中的重要人物。阿拔斯二世执政初期企图摆脱英国驻埃及总领事克罗默勋爵的控制，自己独立统治埃及。英国在埃及的势力增强引起公众不满，民族主义者又热情支持他，他受到鼓舞，并任命一位著名反英人士为总理。1894年他批评了英军的效率后，克罗默勋爵遂采取步骤限制总督的独立行动。1894年后，阿拔斯二世虽不再领导民族主义运动，但仍为泛伊斯兰的反英日报《拥护者报》提供财政援助。但到1906年民族主义者要求建立立宪政府时，他却与英国人合作，拒绝关于立宪的要求。次年，他同意成立以穆斯塔法·卡米勒为首的祖国党，与英国人支持的温和派民族主义政党民族党相对抗。基钦纳勋爵出任总领事（1912～1914）后，祖国党的领袖遭到流放或监禁，阿拔斯二世势力被削弱。第一次世界大战爆发后，阿拔斯二世呼吁埃及人和苏丹人支持同盟国对英国人作战。1914年12月18日英国宣布埃及为保护国；次日废黜阿拔斯二世。叔父侯赛因·卡米勒（1914～1917在位）取代他获苏丹称号。1922年埃及宣布独立，阿拔斯二世完全丧失王权之后流亡国外，主要在瑞士度过余生。

波 斯

●**ʿAbbās I 阿拔斯一世**（1571-01-27～1629-01-19） 别名阿拔斯大帝。波斯的沙赫（国王）。他把奥斯曼、乌兹别克军队逐出波斯领土，并建立常备军队从而加强了萨非王朝；他定伊斯法罕为都，促进商业和艺术，在他统治期间，波斯的艺术成就极高。苏丹穆罕默德·沙赫的第3子，1588年10月即位。他所面临的主要任务：一是恢复国内的安定，重振王朝的权威；一是把外国侵略军队赶出波斯领土。由于无法在两条战线上同时作战，他与奥斯曼帝国签订和约，以便腾出手来进攻乌兹别克。根据这一条约，他把波斯西部和西北部的广大地区割给奥斯曼帝国。尽管如此，阿

华盛顿弗里尔美术馆供图

拔斯有10年时间未能向乌兹别克人发起重大攻势，他被迫将更多的领土割给乌兹别克人和印度莫卧儿王朝。在这期间，他建立了主要由格鲁吉亚人、亚美尼亚人、切尔克斯人组成的新常备军。1598年他大败乌兹别克人，重新控制了呼罗珊。1602年起他连连战败奥斯曼帝国的军队，收复被奥斯曼帝国侵占的土地。在战胜乌兹别克人以后，他将首都由加兹温迁至伊斯法罕，伊斯法罕很快成为世界上最美的城市之一。他修建许多寺院、旅店、公共浴场、林荫大道和大广场。另外，他在里海沿岸还修筑了著名的石路。欧洲各国的使节、商人、教士、冒险家等纷纷来到伊斯法罕。在阿拔斯一世时代，波斯的商业和外交活动十分活跃。葡萄牙人、荷兰人和英国人在波斯湾和印度洋争夺市场。

Abbas, Ferhat 阿巴斯（1899-08-24，阿尔及利亚君士坦丁附近塔赫尔～1985-12-24，阿尔

美国不列颠百科全书公司供图

及尔） 阿尔及利亚政治家，民族独立运动领袖，共和国临时政府首任总统。父为阿尔及利亚政府文职穆斯林官员。阿巴斯在菲利普维尔（今斯基克达）、君士坦丁和阿尔及尔大学接受全面的法国教育。在法国军队服役两年后，到塞提夫当药剂师，先后当选塞提夫市议员和君士坦丁大议会议员。从政之初，鼓吹与法国人合作，主张“在法国社会中吸收本地人士”以及废除殖民主义、解放阿尔及利亚穆斯林使之与法国公民平等。1938年对法国人幻想破灭后，组织阿尔及利亚人民联盟，倡议阿尔及利亚人与法国人有同等权利并保存阿尔及利亚文化和语言。但第二次世界大战爆发时，阿巴斯仍参加法国军队的医疗队。1943年2月10日发表由阿巴斯起草的《阿尔及利亚人民宣言》，其后宣言递交法国人和在北非的盟军当局。宣言反映出阿巴斯政治立场的根本变化，他不仅谴责法国的殖民统治，而且还号召实行自决原则，要求制定阿尔及利亚宪法，使阿尔及利亚所有居民一律平等。5月，阿巴斯和一批同事共同起草宣言附件，提出建阿尔及利亚为主权国家。此附件于6月26日送交法国人，为法国总督拒绝接受后，阿巴斯与工人领袖梅萨利·哈吉组织宣言与自由之友社，主张建立阿尔及利亚自治共和国，以及经改造的、反殖民主义的法国联盟。后宣言与自由之友社被取缔，阿巴斯入狱1年。1946年他创建阿尔及利亚宣言民主联盟，鼓吹与法国合作建立阿尔及利亚国家。然而阿巴斯此较温和妥协的尝试并未得到法国殖民部官员的响应。1956年他潜逃开罗，参加民族解放阵线，此为一争取阿尔及利亚从法国独立的革命组织。1958年9月18日，成立阿尔及利亚共和国临时政府，阿巴斯任总统。1961年辞职，但1962年阿尔及利亚独立之时，他当选阿尔及利亚制宪会议主席。虽然他与由社会主义革命者组成的民族解放阵线形成政治联盟，但仍然反对国会和立宪的制度。1963年8月因民族解放阵线不经议会自行起草宪法，他辞去制宪会议主席之职以示抗议，为此被民族解放阵线开除。1964年因反对本·贝拉总统被软禁，翌年获释。著有《殖民之夜》（1962），描述阿尔及利亚独立战争。其他著作有《青年阿尔及利亚人：从殖民地到一省》（1931）、《一场战争的剖析》（1980）。

Abbas, Mahmoud 阿巴斯（1935，巴勒斯坦采法特［今以色列境内］～ ） 亦称Abu Mazen（阿布·马赞）。巴勒斯坦政治家。生于阿拉伯人和犹太人混居的采法特市，1948年阿以战争期间，与家人一起逃往叙利亚。获大马士革大学法律学位。20世纪50年代晚期，参与成立法塔赫。70年代晚期，担任巴勒斯坦解放组织国际部的负责人，在与以色列的和平团体逐渐进行接触时，起了重要推动作用。1982年获国立莫斯科大学历史学博士学位，研究纳粹主义与犹太复国主义的博士论文，后来被犹太团体诋毁为否认大屠杀之作。90年代初期，在马德里的和平会谈（1991）以及在挪威与以色列代表进行的秘密会议中，阿巴斯制订了巴勒斯坦的谈判策略。通过谈成的《奥斯陆协议》（1993），巴以双方

美国不列颠百科全书公司供图

对彼此有了更深入的认知，以色列将西岸和加沙地带的部分管辖权让渡给巴勒斯坦权力机构。2000年7月的戴维营和谈，阿巴斯是巴勒斯坦代表团的高级代表。他坚决拒绝了以色列提出的和平协议，但也反对会后巴勒斯坦人采取的暴力起义行动。在强大的国际压力下，2003年阿巴斯被任命为巴勒斯坦总理，意在牵制被美国和以色列视为和平阻力的阿拉法特。阿巴斯立刻宣布放弃恐怖主义，呼吁停止对以色列进行武装反抗，并决定建立统一的巴勒斯坦武装部队，但没多久便辞职，自称遭到以色列、美国和阿拉法特的暗中诋毁。阿拉法特去世后，阿巴斯被任命为巴勒斯坦解放组织的领导人。2005年1月轻松赢得大选，继阿拉法特之后成为巴勒斯坦权力机构主席。

ʿAbbās Ḥilmī Pasha　阿拔斯·希勒米帕夏 参阅**ʿAbbās II**(Egypt)阿拔斯二世(埃及)。

ʿAbbās Mīrzā　阿巴斯·米尔扎(1789-09，卡札尔伊朗的纳瓦～1833-10-25，麦什德)　伊朗卡札尔王朝王储，曾将欧洲军事技术引入伊朗。他虽不是法塔赫·阿里·沙阿(1797～1834)的长子，但被立为王储，1798或1799年任阿塞拜疆省省长。1804年，俄伊战争爆发，任伊朗远征军司令，率兵3万人。在1804～1813年战争中，伊朗大败，丧失大部分格鲁吉亚领土，使阿巴斯·米尔扎看到改造卡札尔武装力量的必要。他开始派遣伊朗学生至欧洲学习西方技术，第一批学生于1811年至英国，第二批于1815年前往。1812年在阿塞拜疆首府大不里士设印刷所，鼓励翻译欧洲的军事手册，还在大不里士创办起火药厂和造炮厂。他请英国军事顾问训练一支新军，教授使用步兵队形和步兵与炮兵紧密合同作战等技术。这支军队在1821～1823年对奥斯曼土耳其人的作战中显露头角。1826～1828年第二次俄伊战争中，阿巴斯·米尔扎再度率领伊军。第一年，他收复全部伊朗失地。他率领的军队，尤其是炮兵，远胜俄国军队，但后来由于俄国人数多，军纪好，法塔赫·阿里·沙阿又拒绝增援以及补充阿巴斯·米尔扎损失的兵员，以致惨败。1828年停战时，伊朗的格鲁吉亚和高加索领土全部丧失。此次失败使阿巴斯·米尔扎一蹶不振，他无意再进行军事改革，死前5年尽力设法保全王储地位，和众多兄弟作阋墙之斗。他在对呼罗珊省叛乱分子的征讨中去世。

ʿAbbāsid DYNASTY　阿拔斯王朝　穆斯林哈里发帝国两大王朝的第二个王朝。从750年推翻伍麦叶王朝始，至1258年为入侵的蒙古人所灭。阿拔斯之名沿自先知穆罕默德的叔父阿拔斯(约653年卒)——麦加古来氏部落中哈希姆家族的一员。约718年始，他的族人着手控制帝国，通过巧妙的宣传鼓动，获得许多人，尤其是西伊阿拉伯人及呼罗珊的波斯人的支持。747年阿布·穆斯里姆领导公开反叛，750年在美索不达米亚大扎卜河之役击败伍麦叶王朝末代哈里发迈尔万二世，登位为阿拔斯王朝第一代哈里发，即艾布·阿拔斯，自称赛法哈(屠夫)。在阿拔斯王朝统治下，哈里发国家进入一个新阶段。它不像伍麦叶王朝那样集中注意力于西面，即北非、地中海和南欧，而是向东方扩展：迁都至巴格达新城，密切注视波斯与河间地带的动向。在哈里发帝国中，阿拔斯王朝初次不能囊括伊斯兰教的所有地区；埃及、北非、西班牙以及其他一些地方纷纷建立本地的王朝，自称哈里发。阿拔斯王朝兴起后，帝国势力的根基国际化，强调帝国的范围是伊斯兰教徒所居住的地区而不是阿拉伯民族。由于皈依伊斯兰教的波斯人是阿拔斯王朝的主要支柱，阿拔斯王朝自然采用了波斯人(萨珊王朝)许多传统治理方法。因受到虔诚的伊斯兰教徒的支持，故而也公开承认初期的伊斯兰法，同时宣称以伊斯兰宗教为阿拔斯法律的基础。750～833年，阿拔斯王朝使国家威望与力量增加，促进商业、工业、艺术和科学发展，特别是曼苏尔、赖世德和马蒙在位之时。但当穆阿台绥姆召募非穆斯林的柏柏尔人、斯拉夫人，尤其是突厥人等雇佣兵为其亲兵时，王朝势力衰落。这些兵士虽然已改信伊斯兰教，但通过宗教维系帝国统一的基础已不复存在，新军队的军官很快便学会用暗杀不从他们要求的哈里发以控制哈里发帝国。当945年伊朗的白益人进入巴格达时，部队中军官的力量已因内讧而削弱，白益人要求穆斯泰克菲承认他们是所占领土的唯一统治者。此后长达百年间，帝国大部分领土为当地非伊斯兰教王朝管辖。1055年塞尔柱人推翻阿拔斯王朝，取得当时哈里发仅存的权力，只承认其宗教领袖的地位。后阿拔斯王朝又恢复了哈里发帝国的权威，尤其是穆斯台尔希德、穆格台菲和纳绥尔在位时。但其后不久，1258年蒙古人围攻巴格达，王朝覆灭。

Abbate, Niccolò dell'　阿巴特(约1512，摩德纳公爵领地摩德纳～1571，法国枫丹白露)　Abbate又拼Abate。意大利博洛尼亚画派画家。同其他画家一起把文艺复兴后期意大利风格主义绘画介绍到法国，对法国古典风景画派产生影响。在摩德纳，他师从雕刻家A.帕加莱利开始了艺术生涯，其作品摩德纳圣彼得教堂的《圣彼得与圣保罗的殉难》(1547)可能是其成名之作。晚期为查理九世画的一些神话风景画影响了法国17世纪画家C.洛兰与普桑。还设计过一批挂毯。其作品对法国重要的世俗化绘画运动即枫丹白露风格之形成有着重要影响。

阿巴特绘《阿里斯塔俄斯的故事》

美国不列颠百科全书公司供图

Abbazia (Croatia)　**阿巴齐亚**　参阅**Opatija**奥帕蒂亚。

Abbe, Cleveland　阿贝(1838-12-03，纽约市～1916-10-28，美国马里兰切维蔡斯)　气象学家，建立和发展美国气象局(该局后来改名为国家气象局)的先驱。学习天文专业，1868年任俄亥俄州辛辛那提天文台台长。但他的志趣转向气象学，并创办一个公共天气服务处，成为全国天气服务处的榜样。不久，全国天气服务处成为陆军通信勤务部门所属的一个分部。1871年任分部主任气象员(1891年，这一分部改建为美国气象局，受民政部门领导)，在职达45年以上。

Abbe, Ernst　阿贝(1840-01-23，萨克森-魏玛-爱森纳赫大公领地爱森纳赫～1905-01-14，德国耶拿)　德国物理学家，对光学理论和技术的创新使得显微镜的设计获得重大改进(例如1870年采用聚光器来提供强而匀的光)并使人们对放大限度有了更清楚的理解。

他创立的光学公式现在叫做阿贝正弦条件，是使透镜成像清晰，不因彗形像差和球面像差而使成像模糊或畸变所必须满足的要求之一。1863年入耶拿大学任职，1870年升为物理学和数学教授，1878年任天文台和气象台台长。1866年任蔡司光学工厂研究主任。两年后发明显微镜用复消色差透镜，能消除光的初级和次级色畸变。1891年，他设立并捐赠了供科学研究和社会改良用的蔡司基金。五年后把蔡司光学工厂改组为合作机构，管理人员、工人和大学分享利润。

abbess　女隐修院院长　遵守天主教本笃会会规的隐修女团体、圣方济各第二会或其他修会女隐修院的首长。女隐修院院长年龄应在40岁以上，隐修超过10年，由本主教管区主教举行仪式任命，并授予表示职权的戒指或权杖。在罗马，最早的记载始见于约514年的罗马碑文中。参阅 **abbot**。

Abbeville　阿布维尔　法国北部皮卡第大区索姆省城镇。位于亚眠西北，靠近已开拓成运河的索姆河口。1844年由布歇·德·彼尔特挖掘出土的石器时代器物(现在布歇·德·彼尔特博物馆展出)证明当地早有人居住。此镇原名阿巴蒂斯村，是9世纪圣里基耶男修道院院长的属地，1184年获准建镇。在英国人统治期间(1272～1435)是蓬蒂约的首府。路易十二与英格兰亨利八世的妹妹玛丽的婚礼(1514)在此举行。虽经第二次世界大战期间的轰炸，现仍保存有15～17世纪的哥特式圣维尔弗朗教堂及带有13世纪塔楼的市政厅。现为当地的行政和服务中心，有主要公路连接。工业不发达，但有食品加工和五金制造业。人口24 567(1999)。

阿布维尔的哥特式教堂
美国不列颠百科全书公司供图

Abbeville　阿比维尔　美国路易斯安那州南部城镇，1854年起为弗米利恩县县城。位于弗米利恩河畔，拉斐特西南偏南32千米。1843年由嘉布遣会修士P.A.D.梅格雷按法国普罗旺斯乡村风格组建。最初名拉沙佩勒，由阿卡迪安人和地中海移民定居。原有的梅格雷教堂于1854年被烧毁，1910年在原址建起了现在的圣玛丽·马德莱娜教堂。现为农产品(特别是大米)和海产品贸易中心，并为附近油、气田服务。经弗雷什沃特-拜尤-迪普沃特运河与墨西哥湾相通。镇东南24千米处的埃弗里艾兰有鸟类栖息地和盐丘。1850年建镇。人口11 887(2000)。

Abbeville　阿比维尔　美国南卡罗来纳州西北部城市，阿比维尔县县城。1764年法国胡格诺派教徒定居该处，并由约翰·德·拉·豪以法国城镇阿布维尔命名。有人把该市看做“南部邦联的摇篮和坟墓”：分离主义者曾在此举行过一次会议(1860-11-22，在今塞谢逊希尔)，南部邦联总统J.戴维斯也曾在此与他的一些官员举行过一次会议(1865-05-02，在伯特-斯塔克大厦)，并同意放弃战斗。J.C.卡尔霍恩出生于此地一个边远的农场。该市经济以轻工业占优势。附近有萨姆特国家森林的一个区。1895年建市。人口5 840(2000)。

Abbevillian industry　阿布维利文化期工艺　史前石质工具传统，一般认为是欧洲最早的一种两面加工的石器(手斧)工艺。阿布维利文化期工艺始于更新世中期，尚未测定精确年代，距今近70万年。这种石器工艺最初发现于法国阿布维尔镇郊外索姆河下游高层台地的沉积物里，有粗大的石核工具(手斧)和石片。经过两面剥打的手斧上带有石片剥落后留下的深陷疤痕，以及曲折的或者说锯齿状的边缘。石片厚实，通常没有经过再加工。学者认为，阿布维利文化期的石器组合与阿舍利文化期工艺有密切关系，实际上可能只是后者的一种变体或者暂时形制。参阅 **Acheulian industry**。

abbey　大隐修院　又称大修道院。由隐修院长管理的隐修院教堂或以大教堂为中心的寺院建筑群。大隐修院包括一整套建筑，以适应自给自足的教会组织的需要。这一词也泛指小隐修院。英王亨利八世解散隐修院后，在大多数情况下只剩下其中的教堂，现简称为大隐修院，以威斯敏斯特教堂最为著名。

建于12世纪的方廷大隐修院遗址
美国不列颠百科全书公司供图

隐修院最初由中东和希腊的早期隐士居住的棚屋区演变而来，因防卫而筑起围墙，后来又靠围墙筑起小屋，留出中央场地供建筑教堂、礼拜堂、喷泉或食堂。希腊的圣山还可见到此类东方形式的隐修院。欧洲最早的大隐修院是意大利的卡西诺山隐修院(参阅 **Cassino**)，529年由努尔西亚的圣本尼狄克创建。他制定的会规成为西方隐修生活的基本规章。约820年他规划的大隐修院体制已传遍全欧，其后几个世纪里建造的大隐修院也都以它为蓝本。**隐修院回廊**(**cloister**)把大隐修院最主要的建筑连接在一起，形成有拱廊的开敞庭院，可供修士们沉思默祷，庭院地面铺有草坪或砖石，有时院子中央还设有喷泉。靠教堂中庭的一侧设有印书机及有顶的户外图书馆。修士宿舍常建于庭院东侧饭厅的楼上。教堂的集会室，即**牧师会礼堂**(**chapter house**)，往往与靠近庭院东面的圣坛相连。庭院西侧为隐修院与外界接触的场所，此处设有给穷人分发救济金或衣服的施赈所，还有客房和从事杂役的僧侣住房，以及酒窖和马厩。大隐修院院长的房间靠近门楼，控制着外院的唯一通道，一般群众只能在外院停留。庭院南面是大厨房、酿造所及铁匠、鞋匠等各种工匠的作坊。内围墙里面还有见习修士的住房、医疗所、专用的小教堂、浴室、饭厅、厨房和花园等。12、13世纪时，英格兰、苏格兰、西班牙、意大利、德意志、奥地利等地建造了许多大隐修院。其中最杰出的也许是966年本笃会在法国**圣米歇尔山**(**Mont-Saint-Michel**)上所建的大隐修院。

Abbey, Edwin Austin　艾比(1852-04-01，美国宾夕法尼亚费城～1911-08-01，英国伦敦)美国著名插图画家。其创作的最多产时期是在英国。1883年被选入英国皇家水彩画学会。1902年成为全国设计学会成员。晚期作品也包括一些公共建筑的装饰方案，以及英王爱德华七世加冕的正式肖像。

Abbey Theatre　阿比剧院　都柏林的剧院，1904年建立。1902年，在W.G.费伊和F.J.费伊领导下，爱尔兰民族剧团接管了爱尔兰文学剧院(该剧院由叶芝和格雷戈里夫人于1899年创建，旨在繁荣爱尔兰的诗剧)。1903年该机构成为爱尔兰全国戏剧协会，聚集了一批爱尔兰文艺复兴时期的杰出人物。1904年，叶芝的朋友、英国的霍尼曼女士出资将都柏林阿比大街的一所旧剧院改为阿比剧院。同年12月阿比剧院开幕，上演了叶芝、格雷戈里夫人和辛格等人的剧作(辛格与前两人同为合作导演者)。创建人中还包括费伊兄弟、辛克莱和奥尔古德。1907年阿比剧院上演辛格的讽刺剧《西方世界的花花公子》，在观众中引起愤怒。1911年剧院派团去美国演出，在纽约和费城上演此剧时也引起抗议和骚动。1907～1909年是阿比剧院的困难时期。第一次世界大战的爆发和1916年爱尔兰的复活节起义几乎导致剧院关闭。然而，1924年当它成为英语国家中第一个由国家津贴的剧院时，就开始时来运转。剧作家奥凯西的出现赋予该剧院以新的生命。1923～1926年阿比剧院上演了他的3个剧本：《枪手的影子》、《朱诺与孔雀》和《犁与星》。《犁与星》这部戏对1916年复活节起义作了煽动性描写。20世纪50年代早期，剧场被大火烧毁，阿比剧院迁入附近的皇后剧院。新阿比剧院于1966年在原址上建成，是一座较小的实验性剧场。尽管阿比剧院扩大了其轮演剧目，但仍然主要依靠爱尔兰的剧本。

abbot 隐修院院长 遵守天主教本笃会教规的隐修士团体或其他某些修会的隐修院首长。隐修院院长全权处理本院的教务和一般事务。隐修院院长由隐修院会议通过无记名投票选出，必须是年龄在30岁以上的合法婚姻生子、隐修超过10年、曾受正式任命为司铎。除英格兰天主教隐修院院长任期为8～12年外，隐修院院长都是终身职。隐修院院长人选须经罗马教廷或其他受权机关批准，由所在主教区主教在另外两名隐修院院长协助下主持其祝圣仪式。参阅**abbess**。

Abbot, Charles Greeley 艾博特(1872-05-31，美国新罕布什尔威尔顿～1973-12-17，马里兰里弗代尔) 美国天体物理学家。任史密森天体观测站主管达40年，被认为率先猜到太阳辐射会随时间进程而变化的科学家。他不断研究太阳辐射，终于使他在1953年发现太阳辐射的变化与地球天气的关系，据此可以提前50年对一般天气类型作出预测。在1894年获马萨诸塞州理工学院理科学士和硕士学位后，他到史密森学会任职(1895)，后来(1928～1944)担任该会秘书。艾博特在太阳辐射方面的研究使他获得多项奖。

Abbotsford 阿伯茨福德 苏格兰19世纪

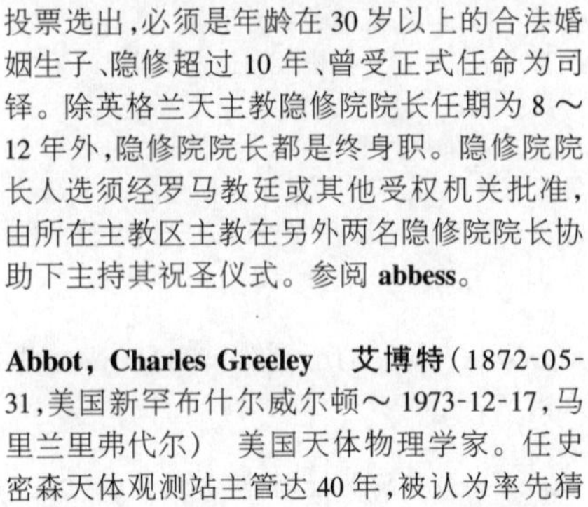

阿伯茨福德的司各特府第
美国不列颠百科全书公司供图

小说家司各特的故乡。在特威德河右岸，属于苏格兰博德斯行政区罗克斯堡区。1811年司各特购下当时称为卡莱霍尔的当地原有农庄，把它改建成豪华的哥特式府第(1817～1825)，现称阿伯茨福德府第。周围地区曾是他写历史小说的主要灵感源泉。这里仍为其直系后裔的家乡，保留着原有风貌，其中有他的珍贵藏书、全家相片和有趣的历史遗物。夏季对公众开放。

Abbott, Berenice 艾博特(1898-07-17，美国俄亥俄斯普林菲尔德～1991-12-09，缅因蒙森) 美国著名女摄影家，以保存摄影家阿特热的作品及拍摄20世纪30年代后期纽约市的纪录照片而闻名。1918年离开俄亥俄州去纽约。1921年前独立地研究绘画和雕塑。后曾短期在柏林学雕塑，在巴黎时成为雷伊的助手，并结识了摄影家阿特热，当时阿特热的作品还不出名。1925年艾博特创办自己的摄影室，拍摄了移居国外的巴黎人、艺术家、作

艾博特摄《曼哈顿的公园大道与第39街》(1936)
美国不列颠百科全书公司供图

家和贵族的几幅著名的人物照片，其中包括古根海姆、乔伊斯、巴恩斯、科克托、施泰因和阿特热。阿特热1927年去世后，艾博特保存了他的照片和底片并加以分类，以后几年致力于宣传他的作品。在巴黎居住到1929年，当年返回纽约。一个时期以自由摄影家身分开始拍摄纽约风光。1935年接受了公共事业振兴署联邦艺术计划的一项工作。30年代末以前用一系列极为客观的照片系统展示了纽约不断变化的建筑特色，其中有些照片于1939年发表在《变化的纽约》(1973年重新发行时改名为《30年代的纽约》)一书中。其后20年中她试图以摄影的方法去揭示诸如"磁"和"运动"等科学现象。同时继续拍摄身边的景物，计划之一是沿着美国1号高速公路从佛罗里达州到缅因州拍摄沿途风光。1968年定居缅因州，把自己的作品印制成书。

Abbott, Bud; and Costello, Lou 阿博特和科斯蒂洛(阿博特1896-10-02，美国新泽西阿斯伯里帕克～1974-04-25，加利福尼亚伍德兰希尔斯；科斯蒂洛1908-03-06，美国新泽西彼得森～1959-03-03，加利福尼亚贝弗利希尔斯) 阿博特的全名是威廉·A.阿博特，科斯蒂洛的全名是路易·弗朗西斯·克里斯蒂洛。美国1929～1957年舞台剧、广播剧和电视剧、电影中极受欢迎的喜剧搭档。阿博特出身戏剧家庭，开办过滑稽剧院，后与科斯蒂洛邂逅。科斯蒂洛当过演员、职业拳击家和电影危险镜头替身演员，尔后成为歌舞杂耍剧的喜剧演员。在纽约帝国剧院的一次演出中，当时在票房工作的阿博特曾替代科斯蒂洛那位生病的原搭档参加演出，他们配合十分默契，此后便开始长期搭档。1938年两人首次在广播剧中搭档演出，1939年在百老汇演出《巴黎的街道》。1941年合拍电影喜剧片《列兵们》。此后两年，又拍了另外8部电影喜剧片。他们在广播剧和电视上多次演出的最有名气的杂耍节目是《谁先演出》。

Abbott, Edith 艾博特(1876-09-26，美国内布拉斯加格兰德艾兰～1957-07-28，格兰德艾兰) 美国社会工作者、教育家和作家。积极提倡美国社会工作职业化，并使社会工作成为大学的一门课程。1893年在奥马哈一所女子寄宿学校毕业后，开始在家乡教中学。同时参加函授课程和暑期班，1901年获内布拉斯加大学学位，当了两年教师之后，前往芝加哥大学攻读经济学，1905年获博士学位。1906年获卡内基奖学金，赴英国伦敦大学学院和伦敦政治经济学院继续其研究工作。次年回美国，在马萨诸塞州韦尔斯利学院讲授经济学。然而学术生涯似乎与穷人的问题相隔太远。她很快便赴芝加哥参加妹妹G.艾博特在J.亚当斯的赫尔大厦的工作。期间姐妹两人曾倡导妇女选举权、改进贫民住房，立法保护移民、劳动妇女和儿童等社会改良问题。她最终就各种问题出版和发表了100多本书和文章。1924～1942年间担任芝加哥大学社会服务管理系主任。1953年退休前一直担任教学工作，并负责编辑与S.布雷肯里奇在1927年共同创办的《社会服务评论》。

Abbott, George(Francis) 艾博特(1887-06-25，美国纽约福里斯特维尔～1995-01-31，佛罗里达迈阿密比奇) 美国戏剧导演、演出人、剧作家、演员和电影导演。20世纪20～60年代曾在百老汇上演过一些非常受欢迎的剧目。1911年毕业于纽约州罗切斯特大学。1913年开始在百老汇表演，不久又开始写剧本和导演剧目。1925年和1926年分别以剧作《堕落的人》和《百老汇》首次获得成功。1935年导演流行闹剧《三人在一马上》之后，长时间连续从事写作、演出或导演多部非常成功的音乐喜剧和闹剧，其中最著名的有《少男少女相会》(1935)、《锡拉丘兹来的男孩子们》(1938)、《帕尔·乔伊》(1940)、《高纽扣鞋》(1947)、《查利在哪里?》(1948)、《称我夫人》(1950)、《奇异的城镇》(1953)、《睡袍游戏》(1954)、《该死的美国佬》(1955)、《菲奥雷洛!》(1959)和《赴会议途中遇到的一件趣事》(1962)。作为百老汇演艺人员首领，艾博特以善于运用题材、精于掌握节奏和幽默及保持舞台动作效果的能力而著称。他还把他写的几部舞台剧搬上银幕，并自任导演，包括1957年演出的《睡袍游戏》和1958年演出的《该死的美国佬》。1963年他出版了自传《艾博特先生》。直到20世纪90年代，他在纽约戏剧界仍然很活跃。

Abbott, Grace 艾博特(1878-11-17，美国内布拉斯加格兰德岛～1939-06-19，芝加哥) 美国女社会工作者、政府官员、教育家、社会

改良家。在童工立法方面有特别重要地位。1898年毕业于格兰德岛学院，此后8年在其家乡中学任教。其间在内布拉斯加大学、芝加哥大学攻读研究生课程。1907年移居芝加哥。1917～1919年任美国儿童局童工处处长，实施限制雇用童工的第一个联邦法令，即《基廷-欧文法令》(1916)。1918年美国最高法院宣布该法违宪后，她设法把一项有关童工的条款写入联邦政府与私人企业间签订的所有合同中，以使限制童工的政策得以继续推行。后任儿童局局长(1921～1934)。她辛勤工作，多方争取，以期取得公众对一项反对童工的宪法修正案予以赞同，但这项法案于1924年提交联邦后未得到批准。1934～1939年在芝加哥大学任公共福利学教授，两次出任国际劳工组织的美国代表(1935；1937)。著有《儿童与国家》(2卷)，1938年出版。

Abbott, Jacob **艾博特**(1803-11-14，美国缅因哈洛韦尔～1879-10-31，缅因法明顿) 美国少年读物作家，著书180本，与别人合著或编辑31本。最著名的是《罗洛》故事集(28卷)。除少年读物《罗洛在工作》、《罗洛在游戏》等外，还为教师写过1卷《罗洛道德法典》(又名《学生守则问答》)(1841)。少年读者从罗洛及其无所不知的乔治叔叔的世界旅行记中，可以增长伦理、地理、科学和历史等方面的知识。他还写过22本传记和《弗兰克尼亚故事集》(10卷)。

Abbott, Sir John (Joseph Caldwell) **艾博特**(1821-03-12，下加拿大圣安德鲁斯[今加拿大魁北克东圣安德烈]～1893-10-30，蒙特利尔) 加拿大法学家、政治家，1891～1892年任加拿大总理。麦吉尔大学毕业，1847年取得律师资格，1862年成为皇家律师。1855～1880年任麦吉尔大学法律系主任。1857年选入联合省立法会议，其间除1874～1880年外，直至1887年。1862年在以约翰·麦克唐纳爵士为首的自由党政府中短期任副总检察长。1865年加入保守党。1873年发生太平洋丑闻，总理麦克唐纳被控接受造船商休·阿伦爵士的竞选资助，和他签订修筑铁路合同。艾博特因是阿伦的法律顾问被卷入丑闻中，在1874年选举失利，未能连选入众议院。1880年始再度当选。1887年任参议员，在参议院中为执政党领袖。1891年6月麦克唐纳去世，他出任总理，但次年即因病辞职。1892年受封爵士。

Abbott, Lyman **艾博特**(1835-12-18，美国马萨诸塞罗克斯伯里～1922-10-22，纽约市) 美国基督教公理会牧师，社会福音的主要倡导人。原为律师，后改习神学，1860年受按立。1888年继比彻任布鲁克林市普利茅斯公理会牧师，在职直到1899年。他很早就关心劳资关系问题，主编《基督教工会》(1893改名《展望》)，鼓吹社会福音，用基督教精神解决社会问题和劳资纠纷。所著《基督教与社会问题》(1897)、《人的权利》(1901)、《民主精神》(1910)、《发展中的美国》(1911)宣传既反对社会主义又反对自由放任经济的温和社会学观点。在其他问题上，艾博特持新教开明福

美国不列颠百科全书公司供图

音派观点，关于进化论对宗教的影响，他设法进行解释，而不主张予以谴责。

Abbottābād **阿伯塔巴德** 巴基斯坦北部西北边境省的中东部城市，位于拉瓦尔品第东北61千米。为一山区避暑地(海拔1 256米)，在拉什(欧拉什)平原南角的高原上，是通往风景如画的加甘山谷的大门。有公路通往印度河平原和克什米尔，经铁路尽头站(在南面16千米的赫韦利扬)可至白沙瓦，为一地区市场中心。建于1853年，以驻该地区第一位英国副专员艾博特少校的名字命名。阿伯塔巴德有两处公园、一所预备学校、白沙瓦大学的两个学院和一个森林研究中心。巴基斯坦军事学院位于该城东北8千米的卡库尔。附近有多个重要铁矿。人口约105 999(1998)。

abbreviation **缩写(词)** 在人类相互交往、特别是书面交往的活动中，以单词或词组之一部分表示全体的方法或其成果。缩写(词)有许多形式，古希腊碑铭中、中世纪手稿中抄录人员常以DN表示Dominus Noster(我主)；《古兰经》文中，也有缩写。西塞罗的秘书马可·图利乌·提罗曾设计许多缩写形式，有些如以&表示et(拉丁语"和")沿用至今。不过只是到20世纪，由于信息剧增，使缩写词成为交往中存在的普遍现象。形成这种潮流的主要因素是出于交往活动中的经济观点。不必要的长词或长句要多消耗时间、空间和材料，计算机或是电信传送的时间，这是应关注的重点。科学研究表明，在较冗长的书面交往材料中，约有75%的信息是重复的，这种情况不但使缩写方式成为可能，而且大有方便。缩写词发展的另一因素是新产品新机构不断大量出现，需要定名，而把冗长的描述性用语加以简化就变为易于记忆的名称。速记需要速度，电码避免重复，这也使缩写方式成为速记术和密码学的重要组成部分。主要的缩写形式有：用开头几个字母表示一个单词，如：n.表示noun(名词)，Co.表示Company(公司)，或用最主要的几个字母表示一个单词，如：Ltd.表示Limited(有限的)，或以首尾两个字母表示一个单词，如：Rd.表示Road(街)。这些缩写形式的读法和整个单词一样，不过Ltd.有时读其字母的名字，即el-tee-dee。在通俗言语中，缩略(截取)形式特别普遍，如：Mets表示Metropolitans(大城市居民)。词组的缩写形式以采用每个词的第一音节或首字母加以组合最为常见，于是产生首音缩略词，其读音和正常单词一样，已不作为缩写词看待。例如flak，源于德语Fliegerabwehrkanone(高射炮)。这种形式在美国军事术语中尤为习见，如以COMFLOGWING代表Commander Fleet Logistics Air Wing(海军后勤航空兵司令)；在苏联时代也有类似用语，如以Narkomvneshtorg代表Narodny Komissariat Vneshney Torgovli(对外贸易人民委员部)。另外一些流行的首音缩略词还有尽人皆知的radar(radio detecting and ranging，雷达，无线电探测器)和snafu(situation normal, all fouled up，一片混乱)。首音缩略词与首字母缩略形式应加以区别，后者如U.S.A.和NCAA，都以其字母名字读出。数学符号及其他科学符号也可视为缩写形式。

ABC 参阅 **American Broadcasting Company** *美国广播公司*。

ABC **《阿贝赛报》** 马德里出版的小型日报，长期被认为是西班牙重要报纸之一。1903年创建时为周报，创办人为西班牙最著名的新闻记者之一托尔夸托·卢卡·德特纳-阿尔瓦雷斯·奥索里奥。1929年他因办《阿贝赛报》有功，被国王阿方索十三世封为卢卡·德特纳侯爵。1905年该报改为日报，1929年开始增出塞维利亚版。该报初创时倾向保皇派。西班牙内战期间由共和政府接管——1931年名义上接管；1932年在该报停刊数月以及继续拒绝新闻检查之后，于1936年完全接管。1939年，佛朗哥统治时期，该报重归私人管理，虽然它支持佛朗哥政权，但对政府暴行仍持批评态度。该报素以图片著称，自创刊时起即采用大量照片，封面照片几乎占全页。近代则以其对西班牙文化艺术的报道获得普遍推崇。到20世纪末，该报日发行量约有33.5万份。

Abchazija (Georgia) 参阅 **Abkhaziya** *阿布哈兹*。

Abd al-Aziz **阿卜杜勒·阿齐兹**(1878-02-24或1881-02-18～1943-06-10，摩洛哥丹吉尔) 摩洛哥苏丹(1894～1908在位)。在位期间外国影响日深，他试图推行欧洲行政管理制度，未获成功。他在其父哈桑一世死后立为苏丹，但直至1900年他的首相巴·艾哈迈德(艾哈迈德·伊本·穆萨)死后才开始亲政。亲政后仿效欧洲，图使国家现代化，特别是改革税制，但由于完全缺少受现代训练的行政官员而遭失败，并引起思想守旧的有势力贵族的强烈不满。欧洲势力在北非的角逐，使情况更加复杂。1907年，其兄阿卜杜勒·哈菲德(穆莱·哈菲德)在马拉喀什煽动叛乱。1908年8月19日阿卜杜勒·阿齐兹战败，两天后逊位，由其兄提供养老金在丹吉尔度过余生。逊位后4年，摩洛哥为法国和西班牙占领。

ʿAbd al-ʿAzīz ibn ʿAbd ar-Raḥmān ibn Fayṣal ibn Turkī ʿAbd Allāh ibn Muḥammad Al Saʿūd (Arab leader) **阿卜杜勒·阿齐兹·伊本·阿卜杜勒·拉赫曼·伊本·费萨尔·伊本·图尔基·阿卜杜拉·伊本·穆罕默德·沙特** 参阅 **Ibn Saʿūd** *伊本·沙特*。

'Abd al-Ghanī 阿卜杜·加尼(1641-03-19,大马士革～1731-03-05) 叙利亚神秘主义散文与韵文作家,作品内容反映其所处年代的文化和宗教思想。属于伊斯兰教神秘主义卡迪里教团和纳克西班底教团。曾游历伊斯兰教世界许多地区,1664年到伊斯坦布尔,1688年到黎巴嫩,1689年到耶路撒冷和巴勒斯坦,1693年到埃及和阿拉比亚,1700年到的黎波里。有作品200多种,分为3类:苏非派教义、旅行记和杂著。他的苏非主义著作中的主要内容是讲解真主与宇宙、与人的"神性一体同在"。他的旅行记被许多学者认为是其著作中最重要的部分,记有所到之处的风俗、宗教和习尚,是重要的资料。

Abd al-Hafid 阿卜杜勒·哈菲德(1875或1880,摩洛哥菲斯～1937-04-04,法国昂吉安莱班) 摩洛哥苏丹(1908～1912在位),阿卜杜勒·阿齐兹苏丹之兄。1907年发动反对阿卜杜勒·阿齐兹的叛乱。他原由阿齐兹任命为马拉喀什哈里发,在该地未遇到困难就煽动穆斯林反对其弟所奉行的西方化路线。在马拉喀什击溃苏丹的军队,迫使苏丹领取养老金而退位。1909年西方列强承认他为苏丹。1912年为反对另一个王位觊觎者而请求法国援助,此后被迫承认摩洛哥为法国的保护国。

'Abd al-Ilāh 阿卜杜勒·伊拉(1913,阿拉伯半岛塔伊夫～1958-07-14,巴格达) 伊拉克摄政者(1939～1953)和王储(至1958)。阿拉伯半岛西北部汉志的哈希姆王朝国王侯赛因

美国不列颠百科全书公司供图

之子。侯赛因被伊本·沙特逐出阿拉伯半岛,1925年阿卜杜勒·伊拉随侍其父至伊拉克。1939年伊拉克国王加齐去世,阿卜杜勒·伊拉之甥、年仅4岁的费萨尔二世即位,由他摄政。他在动荡不安的时期统治伊拉克14年,忠诚辅佐幼主,并在第二次世界大战中支持盟国。1941年4月,以与德、意秘密勾结的拉希德·阿里·盖拉尼为首的军官发动政变,他被迫离开伊拉克。但在英国帮助下,5月末平息叛乱,他又返回巴格达。此后与赛义德首相密切合作,一方面推行温和的民族主义政策,同时与西方保持紧密联系。1953年5月23日费萨尔国王成年,取消摄政,他仍为国王首席顾问与朋友。1958年伊拉克发生革命,两人同时被杀。

'Abd al-Karīm Qāsim (Iraqi soldier) **阿卜杜勒·卡里姆·卡赛姆** 参阅**Qāsim,'Abd al-Karīm** 卡赛姆。

'Abd al-Karīm Quṭb ad-Dīn ibn Ibrāhīm al-Jīlī 阿卜杜勒·克里姆·古塔卜丁·伊本·易卜拉欣·吉里 参阅 **Jīlī,al-** 吉里。

'Abd al-Malik 阿卜杜勒·马利克(646或647,阿拉伯半岛亚麦地那～705-10,大马士革) 阿拉伯伍麦叶王朝的第5代哈里发。他改组并强化了行政管理,使阿拉伯语成为整个帝国的官方语言。第4代哈里发迈尔万·伊本·哈凯姆之子。他随父亲在麦地那度过前半生,受过宗教教育。683年,他和父亲被叛乱者赶出麦地那。685年父亲去世,他继承哈里发位。这时,由祖法尔领导的一些阿拉伯部落在叙利亚和伊拉克的北部地区坚持斗争,直至691年才被哈里发最后平定。第2个抵抗中心在伊拉克,这里有3个主要的势力集团联合反抗伍麦叶王朝:哈里吉派;什叶派;僭称哈里发的阿卜杜拉·伊本·祖拜尔的力量。685年阿卜杜拉·伊本·祖拜尔在麦加自立为哈里发,并得到许多省份的拥护。伍麦叶王朝驻伊拉克总督伍拜德·阿拉·伊本·齐亚德于686年被什叶派刺杀。此后3年,阿卜杜勒·马利克没有干涉伊拉克。他坐待时机,让伊拉克的各派在自相残杀中耗尽他们的实力。689年,阿卜杜勒·马利克首先与祖拜尔的兄弟穆斯阿卜开战,但很快就撤回大军去镇压大马士革的叛乱。直到691年打败北方阿拉伯部落以后,他才有可能最后解决穆斯阿卜。双方展开决战。他把穆斯阿卜杀死之后,整个伊拉克回到他的手中。这时,唯一残存的反对势力是伊本·艾兹·祖拜尔。阿卜杜勒·马利克派他的总督赫贾吉前去围攻麦加城,692年9月终于将伊本·祖拜尔杀死。但是,哈里吉派依然公开造反。直到阿卜杜勒·马利克任命赫贾吉统治巴士拉以后,才逐步平定哈里吉派的叛乱。688～689年阿卜杜勒·马利克开始征服北非,但遇到当地的柏柏尔人和拜占廷帝国居民的共同反抗。阿卜杜勒·马利克任命的总督将柏柏尔人争取过来,然后于697年攻克迦太基城。692年阿卜杜勒·马利克在安纳托利亚与拜占廷帝国的军队作战,但没有取得什么成果。在他的统治下,伍麦叶王朝是空前强盛的。他比过去4代哈里发更虔诚地信奉伊斯兰教,并以阿拉伯语为官方用语。阿卜杜勒·马利克是一位成熟的政治家,在大马士革去世后长子瓦立德顺利继承王位。

'Abd al-Mu'min 阿卜杜勒·慕敏(?,哈马迪德王国塔格拉村～1163,阿尔摩哈德帝国拉巴特) 阿尔摩哈德王朝柏柏尔人哈里发(1130～1163在位),从阿尔摩拉维德人手中征服北非马格里布,将所有柏柏尔人归于他一人统治下。父亲为陶工。他显然曾受过良好伊斯兰宗教教育并深谙阿拉伯语,由于偶然机会,结识柏柏尔人宗教改革者伊本·突麦尔特,使他放弃去东方一个穆斯林学术中心深造的愿望而开始其辉煌事业。约1117年,阿尔摩哈德运动创始人伊本·突麦尔特从长期居住的东方归来,他在突尼斯的马赫迪亚登陆后,沿途宣讲两重宗教要旨:恪守真主独一(阿尔摩哈德信徒或一位论教派信徒名称的由来)的教义及谨遵伊斯兰律法。阿卜杜勒·慕敏在阿尔及利亚贝贾亚附近的梅拉拉聆听他的教诲,从此成为伊本·突麦尔特的忠诚弟子。

突麦尔特前往马拉喀什途中,慕敏在众多弟子中并不突出。当突麦尔特宣布反对阿尔摩拉维德人的统治、自立为马赫迪(神导引的人)并隐蔽在边远的大阿特拉斯地区之时,慕敏随同前往。伊本·突麦尔特在山区受到拥戴,以田梅尔村为中心建立起一个阿尔摩哈德小国。改革者的副统帅贝希尔在攻击马拉喀什中战死,阿卜杜勒·慕敏继任其位,并被突麦尔特指定为其继承人。1130年突麦尔特卒,阿卜杜勒·慕敏恐未得民心,秘不发丧,取得阿尔摩哈德诸领袖支持后,他自立为阿尔摩哈德人领袖,僭称哈里发,继续进行反对阿尔摩拉维德人的斗争。他从攻击马拉喀什失败中认识到必须从山区出发征服摩洛哥,因为为阿尔摩拉维德人服务的基督教骑士在平原上可轻而易举挫败阿尔摩哈德国柏柏尔人的步兵。他用15年时间取得大阿特拉斯、中阿特拉斯和里夫地区的控制权,最后开进他的故乡特莱姆森以北地区。阿尔摩拉维德人雇用的加泰隆雇佣军首领里维特战死后,1145年阿卜杜勒·慕敏又在特莱姆森镇附近开阔的战场上大败阿尔摩拉维德人。然后他率兵西进,征服摩洛哥的大西洋沿岸平原。1147年攻克马拉喀什,大量屠戮阿尔摩拉维德居民。于是阿卜杜勒·慕敏成为非洲西北部主宰。

阿拉伯历史学家描述慕敏是一位刚毅的、极有胆略与耐力的柏柏尔军人,深谙伊斯兰教义且是个天才演说家;虽然他甚有风度,需要时能忍耐、容让,但有时和伊本·突麦尔特同样粗暴。攻陷马拉喀什后,大西洋沿岸平原地区爆发一场叛乱,他进行了一次有组织的清洗,处决3万余人。阿卜杜勒·慕敏未留下任何实录或政治宣言,他的思想是从其行动推断的。在取得权力又攻克马拉喀什后,他面对一个道德上的问题,即是否应放弃由阿尔摩拉维德异教徒建立的这个城市(异教徒已被无情地消灭)。最后他毁去原有宫殿和清真寺而将马拉喀什建为新帝国都城,心安理得。不久他又面临抉择:先征服全部北非还是先集中力量解除西班牙基督徒对他的威胁。对故乡的感情使他决定先征服北非。1151年他征服君士坦丁周围地区,返途中在塞提夫附近又大败劲敌阿拉伯部落联盟。阿卜杜勒·慕敏击败他们之后,没有惩罚他们,反而依靠他们的力量加强自己的王朝,对付内部来自伊本·突麦尔特家族的反对者。1158～1159年,阿卜杜勒·慕敏征服突尼斯和的黎波里塔尼亚。这是伊斯兰历史上柏柏尔人权力的顶盛时期:柏柏尔人的哈里发统治着埃及以西的全部北非地区,且西班牙穆斯林世界的绝大部分亦向他臣服。在征战中,阿卜杜勒·慕敏已设立帝国的中央政府。除建立玛斯穆达赫人和支持阿尔摩哈德帝国的其他柏柏尔民族的传统氏族组织之外,他

另设一组织以促进传播阿尔摩哈德的教旨，又以西班牙穆斯林为模式设一中央行政机构（玛克赫赞），这一机构大都由西班牙穆斯林组成。设立临时的政府地政部门管理帝国的固定税收。阿卜杜勒·慕敏赞助发展艺术，但不忘伊本·突麦尔特的严肃拘谨精神，他令安达卢西亚工匠在为他而建的清真寺上使用质朴素净的风格，显得比豪华装饰的建筑更为庄重。阿卜杜勒·慕敏卒后，艾布·耶古卜·优素福（1163～1184 在位）和艾布·优素福·耶古卜·曼苏尔（1184～1199 在位）忠诚地继承他的事业达半个多世纪。

ʿAbd al-Qādir al-Jīlānī 阿布杜·卡迪尔·吉兰尼（1077或1078，波斯尼夫～1166，巴格达）伊斯兰教神秘主义苏非派卡迪里教团创始人。作为思想家，他使苏非派的神秘性和伊斯兰教法的严格要求互相调合。他认为苏非主义就是为了战胜唯我主义和世俗习气并克制自己以顺从真主意志的圣战。

ʿAbd al-Qādir ibn Muḥīy ad-Dīn ibn Musṭafā al-Ḥasanī al-Jazāʾirī（Algerian leader）**阿卜杜卡迪尔·伊本·穆希·迪恩·伊本·穆斯塔法·哈萨尼·杰扎伊里** 参阅 **Abdelkader** 阿卜杜卡迪尔。

ʿAbd al-Wādid DYNASTY 阿卜杜勒瓦迪德王朝 又称巴努扎亚、扎亚尼德王朝。柏柏尔族宰那泰人在阿尔及利亚西北部继承阿尔摩哈德帝国而建立的王朝（1236～1550）。宰那泰人原臣服于阿尔摩哈德帝国，1236 年得到其他柏柏尔部族和阿拉伯游牧部族的支持，在蒂利姆桑（特莱姆森）建立王国，以宰那泰埃米尔耶格穆拉桑为王（1236～1283 在位）。耶格穆拉桑通过成功地控制柏柏尔各敌对派别保持国内安定，并与格拉纳达苏丹和卡斯蒂利亚国王结盟，以对付来自西面的马里尼德人的威胁。他死后，马里尼德苏丹艾布·耶古卜围攻蒂利姆桑 8 年（1298～1306）。1337 年该城终被艾布·哈桑占领，随后 10 年由马里尼德人统治。1348 年阿卜杜勒瓦迪德人收复该城，1352 年复被马里尼德人袭取并统治 7 年。阿卜杜勒瓦迪德人企图向东扩张至哈夫西德王朝的突尼斯，亦遭惨败。15 世纪初实际上曾一度称臣于该哈夫西德国家。该王国屡遭削弱，盖源于其在地理和文化方面缺乏统一，无固定疆界，且内部叛乱频仍。加之苦于人力不足，依赖难以驾驭的阿拉伯游牧民充当士兵。其经济繁荣则基于蒂利姆桑在地中海港口与撒哈拉沙漠绿洲之间的商路上所处的地位。阿卜杜勒瓦迪德国家在交替称藩于西班牙和土耳其半个世纪后，1550 年奥斯曼土耳其人攻占蒂利姆桑，该王朝遂告崩溃。

ʿAbd al-Wahhāb, Muḥammad 阿卜杜勒·瓦哈卜（1901?，埃及开罗～1991-05-04，开罗）埃及作曲家和音乐家。他将欧洲和拉美乐器、旋律、节奏融入了自己的作品中，改变了现代阿拉伯音乐的发展方向。出身贫寒，童年时起就在宗教节日和夜总会里唱歌。他常为阿拉伯古典和现代诗歌谱曲，还创作了很多民族歌谣。很多作品成为阿拉伯世界的现代经典音乐，并为他赢得了埃及、叙利亚、黎巴嫩的音乐奖项。他是一名多产的作曲家，创作了大约 1 800 首流行歌曲。还参加了多部音乐电影的拍摄。

ʿAbd Allāh 阿卜杜拉（1846，苏丹～1899-11-24，科尔多凡） 又作ʿAbdullahi。苏丹政治和宗教领袖，继穆罕默德·艾哈迈德（马赫迪）成为苏丹宗教运动和国家的领导人。他出身宗教职业家庭，约 1888 年成为穆罕默德·艾哈迈德的门徒。艾哈迈德自称接受真主使命，成为"马赫迪"，并任命阿卜杜拉为哈里发。1885 年马赫迪死后，阿卜杜拉成为马赫迪运动的领袖。他首先关心的是将自己的权力建立在坚实基础上。马赫迪虽曾明确指定他为继承人，但马赫迪的支持者中的阿什拉夫人设法改变此决定。阿卜杜拉通过果断控制该运动关键领导职位和取得马赫迪信徒中最虔诚的集团的支持，消除了这支反对势力。他虽无法像马赫迪那样自称得到真主的启示，但宣称自己通过马赫迪而获得真主的旨意，以此尽可能扮演马赫迪一样的角色。他相信通过保持马赫迪煽起的扩张主义势头，可以牢固地控制支持他的互不相同的各派，于是进攻埃塞俄比亚并入侵埃及，但他过高估计了埃及农民将会给予他的军队的支持，又过低估计了英埃军队的作战能力，1889 年在埃及惨遭失败。英埃军队虽未向尼罗河上游挺进，但阿卜杜拉却为苏丹东部遭受的饥荒和军事上的失利所苦。对其权力的最严重挑战来自 1891 年 11 月阿什拉夫人的叛乱，但他制止了叛乱的蔓延，并在政治上消除了反对势力。此后 4 年间，他加强统治，巩固权力，度过饥荒，并结束了大规模作战的耗费，改革行政，使之符合民意，减轻赋税，建立了一支忠于他的新军。1896 年英埃军队开始重新征服苏丹，他抵抗几达两年之久。1898 年 9 月被迫逃离首都恩图曼，但仍拥有重兵。1899 年 1 月签订的《共同管领协定》使苏丹几乎沦为英国的保护国，许多埃及人和苏丹人对之不满，阿卜杜拉希望得到支持，重振旗鼓。1899 年 11 月 24 日，英军袭击马赫迪军残部，阿卜杜拉战死。

ʿAbd Allāh 阿卜杜拉（约 1923，沙特阿拉伯利雅得～　　） 又拼 Abdullah，全名ʿAbd Allāh ibn al-ʿAzīz。沙特阿拉伯国王（2005 年起）。1962 年任国民卫队司令。1975 年任副首相。1982 年立为王储，并担任第一副首相。1995 年法赫德国王（1982～2005 年在位）中风，他曾短期担任摄政。后法赫德虽重　当政，他仍负责处理国家日常事务。2005 年法赫德逝世，阿卜杜拉继任国王。他致力于捍卫阿拉伯利益，但力图与西方尤其美国，保持密切关系。2001 年，由于沙特认为美国在处理巴以冲突上不公，两国关系趋于紧张。9·11事件后，查出大多数袭击者是沙特国民，局势更加恶化。阿卜杜拉对袭击加以谴责，并采取行动改善关系，提出和平倡议，号召以色列撤出被占领土（加沙、西岸和戈兰高地），承诺所有阿拉伯国家与以色列关系正常化。然而，阿卜杜拉拒绝支持美国领导的对伊拉克的进攻，两国关系再度紧张。在国内方面，他提出现代改革计划，鼓励外来投资，实行私有化。由于对极端伊斯兰主义的恐惧，下令以武力镇压极端主义者。2005 年，举行了沙特阿拉伯第一次由成年男性选民参加的地方选举。

ʿAbd Allāh, Khawr 阿卜杜拉水道 在科威特和伊拉克之间，可能是被淹没的阿拉伯河河口，现阿拉伯河河口已北移并构成伊拉克-伊朗边界的东南段。该湾延入伊拉克境内的部分称祖拜尔湾，沿湾有伊拉克港口乌姆盖斯尔，阿卜杜拉湾向西北延伸，经运河与底格里斯-幼发拉底河水系连结。阿卜杜拉湾与布比延岛东北岸和沃尔拜岛北岸接壤。两岛通常被认为属科威特，但伊拉克也称其为己有。

ʿAbd Allāh ibn al-ʿAbbās 阿布杜拉·伊本·阿巴斯（约619～687或688，阿拉比亚塔伊夫） 又称伊本·阿巴斯。先知穆罕默德的圣门弟子，早期伊斯兰教最著名的学者之一，《古兰经》的第一位注释者。在争夺哈里发职位的角逐中，起初他支持阿里，遂被酬以巴士拉总督之职；其后变节，退居麦加。在穆阿威叶统治期间，住在汉志，经常前往首都大马士革。穆阿威叶死后，他反对伊本·祖拜尔，拒绝承认他为哈里发，被迫逃往塔伊夫，死于该地。他因在宗教传说与世俗传说方面的知识和对《古兰经》苛严的注释而著名。

ʿAbd Allāh ibn al-Ḥusayn 阿卜杜拉·伊本·侯赛因 参阅 **Abdullah** 阿卜杜拉。

ʿAbd Allāh ibn az-Zubayr 阿卜杜拉·伊本·祖拜尔（624-05，阿拉伯麦地那～692-11，麦加） 反对伊斯兰帝国伍麦叶王朝的叛乱领袖，对伍麦叶家族执掌哈里发政教大权深表不满的穆斯林贵族阶层最杰出的代表。他青年时多次参加早期伊斯兰教扩充势力的战争。651 年哈里发奥斯曼指定他参加编纂《古兰经》正式修订本。后来他一直倦于政治，几乎没有参加 656 年奥斯曼死后的内战。因对伍麦叶家族发动内战进行夺权不满，拒绝向第一代伍麦叶哈里发穆阿威叶的儿子和假定继承人耶齐德宣誓效忠。680 年耶齐德就任哈里发后，他仍拒绝宣誓效忠，是年逃往麦加，秘密组织军队。耶齐德得知此事，派亲兵讨伐，围困麦加。683 年耶齐德死，麦加始解围。692 年哈里发阿卜杜勒·马利克派兵去麦加，以迫使他屈服。麦加再次遭围攻，阿卜杜拉·伊本·祖拜尔在战斗中阵亡。

ʿAbd Allāh ibn Lutf Allāh ibn ʿAbd ar-Rashīd al-Bihdādīnī Ḥāfiẓ-i Abrū 阿卜杜拉·伊本·卢特夫·安拉·伊本·阿卜杜勒·拉希德·比赫达迪尼·哈菲兹·阿卜鲁 参阅 **Ḥāfiẓ-i Abrū** 哈菲兹·阿卜鲁。

Abd ar-Rahman 阿卜杜勒·拉赫曼（1789 或 1790～1859-08-28，摩洛哥梅克内斯） 摩洛哥苏丹（1822～1859 在位），阿拉维王朝第 24位统治者。在位时期与欧洲列强，特别是法国，既保持和平接触，又出现过敌对关系。他未经国内冲突便继承王位，成为颇有才能的行政领导人和公共工程的积极建设者。在位期间其权力经常受到一些异己部族和不满贵族的挑战，曾多次平定叛乱（1824，1828，1831，1843，1849，1853）。对他的王国更严重的威胁来自国外。阿拉维王朝鼓励海盗活动以筹集资金的传统政策引起与欧洲列强的冲突。为报复劫持其船只的行为，英国封锁丹吉尔，奥地利炮轰了阿尔齐拉、拉腊歇和得土安等港口。1851年作为对摩洛哥海盗行为的报复，又炮轰了萨勒港。阿卜杜勒企图通过支持阿尔及利亚抗法领袖阿卜杜卡迪尔而向东扩大其影响，这一方针导致1844年与法国开战，结果损失惨重。根据1844年10月签订的《丹吉尔条约》，他被迫承认法国在阿尔及利亚的主宰地位。阿卜杜勒在位期间与欧洲大国签订一系列商约，并凭借其精明的外交手腕维护了摩洛哥的独立。

ʿAbd ar-Raḥmān I　阿卜杜勒·拉赫曼一世（活动时期750～788）　又称达克西尔·拉赫曼，叙利亚的伍麦叶王室成员，曾在西班牙建立伍麦叶王朝。750年阿拔斯王朝推翻伍麦叶哈里发后，极力捕杀伍麦叶王室分子。拉赫曼逃到西班牙。当时，伊比利亚半岛已被穆斯林阿拉伯军队占据了一个时期，当地两派阿拉伯人——嘎义斯人和也门人——正在互相竞争，拉赫曼觉得有机可乘，就利用雇佣兵的支持和改变同盟者使自己处于举足轻重的地位。755年他打败安达卢斯总督，在科尔多瓦建都。他录用大批伍麦叶王朝时期的部属，推行类似大马士革的行政制度。他曾击退查理曼大帝和阿拔斯哈里发派来的军队，镇压各种叛乱，保卫自己的王国。

ʿAbd ar-Raḥmān II　阿卜杜勒·拉赫曼二世　穆斯林西班牙伍麦叶王朝的第4代统治者。在位期间（822～852）国势繁荣昌盛。曾大事兴修土木，扩建科尔多瓦大清真寺，并且保护诗人、音乐家和宗教人士。

ʿAbd ar-Raḥmān III　阿卜杜勒·拉赫曼三世（891-01～961-10-15，科尔多瓦）　又称"安拉信仰的胜利者"。西班牙伍麦叶阿拉伯穆斯林王朝第一代哈里发和最著名的统治者，自912年10月起以科尔多瓦埃米尔世系称号执政，929年称哈里发。912年10月继祖父阿卜杜拉为科尔多瓦埃米尔，时年12岁。他即位后着手镇压叛乱，重建科尔多瓦在西班牙的权威，受到臣民的尊敬。践位10日后，就把第一个叛乱分子在科尔多瓦斩首示众。此后约20年间，他几乎每年出兵讨伐，先剿平西班牙南部，然后又平定中部和东部。他的最大敌人是博巴斯特罗领主、秘密的基督教徒欧麦尔·伊本·哈弗逊。阿卜杜勒·拉赫曼采取了不断侵扰伊本·哈弗逊所据山寨的战略。由蒙特莱昂之役开始，连下70余寨。伊本·哈弗逊死（917）后，叛军内部崩溃。928年阿卜杜勒·拉赫曼猛攻博巴斯特罗。933年在围城激战中攻克托莱多，至此最后一支反对科尔多瓦宗主权的穆斯林势力便销声匿迹。他在镇压叛乱的同时，还必须对付北方基督教势力的威胁。913年夏，莱昂国王奥多诺二世率大军进攻穆斯林地区，洗劫埃武拉城（塔拉韦拉），屠杀阿拉伯居民，在西班牙的穆斯林中引起普遍的愤慨。阿卜杜勒·拉赫曼决定进行反击。920年他亲自指挥穆埃兹战役，攻下奥斯马及圣埃斯特凡诸寨，进而于7月26日在瓦尔德容克拉一举歼灭莱昂与纳瓦拉联军。924年春他再度进攻纳瓦拉王国，洗劫其首都潘普洛纳。此后7年，他使穆斯林与基督教势力保持对峙局面。但拉米罗二世继任莱昂国王（932）后，立即开始进攻穆斯林地区。939年，双方君主率大军在所谓的锡曼卡斯濠会战，阿卜杜勒·拉赫曼大败，仅以身免。950年拉米罗死，莱昂国内战爆发，阿卜杜勒·拉赫曼乘机出兵报复，大获全胜，攻占莱昂。958年流亡的莱昂国王桑乔、纳瓦拉国王桑切斯及其母后托达等人前往科尔多瓦，觐见阿卜杜勒·拉赫曼。他还在北非反对法蒂玛王朝，向其叛乱分子提供援助，派海军洗劫其沿海城市。到他统治末期，法蒂玛王朝势力日增，所以双方斗争旷日持久，贯穿整个10世纪。阿卜杜勒·拉赫曼在位期间，穆斯林西班牙无限繁荣。他建了一座造币厂，铸造金币、银币，重修了科尔多瓦大清真寺、皇宫，增设许多新建筑物。他还耗费巨资，建新皇城——宰赫拉城。他对国务，不分巨细事必躬亲，定期调换封疆大吏，以免他们拥兵坐大，形成割据政权。949年其子因谋反被诛。他对宗教采取宽容政策。当时，无论基督徒社区或穆斯林社区均呈繁荣景象，他的威名远扬。当其执政晚年，科尔多瓦几乎与地中海世界的君士坦丁堡同享盛誉。在科尔多瓦，他接见远道而来的日耳曼奥托一世和拜占廷皇帝的使者。据说当时科尔多瓦拥有清真寺3 000座，店铺与住户10万余家。阿卜杜勒·拉赫曼在位时间之久居穆斯林诸哈里发第二。

Abd el-Kader（Algerian leader）　参阅**Abdelkader 阿卜杜卡迪尔**。

Abd el-Krim　阿卜杜勒·克里姆（1882，摩洛哥艾季迪尔～1963-02-06，埃及开罗）　全名穆罕默德·伊本·阿卜杜勒·克里姆·哈塔比。反对西班牙和法国在北非统治的抵抗运动领袖，短命的里夫共和国（1921～1926）的创立者。善于运用谋略，颇有组织才能，领导解放运动，成为马格里布（西北非）的英雄人物。他是反对殖民统治、争取独立斗争的先锋，只是由于殖民强国的军事和技术优势才使他遭到失败。柏柏尔部落权势人物拜努乌里亚格尔之子，除受过传统穆斯林教育外，还受过西班牙教育，曾在土著事务局任秘书。1915年任梅利利亚区穆斯林总法官，在该地兼任一所西班牙语-阿拉伯语学校的教师并任《里夫电讯报》阿拉伯文部编辑。他在这个西班牙保护地政府任职期间，开始对西班牙的统治感到失望，终因反对西班牙的政策而被捕入狱。1918年逃走，再次任梅利利亚穆斯林总法官，但1919年离职重返艾季迪尔。不久开始组织反对外国统治摩洛哥的部族抵抗运动，其兄弟参与此举，后成为他的首席顾问和里夫军队的司令。1921年7月他在阿努瓦勒击败西班牙军队，将其追赶到梅利利亚郊外。其时，里夫共和国成立，他出任总统。他克服部落间的倾轧，开始根据柏柏尔人的传统部族制度组织中央集权政府。1924年再挫西班牙军队；1925年驱赶曾夺取他在瓦尔加河谷的供应基地的法军，几乎到达非斯古城。面对阿卜杜勒·克里姆的节节胜利，并感到他领导的运动危及它们在北非的殖民地，法西两国在马德里开会决定采取联合行动。西军在艾季迪尔附近的阿卢塞马斯湾登陆，16万法军则在菲利普·贝当元帅指挥下从南面进攻。受到25万法西联军和技术上压倒优势的攻击，阿卜杜勒·克里姆于1926年5月27日投降，被放逐到印度洋上的留尼汪岛。1947年获准定居法国后离开留尼汪，中途获得埃及政府给予的政治避难权；后在开罗领导阿拉伯西部解放委员会（有时称马格里布局）5年之久。摩洛哥恢复独立后，穆罕默德五世国王邀他返摩，阿卜杜勒·克里姆则表示，只要法国军队仍然留在北非的土地上他就拒绝回国。

ʿAbd-uṣ-Ṣamad, Khwāja　阿卜杜勒-萨马德（出生于伊朗设拉子，活动时期16世纪）　波斯画家，与米尔·赛伊德·阿里同为印度皇家画室最早成员，莫卧儿细密画派的奠基人之一（参阅 **Mughal painting**）。出生于波斯望族。在波斯遇到流亡异国的印度皇帝胡马雍时，已是享有盛名的画家兼书法家。1548年应邀随这位皇帝去印度。先到喀布尔，后又去德里。曾指导胡马雍及其幼子（尚未继位的皇帝）阿克巴作画。在阿克巴画室任主管时，学生里有达斯万德和巴萨万，后来成为最有名望的莫卧儿派画家。他曾与米尔·赛伊德·阿里共同指导的为《艾米尔汉斋故事集》所作的大部分插图，是一组共约1 400幅的大幅插图。在其署名的细密画中，有描绘太子阿克巴向胡马雍呈献细密画的情景（藏德黑兰皇家图书馆）。1595年为内扎米著的《五卷诗》所作插图体现出其画风更加印度化（藏不列颠博物馆）。

Abdālī　阿布达利人　参阅 **Durrānī** 杜兰尼人。

ʿAbdali sultanate　阿布达利苏丹国　昔为阿拉伯半岛南部的半独立国家，位于亚丁城北部，也门（亚丁）独立的先驱。首府拉赫季。最初为也门（萨那）的属国，1728年获得独立。当时阿布达利部落人民占领亚丁，保持独立直至1839年与英国签订第一个导致成立亚丁保护国的条约。第一次世界大战期间为土耳其占领。1948年位于西部的苏拜希部落地区归阿布达利管辖。1967年阿布达利成为也门（亚丁）的一部分。1990年成为联合的也门的一部分。这一地区土地肥沃，有部落定居，盛产水果、谷物等。

Abdelkader　阿卜杜卡迪尔（1808-09-06，阿尔及利亚穆阿斯凯尔附近盖特纳～1883-05-26，叙利亚大马士革）　又作 Abd el-Kader。全名阿卜杜卡迪尔·伊本·穆希·迪恩·伊本·穆斯塔法·哈萨尼·杰扎伊里。法国占领阿尔

中国大百科全书出版社供图

及利亚地中海沿岸后，领导阿尔及利亚人民同法国入侵者战斗(1840～1846)的著名军事人物。是创建现代国家的政治领袖，阿尔及利亚人民抵抗运动和日益发展的民族主义的代表人物。1830年法军登陆时，阿尔及利亚在奥斯曼帝国的统治之下。阿尔及利亚人民痛恨奥斯曼人，在19世纪初期，起义迭起。西部的一些部族自行组织起来，请兄弟会领袖马迪丁率领他们去袭击奥兰和穆斯塔加奈姆的法军。后因马迪丁年迈，就在1832年底由他的儿子阿卜杜卡迪尔接替他的职位。阿卜杜卡迪尔以勇武驰名。根据1834年的《德米歇尔协定》，他得到奥兰省整个内陆地区的统治权。这位埃米尔不但统一他所属的新领地，而且统治了谢利夫平原的所有部族。他占领米利亚纳和麦迪亚，并在马克塔击败C.特雷泽尔将军。通过巧妙的谈判，他与法国人签订《塔夫纳条约》(1837)，从而成为奥兰省和提泰里省的整个内陆地区的主人。不及两年，他组成了一个真正的国家。其首府有时在穆阿斯凯尔，有时在提亚雷特。他取消军事部落的特权，实行司法平等。他向南扩展势力，到1838年冬，势力范围已超越卡比利亚边界，所有撒哈拉部族都臣服于他。阿卜杜卡迪尔是一个独裁者。他建立一支约2 000人的正规军，在塞卜杜、塞伊达、提亚雷特、塔扎、布加尔等地设防，开办军火工厂，用谷物向外国换取武器。他建立新的行政机关，官员支取固定的薪金。他教育人民节俭，并以身作则，住在帐篷中生活，从来不事铺张。他提倡教育，不断将独立和民族的观念灌输给人民。当奥尔良公爵的部队跨越铁门时，他认为这是对他根据《塔夫纳条约》所得到的领土的粗暴侵犯，因而发动奇袭，使法国对米提贾平原的殖民遭到破产。1840年T. R.比若将军出任阿尔及利亚总督，开始征服阿尔及利亚全境。这场残酷的侵略战争持续7年。1841年法军摧毁阿卜杜卡迪尔的阵地，翌年攻陷特莱姆森。阿卜杜卡迪尔逃往摩洛哥。后来，他利用宰赫拉地区的一次起义，重新进入阿尔及利亚领土，攻下西迪易卜拉欣前哨，并深入内地。1846年再次到摩洛哥避难。由于摩洛哥苏丹把他看成一种负担，他又返回阿尔及利亚，堂堂正正地向C. de拉摩里西尔将军和法王路易-菲力普之子奥马尔公爵表示归顺。奥马尔公爵应允把他送往东方。然而，路易-菲力普却不遵守其子的诺言，而将他囚禁在法国。阿卜杜卡迪尔于1852年获释，返回布尔萨，然后去大马士革生活，写作《呼唤有识之士，警告冷漠的人》。法国向他提供大笔津贴，甚至准备让他在土耳其和埃及之间的某地称王。现代阿尔及利亚人认为阿卜杜卡迪尔是本国人民最伟大的英雄。

Abdera　阿夫季拉　古希腊色雷斯沿海的城镇，在奈斯托斯河口附近。当居鲁士属下波斯人侵占爱奥尼亚时(约公元前504)，部分爱奥尼亚人撤到这里定居。他们与色雷斯内地发展了活跃的贸易关系。公元前5世纪时，阿夫季拉是提洛同盟中的一个十分繁荣的成员。到公元前4世纪，由于色雷斯人侵袭而一蹶不振。哲学家普罗塔哥拉和德谟克利特都是阿夫季拉的公民。阿夫季拉现仍为希腊一城镇。

abdominal cavity　腹腔　体内最大的体腔。上壁为横膈，一个由横纹肌和结缔组织构成的膜性结构，将胸腔和腹腔隔开；下界为盆腔上平面；后壁垂直方向正中是脊柱；腹腔的两侧壁、两后侧壁和前壁均由肌性体壁构成。腹腔内含有绝大部分消化道器官、肝、胰、脾、肾和肾上腺。

腹腔内被覆一层腹膜。根据腹膜所在位置，人为地将腹膜分为壁层腹膜和脏层腹膜二部分，前者被覆于腹腔各体壁的内面；后者

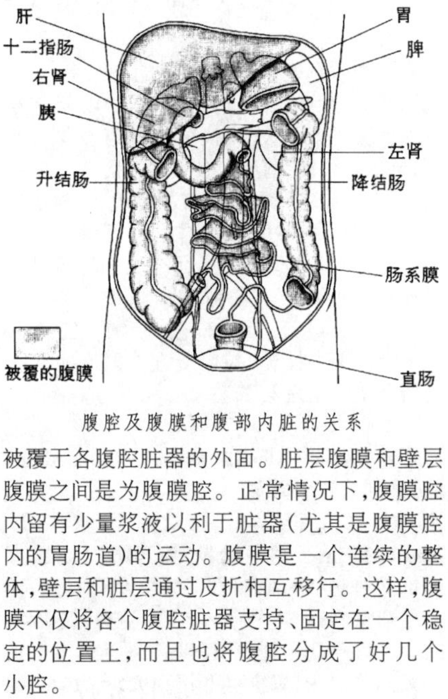

腹腔及腹膜和腹部内脏的关系

被覆于各腹腔脏器的外面。脏层腹膜和壁层腹膜之间是为腹膜腔。正常情况下，腹膜腔内留有少量浆液以利于脏器(尤其是腹膜腔内的胃肠道)的运动。腹膜是一个连续的整体，壁层和脏层通过反折相互移行。这样，腹膜不仅将各个腹腔脏器支持、固定在一个稳定的位置上，而且也将腹腔分成了好几个小腔。

有些腹腔脏器位于腹膜腔外面，但和腹膜之间的位置关系不同。胰腺通过结缔组织被固着在腹腔后壁，而壁层腹膜则被覆于胰腺前面，看不到"腹膜韧带"的形式。而其他脏器，如肝脏，则被腹膜完全反包起来，然后两侧腹膜于反折处融合，形成韧带(肝镰状韧带)，将肝脏固附于腹腔上壁。肝镰状韧带内并没有多少血管分布。这种由强实的腹膜反折形成的腹膜韧带是腹腔内脏器和脏器之间、脏器和腹壁之间最常见的连接形式。腹膜韧带的命名可根据所连结构(如胃结肠韧带、脾结肠韧带等)，也可据形状(如环状韧带、三角韧带和镰状韧带等)。肠系膜是把肠管固定于腹壁的腹膜反折，其内分布有大量出入所包脏器的动、静脉血管。最重要的肠系膜有三处：小肠系膜、横结肠系膜(将横结肠固定于腹腔后壁)和乙状结肠系膜(包裹乙状结肠)。网膜是指那种专门包裹腹腔的神经、血管、淋巴管和脂肪、结缔组织的腹膜反折。有大网膜和小网膜之分，前者自幽门十二指肠外面垂下，状似围裙；后者位于胃小弯和肝门之间。常见的腹腔不适包括腹水和腹膜炎。

abdominal muscle　腹肌　腹腔前壁及侧壁的肌肉，由3块扁平的肌肉构成。从外向内顺序为腹外斜肌、腹内斜肌及腹横肌。腹正中线上有腹直肌。腹外斜肌、腹内斜肌及腹横肌的起点在脊柱、肋骨下缘，止点在髂嵴及耻骨。肌纤维向腹正中线走行，参加腹直肌鞘的组成，在腹白线处与对侧来的肌纤维相遇。肌纤维交叉排列，故肌层虽薄，肌力甚强。腹外斜肌肌纤维的走向是向下、向前，腹内斜肌向上、向前，腹横肌则为水平走行。腹直肌起于肋骨，止于耻骨，外围以纤维性的腹直肌鞘。在腹股沟部、耻骨与髂前上嵴之间，腹肌纤维和腱膜形成腹股沟管。腹股沟管于婴儿初生睾丸从腹腔降入阴囊时形成。在女性，腹股沟管代之以子宫圆韧带。腹股沟管是一个薄弱区，腹股沟疝可于此发生。腹肌的功能为：①构成坚强、有弹性的肌壁，用以保护内脏，呼气时将胸廓往下拉。②腹壁受打击时，腹肌即收缩变硬以保护内脏。③会厌关闭、胸部及骨盆固定时，腹肌参与排尿、排粪、分娩、呕吐、唱歌、咳嗽等动作。④骨盆固定不动时，腹肌收缩可使躯干向前弯曲，然后由于重力的关系，腹肌松弛而背肌紧张。⑤反之，在防止伸展过度时腹肌可发挥作用。⑥胸部固定不动时，腹肌收缩可将骨盆及下肢抬起。⑦一侧腹肌收缩可使脊柱侧弯及使脊柱旋转。

ʿAbdor Raḥmān Khān　阿卜杜尔·拉赫曼汗　(约1844，喀布尔～1901，喀布尔)　阿富汗国王(1880～1901)。阿富汗巴拉克宰王朝创立者多斯特·穆罕默德汗之孙。他在长期的权力斗争中发挥了重要的作用。1869年流亡撒马尔罕。1880年回国，英国承认他为阿富汗国王。1880～1887年连续平息几次叛乱。他就阿富汗西北国界问题与俄国达成协议。1893年同英国代表团谈判，接受杜兰线为他的辖区的边界。他改组地方行政系统，开始内政改革，聘请外国专家，进口兵工机器，引进消费品和新农具的制造业，并开办阿富汗第一家现代医院。他建立一个组织严密的政府治理分裂的民众，并在印度的英国势力和俄罗斯帝国间保持平衡。

Abdu(city，ancient Egypt)　参阅**Abydos阿比多斯**。

abduction　诱拐　在法律上，指带走任何妇女使其作妾或卖淫。在大多数司法制度下，为达到结婚目的而掳走不满法定年龄的少女，也属于诱拐罪。诱拐通常被看做是**绑架(kidnapping)**的一种形式。

abductor muscle　外展肌　使肢体离开躯体的中面或使肢体一部分离开其相邻部分的肌肉。三角肌收缩时便向侧方抬臂。小指展

肌外展小指。拇长、短展肌外展拇指，踇展肌及小趾展肌分别外展踇趾及小趾。

ʻAbduh, Muḥammad　穆罕默德·阿布杜（1849，埃及尼罗河三角洲地区～1905-07-11，亚历山大附近）　宗教学者、法律学家、开明的改革家，领导埃及和其他伊斯兰国家19世纪末兴起的在现代社会中复兴伊斯兰教教义和制度的运动。毕业于开罗爱资哈尔大学，1877年获该校所授学者学位。1872年追随波斯泛伊斯兰主义革命派阿富汗尼进行政治活动，阿富汗尼1879年被驱逐出境，他被送回故乡。次年任政府公报编辑，利用该刊鼓吹反抗英法政治侵略，主张改革社会和宗教。1882年他与尤拉比帕夏起义有牵连，英军占领埃及后，把他驱逐出境。1884年在巴黎协助阿富汗尼出版革命杂志《牢不可破的关系》，秘密运往埃及、印度等地。后来曾在贝鲁特任某伊斯兰学院教师3年。1888年返回埃及，担任司法职务。1899年在英国人的帮助下升任埃及的穆夫提（即伊斯兰法典诠释长），对司法行政和宗教基金进行改革。他同时在爱资哈尔大学任教，改革该校行政和课程安排；并成立慈善团体为贫民子弟办学。在立法会议上他主张在政治上与英国合作，并认为法律和教育方面的改革可以从长计议。这种见解与他早期的主张迥然不同，虽然得英国人赞赏，但受到埃及民族主义领袖的敌视。最重要的著作有《论真主的独一性》等。他是19世纪末和20世纪初一代穆斯林知识界的代表，他们共同要求赋予伊斯兰教义以新的生机，使之适应现代文明。

Abdul-Jabbar, Kareem　阿布达尔-杰巴尔（1947-04-16，美国纽约州纽约～　）　又称阿尔辛多（1971年以前）。原名Ferdinand Lewis Alcindor。美国大学和职业篮球运动员。身高7英尺1⅜英寸，在70年代和80年代初期，作为中锋在篮坛占有重要位置。他作为鲍尔纪念学院篮球队的成员打了4年球，那时他身高已达6英尺8英寸。在此期间他投篮共得2 067分，创纽约市中学生篮球得分纪录。1965年进入洛杉矶加利福尼亚大学，第一场比赛独得56分，创洛杉矶加利福尼亚大学最高纪录。由于别人在场上对他防不胜防，他曾创一场比赛得61分的纪录。他在加利福尼亚大学队期间，校队多次征战，仅两次失利。阿尔辛多于1969年加入全国篮球协会（NBA）密尔沃基雄鹿队，1970年成为该队最引人注目的新手。1971年该队获全国篮球协会冠军，阿尔辛多得分最多（2 596），平均每场得分也最多（31.7）；1972年他又在这些方面拔头筹（2 822分；34.8分）。1971年他在洛杉矶加利福尼亚大学时改信伊斯兰教，取了个阿拉伯名字。1975年，他与人对调加入洛杉矶湖人队。到1984年，他就超过了W.张伯伦在全部篮球生涯中所得的31 419分。他于1988～1989年赛季结束后退出篮坛，曾创纪录地6次被选为最有价值的运动员。在结束异常漫长的篮球生涯时，为全国篮球协会创下了3项纪录：得分最多（38 387）；投球中篮（罚球投篮除外）最多，共15 837个；场上打球时间最长（57 446分钟）。1995年入选篮球名人堂。

Abdul Kalam, A. P. J.　阿卜杜尔·卡拉姆（1931-10-15，印度拉梅什沃勒姆～　）　全名Avul Pakir Jainulabdeen Abdul Kalam。印度科学家、政治家，对印度导弹及核武器的研制起了了重要作用。在马德拉斯技术学院获得航空工程学位后，1958年加入印度国防研究与发展研究所。不久便转往印度太空研究委员会，成为SLV-III（即印度首枚自行设计及制造的人造卫星运载工具）的项目主任。1982年重回国防研究与发展研究所拟定导弹研发计划，顺利生产多种导弹，他也因此而获“导弹人”的绰号。1992～1997年担任国防部长的科学顾问，之后被提拔为级别相当于内阁部长的首席科学顾问（1999～2001）。1998年主导印度的核试验，使他成为民族英雄，尽管这些核试验引发国际社会强烈关注。同年，卡拉姆提出一项名为“科技愿景2020”的全国性计划。他将此计划喻为一张蓝图，要让印度在20年内从欠发达国家转型为发达国家。该计划要求采取措施提高农业生产力、重视科技以作为经济发展的工具、普及医疗保健与教育。2002年，印度执政的全国民主联盟提名卡拉姆接任即将去职的总统K.R.纳拉亚南。虽然是穆斯林，卡拉姆仍获得亲印度教的全国民主联盟提名；尤有甚者，他的道德水平与广受欢迎的程度，竟让身为主要反对党的印度国民大会党也提名他为总统候选人。卡拉姆轻松赢得大选，同年7月就任印度第11任总统。此后，他继续致力于利用科技把印度变成发达国家。卡拉姆出版了多部著作，包括自传《火之翼》（1999）。

Abdul Rahman, Tuanku (King)　**拉赫曼（端古）**（1895-08-24，马来亚斯里梅南蒂［今马来西亚］～1960-04-01，吉隆坡）　马来亚联合邦第一任最高国家元首。1957年马来亚脱离英国宣布独立后，由马来亚统治者在他们中间选出，任期5年，但未届期满即去世。森美兰邦统治者端古·穆罕默德之子。1925年随父去英格兰，他留在那里学习法律，1928年从内殿律师学院取得律师资格。回马来亚后，曾在政府部门担任各种职务。父死（1933）后继承森美兰邦的王位。他沉默寡言、为人和蔼、尊重宪法并同情臣民。

Abdul Rahman Putra Alhaj, Tunku (Prince)　**拉赫曼（东古）**（1903-02-08，马来亚吉打亚罗士打［今马来西亚］～1990-12-06，吉隆坡）　马来亚独立后第一任总理（1957～1963），后任马来西亚第一任总理（1963～1970），在他的领导下，新成立的政府取得稳定。1920～1931年在英国留学。回国后在吉打的政府部门工作。1947年又去英国，1949年取得律师资格，被任命为马来亚联合邦司法部副检察官，并成为马来民族统一机构（UMNO）主席。1951年辞职从政，同年使这一机构与马来亚华人公会结成联盟，1955年与马来亚印度人大会党结成联盟。1955年马华印联盟在大选中获得压倒多数的票数，他出任首席部长兼内政部长。1956年1月率代表团去伦敦进行关于马来亚独立的谈判。1957年8月马来亚独立时，他为第一任总理兼外交部长。1963年成立马来西亚联邦时，他继续担任以上职务。1970年9月辞职。

美国不列颠百科全书公司供图

Abdul Razak bin Hussein, Tun Haji　拉扎克（1922-03-11，马来联邦彭亨州北干［今马来西亚］～1976-01-14，英国伦敦）　1970～1976年马来西亚总理兼外交部长和国防部长。受过正规训练的律师，1950年进入政府部门工作，1955年进入政界。1957～1970年任马来亚独立后第一任副总理兼国防部长。其间并于1959～1969年兼任农村发展部长，对国家在农村和全国发展方面取得的进步做出主要贡献。1969年任全国行动委员会主席，引导国家克服这一年马来人与华人之间的暴力骚乱。1970年起任总理，执行不结盟政策，1974年与中华人民共和国建立外交关系。

Abdülaziz　阿卜杜勒·阿齐兹（1830-02-09，奥斯曼帝国君士坦丁堡［今土耳其伊斯坦布尔］～1876-06-04，君士坦丁堡）　奥斯曼苏丹（1861～1876）。1871年前继续其先人开创的改革事业，实行西方化，之后转而进行独裁统治。1861年6月25日继其兄阿卜杜勒·迈吉德一世之位，和阿卜杜勒·迈吉德同样热诚钦慕西欧的物质进步，但因受奥斯曼传统教育，不能全部接受西方的制度及习俗。他是伊斯兰教毛拉维教团苦修教士（即穆斯林神秘主义者）。1861～1871年，在其干练的大臣福阿德帕夏和阿里帕夏领导下继续进行改革：建立新行政区（1864）；听从法国人建议成立国务委员会（1868）；实行公共教育，以法国大学为模式设一所新型大学；颁行第一部奥斯曼民法典。阿卜杜勒·阿齐兹与英、法建立友好关系，是出访西欧的第一位奥斯曼苏丹。

美国不列颠百科全书公司供图

1871年他的大臣阿里和福阿德去世，而他在西欧的榜样法国又被德国击败，秉性刚愎的阿卜杜勒·阿齐兹在失去强有力的大臣约束的情况下，成为实际的统治者，强调帝国的伊斯兰性质。在外交政策上，当巴尔干半岛各省发生动乱时，他接近俄国。1876年波斯尼亚和黑塞哥维那的起义烈火蔓延到保加利亚，他对在背后煽风的俄国恶感倍增。1873年粮食歉收、苏丹穷奢极欲以及国债日重，使民众更为不满。1876年5月30日被废黜，数日后死去，据闻是自杀。

Abdülhak Hâmid（Tarhan） 阿卜杜尔哈克·哈米德（1852-02-02，奥斯曼帝国君士坦丁堡［今土耳其伊斯坦布尔］～1937-04-12，伊斯坦布尔） 土耳其诗人、剧作家。被誉为土耳其最伟大的浪漫主义作家之一，在使西方影响得以进入土耳其文学方面起一定作用。生于名学者之家。就读于伊斯坦布尔和巴黎，后去德黑兰学习阿拉伯和波斯诗歌。步其父后尘，成为外交官，任职于巴黎、希腊、孟买、海牙、伦敦、布鲁塞尔，1908年任参议员，1928年当选大国民议会议员。哈米德是坦志麦特（19世纪土耳其政治改革运动）文学派的积极支持者，受爱国的前辈"青年奥斯曼"作家纳默克·凯马尔的影响，剧作带有浓厚的法国色彩。剧本《道路》和《伊本·穆萨》属于他的最佳作品，用散文和诗歌写成，刻画了穆斯林的历史人物。他是一位敏感的诗人，为更激进的文学改革铺平了道路。哈米德死后享受国葬待遇。

Abdülhamid I 阿卜杜勒-哈米德一世（1725-03-20～1789-04-07） 1774～1789年的奥斯曼苏丹。即位后，结束奥斯曼帝国与俄国的战争，签订屈辱性的《小卡伊纳尔贾条约》。根据条约，俄国取得亚速海岸各要塞、第聂伯河和布格河之间的土地，以及在奥斯曼帝国境内航行和经商的特权。1775年将布科维纳割让给奥地利。1783年俄国吞并克里米亚（奥斯曼的附庸国），并筹划瓜分奥斯曼帝国。针对这一阴谋，他在1787年向俄国宣战，这一战争到他死时还未结束。他励精图治，同意进行改革，并任命能干的首席大臣，委以全权。他提倡改革军队，创办帝国海军工程学院。他还竭力加强中央政府，力图削弱地方统治者，尤其是叙利亚、埃及和伊拉克统治者的权力。

Abdülhamid II 阿卜杜勒-哈米德二世（1842-09-21，君士坦丁堡［今土耳其伊斯坦布尔］～1918-02-10，君士坦丁堡） 奥斯曼苏丹（1876～1909）。在其独裁统治下改革及机构改组运动达到高潮。他实行泛伊斯兰政策以反对西方干涉奥斯曼内部事务。苏丹阿卜杜勒·麦吉德一世之子，因其兄穆拉德五世精神失常被废黜，于1876年8月31日登基，同年12月23日颁布第一部奥斯曼宪法。在土耳其人残酷镇压保加利亚起义（1876-05）及奥斯曼帝国在塞尔维亚和门的内哥罗连连得胜激怒西方大国和俄国之时，颁布此宪法旨在阻止外国干涉。1877年与俄国作战大败后，阿卜杜勒-哈米德二世确信西方大国援助的目的无非是干涉奥斯曼帝国事务。他解散议会（1877年3月召开），1878年2月停止实行宪法。其后30年他深居君士坦丁堡的耶尔德兹宫，依靠秘密警察、四通八达的电信网及严格的审查制度进行统治。法国占领突尼斯（1881）和英国攫取埃及（1882）后，他求得德

伊斯坦布尔市托普卡珀故宫博物馆供图

国人的支持，条件是对德国人作出让步，最重要的是允许德国人修筑巴格达铁路（1899）。镇压亚美尼亚人叛乱（1894）和引发1897年希土战争的克里特岛动乱，再次导致欧洲国家的干涉。阿卜杜勒-哈米德使用泛伊斯兰主义以巩固其在国内的独裁统治及使帝国外部的穆斯林取得意见一致，由此制造欧洲帝国主义大国在穆斯林殖民地中的困难。由世界各地穆斯林出资修筑的汉志铁路便是他这一政策的具体表现。他在国内最有影响的改革在教育方面：创办18所职业学校，1900年创办伊斯坦布尔大学，在全国各地创办起一批中、小学及军事学校。此外还改组司法部，发展铁路和电信系统。由于对他的专横统治不满，又愤于欧洲人干涉巴尔干半岛，青年土耳其党于1908年举行武装革命。阿卜杜勒-哈米德在1909年4月进行反革命反扑，未几失败被废黜。其弟穆罕默德五世即位。

Abdulla, Muhammed Said 阿卜杜拉（1918-04-25，坦桑尼亚桑给巴尔～　） 非洲小说家，斯瓦希里语通俗文学之父。青年时受过正规教育，当了10年殖民卫生部督察后，决心从事新闻工作。1948年任《桑给巴尔报》编辑，此后10年任其他报刊的助理编辑。1958年，任全国农业杂志《姆库利马》编辑，直至1968年退休。成名之作《祖庙》获东非文艺局举办的1957～1958年斯瓦希里语小说创作比赛一等奖，作品塑造了类似福尔摩斯的人物——布瓦拉·姆萨。另一部得奖作品是《吉宁吉的井》（1968）。此外还有《世上有人民》（1973）、《"0"的秘密》（1974）、《一妻三夫》（1975）、《魔鬼的儿子长大了》（1976）等。他每写一本书，情节就更趋复杂和细致。他使用斯瓦希里语之熟练，为整个东非所钦佩。他的作品多次印刷，广泛用作教材。他的小说的典型特征是将主人公的理性力量与掩盖故事冲突的真正性质的愚昧与迷信的罗网加以对立。

Abdullah 阿卜杜拉（1882，麦加～1951-07-20，耶路撒冷） 全名阿卜杜拉·伊本·侯赛因。约旦政治家、约旦独立后第一代国王（1946～1951）。汉志国王侯赛因次子。在伊斯坦布尔受教育。1908年土耳其革命后，他代表麦加为奥斯曼国会议员。1914年初参加奥斯曼帝国各阿拉伯地区谋求独立的阿拉伯民族主义运动。1915～1916年其父与驻埃及英国当局举行秘密谈判时，他曾起主要作用，此次谈判后阿拉伯人于1916年6月10日宣布举行反奥斯曼起义。1920年3月8日大马士革所谓的伊拉克国会立他为伊拉克立宪政体的国王。他拒绝了伊拉克王位，于1921年8月将王位让予弟弟费萨尔一世。1920年7月法国军队把费萨尔赶出大马士革后，他占领外约旦，并且要进攻叙利亚。后通过谈判，使外约旦脱离巴勒斯坦托管地。他雄心勃勃，想要建立一个包括叙利亚、伊拉克和外约旦在内的阿拉伯联合王国。第二次世界大战期间积极与英国合作，他的阿拉伯军团曾参加1941年英国对叙利亚和伊拉克的占领。1946年外约旦独立，1946年5月25日他在安曼加冕。他是准备接受联合国关于把巴勒斯坦分成犹太国家和阿拉伯国家的决定（1947）的唯一阿拉伯统治者。在1948年5月同以色列的战争中，他的军队占领约旦河西岸，夺取耶路撒冷旧城。两年后，他把西岸领土并入约旦王国。此举惹恼了他的前阿拉伯盟国叙利亚、沙特阿拉伯和埃及，他们原希望在西岸建立一个阿拉伯巴勒斯坦国。阿卜杜拉在国内的威信下降，1951年被巴勒斯坦民族主义者刺杀。

Abdullah II 阿卜杜拉二世（1962-01-30，约旦安曼～　） 全名Abdullah ibn Hussein。约旦国王（1999～　）。哈希姆王朝成员，被认为是先知穆罕默德的直系子孙。前国王侯赛因的长子，三岁前为王储。曾在英国和美国受教育，1980年毕业于英国皇家军事学院。曾在英国和约旦的军队中服役。1993年任约旦特种部队副司令。同年与巴勒斯坦人拉尼娅结婚，育有一子二女。1999年2月7日继任国王，6月9日正式加冕。继续执行其父的许多政策，支持阿以和平协议。9·11事件后支持美国的反恐斗争。他还致力于遏制约旦国内伊斯兰正统派的势力，改善妇女地位，促进自由市场改革。

Abdullah, Sheikh Muhammad 阿卜杜拉（1905-12-05，印度克什米尔斯利那加附近绍拉～1982-09-08，查谟和克什米尔斯利那加） 绰号"克什米尔之狮"，为印度独立而奋斗的杰出人物。曾为克什米尔的权利而斗争，并赢得克什米尔在印度的半自治地位。他曾在查谟的威尔士亲王学院和拉合尔的伊斯兰学院接受教育。1930年从阿里格尔穆斯林大学获得物理学的理学硕士学位。在英国统治印度期间，他维护该邦穆斯林多数的权利，并为反对印度教统治家族所施行的歧视政策而斗争。1931年第一次监禁（他曾多次被监禁）期满后，创设克什米尔（后改称全国）穆斯林会议。他支持政教分离的观念，当印度获得独立时，强烈反对归并穆斯林巴基斯坦的主张。1948年任克什米尔总理。虽然他早期支持J.尼赫鲁，但许多印度人认为他的最终目的是克什米尔独立，因此于1953年被解职，并被监禁。在随后的11年里，他拒绝宣誓忠于

印度，因此大部分时间受到监禁。1964年被尼赫鲁释放时，受到克什米尔人民的热烈欢迎。在随后和印度政府的会谈中，他拟定了解决克什米尔问题可行方案的基本内容。为建立与巴基斯坦及阿尔及利亚的友好关系，他被派出访，但此时印巴关系正在恶化，他此行被视为具有煽动性。同时，由于与印度的谈判明显缺乏进展，他在克什米尔获得的支持不断下降。他再度被捕，直至1968年获释。此后到1975年出任查谟和克什米尔首席部长之前，其公民投票阵线数度获得成功，但在1972年的选举中败于国大党。他与印度总理甘地夫人的关系数度趋于紧张，但曾劝说甘地夫人允许克什米尔以某种形式自治。后来他的政府被控贪污腐化。虽然他的声望低落，但他仍因争取克什米尔民族权利所做的杰出贡献而备受称颂。

Abdullah bin Abdul Kadir　阿卜杜拉·宾·阿卜杜尔·卡迪尔（1796，马来亚马六甲～1854，土耳其阿拉伯吉达［今在沙特阿拉伯］）又名孟希·阿卜杜拉·宾·阿卜杜尔·卡迪尔。马来亚出生的作家。因其自传性作品及其他作品成为现代马来文学先驱而起到重要作用。出身于阿拉伯（也门）和泰米尔血统的家庭，受到马来穆斯林文化的熏陶，又生长在英国人占领马六甲的初期，所以他一生大部分时间主要从事向西方人介绍马来社会、向马来社会介绍西方文化的工作。他长期向驻守马六甲的印度士兵及英美的传教士、官员和商人教授马来语，又任英国殖民总督莱佛士的文书和译员，曾将《福音书》及其他文献译成马来语。1837年在一位美国传教士鼓励下着手撰写自传，于1843年完成，称《阿卜杜拉传》。此书一改以往宫廷式文学的旧貌，以前所未有的清新爽直的笔调对事件和人物作了生动的口语化描写。他对自己的社会多有批评，又热心引进西方准则（虽然他仍是一个虔诚的穆斯林），曾引起新一代民族主义者的某些警惕，但人们仍普遍认为他是"现代马来文学之父"。

ʻAbdullahi（Sudanese leader）　参阅**ʻAbd Allāh 阿卜杜拉**。

Abdülmecid　阿卜杜勒·迈吉德　又作Abdul-Medjid或Abdul-Mejid。奥斯曼苏丹之名。

Abdülmecid　I　阿卜杜勒·迈吉德一世（1823-04-25，奥斯曼帝国君士坦丁堡［今土耳其伊斯坦布尔］～1861-06-25，君士坦丁堡）奥斯曼苏丹（1839～1861），曾颁布两项重要的社会政治改革法令——《御园敕令》（1839）和《帝国敕令》（1856），宣告坦志麦特（改革）新时代的到来。他受过良好教育，思想开明，是第一位会说法语的苏丹。他继承其父马哈茂德二世开创的改革计划，并得到赖希德帕夏、阿里帕夏和福阿德帕夏等几位大臣的有力辅助。改革法令的部分目的是获取欧洲列强的支持。法令规定：所有公民在法律面前一律平等，基督教徒臣民有公民权和政治权利。但这些改革的主要目的仍是维护奥斯曼帝国。1842年改组军队，实行征兵制。又颁新的刑事法典、商业法典和海事法典，建立由欧洲人和奥斯曼人担任法官的民事和刑事混合法庭。1858年实行新土地法，确认土地所有权，并试图建立地方行政的中央集权新制

美国不列颠百科全书公司供图

度。在教育改革方面，他增设教育部，创办军事预备学校，建立中学，并在巴黎成立一所奥斯曼学校（1855）。在外交方面，他努力与欧洲列强保持友好关系，以维护奥斯曼帝国的领土完整。他在1839年6月奥斯曼在尼济普战役中败于埃及总督几天后登基，当时他还是个孩子。只因有欧洲列强（不包括法国）联合干预，奥斯曼才没有接受埃及提出的屈辱性条款（《伦敦条约》，1840-07）。1849年他拒绝将科苏特及其他在土耳其避难的匈牙利革命者引渡给奥地利，赢得欧洲自由派的尊敬。1853年在与俄国进行的克里米亚战争中，奥斯曼帝国最后得到了法国、英国和撒丁的支援，并被邀请参加签订《巴黎条约》（1856）。然而，欧洲列强要求对奥斯曼帝国境内的基督教徒和少数民族的态度进行改革，同时又阻挠这位苏丹集权化和恢复对巴尔干半岛波斯尼亚和门的内哥罗的统治权的努力。他们还迫使奥斯曼同意黎巴嫩自治（1861）。《巴黎条约》使多瑙河各公国得到统一，为罗马尼亚独立（1878）铺平了道路。阿卜杜勒·迈吉德一世在君士坦丁堡修复了圣索非亚教堂，兴建了多尔马巴切宫，还修建了第一座法语剧院。参阅**Âli Paşa，Mehmed Emin；Reşid Paşa，Mustafa**。

Abdülmecid　II　阿卜杜勒·迈吉德二世（1868-05-30，奥斯曼帝国君士坦丁堡［今土耳其伊斯坦布尔］～1944-08-23，法国巴黎）　土耳其奥斯曼王朝最后一代哈里发和王储。根

美国不列颠百科全书公司供图

据奥斯曼惯例，他在40岁前一直被限制在宫中，这个时期在位的先后是其父阿卜杜勒·阿齐兹及3个堂兄。1918年第4位堂兄即位，称穆罕默德六世，他成为王储。苏丹制废除后，大国民议会于1922年11月18日选他为哈里发。凯末尔领导的青年土耳其党夺取政权，穆罕默德六世离开君士坦丁堡后，他失去王储称号。虽然哈里发职位已被削去一切政治权力，但阿卜杜勒·迈吉德这位高贵而且具有学者风度的人，仍是土耳其与伊斯兰奥斯曼时代活生生的联系象征。传统势力和凯末尔政权的反对派集合在他的周围。凯末尔决心与伊斯兰往日一刀两断，于1923年10月29日宣布成立土耳其共和国，1924年3月3日大国民议会又废除了哈里发职位。次日他被流放。

Abe Isoo　安部矶雄（1865-03-01，日本福冈～1949-02-10，东京）　日本社会主义运动创建者之一。美国哈特福德神学院毕业。在学校时即对社会主义感兴趣。1899年回国，曾任东京专门学校（1902年改为早稻田大学）教授25年。并参加日本初期的工人运动和建立社会民主党的活动（1899）。作为一名和平主义者，他反对日俄战争。1905年创办《新纪元》杂志，作为宣传源于基督教人道主义的议会社会主义的论坛。日俄战争后，因反对激进的工团主义集团操纵社会主义运动及其恐怖主义活动，一度退出政治，专心从事教育事业。第一次世界大战后，又积极参加社会党的活动，1921年建立日本费边社。1926年任社会民众党委员长。1928年选入日本帝国议会，连任5届。1932年社会民众党改组为社会大众党，他任委员长。由于党内就与军阀政府合作问题发生意见分歧，他于1940年辞职。第二次世界大战后担任日本社会党顾问。

Abe Kōbō　安部公房（1924-03-07，东京～1993-01-22，东京）　日本小说家、戏剧家，以使用离奇的寓意手法，着意描绘个人的孤独感著称。在中国沈阳长大。他父亲是一位医

东京国际教育情报学社供图

生，在该地的一所医学院教书。他少年时喜欢搜集昆虫、数学和陀思妥耶夫斯基、海德格尔、雅斯贝斯、卡夫卡、尼采以及爱伦坡的作品。1941年去日本，1943年入东京大学医学部，后又返回中国东北，适逢日本战败，被遣送回国，1948年毕业，但从未行医。他开始写诗，1947年自费出版《无名诗集》。1948年，他的小说《道路尽头的路标》受到评论界赞许，一举成名。重要著作（其中很多被称为卡夫卡式的）有：曾被改编成电影、驰名海外的《砂中的女人》（1962）、《第四间冰期》（1959）、《旁

人的脸》(1964)、《烧毁的地图》(1967)、《箱中人》(1973)、《密会》(1977)、《樱花号方舟》(1984)。《曲线以外》(1990)是他的第一部译成英语的短篇小说集。他写了许多剧本,在日本获得巨大成功,其中《朋友们》(1967)和其他几个剧本曾用英文在檀香山上演。后他在东京领导自己的一个剧团,每季为该剧团写几出戏。

Abe Masahiro　阿部正弘(1819-12-03,日本江户[今东京]～1857-08-06,江户)　日本政治家。出身显贵。25岁任老中(德川幕府最高行政官),继续执行闭关锁国政策。但在1853年美国海军准将佩里率舰队来到日本海岸时,他发现日本的兵力无法与美国的军舰相抗衡,就在1854年3月31日同美国签订了《神奈川条约》,有限地开放与美国的交往。随后几个月,他又与英国、俄国和荷兰缔结同样的条约。由于王政复古运动开始兴起,他被指责为背叛国家,被迫放弃大部分权力。此后,他专注于国内事务。

abecedarius　字母顺序诗体　一种离合诗体,诗中每一诗行的首字母,或每一诗节第一个单词的首字母顺序相连组成字母表。该词源自晚期拉丁文,意为"按字母顺序的",起源于a, b, c和d四个字母的名称。

Abéché　阿贝歇　乍得东部城镇,在查奥河和萨奥河之间。历史上为穆斯林瓦达伊(**Ouaddaï**)苏丹国国都,在1912年法国人完成征服之前,该苏丹国占乍得大部分地区。古都遗迹有古王宫、前苏丹陵墓和一所清真寺的废墟,环以厚厚的墙。镇内有许多清真寺。四周为热带草原,草原是重要的养牛地区,但因距市场太远,不利于养牛业的发展。有公路干线通首都恩贾梅纳(前称拉密堡)、萨尔(前称阿尚博堡)和苏丹。法国-阿拉伯中学设在镇内,亦有机场和医院,及一些轻工业,包括驼毛毯制造业。人口约40 000(1988)。

AbediAyewPelé　阿贝迪·阿尤·贝利(1964-11-05,加纳～　)　加纳足球运动员,连续三次获得非洲足球先生称号(1991～1993),是最早在欧洲足球俱乐部有影响的非洲球员之一。其球艺堪与巴西的贝利媲美。后成为加纳国家足球队"黑星队"队员,赢得1982年非洲国家杯冠军。1986～1993年参加法国各球队,其中两度在马赛队,以其进攻的技巧、敏锐的禀赋和超人的才能,成为胜球的主力。在1991和1992年的法甲联赛中夺冠,并且赢得1993年欧洲冠军杯。1993年转会到里昂队。后到意大利、德国和阿联酋踢球,1998年退役。同年获沃尔塔勋章。

Abeel, John(Seneca Indian leader)　**奥贝尔**　参阅 **Cornplanter 种玉米人**。

Abegg, Richard Wilhelm Heinrich　阿贝格(1869-01-09,普鲁士但泽[今波兰中北部格但斯克]～1910-04-03,德国克斯林)　物理化学家,根据当时新发现原子内存在电子,他对价(一个原子与另一个原子结合的能力)的概念做出了贡献。1897年,阿贝格任德国布雷斯劳大学化学教授,两年后,主持布雷斯劳工学院化学讲座。他从价键研究得出下述结论:原子最外层电子数等于8,与惰性气体最外层电子数相同,这是最稳定的组态。

Abel　亚伯　《圣经·旧约》所载人类始祖亚当和夏娃所生的次子,被哥哥该隐杀害(《创世纪》4:1～16)。亚伯是牧羊人,把羊群中头生的羊羔献给上帝。上帝看中这种供物而不喜欢该隐的供物。该隐出于嫉妒就杀害了亚伯。该隐因使无辜兄弟喋血,受上帝咒诅而流离飘泊。《新约》中引用亚伯被害的故事说明杀害无辜之人者必受惩罚(《马太福音》23:35;《路加福音》11:51)。

Abel, Carl Friedrich　阿贝尔(1723-12-22,安哈尔特-克滕公爵领地[德国]～1787-06-20,英国伦敦)　前古典乐派交响乐作曲家,最后的中提琴演奏大师之一。曾在德累斯顿

美国不列颠百科全书公司供图

宫廷管弦乐队演奏(1743～1758),1759年去伦敦,1764年担任夏洛特王后的王室乐师。1762年J.C.巴赫抵达伦敦后,二人结为至交,并于1765年创建"巴赫与阿贝尔音乐会",演出节目中包括J.海顿一些交响曲在英国的首次公演。阿贝尔共作有交响曲23部,其中一部,即所谓K18,长期被误认为是W.A.莫扎特年轻时的作品。

Abel, Sir Frederick Augustus　阿贝耳(1827-07-17,英国伦敦伍利奇～1902-09-06,伦敦威斯敏斯特)　英国化学家和炸药专家。与化学家J.杜瓦合作发明了柯达炸药(1889),此种炸药后被选定为英军标准炸药。阿贝耳还研究了煤矿的尘爆,发明了一种可试验石油闪点的仪器,并且找到一种预防火棉自爆的方法。他在皇家理工学院学习化学,1845年成为皇家化学院霍夫曼最初的26个学生之一。1852年继M.法拉第之后被委任为伍利奇皇家军事学院化学讲师。1854～1888年他在伍利奇皇家兵工厂的化学企业中任军械化学家,成为英国炸药方面的第一位权威。1860年被选为皇家学会会员,1883年被封为爵士,1893年被封为准男爵。

Abel, John Jacob　艾贝尔(1857-05-19,美国俄亥俄克利夫兰～1938-05-26,马里兰巴尔的摩)　美国药理学家、生理化学家。他曾对现代内分泌学做出重要贡献。1897年分离出具有化学衍生物形态的肾上腺素,1926年制成胰岛素晶体。他还发明了人工肾。1891～1893年在密歇根大学任教,1893年在约翰斯·霍普金斯大学任教,1932年领导内分泌研究室,1909～1932年任《药理学与实验治疗学杂志》主编。

Abel, Niels Henrik　阿贝尔(1802-08-05,挪威斯塔万格附近芬岛～1829-04-06,弗鲁兰)　挪威数学家,身后才被公认为现代数学发展的先驱。阿贝尔是一个穷牧师的儿子,1815年入奥斯陆大教堂学校,他的老师B.M.霍姆伯厄发现他有数学天才,指点他学习许多古典的和当代的著名数学著作。1820年,阿贝尔在老师的资助下入克里斯蒂安(奥斯陆市的旧名)大学。1822年毕业,后又得老师帮助,继续研究数学。1823年发表第一篇论文,最先提出对一种积分方程的解法。1824年,阿贝尔发表了关于用代数方法不可能解一般五次方程的证明,寄给德国数学家C.F.高斯,没有受到重视。1825～1826年去柏林,在那里,工程师、数学家A.L.克列尔成为他的知交和良师。在阿贝尔的鼓励下,克列尔创办《纯粹数学与应用数学》杂志,在第1卷(1826)上发表了阿贝尔关于五次方程研究的详尽内容,还有其他方面的许多论文。1826年夏,他到巴黎,拜访最重要的数学家,完成论超越函数的论文,提出代数函数的积分理论,特别是被称为阿贝尔定理的结果。这个定理奠定了阿贝尔积分理论和阿贝尔函数的基础。阿贝尔的论文送到巴黎科学院后,一直没有回音。在他死后,巴黎科学院才于1841年予以发表。在巴黎,他患了肺结核。回挪威后,贫病交加,仍从事数学研究,写了

美国不列颠百科全书公司供图

大量论文,主要关于方程论和椭圆函数,其中有具有交换群的阿贝尔方程理论。他还在与K.G.雅可比的竞赛中迅速发展了椭圆函数论。这时他才开始出名。克列尔竭力为他在柏林大学谋求一个教授席位,等通知到时,阿贝尔已病逝。

Abel, Rudolf (Ivanovich)　艾贝尔(1903-07-11,英国诺森伯兰泰恩河畔纽卡斯尔～1971-

11-15,莫斯科） 原名W.A.费希尔，苏联情报官员。因密谋向苏联提供军事机密于1957年在美国被捕。1962年与美国飞行员F.G.鲍尔斯交换，鲍尔斯因间谍罪于1960年以来在苏联被监禁。艾贝尔之父G.费希尔是列宁的朋友，约于1901年前后移居英国。他回俄国前的近20年间，在英国组织工人并向他们灌输其思想。艾贝尔生于英国，后随其父到俄国，1927年加入苏联情报及安全机构总参谋部情报总局（克格勃前身），随后20年间，一直在西欧国家和苏联活动。约于1948年化名E.R.戈德富斯非法潜入美国，以画家和摄影师的身分在布鲁克林一家美术室工作了一段时间，并在该室藏匿短波无线电收发报机。1957年6月21日，艾贝尔被联邦调查局逮捕。同年10月25日联邦布鲁克林地区法院部分地根据苏联中校R.海哈南叛逃后供认其为艾贝尔在美国的主要同谋，而查明了艾贝尔从事间谍活动，艾贝尔被判处30年徒刑。1960年5月1日鲍尔斯驾驶U-2高空侦察机在苏联中部的斯维尔德洛夫斯克附近被击落，美国政府为了以艾贝尔确保释放鲍尔斯，肯尼迪总统下令给艾贝尔减刑。1962年2月10日，在西柏林与东德波茨坦之间的桥上，美国以艾贝尔换回了鲍尔斯和1961年8月在东德无端遭拘禁的美国学生F.L.普赖尔。

Abel, Theodora Mead 艾贝尔（1899-09-09，美国罗得岛纽波特～1998-12-02，纽约福里斯特堡） 美国临床心理学家和教育家，曾将社会学与心理学两种学科融为一体。1921年获瓦瑟学院文学学士，1924年获哥伦比亚大学文学硕士，1923年在巴黎大学获心理学学位证书，1925年获哥伦比亚大学哲学博士学位。其后她在伊利诺伊大学等许多大学任教。1940～1946年任纽约州心理卫生处首席心理学家，1947～1971年任纽约市心理健康研究中心主任。1971年移居新墨西哥之后，任阿尔布克尔克儿童指导中心家庭治疗主任，并建立私人诊所。著有《智能逊常的青春期少女》（1940）、《面部缺陷》（1952）、《文化环境中的心理试验》（1973）及《文化与心理疗法》（1974）等书，其中有些为合著。

Abel Tasman National Park 阿贝尔·塔斯曼国家公园 新西兰南岛西北部的野生动物保护区。1942年建立，以荷兰航海家阿贝尔·塔斯曼之名命名。面积22 541公顷，位于从塞珀雷申角和马拉荷港湾间的塔斯曼湾海滩西海岸向内陆延伸约10千米、纳尔逊市西北约80千米处。该公园包括戈尔登湾中的塔塔岛和塔斯曼湾中的汤加岛、阿代尔岛和费希尔曼岛。公园内主要分布着灌木丛与牧草；在沿河地区也有一些雨林，其中有山毛榉等植物。该公园在新西兰的独特之处在于其灌木丛生的山坡混合生长着北岛和南岛的典型植物，这种现象为他处所无。园中的鸟类有海燕、鸬鹚、企鹅、鸥、燕鸥、苍鹭及其他许多种。兽类有鹿、山羊、野猪和负鼠。公园管理处设在托塔拉努伊。

Abelard, Peter 阿伯拉尔（1079，布列塔尼南特附近巴莱[今在法国]～约1142-04-21，勃艮第索恩河畔沙隆附近圣马塞尔修道院[今在法国]） 法国神学家和哲学家，因对共相问题的解释和创造性地运用辩证法而闻名于世，他的诗以及与埃罗伊兹的爱情故事也

14世纪细密画中的阿伯拉尔与埃罗伊兹
美国不列颠百科全书公司供图

广为人知。出身骑士家庭，为去巴黎研究哲学，特别是逻辑学而放弃继承权。曾师从贡比涅的洛色林和香浦的威廉，但与他们发生激烈争执。他在自己的逻辑著作中阐述一种独立的语言哲学，强调语言不能证明事物的客观存在，并指出如何运用语言才有意义。大约1113年左右到拉昂，在拉昂的安塞姆指导下学习神学。发现老师名不符实，返回巴黎，开始教学生涯。与他的学生埃罗伊兹堕入爱河，秘密结婚并生有一子。他们的爱情为埃罗伊兹的舅舅极力反对。为逃避惩罚，埃罗伊兹进入巴黎郊外一所修道院当修女，阿伯拉尔则被施宫刑，羞辱难忍，遂去圣丹尼斯修道院当修士。他在修道院阅读大量神学著作，撰写了他的第一部著作《神学》。但该书被1121年苏瓦松主教会议判为异端而遭焚毁。1125年到偏远的圣日尔达-德吕伊斯修道院当院长，与教士们关系紧张，险些被杀。于是，他返回巴黎，以旺盛的精神教学和写作。他进一步扩充他的《神学》，分析信仰三位一体的根源，赞扬古代异教哲学家的美德，赞扬他们运用理性发现基督教启示的许多基本问题。他还撰写了《认识你自己》，书中分析了罪的概念，得出一个极端的结论，即在上帝眼中，人的行为不会使人更好或更坏，因为行为本身不好也不坏，上帝所关心的是人的意图。罪并非人的所作所为，而仅指人的心灵明知错却依然赞同。他遭受1140年桑斯主教会议的严厉谴责，去勃艮第的克吕尼修道院。晚年老迈体弱，过着普通僧侣的生活。现在，他的遗骸与埃罗伊兹合葬在巴黎拉歇兹神父公墓。

Abell, A(runah) S(hepardson) 艾贝尔（1806-08-10，美国罗得岛东普罗维登斯～1888-04-19，巴尔的摩） 美国报纸主编兼发行人。费城《大众纪事报》和巴尔的摩《太阳报》的创办人。艾贝尔14岁时辍学在一家商店当店员。1822年在《普罗维登斯爱国者报》学徒。后在波士顿和纽约开设印刷厂。1836年与其他两个投资者共同创办一便士报纸——费城《大众纪事报》。1837年又与其合伙人合办巴尔的摩《太阳报》，一年后该报订户达1.2万个。两家报纸均面向工人。作为《太阳报》的经理，他同新奥尔良《花絮报》的发行人合作创办巴尔的摩-新奥尔良之间的"小马快递线路"以接力方式加快消息的传递。这种快递方法把美国在墨西哥韦拉克鲁斯获胜的消息在美国政府获悉前即传送到巴尔的摩《太阳报》，成为历史上有名的"独家新闻报道"。他鼓励莫尔斯发明电报并成为最早的电报使用者。他注重技术进步，使用电报和信鸽加速传送消息，在他的管理下，巴尔的摩《太阳报》成为美国第一家有轮转印刷机的报纸。1861年南北战争爆发时《太阳报》发行量达3万份左右。他管理该报直到去世为止。

Abell, Kjeld 阿伯尔（1901-08-25，丹麦里伯～1961-03-05，哥本哈根） 丹麦剧作家，社会评论家，舞台布景革新者。他以两部剧本驰名国外，一为《消失了的乐曲》（1935），另一为《安娜·索菲娅·赫兹维》（1939）。在后一剧作中，他主张被压迫者有权使用武力来反抗压迫者。他本来研究政治学，但后来在巴黎从事舞台设计，渐次成为丹麦剧坛上最善于标新立异的人物。通过他的剧作如《在云上的日子里》（1947）和《尖叫》（1961）两剧，可以看出他不但是一个风格独特的剧作家，而且能充分利用剧场的技术装备以取得新颖强烈的布景效果。

abelmosk(plant) 参阅 **musk mallow 黄葵**。

Abelson, Philip Hauge 艾贝尔森（1913-04-27，美国华盛顿塔科马～2004-08-01） 马里兰贝塞斯达美国物理化学家。提出从铀238中分离铀235的气体扩散法，并且与美国物理学家E.M.麦克米伦合作发现元素镎。1939～1941年成为华盛顿卡内基学会地磁学部的助理物理学家，开始研究用中子照射铀生成的一种物质，这种物质能发射β射线（电子）。在与麦克米伦合作后，他证明了这种物质是一种新元素镎。第二次世界大战期间，艾贝尔森在华盛顿海军研究实验室工作。他的铀同位素分离法对于原子弹的制造是至关重要的。战争结束时，他的关于建造核动力潜艇的可行性报告，促使美国制订了这方面的规划。从1946年开始，他转向生物物理学研究，并开创了放射性同位素的应用。1953～1971年，他是卡内基学会地球物理实验室的董事，他在化石中发现了氨基酸和岩石中的10亿年前的脂肪酸。1971～1978年任卡内基学会会长，1978年后转为受托管理人。1962～1984年成为美国科学促进协会周刊杂志《科学》的编辑。

Abemama Atoll 阿贝马马环礁 又拼Apamama，前称罗杰·辛普森岛，太平洋中西部基里巴斯所属的吉尔伯特群岛北部的珊瑚环礁。毕晓普船长于1799年发现该环礁，以其一个助手之名命名为罗杰·辛普森岛。此环礁为19世纪该地区的统治家族所在地，英国人于1892年在此处正式兼并吉尔伯特群岛。1942～1943年被日军侵占，此后两年为美军基地。阿贝马马环礁的行政中心是卡里亚特比克。建有医院和机场。出口椰干。人口

3 442(1995)。

Abengourou 阿本古鲁 科特迪瓦东部城镇。位于阿比让(国家首都)至加纳的公路上。是富饶的森林地区贸易中心,也是阿尼人(阿格尼人)大酋长的居住地,大酋长是因德涅(18世纪中期建立的阿尼王国)的国王。国王的正式住所(建于1882年)是用因德涅遗物和挂毯装饰的。阿本古鲁建有农业技术学院、咖啡与可可试验站。咖啡与可可是该地区主要作物,运至阿比让(南西南161千米)出口。阿本古鲁镇驻有一位天主教神父,还有几所学校和内地最大的一家医院。人口58 974(1988)。

Åbenrå 奥本罗 又拼Aabenraa。丹麦南日德兰州城市和首府。在日德兰半岛东南部,奥本罗峡湾顶端。12世纪首见记载。17和18世纪从渔村发展成为繁荣的港口。有圣尼古拉教堂等中世纪建筑物。现为贸易中心,拥有日德兰东南部最大的港口;并有机器制造业、食品加工业、管风琴制造业和渔业。人口:市约16 126(2000);城市区约22 020(2000)。

Abensperg und Traun, Otto Ferdinand, Graf von (count of) **阿本斯贝格-特劳恩** 参阅 **Traun, Otto Ferdinand, Graf von Abensperg und 特劳恩**。

Abenteuer roman 探险小说 德语文学中指以流浪汉和无赖的冒险事迹为题材的小说类型。17世纪H. J. C. 冯·格里美豪森写的《痴儿历险记》,即为此种小说。探险小说与讲述主角性格形成时期的教育小说有关。

Abeokuta 阿贝奥库塔 尼日利亚西南部城镇,奥贡州首府。濒临奥贡河东岸,环以一组耸立于稀树热带草原上的岩石群。位于通往拉各斯的铁路干线,以及拉各斯-伊巴丹的旧公路干线上。也有公路通往伊拉罗、沙加穆、伊塞因和凯图(贝宁)。阿贝奥库塔(意为"岩石中的隐居地")是由从濒于解体的奥约帝国逃出的埃格巴难民和领袖索德克(肖德克)于1830年左右建立的。一些传教士和塞拉利昂克里奥尔人也来此定居,克里奥尔人后来在传教士和商人中崭露头角。阿贝奥库塔作为埃格巴人的首都和拉各斯和伊巴丹间的棕榈油贸易点取得成就,导致同达荷美(现贝宁)的战争。1851年埃格巴人凭借英国人供给的武器并在传教士的帮助下,在阿贝奥库塔击败了达荷美军队(西非历史上唯一经常使用女战士的军队)。1864年又击退一次达荷美军队的进攻。19世纪60年代,因与拉各斯的英国人发生纠纷,埃格巴人封锁了通往海岸的商路,并驱逐了传教士和欧洲商人(1867)。在约鲁巴人内战(1877～1893)中,阿贝奥库塔同伊巴丹敌对,内战后,埃格巴国王同英国总督卡特爵士签订同盟条约,承认埃格巴联合政府(1893～1914)独立。该王国于1914年并入英属尼日利亚殖民地和保护国。阿贝奥库塔1918年发生暴乱,抗议征收捐税和英国总督卢加德实行的"间接统治"政策。现为农产品(稻米、薯蓣、木薯、玉米、棕油、棕仁、棉花、水果和蔬菜)贸易中心和可可、油棕产品、水果、柯拉果的出口站。织布、染布现为城镇的传统手工业。它也是联邦奥贡河——奥欣河流域开发管理局所在地,该局制订了开发拉各斯、奥贡、奥约各州的土地和水资源计划,农村的发展计划包括灌溉、食品加工和电气化项目。地方工业有水果罐头、塑料工厂和酿酒厂、锯木厂和铝制品工厂。城镇南郊有阿罗花岗石采石场,为尼日利亚南部大部分地区提供建筑材料,埃维科罗(向南29千米)有一个现代化的水泥工厂。阿贝奥库塔是一个有城墙的城镇,旧城墙遗址仍在。著名建筑物包括"阿克"(国王的王宫)、百年纪念馆(1930)、教堂和清真寺。为地方政务会所在地。设有中学、初级师范学院和拉各斯大学阿贝奥库塔分院(1984),侧重科学、农业和技术。还有几家医院。人口约为352 735(1991)。

Aberbrothock (Scotland) 参阅 **Arbroath 阿布罗斯**。

Aberconwy 阿伯康威 威尔士西北部圭内斯郡从前的一个区(1974～1996)。现为康威郡级自治市的一部分。

Abercrombie, James 艾伯克龙比(1706,苏格兰班夫郡格拉索～1781-04-23或28,斯特灵郡斯特灵) 英国陆军上将。早年任皇家苏格兰团中校,1746年晋升上校。1756年晋升少将,奉命随劳登勋爵赴北美任副司令。1757年12月W. 皮特任命他为总司令,开始担任独立指挥工作。他奉命去占领泰孔德罗加堡,以便准备向蒙特利尔进击。虽然他统帅的英国和殖民地部队有1.5万人之多,但1758年7月在泰孔德罗加被蒙卡尔姆将军的3 600人打败。同年9月皮特将他召回。尽管打了败仗,他却在1759年晋升陆军中将,1772年又晋升陆军上将。后任国会议员。

Abercrombie, Lascelles 艾伯克龙比(1881-01-09,英格兰柴郡默西河畔阿什顿～1938-10-27,伦敦) 诗人和评论家。曾在莫尔文学院和欧文斯学院求学,毕业后当新闻记者,并开始写诗。处女作为《插曲和诗歌》(1908),此后有《玛丽和黑莓》(1910)、诗剧《德博拉》、《爱情的象征》(1912)以及散文作品《推理的对话》(1913)。这些作品的特点是:抒情奔放,明白易懂,热爱自然美和神秘主义。第一次世界大战后,他担任利物浦大学最早的一位诗歌讲师。后在利兹大学(1922～1929)和伦敦大学(1929～1935)任英国文学教授,在牛津大学任英国文学讲师(1935～1938)。所写评论有《谈一个艺术理论》(1922)和《诗的乐音和意义》(1932)。《诗集》(1930)之后发表的是其最成熟的诗作——诗剧《圣托马斯的拍卖》(1931)。

Aberdare 阿伯德尔 威尔士语作Aberdâr,威尔士格拉摩根历史郡朗达-卡农-塔夫政务会辖区城镇("社区")。临西农河,始建于中世纪,镇上圣约翰教堂约建于1189年。至19世纪,在开采煤炭和铁矿石(开始是生产铁制品,1799)的基础上,城市经济有很大发展,特别是在1836年出口蒸汽锅炉用煤后。格拉摩根郡运河支流的通航和后来铁路的建成便利了向南威尔士沿海运出商品。20世纪钢铁工业停产,附近采煤工业衰落,现为西农谷区的主要商业和服务中心。现代工业有电缆和无烟燃料生产,在希尔翁及其西北部有轻工和电气产品生产。人口29 040(1991)。

Aberdare Range 阿伯德尔山 肯尼亚中西部大裂谷东侧一段的山脉,在奈瓦沙和吉尔吉尔的东北,赤道正南。平均海拔3 350米,有两座高峰:奥尔多伊尼奥莱萨提马峰(海拔3 999米)和伊尔基南戈普峰(海拔3 906米)。阿伯德尔山向东方和东南方缓降,形成一个良好的流域雏型,随后地势升高至锥形的肯尼亚山(海拔5 199米)。

Aberdaugleddyf (Wales) 参阅 **Milford Haven 米尔福德港**。

Aberdeen 阿伯丁 苏格兰北海沿岸城市,历史上著名的敕准自治市。跨迪河和唐河,是繁忙的海港、渔业中心和苏格兰东北部的商业中心。20世纪70年代迅速发展成为英

阿伯丁主要街道和商业中心
中国大百科全书出版社供图

国北海石油工业和有关服务和供应业的主要中心。在建制上为苏格兰的一个独立区。阿伯丁原为两个独立的自治市,旧阿伯丁的大教堂、大学和居民区位于唐河,新阿伯丁商业区和毗邻的渔业村位于迪河。相传旧阿伯丁由圣科伦巴(凯尔特族传教士)的弟子圣马吉尔于580年创建,后来成为阿伯丁主教管区的所在地,1336年毁于英国人。现存的圣马吉尔大教堂(始建于1424年)是一座坚固的花岗岩建筑。1489和1498年由皇室特许成立"自治市",以教堂为管理机关。1891年由主教管辖的自治市与新阿伯丁合并为现在的城市,教会的残存权力亦随之终结。尚存最早的自治市特许状(1179)授予自治市市民几项贸易特权。在城堡门(历史上的集市,现为城市的商业中心)附近还保存几条13和14世纪最古老的街道。城堡门仍包括古老集市的十字大街(1686)。邻近有两座古建筑:斯基恩市长府邸(约1545),现为地方历史博物馆;罗斯市长府邸(1593)。教区圣尼古拉斯教堂(位于联邦大街)分为两部分:J. 吉布斯建于1755年的西教堂,同东教堂(A. 辛普森建于1838年)由原13世纪的十字形耳堂和19世纪的尖塔隔开。两座中世纪桥梁——横跨唐河的布里戈-巴尔高尔桥(1320)和迪

河古桥(1527)现仍保存完好,其他重要建筑物还有几座现代市政建筑,音乐厅(1822)和号称世界上最宏伟的花岗岩建筑马里夏尔学院(布罗德大街),由辛普森于1844年兴建。阿伯丁大学于1860年由两所中世纪学院——罗马天主教国王学院(1495)和新教马里夏尔学院(1593)合并而成。另外还有罗伯特·戈登大学(1770)、师范学院、农业学院和商业学院,以及研究渔业的托里研究站、研究土壤科学的麦考利土地利用研究所和研究动物营养的罗厄特研究所,古老的文法学校创办于中世纪。阿伯丁是重要的公路、铁路、海运和航空枢纽。原来的港口迪河港湾不断完善。该地自从采用蒸汽机拖网船以来,发展成为苏格兰首要渔港,直到北海石油工业兴起。工业以化学制品、肥料和机械制造为主,还包括英国规模最大的花岗岩出口业。旅游业发达。20世纪后期北海石油工业高速发展,使阿伯丁较苏格兰其他任何城市更多地受益,新增公司200余家和数以千计的外国侨民并追加了建设住宅、办公楼、学校的资金。约324公顷工业用地划分给同石油技术有关的工业。面积184平方千米,人口约212 650(1999)。

Aberdeen, George Hamilton-Gordon, 4th Earl of 阿伯丁伯爵(第四)(1784-01-28,苏格兰爱丁堡～1860-12-14,英国伦敦) 即G.汉密尔顿-戈登,本名G.戈登。英国外交大臣、

美国不列颠百科全书公司供图

首相(1852～1855)。11岁成为孤儿,由W.皮特(小)和H.邓达斯抚养成人。1801年承袭祖父的伯爵爵位。1813年出任驻奥地利特使,成为当时帮助结盟反对拿破仑一世的欧洲外交界的中心人物。1814年代表国王签署《巴黎条约》后,受封为子爵。在威灵顿公爵内阁中任兰开斯特公爵领地大臣(1828-01～06)和外交大臣(1828-06～1830-11),在R.皮尔的第一届短命内阁中任陆军大臣和殖民事务大臣。他在皮尔的第二届政府中再次出任外交大臣时(1841-09～1846-07),缔结《韦伯斯特-阿什伯顿条约》(1842)和《俄勒冈条约》(1846),解决了加拿大和美国之间东西边界争端。1852年12月28日组阁。1853年因中东利益与俄国发生冲突,他的优柔寡断妨碍了外交大臣克拉伦登伯爵的和平努力,使战争不可避免。9月派遣舰队去君士坦丁堡,后又进入黑海。1854年3月28日英法两国向俄国宣战,1855年1月29日他引咎辞职。

Aberdeenshire 阿伯丁郡 又称Aberdeen。苏格兰东部的政务会辖区和历史郡。该地区像肩胛一样向东伸入到北海,在北部和东部围绕海岸低地,在西部围绕格兰扁山脉的一部分。政务会辖区和历史郡的所辖范围有所不同。阿伯丁市是阿伯丁历史郡的一部分,但构成一个独立的政务会辖区,在阿伯丁政务会辖区内形成一块飞地。该历史郡的其他部分位于同名的政务会辖区内,该辖区还包括整个金卡丁历史郡和班夫历史郡东北部分。尽管阿伯丁位于高地边缘断层的北部,但它主要是一个农业低地,有河流向东流。该地区在格兰扁山脉的雨影内,造成部分海岸气候干燥,年降水量不足640毫米。气温较同纬度其他地区温暖,但受来自北面和东面的寒风影响,冬天按照英国标准较为寒冷。

尽管当地有一两座残存的新石器时代长形石冢,但该地区实际有人定居的时间源自宽口陶器人文化的建立,在青铜器时代初(公元前2000～前1800)从南部来到此地。在历史郡常见的石圈和圆形石冢就属于这一时期。有许多从铁器时代残存下来的泥屋和一组大型的石砌山丘堡垒。在历史初期,公元2世纪希腊地理学家托勒密称之为泰克沙里的凯尔特人部落占据了这个历史郡。后来,阿伯丁成为北部皮克特人领地的一部分。罗马人的军营至今仍存在于库特、金托尔和艾森韦尔斯。基督教传入该郡的时间相对较早,凯尔特人的隐修院包括建在旧迪尔和莫尼马斯克的两处。在坎莫尔和麦克佩斯这两个敌对家族的长期斗争中离不开阿伯丁郡。1057年麦克佩斯阵亡就是在伦法南。盎格鲁-诺曼人渗入期间,巴利奥尔、布鲁斯和科明等大家族在该郡都建有据点。当这三个家族之间争夺权位的斗争引发苏格兰独立战争时,英国国王爱德华一世在1296年和1303年两次穿越该郡。罗伯特一世1307年在因弗鲁里附近取得的胜利是斗争的转折点。他最终取得胜利,一些新的家族在此定居,最有名的是福布斯家族和戈登家族,在14和15世纪封建斗争时期成为主要对手。由于福布斯家族普遍接受新教宗教改革而戈登家族仍然笃信罗马天主教,这种仇恨后来进一步加深。17世纪英国内战期间作为保王派和主教派的一个据点,阿伯丁郡不可避免地多次成为战场,最著名的一次是蒙特罗斯侯爵率领的军队进行的战斗。于此同时,与低地国家、德意志诸邦国和波兰的贸易兴旺,在17世纪这个古代郡的一些家族通过贸易获得了新的财富。三所大学的创办标志着文化教育的发展,它们分别是旧阿伯丁的国王学院(1494)、新阿伯丁的马歇尔学院(1593)和不久即停办的弗雷泽堡大学(1597)。东北部的主教派比加尔文主义教派更重视文化,出现了"阿伯丁博士"的著名学者学派,使文化繁荣。从1690年开始,在光荣革命(1688～1689)结束之后,环境总体上更加平静。然而,地方上对詹姆斯派和主教派的支持依然存在,在1715年和1745年举行起义。1745年起义失败后,刑法立即摧毁了主教派和地主封建权力的优势,为此后的农业和工业进步时期铺平道路。

政务会辖区的经济主要依靠农业、渔业、工业和服务业。养牛和乳品业是农业的主要活动,但在地势较高的地方养羊也很重要。彼得黑德和弗雷泽堡居英国最重要的渔港之列,也是造船中心。在其他地方渔业一蹶不振,许多小渔村都转向旅游业;斯通黑文也是如此。旅游业在格兰扁山脉和山中的村庄也很重要。在几个城镇有威士忌酿造和轻工制造业。然而,利用北海石油也许是阿伯丁最重要的经济活动。输油管把石油输送到彼得黑德和圣弗格斯的岸边,为石油工业提供的物品生产和服务在这个政务会辖区的其他地方也很重要。巴尔莫勒尔堡是英国王室在苏格兰高地的居所,坐落在阿伯丁西部的格兰扁山脉当中。阿伯丁市是历史郡首府,但不属于政务会辖区。政务会辖区面积6289平方千米。政务会辖区人口226 940(2001)。

Abergavenny 阿伯加文尼 威尔士语作Y Fenni,威尔士格温特郡蒙茅斯区城镇("社区")。位于加文尼和阿斯克两河汇合处,扼布莱克山脉和布雷肯比肯斯间主要山谷走廊的要冲,为进入南威尔士的门户。罗马人了解其战略地位重要,曾在此修筑要塞,诺曼底人亦于11世纪建城堡。这个在城堡保护下发展起来的商业城镇,在以后500年间的不同时期受到多次进攻。18、19世纪时是重要的牛马集市,并发展了法兰绒生产,但不像西部各煤田城镇那样工业增长迅速。现为服务中心和度假胜地,也是附近城镇职工的住宅区。人口14 092(1991)。

Abernathy, Ralph David 艾伯纳西(1926-03-11,美国亚拉巴马林登～1990-04-17,佐治亚亚特兰大) 美国黑人牧师和民权领袖,在20世纪50～60年代民权运动期间,他是马丁·路德·金的主要助手和亲密同伴。经营成功的农场主之子。1948年被任命为浸礼会牧师,1950年毕业于亚拉巴马州立大学,获理学士学位。随后他的兴趣由数学转向社会学,1951年获亚特兰大大学社会学硕士学位。同年成为亚拉巴马州蒙哥马利第一浸礼教会的牧师,几年以后,与在同一城市另一浸礼教会任牧师的金相识。1955～1956年间,两人组织蒙哥马利的黑人抵制当地的公共汽车系统,迫使该系统于1956年取消种族隔离。这次非暴力的抵制标志着民权运动的开始。在随后的20年中,民权运动使美国社会取消种族隔离。随着民权运动蓬勃开展,金和艾伯纳西继续密切合作进行活动。1957年他们创建了南方基督教领袖会议(SCLC),金出任主席,艾伯纳西任秘书-司库,在整个南方组织非暴力斗争,反对种族隔离。1961年他在亚特兰大从事牧师活动,同年被任命为该州的南方基督教领袖会议副主席和金的指定继承人。在金被暗杀前,他一直是金的主要助手和亲密顾问。1968年金被害,他接任南方基督教领袖会议主席。他领导该组织直至1977年辞职,以后重新在亚特兰大浸礼会担任牧师。他的自传《大墙倒塌》于1989年出版。

Aberpennar(Wales) 参阅**Mountain Ash 芒廷阿什**。

aberration 像差 在透镜和曲面镜一类光学系统中,由于光线通过透镜发生偏离,使生成的物像变得模糊。在理想系统中,物体上的每一点都聚焦到像上一个没有大小的点上。然而,实际上每个像点都占有一个有限大小的体积,且形状也不对称,致使整个像变得模糊。平面镜不产生像差,透镜是一个不完美的成像器,只有当光线平行于光轴(一条穿越中心,垂直于透镜表面的直线)通过其中心时,才会变得理想。为球面透镜的物-像关系而建立的公式只是近似的,只适用于傍轴光线,即光线只能与光轴成微小角度。当光只以单一波长出现时,有五种像差:球面像差、彗形像差、像散、像场弯曲和畸变。当光不是单色时,在透镜中还可以观察到第六种像差:色像差。

在球面像差(简称球差)中,从球面透镜的光轴上的点所发出的光并不全都会聚在同一像点上。在靠近透镜中心处通过的光线聚焦得远,在靠近透镜边缘的环形区通过的光线聚焦得近。如图所示,由轴上的物点发出的每一个光锥,经透镜后变为会聚光锥而形成一个像点,光锥的长度随圆形区的直径而异。在任意一处用与光轴成直角的平面切截光锥,光线都形成一个圆形截面。截面的面积随其沿光轴距离的变动而变,最小的尺寸叫做最小模糊圈。球面像差最小的像就在这个距离上。

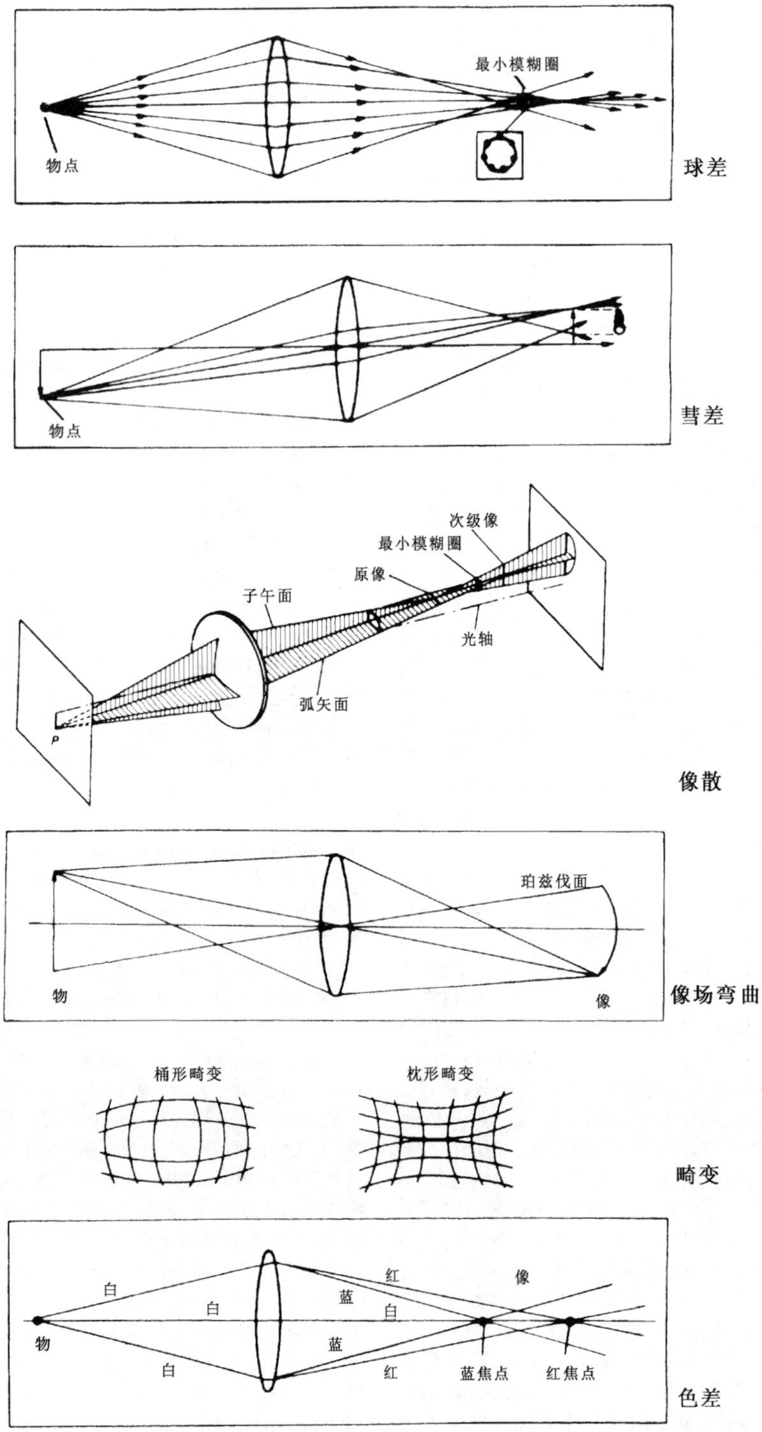

几种类型的像差

当来自离轴物点的光线通过透镜的不同区域成像时,就产生彗形像差(简称彗差)。这名称源于所形成的像模糊得像一颗彗星。在球面像差中,若在光轴上有一物点,则它在与光轴成直角的平面上的那些像呈圆形,大小不一,围绕一个共同的中心彼此叠加。在彗形像差中,离轴物点的像也呈圆形,大小不一,但互相错置。图中所示是两个像放大了的情况,一个是由中心的光锥形成的,另一个由通过边缘的光锥形成。降低彗形像差的一般方法是用光阑遮去外层的光锥。

像散不同于球面像差和彗形像差,它是由于透镜的单个区域不能把一个离轴点的像聚焦于单个点造成的。在图示的三维图解中,两个互成直角通过光轴的平面是子午面和弧矢面,子午面包含一个离轴的物点。不在子午面上的光线称为不交轴光线,它聚焦的位置比在子午面上的光线离透镜更远。子午面和弧矢面上的光线都不在一个点聚焦,而是聚焦成互相垂直的两线;在这两个位置之间像呈椭圆形。

像场弯曲和畸变均涉及像点彼此之间的相对位置问题。虽然头三种像差可以通过透镜的设计来校正,但是这两种像差却会残留下来。在像场弯曲中,垂直于光轴的平面物体的像将位于称为珀兹伐曲面的抛物面上(以匈牙利数学家 J.珀兹伐命名)。平面像场是照相术所需要的,当放大纸或投影屏幕位于平面上时,它可以使胶片平面和投影相匹配。指的是像的变形。畸变有两类,在透镜中可能出现的畸变是其中之一。桶形畸变中,放大率随着离轴的距离而减小;枕形畸变中,放大率随着离轴的距离而增大。

最后一种是色像差(简称色差),是因为透镜不能把所有的颜色聚焦在同一平面上所致。由于光谱的红端折射率最小,透镜在空气中对于红色和绿色的焦距比蓝色和紫色的大。放大率受色像差的影响,色像差沿光轴和垂直于光轴是不同的,前者称为纵向色像差,后者称为横向色像差。

aberration, constant of 光行差常数 天文学名词,指恒星或其他天体的周年视光行差位移的最大值,这种光行差是由于地球绕太阳公转产生的。光行差常数值约为 20.49″,取决于地球公转速度同光速之比。英国天文学家 J.布拉得雷在 1728 年发现恒星的光行差并估算出光行差常数值约为 20″,由此算得光速为 295 000 千米/秒,与现在采用的光速值只差每秒几千千米。恒星的星像在一年中描绘出一个光行差椭圆,按角距计算,椭圆的长轴(角距离)为光行差常数的两倍。

Abertillery 阿伯蒂莱里 威尔士格温特郡布莱奈格温特区城镇,位于埃布河谷。约自 1850 年以来,经济以采煤业为主,19 世纪晚期有小规模的马口铁工业。北面的楠蒂格洛为著名的钢铁厂遗址。20 世纪 30 年代,主要在政府的资助下开始创办某些轻工业。现为商业中心。人口 11 680(1991)。

Aberystwyth 阿伯里斯特威斯 威尔士达费德郡塞罗迪金区首府和沿海城镇,莱多尔河由此流入卡迪根湾。在俯瞰这座古老城镇和港口的彭迪纳斯山上,曾发现大批铁器时代用土、石加工的艺术品。1277年诺曼底人在紧靠莱多尔河(阿斯特威斯河亦改变流向,注入莱多尔河)河口北面的岩岬上建筑城堡,在其周围发展为一座有城墙环绕的中世纪城镇。城区沿海岸向北扩展,特别是在铁路修通后。港口现已废置,但过去曾停泊过沿海航行的船只以及开往爱尔兰甚至横渡大西洋的船只(如威尔士的移民即直接由此启航赴美国),并成为一度繁荣的卡迪根郡铅矿的外运口岸。19世纪后期发展为度假胜地和农村服务中心,并成为西威尔士许多地区性行业的总部。英国征服者将阿伯里斯特威斯建在威尔士的腹地,成为该地区的文化中心。当地威尔士大学最初创办的学院成立于1872年。现代大学校园和英国拥有著作权的图书馆之一的威尔士国立图书馆从东北的彭格莱斯山鸟瞰全城。在郊区有位于莱多尔河谷的内陆村庄兰巴达恩福尔,其教堂曾经是黑暗时代的学术中心和凯尔特人基督教信仰的中心。人口11 154(1991)。

abettor 帮助犯 法律上指明知和自愿地在他人犯罪时予以协助,因而应与罪犯负同等罪责的人。帮助犯是共犯(**accomplice**)的一种。另一种共犯指在犯罪之前或之后帮助犯罪分子的从犯。

Abgar legend 阿布加尔传说 广为流传的早期基督教神话。谓耶稣在世时曾与奥斯罗伊那国王阿布加尔五世互致信函(该国都城为叙利亚高原北缘的美索不达米亚城市埃德萨)。相传阿布加尔身患麻风,闻知耶稣能行神迹,写信给耶稣,表示相信耶稣是神,要求耶稣为他医治,他并邀请耶稣到埃德萨逃避迫害。耶稣复信赞扬他的信德,但云生前因负有重任而不能去访问他,允诺升天后派一位使徒到埃德萨为他治病。这些信件可能是4世纪初的作品,5世纪已鉴定为伪作。

Abhā 艾卜哈 沙特阿拉伯西南部城市。位于希贾兹山西侧平原,四周有丘陵。城市分4个区,最大一区内有一古老城堡。第一次世界大战后脱离奥斯曼帝国,由穆斯林瓦哈比斯人统治。1920年由阿卜杜勒·阿齐兹·伊本·沙特统治。西距红海80千米,东北距首都利雅得850千米。与吉达通公路。人口112 316(1992)。

Abhayagiri 无畏山寺 伐多伽摩尼·阿巴耶王(公元前29～前17年在位)建于锡兰(今斯里兰卡)都城阿努拉德普勒以北的上座部佛教重要精舍。无畏山寺原属于设在附近的传统宗教与世俗权力中心大寺。在伐多伽摩尼统治末期,无畏山寺脱离大寺,被大寺僧伽视为异端,但在国王加查巴乌一世(公元113～135年在位)的保护下,香火日盛,寺产增加。13世纪,阿努拉德普勒废弃,无畏山寺亦衰,其两所分寺延续到16世纪。

abhibhvāyatana 制入 佛教哲学名词,指禅定的预备阶段之一。在此阶段,诸感官完全被控制住。佛经里把制入又分成8个阶段。通过这些阶段,人会认识到外部世界的物质形态与自我本身不同,从而使自我本身摆脱对于感觉客体的执着。

Abhidhamma Piṭaka 《论藏》 巴利语,梵语作 Abhidharma Piṭaka。佛教上座部三藏中的第三部分,另外两部分是《经藏》和《律藏》。《论藏》的7部著作通常不宣称是佛陀本人的话,而是他的弟子和一些伟大学者的话。这7部著作并不是有系统的哲学论文,而是对《经藏》中的教义铺陈敷衍,详加解释。它们涉及到伦理学、心理学和认识论。巴利文《论藏》包括下列经籍:①《法聚论》,高僧用的伦理学宝鉴,在锡兰流传很久;②《分别论》,前书的一部续作;③《界论》,是《法聚论》的另一部续作;④《人施设论》,基本上是《经藏》的《增支部经典》的摘抄,是《论藏》中最早的一部经文;⑤《论事》,目犍连之子帝须作,是《论藏》中最重要的著作;⑥《双论》,讲述心理现象的一系列问题;⑦《发趣论》,讲述精神或物质现象之间的因果关系以及其他23种关系。

Abhidhammattha-saṅgaha 《阿毗达磨义摄》 巴利语。佛教的最重要一部心理学和伦理学宝鉴。它是《论藏》的入门和提要,由僧人阿耨楼陀用巴利文写成,其年代上限不早于8世纪,也可能是11或12世纪的作品。这是一部手册,而不是注释书。文字极其简练,在不到50页的篇幅里谈到《论藏》7部经典的全部内容。《阿毗达磨义摄》讲述89类知觉、52种精神特性,以及物质的各种性质、现象之间的相互关系,再生的种种形态和一些禅定修持方法。

Abhidhammāvatāra 《入阿毗达磨论》 巴利语。以宝鉴形式把《论藏》(阿毗达磨)加以系统化的第一部著作。5世纪时,印度南部高韦里河地区的诗人和学者佛授用巴利文写成。佛授将有关《论藏》的注释文献加以总结和整理,使之初步形成系统。《入阿毗达磨论》大部分是用偈体写成,共有24品。

Abhidharma Piṭaka 参阅 **Abhidhamma Piṭaka**《论藏》。

Abhidharmakośa 《阿毗达磨俱舍论》 又称 Abhidharmakośa-śāstra。梵语。《论藏》(阿毗达磨)的百科全书式的汇编。作者世亲,公元4或5世纪时人,居印度西北部,在著本书时为有部僧人,后改信大乘,写过许多大乘经典释义。世亲不但学识渊博,而且富有创见。该本书用梵文写成,它把有部教义系统化,又具有大乘精神。书成不到200年,就已译成汉文。中国特别是西藏地区以及日本都把它当作小乘佛教的标准入门书和教义的权威著作。在中国内地,它成为俱舍宗的理论基础,有许多人作注疏。全书包括600偈颂和作者所加的散文释义,涉及哲学、宇宙论、伦理和解脱等问题,范围极为广泛。

abhijñā 神通 梵语,意为超自然的知识,在佛学中指通过禅定和智慧所获得的神秘灵力。神通通常有5种:①神足通,即身能飞天入地、出入三界、变化自在;②天眼通,即能见一切事物;③天耳通,即能闻一切声音;④他心通,即能知他人思想;⑤宿命通,即能忆及前世事迹。此外,还有第6种神通,名漏尽通,即能断一切烦恼惑业,永远摆脱生死轮回,是佛和罗汉所专有。根据更早一些的分类法,以上6种神通与回忆往生以及能见一切物从而能知一切众生的未来命运的能力,合并称为三明。

Abhinavagupta 新护(活动时期1014年前后,印度克什米尔) 克什米尔哲学家、苦行者和美学家,湿婆神人同质论认知派的代表。该派认为湿婆神(即终极实在的显现)、个体灵魂和宇宙本质同一;认知就是实现这一同一的道路。著有多种哲学和美学著作。

Abhisamayālaṅkārāloka 《现观庄严发蒙》 梵语。大乘佛教《大般若波罗蜜多经》的重要注释书,中国西藏寺院最常研究的经文之一。作者师子贤。原文写于750年前后,10或11世纪从梵文译成藏文。

abhiseka 灌顶 佛教密宗的净化或入教仪式,其具体做法是:将水或其他液体洒在受礼者头上。灌顶原来是古代印度国王登基和册立太子典礼的主要内容。灌顶有4种:传法灌顶、秘密灌顶、般若灌顶和第四禅灌顶。

Abia 阿比亚 尼日利亚中南部一州。阿比亚是1991年从前伊莫州东半部划出的行政区。北临埃努古州,东界克罗斯河州和阿克瓦伊博姆州,南接河流州,西至伊莫和阿南布拉州。阿比亚包括南部的油棕林和热带雨林地区,北部丘陵的热带稀树草原地区。大多数人口从事农业。薯蓣、芋头、玉米、水稻、木薯是主要作物,油棕是主要的商品作物。矿产资源有铅和锌。阿巴是州的主要工业中心,位于哈科特港北部的铁路线上,生产纺织品、药品、肥皂、塑料、水泥、鞋类和化妆品。乌穆阿希亚是州的首府,有油棕榨油厂和几家啤酒厂。阿比亚州是伊博人的主要聚居地,也是尼日利亚人口最密集的地区之一。主要公路网服务于乌穆阿希亚和阿巴。人口2 297 978(1991)。

Abiathar 亚比亚他 见于《圣经·旧约》,挪伯城祭司,亚希米勒之子,多益屠杀中的唯一幸存者。后逃归大卫,在大卫流亡和称王期间一直跟随他,曾支持亚多尼雅反对国王所罗门。亚比亚他可能代表与撒督家族为敌的一个祭司家族,撒督家族一直在耶路撒冷世袭祭司之职,直到犹太人被掳往巴比伦时为止。

ʿAbīd al-Bukhārī 阿比德·布哈里 又称布哈里。阿拉维王朝统治者伊斯梅尔(1672～1727在位)在摩洛哥所组织的撒哈拉黑人军队。早期统治者曾召募黑人奴隶(阿拉伯语称阿比德)加入他们的军队,这些人及其后裔最后形成伊斯梅尔卫队的核心。阿比德先被送往设在迈什拉雷迈勒的特别营地生儿育女。这些群交子女在大约10岁左右时献予统治者，按规定接受训练，男童掌握凿石、骑马、射箭和射击等技能，女童则培养从事家务或娱乐活动。15岁时他们被分配到各部队并成婚，他们的子女又重复这一循环过程。伊斯梅尔的军队人数最多时达15万人，主要是迈什拉雷迈勒营地的“毕业生”，还补充有从撒哈拉黑人部落掳来的奴隶，他们只效忠于统治者一人。伊斯梅尔对阿比德恩惠有加，付给高薪，他们往往在政治上也颇有权势，1697～1698年甚至获得拥有自己财产的权利。伊斯梅尔死后，该军队素质蜕化，纪律松弛，加之优惠薪饷难以为继，便四出抢掠，其中许多人离开哨所流入城镇，另一些人则成为农牧民。留在军中的人亦不安分，随时为非作歹。在几位强有力的统治者在位时期，虽曾间或对之进行改编，但在军事上和数目上再未像先前那样强大。19世纪末，阿比德最终被解散，仅有极少数人仍充当国王的保镖。

Abidjan　阿比让　科特迪瓦（象牙海岸）首都、主要港口和最大城市，位于埃布里耶潟湖沿岸，弗里迪海滨沙洲处于埃布里耶潟湖和几内亚湾及大西洋之间。阿比让在1898年

埃布里耶潟湖沿岸的阿比让市
美国不列颠百科全书公司供图

原为一村庄，1903年建为城镇。1904年后为铁路终点站，最初依靠沙洲海岸上布埃港口的薄弱设施。1934年取代班热维尔成为法属殖民地首府，1960年独立后仍为首都。城内有高原区、科科迪区（阿比让大学所在地）、特雷什维尔区、阿贾梅区、库马西区和马科里区。1950年弗里迪运河使潟湖通往大海，该城不久即成为西非法语区金融中心。大陆和小巴萨姆岛之间有两座桥梁，第一座于1958年建成。阿比让现代化的深水港输出咖啡、可可、木材、香蕉、凤梨和锰矿石。该市在大陆上有行政区和商业区，它向南延伸，在小巴萨姆岛上为工业区，沿弗里迪运河有运输矿石和石油的码头。城内有宽阔多荫的街道和花园广场，大学（1964）在东部大陆上。阿比让有传统象牙艺术博物馆、国家图书馆、农业和科学研究所。为交通中心，有国际机场（在阿比让市内的自治市布埃港）。城市以北是风景优美的热带雨林邦科国家公园。人口约2 500 000（1996）。

abietic acid　松香酸　构成大部分松香（针叶树含油树脂的固体部分）的几种相近的有机酸中，含量最丰富的一种酸。工业品是玻璃状或部分结晶的黄色固体，85 °C熔化。为有机化合物的双萜类（由4个异戊二烯单元衍生的化合物）。用于堵船的漏缝已达数世纪之久。现已有改善松香酸的软、黏、熔点低及受空气氧化易变质等性质的办法。热处理方法可大大提高稳定性。松香酸与一定量甘油或其他多元醇反应转变为具有干性的酯胶，后者用于油漆、清漆和大漆。

Abigail　亚比该　《圣经·旧约》人物，犹大王国南部人拿八之妻，拿八死后，她成为大卫最早所纳妻室之一（《撒母耳记上》25）。又，大卫的一个姐妹也名亚比该（《列王纪上》2:16）。

Abildgaard, Nicolai Abraham　阿比尔高（1743-09-11，哥本哈根～1809-06-04，丹麦腓特烈斯代尔）　18世纪晚期丹麦名画家，早期新古典主义画家之一。1772～1777年曾在罗马学习，受到罗马古代雕刻和壁画的影响，他的绘画风格属于古典主义但带浪漫主义倾向，色彩感强烈。许多作品以感情夸张手法表现古典文学片段。曾任教于丹麦皇家美术学院，1789年任院长。丹麦杰出的雕刻家B.托瓦尔森是他的学生。

Abilene　阿比林　美国堪萨斯州中东部城市，迪金森县县城（1861），位于斯莫基希尔河畔。1858年始有人拓居，当时称默德克里克，约1860年以《圣经》中的阿比林（意为“草原”）为地名。起初阿比林发展缓慢，至1867年牧牛业主J.麦科伊（后任阿比林市长）选择此地作为驱赶得克萨斯州牛群的北面集结点，同年堪萨斯—太平洋铁路修筑至此。1871年为牛群贸易规模最大的一年，有5 000余名牛仔驱赶着70万头牛通过奇瑟姆小道到达阿比林的牛栏。随着牧牛业的兴旺出现了一个没有法纪的时期。著名枪手W.B.希科克于1871年出任城镇执法官。定居移民和有围栏牧场的出现使得克萨斯的养牛业受到冲击，许多牛群贸易转移至威奇托。阿比

阿比林市的艾森豪威尔中心
美国不列颠百科全书公司供图

林现仍为牲畜、谷物和其他农产品的转运点，有一些轻工产业。美国前总统艾森豪威尔在此度过童年，并葬在当地的艾森豪威尔中心（内有他的故居和图书馆）。1869年设建制。人口6 543（2000）。

Abilene　阿比林　美国得克萨斯州中西部城市，1883年起为泰勒县县城（部分在琼斯县内），东距沃思堡246千米，位于地势低而起伏的平原上。建于1881年，当时为得克萨斯和太平洋铁路的新建终点站，用于从陆路运输得克萨斯的牛群。它不但承担了原先堪萨斯州阿比林铁路终点站的业务，也承袭了这一取自《圣经》的地名。经济上原以牲畜和农业为主，现已扩展至工业领域，它是生产石油和天然气的多县区的中心。产品有轻型机械、宇航构件及乐器。城内有哈丁-西蒙斯大学（1891）、阿比林基督教大学（1906）和麦克默里学院（1923）。正西南有戴斯空军基地。每年定期举行西得克萨斯商品交易会、牧人马术表演和牲畜展览。东北部的旧阿比林镇是重建的得克萨斯边疆城镇。人口：市约115 930；都会统计区约126 555（2000）。

Abingdon　阿宾顿　英格兰牛津行政郡怀特霍斯谷区的一个教区和城镇。属伯克历史郡。位于牛津市南，泰晤士河和奥克河汇流处。由撒克逊人创建，并在始建于676年的本笃会隐修院的四周发展起来。隐修院被废除后，1556年获自治特许状。隐修院尚存一垂直式入口和经修复的棋盘形大厅，现为一具有伊丽莎白时代风格的剧院。在横跨泰晤士河的拱桥（1416年修建，1929年拓宽）上可瞭望早期英国塔楼和圣海伦教堂的垂直式尖塔。郡议事厅（1677～1680）内有一所博物馆，附近的圣尼古拉斯教堂的西部正面建于1180年。学校有阿宾顿学校——英国最古老的公立学校之一——和拉德利学院（1847）。该市有轻工业，为泰晤士河畔的旅游胜地。人口35 234（1991）。

Abingdon　阿宾登　美国弗吉尼亚州西南部城镇，华盛顿县县城。西南距布里斯托尔24千米，位于阿巴拉契亚山中靠近田纳西边界处。约开拓于1765年，原为开拓者们躲避印第安人攻击的布莱克斯要塞（1776）所在地。1778年设阿宾登镇，镇名取自阿宾登勋爵D.布恩在宾夕法尼亚的家园以及M.华盛顿的故乡。在美国南北战争期间城镇遭到G.斯通曼将军领导的联邦军的严重破坏。现为游览区，也是本州最大的伯莱烟叶市场，常举行牲口拍卖。所产工艺品和瓷器远近闻名。设有弗吉尼亚高地社区学院（1969）。人口7 780（2000）。

Abington　阿宾顿　美国马萨诸塞州东部普利茅斯县城镇（镇区），西北距波士顿32千米。印第安人称之为“大胡子人的土地”（“众狸之地”）。1668年始有人拓居。1712年设建制，以英格兰的阿宾顿为镇名。1769年兴建铸铁厂。1815年前后，J.里德发明了一种能大批生产平头钉的机器，使制鞋业得以兴旺发展。南北战争中，阿宾顿以供应联邦军所需全部军靴的50%而闻名。1846～1865年成为美国废奴运动中心。现主要为住宅区，有些轻型制造业，主要是印刷和机床工业。人口约14 605（2000）。

Abington 阿宾顿 美国宾夕法尼亚州东南部蒙哥马利县的城镇，它是费城北部郊区，内有阿兹利、格伦赛德、麦金利、诺布尔、北格伦赛德、罗斯林等社区。18世纪建立，1855年成为北宾夕法尼亚铁路上的一站。在美国独立战争期间，美军在附近的埃奇希尔曾与英军进行过一次小规模战斗。工业有轧钢、化工、金属和塑料品生产。有宾夕法尼亚州立大学奥冈茨分校(1950)。1906年设镇。人口约56 103(2000)。

Abington, Fanny 阿宾顿(1737，英格兰伦敦～1815-03-04，伦敦) 母家姓弗朗西丝·巴顿。英国女演员。在表演技巧和时装方面均受赞赏。当过卖花女和街头歌女，后受雇于一位法国女帽及妇女头饰设计商，从那里学到鉴赏服装的能力和有关法国的知识。1755年在伦敦草市剧院首次登台。1756年加入特鲁里街剧院。她在爱尔兰度过有成就的5年后，受加里克邀请再次加入特鲁里街剧院，在该院工作18年，创造了许多重要角色，其中有R.B.谢里丹《造谣学校》中的梯泽尔夫人(1777)。她演悲剧和喜剧角色均很有成就。1782年加入科文特加登歌剧院。她是时装的一位领头人，其头饰被称为“阿宾顿帽子”，广为流行。

abiogenesis 无生源现象 参阅**spontaneous generation** 自然发生。

Abipón 阿比庞人 南美印第安人，原居住在阿根廷查科省贝尔梅霍河下游。使用属于圭库鲁-查鲁亚诸语言(参阅**Guaycuruan languages**)的圭库鲁语群中的一种语言，亦称卡拉加语。阿比庞人按其方言又分为3个集团：“林中民族”、“旷野民族”和“水上民族”。1750年前后估计约有5 000人，但19世纪后50年间，作为一个民族已告消亡。在学会用马匹以前，半游牧民族的阿比庞人以狩猎、捕鱼、采集食物及经营小量农业为生。自会使用马匹后，查科的社会制度完全改变。实际上已不再务农而骑马猎逐半野生的牛群、鸵鸟、野褐驼、鹿和西貒。阿比庞人的马队还袭击西班牙人的农牧场，甚至威胁到亚松森和科连特斯等大城市。1750年耶稣会教士使阿比庞人按传教地区定居下来，即后来阿根廷的雷孔基斯塔和雷西斯滕西亚两城市。19世纪的军事绥靖限制了他们的狩猎范围。许多人遭屠杀，其余的则被同化为一般居民。

Abitibi River 阿伯蒂比河 在加拿大安大略省东北部。发源于安大略省和魁北克省边界上的水浅、面积为931平方千米的阿伯蒂比湖。北流547千米汇入穆斯河并注入詹姆斯湾南端，沿途递降265米。流域地区森林茂密，为以易洛魁福尔斯为中心的众多制浆和造纸业提供了原料。采金业对湖区一向十分重要，旅游业的经济意义也变得日益重大。该流域有安大略—诺思兰铁路和加拿大国有铁路通过。阿伯蒂比是阿尔冈昆印第安语，意为阿伯蒂比湖正好位于渥太华谷至詹姆斯湾的古老独木舟水路的中间。

Abkhaz 阿布哈兹人 西高加索民族，主要居住在格鲁吉亚的阿布哈兹。布泽布·阿布哈兹人生活在布泽布河一带，有独特的方言；阿布朱伊·阿布哈兹人居住在科多里河附近地区，其方言是阿布哈兹文学语言的基础形式；扎木扎坎·阿布哈兹人则散居于阿布哈兹地区的东南部。另有阿巴扎人居住在俄罗斯卡拉恰伊-切尔克斯境内，其地恰在高加索山脉以北库班河与泽连丘克河河源附近，所操语言同阿布哈兹语相似。有些学者认为，阿巴扎语与阿布哈兹语极其相似，可视为同一语言的两种方言。阿布哈兹人的传统经济活动以养牛、农作、葡萄栽培、养蜂等为主。在宗教信仰方面，他们主要是逊尼派穆斯林和东正教基督徒。

Abkhaziya 阿布哈兹 又作Abchazija。格鲁吉亚的自治共和国。位于黑海和大高加索山的脊线之间。濒黑海东岸，是一条狭长的滨海低地，一些山嘴切割其间，这些山嘴逐渐升高，形成一个被海水和河水冲蚀的阶丘组成的前陆地带，最后与高加索山的陡峭山坡混成一体。低地为近亚热带气候，1月平均温度高于零度，年降雨量较大。山坡气候比较寒冷，降雨量2 030～3 050毫米，广阔的低地和前陆地带上已经见不到一度覆盖阿布哈兹的栎树、山毛榉和鹅耳枥树林。在查士丁尼一世统治下(约550年)，阿布哈兹人信奉基督教，是罗马帝国的仆从。8世纪建立独立的阿布哈兹王国。随后成为格鲁吉亚的一部分。1463年独立后，16世纪又为奥斯曼帝国统治，伊斯兰教取代基督教。1810年同俄国签订条约，承认阿布哈兹为俄国保护国。俄国于1864年兼并阿布哈兹。苏俄当局1919年宣布阿布哈兹为自治区，1921年升为自治共和国。1930年成为格鲁吉亚共和国内一自治共和国，1991年格鲁吉亚独立后仍为格鲁吉亚一部分。1992年阿布哈兹分裂主义者发动叛乱，反对格鲁吉亚中央政府，要求阿布哈兹独立。1993年反叛者控制了阿布哈兹，次年宣布成立独立的主权共和国，但遭到俄罗斯及格鲁吉亚反对。叛乱前，格鲁吉亚人占阿布哈兹境内人口几近一半，而阿布哈兹人占不到1/5，其余为亚美尼亚人和俄罗斯人。1993年多数格鲁吉亚人及部分俄罗斯人逃至格鲁吉亚其他地区。大多数人口集中于沿海低地，那里有一些较大的居民点——首府苏呼米(**Sukhumi**)、奥恰姆契拉和休养胜地加格拉及新阿丰。虽然可耕地很少，但经济仍以农业为主。在前陆地带种植一种最佳烟草；滨海地区以茶、丝、水果著称。大量种植桐树、桉树和竹子，产桐油。自古栽培葡萄。内陆高坡地以伐木业为主。内陆最大城市特克瓦尔切利为煤矿中心。由多座水力发电厂提供电力。滨海休养地和里察湖为受人欢迎的休假和康复中心。主要交通线有滨海电气化铁路，有支线通至特克瓦尔切利。公路与海岸平行，并通往内地里察湖，也有沿科多里和布泽布河谷的公路。面积8 600平方千米。人口约516 600(1993)。

Abkhazo-Adyghian languages 阿布哈兹-阿迪格诸语言 又称西北高加索诸语言，主要通行于高加索山脉西北部。这个语族包括：阿布哈兹语、阿巴扎语、阿迪格语、卡巴尔达语(切尔克斯语)及近于消亡的乌比克语。这些语言的语音特点是：有大量区别性辅音，但区别性元音则有限。

Ableman v. Booth 艾布曼诉布思案(1859) 美国最高法院确认《逃亡奴隶法》符合宪法精神和联邦政府对州政府拥有最高权力的案件。S.布思是威斯康星州一位赞成废奴主义的报纸编辑，由于帮助一名逃亡奴隶而违反1850年《逃亡奴隶法》，被联邦法院判处监禁。该法要求全体美国人在抓捕和交还逃亡奴隶方面予以合作。但是，威斯康星州与北方其他几个州通过一项人身自由法，禁止在这些州内执行逃亡奴隶法。因此，威斯康星州最高法院的法官发出人身保护令，释放了布思。而联邦地区法院执行官M.艾布曼从联邦最高法院得到了再审命令，重新审查州法院的决定。联邦最高法院全体法官一致同意撤销威斯康星州法院的判决。首席法官R.坦尼判决：州法院无权干涉联邦法院处理的案件，不准各州签发人身保护令释放联邦的罪犯，同时确认《逃亡奴隶法》符合宪法。

ablution 净礼 宗教名词。指按照规定洗涤身体或其一部分，或洗涤物体(如衣服或礼器)，其用意是求净化或表示奉献。净礼中常用的是水(清水、盐水或溶有其他成分的水)，但使用血的实例在宗教史中也不少见，在印度则一向使用圣牛的尿净身。日本神道教信徒走近神社之前先洗手漱口。上座部佛教僧侣开始默念之前先在寺中水池沐浴。高贵种姓出身的印度教徒在私宅作晨祷前也要沐浴。犹太教律法规定，妇女在结婚前和行经后要受全身浸入水中之礼，改奉犹太教的人也要接受这种浸礼。犹太教的净礼还包括起床后和用餐之前洗手之礼。天主教和东正教若干教派的司铎在主持圣体礼时先行洗手礼。东正教新入教的人要在洗礼后七天用圣油浇润前额。美国农村的一些教派在某些场合行濯足礼。伊斯兰教信徒一日五次祈祷，每次都要先洗手、洗脚和洗脸，没有水时可以用沙代替。

Abnaki 阿布纳基人 又称瓦班纳基人。操阿尔冈昆语的印第安部落联盟。居住在北美洲东北部。建立联盟是为了自卫，抵抗今纽约州北部的易洛魁联盟，特别是莫霍克人。最早的组织包括今纽约州以东及东北诸部落：马莱西特人，在今新不伦瑞克；帕萨马科迪人和佩诺布斯科特人，在今缅因州；还有今佛蒙特和新罕布什尔两州的各部落。后来，又包括了一些东部部落，南至特拉华部落。主要以渔、猎为生，沿岸地区各部落种植玉米，越往南种植越多。北部典型住房是桦皮覆盖的棚屋，几个家庭共住一处。桦皮小舟为日常交通工具。狩猎使用陷阱、罗网或弓箭。各部落都由若干较小的群组构成，群组有头人或文职首领，专管咨询但无强制性权威，另有一名作战首领。由包括全部落男女成员在内的全体大会决定战争问题；由首领及各家庭代表组成的最高会议决定其他重要问题。人与人之间终生保持互相尊重的同志关系。相信有英雄人物能在民族危亡时回来拯救他们，至今不变。主要由于传教士的影响，阿布纳基人自17世纪初就站在法国人一边同英国人作战。1724和1725年连遭几次严重挫败后，人数减少，多数退至加拿大，最终在魁北克省圣弗朗索瓦湖地区定居。20世纪后期，人口约5 000。

Abney, Sir William de Wiveleslie　阿布尼　(1843-07-24，英国德比郡德比～1920-12-03，肯特福克斯通)　英国摄影化学专家，以开发用于描绘太阳远红外光谱的感光乳化剂而

美国不列颠百科全书公司供图

知名。1861年在查塔姆的军事工程学校教授化学和摄影，并在各地承担了各种教学职务。1874年首次进行了光线在感光材料上发生作用的定量测量。1880年发现对苯二酚在摄影上的显影作用。1876年被选为英国皇家学会会员，还在其他学术团体担任职务，并赢得多种荣誉。1900年被封为爵士。

abnormal psychology　变态心理学　参阅 **psychopathology** 心理病理学。

Åbo(Finland)　**奥布**　参阅 **Turku** 图尔库。

Åbo, Treaty of　《奥布条约》(1743)　结束俄国-瑞典战争(1741～1743)的和约。1741年瑞典同彼得一世的女儿叶利扎维塔达成秘密协议，后者同意把波罗的海沿岸地区归还瑞典，作为瑞典支持她从伊凡六世手中夺取皇位的交换条件。但她背信弃义，派兵占领赫尔辛福斯、奥布(当时的芬兰首都)以及芬兰很大一部分领土。战争于1742年结束，次年8月双方在奥布签订最后协议，俄国取得芬兰南部一块狭长地带。1788年，瑞典趁俄土战争之际，企图改变该条约的规定，国王古斯塔夫三世于该年6月向俄宣战，要求归还卡累利阿和芬兰。尽管瑞典对俄形成威胁，但《韦雷累条约》(1790-08)却恢复了《奥布条约》划定的战前边界，保持到1809年。

ABO blood group system　ABO血型系统　根据红细胞是否具有抗原A(又分A_1和A_2)及(或)抗原B而对人类血液进行分类的方法。该系统将人类血液分为A型、B型、O型或AB型(也可能同时存在其他血型系统的抗原)。各种血型抗原携带于红细胞的表面。红细胞带有A抗原的血液，其血清中含有抗B抗体。如果B型血输入A型个体体内，输入的红细胞便被受者血内的抗体破坏。同样，A型红细胞能被B型血内的抗A抗体破坏。如果不存在与其他血型系统不合，O型血便能输注给A型、B型或O型血的人。AB型血的人能接受A型、B型或O型血。O型血广泛分布世界各地，在中、南美洲的印第安人中及美国南方2/3地区其频率达100%。B型在亚洲分布广泛，印度北方频率最高；而在欧洲、非洲频率较低；不见于美洲印第安人及大部分澳大利亚土著人中。A_1型分布世界各地，在澳大利亚土著人和爱斯基摩人中间，在印度尼西亚、太平洋岛屿、印度、加拿大和美国北方等的部分地区中仅有A_1型而无A_2型。艾伯塔省及蒙大拿州的黑脚人及布卢德印第安人及周围的部族中，A_1血型的频率之高居世界首位，而整个美洲大陆却是O型频率最高，这个现象令人迷惑。一些学者认为这是亚洲人反复向美洲移民的证据。在某些拉普人中A_2基因频率达50%，在世界其他地区A_2型不常见或罕见。A型血者的胃癌发病率较B型、O型血者高20%。恶性贫血多见于A型血者，婴儿支气管肺炎可能亦是如此。O型血者的十二指肠溃疡发病率较其他血型者高40%，特别是在不分泌水溶性抗原(O血型物质)的人中(非分泌型者)，在O型血者中胃溃疡也较频发。ABO血型不合婚配的子女可发生胎儿成红细胞增多症，特别是当母亲为O型、父亲为A型时。ABO血型不合婚配时流产率亦高。出生前ABO抗原已发育完好且保留终生，ABO抗体是出生前从母体被动获得的，但出生3个月后婴儿自己即可制造，据认为这种抗体是通过与自然界中类似ABO抗原的物质接触后形成的。

abolitionism　废奴运动　又称废除黑奴制运动(约1783～1888)。在西欧和美洲，主要是为结束跨越大西洋的贩奴和蓄奴制度而制造激昂舆论的一次运动。罗马的奴隶制度后来在中世纪已逐渐转变为农奴制度，直到1442年葡萄牙人从西非海岸带回黑奴之前，西欧实际上不知有奴隶制度的存在。此后不久，由于在南、北美洲和西印度群岛殖民地的种植园中需要劳动力，因而产生了巨大的奴隶市场。15～19世纪，估计总共有1 500万非洲人被强迫运往美洲。

尽管奴隶制度残忍而无人性，但截至18世纪启蒙运动的理性主义思想家开始批判它侵犯人权，以及教友派信徒和其他新教会宗教集团谴责其违反基督教义之前，奴隶制度很少引起非议。到了18世纪晚期，对奴隶制度的道义非难日益普遍，反对奴隶制度的改革者们在这个时期较易赢得胜利。在英国，夏普于1772年获得一项法律裁决，认定西印度群岛的种植园主不能在英国拥有奴隶，因为奴隶制度违反英国法律。在美国，马里兰州以北所有各州都于1777～1804年间废除了奴隶制度。但是反对奴隶制度的观点在奴隶制度的中心——美国南部各州大农场、西印度群岛和南美洲的影响不大。英国和美国的废奴主义者在18世纪后期把他们的注意力转向这些地区，开始致力于禁止非洲奴隶输入英国殖民地和美国。在威尔伯福斯和克拉克森领导下，这股力量于1807年成功地废除了对英国殖民地的奴隶贸易。美国也于同年禁止奴隶输入，但是偷运黑奴的活动直到1862年前仍普遍存在。此后，反对奴隶制度的力量集中于解放已成为奴隶的人口。到了1838年，他们成功地废除了英属西印度群岛的奴隶制度，10年后在法属领地也予以废除。

美国的情况却要复杂得多，因为奴隶制作为南方11个州大农场的社会和经济基础，并不是殖民地现象，而是属于国内事务。再者，当19世纪初期，非常有利可图的以种植棉花为基础的农业在南方兴起后，奴隶制越发获得新的生命力。废奴主义者攻击南方这一"特殊制度"残忍和不道德；而作为反击，南方更加强了对奴隶的控制，特别是在1831年特纳叛乱之后。这时美国废奴主义者认识到采取渐进主义和劝说办法难以奏效，后来他们转向一种更有战斗性的政策，即要求通过法律直接废除奴隶制度。

最著名的废奴主义者或许是积极鼓动家、美国反奴隶制协会(1833～1870)创始人加里森。其他有来自牧师阶层的韦尔德和帕克，来自文学界的惠蒂埃、洛威尔和蔡尔德，以及来自"自由黑人社团"、善于言辞的前奴隶如道格拉斯和W.W.布朗。

美国废奴运动在困难的条件下艰难而缓慢地前进，因为这样做势必威胁到联邦中南北双方的和谐，而且也与把奴隶制问题留待各州自行处理的美国宪法产生抵触。所以北方公众仍然不愿采纳废奴主义的政策，并且怀疑他们的极端主义做法。但是一些因素加在一起给这个运动带来日益增强的力量，其中主要是在新开辟的西部领土引发了容许或废止奴隶制的问题，整个19世纪40和50年代，北方人与南方人对这个争端采取了越来越坚决的对立立场。自1850年《逃亡奴隶法》公布后，奴隶搜捕者的残忍性招致人们的反感，加之斯托夫人的反奴隶制小说《汤姆叔叔的小屋》(1852)引起广泛的感情共鸣，进一步增强了废奴主义者的事业。

1859年废奴运动极端主义者J.布朗袭击哈珀斯费里，使南方大受震动，它确信，依靠奴隶提供廉价劳动力的全部生活方式已因林肯于1860年11月当选总统而无可挽回地受到威胁，因为他反对把奴隶制扩展到西部领土。接踵而来的南方各州脱离联邦引起美国南北战争(1861～1865)。这场战争最初是维护联邦的地方权力斗争，后来导致林肯(他从来不是一个废奴主义者)于1863年发布《解放宣言》，在叛乱地区解放奴隶。1865年又通过对宪法的第13号修正案，解放美国的所有其他奴隶。

迫于全世界舆论的压力，奴隶制度在其拉丁美洲的最后据点也被完全废除，古巴和巴西分别于1880～1886年及1883～1888年废除奴隶制。虽然奴隶制在非洲和亚洲的部分地区依旧存在，但非洲人奴隶制度作为一种西方的现象已不复存在。参阅 **slavery**。

Abomey　阿波美　贝宁(前达荷美)南部城镇。可能建于17世纪初，不久即成为阿波美(后为达荷美)王国首都，在19世纪末以前，该王国支配奴隶海岸上的生产和与欧洲企业

的贸易。城镇所在地产棕仁和花生。有公路和铁路通往商业中心科托努及首都波多诺伏。有王宫、国王陵墓等古迹,设有历史博物馆。人口约66 600(1992)。

Abominable Snowman　雪人　藏语拼作Yeti。传说生活在喜马拉雅山雪线一带的怪物。关于目睹这种动物的报道很少,但人们认为雪中某些神秘的痕迹是他们所留下的。那些并非由雪团或高处落下的石块在低坡上滚动所造成的痕迹,可能是熊的脚印。熊行走有时后掌部分地踏在前掌的掌印上,所形成的痕迹近似由相反方向走来的巨人的足迹。

Aborigine, Australian　参阅**Australian Aborigine 澳大利亚土著民族**。

abortion　流产　胎儿发育到能独立生存阶段(在人类通常约在怀孕20周时)之前被娩出宫外的过程。流产可自然发生,此时称**自然流产(miscarriage)**;或特意诱发,这时常称人工流产。自然流产有许多原因,包括疾病、外伤或母体和胎儿间在遗传上或生物化学方面不相容。偶然胎儿死在子宫内但未被排出,这称为过期流产。人工流产的目的大致有4个类型:拯救母亲的生命或维护其身心健康;终止因强奸或乱伦造成的妊娠;防止产生有严重畸形、精神缺陷或遗传异常的婴儿;节育,也即为了社会或经济的原因而保持不生育。为头两类目的进行的人工流产常被称为治疗性流产或合法流产。流产有无数种技术。在妊娠早期(怀孕后直至12周),可用内膜吸引、抽吸或刮除等方法排除子宫内容物。内膜吸引术是用一根可弯曲的细管探入子宫颈管,然后用电泵吸出子宫内膜。妊娠在12周前可用此法。扩张及排空术(又称吸刮术或真空吸刮术)与上述吸引术相关但略麻烦些。在麻醉下用一系列金属扩张器逐步将宫颈扩张,然后用一个硬吸引管插入宫腔来排空内容物。若不用吸引而是用一个细的金属刮匙伸进子宫里刮除(而不是吸除),则这个手术称刮宫术。如果合并扩张术,则吸除术和刮除术都可在妊娠16周前使用。从12至19周,可注射盐水来引发子宫收缩;或通过注射、栓剂或其他方法使用前列腺素来引发宫缩,但这些也可引起严重并发症。在中期或晚期还可使用子宫切开术。一般讲,妊娠越久,孕妇死亡及流产后发生严重并发症的风险越大。

在20世纪晚期发现了一种新的方法,即使用米非司酮(RU 486或mifepristone)进行人工流产。这是一种人工合成的类固醇,与避孕药炔诺酮极为相近。RU 486可以阻止受精卵发育所需的黄体酮发挥作用。在怀孕数周内服用RU 486,可以引发月经周期而将受精卵排出。是否应该允许、鼓励还是禁止流产以及这些措施应有个什么限度,这是个社会问题,它在多个世纪以来一直将各种神职人员、哲学家和立法人员分成不同阵营。在古希腊罗马世界中,流产(和杀婴)似乎是一种很常见且为社会接受的节育方法。虽然基督教神学家早就激烈地谴责流产,但只有到了19世纪以后,才普遍使用重罚来阻止流产的做法。至20世纪这些处罚在许多国家中又都发生了改变,这在1920年先开始于苏联;而后是50年代的日本、几个东欧国家和斯堪的纳维亚国家。在20世纪后期,中国采取大规模流产作为控制人口的政策措施。为了放松或取消对流产的限制曾有过广泛的社会运动,这造成20世纪60年代美国几个州通过了自由化的立法。1973年美国最高法院在"罗诉韦德"案中裁定,对流产作不适当限制的州法律是违宪的,这实质上使孕期3个月的流产合法化了。但很快又出现相反的运动,要求恢复对流产的严格控制,而且这个问题又和社会政治冲突交织在一起。1989年在裁决"韦伯斯特诉生育卫生署"案时,一个较保守的最高法院主张某些新的限制流产的州法;一些观察家认为这意味着要推翻"罗诉韦德"案的裁定。反对流产者,或反对除了为拯救母亲生命以外一切流产的人,都以宗教或人道主义理由为论据,断言没有理由去区分胎儿和新生儿,二者都具依赖性,都可能成为社会的一员,并都具备一定的人性。对流产主张宽容立法的人则主张,至少在头三四个月中胎儿并无多少人性特征,只有妇女本人,而非国家,才有权支配早期妊娠;若不允许合法的医学监督下的流产,那末取而代之的将是非法的且危险的流产。有关此问题的公众辩论显示了政治团体在面对这些因流产引起的复杂且模棱两可的伦理问题时所遇到的巨大困难。

Aboukir Bay (Mediterranean Sea)　参阅**Abū Qīr Bay 阿布吉尔湾**。

Aboukir Bay, Battle of　阿布吉尔湾战役　参阅**Nile, Battle of the 尼罗河战役**。

Abqaiq　布盖格　阿拉伯语作Buqayq。沙特阿拉伯东部城镇,东距波斯湾约40千米。位于布盖格油田(国内最大、产量最多的油田之一)南端。1940年发现油田后,城镇迅速发展。1950年成为横贯阿拉伯半岛的输油管南端终点,输油管全长1 718千米,通往黎巴嫩的赛达。翌年有铁路通利雅得和达曼。

Abraha　阿伯拉哈(活动时期6世纪)　又拼Abreha。驻南阿拉伯也门的埃塞俄比亚总督,基督教徒。阿伯拉哈是埃塞俄比亚(信仰基督教的)皇帝派驻也门赛伯伊的总督。他本人是一名狂热的基督徒,据说曾在萨那修建一座大教堂并维修赛伯伊首府马里卜的灌区主坝。但他的主要事迹是约在570年穆罕默德出生的当年北征麦加。此次远征虽有大象参与作战,但未能取胜,穆斯林认为麦加之所以得救仅因发生了奇迹。575年波斯萨珊王朝入侵赛伯伊地区,阿伯拉哈统治告终,赛伯伊王国灭亡。

Abraham　亚伯拉罕(活动于公元前2千纪初)　希伯来语作Avraham。又称Abram(亚伯兰)。希伯来人列祖之一;犹太教、基督教、伊斯兰教这三种一神教所推崇的古代圣人(中国穆斯林称他为易卜拉欣)。第一次世界大战以后的考古研究发现了许多有关以色列人列祖时代的事物和文献。例如幼发拉底河流域古城马里发掘出王宫,其中有几千片楔形文字泥板(政府档案和公文以及宗教、司法文献),学者根据这些材料判断,《创世记》中的叙事,完全符合根据其他史料定为公元前2千纪的时代,与更晚的时代不完全吻合。由此看来,重现亚伯拉罕的形象主要可依靠两种资料来源:《创世记》和近年来的考古发现。据《圣经·创世记》记载,亚伯拉罕(意为"多国的父")生于美索不达米亚的吾珥。上帝雅赫维召唤他离开本地和本族到某地去,他必将在那里成为新国度的缔造者。他顺从上帝的召唤,率领妻子撒莱(后称撒拉,"女亲王"之意)、侄子罗得和其他人到埃及与叙利亚之间的迦南。撒拉的使女夏甲(哈哲尔)给亚伯拉罕生一子名以实马利(易司马仪);后来,在亚伯拉罕100岁时撒拉又生一子名以撒(易司哈格)。上帝为了试验亚伯拉罕的信心,命令他把以撒当作牺牲献给上帝;亚伯拉罕准备遵命,但是上帝赐给他一只羊羔代替以撒。撒拉死后,亚伯拉罕购买希伯伦附近的麦比拉洞和附近田地,作为墓地,这是他在迦南的第一处产业。亚伯拉罕活了175岁。把《创世记》的叙述与近年的考古发现相对照,可以勾划出一次以一个部落为中心的人口大迁徙。领导这次迁徙的人有他拉、他拉之子亚伯兰、他拉另一子哈兰之子罗得和这几个男人的妻子,其中最著名的是亚伯兰之妻撒莱。他们从吾珥卡斯迪姆启程,该地即马里楔形文字文献中的卡尔都。大多数学者认为即苏美尔城市吾珥(现称穆盖耶尔丘或穆盖耶尔),其址在今巴格达东南300千米处。迁移的第一站是哈兰,其址在今土耳其境内哈兰。移民或许曾在大马士革停留,然后到贝塞尔,即今耶路撒冷以北的拜廷。他们继而经希伯伦,更精确地说是马姆里栎林,最后到达示剑,即今拜拉泰。

Abraham BEN MEIR IBN EZRA (Spanish-Jewish philosopher)　**亚伯拉罕·本·梅尔·伊本·埃兹拉**　参阅**ibn Ezra, Abraham ben Meir 伊本·埃兹拉**。

Abraham, Karl　亚伯拉罕(1877-05-03,德国不来梅～1925-12-25,柏林)　德国精神分析学家。他对于婴儿性欲在性格形成及精神疾病中所起作用的研究,一直是精神分析这个领域里的基础。1904～1907年他在苏黎世布尔格赫尔茨利精神病院充当精神病学家E.布洛伊勒的助手。在这期间,他遇到瑞士精神分析学家C.容,并开始接触S.弗洛伊德的观点。他的第一篇有关精神分析的文章就是讨论儿童时期性创伤与精神分裂症症状的关系。1907年他在柏林开始参加精神分析的实际工作。并协助建立了国际精神分析研究所的第一个分所。他的工作极大地丰富了关于象征和神话的理论。他在1909年发表的一篇重要论文中,把神话和梦联系在一起,并把两者都看做是满足愿望的幻想。在躁狂抑郁性精神病的精神分析治疗方面,亚伯拉罕主要致力于开创性的工作。他提出力必多即性欲本能的发育包括 6 个阶段:早期口欲期、口欲施虐期、肛欲排出期、肛欲保留期、阴茎期和成年性器性欲期。如果一个婴儿的发育停止在任一较早的阶段,因力必多固着于这个水平而发生精神病。他的最重要著作《根据对精神病的观察,对力必多发展的简短研究》出版于 1924 年。其英译文见于 1953 年出版的他的《选集》中,他的最后一篇重要文章《力必多发展性器性欲阶段的性格形成》(1925)的英译文也见于他的《选集》。

Abraham, Plains of　亚伯拉罕平地　加拿大魁北克省南部魁北克地区的平原。又称亚伯拉罕高地。因曾拥有此地部分地区的船舶领航员亚伯拉罕而得名。位于魁北克市西部边缘,俯瞰圣劳伦斯河。英法战争的一次战役(1759-09-13)中,该高地曾是英国夺取魁北克的战场。现为国家史迹公园。

Abraham bar Hiyya　亚伯拉罕·巴尔·希雅(约 1065 ~约 1136)　西班牙籍犹太哲学家、天文学家、占星家、数学家,倡导使用希伯来文,使之重新成为西地中海地区犹太人的通用文字。他有时被称为萨瓦所达,此词源出阿拉伯语,表明他曾在巴塞罗那市穆斯林政府中任职。他将多种阿拉伯文科学书籍译成拉丁文和希伯来文,并著有第一部希伯来文科学丛书以及《论测量与计算》。他的其他重要著作有哲学论文《悲哀的灵魂之沉思》和体现其历史观的论文《启示者名录》。

Abraham Lincoln Battalion　林肯营　1937 年 1 月～ 1938 年 11 月在西班牙内战中参加共和政府作战的一支美国志愿部队。自 1936 年后期起,共产国际共组建 7 个国际旅,每个旅至少由 3 个营组成,到 1938 年后期,战争接近尾声时,各旅均被解散。林肯营像欧洲的几个营一样,大部分由共产党员组成。但与欧洲志愿部队不同的是,林肯营的战士大部分是学生,未服过兵役。1937 年又组建了第二支美国部队,即华盛顿营,但是两营伤亡惨重,因而两营于是年年中合并。随着时间的推移,其他国家的志愿人员亦加入林肯营,因而到 1938 年后期,营中西班牙人的数量超过美国人,比例达 3:1。该营第一任而且或许是最著名的营长是 R.H.梅里曼(1912? ～ 1938)。他是伐木工的儿子,毕业于内华达大学,伯克利加州大学研究生。他军衔晋升至少校,并担任第 14 国际旅(辖有林肯营)参谋长。他参加过数次战役,后作战阵亡。在总共 2 800名美国志愿人员中,约有 900 人战死。

Abrahams, Israel　亚伯拉罕斯(1858-11-26,英国伦敦～ 1925-10-06,剑桥郡剑桥)　当时最著名的犹太学者之一,著有《中世纪犹太人生活》(1896)等著作。曾受严格正统派教育,但成为英国犹太教自由派创始人之一。该派强调犹太教伦理的普遍意义,不重视仪礼和习俗,不热衷于犹太复国主义。他在《中世纪犹太人生活》一书中提出犹太人历史没有中世纪阶段,但中世纪基督教长期对犹太人发挥影响,它使犹太人更加陷于孤立。此书论及中世纪犹太人生活的各个方面,如犹太教会堂的活动、社会习俗、犹太人社团组织、职业、文娱以及犹太人与基督教徒的关系。

Abrahams, Peter (Henry)　阿伯拉罕姆斯(1919-03-19,南非约翰内斯堡附近弗里德多普～　)　南非多产的黑人散文作家。早期小说《矿工》(1946)是最早着重描写对南非黑人实行灭绝人性的种族隔离政策的作品。20 岁时离开故国到英国定居。大部分小说都基于他早年在南非的生活经历。《矿工》描述一位年轻的农民在南非一座大工业城市中受压迫、受歧视的故事。半自传体小说《自由的故事:非洲的回忆》(1954)也是类似主题。其他作品有:《雷霆之路》(1948)、《野蛮的征服》(1950)、《夜深沉》(1965)、《献给乌多莫的花环》(1956)以及《该岛今日》(1966)等。50 年代末期,举家迁往牙买加定居。曾任《西印度群岛经济学家》编辑,并主持广播节目《西印度群岛新闻》。60 年代和 70 年代初,他的读者与日俱增,许多早期作品多次再版并被译成多种文字。

Abram (Jewish patriarch)　**亚伯兰**　参阅 **Abraham** 亚伯拉罕。

Abramowitsch, Shalom Jacob　阿布拉莫维奇　参阅 **Mendele Moykher Sforim** 门代尔·莫海尔·塞法里姆。

Abrantès, Andoche Junot, Duke (duc) **d'　阿布朗泰斯公爵**　参阅 **Junot, Andoche** 朱诺。

Abrantès, Laure Junot, Duchess (duchesse) **d'　阿布朗泰斯公爵夫人**　参阅 **Junot, Laure** 瑞诺。

abrasion platform　磨蚀台　参阅 **wave-cut platform** 浪蚀台。

abrasive　磨料　较硬的天然或人造材料,用于磨削或抛光比其自身软的材料。砂轮、油石和砂纸是磨料的常见实例。在现代机械工具、电子设备和太空飞行器中,一些重要的高精密度部件和极其光滑的表面只有通过磨料研磨加工才能获得。磨料的应用可以上溯到史前时代。当时的石制工具和武器,都是在更硬的石头上磨制成形的。埃及古墓中就有表现用磨料抛光珠宝和花瓶的图画。在以后的历史时代里,工匠们将天然磨石制成轮形,例如砂轮和磨盘,也制成手持使用的块体,用以磨砺镰刀、刀、斧和木工工具。用粉状磨料进行抛光的方法与埃及人所用过的十分相像。迟至 19 世纪,由于需要处理更硬的金属和达到更小的容差,磨料才在制造工业中取得了重要地位。世界各地都在开采一些天然磨料矿藏,其中包括燧石和砂。燧石是一种形式的石英,是最常用的砂纸材料。砂为天然的颗粒状石英,用于喷砂和其他磨削工艺。另一种颇为常见的天然磨料是浮石,这是硬化了的泡沫熔岩,广泛用于金属抛光剂和擦光粉。金刚砂和刚玉粉是天然形式的氧化铝,二者均较少见,同样的还有石榴石。另一些天然磨料则仅产于有限的地区,例如金刚石,它主要产于南非;在澳大利亚和南美虽也有出产,但规模要小得多。在金刚石和其他宝石中,有些品质达不到珠宝级别的则用作磨料。在 20 世纪中生产出了多种人造磨料,包括碳化硅、人造金刚石、碳化硼和人造氧化铝,并且设计了一些新的机器,以便使这些磨料得到最有效的利用。在某些方面仍然广泛使用天然磨料,但是在工业磨削中它们已大部分被人造磨料所取代。供工业用的磨料需先碾压成粉,然后可将其与某种液体或糊剂混合起来,压制成轮或块体,或者黏结在纸或布上。

abraxas　阿卜拉克萨斯　几个依次排列的希腊字母,作为一词,过去人们相信它有法力,把它写在咒符、护符或珍宝上。2 世纪诺斯替教等二元宗教以物质为恶、精神为善,宣传人只有通过神秘修行即"诺斯"(意为"真知")才能得救。它们赋予阿卜拉克萨斯以位格,对其进行崇拜,这种崇拜有时与太阳神崇拜有关。

阿卜拉克萨斯石

美国不列颠百科全书公司供图

Abreha (Arab ruler)　参阅 **Abraha** 阿伯拉哈。

Abreu, Capistrano de　阿布雷乌(1853-10-23,巴西马兰瓜佩～ 1927-08-13,里约热内卢)　巴西历史学家,以其对巴西殖民地历史所作的广泛说明而闻名。1875 ～ 1883 年在国立里约热内卢图书馆工作,1883 年任佩德罗二世学院历史教授。受 A.孔德和 H.斯宾塞的社会学以及 H.巴克尔和 H.泰纳的历史研究的影响,他撰写了他最伟大的著作《殖民地史》(1907),对 1500 ～ 1800 年巴西的殖民地化过程作了广泛的研究,他独具见解地强调本地群体的文化,这是早期对巴西内陆地区欧洲移民在人种学上所作的极为重要的解释。他还著有一些语言学著作,翻译了有关巴西历史的德文和法文资料,并编辑了著名历史学家 F.A.de 瓦恩哈根的著作。

Abrikosov, Alexey A.　阿布里科索夫(1928-06-25,苏联[今俄罗斯]莫斯科～　)　俄

罗斯物理学家。因在超导理论研究上做出杰出贡献而成为2003年诺贝尔物理学奖得主。和他分享诺贝尔奖的还有俄罗斯人维塔利·金茨堡和英国出生的安东尼·莱格特。阿布里科索夫1951年在莫斯科物理问题研究所(今P.L.卡皮查研究所)获物理学博士学位。其后几十年他曾供职于苏联多所大学和研究所。1991年加盟美国伊利诺伊州阿尔贡国家实验室,并成为材料科学领域中卓越的科学家。阿布里科索夫的获奖项目是超导性的理论研究。超导电性和超流性是极端低温状态下(低于某临界点温度)发生的现象。这种现象早在1911年就被人们所认识。在其后的几十年中,科学家们试图对某种金属(能完全屏蔽磁场的超导体被称为Ⅰ类超导体)何以失去电阻做出解释。但还有第二类金属(能部分屏蔽磁场的超导体被称为Ⅱ类超导体),即便在极强的磁场中,它们仍能保持其超导性,即超导性和磁场同时存在其中。正是阿布里科索夫成功地在理论上解释了这一现象。而他的研究是建立在金茨堡等人的研究成果基础上的。阿布里科索夫等人的成就使创新超导物质、建立更强力的电磁体成为可能,并为开发出运用于医学诊断的核磁共振扫描仪(MRI)提供了理论基础。

Abruzzi 阿布鲁齐 又称阿布鲁佐。意大利中部地区,濒亚得里亚海。下设阿奎拉、基耶蒂、佩斯卡拉和泰拉莫省。除阿奎拉、苏尔莫纳及富奇诺等山间盆地外,大部为山地和丘陵。主要的地理特征亚平宁山脉由3条西北一东南走向的山岭组成,其中最东边的山岭最高,包括大萨索山(2 914米)和马耶拉山群。从大萨索山起,沙质和黏土丘陵构成缓坡,向东递降至狭窄的亚得里亚海岸地带。几个小海港对渔业或商业没有多少经济价值。几条主要河流(特龙托、佩斯卡拉、桑格罗和特里尼奥)汇入亚得里亚海。这些河流的走向较曲折,加上在上游山坡上大量毁林,因此在春秋多雨季节频繁出现洪水和山崩。居住在此地区的意大利古代部落长期抗拒征服者并保持自己的民族特征,即使在罗马统治时期亦如此。该地区原名阿普鲁蒂姆,据说此名源自一古代部族之名。中世纪早期在伦巴第人统治下,阿布鲁齐由斯波莱托公国管辖,在其南面的莫利塞地区则由贝内文托公国管辖。12世纪时诺曼人在这一带定居,阿布鲁齐在和罗马教皇的长期斗争中支持霍亨斯陶芬人。13世纪霍亨斯陶芬王朝没落后,阿布鲁齐和莫利塞先后处于安茹王朝、西班牙人和那不勒斯王国的波旁家族统治下。在后者统治期间,这两个地区被划分为阿布鲁佐-乌尔梯里奥尔Ⅰ区、阿布鲁佐-乌尔梯里奥尔Ⅱ区、阿布鲁佐-奇特拉和莫利塞四部分。1860年阿布鲁齐和莫利塞属意大利王国。1965年分设阿布鲁齐(首府为阿奎拉)和莫利塞区。崎岖不平的地形长期阻碍该区经济发展。从西部至亚得里亚海岸的公路修通后,这一地区得以向意大利其他地区开放。除集约经营的山间盆地外,农业只解决当地需要。广泛种植小麦、葡萄、水果和橄榄等。烟草、甜菜和番红花为经济作物。大部地区以畜牧业为主。羊群仍在阿布鲁齐山区牧场至区外低地的冬季牧场之间继续流动放牧,但规模不断缩小,有养猪业。熏火腿和香肠为当地著名特产。工业发展缓慢,主要集中在各省省会。主要铁路干线是罗马—佩斯卡拉线。本地区有铁路交通,但客、货运输已逐渐为公共汽车和卡车所取代。沿海地区旅游业正逐渐发展,但尚未成为阿布鲁齐主要的经济活动。面积10 794平方千米。人口约1 244 226(2001)。

Abruzzi, Luigi Amedeo Giuseppe Maria Ferdinando Francesco, Duke (duca) **d' 阿布鲁齐**(1873-01-29,西班牙马德里～1933-03-18,意属索马里摩加迪沙附近的阿布鲁齐城[今索马里摩加迪沙]) 西班牙登山运动员和探险家。他是西班牙国王阿马戴乌斯之子。1897年第一个登上阿拉斯加的圣伊莱亚斯山。1899年在北极探险,到达北纬86°34′,创当时世界纪录。1906年首次登上中非东部的鲁温佐里山脉最高峰,获得该山脉地质、地貌和冰川的详细资料,绘制成山脉的地图,并为主要山峰、要隘和冰川定名。1909年攀登世界第二高峰喜马拉雅山乔戈里峰,达到6 000多米高度。

Abruzzo, Ben L. 阿布鲁佐(1930-06-09,美国伊利诺伊罗克福德～1985-02-11,新墨西哥阿尔伯克基) 美国气球飞行员,曾与3名乘员乘"双鹰"5号气球第一次飞越太平洋,完成距离最远的不着陆飞行。1952年毕业于伊利诺伊大学(尚佩恩-厄巴纳),在新墨西哥州阿尔伯克基的柯特兰空军基地服役两年(1952～1954)。以后即在该地定居,从事房地产开发。他和妻子、子女都热衷于滑雪、划船、航海、打网球、飞行和驾驶气球。1978年他与安德森(Anderson, Maxie)和L.纽曼乘"双鹰"2号气球第一次飞越大西洋。1979年又和安德森乘"双鹰"3号参加G.贝内特竞赛获胜。在横越太平洋飞行中,阿布鲁佐任艇长,组员是阿尔伯克基的纽曼、克拉克和参与资助这次飞行的迈阿密餐馆店主、日裔美国人青木。他们于1981年11月9日从日本的长岛出发,飞行84小时31分后于11月12日降落于加利福尼亚州门多西诺国家森林区,航程9 244千米,是历史上最远的一次气球飞行。阿布鲁佐曾9次创造气球飞行的世界记录,次数之多居世界之冠。他在一次飞机失事中罹难。

ABS 参阅**American Bible Society**美国圣经学会。

Abs, Hermann J(osef) 阿布斯(1901-10-15,德国波恩～1994-02-05,巴特索登) 德国银行家,第二次世界大战后西德"经济奇迹"中的主要角色。他在加入科隆一家商业银行之前,曾学习法律一年。第一次世界大战后,他在德国和国外许多部门工作过,学到了国际银行业务知识。1938年他成为柏林德意志银行经理,该行自1870年成立之日起就在德国经济中起主导作用。阿布斯一直在该行任职,到第二次世界大战后该行解散时为止。1948年他被任命为复兴信贷社监事会副主席,该信贷社负责将马歇尔计划中很大一部分基金发放给工商企业。他还兼任西德政府的顾问。他最重要的政府职务,或许是担任出席在伦敦举行的债务会议的西德代表团团长(1951～1953),该会议清理了西德外债并规定出西德接受信贷资格的条件。1953年2月签订债务协议,为德国经济的重新发展奠定了基础。1957年德意志银行在法兰克福重新开业,阿布斯又重新参加其管理委员会,1967年任监事会主席,1976年任名誉主席。在此期间,他继续在信贷社工作(1959年任主席),同时在许多德国大公司充任董事。

Absalom 押沙龙(活动时期约公元前1020,巴勒斯坦) 以色列和犹大国王大卫的第三子,为大卫所宠爱。他容貌俊美、不遵守法度、刚愎自用。他因为胞妹被大卫长子、他的异母哥哥暗嫩奸污而杀死暗嫩,为此被放逐,但由于约押的斡旋而重新得宠。后来,可能由于在王位继承问题上形势有变,他发动叛乱,一度迫使大卫与其臣仆及卫队逃过约旦河,他占领耶路撒冷和王国的主要部分。但最终在今约旦西部"以法莲树林"中全军覆没,约押趁押沙龙的头发被橡树枝绕住时将他杀死。

Absalon 阿布萨隆(约1128,丹麦菲耶尼茨莱乌～1201-03-21,索勒) 大主教、政治家、丹麦国王瓦尔德马一世和克努特四世的亲密顾问。西兰岛有权势家族的后裔,曾协助瓦尔德马一世(1156～1157)取得丹麦王位。1158年任罗斯基勒主教,作为国王最亲密的顾问,曾支持瓦尔德马一世与神圣罗马帝国皇帝腓特烈一世(红胡子)结盟以反对教皇亚历山大三世。1167年阿布萨隆和瓦尔德马双双与教皇和解。1169年指挥作战,占领文德人(斯拉夫族)的吕根岛要塞,消除文德人对丹麦航运的威胁。从此,在1225年前,丹麦人在德意志北部称霸一时。他下令在叫做杭的地方建设要塞,后发展为哥本哈根。他极力主张追谥瓦尔德马的父亲拉瓦尔为圣徒,使瓦尔德马的儿子克努特四世共为国王(1170),从而开创了瓦尔德马王朝的世袭权。1177年他成为隆德大主教,又为克努特四世的监护人。1182年他引导克努特摆脱神圣罗马帝国皇帝腓特烈一世的束缚而成为独立的统治者。1184年他率兵进驻波罗的海南部沿岸,控制了波美拉尼亚和梅克伦堡。此后回教会任神职。

Absaroka Range 阿布萨罗卡岭 落基山脉北段的一部分,位于美国怀俄明州西北和蒙大拿州南部。西北-东南走向,长170英里(270千米),宽50英里。火山活动抬起了大面积的高地,河流和冰川的侵蚀形成了壮观的景色。8座山峰均高逾12 000英尺,其中最高峰弗兰克斯峰高13 140英尺。该岭是比格霍恩河的源头,岭内有加拉廷、肖肖尼和卡斯特国家森林的一部分以及黄石国家公园的最东北部分。蒙大拿州的最高点格兰尼特峰(12 799英尺)位于贝尔图斯岭,这是阿布萨罗卡岭的东北支脉。

abscess 脓肿 细菌感染破坏组织形成脓液,脓液积聚而形成的局部脓腔。葡萄球菌、链球菌等化脓菌侵入实体组织(如经皮肤小伤口进入),即会形成脓肿。细菌繁殖产生毒素,破坏细胞,患处出现急性炎症(**inflammation**),其特征性表现为红、肿、痛、热。白细胞集聚于该处,使被破坏的组织液化,并将细菌吞噬。液化的组织、死亡的白细胞、死细菌及积聚的血清即成为黄色的脓液。同时附近的健康细胞在脓肿周围形成包膜,作为脓肿与健康组织的分界。脓肿破溃时(自然破溃或手术切开),脓液流出,肿胀及疼痛即缓解,构成脓肿壁的细胞长入空腔最后将其填满。脓肿可发生于皮肤表面或体内(如肺、脑、肾或扁桃体内)。不自行消退的脓肿,可切开引流放出脓液。抗生素用以控制感染。必须注意勿使脓液及其他有传染性的成分进入血流,带至周围组织而产生新的脓肿。参阅 **boil**。

absentee ownership 不在地主所有权 指拥有土地所有权的业主,既不在土地上居住,也不亲自耕种,却享有土地收益。为此,人们臆断不在地主对其土地和佃户缺乏个人兴趣和了解,随之不在地主所有权一词也具有贬性的社会含义。几个世纪以来,不在地主所有权一直是世界许多地区的政治社会问题,例如它曾是批判法国大革命以前部分宫廷贵族的依据,也是 19 世纪关于英国不在地主剥削爱尔兰佃户的辩论中的突出问题。迄今为止,它仍然是许多不发达国家土地改革方案的主要经济问题。

absentee voting 缺席投票 一种选举手续,使不能到指定选举地点的人也能投票。缺席投票虽有时规定须于选举日之前在规定的地点进行,但通常的方法是邮寄。缺席投票要求特殊的行政安排以确保投票的保密性和合法性。除这些基本的规定之外,具体的做法各国互不相同。在所有西欧国家、美国和澳大利亚(在那里,投票是强制性的),对缺席投票的方法都有规定。由于缺席投票的设施与识字有关,所以在文盲还相当普遍的国家里,或者不允许有缺席投票,如扎伊尔和布基纳法索;或者加以严格限制,如印度、马来西亚和牙买加。在选举人的资格主要不是由地区决定的地方,通过邮政投票可以作为正规的投票方式。在选举日定在星期日的欧洲国家里,外出旅游的人被允许在他们登记的地方以外的投票站投票,但他们只能对自己选区的候选人投票。

absinthe 苦艾酒 香料型蒸馏酒,黄绿色,与水混合时成乳白色。香气浓郁,为略带苦味的干酒,用白兰地一类烈性酒制成。含酒精 68%(容量),主要芳香成分为苦艾,其次是甘草、海索草、小茴香、桔梗根、茴香子及八角茴香。H.-L.佩尔诺向居住在瑞士的法国流亡者购得配方后,于 1797 年首先市售。苦艾酒被认为有碍健康,可引起痉挛、幻觉、智力衰退和精神变态,这些症状显然是由苦艾中存在的有毒化学成分苧酮引起的。1908 年,瑞士禁止制造苦艾酒,1915 年法国及许多国家也先后效法。1918 年佩尔诺公司在西班牙塔拉戈纳设厂制造苦艾酒及不含苦艾的同类饮料,后者向禁止生产苦艾酒的国家出口。同时发展风味相似的低酒精无苦艾成分的佩尔诺酒、茴香酒、拉基酒等。苦艾酒通常加水或冰块稀释,也用于调制混合饮料。传统的苦艾酒用特制的滴杯,水从糖块滤出缓缓滴入酒内,名为苦艾滴酒。茴香酒加水混合时呈浑浊、带绿的乳白色。

Absolute Idealism 绝对唯心主义 一种哲学学说。它主要和两位 19 世纪德国唯心主义哲学家黑格尔、谢林和一位美国哲学家罗伊斯及其他人相关联。但实质上,却是黑格尔的产物。绝对唯心主义通常以下列原则为其特征:①一般日常事物和具体心灵的世界并不是真实的世界,而只是依照未经过批判的范畴所显现出来的;②对世界的最好的反映或反省,不是在物理的和数学的范畴之中发现,而是在一种自我意识的心灵中发现;③思想是每一特殊经验和这些经验的无限整体之间的关系;特殊经验是无限整体的一种表现,而不是将现成的形式强加于特定的材料上。在黑格尔看来,唯心主义就是指:有限的世界是精神的一种反映,只有这精神是真正实在的。他认为有限度的存在(即有生、有灭的东西)预先就假定了无限的没有限度的存在;在无限的存在内,有限物乃是一种附属因素。依据这个观点,真理变成了各种思想之间的和谐或一贯性的关系,而不是思想和外部现实的一致。当我们从混乱的感觉经验世界,逐渐进展到更复杂的和更一贯的科学范畴,便接近了绝对的理念,所有其他一切抽象观念,都只是绝对理念的一部分。黑格尔还主张:这种愈来愈清晰的情形,有事实为证,即后来的哲学总是对先前的哲学继承和发展,最后接近那个万事万物与之相联、但又保持独立的东西,即绝对理念。

absolute reaction rates, theory of (chemistry) **绝对反应速率理论** 参阅 **transition-state theory** 过渡态理论。

absolute zero 绝对零度 热力学系统能量最低时的温度,相当于 –273.15℃或 –459.67℉。绝对零度作为极限温度的概念,有许多热力学推论。例如,在绝对零度下并不要求分子的一切运动全部停止,只是分子运动不再具有可以转移给其他系统的能量。因此,绝对零度下能量最小。任何以绝对零度为其零点的温标称为绝对温标。根据国际协议,开尔文温标(或热力学温标)是这类温标的标准,并作为一切温度科学测量的基础。其基本单位开尔文(符号 K,写时无度的符号[°])规定为纯水三相点的 1/273.16。三相点就是物质的液态、固态和气态能同时共存的温度。事实上,这一三相点和绝对零度的间隔为 273.16 开尔文。美国采用的另一种绝对温标(主要用于工程)是兰氏温标。虽然兰氏温标的零点也是绝对零度,但兰氏温度与开氏温度不同。这是因为温标的基本单位不同,兰氏度(°R)是开氏度的 5/9(例如,水的凝固点是 273.15K 或 491.67°R)。对于一些经验温标,可参阅 **Celsius temperature scale; Fahrenheit temperature scale**。

absolution 解罪 基督教名词,指向悔罪者宣布赦免。在天主教,告解是圣事之一,解罪之权属于司铎。司铎向真心悔罪、认罪并承诺向天主进行补赎的罪人实行赦免。据《新约》载,赦罪之恩源于耶稣基督,其后由教会神职人员施与罪人。在早期基督教会,先由罪人认罪,公开悔罪,然后由司铎公开宣布赦免。但是在中世纪,秘密认罪成为惯例,因此解罪也秘密进行。在新教各派,解罪通常是公开进行。一般新教各派的解罪仅限于祈求赦免而由牧师宣告上帝愿意赦免真心悔罪的人。在这些派别,解罪既不是司法行为,也不是施与赦免,而是申述上帝的裁断和赦免。

absolutism 专制主义 一种政治理论和实践,指不受限制的中央集权和专制统治,特别是君主政体。这种制度的本质是,统治权不受任何其他机构(无论是司法、立法、宗教、经济或选举机构)的经常的监督或制约。17 世纪末和 18 世纪初统治法国的路易十四对专制主义作了最著名的断言,他说"朕即国家"。尽管形式各有不同,政治上的专制主义在世界大部分地区长期盛行。在现代欧洲历史早期产生的形式尤为典型,其性质是彻底的君主制,以一些在中世纪秩序崩溃后建立起来的新的民族国家的强有力的领袖人物为其基础。这些国家的权力与它们的统治者的权力紧密地联系在一起,而且,为了加强这两种权力,必须削弱教会、封建地主和一般的中世纪习俗曾经对中央集权政府施加的限制。在声称国家有绝对权威并反对这些以前的限制时,作为国家元首的君主也声称他有自己的绝对权威。到 16 世纪时,君主专制主义在西欧大部分地区盛行,并在 17 和 18 世纪遍及各地。除了其专制主义由路易十四加以概括的法国以外,著名的例子还有西班牙、普鲁士和奥地利。为君主专制主义辩护的最简单的论据是国王的权力来自上帝,即"君权神授"说。这种说法甚至可以把残暴的统治说成是神授权统治者对人们的罪孽实行的惩罚。君权神授论的起源可以追溯到中世纪的这一概念:即上帝将世俗的权力授予政治统治者,而把精神的权力授予罗马天主教会的教皇。然而,新的国家的君主们宣称他们拥有一切权力,既要成为国家之主,也要成为教会之主。他们的权力是绝对的,以致中世纪的君主们不可能容许一个实质上是敌对的权力中心的教会与他们对峙。除君权神授说外,还提出了一些为专制君主政体辩护的更实际的论点。完全服从一个单一意志,据说是为维持国家的秩序和安全所必需的;否则,敌对或分散的政治权力会引起混乱。这样以维护自身利益为理由证明臣民的臣服是合理的最详尽的陈述,是在 17 世纪 T.霍布斯的著作《利维坦》中提出的。证明垄断权力合理的另一个理由是认为统治者了解绝对真理。对于那些认为他们知道、而且只有他们知道什么是正确的人来说,分权或限制权力的行使都是不合法的。

absorption 吸收 在波动中,当波穿过物质时,波对物质的能量传递。声波、电磁波和其他波的能量与波的振幅的平方成比例。当波穿过物质时,它的振幅逐步下降。如果只有很小部分能量被吸收,则称此介质对于该种辐射是透明的;如果所有的能量都被吸收,便称该介质为不透明的。已知的一切透明物质都有一定程度的吸收作用。例如海洋的表面对于阳光是透明的,但随着深度的增加而变成不透明的。物质的吸收作用是有选择性的,即它们吸收某些特定波长的辐射。绿玻璃对绿光是透明的,但对蓝光和红光则不透明。硬橡胶对红外线和X射线是透明的,但对可见光则不透明。因此,让混合波穿过适当的介质就可以从中去掉不需要的波长。某些物质经过特别选择和造型用以吸收特定波长或频带的器件,称为滤波器。辐射穿过物质时,其被吸收的程度取决于该物质的特性和厚度。一定厚度的均匀物质可认为是由一些等厚度的薄层所组成。每一薄层要按同一份额吸收射到它上面的能量。图中显示一波束从左到右穿过介质的一系列薄层(d_1、d_2、d_3、d_4)。假设吸收率是50%,则波束穿过第一薄层d_1之后,波的初始能量E_0将减至$E_0/2$。穿过第二层d_2后,$E_0/2$能量的一半被吸收,于是波束只带着$E_0/4$能量进入第三层d_3。同样,后继的每一薄层都吸收它接受到的能量的一半。这样,对给定波长的辐射来

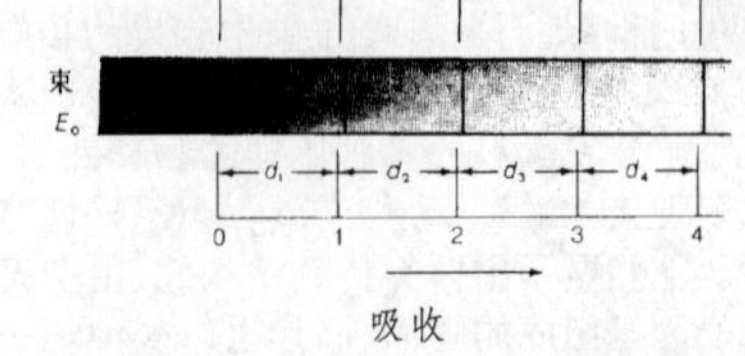

说,极薄的任一层将按照与其厚度成正比的份量来降低波的能量。对于给定波长而言,波穿过薄层材料时的能量改变率是一个材料常数,称为吸收系数。

Abstbessingen faience　阿布斯特贝辛根彩陶　德国图林根地区阿布斯特贝辛根村一家工厂生产的锡釉陶器。大约从18世纪前半叶至约1816年曾流行一时。制品上的干草叉工厂标记表明该工厂受施瓦茨堡王子庇护。一般的器皿,例如花瓶、带柄杯和壶类都是厚坯体,施奶油色釉,通常以蓝色或多色作为彩饰。虽然也曾制造过少量意在扬名的产品,如留出素地供以后彩饰之用(通常是手绘)的花瓶等,但阿布斯特贝辛根彩陶始终是更重要的德国宫廷工厂产品的质朴的模仿者。

阿布斯特贝辛根彩陶龟形黄油罐
美国不列颠百科全书公司供图

abstract algebra　抽象代数　初等代数的比线性代数更抽象的发展,它把初等代数运算的概念推广到不必是数的各种元素的集合,形成各种代数系统。每一个代数系统是一类数学对象的集合,连同结合它们的某些运算以及这些运算所满足的法则。随着这些运算及所满足的法则的不同,形成各种代数系统,最常见的是:群、环、域、格。

群　这种由元素组成的系统只具有一种运算并且满足一定法则。这些元素可以是算子,例如球面的旋转。群能最好地描述几何图形的对称性。直到18世纪后期和19世纪,群才被确认为是数学系统。法国数学家J.-L.拉格朗日首先考虑到群的概念,A.L.柯西开始研究置换群。挪威数学家N.H.阿贝尔在研究多项式方程的求解时证明了一般的五次方程不能用根式求解;接着法国数学家E.伽罗瓦系统地用群证明了用根式求解一个方程是可能的仅当伴随这个方程的群有一定的特殊性质,这些群现在称为可解群。群现在被认为是全部数学及其许多应用中的最基本的概念。

群的定义是:一个群G是元素的一个非空集合,具有一个二元运算,通常称为乘法,即对于G的任一有序对元素x、y,有一个确定的法则结合它们,从而给出G里的一个元素。这个元素通常记成乘积xy,它遵从下列规律:①结合律,$(xy)z = x(yz)$,对于G中一切x、y、z成立;②存在一个单位元素1,使得$1x = x1 = x$,对于G中每个x成立;③对于G中的每个x,存在一个"逆"元素x^{-1},使得$x^{-1}x = xx^{-1} = 1$,其中1是G的单位元素。如果群G还满足交换律,即$xy = yx$,对于G中一切x,y成立,则G称为阿贝尔群或交换群。交换群的乘法运算常写成加法。群的许多重要应用,来自群自然地从一一映射(或称为双射)产生这一事实。集合S到集合T的一个映射α是一个法则,它给S的每个元素x指定T的唯一元素y(称为x的像),这个映射可记作$y = (x)\alpha$;特别重要的情形是T与S是同一集合。S到自身的两个映射α与β的乘积$\alpha\beta$由法则$(x)\alpha\beta = [(x)\alpha]\beta$所定义,它满足结合律。对于一个映射$\alpha$,如果对$T$的每个$y$存在$S$的至少一个$x$使得$y = (x)\alpha$,则称$\alpha$为$S$到$T$上的一个映射(或满射);而如果恰好有$S$的一个元素$x$使得$y = (x)\alpha$,则称$\alpha$为$S$到$T$的一个一一映射(或一一对应,或双射)。容易验证,集合S到自身上的所有一一映射形成一个群。如果S是一个有限集合,则S到自身上的一个双射称为S的一个置换。若S由整数$1,2,\cdots,n$组成,则置换α可以记作

$$\alpha = \begin{pmatrix} 1,2,\cdots,n \\ \alpha_1,\alpha_2,\cdots,\alpha_n \end{pmatrix}$$

这意思是$(i)\alpha = \alpha_i \cdot i = 1,2,\cdots,n$。$S$的所有置换形成一个群,称为$n$元对称群,记作$S_n$。例如$S_3$有以下6个元素:

$$\alpha_1 = \begin{pmatrix} 1,2,3 \\ 1,2,3 \end{pmatrix} \qquad \alpha_2 = \begin{pmatrix} 1,2,3 \\ 2,3,1 \end{pmatrix}$$

$$\alpha_3 = \begin{pmatrix} 1,2,3 \\ 3,1,2 \end{pmatrix} \qquad \alpha_4 = \begin{pmatrix} 1,2,3 \\ 1,3,2 \end{pmatrix}$$

$$\alpha_5 = \begin{pmatrix} 1,2,3 \\ 3,2,1 \end{pmatrix} \qquad \alpha_6 = \begin{pmatrix} 1,2,3 \\ 2,1,3 \end{pmatrix}$$

群G里的不同元素的个数称为G的阶,记作$|G|$;阶为有限或无限时分别称为有限群或无限群。

群G的一个非空子集H称为一个子群,如果它本身在G的乘法下是一个群。一个群的具有一定性质的元素形成一个子群。例如,欧几里得平面的点到它们自身上的所有双射形成一个群G,其中把直线变成直线的那些映射形成G的一个子群G_1(直射变换群)。而群G_1又有一个子群G_2,它由保持距离不变的双射组成,称为正交群。

两个群G_1和G_2说是同构的,如果在G_1的元素与G_2的元素之间存在一一对应φ,使得只要$(x_1)\varphi = x_2$且$(y_1)\varphi = y_2$就有$(x_1y_1)\varphi = x_2y_2$,其中x_1,y_1是G_1的任意元素,x_2,y_2是它们在G_2里的像。例如,正实数的乘法群和全体实数的加法群是同构的,因为$\lg(xy) = \lg x + \lg y$。同构的群被认为在本质上是一样的。群论的一个主要课题是探讨所有不同构的群。

环　一个环R是具有两个二元运算(加法和乘法)的元素的集合,对于加法它是一个交换群,它的乘法满足结合律,并且乘法对于加法满足两个分配律:$x(y+z) = xy + xz$,$(y+z)x = yx + zx$,对于R里的所有x、y、z都成立。如果环R含有一个元素e使得$ex = xe = x$,对于每个x成立,则R称为单式环,e(必定是唯一的)称为R的单位元素并且通常记作1。如果环R的乘法是交换的(即$xy = yx$对于R的一切x,y成立),则称R为交换环。环R若有$a \neq 0$,$b \neq 0$使得$ab = 0$,则称a,b是R的零因子。无零因子的交换单式环称为整环。例如,全体整数的集合z是一个整环。系数在一个整环R里的所有一元多项式组成的集合,对于多项式的加法和乘法形成一个整环,记作$R[x]$。域K上的$n \times n$矩阵的全体,对于矩阵的加法和乘法形成一个环,记作$M_n(K)$;它是单式环,但不是交换的,且有零因子。

对于单式环R里的一个元素x,若存在R的一个元素x'使得$xx' = x'x = 1$,则称x是可逆元素,满足上式的x'(必定唯一)称为x的逆,记作x^{-1}。环中的非零元素不一定都可逆,因此环的可除性问题是重要的。如果单式环R的每一个非零元素都可逆,则称除环。除环是最简单的非交换环,它的可除性理论是平凡的。非交换除环的最简单例子是四元数环H,它的元素形如$a + \mathbf{i}b + \mathbf{j}c + \mathbf{k}d$,其中$a$、$b$、$c$、$d$都是实数,$\mathbf{i}^2 = \mathbf{j}^2 = \mathbf{k}^2 = -1$,$\mathbf{ij} = \mathbf{k}$,$\mathbf{ji} = -\mathbf{k}$,$\mathbf{jk} = \mathbf{i}$,$\mathbf{kj} = -\mathbf{i}$,$\mathbf{ki} = \mathbf{j}$,$\mathbf{ik} = -\mathbf{j}$。

历史上,环论发展的一个主要动力来自深入地研究费马大定理:方程$x^n + y^n = z^n$,当$n > 2$时,在非零整数范围内没有解。19世纪的德国算术家在研究这个问题时,发现它关系到在由代数整数(首项系数为1的整系数多项式的根)形成的环R里的因子分解唯一性问题。德国数学家P.G.L.狄利克雷和E.E.库默尔注意到一般地在这样的环R里类似于普通整数那样的唯一分解是不成立的,作为补救,库默尔和另一个德国数学家R.狄德金引入了"理想"的概念,它被证明对于环论有着基本的重要性。

19世纪末另有一个动力来自代数几何，粗略地说，这个数学分支研究满足一个给定的有限个多项式方程组的 n 元复数组(x_1, x_2, …, x_n)，这些 n 元复数组形成一个所谓的代数集 H，在 H 上的多项式函数按值的方式相加和相乘形成一个环，称为 H 的坐标环。狄德金和H.韦伯在1882年证明：当这个代数集 H 是一条曲线(即有维数1)时，H 的坐标环与算术家们研究的代数整数环有许多共同的性质，这种几何和算术之间有惊人的相似。从那以后一直被深入细致地推广和富有成效地研究着。1893年德国数学家D.希尔伯特在研究一般的多项式环和坐标环时引入了强有力的理想理论的方法，证明了重要的有限基定理和“零点定理”。一般交换环的研究被德国数学家E.诺特在大约1925年开创，她特别致力于研究诺特环。

非交换环的第一个例子来自初等几何，研究普通的三维空间的旋转，使得爱尔兰数学家W.R.哈密顿在1843年发现了四元数环。同时，被线性空间的研究所激发，德国数学家H.G.格拉斯曼引进了现在称之为的外代数。英国数学家A.凯莱在大约1850年为了描述线性变换引进了矩阵。数学家B.皮尔斯和C.S.皮尔斯在1870年指出方阵形成一个环的事实。19世纪的后半叶这些环都归入超复系的名称之下。

超复系，亦称代数，它的定义是：若在域 K 上的向量空间 K^n 里定义了一个乘法，使得这个乘法对于加法适合两条分配律，并且满足一个特定的结合条件 $k(xy)=(kx)y=x(ky)$，其中 $k\in K$，x、$y\in K^n$，则这样的 K^n 称为 K 上的代数或 K 上的一个超复系，记作 A。A 里的乘法表可如下给出：$e_ie_j=\sum_{l=1}^{n}\gamma_{ijl}e_l$，$\gamma_{ijl}\in K$，这 n^3 个常数 γ_{ijl} 完全决定了代数 A 中的乘法，它们称为代数的结构常数。如果代数 A 里的乘法还适合结合律，则 A 称为 K 上的一个结合代数，这时 A 也是一个环。例如，域 K 上的 $n\times n$ 矩阵的全体，对于矩阵的加法、乘法和数量乘法形成一个结合代数。

如同群常被看成是作用在各种集合上的变换群那样，人们常把环作用于各种交换群而得到各种“R 模”。这个方法具有把各种代数问题转化为线性问题的优点。R 模的定义是：对于一个给定的环 R，一个左 R 模(或 R 上的左模)是这样一个交换群 M(运算写成加法)，它被赋予一个从 $R\times M$ 到 M 的映射 $(a,x)\mapsto ax$，其中 $a\in R$，$x\in M$，$ax\in M$；并且满足三条公理：$(a+b)x=ax+bx$，$a(x+y)=ax+ay$，$a(bx)=(ab)x$，对一切 a、$b\in R$，x、$y\in M$ 都成立。如果 R 是单式环，则通常还要求 $1\cdot x=x$，对一切 $x\in M$ 成立，这时模 M 称为单式模。类似地可定义右 R 模。右模与左模一般不相同；当 R 是交换环时，它们才相同。如果 R 是一个域，则单式 R 模是向量空间。

域 这种代数系统，它有加、减、乘、除(除数不为0)四种运算，并且具有它们的全部通常的性质。确切地说，域是交换除环。例如，全体有理数(或实数，或复数)组成的集合是一个域，称为有理数域(或实数域，或复数域)。对于每一个正整数 $n>1$，模 n 剩余类：0，1，…，$n-1$ 组成一个集合 Z_n，它的加法(或乘法)是先做普通加法(或普通乘法)，再取模 n 剩余(即被 n 除以后的余数)，例如在 Z_{11} 里，$7+9=5$，$7\times9=8$，等。可以证明每个 Z_n 是交换单式环；当 n 是素数 p 时，Z_p 是一个域。模域 Z_p 是最简单的有限域。

域论主要研究域的扩张和有序域的完备化。伽罗瓦理论是域论的重要组成部分，它解决了一般的五次和五次以上的方程不能用根式求解以及一般地用圆规和直尺三等分角不可能等重要问题。有限域的理论被广泛应用在数字信息传递中的检错码和纠错码的设计上。

格论 它用精确的数学语言处理同一个整体的不同部分彼此之间的关系。是集合论的推广，成为高等代数、几何和数理逻辑的一个基础部分。

设 S 是同一整体的不同部分组成的一个族，这些部分可用 x，y，…符号表示，$x\geqslant y$ 表示 x“包含”y。如果这个“包含”关系具有反身律($x\geqslant x$，对一切 x 成立)，传递律(若 $x\geqslant y$，$y\geqslant z$，则 $x\geqslant z$)，反对称律(若 $x\geqslant y$，且 $y\geqslant x$，则 $x=y$)，则这个关系称为一个偏序。一个集合 S 和它的元素的一个偏序一起称为一个偏序集。一个偏序集 L 如果还满足下述条件就称为一个格：对于 L 的任意两个元素 x 和 y，存在一个包含 x 和 y 的最小元素(记作 $x\vee y$)，并且存在一个被包含在 x 和 y 里的最大元素(记作 $x\wedge y$)。$x\vee y$ 和 $x\wedge y$ 分别称为 x 和 y 的最小上界和最大下界；它们只要存在时就是唯一的。例如，由集合 U 的所有子集 X，Y，……组成的幂集 $p(U)$，对于包含关系($\subset$)形成一个格，其中 $X\vee Y$ 是 X 和 Y 的并集，$X\wedge Y$ 是 X 和 Y 的交集。任一群 G 的所有子群形成一个格，其中 $H\vee K$ 是由 H 和 K 的并集生成的子群，$H\wedge K$ 是 H 和 K 的交集。

格论在群论、射影几何等的研究和逻辑电路的设计中都有许多应用，用于设计数字计算机的逻辑电路的布尔代数就是一种分配补格。

abstract art 抽象艺术 指20世纪的非具象的绘画、雕刻以及类似手法的艺术。现代艺术的倾向是否定艺术再现的重要性而突出强调形、色、线、面的纯抽象本质。抽象艺术的基础是肯定这些形体属性具有足够的内在美和表现力。抽象艺术有意避免或隐藏任何清晰可辨的现实形体，全然杜绝再现主题，完全依靠形、色、线、面的审美因素。参阅**modern art**。

Abstract Expressionism 抽象表现主义 20世纪40年代末在美国画坛上掀起的广泛运动，50年代成为西方绘画中的一个主要潮流。美国最重要的抽象表现主义画家是J.波洛克、W.德·库宁、F.克兰和M.罗思科。其他还有C.斯蒂尔、P.格斯顿、H.弗兰肯特勒、B.纽曼、A.戈特利布、R.马瑟韦尔、L.克拉斯纳、B.汤姆林、W.巴齐奥特、A.莱因哈特、R.普塞特-达特、E.德·库宁和J.特沃科夫。这些抽象表现主义艺术家大多在纽约市工作、生活或展出作品。

抽象表现主义虽然是个公认的名称，但它不是对这些艺术家所建立的工作团体的精确描述。实际上，这一运动是由许多不同的绘画风格组成的，在技法和表现特性方面千差万别。但是也有其共同特征。它们基本上是抽象的——即画家描绘的各种形状不是取自可见的世界，而是强调自由的、自发的和自身的情绪表达。为了达到这一目的，他们特别注重于开发颜料的各种不同的物理性质，以求表现诸如悦目、动态、暴力、神秘、抒情等特性。他们显示出摒弃传统结构的、由毫无关联的因素组成的画面，而代之以一种统一的、没有明显差别的底色、网络或者在非结构空间存在的其他意象。油画都画在巨大的画布上，使上述各种视觉效果既具纪念碑的意义又有引人入胜的力量。

W.德·库宁绘《作品》(1955)
美国不列颠百科全书公司供图

早期抽象表现主义画家的著名先驱有两位：A.高尔基，他使用自由的细线条和液体颜料描绘带暗示性的动物生态形象；H.霍夫曼，他运用生动活泼和质感强烈的笔触绘出抽象但符合传统结构的作品。对于抽象表现主义形成的另一重要影响是，在20世纪30年代末和40年代初有一大批因纳粹横行而逃离欧洲的超现实主义艺术家和其他重要的欧洲先锋派艺术家登上了美洲海岸。这些艺术家大大鼓舞了纽约市的当地画家，使他们更深刻地领会欧洲绘画先驱的观点。至于抽象表现主义运动本身，一般认为始于波洛克和德·库宁在20世纪40年代末和50年代初的绘画作品。

抽象表现主义运动一般可分为3类。一是*行动绘画*(**Action painting**)，其特征是以横扫或猛戳的笔触任意、迅速、有力或强制地运用油色，技法上具有部分偶然因素，如直接向画布滴色或泼色；主要代表画家是波洛克、德·库宁、克兰等。第二类分为几种不同风格。从格斯顿和弗兰肯特勒的绘画中抒情而细腻的意象和优美的图形直至马瑟韦尔和戈特利布的结构明晰、强劲有力、近似书法的图画。第三类表现手法是罗思科、纽曼和莱因哈特的感情成分最少的手法。这些画家使用大面积(或区域)的平涂色和薄薄一层半透明的油料，以求达到平静的、微妙的、近似冥想的效果。杰出的大色域画家是罗思科，他的大部分作品都是软边、纯色的矩形面积的大尺寸合成体，它们往往发光和共振。

抽象表现主义在20世纪50年代期间对于美国和欧洲的艺术界都曾产生过巨大的影响。实际上，这一运动标志着现代绘画的创作中心在第二次世界大战后的几十年间从巴黎向纽约市转移。在50年代的进程中，这一运动的年轻追随者日益瞻大色域画家之马首，到1960年，运动的参加者则普遍脱离行动画家们的高负荷表现精神。

abstract poem　抽象诗　由E.西特韦尔创造的词，形容一种诗体。诗中的词不是按其意义而是按其听觉上的特性，特意挑选的。西特韦尔1923年出版的诗集《门面》中的一首诗《流行之歌》即为一例。

Abstraction-Création　抽象-创作社　1931年至1936年间以法国画家为主的一个画家团体，提倡艺术中的纯抽象原则。领导者是G.万东格洛和A.埃尔班。他们专注于单纯使用绘画的基本形式因素，即色和形。把作品画成平面的、色彩鲜明的几何形。其前身是M.修福和J.托雷斯-加尔西亚1930年创建的"圆形和正方形"团体。1931年，由埃尔班和J.赫利昂出版的期刊《抽象-创作》接受了"圆形和正方形"团体的通讯名单，新的"抽象-创作"团体拥有成员400人之多，直到1936年，一直坚持着几何抽象的方向。当时住在巴黎的W.康定斯基和N.伽勃也是积极的会员。第二次世界大战后该团体为"新现实主义者沙龙"所继承。

Absurd, Theatre of the　荒诞派戏剧　20世纪50年代到60年代初期欧洲和美国某些剧作家的作品。这些作家赞同存在主义哲学家A.加缪在其1942年发表的评论《西绪福斯的神话》中所持的论点，认为人类的处境在本质上是荒诞的和缺乏目的的。这一术语大体上亦适用于下述这些剧作家及其作品。虽然没有正式的荒诞主义运动，但不同的剧作家如S.贝克特、E.尤内斯库、J.热内、A.阿达莫夫、H.品特以及其他一些剧作家均对人类持悲观论点，认为人类欲寻求其生存目标并掌握自己命运的努力是徒劳的。按照这种观点，人类处于一种自感无望和迷惑忧虑的状态之中。贯穿在戏剧中的思想决定了戏剧的结构，因此，荒诞派剧作家对传统戏剧的逻辑结构大都抛弃不用。几乎没有任何传统观念上的戏剧情节，不论人物表演得如何疯狂，他们的舞台动作和表情均用于强调没有什么能改变他们的存在这个事实。

1953年首次演出的贝克特所作《等待戈多》一剧中，出现了既无时间又无情节的循环式安排，两个通常扮成流浪汉的迷惘的人，在等待中消磨时光，但他们既不知道在等待什么人，也不能肯定等待的他或它是否会来。荒诞剧中使用的语言常常互不连贯，充满陈词滥调和双关语，重复并且没有结论。1950年第一次公演的尤内斯库所作《秃头歌女》一剧中的人物，只是坐在舞台上重复说一些不言而喻的话，最后发展为胡说八道，以显示语言上的无法沟通。

这种荒谬而无目的的行为和言语的混合，有时在表面上显得滑稽可笑，令人眼花缭乱，实际上却在严肃地传达一种隐晦的人类苦楚。从中我们可以看到来自即兴喜剧、轻歌舞剧、歌舞杂耍表演以及与哑剧、杂技结合而成的喜剧传统的影响。同时，超现实主义、存在主义、表现主义等流派以及F.卡夫卡的作品中所表现的思想也给予荒诞派戏剧明显的影响。

荒诞派戏剧在轻视传统戏剧手法方面令人震惊，在恰当表现20世纪中期公众关注的事物方面受人欢迎，至60年代中期有些没落。然而，其某些创新已为戏剧主流所吸收，并激发做进一步的实验。荒诞派戏剧的主要作家，有些在其艺术领域开始寻求新的方向，有些则仍一本初衷地继续创作和演出。

Ābu　阿布　又称阿布山镇。印度西北部拉贾斯坦邦西南部城市。位于阿布山山坡上，阿布山是阿拉瓦利山山脉的一个孤立部分。该城为一山区名胜。在附近的迪勒瓦拉用白

阿布市的维马拉瓦萨希庙穹顶
美国不列颠百科全书公司供图

色大理石建造的耆那教庙宇很著名。1200年左右建造的特杰帕尔庙宇以其细致和丰富多彩的雕刻，尤其是以其圆顶内侧的雕刻而著称。1031年建造的维马拉瓦萨希庙宇的风格则较为简单和粗犷。英国驻拉贾斯坦邦办事处设在阿布，阿布有一所警察训练学校。人口约15 547(1991)。

Abū ʿAbd Allāh Muḥammad ibn Ismāʿīl al-Bukhārī　艾布·阿卜杜拉·穆罕默德·伊本·伊斯梅尔·布哈里　参阅 **Bukhārī, al-布哈里**。

Abū ʿAbdollāh Jaʿfar ibn Moḥammad　艾布·阿卜杜拉·加法尔·伊本·穆罕默德　参阅 **Rūdakī 鲁达基**。

Abū al-ʿAbbās ʿAbd Allāh al-Maʾmūn ibn ar-Rashīd(caliph)　**艾布·阿拔斯·阿卜杜拉·马蒙·伊本·拉希德**　参阅 **Maʾmūn, al-马蒙**。

Abū al-ʿAbbās as-Saffāḥ　艾布·阿拔斯(722～754，安巴尔[伊拉克])　阿拔斯王朝的第一代哈里发(749～754在位)。该王朝统治伊斯兰东方500年。阿拔斯人是穆罕默德一个叔父的后裔，伍麦叶王室的堂兄弟。当伍麦叶王朝衰落且继承未定时，他发动叛乱，并于749年称哈里发。登位后即对伍麦叶人阿里派以及其他受人爱戴的领导人进行野蛮的屠杀，因而自称萨法赫(屠夫)。他为阿拔斯王朝的江山打下了牢固的基础。

Abū al-ʿAtāhiyah　艾布·阿塔希叶(748，伊拉克库费城或枣泉村～825或826，巴格达)　本名艾布·伊斯哈格·伊斯梅尔·伊本·盖西姆·伊本·苏韦德·伊本·凯桑。阿拉伯诗人，第一个打破伊斯兰教以前时期沙漠诗人立下的规格体例，采用更为简朴、自由的村民语言。出身于释奴家庭，因家贫，无力接受正规教育。早年在库费时开始写情诗，诗作日后为他赢得声誉和阿拔斯王朝哈里发哈伦·赖世德的欢心。阿塔希叶的名望主要在于他晚年创作的禁欲诗歌《苦行诗集》，1071年西班牙学者伊本·阿卜杜勒·拜尔收集了这本诗歌。他在宗教诗中发泄了他对社会的不满，描写了死亡的恐怖如何使权贵们化为尘土，获得了民众的热烈拥护。他的诗歌脍炙人口，常被谱成乐曲。

Abū al-Faraj (medieval Syrian scholar)　参阅 **Bar Hebraeus 巴尔·希伯来**。

Abū al-Faraj al-Iṣbahānī　艾布尔·法拉吉·伊斯法哈尼(897，伊朗伊斯法罕～967-11-20，巴格达)　又名伊斯法哈尼。阿拉伯文学家，编有一部百科全书式的论述阿拉伯歌曲、作曲家、诗人和乐师的重要著作。伍麦叶王朝末代叙利亚哈里发迈尔万二世的后裔，尽管他家与什叶派中的阿里后裔为敌，他仍为什叶派信徒，支持先知穆罕默德的女婿阿里的后裔继承哈里发职位的权利。大半生在巴格达度过，布韦希王朝的国王是他的保护人。主要作品《歌曲集成》中，收有诗歌、传记和大量有关早期阿拉伯人以及伍麦叶、阿拔斯王朝时期穆斯林生活习俗的重要资料。《塔列卜人的战死及其轶事》是他的另一部著作，收有阿里及其父艾比·塔列卜后裔中的什叶派殉教者的传记。

Abū al-Fidāʾ　艾布·菲达(1273-11，大马士革～1331-10-27，叙利亚哈马)　又拼 Abulfeda。艾尤布王朝历史学家和地理学家，曾任马木留克帝国辖下一个地区的苏丹，是艾尤布后裔。1310年任哈马市第一任总督。1312年为终身亲王，1320年与马木留克王朝苏丹纳绥尔·穆罕默德同去麦加朝圣，晋升为穆艾叶德王，位同苏丹。他继续治理哈马，死后由其子继任。艾布·菲达本人是学者，同时又是学者的保护人。他的两部主要作品，一为史

籍《人类史纲要》，从伊斯兰教以前时期叙述至1329年；一为地理学书《地名辞典》(1321)。两书都是编纂他人作品而成，并非原著，流行于当时中东地区，18和19世纪欧洲的东方学者在无法获得更早的资料前，均广为使用。

Abū al-Ghāzī Bahādur　艾布·加齐·伯哈杜(1603-08-24，希瓦汗国乌尔根奇[今在乌兹别克斯坦]～1663，希瓦)　希瓦可汗，研究察合台文献最著名的历史学家之一。阿拉伯穆罕默德汗之子。早年大部分时间是在乌尔根奇度过的。父死后，因弟兄争夺王位，他不得不逃往伊朗伊斯法罕城。流亡期间(1629～1639)研究历史，调查波斯和阿拉伯的历史资料。1644或1645年，他终于登上希瓦的王位，在位约20年，其间不断征战。他的最著名作品是《土库曼人世系谱》(1659)和《突厥人世系谱》。后一部书由其子于1665年补充完成，作者没有引用史料而靠记忆写成。18世纪后，该书的德、法、俄、拉丁和英译本流行欧洲。

Abū al-Ḥasan　阿布·阿尔·哈桑(活动时期17世纪初，德里[印度])　莫卧儿帝国贾汗季王朝的宫廷画家，皇帝曾授以"当代奇才"称号。他在皇帝监护下学习绘画，深得宠幸。现存的作品中有著名的《松鼠梧桐》(现藏印度政府图书馆)，以及大量的优秀肖像画，他曾对欧洲版画进行研究，因而其作品表现出自然主义的倾向。

Abū al-Ḥasan ʿAlī　艾布·哈桑·阿里(约1297～1351-05-24，摩洛哥欣塔托)　摩洛哥马里尼德王朝的苏丹(1331～1351在位)。他扩大了王朝的领地，并一度建立统一的北非帝国。1331年继父艾布·赛义德位。1333年攻占西班牙的阿尔赫西拉斯和直布罗陀，旨在把基督教徒逐出西班牙，统一北非所有的伊斯兰土地。此后进攻阿尔及利亚，1337年占领战略城镇特莱姆森。1340年4月5日，在直布罗陀海峡取得辉煌的海战胜利。6个月后，在萨拉多河战役中败北，被迫放弃反西班牙的"圣战"。他与突尼斯哈夫西德王朝统治者艾布·贝克尔之女结婚。到1342年，突尼斯已沦为他的附庸国。艾布·贝克尔死后，他侵入突尼斯，1347年9月15日占领突尼斯城。次年4月在凯鲁万被突尼斯部落联盟打败。1349年12月由海路逃离突尼斯。翌年1月在阿尔及利亚登陆，动身去摩洛哥镇压其子领导的叛乱。1351年他的部队背叛，遂退位，不久即因伤口感染去世。

Abū al-Ḥasan ʿAlī ibn al-Ḥusayn al-Masʿūdī (Arab historian)　**阿卜·哈桑·阿里·伊本·侯赛因·麦斯欧迪**　参阅 **Masʿūdī, al-麦斯欧迪**。

Abū al-Majd Majdūd ibn Ādam　艾布·马吉德·马吉杜德·伊本·阿达姆　参阅 **Sanā'ī 萨纳伊**。

Abū al-Mundhir (Islāmic scholar)　**阿布·蒙齐尔**　参阅 **Hishām ibn (Muḥammad) al-Kalbī 希沙姆·伊本·凯勒比**。

Abū al-Qāsim　阿布·卡西姆(约936，科尔多瓦附近[西班牙]～约1013)　又拼 Abul Kasim。全名 Abū al-Qāsim Khalaf ibn ʿAbbās Az-Zahrāwī；拉丁名 Albucasis。公认的中世纪最伟大的伊斯兰外科医生。曾任西班牙哈里发阿卜杜勒·拉赫曼三世安·纳塞尔的御医。曾著综合性的医学教科书《方法论》30章，把东方的和古典的医学理论结合起来，设计了多种外科手术程序，在欧洲一直沿用到文艺复兴时期。虽然该书大部分内容以历代各权威专家的著作、尤其是保罗(埃吉纳的)的《概要》一书为基础，但亦包含许多他自己的观察资料，包括目前所知最早的关于血友病的描述。最后一章有200多种医疗器械的插图，可说是第一本带插图的外科学专著。尽管《方法论》一书为东方哈里发国的医生所忽视，但其外科学论述却对基督教欧洲产生了巨大影响。此书在12世纪为克里莫纳的杰拉德译成拉丁文，作为欧洲的主要外科学教科书近500年之久。因其文体简洁明晰，因此甚至比加伦的著作更受欢迎。

Abū al-Wafā'　阿布-瓦法(940，伊朗布冉～998，伊拉克巴格达)　又拼 Abul Wefa，全名 Abū al-Wafā' al-Būzajānī。波斯天文学家、最伟大的穆斯林数学家之一，对三角学的发展做出了重要贡献。他曾在巴格达的一个观象台工作，并在该地建立了第一座观测星球的象限仪台。他并不像传说的那样发现了月球运动中后来人们称为二均差的不等式，但在关于月球理论的著作中，他使用了正切和余切这两种三角函数，并且计算了它们的数值表。他还发明了正割和余割函数，证明了球面三角学中正弦定理的普遍性，设计了计算正弦函数表的新方法。他翻译并评介了希腊数学家欧几里得和丢番图的著作，还评介了花拉子密等阿拉伯数学家的著作，这些后来都散失了。他还著有《适用于文书和商人的算术科学须知》和《适用于工匠的几何作图法须知》两书。

Abū ʿAlī al-Ḥasan ibn al-Haytham (Islāmic scientist)　参阅 **Alhazen 海桑**。

Abū ʿAlī al Ḥusayn ibn ʿAbd Allāh ibn Sīnā (Persian scientist)　**艾布·阿里·侯赛因·伊本·阿卜杜拉·伊本·西拿**　参阅 **Avicenna 阿维森纳**。

Abū ʿAlī Ḥasan ibn ʿAlī (Persian vizier)　**阿布·阿里·哈桑·伊本·阿里**　参阅 **Niẓām al-Mulk 尼札姆·穆尔克**。

Abū ʿAlī Muṣṭafā　阿布·阿里·穆斯塔法(1938，巴勒斯坦[西岸]阿拉拜～2001-08-27，西岸拉姆安拉)　别名 Muṣṭafā al-Zibrī。巴勒斯坦民族主义者，巴勒斯坦解放组织中激进派解放巴勒斯坦人民阵线的创始人之一(1967)和秘书长(2000～2001)。年轻时参加过G.哈巴什的阿拉伯民族运动，1967年和哈巴什一起成立解放巴勒斯坦人民阵线(人阵)，基地建在叙利亚大马士革。人阵坚决反对巴以和谈，实行恐怖袭击和劫机，受到广泛谴责。穆斯塔法后来承认了巴以和谈产生的政治实体巴勒斯坦民族权力机构的合法性，1999年9月回到西岸。2000年哈巴什退休后，他成为人阵领导人。2001年其办公室被以色列的火箭击中，被炸身亡。

Abū Ayyūb Sulaymān ibn Yaḥyā ibn Gabirūt (Hebrew poet)　**艾布·阿尤布·苏莱曼·伊本·叶海亚·伊本·盖比鲁勒**　参阅 **Ibn Gabirol 伊本·盖比鲁勒**。

Abu Bakar　阿布·巴卡尔(1843?～1895-06-04，英格兰伦敦)　马来柔佛国苏丹(1885～1895)。当大多数东南亚国家被欧洲殖民帝国兼并时，他却使马来柔佛国保持独立。据1824年马英条约和1855年补充条款的规定，马来柔佛国不由苏丹而由较低一级官员"天猛公"统治。1862年阿布·巴卡尔成为第3代"天猛公"。1868年他把自己的称号改为摩诃罗阇(大王)。1885年英国承认他是柔佛的苏丹。阿布·巴卡尔曾大力促进国内农商业的发展，特别鼓励种植黑儿茶和胡椒。他持亲西方立场，任用英国人掌管对外事务(根据1861年条约)，聘请西方顾问，采用西方方式，致使英国人相信柔佛国政府的稳定性和合法性。在重大问题上，他探悉英国人的立场并据此制定自己的政策，必要时亦做出妥协。因此，与其他马来统治者相比，他不仅坚持了自己的独立性，还加强了自己的地位。

Abū Bakr　艾卜·伯克尔(约573～634-08-23)　又作 aṣ-Ṣiddīq(阿拉伯语"公正的人")。穆罕默德的挚友和顾问。他继承穆罕默德的政治衣钵和行政职务，开创哈里发制度。出

艾卜·伯克尔(左二)
美国不列颠百科全书公司供图

身于麦加占统治地位的商人部落古来氏族的一个小家族，据说他是第一个信奉伊斯兰教的男子，但是大多数穆斯林历史学家都怀疑这一观点。艾卜·伯克尔在教内的声望由两件事显示得很清楚：一是穆罕默德和他的小女儿阿以莎结婚，一是穆罕默德迁徙麦地那时(希吉拉，622)选他为同行的旅伴。在麦地那，他是穆罕默德的首席顾问(622～632)，但他起的主要作用是631年率穆斯林到麦加朝觐，穆罕默德最后病重时在麦地那领导信徒祈祷。穆罕默德去世时(632-06-08)，麦地

那的穆斯林解决继承的重大问题,承认艾卜·伯克尔为第一任“安拉的先知的代理人(或继承者)”,简称哈里发。他在职期间(632 ～ 634),曾经镇压“变节”,即部落的政治和宗教起义,将阿拉伯半岛中部置于穆斯林控制之下。然后,他又从阿拉伯半岛长驱直入伊拉克和叙利亚,开始了穆斯林的征服。

Abū Bakr Muḥ ammad ibn Yaḥ yā ibn as - Sā - yigh at-Tujībī al-Andalusī as-Saraqustī (Arabic philosopher) **艾布·伯克尔·穆罕默德·伊本·叶海亚·伊本·萨伊格赫·图吉比·安达卢西·萨拉库斯蒂** 参阅 **Avempace** 阿文帕塞。

Abu Dhabi 阿布扎比 阿拉伯联合酋长国(旧称特鲁西尔酋长国或特鲁西尔阿曼)的成员国,虽其边界尚有争议,但它无疑是阿拉伯联合酋长国7个成员国中最大者,占该国总面积3/4以上。因其陆上和波斯湾海底有藏量丰富的油田,为该国中最富的两个酋长国之一(另一个是邻邦迪拜)。北临波斯湾,海岸线长约450千米。沿岸荒无人烟,多盐沼地和沿海岛屿。西邻卡塔尔,南接沙特阿拉伯,东连阿曼(旧称马斯喀特和阿曼)。在阿拉伯联合酋长国内,大部环绕迪拜,小部分与沙迦交界。自18世纪起,巴尼亚斯的布法拉部族就统治该地区。他们最早住在利瓦(吉瓦)绿洲地区。1761年他们在沿海的阿布扎比城所在地发现适合饮用的水井,1795年在此设总部。因为哈伊马角酋长国和沙迦酋长国的盖沃西姆海盗是阿布扎比的宿敌,而海盗与马斯喀特和阿曼苏丹国敌对,阿布扎比的统治者起初便与该苏丹国结盟。但到19世纪,阿布扎比与马斯喀特和阿曼及内志地区不断扩张势力的瓦哈比人(今沙特阿拉伯统治王朝的祖先)发生领土冲突。冲突引起边界纠纷。至今大部仍未解决。虽然阿布扎比不是一个海盗国,但它仍签署了英国发起的《全面和平条约》(1820)和《永久休战条约》(1853)。根据1892年的《排他协定》,阿布扎比的外交受英国控制。在谢赫·裁德·伊本·哈里发(1855 ～ 1908)长期统治期间。阿布扎比是特鲁西尔海岸的主要强国,但在20世纪初被沙迦和迪拜超过。1968年英国提出撤出波斯湾时,阿布扎比会同其他与英国订有条约的国家,协商组成有9个成员的联邦。但巴林和卡塔尔于1971年分别独立,英国废止与订约国家早期签订的条约,于是诞生了以阿布扎比为首的只有7个成员的新阿拉伯联合酋长国。阿布扎比城被定为临时首都,为期5年,后与阿拉伯联合酋长国过渡宪法一起,其首都地位的期限多次延长。阿布扎比的经济几乎全赖原油生产。1958年在海岸外约125千米、水深2 750米的乌姆沙伊夫海底油田发现石油。石油通过海底输油管输送到西面约32千米处荒凉的达斯岛。岛上建有阿布扎比酋长国主要的近海油轮码头,并有简易机场、油气液化厂和其他附属设施。1962年起出口石油。陆上主要有穆尔班和布哈森油田,开采中心在该国中部,距海岸40 ～65千米。有输油管与西北面赞奈山的海岸终点站相连。其他近海油田有扎库姆浅滩(阿布扎比城西北,有海底输油管通往达斯岛)和乌姆达勒赫(阿布扎比城北)。全国石油总储量估计约占世界总储量的1/10。阿布扎比因石油税收而成为世界人均收入最高的国家之一。该国财富除用于国内现代化建设外,还部分贷给阿拉伯联合酋长国内发达程度较低的姊妹国家、其他阿拉伯国家及各地发展中国家。设在内地艾因的干旱地区研究中心在探索栽培蔬菜的先进方法。面积67 350平方千米。人口928 000(1995)。

Abu Dhabi 阿布扎比 阿拉伯联合酋长国(旧称特鲁西尔酋长国或特鲁西尔阿曼)阿布扎比酋长国首都,也是阿拉伯联合酋长国临时首都。位于离波斯湾海岸很近的三角形名小岛上,市区占岛的大部分,有桥与大陆相连。原为一座仅在地方有影响的不发达城镇,阿布扎比酋长国的石油收入使阿布扎比发展为现代化居民区,有许多先进的工业化社会的物质特点。1761年前,此地无人居住。以后才有巴尼亚斯的布法拉部族的部落民在此定居,并统治该地至今。1795年他们将其总部从内陆的利瓦(吉瓦)绿洲迁至此海岸小岛。在19世纪大部分时期和20世纪初,该城虽为特鲁西尔海岸主要酋长国之一的都城,却是相邻的两个特鲁西尔酋长国都城迪拜城和沙迦城的重要贸易和经济宝地。20世纪初约有6 000居民,以在富饶的近海沙滩上采珠和从事地方性贸易(主要由波斯人和印度人经营)为生。因日本人工养珠业的发展及1929年遍及全球的经济萧条,该地采珠业衰落。1958年该酋长国发现丰富的油田,1962年开始大量开采,从根本上改变了该市政治、经济地位。当时特鲁西尔诸国的保护国英国于1961年在该城设立单独的政治代办处,使阿布扎比酋长国脱离迪拜的政治代办处的管辖。作为这一地区主要产油国的首都,该市拥有建设城市的巨额资金。但因谢赫·沙赫布特·伊本·苏丹(1928 ～1966年在位)实行极端保守政策,该城现代化进程缓慢。1966年他被罢黜,由其弟、布赖米绿洲阿布扎比控制部分的前总督裁德·伊本·苏丹继任。谢赫·裁德开始兴建自阿布扎比通往各地的公路网,并在该城所在岛屿北端沿岸建起一道海堤。按照1968年制订的一项雄心勃勃的五年规划,该城已完全现代化。引入了电力、自来水和中央排污系统。建造了现代化的政府大厦、旅馆、住房,扩建了新港。设在附近乌姆纳尔岛上的炼油厂已于1976年投产。阿布扎比国际机场位于该岛南端。轻工业集中在附近的穆萨法。有公路通往迪拜城(东北)、艾因绿洲(东)和卡塔尔(西)。英国最后撤离波斯湾,阿拉伯联合酋长国获得政治独立(1971年12月)后,阿布扎比根据一项妥协性决定成为临时首都。计划以后在阿布扎比与迪拜两个酋长国交界处原无人居住的地区建一新的全国首都,或选艾因为首都新址。人口约363 432(1989)。

阿布扎比市的市中心景观

美国不列颠百科全书公司供图

Abū Ḥabbah (Iraq) **艾布哈巴赫** 参阅 **Sippar** 西巴尔。

Abū Ḥanīfah 阿布·哈尼法(699,伊拉克库费～767,巴格达) 伊斯兰教法学家和教义学家。他系统整理的伊斯兰法理论被公认为伊斯兰教正统派四大法学派之一。出生于伊拉克学术中心库费,属于非阿拉伯穆斯林(马瓦里),马瓦里在伊斯兰教地区开创学术研究活动。他是商人的儿子,年轻时贩卖丝绸为生。早年为教义争论所吸引,但不迷恋教义而转向法律,师从当时伊拉克最著名的法学家哈马德(卒于738年)约18年,后成为他的继承人。同时他也向其他一些著名学者如麦加的圣训学家阿塔(约卒于732年)和什叶派教法的创立者加法尔·阿萨迪克(卒于765年)等求教,并周游各地,接触伊拉克社会中各种进步事物而变得成熟起来。到阿布·哈尼法的年代,因极力将伊斯兰教准则应用于法律问题,结果出现大量的律法见解。对这些见解的争论,使搜集编纂一部统一法典成为必要。他和他的学生(其中一些是著名的学者)研究当时流行的各种律法主张,在形成自己的观点之前,他和学生们讨论每一个法律问题。在他之前形成的律法见解,主要是对实际问题的回答，而他力图加以解决的则是将来可能出现的问题。采用这一方法，使得法律的领域大大拓宽。由于法律范围的扩大和他的理性主义者倾向，以及他对不十分可靠的圣训所持的保留态度，他的学派有时被误称为与“圣训派”相对的“意见派”。虽然他主要关注的不是教义，但在一些教义问题上却持有不同观点，这促进了正统教义拥护者马杜里迪学派的发展。由于他的性格和学术成见以及厌恶当时的伍麦叶王朝和阿拔斯王朝，他不直接参与宫廷政治或权力斗争。他同情阿里派(阿里的继承者，后受到什叶派的尊崇)，以舆论和金钱公开支持该派的叛逆活动，这就部分解释了为什么阿布·哈尼法拒绝法官职位和遭受到伍麦叶与阿拔斯两个王朝的迫害。

Abū Ḥudhayfah (Muslim theologian) **艾布·胡达海发** 参阅 **Wāṣil ibn ʿAṭā'** 瓦绥勒·伊本·阿塔。

Abū Isḥ āq Ismāʿīl ibn al - Qāsim ibn Suwayd ibn Kaysān (Arab poet) **艾布·伊斯哈格·伊斯梅尔·伊本·盖西姆·伊本·苏韦德·伊本·凯桑** 参阅 **Abū al-ʿAtāhiyah** 艾布·阿塔希叶。

Abū Jaʿfar Abd Allāh al-Manṣūr ibn Muḥammad (caliph) **阿布·加法尔·阿卜杜拉·曼苏尔·伊本·穆罕默德** 参阅 **Manṣūr, al-** 曼苏尔。

Abū Jirāb 阿布吉拉伯 古埃及遗址，在阿布西尔以北1.6千米，位于塞加拉和吉萨之间。在这里发掘出第五王朝(约公元前2465～约前2325)的两个太阳神庙。一般认为第五王朝前半期是太阳神瑞神崇拜特别强烈的时期。据当时的碑文记载，当地建有6座太阳神庙。但只找到并发掘出乌塞尔卡夫王和纽塞里王修建的两座，后一座因全用石料建造，保存尤为完好。纽塞里王的太阳神庙包括一个大型无顶平台，周围是一圈储物间和膜拜室，另外还有一座祭坛。后面，长方形墩座上立一矮而宽的方尖碑，高约18米，大概表示辐射的太阳光。一条有顶长廊通向平台，饰有一些古王国时代遗留的最精美的雕刻和绘画。

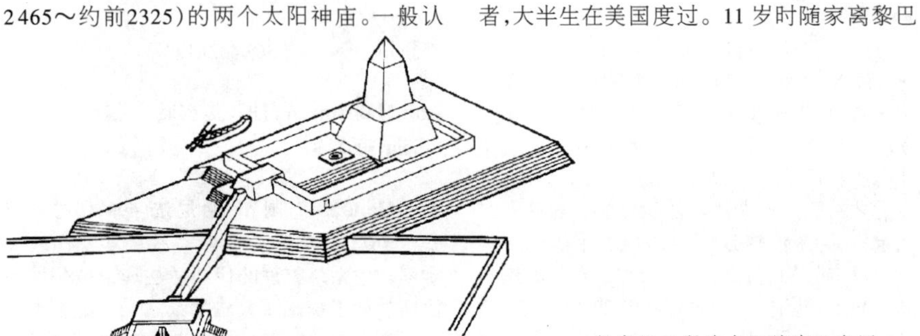

纽塞里王所建太阳神庙示意图

Abū Kālījār al-Marzubān ibn Sulṭān ad-Dawlah 艾布·卡利贾尔(1009-05或06，伊拉克巴士拉～1048-10，伊朗克尔曼附近哈纳卜) 又名穆赫伊丁。1024年起为白益王朝苏丹，继承其父在伊朗的领地。1028年击败其叔，征服克尔曼地区。1044年另一叔死，他又被承认为伊拉克国王。由于塞尔柱突厥人的威胁不断增大，他加强了首都设拉子的防御(1044)，3年后与塞尔柱统治者图格里勒·贝格联姻。但1048年图格里勒毁盟，前来进攻。艾布·卡利贾尔在率兵抗击塞尔柱人时死去。1062年塞尔柱人完全占领了白益王朝的领土。

Abu ʾl-Faḍl ʿAllāmī 艾布勒·法德尔·阿拉姆(1551-01-14，印度阿格拉～1602-08-22) 莫卧儿皇帝阿克巴的历史学家、军事指挥官、大臣和神学家。其父为杰出学者。他先随父学习，后在其父所办学校中执教。1574年由他的哥哥诗人弗伊济引见给阿克巴。由于对传统的穆斯林宗教领袖的评论，他影响了阿克巴的宗教合并的进展。他反对当时宗教领袖的狭隘和偏见，反对他们只注重表面形式而不看重超凡的神。艾布勒·法德尔在朝廷影响极大，1599年任德干司令官。无论是充当军人，还是身居行政长官，他都干得很出色。阿克巴之子萨里姆(后为贾汗季皇帝)叛变时，他奉召回朝，但在萨里姆煽动下，途中受阻，并被暗杀。艾布勒·法德尔·阿拉姆的主要文学成就是一本关于阿克巴及其祖先的史著《阿克巴的光荣》。全书以《阿克巴朝史》结尾。《阿克巴朝史》共分3部分：①政府工作手册，述及珠宝处、象厩、军队和税收等工作；②阿克巴12行省简史；③印度文化和科学记述。据说他曾将《圣经》译成波斯语。现存有他的书信集。

Abu Madi, Iliya 艾布·马迪(约1890，黎巴嫩穆海迪撒～1957) 阿拉伯诗人、新闻工作者，大半生在美国度过。11岁时随家离黎巴嫩山村去埃及亚历山大，年轻时靠卖香烟为生。1911年，他在亚历山大出版第一部诗集，翌年移居美国辛辛那提，和他兄弟一起工作。1916年搬到纽约，开始编辑几种在纽约阿拉伯侨民资助下创办的阿拉伯语报刊。其后10年间在《西方明镜》周刊工作，并与周刊所有人之女结为伉俪。1929年，自办《赛米尔》(“夜谈者”)双月刊，1936年该刊改成日报，一直发行到他逝世之日。1916年出版诗集一部，1927年出版第二部《溪流》。《绿茵》(1946)和在死后出版的《矿石与尘土》一样均在贝鲁特印刷。他的诗由于语言畅达自然，对阿拉伯传统诗体掌握娴熟，能把自己的思想与当时阿拉伯读者紧密相连，因此很受欢迎。

Abū Maʿshar 参阅 **Albumazar** 阿尔布马扎。

Abū Muḥammad ʿAlī ibn Aḥmad ibn Saʿīd ibn Ḥazm (Muslim historian) **阿布·穆罕默德·阿里·伊本·艾哈迈德·伊本·赛义德·伊本·哈兹姆** 参阅 **Ibn Ḥazm** 伊本·哈兹姆。

Abū Muslim 阿布·穆斯里姆(？～755-02) 呼罗珊一次革命运动的领袖。为阿拔斯家族奔走效劳，造成伍麦叶哈里发王朝垮台，使阿拔斯家族登上王位。关于阿布·穆斯里姆的出身有几种不同说法，最可信的似乎是，他出身于波斯血统的奴隶家庭。短期被监禁的阿拔斯伊玛目的使者在狱中会见阿布·穆斯里姆(741)，之后便安排他出狱。他得到伊玛目指示后，被派往呼罗珊(745～746)鼓动起义。他是一位具有雄才大略且精力充沛的领袖。克服起初因出身卑微而招致的不满，利用了呼罗珊普遍存在的深刻社会矛盾，阿拔斯人20年来曾在那里巧妙地挑起并散播反伍麦叶宣传。他召集心怀不满或失宠无望的各社会集团，组成一个阿拉伯人和伊朗人的起义联盟。他将地方传统和伊朗文化与伊斯兰宗教相融合，模糊了阿拉伯人和非阿拉伯人之间的界限。747年6月15日他举起革命的旗帜。起义的烈火在他的统一战斗组织下很快烧遍呼罗珊全境及其他各省。革命胜利，伍麦叶末代哈里发迈尔万二世战败被杀(750)。萨法赫就任第一代阿拔斯哈里发(749)，委任阿布·穆斯里姆为呼罗珊总督作为酬劳。阿拔斯王朝还需要他来维持秩序，他挫败了内外敌人，出色地为哈里发尽力。虽然阿拔斯王朝登位多靠阿布·穆斯里姆的军事胜利和政治谋略，但他们对一个握有很大权力又备受爱戴的臣属多有猜忌。病态多疑的曼苏尔就任第二代阿拔斯哈里发(754)，阿布·穆斯里姆的垮台便成定局。阿布·穆斯里姆平息了曼苏尔的叔父领导的一次暴动后，被剥夺了呼罗珊总督职位。他回到宫中时，曼苏尔背信弃义将他处死。阿布·穆斯里姆在民众中已是一位传奇英雄，他的含恨辞世引起后来多次起义和叛乱。

Abū Naṣ r, Aḥ mad Shāh Bahādur Mujāhid-ud-Dīn 阿布·纳斯尔 参阅 **Aḥmad Shāh** 阿赫默德·沙赫。

Abu Nidal 阿布·尼达尔(1937-05，巴勒斯坦雅法[今以色列特拉维夫-雅法]～2002-08-16?，伊拉克巴格达) 原名Sabri Khalil Albanna。恐怖主义者，法塔赫革命委员会(被更普遍地叫做阿布·尼达尔组织或阿布·尼达尔集团)领导人。随以色列国的建立而爆发1948年战争之后，他全家逃离巴勒斯坦，此后20年住在约旦和沙特阿拉伯。20世纪60年代末，阿布·尼达尔(意为“斗争之父”)加入阿拉法特的游击队组织法塔赫，这是巴勒斯坦解放组织(简称巴解组织)的一个组成部分，巴解组织的目的是从以色列的控制下解放巴勒斯坦和摧毁这个犹太人的国家。由于对法塔赫内部对巴勒斯坦问题寻求外交解决的办法的温和分子不满，他于1973年离开法塔赫。他的新组织从伊拉克、叙利亚和利比亚向外活动，通常得到这些政府的支持。他的许多目标是巴勒斯坦人，1974年巴解组织特别法庭宣判阿布·尼达尔为极端主义分子，缺席判处他死刑。阿布·尼达尔组织被认为应对在中东和欧洲袭击阿拉伯和以色列外交官员和政府代表的事件负责。劫持飞机（包括1985年劫持一架埃及客机，造成60人死亡）、埋设炸弹爆炸和进行突然袭击，也被认为都是它干的。在阿布·尼达尔组织的最为臭名昭著的行动中，包括1985年12月同时袭击罗马和维也纳国际机场，打死18人，以及于1986年在伊斯坦布尔犹太教堂用机枪打死21名做礼拜的人。1991年1月，他的代理人被认为应对暗杀巴解组织的情报首脑、阿拉法特最亲密的伙伴之一阿布·伊亚德负责。

Abū Nuwās　艾布·努瓦斯（约747至762，伊朗阿瓦士～约813至815，巴格达）　阿拉伯阿拔斯王朝前期（750～835）的重要诗人。他是阿拉伯与波斯混血儿，曾在巴士拉和库费求学，先后拜诗人瓦利拜·伊本·侯巴卜和海莱夫·艾哈迈尔为师。他研读伊斯兰教圣书《古兰经》、记述先知穆罕默德言行的圣训以及阿拉伯语语法。据说他曾到旷野与贝都因人共同生活一年，以理解他们传统语言的纯洁性。他初到巴格达王宫时并不太顺利，而且，由于他与阿拔斯王朝大臣巴尔马克人有联系，当巴尔马克人失势后，不得不潜往埃及避难。但是他返回巴格达后，他的颂诗博得哈伦·赖世德和艾敏两位哈里发的赞赏，从此在阿拔斯王朝宫廷中一帆风顺，长享荣誉终生。他的正式颂歌语法谨严，取材也一律以古老的阿拉伯传统为据，诗歌的主题均取自城市生活，而非阿拉伯沙漠生活。在他的作品中，以咏酒和咏娈童的诗最为著名。他的诗幽默、诙谐、尖刻，反映了诗人倜傥风流、玩世不恭，在寻欢作乐中消磨了大半生。

Abū ol-Qasem Manṣūr(Persian poet)　**艾布·卡西姆·曼苏尔**　参阅 **Ferdowsī** 菲尔多西。

Abū Qīr Bay　阿布吉尔湾　又作Abukir Bay或Aboukir Bay。地中海半圆形小海湾，位于下埃及阿布吉尔岛（西南）和下埃及尼罗河罗塞塔支流（东北）河口之间。在尼罗河战争（1798）中，纳尔逊海军少将率领的英国舰队在此击破拿破仑舰队。20世纪70年代后期在近海区开发天然气田，为亚历山大港周围的工业提供能源。

Abū Ruwaysh　阿布鲁韦斯　古埃及第四王朝（约公元前2575～约前2465）金字塔的遗址，为拉杰德夫所建，一般认为他是该王朝7代国王中的第3代国王。距吉萨西北约8千米，在尼罗河西岸。金字塔上部构造遗存极少，有些学者认为这个金字塔根本没有完工。这一说法有下列证据进一步证实：紧邻金字塔的奠堂的围墙是用泥砖草率砌成，而没有像通常那样用加工好的石块；而且当拉杰德夫卷入一场王权斗争时，此建筑群曾被劫掠一空。金字塔的河谷神庙已荡然无存，但从河谷神庙通向奠堂的堤道仍有迹可循。在阿布鲁韦斯还发现一早期王朝（约公元前2925～约前2575）的私人墓地。

Abū Saʿīd ʿAbd al-Malik ibn Qurayb al-Aṣmaʿī　艾布·赛义德·阿卜杜勒·马立克·伊本·古莱卜·艾斯马伊　参阅 **Aṣmaʿī, al-** 艾斯马伊。

Abū Saʿīd ibn Abī al-Ḥasan Yasār al-Baṣrī　艾布·赛义德·伊本·艾比·哈桑·叶萨尔·巴士里　参阅 **Ḥasan al-Baṣrī, al-** 哈桑·巴士里。

Abū Shahrayn　阿布沙赫赖因　埃利都（Eridu）苏美尔古城遗址，位于伊拉克南部。

Abu Simbel　阿布辛拜勒　埃及国王拉美西斯二世（公元前1279～前1213在位）所建造的两座神庙的遗址，在今埃及阿斯旺省。古代该地区在法老埃及面向努比亚的南方前

阿布辛拜勒主殿前的拉美西斯二世石雕像
法国航空公司供图

沿。主殿前的4座拉美西斯巨大雕像是古埃及艺术中最绚丽的珍品之一。20世纪60年代通过一套复杂的工艺将这些神庙抢救出来，使其免于因修建阿斯旺大坝尼罗河水上升而被淹没。遗址在埃及阿斯旺库鲁斯库以南，靠近苏丹边境。神庙是在尼罗河西岸的沙石峭壁上雕刻出来的。1813年发现，1817年早期埃及学家G.B.贝尔佐尼第一次进行实地考察。神庙奉祀太阳神阿蒙-瑞和瑞-霍拉赫蒂，包括3个连接的大厅，伸进峭壁56米，饰以更多的国王雕像和描绘他的生活和丰功伟绩的彩色浮雕。神庙建造巧妙，一年中的某几天，初升太阳的第一束光线能穿过神庙全长，甚至照亮最里面圣殿的神龛。主神庙北面有一个较小的神庙，为奈费尔塔里王后奉祀哈托尔女神所建，配以国王和王后10.5米高的雕像。20世纪60年代初修建阿斯旺大坝时，由联合国教科文组织和埃及政府制定了一项使神庙遗址免遭淹没的计划，有50多个国家出资，并派遣国际工程师和科学家小组领导工人把峭壁顶部掘掉，将两座神庙移到高出河床60米的高地上。

Abū Ṣīr　阿布西尔　埃及吉萨和塞加拉之间的古代遗址，第五王朝（约公元前2465～约前2325）有几代国王在这里建造金字塔。因工程草率，现已破烂不堪。但毗邻的奠堂则以精美的墙面浮雕和棕榈、莲花、纸莎草形的柱子闻名。有几代国王在金字塔附近建有带方尖碑的圣殿，奉祀太阳神瑞；只有乌塞尔卡夫王和纽塞里王所建神庙发掘出来。

Abū Tammām　艾布·泰马姆（804，大马士革附近［今在叙利亚］～约845，伊拉克摩苏尔）　全名艾布·泰马姆·哈比卜·伊本·奥斯。阿拉伯诗人，早期阿拉伯诗选《坚贞诗集》的编纂人。他把基督教教徒父亲的名字撒达沃斯改为奥斯，为自己虚构了一个阿拉伯家谱。年轻时在大马士革当织工的助手，一到埃及就开始学诗。何时开始写诗不详，但在哈里发穆阿台绥姆（833～842在位）期间已较有名声，及至进入宫廷，名声大振，成为当代最受赞赏的颂诗作者。曾到亚美尼亚和伊朗内沙布尔等地旅行。自伊朗回国途中，在哈马丹停留，着手编纂《坚贞诗集》。他的诗集广泛论述当代的历史性事件。在作者生前，阿拉伯评论家对它已有种种评论。诗人驾驭语言的技巧以及语言的纯正为世人所公认，但也有不少人反对他滥用曲折隐晦的诗句。

Abū ʿUbādah al-Walīd ibn ʿUbayd Allāh al-Buḥturī　艾布·欧贝德·瓦利德·伊本·欧贝德·安拉·布赫图里　参阅 **Buḥturī, al-** 布赫图里。

Abū-ul-Fatḥ Jalāl-ud-Dīn Muḥammad Akbar(Mughal emperor)　**阿布-乌尔-法特·查拉-乌德-丁·穆罕默德·阿克巴**　参阅 **Akbar** 阿克巴。

Abū ʿUthmān ʿAmr ibn Baḥr ibn Maḥbūb al-Jāḥiẓ　艾布·奥斯曼·阿姆尔·伊本·巴赫尔·伊本·马赫布卜·贾希兹　参阅 **Jāḥiẓ, al-** 贾希兹。

Abū Yūsuf Yaʿqūb ibn ʿAbd al-Muʾmin al-Manṣūr (Muslim ruler of Spain and North Africa)　**阿布·优素福·耶古卜·伊本·阿卜杜勒·慕敏·曼苏尔**　参阅 **Manṣūr, Abū Yūsuf Yaʿqūb al-** 曼苏尔。

Abubakar, Abdusalam　阿布巴卡尔（1942-06-13，尼日利亚明纳～　）　Abdusalam 又拼作Abdusalami或Abdulsalam。尼日利亚军事领袖、国家元首（1989～1999）。1975年入伍，曾在美国接受正规军事训练。1981年任联合国驻黎巴嫩维和部队尼日利亚分队指挥官。1993年任国防参谋长。1998年6月S.阿巴查猝死后，继任国家元首，承诺还政于民。虽解散了阿巴查成立的各政党，但制定计划实行多党选举，并确定1999年5月29日新的民选总统就职。1999年1月举行选举，如期将政权交付当选总统奥巴桑乔。后退役返回家乡明纳。

Abuja (town and emirate, Nigeria)　**阿布贾**　参阅 **Suleja** 苏莱贾。

Abuja　阿布贾　尼日利亚中部联邦首都区。1976年建立。位于尼日尔河和贝努埃河汇合处以北。西和西北接尼日尔州，东北连卡杜纳州，东和南临高原州，西南邻夸拉州。

联邦首都阿布贾是一个经过规划的现代城市，位于首都区中心附近。该地区的地下层为花岗岩和片麻岩构成的结晶岩。植被主要为热带稀树草原。经济以农业为主，产山药、小米、玉米、高粱和豆类。居民有瓜里人、科罗人、加纳加纳人、关达拉人、阿福人和巴萨人。多数为饲养奶牛的农民。另有豪萨人和富拉尼人。矿产资源有黏土、锡、长石、黄金、铁矿石、铅、大理石和滑石。阿布贾市有机场，为公路中枢。面积 7 315 平方千米。人口：首都区约 423 391（1995）。

Abuja　阿布贾　尼日利亚城市，联邦首都。位于阿布贾首都区（建于 1976 年）的中央，在前首都（1991 年 12 月 12 日以前）拉各斯东北约 480 千米处。20 世纪 80 年代在绿草如茵的丘库库丘陵山区建造和发展了新的首都城（由建筑部和设在扎里亚的艾哈迈德·贝洛大学设计）。选择这一地区建新都的原因是它地处全国中心，交通方便，气候宜人，人口稀少，土地空旷便于今后发展。这是在尼日利亚建造的第一个规划城市。阿布贾海拔 360 米，气候较拉各斯凉爽而干燥。按照规划，初期的居住人口为 25 000 人左右，市区分两部分。中心区为国民议会、市政府、文教机关和其他政府机构。另一区有住宅、商店和其他都市娱乐场所。阿布贾大学创办于 1988 年。阿布贾有机场和连接联邦首都及各州首府的高速公路。位于阿布贾西南 75 千米的尼日尔河希罗罗水电站的高压线为该市供电。

Abukir Bay（Mediterranean Sea）　参阅 **Abū Qīr Bay** 阿布吉尔湾。

Abukuma-sammyaku　阿武隈山脉　在日本本州北部。呈北-南走向，与东北地区福岛县海岸平行。长 170 千米。南端延至关东地区的茨城县。地质构造以页状花岗岩和花岗闪长岩为主，另有少量的板岩、沙岩和石灰岩。平均高度 900 米，最高点大泷根山海拔 1 193米。自古有公路由关东平原至东北地区，穿越于阿武隈与三国山脉之间。东部山麓地带的常磐煤田正在形成新工业区。

Abul Kasim 参阅**Abū al-Qāsim**阿布·卡西姆。

Abul Wefa　参阅**Abū al-Wafā'** 阿布-瓦法。

Abulfeda　参阅 **Abū al-Fidā'** 艾布·菲达。

Abuná River　阿布南河　亚马孙河源流，由安第斯山脉的东科迪勒拉山东侧溪流汇合而成。可通航河流长约 320 千米，东北流经雨林地带，形成玻利维亚北部与巴西的界河。于玻利维亚马诺阿河与亚马孙河支流马德拉河汇合。阿布南河流域人口稀少，主要物产为橡胶、巴西坚果和奎宁等。

Abung（people）　**阿朋人**　参阅 **Lampong** 楠榜人。

Abutilon　苘麻属　锦葵科的一属，约100种，多为草本，部分为灌木，原产热带和暖温带。若干种类花白色至深橘红色，常下垂摇摆，栽培于室内或花园中供观赏。中国灯笼花（杂种苘麻，*A. hybridum*），在温暖地区栽于室外，而在其余地区植于温室。蔓生苘麻（*A. megapotamicum*）常吊植，花瓣闭合、橙黄色，下垂摇摆，有一个美观的斑叶变种。着色苘麻（*A. pictum*）为灌木，高4.5米，叶似槭，常称为客厅槭或显花槭，栽于室内。苘麻（*A. theophrastii*）又称中国黄麻，在中国为重要纤维植物，在美国称为绒叶（**velvetleaf**）或印度锦葵，常成为田间杂草。

Abydos　阿比多斯　又拼 Abdu 或 Ebot。古埃及著名圣城，最重要的考古遗址之一。位于尼罗河西岸拜勒耶纳附近低凹的沙漠，是埃及最初两个王朝的王室陵墓地，后来成为崇拜俄赛里斯神的圣地。阿比多斯建城时间可溯自埃及历史之初，在埃及政治史和宗教史上有重要地位。19 世纪末，由阿梅利诺和皮特里发掘，有一批墓葬出土。人们根据石碑认为，这些墓葬属于埃及最初两个王朝的若干君主。但是后来人们开始怀疑，这些墓葬虽有这些法老的名字，但它们是不是这些法老真的墓地，因为在塞加拉又发掘出一批墓葬，更加雄伟、富丽，陪葬物也刻有这些国王的名字，于是许多学者认为这才是早期国王的墓地，而自古便有在阿比多斯修建衣冠冢的习俗。然而可以肯定，第二王朝有些法老可能葬在阿比多斯。陵墓的西北端有宏伟的砖结构围墙，其中之一面积近 0.8 公顷。墓地的守护神是古王国时称为汉提-阿孟提乌的仆从神。第五王朝时逐渐为俄赛里斯神所取代。不久该城成为俄赛里斯崇拜中心。阿比多斯成了虔诚埃及人的圣地，他们最希望的便是葬在尽可能靠近位于阿比多斯的公认的俄赛里斯墓的地方。那些支付不起在此埋葬所需费用的人便立一石碑，刻上逝者的名字及称号和一段向神祈祷的祷词。该城墓地已发现成千上万这样的石碑。此时，法老虽多葬于其所居城市附近而不再葬在阿比多斯，但他们仍鼓励对阿比多斯神化的国王膜拜，他们特别关心对那里的俄赛里斯庙进行装修和扩建。数百年间，佩皮一世、雅赫摩斯一世、图特摩斯三世、拉美西斯三世和雅赫摩斯二世曾先后重建或扩建俄赛里斯庙，一些法老在阿比多斯建有衣冠冢或祠堂。塞提一世祠便是此类庙宇中最华贵的一座。这座庙宇布局独特，至少有 7 间圣殿，由两间宽广的多柱大厅相连。圣殿中供奉法老本人及埃及各主要神灵。通向其他房间的一道长廊中有一浮雕，表现塞提一世和他的儿子拉美西斯向美尼斯以来 76 位祖先的牌位神龛奉献祭品的情形，这便是所谓的阿比多斯国王名录。装饰神庙墙壁的浮雕特别精美。塞提一世祠后仅 8 米处有一座引人注目的建筑物，通称为俄赛里斯庙，但实际上可能是塞提一世的衣冠冢。这一奇特遗址是一座地下圆顶大厅，中央平台有 10 根独石石柱，周围有水渠环绕。阿比多斯各个神庙周围和庙宇之间是错综复杂的墓地，埃及早期历史上自史前时代至罗马时代各个时期都有人在此修建陵墓。

Abydos　阿拜多斯　古安纳托利亚城镇，在达达尼尔（赫勒斯滂）海峡东岸今土耳其恰纳卡莱市的东北。最初可能是色雷斯人的城镇，约公元前 670 年成为米利都人的殖民地。公元前 480 年薛西斯在此搭舟为桥，横渡海峡入侵希腊。公元前 200 年此城顽强抵抗马其顿腓力五世的进攻。该城以此次抗战及海洛和利安得相会的传说而闻名。它作为赫勒斯滂海峡通行收费站一直存在到拜占廷后期。

abyssal gap　深海沟　参阅 **submarine gap** 海底深沟。

abyssal hill　深海丘陵　高出水深 3 000～6 000 米的深海床几米至几百米的，地形轮廓分明的海底小山。典型的深海丘陵直径从几米至几百米不等。深海丘陵区，即完全为这种丘陵所占据的深海床的地区，它的特征是在大陆隆基部向平缓的深海平原过渡地区出现。孤立的或成群的丘陵也可以从深海平原上耸起，而且，正如海底的地震探测剖面所揭示的，深海平原沉积物堆积的基底，同深海丘陵区的地形起伏和地势高低，一般相差不大。深海丘陵尽管通常都覆盖着海相沉积物，但在成分和成因上，很可能同洋中脊和隆起的侧翼上部喷出的玄武岩突起完全相同。因此，深海丘陵埋在大部分洋床下面，局部被深海沉积物的堆积层所埋没。在大西洋里，很长的深海丘陵区平行大西洋中脊的两侧延伸，长度同中脊几乎相等。太平洋的陆源沉积物补给量比大西洋的少，而且有许多海沟和局部隆起，把大洋底的主要部分同大陆隔离开来，阻滞着沉积物向大洋方向搬运。所以，太平洋的深海床有 80%～85%的面积被深海丘陵所占据。

abyssal plain　深海平原　深度（3 000～6 000 米）很大的平坦海底区域，一般与大陆毗邻。地势起伏很小，每千米水平距离深度相差只有 10～100 厘米。深海平原的轮廓不规则，但一般都沿大陆边缘延伸，比较大的深海平原可长达几千千米，宽几百千米。例如，北大西洋的索姆平原面积约 90 万平方千米。这种深海平原在大西洋里最大，也最常见，在印度洋不常见，在太平洋甚至较罕见（在太平洋里，主要是作为边缘海的小面积的平坦海底出现，或是作为海沟狭长的沟底出现）。深海平原被认为是堆积在深海凹地的陆源沉积物的上表面，这种陆源沉积物填平了早先存在的丘陵或其他不规则的地形。深海平原的地震剖面揭示出，在起伏不平的地形上堆积的沉积层平均厚度为 1 000米。原有的起伏地形未被完全掩埋，则可能是存在孤立的或成群的火山的结果，这些火山突然地从这些海底平原上冒出来。从大陆边缘上来的沉积物堆积在陡的大陆坡上，而这种粗粒物质在海底的偶然滑塌就造成了充满沉积物的稠浆，叫做浊流，在重力作用影响下，顺坡向下流动。这种浊流沉积物一部分在大陆坡底沉淀，形成坡度较小的大陆隆，但有些粗粒沉积物则到达深海洼陷里。厚 1 厘米到几米的水平粉砂层、砂层,甚至还有砾石层,构成了深海平原沉积的2%～90%,很多这种层可以证明是由浅水生物(如微体原生动物有孔虫)构成的。个别单层的粒度可以从下到上逐渐变细,这种粒度变化反映出本层是单独一次浊流的堆积产生的。粗粒层同细粒黏土和栖息在深海平原上面水域里的生物体残骸所构成的均匀堆积层形成互层。这些细粒沉积物被认为是先后两次浊流发生之间,以极其缓慢的速度(每千年1毫米到几厘米)从水中一粒一粒沉积的。另一种情况是,有人提出,深海黏土堆积物是由在离岸不远的汹涌的浅海区里产生的,由流动缓慢的、弥散混浊的底流,连续不断地带到深海平原上的。

abyssal zone　深海带　海洋深度在2 000～6 000米的部分。深海带主要以其极度均一的环境条件来确定的。此带与半深海带之间的界限(即其上界)以水温4 ℃处深度来确定比较适宜,这个深度一般在1 000～3 000米之间。6 000米以下深处被生态学家们单独划分为超深带。深海带是范围最大的生态环境,约占3亿平方千米,约为地球表面的60%,海洋的83%。深海水源自极地,主要是南极的气海界面。在那里寒冷的气候产生海冰及剩下的冷海水。冷海水由于密度高而下沉,沿海底缓缓流向赤道。深海水盐度在34.6‰～35‰之间,变化范围窄,温度多在0～4℃。深度每增加10米,压力增加大约一个大气压。这样,深海底压力在200～600大气压之间,但压力对于深水动物并不存在多大问题,因为它们体内的压力和体外的压力是一样的。深海水中的氮、磷营养盐和硅氧化物的浓度比上层水高得多,并非常均匀。这是因为深海水和超深海水是由分解的生物物质产生的盐之贮存库,这些生物物质是从上带向下沉降的,并且由于没有阳光,所以这些盐不会因光合作用而消耗。深海水的含氧量,全靠来源于极地的溶入量,因没有光合作用,就阻止了在深处产生新的氧。每升深海水含有几毫升溶解氧,因为分散的动物种群消耗氧并不比氧的引入更快。但是海洋生物集中在海底,最接近海底的水可能是主要消耗氧的。深海带极为寂静,它远离在气海界面上搅动海洋的风暴。这些低能量反映在深海沉积物的性质上。深海离陆地足够远,以致沉积物主要是上层海水食物链所产生并由上层海水沉降下的显微浮游生物的残骸。深度不到4 000米的热带和温带深海沉积物主要是有孔虫类浮游动物和颗石藻那一类浮游植物的钙质壳。4 000米以下,碳酸钙趋向溶解,沉积物主要是褐色黏土和放射虫类浮游动物、硅藻那一类浮游植物的硅质残骸。深海动物虽然稀少,物种也不多,包括所有海生无脊椎动物、若干种鱼类,它们都适应那种海水无昼夜与无季节变化、高压、黑暗、宁静,且基底为松软沉积物的环境,这些动物趋向灰色和黑色,结构细致,非流线型。活动的动物有长腿,底栖动物有肉柄,能离开含氧最少的紧贴海底的水层,深海甲壳动物和鱼类可能是盲目的。随着深度的增加,食肉和食腐物的动物比食泥和食悬浮物的动物少。深海动物据信是繁殖极慢的。

Abyssinia　阿比西尼亚　参阅 **Ethiopia** 埃塞俄比亚。

Abyssinian　阿比西尼亚猫　一种家猫,可能源出埃及,据认为是血统最接近古埃及圣猫的家猫品种。体柔软,腿细长,尾长,从尾根向尾尖渐细。毛短,美观,棕红色,背部、体

阿比西尼亚猫
美国不列颠百科全书公司供图

侧、胸部及尾部夹杂少数上面或尖端有明显黑或棕色条带的毛。鼻红,眼淡褐色、绿色或金色。尾尖及后腿背面呈黑色。阿比西尼亚猫以对主人亲切、性情安详著称,但一般怕见生人。

ac　参阅 **alternating current** 交流电。

AC/DC　AC/DC乐队　澳大利亚重金属乐队,其夸张的、活力四射的表演使乐队在20世纪80年代十分受欢迎。乐队主要成员包括A.扬、M.扬、B.斯科特、B.约翰逊、P.路德和C.威廉斯。1973年扬氏兄弟二人在悉尼组建了AC/DC乐队。原乐队组合在扬氏兄弟搬到墨尔本时发生了变化。AC/DC乐队以布鲁斯为主的唱片和现场表演使得他们于20世纪70年代中期在澳大利亚深受欢迎。1976年来到英国,乐队成员相对固定(除扬氏兄弟外,斯科特是歌手,路德是鼓手,威廉斯是贝司手),在英国以《来吧,摇滚》(1977)和《通向地狱的高速公路》(1979)两支歌曲而走红。1980年2月斯科特因饮酒过量去世,给AC/DC的发展造成影响,但替补约翰逊的假声与乐队,简洁有力的金属打击声配合得天衣无缝。该乐队的第二张专辑《回到黑暗》(1980),仅在美国就售出1 000万张,《致将要尝试摇滚的人们》(1981)也销售了百万张。20世纪80年代初期到中期是乐队的鼎盛时期,此后乐队成员发生了变动。

acacia　金合欢　含羞草科金合欢属植物。约800种。乔木或灌木。原产于世界热带及亚热带地区,特别是澳大利亚(在该处称为篱笆树)和非洲。常为二回羽状复叶。许多澳大利亚种及太平洋种的叶小或缺;叶柄扁平,代行叶片的生理功能;叶柄可垂直排列,基部有棘或尖刺。花小,通常芳香,聚生成球形或圆筒形的簇;花多为黄色,偶为白色;雄蕊多数,使花的外形呈绒毛状。荚果扁平或圆柱形,种子间常缢缩。约600种原产于澳大利

平展叶金合欢(*A. genistifolia*)
美国不列颠百科全书公司供图

亚及太平洋岛屿,其余原产于非洲及美洲。非洲东部及南部的平原上数量最多,成为非洲南部草原及稀树草原上著名的景观。有些种是重要的经济植物。阿拉伯胶树(塞内加尔金合欢,*A. senegal*)原产于非洲苏丹地区,所产阿拉伯胶用制黏合剂、药物、墨水、糖果等。多数种的树皮富含丹宁,可用于鞣皮及制染料、墨水、药品等。阿拉伯金合欢(*A. arabica*)产于热带非洲及整个亚洲,产低档阿拉伯胶及丹宁(在印度广泛使用)。多个澳大利亚种是优质的丹宁来源,如金色篱笆树(密花金合欢,*A. pycnantha*)、绿色篱笆树(下延金合欢,*A. decurrens*)及银色篱笆树(被白粉金合欢,*A. dealbata*)。少数种可供材用,如澳大利亚原产的黑木相思树(澳大利亚黑木、黑木金合欢,*A. melanoxylon*)和平展叶相思树(平展叶金合欢、雅兰金合欢,*A. homalophylla*)及夏威夷原产的科亚相思树(*A. koa*)等。香金合欢(鸭皂树、法尔奈斯金合欢,*A. farnesiana*)原产于美国西南部。很多澳大利亚种花美观,已作为观赏小乔木引种到世界各地。

Acacian Schism　阿卡西乌斯分裂(484～519)　君士坦丁堡牧首座与罗马教廷之间的一次分裂,起因是:拜占廷牧首阿卡西乌斯发布一项敕令,教皇菲利克斯三世认为无法接受。阿卡西乌斯在拜占廷皇帝芝诺的支持下于482年拟就《联合敕令》,一方面承认基督具有神性,另一方面却不根据451年卡尔西顿会议的决议按照正统教义区分基督的神人两质,从而向基督一性论派作出重大让步。这项敕令在东派教会广泛得到承认,但罗马和西派教会不予承认。结果菲利克斯三世于484年宣布废黜并绝罚阿卡西乌斯,次年又将从犯、包括拜占廷大批神职人员判以同样处分。这次分裂于519年得到解决。

Academia, Bahia de la　参阅 **Academy Bay** 科学院湾。

academic freedom　学术自由　指教师和学生不受法律、学校各种规定的限制或公众压力的不合理的干扰而进行讲课、学习、探求知识及研究的自由。就教师而言,学术自由的基本要素包括:可探讨任何引起他们求知兴趣的课题;可向他们的学生、同事和他人发表他们的各种发现;可出版他们搜集的资料和得出的结论而不受限制和审查;可用他们认

为恰当的符合业务要求的方式进行教学。对学生而言,学术自由的基本内容包括:可自由地学习感兴趣的学科;可形成他们自己的论断和发表他们自己的意见。维护学术自由不是为了教师和学生舒适与方便,而是为了社会的利益;只有教育过程导致知识发展,社会的长远利益才能得到最好的保障。只有学术探讨不受国家、教会、各种机构和特殊利益集团的限制,知识才能得到最好的发展。如果教师、学者和学生享有开展智力活动的自由,他们的工作就将得到讨论和批评;如是错误的,就将受到驳斥;如是正确的,就将得到肯定。通过这种稳定的自由探讨、公开批评、不断修正的进程,人类的与宇宙的知识就能最有效地得到提高。正如苏格拉底所说,自由地追随一种论点,而不论其引向何处,是建设性的学术活动所必不可少的。学术自由的另一方面是责任感。教师绝不能有意地把学生引入歧途、隐瞒相反的证据或压制批评。

批判性的思想总是威胁普遍流行的假定和观念,因而就可能出现压制情况。自由的和公开的学术追求是一个充满危险的过程。学生可能接触持有不合时宜的或有害观点的教师;有些学生不能承担他们享有的自由。但是,与学术自由不同的另一方面就是反复灌输当前最流行的观点,而这种观点现在可能就是谬误;在不断变化的情况下,它将来则几乎必然是谬误。大胆地择取学术自由,对个人来说是谋求智力成熟的最有效办法,对人类来说则是发现真理的最有效途径。

学术自由的基础是中世纪欧洲大学奠定的,尽管当时它们的全体教员定期相聚以宗教为依据来指责同事们的著作。由于中世纪大学的联合行动,并在学校内部实行严明的纪律以及有权威的校友施加影响,各大学才从民政和基督教当局那里赢得了它们的自治。在教皇训令和皇家办学证书的保护下,各大学成为合法的自治机构,可自由地组织教师队伍,控制招生和确定毕业标准。随着宗教改革运动,中世纪的整体性丧失了。各大学不再是国际机构,而成为国家机构。欧洲民族国家的新兴主要构成对大学自治的威胁。教授受政府当局的支配,只能讲授当政的政府可以接受的东西。从此开始了一种绵延至今的紧张状态。有些国家允许或鼓励学术自由,为尔后的竞争树立了榜样。例如,荷兰莱顿大学(建于1575)让教师和学生享有不受宗教和政治约束的广泛自由。德国的格丁根大学在18世纪成为学术自由的一座灯塔。随着1811年柏林大学的成立,教学自由、学习自由的基本原则牢固地树立起来,并成为激励别处大学的典范。

尽管学术自由从未得到保证,但它却得到越来越广泛的传播,特别在民主国家是如此。第二次世界大战后,许多国家的学生要求得到更多的自由以参与作出与学术方面有关的决定,诸如学生本身的社会活动、课程改革和对教师的评价等等。这样一来,他们就扩大了学术自由的概念,并使学术自由同民主管理的发展相一致了。

学术自由绝不是无止境的。社会的一般法律,例如同诲淫、色情、诽谤等有关的那些法律,也适用于学术著述和出版物。教师在本学科内比在该学科外享有更多的自由。教师的训练水平越高,他们可能享有的自由就越多:大学教授所受的约束比小学教师少。同样,学生随着在学术体系中逐步上升,他们一般也就享有越来越多的自由。小城镇的教师在教学方面受到的干涉通常多于大城市中的教师。在战争时期、经济衰退时期或政治不稳定时期,学术自由易受限制。

在没有民主传统的国家,学术自由不可能得到可靠的保证和平衡的分布。在共产主义国家的大学里,数学、自然科学、生物科学、语言学和考古学等领域的学术自由通常比较多。从西方的观点看,它们的社会科学、艺术和人文学科,似乎无学术自由可言。在其他一些国家,情况可能好一些,但也并不稳定。例如,学术自由传统最强的德国,在纳粹统治时期(1933～1945)学术自由完全丧失。虽然美国总的来说一直是学术自由的堡垒,但这一历史也曾因"忠诚"宣誓的要求而遭到破坏。美国要求进行这种宣誓始于20世纪30年代的经济大萧条时期。当时,许多州对教师提出了这种要求。在20世纪50年代的反共歇斯底里时期,忠诚宣誓的要求空前增加,许多教师未经规定程序即被解聘,学术探究的自由被严重破坏。不过,到20世纪60年代时,多数这样的要求已成过去。

20世纪80年代,经费控制成了学术自由的主要威胁之一。由于各公司、政府机构和富翁为研究工作提供大批经费,他们对研究课题和探究性质的可能控制是显而易见的。入学人数的减少,通货膨胀率的提高,使得教育机构更易于接受那些控制经费的人们所提出的要求。大学董事会的成员通常是富商之类的人物;他们往往把教师看成雇员,而不是受到学术自由保护的专业人员;至于大学校长和其他管理人员则通过控制发放教师的薪资行使大权,甚至在高度通货膨胀时期不为教师增加薪资。20世纪70和80年代,中小学和大学的教师工会大大增加,以纠正权力不平衡现象和保护学术自由。20世纪70年代,有些人认为,给予一些商业公司颁发学术学位的权利,这就可能威胁学术的自由。由于这类公司并不像大学那样对接受学位的人进行仔细考核,又由于它们出于牟利动机往往对其竞争者隐瞒新的、可获得利润的工业发展成就,因此,显然不能指望它们制定的对教学实际的要求与大学和非牟利教育机构中的严格的学术自由标准相符合。

Académie des Sciences (France)　参阅 **Sciences, Academy of** 法国科学院。

Académie Française　参阅 **French Academy** 法兰西学院。

Académie Nationale de Musique　国立音乐学院　参阅 **Paris Opéra** 巴黎歌剧院。

academy　学院　又译学会。为促进科学、艺术、文学、音乐或其他文化和知识领域的事业,由精通某门学问的人组成的团体。此词源于古代雅典城郊柏拉图教授哲学的一橄榄树园,后逐渐用于泛指高等学校,亚历山大的法老托勒密一世、西班牙各穆斯林哈里发、查理大帝、英格兰的阿尔弗烈德大帝及其他人均沿用此义。欧洲中世纪末期,在意大利开始建立先是研究古典文学、后是研究意大利文学的称为学院的学术团体。最早的学院之一是1442年在梅迪契的支持下由两位希腊学者在佛罗伦萨创办的柏拉图学院。16、17世纪时,文学院出现在意大利各地;其中最著名的是格拉齐尼1582年在佛罗伦萨创立的秕糠学会。该会于1612年出版的初版词典《秕糠学会词典》使意大利的文学语言稳定在托斯卡纳语的基础上。最早的科学院始创于16世纪的意大利,罗马的林琴科学院(1603)最为著名。欧洲杰出的两个科学院建于17世纪:英格兰的皇家学会(**Royal Society**)建于1662年,法国科学院建于1666年。法兰西学院(**French Academy**)建于1635年,它后来也许成了欧洲最著名的文学学会。法国第三大学院皇家绘画与雕刻学院在国家的同样资助下创立于1648年,现称为美术学院。这三个法国学院加上另外两个,现在构成法兰西研究院。西班牙皇家学院建于1713年,以维护西班牙语,并为此出版了一部具有划时代意义的西班牙语词典。至18世纪初,大多数欧洲国家均建立了科学院和文学院,随后又建立了美术学院。其中最著名的是雷诺兹1768年在伦敦创建的英国皇家艺术学院。法国甚至更著名的美术学院前已提及。大多数美术学院与教学活动密切相关,因此不同于早期的学院(参阅 **art, academy of**)。自18世纪起,音乐、社会科学、医药、采矿和农业等学院也开始出现。学院的建立持续至19和20世纪,现今大多数欧洲国家至少有一个由国家资助或与国家有联系的学院或学术团体。17和18世纪时学院的影响最大,但由于它们抵制科学和文化领域新的和非正统事物的发展,其影响在19世纪逐渐衰落。与英国、加拿大和其他英语国家一样,美国没有国家所设的科学院或文学院,这一事实反映出英语民族认为文化应基本上是一件由民间创办的事。在现在的美国建立的第一个学术团体是B.富兰克林在1743年创立的美国哲学学会。与之匹敌的美国艺术和科学学会建于1779年,而全国科学院于1863年建于华盛顿(哥伦比亚特区)。俄国的帝国科学院由彼得大帝于1724年创建于圣彼得堡,后来它成为苏联科学研究的主要协调机构(参阅 **Sciences, Academy of**)。Academy一词还常被用来指教授专门学科的中等学校,如陆军或海军、农业、美术、音乐或商业学校。

Academy　希腊学园　希腊语作Academeia,拉丁语作Academia。古希腊雅典城西北郊一所哲学教学及研究的学府。公元前387年,柏拉图购得此园,作为讲学授徒之所。学园原址为一片橄榄林,有花园及健身房,是为奉献给传说中的阿提卡英雄阿卡德谟斯(Academus或Hecademus)而建造的,故以其名命名。一般说来,指称哲学学院的academy并不专指柏拉图和他的及门弟子,而是泛称柏拉图学说的继承者,直到罗马时代的西塞罗(公元前106～前43)。从法律观点来说,这所学校属于一个团体,专为崇奉缪斯诸女神而组成，校长或园长由选举产生，终身任职。大多数学者以柏拉图著作为准，认为学园最初课程有数学、论理学、自然科学以及经世致用之学。希腊学园弦歌不辍者达千年之久，到529年为皇帝查士丁尼所关闭，当时有几所非基督教学校，亦遭同样命运。从哲学传统来看，希腊学园曾历经不同的阶段，大致可划分为：①早期学园，由柏拉图及其诸及门弟子担任历届园长，当时所倡哲学思想为道德的、思辨的和教理的；②中期学园，起始由阿凯西劳斯（公元前316或315～约前241）任园长，倡导一种非教理的怀疑论的哲学思想；③后期学园，由卡涅阿德斯（公元前2世纪）开创，末任园长为阿什凯隆人安条克（卒于公元前68年）。安条克曾使学园的哲学思想重返早期学园所倡教理主义。此后希腊学园成为中期柏拉图主义及新柏拉图主义的中心，直到公元6世纪学园关闭为止。

Academy Award　学院奖　全名Academy Award of Merit，别称奥斯卡奖（Oscar）。每年一次由电影艺术科学学院（简称影艺学院）颁发的若干奖项的统称，旨在表彰电影工业的成就。

该奖是一尊镀金的人像，分别赠与下列24个奖项的胜出者：最佳电影、最佳男演员、最佳女演员、最佳男配角、最佳女配角、最佳导演、最佳原著剧本、最佳改编剧本、最佳摄影、最佳美术指导和布景设计、最佳剪辑、最佳原创音乐或喜剧配乐、最佳戏剧配乐、最佳原创歌曲、最佳服装设计、最佳化妆、最佳音效、最佳音效剪接、最佳视觉特效、最佳外语片、最佳动画短片、最佳剧情短片、最佳纪录长片和最佳纪录短片。另外还颁发科技成果奖、特殊成就奖、荣誉奖、珍·赫肖尔特人道主义奖、欧文·索尔伯格纪念奖（奖励优秀制片），以及戈登·索耶奖（奖励对技术有贡献者），但这些奖项并不是每年一定要颁发。

一部电影要符合某一年的参选资格，必须在该年1月1日至12月31日午夜用35厘米或更大的格式在洛杉矶地区的商业影院公开售票放映至少一星期。外语片可以不在此列，可直接由该片制作国选送，无需在美国本土放映。

只有影艺学院的成员才可以提名参赛者并投票选出获胜者。影艺学院分成电影制作的各个不同领域的评选小组，每个奖项的提名工作都由相应的小组成员来挑选；因此，作家提名作家，导演提名导演，依此类推。学院全体成员提名最佳影片的候选者，并投票决定大多数奖项的获胜者。第一次颁奖包括的影片是在1927年8月1日到1928年7月31日之间发行的。影艺学院全体成员提名所有奖项的候选者。然后由5个评审委员会选出每个奖项得票最多的10名候选者，再从这10名当中筛选出3名推荐者。每个委员会中推举一名成员组成一个总评审委员会，由该委员会选出最后的胜者。第二年奖项的数目减少到7个，两个主要的影片奖减为1个，称为最佳影片奖。此后影艺学院经常改动规则、程序和奖项。最重大的变动包括1936年又增加了男、女配角奖。

该奖是一个手握宝剑站在一卷电影胶片上的骑士小铸像，由米高梅公司的艺术指导C.吉本斯设计。雕塑家G.斯坦利受委托根据吉本斯的设计创作出最初的小铸像。许多年来，该奖一直用铜铸成，镀以24K金。第二次世界大战期间由于金属短缺，小铸像改用石膏制作。现在由镀金的不列颠合金制成。然而，该设计除底座（1945年被加高）外一直保持不变。小铸像高34.3厘米，重3.8千克。该奖别称奥斯卡奖的真正来源至今尚无定论。但有一种说法是影艺学院的图书馆管理员M.赫里克曾经说过这个小人像看上去像他的叔父U.奥斯卡。

Academy, Gallery of the　美术学院陈列馆　意大利语作Galleria dell'Academia。位于佛罗伦萨的艺术博物馆，1784年创立。以藏有米开朗琪罗的雕刻而著名，如《大卫》。还藏有15世纪和16世纪的绘画以及大量13～16世纪的托斯卡纳绘画。

Academy Bay　科学院湾　西班牙语作Bahia de la Academia。位于东太平洋加拉帕戈斯群岛的圣克鲁斯（即因迪法蒂格布尔）岛南端，在厄瓜多尔之西约965千米处。1905年由加利福尼亚科学院考察队命名，1959年建立查尔斯·达尔文研究站，主要研究与保存加拉帕戈斯群岛上的动、植物，同时也是小船停泊的港口。1906年“亚历山德拉”号轮船上遇难弃船的挪威船员在此处获救。

科学院湾停泊的小船
美国不列颠百科全书公司供图

Academy of Venice, Galleries of the　威尼斯美术学院陈列馆　意大利语作Gallerie dell'Accademia di Venezia。位于威尼斯的艺术博物馆，藏有13～18世纪威尼斯绘画大师们如贝利尼、乔尔乔涅、提香、丁托列托等人的杰作。这个陈列馆的精品均为1756年征集。

Acadia　阿卡迪亚　17～18世纪法国在北美洲大西洋沿岸的领地。以现在的新斯科舍为中心，包括加拿大沿海各省以及缅因（美国）和魁北克的部分地区。1604年P.德蒙和S.de尚普兰在今美国-加拿大边境帕萨马阔迪湾的一个岛屿上建立阿卡迪亚的第一个居民点。1605年居民点移至罗亚尔港（今新斯科舍省安纳波利斯罗亚尔）。此后，它长期为英法两国争夺的对象。1613年阿卡迪亚的居民被英国远征军驱散。1621年英国詹姆斯一世把阿卡迪亚赐予W.亚历山大爵士以建立新斯科舍殖民地。1632年，英王查理一世把阿卡迪亚交还法国，由新法兰西公司经营。1654～1670年阿卡迪亚由英国人统治，此后40年间又归法国人所有。1710年10月英军占领罗亚尔港。《乌得勒支条约》（1713）划新斯科舍给英国，布雷顿角岛和圣让岛留归法国。1755年许多阿卡迪亚居民被迫迁走。参阅**Cajun**。

Acadia National Park　阿卡迪亚国家公园　在美国缅因州大西洋沿岸，弗伦奇曼湾两侧。面积168平方千米。1916年初建。1919年成为拉斐特国家公园，为美国东部第一座国家公园。1929年改称现名。主要部分为芒特迪瑟特岛森林地带，以卡迪拉克山为主体，有阿内蒙洞和西厄尔德芒茨泉（该地有阿贝博物馆展出印第安人历史文物）。其他地区还包括峭壁耸立的半个欧岛和斯库迪克半岛。该园在北方和温带交接处。寒冷的浅水海湾中栖息着大量海洋生物。

阿卡迪亚国家公园一景
美国不列颠百科全书公司供图

Acadian orogeny　阿卡迪亚造山幕　泥盆纪时期（4.08亿年前至3.6亿年前）影响阿巴拉契亚地槽北段（从纽约到纽芬兰一带）的造山事件。造山活动在早泥盆世期间开始于加斯佩，整个泥盆纪期间向西扩展，在晚泥盆世影响到此地槽的西缘。这次运动在美国新英格兰南部的梅里马克地区和缅因州表现得最强烈，并向北延伸到纽芬兰的中央火山带。证据有：大量的角度不整合（非平行的地层）和火成岩侵入体，区域变质以及泥盆纪以前和泥盆纪的岩石变形；此外，碎屑沉积楔状体和红层的向西伸展大概起因于地槽内部的阿卡迪亚期隆起。纽约州和宾夕法尼亚州东部的卡茨基尔三角洲代表这些碎屑沉积楔状体的最西部。板块构造理论认为，阿卡迪亚造山幕起因于北美板块东北部与欧洲西部板块碰撞。

Acajutla　阿卡胡特拉　萨尔瓦多西南部海港，滨太平洋。1524年，西班牙征服者在此地击败印第安人。为萨尔瓦多主要港口，承担该国大部分的咖啡出口以及糖和胶枞的装运任务。有炼油厂和化学肥料厂。鱼类加工和贝类加工工业及夏日海滨胜地设施也很重要。人口约16 270(1987)。

Acámbaro　阿坎巴罗　墨西哥瓜纳华托州东南部城市。在中央高原，临莱尔马河，海拔1 947米。1526年西班牙人在此定居。索利斯水库建成后始有耕作，主产玉米、豆、小麦等，牛、羊、猪饲养亦重要。在塞拉亚以南70千米，墨西哥城西北偏西277千米处的铁路和公路枢纽处。人口38 224(1980)。

Acanthaceae　爵床科　玄参目18个科之一。约250属，至少2 500种。主要分布于世界热带和亚热带地区。多为草本或灌木，稀藤本和乔木。有沼生种，也有的生长于极干旱地区，但主要见于潮湿热带森林。本科植物的特征是：单叶对生，着生于小枝上；营养器官内有囊石体(含有碳酸钙结晶的较大细胞)，形成条斑或突起；花两性，两侧对称，聚生成花簇；但每朵花被以一叶状苞片，苞片通常大而具色。花瓣和萼片通常4～5片，合生成花冠筒和萼筒。雄蕊4或2，着生于花冠上而常伸出花筒开口，通常有1～3个不育。子房上位，有2个合生心皮，2室，每室含胚珠2至多枚，呈两行沿子房中轴着生。种子着生于胎座钩上。本科主要经济价值是包括一些观赏植物，如莨芳花(*Acanthus mollis*)、老鸦嘴属(山牵牛属，*Thunbergia*)、麒麟吐珠(虾衣草，*Beloperone guttata*)和漫画花(*Graptophyllum pictum*)。本科中最大的几个属是珊瑚树属(*Jacobinia*，约300种)、*Stobilanthes*

斑叶单药爵床(*A. dania*)
美国不列颠百科全书公司供图

属(250种)、假杜鹃属(*Barleria*，230种)、单药爵床属(*Aphelandra*，200种)、老鸦嘴属(200种)、狗肝菜属(*Dicliptera*，150种)、枪刀药属(*Hypoestes*，150种)、沙漠草属(*Blepharis*，100种)、安龙花属(*Dyschoriste*，100种)、鳞花草属(*Lepidagathis*，100种)、水蓑衣属(*Hygrophila*，80种)等。

Acanthisittidae(bird family)　**刺鹩科**　参阅**Xenicidae** 异鹩科。

acanthocephalan　参阅**spiny-headed worm** 棘头虫。

acanthus　爵床叶饰　在建筑和装饰艺术中，以地中海地区特有的爵床科(**Acanthaceae**)植物叶片为主题的一种装饰形式。最早希腊人于公元前5世纪用在神庙屋顶装饰、檐壁和科林斯柱式的柱头上。后来罗马人把这种纹样用在组合柱式中，其柱头类似羊角形的涡卷和整片爵床叶的立体组合。文艺复兴时期以来，爵床叶饰已成为家具雕刻装饰中的流行花纹。

Acapulco　阿卡普尔科　全名阿卡普尔科-德华雷斯。墨西哥格雷罗州游览胜地和港口。临深海湾，为墨西哥太平洋岸最优良海港和世界最佳天然锚地之一。5～11月气候

阿卡普尔科市的港湾
美国不列颠百科全书公司供图

炎热潮湿、多雨，12～4月温和、干燥、气候宜人。1550年始有人定居。1599年建市。为巴拿马与旧金山间航船停靠点和墨西哥的咖啡、糖和其他物产主要出口港。多豪华旅馆，有舒适沙滩和深海捕鱼业，每年游客逾30万。不通铁路，但公路和航空交通便利。1955年建立暑期学校，向外国游客讲授墨西哥艺术和考古知识。仅有编织、贝壳工艺和制糖果等为旅游服务的行业。当地18世纪圣迭戈堡内设有地区博物馆。人口301 902(1980)。

Acaraí Mountains　阿卡拉伊山脉　又拼Acarahy或Akarai。巴西(帕拉州)与圭亚那南部边界山脉，海拔约600米，呈东西走向，延伸约130千米，形成亚马孙盆地北部分水岭的一部分。阿卡拉伊山脉地区全境热带雨林茂密。20世纪70年代后期人造卫星曾摄制过该区地图。

acaricide　参阅**miticide** 杀螨剂。

Acarie，Barbe-Jeanne Avrillot，Mme(French mystic)　**阿卡里夫人**　参阅**Mary of the Incarnation** 玛丽(道成肉身的)。

Acarigua　阿卡里瓜　委内瑞拉西北部波图格萨州北部城市，原为州首府。该市是亚诺斯平原北部的重要商业中心。出产牛、甘蔗、棉花、玉米和稻米等。市内有加工木材和乳品业。有航线和公路通往本州各地和拉腊州首府巴基西梅托市。根据国家铁路扩建的计划，阿卡里瓜市将成为铁路枢纽。人口约126 998(1989)。

acari　蜱螨亚纲　又作Acarina或Acarida。节肢动物蛛形纲(Arachnida)的一个亚纲，包括蜱类和螨类。该亚纲可分为3个目：节腹螨目(Opilioacariformes)、寄生螨目(Parasitiformes)、真螨目(Acariformes)，各目下分若干亚目和约428个科。有些螨类体长0.1毫米；最大的蜱类体长略大于30毫米。若虫和成虫一般具4对足，幼虫则具3对足。有些科的种类身上被覆浓密的硬毛(刚毛)。而另一些则几乎无毛。软体的螨的和蜱体壁仅有少量硬化板片(或称盾片)；另一些种类体表高度硬化，覆盖着许多硬质的板片。蜱螨类的形态各异，从微小、体长形或圆形的个体到大型、体硬、形似蜘蛛的个体。有些种类体扁，另一些种类在饱食或有卵后体形奇特。

蜱螨分布于世界各地，见于几乎所有可想像得到的生境，通常以很大的数量出现。高至5 000米的珠穆朗玛峰的山坡，深至5 200米的北太平洋水域都曾记录过蜱螨类的踪迹。南极已知有50多种陆生蜱螨类。曾发现少数螨类在高空漂浮。蜱螨类见于多样性的生境，包括温泉、洞穴、条件恶劣的荒漠以及冻原。已描述的近35 000种蜱螨，多数是独立生存的，但有些蜱螨类寄生于动物身上。据估计，蜱螨类的总数超过50万种。蜱螨类是具有重要经济意义的蛛形纲动物。举例来说，硬蜱亚目的蜱类能将许多种疾病传播给

人类，它们能传播的疾病种类，多于所有其他节肢动物(除了蚊子以外)所能传播的种类。许多螨类也可能是人、家养禽畜和农作物的疾病的中间寄主。有些种类被视为害虫，因为它们喜欢咬噬、取食人类的食物或相关制品，或对这些物质造成损伤。已知寄生螨目巨螨亚目巨螨属(*Holothyrus*)的一个种能分泌某种有刺激性的物质，对禽类和人有毒。家鼠螨(血红刺脂螨，*Liponyssoides sanguineus*)能将立克次氏体痘传给人类。

前气门亚目的瘿螨属(*Eriophyes*)和叶螨类分布广泛，以植物为食，常严重损害寄主植物或使之死亡；前者是唯一已知能传播植物病毒的螨类。无气门亚目的种类(兽疥螨、疥螨、痒螨)见于许多不同的动物，包括人类。甲虫螨是数量最多的土壤节肢动物之一，对土壤肥力的发展起重要作用，也是寄生于家养动物的绦虫的中间寄主。蜱螨类均为雌雄异体。大部分种类为卵生，但某些寄生性种类为卵胎生，其卵在雌体内孵化为幼体方产出。许多种类也能进行孤雌生殖(未受精卵可发育为幼体)。雌雄交配时精子或直接送入雌体的生殖孔，或送入精包内。精子由雄体上的交接器官——阳茎直接送入雌性的生殖孔，在某些无气门亚目种类则送入一个特别的雌性交接器官——交合囊内。在使用后一种方式的种类中，雄体可能具有特别的交接器官，用以抓住雌体。有些种类的雄体产生一个密封的含精子的囊(精包)，精包或由雄体用口器直接送到雌体的生殖孔，或以间接方式进入雌体：置于物体表面，再由雌体将其放入自己的生殖孔内。交配和受精后卵开始发育；虽然在许多蜱螨类中仅有少数卵同时发育，但在蜱类和某些螨类则有大量卵得以同时发育。

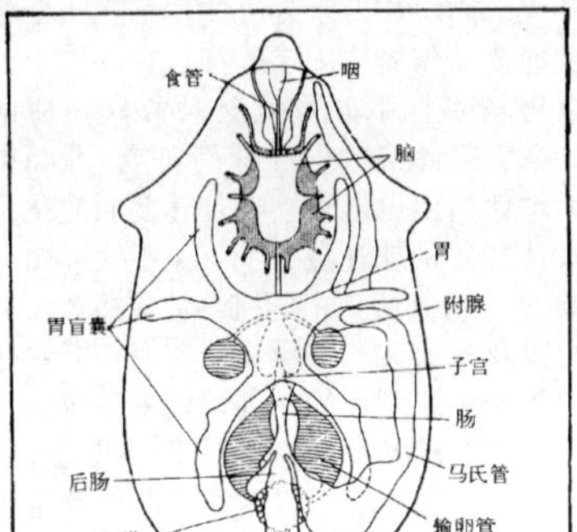

螨的内部构造

(上)背侧观；(下)中矢状剖面，通过前区

蜱螨亚纲的特征为缺乏体节。此特征在节肢动物内仅见于蜱螨类和蜘蛛。身体前端有一个部分，称为颚体，包含口、特化的取食附肢(螯肢)和分节的结构(称为须肢)。口腔在体内与咽连接；成对的唾液腺可通到口腔或到其开口前方。螯肢为一种附肢，基本分

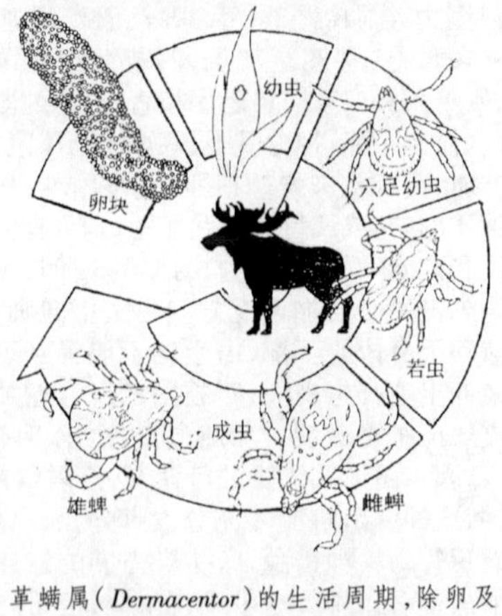

革螨属(*Dermacentor*)的生活周期，除卵及幼虫阶段外均需动物宿主

为3节，形似钳。有些螨类的摄食习性多样，因此有时螯肢变形为穿刺用器官或口锥。须肢通常有5个相互分离的部分：转加、股节、膝节、胫节和跗节；通常还有一个爪状的游离嵴(变形的附肢远端的第六节)。须肢可以是简单的感觉器官，或为掠食器官，经变形以适应抓握或刺穿。颚体后方为一个较大的部分——躯体。躯体上有足，生殖道开口；通常还有肛门开口，各种各样触觉和感觉结构，呼吸孔(气门)和形态、大小各异的硬化的盾片。蜱螨类的躯体功能与昆虫的腹、胸和头各个部分相当。虽然若虫和成虫通常有4对足，但有些前气门亚目(瘿螨科、蚴螨科、细须肢螨科和无气门亚目种类有1～3对足。足的基本分节与须肢相同，另有一个基节。跗节的末端或为几根感觉毛，或为爪状或吸盘状的游离嵴。许多蜱螨类的角质膜能吸收空气中的水分，从而避免脱水。

蜱螨亚纲(Acarina，Acarida；蜱、螨)，蜱螨亚纲通常没有可见的体节；形体多微小；幼虫通常具3对足，成体通常具4对足；生境各异；寄生种类可能会传播疾病；世界性分布；已描述的约35 000种。节腹螨目(Opilioacariformes，节腹螨)，表皮硬化程度较低，外形似蛛形纲盲蛛亚纲(Opiliones)的种类；体长1～2.5毫米；身体前部有23对单眼；身体后部无毛，有200多个管口，4对气门和12对次生的体节；末端须肢趾节有一对爪；存在螯搂(肥大的刚毛)；足上的基节均可活动；前两对足有6节，后两对足有7节，并具分裂的转节；第三胸板基分裂；陆栖，生活于半干旱生境的石头和其他残渣碎屑下；肉食性，可能杂食性；无经济重要性；1科，约12种。寄生螨目(Parasitiformes，螨和蜱)，形小至中等；表皮通常较硬；身体前部有1～4对气门；有或无气门沟；有或无须肢趾节；第一对足的跗节有感觉器官。中气门亚目(Mesostigmata)，一般具有多数硬化的板片；身长0.22毫米；无眼；第二、第三或第四足基节之间有一对气门；通常有长形的气门板；有须肢趾节；第三胸板通常发育良好；大部分独立生存于土壤或腐败的有机物质中；许多种类是脊椎动物(除两栖动物和鱼类)和无脊椎动物的寄生物；某些种类有经济重要性；世界性分布；约76科，5 050种。巨螨亚目(Holothyrina)，体表硬；体长2～7毫米；无眼；第一对足的基节基部有一对基节腺开口；第三和第四对足的基节后面有一对气门；无气门片；无第三胸板；陆栖，生存于石头和腐败的植被下；肉食性；经济价值不大；3科，约13种。硬蜱亚目(Ixodida，蜱)，体型最大的蜱螨亚纲动物；成体长230毫米；有眼或无眼；第四对足基节前方或后方有一对侧气门，覆以气门板(变形的气门片)；第一对足跗节上有窝状感觉器官(哈勒氏器)；口器变形为口下板(附着器官)，具转向后方的齿；生活史中的活跃时期多为脊椎动物(除鱼类)的体外寄生虫，主要以血液为食(有些不进食)；许多种类为疾病携带者，故有经济重要性，全球性分布；3科，约825种。真螨目(Acariformes，螨)，体型小大不等；一般体表硬化程度较低(除大部分硬蜱亚目种类)；无须肢趾节及后体气门；身体前部有或无感觉器官(特化的刚毛)。前气门亚目(Prostigmata)，形态多样；体长0.116毫米；体表硬化程度较低，盾片少；有眼或无眼；若有气门，则位于螯肢基部之上或螯肢基部之间或位于身体前部；螯肢尖笔状、螯状(钳状)或退化，生境及习性多样——陆栖、水栖、海栖、寄生、掠食性或植食性；许多种有经济重要性；全球性分布；约135科，14 100种。游山螨亚目(Oribatida，游山螨或甲虫螨)，体表通常较硬，活动缓慢；体长0.2～1.5毫米；无眼及气门；通常有假气门；须肢无爪，3～5节；螯肢通常呈螯状；有螯搂；跗节具1～3爪；腹侧可见各种盾片；多为陆栖，生存于森林的腐殖质和土壤中，少数水栖；以藻类、真菌及腐败物质为食；有一定经济重要性；全球性分布；约145科，8 500种。无气门亚目(Astigmata)，各种类之间差异不大，包括兽疥螨、痒螨、疥螨；体表较软，活动缓慢；体长0.2～1.5毫米；绝大多数无眼；须肢仅一节(有些种类有2假节)；螯肢呈螯状；无真爪；第一对足跗节上有棒状感觉刚毛；分布于不同的陆地生境；寄生性，掠食性，或食腐败的物质；某些种类具经济重要性；全球性分布；约65科，6 500种。

Acarnania　阿卡纳尼亚　古希腊地区名，四周以爱奥尼亚海、安布拉基亚湾、蒂阿墨斯山和阿谢洛奥斯河为界。公元前7至前6世纪，科林斯在阿卡纳尼亚沿海一带建立几个移民地。到公元前5世纪后期，阿卡纳尼亚从一个部族单位发展成为联邦国家，设有将军和其他行政官、议会和公民大会，首都为斯特拉托斯城。在伯罗奔尼撒战争初期，阿卡纳尼亚在雅典帮助下击退科林斯和斯巴达的进攻，扩大了自己的领土。公元前388年，斯巴达强迫阿卡纳尼亚放弃与雅典结盟。而后，阿卡纳尼亚先后又受雅典、第比斯和马其顿的统治。公元前314年，阿卡纳尼亚人组成新建城市的同盟。因与埃托利亚发生边界纠纷，约公元前243年被埃托利亚和伊庇鲁斯瓜分。公元前231年，被伊庇鲁斯吞并的那一部分领土重新独立，成为新的同盟。由于和马其顿的腓力五世结成联盟，它得以恢复先前的某些领土。公元前167年，罗马推翻了马其顿王朝，占领了阿卡纳尼亚重新恢复的同盟的首府莱夫卡斯并且迫使它把人质送往罗马；但是以提尔列乌姆为首府的同盟却延续到皇帝奥古斯都把大批阿卡纳尼亚人迁入他的新城亚克兴胜利城时；其余部分则

被并入阿哈伊亚行省。现代希腊把阿卡纳尼亚和埃托利亚并为一个州。

acatalasia　过氧化氢酶缺乏症　因缺乏过氧化氢酶而引起的一种罕见的遗传性疾病。虽然患者机体的许多组织(包括红细胞、骨髓、肝脏及皮肤)都能发现过氧化氢酶缺乏,但只有约半数患者出现症状。表现为牙龈和口腔其他组织反复感染,并可导致坏疽。这种损害在青春期后极为少见。本病在日本人和朝鲜人中常见报道,在日本,发病率估计为十万分之二。治疗包括外科手术、拔牙及抗微生物治疗。

Accademia, Galleria dell'　参阅 **Academy, Gallery of the** 美术学院陈列馆。

Accademia della Crusca (literary academy) 参阅 **Crusca Academy** 秕糠学会。

Accademia dell' Arcadia (literary academy) 参阅 **Arcadia, Academy of** 阿卡迪亚学院。

Accademia di Venezia, Gallerie dell'　参阅 **Academy of Venice, Galleries of the** 威尼斯美术学院陈列馆。

Accadian language　参阅 **Akkadian language** 阿卡德语。

acceleration　加速度　某点速度的时间变化率。由于速度既有量值又有方向,称为矢量。加速度也是矢量,因而必须同时考虑速度的量值与方向两者的变化。在直线运动中,速度只能改变量值,在曲线运动中量值可以变也可以不变,但它的方向总是在变化。这一情况意味着,曲线运动中的点,加速度永不为零。若在直线上动点的速度是增加的,则加速度矢量与速度矢量指向同一方向;如速度是减小的,则加速度矢量指向速度矢量相反的方向。一定时间间隔内的平均加速度等于这段时间的速度变化量除以时间间隔。任一瞬间的加速度等于当时间间隔趋于零时速度变化量与时间间隔比值的极限。当一个点沿曲线路径运动时,由速度矢量的方向变化而得到的加速度分量,总是与速度矢量垂直并且指向曲线的内凹侧,量值为速度的平方除以路径的曲率半径,即 v^2/r。由 v 的量值变化而得到的另一个加速度分量则用一个与 v 共线的矢量表示,若 v 增大则共线矢量与 v 同方向;v 减小则与 v 反方向。如果速度以米/秒表示,加速度就以米/秒^2 表示。

acceleration stress　加速运动应激反应　由于运动速度急骤增加而在人体内出现的生理变化。飞行员在高速运动中,尤易受到加速运动的作用。加速运动力可以重力加速度(g)为单位进行测量。根据体位与加速运动方向的关系,加速运动应激反应分为正向、负向和横向 3 种:①正向加速运动应激反应。加速运动方向与人体头脚长轴一致时产生的加速运动应激反应。当作用于飞行员身上的加速运动力从 $1g$ 增加至 $2g$ 时,飞行员可感觉到压力增加,臀部、手、脚沉重。增加到 $3\sim4g$时,这种感觉加重,四肢活动变得困难,躯干和头部难以自己保持直立;体内器官下沉,血压下降;视力受限,甚至完全黑蒙;两腿充血,可有肌肉痉挛;呼吸变得困难;如果加速不均匀,或飞行员缺乏经验,则可有精神错乱和定向障碍。加速力增加至 $5g$ 时,可出现神志丧失。当加速度方向由头指向脚时,血液积于身体的下部,由于脑不能得到足够的氧而出现神志丧失;四肢内部压力增加可使皮肤小血管破裂。加速愈慢,血压下降就愈少,因为循环系统能进行调节,但需要经 5 秒钟,这种调节机制才充分发挥作用。除可引起短暂的精神错乱外,头脚方向的加速运动很少有后作用。一般没有疼痛,但可有些不适感。即使反复多次经受这种加速运动,通常也不会有持久的效应。②负向加速运动应激反应。发生于加速度方向由脚趾向头时。可引起腹、胸腔内器官轻度移位,面部充血。加速度增加则充血加重,整个头部有搏动性疼痛。当加速力为 $3\sim4.5g$ 时,可有眼球突出的感觉,眼睑下的小血管肿胀,出现砂砾感,视觉可暂时丧失,或看任何东西均呈红色(红雾视症)。加速较快时可发生精神错乱,并可导致神志丧失。脚头方向加速时颅内血压升高。为了解除颅内压力,身体其他部位的血流速度必须加快。当加速为 $5g$ 左右时,可发生暂时心搏停止,呼吸亦减弱,这是由于腹腔内容物和膈肌压向肺脏所致。面部可有皮下出血;头部较脆弱的动脉和静脉可破裂。负应激反应的平均耐受时间在 $5g$ 时是几秒钟,$4.5g$ 时是 15 秒,$2g$ 时为 30 秒左右。经历过自脚至头方向加速的特技飞行员和驾驶员,其耐受性看来要比没有经验的飞行员好得多。③横向加速运动应激反应。发生于加速度方向与人体长轴相互垂直时。这种横向加速运动的效应不如前两种大。因此载人航天飞行需要达到轨道速度和重新减速时,驾驶员最好仰卧在与飞行方向成直角的位置。在这样的位置上,当加速力增加至 $6g$ 时,仅在支持身体重量的部位产生压力增加的感觉。如果加速力增至 $8g$,则由于胸腹部受压可致呼吸困难。增加到 $12g$ 时,飞行员仍能耐受而无过度不适或视力障碍。心率和血压可能轻微增加,血氧水平似随压力增加而降低。预计未来的航天飞行中加速力在 1～2 分钟内可达 15～$20g$,有必要添加一些防护性措施。吸入纯氧可增加血氧饱和度,据设想某些心兴奋药可帮助增加心输出量而不影响血压,使循环系统的功能在应激反应下亦增加。

accelerator　促进剂　橡胶工业术语。能加速橡胶**硫化**(**vulcanization**)或使硫化温度降低的多种化合物的总称。促进剂有多种,其中最重要的是含硫和含氮有机化合物,特别是苯并噻唑衍生物。1844 年,C.古德伊尔的一份硫化工艺专利许可证书中,提出金属的碱性化合物作为硫化促进剂。20 世纪初,发现苯胺是有效的促进剂,以前一直采用氧化镁、氧化锌和碱式碳酸铅作促进剂,尽管苯胺有毒,但仍作促进剂使用数年。继苯胺之后,毒性较苯胺为小的均二苯硫脲成为最重要的促进剂,直至 1925 年被巯基苯并噻唑(MBT)取代。实践表明 MBT 有关化合物对硫化合成橡胶特别有效。硫化时促进剂似乎把硫转化成一种与橡胶反应较硫本身更快的化合物。另一种可能是促进剂首先与橡胶反应,把橡胶改变为易于与硫结合的形态。

accelerator, particle　参阅 **particle accelerator** 粒子加速器。

accelerometer　加速度计　测量物体速度变化率,即加速度的仪器。物体的加速度很难直接测量,因此,加速度计测量的是阻尼器对参考质块的约束力,该质块保持在与加速

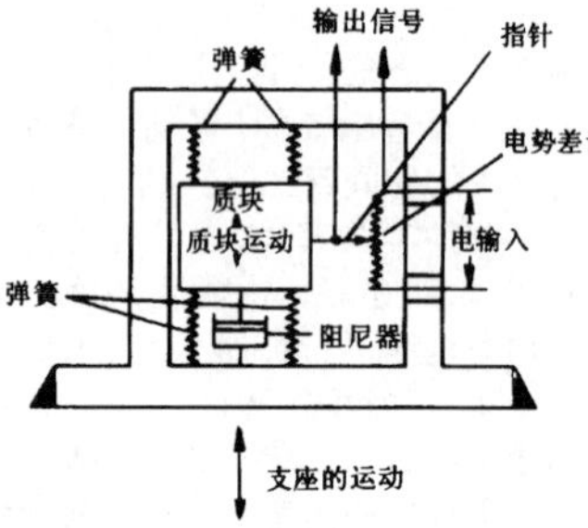

加速度计图示

物体固连的阻尼器上。根据牛顿第二定律给出的约束力和加速度间的关系:力 = 质量 × 加速度,可以计算出加速度。加速度计的输出量一般是变化的电压或是活动指针在固定刻度尺上的位移。图中示出一个输出电压型加速度计,称为弹簧质块式加速度计。它用精心设计并协调好的四根弹簧悬挂一个质块,其运动受阻尼器的约束。加速度计的外壳与运动物体牢固相连。当物体加速时,由于惯性,质块的运动滞后于同物体一起加速的外壳。质块相对于外壳的位移正比于物体的加速度。与质块固连的指针在固定于外壳的电势差计上滑动,将上述位移转换成电输出。电势差计中的电流保持不变,因而指针的运动使输出电压直接随加速度而变化。专门设计的各种加速度计有多种应用,如对工业振动试验装置进行控制、地震探测(地震仪),以及将变化的电压输给航海和惯性导航系统等。加速度计的各种设计主要取决于如何把加速度转换成与之成比例的电压,这些方法包括利用质块直接对压电晶体产生的压力以及阻尼摆的电传感位移等。

accent　重音　又作 stress。音乐术语,指临时强调某一特定节奏或旋律细节。重音可以是暗指的,也可以用符号(如 >、–)或文字(如 sforzato 或简写 sfz.)标明。在由节拍起组织作用的音乐中,用重音来体现节奏组合;尤其在舞曲中,有规律的重音构成舞步的模式。一般地讲,最重音在小节的第一拍(实际上是重点决定小节线的起点)。在复合拍子中,次重音标志着小节的后半部(如 4/4 拍中的第三拍或 6/8 拍的第四拍)的起点。"力度重音"是通过临时增加音量而形成的,"缓急重音"则产生于时值的稍稍延长,二者应加以区别。可以用称为**切分音**(**syncopation**)的办法临时取消规律性的、暗指的重音。典型的情况是,第一拍上的重音先被一个四分休止符

抑制,然后接用二分音符(在 4/4 拍中)。有时可不用休止符,将连线把第一拍与前面一小节的最后一个音符连结起来。

accent 重音 语音学术语。在语段中以音节特征区分与其相邻音节的关系。通过音长、音高、响度、音调曲线变化或这些特点的结合,强调出重读音节与非重读音节。词、小句、句子各有不同领域的重音。词重音(词汇重音)是语言发音的显著特征之一。已知特定语言系统的词重音可能是固定的或预知的,如法语正规重音在词尾音节上,捷克语则在首音节上;或者可能是移动的,如英语重音自由移动将音段相同的词区分开来,名词 permit(执照)和动词 permit(准许)的重音有别。同样,重音也可用于短语性结构以区分音段相同的构造,如 light housekeeping(轻微家务)和 lighthouse keeping(照看灯塔)或 blackboard(黑板)和 black board(黑的木板)的重音有别。最后,重音可用于句子这一层级上,以强调句中应注意的部分,如 What did you sign?(你签署什么东西?)I signed a *contract* to do some light housekeeping.(我签了 1 份做轻微家务劳动的合同)以及 Who signed a contract?(谁签了 1 份合同?)*I* signed a contract to do some light housekeeping.(我签了 1 份做轻微家务劳动的合同)。其中两个回答句子重音是有区别的。

accent 重音 韵律学术语,在诗句的音节上带有韵律的有意义的重读,通常为有规律的间隔。英语 accent(重音)一词经常与 stress(重读)互换使用,但一些韵律学者使用"重音"表示正常语言用法所决定的重点,而使用"重读"表示韵律模式所决定的重点。在古典韵律学中,韵律建立在由长短步组成的诗句方法上而不是现代基于重读的方式,重音用于根据声音决定一个音节相对的长度和重点。对于希腊人来说,重音被解释为音高的差异,用在一个词的发音中通常要高一些。当韵律学不再基于音量时,重音从音高的变化转变为强调的变化。

accentor 岩鹨 雀形目岩鹨科岩鹨属(*Prunella*)鸟类,12 种。分布于旧大陆。喙似鸫,翅圆,喜跳跃,或以一种独特的动作行动,故俗名又称曳翅鸟。岩鹨主要在山区繁殖,但在低海拔处越冬。林岩鹨(*P. modularis*)是低地的广布种,在树篱和常绿的灌木丛中营巢。典型种领岩鹨(树篱雀,*P. collaris*)分布在西北非以及从西班牙到日本,长 18 厘米,大部分褐色,胁有淡红点斑,喉部满布斑点(两性相似)。求偶时雄鸟在近地面的一处啭鸣,或像百灵一样高飞。

accentual verse 重音诗 在韵律学中,指一种诗体,它主要是看一诗行中有多少重音或重读音节。在重音诗中,一诗行中的重音必须够数,音节的多少则不限。这种诗体用于日耳曼(包括古英语和古斯堪的纳维亚语)诗歌以及某些英语诗歌中。E. E. 肯明斯写的一首诗《万一刮起了大风》就是重音诗的一例,其中每诗行的重音数固定为 4 个,而每诗行的音节数则有 7 到 10 个不等。

accentual-syllabic verse 重读音节诗 在韵律学中是英语诗中最常用的诗体。它主要是看一诗行中有几个重音和几个音节。例如:抑扬格五音步诗的每一诗行有 5 音步,为抑扬格(一个非重读音节后面有一个重读音节)。

acceptance 承兑汇票 一种短期信贷票据,它要求买方在规定的日期向卖方支付一定金额,并经买方签字确认其付款责任的书面汇票。承兑汇票用于进出口业务及国内某些大宗商品的交易。例如,出口商可将此项支付汇票寄交进口商,由进口商签署,表明承担责任后,退还出口商。出口商可拿汇票到银行贴现,取得现款。进口商赢得了时间,在汇票到期前将货物售出,以所得货款偿还债务。如汇票为由货物买主承兑者,则称之为商业承兑汇票;如汇票为向银行开出并由银行承兑者,则称之为银行承兑汇票。

Acceptance of Japan's Surrender in Nanjing 南京受降 参阅**Sino-JapaneseWar**中日战争。

Accesi, Compagnia degli 阿切西剧团 17 世纪初意大利即兴喜剧剧团,一度曾与意大利另一著名剧团(忠实剧团)合并。该剧团受到欧洲王公贵族欢迎,并以"曼图亚公爵剧团"闻名。阿切西剧团在哈布斯堡帝国的林茨和维也纳均受到热情接待,并且多次到法国,在枫丹白露和布尔戈涅宫等处演出。

accessory 同谋犯 法律术语。指故意和自愿地在犯罪发生前或犯罪以后对罪犯予以协助,因而应与罪犯负同等罪责的人。同谋犯是共犯(**accomplice**)的一种。另一种共犯是帮助犯,指在罪犯实施犯罪行为时予以协助的人。

accessory mineral 副矿物 在火成岩中对岩石的命名不起主要作用的任何矿物。含量少,但普遍存在的副矿物,称为次要副矿物。含量较大或具有特别重要性,则称为特征矿物或特征副矿物,而且可以给岩石定出种的名称(例如黑云母花岗岩中的黑云母)。副矿物从特性上看是在岩浆凝固过程中形成的,与其成对照的是在晚期通过各种过程(如热液蚀变引起的风化作用之类)形成的次生矿物。常见的次要副矿物有:黄玉、锆石、刚玉、萤石、石榴子石、独居石、金红石、磁铁矿、钛铁矿、褐帘石和电气石。典型的特征副矿物有:黑云母、白云母、闪石、辉石和橄榄石。

acciaccatura 碎音 乐曲中的装饰音,常与倚音(**appoggiatura**)混淆。

Acciaiuoli, Niccolò 阿奇亚奥里(1310-09-12,佛罗伦萨附近蒙特古丰尼~1365-11-08,那不勒斯) 意大利政治家和军人。佛罗伦萨名门望族出身,1331 年去那不勒斯经营银行业务。1348 年任大枢密官,成为那不勒斯王国最有权势的人物之一。1352 年拥立塔兰托的路易为国王。此后,他率兵几乎征服西西里(1356～1357)全境,扑灭贵族叛乱,攻下墨西拿,为此被封为伯爵。1358 年抗击土耳其人和加泰罗尼亚人。1364 年返回那不勒斯。

accidence 词形变化 参阅**inflection**屈折变化。

accidental 临时记号 音乐术语。紧挨音符右方的符号,表示该音符必须改变音高。升号(♯)把音符升高半音;降号(♭)则降低半音。本位号(♮)是恢复原来的音高。重升号(×)和重降号(♭♭)则表示音符要升或降两个半音。单独一个本位号表示取消重升号或重降号;在升号或降号边上加一个本位号(如♮♯)则取消重升号或重降号的一半。在谱表开始处的升号或降号表示音乐的调性或调,不是临时记号。临时记号约于 10 世纪时首先用于 B 音。为了适应某些理论和美学规则,有时需将 B 降半音,后来又有将 F 升半音。至文艺复兴时期,E♭、A♭ 和 C♯已相当普遍。

accipiter 鹘 鹰科鹰属(*Accipiter*)约50种隼形鸟类。或名"鸟"鹰,有时被视为"真"鹰。鹰属是最大的猛禽属。鹘的翅宽而短,脚和尾长。体型最小者为非洲的小雀鹰(*A.*

条纹鹰(*Accipiter striatus*)
美国不列颠百科全书公司供图

minullus),仅比鸫稍大;最大者为北方的苍鹰(*A. gentilis*),体长约60厘米。鹘见于全球的森林地区。巢筑于高大的树上,由树枝构成,内垫以柔软的材料。每窝产 3～5 枚白色缀以褐色块斑的卵,由雌鹘孵卵,孵化期 4～5 周。幼雏孵出 5～6 周后即自己觅食。参阅**hawk; goshawk; sparrowhawk**。

accismus 佯拒 一种反语形式,譬如一个人明明想得到某样东西,却装作对此不感兴趣或佯装拒绝。在伊索的《狐狸和葡萄》这个寓言中,狐狸说不想吃葡萄,即为一例。凯撒最初拒绝接受王位,但在莎士比亚的《尤利乌斯·凯撒》一剧中却被一阴谋家说成佯装拒绝,为一经典范例。

Accius, Lucius 阿克齐乌斯(公元前170,意大利翁布里亚皮绍鲁姆?～约前86) Accius 又拼 Attius。被他的同时代人视为最伟大的罗马悲剧诗人。他的剧本(已知有 40 多部,现存约 700 行)多数译自希腊悲剧,许多取自欧里庇得斯,情节多暴力场面,人物刻画流于夸饰,语言修辞有力。他的悲剧在共和国完结前(约公元前 30)一直上演。这些剧作以古典神话传奇为题材,特别是特洛伊组剧。他还根据罗马历史创作了两部历史剧:《德西乌斯》和《布鲁图斯》。西塞罗记述曾在年轻时见过阿克齐乌斯,也看过他的剧本。他怀着钦佩的心情从阿克齐乌斯的《阿特柔斯》一剧中,引用了他的名句“Oderint, dum metuant!”(“只要他们害怕,就让他们恨去吧!”)。

acclimatization 顺应 生物体对其所处环境变化的逐渐、长期的应答,形式多种多样。这些应答多少是习惯性的,如果环境条件恢复到先前的状态时,这些应答也可以逆转。

有许多突然的改变可以通过神经和激素系统引起迅速的短期的应答,这些改变不属于顺应的范围。生物个体时刻遇到环境的变化,在通常的环境变化范围内,生物个体能迅速调节其体内过程以经受住这些变化。但这些迅速调节(或称内环境稳定)的运作限于环境变化的一个小范围内。内环境稳定调节不能有效地应付剧烈的环境变化,如不能促使生活于炎夏的动植物在寒冬也能生存。当夏去秋来,生物体就改变其结构和习惯,似乎在为冬季的到来做好准备。这种对条件变化做出的逐渐的调整便是顺应。

与生长发育过程中发生的变化相反,顺应指当环境恢复到其原先状态时可以逆转的适应性变化。对发生了顺应的机体,顺应并不在其遗传机制中留下持久的影响。种群会通过对遗传能力的选择而适应于影响进化的改变,但这与个体的顺应是完全不同的过程。

谈到顺应,气候对生命的影响可从温度、湿度、盐度、光线、压力和环境中某些化学物质等方面来研究。因为对生物体来说,各种适应能力间的组合并非无限的,因此生物体会用相似的过程去适应不同方面的改变。例如,动物(包括人)在高山气压降低的条件下,血液内的红细胞数量增加(红细胞增多),使血液运输氧的能力得到加强,以顺应低氧环境;在慢性肺气肿时,从肺部获得的氧供应也不足,这种情况在某种程度上亦以类似的红细胞增多来代偿。

因为动物和植物都能成功地引进新的区域,所以说,物种在原产地不必最大限度地发挥其潜能也能繁荣。因此,顺应不一定意味着植物或动物在功能方面将其顺应的潜能发挥到极致。在炎热的夏季,已顺应的鸟类和哺乳类常常栖息于荫凉处;在寒冷的冬季,某些动物和植物就休眠。在极端的情况下,生物体会受到严酷条件的损害,但还是生存了下来;如果损害太过分,顺应就不能应付。

虽然顺应常常需要改变活动,适应性改变使生物体能生存于季节变异极大的地区,有时还能移到完全新的环境中。只有那些能顺应的个体得以存活下来并产生后代,一个新的种群可能从这些后代建立起来。动物和植物物种间顺应的能力差异极大。家养动物和栽培植物的某些品种有多方面的顺应能力,而另一些品种的顺应能力极为有限。

如果动物和植物在它们很可能遇到的寒冷条件下能做出调整,就会出现一个有趣的季节性顺应特征。顺应不仅给它们准备了安全限度,还能使在实验条件下的某些微生物、昆虫和植物能忍受大大超出大自然中能遇到的寒冷或炎热。看来很奇怪:适应性使这些生物体能做好准备,去应付超出其自然经验的条件。

顺应还有一个令人惊异的特征,这就是其提前性——在改变出现以前顺应已经开始。生物体需要有改变必将发生的预感,以便做出缓慢的生理准备,好应付常常突然出现的气候改变。提前开始顺应似乎需要一个时间意识,借此预报正要来临的环境条件。一天的长度就是一个外部信号,但似乎它能影响内在的节律,这一节律从内部提供了关于时间消逝的线索。

虽然顺应一词主要指对气候的适应,但也能用以描述人对城市、社会或政治条件所做出的调整,或一个植物种群对栽培条件的适应,动物对非自然的豢养条件的适应。可是要描述对陌生条件或人工条件的适应常常是十分困难的,而且仅在少数情况下这样的适应过程才能与顺应相比较。

accompaniment 伴奏 在乐曲中,指衬托或突出主要声部的辅助声部(一个或几个)。在中世纪的世俗音乐和很多民歌以及非欧洲音乐中,用乐器为歌手伴奏有以下几种方式:对曲调(有时略有变化,造成支声伴奏,即用同一旋律的不同变形同时演奏)作同度或 8 度重复;使用新的节奏;或在管乐器或弦乐器上奏持续低音(一音或多音)。在 16 世纪的欧洲音乐中,独唱歌曲演出时只在诗琴上用和弦或对位(采用交织的旋律线)的方式伴奏,著名的例子有英国作曲家 J. 道兰德的歌曲和法国的宫廷曲调。17 世纪初,开始采用数字低音,或称通奏低音。这是和声伴奏的一种类型,它以作曲家用数字标明的和弦为基础,在拨弦键琴或管风琴上作即兴伴奏。到 18 世纪,数字低音既可作为独奏(唱)者的伴奏,也用作乐器合奏时的衬托:前者如 J.S. 巴赫的奏鸣曲和独唱康塔塔,后者在意大利作曲家 A.斯卡拉蒂的歌剧中可见到。这样的伴奏要求演奏者在装饰音和对位技巧方面有极大的创新,因此在乐曲中所占地位与独奏部分同样重要。助奏一词被用于这类伴奏以与可任意取舍的伴奏相对。助奏式伴奏有时是记写出来的,例如巴赫为他的长笛与拨弦键琴《B 小调奏鸣曲》而作的那段伴奏。助奏风格一直延续到 19 世纪浪漫乐派作曲家的独奏(唱)和协作表演的作品中,作为一种伴奏,它甚至变得更精细复杂和富于表现力。钢琴的表现力使舒伯特的伴奏部分能够表达歌词中的形象化的和心理上的内容。为弦乐器或管乐器作品写的钢琴伴奏,是乐曲整体中的有机部分。管弦乐队的伴奏在浪漫乐派的协奏曲、歌曲和歌曲套曲中有很大发展。钢琴伴奏艺术主要是为了满足 19 世纪德国艺术歌曲和法国艺术歌曲的需要而兴旺起来的。在 20 世纪的钢琴伴奏家中,如英国的 G.穆尔和荷兰的 C.V.博斯,都是凭他们对独唱家的敏感性默契以及对作曲家意图的深刻理解而提高他们的艺术水平。

accomplice 共犯 在法律上,指故意和自愿地协助他人犯罪,因而应与他人负同等罪责的人。共犯包括同谋犯和帮助犯,同谋犯是在犯罪前对罪犯进行协助的人,而帮助犯是在作案时予以协助的人。帮助犯是实际上或被推定为在犯罪实施时在场并且煽动、鼓励或协助罪犯实施犯罪行为的人。一个人如果负有法定的阻止犯罪的义务而不试图去阻止,他就可能是帮助了罪犯。同谋犯是犯罪实施时不在现场但在犯罪前帮助、怂恿、鼓励或策动罪犯的人。在大多数司法制度下,同谋犯必须实施一项协助的行为,而且必须有证明他企图使犯罪得以实现的证据。因此,如果体育用品商店把步枪售给后来用它犯下谋杀罪的人,店主并不因此构成谋杀罪。同谋犯和帮助犯这两个名词来源于英国普通法,它在衡量罪责时对共犯和主犯加以区分。现代制定法废除了这样的区分,认为所有的共犯都是主犯,给予同等的惩罚。再没有必要去证明一个人属于哪一种共犯,也没有必要首先认定主犯的罪责后才能对共犯定罪。只要一项犯罪已经实施而且证明一个人促成了它的实施,就可以将他作为主犯惩罚。事后同谋犯往往不被认为是共犯,而是被当做一个单独的罪犯处理。这种罪犯是对已经犯有或被指控犯有某项罪行(通常必须是一项重罪)者加以收容、保护或协助的人。除煽动叛乱案或叛逆案而外,其惩罚一般轻于主犯。参阅 **solicitation**。

accordion 手风琴 便携式活簧片乐器。由一高音箱和一低音箱组成,分别连接于用手操作的风箱的两端,高音箱外侧装有钢琴式键盘或按钮,低音箱通常装有按钮。手风

19 世纪的意大利手风琴
美国不列颠百科全书公司供图

琴的起源是研究人员争论的课题。许多人认为手风琴的发明应归功于 C.弗里德里希·L.布施曼(其“汉道林”琴于 1822 年在柏林获专利),另外一些人则将此荣誉归于维也纳的 C. 德米安名下,其“阿考定”(accordion)琴于 1829 年取得专利,“手风琴”的原文 accordion 即因而得名。德米安的发明是“汉道林”琴的改型,由一小型手拉风箱和 5 个键组成,但德米安在一篇介绍该乐器的文章中曾指出,在此设计中可另加琴键。其后相继出现多种变化形式。在手风琴的高音箱和低音箱之内装有活簧片,这是一些金属舌,与嵌入金属框的

调节瓣并排而列。当空气从一个方向流过簧片时，簧片即在其框架之上振动；相反方向的气流不引起振动。风通过由键盘或按钮控制的调节瓣有选择地送到簧片上。每一调节瓣把风送至一对簧片，其中一个在压风箱时发声，另一个在拉风箱时发声。有些手风琴，包括最早的那些，属"单动式"，其中的成对簧片发出自然音阶（七音音阶）中相邻的两音，例如一个按钮在压风箱时发 G 音，而拉风箱时发 A 音。在一架单动式手风琴上，10 个按钮即足以奏出两个八度以上的音域。左手通常有两个键（即低音键），一个提供一个低声部的音，另一个提供一个大和弦。单动式很早就有所发展（主要在奥地利和瑞士），即增加第二行高音按钮以奏出 F 调音阶（第一行的音阶为 C 调）。各种各样的模式增加几排按钮以奏出半音和附加的低音与和弦。在"双动式"手风琴中，每一对的两个簧片调成同一个音，因而无论风箱是向着压还是拉的方向运动，同一个键或按钮可奏出各个高音或低音。在这些乐器中有一种钢琴式手风琴，右手是钢琴式的键盘，据传这是 19 世纪中叶由制造商布松或 M.布东发明的，两人均为法国人。某些双动式乐器中的联键音栓启动几套外加的簧片，其中一套的音高比主要套低八度，另一套的音高则稍异于主要套，通过"差拍"（声波干扰）而产生颤音。其他联动音栓可以启动一套高八度的簧片和产生第二颤音。手风琴的音域常为 7 个或 8 个八度。左手部分也可扩展，有 120 余个低音，由 6 或 7 排按钮启动。传统的"固定低音"式亦即斯特拉德拉型手风琴大多奏出三音和弦——大小三和弦和属七、减七和弦，而"自由低音"式手风琴则通过另外增加一些按钮或是一个提供低音旋律与对位旋律的转换开关而克服旋律上的限制。手风琴既用于音乐会演出，也是一种民间乐器。班多尼翁琴是手风琴和六角形手风琴的变体，有单动式或双动式，呈方形，装有按钮，19 世纪 40 年代中叶由德国人 H.班德发明。它和键盘式手风琴都是阿根廷探戈乐队中的主要乐器。要了解活簧片乐器的前身，参阅 **sheng**；其他类型参阅 **concertina**；**harmonica**；**harmonium**。

Accorso, Francisco（legal scholar） 参阅 **Accursius, Franciscus 阿库修斯**。

account payable 应付帐款 一公司向另一公司根据信用购买货物或劳务而发生的欠款。按照商业信用的常规，买方向卖方发出订单，然后收到货物及载明货价和付款条件的发票；买方无需发出商业承兑汇票或发出期票来偿付货款，而将货款金额作为一项流动负债记入帐册。公司主要为了筹资购置存货才产生这种短期债务。在任何行业内，小公司相对大公司而言，支付现金和争取折扣的能力较小，信贷的门路也不多，故常多利用此种贸易信贷。美国国内贸易惯用应付帐款方式，但国际贸易和许多欧洲国家国内贸易则常用承兑和开出期票的方式。

account receivable 应收帐款 顾客根据信用向某公司购买货物或劳务而发生的欠款。卖方不收买方承兑汇票或期票，而仅将欠款作为一项流动资产记入帐册。许多公司应收帐款占资产的主要部分，常随销售额的消长而变化。应收帐款可出售给金融公司或作为向商业银行或金融公司贷款的抵押品。此种融通资金的方式与财务代理不同，债权人公司并不转售帐款，亦不将抵押情况通知欠款主顾，倘遭损失仍由该公司承担。不能从商业银行获得补充信贷且无其他流动性很大的资产作担保的小公司常使用应收帐款此种融资方式。

accounting 会计 对某一单位经济业务信息进行系统的考核与分析的工作。每个企业和许多非企业性的组织（上至并包括国家）无不要经常参加一些涉及到钱财或货物或钱货二者的业务活动。当事人和责任人为了评估该单位的经济情况和业绩，都必须获得必要的信息。按照既定的程序对财务会计事项进行实际的登录和汇总，被称为簿记（bookkeeping）。当这些资料摘要发表于报表之中（典型的是按季度或年度编制）供本单位以外的人们——股东、债权人、经纪人、政府官员及其他人——使用，这一程序名为财务会计。为本单位管理部门制订计划、实行监督之用而编制报表（典型的是按月份编制）的程序名为管理会计。会计制度还要求做到如下几点：制作一般业务程序中的财务单据、建立保护本单位财产的内部核查制度、提供纳税申报单及其他法定报表所需要的数据。财务会计中典型的定期报表有 3 种：资产负债表、损益表、现金流动表。有许许多多惯例和实际准则用于解决资产评估、按时间摊派资产的成本（称为分摊或折旧）、测定收益、将开支与收入作相应的搭配、按购买力变动调整成本费用等难题。某一单位会计人员所编制的报表，通常要由外面的审计人员审核其完整性、准确性以及它们是否符合惯例。这些审计人员是独立的会计师，在美国称为注册会计师，在英国称为特许会计师。管理会计目的在于为管理部门对各种业务费用、对这些费用可比较的标准提供可靠而及时的信息，在于帮助核查预算计划和根据这些计划衡量业绩，在于分析业务的成效（在企业中是利润）。

accounting machine 会计计算机 又名簿记机。能完成正常簿记工作（如制作直行表格，进行算术运算和横行打字）的办公用机器。票据机是会计计算机的一种，用于在帐单上打出客户姓名、地址和货物名称，能计算金额，扣除折扣，并把需要的数据归入适当的帐户。只要操作者输入必要的信息，就能自动制出客户帐单。早期的会计计算机复杂得惊人，通常是把打字机和各种计算机部件组合在一起。电子技术的进展，使会计计算机的速度和容量得以改进，极大地减小了其尺寸和噪声，而且操作简便。较新的会计计算机是由与之相连的电子计算机来操作的。

Accra 阿克拉 加纳首都和最大城市。临大西洋几内亚湾。该城部分位于 8～12 米高的悬崖上，向北延伸至地势起伏的阿克拉平原。这一地区是断层活动区，因而易诱发地震。葡萄牙人最早于 1482 年在今加纳的海岸上拓居，现阿克拉所在地是加人的几个村庄，由以北约 24 千米的阿亚索（又称阿亚瓦索）家长制村落统治。1650～1680 年，欧洲人在此地沿岸建立了 3 个要塞式的贸易据点——詹姆斯堡（英国）、克里夫库尔堡（荷兰）和克里斯蒂安堡（丹麦）。在建造这些欧洲据点时，阿亚索在一次部族战争中被摧毁。同欧洲人做生意赚钱的前景把阿亚索及阿克拉平原上其他加人主要城镇的居民吸引到沿岸地带，从而建立了 3 个沿岸的村庄——奥苏（克里斯蒂安堡）、荷属阿克拉（后称乌希尔镇）和詹姆斯镇，形成现今阿克拉的核心。"阿克拉"一词是阿坎语（Akan）"恩克兰"（nkran）的误读。原指当地的一种黑蚂蚁，后用以称阿克拉平原这一地区的居民。阿克拉发展成一个繁荣的贸易中心。丹麦人和荷兰人分别于 1850 年和 1872 年离开这一地区，1877 年阿克拉成为英属黄金海岸殖民地的首府。1898 年成立市政委员会以改建这一城市。至 20 世纪 30 年代，已对阿克拉进行了系统规划。阿克拉是加纳的行政、经济和教育中心。市内设有各大银行总行和贸易机构总公司、保险公司、电力公司、邮政总局、供应大多数食品的大规模露天市场和阿克拉中央图书馆。除一些要塞外，重要的建筑物包括：科勒布总医院，内设加纳医学院；圣灵（罗马天主教）、圣三一（圣公会）和卫理公会教堂；国家档案馆；国家博物馆。城市内还设有科学和工业研究委员会及加纳文理学院的办公处。加纳大学（1948）位于北面的莱贡。此外还有一个足球场和一个赛跑场地。位于黑星广场的独立拱门为举行仪典之用。阿克拉有平坦的公路和良好的市内公共汽车服务。该城为运输中枢，铁路通内地的库马西和以东 27 千米的港口城市泰马，泰马已取代了阿克拉的港口功能。阿克拉建有科托卡国际机场。主要的制造业是加工食品、木材和纺织品。人口：市约 985 369；都会区约 1 781 100（1995）。

acculturation 涵化 因不同文化传统的社会互相接触而导致手工制品、习俗和信仰的改变过程。这个词通常也用于说明这种变化的结果。依据促成变化发生的两种条件，涵化可分为两个主要类型。第一类型是文化因素的自由"借入"和改变，这是文化不同的民族在不以军事或政治统治对方的情况下，持续相互交流所产生的现象。这些新的文化因素可能在所谓混合过程中与现存文化结合起来。18 世纪末被西班牙人征服的纳瓦霍印第安人，由于与西班牙移民经常交往、多方交往而选择了西班牙文化的某些成分，如服饰及金工技术等，并以自己所需的方式纳入自己的文化之中。涵化的第二类型是强制变化，这是一民族以军事征服或政治控制等手段对另一民族建立统治时所产生的现象。强制变化可以罗马人对地中海地区及西欧的征服为例，亦见于美国人对北美印第安人的征服，欧洲人对非洲的主宰以及其他多种政治扩张行动中。强制的文化变化，也像混合一样，包括选择和改变过程，不过这种过程更加多样，其结果也会更加复杂。因为这些变化是一种文化体制下的成员对另一文化进行干预的结果。强制条件下的文化变化过程包括同化,这是一种文化几乎完全取代另一种文化的现象;文化融合是两文化接触前所存在的歧异成分之新的综合过程;还有对统治文化各个方面的反作用。

Accursius, Franciscus　阿库修斯(约1182,托斯卡纳巴尼奥洛[意大利]～约1260,博洛尼亚)　意大利语作 Francisco Accorso。13世纪意大利杰出的法学家,革新罗马法的法律学者。他是查士丁尼的罗马法法典的许多法律注释家中的最后一个。阿库修斯曾任博洛尼亚大学教授,在那里接触到罗马人的许多法律著作,这些著作是在11世纪在博洛尼亚建成第一所法律学院时从拉文纳运来的。这使他得以编纂成他的权威性著作《法令注释》(1220～1250),它胜过在他以前的学者们的注释。在以后的500年中阿库修斯的注释成了罗马法的不可缺少的补充。他的权威性的编纂工作所取得的成果之一是,罗马法成了文艺复兴时期普遍学习的课程。他对罗马法的解释影响了后来欧洲各种法典的发展,其中有19世纪初制定的《拿破仑法典》,或称《法国民法典》。

accused, rights of　被告人权利　在法律上,指为了保证被控犯罪的人得到公正审判而赋予他的权利和特权。这些权利最初(一般从18世纪起)主要限于实际审判本身,但在20世纪后半叶,很多国家开始把这些权利扩大到审判前和审判后的期间。所有各国的法律制度至少都在书面上保证给与被告人某些基本的权利。这些权利包括:要求有陪审团参加的审判的权利(除非放弃有陪审团参加的审判),要求有律师为他辩护的权利(至少当他被控犯有重罪时),提出足以证明其无罪的证人和证据的权利,与控告他的人对质(即盘问)的权利,不受无理搜查和扣押的权利,以及同一罪名不受两次审理的权利。某些非常普遍的权利与诉讼程序有关,如对被告人不应无限期关押,必须迅速交付审判。与此有关的还有被告人享有合理保释的权利,以及禁止对其羁押超过规定时间而不予保释。最重要的权利是由律师为其辩护的权利。在20世纪后半期,这一权利扩展到包括从一个人被捕到最后上诉的整个期间。不同的国家关于什么时候必须有律师为被告人辩护的规定各有不同,关于哪些类型的犯罪必须给贫穷的被告人提供律师的规定也各有不同。美国在这方面进行了深远的改革,而且建立了已为其他国家开始仿效的模式。主要是,美国的制度规定,被告人从被拘押之时起直至最后上诉完毕都有权由律师为其辩护。而且,美国最高法院曾经裁定,如果被告人贫穷,在所犯各罪均可判处徒刑的情况下,必须给其提供由法庭指定的律师,以便他行使由律师给他辩护的权利。最高法院在"鲍威尔诉亚拉巴马州"案(1932)和"吉迪恩诉韦恩赖特"案(1963)中确立了贫穷的被告人享有由律师为其辩护的权利。最高法院还决定,在被告人被捕时,必须告知他有权由律师为他辩护和有权不回答任何可能导致对他不利的证据的问题(参阅 **Miranda v. Arizona**)。这两项权利用来防止警察逼取不自愿的口供作为法庭上的证据。在民法法系国家里,如法国和德国,不强调口供作为证据的重要性。口供仅被视为证据之一。由于口供不那么重要,由律师辩护的权利和保持沉默的权利就规定得不太明确。其结果是,在讯问期间存在某些滥用权力的行为,在法国尤其是如此。其他保证给予被告人的重要权利还有:保护他不受非法获取的证据的影响,不论这些证据是从*搜查和扣押*(**search and seizure**)或*电子窃听*(**electronic eavesdropping**)中获得的。上诉权的规定各国有所不同(参阅 **appeal**)。

Aceh　亚齐　又拼 Acheh, Achin 或 Atjeh。印度尼西亚苏门答腊岛特区。位于该岛北端,东与北苏门答腊省接壤。面积55 390平方千米,境内多山,其中柳塞尔山和阿邦阿邦山海拔分别为3 381米和2 985米。除最北部外,沿海为一相当宽阔的平原,河流短,没有航运价值。西南海岸沼泽星罗棋布。内地的火山山上生长着温带和热带雨林,有无茎棕榈、橡树、针叶树和月桂树等。苔藓和草本植物如地毯般覆盖着地面和树木的树干底部。公元500年前后,北苏门答腊的佛教国家波莱兴旺发展,来自阿拉伯、印度及中国的商人和朝圣者曾抵达此间。13世纪,亚齐成为印度尼西亚群岛的第一个穆斯林堡垒,后来英国探险家(1591)和荷兰人也来到这里。伊斯坎达尔·穆达苏丹执政时期(1607～1636),国力达到鼎盛。在此期间,亚齐人在马六甲海峡与葡萄牙人频频交战,1614年葡萄牙舰队在宾坦战败。荷兰人(1599)和英国人(1602)曾试图在亚齐建立殖民贸易点,但都没有成功。亚齐人同荷兰人曾建立联盟,但为时甚短(1641),此后亚齐苏丹王国的影响越来越小。拿破仑战争后,东印度群岛交还荷兰。英国力图拒荷兰人的影响于亚齐之外,而1824年的一项条约规定双方不得采取敌对行动。1873年这一条款被撤销,于是荷兰人试图征服亚齐。接踵而来的是亚齐人与荷兰人之间持续25年多的公开战争(亚齐战争)。最后,亚齐苏丹图安库·达内尔·沙赫于1903年向荷兰人投降,1905年遭到放逐。然而,在荷兰人终止殖民统治之前,该地区从未完全平静过。1949年,亚齐成为自治省,1950年与北苏门答腊省合并。在印度尼西亚共和国统治下,此地民众仍旧骚动不安,并于1953年发动公开暴乱。1956年,亚齐被划为特区,在行政上与国内其他省享有平等待遇,但问题依然没有得到解决。亚齐人属马来族,是虔诚的穆斯林,分布在低地及附近丘陵区,占人口的90%以上。高地居住着加约人,也是穆斯林,但属于巴塔克族。稻米、玉米、甘薯、薯蓣及豆子等是主要粮食。胡椒、椰干、槟榔和橡胶是主要出口物。铝土矿和煤矿得到开采。东海岸有油田和日益重要的天然气田,为促进资源的开发,司马威正发展为石油和液化天然气基地。工业和工艺产品包括加工食品、纺织品、金属器皿、黄金珠宝和金丝饰品、木刻和金属雕刻品等。主要港口有乌勒埃勒埃、实格里、司马威及伊迪,大型船只可以进出乌勒埃勒埃以北80千米的韦岛之沙璜自由港。首府班达亚齐先前叫哥打拉贾,濒亚齐河,距海5千米,有干线公路通棉兰。特区内有柳塞尔山国家公园等若干野生动物禁猎区。人口约3 930 905(2000)。

Aceraceae　槭科　显花植物无患子目的一科。约200种,乔木或灌木。分为2属。金钱槭属(*Dipteronia*)有2种,产于中国中部及南部;翅果,翅将整个果实包住。槭属(*Acer*)

矮槭(*A. campestre*)
美国不列颠百科全书公司供图

广布北半球,仅于马来西亚境内分布于赤道以南;单叶或复叶,对生,通常具齿或分裂;花序小,多为单性花,有时无花瓣;果为翅果,多分为2部分(罕为3部分),各具一翅,翅仅位于果实的背侧。许多槭树类多栽作风景树及荫蔽树。某几种含有甜味树液,糖槭(*A. saccharum*)可制糖浆或糖。有些种则为重要用材树。参阅 **box elder; maple**。

Acernus (poet)　**阿采尔努斯**　参阅 **Klonowic, Sebastian (Fabian)** 克洛诺维茨。

acerola　参阅 **Barbados cherry** 巴巴多斯樱桃。

acervulus　分生孢子盘　真菌门种类的无性子实体,呈浅碟状。通常在寄生的表皮细胞下发育,产生分生孢子梗和分生孢子。

Acestes　阿凯斯特斯　据希腊神话,他是西西里传说中的塞杰斯塔国王。他的母亲塞杰斯塔曾被她的双亲从特洛伊送出,以免被海蛇所吞噬。她来到西西里,遇河神克里米索斯,与之结合,遂生阿凯斯特斯。阿凯斯特斯在《埃涅阿斯纪》中是个引人注目的人物,因为在埃涅阿斯来到西西里时曾招待过他。他的作用在于着重指出在神话上西西里同特洛伊的联系。据希腊传说,埃涅阿斯(他的后人建立了罗马)没有去过比西西里更远的地方。据《埃涅阿斯纪》,阿凯斯特斯把一只箭射入空中,箭在空中变成一个彗星,象征埃涅阿斯的父亲安喀塞斯的永生,这样就把为纪念安喀塞斯的周年忌辰举行的比赛推向了高潮。

Acetabularia　伞藻属　绿藻的一个属。有时俗称"人鱼酒杯"。单细胞,伞形。见于亚热带诸海。细长的伞柱长0.5～10厘米,其顶端有一圈分枝,融合而形成伞盖状。伞柱基部有一个大核,当藻成熟及繁殖结构形成

墨西哥乔利亚湾内的伞藻
美国不列颠百科全书公司供图

时，核多次分裂；子核随流动的细胞质进入孢子囊或伞的裂片中。由于伞藻种间容易嫁接，因而被用来研究生长和发育的遗传控制。

acetaldehyde　乙醛（CH_3CHO）　又作 ethanal。用于合成乙酸、正丁醇、醋酸乙酯和其他化合物的原料。由乙醇氧化及乙炔水合制得。纯乙醛为无色、可燃液体，具有刺激性水果香味，沸点 20.8 °C。

acetaminophen　对乙酰氨基酚　又称扑热息痛。代替阿司匹林用于缓解轻度疼痛（如紧张性头痛及关节、肌肉疼痛）和消退发热的药物。过去经常使用的乙酰苯胺和非那西汀在体内经代谢后即转化为对乙酰氨基酚而发挥镇痛作用。对乙酰氨基酚扩大身体痛阈从而缓解疼痛，它还作用于脑中体温调节中枢而消退发热；不过它的特殊作用方式至今不清。对乙酰氨基酚比起阿司匹林不易引起胃肠道副作用，但用药过量却可引起致死性肝损伤。对乙酰氨基酚不像阿司匹林那样有抗炎作用。长期使用时，阿司匹林和水杨酸钠更为安全。

acetanilide　乙酰苯胺　退热用有机合成药物，于 1886 年问世。其后不久发现本药有镇痛作用，遂用为阿司匹林的替换药。多年来用于治疗头痛、痛经及风湿病等。过量或长期使用可产生毒性作用，如干扰血红蛋白的功能。在体内乙酰苯胺多转变为醋氨酚。醋氨酚对血液系统毒性较小，在临床上已取代乙酰苯胺；但用药过量亦可损害肝脏。

acetate（textile）　**醋酸人造丝**　参阅 **cellulose acetate** 醋酸纤维。

acetic acid　醋酸（CH_3COOH）　又称乙酸。最重要的羧酸。由天然碳水化合物发酵和氧化而制得的乙酸稀溶液称为醋（**vinegar**）。醋酸的盐、酯或酰称为醋酸盐。工业上由醋酸制取金属醋酸盐，用于印刷的某些工序；醋酸乙稀酯用于生产塑料；醋酸纤维素为照相底片和纺织品的一种主要成分；醋酸乙酯和醋酸丁酯等挥发性有机酯广泛用作树脂、油漆和漆片的溶剂。在生物学上，醋酸是一种重要的新陈代谢中间体，存在于动植物的体液中。除生产醋之外，大量的醋酸是用合成方法制备的。一种普通方法是把乙炔水合成乙醛，再氧化成醋酸。工业上还可由乙醇氧化制取醋酸。纯醋酸通常称为冰醋酸，它是一种无色腐蚀性液体（沸点 117.9 °C、熔点 16.6°C），能与水完全混合。

acetoacetic ester　乙酰醋酸乙酯　参阅 **ethyl acetoacetate** 乙酰乙酸乙酯。

acetone　丙酮（CH_3COCH_3）　又称2-丙酮或二甲基酮。重要的工业和化学用有机溶剂，最简单、最重要的脂肪族（脂肪衍生的）酮。纯丙酮是无色、稍有芳香味、可燃的易流液体，沸点 56.2 °C。丙酮既能溶解纤维素醚、醋酸纤维素、硝化纤维及其他纤维素酯，又能溶解许多脂肪和树脂。广泛用于人造纤维（如某些人造丝）和炸药的生产，可用作制药的化学中间物以及乙烯基和丙烯酸树脂、油漆、聚酯漆、油墨、化妆品（如指甲油脱涂剂）、清漆的溶剂，还可用于制备纸张涂层、黏合剂和热封涂层，是合成许多化合物的原料。在美国（工业丙酮的最大生产国），主要是采用异丙苯过氧化物法和异丙醇脱氢法制丙酮。

acetophenetidin　乙酰对氨苯乙醚　又作 phenacetin。为苯胺衍生物，一种较缓和的镇痛药。有解热及镇痛作用。单独应用或与阿司匹林及咖啡因（或可待因）配伍应用（APC 合剂）。本药大量和长时间应用可能损伤肾脏，故有时用阿司匹林代替。阿司匹林可致消化道刺激症状。

acetophenone　乙酰苯（$C_6H_5COCH_3$）　有机化合物，用作香料的配料，是生产药物、树脂、调味剂和一种催泪气的化学中间体，还一直用作安眠药。可由苯和乙酰氯合成，工业上由空气氧化乙苯制取。

acetylcholine（ACh）　**乙酰胆碱**　胆碱和乙酸的酯，是许多神经突触和脊椎动物肌肉运动神经终板（参阅 **end-plate potential**）的递质。当神经冲动到达神经末端时，贮存在囊中的 ACh 便被释放，并与突触后膜或肌纤维终板膜的受体分子相结合，改变了该处膜的渗透性，发生器电位的性质也随之改变。如果连续的神经冲动达到足够高的频率，则它们的效应可累积。ACh 能被乙酰胆碱酯酶破坏，因此其效应只是短暂的。而乙酰胆碱酯酶的抑制物可延长 ACh 本身的寿命。ACh 通过下列作用可影响许多人体系统：心血管系统，如充当血管舒张剂、降低心率和降低心脏收缩；胃肠系统，如增强胃的蠕动和提高消化收缩的幅度；尿道，如降低膀胱容量与增加随意通便压力。ACh 还影响呼吸系统，并通过能接收副交感神经冲动的所有腺状组织促进分泌作用。ACh 的首次分离约在 1914 年。约 1920 年德国生理学家 O. 勒韦首次证实了 ACh 的功能并在 1936 年获诺贝尔奖。他证明当迷走神经受到刺激时释放的一种能减慢心率的物质即 ACh，后来他与其他人又证明在脊椎动物横纹肌的运动神经终板处 ACh 也作为递质被释放。此后证明 ACh 是许多神经突触及许多无脊椎动物的器官系统中的递质。ACh 在记忆与学习方面也有重要作用，早老性痴呆病人的脑极度缺乏 ACh。

acetylene　乙炔　又作 ethyne。炔烃（含一对或多对以三键连结的碳原子的碳氢化合物）中的最简单、最熟知的无色可燃气体，广泛用作乙炔-氧焰焊接和金属切割的燃料，也是合成许多有机化学品和塑料的原料。化学分子式为C_2H_2。纯乙炔是无色气体，具有令人愉快的气味，由碳化钙制得的乙炔，通常含有微量的膦，故具有令人不快的大蒜味。乙炔可分解成其组成元素而放出热量。分解可以发生或者不发生爆炸，因条件而异。纯乙炔在压力超过约 15 磅/英寸^{2}时，成为液态或固态可发生特别猛烈的爆炸。空气和乙炔混合物，从乙炔中含空气 2.5% 至空气中含乙炔 12.5% 很宽的范围内都可爆炸。乙炔与适量空气燃烧时，发出很亮的白光，因此曾一度用于无电地区照明，如浮标灯、矿灯和交通信号灯。乙炔燃烧时，产生大量的热，在一种专门设计的焊枪中，乙炔氧焰可达到所有已知可燃混合气体的最高火焰温度（约 3 300 °C）。乙炔中的氢原子可被金属元素取代，生成乙炔化物，如银、铜或钠的乙炔化物。银、铜、汞和金的乙炔化物受热、摩擦或撞击即发生爆炸。除它的活泼氢原子外，乙炔的碳-碳三键也易与卤素、氢卤酸、氰化氢、醇、胺和酰胺进行加成反应。乙炔还可进行自身或与醛酮的加成反应。上述许多反应用于多种工业品和消费品的工业生产，如乙醛、合成氯丁橡胶、水基涂料、乙烯基纤维织物、地板覆盖物、干洗溶剂和喷雾杀虫剂等。乙炔的制法有 3 种：水与碳化钙反应，烃经电弧的作用，以及甲烷与空气或氧的不完全燃烧。

acetylsalicylic acid　乙酰水杨酸　参阅 **aspirin** 阿司匹林。

Acevedo Díaz, Eduardo　阿塞维多·迪亚斯（1851-04-20，乌拉圭乌尼翁镇～1924-06-18，布宜诺斯艾利斯）　乌拉圭作家和政治家。积极参加白党的政治活动，大部分著作在流亡阿根廷时写成。作品包括描写乌拉圭独立战争的历史小说三部曲：《伊斯马埃尔》（1888）、《土著女人》（1890）和《光荣的呼声》（1893）。他的杰作《孤独》（1894），对于乌拉圭和阿根廷的加乌乔小说家有深远影响。

Achab　参阅 **Ahab** 亚哈。

Achaea　亚该亚　古希腊地区，今希腊阿哈伊亚州。在伯罗奔尼撒半岛北岸，科林斯湾以南。古代该地区西与埃利斯（今埃利亚州）

亚该亚（古亚该亚遗址）一村庄
美国不列颠百科全书公司供图

接壤,南与埃里曼索斯山和阿卡迪亚相邻,东以西锡安(今西基翁)为界。海岸地区大致相当于今阿哈伊亚州,多山,但今东面边界在基利尼山之西。今阿哈伊亚州首府为帕特雷。从雅典到帕特雷的公路和铁路沿着伯罗奔尼撒北部海岸线修建。早在公元前4世纪,亚该亚的12个城市组成了亚该亚同盟(军事联合);在希腊统治期间,该同盟亦接受非亚该亚地区的城市为其成员,因而成为希腊的主要政治力量。公元前198年该同盟与罗马结盟,但于公元前146年被罗马人解散,并入罗马的马其顿行省。公元前27年成为罗马元老院直接管理的亚该亚行省的中心,包括色萨利以南的全部希腊地区。中世纪多次被入侵和瓜分后,1460年又被土耳其人征服。希腊革命的义旗于1821年在该行省卡拉夫里塔附近圣拉夫拉的一座修道院中举起。1828年亚该亚从土耳其的统治下获得解放。亚该亚的名称在古代亦指色萨利南部帕加萨湾(即帕加西蒂科斯湾)以西的一个地区,当时称为亚该亚-弗西奥蒂斯。在马其顿人统治时期,此名称亦适用于整个伯罗奔尼撒。人口:州322 789(2001)。

Achaean 亚该亚人 希腊语作Achaios。希腊古代民族的统称。在荷马史诗中,这一民族与达奈人和阿尔戈斯人曾经一道围攻特洛伊。据荷马所述,亚该亚人居住的地区包括希腊本土和西部诸岛、克里特岛、罗得岛,以及毗邻的岛屿,但不包括考古学表明公元前14～前13世纪正是迈锡尼人在那里活动的基克拉泽斯群岛。有些权威认为亚该亚人就是迈锡尼人。但其他的证据似乎表明,亚该亚人在公元前12世纪的所谓多里安人入侵以后才进入希腊。看来至少下述情况是可能的:荷马史诗中所说的亚该亚人的首领虽然并非世族,但因军功和王朝联姻而渗入迈锡尼王族从而知名,他们在迈锡尼世界中只是在它最后的好战和半野蛮阶段才掌了几代的权,直到为多里安人所取代。希罗多德认为:有史时期伯罗奔尼撒北部的亚该亚人就是以前那些亚该亚人的后裔。在公元前14和前13世纪的赫梯文献中出现的阿希亚瓦的名字有时被认为是亚该亚人,但这一点还有争议。

Achaean League 亚该亚同盟 又译阿哈伊亚同盟。古代希腊公元前3世纪时亚该亚的城邦联盟。伯罗奔尼撒北部12个亚该亚城邦在公元前4世纪就组织过一个同盟,以抵御科林斯湾方面来的海盗袭击,但在亚历山大大帝死后土崩瓦解。公元前280年,留下的10个城邦重申前盟。在西锡安的阿拉托斯治下,由于西锡安及其后还有其他非亚该亚城邦按平等条件入盟,同盟日益强大。同盟的活动原旨在驱除马其顿人和恢复希腊在伯罗奔尼撒的统治。约公元前228年,由于斯巴达王克莱奥梅尼三世也企图霸占伯罗奔尼撒而一再发动袭击,亚该亚有面临彻底崩溃的危险。阿拉托斯为了对抗斯巴达的威胁,便同马其顿结盟;于是安提柯三世便率兵征服斯巴达,使它沦为马其顿的盟邦,重建了马其顿对希腊的统治(公元前224～前221)。在第二次马其顿战争中,亚该亚参加罗马一方(公元前198),结果几乎整个伯罗奔尼撒并入亚该亚同盟,但是同盟的成功最后导致它同斯巴达(公元前192年加入同盟)和扩张主义的罗马发生摩擦。公元前146年,同盟和罗马之间发生了战争。罗马很快便取得胜利并在公元前146年解散了亚该亚同盟。然而不久又成立了一个规模较小的同盟,并延续到罗马帝国时期。亚该亚同盟的领导原为两位将军,公元前255年为一位将军所取代。将军是每年选出的同盟军队的首领,而一位特殊的将军是不能立刻重新当选的。将军领导同盟的行政会议,会议的10名成员轮流主持城邦的各种代表会议和公民大会。这些会议可以投票决定将军交给它们的事务。在公民大会上投票的最低年龄是30岁。按亚该亚同盟的宪章,其城邦成员在同盟的中央政府的范围内拥有几乎完全的自治;只有涉及外交政策、战争和联邦税收的问题才交给将军和行政会议做决定。

Achaemenes 阿契美尼斯(活动时期公元前7世纪初) 波斯阿契美尼德王朝的始祖。居鲁士大帝二世和大流士大帝一世的先人。尽管他可能只是米底王国的一个封臣,但许多学者相信他曾率兵反对亚述王辛那赫里布(公元前681)。

Achaemenes 阿契美尼斯(?～约公元前460,埃及帕普雷米斯) 波斯阿契美尼德王朝国王大流士一世之子。公元前484年以后任埃及总督。公元前480年率领阿契美尼德王朝舰队的埃及分舰队在萨拉米斯与希腊人作战失利。他在埃及第二次反对阿契美尼德王朝的叛乱中,被叛首伊纳罗斯打败并被杀死前的经历鲜为人知。

Achaemenian DYNASTY 阿契美尼德王朝(公元前559～前330) 伊朗古代建立和统治阿契美尼德帝国的王朝。始祖阿契美尼斯生活在公元前7世纪初期,但他的事迹鲜为人知。这一王朝最伟大的君主是居鲁士二世(公元前559～约前529在位)、大流士一世(公元前521～前486在位)和薛西斯一世(公元前486～前466在位)。在大流士一世和薛西斯一世时代,帝国版图大为扩展:西迄马其顿和利比亚,东至希法西斯河(贝阿斯河),北达高加索山脉和咸海,南到波斯湾和阿拉伯沙漠。王朝的铭文通常使用3种语言:古波斯语、埃兰语和阿卡德语。然而用阿拉伯字书写的阿拉米语在整个帝国的官府公文和外交文书中一律通用。在帝国全盛时期,营造规模极大,故都帕萨尔加德(**Pasargadae**)和波斯波利斯(**Persepolis**)的遗址最为突出。金工、特别是黄金制品极为发达,多种精致的艺术品留存至今。

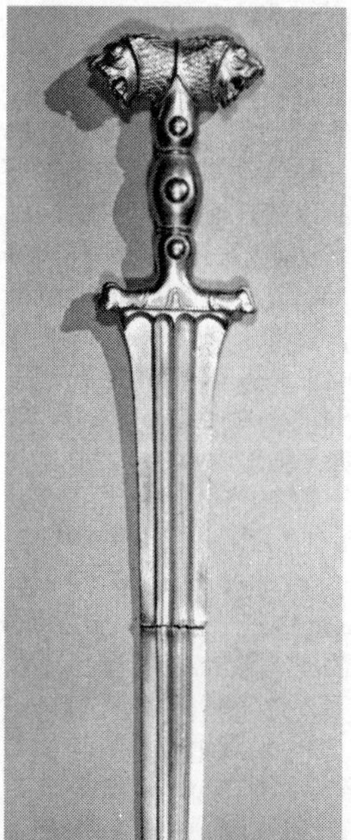

公元前5世纪的阿契美尼德王朝黄金匕首
美国不列颠百科全书公司供图

Achaemenid DYNASTY 阿开民王朝 埃及的波斯第27王朝(公元前525～前404),由波斯的冈比西斯二世建立,以他的阿开民家族命名。据希罗多德的记述,冈比西斯是一个野蛮的暴君。看来他曾大幅度削减教士的收入。大流士(公元前521～486在位)比较温厚,他表示尊重埃及的宗教。他恢复教士特权,整修从尼罗河到红海的运河。他统治的末期埃及发生了暴动,薛西斯(公元前486～前466在位)对此进行残酷的镇压。他的继任者阿尔塔薛西斯(公元前466～前424在位)即位后,局势动荡,埃及再度叛乱,很快被阿开民王朝镇压。薛西斯二世和大流士二世统治时期,埃及平安无事。公元前404年,在赛斯的阿米尔泰乌斯的领导下,埃及重新获得独立。阿尔塔薛西斯三世曾于公元前343～前341年再次征服埃及。阿开民王朝对埃及的统治直至公元前332年其总督向亚历山大大帝投降。

Achagua 阿查瓜人 委内瑞拉和哥伦比亚东部的南美印第安人。操一种属迈普雷斯阿拉瓦克语群的语言。传统上从事典型的热带森林经济活动,住在大村庄里,种植木薯及其他作物。十分好战,是南美洲使用毒箭的少数土著之一。社会组织以用蛇、蝙蝠、美洲虎和狐狸等动物命名的世系来区别。每个这样的单位居住在村庄中一所公房中。行一夫多妻制,每个男人可娶3～4个妻子。酋长还有情妇。妻子们在法律上是平等的,各自耕作自己的土地。男人房屋不准女人进入,一些宗教仪式也不准女人参加。阿查瓜人相信天帝,相信田野神、财富神、地震神、狂神和火神。他们还崇拜湖泊。

Achaios(member of an ancient people) 参阅**Achaean 亚该亚人**。

Achang 阿昌族 中国少数民族。主要分布在云南省西南的陇川、梁河等县。人口33 936(2000)。语言属汉藏语系藏缅语族缅语支。无文字,习用汉文和傣文。阿昌族先民原驻滇西北地区,汉文史书中称"峨昌"、"莪昌"等;13世纪定居于今云南陇川、梁河

阿昌族妇女
中国大百科全书出版社供图

地区。曾受封建土司统治。主要从事农业，种植水稻。擅长铁器制造，以阿昌刀著称于世。住房多为砖瓦、木石结构的四合院建筑。正屋住人，两边厢房上层为仓房，下层为畜圈。人若非正常死亡必须火葬。多信仰小乘佛教。节日主要有窝罗节、会街节、火把节等。1988 年在梁河、陇乡成立了 3 个民族乡。

Achang language **阿昌语** 中国阿昌族语言。属汉藏语系藏缅语族缅语支。分布在中国云南省德宏傣族景颇族自治州的陇川、梁河、潞西及保山专区的龙陵等县。使用人口约 2 万。分陇川、梁河、潞西三种方言。阿昌语(陇川)语音特点：有 30 个单辅音声母；其中包括双唇、舌尖中、舌根三个部位的清、清送气塞音 6 个；舌尖前、卷舌、舌面前三个部位的清、清送气塞擦音 6 个；唇齿、舌尖前、卷舌、舌面前、舌根部位的擦音 8 个；双唇、舌尖中、舌面前、舌根鼻音各分清浊共 8 个，边音分清浊，有 7 个复辅音，分别由塞音、鼻音、擦音与卷舌半元音结合而成。有 80 个韵母：其中包括 8 个单元音韵母、10 个复元音韵母和 62 个带-p、-t、-k、-ʔ、-m、-n、-ŋ 辅音韵尾的韵母；有 4 个声调：分别是高平、低降、高升和全降。以虚词和词序表示句子成分的关系。动词有态(自动态、使动态)；形容词重叠表示程度加深；加前缀 a 的形容词除能作名词定语外，还能单独作主语或宾语。句子主语在前，谓语在后；宾语在主语后，动词之前；双宾语句子间接宾语在直接宾语之前；名词、代词、动词作定语时在中心词前；数量词作定语时在中心词后；形容词作定语时如带助词在中心词前，不带助词则在后；状语一般在中心词之前。

Achaz (king of Judah) 参阅 **Ahaz 亚哈斯**。

Achdar, Gebel el- (Libya) 参阅 **Akhḍar Mountains 绿山**。

Acheampong, Ignatius Kutu **阿昌庞**(1931-09-23，黄金海岸库马西～1979-06-16，加纳阿克拉) 加纳陆军军官。1972 年领导军事政变，推翻 K.布西亚的政府，任加纳国家元首。1978 年 7 月被迫辞职。次年 6 月，一批青年军官发动政变，阿昌庞及其继任者 F.W.K.阿库福中将被处决。青年军官组成的武装力量革命委员会于 1979 年 9 月恢复加纳的文官政府。

Achebe, Chinua **阿契贝**(1930-11-16，尼日利亚奥吉迪～) 尼日利亚著名的伊博族小说家。因描写西方的风俗和价值观念强加于传统的非洲社会而产生的社会上和心理上的迷惘而享有盛誉。曾在伊巴丹大学接受英语教育，在短期从教之后进入尼日利亚广播公司，1961 ～ 1966 年任对外广播主任。1969 年赴美讲学，归国后任尼日利亚大学研究员，1970 年起任两家出版公司的负责人。其第一部小说《瓦解》(1958)描写传教士到来和殖民政府统治时期伊博人的传统生活。其他著作有《动荡》(1960)、《神箭》(1964)和《人民公仆》(1966)等。还出版过几部短篇小说集，一部儿童读物《花豹是怎样得到它的脚爪的》(1973，与约翰·伊罗阿加纳奇合著)，两部诗集《当心啊，我的心灵的兄弟》(1971)和《比夫拉的圣诞节》(1973)以及论文集《创世日的黎明》(1975)和《希望与阻碍》(1988)。他的小说已被译成多种文字。

Achelous River **阿谢洛奥斯河** 又称阿斯普罗波塔莫斯河。希腊最长的河流之一。源出伊庇鲁斯区中部的品都斯山脉，是埃托利亚和阿卡纳尼亚的界河。长 140 英里，多流经峡谷，最后注入伊奥尼亚海。阿格里尼翁以上建有两座水力发电大坝，一在卡斯特拉基，另一在克雷马斯塔，后者是欧洲最高土坝(490 英尺)。河口水深不足 2 英尺；小岛众多，皆被河流沉积的淤泥所包围。希腊有其他几条河流也名为阿斯普罗波塔莫斯河(白河)。阿谢洛奥斯河的名称似出自对希腊神话中典型河神的崇拜。

Achenbach, Andreas **阿亨巴赫**(1815-09-29，黑森卡塞尔～1910-04-01，德国杜塞尔多夫) 风景画家，德国写实画派的先驱，曾在杜塞尔多夫美术学院从 J.W.席尔默学画，成为杜塞尔多夫画派第一个描绘大自然本色的画家。他描绘北海风暴、荷兰运河风景及莱茵兰村庄的作品与同时代带有伤感色彩的风景画形成鲜明对照。他的弟弟 O.阿亨巴赫也是一位画家。

Achenbach, Oswald **阿亨巴赫**(1827-02-02，普鲁士杜塞尔多夫～1905-02-01，德国杜塞尔多夫) 杜塞尔多夫画派风景画家，所描绘的那不勒斯湾、罗马和威尼斯等风景色彩鲜明，摆脱了古典表现手法。其兄 A.阿亨巴赫是画坛名家，对其作品很有影响。

achene **瘦果** 一种不裂干果。含一枚种子。种子以短柄附着于薄而干的子房壁(果壳)上，易于脱落，如荞麦。毛茛科及蔷薇科的许多植物的果实都是瘦果。

Acheng **阿城** 1909年前称阿什河城。中国黑龙江省县级市。位于省境南部，北濒松花江，东南依张广才岭，阿什河流贯全境，距哈尔滨仅 20 多千米。女真首领于 1115 年建立金国，在此建都称会宁府，天德五年(1153)迁都中都(今北京)。清雍正七年(1729)在此建阿勒楚喀城。宣统元年(1909)置县，县名“阿城”，属吉林省。1934 年属伪满滨江省。1946 年属松江省。1954 年属黑龙江省。1983 年改隶哈尔滨市，1987 年撤县设市。1988 年改为省直辖行政单位，由哈尔滨市代管。辖 5 乡、11 镇、5 个街道办事处。面积 2 814 平方千米。地势东高西低，土地肥沃，为粮食、亚麻、甜菜主要产区。特产有紫皮大蒜，黑豆果。清光绪三十四年(1908)在此建起中国第一家甜菜机制糖厂(阿什河精制糖股份有限公司)。工业有大型企业阿城继电器股份有限公司、黑龙江龙绦集团有限公司、黑龙江纺织印染厂等。绥芬河—哈尔滨铁路及绥芬河—

阿城清真寺望月楼
中国大百科全书出版社供图

满洲里、哈尔滨—富锦公路通过境内。有金上京会宁府遗址、亚沟金代摩崖石刻、金太祖完颜阿骨打陵址。游览地有玉泉狩猎场、松峰山自然保护区。人口 652 343(2005)。

Achernar **水委一** 又名波江座α，南天星座波江座中最亮的恒星和天空中 10 颗最亮的恒星之一，目视星等为 0.47 等。水委一离地球约 60 或 70 光年。Achernar 可能源于阿拉伯文，意为“河流终端”，其中的河流即指波江座。

Acheron **阿谢隆** 希腊伊庇鲁斯区塞斯普罗蒂亚州的河流。它穿过阴暗的峡谷，并有数处流入地下，因此，古代人认为它是通往冥府的一条河。此外，“阿谢隆”一词有时指阴间。希腊还有几条河也被称为“阿谢隆”，传说意为“灾难之河”。

Acheson, Archibald **艾奇逊** 参阅 **Gosford, Archibald Acheson, 2nd earl of 戈斯福德**。

Acheson, Dean (Gooderham) **艾奇逊**(1893-04-11，美国康涅狄格米德尔敦～1971-10-12，马里兰桑迪斯普林) 美国国务卿(1949 ～ 1953)、4 位总统的顾问，第二次世界大战后的冷战时期美国外交政策的主要制订者，协助建立以反对苏联和其他共产党国家为目标的西方联盟。艾奇逊毕业于耶鲁大学和哈佛大学法学院，曾任最高法院法官 L.布兰代斯的私人秘书。1921 年进入华盛顿市的一家律师事务所。他的第一个政府职务是 1933年在罗斯福政府任财政部副部长。1941

美国国家档案馆供图

年任助理国务卿，1945～1947年任副国务卿。艾奇逊在1945年的首要任务之一是使美国参议院批准美国加入联合国。1945年以后，他成为坚定的反共分子，这一立场对他此后所采取的外交政策发生重要影响。他相信苏联会在中东谋求扩张，即制订了后来所谓的杜鲁门主义(1947)，保证给予希腊和土耳其政府紧急的军事和经济援助。同年，他拟定了后来所谓的马歇尔计划的主要方针。1949年1月，杜鲁门总统任命他为国务卿。艾奇逊促进北大西洋公约组织的形成，这是美国参加的第一个和平时期的防御联盟。尽管艾奇逊在他所构思的全球对抗共产主义计划上有着强烈的态度，但由于在共产党接管欧洲许多国家期间，他曾与那些政府的高级官员有过来往，便成为美国各政党对外政策批评家的众矢之的。在参议员J.R.麦卡锡就颠覆活动问题举行的国会听证会(1949～1950)上，艾奇逊拒绝解雇他在国务院的任何下属，此举使得他的敌人特别恼火。中国参加朝鲜战争(1950～1953)后，要求艾奇逊辞职的呼声日高。在杜鲁门总统撤换麦克阿瑟将军的驻朝鲜军队总司令职务之后，公众论战的浪潮更趋激烈。艾奇逊随后制定了不承认中国和援助台湾蒋介石国民党政权的政策。他还支持美国政府援助印度支那的法国殖民政权的政策。艾奇逊离职后当律师，但仍继续担任其后历届总统的外交政策顾问。他所写的在国务院时代的回忆录《参与创造世界》获1970年普利策奖。其他著作有：《力量与外交》(1958)、《早晨和中午》(1965)、《朝鲜战争》(1971)和《从荆棘中长出的葡萄》(死后出版，1972)。

Acheson, Edward Goodrich 艾奇孙(1856-03-09，美国宾夕法尼亚华盛顿～1931-07-06，纽约市) 美国发明家，曾发现金刚砂，完善了制造石墨的方法。于1880年参加爱迪生的研究工作，协助爱迪生研制出白炽灯。1881年，他代表爱迪生在意大利、比利时和法国安装了第一批电灯。艾奇孙返回美国之后离开爱迪生，1884年开始自己用电炉生产人造金刚石的实验。用碳弧加热铁钵中的黏土和焦炭混合物，发现一些有光泽的六角形晶体(碳化硅)附着在碳极上。由于起初他误认为这晶体是碳和黏土中的氧化铝的化合物，他仿照由熔融氧化铝组成的矿物的名字——刚玉(corundum)为之取一商品名"金刚砂"(Carborundum)。1893年获得专利。后来，在研究高温对金刚砂的影响时发现，硅约在4 150℃升华，剩下石墨碳。于1896年他取得这种方法的专利。他总共获得专利69项，创办了几个公司，把他的发明投入工业生产，其中包括设在纽约州尼亚加拉瀑布城的金刚砂公司。

Acheulian industry 阿舍利文化期工艺
在直立人和早期智人工具的制作中，最早出现的一种规范化传统。延续时间很长(大约100万年以上)。阿舍利文化期(典型遗址位于法国北部索姆省圣·阿舍尔)的石器，大都是以具有锋利断裂口的石头为原料的，例如玉髓、碧玉和燧石。在缺乏上述石材的地区，则以石英岩为原料。阿舍利文化期最典型的石器被称为手斧以及方刃手斧。在漫长的时期内，制作手斧的技术有很大改进。早期的阿舍利工具类型称为阿布维利类型(特别是在欧洲)；阿舍利的最后一个阶段有时称为米寇克期。年代上同时存在、地区上部分交迭，但是石片工具方面各具特点且没有手斧的工艺，包括英国的克拉克顿工艺和西欧中欧的泰亚克工艺。阿舍利文化期工艺的遗存，在非洲、欧洲以及亚洲东至加尔各答地区都曾有所发现(远东地区的典型石器工艺传统称作砍砸器工艺)。最早期的手斧是一些加工粗糙的尖头两面器，制作时以一石核敲击一固定石"砧"，石片自石核两面脱落，石核周边形成一波纹状刃部。坦桑尼亚奥杜威峡谷的第Ⅱ层里和直立人一同出土的，即为此类石器。发展到第2个阶段，制作时用石锤代替石"砧"，石核整个表面石片剥落，形成一椭圆形工具，刃部也较平直。有时刃部再作修整，打下石片，使之更为平直。其后石锤又被骨"锤"或者木"锤"所取代，可以从石核上剥下更小、更平的石片，石器也更加光滑，刃口锋利而平直。还可有意识地修成波纹状刃口，做成"锯"。阿舍利文化期晚期的手斧是带尖的，粗端往往加工粗糙。方刃手斧是一种大型石器，其一端呈方形，制成斧状刃部。阿舍利文化期工艺除手斧和方刃手斧外，还有砍砸器和石片工具。后者是从修整好的石核上打下来的，不需加工即可作石刀用，也可以打制成长刮器、雕刻器等工具。在第四次冰期(武木冰期)之初，阿舍利文化期工艺在欧洲逐渐被勒瓦娄哇石片技术和莫斯特工艺所取代(或者说渐次变化成后者)；在非洲，则被法乌司密斯及山果文化期工艺所取代。

Achill Island 阿基尔岛 爱尔兰西海岸一座多山岛屿，有桥跨阿基尔海峡与本土相联，属梅奥郡。面积145平方千米，最高处为克罗霍恩山(665米)和莫尔山(671米)的石英岩山峰。岛上布满荒野沼地，海岸景色美丽壮观。居民部分以农业和渔业为生，以旅游业为副业，每年夏季举办海鲜节。岛南部的吉尔达弗尼特有一12世纪教堂遗址及一15世纪城堡。人口2 853(1991)。

Achilles 阿喀琉斯 希腊神话中密尔弥冬人的凡人国王珀琉斯和海中仙女忒提斯的儿子；在特洛伊战争中，他是阿伽门农的军队中最勇敢、最英俊、最伟大的战士。据荷马史诗，他在佛提亚由母亲抚养长大，和他在一起的还有他的表兄弟和难以分离的伙伴帕特洛克罗斯。一个非荷马的故事说在他年幼时，忒提斯曾把他浸在斯提克斯冥河的水中，使他周身刀枪不入，只有他的脚踵没有沾到冥河水。"阿喀琉斯的脚踵"(意为致命的弱点)这一成语即源出于此。据后来的神话作家述说，珀琉斯从神谕中得知他的儿子将战死在特洛伊，就把阿喀琉斯送到锡洛斯岛吕科墨得斯的宫廷。阿喀琉斯在那里被装扮成少女，同国王的女儿们(其中一人得伊达弥亚和他生子涅俄普托勒摩斯)生活在一起。但预言者卡尔卡斯提醒说，没有阿喀琉斯，就攻不下特洛伊，于是希腊人就四处搜寻，终于找到他。在战争的头9年，他劫掠了特洛伊附近地区并攻克12个城市。但在第10年，他同阿伽门农发生了争吵，因为他坚持要阿伽门农把他的战利品克律塞伊斯归还给她的父亲(阿波罗的一位祭司)以便平息神怒，因为神降瘟疫，已使军中死者累累。被激怒的阿伽门农于是夺取了阿喀琉斯心爱的奴隶布里塞伊斯，以为补偿。阿喀琉斯愤然离去，但此后希腊人形势十分不妙，他终于把自己的战车和甲胄借给帕特洛克罗斯，要帕特洛克罗斯扮成他自己的样子出阵。特洛伊国王普里阿摩斯的长子赫克托耳杀死了帕特洛克罗斯。这时最后与阿伽门农和解的阿喀琉斯于是从赫菲斯托斯神那里取得新甲胄并杀死了赫克托耳。在将赫克托耳的尸体缚在战车上拖回后，阿喀琉斯在普里阿摩斯的恳求下将它还给了他。《伊利亚特》是以赫克托耳的葬礼结束，并未提及阿喀琉斯的死。不过《奥德赛》中提到了他的葬礼。诗人阿克提努斯在他的《埃塞俄比亚人》里把《伊利亚特》中的故事继续下去，说阿喀琉斯把埃塞俄比亚王门农和亚马孙人彭塞西列亚杀死之后，他自己也被特洛伊王子帕里斯杀死。帕里斯射出的箭是由阿波罗引导的。

阿喀琉斯在特洛伊战争中杀死彭塞西列亚，绘于一只约公元前460年制阿提卡杯的内部

美国不列颠百科全书公司供图

Achilles Painter 阿基里斯画匠(活动时期公元前5世纪) 雅典陶瓶画匠。其双耳陶瓶上的绘画《阿基里斯和布里塞伊斯》留存至今，因不知其真实姓名，被人称作"阿基里斯画匠"。此瓶为黑地红绘，为公元前450年左右产品，是古典时期残存的最好瓶画之一，现藏梵蒂冈博物馆。所作的白地彩绘人物伴葬瓶也受到人们的赞扬。一般认为，白地彩绘

《阿基里斯和布里塞伊斯》彩绘瓶
美国不列颠百科全书公司供图

瓶是研究古典时期希腊不朽绘画的最可靠的原始资料。这些不朽之作没有保存下来，仅在古代作家的作品中有所记述。与《阿基里斯和布里塞伊斯》的风格相似的有200多个陶瓶上的彩画，其中有白地彩绘花瓶《女仆呈给女主人首饰盒》（波士顿美术馆）、《青年告别妻子》（雅典）和《武士》（大不列颠博物馆）。其素描精练，人物形象柔丽、深沉。

Achilles paradox 阿基利斯悖论 亚里士多德在《物理学》中叙述的4个悖论之一，据说是公元前5世纪希腊哲学家芝诺论证的。该悖论谈的是飞毛腿阿基利斯和缓慢行动的龟之间的一次赛跑。二者同时起跑，但若龟从稍前处出发，则它继续领先，阿基利斯用任何速度跑，也永远追不上龟。芝诺的论证在于假设阿基利斯应先达到龟的出发点，而这时龟又前进到另一点，尽管距离不大；在阿基利斯为抵达那个地方而用掉的时间里，龟再次前进到另一个更远的地方。可依此类推。阿基利斯悖论阐割了连续性问题的核心。亚里士多德对此的解释纠缠于把阿基利斯运动的片断仅视为潜能，而非现实。预期到现代的测量学，亚里士多德论证道：一段有限距离的无限分割不排除越过这段距离的可能性，既然分割并非真实的存在，除非进行了分割又出现了停顿。参阅 **paradoxes of Zeno**。

Achilles Tatius 阿基琉斯·塔提奥斯（活动时期2世纪，亚历山大） 修辞学教师，所写希腊散文传奇故事《琉基佩和克勒托丰》影响了以后几百年小说的发展。有关阿基琉斯的生平，我们没有任何确切的材料。传奇故事是由克勒托丰本人口述的（阿基琉斯说他在西顿遇见了克勒托丰）一个战胜了无数艰难险阻——船只遇难、拷问、诱拐以及海盗的袭击——的典型爱情冒险故事。作品的风格是典型雅典（阿提卡）式的，用语极为纯净，不相连属的短句，平行的子句，细致的描写以及屡屡出现的雄辩和探索，并往往以对偶的形式（例如女色与男色）表现出来。阿基琉斯特别善于使用剧情的突变效果（琉基佩显然死了3次，但永远又重新出现），不过他对性格描写的才能差，而且情节和背景的联系被不相干的事情所打断。传奇故事受到拜占廷评论家的称赞，在文艺复兴时期被广泛地译成他种文字。

Achilles tendon 阿喀琉斯腱 又称跟腱。脚跟背部连接小腿肌与跟骨的强大肌腱。由腓肠肌和比目鱼肌（皆属小腿肌）共同形成，附着于跟骨。小腿肌收缩时拉扯跟腱而将跟骨上提，产生走路、跑步和跳跃时的基本足部动作。跟腱是身体最厚、最有力的肌腱，如果切断跟腱，腿将不能进行跑跳等动作。阿喀琉斯是希腊神话中的英雄，由于其母将他浸入斯提克斯冥河，使他刀枪不入，当时手持其脚跟，所以跟腱便成了他唯一的弱点。阿喀琉斯腱因此得名。

Achillini, Alessandro 阿基利尼（1463-10-29，教皇国博洛尼亚［意大利］～1512-08-02，博洛尼亚） 哲学家、医生、奥康姆学说的拥护者。曾在博洛尼亚大学学习，从1484～1512年在该校讲授哲学和医学（其间只有两年在帕多瓦）。尽管有时被认为是一位严格的阿威罗伊主义者，即信奉阿威罗伊（1126～1198）的阿拉伯哲学者（阿威罗伊断言理性高于信仰）。但阿基利尼也反映了受其他人的影响。其全集于1508年出版。

Achin（Indonesia） 参阅 **Aceh** 亚齐。

Achinese 亚齐人 又拼Atjehnese。印度尼西亚苏门答腊岛上的主要种族集团之一，20世纪末估计人数约达210万，操南岛（马来-波利尼西亚）语系语言。公元500年前亚齐人受印度王子统治，13世纪成为群岛上的第一个穆斯林民族。17世纪亚齐苏丹国把葡萄牙人赶走以后，一直统治北苏门答腊，至1904年才被荷兰征服。但亚齐人始终未完全屈服。现在亚齐人虽是印度尼西亚共和国种族构成的一部分，他们仍然不愿就范，只在一个特别区内得到管理。西方影响明显地在亚齐人的公共建筑及小康之家的房舍上反映出来。其他居处则多是民族风格的三室一宅，木结构，建于立柱之上，离地面很高。亚齐人的世系既沿父系又沿母系，实行从妻居。妇女地位甚高，也不佩戴面纱。

Achinese War 亚齐战争（1873～1904） 苏门答腊北部的穆斯林国家亚齐与荷兰之间的武装冲突。以荷兰人占领整个亚齐地区而结束。1871年荷兰与英国签订条约：英国承认荷兰在苏门答腊北部的势力，荷兰承认英国在荷属东印度群岛有平等贸易的权利。荷兰人认为亚齐已属他们的势力范围，于1873年派遣2支远征军进攻亚齐，占领了苏丹的王宫，不久亚齐苏丹逝世。荷兰人停止军事行动，与承认荷兰人统治权的新苏丹签订了条约。但是苏丹没有能力控制老百姓，荷兰军队遂陷入一场旷日持久的游击战争。后来荷兰军队采用"堡垒策略"，征服了亚齐国，并于1904年占领了整个亚齐地区。

Achinsk 阿钦斯克 又拼Ačinsk。俄罗斯中南部克拉斯诺亚尔斯克边疆区城市。在鄂毕河支流丘雷姆河畔。1621年设居民点。1782年设市。铁路通达之前为重要内河转运点。1969年氧化铝厂投产及70年代末克里托沃炼油厂（位于阿钦斯克以西24千米）建成，加强了城市的经济地位。附近的坎斯克-阿钦斯克煤田已开发。该市设有服装、家具及砖厂。人口约122 000（1991）。

Achitophel（Old Testament） 参阅 **Ahithophel** 亚希多弗。

Acholi 阿乔利人 又拼Acoli，又称冈人或舒立人。乌干达北部和苏丹最南面的文化语言集团，20世纪末人口约为82万。阿乔利人操尼罗-撒哈拉语系中沙里-尼罗语支东苏丹语亚支的西尼罗语，在文化与历史方面同其宿敌邻族兰戈人有联系。阿乔利人是操卢奥语的许多不同民族的后裔，这些人于距今三四个世纪以前从南部苏丹毗邻地带迁到现今乌干达阿乔利地区。小块酋长领地由一个或几个村庄组成，每个村庄包括几个父系氏族。酋长选自同一家系。阿乔利人聚为小村落，由父系族人结成。他们饲养牛羊，主要食物是粟，也种玉米、高粱、豆类、南瓜、花生、烟草以及其他草原作物。各氏族都有自己的狩猎场所，在河流和沼泽捕鱼也是他们的重要经济活动。过去英国人认为阿乔利人是尚武民族，许多阿乔利人在军队中服役。在乌干达总统阿明统治期间（1971～1979），阿乔利人倍受迫害。男子们由于过去与殖民地军队的联系而被有计划地屠杀，有些则因支持过兰戈人奥博特总统（1962～1971，1980～1985）而被杀害。

achondrite 无球粒陨石 不含球粒（宇宙源的球状体）的石陨石。约占已知陨石的4％，外观上与玄武岩、橄榄岩和辉石岩等含硅量低的地球火成岩相似。地球的岩浆曾形成基性火成岩和超基性火成岩，无球粒陨石也许是从和岩浆相似的熔融物质中结晶而成；也可能是从总体上具有球粒陨石组成的母体的熔融和分馏结晶中衍生而得。按照矿物成分，无球粒陨石可分成下列各群：钛辉无球粒陨石、顽辉无球粒陨石、纯橄无球粒陨石、古铜无球粒陨石、钙长辉长无球粒陨石、紫苏钙长无球粒陨石、辉橄无球粒陨石、辉玻无球粒陨石和橄辉无球粒陨石。参阅 **chondrite**。

achondroplasia 软骨发育不全 又称胎儿软骨营养障碍（chondrodystrophia fetalis）。一种以缺乏软骨细胞为特征的遗传病。由于缺乏软骨细胞，软骨内成骨的过程发生障碍。本病是侏儒症的最常见的病因。患者四肢极短，手指只能达到髋部，而躯干的大小几乎正常。由于颅底部的骨缝过早闭合，颅顶骨生长过度，因此头颅增大，常见前额隆突，鼻呈鞍状，下颌大而突出；下腰椎前凸明显而臀部明显向后突出，胸廓狭小；女性患者的骨盆可变狭小，日后会发生分娩困难。本病为常染色体显性遗传。大约80％的病例源于基因突变,而不是来自父母的缺陷基因性状。患者智力正常,在其他方面亦完全健康。远在古代人们即已认识本病,在埃及曾把卜塔神描绘成患软骨发育不全的侏儒;直到近代,还以本病患者充当宫廷弄臣和占卜人;即在目前,马戏团仍雇用本病患者充当小丑。

acid 酸 在水溶液中有酸味,使某些指示剂变色(如使蓝色石蕊试纸变红),与某些金属(如铁)反应放出氢,与碱反应生成盐,而且能加速某些化学反应(酸催化)的一类物质的总称。酸包括硫酸、硝酸、盐酸和磷酸等无机酸,以及羧酸、磺酸和酚基化合物等有机酸。这类物质含有一个或多个氢原子,并能在溶液中以带正电荷的氢离子的形式释放出来(参阅 **Arrhenius theory**)。根据布伦斯惕-劳里理论(**Brønsted-Lowry theory**)和路易斯理论(**Lewis theory**)对酸的广义定义,酸还应包括化合物本身或溶于非水溶剂时具有典型酸性的物质。非水酸的例子有:三氧化硫、三氯化铝和三氟化硼。参阅 **base**。

acid and basic rocks 酸性岩和基性岩 根据氧化硅含量对火成岩的划分。对岩石中最丰富的成分的化学分析结果,通常以元素的氧化物表示。火成岩一般由大约 12 种主要氧化物构成,其总量超过岩石的 99%。在这些氧化物中,二氧化硅(SiO_2)往往最丰富。由于这种丰度,并由于大多数火成矿物都是硅酸盐,所以二氧化硅过去被用来作为早期各种分类的依据,这种情况今天仍然被广泛承认。在这种分类方案内,把岩石分为酸性岩、中性岩、基性岩和超基性岩(依二氧化硅含量递减的顺序),因为当初有人认为,二氧化硅以硅酸盐形式存在于岩石的岩浆里。在现代用法中,不应当把这些术语解释成是指示古老意义的酸度,它们也并不指示氢离子浓度(像在化学中一般使用的那样)。不过,这些术语已得到了充分确认,而且在描述岩石的二氧化硅含量方面是有用的。在一种得到广泛承认的二氧化硅含量分类方案中,二氧化硅含量高于 66% 的岩石称为酸性岩,含量在 52% ~ 66% 之间的为中性岩,含量在 45% ~ 52% 之间的为基性岩,含量低于 45% 的为超基性岩。许多岩石分析结果的汇编表明:流纹岩和花岗岩是酸性岩,其二氧化硅平均含量约为 72%;正长岩、闪长岩和二长岩是中性岩,其二氧化硅的平均含量为 59%;辉长岩和玄武岩是基性岩,其二氧化硅的平均含量为 48%;橄榄岩是一种超基性岩,平均含二氧化硅 41%。尽管在平均值之间有着整套的过渡值,但岩石却有围绕平均值集结的趋势。一般说来,从酸性到基性的过渡同颜色指数(暗色矿物含量百分数)的增高是一致的,因之提出了一种与之并行但不相等的从长英岩到镁铁岩(即从淡色到暗色)的分类系统。

许多火山岩的细粒状或玻璃状性质,使酸性-基性分类法这种化学分类法在区别不同类型方面非常有用。二氧化硅含量特别有用,因为已经把天然玻璃的密度和折射率同二氧化硅含量百分率联系起来了,这就使得有可能在没有化学数据时做出鉴定。为了做出此类鉴定,也可以在实验室内从结晶质岩石制备玻璃。二氧化硅含量对某种岩浆结晶而成的特有矿物的影响,是几种参数之间的一种复杂的相互制约,所以不能设想具有同样二氧化硅含量的岩石会具有同样的矿物组成。二氧化硅饱和情况是对矿物和岩石就二氧化硅而论为过饱和、饱和或不饱和的一种分类法。酸性岩通常是过饱和的,并含有游离的石英(SiO_2),中性岩很少含甚至不含石英或似长石类(不饱和矿物),而基性岩则可以含有大量似长石类。许多现代分类方案都采用依据与二氧化硅含量相关的矿物组成的这种粗略的归类方法。

acid-base catalysis 酸-碱催化 加入酸或碱能加快化学反应的速度而其本身在反应中并不消耗的过程。这种催化反应可以是酸效的(酸催化),如蔗糖在硫酸中分解成葡萄糖和果糖;也可以是碱效的(碱催化),如在氢氧化钠存在下氢氰酸与醛或酮的加成反应。很多反应既可被酸,又可被碱所催化。酸-碱催化反应机理按布伦斯惕-劳里酸碱概念解释为:开始时有一个质子由酸性催化剂向反应物或由反应物向碱性催化剂的转移过程。根据路易斯酸碱理论,这种反应必须伴有电子对的共享过程(或由碱催化剂提供或被酸催化剂接受)。酸催化已用于大量的工业反应中,其中包括石油烃转变成汽油和有关产品的反应。包括用氧化铝-氧化硅催化剂(布伦斯惕-劳里酸)裂解高分子量的烃类,用硫酸或氟化氢(布伦斯惕-劳里酸)使不饱和烃类聚合,用三氯化铝(路易斯酸)使脂肪烃异构化等。用于工业的碱催化反应有在胺的存在下二异氰酸酯与多元醇反应用于制造聚氨酯泡沫塑料等。

acid-base reaction 酸-碱反应 在中性物质(分子,如水 H_2O 或醋酸 CH_3CO_2H)或带电物质(离子,如铵离子 NH_4^+、氢氧根离子 OH^- 或碳酸根离子 CO_3^{2-})之间以交换一个或多个氢离子 H^+ 为特征的一类化学过程,也包括是酸性但没有贡献出氢离子的分子和离子(三氯化铝 $AlCl_3$ 和银离子 Ag^+)的相似过程。典型的酸-碱反应可用下式表示:

$$酸_1 + 碱_2 \rightleftharpoons 碱_1 + 酸_2 \text{ 或}$$

$$HA + B \rightleftharpoons A^- + BH^+$$

式中 A^- 和 B 分别为酸 HA 和 BH^+ 的共轭碱;同样地,HA 和 BH^+ 分别为碱 A^- 和 B 的共轭酸。在这类普遍方程式中,粒子上有无电荷并不表明该粒子上的净电荷,它只表示酸比其共轭碱多一个正电荷或少一个负电荷;相反地碱比其共轭酸少一个正电荷或多一个负电荷。酸和碱的重要反应有酸和碱在水或非水溶剂中的离解、两性溶剂的自身离解、中和作用和盐类的水解等。当一个酸分子(如醋酸)在水溶液中,以水作为碱或质子接受体,其反应式为:

$$CH_3CO_2H + H_2O \rightleftharpoons CH_3CO_2^- + H_3O^+$$

当一种碱(如氨)在水溶液中,以水作为酸或质子给予体,其反应式为:

$$H_2O + NH_3 \rightleftharpoons OH^- + NH_4^+$$

在非水溶剂中,酸和碱的离解与水中类似的反应相似。

acid dye 酸性染料 一类颜色鲜艳的合成有机化合物,分子中含有羧基等酸性基团和偶氮或硝基等发色基团。酸性染料通常以钠盐形式应用,主要用于羊毛、蚕丝染色;也小量地和媒染剂或固色剂配合,用于棉和人造丝染色。这类染料可在很宽颜色范围内产生明亮而通常耐久的色调。

acid halide 酰基卤 中性化合物,与水反应生成酸和卤化氢。通常由卤原子取代酸(或其盐)中的羟基制得。最重要的有机酰基卤是从羧酸和从磺酸制得的氯化物。羧酸氯化物称为酰基氯,其反应能力通常高于磺酸氯化物(称为磺酰氯)。酰基卤是高活性物质,主要用在有机合成中,以引入酰基;与水、氨和醇反应依次生成羧酸、酰胺和酯。大多数酰基卤是不溶于水的液体,具有强烈的气味并刺激黏膜。磺酰氯(RSO_2Cl)与氨反应生成磺酰胺(包括磺胺药物)。常见的无机酸卤化物包括相对应于硫酸[H_2SO_4 或 $SO_2(OH)_2$]的 1 个或 2 个羟基被氯所取代的氯代硫酸($ClSO_3H$,过去称为氯磺酸)和硫酰氯(SO_2Cl_2),亚硫酸的氯化物亚硫酰氯($SOCl_2$),亚磷酸的氯化物三氯化磷(PCl_3),以及磷酸的氯化物三氯氧化磷($POCl_3$,又称为磷酰氯)。

acid rain 酸雨 含有高浓度硫酸和硝酸的降水。这个名词,通常也用于含有酸性的雪、冻雨和雹。这种降水在北美和欧洲的许多地区已成为日益严重的环境问题,尤其在大都市、工业区及其周围,还可能扩散到很远的距离。酸雨形成的过程,一般是从二氧化硫和氮的氧化物进入大气开始。这些气体是燃烧煤和石油等化石燃料的汽车、某些工业生产(例如冶炼)和发电厂释放的。它们和云里的水汽结合形成硫酸和硝酸。如果当时有降水从云中落下来,降水中便含有很强的酸性,pH 值约为 5.6 或更小。在美国东部和西欧的若干地点,曾纪录到 pH 值在 2 ~ 3 之间。在某些地区,例如美国洛杉矶、旧金山和纽约的怀特费斯山,在雾中所含酸常常是当地降水中的 10 倍或 10 倍以上。强酸性的降水和雾污染湖泊与河流,在有些地区(如土壤瘠薄和花岗岩地区)很难提供什么物质来中和酸性,这时酸雨对鱼和其他水生生物特别有害。最近发现,由于酸性降水,铝从这些地区的土壤滤出。这种溶解的铝对水生生物有剧毒。一切酸性降水对各种植物(包括农作物和树),也是有害的。主要是酸雨妨碍叶片固定氮,滤取养分。此外,这些污染物能腐蚀建筑物和其他人工设施的外表。

acidosis 酸中毒 体液(包括血液)中的酸度过高或碱度过低。酸中毒可源自呼吸障碍或代谢障碍。前者可因为肺中氧气和二氧化碳的交换受阻而致体内二氧化碳过分储留,也可因为胸廓畸形、气道狭窄,或肺气肿及严重肺炎等情况而引起;后者可由于病肾不能及时排出体内产生的酸。还可伴发于糖尿病、严重腹泻或饥饿,这些情况或者是体内有酸储留或者是有碱丢失。此外,还可由药物或麻醉引起。参阅 **alkalosis**。

Aciéries Réunies de Burbach-Eich-Dudelange 参阅 **ARBED SA** 阿尔贝德钢铁公司。

Ačinsk(Russia) 参阅 **Achinsk** 阿钦斯克。

Acireale 阿奇雷亚莱 意大利西西里岛东部卡塔尼亚省城镇和主教区。位于埃特纳火山脚下伊奥尼亚海的沿岸阶地上。现在城镇多为1693年地震后建设的。著名建筑有大教堂(1597～1618)、巴罗克式圣塞巴斯蒂昂诺教堂、天文台和市政厅，市政厅内有图书馆、博物馆和画廊。还有水果试验站、圣韦内拉硫磺泉和罗马时代以来的著名矿泉疗养地。气候宜人、海滩风光绮丽。输出矿泉水、葡萄酒和柑橘类水果等。生产纺织品和皮革制品。人口：城市区约47 294(1990)。

Acis 阿喀斯 在奥维德笔下的希腊神话中，阿喀斯是法乌努斯(即牧人之神潘)与半人半神的少女西玛埃底斯所生之子。他是西西里岛上一俊美牧人，海仙伽拉忒亚的情人。他的情敌、独眼巨人波吕斐摩斯乘他和伽拉忒亚在一起的时候，出其不意地抓住了他们，用大石将阿喀斯砸碎。阿喀斯的血从大石底下流出来，伽拉忒亚使之变成了一条河，名之为阿喀斯河或阿喀尼乌斯河。河在埃特纳火山脚下流过，即现今的雅西河。这一故事仅见于奥维德的《变形记》，无其他现存文本记载。

ackee (tree) 参阅 **akee** 阿开基木。

Ackermann, Konrad Ernst 阿克曼(1710或1712?-02-01，梅克伦堡什未林[德国]～1771-11-13，汉堡) 德国演员兼经理，德国戏剧发展史上一位重要人物。原为科学工作者和外科医生，受法国剧作家莫里哀和斯堪的纳维亚作家L.霍尔贝格剧作的吸引，1740年在吕讷堡加入舍内曼剧团。J.F.舍内曼是德国改编上演法国剧作家高乃依、拉辛、莫里哀、伏尔泰剧作的专家，而阿克曼初作演员时受到的也是正规的训练。1749年同舍内曼剧团主要女演员S.C.施罗德结婚。他们曾一起到俄国及波罗的海沿岸国家和东普鲁士巡回演出多年。阿克曼逐渐对本国戏剧发生兴趣，并创造将喜剧角色与伤感角色混合的演技。1765年他在汉堡建立起一个简朴的剧场，去世前不久将该剧场转给其妻前夫之子经营，新经理给德国舞台带来了莎士比亚戏剧。

Ackermann, Louise-Victorine 阿克曼(1813-11-30，法国巴黎～1890-08-02，尼斯) 母家姓Choquet。法国女诗人。作品以深度的悲观意识著称。阿克曼由她父亲授予百科全书派学者的哲学，1838年去柏林学习德文，1843年在柏林与阿尔萨斯语文学家P.阿克曼结婚。两年后丧夫，前往尼斯与其姊妹同住。在尼斯完成的著作有：《故事诗》(1855)和《故事与诗》(1862)，而其真正声誉来自《诗、先导诗、哲学诗》(1874)，这是一本忧郁有力的诗集，表达了她对人类苦难的抗争。

Aclla Cuna(Inca religion) **太阳童女** 参阅 **Chosen Women** 选女。

Acmeist 阿克梅派 又拼Akmeist。20世纪初为反对象征主义晦涩、做作的文体而成立的俄国诗人小团体。由诗人S.戈罗杰茨基和N.S.古米廖夫创建。他们重申诗人应是艺匠。他们使用鲜明生动和感情充沛的语言。阿克梅派以圣彼得堡为中心，与评论杂志《阿波罗》(1909～1917)有联系。他们于1912年成立了一个“诗人行会”，其最杰出的成员是A.阿赫马托娃和O.曼杰利什坦姆。由于阿克梅派专注于形式并且超然离群，他们受到苏维埃政权的怀疑。古米廖夫以所谓参加反苏阴谋活动而于1921年被处决。阿赫马托娃在她创作力最旺盛的年代被迫保持沉默，曼杰利什坦姆被长期监禁，后来死于集中营。

acne 痤疮 皮脂腺的炎症性疾病，有近50种类型。痤疮一词通常仅指寻常痤疮。这可能是最常见的慢性皮肤病，由遗传因素、细菌感染和内分泌因素相互影响而造成。易感者于青春期后即发病，病因为青春期后血液中雄激素水平增高，皮脂腺过分活跃。其原发损害为粉刺，由脂栓和充塞毛囊的细胞碎屑组成。开放性(黑头)粉刺顶端的皮脂氧化变黑。闭锁性粉刺位置较深，脂栓不易挤出，可发展为脓疱或深在性炎性损害。痤疮的严重程度可分为四等。Ⅰ度：粉刺散在或多发，但炎症轻或无。Ⅱ度：粉刺间杂以表浅的脓疱和丘疹。皮疹多限于面部，若无过度搔抓和

阿科马的圣埃斯特班雷大教堂
美国不列颠百科全书公司供图

挤压，一般不遗留明显瘢痕。局部用药可有一定疗效。皮损可于1～2年内自然消退。Ⅲ度和Ⅳ度：表现为粉刺、脓疱和深在炎性结节。一般认为，炎性结节为皮脂腺导管破裂，皮脂和细菌侵入皮肤组织所致。皮疹可由面部延及颈部和上胸部。愈后留有永久性瘢痕。寻常痤疮的病程长短不一，通常与疾病的严重程度有密切关系，气候变化和情绪波动对痤疮病情亦有明显影响。治疗方法包括局部药物治疗、日光浴及紫外线照射、使用抗生素等。不少病例可于数月内自愈。

Acoemeti 不眠修士 又作Acoemetae(中世纪拉丁文)，近期希腊语作Akoimetoi。5～6世纪拜占廷帝国境内一批隐修院的修士，他们同声诵念日课经，反反复复，从不间断，以此闻名。他们的第一所隐修院设在君士坦丁堡，约于公元400年由圣亚历山大·阿基麦特斯创办。阿基麦特斯经过长期钻研《圣经》，确信上帝应当不停受到赞美，并决心实践这种信念。他为修士们安排好班次，让他们不停地念经，按班交替。这些修士实行绝对贫苦，大力传教。不断诵经的办法为东方隐修制度中前所未有，其他隐修院的修士蜂拥而来，于是亚历山大遭到仇恨。他被逐出君士坦丁堡，在比西尼亚另办隐修院。亚历山大卒于430年前后，他的继承人约翰院长将隐修院迁到博斯普鲁斯海峡之滨的伊勒奈翁，即今奇波克利，当地人称这些修士为“不眠修士”。他们狂热地抨击基督一性论，因而被认为走向基督教异端，6世纪教皇约翰二世对他们判以绝罚。

Acoli(people) **阿科利人** 参阅 **Acholi** 阿乔利人。

acolyte 襄礼员 天主教会职称，指负责协助助祭和司铎主持圣体礼及其他礼仪的人员。根据教皇保罗六世谕令(自1973年1月1日实行)，襄礼员成为正品神职，在俗人员亦可充任。东派教会无此职。在安立甘宗和信义宗，襄礼员一般由平信徒担任，其任务是在作礼拜时点燃蜡烛。

Acoma 阿科马 美国新墨西哥州中西部瓦伦西亚县印第安村庄，位于阿尔伯克基西南偏西89千米处。坯石住房呈阶梯状建在109米高陡峭的砂岩孤山顶部，有“空中城市”之称。居民从事农业(在平原上)和制陶业。被认为是10世纪后美国最古老的连续性居民点和世界上最易守难攻的地方。村内圣埃斯特班雷大教堂建于1629～1641年。有岩凿台阶和一条车道可达。村名为印第安语“白色岩石”及“人民”之意。当地印第安人认为东北约5千米处的另一座孤山(130米)为其自然神的住地。

Acominatus, Nicetas 阿科米纳图斯 参阅 **Choniates, Nicetas** 科尼亚提斯。

Aconcagua, Mount 阿空加瓜山 在阿根廷境内，海拔6 959米，公认为西半球最高峰。位于安第斯山脉北部，峰顶在阿根廷西北部门多萨省境，但其西翼延伸至智利圣地亚哥以北海岸低地。M.楚尔布里根于1897年首

次登上顶峰。

Aconcagua River 阿空加瓜河 智利中部河流。源出安第斯山脉阿空加瓜山西北麓丘陵带，向西流经瓦尔帕莱索地区，在比尼亚德尔马北面注入太平洋，全长 190 千米。通往阿根廷门多萨的铁路在智利境内大多沿该河河谷而行。

Aconcio, Giacomo 阿孔齐奥（1492-09-07，特伦托［今意大利特伦托］～ 1566?，英格兰） 意大利基督教人士，在宗教改革运动期间主张各派宽容不同信仰。曾为持有开明观点的枢机主教马德鲁佐的秘书。具有保守倾向的教皇保罗四世即位后，阿孔齐奥抨击天主教教义，离开意大利，于伊丽莎白一世女王登位（1558）后不久避居英格兰，参加新教荷兰归正会。因前此曾发表论文，论述科学的调查研究方法，又因具有批判精神，故难以为当时任何派别所容，后被归正会判以停圣事处分。其原因一则是他鼓吹再洗礼派和阿里乌派的主张，再则是他为已被绝罚的激进派牧师赫姆斯泰德辩护。

aconite 乌头类 毛茛科乌头属（*Aconitum*）和菟葵属（*Eranthis*）多年生草本植物的统称。乌头属是夏季开花的有毒植物（参阅**monks-**

一种菟葵属（*Eranthis*）植物
美国不列颠百科全书公司供图

hood）；菟葵属为春季开花的观赏植物（参阅**winter aconite**）。

Acontius 阿孔蒂乌斯 希腊传说中凯奥斯岛一位俊美少年。他在提洛举行的阿耳忒弥斯节时见到了一富贵人家的姑娘库狄珀并爱上了她。他在一个苹果上写了一句“我发誓要与阿孔蒂乌斯结婚”，然后将苹果投到她的脚边。她拾起苹果，无意中将这句话念了一遍，从而使自己为誓言所约束。此后，她虽不止一次与他人订婚，但每次都在婚礼举行前病倒。最后，德尔斐神谕说明了此中缘故，她遂与阿孔蒂乌斯结婚。

Açores, Arquipélago dos （Atlantic Ocean） 参阅 **Azores** 亚速尔。

acorn and nut weevil 槲果和坚果象甲 鞘翅目象甲科象甲亚科（Curculioninae）约 45 种昆虫的俗称。这些昆虫吻部延长成象鼻状，雌虫的吻可为体长的两倍。在坚果中穿洞产卵。在欧洲和北美洲均常见。不同种喜爱不同的坚果：栗实象甲（*Curculio proboscides*）

坚果象甲（*Balaninus nucum*）
美国不列颠百科全书公司供图

喜大型栗子，而直象甲（*C. rectus*）和棒象甲（*C. baculi*）取食橡果。

acorn worm 柱头虫 又作 enteropneust。又称肠鳃虫。半索动物门肠鳃纲无脊椎动物。体柔软，蠕虫状，前端有吻和领，用于钻泥沙，形似橡子，故得其英文名。各种柱头虫

柱头虫（*Dolichoglossus Kowalewskii*）
美国不列颠百科全书公司供图

的长度各异，有的囊舌虫属（*Saccoglossus*）种类的体长仅 5 厘米，而巨柱头虫（*Balanoglossus gigas*）长度超过 180 厘米。柱头虫生活在从岸边到超过 3 200 米的深水中。多生活在“U”形的穴中，但有些深水种在海底上自由游泳。海水从口进入，滤取食物后从鳃裂流出。有的分泌黏液，黏着食物粒，借纤毛运动使之流入口内。雌雄异体。生殖腺成对，位于鳃的附近。有的种雌体虫产几个卵黄多的大卵，有的种产多个卵黄少的小卵。直接发育成熟，或经柱头幼虫阶段而间接发育成熟。

acosmism 无宇宙论 哲学名词。认为神是唯一和绝对的实在，一切有限的事物都不能独立地存在。无宇宙论与泛神论等同，相信一切事物都是神。黑格尔首先使用这个词来为斯宾诺莎辩护。当时斯宾诺莎被人谴责，说他的无神论否定了传统的看法，即否定了神的超然存在。黑格尔认为，斯宾诺莎不能称为无神论者，因为泛神论认为一切都是神，而无神论者则将神也排除在外，认为无神的世界才是唯一的实在。进一步说，因为斯宾诺莎心目中的宇宙也是上帝的一部分，这就不能说他是无神论者。他是无宇宙论者，而“非宇宙论”的论点似乎是否认宇宙，这对斯宾诺莎的思想来说是格格不入的。无宇宙论也曾被用来说明印度教吠檀多哲学、佛教哲学和叔本华的哲学。费希特也用无宇宙论这个词语来为自己辩护，反驳当时人们类似对斯宾诺莎那样的责难。

Acosta, Joaquín 阿科斯塔（1799或1800-12-29，新格拉纳达［今哥伦比亚］瓜杜阿斯～1852-02-21，哥伦比亚瓜杜阿斯） 哥伦比亚科学家、历史学家和政治家，曾设法保存本国早期史料。1819 年入伍，在 S. 玻利瓦尔统率的爱国军队中当军官。后来实际上成为哥伦比亚所创立的所有科学团体和民间组织的成员，并向国立图书馆和大学慷慨解囊。他曾任将军、外交使节、外交部长和国会议员，1842 年任驻华盛顿大使。1841 年，他起初曾表示有意重印在西班牙人发现新大陆并进行殖民活动期间开始的一些编年史，但是，当认识到那些编年史的记载不完全、事实不准确而文字又古老时，他放弃了自己的计划。为了满足他所认为的人民的需要，他编成《16 世纪新格拉纳达发现和进行殖民的历史纲要》一书，1848 年在巴黎出版。该书共 20 章，包括从哥伦布 1498 年最初登上大陆和进行勘查直至新格拉纳达的征服者 G.J. 希梅内斯·德克萨达于 1579 年逝世止的多事的年代。书中所述一部分是他对哥伦布档案的调查结果，一部分是根据他在西班牙的西印度档案馆中的研究，一部分是他根据他在作战期间辗转哥伦比亚各地的旅行见闻。他还著有多篇较短的历史和科学论著。

Acosta, José de 阿科斯塔（1539，西班牙坎波城～1600-02-15，萨拉曼卡） 西班牙天主教耶稣会神学家，在新大陆活动的传教士。阿科斯塔于 1570 年加入耶稣会，1571 年到秘鲁传教。1576 ～ 1581 年任耶稣会秘鲁分会会长，1582 年任利马第三省议会神学顾问。其后用当地的印第安语撰写《教理问答》，该书是秘鲁的第一部出版物。1587 年返回西班牙，著《印第安风物志》（1590），运用当代耶稣会思想和科学思想观察墨西哥和秘鲁的自然地理和博物现象，包括土著宗教和土著政体。该书提供了有关当时南美洲西部的第一手资料。阿科斯塔带头反对耶稣会会长克劳迪奥·阿夸维瓦；呼吁召开耶稣会第五次大会以纠正不当之事。建议被否决，阿科斯塔被投入狱中（1592 ～ 1593）。1594 年表示服罪后，随即任巴利阿多利德耶稣会隐修院院长。

1598年任萨拉曼卡耶稣会学院院长终生。

Acosta, Uriel 阿科斯塔(约1585,葡萄牙波尔图～1640-04,荷兰阿姆斯特丹) 原名加布里埃·达·科斯塔。犹太教自由思想理性派人士。因所持观点为犹太教其他人士所不容而自戕,有的学者认为他是哲学家斯宾诺莎的先驱。他的父亲是被迫信奉天主教的犹太人,他本人又重新信奉犹太教。他发现阿姆斯特丹犹太教徒的习俗不符合《圣经》,遂于1616年抨击该城教法权威,因此被开除出教。但在1623～1624年又发表一部书,再次攻击犹太教习俗与教义,还否认灵魂不死。为此阿姆斯特丹当局逮捕了他并处以罚款和焚毁他的著作。他不能忍受这种与世隔绝的状态,遂撤回以前所主张的一切。后又因阻止基督教徒改奉犹太教,再度被开除出教。1640年阿科斯塔再一次表示放弃固有信仰。其后不久写成简短的自传《人生一例》,遂即自杀。

acouchi 南美刺豚鼠 刺豚鼠科南美刺豚鼠属(*Myoprocta*)啮齿动物两个种的统称,形似刺豚鼠,两者有亲缘关系。南美刺豚鼠体重600～1300克,体长32～38厘米,尾长4.5～7厘米。尾的底毛白色。身披浅红或淡绿色粗毛,头侧有淡黄色斑点。喜蹲坐就食,会将剩余食物贮存,受惊时即跺脚。

acoustic impedance 声阻抗 介质中声的吸收,等于界面声压与通过该面的声通量(质点流速或体速度乘以面积)之比。与电路理论类比,声压相当于电压,体速度相当于电流。声阻抗以复数表示,实部相当于电阻,虚部相当于电抗。

acoustic interferometer 声干涉仪 测量气体或液体中的声波速度和声波吸收量的仪器。由振动的晶体产生连续波在流体介质内传播,当到达与晶体振动源严格平行的活动反射器时,波被反射回波源。当频率或波源与反射器之间的距离变化时,波源与反射器之间驻波图样的强度表示声波被介质吸收的量。由驻波图样上两波峰之间的距离,可测定波传播的速度。这种方法的精确度很高,曾在声呐应用中用来确定海水的特性。

acoustic meatus, external 外听道 参阅 **external auditory canal 外耳道**。

acoustic nerve 听神经 参阅 **vestibulocochlear nerve 前庭耳蜗神经**。

acoustic neuroma 听神经瘤 前庭耳蜗神经(亦称听神经)的良性肿瘤,多位于听神经进入内耳处。瘤虽为良性,但若未能早期发觉也可侵入颅腔。早期症状包括单侧听力障碍、耳鸣,有时还有眩晕。若肿瘤已进入颅腔,会出现头痛和麻痹。听神经瘤的治疗为手术切除。

acoustic trauma 声创伤 声波造成的体内生理性损伤。声波能引起压力的变化,其强度决定于振幅、产生声音的力量和声波的分布。暴露于强噪声中能引起听力损失及产生耳内某些部分的物理性损伤。在足够强度的声波中暴露足够的时间,能使对声音的分辨能力下降。听力丧失可由中耳、鼓膜及内耳的损伤所引起。过度的噪声能使内耳司听觉的毛细胞产生不可逆的损伤。另外,强烈的爆震波可使鼓膜破裂、中耳的听骨脱位或骨折。中耳损伤所造成的听力损失有的可以矫治;破裂的鼓膜可能愈合,听力亦大部分恢复;听骨可经手术修复或复位。声波刺激可引起耳部疼痛,表明已达到损伤的阈值。噪声还能产生非听效应,使用护耳器多可预防。身体的平衡调节部分是由内耳前庭系统控制的,故高强度的噪声可致定向障碍、晕动病及头晕。噪声通常并不影响工作完成的速度,但能使误差的次数增加。长期处于中等或高强度的噪声环境中可造成紧张、疲劳及烦躁。

acoustics 声学 研究声音的产生、控制、传送、接收及其效果的科学。声音遍及人类环境,其特点在于声音具有强度(或响度)、信息量、混响、清晰度等等性质。声学工程师试图为特定的环境和目的寻求这些性质的最佳值,并为达到这些值而设计物理手段。声学大体上分成几个分支,主要的是建筑声学和环境声学。其他重要的研究领域包括:音乐声学,研究乐器演奏与设计的原理,以及乐声感动听众的方式;工程声学,主要研究高保真录音和重放系统的发展;超声学,包括振动频率高于可闻范围(即约20 000赫)的发声现象,及其在工业与生物医学等方面的应用。建筑声学重点研究在封闭空间内声波的行为和不同的用途下最佳音质条件的关键因素。声学工程最熟知的应用是音乐厅和礼堂的设计,因为这类建筑的声音质量极为重要。音量的大小、声的分布、混响的时间、直达声和反射声的平衡等效果,取决于音乐厅的形式和尺寸、墙壁尤其是天花板的涂饰材料、座位的排列及其蒙面材料、特殊反射表面的安排、扩音装置的选用、帘幕和装饰织物等舞台装备的设置等设计因素。环境声学主要研究噪声控制的问题。喷气式飞机、工厂、重型建筑机械与汽车发出的声音,已成为大都市地区的问题。对这类噪声污染的控制办法很多,从利用吸震底座来生产无噪声机器到更精细地加工和装配运动机件以减小产生噪声的振动。办公大楼与住宅中,可采用改良的绝缘材料作墙壁,装设设计适当的室间隔板,以及采取其他措施,以抑制噪声。

Acquaviva, Claudio 参阅 **Aquaviva, Claudio 阿奎维瓦**。

acquired character 获得性状 生物学术语。指一个个体在生活中由环境因子造成的结构或功能上的改变。对于高等生物来说,目前没有证据说明这些后天获得的改变可以经遗传机制传递给后代(拉马克主义的观点),但在原生动物和细菌,某些诱发的改变是可以遗传的。

acquired immune deficiency syndrome 获得性免疫缺陷综合征 参阅 **AIDS 艾滋病**。

acquittal 宣告无罪 在刑法上,指法庭宣判一个或几个被告人无罪。这种判决可由陪审团在审判中宣布,也可由一位法官在裁定没有充分证据足以定罪或足以使审判继续进行的情况下宣布。宣告无罪就是免除一切法律罪责。宣告"事实上"无罪的情况发生在陪审团认定被告无罪时。宣告"法律上"无罪的情况发生在执法的过程中,例如,如果对一个案件的主犯宣告无罪,同谋犯也被认为在法律上宣告无罪。

Acrasieae 集胞黏菌纲 黏菌门的一纲。仅集胞菌目一目,约12种。营养阶段是变形体,变形体群集最后形成子实体。

Acre 阿克里 巴西共和国最西端一州。地处亚马孙河盆地森林地带西南端。北邻亚马孙州,西边和南边毗连秘鲁,东南与玻利维亚接界。面积152 589平方千米。首府里奥布朗库。阿克里覆盖着热带雨林,巴西最优质的橡胶产于此地。在巴西帝国统治下,在19世纪50和60年代有许多的探险队进入这一地区。1867年巴西帝国与玻利维亚订立条约,把阿克里让给对方。随后几十年中,橡胶业的兴起吸引大量来自巴西东北部的移民。1899年当地发生革命,建立独立的阿克里共和国。可是这个政权寿命短暂,经过一段时间动乱后,由巴西外交部长发起,与阿克里的代表谈判,1903年阿克里恢复为巴西的一部分。1962年设州。阿克里平均海拔183米,地势从西南高地向亚马孙平原逐渐降低。气候温暖潮湿。全年平均温度25 °C,年降水量2 000～2 500毫米。森林密布在亚马孙河上游无数细流之间,主要是橡胶树和巴西核桃树。林中动物有西貒、马鹿、水豚、刺鼠和獏等。土著印第安人已经为数不多,居民多数是从巴西东北部迁来的移民及其后裔。绝大多数的人住在河流和道路的两旁,便于开发森林资源;其余的人住在城市。通用语言为葡萄牙语。大多数人信奉天主教。主要传染病有阿米巴痢疾、疟疾和麻风病。橡胶占阿克里州出口额的大部分,巴西核桃是该州第二大宗产品。农业生产仅能自给,作物以薯类、玉米、豆类为主。交通运输主要依靠河流;首府里奥布朗库与亚马孙州首府马瑙斯之间有航道连接,与巴西利亚有公路相通,此外与上述两地还有班机来往。人口约557 526(2000)。

Acre (Israel) 参阅 **'Akko 阿卡**。

acre 英亩 英国法定度量衡制的和美国习用度量衡制的土地丈量单位,等于43 560平方英尺,或160平方杆。一英亩相当于0.4047公顷(4 047平方米)。英亩一词源于拉丁文 *ager*(田地),因为原始的土地丈量方法,是以需要多少只牛来耕种,或多少种子来播种作为衡量的标准。盎格鲁-撒克逊族的英亩,被定义为一块1浪×⅒浪或40杆×4杆(660英尺×66英尺)的狭长土地。英亩逐渐演变为相当于现今4 840平方码的任何形状的土地。苏格兰、爱尔兰和柴郡的英亩要大一些。

Acre River 阿克里河 在巴西西部。源出秘鲁边境,沿边界东流,构成巴西-玻利维亚界河,在巴西莱亚折向北流,再转向东北偏北方向,穿过巴西的阿克里州和亚马孙州,注入普鲁斯河。全长645千米。

acriflavine 吖啶黄 从煤焦油提取的染料。1912年为P.埃尔利希用作抗菌药。第一次世界大战时曾广泛用于杀灭睡眠病的病原体。盐酸吖啶黄及刺激性较小的碱(中性吖啶黄)均为无味的红棕色粉末。最初曾将其稀水溶液用作表面抗菌药或口服作尿路抗菌药。亦曾用以治疗淋病,但今已为抗生素所取代。

acrobatics 杂技 一种有悠久历史的专门艺术。包括跳跃、身体技巧和平衡动作,后来又常常使用长杆、独轮自行车、球、桶、绷绳、绷床及吊架等器械。1859年莱奥塔尔首创空中飞人技术,布隆丹走绳索横越尼亚加拉大瀑布,使空中技巧及杂技重新引起公众的兴趣。空中飞人固然是新发明,但走绳索却在古代希腊即已有之。到了19、20世纪之交,杂技已成为马戏中的重要内容。杂技在集市、马戏场、剧场都有演出。现代体操以及像中国京戏这样一些剧种中,都有杂技的成分。

acrocephalosyndactyly 尖头并指(趾)畸形 又称阿佩尔综合征。骨骼的先天性畸形,累及头颅、手、足等,为法国儿科医生E.阿佩尔首先描述。因颅缝闭合过早,头颅前后径缩短,呈尖头畸形,眼眶变浅,眼球明显突出。指(趾)间连以皮蹼,指(趾)骨互相融合(并指[趾]畸形),手、足发育落后;某些病例五指(趾)融合为一。参阅 **craniosynostosis**。

acrocyanosis 手足发绀 一种病理状态。因皮肤小动脉痉挛所致,双手呈不均匀的红蓝色,双足受累者较少见。指(趾)凉,多汗。见于内分泌病或焦虑状态,最常见于青春期及20多岁的青年人,病情可随年龄的增长而改善。

acrolith 石头石肢木身雕像 古代希腊的一种雕像,用木材制成躯体,用大理石制成头、手、脚。躯体上或贴以金箔,或披上纺织的和金属的服装。公元2世纪希腊地理学家保萨尼阿斯在其著作中提到过石头石肢木身雕像,并以雅典娜雕像为例。这种雕刻形式至少一直延续到公元前4世纪。

acromegaly 肢端肥大症 一种生长及代谢障碍的疾病。特征为骨端增大,病因为成年后垂体患肿瘤,生长激素分泌过多。常伴发垂体性*巨人症*(**gigantism**)。发病为渐进性,手、足厚大,颌骨增长,鼻大,眉嵴前突,皮肤粗厚,大部分内脏增大,又见头痛、多汗、血压增高等。肢端肥大症患者容易发生充血性心力衰竭(尤其是当血压升高时)、肌力减弱(生长激素可致肌肉生长过度,功能下降)、关节疼痛(关节边缘骨质过度增生所致)、骨质疏松症(即骨质变薄、孔隙增多)、糖尿病(占20%～40%,生长激素过量可抑制胰岛素的活性)、偏盲、全盲或眼肌麻痹等视觉障碍(垂体瘤压迫视神经)或突然失明(肿瘤出血),垂体腺瘤甚至可以侵犯垂体后叶或下丘脑。治疗可手术切除垂体瘤或用X射线放疗或液氮破坏瘤体。偶有因自然出血或供血受阻而使垂体肿瘤停止分泌生长激素的现象产生。女性激素(包括雌激素和安宫黄体酮)可以缓解肢端肥大和糖尿病的各种症状,原因是女性激素可以抑制垂体生长激素的分泌。对于那些垂体已经手术切除、放疗、液氮处理的患者,或那些出现自发性的性激素、甲状腺激素或肾上腺皮质激素分泌减少的病人,应予替代性激素治疗。

acropolis 卫城 古希腊城邦兼有防卫性质的中心地区。位于城邦最高处,内有主要的市政与宗教建筑。由于建城是一种宗教行动,所以为神建造当地的住所,是希腊城市设计的基本因素。卫城多建于高山之巅,有军事和宗教双重目的,在军事上,它必须是一座城堡;在宗教上,因有洞窟流泉,又有丛林幽谷,它给人以神仙洞府的感觉。雅典卫城最为著名,位于陡峭的山岗上,建于公元前5世纪后半叶,是为保护女神雅典娜而建的住所。雅典卫城保存下来的建筑物有*山门*(**Propylaeum**),即进入圣区的大门;*帕台农神殿*(**Parthenon**),既是雅典娜的主要神殿,又是提洛同盟的金库;*厄瑞克忒翁庙*(**Erechtheum**),是献给农业诸神、特别是厄瑞克苏尼阿斯的神殿;以及雅典娜的*奈基*(**Nike**)神殿,这是在雅典当局治理下多里安人和爱奥尼亚人和谐相处的象征。

雅典卫城

美国不列颠百科全书公司供图

Acropolites, George 阿克罗波利特斯 (1217,君士坦丁堡～1282,君士坦丁堡) 拜占廷学者兼政治家,著有《会盟系年》,记述1204～1261年拜占廷帝国政治大事。他在弥合希腊与拉丁教会之争中起过重要的外交作用。1244年任帝国宰相。后被狄奥多二世任命为西部诸行省总督。1257年兼战地统帅,与伊庇鲁斯君主安基卢斯作战,被俘。后获释,1261年返回从十字军手中夺回的君士坦丁堡。他作为迈克尔八世的代表,参加谋求西部教会和拜占廷教会重新统一的谈判。结果,在第2次里昂宗教会议(1274)上,他代表拜占廷皇帝承认罗马教会的统治地位。1282年奉命出使特拉布宗,晋见皇帝约翰二世,回国后不久去世。其所著有关拜占廷帝国的史作多为第一手资料。他也写过神学及修辞学著作,并有诗作若干篇。

acrostic 离合诗 又译藏头诗。一种短诗,每行开头的字母依次排列可组成词。语词原出希腊语 akros(顶端)和 stichos(诗句)。该诗体最初用于埃利色雷的女预言者的预言中,这种预言写在树叶上,每片叶子上的开头的字母总是能组成一个词 。这种诗流行于亚历山大时期的希腊人当中,拉丁作家恩尼乌斯和普劳图斯也常常写这种诗;普劳图斯的剧本里的许多论辩便是就有关题目写成这种诗体的。中世纪的僧侣以及中世纪高地法语和意大利文艺复兴时期的诗人也都喜欢写这种诗。离合诗一词也用于按字母顺序写成的诗,第一行以a的字母开头,以后各行则按字母顺序排列。这种诗体可以举《诗篇》(希伯来语)的某些章(第25和34章)为例,这里依次各句开头的字母便是按照希伯来字母的顺序。双离合诗是一种字谜之类的诗,这种诗不仅每句开头的字母可以组成词,有时连中间的或最后的字母也能组成词。

acroterion 山墙饰 又称山尖饰、山花。希腊神庙建筑中山墙端上安放雕像或饰物的底座及山墙柱廊上三角形檐饰,广义的也包括其上的雕像或饰物。起初,在山花顶上和两

山墙饰图示

端檐口上添设诸如忍冬植物之类的花瓣形装饰。后来这种装饰发展为雕刻群像，例如提洛岛上的阿波罗神庙（公元前420），其山花顶上的群像突出了由刻法洛斯神托举起的曙光之神。最初用陶土制作，后用石制，阿波罗神庙的山墙饰则是用晶莹美丽的半透明大理石雕刻的。这种装饰有时也用在家具设计上，例如用在书柜顶上的装饰雕刻中。

Acrux（star）　**十字架二**　参阅 **Alpha Crucis 南十字座α**。

acrylic compound　丙烯酸系化合物　一类合成塑料、树脂和油的总称，由其可生产多种制品。改变起始反应物及制备工艺，可制成硬质透明材料、软质弹性材料或黏性液体。丙烯酸系化合物用于生产模塑结构部件和光学部件、珠宝饰物、黏合剂、涂料和纺织纤维。奥纶和阿克利纶是丙烯酸系纤维的商品名，**卢西特（Lucite）**和普勒克西玻璃是玻璃状材料。参阅 **vinyl compound**。

acrylic painting　丙烯画　以合成的丙烯酸树脂为颜色介质的绘画。丙烯酸树脂干燥迅速，可作任何颜料的载色剂。既能表现水彩的透明光泽，又有油画颜料的厚度。丙烯画颜料与油画颜料相比，热和其他破坏性因素对其影响较小。

Act of Parliament clock　议会法案钟　挂在墙上的普通摆钟。有很大的木制钟面，上涂颜色或油漆。据说，因为1797年英国首相小威廉·皮特提出一项法案，规定在英国的时钟拥有者须支付5先令时钟税（该法案于次年被迫撤销），许多旅店老板为使顾客免纳此

18世纪的议会法案钟
美国不列颠百科全书公司供图

税而在旅店挂出这种钟，所以得名。但这种说法是错误的，因为这种时钟早在18世纪中期便已在旅店挂出，可能是为了方便旅客搭乘定时公共马车。这种钟称为酒馆钟或旅店钟更为确切。

Acta　通报　古代罗马公务记录及政治和社会事件的公报。有元老院通报和每日新闻通报两种：前者是元老院的议事记录，存放于帝国档案馆和公共图书馆，未经特别许可，不得查验它们；后者刊布政府公务和民众所关心的大事，在公元前27年后已成为一种每日公报，在某种意义上是现今报纸的雏型。

Actaeon　阿克特翁　希腊神话中阿里斯塔俄斯和奥托诺耶（比奥蒂亚的底比斯王卡德摩斯的女儿）的儿子；他是比奥蒂亚的英雄和猎人。据奥维德的《变形记》，他在基塞龙山上偶然看到女神阿耳忒弥斯（掌管野生动物、生长发育和分娩的女神）在沐浴，女神因而把他变成了一只鹿，这只鹿被他自己的50只猎狗追逐并撕成碎块。一说他因吹嘘自己狩猎的本领超过阿耳忒弥斯而触怒了女神。有几位古代悲剧诗人曾把该故事搬上舞台（如埃斯库罗斯已佚的《女射手》）。阿克特翁在普拉泰亚和奥尔霍梅努斯受到崇拜。

ACTH　参阅 **adrenocorticotropic hormone 促肾上腺皮质激素**。

actin　肌动蛋白　对肌肉和其他细胞的收缩性起重要作用的蛋白质。存在两种形态：G-肌动蛋白（球状肌动蛋白单体）和F-肌动蛋白（纤维状肌动蛋白多聚体），即肌肉收缩的形态。肌肉中珠状肌动蛋白分子的两股长线搓成一条细线，细线束与肌球蛋白（大量存在于肌肉中的蛋白质）组成的粗线束交替和互相交叉。其他两种肌肉蛋白质（原肌球蛋白和肌钙蛋白）控制着肌动蛋白与肌球蛋白的暂时融合，这种融合会使肌肉收缩。肌动蛋白和肌球蛋白是在许多其他（非肌肉）细胞中被发现的，一般认为它们对动物细胞的收缩性质有作用。

acting　演技　通常指表演艺术中，演员通过动作、姿势和语调的手段，为舞台剧、电影和电视创造出虚构人物的技巧。为演技下定义有一定难度，部分由于西方戏剧演出中无固定的方式。演员如何表演剧中的人物、动作的姿态，以及用何种方式读出台词，可有无数的选择。另一方面，传统的亚洲演员选择余地较小，而必须遵循数百年来由前辈演员的精妙创新积累而成的优美传统，来熟练掌握每个角色的最微小的细节；在严格的声音和形体程式范围之内，方可自由发挥。

戏剧表演的短暂性也使其难以在历史中得到继承和发扬。一次表演仅随着一出戏的久暂而存在，并且必须每夜重新创造。在电影和唱片出现之前，无法将一次表演记录并保留下来，因此古代伟大演员的表演，今人仅能从文字描写和绘画中略知一二。由于演员既是乐器又是演奏者，故对演技的讨论大多集中于力求弄明白演员所须具备的技巧与其情感之间的关系。其中最直接的例子是演员的情感问题：演员所表演出来的东西中有多少是真情，有多少是假装的？

演技的历史也就是一部对一个可更好地了解、造就演员的表演体系的探索史。亚里士多德曾怀疑演技是可以传授的。2 000多年以后，这种怀疑仍然是众多理论家喜爱争论不休的问题。狄德罗于18世纪所著《论演员的矛盾》一文中强调，演员必须自我控制，认为如果演员想感动观众，则必须控制自己的感情。但连夜上场表演的演员如何能做到这一点，狄德罗未能解决这个问题。

这个问题留给了俄国导演斯坦尼斯拉夫斯基去解决，19世纪晚期，他对演员如何再现真正有灵感的表演的瞬间有所提示。他以探索人类心理状态为基础，提出了"情绪记忆"的概念。演员通过把注意力集中于以往经历过的某种深刻的情感，就可在现时模拟与之相似的激情状态，加以利用，以适应某个特殊场面的需要。斯坦尼斯拉夫斯基还注意潜台词的重要性，注重台词内在的微妙含义。

斯坦尼斯拉夫斯基的某些观念在20世纪中期被L.斯特拉斯伯格用于纽约市演员排演场，并作为"斯坦尼斯拉夫斯基方法"加以推广。但它是建立在部分误解的基础上的，因为他强调的为技巧所需的那部分斯坦尼斯拉夫斯基著作当时尚无译文。尽管如此，这场运动却造就了众多优秀的电影演员。

继斯坦尼斯拉夫斯基之后，对演技形成重大影响者为德国戏剧家布莱希特。他把剧中人物视作阶级斗争的代表，要求演员超越自我，更客观地表现剧本的论题。第3个造成影响的是波兰导演J.格罗托夫斯基，他在20世纪60年代通过对演员嗓音和形体的强化训练使演技达到了一个新的水平。上述3位导演均强调更加训练有素的表演技巧，使演员能建立起格罗托夫斯基所谓的角色的"形体根基"，从而才能如亚洲演员一样，表演时可自由发挥而又不失应有的姿态。

今日演员的两个主要训练领域是嗓音和形体。嗓音训练在于增进演员嗓音的强度、表现力和可塑性，使其能塑造出各种不同的人物。与此类似，形体训练可使身体柔顺和有表现力。在形体上，演员必须能达到高度机敏的状态，因此必须形成紧张与松弛间的平衡。即兴表演仍然是心理训练的核心，是斯坦尼斯拉夫斯基所偏爱的一种方法。它有助于在表演中发展一种真实感，培养演员与其同场演出者在对话和反应方面配合默契。排演过程旨在促进导演与全体演员协作起来，完整地体现剧本和人物。在排演期间，演员逐渐塑造出各自的人物，不断试验和修改，直到完美和可重现的程度。即使在首夜公演之后，演员在他塑造的人物中还能有新的发现，并应继续提高演技。

随着20世纪西方戏剧对戏剧兴趣的更新，人们开始关心戏剧的风格问题，即不再关注于戏剧中某个特定时期的习俗，而是着力于一部特定剧本中的独特内容和真实。对于古典剧本，如莎士比亚、莫里哀、契诃夫剧本，为适应现代观众，其演出方式也须重新创造，显示演出风格在一定范围内变动的可能。演出风格（至少在西方戏剧是如此）必须随着随后年代变更的观念而变更。电影电视中的表演原则与舞台表演相同，但对真实性要求更严格，因影视的特写镜头容易暴露演员的疏忽。电影中的表演常由数个镜头剪辑而成，从而使得某些影视明星仅凭自然魅力和外貌即可获取成功。同样出于此类原因，银幕演员在舞台上演出时常缺乏演技，而熟练的舞台演员如走上银幕或荧光屏，常可演出成功。

actinide　锕系元素　周期表中从锕到铹（原子序数89～103的锕、钍、镤、铀、镎、钚、镅、锔、锫、锎、锿、镄、钔、锘、铹）15个依次排

列的一组化学元素的总称。所有锕系元素都是重金属，不稳定易发生放射性衰变。其中只有锕、钍、镤和铀4个元素在自然界存在，其余的11种元素从镎到铹常常归入超铀元素，它们是用高能粒子轰击其他有关元素人工产生的。铀（更确切的是它的同位素铀235）因其裂变性（即它的核倾向于分裂成几乎相等质量的碎片）是最重要的锕系元素。这种裂变能释放出巨大的能量。铀和钚都用于核动力工厂产生电力及在原子弹中产生爆炸力。锕系元素具有相似的电子结构，反映在它们的化学性质和行为上有强烈的相似性。通常显示出几种氧化态，最常见的氧化态为+3和+4。在这两种氧化态时，锕系元素与相同氧化态的镧系元素有明显的相似性。镧系元素包括原子序数为57～71的稀土元素。

actinium 锕（Ac） 周期表Ⅲb族放射性化学元素。1899年，A.-L.德比埃尔内在居里夫妇提取镭后所剩下的沥青铀残渣中发现锕。1902年，F.O.吉塞尔也独立地发现了锕。1吨沥青铀矿石约含0.15毫克锕。这种稀有的银白色金属，放射性极强，在黑暗中发蓝光。锕最常见的同位素是锕227。其他天然的或人工得到的同位素的半衰期太短，不能积累到肉眼可见的量。作为铀235衰变产物之一，半衰期为21.6年的锕227也几乎全部衰变为钍227，仅约1%衰变成钫223。这一整个衰变链加上它的分支称为锕衰变系。锕离子在溶液中无色。其氧化态为+3，化学性质和稀土镧系元素很相似。锕是另一个类似于稀土的系列即锕系的第一个元素。锕原子序数89。最稳定同位素锕227。化合价3。电子组态2，8，18，32，18，9，2或（Rn）$6d^17s^2$。

actinium series 锕系 4组放射系（**radioactive series**）中的一组不稳定重原子核。

actinolite 阳起石 钙、镁和铁的硅酸盐中透闪石-阳起石-铁透闪石系列的闪石类矿物。此系列的矿物在区域变质岩中（如片岩）非常丰富。透闪石可风化成滑石，透闪石和阳起石都可蚀变成绿泥石或碳酸盐。此系列中富镁矿物的纤维是经济上有重要意义的石棉，常称为闪石石棉。其纤维很细，呈丝绢光泽，抗张强度高；其纤维交织成毡状薄层的称纸状石棉，纤维交织成较厚毡状层的称山软木，类似干燥木头的块体称不灰木。

actinometer 光能测定仪 又称露光计、曝光计、光化计、感光计。含有能在光的作用下发生化学反应、且反应程度和所吸收光能之间的定量关系易于测定、在光化学研究中可用作测定光能的标准的一种物质或混合物的化学仪器。典型的光能测定仪的标准物质是含硫酸双氧铀的草酸溶液。波长范围约为2 080～4 350Å的光（紫外到紫光）可使草酸分解（通过首先由铀酰离子吸收光能而开始的复杂过程）生成二氧化碳、一氧化碳和水的混合物。通常以适当波长和已知强度的光照射标准溶液，然后用高锰酸钾滴定来精确测定被分解的草酸。利用由实验确定的草酸转变量与所吸收的光的能量之间的定量关系，在已知或已测出其中一个参量时，就可以求出另一个参量。除了草酸-硫酸双氧铀溶液之外，其他常用作化学感光计的物质有丙酮、溴化氢、二氧化碳和草酸高铁的硫酸溶液。

actinomycete 放线菌 一组革兰氏阳性、通常厌氧的细菌。特征为菌丝状，有分枝，多数种类形成扩展型的菌落（菌丝体）。各种之间差异很大。有些种类的菌丝体可断裂为杆菌状或球菌状的细胞。许多属会形成孢子。孢子囊见于气生菌丝上、菌落表面或游离于环境中。有的种能借鞭毛移动。许多种生活于土壤中，对动物和高等植物无害，另一些为重要的病原体，还有一些是抗生素的产生菌。许多权威将放线菌分为8类，但各类之间差异很大，要进一步进行合适的分类需要作更多的研究。豚鼠耳病诺卡氏菌（*Nocardia otitidiscariarum*）可致豚鼠的耳病。刚果嗜皮菌（*Dermatophilus congolensis*）可致嗜皮菌病，这是牛、绵羊、马类的严重皮炎，偶见于人类。链霉菌属（*Streptomyces*）可致人类及牛的放线菌病。许多放线菌为抗生素的来源。例如，披发糖多孢菌（*Saccharopolyspora hirsuta*）是抗生素sporaricin的来源；链霉菌属的一些种类可产生链霉素及其他抗生素。

actinomycosis 放线菌病 一种人和牛的非触染性真菌感染。由两种厌气性放线菌所引起，特征为多发性、疼痛性、多脓的硬性肿胀（最常见于面、颈、胸和腹部）。牛放线菌引起牛的放线菌病，伊氏放线菌引起人的放线菌病。放线菌在人体内主要生存于口腔和肠道，在缺氧条件下生长良好，直接侵入失去活力的组织即可致病。面颈部放线菌病约占本病总数之半，病变在颈和面部，尤其是下颌，常发生于口腔损伤或拔牙后。腹部放线菌病可继发于阑尾炎和胃或大肠穿孔之后。胸部放线菌病病变在肺及其周围组织，可能因将放线菌吸入气道而引起，常伴有体重减轻、盗汗、咳嗽和高热。病变偶尔也会侵犯脑、心瓣膜或四肢，亦可通过血流扩散，引起体内多发性损害。治疗以抗生素为主；辅助疗法为切开引流或尽可能切除病损组织。

actinomyxidian 放射黏孢子虫 又作actinosporean。又称放射孢子虫。黏孢子虫门放射黏孢子虫纲（放射孢子虫纲）寄生性微生物。栖于某些水生蠕虫的消化道。大配子与小配子接合后，在寄主消化道发育成特征性的孢子。每个孢子含有三个极囊，每个极囊内有一根极丝和一至多个感染性的子孢子。代表种为暗三角孢子虫（*Triactinomyxon ignotum*），寄生于颤蚓属（*Tubifex*）海生蠕虫体内。

action 作用量 理论物理学中描述物理系统总运动的抽象量。物理学中描述运动至少可以有两种不同的方式：特写与全景。特写是物体的行为的一瞬接一瞬的图示；全景除了展示物体行为的全貌外，还要有从始态到终态的发展过程中一切可能的路径。每一路径由一个特定的数值量来表示，称为它的作用量。作用量可以认为是系统平均动能的两倍乘以始位到终位所历时间，或等于系统的平均动量乘以始位到终位的路径长度。一个系统在两个位形间的实际运动的作用量总是一个最小值或最大值。在大多数情况，系统的行为遵循作用量最小的路径。在光学系统中，如一台显微镜，光沿着作用量最小的折射路径前进。对于光，作用量正比于传播时间，故光总是沿着历时最小的路径前进。随着量子理论的出现（1900），作用量这一概念有了新的重要意义。为描述分子或原子的性状，必须引进一个过去没有料想到的限制：运动态中的作用量必须是普朗克常数的整数倍。普朗克常数是作用量的天然单位，称为作用量子。

Action Française 法兰西行动 20世纪最初40年中，法国的一个有影响的右翼反共和派别。表达该派观点的日报也叫做《法兰西行动》（1908-03-21～1944-08-24出版）。法兰西行动派从19世纪末开始活动，他们支持因德雷福斯事件争论而引起的反议会制的、反犹太主义的和强烈的民族主义观点。首领C.莫拉斯提出一套完整的民族主义理论，他要求恢复君主制度，认为只有君主制度才能统一已经四分五裂的法国。法兰西行动由于主张以暴力推翻第三共和国（1870～1940）而在第一次世界大战前的法国右翼党派当中占有重要地位。在第一次世界大战期间，由于民族主义情绪的高涨，法兰西行动臻于鼎盛。但到1926年，它受到教皇的公开谴责，遭到严重的挫折。后因与维希政府（1940～1944）有联系而名誉扫地，第二次世界大战后就不复存在。

Action painting 行动绘画 一种直接的、本能的和极端挑战性的绘画艺术，追求冲动性的狂放笔触和在画布上任意泼洒颜色所造成的偶然效果。与“抽象理想派”和大色域派

J.波洛克绘《无题》（1948）
美国不列颠百科全书公司供图

画家经过仔细推敲的创作不同，后者是抽象表现主义（**Abstract Expressionism**）的另一分支，只在其绝对信仰服从个人表现自由，不顾及所有传统美学和社会价值这一点上与行动画派相类似。行动画派的作品反映了20世纪20～30年代欧洲超现实主义画家掀起的无意识技巧的影响。尽管人们普遍承认J.波洛克于1947年首创的抽象滴彩画开拓了作为行动画派特征的技巧领域，但其真正成

功的演变,并发展为富有感染力和表现力的风格,却是德·库宁于50年代初开始创作的《女人》组画的雄健粗率的笔法。在50年代,行动画派在抽象表现主义中占有很重要的地位,同时也是在美国最有影响的艺术运动。参阅 **Tachism**。

action potential　动作电位　神经细胞(神经元)或肌肉细胞膜极化状态短暂的倒转现象。在神经元动作电位表现为神经脉冲,在肌肉细胞动作电位引起收缩,从而导致运动。因为兴奋波会主动地沿着神经或肌肉纤维传递,故动作电位有时又称为传播电位。动作电位的传导速度为1～100米/秒,取决于纤维的性质及其环境。受到刺激以前,神经元或肌肉细胞内的电位与细胞外相比为负,这种内负外正的状态称为膜的极化。极化状态的原因是细胞外有高浓度的荷正电的钠离子,而细胞内有高浓度的荷负电的氯离子(以及低浓度的荷正电的钾离子)。细胞膜两侧存在着电位差,这便导致静息电位,其数值通常约为-75毫伏(mV),这里负号表明细胞内的电荷为负值。按经典的说法,动作电位是这样产生的:细胞受到称为神经递质的化学物质或感觉受体细胞的刺激,细胞膜上通道形的蛋白质分子部分开放,于是细胞外的钠离子向细胞内扩散,使该处细胞膜内的电位向负值减少的方向变化。如果此处的所谓局部电位变化达到一个关键的阶段(称为阈电位,其数值约为-60毫伏),这时钠通道完全开启。细胞外的钠离子大量透入细胞,细胞立即去极化,动作电位达到+55毫伏(细胞内出现正电位)。去极化激活了细胞膜附近部分的钠通道,于是冲动沿着纤维传导。如果钠离子进入纤维,却没有其他带正电荷的离子透出细胞以平衡电荷的变化,则动作电位不可能从其峰值上降下来,并回到静息电位。钠通道关闭,钾通道开放,使得细胞内的电荷以钾离子的形式离开细胞,其电荷量与进入细胞的电荷量大致相等,这时动作电位的下降相便开始出现。随后,通过蛋白质运输分子的作用,钠离子泵出细胞,而钾离子泵入细胞。这时细胞恢复其原来的离子浓度,并使细胞为新的动作电位做好准备。A.L.霍奇金、A.F.赫胥黎和J.埃克尔斯由于阐明了神经细胞活动中的上述离子机制而共获1963年诺贝尔生理学或医学奖。

Actium, Battle of　亚克兴角战役(公元前31-09-02)　发生于希腊西海岸阿卡纳尼亚北部亚克兴角的一次战役。是役屋大维对安东尼取得决定性胜利,从此成为罗马世界当然的统治者(奥古斯都皇帝)。安东尼有战船500只,步兵7万人,驻扎在亚克兴。屋大维率战船400只,步兵8万人南下,想切断安东尼通过伯罗奔尼撒同南方埃及的联系。一些联盟者的逃散和食物不足迫使安东尼采取行动。或者由于在陆上失利而想在海上取胜,或者只是想打破封锁,安东尼按照克娄巴特拉的意见,调集船队出湾向西进发,女王舰队殿后,随即发生激烈的海战,最后女王率其埃及船只逃离战场,安东尼随后也停止战斗,率少数几只船跟随其后。其余舰只因失去斗志而投降,安东尼的步兵也在一周后投降。

activated-complex theory　活化络合物理论　参阅 **transition-state theory** 过渡态理论。

activated-sludge method　活性污泥法　污水处理方法。将废水引入沉淀池,与池内蓄积的污泥(即细菌丛生的沉积物)一起连续搅拌数小时,使泥水中混入大量空气,污水中的悬浮固体和许多有机固体即可被污泥吸收或吸附,有机物则被微生物氧化。空气和污泥的用量根据处理要求而定。在处理过程中会产生富含甲烷的气体,有时可将甲烷抽出来点燃,提高混合物的温度以加速其作用,或用于其他目的。最后让污泥在沉淀池中沉淀与水分离。

activation　激活　又称唤醒。大脑皮质因受刺激而转入全面觉醒或注意的现象。激活过程从脑的不同部位,主要是从网状结构开始发生。中脑的网状结构监控传入和传出的感觉与运动冲动。然而激活并非皮质通过特定感受器而直接受到刺激(如被声响唤醒),而是包含躯体内部和外界的一系列复杂冲动。

activation energy　活化能　化学术语。使原子或分子活化到能够发生化学变化和物理迁移的状态所需的最低能量。根据过渡态理论(**transition-state theory**),活化能是处于活化态或过渡态构型的原子或分子与相应的处于初始态构型的原子和分子所含能量之差。在反应速率常数 $k = A\exp(-E_a/RT)$ 和扩散系数 $D = D_o\exp(-E_a/RT)$ 的数学表达式中,符号 E 通常表示活化能。活化能是由不同温度下实验测得的速率常数或扩散系数值计算得到的。

activity　放射性活度　在放射性衰变过程中,给定样品的每秒衰变数,或每秒衰变的不稳定原子核数。确定放射性活度,需用射线探测器和电子线路计量一个适当的时间间隔内放射性材料射出的粒子和光子数。但是这种实验计数,还须借助于对实验样品的放射性衰变特性的全面了解,因为有些放射源每次衰变不止放出一个粒子或光子。表示放射性活度的国际单位是居里(符号为Ci),精确等于每秒 3.7×10^{10} 次衰变,很接近每克天然镭的放射性活度。旧标准居里简写为C。

activity coefficient　活度系数　化学术语。物质的化学活度对其浓度之比。实测的物质浓度不能准确指示其化学有效性。因此在特定化学反应的方程式中人为地引入活度系数,用有效浓度代替实测浓度进行计算。对于溶液,活度系数是真实溶液与理想溶液差别程度的量度。理想溶液中每个分子的实际有效性与理论有效性相等。

Acto Adicional of 1834　《1834年补充法案》　对1824年制订的巴西宪法的修正案,取消了宪法中若干表现极端中央集权和独裁的部分,作为对于扬言要使国家分崩离析的联邦派和共和派的让步。1831年,不得人心的巴西皇帝佩德罗一世退位,使激烈的派系斗争表面化。在帕拉(1831)、米纳斯吉拉斯(1833)、马拉尼昂和马托格罗索(1834)先后发生内战。巴西在1889年第一共和国建立以前实行的宪法,是由佩德罗一世指定的国务会议制订的。宪法赋予皇帝以广泛的权力,称为"调节权",包括:指定终身职的议会上院议员,召集和解散由民选代表组成的议会下院,否决议会法案等(如果议会连续3次重新通过这一法案,则否决无效)。此外,民选的省议会和市议会均由皇帝任命的主席加以控制。补充法案撤销了反动的国务会议,以一个摄政代替为佩德罗二世未及即位年龄时(1831～1840)设立的三人摄政团,以增进政府的效率。该法案还建立了省的立法机关,允许各省管理初等和中等教育,取消了地产继承权。但改革之后反对中央政府的活动仍在继续:巴伊亚的奴隶于1835年起义,马拉尼昂再次发生叛乱,南里奥格兰德于1835年开始了为期10年之久的叛乱,史称"穷汉"战争。

Acton (of Aldenham), John Emerich Edward Dalberg Acton, 1st Baron, 8TH BARONET **阿克顿**(1834-01-10,那不勒斯～1902-06-19,德国巴伐利亚泰根塞)　英国自由党历史学

美国不列颠百科全书公司供图

家和伦理学家。近代第一位反对罪恶国家(不论是独裁的、民主的或社会主义的)的伟大哲学家。其论点"权力会产生腐败;绝对的权力,绝对地腐败"已成为当今名言。是爱德华·阿克顿(1801～1837)的独生子。1840年他的寡母嫁与利弗森勋爵,此人后来成为格兰维尔勋爵和自由党外交大臣。阿克顿曾在沃里克郡奥斯科特学院求学。后去慕尼黑,师事德国天主教历史学家约翰·冯·德林格尔,掌握德国历史研究的新方法。他在欧洲和美国长期逗留,后返回英国。1859年当选为下院议员。1859～1864年任天主教月刊《徘徊者》主编。1865年离开议会。他同自由党领袖和首相威廉·格莱斯顿有深厚的友谊。1869年格莱斯顿保举他为贵族,1892年又推荐他为维多利亚女王的宫廷侍从。1878年他在《评论季刊》上发表论述欧洲民主的著名文章。1907年发表他1877年的两篇讲稿《古代

自由史》和《基督教自由史》,这是他计划编写的"自由史"的一部分。1895年阿克顿任剑桥大学近代史钦定讲座教授,他的就职演说《论历史研究》(1895发表)给剑桥大学留下极深刻的印象。他在剑桥开设法国大革命和近代史两门有价值的课程。1899～1900年他主要从事主编《剑桥近代史》,为这一客观而详尽的巨著耗尽心力,中风而死。

Acton, Sir John Francis Edward, 6TH BARONET　阿克顿(1736-06,法国贝桑松～1811-08-12,巴勒莫)　先后任意大利托斯卡纳、那不勒斯的海军司令,在法国大革命时期任那不勒斯首相,此时与英国、奥地利联盟。英国流亡者家庭出身。因在法国海军中怀才不遇,转入托斯卡纳公爵P.利奥波德军中。1774年托斯卡纳和西班牙联军进攻阿尔及利亚时,他指挥舰队立下战功。1779年为那不勒斯组织舰队,成为舰队司令。阿克顿先后担任海军、陆军和财政大臣,最后成为首相。1798年法军进攻那不勒斯,他随同国王逃往西西里。

actor-manager system　演员兼演出经理制　19世纪英国和美国一种占主导地位的戏剧演出方法,由一个主要演员组织的固定剧团构成。他选择自己上演的剧目并在其中担任主角,以及处理演出事务和经济安排。这种演出制的优点在18世纪就已十分明显,当时像C.西伯和D.加里克这样有成就的演员兼演出经理,所达到的演出水平要大大高于那些由剧院老板为每个剧目挑选临时演出班子而进行的演出。在19世纪,杰出的演员兼演出经理,如C.麦克里迪、亨利·欧文爵士、维斯特里斯夫人和赫伯特·特里爵士等,都保持了很高的演出水平。莎士比亚戏剧一直是他们轮演剧目中的主要内容,因为这能使演员兼演出经理有机会对著名角色如夏洛克、伊阿古或理查三世做出他自己的诠释。写实主义的发展导致名演员占主导地位的剧目的衰退,其部分原因是由于使观众席灯光变暗的装置所造成,它使演员与观众之间形成了一种审美距离。演员兼演出经理制首先被舞台监督制所取代,舞台监督可以从旁观者的角度协调各种不同的表演效果;尔后又被更有创造性的导演制所取代,这些导演对一部戏给予自己的解释。

Actors Studio, The　演员排演场　美国纽约市负有盛名的专业演员工作室。其成员均系第二次世界大战以来美国影剧坛上最有影响的演员,是美国运用斯坦尼斯拉夫斯基体系的主要训练中心之一。1947年由导演C.克劳福德、E.卡赞和R.刘易斯在纽约市创建。它为演员们提供了一个活动场所,使其能在一起共同创作,并免受商业性演出的压力。演员排演场的成员是特邀的,实行终身制,每年从1 000名试演者中挑选出6或7名新成员。1948～1982年由L.斯特拉斯伯格任导演,他引申了斯坦尼斯拉夫斯基的学说,并且发展了斯氏表演方法。演员可以用自己的情感回忆作为演剧的动力。1962年增添了一个演出团,接着又在洛杉矶开创了一个西部工作室。

Acts of the Apostles, The　《使徒行传》　《圣经·新约》第五卷,是早期基督教会的珍贵史料,用希腊文写成,或许为福音书作者路加所撰。《路加福音》以基督升天结束,《使徒行传》即从此处叙起。此书于公元70～90年间写成于罗马,一说略早于此时。此书先叙五旬节圣灵降临于众使徒,教会宣告诞生,以后主要写基督教如何传入犹太以外地区,以及教会如何逐渐脱离犹太教传统的过程,特别着重写圣保罗到各地传教的经过。

actuary　精算师　保险业中估算风险和保险费的人。多数精算师由保险公司雇用。精算师负责进行统计研究,以编制死亡率和发病率统计表,提出相应保险费率表,制定保险业务规章和手续,确定为支付保险赔偿金所需资金数额,分析公司收益,会同公司会计人员编制帐册和报表等事宜。精算师在多数保险公司内为高级职员。有些精算师充任顾问,有些被大工业公司和政府雇用以备咨询有关保险、抚恤金等事宜。

Acuff, Roy　艾克夫(1903-09-15,美国田纳西梅纳兹维尔～1992-11-23,田纳西纳什维尔)　全名Roy Claxton Acuff。美国声乐家、歌曲作家和提琴演奏家,被誉为"乡村音乐之王"。20世纪30年代中期,他重新振兴东南部乡村白人的哀伤音乐传统,并成为全国知名的"大奥普里"广播明星。在棒球生涯遭受挫折之后,艾克夫即改行专注于音乐。在录制《斑点大鸟》与《沃巴什炮弹》(后者是他的主题歌)的唱片后立即声名大噪。至40年代初,他那真挚的演唱风格,在"斯莫基山少年演奏团"的传统音调伴奏下,每年能为他赚取20万美金。1942年他与歌曲作家F.罗斯合组艾克夫-罗斯出版公司,这是第一个专门出版乡村音乐的机构。在1948年竞选田纳西州州长落选后,从50年代开始,继续大量录制唱片,如《生生不息》(1972)等唱片集,为乡村音乐的新的繁荣增添了活力。1962年艾克夫被选为"乡村音乐名人纪念馆"的第一个在世会员。

Acuña(Mexico)　**阿库尼亚**　参阅 **Ciudad Acuña** 阿库尼亚城。

acupuncture treatment　针刺疗法　中国传统疗法之一。中国医学认为人体体表与内脏间有相互连接的14条经脉,全身经络上或经外有360余个穴位。用针刺不同穴位可治疗不同疾病,称针法。公元前4世纪中国已有论述针灸的专著《黄帝内经》,7世纪时中国太医署已设置针灸系。1027年中国针灸学者制造出教学模型针灸铜人。铜人大小与真人一致,经络、穴位、内脏齐备。体表涂蜡,体腔内注水,施针者取穴正确即针入水出;取穴差误则针不能入,水不能出。针刺疗法不但能治疗疼痛性、消化系、神经系和官能性疾病,对原虫性、细菌性、心血管等疾病也有良好疗效。1958年针刺麻醉试验成功。现已通过上万次手术证明针麻的实用性能。中国中医研究院针灸研究所已成为世界卫生组织的针灸疗法培训中心。参阅 **moxa treatment**。

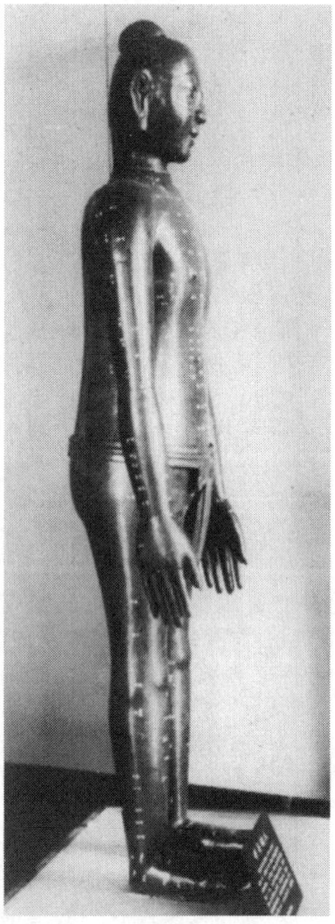

明代针灸铜人
中国大百科全书出版社供图

Ad-Damar(The Sudan)　参阅 **Dāmir, ad-** 达米尔。

ad valorem tax　从价税　以课税物品的货币价值为基准而征收的税。这一术语的字面意义为"按照价值"。传统习惯上,多数关税和国内货物税均有其"特定"税率;课税的基准是按实物单位如加仑、磅或其他单位而确定的。从价税率的使用范围日增,其主要优点是:可按消费者对课税物品所耗用的金额以调节税负,从而避免特定税率对低价商品的严重的不公正的对待。从价税,特别是关税的主要问题在于难以确定令人满意的价格数字。

Ada　埃达　美国俄克拉何马州中南部城市,庞托托克县县城。位于卡内丁河以南,临克利尔博吉河。1900年铁路修通,成为农牧产品贸易中心。1901年设市。发现石油后迅速发展。生产优质硅沙石和石灰石等玻璃、水泥工业原料。埃达的黏土是最早用于制作富兰科莫陶器的黏土。有塑料、汽车零件和服装制造业。城南为菲茨大油田和罗伯特·克尔水研究中心。设有东部中央大学(1909)和奇克索印第安人的行政管理中心。人口约15 691(2000)。

Ada group　艾达藏品　象牙雕刻以及一批(约10部)有插图的手稿,完成于8世纪最后的25年,是查理曼宫廷派艺术的早期典范。其名称源自一部由艾达(可能是查理曼的异

艾达藏品——约890年的《圣马太》插图
美国不列颠百科全书公司供图

母妹妹)委人编写的福音书(约750)。这些加洛林王朝的早期手稿复兴了罗马古典主义,与以前的爱尔兰萨克森手抄本或墨洛温王朝手抄本相比,显然构思更加宏伟,人物形象处理更富于激情。

Adab 阿达卜 苏美尔古城,即今比斯马亚。在伊拉克尼普尔(今尼费尔)以南。1903～1904年美国考古学家E.J.班克斯发掘出从史前时期至乌尔-纳姆统治时期(公

阿达卜出土的约公元前24世纪的石雕头像
美国不列颠百科全书公司供图

元前2112～前2095)的建筑物。阿达卜作为苏美尔中心的重要地位仅保持到约公元前2000年。苏美尔王世系表中,有一个只有一代国王的早期王朝属于该城。据说这位名为卢加尔-安纳-蒙杜的国王在位达90年之久;根据他在世系表中的地位判断,应在约公元前2400年。在历史上的其他各时代,阿达卜几乎均在控制巴比伦尼亚(美索不达米亚南部)全部或大部的各代国王统治之下。该城守护神为宁呼尔萨格女神。

adab 风雅 一种伊斯兰观念,后成为以广泛人道主义精神为特征的文学体裁。形成于阿拔斯王朝文化鼎盛时期,并一直延续到整个穆斯林中世纪。该词的本义只不过是"规矩礼法"或"习俗",来源于在古代阿拉伯半岛被奉为楷模的先人。由于这种习俗在中世纪穆斯林世界被认为值得赞扬,所以风雅一词就进一步获得有良好教养、礼貌和举止文雅的涵义。同风雅的广泛社会含义相平行并渊源于其中的,还有知识性的一面。风雅成为关于诗学、演说术、古代阿拉伯部族史、修辞学、文法学、语言学,以及非阿拉伯文化等的知识,具有这种知识的人称为有教养的人或"文人"。他们有9世纪巴士拉的散文作家贾希兹及其11世纪的仿效者阿布·哈扬·陶希迪,9世纪库费的评论家、语言学家和神学家伊本·古泰拜和11世纪的诗人麦阿里。由于阿拔斯王朝的黄金时代已经衰落,所以风雅的界限缩小到仅限于纯文学:诗歌、优美散文、轶事。在现代阿拉伯世界,风雅仅指文学。

Adad 阿达德 巴比伦和亚述掌管天气的大神。阿达德一词可能在公元前3千纪末由西闪米特人传至美索不达米亚。同一神在苏美尔人中称*伊希库尔*(**Ishkur**),在西闪米特人中称*哈达德*(**Hadad**)。阿达德具有两重

公元前8世纪巴比伦浮雕中的阿达德(中)
美国不列颠百科全书公司供图

性,他赐予生命,又毁灭生命。降雨使大地为他的朋友生产谷物、酒类和其他食物,因此号称富饶之主。他用狂风暴雨向敌人发泄愤怒,带来黑暗、匮乏和死亡。他以公牛和狮子为圣兽。柏树是他的标志,6是他的圣数。在巴比伦、亚述和叙利亚的阿勒颇,人们向他问卜未来。

ʿādah 阿达 伊斯兰教法律名词,指虽违背伊斯兰教法的某些原则但蒙司法当局予以特别照顾的地方习俗。伊斯兰教法庭认为,阿达虽为一地方之法,其他地区也应予以尊重。每个社区解决争端的标准可能与规范的教义互相抵触。司法当局为促进社区内部的融洽与和平予以变通宽容。

Adair, John 阿戴尔(约1655～约1722,伦敦?) 苏格兰地图测绘家。其地图为当时树立了杰出的榜样,可能鼓舞了苏格兰18世纪初期的测量工作。1680～1686年间,完成了福斯河畔各郡的地图和福斯湾、克莱德河以及苏格兰西部的航行图。这些地图原稿现由苏格兰国立图书馆和其他图书馆收藏。所绘其他地图和海图,原稿也都保存至今。1703年出版他的《苏格兰海岸与岛屿记述,附巨幅精绘地图,为海员所用》的第一部。第二部始终未付印。从他对绘图的谨慎严格来看,可能因为力求完善而延误了作品的完成。但也因用于他著作的出版基金不足而受阻。1723年颁发年金给其遗孀,作为未发表的图稿报酬,这些图稿现收藏于牛津大学博德利图书馆和不列颠博物馆。

Adair v. the United States 阿戴尔诉美国案(1908) 美国最高法院确认禁止工人参加工会的"黄狗"雇佣契约为合法的案件。路易斯维尔和纳什维尔铁路公司经理W.阿戴尔以职员科佩奇参加工会为由将其解雇,从而直接触犯了《1898年厄尔德曼法》。厄尔德曼法禁止经营州际商务的铁路公司以工人不参加工会作为雇佣条件。1908年美国最高法院以6比2的表决结果宣布厄尔德曼法违反宪法修正案第5条关于保障契约自由和财产权利的规定,而且认为有关工会会员资格问题不能援引国会关于州际商务的立法。

Adal(people) **阿达尔人** 参阅**Afar**阿法尔人。

Adal 阿达尔 历史上东非伊斯兰国家,位于亚丁湾西南的达纳基勒-索马里地区,首都哈勒尔(在今埃塞俄比亚)。14世纪时开始与信奉基督教的埃塞俄比亚发生小规模边境袭击事件和冲突。16世纪时发动一系列更严重的进攻,使阿达尔的国际地位一度提高。第一阶段,阿达尔军队由亚丁湾港口泽拉的总督马赫福兹率领,1516年马赫福兹和许多追随者中埃塞俄比亚人的埋伏战死,战争结束。几年后,新领袖艾哈迈德·格兰(左撇子艾哈迈德)聚集一批穆斯林游牧民对埃塞俄比亚展开一场圣战,横扫高原地区,将埃塞俄比亚皇帝赶出国外,强迫大批人改信伊斯兰教,到1533年已控制埃塞俄比亚中部的大部分地区。他们破坏教堂和隐修院。逃亡的埃塞俄比亚皇帝向葡萄牙求援。1541年,400名葡萄牙火枪手在米齐瓦(现为厄立特里亚省马萨瓦)登陆,阿达尔也获得900名阿拉伯、土耳其和阿尔巴尼亚的火枪手以及一些火炮的增援。阿达尔继续获胜,直到1543年格兰在塔纳湖附近的一次战斗中战死。16世纪下半叶奥罗莫人(加拉人)的入侵使阿达尔的势力告终,其统治者向北遁入沙漠中,追随它的游牧民也四分五裂,阿达尔从此无足轻重。

Adalbero of Ardennes 阿达尔贝罗(阿登的)(?～989-01) 兰斯大主教。曾主张法兰克国王不应世袭,而应由选举产生,从而为于格·卡佩取代加洛林王朝的要求者下洛林查理公爵铺平道路。他是洛林人。反对加洛林国王洛泰尔试图从皇帝奥托二世手中攫取洛林,从而以叛逆罪被洛泰尔之子路易五世(986～987)传唤至贡比涅听审。但由于路易的猝亡使审判夭折。阿达尔贝罗指责路易的叔父洛林的查理不适合于继承法兰克王位,支持于格·卡佩为国王候选人。于格当选后,他于987年7月在努瓦永为其加冕。

Adalbert 阿达尔贝特(?～约966) 意大利的伦巴第国王,与其父贝伦加尔二世共享王位11年。贝伦加尔流亡国外后,他继续其父的反对德意志国王和神圣罗马帝国皇帝奥

托一世的斗争。他在946～947年随父与意大利两国王（普罗旺斯的于格及其子洛泰尔）作战。950年洛泰尔死后，阿达尔贝特和贝伦加尔在帕维亚加冕。洛泰尔的遗孀阿德拉伊德拒绝嫁给阿达尔贝特，贝伦加尔将她囚禁。951年奥托一世进军意大利，救出阿德拉伊德并与她结婚。奥托一世返回德意志后，贝伦加尔和阿达尔贝特继续保持王位，952年8月宣誓效忠于奥托一世。956年奥托一世派其子利乌多尔夫进攻贝伦加尔和阿达尔贝特，取得短暂胜利后，利乌多尔夫死于疟疾，贝伦加尔和阿达尔贝特继续共同执政。奥托一世再次入侵意大利并于962年由教皇加冕为神圣罗马帝国皇帝，阿达尔贝特逃往普罗旺斯。963年秋，他重返意大利。其时教皇约翰十二世与奥托一世发生争执，转而支持阿达尔贝特，召阿达尔贝特前往罗马。奥托一世进军罗马，立新教皇利奥八世，阿达尔贝特和约翰十二世逃走。奥托一世返德意志后，阿达尔贝特重登王位。965年奥托又派兵将他赶出帕维亚，次年秋，给他和他的支持者以最后致命打击。

Adalbert　阿达尔贝特（约1000～1072-03-16，萨克森戈斯拉尔）　又拼Adelbert。德意志大主教，中世纪不来梅皇族主教中最卓越的人物，皇室中执政的主要成员。阿达尔贝特是萨勒河畔戈瑟克伯爵弗里德里克的幼子，曾就读于哈尔伯施塔特大教堂学校，并曾任副助祭。1032年成为大教堂牧师团成员。1043年5月德意志国王、后为神圣罗马帝国皇帝的亨利三世任命他为汉堡-不来梅大主教。他深得宠信，并试图扩大势力，使不来梅成为北欧最高的主教区。但教皇利奥九世虽于1053年任命他为自己在北欧各国的代理人，却从未允许他随心所欲地行使权力。阿达尔贝特的世俗野心使他与萨克森贵族，特别是比隆家族发生冲突。1056年亨利三世死后，他的教区遭比隆家族贝尔纳德二世的蹂躏，他被迫逃亡戈斯拉尔，在该地任未成年的亨利四世的监护人和导师，对王室政治颇具影响。1063年亨利四世在萨克森赋予他广泛的权力，但1066年由于贵族的抗议不得不解除他的皇室顾问职务。1069年以后，他虽仍常在宫廷，但未能再恢复政治上的支配地位。死后葬于他在不来梅建造的大教堂，不来梅因他而成为重要城市。

Adalbert, Saint　阿达尔伯特，圣（956，波希米亚利比采？～997-04-23，波兰格但斯克附近）　任基督教布拉格主教的第一个捷克人。曾在马格德堡（今德国境内）受神学教育。在任主教（982当选）期间把教会的势力扩充到捷克国境之外，有利于波希米亚大公波列斯拉夫二世的政治目的。他力图提高教会生活准则，但因为曲高和寡而未见效。992年他苦修归来，与一部分贵族发生冲突，并可能卷入捷克族诸王与斯拉夫族诸大公之间的角逐。灰心之余，于994年再次离开祖国，前往波罗的海沿岸传教，3年后殉教。

Adam brothers　亚当兄弟（生于法国南锡，活动时期18世纪）　法国雕刻家三兄弟，曾为法国和普鲁士王室雕刻许多纪念碑。倡导利用贝壳、珊瑚和凿孔石料质地的风格。朗贝尔-西吉斯贝尔·亚当（Lambert-Sigisbert Adam，1700～1759）曾为法国国王路易十五和普鲁士的腓特烈大帝雕像。尼古拉-塞巴斯蒂安·亚当（Nicolas-Sébastien Adam，1705～1778）曾为路易的岳父、原波兰国王斯坦尼斯瓦夫一世雕像。弗朗索瓦-加斯帕尔-巴尔塔扎尔·亚当（François-Gaspard-Balthasar Adam，1710～1761）曾负责主持制作腓特烈的波茨坦宫及其附近的莫愁宫的雕刻作品。

Adam de la Halle　亚当·德·拉阿尔（约1250，法国阿拉斯～约1306，那不勒斯）　别名驼背亚当。法国诗人、音乐家和最早的法国世俗戏剧的创始人。他的《树荫的游戏》是

美国不列颠百科全书公司供图

一部讽刺幻想剧，取材于自身的经历，是他动身前往巴黎求学时为他在阿拉斯的朋友们娱乐所作。《告别》表达了他在离别妻子和故乡阿拉斯时的伤感。作为阿图瓦伯爵的宫廷诗人和乐师，他访问了那不勒斯，由于他的复调音乐和被视作喜歌剧先驱的时事剧而名噪一时。《罗班和玛丽翁的故事》是一个戏剧化了的牧歌题材，它描写一个骑士向美貌的牧羊女求爱，并且伴有舞蹈和农民的对话。

Adam of Bremen　亚当（不来梅的）（活动时期11世纪）　德意志历史学家。其关于汉堡和不来梅大主教的著作为萨利安王朝统治下德意志政治提供了可贵的情况，并且是中世纪地理的巨著之一。1069年任不来梅大教堂学校校长。1072年开始写《汉堡-不来梅大主教史》（4卷），第4卷对俄国、波罗的海各国、斯堪的纳维亚、冰岛、格陵兰以及文兰（北美洲）作了描述。

Adam Rex Menestrallus (poet)　亚当（行吟诗人雷克斯）　参阅 **Adenet le Roi** 阿德内·勒·鲁瓦。

Adam the Hunchback (poet)　驼背亚当　参阅 **Adam de la Halle** 亚当·德·拉阿尔。

Adam, Adolphe-Charles　亚当（1803-07-24，巴黎～1856-05-03，巴黎）　法国作曲家。所写芭蕾舞剧《吉赛尔》（1841）以强烈的戏剧性著称，至今仍深受舞蹈家和观众的欢迎。一生写有60多部歌剧，《朗瑞莫的驿车夫》（1836）和《吉拉尔达》（1850）被公认为最优秀之作。在为伦敦、柏林、圣彼得堡以及巴黎的演出而作的芭蕾舞剧中，他使音乐服从舞蹈的要求。他的作品在19世纪中叶取得了很大的成功，但今天只有少数几部作品还经常上演。

Adam, Paul　亚当（1862-12-07，巴黎～1920-01-01，巴黎）　法国作家。早期作品属自然主义和象征主义流派，后以写历史小说和社会小说著称。因发表第一部自然主义小说《软肉》（1885）而遭起诉；第二部小说《米朗达家的茶会》（1886）与J.莫雷亚斯合写，为象征主义的早期范例。1899年，以《力量》为起始发表一系列小说，描写1800～1830年间的法国生活；最后一部小说《七月的阳光》发表于1903年。曾广泛旅行，写过两部旅美游记。自传体小说《马尼埃尔·埃里库尔的青年时代和爱情》发表于1913年。

Adam, Robert　亚当（1728-07-03，苏格兰法夫柯科迪～1792-03-03，伦敦）　18世纪英国著名的建筑师和设计师，纤巧华丽的新古典主义“亚当式”装饰风格的创始人。其父威廉是当时苏格兰第一流的建筑师。1743年他入爱丁堡学院学习，1745年辍学，到父亲的事务所作助手。1748年其父去世，与其兄约翰共同继承父业，经营建筑事务所。1754年到意大利游历，沿途在布鲁塞尔、巴黎、热那亚、佛罗伦萨等地观光。在佛罗伦萨有幸结识法国建筑师C.-L.克莱里索，经他介绍意大利先进的建筑理论和实践，受益匪浅。次年2月到达罗马，他认真研究、测绘古代建筑遗迹，深深领会了古典建筑的风格。离罗马后又经威尼斯前往达尔马提亚，参观了斯普利特的戴克里先宫。1758年1月回到伦敦，当时社会上多数人厌倦了陈旧不变的建筑形式，希望有新的风格出现。亚当不失时机从事建筑创新，到18世纪60年代中期

美国不列颠百科全书公司供图

亚当设计的英国德比郡凯德尔斯顿府邸
美国不列颠百科全书公司供图

便在其弟詹姆斯的协作下建立起独特的亚当风格。他把古典的建筑形式融会贯通，自由大胆地运用，有摹拟也有创新，达到更加完善的境地。例如他所设计的皇家艺术学会建筑物(1772 ～ 1774)，把爱奥尼亚式壁柱与古朴简洁的希腊多利斯式顶部相配合，这种式样是当时墨守陈规的建筑师绝对不敢采用的。

亚当风格是多种建筑风格的统一，既受帕拉弟奥主义的影响，又有当代法国建筑的格调，借鉴了罗马艺术的精髓，也吸取了意大利文艺复兴时期建筑装饰的特色。亚当风格同时还注意使建筑物具有“动感”。所谓动感，即是把建筑物的不同部分处理得高低起伏、前后进退及形式多样，以使建筑物构图更生动、形象。亚当不仅重视建筑物的外表，也特别致力于每一个房间的室内装潢。亚当风格实质为一种建筑装饰风格，他是基本上作为室内设计家而名传后世的。他对室内的每一部分，从地毯到最细微的装饰，都细致地加以设计。

他从事建筑设计 30 余年，设计了大量作品，其中大多数为新旧住宅室内外的装饰工程。18 世纪 70 年代在伦敦建造的三座建筑，即圣詹姆斯街区 20 号威廉斯-温恩爵士宅邸(1772 ～1774)、波特曼街区 20 号霍姆伯爵夫人宅邸(1775 ～ 1777)和格罗斯温诺街区德比伯爵宅邸(1773 ～ 1774，毁于 1862)，是体现其成熟的设计风格的代表作。1773、1779 和 1822 年陆续出版了三卷《亚当兄弟建筑作品集》，阐述了他的建筑观点。18 世纪 80 年代以后，他在苏格兰设计建造了许多富有浪漫主义色彩的新哥特式城堡。晚年建造的爱丁堡注册大厦(1772 ～ 1792)，终于实现了他要在广场上建造一座穹窿顶大厅的夙愿。1789 年设计的爱丁堡大学校门是他设计生涯中最为成功的一个作品。他还在伦敦菲茨罗伊街区及苏格兰爱丁堡夏洛特街区，从事了使临街建筑物具有“动感”的设计实验。他设计的家具种类繁多，广为流行。他去世后所遗留的近 9 000 份设计图纸，现收藏于伦敦索恩博物馆。

Adam，Roi(poet)　**亚当**　参阅 **Adenet le Roi** 阿德内·勒·鲁瓦。

Adam and Eve　亚当和夏娃　犹太教-基督教传统和伊斯兰教传统中最初的人类夫妇、全人类的祖先。

关于创造亚当和夏娃的经过，《圣经》上有两种叙述。据撰写于公元前 5 或 6 世纪的教士历史(P 典)(《创世记》1:1 ～ 2:4)说，上帝在创世的第 6 天创造一切活物，并且“照着自己的形象”“造男造女”。然后祝福他们一对，要他们“生养众多”，让他们管理地上其他各样活物。据公元前 10 世纪较为繁长的雅赫维记事(J 典)(《创世记》2:5 ～ 7、2:15 ～ 4:1、4:25)说，上帝或雅赫维是在大地仍是空虚混沌之时用地上的尘土创造亚当，并“将生气吹在他鼻孔里”。上帝把原始乐园伊甸园交给亚当掌管，并以死刑告戒他，切莫吃“分别善恶的树”的果子。其后，为了避免亚当独居，上帝创造了其他动物，但仍觉得不够，就使亚当沉睡，取下他的一条肋骨，给他创造了伴侣夏娃。两人天真烂漫地生活，后来夏娃听从罪恶之蛇的引诱吃了禁果，亚当也同样吃了，两人发现自己赤身露体，便拿无花果树的叶子为自己编做裙子。上帝很快发现了他们的罪行，随即宣布对他们的处罚：女人要受生产儿女的苦楚，受男人管辖；男人必须在受咒诅的地上汗流满面地劳动以求糊口。

亚当和夏娃最早生的孩子是该隐和亚伯。牧羊人亚伯得上帝喜悦，该隐出于忌妒杀了亚伯。亚当和夏娃又生了一个儿子塞特以接替亚伯，该隐和塞特的后代就是人类的两大支该隐人和塞特人。亚当和夏娃还有其他的子女。亚当共活了 930 岁。

希伯来《圣经》即《旧约》其他部分再未提到亚当和夏娃，只是在《历代志上》第1章第1节纯粹谱系资料中提到亚当。外典(犹太教和基督教新教虽重视但不列入正典，天主教和东正教列为次经)中间接提到亚当和夏娃。伪经(各教各派皆不列为正典)包括《亚当夏娃传》的作者们则更多绘声绘色地转述亚当和夏娃的故事。

在基督教《新约》中，亚当在保罗书信中具有一定的重要神学意义。保罗把亚当看作是基督的先驱，“乃是那以后要来之人的豫像”(《罗马书》5:14)。亚当开创了人类在大地上的生命，而基督则开创了人的新的生命。由于亚当的罪，死临到一切人；而由于基督的义，生命赐给了一切人。这样，在保罗的神学学说中，非犹太人之所以成为罪人，并非由于不遵守摩西律法，而是由于亚当犯了罪，因此，犹太人和非犹太人同样需要基督的恩惠。

在晚近的基督教神学中，关于原罪(自从亚当和夏娃堕落以来一直控制人类的罪)的概念占了重要地位。这条教义所依据的是保罗的著作，但是它却得不到若干基督教派别和解经家的承认，特别在那些基督徒中，不相信亚当和夏娃的故事是事实，更多认为它是说明上帝与人之关系的比喻。

《古兰经》中阿丹和好娃(即亚当和夏娃)的故事(主要见于第 2、7、15、17 和 20 章)说，安拉用泥土创造了阿丹，使他知道天使受命向他下拜。各天使无不从命，只有易卜劣斯(撒旦)不从，并继而引诱阿丹及其“妻”吃禁果。随后安拉把他们赶到地上，使他们的后代注定互相为敌。但是安拉慈悲，应允永世指引阿丹和他的后代，要他们只跟随安拉而不听从撒旦。根据《古兰经》的教导，阿丹的罪仅仅是他一人之罪，并不使一切人都成为罪人；阿丹应当为自己的行为负责，他的后代也应当为自己的行为负责。后来伊斯兰教的圣训又说，阿丹自天堂下降到锡兰(萨兰迪

G. 克洛维奥绘《亚当和夏娃》
美国不列颠百科全书公司供图

卜),好娃下降到阿拉伯的吉达;分离200年后,他们在阿拉法特山附近重逢,开始生儿育女。最早的两个儿子卡必尔和哈必尔,各有一孪生妹妹,两人各娶兄弟的妹妹为妻。接着,卡必尔杀了哈必尔,后来希特出生,没有妹妹,他成了阿丹的宠儿和精神继承人。好娃生了20对孪生子女,阿丹死前共有子孙4万人。

Adam and Eve, Life of　《亚当夏娃传》 伪经之一。犹太教与基督教有许多传说推衍和丰富《旧约·创世记》关于亚当与夏娃的故事,此书所述即为其中之一。此书的复述富于想象力,并包括有关异象和天使学的叙述,这是古希腊时代宗教著作的特征。书中详述亚当与夏娃被逐出伊甸园后如何自罚赎罪,由此可见,作者曾受到禁欲主义影响。

Adamawa　阿达马瓦 尼日利亚东部贡戈拉州世袭酋长国。该酋长国是"莫迪博"("学者")阿达马创立的,阿达马是富拉尼族的战士和学者,曾在1806年从谢胡(酋长)奥斯曼·丹·福迪奥接受了一面旗帜,他在1809年发动护教战争("圣战")反对非穆斯林各族。阿达马1830年将其王国(当时称作芬比纳[方比纳])的首都从古林(约拉镇东南偏东43千米)迁至附近的里巴杜,1839年又迁往焦博利奥,最后于1841年迁至约拉,此后约拉一直是酋长国所在地。阿达马1848年去世后,芬比纳把疆土扩至目前的尼日利亚东部和北喀麦隆大部分地区。阿达马瓦是富拉尼人王国最东端的酋长国,但仍需每年向西北偏西890千米的富拉尼王国首都索科托的苏丹纳贡(多为奴隶)。

阿达马有4个儿子继承其事业。拉米多(君主)哈曼(通常称作拉沃尔[或劳沃尔,洛沃尔])在他的任期(1848～1872)巩固了富拉尼族的控制。在桑达(萨恩达)软弱无力的统治期间,皇家尼日尔公司在阿达马瓦的贝努埃河沿岸建立了贸易站;祖贝鲁酋长(1890～1901)在1901年企图迫使英国人离开约拉,但英军占领了该城镇,祖贝鲁被迫出逃。阿达马瓦于1901年被英属北尼日利亚和德属喀麦隆分割。阿达马之四子博博·阿赫马杜任该国英属地区的约拉的酋长。德国人力图改变传统,但阿赫马杜及其继任人作为阿达马瓦的"拉米多"的君主头衔得到全境的富拉尼族人的承认。约拉省建于1901年,1914～1916年为英、德两军战场。1922年国际联盟将德国殖民地的一部分划归联合王国的托管地,后主要由约拉省及"拉米多"管辖。1926年北部省份大改组,约拉省与穆拉省并成阿达马瓦省。在1961年以前,阿达马瓦仍为尼日利亚第三大省(82 325平方千米),1961年联合国托管地北喀麦隆(它占有的阿达马瓦的面积为28 412平方千米)的人民投票表示愿意并入尼日利亚,如果允许他们成立一个新的省(后为萨尔道纳省)。酋长国大部在现贡戈拉州境内。主要居民为富拉尼人,此外还有穆穆耶、希吉、卡普西基、昌巴、马尔吉、豪萨、基尔巴、古德、伍尔孔、朱昆和巴塔人。还有相当数量的巴查马、卡努里、隆古达、姆布拉、维雷和荣古尔人。除豪萨人经商外,其他族人主要从事农耕和畜牧,在沿河地带,渔业也是重要行业。出口花生、棉花、牛、皮革和阿拉伯树胶。该酋长国几乎全部在热带草原,有贝努埃河及其支流贡戈拉河、塔拉巴河、帕伊河流经。主要集市中心为约拉、吉梅塔、努曼和贾林戈。

Adamawa　阿达马瓦 尼日利亚东北部的州,1991年设建制,原为贡戈拉州东北地区。北、西北与博尔诺州、包奇州相邻,西、西南与塔拉巴州相接。东和东南与喀麦隆相界。曼达拉山沿喀麦隆边界横亘于州东北部,谢布希山位于州东南部,丁兰峰高2 042米。该州为辽阔的稀树草原,贝努埃河及其支流贡戈拉河、塔拉巴河和帕伊河向西流过该州。阿达马瓦州居民以富拉尼人为主,还有穆穆耶、希吉、卡普西基、昌巴、马尔吉、豪萨、基尔巴、古德、伍尔孔、朱昆和巴塔人。除豪萨人经商外,其余部族主要从事农耕和畜牧(牛、羊),沿河居民捕鱼。主要农作物为花生、棉花、高粱、小米、稻米和玉米。出口花生、棉花、牛、皮革和阿拉伯树胶。家庭手工业有皮革制品、葫芦装饰、编席、制陶、金属制品、造独木舟和染织等。工业以农产品加工为主,如努曼榨糖厂、约拉(州首府)木材厂、拉穆德轧棉厂等。州道路网有限。首府约拉有联邦理工大学、机场,贝努埃河可以通航。人口2 124 049(1991)。

Adamawa-Eastern languages　阿达马瓦-东部诸语言 为尼日尔-刚果语系的语族。通行于尼日利亚中东部及喀麦隆北部、中非共和国大部地区、刚果民主共和国刚果河与乌班吉河之间的北部地区。这一语族中的巴亚语至少有数百万人应用。语言学家们常把阿达马瓦-东部诸语族划分为两个语支,即:通行于尼日利亚和喀麦隆的阿达马瓦语支和通行于扎伊尔和中非共和国的东部语支。参阅**Niger-Congo languages**。

Adamawa Plateau　阿达马瓦高原 非洲中西部火山高地。大部分在喀麦隆中北部,小部分称为戈泰尔山,在尼日利亚东南部。贝努埃河发源于此。高原最高海拔2 650米以上。火山区多火山口和小湖泊。植被主要为热带草原,有一些热带林地;经济以畜牧为主,有自给农业,还有一些养牛场。一些锡矿已开采,1976～1977年开始开采铝土矿。该地区以阿达马(?～1847或1848)命名,阿达马曾使富拉尼人民短时期在中央政府领导下团结一致。

adamellite　参阅**quartz monzonite** *石英二长岩*。

Adamic, Louis　阿达米克(1899-03-23,奥匈帝国斯洛文尼亚布拉托～1951-09-04,美国新泽西里格尔斯维尔附近)　美国小说家、记者。作品以美国少数民族、特别是20世纪初期移民的遭遇为题材。14岁时从南斯拉夫移居美国,1918年加入美国国籍。他在《丛林中的笑声》(1932)中谈到美国这个所谓种族熔炉的失败。后来他靠古根海姆资助金返回南斯拉夫,写了《回乡记》(1934)一书,谈一个游子回到故国,竟不能适应以前的生活。接着,他又写了两部续篇《孙子们》(1935)和《生命的摇篮》(1936)。1937年,他写出他的第一部长篇小说《在安提瓜的房子》。1938年阿达米克写的《我的美国》既包括回忆文章,也有社会哲学论文,概述了他希望美国人民团结一致的梦想。从1940年起,他编辑《共同基础》杂志,该刊以分析美国种族混居的文化为宗旨。南斯拉夫的分崩离析使他深感不安,他呼吁美国的东欧侨民把民主带回东欧。他支持铁托,被某些人视为颠覆分子。阿达米克死时手中有一支步枪。因其政治观点曾被怀疑为谋杀,但最后确定因过度劳累和忧虑而自杀。

Adamkus, Valdas　阿达姆库斯(1926-11-03,立陶宛考纳斯～　　)　Adamkus原作Adamkavecius。立陶宛总统。第二次世界大战期间参加反对苏联统治的斗争。1944年逃往德国,进入慕尼黑大学。1949年举家移民美国,1960年毕业于伊利诺伊理工学院。20世纪50～60年代积极参与移民政治活动。1970年到美国环境保护局工作,1981年任地区管理员,并到东欧帮助解决环境问题。1997年退休。后重新取得立陶宛国籍,回国参加总统竞选。1998年以微弱多数当选。他支持参加北约和欧盟,也致力于与俄罗斯等邻国保持友好关系;并促进经济发展,减少失业。2004年第二次当选立陶宛总统。

Adamnan, Saint　阿达姆南,圣(约625,爱尔兰多尼戈尔郡～704-09-23)　又拼Adomnan,又称圣厄南。基督教隐修院院长和学者,为圣科伦巴立传而闻名。679年被选为圣科伦巴创办的艾奥纳隐修院第九任院长。由于他的努力,在奥法利郡伯尔举行的会议决定改善妇女状况,特别是免除妇女兵役;同时制定保障儿童和教士的规章;这些改革后世称为阿达姆南法律。所著《圣科伦巴传》是重要圣徒言行录。他还著有《论圣地》一书,叙述法兰克人阿尔库勒夫主教约于680年到巴勒斯坦朝圣的经过(阿尔库勒夫归途中遇风漂到不列颠岛西海岸,受到他的招待)。

Adamnan, Vision of　《亚当南的梦幻》 在爱尔兰盖尔语文学中,最早和最杰出的中世纪爱尔兰梦幻记之一。这篇优美的散文为10世纪作品,保存在后来的《牛皮书》(约1100)中。该作品生动地描绘了亚当南的灵魂如何在一位天使指引下,穿过一个令人欣喜和芬芳馥郁的天堂,后又越过一个有罪的灵魂臻于至善所必经的七个阶段,然后通过妖魔横行的苦难之境。常被误认为是写艾奥纳修道院的圣阿达姆南(约625～704)。

Adamov, Arthur　阿达莫夫(1908-08-23,俄罗斯基斯洛沃茨克～1970-03-16,巴黎)　先锋派作家,荒诞派戏剧奠基人和主要剧作家。1912年,随其富有的亚美尼亚家庭离开俄国,到德国弗罗伊登施塔特定居。后来,在日内瓦、美因茨和巴黎求学,并学习法语,1924年定居巴黎,与超现实主义团体交往。1938年精神崩溃后写有《自白》(1938～1943),这是一部自传,揭示了他受折磨的良心,深入研究令人惊恐的异化感,与此同时,他个人特有的神经质的舞台艺术也在开始酝酿,准备写荒诞派剧中几部强有力的剧本。第二次世界大战期间,他被关在法国阿热莱斯拘留营近一年,随后患严重的抑郁症。受瑞典剧作家斯特林堡和卡夫卡的影响很深,认为自己同前者有相似的精神危机,1947年开始写剧本。他认为上帝已经死了,生活的意义无从得知。他对共产主义理想作了个人的、形而上学的解释。第一部剧作《浅陋的习作》写人们经常在互相询问时间,在他们头上朦胧地浮现一只没有指针的大钟。剧本所描述的世界就是人类的浅陋的习作。他认为,人类对生命意义的探索是徒劳无益的。生命诚然有意义,而对人类是茫然不可企及的。剧本《进犯》力图对人类处境作更为现实的描写,打动了纪德和导演维拉尔等人。1950年,由J.维拉尔导演,在巴黎上演。同期上演的还有他的第三部剧作《大小演习》,此剧反映"残酷戏剧"的理论家A.阿尔托对阿达莫夫的影响。《塔拉纳教授》(1953年首演)写一位不称职的大学教授,虽然剧本是按照荒谬的梦幻逻辑发展的,但是结构和人物塑造均扎实而清晰。他最著名的剧本是《弹子球机器》(1955年首演),剧中有力的中心形象是一架弹子球机器。各类人物都卷入一场无止境、无目标的游戏之中,胜败全凭运气,充分反映了人类固执地追求虚假的目标和人类无谓的忙碌。他的晚期剧作《帕奥罗-帕奥利》(1957)、《七一年春天》(1961)、《残存者的政策》(1963)等,体现了激进的政治声明,但他对戏剧实验的兴趣仍一如既往。最后,他承认人生并非荒谬,而是艰难,终于自尽。

Adams 亚当斯 美国马萨诸塞州西北部伯克希尔县城镇(乡)。位于皮茨菲尔德东北13英里(21千米)处,濒临胡锡克河。1766年创立。1778年设建制,并以反英斗争英雄亚当斯之名为该城命名。早期有石灰石和大理石开采业,后利用胡锡克河水力发展纺织和造纸工业。因附近有格雷洛克山(全州最高点3 491英尺[1 064米],峰顶有90英尺高的花岗石战争纪念碑),州有森林、公园和滑雪场,成为四季旅游基地。当地有妇女参政运动先驱S.B.安东尼的故居。迤北5英里为北亚当斯。人口8 809(2000)。

Adams FAMILY 亚当斯家族 美国历史上渊源甚深的马萨诸塞家族,在150余年内该家族成员对美国的政治和文化生活有过重大贡献。其先祖是1636年由英格兰移民到马萨诸塞湾殖民地的H.亚当斯,但在J.亚当斯(Adams, John)以前,该家族并不出名。J.亚当斯(1735～1826)是渊博的政治哲学家,曾任美国第2任总统(1797～1801)。他的妻子亚当斯(夫人)(Adams, Abigail,1744～1818)身后留下大量书信,从中可以看出她的智慧、文学才能和政治远见。J.亚当斯的堂兄S.亚当斯(Adams, Samuel,1722～1803)是革命的波士顿的一支火炬,曾不断地组织反对英国政策的示威,并且机敏地把舆论导向独立的目标。J.Q.亚当斯(Adams, John Quincy,1767～1848)是约翰和阿比盖尔的儿子,任总统4年(1825～1829)。他的外交才干导致获得佛罗里达并出现了门罗主义。其子C.F.亚当斯(Adams, Charles Francis,1807～1886)作为众议员和自由土壤党的领袖,继续反对奴隶制。南北战争中任驻英国公使,他曾阻止英国承认南方邦联或与之结盟。C.F.亚当斯之孙C.F.亚当斯第三(1866～1954)曾在H.胡佛政府中任海军部部长。该家族以后几代都没有担任公职。小C.F.亚当斯(1835～1915)是位实业家,曾任联合太平洋铁路公司董事长。他的两个兄弟H.亚当斯(Adams, Henry,1838～1918)和B.亚当斯(Adams, Brooks,1848～1927)是历史学家,也是深刻的社会评论家。H.亚当斯又是伟大的美国作家。该家族其余的人有著名的律师、金融家和公司经理。该家族在体型(矮胖)、心理(内向)和智力方面的特征百余年来一脉相承,相当显著。

Adams, Abigail 亚当斯(夫人)(1744-11-22[旧历11-11],美国马萨诸塞韦茅斯～1818-10-28,马萨诸塞昆西) 美国第2任总统J.亚当斯(1797～1801)的夫人、第6任总统

美国不列颠百科全书公司供图

J.Q.亚当斯(1825～1829)的母亲。多产书信作家。她的作品刻画年轻共和国的生活,翔实而生动;她的书信集多次再版(1840,1876,1947,1963),具有美国早期原始史料价值,颇获好评。

Adams, Ansel 亚当斯(1902-02-20,旧金山～1984-04-22,加利福尼亚卡梅尔) 美国摄影家,因在拍摄技术上的创新和善于巧妙地表现山区动人景色而著称。亚当斯原是一个业余摄影爱好者。1927年出版他的第一部具有画意派风格的摄影代表作《崇山峻岭》;画意派模仿印象派绘画,以含蓄的手法达到柔和、朦胧的效果,这种效果往往是通过暗室制作取得的。1930年,他深受美国摄影家斯特兰德强调色调美和影纹清晰的作品的影响,因而采取了斯特兰德的所谓"如实摄影"的拍摄方法。1932年,亚当斯和范戴克一起,组织了"f.64摄影小组",会员们都是用大型照相机和小光孔拍摄大自然中的光线和形态的无穷变化。亚当斯把达盖尔摄影法中的明快风格和19世纪摄影家奥沙利文和杰克逊的风景照片作为学习榜样,成为摄影史上一名杰出的摄影家。1935年出版他的第一本关于摄影技术的著作《照片拍摄法》,并用自己的作品作为说明例子。1941年,亚当斯开始为美国内政部拍摄大型照片壁画。为了掌握如《新墨西哥埃尔南德斯的月出》(1941)这种大幅风景照的光线和空间的处理,他创造了"分区曝光法",这是事先精确地决定景物中每一个局部的色调将在照片上显出怎样效果的拍摄方法。亚当斯的毕生事业是致力于使公众接受摄影是一种美术的观点。1940年,他在纽约市现代艺术馆筹建了世界上第一个摄影作品收藏馆。1946年,他在旧金山的加利福尼亚美术学院建立了第一个摄影系,把摄影作为一种专业来教授。

Adams, Brooks 亚当斯(1848-06-24,美国马萨诸塞昆西～1927-02-13,波士顿) 美国历史学家,他对民主制度在美国的胜利提出疑问,并把文明的进展同贸易中心西移联系起来。他是J.Q.亚当斯总统之孙,外交家C.F.亚当斯之子。1870年哈佛大学毕业,后在波士顿执律师业迄1881年。曾漫游欧洲、中东和印度。亚当斯与其兄、杰出的历史学家H.亚当斯在频繁的通信中发展了当时的革命思想,即美国的民主由于其特性与实质决定了它必将走向退化和衰落。1895年出版《文明衰退的规律》,阐明他关于历史的学说。他认为贸易中心从东方古代的集市一直西移,经君士坦丁堡、威尼斯、阿姆斯特丹,最后到达伦敦。亚当斯在《美国的经济霸权》(1900)一书中,准确无误地预见到在50年以内世界上只有两大强国——俄国和美国,而美国拥有经济上的霸权。1913年出版《社会改革论》一书,对美国民主制度的缺点进行分析研究。

Adams, Charles Follen 亚当斯(1842-04-21,美国马萨诸塞多切斯特～1918-03-08,马萨诸塞罗克斯伯里) 美国具有地方色彩的幽默诗人。以其宾夕法尼亚德语方言诗最为著名。1872年开始用宾夕法尼亚德语方言为报刊撰写幽默诗。他的诗集有:《里德勒·亚科布·施特劳斯及其他诗篇》(1877)和《方言民歌》(1888)。他的诗歌全集《亚科布·斯特劳斯及其他诗篇》,由"博兹"插图,于1910年出版。

Adams, Charles Francis 亚当斯(1807-08-18,波士顿～1886-11-21,波士顿) 美国外交家,美国南北战争(1861～1865)期间在使英国保持中立和在促进仲裁解决重要的"亚拉巴马"号索赔案方面发挥了重要的作用。J.亚当斯总统之孙、J.Q.亚当斯总统之子。1809

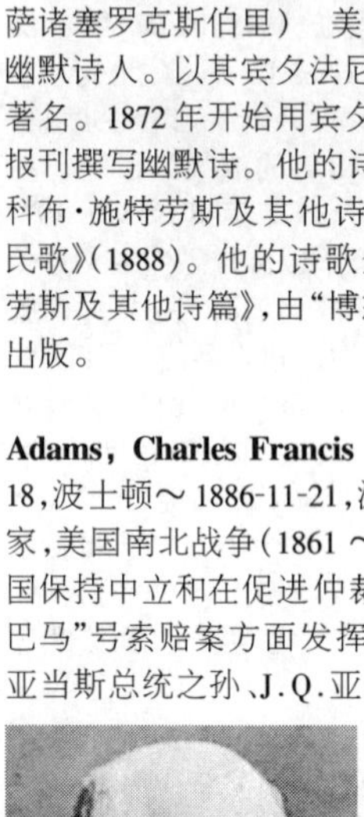

美国国会图书馆供图

年其父任驻俄国公使，他也开始过四海为家的生活。1825年在哈佛大学毕业。19世纪40年代任马萨诸塞州议员和《波士顿辉格党》主编。1848年当所谓"良心辉格党"与辉格党决裂而另外组成自由土壤党时，他同意由该党提名竞选副总统。1856年共和党出现后，他获得永久性的政治归宿。1858年选入美国国会。两年后，他的密友、国务卿W.H.西沃德任命他为驻英国大使。1861年4月爆发南北战争。亚当斯在5月抵达伦敦，发现英国人对美国南方联盟表示极大的同情。因此，在以后的7年中，他的工作极为困难。但他善于说理，态度谨慎而率直，逐渐博得英国人支持。其主要使命是防止英国放弃中立地位。1871～1872年关于解决"亚拉巴马"号索赔案的国际委员会在日内瓦举行会议，他任美方仲裁者。他的名字与通过仲裁来促进世界法观念的工作是分不开的。曾编辑《约翰·亚当斯著作集》(1850～1856)和《约翰·昆西·亚当斯回忆录》(1874～1877)。

Adams，Franklin Pierce　亚当斯(1881-11-15，芝加哥～1960-03-23，纽约市)　美国专栏作家、翻译家、诗人。他的联合专栏"瞭望塔"富有幽默感，为他赢得了现代报纸专栏奠基人的名声。他最初使用的名字是F.P.A.。1903年开始新闻工作，先是在《芝加哥日报》供职，1904年到纽约，为好几家报纸撰稿。1913～1937年，他的专栏"瞭望塔"在《先驱论坛报》以及纽约其他几家报纸上出现，第一次世界大战期间中断。这时，他为《星条旗报》写专栏文章。1923～1931年，他为《纽约世界报》工作，直到停刊为止。他的诗集共10卷，是他30年作品的选集，首卷是《遨游诗坛》(1911)，末卷是《哀怨的诗琴》(1936)。

Adams，Gerry　亚当斯(1948-10-06，贝尔法斯特～　)　全称Gerard Adams。北爱尔兰新芬党(爱尔兰共和军的政治组织)主席，据说是爱尔兰共和军(IRA)的成员和该组织在贝尔法斯特的指挥官，1972年和1973～1977年在未受审判的情况下以涉嫌恐怖主义分子身份遭拘禁。1978年成为新芬党主席并说服该党参与1981年选举。1983年选入英国议会，但他为避免宣誓效忠英国女皇，从未就任。1991年开始把新芬党的战略转向谈判，他的努力促成了该党与英国政府的间接会谈，并与英国和爱尔兰首相协商关于北爱尔兰前途的1993年协议(《唐宁街宣言》)。亚当斯被认为对1994年爱尔兰共和军首度宣布停火有重大贡献。

Adams，Hannah　亚当斯(1755-10-02，美国马萨诸塞梅德费尔德～1831-12-15，马萨诸塞布鲁克莱恩)　美国有关宗教研究历史资料的编撰者。没有受过正规教育，但寄宿在她家的神学系学生给了她很好的辅导。其中有一个学生向她推荐了T.布劳顿牧师编写的《诸宗教历史词典》。她在宗教领域广泛阅读，并做了大量笔记。1784年笔记正式出版，书名为《自基督纪元开始至今各教派按字母顺序排列的手册》。出版后很受读者欢迎，在美国再版三次，在伦敦再版三次。她决心以此谋生，开始编写《新英格兰简史》。1799年《简史》出版时，她的视力已受到影响。波士顿的若干支持者为她设立一笔年金。之后全身心地投入编撰工作。先后出版了《基督教的真理和优越性》(1804)、《犹太人史》(1812)和《福音书信》(1824)。自传《亚当斯小姐传》在她去世一年后出版。

Adams，Henry (Brooks)　亚当斯(1838-02-16，波士顿～1918-03-27，华盛顿[哥伦比亚特区])　美国历史学家、作家、西方文学史上杰出的自传之一《亨利·亚当斯的教育》的作者。出身于波士顿望族。J.Q.亚当斯总统之孙，外交家C.F.亚当斯之子。1858年毕业于哈佛大学。1859年冬进柏林大学学习民法。1861年美国南北战争爆发，父亲受命为驻英公使，他充当父亲的私人秘书至1868年。回国后，在华盛顿担任《民族》和其他几家杂志的记者。他投身首都的社交和政治生活，渴望重建战后满目疮痍的国家。他写了许多揭发政治腐败的文章，1871年汇编为《伊利人和

美国不列颠百科全书公司供图

其他》一书。1870～1876年担任《北美评论》编辑，继续参加改革社会的活动，而且参加自由共和党运动。1872年他的一派在党内受到排挤，兼之U.S.格兰特政府丑闻太多，便起而反击共和党，在大选时提名民主党的H.格里利为总统候选人。这些政治活动失败后，他认为这个社会缺乏原则，乃日趋消沉。1880年匿名出版小说《民主，一本美国小说》，反映出他对社会已丧失信心。1870年曾在哈佛学院教授中世纪史；1877年辞职，编纂T.杰斐逊总统的财政部长A.加勒廷的私人书信文件，1879年写成《艾伯特·加勒廷传》。1882年写成《约翰·伦道夫传》。1889～1891年写了9卷的《美国史》，获得好评。1884年出版小说《埃丝特》。1885年他的妻子突然自杀，精神受到极大打击，乃漫游国外，冬住华府，夏往巴黎。在法国潜心研究历史，写了《圣米歇尔山与特许状》。不久又写了一部自传《亨利·亚当斯的教育》。1912年中风一次，1918年死于华盛顿家中。1919年《亨利·亚当斯的教育》获普利策奖。他的文章风格以讽刺辛辣、语气超然著称。

Adams，Herbert Baxter　亚当斯(1850-04-16，美国马萨诸塞舒茨伯里～1901-07-30，马萨诸塞阿默斯特)　美国历史学家、教育家，首先在美国高校采用课堂研讨方式的人之一，也是美国历史协会创始人之一。富商之子。1872年毕业于马萨诸塞州阿默斯特学

美国国会图书馆供图

院，1874～1876年在德国柏林格丁根和海德堡等大学学习，1876年获海德堡大学的博士学位。在德国时取得两项成果：一是在他的历史研究工作中遵循胚芽论政治学说，追溯美国的政治体制，设想其根源是早期盎格鲁-撒克逊的村社建制；另一成果是：相信课堂研讨法在指导学生钻研学问方面有其优越性。1876年到约翰斯·霍普金斯大学任教，在历史教学中采用课堂研讨方式，影响很大。1884年任新成立的美国历史学会秘书，从而把活动范围扩展到编辑美国教育署出版的书刊。其学识和见地虽不十分突出，但热情和志趣对学生影响极大。美国总统W.威尔逊和著名历史学家F.J.特纳当年都曾是他的学生。

Adams，John　亚当斯(1735-10-30[旧历10-19]，美国马萨诸塞布伦特里～1826-07-04，马萨诸塞昆西)　美国第1任副总统和第2任总统，早年作为政治家和政治理论家致力于

美国史密森学会供图

美国独立运动，对州宪内容的取舍产生影响。他还在美国革命期间和之后不久担任外交官。农场主D.J.亚当斯之子。1755年从哈佛大学毕业，后在伍斯特市普特南的法律事

务所中学习法律。1758年由波士顿律师会授予律师资格。亚当斯认为英国的《印花税条例》是非法的,因为没有得到美洲殖民地人民的同意。从1765年8月开始,他在《波士顿报》上发表一系列表述这一观点的文章。1768年移居波士顿,任最高法院出庭律师。1770年为"波士顿惨案"中的英国士兵进行辩护。1772年当选为马萨诸塞众议院议员。1774年8月前往费城参加13个北美殖民地的第1届大陆会议。他在费城度过3个充满惊涛骇浪的年头。1775年6月,他在第2届大陆会议上提名弗吉尼亚的G.华盛顿为军队总司令。1776年6月参加《独立宣言》起草委员会。宣言的主要起草者是T.杰斐逊,但在会议的讲坛上为宣言作辩护的中心人物是亚当斯。1777年底,大陆会议指派亚当斯前往法国,与B.富兰克林一起担任联合特使。翌年2月,亚当斯携长子J.Q.亚当斯乘驱逐舰起程。到达法国后,得知富兰克林已经成功地与法国缔结了盟约。同年下半年驻法国联合使团解散,他返回美洲参加宪法的起草工作。美国独立以后,亚当斯于1785年成为首任驻英国公使。他进入自己一生的第二个重要阶段,开始了外交生涯。在任驻英国公使期间,曾发表《为美利坚合众国宪法申辩》(1787)一文。其中强调指出:政府的所有部门都应该分权,立法机构应该实行两院制。1789年华盛顿当选为总统,亚当斯当选为副总统。在新政府中间,由于观点不同而形成两个政治集团,一个是由A.汉密尔顿领导的联邦党,另一个是由T.杰斐逊领导的民主共和党。1796年,国会的秘密决策委员会选择亚当斯为华盛顿的继承人。他仅比杰斐逊多获得几张选票。因此,亚当斯在初任总统时顾虑重重,直到1800年还保留华盛顿的原班人马。他的政府经历了一个接一个的危机。1801年3月3日,他痛苦地结束了自己的总统任期,然后匆匆离开首都,避免与新总统杰斐逊会面。亚当斯回到乡间后,以生动的笔调开始撰写《自传》。他为自己的儿子J.Q.亚当斯在外交上取得的成就和政治上的名望感到自豪。他在《独立宣言》发表50周年纪念日逝世。

Adams, John Couch 亚当斯(1819-06-05,英格兰康沃尔莱尼斯特～1892-01-21,剑桥郡剑桥) 英国数学家和天文学家,独立发现海王星的两人之一。早在1841年7月3日,亚当斯就曾在日记中写道:"本周初拟订计划,准备在我获得学位之后立即着手研究天王星运动的不规则性,以判明它是否是天王星外面一颗尚未发现的行星的作用所引起。"1845年他向剑桥天文台台长查理士提供精确的数据,指出这颗尚未发现的新行星位于何处。可惜直到1846年9月23日柏林天文台发现这颗行星很久以后,剑桥天文台才把它辨认出来。亚当斯还曾在1866年指出,狮子座流星雨有绕太阳公转的轨道,而且该轨道接近于1866年第1号彗星的轨道。他比拉普拉斯更精确地描述了月球运动,还研究过地磁。1858年,他任圣安德鲁斯大学数学教授,1859年任剑桥大学天文学和几何学教授,1861年任剑桥天文台台长。

Adams, John Quincy 亚当斯(1767-07-11,马萨诸塞布伦特里～1848-02-23,华盛顿[哥伦比亚特区]) J.亚当斯总统的长子,美国第6任总统(1825～1829)。任总统前是美国

美国不列颠百科全书公司供图

最伟大的外交家之一(曾制订所谓的门罗主义);卸任之后始终如一地反对奴隶制的扩张。在美国独立战争的战火中度过童年。1778和1780年两次随父亲前往欧洲,1778～1779年在巴黎读书,1780年进入莱顿大学。因此,他很小就精通法语。1781年14岁时,陪同美国特使F.达纳前往俄国,担任法文翻译。1782年回国途中,在巴黎与父亲会合,担任美国代表团的编外秘书。此后回到马萨诸塞州,1787年从该州哈佛学院毕业。1790年在波士顿取得律师资格。由于在报纸上发表文章而引起G.华盛顿总统的注意,1794年5月被任命为美国驻尼德兰公使。1796年,华盛顿任命他为驻葡萄牙公使,把他视为最有才华的外交官员。但在他启程之前,父亲成为总统,改派他前往普鲁士。在柏林期间,他于1799年与普鲁士议定一项商业和友好条约。1800年,即将离任的亚当斯总统将儿子从柏林召回。1802年亚当斯进入马萨诸塞州参议院。1803年马萨诸塞州议会选举他为美国参议员。1807年因支持T.杰斐逊总统的禁运法案而遭联邦党人的痛恨,并于次年失去参议员席位。1806～1809年他在哈佛学院任语法修辞学教授。1809年麦迪逊总统派遣他去俄国任美国驻沙皇宫廷代表。1812年美国与英国发生战争时,他仍然在圣彼得堡。1814年8月参加与英国代表的谈判,同年12月签署《根特条约》,之后访问了巴黎。1815年被任命为美国驻英国公使。1817年夏回国,担任J.门罗总统政府的国务卿。1825年当选为总统。1828年杰克逊击败亚当斯。1829年亚当斯回昆西市过平民生活。1830年当选为美国众议院议员。当时有人劝告他,作为前总统接受这样一个位置有失身分。亚当斯回答说,无论什么人都不会因为作国会议员为人民服务而丧失身分,即使在本地当市镇行政人员亦是如此。自1831年起直到1848年去世,他一直担任众议院议员。他自始至终反对扩展奴隶制,虽然他从来没有明确表示自己是一个废奴主义者。1848年2月21日,他正在众议院发言反对向那些赢得他认为"最不正义"的对墨西哥战争的将军们授予荣誉佩剑时,突然昏倒在讲坛上。两天后去世,全国各地都为他举行致哀的游行。

Adams, Léonie (Fuller) 亚当斯(1899-12-09,美国纽约布鲁克林～1988-06-27,康涅狄格新米尔福德) 美国女诗人及教育家。她的诗以一种近乎神秘的想象来解释人的情绪和自然。从巴纳德学院毕业后,任文学刊物《韵律》的编辑。1925年出版了一本诗集《未当选的》。开始在纽约城讲授诗歌创作并于1932年编辑了《弗朗索瓦·维永的抒情诗》。多年来任教于美国各大学并曾任国会图书馆诗歌顾问(1948～1949)。1949年获全国文学艺术学会文学奖,此后还得过各种诗歌奖。她的《诗选》(1954)于1955年获博林根诗歌奖。

Adams, Marian 亚当斯(夫人)(1843-09-13,波士顿～1885-12-06,华盛顿[哥伦比亚特区]) 美国社会仲裁人,有才华的女摄影家。1872年与历史学家H.亚当斯结婚之后,她主持波士顿一处知识分子聚会的沙龙。1877年迁居首都华盛顿,住处成为首都的文化名流和政治名流的聚会中心。同时,她还成为首批女摄影家之一。她为历史学家班克罗夫特及政治家海约翰拍摄的照片特别出名。1885年其父去世后,亚当斯夫人情绪很低落,结果自杀。她给她父亲的书信于1936年汇集出版,书名为《亨利·亚当斯夫人书信集,1865～1883》。

Adams, Maude 亚当斯(1872-11-11,美国犹他盐湖城～1953-07-17,纽约坦纳斯维尔) 美国女演员。以塑造巴里笔下的女主人公著称。其母是盐湖城固定剧团的主要演员。她5岁时在旧金山剧院上演的《德国兵》一剧中扮演小施奈德获得成功。此后一直扮演儿童

美国国会图书馆供图

角色。1888年加入E.H.萨森剧团,专饰天真的姑娘。从扮演霍伊特《夜半钟声》(1889)里的角色起,她的名声不断增大。1897年起曾多年任弗罗曼的明星演员,在《小部长》、《彼得·潘》、《妇女均知》、《名门大街》和《给灰姑娘一吻》等剧中的演出尤为成功。她还扮演

过莎士比亚和席勒戏剧中的人物。1918年离开舞台。曾一度进行舞台灯光实验。1931年重返舞台,饰演鲍西娅,与O.斯金纳的夏洛克配戏。1934年最后一次登台,扮演《第十二夜》中的玛丽亚。1937年成为密苏里州哥伦比亚市斯蒂芬斯学院的戏剧艺术教授。

Adams, Robert　亚当斯(约1791,爱尔兰～1875-01-13,都柏林)　爱尔兰临床医师。以对心脏病及痛风的研究而闻名。1827年描述了一种以脉搏极慢、一过性眩晕或惊厥发作

都柏林市皇家外科医学院供图

为特征的病症,现称亚当斯-斯托克斯二氏综合征。从都柏林三一学院毕业后,亚当斯去欧洲学医,后又返回都柏林行医。1861年在爱尔兰出任女王御医,并被任命为都柏林大学皇家外科教授。

Adams, Roger　亚当斯(1889-01-02,波士顿～1971-07-06,美国伊利诺伊尚佩恩)　美国化学家和教师。曾测定医治麻风病的晁模油、毒性棉子颜料棉酚、大麻及许多生物碱等天然物质的化学组成并因此而闻名。还研究过立体化学、铂催化剂及合成药。1912年在哈佛大学获博士学位后曾在德国从事科研并在哈佛短期任教。1916年去伊利诺伊大学,1919年任有机化学教授,1926年成为化学系主任。在第二次世界大战期间任化学工业顾问和政府科学顾问。1954年接受研究教授职位,1957年退休。一生获得荣誉颇多,包括美国化学协会的普里斯特利奖章(1946)。

Adams, Samuel　亚当斯(1722-09-27[旧历09-16],波士顿～1803-10-02,波士顿)　美国革命时期的政治家,马萨诸塞"激进派"领袖、大陆会议代表、《独立宣言》签署人。美国第2任总统J.亚当斯的堂兄。1740年从哈佛学院毕业后,一度学习法律。在充当波士顿税收员时,由于玩忽职守、帐目不清而受到起诉。尽管如此,亚当斯在当地的政坛上却起过积极作用。1764年英国议会为增加国库收入而通过所谓《食糖条例》时,亚当斯在反抗英国北美殖民地当局的斗争中已是一位举足轻重的人物。他愤怒谴责这一条例,坚决反对只顾征税而不给予代表名额的做法。亚当斯极力鼓动波士顿的"《印花税条例》骚动",反对英国政府对一切法律文件、商业文件、报纸、大学文凭都要征税的新规定。此后,亚当斯从波士顿当选为马萨诸塞大议会下院议

美国不列颠百科全书公司供图

员。1769年开始成为马萨诸塞激进派领袖。他是最早否定英国议会对殖民地的统治权力的美国领袖之一,也是最早将争取独立作为奋斗目标的美国领袖之一。1768年英军进入波士顿时,亚当斯在马萨诸塞的地方报刊上揭露他们欺压手无寸铁的公民、侮辱波士顿的妇女的行径。当英国士兵向群众开枪、打死5名平民以后,亚当斯主持波士顿的群众集会,要求英军从波士顿滚出去。这次斗争终于取得了胜利。1770～1773年,尽管其他的殖民地领袖偃旗息鼓,收兵停战,亚当斯却继续坚决进行反英斗争。他于1772年创立波士顿通讯委员会,以与其他城市的通讯委员会保持联系。这些委员会在此后的反英斗争中曾发挥巨大作用。亚当斯出席代表13个殖民地的第1届大陆会议,坚决主张与会代表采取强硬的反英立场。1774～1775年他任马萨诸塞议会议员时,参与了对英国进行战争的准备工作。迄1781年为止,他一直担任大陆会议的代表。他是号召殖民地人民与英国彻底分离的先驱者之一,曾在《独立宣言》上签名。他竞选首届国会议员失败。1789～1793年任马萨诸塞州副州长,1794～1797年任州长。后加入民主党的前身民主共和党。他在1796年的总统竞选中败于T.杰斐逊。

Adams, Samuel Hopkins　亚当斯(1871-01-26,美国纽约敦刻尔克～1958-11-15,南卡罗来纳博福特)　美国新闻记者、作家。著有小说、传记及暴露文学达50余部。1891年毕业于哈密尔顿学院,并在《纽约太阳报》工作到1900年。1901～1905年间在麦克卢尔报业辛迪加及《麦克卢尔杂志》任编辑等职,他是当时所谓的"黑幕揭发者"之一,曾发表一系列文章揭露骗人的假药。亚当斯后发表《美国大骗案》(1906),对1906年通过《清洁食物及药品法》起了促进作用。1915～1916年他在《纽约论坛报》上揭露广告中弄虚作假的做法。他的小说《狂欢》(1926)及关于W.G.哈定的传记《不可思议的时代》(1939)将哈定政府的丑闻公之于众。亚当斯还写有丹尼尔·韦伯斯特的传记《超绝的丹尼尔》(1930)。他的小说有几部改编成电影剧本,较著名的有《发生在一个晚上的事》(1934)和一部音乐片《哈维姑娘们》(1942)。《祖父的故事》(1955)根据他对住在纽约州北部的祖父的回忆写成。亚当斯亦使用沃纳·法比安的笔名进行创作。

Adams, Walter (Sydney)　亚当斯(1876-12-20,叙利亚～1956-05-11,美国加利福尼亚帕萨迪纳)　美国天文学家,以分光研究著称。他用分光镜研究过太阳黑子和太阳自转。对数千颗恒星的速度和距离以及行星大气也做过研究。他8岁时随传教的父母回美国。曾在新罕布什尔州汉诺威的达特茅斯学院、芝加哥大学和慕尼黑大学学天文。1904年是筹建加利福尼亚州威尔逊山天文台的一员,1923～1946年任该天文台台长。他积极参与筹建帕洛马山天文台的200英寸望远镜。

Adams, William　亚当斯(1564,英格兰肯特吉灵厄姆～1620-05-16,日本)　英国航海家、商人、探险家,第一个到日本的英国人。他12岁在商船上当学徒,后入英国海军服役,继而在柏柏里商人的一家公司中工作。1598年作为总领航率领5艘荷兰船只从欧洲经麦哲伦海峡驶往东印度群岛。后来船队失散。"博爱"号船员相继病亡,于1600年4月在日本南部海岸抛锚。亚当斯被传唤到大阪,当地的德川家康幕府将军由于赏识他在船舶和造船方面的知识,赠他一个领地。他主持了幕府同开始前往日本的荷、英两国商人之间的贸易,并于1613年前后帮助东印度公司在日本建立了英国贸易代理处。他想回英国但没有得到批准,就在日本定居并得有封号。他在日本取名三浦按针(按针意领航员)。东京有一条街叫按针町,就是为纪念他而命名的。

Adams, William Taylor　亚当斯(1822-07-30,美国马萨诸塞梅德韦～1897-03-27,马萨诸塞波士顿)　笔名奥利弗·奥普蒂克。美国教师和儿童文学作家,以其儿童杂志和所写的系列冒险故事著称。亚当斯虽然不是大学毕业,但在波士顿各小学任过20多年的教师和校长。他用奥利弗·奥普蒂克这个笔名为孩子写故事,1865年辞去小学校长一职专事写作。不久创办《奥利弗·奥普蒂克男童女童杂志》,极受欢迎。亚当斯是一个多产作家,写有约1 000多篇刊登在杂志和报纸上的故事及100多部长篇著作。他将其著作写成系列故事,带着小主人公去经受奇异和有教育意义的冒险。亚当斯写的故事中的人物经常旅行,并且举止有礼、体格健壮和富有爱国心,故事具有深刻的寓意。亚当斯的书既受男孩也受女孩的欢迎,尽管他作品中的人物很少有女孩。批评家们指责说,对于成人读者,亚当斯的作品显得文笔粗糙,只因其生动的故事而出众。

Adam's Bridge　亚当桥　又称拉马桥。斯里兰卡西北马纳尔群岛与印度东南沿海拉梅斯沃勒姆之间的链状沙洲。长48千米,东北有保克海峡,西南为马纳尔湾。有些沙洲露出水面,其他位于水面下,最大深度不足1

米,航行受到严重阻碍。疏浚工作始于1838年,但从未成功过,现已放弃。地质研究表明,亚当桥原为连接印度和斯里兰卡的陆地。据穆斯林的传说,阿丹(亚当)跨过此桥到达锡兰的亚当峰,在峰顶单足站立1 000年。

Adams-Onís Treaty　《亚当斯-奥尼斯条约》　参阅 **Transcontinental Treaty**《泛大陆条约》。

Adam's Peak　亚当峰　斯里兰卡西南部山峰。海拔2 243米,位于拉特纳普勒东北18千米处。由于峰顶有一类似人类足迹的凹坑,该山被佛教徒、穆斯林和印度教徒尊为圣地,他们分别认为那是佛陀、亚当或湿婆的足迹。每年有众多朝圣者前往。该山西南壁上的沉重铁链据说是由亚历山大大帝安装,用以标示通往顶峰的道路。

亚当峰
美国不列颠百科全书公司供图

adamsite　亚当氏气　美国研制并在第一次世界大战中使用的喷嚏性毒剂。一种含砷制剂,学名二苯胺氯化砷,系无味结晶有机化合物,用其蒸气作为肺刺激剂。蒸气呈黄色烟雾,刺激眼、肺及黏膜,引起打喷嚏、呕吐,鼻、喉及胸部严重不适。最后发展为严重恶心、头疼、身体虚弱及意志涣散,有效时间约12小时。防护方法是使用良好的机械过滤器。

Adamson, Robert　亚当森　参阅 **Hill, David Octavius; and Adamson, Robert** 希尔和亚当森。

'Adan (Yemen)　参阅 **Aden** 亚丁。

Adan le Menestrel (poet)　**行吟诗人亚当**　参阅 **Adenet le Roi** 阿德内·勒·鲁瓦。

Adana　阿达纳　土耳其中南部城市,位于西里西亚平原,濒临塞伊汉河(古萨鲁斯河)。为全国第四大城市和工农业的重要中心。该城下面很可能是一个公元前约1400年时的赫梯人居住区的废墟。附近是托罗斯山脉通往叙利亚平原的山口,这一地理位置曾长期影响其历史进程。公元前335～前334年被亚历山大大帝征服,公元7世纪末又处于阿拔斯王朝阿拉伯人统治之下。其后600年间反复易手,直到1378年建立土库曼拉马赞王朝。1516年被奥斯曼苏丹谢里姆一世征服后,拉马赞统治者依然控制其地方行政权。1608年改组为奥斯曼直接管理的一个行省。1867年阿达纳成为省会。该地区现存最早历史遗迹之一是塞伊汉河上200米长的一座石桥,始建于查士丁尼时代,8～9世纪又由该地区几个阿拉伯统治者重修。河右岸有一座782年由阿拔斯王朝未来哈里发哈伦·赖世德修建的要塞,现已倒塌。乌卢贾米大清真寺建于1542年。该城四周有肥沃的河谷,又居安纳托利亚—阿拉伯商路的要冲,因而一直富庶繁荣。为土耳其棉纺业中心,有纺织、水泥、农业机器和植物油厂。伊斯坦布尔—巴格达铁路经此。有铁路支线通往西南面51千米的地中海港口梅尔辛,并由此输出该市产品。1973年建成丘库罗瓦大学。阿达纳为生产棉花、稻米、芝麻、燕麦和柑橘的一个农业地区的中心。人口1 041 509(1997)。

Adangme　阿当梅人　居住在波内到阿达的加纳沿海地区、沃尔特河两岸地区和沃尔特内陆地区的人。包括阿达人、克波内人、克罗博人、宁戈人、奥苏杜库人、普兰普兰人和沙伊人,讲加-阿当梅语的各种变体语言,属尼日尔-刚果语系克瓦语支。主要经济活动是种植业。实行胡扎制,一个通常有亲属关系的人群购买一大片土地,然后按支付的多少在购买者中间分配,因此个人对自己一份土地有完全的支配权。领导并代表胡扎与出售土地者进行谈判的是经选举产生的胡扎首领。主要作物有木薯、薯蓣、玉米、大蕉、可可和棕榈油。按父系组成氏族,氏族又分成地区性的父系家系。家系是政治组织的基本单位。家系成员通常一年内几次从胡扎农田返回传统家园参加其家系神祇的纪念活动。此外还有许多一年一度的节日。

Adanson, Michel　阿当松(1727-04-07,法国普罗旺斯地区艾克斯～1806-08-03,巴黎)　法国植物学家,曾根据植物的自然特征制订了以科为主的植物分类体系和命名法。1749年作为印度公司的雇员前往塞内加尔,4年后,带着大批植物标本回国。标本的一部分后成为G.布丰管理下的皇家收藏品,其余大部现属巴黎国立自然博物馆。1757年他发表了《塞内加尔博物志》一书,描述了塞内加尔的植物区系以及软体动物的考察情况。在《植物科志》(1763)中,他阐述了自己的植物分类体系。这种体系受到C.林奈的激烈反对。他最早以解剖学为基础将软体动物分类。又将统计方法引入植物分类,研究了水雷鱼的发电和蛙类、螺类的头、肢的再生现象。尽管他在欧洲学术界颇具盛名,但他的分类系统却不很成功,最终被林奈系统取代。

Adapa　阿达帕　美索不达米亚神话人物,相传是哲人,居住在苏美尔城市埃利都(此城遗址在今伊拉克南部)。阿达帕具有全智却不得永生。某日他捕鱼时南风大作将他吹到海中。他一怒而折断南风之翼,使其停止。天神安努召他到天宫之门接受惩罚,智慧之神心怀嫉妒,对他说,如安努赐他饼与水切莫接触。阿达帕来到安努面前,天门守卫者塔穆兹和宁基齐达为他求情,对安努说阿达帕既有良知再得永生即可成神。安努回心转意,将永生之饼与水赐与阿达帕,阿达帕辞而不受。因此人类必死。

Adapazarı　阿达帕扎勒　土耳其西北部城市。位于萨卡里亚河西岸肥沃平原上,靠近来自伊斯坦布尔的军用古道。14世纪初开始处于奥斯曼控制之下,18世纪末始称今名。为工农业中心。有铁路支线与安纳托利亚铁路干线连接,将小麦、烟草、水果、蔬菜运往伊斯坦布尔市场。城内有大型甜菜加工厂。古迹仅存有建于罗马皇帝查士丁尼时代的石桥。人口152 291(1985)。

adaptation　适应　动物或植物适合其环境的过程;是自然选择作用于可遗传的变异的结果。甚至简单的生物也必须采取各种方式来适应环境,包括结构、生理、遗传方式、运动或散布方式、攻击和防卫的手段、生殖和发育等等方面的改变。精确的适应可能包括迁徙到或生存于有利的条件(如温度)下。此外,生物可以创造它们自己的环境,如哺乳动物能精确地调节自己的体温到最适温度。适应过程常须在身体几个不同的部位同时进行才能生效。以肉食为主的饮食改变到以素食为主的饮食,不止消化系统需要改变,生活习性和防卫机制也需要改变。某些最根本的生物学的适应是化学性质的和遗传性质的。身体细胞能存活的环境是有限的,并且自从生命第一次在海中出现以来环境改变不大。只有通过适应机制的进化,才能使原来的体液成分保持不变,也才可能将生物的活动范围扩展到淡水和陆地。

adaptive radiation　适应辐射　一种生物学现象,动物或植物群在进化过程中分化成多种类型以适应各种特化的生活方式。第三纪(始于6 640万年前)开始,从古兽类辐射出各种适应于跑、跳、攀爬、游泳和飞翔的后嗣,即为适应辐射的显例。

adat　亚达特法　指马来西亚和印度尼西亚的土著居民中的习惯法。它是传统的不成文的法律,约束个人从生到死各方面的行为。15世纪前马来西亚发展了两种亚达特法:亚达特波帕特法是按母系亲属的结构在苏门答腊和森美兰的米南卡包人所占领的地区内发展起来的,而亚达特德门冈法则发源于双方都作为基地的地区的社会单位中。这两种亚达特法的形式都明显地经过伊斯兰法律制度和后来的欧洲法律制度的改造。亚达特波帕特法强调法律要以集团责任为基础。刑事犯罪与民事的违法行为是不分的。刑罚强调赔偿而不是报复。比如,一桩犯罪行为可用实物偿付而得到免除,或者给受害人摆一顿和解筵席就了事。偿付是通过社会压力强迫实施的。断肢和死刑则极少使用。采纳情节证据是亚达特波帕特法的一个显著的特征。在没有受到伊斯兰法影响以前的亚达特德门冈法由印度教法和当地的习惯相混合而成。它包含民法、刑法、宪法和海商法,并用拷打、断肢甚至死刑来惩罚犯罪。两种亚达特法律制度都延至20世纪,直到欧洲正规化的法律基本上取代这两种法律制度为止。

Adda River 阿达河 意大利语作 Fiume Adda，在意大利北部伦巴第大区。源出雷蒂亚山脉 2 335 米高处的小湖群，自博尔米奥向南流至蒂拉诺，再折向西经松德里奥从北端附近进入科莫湖。此段长 313 千米，为该河上游，其谷地名瓦尔泰利纳（**Valtellina**）。自莱科出科莫湖后，穿流伦巴第平原，过洛迪后成为米兰-克雷莫纳省界河，在离克雷莫纳市不远处注入波河。流域面积 7 800 平方千米。下游径流量平均为 250 米^3/秒，可通航段 80 千米。上游瓦尔泰利纳谷地水力资源丰富，伦巴第平原河段有灌溉之利。自罗马时代起，该河就是多次战争的战略防线。

Addams, Charles (Samuel) 亚当斯（1912-01-07，美国新泽西韦斯特菲尔德～1988-09-29，纽约市） 美国漫画家。作品多半发表在《纽约人》周刊上，在美国以恐怖幽默的代表

亚当斯绘《天呀，难道你就做不成一件事？》
美国不列颠百科全书公司供图

画家而闻名。1933 年首次卖稿给《纽约人》周刊。1940 年后，他的作品开始引起广泛的注意。他以讽刺邪恶之徒的变态或反常行为而闻名于世，最有名的漫画为恶魔之家，以此影射讽刺人世的丑恶现象，60 年代中期，被改编为电视系列片，颇受欢迎。其漫画集有《四马分尸》（1942）、《查尔斯·亚当斯鹅妈妈》（1967）等多种。

Addams, Jane 亚当斯（1860-09-06，美国伊利诺伊锡达维尔～1935-05-21，伊利诺伊芝加哥） 美国社会改良家及和平主义者，1931 年与 N.M. 巴特勒共同获得诺贝尔和平奖。她是芝加哥赫尔大厦的创办人，或即以此而最为闻名。赫尔大厦是北美第一批社会团体之一。1881 年在伊利诺伊州的罗克福德学院毕业后，进入费城女子医学院学习，但因身体多病而辍学达 2 年之久。后于 1883～1885 及 1887～1888年间两度漫游欧洲，参观了位于

美国不列颠百科全书公司供图

伦敦怀特查珀尔工业区的托因比大厦（1884 建）。返美后，她和同行旅伴 E.G. 斯塔尔决心建立类似托因比大厦这样的团体。他们在芝加哥工人区购得一幢 1856 年由 C. 赫尔建造的宽大空宅，于 1889 年 9 月 18 日迁入，并命名为赫尔大厦。最后这个团体拥有 13 幢建筑和 1 处运动场，并在威斯康星州日内瓦湖附近建起一个营地。许多著名的社会工作者及社会改良家，如 J. 莱思罗普、F. 凯利、G. 艾博特和 E. 艾博特等，都迁入赫尔大厦。他们一面以商业或技艺为生，一面又帮助亚当斯进行社会改革。赫尔大厦设有托儿所、健身房、公共食堂和女工宿舍。这里开设大学水平的各种课程；培训艺术、音乐及书籍装帧之类的工艺人才；还主办一家早期的小型剧团赫尔大厦剧团。亚当斯和劳工团体及其他从事改革事业的团体一起制定和规定了第一个青少年法庭法、经济公寓法规、妇女 8 小时工作制、工厂视察法及工人保险金制。她还积极呼吁对黑人和移民的公平待遇，主张为找出贫困和犯罪的原因而进行研究工作，并支持妇女获得选举权。1910 年担任全国社会工作会议的第一任女主席。1912 年在进步党为 T. 罗斯福发起的总统竞选活动中发挥积极作用。1915 年任海牙国际妇女大会主席，随即成立妇女争取和平和自由国际联盟。1920 年参与创建美国公民自由联盟。1963 年伊利诺伊大学在芝加哥建立分校，校园占用赫尔大厦福利会全部场地，福利会总部他迁，原有建筑物大部拆除，仅剩下赫尔大厦改为亚当斯纪念馆。亚当斯著有：《民主与社会伦理学》（1902）、《和平的新目标》（1907）、《赫尔大厦 20 年》（1910）及《赫尔大厦的第二个 20 年》（1930）。

addax（species *Addax nasomaculatus*） **旋角羚** 偶蹄目牛科一种栖居荒漠的羚羊，过去广布于整个撒哈拉，现在数量上和分布上均大为缩小，由于滥猎而受到灭绝的威胁。身

旋角羚（*Addax nasomaculatus*）
美国不列颠百科全书公司供图

体笨重，腿短，群居，有适合于在松软的沙土上行走的宽蹄，雌雄都有长而呈螺旋扭曲的角。肩高 1 米。夏季浅灰色，冬天色变深。腿、腹和脸部的一块区域内为白色；前额上有一簇黑色。

adder 宽蛇 蝰蛇科几种毒蛇和眼镜蛇科一种像蝰蛇的毒蛇——棘蛇的统称，还有几种蛇，如北美一种对人无害的猪鼻蛇（**hog-nose snake**）亦称宽蛇。属于蝰蛇科的宽蛇

普通宽蛇（*Vipera berus*）
美国不列颠百科全书公司供图

有：普通宽蛇（欧洲宽蛇、极北蝰、尤纹蝰，*Vipera berus*），咝蝰（咝蝰属[*Bitis*]种类，包括 *Bitis arietans*）和夜蝰属（*Causus*）的 4 种。普通宽蛇常见于文学作品，身体粗壮，遍布欧、亚，远至挪威的北极圈北部。最长的达 80 厘米。一般为灰色，背部有锯齿形黑条纹，身体两侧有黑色斑点。以蜥蜴及小型哺乳动物为食。8 月～9 月初产 6～20 条幼蛇。咬人很少致命。咝蝰及夜蝰陆栖，分布于非洲。咝蝰体大，剧毒；产于非洲和阿拉伯半岛的半干旱地区；体长约 1～1.5 米，灰色至深褐色，背部有细长的黄色人字形花纹；体粗壮，咬人可致命，有动物走近时往往留在原地不动并不逃跑。夜蝰营陆栖生活，体躯细长，体长可达 1 米，产于撒哈拉以南；灰色而有深色斑纹；特征为毒牙小，毒性弱，人被咬后只感疼痛，伤口肿大。两种夜蝰——*C. rhombeatus* 及绿夜蝰（*C. resimus*）——的毒腺很长，从头部通到体腔。棘蛇（*Acanthophis antarcticus*）产于澳大利亚及其附近的岛屿，但不见于塔斯马尼亚；生境多样。沙漠棘蛇（火红棘蛇，*A. pyrrhus*）仅见于澳大利亚中部及西澳大利亚。棘蛇虽与体细长的眼镜蛇有亲缘关系，外貌特征却像蝰蛇，身体粗壮，尾短，头宽；体长约 45～90 厘米；灰色或带褐色而有深色横纹。棘蛇极其危险，毒性强烈，被咬后若不治疗，死亡率达 50%。

Adderley, Herb 阿德利（1939-06-08，美国宾夕法尼亚费城～ ） 美国职业橄榄球运动员，全国橄榄球联盟防守后卫，长于接发球。1961 年加入格林贝包装工队。1969 年转入达拉斯牛仔队。1973 年参加洛杉矶公羊队和新英格兰爱国者队，此后退休。曾 4 次参加超级橄榄球特别邀请赛（格林贝 1967～1968；达拉斯 1971～1972）。

Adderley, Nat 阿德利（1931-11-25，美国佛罗里达坦帕～2000-01-02，莱克兰） 全名 Nathaniel Adderley。美国短号演奏家和流行歌曲作家。是以他哥哥 C. 阿德利为首的受欢迎的灵魂“爵士”五人乐队中的著名明星（1959～1975）。十几岁时就开始吹奏小号，

1950年改吹短号，在他哥哥领导的美国军乐队中吹奏。他长兄的第二个五人乐队成立于硬博普音乐最盛行的时期，从一开始就取得成功。他热烈、奔放的即兴演奏与哥哥绚丽的中音萨克管独奏构成显著的对比，成为该乐队的亮点。同时在1960年的一张专辑中推出他最著名的曲子《工作之歌》。这首歌曲很快成为一首每次演出必唱的流行歌曲。他那些布鲁斯风格十足的歌曲也成为乐队的热门歌曲。

1975年哥哥去世后，纳特曾一度退休，1976年又组建了自己的乐队。由于他的演奏令人心情愉快，大受观众欢迎。他总共录制出版过近100张专辑。1997年因糖尿病不得不锯去一条腿，这样实际上结束了他的事业。

adding machine　加法器　计算器（Calculator）之一种，用以进行简单的数学运算。

Addington, Henry　阿丁顿　参阅**Sidmouth, Henry Addington, 1st Viscount** 西德默斯子爵（第一）。

Addis Ababa　亚的斯亚贝巴　又拼Addis Abeba。埃塞俄比亚首都和最大城市。位于该国地理中心，地处一片水源充足的高原，周围是山脉和丘陵。亚的斯亚贝巴自19世纪后期起才成为埃塞俄比亚首都。前首都恩托托地处很高的台地，气候严寒和柴薪严重缺乏，因而不如人意。皇帝曼涅里克二世（1889～1913在位）之妻泰图劝说皇帝在台地山脚温泉附近建造一所房屋，并把这片地区的土地赠与贵族成员。此后于1887年建立此城，皇后为之取名亚的斯亚贝巴（意为“新的花朵”）。最初与其说该城是一城市，不如说它是一个军事营地。皇宫位于城市中心，周围是他的军队和不计其数的侍从的住所。人口逐渐增多，柴薪不足。1905年自澳大利亚进口许多桉树，后发展成许多桉树林，覆盖该城。1935～1941年亚的斯亚贝巴是意属东非首府。在这一时期特别在欧洲人住区建造了一些现代化的石头房屋，铺设了一些道路。其他革新包括在西面的杰法萨修建一座水库，在南面的阿卡基修建一个水电站。1941～1960年亚的斯亚贝巴变化有限，此后发展较快。

亚的斯亚贝巴是埃塞俄比亚的教育和行政中心。设有亚的斯亚贝巴大学（1950）和几所师范学校及技术学校。还设有埃塞俄比亚研究学会博物馆（由大学管理）、国立音乐学校、国家图书馆、国家档案馆，以前几位皇帝的皇宫和政府各部。几个国际组织的总部设在该城，最重要的是非洲大厦内的非洲统一组织的总部和联合国非洲经济委员会的总部。亚的斯亚贝巴主要生产纺织品、鞋类、食品、饮料、木制品、塑料和化学制品。国家的多数服务行业亦设在该城。埃塞俄比亚的大宗进出口贸易都是经由亚的斯亚贝巴从亚丁湾的吉布提港口或红海岸边的阿萨布出入的。该城亦是多数国内贸易的集散地。西部的梅尔卡托市场是非洲最大的露天市场之一。市中心广场有比较豪华的欧式售货中心。银行和保险机构集中在亚的斯亚贝巴，国家的几家大报亦在此出版。亚的斯亚贝巴是国家交通运输网的中枢。几条公路使它与其他大城市相连，唯一的一条铁路通往吉布提。还有一个国际机场。正式开辟的娱乐地区有限，但有许多露天场所适合于娱乐目的。大学附近的公园里有一个小动物园，南面不远处有一湖区，内有一些设施，可划船、滑水、洗浴和观鸟。最受欢迎的运动项目是足球。也有主要靠校队的篮球、排球和其他运动。人口约2 112 737（1994）。

Addison (of Stallingborough), Christopher Addison, 1st Viscount, Baron Addison of Stallingborough　**艾迪生**（1869-06-19，英格兰林肯郡霍格索普～1951-12-11，白金汉郡西威科姆比）　英国外科医师、政治家。在两次世界大战之间的时期和第二次世界大战以后，为自由党政府和工党政府中的主要人物。伦敦圣巴托罗缪医院附属医学院毕业。历任医学院解剖学讲师和大学院解剖学教授，1901年任伦敦皇家外科学院亨特尔讲座教授。1910年当选自由党下院议员，1914～1915年任教育部政务次官，1916～1917年任军需大臣，1917年任战后重建事务大臣，1919～1921年为卫生大臣。因推行国家津贴的住房计划，导致纳税人的负担增加，引起抗议。1921年转任不管部大臣。同年辞去一切政府职务。1922年转入工党，并发表《对贫民区的背叛》。1926年出版《实事求是的社会主义》。1929年重新进入议会，首相麦克唐纳先后任命他为农业和渔业部政务次官（1929～1930）和农业和渔业大臣（1930～1931）。1937年封男爵。1945年封子爵，并任自治领事务大臣。1947年改任掌玺大臣。1948～1949年任财政部主计长，1951年任枢密院院长。

Addison, Joseph　艾迪生（1672-05-01，英格兰威尔特郡米尔斯顿～1719-06-17，伦敦）英国散文家、诗人、剧作家和政治家。他写了18世纪杰出的悲剧之一《卡托》，在所办刊物

美国不列颠百科全书公司供图

《旁观者》中把期刊散文的艺术发展到完美的境地，成为英语散文最有影响的大师之一。14岁入伦敦查特豪斯公学，在该校与斯梯尔建立了友谊。后来在牛津大学学习和教书。1695年写了《献给陛下（威廉三世）的一首诗》，附带一篇献辞献给有影响的辉格党政治家K.萨默斯勋爵，不仅得到后者的赏识，而且引起后来的哈利法克斯勋爵的注意。他为1697年J.德莱顿翻译的维吉尔《农事诗》所写的序言使他初具名声。1699～1704年，游历欧洲大陆，结识了一些著名文人，撰写了《意大利观感》（1705）和致哈利法克斯伯爵的诗体书信《一封来自意大利的信》（1704）。回到伦敦后，加入辉格党领袖和文人的行列，并于1704年12月14日发表了歌颂马尔巴勒公爵战胜法国的诗歌《战役》，立即获得成功，年底之前就连印三版全部售罄。1705年5月，辉格党在大选中获胜，艾迪生被任命为南部事务副国务大臣。在文学创作上，他协助斯梯尔完成了剧本《温柔的丈夫》（1705），并为剧本作序。他还根据传奇故事《美丽的罗沙蒙德》写了一部英语歌剧，于1707年首次公演。1708年任爱尔兰总督沃顿伯爵的秘书。1710年辉格党政府下台，艾迪生不再担任公职，全力为斯梯尔创办的《闲谈者》杂志撰稿。1711年3月1日和斯梯尔合办《旁观者》，每周6期，一直出到1712年12月6日；1714年又续办一个时期。该刊假托“旁观者俱乐部”成员的讨论或笔谈，涉及时事、道德风尚、文学评论，乃至时装式样，内容广泛，文笔淡雅，深受欢迎，每天销售3 000多份。他的悲剧《卡托》1713年在伦敦公演，颇为成功，在18世纪一直不时上演，并被很多人阅读和引用。1714年乔治一世继位后，艾迪生在政界重新得势，出任国务大臣。从1715年12月～1716年6月，发表了一系列政论。1716年3月，他的喜剧《鼓手》正式上演。1719年卒，葬于威斯敏斯特教堂。

Addison, Thomas　艾迪生（1793-04，英格兰诺森伯兰朗本顿～1860-06-29，格洛斯特郡布里斯托尔）　又译阿狄森。英国医师。艾迪生氏病及艾迪生氏贫血（恶性贫血）均以其姓氏命名。他最先将整套临床症状与一个内分泌腺的病理变化联系起来。1839年与R.布赖特合著《内科临床要义》。1849年初步叙述了上述两种以他的姓氏命名的疾病。1855年著《论肾上腺病对体质与局部的影响》。1829年与J.摩尔根合著《毒性药物对活体的作用》，该书是这一专题最早的英文著作。

Addison's anemia　艾迪生氏贫血　参阅**pernicious anemia** 恶性贫血。

Addison's disease　艾迪生氏病　又译阿狄森氏病。又称肾上腺皮质功能不全。因肾上腺皮质进行性萎缩所致的隐袭性疾病。在明显症状出现以前肾上腺皮质已大部分破坏。因体内氢化可的松缺乏，垂体激素分泌过多而导致下述症状：软弱无力、皮肤和黏膜出现异常色素沉着、消瘦、低血压、胃肠功能失常等。用肾上腺皮质类固醇作补充治疗即可恢复健康。该病首次发现于19世纪中叶，当时认为导致肾上腺皮质萎缩的主要病因为结核病，至今结核病仍为该病居第二位的主要病因。目前认为，半数以上该病病例的病因为自身免疫。

addition reaction　加成反应　在一个分子上加上一个原子或原子团的一类化学反应。加成反应是不饱和有机化合物（含有一个碳碳双键的烯烃和含有一个碳碳三键的炔烃）

和含有一个碳氧双键的醛类和酮类的典型反应。可将加成反应看作双键或三键完全或部分地断裂以在分子中容纳加入的原子或原子团的过程。烯烃和炔烃的加成反应有时称为饱和反应,因为这种反应引起碳原子被最大数目的连接基团所饱和。可用丙烯(一种烯烃)的氢氯化反应来说明典型的加成反应,其反应式如下:

$$CH_3CH{=}CH_2 + HCl \longrightarrow$$
$$CH_3C^+HCH_3 + Cl^- \longrightarrow CH_3CHClCH_3$$

此反应分两阶段进行:先是氯化氢的氢离子 H^+(带正电荷的部分)在双键所连接的一对碳原子之一(在此情况下是带烷基较少的碳原子)上的加成,随后是其氯离子 Cl^-(带负电荷的部分)在另一碳原子上的加成。例如,甲基酮[$CH_3(C{=}O)R$,式中R为烷基]与氰化氢的反应进行如下:

$$H_3C\overset{\overset{\displaystyle O}{\|}}{C}R + HCN \longrightarrow$$
$$H_3C\overset{\overset{\displaystyle O^-}{|}}{\underset{\underset{\displaystyle R}{|}}{C}}CN + H^+ \longrightarrow H_3C\overset{\overset{\displaystyle OH}{|}}{\underset{\underset{\displaystyle R}{|}}{C}}CN$$

丙烯的氢氯化或者广义地说,烯烃的加成被认为是由亲电子试剂所引发,而炔烃、醛和酮的加成被认为是由多电子(亲核)试剂所引发。其他形式的加成反应包括:催化加成反应,例如烯烃的自身加成(由酸催化)或烯烃、醛和酮的加氢(由金属催化);形成环状化合物的加成反应和按照链式机理进行的加成反应。

additive　添加剂　任何添加到食品中产生特定需要效果的各种化学物质。添加剂这一术语也可扩展到那些无意识地进入食物而可能无用或有害的物质。添加剂包括人造或天然色素和调味品,稳定剂、乳化剂、定形剂和增稠剂,防腐剂,增味剂,和营养增补剂。多年来用于肉类防腐的食盐和小苏打、醋、许多香料一样也常用作家庭食品制作的添加剂。在商业食品加工中,为了美观(改善颜色或稠度)或对健康的考虑(推迟食品腐烂或增加营养价值)可使用添加剂。出于经济原因,也采用某些比天然配料价廉的人造色素和调味品。加入不同的化学药品可延长产品的储存期限。例如,润湿剂有助于保持湿度,防结块剂使盐、糖和类似的物品保持疏松,防黏剂用于防止糖果和糕点与包装材料粘连。虽然许多添加剂是有益的或至少没有害处,但另外有些添加剂有降低营养价值或掩饰劣质原料、工艺的效果。美国在1958年以前,由生产者或加工者加到食品中的这些物质,除被证明例外者,都被认为是安全的。1958年以后,经仔细检查发现许多添加剂有可能造成癌症(致癌物)、生育缺陷(形成畸胎)和小儿多动症等。为了维护公众健康和避免消费者受骗,美国及许多其他国家政府控制添加剂的使用。对于在生产、加工或处理食品时不慎或偶然混进或残留的污染杂质,如为控制疾病和改善肉类产量而加到家畜饲料中的药品及用于保护庄稼的杀虫剂等,制定了限制残留物含量的法规,对包装材料中化学药品的最大限量也有规定。这些材料会将有毒物质引入被盛装的食品。参阅 **emulsifier; food colouring; nutritional supplement; preservative**。

Addo Elephant National Park　阿多象国家公园　南非东开普省国家公园,在伊丽莎白港以北、叙尔贝赫山脉以南的森迪斯河谷中。面积540平方千米,建于1931年。大部为茂密的常绿灌木所覆盖。有象约200头,是1919年地主们发动灭绝运动中的幸存者。另外还有稀有的开普野牛、从肯尼亚迁来的羚羊和黑犀牛以及许多鸟类、哺乳动物和爬行动物。公园管理处设在伊丽莎白港。

阿多象国家公园
美国不列颠百科全书公司供图

adductor muscle　内收肌　将身体的某一部分拉向身体中线或将肢体的一部分拉向肢体的轴线的肌肉。尤指大腿上3块强有力的肌肉——长收肌、短收肌及大收肌。这3块肌肉形如丝带,起于耻骨及坐骨,止于股骨内侧。主要功能为内收大腿(如将两侧大腿收拢夹紧),又能协助旋转及弯曲大腿。其他内收肌尚有拇收肌、趾收肌等。

Ade, George　艾德(1866-02-09,美国印第安纳肯特兰～1944-05-16,印第安纳布鲁克)美国剧作家、幽默作家。他的《俚语寓言》叙述农村少年到城市学习新鲜事物的经历。艾德在珀杜大学毕业后,在《芝加哥记录报》报社工作(1890～1900)。他撰写的专栏特写《大街和小镇的故事》深受读者欢迎,后来,他把这些特写中的人物当作主题,写出许多作品,如《阿蒂》(1896)、《粉红色的沼泽》(1897)、《霍恩医生》(1899),这些都是他初期的作品。最使他享有盛名的是《俚语寓言》(1899),这本书成了全国畅销书。继此书之后,艾德又发表了一篇由同系各报同时转载的寓言以及11本其他寓言集。艾德的寓言实际上使用俚语不多,而运用俗话倒是他的主要特征。艾德的轻歌剧《苏禄国的苏丹》于1902年在纽约开始长期连续演出,接着又有几出喜剧,如《县长》(1903)、《学院的寡妇》(1904),演出效果也甚佳。他被公认为当时最成功的剧作家。他在印第安纳州布鲁克附近置有地产,遂以该地为家。他先后撰写电影脚本多部;在美国禁酒时期出版过《旧时酒馆》(1931),许多人认为此书是他的最诙谐有趣的作品之一。

Adela　阿德拉(1062?～1137)　法语作 Adéle。英国国王征服者威廉一世的女儿,英国国王斯蒂芬的母亲,斯蒂芬继承王位的权利由她而来。1080年在布勒特伊与莫和布里伯爵斯蒂芬结婚。1090年她的公公去世后,丈夫承袭布卢瓦和沙特尔两个伯爵领地。她对于国家事务和教会事务发生浓厚的兴趣,积极促进以石材重建沙特尔大教堂。1095年,当她的丈夫在她力劝之下参加开赴圣地的第1次十字军时,她成为摄政。她丈夫于1099年归来,但又于1101年离家去参加第2次十字军,并在罗姆拉战役中阵亡。她在儿子们年幼期间继续摄政,越来越积极参加公共生活。1097年,坎特伯雷大主教安塞姆成为她的座上宾和老师,1103～1105年阿德拉经常款待他。安塞姆与她的弟弟英国国王亨利一世之间因授封问题发生争议,由她促成两人实现暂时的和解。1107年,阿德拉在复活节期间款待教皇帕斯加尔二世;翌年,她款待安条克大公博希蒙德一世。1109年,她让儿子提奥巴尔德继位,自己进入安顿教区一女隐修院,但对政教事务仍操大权。1117年,她力劝提奥巴尔德与她的弟弟亨利一世联合反对法国国王。

Adelaer　阿德拉(1622-12-16,挪威布雷维克～1675-11-05,丹麦哥本哈根)　又作 Adeler(挪威语,意为"鹰"),原名 Cort(或 Curt) Sivertsen(科特·西弗生或库尔特·西弗生),意大利语作 Curzio Suffrido(库尔奇奥·苏弗里多)。挪威出生的水手和海军军官,因战功而名垂威尼斯和丹麦的海军史册。1639年加入荷兰海军当学员,曾在 M.范特龙普部下服役,1642年转入威尼斯海军,改名库尔齐奥·苏弗里多。不久即崭露头角,1650年被派往达达尼尔海峡担任巡逻任务。1654年5月16日率领威尼斯海军中队参加达达尼尔海峡之战,他亲临指挥的那艘军舰单独击沉土耳其军舰15艘,并于翌日迫使田内多斯岛上的土耳其人投降。1659年受封为圣马克爵士,终身享受年金;1660年任威尼斯舰队中将。1662年返回丹麦晋升为丹麦舰队上将,同时接受腓特烈三世颁发的各种勋章和赏赐,他最重要的工作是整顿并改组丹麦舰队。1665年他被邀指挥荷兰舰队与英国作战,辞未赴任。1666年腓特烈三世封他为贵族,3年后被派往印度与科罗曼德尔朝廷谈判(1669～1670)。克里斯蒂安五世在位期间,他受命指挥丹麦舰队与瑞典作战,但在出征前死去。

Adelaide　阿德莱德　澳大利亚南澳大利亚州首府。位于高山岭山麓。距圣文森特湾东岸中心14千米。属地中海型气候。夏季炎热,2月平均气温23 °C,冬季温和,7月平均气温12 °C。年平均降雨量530毫米。首任殖民地总督威廉·莱特于1836年选此地建城,地势沿托伦斯河缓缓上升,河南岸为商业区,

托伦斯河畔的阿德莱德
美国不列颠百科全书公司供图

北岸为居住区。市区与郊区之间有广阔的公园绿地。1840年设市,以英王威廉四世王后阿德莱德的名字命名,为澳大利亚第一个市政府。但市政委会大量负债,1843年撤消。此后该市由省政府管理,1849年又成立市委员会。1852年恢复市的建制,1919年取得设市长大人职务的地位。四周平原土壤肥沃,与东和东南方的墨累低地相通,附近山区有矿藏,均有利于该市的发展。原为早期农贸中心,经营小麦、羊毛、水果和葡萄酒贸易。因地位适中,原材料供应充足,现已工业化。生产汽车元件、机器、纺织品和化工品。1962年在市南诺朗加港附近的哈勒特科夫建炼油厂。第二家炼油厂也已建成。阿德莱德有管道与南澳大利亚州东北部库珀盆地的吉吉尔帕天然气田相连。该市为铁路、海运、航空和公路交通枢纽,为墨累河下游地区产品主要集散地,墨累河口无港口。该市港口设备在市西北11千米的阿德莱德港。该市名胜古迹有阿德莱德大学(建于1874年)、议会大厦和政府大厦、自然历史博物馆、英国圣公会圣彼得大教堂和天主教圣方济各·沙勿略大教堂。阿德莱德文艺节(1960)每两年举行一次,是在澳大利亚举办的第一个国际性文艺活动。人口:市约13 483(2001);都会区约1 092 900(1999)。

Adelaide, Saint 阿德拉伊德,圣(931~999-12-16,阿尔萨斯塞尔茨[今在法国]) 西罗马帝国皇帝奥托一世的皇后,后为其孙奥托三世摄政;帮助增强德意志教会使之从属于帝国势力。勃艮第、士瓦本伯萨国王鲁道夫二世(937卒)之女。947年与意大利国王洛泰尔结婚。950年洛泰尔去世后,其老对手伊夫雷亚的贝伦加尔夺取了意大利王位,并将阿德拉伊德囚禁于加尔达(951-04)。4个月后她由此逃离,请求德意志皇帝奥托大帝一世帮助她恢复王位。951年9月奥托一世进军伦巴第,自立为王,并与阿德拉伊德结婚(951-12)。962年由教皇约翰十二世在罗马为他们加冕。她将全部时间用在振兴克鲁尼克的寺院制度和加强德意志教会效忠于皇帝等事务上。973年5月7日奥托死后,阿德拉伊德对儿子奥托二世施加影响,直至978年两人不和,她离开宫廷住在其兄弟康拉德国王的勃艮第处。在康拉德的敦促下与其子和解。983年奥托二世临终前任命她为意大利摄政。她与儿媳狄奥法诺皇后支持年仅3岁的孙子奥托三世登上德意志王位。985~991年,她住在伦巴第,991年狄奥法诺死后,她返回德意志单独摄政直至994年奥托三世成年。996年其孙成为神圣罗马帝国皇帝,她退出朝政。

Adelaide River 阿德莱德河 在澳大利亚北部地方西北部。源出于布罗克斯克里克西面丘陵,向东北流入帝汶海克拉伦斯海峡的亚当湾。夏季流量有明显增加。全长180千米。河口在达尔文市东北50千米处,上溯130千米可通航。1839年L.R.菲茨莫里斯乘英国皇家海军舰艇"比格尔"号到达该河,并以英国王后阿德莱德的名字命名。1862年约翰·麦克道尔·斯图尔特曾进行勘察,第一个沿河殖民地为伊斯卡普·克利夫斯(1864~1867)。19世纪90年代以来,阿德莱德河下游两岸的肥沃黑土曾用来进行各种农业试验。阿德莱德里弗镇位于斯图尔特公路和北澳大利亚铁路过河处,为拉姆章格尔铀矿区和戴利河地区的旅游基地。

adelantado 督护 西班牙语意为"先锋"。卡斯蒂利亚(西班牙)国王的代表。在欧洲中世纪初期,督护率兵进行远征。自费迪南德三世(1217~1252在位)时期迄16世纪,督护在管区内拥有司法和行政大权。大督护有作最后裁决的权力,在战争时期负责组织管区的军队。小督护的权力与大督护相似,但往往驻守边疆,故又称边疆督护,在征服南北美洲的军事行动中崭露头角。16世纪时,督护一职为法正所代替。

Adelard of Bath 阿德拉德(活动时期12世纪初) 英国经院哲学家和阿拉伯科学知识的早期介绍者。曾将欧几里德的阿拉伯语本《几何学原理》译成拉丁文,此书曾作为西方主要的几何学教科书历时数百年。曾在法国学习和教书,遍游意大利、西利西亚、叙利亚、巴勒斯坦,或也去过西班牙(约1110~1125),然后返回英国巴斯,成为未来的国王亨利二世的教师。在其柏拉图式的对话《论同与异》中,他的原子论和他企图调和一般事物的现实性和个别事物的现实性的论点使他不同于其他柏拉图主义者。他的《自然问题》(76篇有关人性、气象学、天文学、植物学和动物学的论述)是以阿拉伯科学为基础的。其他著作有关于算盘、星盘的作品,还译了阿拉伯天文表。

Adelbert(German archbishop) 参阅**Adalbert** 阿达尔贝特。

Adeler 参阅 **Adelaer** 阿德拉。

Adélie Coast 阿黛利海岸 又称阿黛利地。南极洲东部威尔克斯地海岸的一部分。从西部的克莱尔海岸延伸到东部的乔治五世海岸。这一地区是一个由印度洋升起的冰盖高原,面积约39万平方千米。1840年为法国探险家儒勒-塞巴斯蒂安-塞萨尔·迪蒙·杜尔维尔所发现,并以其妻之名命名。该地成为法国宣称东经136°与142°之间的南极大陆为其领土的依据。在行政上,它是*法属南方和南极领地*(**Terres Australes et Antarctiques Fran-çaises**)的一部分。法国于1952年在地质群岛建立杜尔维尔基地气象站,以取代在1950年建立的但后来毁于大火的马丁港气象站。

Adelung, Johann Christoph 阿德隆(1732-08-08,普鲁士波美拉尼亚安克拉姆河畔斯潘特科[今在德国]~1806-09-10,萨克森德累斯顿[今在德国]) J.格林之前德国最有影响的德语学者。其语法、词典和论风格的著作使德语规范化。1761~1787年从事私人研究。1787年起任德累斯顿萨克森选侯图书馆馆长,直至逝世。阿德隆的《高地德语方言词典》(1774~1786)表明他熟悉方言史,而这些方言则是现代德语的基础。他临终前仍在编写3卷本的《米特里达脱斯或普通语言学》(1806~1817),在该书中肯定梵语和主要欧洲语言的关系,并汇集约500种语言和方言写成的主祷文。

Adémar of Monteil 参阅 **Adhémar of Monteil** 阿代马尔。

Aden 亚丁 阿拉伯语拉丁字母转写作'Adan。也门城市。濒临亚丁湾,坐落在泰瓦希港东边半岛上。其西面半岛称小亚丁。自古为贸易中心。《圣经》中曾提到该城。16世

亚丁的商业港口
美国不列颠百科全书公司供图

纪受奥斯曼帝国统治。1802年英国根据签订条约在此建立加煤站,1937年成为英国殖民地。1953年在亚丁湾西岸小亚丁建石油提炼厂。1962年获得部分自治,1963年被并入南阿拉伯联邦。1968年联邦从英国统治下独立,倾向马克思主义的也门民主人民共和国定都亚丁。1990年北也门和南也门合并成统一的也门国,萨那成为也门首都。亚丁市现包括三部分:旧商业区克雷特、商业区泰瓦希、地方港区马阿莱。经济几乎全部依赖作为附近国家的商业中心和船舶加油站,苏伊士运河关闭期间(1967~1975),业务大为缩减。市内有些小工厂,生产消费品、盐,并建造船舶。1970年前为自由港,1970年开始收关税。城北的豪尔马克萨尔有国际机场,过去是皇家空军基地。1970年创办亚丁大学。

人口约 398 300(1994)。

Aden, Gulf of 亚丁湾 位于红海与阿拉伯海之间的水域。以也门南部的海港亚丁为名。北面是阿拉伯半岛,南面是非洲之"角",西部渐狭形成塔朱拉湾,东面以瓜达富伊角的子午线即东经 51°16′为界。东西长 1 480 千米,平均宽度 480 千米,面积 530 000 平方千米。舍拜海岭横贯海底,为印度洋海岭的余脉,有许多大致东北一西南走向的断层,最大的叫阿卢拉-费尔泰克海沟,深 5 360 米,是整个海湾的最深处。舍拜海岭两侧为沉积海盆,在湾口部分深达 3 900 米。海岭西部成为东西走向的较浅谷地塔朱拉海槽。红海、亚丁湾和阿拉伯海之间海水的大量对流,强烈的蒸发作用和季风的影响,使水体结构十分复杂。表层水含盐度高。其涡流使海流十分紊乱,海面水温为 25 ～ 31 °C。海湾中的生物种类繁多,蕴量丰富。近海区域季节性的海水上涌使表层具有大量的营养成分,产生丰富的浮游生物。近海盛产沙丁鱼和鲐鱼,远海鱼类有海豚、金枪鱼、梭鱼和鲨鱼,并常有鲸出没。海湾还是海龟的繁殖场,且有大量龙虾。当地居民一般仅限于在近海捕鱼,沿岸有许多分散的渔业村镇。

Adena culture 阿登纳文化 古代北美印第安人许多社区的文化。约在公元前 500 ～公元 100 年,以现在的俄亥俄州南部为中心、生活在印第安纳、肯塔基、西弗吉尼亚等州的印第安部族具有类似的文化,大体上都可归入阿登纳文化;生活在宾夕法尼亚州的印第安人可能也属于这一文化范畴。("阿登纳"一名源自俄亥俄州早期一州长的住宅,它位于俄亥俄州的奇利科西附近,阿登纳式的土墩即在其周围地区发现。)阿登纳人通常居住在由用树干、柳枝和树皮搭成的屋顶呈圆锥形的圆形小屋所组成的村落中,但有的仍住在岩洞里。他们以狩猎、捕鱼及采集野生植物为生。用具有石锄、石斧、投掷器、石烟斗及粗糙的陶器。铜、云母及海贝等制成的装饰品证明阿登纳人曾与远地各民族进行过贸易。

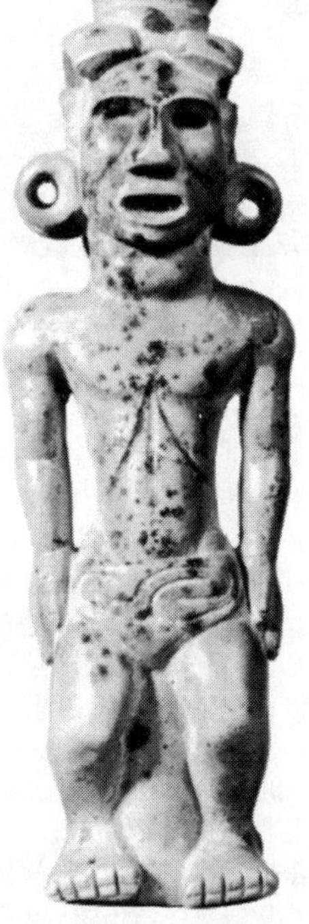

阿登纳土墩出土的人形石雕烟斗
美国不列颠百科全书公司供图

Adenauer, Konrad 阿登纳(1876-01-05,科隆[今在德国]～ 1967-04-19,西德勒恩多夫)德意志联邦共和国第一任总理(1949 ～ 1963)。第二次世界大战后领导西德的重建工作。基督教民主联盟党员,坚定的反共产主义者,支持北大西洋公约组织,致力于使德国与其前敌人、特别是法国重新和好。

美国不列颠百科全书公司供图

科隆公务员之子,在一个注重节俭、富有责任感和宗教献身精神的朴素的天主教家庭长大。在弗赖堡、慕尼黑和波恩的大学里学习法律和政治。1906 年选入科隆市议会,1917 ～ 1933 年任科隆市大市长。任内兴建新的港口设备、一条绿化地带、运动场地和展览场所。1918 年以前任普鲁士议会上院议员,1920 年起任普鲁士各省议会中央机构的成员,1928 年任议长。政治上属于反映天主教原则的中央党。

1933 年纳粹上台后,阿登纳失去了一切职务。他不断地遭到迫害,1944 年被送进集中营。第二次世界大战结束时,美军当局重新起用他为科隆市首席市长,但英军于 1945 年 6 月接管该市后,于 10 月免去了他的这一职务。

大战结束前,一个新的政党——德国基督教民主联盟(CDU)——成立了,在这一联盟中,天主教徒与新教徒克服了他们之间长期的分歧,组成反对纳粹主义与在政府工作中促进实现基督教原则的共同阵线。阿登纳对组成该党发挥了重大的作用,1946 年成为英占区该党主席。在美、英、法决定把 3 个占领区合并建立联邦国家组织时,阿登纳成为议会委员会主席,该委员会为拟议中的德意志联邦共和国制订了一部临时宪法。1949 年阿登纳成为整个西德的基督教民主联盟的主席。他的党及其长期的盟友基督教社会联盟(CSU)在新的制度下举行的第一次普选中获胜,他负责组织联合政府。

作为总理,阿登纳反对社会主义思想,抵制平均主义的大众社会的概念。他的政治指导思想是法律统治下的个人主义。他深信国家必须保证其公民拥有进行独立的智力和经济开发的最适宜的机会,并获得完全的法律保护。但基督教民主联盟的政纲却超出了阿登纳的思想,它提倡带有社会党性质的某些计划。对此阿登纳作出了十分现实的回答。他愿意对那些他思想上并不同意的国内计划采取妥协的态度,以便促进国家的团结,使西德在欧洲共同体中保有重要的地位。在他整个执政期间,他的兴趣侧重在外交方面。他把共产党统治扩展至欧洲心脏地区视作是对西方及其价值观的直接威胁。他对与共产主义世界和平共处的可能性没有信心,感到有必要对来自共产主义集团的任何侵略性的军事威胁进行坚决的反对。他认为个人主义的法律统治与极权主义的独裁统治之间的分歧,以及人道主义的基督教教义与共产党的严密的社会管制之间的分歧是不可调和的。这样,他成了遏制政策的坚定的拥护者。他积极支持德国对北大西洋公约组织及其核武库做出贡献,并提出发展欧洲防御共同体。他竭尽全力使德国与其邻国、特别是法国重新和好。

在 1953 年和 1957 年的选举中,基民盟和基社盟的联盟在联邦议会中取得了明显的多数,阿登纳顺利地继续担任总理。但在 1961 年的选举中却失去了不少议席。阿登纳如要组成下届政府,则必须与自由民主党重新联合。该党促使阿登纳答应在议会任期未满前即放弃总理职位。1963 年,在与戴高乐将军的法国签订他长期追求的合作条约之后,他如约地辞去总理职务。他继续担任基民盟主席,直至 1966 年 3 月。

在阿登纳担任总理期间,反对党要求德国中立化。阿登纳和他的党宣称这一政策给国家安全带来的危险将是不可容忍的,从而在历次重要的选举中获胜。

阿登纳使用语言的能力有助于他达到政治目的。他的语言明白易懂,使普通老百姓信服。在私生活中,他从不炫示自己,并极其遵守纪律。他逝世后,美国、法国和其他许多国家的元首参加了他的葬礼。

Adenet le Roi 阿德内·勒·鲁瓦(约1240～约 1300) 又称鲁瓦·亚当、行吟诗人亚当、亚当(行吟诗人雷克斯)。法国诗人、音乐家。曾在卢万布拉班特公爵亨利三世的宫廷里受教育。1261 年公爵死后,因王朝之间斗争及宫廷内佛兰德斯文学兴起而失势。1268 或 1269 年,阿德内·勒·鲁瓦成为佛兰德公国继承人当皮埃尔的居伊的首席乐师。1270 ～ 1271 年间,他陪同居伊随十字军远征突尼斯,他写下的诗作记载了他们经西西里和意大利归来途中的部分真实见闻。在这些死气沉沉、毫无独创性的作品中,保存至今的有 3 部英雄史诗:《孔马希斯的比埃封》、《俄吉的童年》(查理大帝传说的一部分)和《大脚贝尔特》。还尚存一部传奇故事《克莱奥马代斯》,描写一匹飞翔的木马,系据其老赞助人之女、法国腓力三世的王后玛丽·德·布拉班特的提议而写。

adenine 腺嘌呤 一种嘌呤类有机化合物。以游离态存在于茶叶中,或以结合态存在于许多重要生物物质(包括决定所有细胞遗传特征的核酸)中。从核糖核酸和脱氧核糖核酸部分分解生成的混合物中，可分别分离出腺苷酸和脱氧腺苷酸。这类酸称作核苷酸，是腺苷和脱氧腺苷的磷酸酯。而腺苷和脱氧腺苷则是由腺嘌呤与核糖或脱氧核糖组成的较小单位(即核苷)。腺嘌呤的化合物包括维生素B_{12}、三磷酸腺苷以及其他辅酶(协同酶起作用的物质)。

adenoids 腺样体 又称增殖体、类腺体、咽扁桃体(pharyngeal tonsils)。鼻咽腔后壁的一团淋巴组织。表层为纤毛柱状上皮，上覆薄层黏液。纤毛为细胞上的小突起，不断作波浪状起伏运动，将混有经鼻吸入的病原体和灰尘的黏液向下推到口咽(该处上皮抵抗力较强)，咽肌的吞咽动作又将黏液送到胃部。腺样体内多黏液腺，其分泌物形成表面的薄层黏液。上皮下为淋巴组织，可产生抗体，抗体和白细胞的吞噬作用能抵抗病原体的侵入。幼儿的腺样体常较大。儿童期的感染可使腺样体发炎肥大，造成鼻阻塞，经鼻呼吸困难；又可影响鼻窦引流，使患者易罹鼻窦炎症。慢性呼吸道阻塞和因此引起的张口呼吸，使患儿呈现具特征性的表情呆钝的"腺样体面容"。腺样体肥大及炎症亦会造成咽鼓管咽口的阻塞乃至中耳炎。腺样体肥大或慢性炎症的患儿可考虑切除腺样体(常与腭扁桃体切除术同时进行)。10岁以后腺样体逐渐萎缩。参阅 **tonsil**。

adenosine triphosphate(ATP) **三磷酸腺苷** 又称腺苷三磷酸。动物、植物及微生物中许多酶催化的反应的辅酶。是一种高能分子，起载体的作用，把化学能从产能的食物氧化过程运送到细胞内的需能过程中去。在这种需能过程中，ATP转变成二磷酸腺苷(ADP)及无机磷酸或一磷酸腺苷(AMP)及无机焦磷酸。ATP有三种代谢的来源：*发酵*(**fermentation**)、*三羧酸循环*(**tricarboxylic acid cycle**)及与电子传递偶联的氧化磷酸化。参阅 **cellular respiration; metabolism**。

adenovirus 腺病毒 腺病毒科的病毒。发现于20世纪50年代，约30种，能引起人的咽炎、狗的肝炎及鸡、鼠、牛、猪、猴的多种疾病。病毒颗粒无外膜，球状，直径约80纳米，由252个排列规则的蛋白质亚单位(壳粒)组成，核心为裹有一层保护性蛋白质外衣的脱氧核糖核酸。腺病毒在受染细胞的核内发育，形似结晶体。腺病毒可导致人的上呼吸道黏膜、眼睛和局部淋巴结的急性炎症，其症状和普通感冒极为相似。和感冒病毒一样，腺病毒感染常常不会引起什么临床症状。在有30多个成员的腺病毒家族中，只有很少几个能感染人类。因此，制备腺病毒疫苗的技术可行性应该说是很强的。与此相反，感冒病毒家族中的100多个成员个个都和人类过不去。因此，要想制备普通感冒疫苗就很不现实了。

Adeodatus 阿德奥达图斯 天主教几代教皇的称号，按年代顺序分列于后，并各以●为标记。

● **Adeodatus I 阿德奥达图斯一世** 参阅 **Deusdedit, Saint** *狄乌迪弟，圣*。

● **Adeodatus II 阿德奥达图斯二世**(？罗马[意大利]～676-06-17) 意大利籍教皇(672～676在位)。首创按其在位时期(即从672年4月11日开始)记载世事发生日期的做法。据史料判断，他并未参与当时政治，也未参与清算基督一志论异端，但确曾捍卫正统教义，努力恢复教会的职能。他原是本笃会修士出身，担任教皇后，将圣彼得及圣保罗隐修院置于自身保护之下，并改建圣伊拉斯谟隐修院。

Ader, Clément 阿代尔(1841-02-04，法国米雷～1926-03-05，图卢兹) 法国自学成名的工程师、发明家，莱特兄弟之前的飞行先驱。他少年时就热心航空，1870年战争期间，自费制造了一个气球。1876年辞去桥梁与公路局的工作，以便筹集更多的资金资助其业余爱好。他早年在电信方面的发明有传声器和扩音装置，以后则致力于研究重于空气的飞行器。1890年制造了一架用蒸汽机作动力的蝙蝠翼的单翼机，命名为"风神"。10月9日在巴黎附近一位友人的庄园飞行了50米。蒸汽机是不适于作长时间可操纵的飞行的，这需要有汽油发动机。尽管这样，他这次短程飞行却第一次表明：重于空气的载人机器依靠本身的动力是可以飞离地面的。

Adernò(Sicily) **阿代诺** 参阅 **Adrano** *阿德拉诺*。

adhān 宣礼 阿拉伯语，指宣礼员(亦称穆安津)，伊斯兰教召唤信徒举行星期五聚礼和每日五次礼拜。由清真寺选品德高尚之人担任，届时由他站在小清真寺的门口或一侧，或大清真寺的宣礼塔上宣礼。标准的逊尼派宣礼词译意为："安拉至大，我证明安拉以外再无神灵。我证明穆罕默德是安拉的使者。快来礼拜。快来走获救之路。安拉至大。安拉以外再无神灵。"第一句宣告四遍，最后一句一遍，其他各句两遍；每宣告一句，礼拜者都要回应。

Adhémar DE CHABANNES **阿代马尔**(988，阿基坦利穆桑[法国]～1034) 法兰克编年史家，主要著作为《阿基坦和法兰克编年史》，追溯传说中的法拉蒙王时期起的阿基坦和法兰克人的历史。前两卷由于其资料来源极其有限，因而价值不大。第3卷叙述814～1028年的法国西部历史，翔实可靠。他对自己叙述的进展似乎比对日期的准确性更为关注。还虚构了法国卡佩王朝第1位国王于格·卡佩和他的封臣之间的著名对话。于格问封臣："谁赐予你爵位称号？"他所得到的回答是："谁拥戴你为国王？"其著作由J.沙瓦农于1897年编辑出版。

Adhémar OF MONTEIL **阿代马尔**(？～1098-08-01，叙利亚安条克[今土耳其安塔基亚]) Adhémar又拼 Adémar 或 Aimar。法国主教，教皇使节，第一次十字军的领袖之一。1077年，为勒皮主教，1086～1087年去东方朝圣。1095年应教皇乌尔班二世之召前往东方作神圣远征，被任命为教皇使节和十字军领导人。后受伤并短暂被俘，痊愈后与图卢兹的雷蒙四世及其军队一同进入君士坦丁堡，并友好地觐见了拜占廷君主。当时在塞浦路斯流放的耶路撒冷最高级主教西面二世要求西方派出更多的十字军。阿代马尔并未宣讲西方教皇至高无上的地位，尽管此乃乌尔班二世的政策意图，但是通过有效地指挥许多战役和组织救援贫穷的朝圣者以及命令为十字军作悔罪斋戒等事例，均证明他是一位强有力的、言行一致的领导者。他死于瘟疫后使十字军缺少了一位领袖，扩大了罗马和君士坦丁堡之间的裂痕。

adhesive 胶黏剂 能使分离开的材料通过表面连接结合在一起的物质。3 300年前，埃及人在木工活中使用过胶，在制纸莎草纸中也使用过面粉浆糊。在欧洲古代和中世纪的工业中，包括蜂蜡和植物树脂在内的其他几种有机物质如同胶黏剂一样重要，来自动物组织的胶和密封剂(保护涂料)的研制极大地改善了制造木制品和纸制品的效率。在19世纪，胶黏剂工艺已有进展，橡胶型胶黏剂的采用对其有重大促进。在20世纪，主要由于发明合成树脂和化合物，工业上发生了最革命性的变化。

近代研究表明黏合发生在微小的、紧密的分子层次上，这种解释称作吸附理论，认为黏合是依靠分子吸引力，如同束缚住任何固体物质的分子吸引力一样，因此任何两种材料若两者处于很近的分子间距离，理论上就能结合在一起。然而其他因素，例如抗拉强度、挥发性和柔韧性也能决定一种物质作为胶黏剂的实用性。多数有机的和合成的胶黏剂均为聚合物，聚合物是由许多较简单的分子(称作单体)结合构成的巨大复杂分子。聚合物的高强度和柔韧性是任何高性能胶黏剂必备的特性。

两种最重要的近代胶黏剂是热塑性和热固性胶黏剂。热塑性胶黏剂在正常温度下提供坚固、持久的黏合，经加热可以软化便于操作和变形，冷却可硬化且不引起化学破坏或变化。热固性胶黏剂可形成永久结合也即除非经过一种化学变化不能进行变更，这类胶黏剂在工业上尤其在飞机和航天工业极其有用。其他通用型的有：接触胶黏剂，常涂在需粘接的两个表面；热熔胶黏剂，只能在熔融态下使用；压敏胶黏剂，负载于贴面或胶带上；以及再湿性胶黏剂，配制成一种溶液涂在背衬上，干燥，使用时用水再活化。

天然胶黏剂都是用动植物原料制成的。动物胶通常都是胶原(蛋白)——哺乳动物的骨和皮的主要蛋白质成分——的一种制剂。这类胶仍用于木、纸制品的生产。其他重要的哺乳动物胶都是从酪蛋白(一种乳蛋白质)和血清蛋白精炼成的。植物胶黏剂都是从植物中提取的，均能溶于或分散于水中。从一些谷物和蔬菜获取的淀粉都是构成许多这类胶黏剂的基本物质。其他天然树胶包括琼脂(一种海生植物胶体，微细颗粒悬浮物)、褐藻胶(一种海藻衍生物)以及从阿拉伯胶树提取的阿拉伯胶。

虽然天然胶黏剂生产成本低廉，多数重要的近代胶黏剂都是人工合成的。以复杂的聚合物为基础，合成胶黏剂均为坚固、耐热和持久性的，这类胶易于调变使其具有特殊功能而且能以固定和单一的方式进行生产。两类最重要的合成胶黏剂是热塑性树脂和不同类型的热固性树脂，第三类弹性体胶黏剂是从天然产物和合成产物制取。

Ādi-Buddha　本初佛　佛教名词。即大乘佛教某些宗派所说的最初佛或自生佛。本初佛生智如来。本初佛在绘画和雕塑中的形象是戴王冠而着王服，饰物与菩萨同。

Ādi Granth　《阿底·格兰特》　旁遮普语。印度锡克教经典。收锡克教古鲁(即祖师)以及各教各种姓上古和中古圣徒所作将近6 000首歌偈。此经初版于1604年由锡克教

锡克教僧侣敬拜《阿底·格兰特》
美国不列颠百科全书公司供图

第5代古鲁阿尔琼在阿姆利则编成，所收内容包括他本人著作，前4代古鲁那纳克、安格德、阿马尔·达斯、罗姆·达斯等人的祈祷诗以及印度教、伊斯兰教圣人(主要是诗人迦比尔)的圣诗。1704年，第10代即末代古鲁哥宾德·辛格将第9代古鲁得格·巴哈都尔所写赞歌增入集内(第6、7、8各代古鲁未撰写赞歌)，并嘱信徒在他死后即以《阿底·格兰特》为祖师，从中求得指引。歌偈按照乐曲类别编排，所用语言多为旁遮普语或印地语，杂有马拉塔、波斯和阿拉伯语词。哥宾德·辛格死后，他的赞歌和其他著作被汇编为《达萨姆·格兰特》(**Dasam Granth**)。

adiabatic demagnetization　绝热去磁　利用撤去磁场使某些物质温度降低的过程。这种方法是荷兰化学家P.德拜于1926年和美国化学家W.F.吉奥克于1927年各自独立提出的，它提供了把已经很冷的物质(1K上下)进一步冷却的方法。具有这种机制的物质的组成粒子在4K及4K以下(液氦温度)时还存在某种无序性。顺磁性盐晶体中的磁偶极子具有这种无序性，即能级的间隔比热能小。这时，磁偶极子平均地分占各能级，而它们在空间中的取向则是无规的。加上磁场后，能级的间隔明显增大；相应的能量变得大为不同，占据最低能级的偶极子大都沿外加磁场的方向密集排列。使顺磁性盐同液氦浴槽(槽内维持等温)接触，并加上磁场，则有更多的偶极子定向排列，而热能则传给浴槽。同液氦脱离接触后，减小磁场；由于热是不能流回的，所以样品变冷。这相当于偶极子陷入更低的能级。用绝热去磁这种方法可以得到从0.3K到0.0015K的低温。用与此类似的绝热核去磁方法，可以得到更低的温度。这种过程靠使核偶极子有序化，核偶极子至少比原子的偶极子小1 000倍。用此法已经得到了有序核的温度低达16×10^{-6}K。

adiabatic process　绝热过程　热力学中只以作功的方式向系统输入或从系统输出能量时在系统内部所引起的变化。气体的快速膨胀或压缩很接近于绝热过程。在良好的绝热容器内部发生的任何过程都是绝热的。在绝热过程中，如果过程不可逆，系统的熵(或无序度)就增加；如果过程可逆，系统的熵就不变。绝热过程不能使系统的熵减少。

Adiabene　阿迪亚贝纳　臣属于安息帝国的小王国(公元前247～公元224)。在美索不达米亚北部(今伊拉克)，首都为阿尔巴-伊卢(今埃尔比勒)。公元1世纪时，王室信奉犹太教，太后海伦娜(公元50年卒)以优待犹太人和保护耶路撒冷神殿而闻名。其子莫诺巴佐斯二世与伊扎特斯二世均葬于耶路撒冷的国王陵墓。罗马人在与安息人作战时，经常袭击阿迪亚贝纳。

Adiantaceae　铁线蕨科　真蕨目的一个科。约60属，850种。分布全世界，尤多见于热带美洲。特征为孢子囊沿叶脉成行排列，或着生于叶脉尖端上或近旁；无囊群盖，或覆以卷

北方铁线蕨(*A. pedatum*)
美国不列颠百科全书公司供图

曲的叶缘(假囊群盖)，或生于沟内。本科最熟知的种类见于铁线蕨亚科(Adiantoideae)。铁线蕨属(*Adiantum*)有约200种，叶光泽，通常平滑，其结构很有特色。北方铁线蕨(*A. pedatum*)见于北美及东亚的林地。旱蕨属(*Pellaea*)和碎米蕨属(*Cheilanthes*)亦属铁线蕨亚科，一般生长在岩石悬崖上或岩礁上。按此分类系统还有一个亚科——书带蕨科(Vittarioideae)，包含7属，最大的属为书带蕨属(*Vittaria*，其种又称为鞋带蕨)及车前蕨属(*Antrophyum*)，均广泛分布于热带。

adiaphorism　不置可否论　基督教神学名词。持这种论点的人认为：某些教义、宗教习俗或伦理习俗既非《圣经》所指示又非其所禁止，因此可以不置可否。16世纪宗教改革运动后在德国就此理论两次发生争论。第一次争论发生在维藤贝格信义宗神学家梅兰希顿等人和萨克森教俗两界领袖之间。原来，经过萨克森选帝侯莫里斯的努力，维滕贝格的神学家出于政治上的理由，承认1548年的莱比锡临时协议。根据这一协议，天主教主教有管辖教会之权，教徒可以遵守若干礼仪(如圣油礼、坚信礼)；全体教士都必须承认因信称义的教义，但不一定承认“仅因信称义”，即在这个“仅”字上，可以不置可否。信义宗改革家、教会史学家伊利里库斯激烈反对这种方针。1555年奥格斯堡和约承认信义宗为合法，于是这次争论实际上停止。1681年虔敬派反对在汉堡设立剧场，从而又引起伦理方面的这种争论。虔敬派认为世俗娱乐不合基督教义，而信义宗主流派则认为基督徒在这方面有自由权。

Adige River　阿迪杰河　拉丁语作Athesis(阿塞西斯河)，德语作Etsch(埃奇河)。意大利仅次于波河的第二大河。源出北部阿尔卑斯山的两个湖泊，流经韦诺斯塔谷地，在博尔扎诺接纳伊萨尔科河，向南流，在维罗纳附近进入波河低地后，折向东南，在基奥贾正南波河三角洲以北流入亚得里亚海。全长410千米。流域面积12 200平方千米。下游平均流量为255米^3/秒。沿河堤坝几经加高。入海处约80千米的河道几乎均为人造。上游建有水电站。下游有灌溉之利。1951和1966年的洪灾给当地造成很大损失，河岸需要经常加固。

ʿĀdil Shāhī DYNASTY　阿迭尔·沙赫王朝　(1489～1686)　印度比贾布尔王国(穆斯林巴赫马尼苏丹国两个主要继承国之一)的统治家族。该王朝在1686年被消灭之前曾坚强抵御过莫卧儿人南进。阿迭尔·沙赫王朝的创始人尤苏夫·阿迭尔·沙赫，传为奥斯曼苏丹穆拉德二世之子。他在位末期，果阿落入葡萄牙人手中(1510)。易卜拉欣·阿迭尔·沙赫二世在位时期(1579～1626)是王朝最鼎盛时期，他把南部疆界一直推进到迈索尔，他执政有方并慷慨捐助发展艺术。此后，王朝日益衰微，招致了莫卧儿人的入侵和马拉塔人西瓦吉的反叛。

Ādilābād　阿迪拉巴德　旧称埃德拉巴德。印度南部安得拉邦北部城市。为国家公路线上的农贸中心，距海德拉巴北260千米。该市位于哥达瓦里和本根加两河之间海拔600米的林木高原区。出产柚木、乌木、稻米、高粱、小麦、煤、滑石和石灰岩。人口约84 233(1991)。

Ādinātha　阿底那陀　参阅**Ṛṣabhanātha** 勒舍婆那陀。

adipose cell　脂肪细胞　又作fat cell。一种结缔组织细胞，特化来专门合成和储存脂肪

小体。脂肪的主要化学成分是硬脂酸、油酸或软酯酸的中性甘油酯。脂肪细胞中储存的脂肪,一部分来自直接食进的脂肪,一部分是由食物中的脂类和糖类(有时也有蛋白质)在体内制造的。身体内主要的脂肪储备就是皮下脂肪组织,称脂膜。此外在肌肉间、肠道间、肠系膜内、心脏周围,以及其他部位也有脂肪沉积。除去作为应付饥饿及剧烈运动的燃料储备外,脂肪组织还有助于保存体热和在各种器官之间起弹性软垫的作用。

adiposogenital dystrophy 肥胖性生殖器退化 参阅 **Fröhlich's syndrome** 弗勒利希氏综合征。

Adirondack Mountains 阿迪朗达克山脉 别名 Adirondacks,美国纽约州东北部山脉。由圣劳伦斯河谷及尚普兰湖向南延伸至莫霍克河谷。通常被列在阿巴拉契亚山脉体系内,但从地质学上说,应属于加拿大劳伦琴高地,由地壳断层和长年累月的侵蚀作用形成。面积13 000平方千米,其轮廓略呈圆弧形,由100个左右不连接的山峰组成,海拔从370米到1500米不等。虽然它们基本上呈圆形,但是有几个较高的山峰如马西山(1 629米)和怀特费斯山(1 483米)都露出光秃的岩石峭壁。最后冰川期冰川退去后在这一带留下冰碛物(泥土、泥砂、砾石等的混杂物),从而产生许多壮观的峡谷、瀑布、湖泊、沼泽等,该地区也因此而闻名。200多个形状不一的湖泊星罗棋布,其中一些在20世纪后期被公认为是生态受到"酸雨"破坏的结果。许多捕鱼溪流从中心呈辐射状流入圣劳伦斯河、哈得孙河、莫霍克河、安大略湖及尚普兰湖。第一个发现阿迪朗达克山脉的欧洲人是1609年法国探险家尚普兰。山脉以当地的一个印第安部落命名,意为"食树人"。1892年阿迪朗达克山脉大部分地区成为阿迪朗达克公园。山上覆盖着云杉、铁杉和松树林,低坡间有硬木林。州属阿迪朗达克森林保护区现今在公园内占地970 000公顷以上,为著名旅游区。许多公园和民办游憩村镇可供露营、游泳、徒步旅行和划独木舟。泰孔德罗加城堡、萨拉托加、莱克乔治和普拉茨堡均为历史名胜。冬季运动有奥运会滑雪和双连雪橇比赛。全区几乎都有良好的道路。有一条纪念性公路可直达普莱西德湖附近的怀特费斯山顶。附近无大城市,但是令人心旷神怡的温和气候促进了游乐村镇和疗养胜地的发展,尤以萨拉纳克河和普莱西德湖附近更甚。伐木和采矿(铁和石墨)曾是主要工业,现已被州政府严加限制。布卢芒廷莱克附近的阿迪朗达克博物馆收藏有殖民地时期以来人们在山区中活动的历史文物。

阿迪朗达克山脉
美国不列颠百科全书公司供图

adit 平硐 从地面直达煤层或矿脉的水平巷道。平硐往往称为隧道(更恰当地说隧道是穿过山岭两端的巷道)。在隧道建设中往往要开凿平硐供排水之用。只有在地形陡峭的地区才能开凿平硐,硐口标高要保证平硐有适当坡度,以便排水和运送煤或矿石。采用竖井或平硐都能通达矿体,但一般开凿平硐成本较低,较竖井节省了抽水和提升煤或矿石的费用。在1～2英里内,开凿平硐的经济效益好。平硐横断面有方形、圆形、椭圆形、马蹄形等,最普遍的是马蹄形。平硐直径通常刚够一个人直立或让运输设备通过。平硐可不支护,也可用混凝土、砖石、木材或钢材支护。

Aditi 阿底提(无限无缚) 吠陀时代印度教神话中的女神。是无限的化身,也是众多天神阿底提耶之母。据说毗湿奴的侏儒形化身和其后的新化身黑天等神都是她所生。她支撑天空,维持万物生存,滋润大地,其像常为母牛。

Adıyaman 阿德亚曼 旧称曼苏尔堡,阿拉伯语拉丁字母转写作Ḥiṣn Manṣūr(曼苏尔堡)。土耳其东南部山谷中的城市。8世纪时伍麦叶阿拉伯人建城于佩雷古城址附近,称曼苏尔堡。其地先后由拜占廷人、塞尔柱土耳其人和土库曼人统治,14世纪末归入奥斯曼帝国版图。土耳其共和国成立后,1926年改称阿德亚曼。阿德亚曼市为该地区农产品市场。该地区包括幼发拉底河及其支流流经的山地和高原;居民多库尔德人;生产谷类、棉花、烟草、阿月浑子坚果和葡萄。人口100 045(1990)。

adjective law 程序法 参阅 **procedural law** 诉讼法。

adjuvant 佐剂 能增强特定医疗效果的物质。免疫学上,指能增强机体对外来物质反应的物质。例如,将白喉类毒素吸附于氢氧化铝或磷酸铝颗粒上,则机体对它的反应就会增强。一般指能增强另一种药物效果的药物,如手术前习惯用镇静药以减少麻醉药的用量。

Adkins v. Children's Hospital 艾德金斯诉儿童医院案(1923) 1923年美国最高法院判决的一个案件,其中宣布国会设立的一个为哥伦比亚特区的女工规定最低工资标准的工资委员会为无效。美国国会于1918年曾授权工资委员会为首都的女雇工查明和确定适当的工资。最高法院以5票对3票作出判决,认为国会授权工资委员会的这一法律规定违反了宪法第5条修正案中有关生命、自由和财产所作出的保证。根据判决中的多数意见,雇主和雇工依据宪法有权订立彼此同意的任何形式的契约。因此,该工资委员会的成立是对契约自由原则的一种违法性干涉,持不同意见的塔夫脱、霍姆斯和桑福德大法官在辩论中认为,国会拥有纠正可辨认弊端的政治权力。

后来,最高法院在西海岸旅馆公司诉帕里什(1937)案中否决了该院保守派大多数人的立场,艾德金斯诉儿童医院的判决也就被后一案件的判决所推翻。

Adler, Alfred 阿德勒(1870-02-07,奥地利彭青～1937-05-28,苏格兰阿伯丁郡阿伯丁) 奥地利精神病学家。建立了个体心理学体系,设计了一种灵活的支持性心理治疗方法,以指导有自卑感的情绪障碍患者达到成熟,成为对社会有用的人。他终生关心社会问题,并以此作为工作的主要动力。早年业医,1895年获维也纳大学医学院医学博士学位。他强调应联系整个环境来考虑患者的问题,并开始设计一种人道主义的、整体主义的、器质论的解决人类问题的方法。约1900年着手在内科范围内探索精神病理学问题。1902年始与S.弗洛伊德密切合作,但不久产生分歧,1907年阿德勒发表《器官低劣及其精神补偿之研究》后,分歧加深。他在书中提出人们试图从心理上补偿躯体的病变及伴随的自卑感,认为补偿不满意时,便引起神经症。1908年他论证攻击性驱力(本能)是基本的驱力,其他驱力均从属于它。2年后又宣称自卑感在人类性别关系上的表现或是抱怨男权的没落,或是提倡女权。他不同意弗洛伊德"儿童

美国不列颠百科全书公司供图

早期的性冲突引起精神病”的观点，进而阐明性欲仅是人在克服不足感而进行奋斗时所起的一种象征性作用。1911年他坦率地批评弗洛伊德，与之分道扬镳，和一群追随者建立个体心理学体系，1912年发表《神经症体质》，对该体系进行概述，其后又发表《理解人性》等著作，详加论列。个体心理学认为，人的主要动机是为至善而奋斗，也可变成为自尊而奋斗，从而成为对自卑感的过分补偿。人对自己和世界的看法，影响其全部心理过程。因为所有重要的生活问题都是社会性的，对个体必须置于其社会背景中加以考虑。人的社会化是通过其内在的社交本能的发展而实现的。独特的个体的人格结构，包括其独特的目标及为之奋斗的方式，组成该个体的生活方式，而这种生活方式却不为该个体所觉察。个体使具体的驱力及情绪服从于其生活方式，构成自相一致的整体。生活方式在幼儿期形成，重要的因素是排行、躯体素质低劣、忽视或溺爱等。心理卫生的特征在于富有理性、社会兴趣和自我超越感；而精神障碍的特征则是自卑感、患得患失、惴惴不安以及自尊或支配他人。心理治疗应鼓励建立健康的人际关系和加强社会兴趣，在治疗中医师与患者作为平等的伙伴讨论问题。1921年，阿德勒在维也纳建立第一个儿童指导所，不久在他领导下又建立30多所。他认为要使社会价值永存，则儿童指导必不可少，因之不倦地促进健全的儿童指导事业。1926年首次赴美，先后任哥伦比亚大学及长岛医学院的客座教授。他后来的许多著作，包括《生活对你应意味着什么》(1931)，都是通俗读物。H.L.及R.R.安斯巴赫曾编辑出版《阿尔弗莱德·阿德勒的个体心理学》(1956)及《自尊感与社会兴趣》(1964)等书。

Adler, Cyrus　阿德勒(1863-09-13，美国阿肯色范比伦～1940-04-07，宾夕法尼亚费城)　学者、教育家、编辑和犹太教保守派领袖，对当时美国犹太教徒的生活有很大影响。阿德勒1892年创立美国犹太人历史学会，自1898年至1922年任会长。他为美国犹太人出版协会筹划出版《美国犹太人年鉴》，由他主编，自第一年1899直到1905年。1916年他又一度主持此项工作。犹太人出版协会圣经委员会在他主持下于1917年出版希伯来《圣经》的犹太教第一部正式英译本。纽约犹太教神学院的扩充，阿德勒曾参与其事。1908年阿德勒任费城德罗普西希伯来语言学院第一任院长，主编并出版原在英格兰印行的《犹太人季刊》。1913年阿德勒与谢克特合作创办普通信徒组织美国犹太教联合会堂。1915年任犹太教神学院代理院长，1924年起任院长直至去世。

Adler, Dankmar　阿德勒(1844-07-03，普鲁士施塔特伦斯费尔德[德国]～1900-04-16，美国伊利诺伊芝加哥)　建筑师、工程师，他同L.沙利文合作的作品也许是美国最著名、影

阿德勒1897年设计的芝加哥股票交易所
美国不列颠百科全书公司供图

响最大的建筑。1854年移居美国。1857年开始学习建筑，曾在A.鲍尔的建筑事务所作绘图员。第一项设计是芝加哥中央音乐厅，首次应用了声学原理。1881～1895年与沙利文合组事务所，他们设计的商业建筑体现出新的建筑风格。阿德勒是工程师和事务所管理人，沙利文是建筑设计师。阿德勒写过一些关于建筑构造和施工技术及规范方面的书，主要有《钢结构和平板玻璃对现代建筑的影响》(1896)。

Adler, Felix　阿德勒(1851-08-13，黑森-达姆施塔特阿尔蔡[德国]～1933-04-24，美国纽约州纽约)　美国教育家和伦理运动发起人。是一位犹太教拉比的儿子，1856年随家

美国不列颠百科全书公司供图

移居美国，1870年毕业于哥伦比亚学院。在柏林大学与海德堡大学学习后，成为康奈尔大学希伯来与东方文学教授，1902年被任命为哥伦比亚大学政治与社会伦理学教授，1876年在纽约创立伦理文化协会。伦理运动由此开始，其目的是在一切生活关系中坚持道德因素的重要性，而不考虑是否有上帝的存在。他在社会改革运动中起过重要作用，诸如建立模范公寓住宅、废除童工制等。其著作有：《信条和事业》(1877)、《儿童的道德教育》(1892)、《世界危机及其意义》(1915)、《生活的道德哲学》(1918)和《精神理想的重建》(牛津大学希伯特讲座，1923)。

Adler, Guido　阿德勒(1855-11-01，奥地利帝国摩拉维亚艾本许茨[今捷克共和国伊万奇采]～1941-02-15，维也纳)　奥地利音乐学家、教师、现代音乐学奠基人之一。1864年阿德勒举家迁往维也纳，4年后他开始在维也纳音乐学院随A.布鲁克纳学习音乐理论和作曲。为了今后在法律界谋生，他又到维也纳大学求学，1878年获博士学位。在校期间曾举行一系列关于R.瓦格纳作品的演讲(后作为《理查·瓦格纳》一书出版，1904)，并与F.莫特尔合作成立瓦格纳学术研究会。由于当时一些杰出音乐史学家的论著的影响，阿德勒放弃法学。他写了一篇关于1600年以前西方音乐的论文，于1880年获哲学博士学位。两年后成为讲师，并完成一部和声史的著作。1884年与P.斯皮塔和K.F.F.克里赞德尔一起创办《音乐学季刊》。翌年应聘担任在布拉格的德意志大学音乐史教授。1888年他建议奥地利政府出版一套奥地利杰出乐曲集；这一建议得以实施，即为《奥地利不朽音乐名作集》丛书。阿德勒于1894～1938年任该丛书总编辑，共主持出版83卷。1892年阿德勒成为维也纳国际音乐与戏剧展览会音乐部的组织者。1898年被任命为维也纳大学音乐史教授，并在该校创办音乐学研究所。他的讲课备受欢迎，听讲的学生来自欧洲各地。学生中有相当一部分人后来成为知名的作曲家或音乐学家。除音乐史外，阿德勒对当代音乐亦有兴趣。他与G.马勒友情笃厚，1916年曾出版一本论述马勒的著作。对A.勋伯格的作品亦很赞赏。作为最早的音乐学家之一，阿德勒在19世纪末这一新学科刚刚形成时即已系统阐明其主要原则与方法。他是第一位在研究工作中强调“风格批评”的音乐史学家。他的态度和研究程序在《音乐史手册》中表现得一清二楚，他于1924年成为该手册编辑。

Adler, Larry　阿德勒(1914-02-10，美国马里兰巴尔的摩～2001-08-07，英国伦敦)　美国口琴演奏家。人们通常认为口琴之所以能在古典音乐领域的音乐会中登堂入室，主要应归功于他。阿德勒的家庭并非特别爱好音乐，但由于家人信奉正统犹太教，他得以接近宗教音乐。10岁就成为巴尔的摩最年轻的唱诗班领唱，但在学校中他并不愉快。他假装神经衰弱，说服父母让他入皮博迪音乐学院学习，但不久就被认为缺乏才华而强令退学。这个挫折使他更加坚定不移。11岁时未经父母同意，擅自为家里订购一架钢琴，然后劝说他们接受。同时开始吹口琴。不识乐谱，就坚持不懈聆听音乐，用兜售杂志所挣的钱购买唱片和音乐会入场券。1927年，他因演奏贝多芬的一首小步舞曲而获马里兰全国口琴比赛冠军。翌年又在纽约为早期电影动画片伴奏，并扮成流浪汉演出杂耍保留节目。曾在歌舞剧和电影中演出，后又应邀与一乐队合作。1939年举行首次独奏音乐会，

由澳大利亚悉尼交响乐团伴奏。直到1940年法国作曲家J.贝尔热为他创作一部口琴协奏曲后，他才学习读谱。R.沃恩·威廉斯、D.米约和其他作曲家均曾为阿德勒写过乐谱。美国参议员J.R.麦卡锡当权期间，阿德勒被指控同情共产党而列入黑名单，因找不到工作而去英国定居。曾为电影和电视写配乐，并有几本著作，包括《我怎样演奏》(1937)和《拉里·阿德勒的改编曲》(1960)等。

Adler, Mortimer J.　阿德勒(1902-12-28，美国纽约州纽约～2001-06-28，加利福尼亚圣马特奥)　美国哲学家、教育家、编辑。主张通过研究西方世界的伟大著作进行成人教育

美国不列颠百科全书公司供图

和普通教育。1928年在哥伦比亚大学获哲学博士学位。在该校执教后，转往芝加哥大学任法律哲学教授。与R.M.哈钦斯一道领导文科教育。其方法是使学生在阅读伟大著作的基础上进行定期讨论。在哥伦比亚大学时，曾在J.厄斯金的指导下学习特殊的荣誉课程。选修这一课程的人阅读"古代的畅销书"，作为"促进人类互相了解和交往的文化基础"。还同哈钦斯合作编辑了54卷《西方世界的伟大著作》(1952)，设计并领导编制该书的两卷索引。1952年任哲学研究所所长，该所于1958～1961年出版《自由的概念》2卷。其著作有《怎样读一部书》(1940年出版，1972年修订)、《道德的辩证法》(1941)、《资本主义宣言》(与L.O.凯尔索合著，1958)、《教育革命》(与M.迈耶合著，1958)、《大众的亚里士多德》(1978)和《对上帝应如何看》(1980)等。他还和哈钦斯共同为不列颠百科全书公司编辑10卷本的《伟大著作入门》(1963)，从1961年起编辑年鉴《当代的伟大思想》。还主编20卷《美国编年史》，其中包括一部两卷的提要《美国生活中的重大事件》(1968)。在不列颠百科全书公司主持下，在芝加哥大学作过几次系统的演说，后来将这些演说编成下列各书：《哲学状况》(1965)、《人的差异和它造成的影响》(1967)、《我们生活的时代》(1970)。1969年，主持设计第15版《不列颠百科全书》(1974年出版)。1974～1995年任不列颠百科全书编辑委员会主席。其回忆录有：《自由哲学家：一部理性自传》(1977)和《第二次回顾》(1992)。他代表一组著名教育家写出《全面教育建议：一份教育宣言》(1982)和《全面教育计划：一份教学大纲》(1984)，主张废除美国多轨教育体系，建议只有在学生修完人文学科、艺术、自然学科和语言方面的全部基础课程之后再进行专门职业训练。其后期著作有：《怎样说，怎样听：愉快有益谈话指南》(1983)和《十个哲学错误》(1985)。

Adler, Nathan Marcus　阿德勒(1803-01-15，汉诺威～1890-01-21，英格兰东萨塞克斯布赖顿)　不列颠帝国犹太教大拉比。他创建了犹太学院和犹太会堂。1844年10月13日被选为伦敦大拉比。他计划创办一所培育教师的犹太学院(原犹太学院仍存在)，这所学院终于在1855年11月11日成立，他自任首任校长。1860年提出关于成立犹太教联合会堂以统一管理英国各地犹太教会堂的计划。1870年议会通过《犹太教联合会堂法案》，这一计划遂得以实现。

Adler, Sara　阿德勒(1858，俄国敖德萨～1953-04-28，美国纽约州纽约)　婚前名萨拉·列维茨基。俄国出生的美国女演员，为美国意第绪语剧院最著名的人物之一。出身于一个富有的犹太人家庭。曾在敖德萨音乐学院学习演唱，后加入由M.海因管理的一个意第绪语剧团，此后不久便嫁给了他。亚历山大二世1881年遇刺之后发生的几次镇压主要都是针对俄国犹太人的，1883年9月意第绪语戏剧被明令禁演。翌年初，海因剧团迁移到美国。1890年与海因离异，嫁给美国意第绪语舞台当红的悲剧演员J.阿德勒。J.阿德勒与剧作家J.戈丁联手，开始努力重新恢复意第绪语剧院的活力，增加了反映美国犹太人都市环境的现代戏剧。萨拉和其丈夫在后来几十年的演出场地，主要是在他们所拥有的位于鲍厄里街的剧院。萨拉出演过大约300个重要角色，包括当时许多流行戏剧作品的角色。她最得意的角色，也是奠定她在意第绪语舞台卓越地位的角色，是在戈丁把L.托尔斯泰的《复活》改编成的戏剧里饰演的K.玛丝洛娃。第二个重要角色是她在戈丁的戏剧《无家可归》中完全真实地刻画出的遭遗弃和精神错乱的妻子。1926年丈夫去世后，她便很少演出。

Adler, Victor　阿德勒(1852-06-24，布拉格～1918-11-11，维也纳)　奥地利社会民主党领袖。生于富有的犹太家庭。曾在维也纳大学学医，1881年获得学位。在维也纳期间参加德意志民族主义组织；但在其反犹太性质较明显时脱离。1883年在德国、瑞士和英国旅行时结识德国社会主义者F.恩格斯和A.倍倍尔之后，成为社会党积极分子。他与恩格斯是终生朋友，经常通信。阿德勒创办并主编社会党的《平等》周刊(1886～1889)，在该刊被查禁后，又出版《工人报》，这是社会党人的主要喉舌。1888年12月至1889年1月建立统一的社会民主党，他始终是党内的主要人物；他将该党建成为鼓吹奥匈帝国各民族建立联邦和自治的多民族政党。1905年选入下奥地利邦议会，不久即成为为普遍选举权而斗争的领袖。1911年捷克社会民主党人分裂出去，使他所作的维护单一而统一的政党的努力受到挫折。在第一次世界大战期间，他在斯德哥尔摩社会党会议(1917)上曾为争取和平而奋斗。1918年10月参加新奥地利政府，主张残存的奥地利国家与德国合并，但未能实现自己的理想即与世长辞。

Adlergebirge (eastern Europe)　**阿尔代尔山**　参阅 **Orlice Mountains** 奥尔利采山脉。

Adlersparre, Georg, Greve(Count)　**阿德勒斯帕勒**(1760-03-28，瑞典霍沃摩～1835-09-23，克里斯蒂娜港附近)　瑞典政治和社会改革家，1809年发动推翻专制国王古斯塔夫四世的政变领袖。原为自由派陆军中校，由于国王征收苛捐杂税，不断进行战争，拒绝召开议会，他便发动政变。但在政变后思想倒退，反而支持新宪法规定的君主专制政体。1809～1810年在国务委员会任职。1810～1824年任斯卡拉堡省省长。他支持过各种社会改革方案，如监狱改革等。

Admetus　阿德墨托斯　希腊传说中色萨利地方弗雷国王斐瑞斯之子。他曾向伊奥尔科斯国王帕利阿斯最美丽的女儿阿尔克提斯求婚，但他首先要把一头狮子和一头野猪套到战车上。替他效劳的阿波罗神套上了这两头野兽，这样他就得到了阿尔克提斯。阿波罗发现他不久就会死去，于是劝说命运女神假如能找到一个替死者，就延长他的寿命。阿尔克提斯同意替死，但是赫拉克勒斯在墓地同死神搏斗并取得了胜利，使阿尔克提斯死而复生。阿尔克提斯的死亡和重生是古代许多浮雕和瓮画的主题。欧里庇得斯也写有一个剧本《阿尔克提斯》。

administrative law　行政法　调整公共行政机构的权力、程序和行为的法律。它适用于所有种类的公共官员和公共机构的组织、权力、义务和职能。它的发展是与现代的政府职能的扩大和官僚主义的滋长同步发生的，是与日益需要的对政府机构和政府官员的合法监督同步发生的。在现代管理法授予行政当局的权力中，可以举出4种类型：①立法权，即为了补充法定政策的细节而发布具有法律效力的规章和条例的权力；②许可权，即发给或拒绝发给、换发或撤消按照法令在从事律师或医生之类的专业或经营某种形式的商业时可能需要的执照或许可证的权力；③调查权，即为了获得进行有效的管理所需的资料而要求证人作证和提供帐册、文件和记录的权力；④命令权，即发布行政命令的权力，通常是在发出通知和给予申述意见的机会之后发布这种命令，要求私人当事方遵守管理法令，去做或不做某些事情。从最广泛的意义上看，行政法的问题是政治理论的中心问题的一个方面：权威和自由的协调。更具体地说，对公共行政机构进行合法监督的目的是：①建立行政权威并使其能够执行旨在保护公众利益的公共政策；②保护私人利益免受行政当局的专横和滥用权力的侵害。行政法与宪法的界限很难划分清楚，它们在许多方面是互相补充的。国家立法机构的组织、法院的构成、内阁的性能和国家元首的职责一般被认为是属于宪法范围的问题，而关于中央和地方政府的实质性和程序性规定以及对行政的司法检查则明显地属于行政法范

围的问题。但是,有些事项,例如政府部长的职责等,很难说是只属于宪法范围或行政法范围。一些法国和美国的法学家认为行政法中包括宪法的部分内容。

20世纪以来,国家和政府的职能在各国都不断扩大,结果引起了官僚主义的滋长。政府机构和各种官员越来越多,他们所占用的物力财力越来越大,他们的权力越来越广泛和深入。世界各国,不论其政治制度如何,都存在严重的官僚主义的问题。行政法作为一种工具,对于克服官僚主义可以起到有价值的作用。

检查监督行政部门是否依法办事,可以说是行政法的一项中心内容。由于历史、政情和宪法理论各不相同,世界各国在这方面的做法也千差万别,各不相同。大致可区别为三种类型:①英美等国采取习惯法制度。原则为行政执行机构不得干预法院行使司法职能,而在行政部门发生违法行为时,法院可以进行干预。普通法院可以宣判公共行政当局的行为是否符合法律。但在实际上这些国家都设立了各种行政法庭来处理政府机关与公民个人之间的争执,从而对上述原则作了一定的变通。②法国等国采取政府不得干预法院、法院也不能检查行政的原则,因而设立专门的法庭系统处理行政机构与公民之间的争执并有权作出判决,但这种法庭属于行政系统而不属于普通法院系统。③苏联等国采取检察官制度。检察长由最高苏维埃任命,负有监督各级政府机关、官员和公民遵守法制的任务,但检察院不是法庭,不能作出有约束力的判决。

行政手续在行政制度中具有很大的重要性。周到的行政手续使行政过程中各级的责任分明。有的国家制度有一般性的行政法规,有的国家没有这种一般性的法规,但是有许多规定行政手续的单行法规。

对行政机关是否依法办事的检查,不论是由行政法庭或普通法院进行,都是检查公共机关是否严格遵守纪律和法定手续,但是它不大适合于检查行政机关行动的是否明智、适当或合理。一般地说,这些是属于有关负责当局的职责范围。

行政法庭或法院可以取消不合法的决定,允许上诉和判决赔偿损失。它们不能强制政府如何办事,加以制裁,因为政府本身掌握着强制力的使用。它们不能对中央政府发号施令。但是,在实际上,这些限制的影响不大,因为一般而言,所有的政府(包括通过革命而上台的政府)都愿意显示其政权的合法性,很少对它所承认的法院的决定置之不理。

admiral　海军上将　又译舰队司令。海军高级军官的军衔和头衔。常是指挥海军一个舰队或在陆上担任重要海军职务的军官。这个名词有时也指商船队或渔船队的一队之长。在欧洲,这个头衔一度是皇室高级军官的头衔。当时拥有这个头衔的贵族不是水兵出身,极少在海上指挥作战;他们是管理海军事务部门的首脑,负责提供作战所需的舰只,并对后来由海军法庭审理的案件有裁判权。到1620年,英格兰用舰队司令这个名词专指海上的指挥官。美国海军上将相当于陆军或空军的上将。vice admiral 相当于中将,rear admiral 相当于少将。美国或英国的海军将官的军衔识别标志是镶在袖口上的一条金色宽带条以及它上面的一条或几条(视军衔高低而定)较窄带条。

admiral　海军上将蛱蝶　鳞翅目蛱蝶科某些蝶类的俗称。颜色鲜艳,飞得快,为采集者所珍视。红海军上将蛱蝶又称红纹丽蛱蝶,即大西洋赤蛱蝶(*Vanessa atalanta*),有迁

红纹丽蛱蝶(*Vanessa atalanta*)
美国不列颠百科全书公司供图

飞习性,以荨麻为食,广泛分布于欧洲、斯堪的纳维亚、北美和北非。印度红海军上将蛱蝶即印度赤蛱蝶(*V. indica*)见于加那利群岛及印度,其前翅上的红色条纹较大西洋赤蛱蝶更宽。欧亚大陆和北美种白海军上将蛱蝶即白蛱蝶(*Limenitis camilla* 或 *Basilarchia arthemis*),以忍冬属植物为食,分布范围从大不列颠横经欧洲大陆直到日本。

Admiral carpet　海军上将地毯　14或15世纪西班牙莱图尔或穆尔西亚地区的列托尔以手工织成的地毯。单经,拴西班牙扣。图案大多为在有小八边形的菱形花纹底子上饰以盾形纹章,其中多带有八角星;很多盾形图案织有卡斯蒂利亚王国世袭海军将军恩里克斯家族成员的纹章,或阿拉贡王后卡斯蒂利亚的玛丽亚纹章。还有一些只有菱形花纹的底子而无盾形纹章。大边复杂,外扎边常为变形的库法文字,缀以鸟兽和人物。这种地毯原来大多很长,但在15世纪赠与女隐修院后,在使用中被截短。在几幅西班牙绘画中可以见到这种海军上将地毯,如在阿维尼翁宫墙上绘于1346年左右的壁画中和小霍尔拜因的作品《索洛图恩的圣母》(1522,藏瑞士索洛图恩市博物馆)中。

Admiral's Cup　海军上将杯　英国皇家海洋帆船俱乐部1957年设立的帆船竞赛奖杯,授予2年一度的国际帆船比赛中的优胜队。参加比赛的帆船规定长8～21米,每个国家队可派3艘船。比赛共有6次(1987年以前为5次),在英格兰南岸以外举行,最后举行975千米赛程的法斯耐特杯赛。关于优胜者,参阅 **Sporting Record**:Yachting。

Admiral's Men　海军上将供奉剧团　英国伊丽莎白女王和詹姆斯一世时期的一个剧团。1576～1579年,该团以赞助人C.霍华德的名字命名,被称为"霍华德勋爵供奉剧团"。1585年,霍华德成为英国海军上将,剧团也随之易名为"海军上将供奉剧团"。该团主要演员是E.艾莱恩。剧团于1625年解散。

Admiralty　海军委员会　全称 Board of Admiralty。1964年以前英国政府管理海军事务的一个政府部门。1964年,三军的三个部(海军部、陆军部和空军部)都不再是独立的部,合并成为一个新的统一的国防部。海军部改名为国防会议海军委员会。英国海军最早由称为英国首席海军上将的"国务大臣"管理。18世纪早期,这个部门由称为海军委员会的委员们领导。委员会的权力来自王室特权,除了有一个《海军纪律法》来规定海军纪律外,没有议会法案来界定或约束他们。从纯法律的观点看,海军委员会的成员具有共有的、平等的责任,但是1869年该委员会的命令中授予海军委员会委员长以压倒一切的权力,由他直接向议会负责海军事务。海军部与英国国防部其他军种的部的区别在于它可以作为一个作战主管部门,实际上有时直接给海上舰船发布命令。在20世纪,海军委员会通常有10名委员,其中3名是议员,6名是海军军官,1名是常设秘书。

admiralty　参阅 **maritime law** *海商法*。

Admiralty, High Court of　参阅 **High Court of Admiralty** *高等海事法庭*。

Admiralty Inlet　阿德默勒尔蒂湾　在加拿大西北地区巴芬岛西北,布罗德半岛和博登半岛之间。从巴芬湾的兰开斯特海峡向南朝陆内延伸370千米,宽3～32千米,两岸陡立,高300～460米。东北岸的北极湾城为探矿和狩猎基地。

Admiralty Islands　阿德默勒尔蒂群岛　在巴布亚新几内亚,为俾斯麦群岛的延伸部分,包括约40座岛屿,位于西南太平洋中,离巴布亚新几内亚北岸约300千米。**马努斯岛**(**Manus Island**)为火山岛,占群岛陆地面积的大部分,也是群岛主要聚落洛伦高的所在地。群岛可能在1528年被西班牙人阿尔瓦洛·萨维德拉勘探过,1616年荷兰航海家威廉·斯考滕进行过观测,1767年英国船长菲利普·卡特里特给群岛命名。1884年为德国保护领地,1914年群岛被澳大利亚占领,1921年划入澳大利亚托管地。1942～1944年被日本占据,1946年成为联合国新几内亚托管地的一部分,在1975年巴布亚新几内亚获得独立时,群岛成为该国的组成部分。阿德默勒尔蒂群岛丰富的传统文化现已完全消失,木雕和装饰品具有各具特色的3种艺术风格:①居住在马努斯岛内地乌西艾人的;②居住在马努斯岛以北、以东及东南方各小岛上马坦科尔人的;③居住在马努斯岛南部及岸外小岛上的马努斯人的。阿德默勒尔蒂群岛的经济以农业为主,包括生产椰干和种植咖啡。1972年马努斯岛上发现铜矿。土著居民是美拉尼西亚人,从事渔业和地方贸易。许多人是货物崇拜的信徒,这是第二次世界大战后先知帕琉创建的教派。人口约41 748(2000),几乎全部住在马努斯岛。

admiralty law 参阅 **maritime law** 海商法。

Admonition to Parliament(1572) 参阅 **Parliament, Admonition to** 对议会的忠告。

Ado-Ekiti **阿多埃基蒂** 尼日利亚西南部翁多州城镇。地处约鲁巴丘陵，为公路枢纽，在伊巴丹东北偏东148千米处。是附近地区重要工业中心镇。居民善棉纺。1967年建大型纺织厂。现为经济作物集散中心和农产品销售市场。建有翁多州立大学(1982)和联邦理工学院(1996)。人口约359 400(1996)。

adobe **黏土(坯)** 用于制造日晒砖的一种重黏土。此词源出西班牙摩尔人，又指黏土坯本身。这种黏土基本上是钙质，含砂，为黏土、砂和粉砂的混合物，塑性良好，能干成坚硬而均匀的块。这种黏土或性质相似的黏土使用在世界各地，特别是气候干燥或半干燥的地区，已有几千年的历史。使用方法虽有种种变化，但全都是利用其特殊的性质。直接把泥土用于建筑工程是由于缺少建筑所用的木料、易于施工及其所具有的既隔热又避寒的功能。旧大陆地中海以东的干燥地区、北非和西班牙南部均有日晒黏土坯。西半球美国西南部至秘鲁发现黏土坯的许多哥伦布前遗址，也都是在那些气候干燥的地区。美洲印第安人用手抓塑性黏土一层一层筑墙，让每层干透后再垒下一层。到20世纪，黏土坯又成为美国西南部一种流行的建筑材料。有时这种土坯用手成型，或多或少状如长方面包。制坯的模子大概是从非洲引入西班牙，而在西班牙征服时期传到新大陆。现代习用的制坯方法是把一定数量适用的土浇湿，放置一两天，使土块软化和破碎，加少量稻草、麦秸或其他有纤维的材料，用锄或类似工具拌合，然后用脚践踏，当达到适当稠度时，就将黏土放在简单的模子里成型。模子用光面木板或金属板制成，四个边，没有上盖和底。模子根据所要用的成品坯来确定，尺寸的大小差别很大，但通常厚8～13厘米、宽26或31厘米、长36～51厘米。先让土坯平放在地上部分晒干，然后竖立码垛，使其干透。这种砖未干透前不能使用。在一般干燥气候条件下，通常最少需晒两星期。如添稻草、麦秸或同类物质有助于防止在硬化过程中缩裂，但对成品的结构没有任何补益。黏土坯墙通常建在坚固防水的石块或混凝土的基础上，否则地下水的毛细作用会造成下层崩溃。砌筑时使用同质黏土泥浆，墙垒成后表面抹一层黏土，或用石灰或水泥的灰泥。如修筑保养得当，黏土坯墙可持续几百年。

Adobe Systems Incorporated **Adobe公司** 美国印刷、排版以及图形处理软件开发商。该公司最初是靠发明Post Script打印机语言开创了桌面排版系统而起家的。公司总部设在美国加利福尼亚州圣何塞。该公司由J.沃诺克和C.格施克于1982年创立。这两位计算机科学家早年受雇于施乐公司的帕洛阿尔托研究中心(位于加利福尼亚州)时，就已经开发了一种编程语言，专门用来描述对象在计算机生成页面上的准确位置、形状和大小。这种后来被称作Post Script的页面描述语言，将文字和图像等对象用数学术语来描述。当施乐公司拒绝将此项技术推向市场时，沃诺克和格施克成立自己的公司来推广这项技术。1983年苹果计算机公司取得Adobe公司15%的股权，成为第一个获得许可使用Post Script的公司。1986年Adobe公司上市。1990年收入已经达到1.68亿美元。Adobe公司从Post Script使用权中获取的收入在20世纪90年代继续上升，Post Script的字体销售业绩也良好；到1998年底，Adobe字库已拥有2 500多种字体。不过，该公司更多的收入却是来自应用软件的销售。最初的软件是1987年推出的Adobe Illustrator，它以Post Script为基准，是为艺术家、设计师和绘图技术人员准备的一款绘图软件。3年后推出的Photoshop，用于对数字图像的再加工，很快成为Adobe公司最成功的一款软件。以后几年该公司主要通过一连串的收购，有了许多其他的应用软件。1991年推出了Adobe Premiere，用于编辑影视和多媒体制作。1994年购入Aldus公司和它的Page Maker软件。次年又购入框架技术公司(Frame Maker软件的开发商)。它还买下塞纳-卡通讯公司(开发万维网网页制作软件Page Mill和网站管理程序Site Mill的公司)。1996年Adobe公司针对普通消费者推出了一款简易版的图像编辑程序Photo Deluxe。90年代的另一大创举是推出Acrobat系列产品。不过，随着因特网的出现以及网络对压缩文件传送的需要，一种与之抗衡的文件格式——超文本标记语言——蚕食了它的市场。1997年公司收入的近80%来自其应用软件的销售。Adobe公司成为仅次于微软和甲骨文公司的第三大个人计算机软件开发商。

adolescence **青春期** 从儿童期到成人期之间的过渡时期，年龄跨度为12～20岁。不少国家把青春期狭义地理解为*发身期*(**puberty**)和生殖能力成熟期。西方国家对此有更为广义的理解：青春期发育包括心理的、社会的、道德的以及严格意义上的生理的成熟发育。青春期个体有前后两个阶段的性感受：即发身期性意识压抑，其后突转为性意识强烈。在此期间，个体开始学会控制和调整性欲冲动；作为实现自我的第一步，开始出现与父母的情绪分离。另外，自决和自尊一类的责任意识也在很多少男少女中出现。在某种意义上，所有上述这些特点界定了西方文化中青春期的概念，同时也就部分地说明了成人期个体的行为特征。某些专家认为青春期是个体行为模式定型的重要发展阶段，还有的专家认为青春期的问题被人为地夸大了。大部分人的青春期发育都很平和，并没有什么麻烦。

Adolf **阿道夫** 统治者之名，按国别分列于后，并各以●为标记。

与此字相等的外语：

荷兰语	Adolf
德语	Adolf
法语	Adolphe

德意志/神圣罗马帝国

● **Adolf** **阿道夫**(约1250～1298-07-02，德意志沃尔姆斯附近格尔海姆[德国]) 德意志国王(1292-05-05～1298-06-23在位)，由于人们支持其哈布斯堡对手阿尔贝特一世而被废黜。1277年起为拿骚伯爵，并且是一个有声望的雇佣兵，由法兰克福的日耳曼选民选作国王，他们认为他比阿尔贝特更适合充当后者之父鲁道夫一世、哈布斯堡第一位国王的继承人。1292年6月24日在亚琛举行加冕礼之后，阿道夫不得不应付其选民的过高要求和阿尔贝特的敌意，后者为奥地利的公爵，控制着极大的资源和领地。阿道夫夺取未被人占有的采邑迈森，并从领主爵阿尔贝特处购得图林根的继承权。他与英王爱德华一世结盟反法(1294-08-24)，为此获得一笔现款补助金，并以此款来击败领主爵的被剥夺继承权的儿子们：无畏的腓特烈和狄特里希。日耳曼选民对阿道夫日益增长的权势甚感震惊，决定将王位转与阿尔贝特，并就此与其达成协议。当废黜之令宣布后，阿尔贝特的庞大军队已出现在美因茨。阿道夫试图与其敌手的强大军队决一死战以便夺回王位，但终战败被杀。

卢森堡

● **Adolf** **阿道夫**(1817-07-24，拿骚比布里希～1905-11-17，符腾堡霍恩贝格) 拿骚公爵(1839～1867)、卢森堡大公(1890～1905)，是自治公国的第一位统治者。拿骚-魏尔堡和萨克森夏洛特的威廉公爵之子，其父死后继承爵位(1839)。曾在维也纳受教育，是哈布斯堡王室的军方支持者，在七周战争中支持奥地利反对普鲁士(战争乃为日耳曼事务中的统治权问题)。1866年奥地利战败，拿骚被普鲁士吞并。1867年9月9日他正式放弃拿骚公爵爵位。作为补偿，他得到850万塔勒尔和若干城堡。1889年任荷兰国王威廉三世在卢森堡的摄政。1890年威廉三世卒，无男性继承人，卢森堡与荷兰的个人联系中断，恢复大公国，根据《1783年拿骚继承协议》，他成为拿骚-魏尔堡公爵家族的首脑。一直统治至逝世，由其子威廉四世大公继承。

拿　骚

● **Adolf**(1817～1905) 参阅 **Adolf** (Luxembourg) 阿道夫(卢森堡)。

Adolf Frederick **阿道夫·腓特烈**(1710-05-14，石勒苏益格戈托普～1771-02-12，斯德哥

美国不列颠百科全书公司供图

尔摩） 瑞典国王(1751～1771在位)克里斯蒂安·奥古斯特(1673～1726)之子,石勒苏益格-荷尔斯泰因-戈托普的公爵以及巴登-杜拉赫的阿尔贝蒂纳·弗雷德里卡的公爵。1727～1750年任吕贝克主教时,由于乌尔里克公爵(后为俄罗斯的彼得三世)尚未成年,遂于1739～1745年统治荷尔斯泰因-基尔。1743年,"礼帽"派选他为瑞典王位继承人。礼帽派所热衷的对外政策是使瑞典在波罗的海重获霸主地位,并指望通过他从俄国女皇叶利扎维塔那里获得较好的和平条件,女皇对戈托普皇族有好感。1751年腓特烈一世驾崩后他继承了王位。但在新国王在位期,大权落入议会手中。他曾两次设法摆脱议会的控制:第一次(1756)几乎使他失去王位,但第二次(1768～1769)在其子古斯塔夫王子协助下终于清除了议会中亲俄罗斯和亲普鲁士的"便帽"派。但礼帽派在获胜后却违背诺言拒不扩大国王的权力。

Adomnan, SAINT 参阅 **Adamnan, Saint** 阿达姆南,圣。

Adonai (religious term) **我主** 参阅 **Yahweh** 雅赫维。

Ādoni 阿多尼 印度南部安得拉邦西部卡努尔县城镇。位于马德拉斯至孟买的铁路线上,在海德拉巴西南225千米。中世纪为维查耶那加尔王国的据点,后由穆斯林控制,1792年并入海德拉巴。有宏伟的加米清真寺,建于1680年。出产棉布与毛毯。人口108 939(1981)。

Adonias (Aguiar) Filho 阿多尼亚斯(1915-11-27,巴西伊塔茹伊皮～) 巴西小说家、小品文作家、文学评论家、新闻工作者。1940年之前主要从事新闻工作,为《晨报》和《巴西评论》写稿。后在《文学报》开辟文学批评专栏,并开始发表他翻译的英语小说。20世纪50年代任国家图书研究所所长,并在国家戏剧服务社工作。后成为国立图书馆馆长。1965年被选进巴西文学院。1972年被选为巴西新闻协会主席。发表过三部曲《死神的仆从》(1946)、《拉扎罗的回忆》(1952)、《强者》(1965)。这些作品是描写巴西东北部可可种植园生活的小说。

Adonis 阿多尼斯 希腊神话中的美少年,深受阿佛洛狄忒女神的宠爱。传说他是叙利亚国王忒伊亚斯同女儿司米尔娜生的儿子。阿佛洛狄忒受到婴儿阿多尼斯容貌的诱惑,把他放到一只箱子里交给冥后珀耳塞福涅看护,后来她却拒绝把他交出。她们向众神之王宙斯上诉,宙斯裁定,阿多尼斯一年分别有4个月同珀耳塞福涅和阿佛洛狄忒在一起,其余时间则由自己支配。此故事传说不一。据信阿多尼斯的名字源自腓尼基语,他就是巴比伦的坦木兹(**Tammuz**)神。现代学者一般把阿多尼斯看成是植物的精灵,他的死亡和再生表示自然的循环。每年在比布罗斯和其他地方举行阿多尼亚节,以纪念其死亡与复活;把人像和其他物件抛入水中,以求降

阿多尼斯和阿佛洛狄忒(16世纪提香绘)
美国国立美术馆供图

雨。此节日在雅典的特点是设置阿多尼斯园,即在盆中放有特别培植、生长与枯谢迅速的种子(塞浦路斯仍保留此俗)。

adoption 义养 像父母那样抚养孩子的行为,这些孩子在事实上或在法律上原不属于抚养者。义养为举世所公认,其历史渊源可溯至远古。大多数古代文明和某些稍后的文化中的义养制,其目的实质上与近代所强调的并不相同。男子继承是古代义养制的主要目的。男性子嗣的重要性来源于和当时文化相关的政治、宗教或经济上的考虑。被义养者总是男性,并常常是成年人;再则,义养者最为关心的只是自己在今生或来世的利益,很少注意被义养者的利益。相反,现代有关义养的法律和风俗的目的,在于促进孩子的福利,并被作为国家保护青年一代总方针中的一个方面。虽然传宗接代和获得遗产继承权利的愿望仍是实行义养制的个人动机,但社会的目的是为了在已婚夫妇和儿童之间建立亲子关系。这种看法主要出现于第一次世界大战之后,当时有大批孤儿和私生子。心理学和社会学的发展,强调稳定的家庭生活对儿童成长的重要性,进一步增强了义养的可取之处。20世纪后期,可供合法收养的儿童数量下降,使得传统义养条款有所改变,诸如亲子之间的年龄差别、收入水平、母亲是否也有工作,还有宗教及民族界限等等,均不像以前那样严格。单亲收养也为许多社会福利机构所认可。尽管大多数国家也允许对成人的义养,法律条款却是为儿童的义养制定的。义养者通常必须是成年人。若干法律条款涉及:年龄较大的儿童(一般超过12或14岁)是否同意被收养;按照有关法规所定标准对未来家庭之适应性作一检查;在收养者家中试住一个阶段。关于遗产继承权,各种法律之间的差别是相当大的。一般说来,养子可以从养父母那里继承,养父母也可以从养子那里继承。养子继承其亲生父母的遗产,过去曾经是毫无问题的,但现在这种继承权愈来愈受到限制,只有由继父母抚养的情况视为例外。此外,还有一种倾向是扩大儿童的继承权利,使之能继承其义养父母的亲属的财产,不过关于这一点各国法律彼此差别很大。

Adoptionism 基督嗣子论 基督教内两派异端观点。一派发生于二三世纪,又称活力神格唯一论(参阅 **Monarchianism**);另一派在8世纪兴起于西班牙。西班牙境内托莱多大主教埃里潘多斯区分基督神人二性的作用,提出基督作为人乃是上帝的嗣子,区别于作为神的基督即上帝之子。马利亚之子是道成肉身,因而本质上不是上帝的生子,而是他的嗣子。798年教皇利奥三世召开罗马会议,谴责基督嗣子论。12世纪,这种观点一度又由阿伯拉尔一派重新提出。

Adorno FAMILY 阿道诺家族 热那亚的望族,政治上以担任"得人心"(民主)的执政官(1339～1528)而闻名,这个期间旧贵族被放逐,诸新家族攫取了权力。该家族的分支在佛兰德和西班牙均甚显赫有名。14世纪他们开始掌权,是时一场革命结束了旧贵族在热那亚的统治,最终由阿道诺和弗雷戈索两个家族为争夺执政官一职争斗了一个半世纪。阿道诺家族中有6人担任过热那亚共和国的执政官。1363年加布里埃勒当选,在位7年,1368年由查理四世皇帝命名为帝国代牧,两年后被D.弗雷戈索领导的起义赶下台。8年后,阿道诺家族重新掌权,由安东尼奥托一世(1397卒)出任执政官,但在1394年以多数票当选之前,曾反复被废黜和官复原职数次。由于宗派斗争激烈,他竟将热那亚城拱手让给法国的查理六世。阿道诺家族的另一位执政官阿戈斯蒂诺(1487～1499在职)是米兰的斯福尔扎公爵们的忠诚支持者,在法国路易十二征服米兰时隐退。其子安东尼奥托二世在多风波的16世纪初上台,作为法兰西国王的代理人于1513年短暂地统治着该市,后又效忠于西班牙,1522年成为执政官,此时佩斯卡拉侯爵为神圣罗马皇帝查理五世攫取了热那亚。安东尼奥托的5年统治于1527年结束,是年A.多里亚为法兰西的弗兰西斯一世征服了该市。安东尼奥托退隐在米兰时,多里亚与法兰西国王交恶,遂为查理五世重新攫取热那亚。阿道诺在佛兰德的一支是由奥比佐(1307卒)奠定基础的,他是皮埃尔居伊爵军队里的一位十字军战士;彼得罗(1409卒)是布鲁日市镇的司库,其子贾科莫和彼得罗于1428年建立耶路撒冷教堂,是耶路撒冷圣墓教堂的翻版。第二个彼得罗之子安塞尔莫是布鲁日的司库,曾旅游至叙利亚和非洲,并作为勃艮第伯爵、大胆的查理的驻波斯大使,又是苏格兰国王詹姆斯二世的顾问。该家族在西班牙的另一支出过许多军人和将领。1463年,热那亚另一著名家族中的一员卡泰丽娜·菲耶斯基(1510卒)嫁给朱利亚诺·阿道诺,1737年卡泰丽娜被封为热那亚的圣凯瑟琳。

Adorno, Theodor Wiesengrund 阿多诺(1903-09-11,德国美因河畔法兰克福～1969-08-06,瑞士菲斯普) 即T.魏森格伦德。德国哲学家,并精通社会学、心理学和乐理,以对法兰克福批判理论学派的贡献而闻名。第二次世界大战后,该学派促进了德国知识界的复兴。1924年在歌德大学学习音乐,并获哲学学位。这番经历对其早期著作有所影响。在著作中强调美学发展对于历史进化和真理探求的重要性。在法兰克福大学任教两年后,1934年为逃避纳粹对犹太人的迫害而移居英国,在牛津默顿学院授课3年,1938年

赴美国，在普林斯顿无线电广播研究规划组织任音乐指导，1941～1948年，为伯克利加利福尼亚大学社会差别研究规划组织的负责人之一。1949年返回法兰克福大学。晚期哲学研究集中在对知识分子运动进行社会批判分析。他以弗洛伊德-马克思主义理论为基础，而又强调个人，避开权力主义。主要著作有：《启蒙的辩证法》(1947)、《现代音乐理论》(1949)、《权力主义的个性》(1950，与人合著)以及《美学理论》(1970)等书。

Adour River　阿杜尔河　法国西南部河流。发源于比利牛斯山中部图尔马莱山口。流向北转西，最后在巴约讷附近注人比斯开湾。全长335千米，流域面积1.5万平方千米。沿途流经风景优美的康庞山谷和塔布平原。塔布以下有灌溉之利。支流有拉西斯河、波河等。达克斯以下可通航，但河口有一移动沙洲给航行造成危险。

Adowa（Ethiopia）　参阅 **Adwa** 阿杜瓦。

Adrano　阿德拉诺　1929年前称阿代诺。意大利西西里东部卡塔尼亚省城镇。位于卡塔尼亚西北部的埃特纳火山西坡的熔岩台地上，靠近锡梅托河。原为哈德拉农古镇，约公元前400年由锡拉库萨的暴君狄奥尼西(大)创建，镇址靠近供奉西库尔人的阿德雷努斯(哈德雷努斯)神的圣殿。公元前263年罗马人征服此地，把它称作阿德雷努姆(哈德雷努姆)。中世纪属西西里的伯爵罗杰一世。腓特烈二世封之为伯爵领地。1549～1812年由帕泰尔诺诸侯门卡达家族统治。1929年恢复古代名称阿德拉诺，过去误称阿代诺。有希腊城墙、浴场和墓地等古迹。经修复的13世纪诺曼底式城堡和圣露西亚女隐修院(1157年罗杰一世所建)亦为游览名胜。当地种植柑橘和葡萄，还有养蜂业。人口：城市区约34 097(1993)。

Adrar　阿德拉尔　前称蒂米。撒哈拉中阿尔及利亚西南部图瓦特绿洲群中最大绿洲，棕榈丛林居民点。阿德拉尔的历史名称为当地柏柏尔族的蒂米人所取，蒂米人在该地建造了“克萨尔”(要塞村)。现名取自柏柏尔语“阿德拉尔”(意为“山”)。该镇位于迈萨乌德干河河床附近，舍什沙漠和西北大沙漠之间。中世纪的阿德拉尔地区为北非和西非之间通商要道上的战略重地。其独特的红色厚墙建筑物(后扩展至尼日尔河谷)的特点是犬牙交错的圆齿状边缘。法国人1900年从摩洛哥军队手中夺取了阿德拉尔。该镇在1962年成为独立的阿尔及利亚的一部分。现代城镇的人口处为一纪念碑式的门楼，镇内有两个主要广场和成直角的大道。四周地区主要是布满沙丘的平原。几乎所有居民都住在图瓦特绿洲群附近，迈萨乌德干沿岸分布有棕榈丛林居民点。人口：城市区约28 495(1987)。

Adrar　阿德拉尔　西非毛里塔尼亚中部传统地区。中央为一大片低地，耸立着一些高达240米左右的峭壁。土地贫瘠，不宜耕种。高原底部水源充足，生长枣椰树丛，雨季时峡谷中可种植小米、高粱、瓜类和蔬菜。阿德拉尔(柏柏尔语意为“山”)的居民以前为游牧民族。主要城镇为阿塔尔。有瓦丹(前商队和黄金贸易中心)、欣盖提(古代伊斯兰教习经中心)等古迹。

adrenal cortical insufficiency　肾上腺皮质功能不全　参阅 **Addison's disease** 艾迪生氏病。

adrenal gland　肾上腺　又作 suprarenal gland。肾脏顶端的三角形内分泌腺，左右各一。在大小、形状和神经支配上有相当大的种属差异。人的肾上腺平均重约4.5克，大小约50毫米×25毫米×5毫米。可分为胚胎起源、结构和功能完全不同的两部分：①内层为髓质，由柱状上皮细胞构成，分泌能被重铬酸钾氧化成黑色的肾上腺素及去甲肾上腺素(**epinephrine and norepinephrine**)，故又称嗜铬组织。②外层为皮质，分泌类固醇激素。在人类，肾上腺皮质和髓质有完全不同的胚胎起源、结构和功能；但在所有其他的哺乳动物，这两部分的细胞都不同程度地混合在一起。成人的肾上腺皮质的体积约占腺体的90%，由外向内又分为球状带、束状带和网状带三层。球状带主要分泌醛固酮——一种盐皮质激素，能调节钠和钾的代谢。束状带和网状带可认为是一个生理单位，受垂体(**pituitary gland**)促肾上腺皮质激素(ACTH)的控制，主要功能是分泌皮质醇及某些肾上腺性雄酮。皮质醇有两种主要作用：糖原异生及抗炎作用。抗过敏作用亦强。但皮质醇的上述作用只是缓解症状，并不解决病因问题。肾上腺髓质细胞呈立方状或柱状，分泌肾上腺素和去甲肾上腺素。这二种激素在化学分类学上属于儿茶酚胺(邻苯二酚胺)，被重铬酸钾氧化后色泽变暗，嗜铬组织也就因此而得名。肾上腺疾病一般也按皮质和髓质分类。肾上腺髓质只有一种已知的病变，即嗜铬细胞瘤(**pheochromocytoma**)；可导致肾上腺素和去甲肾上腺素的分泌大量增加，并出现相应的临床症状，如周期性高血压、心悸、盗汗、剧烈头痛、焦虑、恶心、呕吐等；治疗可服药缓解症状或手术切除肿瘤。肾上腺皮质的病理状态可分为功能亢进(皮质激素分泌量增加)和功能低下(皮质激素分泌量减少)两大类，后者如艾迪生氏病(**Addison's disease**)；前者可是先天性的，也可为后天获得性的。先天性肾上腺皮质机能亢进多是由于两侧肾上腺肥大；如果发生在女婴，可致男性化或假两性畸形；在男婴，则可致青春期前性早熟。而后天性肾上腺皮质功能亢进的病因除了肥大，还有肿瘤。获得性肾上腺皮质功能亢进的临床表现是库兴氏综合征(**Cushing's syndrome**)和(或)肾上腺性征综合征(**adrenogenital syndrome**)。库兴氏综合征的症状特点是肥胖、满月脸、闭经、高血压、糖尿病、骨质疏松、皮肤变薄且易被挫伤、虚弱，常伴有精神障碍。肾上腺性征综合征主要包括女性男性化和青春期前的男孩性早熟。肾上腺皮质腺瘤的治疗主要是手术切除。获得性、非肿瘤性、主要表现为库兴氏综合征的肾上腺皮质功能亢进的临床治疗方法主要有：①垂体照射；②垂体照射加切除一侧肾上腺；③大部肾上腺切除；④肾上腺全切；⑤切除垂体。如果病人的二侧肾上腺都被切除，则应给予必需的激素替代治疗。醛固酮增多症多是源于肿瘤，此时肾上腺皮质功能亢进的病变细胞成分较为单纯。临床症状主要有高血压、低血钾、尿钾高、血液二氧化碳分压升高、肾功能损伤、尿中醛固酮含量明显增加；此外，患者还常表现有手足搐搦、肌力减弱、尿量增加。手术切除肿瘤，患者可获痊愈。参阅 **endocrine system**。

adrenaline and noradrenaline　参阅 **epinephrine and norepinephrine** 肾上腺素及去甲肾上腺素。

adrenergic drug　肾上腺素能药物　影响去甲肾上腺素和肾上腺素的释放及其作用从而改变交感神经系统功能的各种药物。肾上腺素等为肾上腺分泌的激素，有收缩血管(因而升高血压)、增加心率和加强心脏收缩力等功能。促进去甲肾上腺素的释放及其活性的药物，以及模拟其效应的药物，称为拟交感神经药。其中包括苯丙胺和麻黄碱。因为此类药物可升高血压和提高心率，故常用于全身性创伤以及支气管哮喘、休克和心脏骤停等。此外还用于减轻鼻血管充血(鼻堵)，抑制食欲和缓解变态反应。阻滞或抑制去甲肾上腺素的释放及其活性的药物，称为肾上腺素阻断药。此类药扩张血管(因而降低血压)和减慢心率。常用于治疗高血压、心绞痛及心率不齐。其中包括酚苄明、普萘洛尔(心得安)和哌唑嗪。

adrenergic nerve fibre　肾上腺素能神经纤维　在突触处释放神经介质去甲肾上腺素的神经纤维。构成交感神经系统。机体的非自主性器官、组织(如消化、呼吸和循环系统)的器官活动都同时受到二类神经(交感神经和副交感神经)的支配。它们对平滑肌、心肌、内脏腺体、中枢神经系统和各种感觉器官的生理作用相反，以维持一种平衡。周围肾上腺素能神经细胞可对来自中枢的或各种感觉器官的神经冲动的信号加以整合，其最终效应取决于这些信息的强度和组合情况。

adrenocorticotropic hormone(ACTH)　**促肾上腺皮质激素**　又作 corticotropin。脑下垂体生成的调节肾上腺外部区域(皮层)活性的一种多肽激素。在哺乳动物中，这种激素只对肾上腺皮质中产生糖皮质激素(即皮质醇与皮质酮，参阅 **corticoid**)的区域起作用。ACTH通过大脑垂体的分泌作用是由其他多肽——一种所谓促皮质释放激素(CRH)——所调节。CRH从下丘脑排出，作为对神经系统脉冲发射的响应。

adrenogenital syndrome　肾上腺性征综合征　因肾上腺皮质分泌过多的17-酮类固醇雄性激素而引起的一组症候群(这类雄性激素可促进男性第二性征的发育，如体毛稠密、发音低沉、男性体形等)。婴幼儿肾上腺性征综合征的病因是:因原发性肾上腺皮质功能低下,皮质醇合成量不足,于是机体通过反馈机制刺激垂体大量分泌 ACTH。但 ACTH 不仅促进了皮质醇的合成,也促进了雄性激素的合成和分泌。皮质醇的合成量只是到正常为止,而雄性激素(如 17-酮类固醇雄性激素)的量却大大地高出了正常水平。婴儿型肾上腺性征综合征主要表现为单纯男性化。女性的男性第二性征发育的症状有生殖器男性样改变(假性两性畸形)。男性青春期前的性早熟表现为巨大阴茎和小睾丸。此外,常见体征还有皮肤黑色素沉着、低血钠、严重高血压、类脂组织增生、脱氢酶含量水平低下、总的类固醇激素水平低下等。成人肾上腺性征综合征,男性患者易被忽视,但女性患者可表现为男性化(发育成男性体型、脱发乃至秃发、面部和躯体多毛、乳房萎缩、痤疮、阴蒂增大、不可逆的嗓音变粗、闭经、排卵停止及肌肉发达等)。

Adret, Solomon ben Abraham　阿德雷特(1235,西班牙巴塞罗那～1310,巴塞罗那) 希伯来语称 Rabbi Shlomo Ben Abraham Adret(拉比·什洛莫·本·亚伯拉罕·阿德雷特),缩写为 Rashba(拉什巴)。西班牙犹太教杰出的精神领袖,号称"西班牙拉比"。他于 1305 年宣布要对所有不满 25 岁而研究哲学或科学(不包括习医学生)的犹太人以逐出教会的处罚,引起争论。当时犹太教内分为两派,由哲学家迈蒙尼德的门徒与以阿斯特鲁为首的反理性主义保守派各执一词,后者指责迈蒙尼德派用索隐法等方法妄解经文,损害了犹太教义。阿斯特鲁遂唆使阿德雷特发布著名的教令抵制哲学与科学的学习。尽管哲学和科学研究并未因此而停止,但西班牙和法国南部地区犹太人从此长期争执,直到阿德雷特暮年尚在继续。

Adrets, François de Beaumont, baron des　阿德雷男爵(1512或1513,法国伊泽尔拉弗雷特堡～1587-02-02,拉弗雷特)　法国宗教战争中的军事首领,以残忍闻名。亨利二世时代,他在王军中服役,立有战功。历任多菲内、普罗旺斯和郎格多克军队的长官。1562 年加入胡格诺教派,在攻打天主教徒的战役中取得显赫的胜利。他虽有军事才能,但性格极为残暴。在奥朗日发生屠杀胡格诺派后,他对天主教徒实行了严厉的报复。他屠杀敢于抵抗他的卫戍部队,他曾在蒙布里松强迫 18 个战俘从城堡的尖顶上往下跳。由于骄横,他与胡格诺派在感情上已格格不入,便与天主教徒联络,公开宣称自己愿意与其和解。1563 年 1 月 10 日被胡格诺派军官逮捕,囚禁在尼姆城堡。获释后退隐。

Adria　阿德里亚　拉丁语作 Atria(阿特里亚)或 Hadria(哈德里亚)。意大利北部威尼托区罗维戈省城市和教区。在罗维戈市正东,临比安科运河。曾为亚得里亚海上一繁荣港口,后因波河和阿迪杰河三角洲的淤积,现该城已距海 22 千米。有精美的古物博物馆和 18 世纪大教堂。三角洲地区的农业和商业中心。工业生产多样化。人口:城市区约 21 397(1988)。

Adrian(Roman emperor)　参阅 **Hadrian** 哈德良。

Adrian　阿德里安　天主教几代教皇的称号,按年代顺序分列于后,并各以●为标记。

● **Adrian I　阿德里安一世**(?,罗马[意大利]～795-12-25)　教皇(772～795 在位)。他与查理曼(查理大帝)的关系象征了中世纪教会与国家联合在一个统一的基督教世界之中的理想。他是在罗马的法兰克派支持下当选教皇的。他借助于法兰克人打败攻击教皇领地、威胁罗马的伦巴第国王德西德里厄斯。到 774 年复活节查理曼摧毁伦巴第王国回到罗马。此后,左右阿德里安政策的是与法兰克结盟,而不是与君士坦丁堡拜占廷皇帝的关系。他同查理曼(查理大帝)保持既友好又互相角逐的关系。查理曼利用教会维持法兰克帝国的统一并控制教皇所领有的各国。阿德里安一方面保持教会不受控制,另一方面使教皇领地保持统一完整。他坚决反对基督嗣子论。在 787 年第二次尼西亚会议上,与君士坦丁堡当局合作反对反圣像派,从而双方求得和解。他批准尼西亚会议的决议,由于翻译失误和其他原因,这份决议遭到查理曼的反对,但两人关系仍保持融洽。

● **Adrian II　阿德里安二世**(792,罗马[意大利]～872-12-14)　教皇(867～872 在位)。本来在教皇圣尼古拉一世统治下教廷权势

美国不列颠百科全书公司供图

达到高峰,但阿德里安即位后未能保持。为人优柔寡断、反复无常,受到法兰西国王秃头查理二世的冷遇。他恢复洛林国王洛泰尔二世领圣体资格,但洛泰尔于 869 年死去,他干预王位继承问题,结果徒劳。他允许东方教会的圣西里尔与圣美多迪乌斯在主持礼拜时使用斯拉夫语。派代表参加第八次普世教会会议和废黜拜占廷牧首佛提乌的第四次君士坦丁堡会议(869～870)。为了使东西方重新联合,他同意这次会议所通过的第 21 条法规。根据这项法规,君士坦丁堡牧首享有仅次于罗马教皇的地位。

● **Adrian III, Saint　阿德里安三世,圣**(?,罗马?～约 885-09,摩德纳主教辖区摩德纳附近[意大利])　教皇(884～885 在位)。在位期短,又值多事之秋。法兰克国王胖子查理三世邀请他参加沃尔姆斯议会会议,以参与解决王位继承问题并商讨如何对付日益强大的萨拉森人。他死于赴会途中。他受崇敬的原因实际无人知晓,但有人提到他在一次饥荒时曾帮助过罗马人。

● **Adrian IV　阿德里安四世**(1100?,英格兰赫特福德郡圣奥尔本附近阿伯茨兰利～1159-09-01,罗马附近阿纳尼[意大利])　原名尼古拉斯·布雷克斯皮尔。历史上唯一的英格兰籍教皇(1154～1159 在位)。约 1150 年教皇犹金三世任命他为意大利阿尔巴诺枢机主教。1152 年作为教皇大使前往斯堪的纳维亚改组教区,大获成功,1154 年归来后当选为教皇。1155 年主持神圣罗马帝国皇帝红胡子腓特烈一世的加冕礼。在此以前腓特烈曾俘获在罗马带头作乱的布雷西亚的阿诺德并将他引渡给阿德里安。但阿德里安对意大利南部诺曼人的政策激起腓特烈的反感。1154 年恶棍威廉一世加冕称西西里国王,阿德里安不予承认,西西里军队先攻击教皇领地贝内文托不逞,转而进犯坎帕尼亚,阿德里安遂判处威廉以绝罚。阿德里安在率军向贝内文托前进途中接见英格兰坎特伯雷总主教秘书索尔兹伯里的约翰,授予他一份文书,将爱尔兰赠与英格兰国王亨利二世,后来这项文书被认为无效。1156 年阿德里安与西西里媾和,同意威廉为王,威廉向教皇称臣,此事使腓特烈更为忿恨。

● **Adrian V　阿德里安五世**(?,热那亚[意大利]～1276-08-18,教皇国维泰博[意大利])　原名菲耶斯基。教皇,在位仅 5 周。先由其叔父教皇英诺森四世立为枢机主教,1265～1268 年出使英格兰,调解英格兰国王亨利三世与叛乱贵族的战争。1276 年 7 月当选教皇,继承英诺森五世之位,一个多月后死去。他宣布撤销前教皇格列高利十世所颁发关于选举教皇会议的严格规定。

● **Adrian VI　阿德里安六世**(1459-03-02,乌得勒支主教辖区乌得勒支～1523-09-14,罗马)　原名布廷斯。历史上唯一的荷兰籍教皇(1522～1523 在位)。是 1978 年选出波兰籍教皇约翰-保罗二世之前最后一个非意大利籍教皇。曾就读于卢万大学。1507年神圣

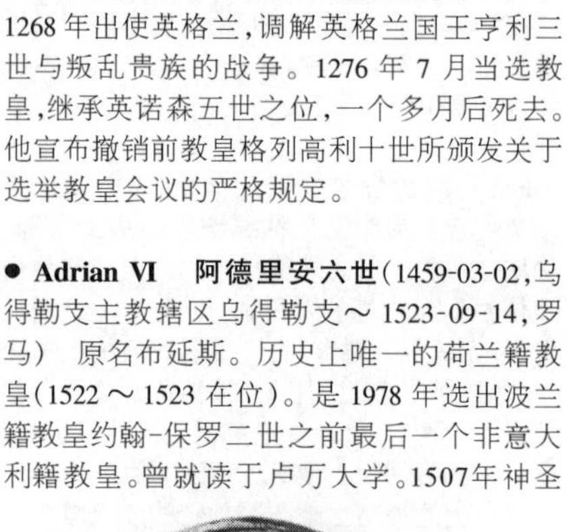

16 世纪大纪念章上的阿德里安六世像
美国不列颠百科全书公司供图

罗马帝国皇帝马克西米连一世聘他为其孙查理(后为神圣罗马帝国皇帝查理五世)的教师,日后为查理五世所重用。阿德里安于1517年任枢机主教,1522年当选为教皇,即位后,立意从整顿教廷入手整顿教会,因遇到意大利枢机团成员、德意志基督教新教和土耳其军队的反对,未见有所建树。

Adrian 阿德里安 美国密歇根州东南部城市,莱纳威县县城。临赖辛河。1826年建居民点。1832～1836年修通至东南55千米俄亥俄州托莱多之铁路;起初为马拉,1837年改由机车牵引。1836年设村。1853年设市。现为农业中心。有汽车零件、铝、造纸和木制品等工业。设有阿德里安学院(1845)和锡耶纳海茨学院(1919)。人口22 097(1990)。

Adrian (of Cambridge), Edgar Douglas Adrian, 1st Baron 艾德里安(1889-11-30,伦敦～1977-08-04,伦敦) 英国电生理学家,因对神经细胞的研究而与C.谢灵顿共获1932年诺贝尔生理学或医学奖。1915年从剑桥三一学院医科毕业,第一次世界大战期间任军医,以后大部分生涯系于剑桥大学从事研究及教学。1961～1965年任三一学院院长。1968～1975年任剑桥大学校长。他起先研究从感觉器官传出的神经冲动,将电位的变化加以放大,记录下以前难以测出的微小电位变化。后记录了单个感觉神经末梢及单个运动神经纤维发出的神经冲动,进一步阐明了感觉的物理基础及肌肉收缩的机制。1934年后他研究了脑的电活动和伯杰氏节律的变异及异常,为癫痫研究及脑疾患的定位开辟了新的领域。1950～1955年任皇家学会会长,1954年任英国科学促进协会主席。著有《感觉的基础》(1927)、《神经活动的机制》(1932)及《知觉的物理基础》(1947)等。

Adrianople(Turkey) **阿德里安堡** 参阅 **Edirne** 埃迪尔内。

Adrianople, Battle of 阿德里安堡战役(378-08-09) Adrianople 又拼 Hadrianopolis。战场在现土耳其的埃迪尔内。罗马皇帝瓦林斯率领的军队在这里被弗里蒂根率领的日耳曼西哥特人(有东哥特人及其他援军)打败。这是蛮族骑兵对罗马步兵的重大胜利,标志着日耳曼人大举侵犯罗马领土的开端。哥特人全歼罗马军队。据某些记载,罗马人损失达4万人,瓦林斯阵亡。382年继瓦林斯为罗马帝国东部共治皇帝的狄奥多西一世与哥特人达成妥协,哥特人应允帮助帝国守卫边防以换取每年帝国的粮食给养,这为后来蛮族入侵帝国提供了方便。

Adrianople, Treaty of(1829) **《阿德里安堡条约》** 参阅 **Edirne, Treaty of**《埃迪尔内条约》。

Adriatic Sea 亚得里亚海 地中海的一个大海湾。在意大利与巴尔干半岛之间,通过南端的奥特朗托海与伊奥尼亚海相通。长约500英里(800千米),平均宽100英里,平均水深444米,最深处1 324米,面积131 050平方千米。亚得里亚海在地中海欧洲的历史发展中十分重要,有很大的科学意义。其两岸形成鲜明的对照。意大利海岸平直,无岛屿;巴尔干半岛海岸沿海有许多大小岛屿,多为椭圆形,与大陆海岸平行排列。岛屿之间有曲折的海峡,形成无数水湾,使整个海岸线错综复杂。亚得里亚海的近岸水深与其毗邻的海岸地形有密切关系。只要是高峻多山的海岸,附近的海水便深;若为低矮多沙的海岸,附近的海水便浅。一般说来,意大利沿岸的海水都浅。亚得里亚海有两种类型的海底沉积:一种是水湾口的次生沉积;另一种是海底本身热蚀变沉积。海床上一般覆盖着淡黄色的淤泥和沙,内中夹杂着贝壳碎片、软体动物化石和珊瑚。在冬季的6个月里,交替地刮布拉风(强劲的东北风)和西洛可风(较温和的东南风)。亚得里亚海的潮水以复杂的形式从南面涌入并与伊奥尼亚海的潮水相汇合。潮差约为3英尺,与普通的地中海潮差约0.9英尺显然不同。表层流受风向支配,海流在北风推动下,流速每小时可达4英里。表层水温在8月为24～25℃;1～2月为10℃;在820～980英尺深处,全年水温在11～14℃之间。海水中的营养物不足,生物稀少。北部冬季水温低、盐分少,水中生物最少;中部生物比较多一点;南部和中部的两岸区域,有独特的生物群。

adsorption 吸附 一切固态物质把与之接触的气体或溶液的分子吸在表面上的能力。用来吸附气体或溶解物的固体叫做吸附剂;被吸附的分子常总称为被吸附物。防毒面具里用来消除空气流中的毒物或污染物的活性炭是典型的吸附剂。吸附是指固定的外表面或内表面(毛细管壁或裂隙)或液体表面对分子的吸取。常与吸附混淆的吸收则是指物质向晶体、成块非晶态固体或液体的内部实体的渗透过程。有时用吸着一词来表示固体吸取气体或液体的过程,而不指明这一过程究竟是吸附还是吸收。吸附可以有物理吸附和化学吸附。物理吸附与气体凝结成液体的过程类似,取决于固体吸附剂和被吸附物的分子间的范德瓦耳斯力。物理吸附没有化学选择性,在温度足够低或气体的压强足够高时,任何气体均可被任何固体吸附。在化学吸附中,气体在化学力的作用下附着于固体表面,化学力因气体和固体表面不同而异。发生化学吸附的温度通常比物理吸附的高,吸附过程也像大多数化学反应一样进行得较慢,而且常要涉及活化能。

ʿAḍud ad-Dawlah 阿杜德·道拉(936～983) 伊朗白益王朝最伟大的统治者(949～983在位)。944年成为伊朗南部法尔斯省的统治者,但几乎10年以后他才真正统治自己的领地。到979年,他的领土扩展到整个伊朗南部和现在的伊拉克的大部地区。他以兴办公共工程(包括仍屹立在设拉子附近的水坝)闻名于世。他还巩固了王朝内部的安全和行政秩序,鼓励了文学艺术的发展。参阅 **Būyid** DYNASTY。

ʿAḍud al-Dawla(Turkish sultan) **阿杜德·道拉** 参阅 **Alp-Arslan** 艾勒卜-艾尔斯兰。

adularia 冰长石 钾铝硅酸盐($KAlSi_3O_8$)含量大于80%的一种长石矿物。在酸性深成岩的低温脉中和结晶片岩的洞穴中通常呈无色、透明、柱状的双晶。典型产地包括阿尔卑斯的片岩。有时冰长石与微斜长石被认为是同一个东西,区别只在于它们的双晶大小。微斜长石的双晶和两组细的、互成垂直的、逐渐尖灭的纹层在显微镜下可以见到,推测此种纹层在冰长石中也是存在的,但因太小而看不见。根据折射率、比重,它们转变成透长石的温度和光轴角的微小差别表明,有两种不同的矿物种存在。

ʿAdullam 阿杜拉姆 以色列中部一古城和现代开发区名称。古城在耶路撒冷西南36千米的阿杜拉姆遗址。首见记载于《圣经》,称亚杜兰,其中述及雅各之子犹大在该地的行止。公元前10世纪犹太王国分裂,该地由所罗门之子罗波安筑城。后被埃及法老示撒一世攻占。公元前6世纪复为犹太人所据。现代开发区在首都以西。1949～1967年间称"耶路撒冷走廊"。地处舍费拉和耶胡达间的丘陵带,范围亦包括古城遗址。1958年始有犹太人重新定居,建立一些村庄和乡村次中心区。因靠近耶路撒冷,无地区中心,但大部村庄聚集在三个乡村中心周围。该区东北部盛产水果,西南部种植谷物,某些村庄还经营多种轻工制造业。

Adullamite 亚杜兰集团 反对自由党内自己首领的一群英国政客,他们还否决了《1866年改革法案》。该集团名称源自《圣经》的亚杜兰洞(《旧约·撒母耳记上》22:1),该洞专门收留不满现状的人。自由党政治家J.布赖特将此词用于党内的反叛者,这些人反对W.E.格莱斯顿和J.罗素(第一伯爵罗素)1866年所提议的扩大选举权。集团中约有40名议会议员因害怕失去席位而行动,但是大多数却像他们的首领R.洛(后为舍布鲁克子爵)一样害怕实行民主。

adult education 成人教育 又称继续教育(continuing education)。由成年男女进行的或向他们提供的任何学习形式。在1970年的一份报告中,全国成人教育学院(英格兰与威尔士)对成人教育所下的定义是:"对达到工作、选举、入伍和结婚年龄并已完成从童年开始(若有的话)的不间断教育周期的人们的任何类型的教育。"成人教育包括多种形式,如在图书馆的帮助下或没有图书馆的帮助而独立、自觉进行的学习,广播或函授课程,小组讨论和其他学习圈子内的"互助"学习、学术讨论会、研讨会和需住宿的会议,以及在授课人、教师或导师在形式上起主要作用的课程中的全日或非全日制学习。成人教育也可按如下分类:

①职业、技术和专业知识教育。这类教育也许旨在对一个初次工作或从事新工作的成人进行训练,或使其了解在其职业或专业领域里的最新发展。②健康、福利和家庭生

活教育。这类教育包括健康、家庭关系、消费品购买、计划生育、卫生、子女抚养等各种教育。③公民、政治和社会权能教育。这类教育包括与政府、社会发展、公众和国际事务、选举和政治参与等有关的所有各种教育。④"自我完善"教育。这类教育包括所有各种文科教育课程计划:无论长期或短期的音乐、美术、舞蹈、戏剧、文学、手工艺教育。这些课程的主要目的是学习,而不是为了达到其他类别教育所包含的目的。⑤补习教育:基础和识字教育。显然这类教育是其他所有各种成人教育的先决条件,因而多少不同于其他类别的成人教育形式。

关于第5类,成人们经常需要弥补早期教育的种种不足。如这些不足得不到弥补,它们将有碍"成人"教育形式的利用,此处"成人"指现代社会中的成熟老练,而不是指年龄。在从自给自足经济向工业化经济迅速变化并同时在政治、社会上发生变化的社会里,这种补习教育的需要极其广泛。在亚洲、非洲和拉丁美洲的这类国家里,民众的读写能力获得新的重要意义,实现普及初等教育成为社会的当务之急。在为未成年人建立有效的教学体系的同时,为防止在阅读能力和教育上的"代沟",政府必须努力为成年人提供类似的设施。甚至在拥有成熟的童年教育体系的国家,高等教育,有时甚至中等教育的机会在不同地区、职业和社会集团中也不均等。因此,有为完成中学学习或为参加通常在中等学校结束时举行的考试而设的成人课程计划。

对参与成人教育的机构的任何分类都必然带有任意性,因为不仅国与国之间而且单独一国之内也有巨大的差异。以下是一般的形式。

民间中学首创于丹麦,现已普及到斯堪的纳维亚各国。此类学校系寄宿学校,招收已完成正规学校教育并具有一定工作经历的青年,学习时间至少数月。学习的目的在于促进学生道德和智力的发展,使学生逐步了解地方与民族的传统和状况。虽然它们最初是独立的机构,现今常由社区教育委员会创办或资助。尽管别国极少成功地以其纯粹形式加以采用,但民间中学已对加拿大、肯尼亚、印度和荷兰这些不同国家的成人寄宿学校的发展产生了影响。

走读成人教育中心是分布最广的成人教育专门机构,如芬兰的"工人学院"、德国和奥地利的"人民中学"、英国的"成人教育中心",以及荷兰、意大利和瑞士的"人民大学"均属此类。这些机构的显著特点是独立于普通教育当局,至少在课程设置上如此;学生自愿入学,业余学习。另外,教师及管理人员均为自愿者或主要业余提供服务的专业人员。传统上,这类学校不是为学生应试而设,也不提供高级职业技能的训练。典型的课程设置除家庭实用技艺、美术、音乐与戏剧、家庭与社会问题的处理和现代语言方面的教育外,还包括为补充初等和中等教育而设的课程。

农业附属机构虽然完全是美国产物,但因其规模很大,值得单独提及。美国农业部的附属机构在美国各县推行农业、家政,甚至公共事务的教育规划。其特殊意义在于将"示范"发展为成人教育的一种方式及强调采用新的农业技术。

开放大学为英国新近出现的一种学校,其意义在于它具有新的特点,并与过去为成人所设的学位课程计划截然不同。在一些教育发达的国家,如澳大利亚、新西兰、加拿大和美国,长期以来成年人有机会通过业余教育取得大学学位,但这些课程计划通常是为正规大学生开设的课程的翻版。开放大学期望实现一种普遍的高等教育,至少在理论上如此。它的目的在于满足成年人或年龄较大的人业余学习之需,无统一的入学要求,它试图将各种教育方法和手段——函授教育、大众传播媒介、个别辅导及短期住校学习——结合起来。

商业企业为成年人提供函授课程和课堂教学(业余或全日),这些成年人通常希望获得某种形式的职业资格(但他们也许仅仅是寻求"自我完善",如学习快速阅读课程)。这类学校可能由国家机关批准或监督(如在瑞典和荷兰),或通过授权社团实行自治。有些学校为非营利机构。

附属机构包括公立学校的成人教学项目和前面提到的大学附属机构两方面。授课计划由公立学校系统实施,这类学校一般称为夜校,因为它们通常利用日间学龄青少年使用的校舍,同时还因为参与教学的常常是教师中的同一些人(不过,也有大量的教学工作由非专任教师的各学科的专家担任)。这些课程计划虽然原来常是为弥补或补充幼年教育的不足,现在不少亦适合前面提及的"走读成人教育中心"所提供的相同兴趣范围。它们常保留有职业教育的成分,但专业化程度较低,例如一般是为较年轻的成年学生设置的商业和贸易技能方面的课程。

高等学校所设附属机构大致分为两种类型。英国模式在大多数英联邦国家和前殖民地有影响,着重提供"人文"学科的非学分课程。北美模式见于受美国和加拿大影响的国家,更着重与为正规大学生提供的课程完全相同的学分课程,通过电视、函授或城市里独立的学院讲授。两种模式看来都处在变革之中——英国模式朝提供更多学分课程和与职业有关的进修课程的方向变化,北美模式朝更广泛地向公众和特殊的职业阶层提供一般人文课程的方向变化。显然,无论在什么地方,大学正更多地承担起对受过高深教育的人们进行继续教育和知识更新教育的责任。

除以上所举的各种学校和机构外,还有无数主要目的也许不是成人教育但为成人提供某种教育或闲暇时间活动的组织。它们包括基督教青年会、基督教女青年会、各政党和工会、妇女组织和戒酒组织这样一些团体。其他与成人教育有关但不是其主要职能的机构是图书馆、博物馆、植物园等。这些机构不仅提供个人自学的手段,还经常发起群众活动或将其设备和资源提供给成人教育机构使用。最后应当提到的是各种社会和福利机构在健康、安全、婚姻指导、计划生育等方面提供的咨询和教学服务。

adultery 通奸 已婚者同配偶以外的人发生性关系。不管是成文法还是习惯法,各社会的婚姻法规都禁止通奸。实际上,通奸现象似乎到处都有。有些地方,通奸就像结婚一样普遍。公元前18世纪的巴比伦《汉穆拉比法典》规定淹死通奸者。古代希腊和罗马的法律,对通奸妇女要处死,对男子处置较轻。犹太教、伊斯兰教和基督教传统明确谴责通奸行为。《新约全书》和《塔木德》比《旧约全书》和《古兰经》更清楚地指责男女通奸为犯罪。不同的文化,对通奸的看法各异。西非塞努福人和班巴拉人对杀掉奸夫淫妇视为光荣罪行而予以宽恕;喀麦隆的卡拉人允许男子与其亲戚之妻的奸情;借妻之风是爱斯基摩人的好客之举;许多南海岛民允许非乱伦性的通奸行为;而某些普埃希洛印第安社会,通奸之风盛行,形成公开秘密。按照古代印度法律,婚姻是神圣永久的,即使妻子通奸,也不能解除合法的婚姻关系。现代印度教法典规定,对通奸的男女都可准许与其配偶离异,但必须是实际已共同生活在通奸状态中的人们,偶有淫乱行为则不在此例。在西欧和北美,通奸可作为离婚的理由。这一原则的传播,已在传统的非洲及东南亚社会中促成了妇女婚姻自由平等的权利。在很多东欧国家,通奸本身不能构成离婚的根据;夫妇必须是感情"完全破裂"并证实通奸的确破坏了保持夫妻关系的感情,才能离婚。

adulthood 成人期 生理和智力都充分发育成熟后的人生阶段,一般认为20或21岁为成人早期的起点,40岁以后为中年(期),60岁以后为老年(期)。在成人早期和中期,人类某些方面的生理功能即开始了缓慢的、持续渐进性的退化;至老年期,此退化过程加速。例如肌肉组织从增生发育向缓慢退化转变的年龄界线大约是24～26岁。骨骼的这一转化界线约在30岁,先是躯干骨(骨盆、椎骨),然后是小的周边肢体骨(指、趾骨)。胆固醇在动脉内膜下的进行性沉积过程和渐进性心肌功能减弱的过程贯穿于整个成人期,虽然常常不伴任何症状。男女性激素水平也随年龄增长而逐渐减少,但它和性活动频度之间似无绝对的平行关系,两性性行为活跃期约在20～60岁之间。现有明确证据表明,人在智力和体能测验中的反应速度与年龄有关,年龄越大,反应速度越慢。据说,这种现象和老年人的脑电活动频率减低有关。但应强调指出:反应速度只是一种行为方式,而不是一种智力过程。脑电活动频率减低并不意味着智力(如学习、记忆等)水平下降。年轻人和老年人各有各的智力优势:年轻人善于学习和接受新鲜事物,而老年人则长于经验和老谋深算。参阅 **aging**; **old age**。

Adur 埃德 英格兰西苏塞克斯郡一区。位于埃德河下游。面积42平方千米。人口约57 400(1991)。

Aduwa (Ethiopia) 参阅 **Adwa 阿杜瓦**。

Advaita 不二论 梵语作Nondualism或Monism。吠檀多(印度正统哲学)各派中最有影响的一派。尽管发现这一派的主旨在奥义书中已有充分论述,并由吠檀多经加以系统化，但在历史上则起源于7世纪的思想家乔荼波陀。他用诗体给晚期的《蛙氏奥义书》写了一部《蛙氏释补》。乔荼波陀进一步把自己的理论建立在大乘佛教的空观哲学上。他认为并不存在二元性；人们的心灵无论是醒着还是在做梦，都在“幻觉”中活动；只有非二元性（不二论）才是终极真理。但这一真理受到幻觉的无知的蒙蔽。一件事物不能通过本身形成，也不能从其他事物形成。说到底，个人的自我或灵魂（“命”）并不存在；存在的只是“阿特曼”（世界灵魂）。在“阿特曼”中，个人可以暂时地区分出来，正如一个罐子里的空间从整个空间区分出来一样。一旦罐子破碎，个别空间便再度成为整个空间的一部分。中世纪的印度哲学家商羯罗或商羯罗恰利耶（商羯罗大师，约700～750）主要在他为吠檀多经所作的注释《梵经注》中，于乔荼波陀的基础上作了进一步发挥。商羯罗在他的哲学中并不是从经验世界出发进行逻辑分析，而是直接以绝对（梵）为出发点。他认为如果加以正确的解释，那末奥义书教给人们的就是梵的本质。为了论证这一点，他提出一套完整的认识论，说明人们把现象世界看成真实世界的错误。商羯罗的基本论点是：梵是真实的，而世界是虚妄的。任何变化、二元性或多元性都是一种幻觉。自我不是别的，就是梵。洞察到这种同一性可以导致精神解脱。梵是超越时间、空间和因果关系的，后三者只不过是经验的形式。人所以把一元的和无限的梵看成是多元的和有限的，是因为他天生有一种添加的习惯。由此，你被归于我（我疲倦，我快乐，我感到）。这种习惯来源于人的无知，只有通过认识梵的同一性才能避免。不过经验世界并不完全是虚妄的，因为它是对真实的梵的一种误解。一条绳子被错认为一条蛇；只有一条绳子而没有蛇，但只要认为它是一条蛇，它就是一条蛇。商羯罗有许多信徒继承和阐述他的作品，特别是9世纪的哲学家瓦查斯巴迪·米斯拉。不二论著作十分浩繁，现代印度思想仍然受其影响。

Advance Australia Fair　《美丽的澳大利亚，前进》　澳大利亚国歌，1984年4月19日正式通过采用。1974年首次被正式提名取代《神佑女王》。《神佑女王》自1788～1974年一直用作澳大利亚国歌，至1984年被指定为皇家颂歌，供王室成员公开露面时演奏用。原词曲出自苏格兰出生的澳大利亚人麦考密克（1834？～1916）的手笔，1878年首演于悉尼。1977年，在一次全国性挑选国歌曲调的民意测验中，《美丽的澳大利亚，前进》击败包括《跳华尔兹的马蒂尔达》在内的其他3首参赛歌曲而一举夺魁。不过在正式版本中歌词有所改动，例如，第一行原为“欢乐吧，澳大利亚的儿子们”，改为“欢乐吧，所有澳大利亚人”。

advection　平流　在气候学中，当气团移到与其属性不同的地区时，移动气团的某种属性的变化过程（例如当暖气团移入冷气团区域时的温度变化过程）。平流通常可分成水平和垂直分量。平流与对流的差别仅表现在尺度上。对流是由热力作用所造成的随机垂直气流而引起的，平流则是通过稳定的垂直气流所引起的。

Advent　基督降临节　基督教节期。在这个时期里，进行庆祝耶稣圣诞节的准备活动，并准备迎接基督的复临世界。基督降临节始自最靠近11月30日（圣安得烈节）的星期日，这一天也是教历一年之始。天主教会禁止在此节期间举行婚礼。民间过节方式因国而异，包括点燃基督降临节蜡烛。

Advent Christian Church　基督复临会　美国基督教会。该会是遵奉米勒（1782～1849）在19世纪40年代末所宣传的教义的几个基督复临派教会之一，成立于1860年。重点宣传基督复临和末日审判。教会管理采取公理制。这个教会在星期日举行礼拜，此点与在星期六举行礼拜的基督复临安息日会不同。1964年生命复临会并入基督复临会。

Adventist　基督复临派　19世纪兴起于美国的基督教（新教）派别，其特点为在教义上相信基督亲身在荣耀中重返世界而为人所见（即基督复临）已为期不远，指日可待。基督复临论的根源在于希伯来和基督教的先知论、救世主论以及《圣经》中所载关于千禧年的期望。基督复临派认为，基督复临时将把圣徒从恶人中分离出来，开始他的千年王国。参阅 **millennium**。

历史　在美国千禧年主义宗教奋兴的气氛中，基督复临派的创始人之一米勒（1782～1849）开始讲道，他对基督教教义发生怀疑——当时他正在1812年对英作战中任美国陆军军官。经过认罪悔改，他研读《但以理书》和《启示录》，并效法父亲，宣讲浸礼宗教义。他断定，基督必将于1843年3月21日与1844年3月21日之间再次临世，他的这种观点受到一些教牧人员的鼓励，也吸引了大批徒众。有人根据他所宣传的千禧年论斥责他是狂想派，而他在宣讲基督复临时又着重描绘彼时并发的大火，使听众感到不安。然而，在他所预言的时间内基督并未重返世界，于是米勒和他的徒众又提出第二个佳期，即1844年10月22日。这个日子悄然无事地消逝，于是在基督复临派中间出现了所谓“大失望”，遂即在1845年召开基督复临派共同会议进行检讨。但是与会者发现，要想制订信纲并组成常设机构，甚为困难。米勒的预言落空之后有一批人依然坚持下来，其中有贝茨（1792～1872）、怀特（1821～1881）和怀特之妻（1827～1915），新闻界称之为米勒派。他们认为，米勒提出的日期正确无误，只是他们对于已发生的事的解释有误。他们研读《但以理书》第8、9两章，然后断言，上帝已开始“清理天上的圣所”，也就是说，开调查庭，以待将来举行宣判和执行判决。他们认为，1844年确实发生了一件事，那是审核《生命之书》中的全部名单，通审完毕后基督才会现身，开始千年统治。他们并未提出新的日期，但仍坚持基督的复临已经逼近。他们还认为，守第7日即星期六而不是星期日为圣日，会促进基督复临。米勒派于1863年正式成立会派，即基督复临安息日会。据说怀特夫人获得上帝所授特殊恩赐，善说预言。她在美洲、欧洲和澳大利亚广泛旅行讲演，并有大量著作。在19世纪，直接或间接根据米勒的预言而兴起的其他基督复临派支派还有：基督复临福音会（1845）、生命与基督复临联盟（1862）、安息日上帝会（1866）、亚伯拉罕上帝会大会（1888）和基督复临会。这些派别不承认怀特夫人的学说具有任何预言性质，而且反对基督复临安息日会关于守第7日为圣日和饮食禁忌的教义。它们采用公理制组织形式，通过美国基督复临大会协调在美国和全世界的工作。1964年基督复临会同生命与基督复临联盟合并。

信仰和习俗　基督复临安息日会的基本信仰与大多数基督教徒相同。该会承认《旧约》和《新约》的权威；在解释基督的救恩这一方面，该会倾向于阿明尼乌主义，即强调人的抉择和上帝的挑选，不倾向于强调上帝之主权的加尔文主义；该会还提出，基督的死“从本旨和可能性上讲是为了全人类的”，但是仅仅对主动享用其实惠的人们才有效验。除了强调基督复临外，基督复临派还在另外两个方面不同于基督教其他派别。第一，他们以第7日即星期六为安息日，而不是以星期日为圣日。根据《圣经》，星期六是上帝在创世之后立即确立为安息日的，关于在此日安息的诫命是上帝的永恒律法的一部分。其次，他们不吃肉，不用麻醉剂和兴奋剂，认为它们有害。关于这些膳食禁忌，他们一方面从《圣经》中找依据，另一方面则提出，这些禁忌所根据的广义的神学学说是：身体是圣灵所居的圣殿，应当予以保护。基督复临派强调信徒纳什一捐，每个信徒每年向教会捐献甚多，因而该派有充分财力在全世界推行传教和福利工作。他们不愿在星期六工作，因而在就业方面受到一些歧视。

组织机构　1874年基督复临安息日会派出第一位国外传教士安德鲁斯（1829～1883），其后该会不断扩张，终于成为世界性的运动。到20世纪末几乎在每个国家都有教会，在拉丁美洲、加勒比海地区和撒哈拉以南地区发展了许多新信徒。20世纪末信徒总数已超过550万人。基督复临安息日会的管理机构为大会，其办事处设在马萨诸塞州银泉，是于1903年自原址华盛顿（哥伦比亚特区）迁来的。大会每4年召开一次，由总分区、分区（也称地方会议）选派代表出席。地方会议为当地信徒提供教牧关怀，由选举出来的保持平信徒身分的长老和执事管理。处在大会监督下的有涉及500多种语言的宏传福音事业、庞大的宗教教育系统以及无数称为疗养所的医疗机构，第一所在1866年开设于巴特尔克里克。该会在许多国家办有出版社，由志愿人员挨门挨户赠送基督复临论的书刊。

adventure bay pine　冒险湾松　参阅 **celery-top pine** *芹叶松*。

adversary procedure　对抗式程序　法律上指法庭上出示证据的两种方式之一（另一种是*讯问式程序*［**inquisitorial procedure**］）。对抗式程序要求当事人各方提供有关的材料并提出和盘问证人。这种程序主要在英、美普通法体系占支配地位的各国中执行。在对抗式制度下,每一方负责自行调查。在刑事诉讼中,起诉方代表整个人民,有警察机关及其侦查员和化验室为其服务,而被告方则必须自行筹措调查经费。双方都可以借助**传证令(证人传票)(subpoena)**来传唤证人出庭作证。如果被告人贫穷,他的律师进行广泛调查的机会就要受到审判地法律规定的限制。在对抗式制度下,刑法规定,大陪审团审查时被告人不出庭,但是如果大陪审团决定起诉,对抗式程序即适用于被告人。在民法中,对抗式制度起着类似的作用,不同的是原告人和被告人都必须各自准备证据和理由,通常都是通过自己聘请的律师来进行。有陪审团参加的对抗式诉讼中,法官只作为法律问题的仲裁人和公断人,很少参与讯问,除非他认为某些重要的法律或事实问题必须澄清。在没有陪审团参加的庭审中,法官不仅作出法律问题的结论,也就事实问题作出结论。

adverse possession 非法占有 在英美财产法中,指明知某人对某项财产享有更高所有权而违反其意志,根据某种权利要求占有该财产。非法占有的法律意义可以追溯到英国普通法中依法占有土地的概念,即至少是终身拥有土地的人享有占有土地并对抗所有其他人的一切权利。任何其他人以对土地的某种权利要求而占有土地均为侵夺土地。地产被侵夺的人可以向君主法院提起称为回复被侵夺土地的占有的诉讼。凡是最初依法占有土地的所有人的继承人要求侵夺人归还被侵夺的土地,该继承人也可以提起与上面类似的称之为回复继承土地占有的诉讼。自17世纪以后,又有了效率更高的法律诉讼。在美国,侵夺地产发展成为非法占有的概念。美国多数州的时效法规都规定了时效。在时效期间以内,所有人可以提起要求占有的诉讼;而过了时效期间之后,非法占有人就取得了对该土地的合法权利。

advertising 广告 用于推销产品、劳务,宣传某种观点以引起公众注意,并诱导公众对广告刊登者作出某种反应的技巧和实践。最大量的广告用于促销商品,但这种方式也常用于提醒人们安全驾车,赞助各种慈善事业,或投票支持政党候选人等。在许多国家,广告乃是经营广告的传媒(如报纸、杂志、电视台)最重要的收入来源。在非共产主义世界,广告业已成为一个巨大而重要的服务行业。在古代和中世纪,广告只限于口头传布。随着15、16世纪印刷术的发展,广告向现代化迈出了第一步。17世纪伦敦的周报开始刊登广告,到18世纪,这种广告已相当繁荣。19世纪商业大发展伴随着广告业的增长。正是在这个世纪,美国率先出现广告代理行。起初,广告代理实际上是报纸篇幅的经纪人。到20世纪初,代理行开始自己制作广告(包括版样和艺术设计)。20年代,代理行组建综合服务的广告公司,从承揽设计直至在传媒上发布。

刊登广告的主要传媒有8种。最基本的是报纸,它发行量大,读者群固定,且能定期地发布和变化广告。杂志是另一种主要的传媒,拥有一般的或特定的读者群(如户外运动、计算机或文学的爱好者),它能向专用产品的制造商提供与其大多数潜在顾客接触的机会。许多全国性杂志发行地方版,给广告刊登者有更大的选择余地。西方工业化国家中最具影响的传媒是电视和广播。尽管某些国家的电视和广播由国家经营,不接受广告,但在其他国家,广告刊登者可购买插播广告的时间,通常按分或秒计算。广告插播于固定节目之间,有时由广告刊登者自行主持或由广播者播发。对于广告刊登者来说,最重要的因素是受众的规模和构成。规模决定广告的价格,构成决定广告用语和画面的选择。其他发布广告的方式包括直邮(具有详尽和针对个人要求的特点),户外广告牌,招贴画和公交车辆、台站上的广告(可使千百万利用公交系统的人成为受众)。此外,还有综合性的传播方式,如商品展览、商品目录等等。

为使广告有效,它的制作和设置应基于对公众的了解和熟练地使用传媒的能力。为综合公司服务的广告代理人选择传媒战略以对消费者行为的研究和市场人口分析为基础。一幅好的广告应具有独创的广告语言、精明的图像和最佳的设置地点,以便让广告刊登者所希望的受众看到并产生效果。预算确定后,广告刊登者的选择是让许多人在较短时间内还是让较少的人在很长时间内看到或听到广告。这样或那样的战略抉择是对广告公司实力的检验。

广告无可争辩的力量在于把商品的有效性告诉消费者。在自由市场经济中,有效的广告对公司的生存极为重要,除非消费者知道公司的产品,否则是不会购买它的。广告的批评者指责说,广告费通过高昂的商品价格转嫁给消费者。反对者辩解称,广告使商品获得广阔的市场,导致价格下降。有证据表明,大广告的价格只有少数公司支付得起,然而它能帮助公司垄断市场。另一方面,较小的公司虽不能在全国范围内与大公司竞争,但广告公司可帮助它们在地方范围内保住自己的市场。最后,也有证据表明,广告刊登者对刊登其广告的传媒的定期内容、报纸编辑部方针或电视节目主题施加过度的影响。然而,也应当指出,这种影响会产生反作用,至少对广告刊登者赖以发布信息、财力雄厚的广告公司来说,广告公司的不慎会导致广告受众的减少。

advertising coloration 通告色 动物借体色在环境中呈现突出形象,以使对方得知自身的位置、所属种类和运动的现象。通告色可用以吸引其他个体来共同进行某种有益活动(例如求偶),也可用来警告或驱退其他生物。

advisory opinion 咨询意见 在法律上,指某个法官、法院或某个司法官员(例如总检察长)就某个公职官员或立法机构提出的法律问题所发表的意见。咨询意见不作任何裁决,而且对任何人都没有约束力。美国的联邦法院不发表咨询意见,但是州法院和各州的总检察长在州长、议员或其他政府官员的要求下,偶尔或定期发表这种意见。典型的意见是关于某些准备进行的官方活动是否合法的问题。咨询意见在英国法律上起源很早,出自国王或上议院就一些往往是与法律无关的问题同法官们进行超出法律问题以外的磋商。这种意见的作用完全不属于法律范围,或者超出法律范围以外。

advocate 辩护律师 法律上是指具有法律专业资格、可以在法庭上为他人的诉讼进行辩护的人。作为专门名词,辩护律师主要用于源自罗马法的各个法系。在苏格兰,这个名词专指苏格兰律师协会(律师联合会)的成员。在法国,"辩护律师"以前是指一个有组织的答辩人的团体,而案件的准备工作则由"诉讼代理人"负责;现在则只有在上诉法院中才有这种区别。在德国,直到1879年废除法律顾问与答辩人之间的区别以前,"辩护律师"是顾问而不是答辩人。这个名词在传统上曾用于教会法庭上的答辩人,因此,在英格兰,那些在民事法庭和教会法庭上从事辩护的人被称为辩护律师。在美国,辩护律师这个名词没有特殊的含义,可以和法律事务代理人、法律顾问 、律师等名词互换使用。参阅 **barrister; lawyer; solicitor**。

Advocate of Moral Reform 《道德重整》杂志 1835~1845年前后的美国期刊,致力于挽救成为道德与物质腐化牺牲品的妇女和重树妇女的家庭中心地位。1835年在纽约创刊,几年后订户达近两万。杂志以各种方法鼓励任性的女孩和堕落的妇女改变过去的生活方式,并发起强大运动制止男性对妇女的引诱,有时甚至刊登报道,揭露具体的骗子和色狼。迫于对其激进的道德重整方式质疑的压力,杂志承认运动的局限性,缓和了态度,改为着重于家庭妇女的感化力。当S.格里姆凯号召摆脱牧师的统治,结束男人对妇女的"贬低与束缚"时,杂志读者的反应是"不"。道德重整运动渐渐地被日益高涨的解放呼声所淹没,该杂志于19世纪40年代中期停刊。

Advocates, Faculty of 律师联合会 苏格兰律师协会全体成员的统称。英格兰的同类团体叫高级律师协会。律师联合会是根据1532年的《苏格兰法》组成的,该法在苏格兰建立了高等民事法院。苏格兰的律师过去享有,现在仍然享有在高等民事法院和高等刑事法院出庭的权利。他们根据古老的习惯,组成一个自治性的联合会,联合会的管事人员每年选举一次。联合会的律师在法律机构的正确指导下,有在苏格兰的任何法院以及在上议院、枢密院司法委员会和国会的各个委员会出席辩护的权利和义务。参阅 **Scottish law**。

advocatus diaboli (Roman Catholic church) 参阅 **devil's advocate 追谥候选人资格审查员**。

Adwa 阿杜瓦 又拼Adowa或Aduwa。埃塞俄比亚北部城镇。海拔2 000米。在阿克苏姆至阿迪格拉特的东西向公路和向北通到厄立特里亚省阿斯马拉的公路交叉点上。现为提格雷人的集市中心(谷物、蜂蜜、皮革和咖啡)。1896年3月1日埃塞俄比亚皇帝曼涅里克二世在该城西方击败意大利军队。人口约17 476(1989)。

Adwa, Battle of　阿多瓦战役(1896-03-01)　Adwa又拼Adowa。埃塞俄比亚军队与意大利军队在埃塞俄比亚中北部阿多瓦发生的军事冲突。结果,埃塞俄比亚取得决定性胜利,挫败了意攀比英、法在非洲建立帝国的企图。1889年埃塞俄比亚皇帝约翰尼斯四世死后,国内大乱。意大利人乘机扶持绍阿的曼涅里克即位;同年,意大利与曼涅里克签订《乌西阿利条约》。意方对条约的文字故意曲解,硬说埃塞俄比亚承认受意大利保护。1890年1月意大利把它在非洲占有的土地组成厄立特里亚殖民地。1890年9月曼涅里克声明不承认《乌西阿利条约》第17条,1893年9月又否定了整个条约。随后,他准备抗击意大利人以武力进行统治的企图。战争初期,意大利人取得一些胜利。到1895年末,埃塞俄比亚的大军已经威胁到意大利人的据点。意大利的厄立特里亚总督O.巴拉蒂耶里将军在埃塞俄比亚人撤退至阿多瓦时却按兵不动。后经意大利首相电催,他才率领2万人向阿多瓦进发,去应付4倍于己的埃塞俄比亚军队。意军组织涣散,装备不良,1896年3月1日惨败,撤退时又遭到同仇敌忾的埃塞俄比亚人民的袭击。1896年10月签订的《亚的斯亚贝巴条约》,正式废除了《乌西阿利条约》,恢复了和平。意大利从此放弃了以整个埃塞俄比亚为它的保护地的要求。根据1900年9月签订的和约,厄立特里亚殖民地的面积缩小到20万平方千米。迄至1908年埃塞俄比亚已与意、法、英签订了一些条约,确定了它与这些国家统治下周边地区的疆界。

Adwick le Street　阿迪克勒斯特里特　英格兰南约克大都会区唐克斯特区城镇,其名来自北面英格兰古罗马大道埃尔迈恩街。最早提到此地是在《末日审判书》(1086)中。城内的圣劳伦斯教区教堂建于12世纪。华盛顿家族(美国第一任总统乔治·华盛顿可能是其后裔)于16和17世纪住在阿迪克府第。该城镇除了几个煤矿外,还有轻工业。人口10 288(1991)。

Ady, Endre　奥第(1877-11-22,奥匈帝国匈牙利艾尔明曾特[今罗马尼亚奥第安德莱]～1919-01-27,匈牙利布达佩斯)　匈牙利最伟大的抒情诗人。生于破落贵族家庭。1903年出版诗集《再来一次》,显露出卓越的才华。《新诗集》(1906)的发表,使他迅即在匈牙利文学界崭露头角。诗集中的诗在形式、语言和内容各方面都有所革新。作为新闻记者留驻巴黎时,他感到匈牙利目光短浅、唯利是图,因而在诗作里对自己的国家进行了猛烈的凌辱性抨击。虽然其《新诗集》的艺术价值无可非议,然而,他却因此成了迅速发展的政治斗争的靶子:左翼激进分子对他奉若神明;

美国不列颠百科全书公司供图

右翼民族主义分子则对他攻击唾骂。奥第后期的作品屏弃无理的抨击,在社会批评和政治批评上达到较高水平。他理解祖国在社会和政治上的弊病,以及第一次世界大战中所遭受的灾难,所有这些促使他寻求新的方法去表现痛苦和愤怒。他在12年内发表了10卷诗集、一些短篇小说和无数篇文章。对匈牙利人民的爱只是其诗歌主题之一。他的爱情诗在独创性和神秘主义色彩的笔调上很引人入胜。

Adygeya　阿迪格　俄罗斯克拉斯诺达尔边疆区内共和国。自库班河延伸至高加索山麓。1922年设阿迪格民族自治州。大部土地为略有起伏的平原,土壤肥沃,几乎全部用于农业。种植玉米、小麦、向日葵、烟草、大麻和马铃薯。盛产克里米亚玫瑰和薰衣草,可供制作香水。沿库班河约8 000公顷多沼泽的泛滥平原已改造为商品蔬菜种植园。工业以农产品加工为主。首府迈科普(Maykop)附近开采石油和天然气。面积7 600平方千米。人口约436 000(2000)。

adz　锛　又拼adze。修削木材的手用工具,最早的工具之一。作为打制出刃部的手握石器,广泛分布于石器时代文化层中。演进至古埃及文化时期,锛有了木柄,柄端横装

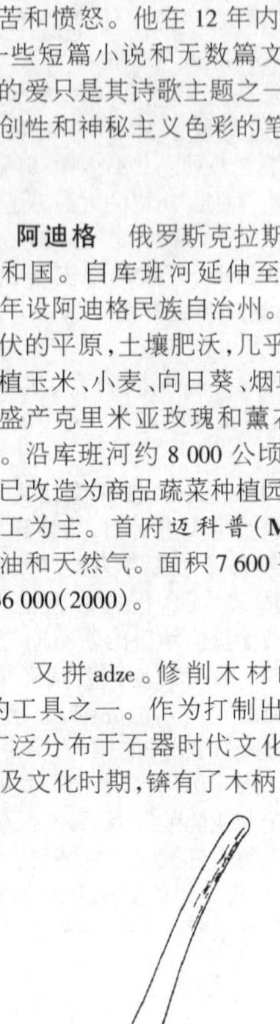

锛

红铜或青铜器身,全器呈T字状。这种形式的锛一直是修削木头的基本手用工具。使用时将一段圆木或其他形状的木材置于地上,木匠跨立在木材两边或站在木材上,将锛上下抡动,动作像用镐那样。

Adzhariya(Georgia)　参阅**Ajaria**阿扎利亚。

Adzopé　阿佐佩　科特迪瓦东南部城镇。阿铁人传统商业中心。咖啡、香蕉、可可和木材(桃花心木和西波木)经此转运阿比让输出。有天主教会和基督教会、农业技术学院(1964)、麻风医院等。还有一项样板住房工程。人口31 357(1988)。

AE　艾(1867-04-10,爱尔兰阿马勒根～1935-07-17,英格兰汉普郡伯恩茅斯)　乔治·威廉·拉塞尔(George William Russell)的笔名。诗人和神秘主义者,19世纪末20世纪初爱尔兰文艺复兴的主要人物。笔名取自一校对员对其早期笔名"艾翁"所提出的质疑。在都柏林大都会艺术学校学习时结识诗人叶芝,毕业后成为一家服装商店的薄记员。1897年离开商店,组织农业合作社。1894年出版其许多诗作中的第一本《回家:途中之歌》。《诗集》第一集于1913年出版,第二集于1926年出版。一生醉心于通神论、宗教的起源和奥秘经验。《幻想之烛》(1918)最能体现其宗教思想。人们一般认为,他的诗缺乏激情,并常常含混不清,尽管他经常(特别在《播种月》中)超越这些局限。

Aeacus　埃阿科斯　希腊神话中主神宙斯和河神阿索波斯的女儿埃伊纳所生之子。他的母亲被宙斯带到厄伊诺尼岛(后来此地以她的名字为名)。他由于主持正义而受到赞颂。在雅典的传说中,他同弥诺斯和拉达曼堤斯都是死者的判官。由于埃阿科斯在一次旱灾中祈求宙斯降雨成功,所以人们在埃伊纳岛为他修建了一座神庙并举行埃阿凯亚节以示纪念。

AEC　参阅**Atomic Energy Commission**原子能委员会。

Aechmea　附生凤梨属　又称尖萼荷属。凤梨科的一属,含140余种附生植物,分布南美。叶缘具刺,叶长约30～60厘米,丛生于根部的莲座上。花红黄相间、顶端蓝色,花穗

带纹附生凤梨(*Aechmea fasciata*)
美国不列颠百科全书公司供图

自丛叶中央长出。有许多种因叶片美丽或花色鲜艳而种植于室内观赏。马格达莱纳附生凤梨(*A. magdalenae*)产于中南美,叶的纤维可搓绳索。

aecium 春孢器 又作aecidium。又称锈孢子器。真菌门锈菌目某些种类菌的一种子实体。通常丛生于寄生叶片下表面。杯状,橙黄色。由受精的原春孢器发育而成。能产生单细胞孢子,即春孢子或称锈孢子。

Aedan(king of Dalriada) 参阅 **Aidan** 艾丹。

Aedesius 埃德修斯(?~355) 希腊哲学家。其思想源于新柏拉图主义(从柏拉图唯心主义产生出来的哲学学派)。创立培尔加门哲学学派,重视法术(新柏拉图主义者所奉行的一种巫术,相信在神和善意的精灵的参与下能产生奇迹),并恢复多神论。其著作失传。

aedile 民政官 古罗马官职名称,公元前494年设立。最初负责照管神庙和膜拜刻瑞斯神,本为两个分担神圣义务的平民出身的官员。他们由平民大会遴选。公元前366年设高级民政官2人,由贵族和平民每隔一年轮流选出。公元前2世纪改由执政官主持的部落大会选出。高级民政官的特权包括一件饰以流苏的托加袍、一把用象牙镶嵌的贵人凳和佩戴祖先面具的权力。民政官地位排于保民官和行政长官之间。其职责是:维护公用设施(如神庙、街道、下水道、交通和防火);负责市场供应、度量衡和粮食分配;组织某些群众性竞赛。他们拥有司法权,可施以罚款。奥古斯都把民政官的许多权力转交其他官员。帝制时期,该职成为平民进入元老院的阶梯,直至其于公元3世纪塞维鲁统治时期结束后消失。

Aedon 埃冬 希腊神话所载以弗所王潘达瑞俄斯之女。据荷马史诗记述,埃冬为第比斯王西苏斯之妻。埃冬只生两个孩子,因而对她嫂嫂尼俄柏子女众多产生嫉妒之心。于是她想法趁尼俄柏的长子睡觉时把他杀死。但她自己的儿子伊提罗斯与其堂兄弟同室而居,故被她误杀。宙斯怜悯埃冬的悲恸心情,于是把她变作一只夜莺。她的歌声便是她对死去的儿子的哀鸣。

Aedui 埃杜维 高卢中部的凯尔特人的部落。占据后来勃艮第绝大部分。公元前58年凯撒开始征服各部落时,曾利用由埃杜维所造成的外交形势。埃杜维从公元前121年起就受到罗马的支持,但约在公元前61年曾为塞卡尼人所重创,失掉了阿拉尔河(今索恩河)上通行税的全部岁入。他们向罗马求援,凯撒将其看作主要盟友,派兵救助。奥古斯都统治时期他们成为"结盟城邦",在奥古斯托杜努姆(欧坦)建立了新都。公元21年,他们参加了特雷维里人的起义,但很快被罗马军队击溃。公元48年埃杜维成为山北高卢省向罗马派遣元老院议员的第一个部落。

AEG AG 通用电气公司 德国主要的电子和电工设备公司。1967~1985年名为通用电气-无线电器材公司(AEG-Telefunken AG,又称蔼益吉-德律风根公司),1985年以后改现名,受戴姆勒-奔驰汽车公司控制。生产家用和工业用电气设备、电信设备、工业和电子部件、办公室机器、计算机和家用器具。总部在美因河畔法兰克福。1883年E·拉特瑙得到另一家德国大电气公司西门子-哈尔斯克公司的财务支持,在柏林成立德国爱迪生通用电气公司。1887年公司改名为通用电气公司(AEG),主要负责安装德国第一套电气系统。在1900年前它在全德国架起输电线路并建起有轨电车系统。1941年通用电气公司购得一家电业控股公司——电气企业公司,因而能牢固掌握德国电器市场。无线电器材公司原为通用电气公司的子公司,1966年与母公司合并;1967年合并后的公司改名为通用电气-无线电器材公司。20世纪后半期,该公司面临严重的财力问题。开始时德国政府不愿帮助它摆脱财政危机,按1979年计划将该公司交给债权人银行控制管理。尽管1981和1982年通用电气公司的债权人银行勾销了该公司的亏损,而巨额未偿债务仍威胁着通用电气公司的生存。1983年期间该公司售出了无线电器材公司的大部分业务单位;1984年进行改组,1985年初直接了当地更名为蔼益吉公司。1985年戴姆勒-奔驰汽车公司成为蔼益吉公司的大股东。

Aegadian Islands 埃加迪安群岛 参阅 **Egadi Islands** 埃加迪群岛。

Aegaeon(Greek mythology) **埃该翁** 参阅 **Briareus** 布里亚柔斯。

Aegean civilizations 爱琴海诸文明 爱琴海地区青铜器时代诸文明,约公元前3000~约前1000年臻于盛期。有些学者使用这一术语往往取其广义,把约公元前7000~前3000年兴盛于这一地区的新石器时代诸文明也包含在内。爱琴海地区包括克里特岛、基克拉泽斯群岛以及其他岛屿,也包括希腊本土,其中又分为伯罗奔尼撒、希腊中部和色萨利3部分。此外,有些学者把马其顿、色雷斯以及安纳托利亚的爱琴海沿岸地区也纳入其中。克里特岛的青铜时代文明称为米诺斯文明,此名源于传说中的克诺索斯王米诺斯,克诺索斯系岛上主要城市。欧洲最早的高度发展的文明,在公元前3千纪晚期至2千纪早期之间,出现于克里特岛上,其特点是建有多处城市及巨型宫殿,商贸交通络绎不绝,并已创制出书写系统。基克拉泽斯群岛及其他爱琴海岛屿上的青铜时代文明,称作基克拉泽斯文明。希腊本土上的青铜器时代文明称作海拉斯文明,源于希腊语中这片土地的名称Hellas。米诺斯文明、基克拉泽斯文明和海拉斯文明,又各分为早、中、晚3个阶段,而进一步的划分则是以每一文化的陶器及其他人造器物的形制之变化为依据的。公元前16世纪受克里特影响而在希腊本土兴起的那种文明,因当地最重要中心城市之一迈锡尼而得名迈锡尼文明;也有人称这个时期为海拉斯文明晚期。迈锡尼一词有时也泛指约公元前1400~前1100年整个爱琴海地区诸文明。

Aegean Sea 爱琴海 希腊语作Aigaíon Pélagos,土耳其语作Ege Deniz。地中海的一个大海湾。克里特和希腊早期文明的摇篮。位于希腊半岛和小亚细亚之间。长611千米,宽299千米,面积21.4万平方千米。东北通过达达尼尔海峡、马尔马拉海和博斯普鲁斯海峡与黑海相连,南至克里特岛。其间大小岛屿星罗棋布。爱琴海的海岸线曲折,有无数海湾、港口和避风小港。最深处在克里特岛东面,达3 543米。盛行北风,但每年9月到次年5月有时刮温和的西南风。希腊半岛与埃维亚岛之间的海潮以凶猛多变闻名于世。表层海水夏温达24~25°C,冬温10~11°C。在490米深处,温度波动在14~18°C之间。从黑海流向爱琴海东北的大量低温水流,对爱琴海的水温产生一定影响。黑海水流含盐量较少,降低爱琴海海水的咸度。海水中缺少营养物,故而生物稀少。但海水清澈平静,温度很高,因之有大量鱼群从其他地区游来,到此产卵。爱琴海由于岛屿众多,过去亦名群岛海。虽然莱斯沃斯、希俄斯和克里特这些较大岛屿有肥沃可耕的平原,但大部分其他岛屿则多岩石,十分贫瘠。除罗得岛外,北部岛屿一般比南部岛屿树木繁茂。爱琴群岛的主要物产为小麦、葡萄酒、油、乳香、无花果、葡萄干、蜂蜜、蔬菜、大理石和矿石等;渔业、旅游业亦占重要地位。爱琴群岛人口455 763(1991)。

Aegidius ROMANUS 参阅 **Giles of Rome** 吉莱斯(罗马的)。

Aegilops 羊草属 又称山羊草属。早熟禾目的一属,是农田的杂草。与小麦同时生长和成熟,若不注意则将被一起收获。羊草属杂草中有一种是食用小麦的祖先之一。羊草属起源于土耳其东南部、伊拉克北部和伊朗西部。

Aegina 埃伊纳岛 希腊萨罗尼克群岛中最大岛屿。在比雷埃夫斯西南26千米处。面积83平方千米,属比雷埃夫斯州。北部是平原和丘陵,种植葡萄、橄榄、无花果、阿月浑子和杏树。东部沿岸有粗面岩构成的山岭。岛上最高点圆锥形的圣伊利亚斯山(532米)即古代的海伦娜山。西海岸主要城市和港口埃伊纳建在古代同名城市遗址上。岛上自新石器时代起就有居民(约公元前3000年)。因战略地位重要,公元前7世纪后成为海上强国。埃伊纳银币流通于多数多利安人国家。经济上同雅典的竞争导致多次战争。公

埃伊纳岛上的阿帕伊亚神殿遗址
美国不列颠百科全书公司供图

元前5世纪后,先后为雅典、马其顿和古罗马帝国(公元前133年)所统治。1537～1826年属土耳其,成为商业中心。希腊独立后一度为临时首都(1826～1828)。因商业日益集中于雅典,埃伊纳逐渐衰落。现为雅典居民假日和周末游乐地。有古陶器市场。埃伊纳岛的全盛时期在公元前5世纪。东面的山顶上有一座保存完好的神庙,建于公元前5世纪以祭奉阿帕伊亚神(古代埃伊纳人的神)。该神庙由当地灰色石灰石建造的多立斯式外柱建筑(有圆柱围绕殿堂)已被部分修复。人口11 127(1981)。

Aegina, Gulf of (Greece) **埃伊纳湾** 参阅 **Saronic Gulf** 萨罗尼克湾。

aegirine 霓石 一种辉石类矿物。为钠和铁的硅酸盐($NaFe^{+3}Si_2O_6$)。常见于碱性火成岩中,尤其是正长岩和正长伟晶岩中,也出现在结晶片岩中。霓石与霓辉石构成连续的化

产自阿肯色马格尼特湾的霓石晶体
美国不列颠百科全书公司供图

学系列,在霓辉石中钙取代了钠、镁和铝取代了铁。此系列中的"锥辉石"这名称是指成分为$NaFeSi_2O_6$的晶体以及成分与之相近的浅红褐色或浅绿黑色尖顶柱状晶体。霓石一词一般限于表示具有同样成分的暗绿色至浅绿黑色的钝顶柱状晶体。关于详细的物理性质,参阅 **pyroxene**(表)。

aegis 神盾 在古希腊,指通常同众神之王宙斯有联系的一种皮外衣或护胸,故被认为具有一种超自然的法力。宙斯的女儿雅典娜把神盾用作常服。另一位神,即《伊利亚特》中的阿波罗,偶尔也使用它。在《伊利亚特》中,它能引起人们的惊恐。早在荷马的著作中,神盾就同一般山羊皮外衣有所不同,因为它有金流苏的装饰。这种厚实的皮衣和鹿皮外衣一样,可以抵挡武器的打击,因此它往往当作甲胄使用。后来在这一类临时性甲胄不再使用之后,人们偶尔也把它认成是金属的胸甲。

Aegithalidae 长尾山雀科 鸟纲的一个鸣禽科。包括旧大陆的长尾山雀和北美的灌木山雀。也可划为雀形目山雀科的一个亚科。共有8种。体小,树栖,食昆虫,尾窄长,喙细小,羽衣有光泽,色不鲜艳。该科的巢壁厚,悬垂于树上,袋状,入口在侧面。最著名的种是欧亚大陆常见的银喉长尾山雀(*Aegithalos caudatus*),其体粉红色和黑色相间,头白色,尾长占体长14厘米的一半。爪哇的倭山雀

银喉长尾山雀(*Aegithalos caudatus*)
美国不列颠百科全书公司供图

(*Psaltria exilis*)是世界上最小的鸟类之一,全长7厘米。

Aegospotami, Battle of 伊哥斯波塔米战役(公元前405) 斯巴达对雅典的海上胜利,伯罗奔尼撒战争中的最后一役。斯巴达和雅典的舰队在赫勒斯滂相持4天,未交一战。第5天,来山得率领斯巴达海军偷袭伊哥斯波塔米的雅典海军的停泊地。那里共有雅典舰船180艘,雅典统帅科侬仅率20艘脱逃。雅典海军有3 000～4 000名人员被俘,后来都被处死。这一战役的胜利使来山得长驱直入,进逼雅典,迫使雅典在公元前404年4月投降。

Aehrenthal, Aloys, Count Graf **Lexa von 埃伦塔尔**(1854-09-27,波希米亚大斯考尔[今捷克共和国赫鲁巴斯卡拉]～1912-02-17,奥匈帝国维也纳) 奥匈双重君主国外交大臣(1906～1912)。初入外交界时任驻巴黎大使馆随员(1877),后在奥地利外交部供职。1888年任驻圣彼得堡大使馆参赞,1895年任驻罗马尼亚大使,4年后任驻俄国大使。1906年任外交大臣。1908年宣布兼并波斯尼亚与黑塞哥维那,导致同俄国交战的危险,激起塞尔维亚对奥地利的仇恨,受到国际舆论的谴责。他的武断的外交政策使奥匈与德国关系冷淡下来。他想通过支持意大利对利比亚的帝国野心(1911)来重建与意大利的良好关系。参阅 **Bosnian crisis of 1908**。

Aeken, Jeroen van 阿肯 参阅 **Bosch, Hiëronymus** 博斯。

Aelfheah, SAINT **艾尔夫赫亚克,圣**(954,英格兰格洛斯特郡?～1012-04-19,伦敦格林尼治) 又拼 Elphege 或 Alphege。基督教坎特伯雷大主教。出身贵族。984年任温切斯特主教。英格兰国王艾特尔雷德二世任命他为大使,前往会见挪威国王奥拉夫一世;奥拉夫先曾于994年侵入英格兰,传说艾尔夫赫亚克曾劝说奥拉夫不要再次侵入英格兰。1005年,就任第二十九任坎特伯雷大主教,立即前往罗马接受教皇约翰十八世的授职。回到英格兰后在恩亨姆召开会议,力图制止丹麦人侵所造成的道德败坏。1011年9月丹麦人俘虏艾尔夫赫亚克,勒索赎金,但他不愿缴纳以免加重贫苦民众的赋税负担。7个月后丹麦人将他杀害。他的遗体先葬于伦敦圣保罗大教堂,1023年迁葬坎特伯雷。他一直被尊为殉教士。

Aelfled (queen of Mercia) 参阅 **Aethelflaed** 艾特尔弗拉德。

Aelfric 埃尔弗里克(活动时期约955～约1010,英格兰牛津郡恩舍姆) 盎格鲁-撒克逊散文作家,被认为是当时最伟大的文学家。他写作既为了教育修士,也是为了传播10世纪隐修院复兴时期的知识。990～992年间写的《天主教布道文集》,以早期教会前辈的著作为基础,提供正统的讲道材料。还写有一部拉丁文法和《圣徒传》。

Aelia Capitolina 埃利亚卡皮托利纳 罗马人在耶路撒冷废墟上所建的城市(135)。城中建有多座罗马神像。城的四周有墙。今耶路撒冷旧城城墙就是用的罗马人所筑城墙的旧基。城名一直使用到4世纪基督教成为罗马帝国的国教时为止。

Aelian 艾利安(约170,罗马附近普拉埃内斯特[今在意大利]～约235) 原名克劳狄乌斯·艾利安努斯。罗马作家兼修辞学教师。因精通希腊文——他的作品即用希腊文写成——被人称作"口似蜜"。他钦佩并研读柏拉图、亚里士多德、伊索克拉底、普卢塔克、荷马等人的著作,他自己的作品记载了先前许多作家的作品的片断,因而很珍贵。人们铭记他,主要是由于他的《论动物的本性》一书。该书记述了鸟类和其他动物的奇异故事,其形式为轶事、民间传说或含有道德教训的寓言。他的《杂史》记述了种种有关风土人情和奇迹式事件的奇闻轶事。

Aelianus 埃利亚努斯(活动时期2世纪初) 又称 Aelianus Tacticus。希腊军事著作家,居住于罗马,其军事著作对拜占廷、穆斯林和15世纪后欧洲国家的作战方法产生了影响。所著《战术论》系依据亚历山大大帝古希腊继承人的实战经验写成,是一部野战时装备、组织、部署和调动军队的指导手册,约成书于106年。他参考了过去有关战术的权威著作,论述主要由如古希腊带盔甲的步兵组成、辅之以轻装步兵和骑兵的军队。拜占廷皇帝利奥六世(886～912)的军事著作深受其影响。《战术论》约在1350年译成阿拉伯文;16世纪步兵再次取代骑兵成为战场上的决定性兵种,此书成为欧洲军事著作家们宝贵的知识源泉。

Aelius Donatus 埃利乌斯·多纳图斯 参阅 **Donatus, Aelius** 多纳图斯。

Aelius Stilo 埃利乌斯·斯提洛 参阅 **Stilo Praeconinus, Lucius Aelius** 斯提洛·普雷

科宁努斯。

Aelle 艾尔（活动时期5世纪末） 盎格鲁-撒克逊统治者，据信为南撒克逊（或苏塞克斯）王国的建立者。据说他于 477 年在塞尔西角（今西苏塞克斯）登陆，立即同当地的不列颠人作战。491 年他和儿子西萨屠杀了守卫在安德里达（今东苏塞克斯的佩文西）的前罗马堡垒的驻军。以后经历不详。8 世纪的历史学家比德写道，艾尔被公认为统治亨伯河以南的所有英格兰各族人民的第一个国王。9 世纪的《盎格鲁-撒克逊编年史》称他为第一个"不列颠的统治者"。

Aelle 艾尔（?～588或590） 英格兰北部德伊勒第一代国王。当地人民在伯尼西亚国王艾达死后，摆脱了伯尼西亚的霸权统治。559 年艾尔成为国王，而艾达的后代仍继续统治王国北部。艾尔死后，伯尼西亚国王艾特尔里克重新征服德伊勒，但艾尔的儿子埃德温（**Edwin**）后又重新当权，成为当时英格兰最强大的统治者。

Aelred of Rievaulx, Saint 艾尔雷德（里沃的），圣 （约 1110，英格兰诺森伯兰赫克瑟姆～1167-01-12，约克郡里沃隐修院） Aelred 又拼 Ailred 或 Aethelred 或 Ethelred。英格兰著作家、历史学家、杰出的基督教西多会隐修院院长。对中世纪英格兰、苏格兰和法兰西的隐修院制度有影响。出身贵族，在苏格兰国王大卫一世宫廷中长大，曾担任皇家总管，后来为大卫作传。约于 1134 年入里沃的西多会隐修院，1143～1147 年任林肯郡里维斯比隐修院院长。1147 年末成为里沃隐修院院长。曾任多位国王和教会首脑的顾问。1162 年说服英格兰国王亨利二世与法兰西国王路易七世结盟，以支持教皇亚历山大三世对抗神圣罗马帝国皇帝红胡子腓特烈一世。虽然他的体质孱弱，却严格苦修，而且多次访问英格兰、苏格兰和法兰西各地的西多会隐修院。其崇高的灵性修养，以基督为中心的学说，特别是著作，对西多会人士影响甚深，从而赢得"北方伯尔纳"的称号。1166 年他因病重而无法继续传教。后西多会人士定每年 2 月 3 日为其纪念节日，他的现存著作多以信仰或历史为主题。《论属灵的友谊》被认为是他的最伟大的著作，是与西塞罗的《论友谊》相对应的基督教著作。他的历史作品包括未完成的《英格兰国王世系》与《国王与忏悔者圣爱德华传》。《灵魂论》（1952 年翻译出版）是他的最后一部著作。

Aemilian 埃米利安（?，毛里塔尼亚～253，翁布里亚斯波莱蒂姆附近［意大利］） 罗马皇帝，仅在位 3 个月。曾任元老院议员，加卢斯皇帝在位期间（251～253）担任过执政官，后被任命为莫西亚（今塞尔维亚东部）驻军司令。在击退哥特人的一次入侵后，253 年夏埃米利安举兵反叛皇帝，侵入意大利。加卢斯被部下杀死，埃米利安即帝位。几周后，上莱茵地区的罗马军队拥戴其司令官瓦莱里安为皇帝。双方未及交战，埃米利安已被部下刺杀。

Aemilius Lepidus, Marcus 埃米柳斯·李必达 参阅 **Lepidus, Marcus Aemilius** 李必达。

Aemilius Papinianus 埃米柳斯·帕皮尼安乌斯 参阅 **Papinian** 帕皮尼安。

Aeneas 埃涅阿斯 神话中特洛伊和罗马的英雄。是女神阿佛洛狄忒为特洛伊王安喀塞斯所生之子。埃涅阿斯是特洛伊王室成员，与赫克托耳为堂兄弟。他在抗击希腊人、保卫特洛伊的战争中功绩卓著，在能力上仅次于赫克托耳。荷马叙事诗中暗示埃涅阿斯不甘居人下，由此产生向希腊出卖特洛伊的故事。但据通常的说法，埃涅阿斯乃特洛伊城劫后犹存的众人的领袖。总之，可以断定，埃涅阿斯确实曾经历特洛伊战争并幸存下来，因而编纂罗马神话的人们可以利用他的形象。

荷马史诗中的英雄与意大利和西西里的联系可上溯到公元前 8 世纪，在该世纪和下个世纪在当地建立的希腊殖民地的人经常声称是特洛伊战争领导人的后裔。传说也常把埃涅阿斯和某些地点和家庭，尤其是和拉丁姆的某些地点和家庭联系起来。随着罗马领土扩张，囊括整个意大利和地中海，于是罗马的爱国作家便开始编织神话传说，使得他们的领土即刻因古老的历史而显赫起来，同时也满足了一种潜在的对希腊文化占优势情况的厌恶。埃涅阿斯是一个特洛伊人，代表着希腊人的敌人，传说中又说战后他是自由的，这种情况使他特别适合扮演指派给他的角色——罗马伟业的奠基者。

现存有关埃涅阿斯的传说是根据罗马诗人维吉尔的叙述。凯撒家族自称为埃涅阿斯的后裔，因此，维吉尔的庇护人奥古斯都也自称为这位英雄的后裔，因为埃涅阿斯的儿子阿斯卡尼俄斯又叫尤路斯。维吉尔把各种传说汇集起来写成拉丁文的叙事诗《埃涅阿斯纪》。其主人翁不仅象征罗马历史前进的过程和方向，而且也象征奥古斯都本人的政治生涯和政治主张。维吉尔叙述埃涅阿斯如何从特洛伊西行，经过西西里、迦太基，最后到达意大利台伯河口，描绘了坚韧不拔、自我牺牲、对神灵的顺从等等在诗人看来是建成罗马的美德。

写于公元前约 29～前 19 年的 12 卷本《埃涅阿斯纪》，讲述埃涅阿斯建立拉维涅姆城的传说（阿尔巴隆忒城和罗马城都源自该城）。该书讲述埃涅阿斯在离开特洛伊燃烧着的废墟后，如何在超越自然力量的指引下在西方建立起一座有光荣前程的新城的传说。维吉尔写道，当特洛伊落入希腊之手时，英勇地战斗到最后时刻的埃涅阿斯被显灵的赫克托耳命令逃往国外建立一座伟大的城市。埃涅阿斯聚齐了全家人及随从，并带上特洛伊的家庭守护神（小肖像）。但是在离开这座燃烧着的城市的混乱中，他的妻子失踪了。她的幽灵指示他去西方台伯河流经的一片土地。于是他乘船开始了漫长的航行。途中曾在色雷斯、克里特及西西里停靠，一路上遭遇到许许多多惊险事件，最后船只在迦太基附近非洲海岸遇难沉没。他受到当地孀居的迪多女王的接待。埃涅阿斯向她讲述了他的经历。他们相爱了。他留在该地，后来，墨丘利严厉地提醒他，罗马才是他的目的地。埃涅阿斯自觉内疚和沮丧，立刻抛下迪多继续航行，迪多因此自杀身亡。埃涅阿斯最后到达台伯河口。他受到当地国王拉丁努斯的欢迎，但是其他意大利人，特别是拉丁努斯的妻子和鲁图利人的领袖图耳努斯，对这些特洛伊人的到来，以及对筹划的埃涅阿斯和国王女儿拉维尼亚的婚姻都感到不满。于是爆发战争，但特洛伊人获胜，图耳努斯阵亡。埃涅阿斯和拉维尼亚结婚，并建立了拉维涅姆城。哈利卡纳苏斯的狄奥尼西奥斯叙述了埃涅阿斯的死亡经过。埃涅阿斯在同鲁图利人的作战中阵亡后，尸体下落不明。据李维叙述，埃涅阿斯后来被尊为地方神，称地方朱庇特。

Aenesidemus 埃奈西德穆（公元前1世纪，克里特岛克诺索斯～?） 希腊学园的哲学家和辩证学家，曾恢复皮浪的"暂缓判断"原则，作为对于恼人的和"无法解决的"认识问题的实际解决方法。他在《皮朗的讲话》中，表述了 10 个比喻，为怀疑主义辩护。

Aeolian harp 风鸣琴 Aeolian源自希腊风神之名埃俄罗斯（**Aeolus**）。由风力鸣响的弦乐器。由一 3 英尺长、5 英寸宽、3 英寸厚（1 米×13 厘米×8 厘米）的木质音箱构成，上面松弛地张以 10 根或 12 根羊肠弦，弦线长度相同，但粗细不一，因而弹性亦不等；所有弦线调成同度音，在风力下按等分段（例如1/2、1/3、1/4……）振动而发出 8 度、12 度、第 2 个 8 度以及该弦基音的更高泛音。用风力使弦线自然振动的原理早已为人所知。据民间传奇所载，大卫王晚间曾将其"金诺琴"（一种里尔琴）悬挂床头以截住风力。10 世纪时坎特伯雷大主教邓斯坦亦曾让风吹动弦线而使竖琴发音。第一架已知的风鸣琴是由 A. 基歇尔所造，在其《世界音乐》（1650）一书中曾加以描述。风鸣琴于18世纪末和19世纪的浪

风鸣琴

美国不列颠百科全书公司供图

漫主义运动时期在德国和英国盛行一时。J.J. 施内尔和 M. 伊苏阿尔都曾试图设计带风箱的键盘形式而分别制成风弦琴(1789)与风鸣钢琴(1837)。

Aeolian Islands(Italy) **埃奥利安群岛** 参阅 **Eolie Islands** 埃奥利群岛。

aeolipile 汽转球 约在公元100年时由亚历山大的希罗发明并在他的《气动力学》中描述过的一种汽轮机。汽转球装有一个空心球,这球与一对空心管接通,使大锅产生的蒸

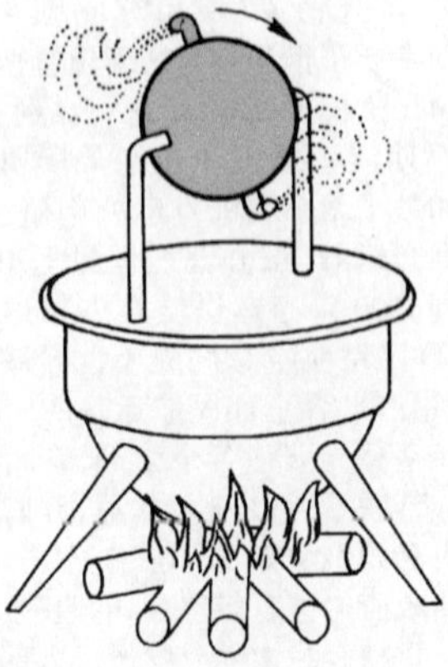

汽转球图示

汽通往空心球。球内的蒸汽从一根或几根弯管由球上的"赤道"处喷出,使球转动。汽转球是已知最早的把蒸汽变为转动的装置。像当时许多用以论证基本机械原理机器一样,汽转球也只单纯是一种新奇的玩物,并未予以任何实际应用。

Aeolis 埃奥利斯 又称埃奥利亚。位于安纳托利亚西海岸的一群古代城市。临近公元前1000年时由操埃奥利斯方言的希腊人建立。最早的聚落位于莱斯沃斯岛、特内多斯岛,以及特洛阿斯与爱奥尼亚之间的大陆上,是公元前1130～前1000年迁移的结果。公元前7世纪,又建立了一批埃奥利斯聚落。公元前6世纪末,大流士一世将埃奥利斯并为波斯帝国的一个省。

Aeolus 埃俄罗斯 在荷马作品里,他是风神和埃奥利亚浮岛的统治者。在《奥德赛》里,他使奥德修斯在归途中一路顺风并把一个将逆风禁闭起来的口袋交给奥德修斯。奥德修斯的同伴解开袋子,结果逆风从中而出把他们又吹回原来出发的岛。它在荷马的作品中虽然以人形出现,但后来被描述成一个次要的神。

Aeolus 埃俄罗斯 据希腊神话,埃俄罗斯是色萨利地方马格内西亚的国王。他是赫楞(真正希腊人的始祖)的儿子,西绪福斯("最狡猾的人")的父亲。埃俄罗斯的女儿卡那凯和儿子玛卡列厄斯因近亲通奸而自杀。该故事是欧里庇得斯失传的《埃俄罗斯》中的主题。小亚细亚西海岸的埃奥利斯即因他得名。

aeon 伊涌 又拼eon。诺斯替教和摩尼教名词,指自至高神溢出的一批精灵或存在物,它们体现绝对的性质。伊涌是根据诺斯替教关于物质与精神二元冲突的教义而形成的宇宙论中的要素。据传说第一个伊涌直接自隐神溢出,具有很大的神力。以后溢出的伊涌力量逐次减弱。诺斯替教各派对伊涌各有不同的说明,但都认为伊涌距神越远则数量越多,等次越低,力量越弱。据说距神遥远到一定程度,谬误即可侵入伊涌的活动。大多数派别认为,物质宇宙的创造即是这种谬误所致。

Aepinus, Franz Maria Ulrich Theodor Hoch 艾皮努斯(1724-12-13,梅克伦堡-什未林罗斯托克～1802-08-10,俄国多尔帕特) 物理学家。主要著作《电磁理论初探》(1759),是把数学应用到电磁理论上的第一次系统的尝试。他原来研究医学,后转向数学和物理学。由于在这些新领域的研究工作而被选入柏林科学院,1757年任圣彼得堡物理学教授,直到1798年退休。他的各种实验导致设计出平行板电容器——存储电场能的一种器件。他发现了矿物电气石的电特性并探索了热电性,即电气石及其他晶体在温度变化时产生的电极化状态。他又研究了导体和非导体的关系,扩大了B.富兰克林关于电的单流体说,用电的吸引、排斥和在导体内的流动,解释了一切电感应现象。艾皮努斯改进了显微镜。他写的关于行星凌日时的视差效应的论文激起了人们很大的兴趣,因为它是在1764年金星两次凌日之间发表的。

Aepyornis 隆鸟 又作 elephant bird。不会飞的巨型鸟类的绝灭属。其化石发现于马达加斯加岛更新世及其后的沉积物中,化石丰富。几个已知的种中,大多数结构结实,具四趾脚及不用于飞而较小的翼。头骨小,颈部细长。有些形状巨大,站立时有3米高,重约450千克。蛋的化石通常呈碎片状或完整。巨型的蛋显然是动物所生的最大的蛋。最大的一个完整蛋的圆周几乎有89厘米,容量可能有9升。在地质记录中出现较晚,其祖先不详。马达加斯加的隆鸟出现相当晚,可能是一种孑遗。在更早的地质年代,这个属可能分布广得多。骨片和蛋壳见于非洲北部的始新世地层(始新世始于5 400万年前,延续了1 600万年)。骨片可能代表与其祖先关系密切的类型,表明该鸟属以前分布较广泛。

Aequi 埃魁人 古意大利民族。原住阿文斯河(今韦利诺河)支流灌溉地区,曾长期与罗马为敌,公元前5世纪尤为罗马人之患,居然进犯到阿尔班丘陵地带。公元前431年,曾被罗马人击退,但直到第二次萨谟奈战争(公元前304)后,才彻底臣服于罗马,取得无投票权的罗马公民身分。公元前302年罗马人建立卡西奥里拉丁殖民地并延伸通过埃魁人领土的瓦利里亚大道,促进了埃魁族的迅速罗马化。

Aer Lingus 爱尔兰国营航空公司 包括两家政府所有的航空公司:①国际航空公司,1936年成立,经营爱尔兰国内航空业务以及爱尔兰与英国和欧洲大陆之间的航空业务;②爱尔兰国际航空公司,1947年成立,经营爱尔兰与美国和加拿大之间的航空业务。两家航空公司虽在法律上各自独立,各设董事会,但统一管理。爱尔兰国营航空公司的总公司在都柏林机场。

aerarium 总库 古罗马金库,设在罗马大广场的萨图恩神庙及毗连的国家档案室。共和时期由两名度支官管理,但受元老院监督。理论上,它负责岁入岁出,为中央清算单位。元首政治时期(公元前27～公元305)渐渐失去作用。

A'erge Mountains 阿尔格山 中国新疆维吾尔自治区、西藏自治区和青海省交界处的山脉。阿尔格山为东昆仑山的分支。西段最高峰为木孜塔格峰,海拔7 723米;东段最高峰布喀达坂峰,海拔6 860米。均有小型冰川发育。山地两侧有一连串闭塞湖盆,北侧与祁漫塔格山间有库木库里盆地,南侧与可可西里山脉间有可可西里湖、卓乃湖等盆地,水草均较丰美。

aerial perspective 空气透视法 又称大气透视法。指在绘画或制图技术中以调色手法模拟物体在远处受大气作用所呈现的颜色变化,以引起景深层次错觉的方法。空气透视

A. 西斯莱绘《塞纳河畔的秋天》
美国不列颠百科全书公司供图

法这一术语的使用始于达·芬奇的《着色论》。他写道,“颜色的弱化程度与观者的距离成正比”。后来发现,这是由于光线通过大气中的水分及尘埃之类的微粒物质而造成光的散射所致,其散射程度取决于光的颜色,即光的波长。在希腊、罗马的壁画中已发现运用空气透视法的例子。此技法在中世纪的欧洲美术中一度失传,后于15世纪又为佛兰德斯的画家重新发现。19世纪英国水彩画家J.M.W.透纳成为使用此技法的最显著的西方画家。8世纪时,这种技法已被中国的山水画家运用自如。参阅 **perspective**。

aerial photography　空中照相　利用装在飞机、火箭、地球轨道卫星或其他航天器上的照相机拍摄地球表面或地球的大气圈或水圈特征的照片。绘制地表特征的地图时,进行空中照相的飞机按固定高度沿计划的航线图飞行,拍摄一组互相搭叠的照片。每张照片拍摄含有若干个控制点的某一区域,控制点的位置是用地面测量技术确定的。将重叠的照片同时投影出来的技术称为照相测量术(**photogrammetry**),采用该技术可为所拍摄的地表特征制作等高线图或地面三维模型。通过卫星技术和专家判读,可获得有关地形学、地质学、水文学、土壤和植被、气象学、洋流和鱼类资源的宝贵资料。研究从轨道卫星上获得的云图对天气预报很有价值。空中照相在军事侦察和情报搜集方面也有重要应用。

aerobatics　特技飞行　操纵飞机做侧滚、翻斤斗、失速下降、螺旋下降等特殊动作的体育项目。作为有组织的体育项目,特技飞行不同于空中飞机表演或军事飞行训练。特技飞行国际比赛始于1964年。比赛分三级:初级、高级、无限级。后两级要求在低空做难度不断增大的特技动作。世界性比赛由国际航空联合会监督。从1960年起(1974年除外)举行了多次世界性比赛。美国实验飞机协会每年举行的比赛是规模最大的一个。特技飞行比赛区高度为100～1 000米,长度为1 000米,宽度为800米。每队由3～5名飞行员组成。比赛用的是150～350马力的活塞式引擎飞机。

aerobics　有氧代谢训练　指为了提高身体摄氧率而进行的一套身体训练方法。典型的有氧代谢运动,如走、跑、游泳、跳舞和骑自行车等,能刺激心脏和肺,使之在足够长的时间内持续活动,从而在身体内产生有益的变化,即所谓锻炼效应。为了取得效果,每星期至少要进行三次有氧代谢训练。每次训练必须把心率提高至锻炼水平,并维持20分钟以上。有氧代谢概念是库珀医生首先提出的。库珀医生用记分图来定出不同年龄组各种运动方式的增氧值。人在逐步提高运动的量和质时,可以根据分值来衡量身体状况的改善程度。

aerodrome　参阅 **airport** 航空站。

aerodynamics　空气动力学　物理学的一个分支。研究空气和其他气态流体的运动以及物体在这些流体中运动时所受的作用力。空气动力学的主要任务是解释飞机、火箭和导弹等在大气中飞行时所遵从的原理。同时也与汽车、高速火车和轮船的设计,以及在建造桥梁和高大建筑物时确定它们对强风的抵抗能力等有关。

对鸟类和抛射体飞行的观察,在古人中引起了思索,推测其中的力以及它们的相互作用方式。然而古人谈不上对空气的物理性质有真正的认识,也并不试图对这些性质作系统的研究。他们的主导思想反映着一种信念,认为空气确实提供了支承和推进的力量。这些概念很大程度上是基于当时所能认识到的流体静力学的原理(对液体压强的研究)。因而在较早的时候,人们认为推动抛射体的力主要来源于挨近物体周围的气流。这种不把空气看作阻力而把它当作助推介质的概念持续了许多世纪,尽管16世纪时,人们已经认识到抛射体的能量是由投掷器提供的。

15世纪末叶,莱奥纳多·达·芬奇就注意到空气对固态物体的运动具有阻力,并认为这种阻力是一种压缩性现象。不久之后,伽利略通过实验弄清了空气阻力的真相,并得出了阻力与在空气中运动的物体的速度成正比的结论。17世纪末叶,C.惠更斯和I.牛顿又更进一步确定了空气对物体运动的阻力是和速度的平方成正比的。

牛顿提出的力学定律,标志着经典空气动力学理论的开始。牛顿把作用在一块倾斜平板上的压力看成是由许多粒子与板的迎风面相碰而引起的。他的表述导致这样的结论,即作用在板上的压力正比于空气的密度、板的面积、速度的平方和倾斜角正弦的平方四者的乘积。这当然不能说明板的上表面上的流动现象。这上面存在着低压力并且机翼的大部分升力正是从这里产生的。把空气视为连续介质,拥有伸延到离板很远的压力场这一概念很久以后才出现。18和19世纪的许多发现均有助于进一步理解对在空气中运动的物体产生影响的种种因素。例如阻力与流体黏性的关系在19世纪初叶已有所发觉。到19世纪80年代英国物理学家O.雷诺的实验则使人们更清楚地认识到黏性效应的含义。

近代空气动力学大约是在莱特兄弟做他们的第一次用动力推动的飞行(1903)时形成的。在他们有历史意义的尝试之后数年,英国工程师F.W.兰彻斯特提出了无限翼展机翼的升力环流理论和有限翼展的涡流升力理论。通常被崇为近代空气动力学之父的德国物理学家L.普朗特独立地得出了与兰彻斯特相同的假说并且还发展了数学处理方法。普朗特的成果由后来的研究者提炼和扩大,从而形成了这个领域的理论基础。在对近代空气动力学作过卓越贡献的人当中,包括匈牙利出生的工程师T.von卡门。卡门所作的贡献导致了湍流理论和超声速飞行的巨大进展。

Aeroflot　苏联民用航空总局　俄罗斯航空公司,其前身为苏联国家航空公司。苏联国营航空公司成立于1928年,取名为志愿航空局。志愿航空局的前身是两个以前的航空公司:1923年成立的俄罗斯志愿航空局和1925年成立的乌克兰航空公司。这些航空公司将诸如莫斯科、高尔基城(下诺夫哥罗德)、基辅、哈尔科夫和敖德萨等城市连在一起。1932年志愿航空公司改组为苏联民用航空总局后,发展迅速。到1935年,其航空路线西自列宁格勒(圣彼得堡),东至符拉迪沃斯托克(海参崴),航空网络还向南延伸到黑海、高加索和中亚。苏联民用航空总局负责苏联的全部民航,并且除了运送乘客和货物外,还负责空中播种、空中测量、空运救援工作和救护飞行服务。1956年开始世界上的首次民用喷气式飞机客运服务(使用苏制图-144客机),帮助发展了世界上第一架超音速客机苏制图-144,该机于1968年首飞。到20世纪80年代后期,苏联民用航空总局所属的1 300架客机和数千架小飞机为苏联境内的3 600个城镇提供客运服务,并飞往世界上100多个国家。到1990年当运送旅客总数达到1.38亿时,苏联民用航空总局成为世界最大的航空公司,约占世界全部民航运输的15%。苏联民用航空总局飞往各个大洲,有时还包括南极洲。苏联于1991年解体后,苏联民用航空总局更名为俄罗斯国际航空公司,成为新的俄罗斯政府的国有航空公司,直到21世纪该公司一直持有绝大部分股份。大部分国内航线由地方航空公司承担。1992年俄罗斯国际航空公司开始使用外国公司制造的飞机,如空中客车、波音飞机。由于在2000年采用了苏联民用航空总局-俄罗斯航空公司这一名称,该公司在从俄罗斯到40多个国家的国际航线的飞行服务中仍处于领先地位。

aerofoil (aircraft)　参阅 **airfoil** 翼型。

aerophone　气鸣乐器　由空气振动发音的乐器的通称。基本类型有木管、铜管和活簧乐器,以及不属于这几类的牛吼器和汽笛等乐器。风笛和管风琴是混合型的,采用不同的管子。当需要根据音乐学分类时,就用“气鸣乐器”这一名称取代“管乐器”一词。音乐学的分类还包括弦鸣乐器(由紧绷的弦的振动发音)、膜鸣乐器(由紧绷的膜的振动发音)、体鸣乐器(由共鸣的固体材料振动发音)和电乐器(由电子手段发音或扩大音响)。

aeroplane　参阅 **airplane** 飞机。

aerosol　气溶胶　液体或固体微粒以极细的分散状态均匀地分布于整个气体(通常为空气)中形成的体系。气溶胶微粒能构成凝聚和凝固的核心,因而对沉淀过程有重要作用。气溶胶微粒参与各种化学反应过程,并影响大气的电学性质。真正的气溶胶微粒直径由数纳米到1微米(相当于10^{-4}厘米)。如果悬浮的微粒较小,体系就开始具有真溶液的性质。微粒较大时,沉降速度很快,致使这种体系不再是真正的气溶胶。然而“气溶胶”一词常用于微粒直径大于100微米的情况,特别是指云、雾的液滴或尘埃微粒时。一般地说,除湍流状态的空气(如暴风雨期间)外,微粒直径大于50微米的气溶胶是不稳定的。直径小于0.1微米的微粒有时称为艾特肯核。

aerosol container 雾化器 为把内装的液体喷射成薄雾或泡沫而设计的任何密闭容器,通常是金属罐或塑料瓶。这类雾化器于1941年由美国化学家L.D.古德休和其他人为喷射杀虫剂而研制成。从那时起,有各种各样的液体制品,从消毒剂到泡沫乳剂,装在雾化器里。最常见的雾化器包括外壳、阀门、由阀门到液体制品的"汲管"和加压的液化气体喷射剂。液体制品一般与喷射剂混合。当阀门打开时,溶液沿汲管上升,通过阀门喷出。喷射剂排入大气后就气化,把液体制品分散成微粒。在诸如剃须膏那种泡沫乳剂的

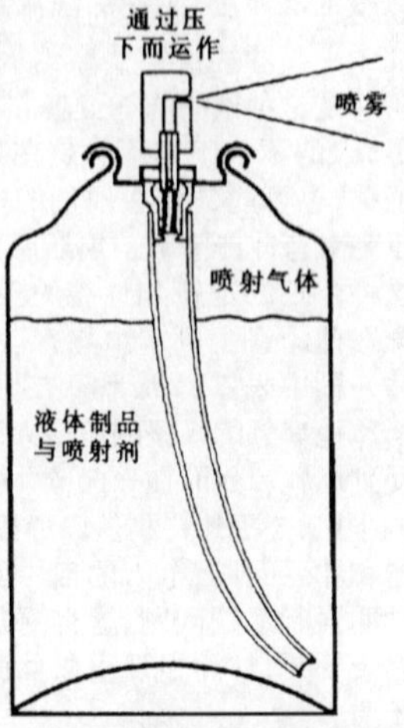

典型喷雾器的截面图

容器中,喷射剂和制品以乳浊液的形式而共存。将乳浊液释放出时,液体就气化,使整个乳浊液形成泡沫。含氯氟烃(常叫做氟利昂),曾在美国广泛用作制造雾化液体制品的喷射剂。由于这种化合物对环境有潜在的危害作用,所以1978年以后联邦政府最大限度地禁止使用它。科学研究表明,释放到空气中的含氯氟烃上升到同温层后,对臭氧分子的分解起催化作用。同温层中的臭氧能对太阳的强紫外线辐射起屏蔽作用,保护动物不患皮肤癌。美国和欧洲的制造商遵照联邦禁令,在大多数雾化剂制品中,已用碳氢化合物和二氧化碳代替含氯氟烃。他们还研制出了用手压泵产生空气压力代替使用喷射剂的雾化器。

aerospace engineering 航空航天工程 又作aeronautical engineering。航空器和航天器的发展、设计、制造、试验和使用有关的工程领域。航空工程可以追溯至气球飞行、滑翔机和飞艇。伴随着莱特兄弟的"飞行者"号于1903年12月在北卡罗来纳州基蒂霍克实现第一次有动力和可操纵的飞行,航空工程领域才有了真正的拓展。20世纪60年代期间,航空工程的概念扩大至包括外层空间和大气层内使用的所有飞行器。航空航天工程一词便应运而生,除航天器外,各种地效飞行器也包含于这一领域内。

航空航天工程所包含的主要技术是空气动力学、推进、结构与安定性和操纵性。航空航天工程的研制过程始于大学的、工业的和政府的研究中心。工业设计机构利用最新技术发展提出一种初步的飞行器设计方案,这种设计经过计算满足规定的特殊要求。初步设计方案之后就是一段持续数月甚至数年的漫长过程。其间,航空航天工程师将设计和研制飞行器的许多部件。设计过程结束后将制造并试验一个或多个原型飞行器。原型飞行器圆满完成飞行试验后便投入批量生产和实际使用,航空航天工程师将参与上述过程的各个环节。

航空航天工程的历史是在技术上易产生革命性飞跃的时期,而基本研制过程则经历缓慢但持续演变的发展。金属硬壳式机身、悬臂式单翼、喷气式发动机、超音速飞行、航天飞行等就是例证。事实上,第二次世界大战后是航空航天工程迅速发展的时期之一,空气动力学、结构、推进、安定性和操纵性等新知识有了迅猛发展。低速空气动力学让位于跨音速、超音速和高超音速空气动力学;框架结构被薄金属壳所取代,而这需要研制新型铝、镁、钛及钢合金;内燃机被火箭发动机和涡轮喷气发动机取代。人工操纵发展为自动操纵。

航空航天工程实践依赖于对所有飞行器至关重要的诸要素:热力效率和推进效率很高的推进系统,重量最轻强度最大的结构,具有最佳气动效率并稳定飞行的外形,精确的控制和制导系统,权衡各种因素使飞行器达到规定性能的正确设计方案。掌握这些要素依赖于工程科学的知识:材料科学、固体和结构力学、热力学、流体力学和电学。而工程科学又依赖于物理、化学和数学等基础科学。要制造一架成功的飞机,航空航天设计师必须把流体力学和空气动力学同最先进的工程技术结合起来。飞机的机翼可能是设计一架飞机中最困难的部分,因为必须要在机翼承受的空气动力载荷和机翼形状之间达到最佳组合,而机翼形状必须既能产生升力同时阻力又最小。飞机动力装置的位置也是设计师考虑的重点问题,因为动力装置应产生足够的推力,同时自身产生的阻力又最小。安定性也是一个重要问题,它是由动力装置、机翼、机身、尾翼和襟翼的配置和形状决定的。飞机设计的结构考虑是由达到飞机机体重量最小的同时强度和刚度最大的需要决定的。

绝大部分航空航天工程技术人员是在飞机和航空航天工业以及有关的分包商企业中的雇员,他们从事着包括从基础研究到硬件设计及生产在内的各种工作。在绝大多数国家,航空航天工程的第二大雇主是政府,工程师的任务主要是研究、发展和采购。航空航天工程师也有少数受雇于高等院校和商业航空公司。为了采购新的装备以及维修和使用装备,航空公司也必须做一些重要的工程工作。

aerospace medicine 航空航天医学 医学科学的一个分支学科。专业目的旨在研究和解决人类在高空和外层空间航行时可能遇到的各种医学问题,以保证人类在航空航天时的极端条件下的生命安全和工作效率,如超高温、超低温、低气压、放射线、噪音、振动、无氧、超高加速度、超高减速度状态、失重、晕动病、航空疲劳、时差性失眠、饥饿等不适,以及因远离人群所造成的心理障碍等等。但除了设备安全之外,所有这些问题都应在出航之前就通过严格的航天模拟训练加以解决。19世纪的法国生理学家P.贝尔是公认的现代航空航天医学之父。他用热气球把人带到高空,观察气压变化对人体的影响。这一经典的方法在第二次世界大战期间被广泛采用,而且以后的各种研究技术大体上都是在它的基础上发展起来的。1948年,世界上第一个航天医学研究机构在美国成立,并在主要研究技术方面取得了长足的进展,而且使航天医学公认为是医学的一个专业分支。民用和军事航空航天医学专家们必须确定并应用选拔鉴定驾驶员及其他飞行人员的医学标准,保证其身体情况能适合各种飞行条件;制订训练计划并协助训练飞行人员使之学会急救和防止乘客伤病的知识;协助训练空运病员的医务辅助人员;运用预防医学原理防止疾病因空运而传播,防止机组人员和乘客在发病区感染严重疾病;对航天员进行飞行前后的医学鉴定,确保其健康情况适于飞行,确定航天飞行对人体的不良影响;监测航天员在飞行期间的生理反应,指导他们利用飞船中有限的医疗条件处理飞行中的医学问题;此外,他们还必须参与载人航天器的设计、急救系统和防护设备的研制和开发工作。

aerotitis 航空耳炎 参阅**ear squeeze**耳挤压症。

Aeschbacher, Hans 埃施巴赫(1906-01-18,苏黎世~1980,苏黎世) 瑞士抽象派雕刻家。风格严峻,作品体积巨大。原为印刷工,自学素描和油画,30岁左右开始雕刻生涯。早期作品多属象征性的,主要用赤陶土和石膏制成。1945年开始以石雕为主,作品益趋抽象化、几何化和简朴化,作品有《抽象的脸》(1945)等。20世纪50年代中期,其刚强风格有所减弱。50年代后期的作品虽不如早期简朴,但恢复了体积巨大(有些雕刻品高达4.5米)和严峻的几何形风格。坐落在苏黎世克洛滕机场上的《探索者Ⅰ号》是其代表作。

Aeschines 埃斯基涅斯(公元前390~约前314) 雅典演说家,主张同马其顿的腓力二世讲和,政治家狄摩西尼的死对头。出身卑微,早年曾作过悲剧演员并担任过低级公务员。公元前346年,他和狄摩西尼一样,也是出使腓力二世的使团成员,出使导致雅典和马其顿缔结了菲洛克拉特和约。谈判中,埃斯基涅斯曾设法使雅典人容忍马其顿向希腊内部扩张,因此在和约缔结之后,狄摩西尼和提马科斯准备指控他叛国。作为报复,埃斯基涅斯指控提马科斯道德败坏并取得胜诉。公元前343年,他本人受审,但以微弱的多数得以被宣告无罪。公元前339年,通过煽动近邻同盟(**amphictyony**)向洛克里斯的阿姆菲萨城发动圣战,埃斯基涅斯为腓力提供了一个进入希腊中部的借口,说是帮助近邻同盟会议的士兵,结果使马其顿在希腊中部(包括雅典)确立了霸主地位。此后,埃斯基涅斯和狄摩西尼之间的敌对情绪更加激烈。公元前336年,埃斯基涅斯指控一个名叫泰西封的人非法建议把金冠授予狄摩西尼以表

彰他对雅典的功绩。公元前330年埃斯基涅斯败诉，无疑这是狄摩西尼为替泰西封辩护而发表的《论金冠》光辉演说的结果。埃斯基涅斯于是离开雅典去了罗得岛，据说他在那里教授修辞学。他仅存的演说有3篇：①指控提马科斯的；②为他自己出使腓力的行为辩护的；③指控泰西封的。看来，这是他亲自执笔的仅有的演说，其余则都是即席发表的。它们表现出作者直率有力地表达自己意见的倾向，表现出自由运用修辞手段、多种多样的句子结构，喜欢引用诗句并且有随机应变的机智。

Aeschylus **埃斯库罗斯**（公元前525或524～前456或455，西西里杰拉） 古雅典3大悲剧作家中的第一位，成长于一个动乱的年代。这个时期雅典已经推翻由一人绝对统治的暴君，建立起雅典的民主制度，对内反对利己主义的政客，对外反对来犯的侵略者。埃斯库罗斯本人曾参加雅典城第一次反对波斯人侵略的斗争。后来的希腊编史家都相信，公元前490年埃斯库罗斯35岁时参加过雅典人第一次击退波斯人的马拉松战役，如果这种说法真实可信，那么他的出生年代应该是公元前525年。埃斯库罗斯的父亲名叫欧福里翁，他一家大约居住在雅典城以西的埃莱夫西斯。

埃斯库罗斯是雅典主要戏剧竞赛——城市酒神节——的著名参加者。城市酒神节是整个酒神节的一部分。每年在这个节日里，3位剧作家中的每一位都要写出3个悲剧，这些戏既可以在情节上是无关的，也可以在主题上是相互关联的。这三部曲悲剧之后要紧接一部羊人剧，即一出轻松的滑稽戏。据记载埃斯库罗斯曾参加过这类竞赛，第一次参加竞赛大约是在公元前499年。公元前484年春他第一次在戏剧节上赢得胜利。与此同时，他还在马拉松参加战斗并可能受伤。许多年之后他为自己写的诗体墓志铭上曾特别提到他参加过这次战斗，他的兄弟在这次战斗中牺牲。公元前480年波斯人再次入侵希腊，埃斯库罗斯再一次加入军队服役，参加了阿提密喜安战役和萨拉米斯战役。他对波斯人侵略的描绘可以在留传下来的他最早的剧本《波斯人》中看到。这部戏在公元前472年春天戏剧竞赛中上演，获一等奖。

据说，埃斯库罗斯大约在此时曾访问西西里，在叙拉古的僭主希伦一世的宫廷里重演《波斯人》。埃斯库罗斯随后在戏剧事业上连续取得成功，只是据说他也曾忍受过一次难忘的失败。公元前468年他败在初出茅庐的索福克勒斯手里，索福克勒斯能进入这届城市酒神节象征着战胜了老一代诗人剧作家。次年，即公元前467年，埃斯库罗斯以其《俄狄浦斯》三部曲（其中仅第3部《七将攻第比斯》被保存下来）获胜，弥补了头年的失败。公元前458年上演了他的杰作《奥瑞斯忒亚》三部曲，同年他又去西西里。据编年史家的记载，埃斯库罗斯于公元前456或455年卒于西西里南部沿海的杰拉城，享年69岁。一则荒唐故事说他是在一头老鹰将一只乌龟丢落到他的秃脑袋上时被砸死的，这可能是后来的一位喜剧作家杜撰出来的。在杰拉城人们为他举行了盛大的葬礼，在他墓前举行了祭典和戏剧演出，后来此处成为作家们常去朝拜的圣地。

埃斯库罗斯写了将近90个剧本，其中包括悲剧和羊人剧，人们知道剧名的大约有80部。完整保存下来的仅有7部悲剧。有一种也许是按照官方目录为基础的统计，说埃斯库罗斯获得过13次头等奖或胜利，这就可能意味着他剧作中有半数以上得过奖，因为每次均应按4个剧本计算，而不能按每次一个剧本计算。按照哲学家菲洛斯特拉托斯的意见，埃斯库罗斯早已作为"悲剧之父"而闻名。埃斯库罗斯的两个儿子也是杰出的悲剧作家。其中一个儿子欧福里翁，在公元前431年依靠自己战胜索福克勒斯和欧里庇得斯赢得一等奖。

戏剧和文学成就 埃斯库罗斯对悲剧的发展有着非常重要的影响。在他之前，希腊戏剧局限于一个演员和一支歌队，大部分靠静态朗诵（歌队由一群演员组成，对一出戏的主要戏剧行动用歌唱、舞蹈和朗诵作出反应和评论）。那位演员可以依靠变换面具和服装的方法扮演不同的角色，而对话却仅局限于他同歌队之间进行。埃斯库罗斯为第1个演员增加了一个可以与之说话的第2个演员，从而为戏剧的展开增加了巨大的可能性，既可以进行对话，增添戏剧的紧张感，又使得情节结构上具有更多的变化和自由。虽然早期悲剧中歌队的主宰地位最终只是假设，但亚里士多德在《诗学》里说的那句话大概还是真实的，他说埃斯库罗斯"削减了合唱队的作用并使对话成为主要部分"。埃斯库罗斯在其他方面也是位创新家。他很好地使用了舞台布景和舞台机械，并且他的某些剧作还以其壮观惊人的布景效果而闻名。他也设计服装，训练歌队队员们舞蹈和歌唱，可能还参加他大部分剧本的表演，这是古希腊剧作家们的惯常做法。

然而，埃斯库罗斯在演出形式方面的创新只不过是他成就的一部分。他的剧本则具有永恒的文学价值，无论是他那庄严雄浑的抒情语言，还是其错综复杂的情节构架，以及他对普遍性主题的认真探索诸方面均不例外。无论在对话中还是在合唱的抒情诗中，埃斯库罗斯的语言均以庄严有力和富于情感强度为标志。他大胆使用复合形容语句、隐喻、比喻和转折说法，并且使这些丰富的语言坚定地为戏剧行动服务，而不是仅仅用于装饰。在整个剧本中全力塑造一个形象或一组形象是埃斯库罗斯编剧的一大特点，《七将攻第比斯》中的船只、《乞援人》中捕食的鸟、《阿伽门农》中的陷阱莫不是如此。更具普遍性的是，埃斯库罗斯在一出戏或一组三部曲里展开几个重要主题，常常用一个或一组特别的词将它们连接起来。例如，在《奥瑞斯忒亚》三部曲中，有诸如愤怒、控制、信念这类主题，并且让光明与黑暗、挽歌与赞诗之间的对比一直贯串于三部曲全剧。把这种戏剧配乐法运用于细致的情节结构，使得埃斯库罗斯能够赋予希腊戏剧一种更为精确的艺术和才智形式。

埃斯库罗斯的悲剧涉及到个人困境、决断和命运，这些人与国家或社会的命运紧密相连；同样，个人和社会都与神明有着密切关系。从而，个人的、社会的和宗教的问题就结合成一体，因为他们都依然存在于这位诗人剧作家时代的希腊文明之中。神正论（即向人们证明神的行事正当）在某种意义上是埃斯库罗斯关心的事情，当然可以更确切地说他是想通过戏剧冲突来阐明神的公正性。埃斯库罗斯及其同时代的希腊人相信，神嫉妒人类的伟大，于是在一个人处于成功的顶峰时就使他变得糊涂，从而给他带来灾难。人的执迷行为常常表现为不敬或骄傲（固执），从而他的灭亡就被看成是一种正当的惩罚。在事物的这种设计中，恶神的嫉妒和永恒的公正构成一种共同的道德秩序结构，至高无上的神宙斯是这种秩序的守卫者。

但是，人的不公正并不总是在其生命期内受到惩罚，也可能是要在他们的子孙后代身上公正的对待才能降临。埃斯库罗斯接受的正是这种公正的宙斯和世袭的犯罪信念，这种信念在他的许多剧本中均有表现，他的《波斯人》一剧中表露得最为简洁明了，剧中的薛西斯和他率领的入侵的波斯人因他们的罪过而受到惩罚。然而在一部像《阿伽门农》这样的剧本里，公正处罚和道德责任问题、人类的纯洁和罪恶问题、个人的自由面对遗传罪恶和神明强制惩罚问题，显得更加复杂并且更不易于解开，从而显现出依然困扰人类才智的矛盾。

最后，对于埃斯库罗斯来说，神性公正是运用人性动机去执行其旨意的。这些动机中最主要的是复仇欲望，而复仇思想在古希腊人的价值图式中占有重要地位。在完整保存下来的《奥瑞斯忒亚》三部曲中，这种复仇或报复观念占有主导地位。阿伽门农、克吕泰涅斯特拉、艾吉斯萨斯和俄瑞斯忒斯都有一种报复的动机。但意味深长的是，紧随阿伽门农及其家族的报复谋杀连锁反应，并非由于血腥犯罪完全达到平衡，也不是出于暴力的进一步连续，而是通过和解以及由雅典娜建立的法律治理和雅典法庭来结束。

在创作悲剧方面埃斯库罗斯几乎是无可匹敌的，无论是在描写邪恶、恐惧和犯罪后果方面，还是在《奥瑞斯忒亚》中以欢乐与和解而告结束方面均非常有力。埃斯库罗斯生活在希腊人依然真诚感觉到他们处于各种神灵包围之中的时代，尽管如此，他仍具有一种追求公平而全面观念的能力，这是一种典型的希腊观念，并且使他能够以非凡的真诚和成功来处理罪恶的基本问题。

剧作 《波斯人》 作为公元前472年上演的与三部曲悲剧无关联的一出戏，《波斯人》在流存下来的悲剧中是相当独特的。它没有去描写遥远时代的神话人物，而是编演了当时的现实题材。剧本描写了公元前480年希腊人击退波斯侵略的决定性战役，特别是描写了波斯人在萨拉米斯海湾战役中的失败。剧本以波斯首都为背景，一个探子来向波斯王后报告萨拉米斯海湾灾难性的消息。作者把波斯人的失败归因于希腊人的独立精神和勇敢作战，同时也是神灵对波斯人越出亚洲边界之外的愚蠢行为的惩罚。剧本最后以失败并蒙羞的波斯国王薛西斯的返国作为结束。

《七将攻第比斯》 这部戏上演于公元前467年，是相互关联的三部曲中的第3部，也是三部曲中唯一流传下来的戏。剧本写了邪恶的拉伊俄斯的罪行和随后降临在他子孙身上的覆灭。第一部戏似乎是表现第比斯国王拉伊俄斯如何让他一个儿子蔑视阿波罗神的神谕禁令。第2部戏里写的是他那个儿子俄狄浦斯杀了他的父亲并把天罚加到他自己两个儿子厄忒俄克勒斯和波吕涅刻斯的身上。在《七将攻第比斯》这出戏里表现了厄忒俄克勒斯领导军队保卫第比斯城市，反抗由他兄弟波吕涅刻斯和6个希腊南部头目率领的侵略军。这6个将军一心想要把波吕涅刻斯扶上第比斯国的王位。厄忒俄克勒斯选定了保卫第比斯城6个城门的守将，并坚持要亲临余下的第7个城门去战斗，到那里去会他的对手波吕涅刻斯。兄弟两人在那里互相残杀，双双死去，第比斯皇族也就从此根绝，造成一个恐怖的结局，这正是由于拉伊俄斯蔑视神明而引发的一连串恶果。

《乞援人》 这部戏大约上演于公元前463年，是三部曲中的第1部，也是唯一流传下来的戏。很长一段时间里，研究者们相信《乞援人》是埃斯库罗斯最早的剧本之一，这是因为剧本使用了古体结构，由达那斯女儿们表演的剧中歌队在戏剧行动中承担了主要角色。但是现在已有证据表明，由《乞援人》构成其中一出戏的这个三部曲是在与索福克勒斯一起比赛时演出的，而人们知道索福克勒斯第1次参加比赛是在公元前468年。这样就可假定《乞援人》的创作日期是在埃斯库罗斯戏剧生涯的中期，而不是在他的最初几年里。

虽为希腊后裔但却出生在埃及的达那斯女儿们与其父亲一起逃往希腊的阿尔戈斯，以逃避同她们的表兄弟——艾吉波塔斯儿子们的强迫婚姻。阿尔戈斯的国王帕拉斯戈斯左右为难，究竟是开恩让达那斯的女儿们避难，还是去满足艾吉波塔斯国王的请求不收留她们。但最后他还是豪爽地答应她们在这里避难。从总体来看，三部曲似乎是想强调家族爱的拯救力量，与达那斯女儿们倔强的纯真和她们表兄弟那种冷酷粗暴的色欲之间形成对比。

《奥瑞斯忒亚》 《奥瑞斯忒亚》三部曲由3部紧密相连的剧本组成，均已流传下来，它们上演于公元前458年。在《阿伽门农》一剧中，伟大的希腊国王阿伽门农攻克特洛伊之后凯旋。随他一同归来的还有他的妃子、特洛伊人女预言家卡珊德拉。接着他被自己残酷的、复仇心切的妻子克吕泰涅斯特拉羞辱并杀害。驱使她采取谋杀行动的原因，部分是出于要给她死去的女儿伊菲革涅亚报仇的愿望，因为阿伽门农率军出征前牺牲她去祭神；部分是由于她同埃吉斯托斯的奸情；还有一个原因是由于她是诅咒阿伽门农家族的代理人，由于阿伽门农父亲的罪恶而给这个家族带来灾祸。剧终时，克吕泰涅斯特拉和她的情夫接管王宫，成为阿尔戈斯王国的统治者。许多人认为这部剧作是希腊最杰出的悲剧之一。人们从剧中非凡而持续不断的戏剧性诗意力量中，可以挑选出克吕泰涅斯特拉台词中饱含的娇媚与欺骗，也可分辨出大合唱歌曲中的丰富和浓郁的喻意，这些歌曲常以高深莫测的语汇使主题显得错综纷繁，其中神学、政治学和血缘关系均被巧妙地安排进整个悲剧3部曲之中。

《奠酒人》是这三部曲中的第2部，由女侍从扮演合唱队向被谋杀的阿伽门农墓奉献祭品和奠酒而得名。戏开场时俄瑞斯忒斯刚从国外归来，他是阿伽门农和克吕泰涅斯特拉的儿子，孩提时即被送往国外，现已长大成人，回来为他父亲报仇，要处死他母亲及其奸夫，因为他们一同谋杀了他的父亲。他与妹妹厄勒克特拉会合一起，祈求死去的阿伽门农帮助他们实现复仇计划。然后俄瑞斯忒斯杀死埃吉斯托斯，但轮到去刺杀他母亲克吕泰涅斯特拉时却犹豫起来，可是又不能不服从阿波罗神的旨意。俄瑞斯忒斯想要自我辩解，这时产生畏怯，于是怀着负罪感和疯狂性开始逃亡，又被他母亲诅咒的女性化身厄理倪厄斯(复仇女神)所追赶。剧情发展至此，复仇的连锁反应似乎是没有穷尽的。

《降福女神》是这三部曲的最后一部(剧名意思是“仁慈的女神”)。戏的开场地点在德尔菲的阿波罗神庙，俄瑞斯忒斯在那里躲避复仇女神的追赶。在德尔菲神谕的要求下，俄瑞斯忒斯动身去雅典接受对他弑母罪的审判。女神雅典娜在那里组织一次有公民陪审团参加的审判。复仇女神对他提出起诉，阿波罗神则为他辩护。陪审团中支持他和反对他的各占一半，雅典娜投票支持他，才使他得以无罪释放。复仇女神接着把复仇怒火对准这座城市，雅典娜说服了她们，于是她们决定在这座城市定居并接受崇拜，为这座城市降福，剧本由此得名《降福女神》。这部写因果报应连续流血的三部曲，最后以国家公正的法律治理的形式结束和取代。

《被缚的普罗米修斯》 这部剧的创作日期(甚至它的作者归属)都存在争论，但许多学者认为它是埃斯库罗斯最后年代的作品。在《被缚的普罗米修斯》中，神灵普罗米修斯蔑视宙斯拯救了人类并赋予他们火种，在天帝的命令下他被缚在遥远的峭壁上受惩罚。尽管如此，普罗米修斯并不孤立，年老的海神俄刻那斯、海神的一群女儿(扮作歌队)以及宙斯的另一个受害者“被变成牛头的”伊娥都来看望他。最后赫尔默斯神也来了，他要求从普罗米修斯那里取到可以威胁宙斯权力的秘密知识，但却失败了。普罗米修斯拒绝泄露秘密，之后他被投入地狱进一步受苦。这部剧本的戏剧性在于宙斯不可抗拒的权力与普罗米修斯不可动摇的意志之间的冲突，伊娥在宙斯手里遭受的不幸更加反衬出普罗米修斯的顽强。剧本最动人和最有争论的方面是把宙斯当作一个暴君来描写。普罗米修斯后来明显成为一个蔑视暴君的典型人物，这个角色在英国诗人雪莱的诗剧《解放了的普罗米修斯》(1820)中得到了反映。

Aesculapius (Greek mythology) 参阅 **Asclepius 阿斯克勒庇俄斯**。

Aesir 埃西尔 据斯堪的纳维亚神话，为两个主要神族的任何一个神。其中4个埃西尔为日耳曼各民族所共有：埃西尔之主神奥丁(**Odin**)、奥丁之妻弗丽嘉(**Frigg**)、战神提尔(**Tyr**)和雷神托尔(**Thor**)。其他一些重要的埃西尔有巴尔德尔、约尔德、海姆达尔(**Heimdall**)和洛基(**Loki**)。

Aesop 伊索 相传为一部希腊寓言集的著者。几乎可以肯定是传说人物。在古时人们曾多次试图把他说成是实有其人。希罗多德(公元前5世纪)曾说他生活在公元前6世纪，是个奴隶；公元1世纪时的普卢塔克则说他是公元前6世纪吕底亚国王克罗伊斯的顾问。一种传统认为他来自色雷斯，而稍后的一种则说他是弗里吉亚人。公元1世纪的一个埃及传记说他是萨摩斯岛上的一个奴隶，从主人手中得到自由后，从那里去巴比伦，成为国王吕库尔古斯的解谜者，而最后死在德尔斐。可能的情况是：伊索只是人们编造出来的一个以动物为中心的寓言的作者名字，这样，“伊索的故事”就成了“寓言”的同义语。寓言的重要性与其说在于人们讲的故事，不如说在于从中得出的教训。第一部伊索寓言集是公元前4世纪由得墨特里奥斯·法拉雷乌斯编辑的，但该版本9世纪前已经散佚。又一部伊索寓言集是费德鲁斯主要根据伊索名下的全部传世作品编成的，公元1世纪时制作于罗马。他对寓言的处理方式对后世的作家，特别是17世纪法国寓言家拉封丹影响很大。

伊索和狐狸，大口酒杯中央的圆形图饰，约公元前470年
美国不列颠百科全书公司供图

Aesopus, Claudius 伊索配斯(活动时期公元前1世纪) 古罗马最杰出的悲剧演员之一。曾指导西塞罗演说。贺拉斯认为他和古罗马喜剧演员罗西乌斯同样伟大。他完全沉迷于自己扮演的角色。其传记作者普卢塔克曾提及：在扮演蓄意复仇的阿特柔斯一角时，伊索配斯完全忘掉自我，在厮打激烈的时刻攻击并杀死了另一个演员。他最后一次登台演出的时间是公元前55年，地点在罗马统治者庞培的新剧院。

aesthetic distance 审美距离 艺术家通过技术手段在艺术作品的里面或周围创造的一个参比依据，使人们从心理上把艺术品和现实区分开来。德国剧作家B.布莱希特创立的戏剧理论通过英语中所谓的间离效果来产生审美距离。

Aestheticism 唯美主义运动 19世纪后期在欧洲兴起的运动,认为艺术只为本身之美而存在,不服务于政治、说教或其他目的。这个运动是为了反对当时功利主义的社会哲学以及工业时代的丑恶和市侩作风而开始的。唯美主义的哲学基础是康德在18世纪时奠定的。康德主张审美的标准应不受道德、功利和快乐观念的影响。歌德、席勒以及英国的S.T.柯尔律治和T.卡莱尔发挥了这一观点。在法国,斯塔尔夫人、T.戈蒂埃和哲学家V.库辛普及了这个运动。库辛还在1818年创造了“为艺术而艺术”这句成语。在英格兰,拉斐尔前派的艺术家们从1848年开始撒下了唯美主义的种子。D.G.罗塞蒂、E.伯恩-琼斯、A.C.斯温伯恩的作品通过有意识的中世纪风格表现了对于理想美的热望,是唯美主义的代表作。O.王尔德和W.佩特的著作以及A.比尔兹利的绘画也表现了对唯美主义运动的态度。画家J.M.惠斯勒将这一运动培养优美的感受性的理想发展到最高点。唯美主义运动注重的是艺术的形式美。这个运动促进了R.弗赖和B.贝伦森的成熟的艺术批评。唯美主义运动与法国象征主义运动关系密切,促进了工艺美术运动,并且通过对20世纪艺术决定性的影响,倡导了新艺术派。

aesthetics 美学 又拼esthetics。这门学科是对美的研究,也包括对丑的研究。美学包括对艺术以及和艺术有关的经验形式的一般的或理论的研究,例如对艺术哲学、艺术批评、艺术心理学和艺术社会学等经验形式的研究。作为一门哲学的或科学的学科,美学不应同艺术相混淆,尽管美学可以用多少有些唯理的、逻辑的方法来研究艺术。

现代美学的性质和起源　古希腊时,尚无分门别类的科学。目前美学虽已相当专门化,但仍是哲学的一部分。美学一词首先出现在A.鲍姆加登的《关于诗的沉思》(1735)。鲍姆加登的工作标志着作为专门研究领域的美学的诞生。他对美学规定的范围是:它的课题就是创造艺术作品所期望唤起的那种反应和经验。此外还可以加上自然物及其他事物所能唤起的同样经验。在这里,中心的要素是审美经验。但艺术作品自身也不容忽视,它与审美经验有相互作用。

用自然主义或科学方法研究美学的流派首推快乐主义。它把审美经验看成某种特殊类型的快乐、满足或喜爱。它通过心理学的考察说明审美行为是在事物中寻找快乐和满足的一种方法。快乐即是肯定的价值,痛苦或不快则是否定的价值。审美价值是从快乐或喜爱这些基本感觉上建立起来的,把这些因素结合成为作品的审美形式和组合型态,由此再构成艺术作品。而艺术作品又汇合成为艺术风格。这种审美分析的概念和一种所谓结构心理学的重要学派很一致。从17世纪经验主义者洛克到20世纪中叶,这一学派曾做过最有建设性的、内省的和生理学的研究,其成果也能运用于分析美学。

西班牙出生的美国哈佛大学自然主义者桑塔亚那的《美的本性》(1896)第一次提出了用快乐主义术语叙述的、完全系统化的美学,这是第一部这样的自然主义理论。全书分为美的质料、美的形式和美的表现三部分。他认为美的质料和人的生命机能相联系,并用一整节篇幅论述性的审美重要性。当审美的满足从各种因素的联合中产生时就出现了审美形式。他区别了构成的形式和他所谓的类型。美的表现是一种意义的美学。所有的语言都包含在这一领域里,因此文学是突出的表现艺术。意义问题渗入到所有的艺术。近来流行的弗洛伊德心理学对悲剧的解释也属于快乐主义范畴。格式塔心理学(完形心理学)属于自然主义美学的延伸,认为有一种本能的、天然的择式,其自身包含着本质的、内部的联系,不能如前述学派那样把它们还原为由更小的因子所构成的组合。

科学美学家的典型代表是门罗。他在《美学中的科学方法》(1928)一书中主张把美学当作一门科学。提出“艺术的自然主义机能的定义”,认为艺术应通过它对知觉的刺激或提供的意义使人感到美、愉快、有兴趣、有价值。

研究美学的非科学方法　用非科学方法研究美学,以康德的影响最大。他认为审美价值是一种特殊的愉快,这种愉快必须具备这样的条件:①它是无私的,②普通的,③必然是限定在特定范围之中,④必须产生符合目的的效果,而又不必真的去实现某种目的。

晚近兴起的美学中的实用主义操作主义也受到康德的影响,即他所主张的两种认识——科学认识和直观认识。实用主义操作主义论者强调直觉到的、可产生快感的某种性质。法国直觉主义者柏格森和意大利唯心主义者克罗齐都发挥了这一理论。克罗齐认为概念产生科学,而对性质的直接表现的直觉则产生艺术。这样,任何纯粹的审美直觉一定要彻底地排除一切概念。美学中另一些实用主义操作论者则较为慎重。他们允许概念进入具有生动性的直觉,认为概念具有性质上的协同作用。概念可将许多组性质联系在一起。实用主义操作主义不仅注意到质的生动性,将它作为美或审美价值的主要特点,而且强调溶合。它强调的是整个事件或对象的整体性质,即直觉到的绘画、诗歌或曲调的整体性质。所谓美是指它整个的画面,而不是其细节的堆积。这意味着在审美的直觉中,细节的特点被溶合到整体的性质中去了。

美国的I.詹金斯论证了生动性的价值就在于它与生物学上的适应性有关,与人的生存价值有关,快感从属于生存。杜威在他的《作为经验的艺术》(1934)中的观点表明他是最有影响的实用主义操作主义的美学家。他强调艺术的社会意义。

美学中的机体说认为艺术的主要价值存在于经验的组合中。一件艺术品所能提供的特殊的满足,只有在有机整体中才能得到。柏拉图和亚里士多德等古代作家论及有机整体原则时把它设想为事物的一种静态的状况。而德国唯心论者黑格尔则从具有内在目的性的、有生气的、能动性的角度来考察。

形式主义,亦称模仿论,是审美理论中最古老的类型之一。它认为艺术家的目的是通过一些媒介物创作一些摹本。柏拉图认为艺术家模仿的是个体的外形。亚里士多德则建议:为了最好的效果,艺术家可以、也应当去模仿通过个别所发现的一般形式,而不是去模仿一种实在的个别东西。这种观点后来成为形式主义美学的一条主要原则。

形式主义美学推动了艺术风格的研究。最伟大的艺术作品被认为是在一种风格的顶峰上所产生的。关于形式主义美学的社会性方面,法国决定论的心理学家H.A.泰纳曾在《艺术哲学》(1865)中有所论述。他只关注实际存在的艺术类型,使它们与其自然环境和社会环境相关联。不仅展示了每一种艺术风格的本质,而且还展示了那种风格所形成的具体的、最好的代表作的本质。形式主义美学的不朽杰作当推亚里士多德的《诗学》。研究中世纪哲学的吉尔森和马里坦都将《诗学》的理论奉为正式的论点。

美学中表现论代表人物卡里特和科林伍德主张艺术品是艺术家感情的表现,通过作品可以把艺术家的真实感情传导给公众。俄国作家托尔斯泰在《什么是艺术》(1898)中竭力主张艺术要用道德的和宗教的感情去促进人们的高尚情操。

美学中的神秘论以3世纪哲学家、新柏拉图主义的主要代表柏罗丁和德国的厌世主义者叔本华为代表。根据这一派人的看法,美存在于不可思议的安宁和统一的象征中,并通过自然和艺术品为人们所感受。

在当代,语言学运动也渗入美学。英国哲学家、逻辑实证论者A.J.艾耶尔认为美学和伦理学的语句只是表达某种希求、祈使和感叹的感情。语言哲学家维特根斯坦则认为艺术和审美概念属于所谓的“家族相似概念”形式,价值判断应以“家族类似”的方式保持允许争论的状态。有些学者认为,由于所处条件不同,美学上的各种假设都应置于允许讨论的状态。

美学的定义　概括地说,当前关于美学领域的包罗一切的描述性的定义,应当展开如下:

①美学是一门专门学科,其内容是对美的欣赏及其他类似的欣赏活动。有人认为审美评价的范围应包括对一切事物的直接的喜爱和厌恶,只排除对作为实现目的的手段的事物的起工具作用的喜爱;另一些人,如桑塔亚那,要求快乐要“具体化”。

②对用专门的自然科学方式概念化地组织起来的这部分材料,美学的主题增添了许多非科学的认识方式。其中既有对事件的生动性质的组织结构方面的直觉,也有不同于现象的对事物本质的模糊的直觉;还有机体说者对感觉综合的认识,以及表现主义者对体现在艺术中真实的感情的识别。所有这一切都是非科学的认识形式。强调这些认识的作家把这些非科学的认识看成是审美经验的核心,而把科学的、运用概念的认识看成是次要的、推理的。

③要使这个系列完整,必须添加纯粹感觉到的感情,这种感情没有任何科学的或非科学的认识成分。科学的美学家把这种感情作为他们美学系统的资料。并通过概念的相互关系以及有关绘画或音乐构成的对比和层次的法则,把这种感情在概念上联系起来;而纯粹的感情主义者却指出,价值判断仅仅是单纯的感情表现,它带有审美感情,但与道德

感情不同,与人们行为的是非无关。

实际上,在第一类的科学的概念化的研究和第二、三类的非科学的、非概念化的研究方式之间并无难以克服的矛盾。二者取自同一材料。科学的美学家们从外部进行研究,非科学的美学家们从内部直觉地感觉它;彼此可以互相补充。

基于以上认识,可对美学下一简要定义,大体如下:美学是对直接经验及其对象的研究;作为一门专门科学,或是从外部观察它,概念性地进行描述,或是从内部感觉它,直观地予以报道。

Aeterni Patris 永恒之父通谕 1879年8月4日教皇利奥十三世发布的通谕,肯定中世纪经院哲学家、神学家托马斯·阿奎那的哲学体系,使托马斯主义不久便成为天主教的主导哲学观点。

Aethelbald 艾特尔鲍尔德 又拼 Ethelbald。盎格鲁-撒克逊统治者之名,按年代顺序分列于后,并各以●为标记。

麦 西 亚

● **Aethelbald 艾特尔鲍尔德**(? ~ 757,英格兰塞金顿) 716年起为麦西亚人的国王。在亨伯河与英吉利海峡之间所有盎格鲁-撒克逊王国结成的联盟中,他成为主要的国王。由于肯特的强有力的国王威特雷德去世(725)和韦塞克斯的国王伊尼逊位(726),他得以居霸主地位。在位期间,伦敦从东撒克逊转归麦西亚管辖。虽然他对教会采取宽大政策,卜尼法斯和其他一些在德意志传教的盎格鲁-撒克逊主教却在一封信(746或747)中指责他生活放荡和侵犯教会的特权。749年,除修补桥梁和建造碉堡外,他免除了教会一切公共财政负担。他所发的特许状上使用"不列颠国王"的称号。757年,艾特尔鲍尔德被家臣谋杀。

韦塞克斯

● **Aethelbald 艾特尔鲍尔德**(? ~ 860) 韦塞克斯国王(855或856起),系艾特尔伍尔夫之子。曾与其父率领西撒克逊人在艾克莱抗击丹麦人获胜(851)。据说他在855年或856年从罗马返回后,反叛其父,篡夺其韦塞克斯王位,统治到去世为止。858年其父死后,他与后母朱迪思结婚。

Aethelberht 艾特尔伯赫特 又拼 Ethelberht或Aedilberct。盎格鲁-撒克逊统治者之名,按国别分列于后,并各以●为标记。

肯 特

● **Aethelberht I 艾特尔伯赫特一世**(? ~ 616-02-24) 肯特国王(560 ~ 616)。他颁布现存的第一个盎格鲁-撒克逊法典,其中确立教士的法律地位和许多世俗的规章。他与巴黎国王卡里贝尔特的女儿、基督教徒伯撒(或伯塔)结婚。后来他信奉基督教,但不强迫臣民信教。据英格兰的历史学家和神学家比德的说法,他的王国包括亨伯河以南的整个英格兰。

韦塞克斯

● **Aethelberht 艾特尔伯赫特**(? ~ 865或866) 西撒克逊(或称韦塞克斯)国王。其父艾特尔伍尔夫在世时,他继承并一直保有肯特小邦。860年其兄艾特尔鲍尔德去世,他成为韦塞克斯和肯特的唯一国王,艾特尔伯赫特的两个弟弟艾特尔雷德和阿尔弗烈德放弃了王位要求。他统治这两个王国仅5年,其间丹麦人曾两次大规模入侵:一次在860年,当时虽有奥斯里克和艾特尔伍尔夫两郡长率兵抵抗,温彻斯特仍遭破坏;一次在865年,肯特被洗劫一空。

Aethelflaed 艾特尔弗拉德(?~918-06-12,英格兰塔姆沃思) 又拼 Aelfled或Ethelfleda。英格兰麦西亚的盎格鲁-撒克逊统治者。阿尔弗烈德大王之女,曾协助其兄弟西撒克逊国王老爱德华(899 ~ 924在位)征服占领东英格兰的丹麦军队。她在丈夫麦西亚郡长艾特尔雷德死前几年掌握实权。910 ~ 916年爱德华在英格兰中部地区的东南部设防时,她也在麦西亚周围建筑碉堡。到917年,她与爱德华准备好联合对丹麦人的阵地发动大规模进攻。她攻下德比,占领莱斯特,但在战役胜利之前去世。爱德华继承其王位并完成征服丹麦人的事业。

Aethelfrith 艾特尔弗里思(?~616) 又拼 Ethelfrith。伯尼西亚与德伊勒(二者联合为诺森伯里亚)的国王。艾特尔里克之子,伯尼西亚国王艾达之孙,在位期间标志着统一的诺森伯里亚,实即英格兰,连续历史之始。他与德伊勒国王艾尔的女儿阿查结婚。603年,他在德格萨斯坦击退苏格兰的达尔里阿达国王艾丹的进攻。后来,他在切斯特大战中击败威尔士人,并大批屠杀为威尔士人祈祷的班戈修士。这次战争具有重要的战略意义,因为它使北威尔士从此脱离了斯特拉斯克莱德的不列颠人的控制。616年,他在艾德尔河被东英吉利国王雷德沃尔德击溃,兵败被杀。

Aetheling 艾特尔英 又拼 Atheling或Etheling。在盎格鲁-撒克逊人统治英格兰时期,此词一般指任何贵族出身的人。通常此词只限于王室成员使用,在《盎格鲁-撒克逊编年史》中则几乎专用于韦塞克斯王室成员。在诺曼征服后,偶尔用以指王室成员——如国王亨利一世之子和王嗣称艾特尔英的威廉。某些盎格鲁-撒克逊国王的名字前面加此词的前半部"艾特尔",如艾特尔伯特、艾特尔伍尔夫、艾特尔雷德等,显然表示他们的贵族出身。

Aethelred 艾特尔雷德 又拼 Ethelred。盎格鲁-撒克逊统治者之名,按国别分列于后,并各以●为标记。

麦 西 亚

● **Aethelred 艾特尔雷德**(? ~ 716,英格兰巴德尼) 麦西亚国王,曾捐建多座教堂,最后隐退于隐修院。674年继承其兄伍尔夫希尔(Wulfhere)登上王位。676年对肯特大肆劫掠,占领罗切斯特。679年击败诺森伯里亚,占领林赛省,杀诺森伯里亚国王。后经坎特伯雷大主教调停,付给该国王的王子赔偿金以消弭仇恨。704年让位于侄,任巴德尼隐修院院长。

韦塞克斯

● **Aethelred I 艾特尔雷德一世**(? ~ 871-04)韦塞克斯和肯特国王(865或866 ~ 871)。韦塞克斯国王艾特尔伍尔夫之子。865或866年登位时,丹麦大军在东英吉利登陆。868年他和兄弟阿尔弗烈德前去援助麦西亚的伯格雷德抵抗丹麦军队,但麦西亚人不久却和敌人媾和。871年丹麦人在雷丁击败他们兄弟,但不久以后,他们却在称为"埃塞斯顿"的地方获大胜。两周后又在贝辛战败,但在"迈雷顿"(可能即威尔特郡的马尔登)获胜,挽回部分损失。艾特尔雷德一世于当年复活节死去,可能由于在战争中负伤所致。葬在温伯恩。

● **Acthelred II** 参阅 **Ethelred II 艾特尔雷德二世**。

Aethelred of Rievaulx, Saint 参阅 **Aelred of Rievaulx, Saint 艾尔雷德(里沃的),圣**。

Aethelstan 参阅 **Athelstan 艾特尔斯坦**;**Guthrum 格思鲁姆**。

Aethelweard 艾特尔韦德(?~998?) 又拼 Ethelwerd。英格兰编年史家,西部省份(大概相当于整个韦塞克斯)长官。他是国王阿尔弗烈德的弟弟艾特尔雷德的后裔。他为住在欧洲大陆的女亲戚、埃森女隐修院院长马蒂尔达用拉丁文写了一部编年史。在印刷本中,这部编年史记载到975年为止,但是已经焚毁的手稿的残余部分可以表明,该编年史还包括艾特尔雷德统治时期(978 ~ 1016)。迄894年,这部编年史以一部比今天保存下来的任何编年史更古老的《盎格鲁-撒克逊编年史》为基础,894年以后的则是艾特尔韦德的独立的著作。

Aethelwulf 艾特尔伍尔夫(?~858) 又拼Ethelwulf。英格兰的盎格鲁-撒克逊国王,

9世纪钱币上的艾特尔伍尔夫像
美国不列颠百科全书公司供图

阿尔弗烈德大王之父，西撒克逊国王埃格伯特(802～839在位)之子，839～858年西撒克逊的统治者。他使其韦塞克斯王国联合麦西亚共同抗击丹麦海盗的入侵。851年在萨里的艾克莱重创庞大的丹麦军队。856年去罗马朝圣，回来后被敌对的集团废黜，但仍继续统治肯特和其他几个东部省份，直到去世。除了阿尔弗烈德大王外，他还有3个儿子当过韦塞克斯国王。

aether(physics)　参阅 **ether** 以太。

Aethra　埃特拉　希腊神话中，特洛曾国王庇透斯之女，其父把她嫁给雅典王埃勾斯。她同埃勾斯或波塞冬(波塞冬在特洛曾强奸了她)生忒修斯。后来，忒修斯把海伦从斯巴达拐来交给埃特拉看守；为了报复，狄俄斯库里又把埃特拉拐到斯巴达当海伦的奴隶，后又随她到达特洛伊。特洛伊城经过10年的战争，被攻陷后获释。后来，埃特拉因哀痛其子而自杀。

Aëtius　埃提乌斯(活动时期4世纪)　基督教叙利亚主教，异端首脑。在关于基督教神学三位一体论的论战中，他在反对三位一体论的阿里乌派(参阅 **Arius**)中创建一个极端支派，称为圣父与圣子不同质派(**Anomoean**)。埃提乌斯曾在安条克受业于阿里乌派大师门下，并对亚里士多德学派的辩证法有很深的造诣。据当时叙利亚神学家伊皮凡尼乌斯记载，埃提乌斯共拟就300条互相紧密结合的演绎推论来阐述他的教义，其中现存47条。埃提乌斯在安条克任助祭，在传教时他提出论点说，从神性这一方面讲，圣子与圣父不同质，是从无之中创造出来的。他因这种议论受到绝罚。埃提乌斯逃往埃及亚历山大，培养主教优诺米作他的门徒。安条克主教优多克修斯是阿里乌派，同情埃提乌斯，就把他召回，但是他的极端观点不为大多数信徒所容，在359年的塞琉西亚宗教会议上，连他自己一派也有人反对他。推行阿里乌主义的罗马皇帝君士坦提乌斯二世(337～361在位)把他放逐到小亚细亚东北部的旷野。361年，罗马皇帝尤里安立埃提乌斯为主教，但他未能执行职权。他约于366年在君士坦丁堡去世。

Aetius, Flavius　埃提乌斯(?，下默西亚杜罗斯托鲁姆～454-09-21)　罗马将军、政治家，对瓦伦提尼安三世皇帝(425～455在位)具有左右一切的影响。骑兵长官之子。早年在西哥特人和匈奴人那里作过人质，因而对当时几个主要的部落民族比较了解。在高卢连续击败西哥特人和法兰克人以后，他于430年被任命为海陆两军统兵官。432年起几乎完全控制了年轻皇帝瓦伦提尼安，从而成为西罗马帝国的主导人物。后三度出任执政官(432、437、446)。433年获贵族封号。此后几年一直在高卢作战，陆续镇压各地的叛乱和不屈服的部族。435～437年他残酷消灭勃艮第人在沃姆斯建立的王国。437～439年在图卢兹挫败西哥特人的进攻，440年返回意大利。451年联合西哥特人在卡塔洛尼平原战役中击败阿提拉和匈奴人。但是翌年阿提拉再次入侵意大利时，他却束手无策。454年在权势隆盛时期，被瓦伦提尼安谋杀。

Aetna(volcano, Sicily)　参阅 **Etna**(**Mount**)埃特纳火山。

Aetolia　埃托利亚　又拼Aitolia。古希腊地区，在科林斯湾正北，北界伊庇鲁斯，东邻洛克里斯，西为阿卡纳尼亚。现并为埃托利亚-阿卡纳尼亚州。古埃托利亚，尤其是普列隆和卡利敦两城，在早期传说中极负盛名。在大迁移时期(公元前1200～前1000)，该地区的大部分早期居民外流，留下的部落仍居住在空旷的村庄中从事海盗生涯。公元前367年组成联邦国家埃托利亚同盟。公元前27年，奥古斯都将其纳入罗马的亚该亚省。15世纪，这一地区先后由阿尔巴尼亚人、威尼斯人和土耳其人统治。希腊独立战争时期(1821～1829)，埃托利亚地区是鏖战的沙场。

Aetolia and Acarnania　埃托利亚-阿卡纳尼亚　希腊中西部一州。面积5 447平方千米。首府为埃托利亚境内帕特雷湾畔的迈索隆吉翁。出产烟草、小麦、燕麦、酒和鱼子酱；

埃托利亚-阿卡纳尼亚境内的阿谢洛奥斯河
美国不列颠百科全书公司供图

亦有一些畜牧业。主要城市有阿格里尼翁、迈索隆吉翁、阿姆菲洛希亚和在科林斯湾口的纳夫帕克托斯。阿卡纳尼亚大部地区为一不规则的大半岛，西临爱奥尼亚海。沿海主要是阿卡纳尼亚山脉。阿谢洛奥斯河和埃维诺斯河的肥沃河谷是全州农业和居民中心。特里霍尼斯湖的渔业生产为鱼子酱业提供原料。埃托利亚东部和北部则是贫瘠的山区。边境有蒂姆夫里斯托斯、奥克夏和瓦尔祖夏(均在2 100米以上)等山脉。但该地区也有农业。人口：州224 429(2001)。

Aetolian League　埃托利亚同盟　古希腊埃托利亚的联邦国家。原先可能是个比较松散的部落集团，但到公元前367年它已组织得相当完善，乃至可以同雅典进行谈判了。约公元前340年它已是希腊的主要军事强国之一。公元前322年和前314～前311年间，它成功地抵抗了马其顿的入侵，并在随后的马其顿衰微期间迅速地加强了自己，把势力扩展到德尔斐(近邻同盟会议的中心)，且与比奥蒂亚结成联盟(约公元前300)。公元前279年，它击退高卢对希腊的一次大规模入侵。公元前270年左右它同马其顿国王安提柯二世结成联盟，直到安提柯去世(公元前240或前239)。公元前245年埃托利亚同盟在喀罗尼亚打败比奥蒂亚人而巩固了它在中部希腊的影响。到公元前3世纪末，同盟的力量已扩展到凯法利尼亚和爱琴海诸岛，但不久，它又让给了马其顿。从公元前239到前229年，同盟与亚该亚联合起来对付马其顿的德米特里二世，但他们在德米特里死时占领的色萨利各省很快又被他的继承人安提柯三世夺回。与此同时，东福基斯和比奥蒂亚脱离了同盟。随后埃托利亚人劫掠亚该亚人的领土(公元前220)，导致与马其顿的腓力五世以及安提柯三世的希腊同盟的许多成员的一场战争。腓力把埃托利亚人逐出伯罗奔尼撒并且开进埃托利亚，把同盟首府塞尔莫姆劫掠一空。公元前217年腓力同埃托利亚媾和。公元前211年和公元前200～前197年埃托利亚人两次联合罗马人进攻腓力。当埃托利亚的骑兵在库诺斯克法莱取得胜利时(公元前197)，罗马人只把多洛比亚、福基斯和东洛克里斯交给他们，却不放弃他们在色萨利的既得权益。埃托利亚人心怀不满，想对罗马开战(公元前192)，于是请求塞琉西国王安条克三世给予帮助，但埃托利亚的士兵未能守住温泉关，导致安条克在马格内西亚的失败。罗马拒绝一切妥协，于公元前189年把同盟限定于埃托利亚本土，并控制其外交。同盟作为一个独立国家的重要性已经丧失，到苏拉时期，它已名存实亡。埃托利亚的同盟宪章也许是亚该亚同盟的楷模，它规定了两个主要的统治实体：一个是基层的人民大会，由全体成年男性公民组成，主持大会的是一年一选的将军；大会在塞尔莫姆举行以选举官吏，而在各城市召开则为了处理其他事务。另一个是监督行政机构的议会，各城市参加议会的代表按人口比例分配。至少由30人组成的一个小团体(Apoklētoi)，在战时负责主要任务，他们协助对作战有全权的将军。同盟的领导权一直掌握在埃托利亚人手里，因为距离较远的城邦和同盟只保持一种同公民的关系，就是说他们享有充分的公民权，却没有任何政治的权利。

Afan(Wales)　**阿凡**　参阅 **Port Talbot**(**district**)塔尔伯特港。

Afanasev, Aleksandr Nikolayevich　阿法纳西耶夫(1826-07-11[新历07-23]，俄国沃罗涅日州博古恰尔～1871-09-23[新历10-05])　俄国民间文学史家和学者。以他所编的俄国民间故事知名。阿法纳西耶夫曾在莫斯科大学攻读法律。他的早期著作中有对18世纪晚期俄国讽刺刊物的研究(1859)以及对当时俄国文学的评论。1866～1869年间，他出版了他的《斯拉夫语诗歌的自然观》3卷，首次综合了神话学派的理论。该学派认为神话是

“自然宗教”的一种形式,而以谢林和施莱格尔兄弟的美学哲学为基础,从神话中汲取灵感,成为19世纪一种浪漫主义文学运动。阿法纳西耶夫的《俄国民间故事》搜集这类故事600余篇,于1855～1864年间编成。他的《俄国民间传说》为沙皇书报检查官所禁,直至1914年开禁。他所选辑的《大众爱读的童话》,包括一些嘲讽地主和神职人员的儿童故事,最初在日内瓦出版,未署选辑者姓名。

Afar 阿法尔人 阿姆哈拉语作Adal(阿达尔人),阿拉伯语作Denakil或Danakil(达纳基尔人)。非洲之角民族。讲萨霍语,属含米特-闪米特语系的东库施特语族。住在埃塞俄

埃塞俄比亚的阿法尔牧民
美国不列颠百科全书公司供图

比亚东北部和吉布提共和国,和伊萨人同为该地区的统治民族。阿法尔人以饲养牲畜为生,主要牲畜有山羊、骆驼和牛。住在阿骚绿洲的阿法尔人务农,沿海地区则以渔业为生,有的从事开采和输出食盐。“红人”和“白人”两个阶级分别为拥有土地的贵族和佃户。阿法尔人按父系传代,社会内部分为若干年龄组,每一年龄组有一个领导人,负责排解纠纷。宗教上是有名无实的穆斯林。内地的游牧民族尊重伊斯兰教,但是在仪式上含有早期库施特教的色彩。

Afars and Issas, French Territory of the(Africa) 法属阿法尔和伊萨领地 参阅**Djibouti** 吉布提。

affections, doctrine of the 情感论 巴罗克后期音乐理论家及作曲家普遍接受的一种音乐美学理论,认为音乐能引起听者各种特定的情感。这种理论的核心是:相信作曲家按适当的、规范化的音乐程序或方法创作出的作品能使听者不由自主地产生特定的情感反应。17、18世纪理论家曾认真描述和罗列过这些方法和它们引起的相应情感。J.马特松在《完美的唱诗班指挥》(1739)中指出:大音程使人欢快,小音程使人忧伤;刺耳的和声配上急促的旋律可能引起愤怒;而把几个高度独立的旋律作对位化的结合时使人固执。C.P.E.巴赫(1714～1788)和曼海姆乐派作曲家都是这个理论的代表人物。对音乐的感情方面加以探讨,并非只限于在巴罗克时代,而是可见之于整个音乐史中。它是古希腊音乐理论(客观因素论)的一个重要部分。在19世纪西方浪漫主义运动以及印度拉格这类非西方的音乐中,也具有特殊重要的意义。但是,理论家受启蒙运动倾向(即倾向于将一切知识加以百科全书式的组织)的影响而试图按情感范畴来刻画音乐,却是巴罗克时代的特点。

affective disorder 情感障碍 以心境发生戏剧性变化或极端心境为特征的精神障碍,包括躁狂(情绪高涨、夸大、易激惹,伴有动作增多、强迫言语、妄自尊大)和抑郁(情绪低落、生趣索然、睡眠失调、焦虑不安,感到自己毫无价值或自罪自责),这两种症状可不同程度地结合存在。情感障碍还可能伴有妄想、幻觉,或其他脱离了与现实的接触等精神症状。情感障碍患者的躁狂期和抑郁期可突然发作和恢复。抑郁状态更为常见,许多患者从未出现过真正的狂躁相,虽然在从抑郁症状恢复过程中亦可能表现短暂的过分乐观及轻度欣快的体验。躁狂症的极端表现是对人施用暴力,而抑郁症的极端表现是自杀。统计研究表明,情感障碍一病有遗传因素,首次发病的患者多见于青壮年。公元2世纪的希腊医师卡帕多西亚的阿雷提乌斯和现代的德国精神病学家E.克雷佩林都描述过躁狂抑郁性情感障碍。参阅 **manic-depressive psychosis**。

affective fallacy 感情的谬误 因把读者的情绪反应当作诗评根据而引发的一种错误观念,这是新批评派用来抨击印象派的一个概念。后者认为读者的反应是评价一首诗价值的唯一标准。他们引经据典:亚里士多德就曾经说过“悲剧的目的就是要唤起人们的悲伤和怜悯”;E.A.波说:“诗者,动人心魄,激人奋进之谓也!”E.狄更生指出:“我评诗的标准是:有声入耳,气冲九霄”。现代文学评论家仍然认为,情绪的交流和反应是诗评中不可缺少的。参阅 **New Criticism**。

Affenkapelle ware 猴子乐队组陶 约于1747年由萨克森地区(今在德国)的迈森瓷厂

19世纪中叶的猴子乐队陶塑
美国不列颠百科全书公司供图

创作的一组塑像,后被仿制。在法国艺术家J.-A.华托和C.于埃雕塑出别开生面的群猴图(穿人的服装的猴子)之后,德国雕塑家J.坎德勒和P.赖尼克塑造了一组猴子乐队陶器,人们认为这是模仿德累斯顿宫廷管弦乐队的滑稽作品。猴子乐队组陶当中的猴子音乐家们穿着华贵的18世纪的彩色礼服,站在由花卉组成的饰金漩涡形底座上,1只公猴担任指挥,4只母猴演唱,其他猴子各演奏一件乐器。

affenpinscher 猴㹴 又作monkey terrier。17世纪即已育成的玩赏狗品种。面部表情似猴,故名。站高不足26厘米,体重3～3.5千克,体健壮,形似㹴狗,耳小直立,眼圆而黑,尾短;被毛粗硬,多黑色,在腿和面部较长,其余部位较短。

affidavit 附誓书面陈述 指自愿作出的、经过宣誓或者确认的方式予以肯定并在有权主持这种宣誓的官员面前签过字的有关事实方面的书面陈述。它指明宣誓地点,证明宣誓人陈述了某些事实并在某日当着官员的面对该项陈述加以“宣誓和署名”。

affirmation 确认 在法律上,指准许由于信仰方面的原因而不愿宣誓的人用以代替宣誓(**oath**)来保证不作伪证的方式。对公谊会教徒、耶和华见证会以及其他由于信仰方面的顾虑而反对宣誓的人,准许他们采用自称约束其良心的任何方式进行确认,以肯定其所要提供的证词的真实性。

affirmative action 反歧视行动 在美国,从考虑种族、性别和民族血统方面出发的旨在纠正和防止歧视的积极措施。根据划时代的1964年的民权法和以后的一些行政命令和司法决定,联邦政府要求某些接受联邦经费的企业和教育机构制定反歧视行动计划,联邦合同执行检查局和就业机会均等委员会对它们进行监督。反歧视行动曾被批评为“反向歧视”(通常是针对男性白人),但美国民权委员会在1983年以前一直争辩说,除非社会公平地运转,否则对种族、性别和民族血统加以考虑的措施不能被认为是“优惠待遇”。然而,在民权委员会于1983年末改组后,它采取了相反的立场;1984年1月,它批准的一项声明中说:“对种族的优待只能构成另一种形式的不合理的歧视。”一项反歧视行动计划的内容包括:一个书面的政策,指出缺点的自我评价,一个改正这些缺点的步骤时间表和上级管理部门应负的责任。1978年,在“加利福尼亚大学董事诉巴基”案中,美国最高法院(以5票对4票)裁决:如果医学院不给白人申请者以竞争的机会,也就不应为少数民族申请者保留一定的名额。但是,法院又说,各专业学院在决定录取名单时可以把种族作为一个考虑因素。在“美国钢铁工人联合会诉韦伯”案(1979)中,法院(以5票对2票)裁定:雇主和工会可以实行旨在提高少数民族雇员的技能的自愿参加的训练计划,即使合格的白人雇员被排除在外也可,只要这些计划是“暂时性的”,并不“妨害”白人

的利益，而且意图是要克服"明显的种族不平衡"。在"富利洛夫诉克卢茨尼克"案(1980)中，法院(以6票对3票)认定：关于要求把公共工程经费的10%分配给合格的少数民族承包人的联邦法律没有侵犯白人企业家的宪法权利。美国民权委员会于1981年11月发表了一个报告，题为《20世纪80年代的反歧视行动：消除歧视的过程》。

affix 词缀 词、词干或短语中的语法成分，用以构成派生形式和屈折变化形式。词缀共有三种类型——前缀、中缀、后缀。前缀出现在词或词干之前(sub-mit[提出]，pre-determine[预定]，un-willing[不愿意的])；后缀出现在词或词干之后(wonder-ful[奇妙的]，depend-ent[从属的]，act-ion[动作])；中缀出现在词或词干中间。英语无中缀，但美洲印第安诸语言、希腊语、他加禄语和其他语言里有中缀。英语屈折变化的后缀用-s(如"cats"[猫，复数])，-er(如"longer"[较长的])，-ed(如"asked"[问，过去时，过去分词])来表示。参阅 **morphology**。

Affleck, Thomas 阿弗莱克(1745，苏格兰阿伯丁郡阿伯丁～1795，费城) 美国家具工匠，18世纪费城制作奇彭代尔式家具的大师。在英格兰学艺。1763年移居费城，为州长佩恩及当地士绅制造家具。独立战争中同情英国军队，1777年以亲英派被捕，流放到弗吉尼亚州7个多月。他的家具以马尔伯勒式的腿为特点，直且带有槽饰，脚下安有垫块，并施以精细的雕刻。费城艺术博物馆、波士顿美术馆和纽约市大都会艺术博物馆内均有收藏。

affray 斗殴 当众进行足以危及公众或使公众惊恐的打架行为。辱骂性和威胁性语言不构成斗殴，除非导致打架的结果。参阅 **disorderly conduct; disturbing the peace**。

Affre, Denis-Auguste 阿弗乐(1793-09-28，法国塔恩河畔圣罗姆～1848-06-27，巴黎) 法国天主教高级教士、巴黎大主教，曾与国王路易-菲力普发生冲突。1818年受神职为司

美国不列颠百科全书公司供图

铎。1840年任巴黎大主教。到了1827年，阿弗乐已因整顿教会而享有名声。1843年与法国国王路易-菲力普发生冲突，双方就中等教育问题长期争论，阿弗乐维护教会的学术自由。1848年第二共和国建立，2月路易-菲力普被推翻，阿弗乐表示庆幸。6月23日巴黎工人举行"六月起义"，导致流血事件，阿弗乐自信他个人介入可以恢复秩序。6月25日进入工人占领下的圣安托万区，在演说中被流弹击中，两天以后死亡。他有著述，并曾帮助创办期刊《基督教的法兰西》。

affreightment 租船运货契约 指海上货物运输契约，freight指付给的运费。这种契约对于世界经济十分重要，构成了海上干线运输的法律体制。从本质上说，这种契约是承运人和托运人(发货人)之间订立的协议。承运人负责将货物运至某目的地，托运人则付给运费。这种契约有两种基本形式：一种是租船契约，即租用船舶的单程或一段时间内的全部运载量；另一种是提单，它是装船运输货物的收据。

affricate 塞擦音 又称半爆破音。以一个塞音开始(发音时气流完全受到阻塞)并以一个擦音(发音时气流不完全闭塞而有摩擦音)结束的辅音。关于塞擦音可举例如下：英语chair(椅子)中的*ch*，在语音上它可以由*t*音后面加上一个*sh*音来表示；还有，在英语jaw(颚)中，*j*音里面的*d*后面有一个如法语jour(白天)或英语azure(天蓝色)中的*zh*音。德语中的*ts*音拼写成*z*，如：nazi(纳粹分子)一词中的*z*，也是塞擦音。

Afghan 阿富汗人 参阅 **Pashtun** 普什图人。

Afghan carpet 阿富汗地毯 阿富汗和土库曼斯坦的土库曼阿富汗部落手工织成的挺实而耐用的铺地用品。阿富汗地毯一般以绵羊毛或山羊毛为原料，拴生纳扣。常为暗红色，白色比土库曼产品少。图案多为五颜六色的扇状大八边形，饰以箭头或类似三叶苜蓿的三裂叶，与其他花饰交相排列，通常为深蓝色相互连接的星群。大边为锯齿形曲线图案。少量的"金色"阿富汗地毯略施黄色和橙色使之和暗淡的颜色形成对比。除近来用苯胺染料的产品外，阿富汗地毯很少有小尺寸的。

Afghan hound 阿富汗猎狗 在阿富汗丘陵地区培育成的一个猎狗品种。以前一度认为该品种于数千年前在埃及育成，但这种说

阿富汗猎狗
美国不列颠百科全书公司供图

法并无证据。19世纪晚期，参加过印度-阿富汗边境战争的英国士兵回国时将该品种带到欧洲。阿富汗猎狗以视力行猎，被用以猎豹及羚羊。髋骨高而宽，适应于崎岖的山地。腿长，体高61～71厘米，体重23～27千克。耳松软，顶毛长。被毛长，有光泽，可为各种颜色，但通常为单色。身体前1/4部和后1/4部的毛特别浓密。尾细长，向上卷曲。阿富汗猎狗的外貌被描述为"有贵族派头，带着深谋远虑的表情"。

Afghan interlude 阿富汗人入寇时期(1722～1730) 伊朗历史上，从阿富汗人征服伊朗起到阿富汗统治者阿什拉夫败死为止的一段时期。1722年萨非王朝封臣阿富汗人马哈茂德攻占萨非王朝的首都伊斯法罕，自封伊朗国王。翌年处死前萨非王朝统治者沙阿·苏丹·侯赛因。马哈茂德巩固他在伊朗南部与东南部取得的战果，1725年由其堂弟阿什拉夫继位。这时，俄皇彼得大帝久已图谋开辟一条经由里海东岸诸国通往印度的商道，1722年也侵入伊朗北部。奥斯曼人为了防止俄军占领邻近土耳其的伊朗领土，则向伊朗的西部和西北部进军。两雄对峙，战争一触即发。但是双方终于在1724年达成协议：俄国取得伊朗北部的大部分，奥斯曼人取得伊朗的西部，而伊朗的西北部地区则由两国瓜分。萨非王朝的塔赫马斯普二世只保有北方的马赞达兰省和吉兰省。1727年阿夫沙尔部落酋长纳迪尔·古利汗协助塔赫马斯普二世连连击败阿富汗人，1729年杀死阿什拉夫。纳迪尔立塔赫马斯普二世为伊斯法罕之沙阿，并继续抗击阿富汗人，1730年将他们全部赶出伊朗。

Afghan language 阿富汗语 参阅 **Pashto language** 普什图语。

Afghan War 阿富汗战争(1978～1992) 阿富汗历史上反共的穆斯林游击队与苏联军队自1979年至1989年援助的阿富汗共产党政府之间的内部冲突。这场战争始于1978年4月，当时一些左翼军官推翻了中间派的阿富汗政府，然后又将政权交予两个马克思列宁主义党派人民派和旗帜派，两派共同组成阿富汗人民民主党。新政府只获得少数人民支持，遂与苏联紧密联结，对国内所有反对党进行无情的清洗，并开始大规模的土地和社会改革，使虔敬的穆斯林和大部分反共的人民极为不满。于是，以部落为基础的穆斯林发动了一次反政府的叛乱，加之政府中人民派和旗帜派间又产生了派系间的内争和政变，招致苏联军队约3万人于1979年12月入侵阿富汗，旨在支撑这一摇摇欲坠的苏联新附庸国。作为回应，穆斯林"反抗军"的叛乱也在全国蜂起。苏联人最初让阿富汗军队自行镇压，但阿富汗军队大量开小差，兵力迅速缩减，在整个战争中基本上没有发挥作用。阿富汗战争很快陷入僵局，有约10万名苏军控制城市、大的乡镇和主要防地，"反抗军"则相当自由地驰骋于全国农村。苏联军队试图以各种战术镇压叛乱，但游击队一般都能避开他们的攻击。后来苏联人企图以轰炸村

庄、赶走村民的办法来消除民众对“反抗军”的支持。这种战术导致大量农民由农村逃亡。至1982年，有大约280万阿富汗人在巴基斯坦寻求避难，另有150万人逃亡伊朗。最后，“反抗军”得以用美国提供的肩扛式防

1980年被阿富汗抵抗战士击落的苏联直升机
中国大百科全书出版社供图

空导弹来抑制苏联的空中武力。在政治上，“反抗军”分为几个不同的集团，在整个战争中，几个集团的军事行动一直未能协调一致。不过，由于取得了经验和由美国及其他国家经由巴基斯坦运来的武器，其武器装备和战斗组织都逐渐改善。1988年，美国、巴基斯坦、阿富汗和苏联签署一项协议，规定撤出苏联军队，使阿富汗恢复不结盟的地位。1992年4月，各反叛集团和新反叛的政府军进攻并包围了首都喀布尔，共产党的主席纳吉布拉被赶下台。一个由各种派别组成的新过渡政府宣告了一个伊斯兰共和国的成立。

Afghan Wars　阿富汗战争（1839～1842；1878～1880；1919）　参阅 **Anglo-Afghan Wars 英阿战争**。

Afghanistan　阿富汗　全称阿富汗共和国，达利波斯语作 Jomhūrī-ye Afghānestān。中亚南部内陆国家。该国南北长970千米，东西宽1 300千米。东北部有一条名为瓦罕的细长走廊，长241千米，与中国相联。阿富汗的南部和东南部同巴基斯坦接壤，西部与伊朗、北部与土库曼斯坦、乌兹别克斯坦和塔吉克斯坦相邻。首都喀布尔。面积652 225平方千米。人口约23 867 000(2005)。

土地　阿富汗可分为3个不同地区。北部平原是主要农业区。西南高原大部由沙漠和半沙漠地带组成，包括雷吉斯坦沙漠。隔开这两个地区的是中央高原，它是喜马拉雅山脉的一个延伸部分，包括兴都库什山脉。

阿姆河(即古代的乌浒河)构成了北部边界的大部分。赫尔曼德河长1 150千米，通过众多的灌溉工程为大部分西南高原地区的农田供水。中央高原属副极带气候(冬季结冰，夏季短而凉爽)。其余地区大部为半干旱的无森林大平原(冬季寒冷，夏季炎热)或沙漠。年降雨量从西南沙漠地区的不到75毫米到兴都库什山脉的1 270毫米以上不等。

阿富汗大多是贫瘠的山地和沙漠土壤，不过北部平原有些部分是亚洲最好的可耕地。国土中约1/8宜于耕种，其中又有约1/3可灌溉。通常80%以上的作物是在这类灌溉地区生产的。阿富汗有丰富的矿产资源，包括巨大的高品位铁矿石矿床，只是由于采掘困难和交通问题，至20世纪后半期实际上仍未开采。唯一已大量开发的资源是储存于北部平原的天然气。

人民　阿富汗人约有一半属于普什图人，其次是塔吉克人、乌兹别克人和哈扎拉人。普什图人大多居住在该国的南部和东部，多数过着定居生活，但也有些仍处在游牧状态。塔吉克人多为农民和工匠，主要居住在东北部和西部赫拉特周围地区。乌兹别克人亦多为农民，住在兴都库什山以北。哈扎拉人是游牧民族，生活在中部山区。

官方语言为普什图语和达利语(波斯语的一种)，皆属于印-欧语系。大约有一半人口讲普什图语，1/3人口讲达利语——主要是塔吉克人、哈扎拉人、察哈尔人和红头人。乌兹别克语流行于阿富汗北部。土库曼语亦大略流行于这一地区。它们都属于阿尔泰语系。人口中约有3/4是逊尼派穆斯林，1/4为什叶派穆斯林。

据估计，阿富汗人口在1980～1985年每年以大约2%的比例呈减少趋势，这主要是战争和大批难民逃亡的结果。但到80年代后期，人口增长估计差不多已经回复到中亚国家的平均水平。阿富汗的出生率和死亡率均为世界上最高的国家之一。由于出生率继续处于高水平而死亡率不断下降，该国相对年轻的人口结构——46%的人在15岁以下——预示着未来人口的高自然增长率。

阿富汗4/5以上的人口居住在农村，将近1/5的人口过游牧生活。喀布尔是最大的城市，其他城市中心有坎大哈、赫拉特、马扎里沙里夫、贾拉拉巴德和昆都士。大多数城市居民区都分布在该国一条主要的环形公路上。这条公路从喀布尔向西南到坎大哈，后转向西北至赫拉特，再往东北到马扎里沙里夫，最后向南回到喀布尔。农业人口则主要集中在沿河地区。

经济　阿富汗的经济正在发展之中，它主要以维持基本生活水准的农业生产为基础，为世界上人均国民生产总值最低的国家之一。国民生产总值的来源主要是农产品(占总额的2/3)，此外则来自矿业、制造业、公用事业和商业。

大多数的可耕地用于种谷类作物，如小麦、玉米、稻米、大麦等，蔬菜、水果、坚果和棉花等也有种植。阿月浑子和其他野生坚果的生产量很大，足敷出口。贫瘠的放牧地和数量不大的优质牧场几乎占了阿富汗全部土地的一半。这里最发达的是畜牧业，它为当地居民提供了肉类和奶制品，并生产皮革、毛皮和羊毛。最重要的牲畜是绵羊和羔羊。此外还饲养牛、山羊、驴、马和骆驼等。全国差不多3/5的劳动力从事农业生产和牲畜饲养。除天然气开采外，矿业不够发达。

阿富汗工业主要以农业和牧业资源为基础，生产棉纺织品、羊毛、人造丝、醋酸纤维织品等。传统手工艺依然占有重要地位，其中羊毛毯是大宗的出口产品。建立于阿富汗湍急河流之上的水力发电站生产全国几乎2/3的电力，只是这一资源尚未充分利用。

交通发展不足，只有大约2/5的公路网铺设了路面。国际机场有两个，还有若干个国内机场。20世纪80年代的阿富汗战争对原有的公路、桥梁、机场及其相关设施造成了广泛的破坏，结果使交通状况变得更糟。

阿富汗的出口物资有天然气、干果、坚果和毛毯等。阿富汗货物的主要出口国是德国和沙特阿拉伯。阿富汗的进口物资有车辆、石油制品、食糖、纱线和纺织品等。主要的进口国是日本和新加坡。

政体与社会状况　1992年推翻了共产党政府以后，一个由各伊斯兰教团体——以前的反政府游击队、宗教领袖和知识分子——组成的广泛联盟在喀布尔建立了51个成员的执政委员会，由一位主席领导。它宣布阿富汗是一个伊斯兰共和国。但是，这个过渡性政府未能得到所有前反叛派系的支持，政府的前途以及它对于阿富汗各地能否控制仍在未卜之中。阿富汗的政治、军事局势因此也处于僵持状态。

阿富汗的人口寿命平均仅约46岁，属世界最低数字之一。肺结核和菌痢、阿米巴痢疾的发病率很高。因为缺乏医生和医院设施，许多疾病得不到治疗。

成人识字率在阿富汗仅为25%。1979

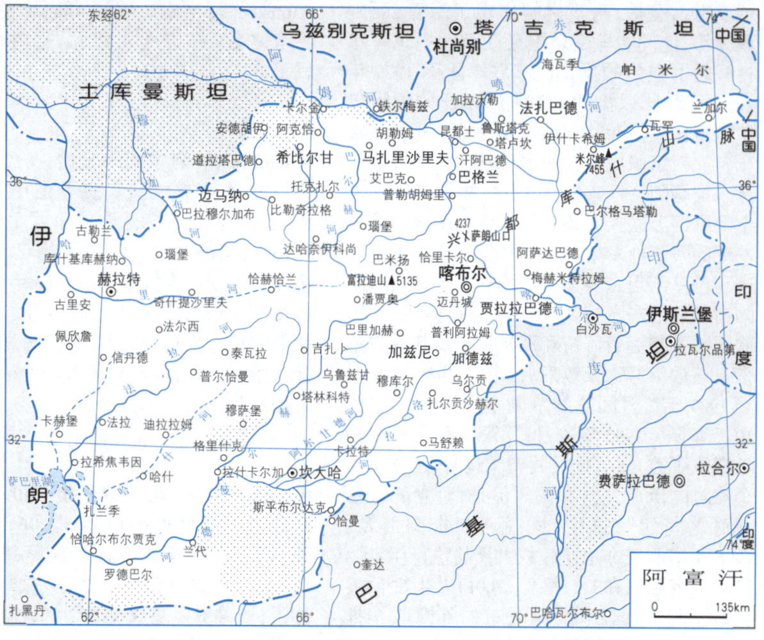

美国不列颠百科全书公司供图

年政府对7～15岁的儿童实行了免费和义务教育，但实际上只有1/3的小学适龄儿童真正入学。战争也阻滞了阿富汗高等教育的发展。

历史 阿富汗地处各种不同文化的战略交汇点。982年有穆斯林资料第一次提到了阿富汗人，用的是今名。

公元前6世纪，这一地区是波斯居鲁士大帝二世的阿契美尼德帝国的一部分，至公元前4世纪又被亚历山大三世（大帝）所征服。亚历山大死后，该地区部分受塞琉西王族控制，部分并入印度北部的孔雀帝国版图。大夏的塞琉西总督自立王国，创造了希腊和印度文化相融合的独特产物。

公元前2世纪，阿富汗成为贵霜王迦腻色迦（约公元78～144）帝国的一部分。印度教的影响通过呎哒人和萨珊人进入阿富汗。萨法尔王朝时期，大约在870年，伊斯兰教的影响牢固地建立起来。1219年，蒙古人在成吉思汗的率领下侵入阿富汗。他的帝国解体后，这里崛起了若干独立的公国。直到18世纪，阿富汗始终有一部分在印度莫卧儿帝国和波斯萨非帝国的统治之下。18世纪初叶，波斯领袖纳迪尔·沙阿从莫卧儿人手里夺取了阿富汗。继承他的是他的卫队长艾哈迈德汗·阿卜达利，后者采用了艾哈迈德·沙阿·杜兰尼这一名称。他巩固了自己在阿富汗的统治，并把它统一为一个国家。

杜兰尼死（1772）后，各部族和家族相拥自立的状况再度出现，加上俄国和英国实施的帝国主义手段，帝国遂告瓦解。英国人试图通过一系列战争（1839～1842，1878～1880，1919）扩大其对阿富汗的控制，但是他们无法使这里的人民屈服。阿富汗基本上保持了独立。20世纪30年代以后，在阿富汗君主政体之下，若干届谨慎而又稳健的政府为国家带来了政治上的稳定。70年代，政党政治变得不稳。1973年，受左派旗帜党支持的政变结束了君主政治，使阿富汗成为共和国。1977年，旗帜党和左派群众党联合组成阿富汗人民民主党（PDPA），并于1978年一起控制了政府。但是，两派之间出现了摩擦，而到1979年，他们的马克思主义改革计划也在农村激起了强烈的反抗。苏联军队于1979年入侵阿富汗，以挽救他们在阿富汗的依附者免遭覆亡。然而，在以后发生的战争中，阿富汗各反叛组织成功地进行了游击抵抗，他们谋求推翻阿富汗人民民主党，并从自己的国土上驱逐苏联人。为躲避苏联对反叛力量所发动的毁灭性军事行动，数百万阿富汗平民逃入巴基斯坦和伊朗；阿富汗本身遭到苏联的占领。游击队控制了大部分农村地区，苏联军队则掌握着城市和军事据点及其周围地带。经数年努力无效后，苏联自1988年5月至1989年2月间陆续从阿富汗撤走了它的10万军队。1992年4月，几派反叛力量成功地夺取了喀布尔，推翻共产党政府，建立了一个临时的伊斯兰共和国。但是，对立的反叛派别之间怨隙再生，该国逐渐走向混乱。1996年塔利班夺取了政权并严格执行伊斯兰律法。塔利班在9·11事件（2001）发生之后被阿富汗北方联盟和美国为首的外国联军推翻，成立了阿富汗伊斯兰过渡政府。

AFL 参阅 **American Federation of Labor-Congress of Industrial Organizations** 美国劳工联合会-产业工会联合会（劳联-产联）；**American Football League** 美国橄榄球联盟。

AFL-CIO 参阅 **American Federation of Labor-Congress of Industrial Organizations** 美国劳工联合会-产业工会联合会（劳联-产联）。

'Aflaq, Michel 阿弗拉克（1910，奥斯曼帝国叙利亚大马士革［今叙利亚］～1989-06-23，法国巴黎） 第二次世界大战期间及其后阿拉伯民族主义运动中起主要作用的社会政治领袖。起初认为民族主义的中心问题是帝国主义问题，他尤其怨恨战后委任统治叙利亚和黎巴嫩的法国。1929～1934年在巴黎大学求学，政治思想开始具有马克思主义的倾向，认为民族主义运动既要反对本国贵族，也要反对外国统治者。1940年开始组织政党，1946年正式成立复兴党。他是导师、理论家和组织者，很少担任公职。他的政治思想将统一、自由和社会主义联系起来，认为复兴党的主要目标是将所有阿拉伯国家统一在一个社会主义国家之中。1955年以后，叙利亚的政治形势使他得到实现自己理想的机会。他与共产党结成联盟，从而大大增强复兴党的政治力量。但他在叙利亚政府中未能取得优势，并且担心共产党人的活动会引起右翼的反扑，因此积极促使叙利亚在1958年同埃及合并成为阿拉伯联合共和国。他本来期望埃及总统纳赛尔允许复兴党统治阿联的叙利亚省，但到1960年，复兴党在政治上已经无足轻重了。1961年叙利亚退出阿联。1963年复兴党掌握政权。同时，复兴党人在伊拉克发动政变成功。为了借埃及的威望来巩固复兴党在伊拉克和叙利亚的统治，他曾与纳赛尔商谈联合问题。由于商谈没有重大成果，他在叙利亚的政治中不再起重要作用。1966年迁居黎巴嫩，继续领导伊拉克、叙利亚和黎巴嫩复兴党的某些派别。

Afonso 阿丰索 又拼Alfonso。一群国家统治者之名，按国别分列于后，并各以●作为标记。

刚 果

● **Afonso I 阿丰索一世**（？～约1550） 刚果王国（今刚果［金］和安哥拉）的统治者，20世纪初期以前葡萄牙卵翼下君主世系中第1位国王。又称恩辛加·姆维姆巴。他鼓励葡萄牙人继续向本国渗透。1512年他成为天主教徒。采用葡萄牙姓名阿丰索，与葡萄牙的曼努埃尔一世达成协议：刚果王国接受葡萄牙典章制度，给予葡萄牙人治外法权，并负责向葡萄牙商人提供奴隶。

葡 萄 牙

● **Afonso I 阿丰索一世**（1109或1111，葡萄牙吉马朗伊什～1185-12-06，科英布拉） 绰号征服者阿丰索。葡萄牙第1位国王（1139～1185在位）。1139年脱离莱昂独立，称王；取得奥里基战役的胜利，穆斯林邻国不得不向他纳贡。1147年夺取圣塔伦，围攻里斯本。1162年吞并贝雅，1165年吞并埃武拉，将疆界扩展到塔古斯河之外。但在进攻巴达霍斯时被俘，旋即获释。到去世时，他已创立了一个稳定而独立的君主国家。

● **Afonso II 阿丰索二世**（1185？，葡萄牙科英布拉～1223-03-25，科英布拉） 绰号胖子阿丰索。葡萄牙第3位国王。国王桑乔一世之子。在位期间（1211～1223）继续从穆斯林占领下匡复南方国土。由于肥胖，不能亲自率兵打仗，但是他的军队在1212年拉斯纳瓦斯-德托洛萨战役中建立了功勋。这标志着穆斯林穆瓦希德人的衰落。1217年阿丰索二世的军队占领了萨尔堡。后来，他因调查土地所有权责难教会和其他地主，引起他与贵族和教会经常发生冲突。1219年他与侍臣皆被布拉加大主教开除教籍。

● **Afonso III 阿丰索三世**（1210-05-05，葡萄牙科英布拉～1279-02-16，里斯本） 葡萄牙第5位国王（1248～1279在位）。阿丰索二世之子。早年移居国外，并因联姻成为布洛涅伯爵。罗马教皇废黜其兄桑乔二世，指定他为国王。他回葡萄牙时受到城镇和教会的欢迎。1249年他收复法鲁地区，并与卡斯蒂利亚平分原由穆斯林侵占的阿尔加维地区。其在位期间葡萄牙议会举行了首次会议，有各市议员出席。尽管即位时得到教皇的帮助，他对教会攫取的土地也像诸前任国王一样进行调查，因而也像他们一样被开除教籍。

● **Afonso IV 阿丰索四世**（1291-02-08，里斯本～1357-05-28，里斯本） 绰号勇敢者阿丰索。葡萄牙第7位国王（1325～1357在位）。国王迪尼什之子。因怨恨其父钟爱二私生子，于1320年要求授权，公开反叛。其父驾崩后，阿丰索继位；又因卡斯蒂利亚庇护其同父异母弟兄，转而与卡斯蒂利亚不和。但1340年摩洛哥马里尼德苏丹侵犯西班牙时，他与卡斯蒂利亚的阿方索十一世进行合击，在萨拉多河畔取得胜利。

● **Afonso V 阿丰索五世**（1432-01-15，葡萄牙辛特拉～1481-08-28，辛特拉） 葡萄牙第10位国王。因在摩洛哥进行几场战役而获得"非洲人阿丰索"的绰号。他是国王杜亚尔特之子，6岁继父位。起先由母后摄政，1440年改由岳父科英布拉公爵强行摄政；后摄政王因布拉干萨公爵寻衅，不得已而作战，于1449年战死。阿丰索早年受他人影响颇大。1458年他在北非征服塞格尔堡。1471年攻占阿尔济拉，夺取丹吉尔。他虽拥有卡斯蒂利亚国王称号，但1476年在托罗战败后前往法国，求援未果。翌年回国，宣布放弃王位并于1479年签署《阿尔卡苏瓦什条约》，放弃对卡斯蒂利亚的任何权利要求。

● **Afonso VI 阿丰索六世**（1643-08-21，里斯本～1683-09-12，葡萄牙辛特拉） 葡萄牙国王。1656年其父若昂四世逝世后阿丰索继位，至1662年前其母充任摄政王。他在位时，葡萄牙对西班牙取得一系列的胜利。1668年，西班牙承认葡萄牙的独立。其妻离去后，二人婚姻以其无性功能为由而被解除。其妻嫁于其弟——未来的佩德罗二世，其弟当时被宣称为王国的捍卫者。阿丰索于1667年让出王位后，实际上被囚禁在亚速尔群岛和辛特拉，直至去世。

Afrahat 参阅 **Aphraates** 阿弗拉阿蒂斯。

Afram River 阿夫拉姆河 西非加纳南部河流，源于曼庞西北26千米处，向东南流，注入沃尔特湖(阿夫拉姆河曾为沃尔特河一支流)。河流长约90千米。虽然10月至次年3月河水枯干，但渔业仍占重要地位。它汇集夸胡高原的径流，河谷地区地势低平，常发生水灾，多沼泽。1965年沃尔特水电站大坝建成后，阿夫拉姆河下游成为重要航道。

Afranius, Lucius 阿弗拉尼乌斯(?，皮切努姆[意大利]～公元前46，阿非利加省[今在突尼斯]) 罗马将军，热烈拥护庞培。公元前60年，主要由于庞培的支持，他升任执政官，但在这个职位上表明他没有处理民政的能力。翌年任山南高卢总督时取得很大成就；公元前55年被派往西班牙，为统治庞培领地的两总督之一。凯撒与庞培决裂后，他最初作战成功，但终于被迫在伊莱尔达向凯撒投降(公元前49)。随后他投奔庞培，在法萨卢斯战役(公元前48)中，他负责保卫庞培的大营。庞培战败后，阿弗拉尼乌斯前往非洲。公元前46年塔普苏斯战役中凯撒大败庞培的支持者，阿弗拉尼乌斯逃离战场，被俘后遭杀害。

Afrasian languages 亚非语系 参阅 **Hamito-Semitic languages** 含米特-闪米特诸语言。

Africa 阿非利加 罗马史中罗马的第一个北非领地，大体相当于今突尼斯。公元前146年，罗马在第三次布匿战争中消灭迦太基之后取得。最初这个行省面积约1.3万平方千米，西以从塔布拉卡至泰奈的一条东南走向的堑沟为界。约公元前100年边界西移，远达今阿尔及利亚-突尼斯边境。公元前1世纪该省地位变得重要起来，凯撒以及后来奥古斯都皇帝在这里建立19个殖民地，其中最著名的是新迦太基，它迅速发展成为西罗马帝国第二大城市。奥古斯都把阿非利加的边界向南扩展到撒哈拉沙漠，向东推进到锡德拉湾最南端的阿雷费利诺拉姆。在西面，他把旧阿非利加与新阿非利加合并，以安普萨加河为界。公元2世纪晚期，塞维鲁把该行省西部分出去，设努米底亚行省。1个世纪后，戴克里先将旧阿非利加行省的南部和东部分出去，设拜扎锡和的黎波里塔尼亚两个行省。罗马最初兼并时，当地居民为利比亚人，他们住在小村中，文化比较原始。公元前1世纪，由于殖民地的开拓及制止了该地区敌对游牧部落的活动，罗马在这里创造繁荣达400年之久的环境。公元1～3世纪间，大型私人地产出现，许多公共建筑兴修，当地物产大量出口。阿非利加人越来越多地参与帝国政务，这个行省甚至产生一位皇帝，即塞普提米乌斯·塞维鲁(193～211在位)。许多重要基督教堂在此建立，公元256年有100多位主教，还产生了圣奥古斯丁等基督教重要作家。可是到了4世纪末，城市生活已经衰落。由盖塞里克领导的日耳曼族汪达尔人于430年来到这个行省，不久就以迦太基为他们的都城。697年，阿拉伯人在未遇到多少抵抗的情况下夺取了迦太基。

Africa 非洲 世界第2大洲，占地球陆地面积的1/5。非洲大陆被赤道大致平分为南北两部分，由于西非向外凸出，北半部的面积较大。非洲大陆北临地中海，西濒大西洋，东为红海和印度洋，南端好望角濒临大西洋与印度洋汇合处。在苏伊士运河建成之前，非洲与亚洲之间有西奈半岛相连。非洲大陆的沿海岛屿甚多；其中最大的是位于东南方的马达加斯加岛。面积30 365 700平方千米。人口约816 524 000(2001)。

土地 非洲大多以坚硬的古老岩石地台为基底，形成内陆大片高原区，其朝向沿海的边缘部分常常隆起，然后陡降，形成狭长海岸平原。沿海低地向腹地扩展，东南有莫桑比克低地，西北有毛里塔尼亚-塞内加尔盆地，北部有盖塔拉洼地，东部非洲之角有贝纳迪尔低地。非洲大陆平均海拔约670米。最高点为坦桑尼亚的乞力马扎罗山，海拔5 895米，最低处是吉布提的阿萨勒湖，低于海平面157米，高低差幅将近6 100米。东非裂谷系构成了非洲大陆地形极为显著的独有特征，它由西支(大裂谷)和东支(东非裂谷)构成。该裂谷系实际上和非洲大陆的长度等长，并形成红海盆地，成为埃塞俄比亚高原(大约海拔4 600米，是非洲大陆最大山系)边缘，并于莫桑比克的赞比西河口附近伸入印度洋之前形成维龙加山脉周围的大面积火山构造。非洲中东部的鲁文佐里山脉(海拔4 900米以上)和东南沿海的德拉肯斯山脉(海拔3 350米以上)均为比较明显的高地。占非洲大陆1/3的西北地区，除沿海的阿特拉斯山脉(海拔4 000米以上)之外，其高度很少超过900米，通常介于150～300米之间。世界最大的连片沙漠撒哈拉沙漠大致与这片低地的位置相合，其面积占非洲总面积的1/4以上。另外两个主要沙漠区分别是位于非洲大陆西南部的纳米布沙漠和卡拉哈里沙漠。

非洲水文以尼罗河(从赤道向北)和刚果河(中非)两河水系为主；两河流域共占非洲大陆面积的1/4。两大流域分水界以南有一些世界上最大的淡水湖。岛屿密布的维多利亚湖(非洲最大的湖泊)是尼罗河的主要蓄水池。坦噶尼喀湖和尼亚萨(马拉维)湖则是在非洲大裂谷系的深谷内形成的一连串湖泊中最大的两个。非洲其余外流水系区主要有西部的尼日尔河和南部的赞比西河、奥兰治河及其支流，北部的乍得湖和南部的奥卡万戈沼泽位于非洲两大内陆盆地之内。

非洲的气候深受其横跨赤道的地理位置的影响。全年大部分时间气温都很高，但随山区海拔不同和受近岸洋流(如西南的本格拉寒流和东南的莫桑比克暖流)影响而有差异。

非洲大陆只有约6%的土地是可耕地，将近1/4的土地是森林或林木区。非洲大陆以野生动物的种类繁多而驰名世界。大型野生动物出没于南部、东部的热带稀树草原，北方草原地区数量较少。肯尼亚、乌干达、坦桑尼亚、赞比亚和南非等国都有世界一流的国家公园作为野生动物保护区。

非洲主要矿产储藏有：石油占世界储藏量的8%、铝土27%、铀29%、铜20%，尚有占全世界2/3储量的磷灰石以及丰富的铁矿、锰、铬、钴、铂和钛等。

人民 非洲各民族的语言复杂多样，互不相通(大约有800～1 000种)，比其他各洲都多。语言最为接近的地区是北非。从埃及到毛里塔尼亚、苏丹皆以阿拉伯语为主。沿地中海的马格里布地区内，住有操柏柏尔语的居民，多集中在摩洛哥和阿尔及利亚，但亦广泛使用阿拉伯语。

撒哈拉沙漠以南地区各民族的语言更加多种多样；除了西南非的科依桑语族外，大多使用班图语，有多种方言。以阿拉伯语为主的北非和使用班图语的中非和南部非洲之间，住有使用尼日尔-刚果语族其他语言的居民。撒哈拉的阿拉伯文化对与其接近的黑色西非影响颇大。多数国家信奉伊斯兰教。

尼罗-撒哈拉民族居住在乍得盆地(操撒哈拉语和马巴语)、青尼罗河流域(操科马语)和尼日尔河中上游地区(操桑海语)。

操沙里-尼罗语的居民多居住在尼罗河中游、白尼罗河和东非湖沿岸地区。森林居民俾格米人分布在中非洲，形成特殊的种族与文化集团，而无自己特有的语言。北非柏柏人以农业与游牧为主。中非和西非操班图语和其他尼日尔-刚果语系诸语言的民族多为定居的园艺者。东非和南部非洲操班图语者则以牧牛为主。东非多数尼罗河流域居民都是定居的园艺者。

在非洲大陆最南部居住着有欧洲血统的人。荷兰人(布尔人)在17世纪中叶开始向非洲移民。英国人最初于19世纪在今日的赞比亚、津巴布韦和东非洲高地定居。葡萄牙人在安哥拉和莫桑比克定居，而德国人则定居于今日的纳米比亚。

整个非洲的人口密度低于世界一般水平，因为广阔的沙漠区是不适于居住的。但是，按可耕地计算的人口密度则接近世界一般水平。非洲国与国之间人口密度差别极大，即在一国之内亦然。因为是发展中地区，故具有与此相关的人口与社会问题。非洲力求达到经济的持续发展，但一直未见成效，因为非洲过高的人口出生率抵消了当地本已相当缓慢的经济增长。据估计，非洲人口的年增长率约为3%，居各洲之首，高出非洲实际经济增长数倍。人口增长的两大因素——出生率和死亡率在各地区的差异很大。例如，南部非洲的人口出生和增长率最低。东非和西非的出生率最高，西非人口增长率因其死亡率较低而稍高。

经济 就整体而言，非洲尚属发展中地区，它大致可再细分为3个地区：较发达地区，包括北非地中海沿岸各国和尼日利亚；中度发达地区，包括科特迪瓦、加蓬、留尼汪岛、肯尼亚、刚果(金)、喀麦隆、加纳、津巴布韦、纳米比亚和毛里求斯；其余各国属较不发达地区。南非不属于上述任何一个地区，是非洲唯一一个在经济上接近完全发达地区的国家。

农业在非洲大多数国家的经济中占最重要地位，约占用全洲2/3的劳动力。目前传统农业仍占主导地位，但机械化耕种面积也在逐渐增加。主要经济作物包括甘蔗、蕃茄、花生、香蕉、柑橘、棉花、葡萄、椰子和棕榈油、橄榄、菠萝、咖啡、茶叶和可可豆。粮食作物包括木薯、玉米、芭蕉、高粱、小米、小麦、稻米、甘薯、马铃薯、大麦、西瓜、洋葱和大豆。温带和亚热带作物主要种植在非洲北部和南部以及东非的高地。热带作物为中非和西非的主要农作物。尼日利亚、埃及、南非、埃塞俄比亚和刚果(金)是农产品主要生产国。许多国家至今粮食仍不能自给，必须依靠进口。

牧区和草原占非洲面积的1/4以上，但在靠近北部和南部沙漠区的地方却不多见，而在萨赫勒则放牧过度。中非洲草原海拔较低，常受到舌蝇病的肆虐。牛、羊和猪是主要牲畜。在东北非和东非骆驼、驴和水牛被广泛用于运输和农田耕作。乳品业不十分发达，多数国家必须进口乳制品；多数北非国家还进口肉类。

非洲广阔的森林区所产木材大多作为燃料。林业在南非、科特迪瓦和加蓬最为发达，产品还可出口。北非森林极少，木材几乎完全依赖进口。

非洲沿海国家和有水库的内陆国家，渔业已发展成为重要的产业和出口资源。由于非洲沿海大陆架极少，岸陡洋深，这些地方无望发展成为东亚和西北欧那样的大型商业化渔场。

制造业在非洲多数国家的经济中仅占很小比重，但中度工业化国家如南非、津巴布韦、斯威士兰、毛里求斯和塞内加尔例外。

刚果(金)、南非和博茨瓦纳的金刚石产量占全世界的一半；南非、加纳和津巴布韦的黄金产量几乎占全球产量的一半。石油和天然气在尼日利亚、利比亚、阿尔及利亚和埃及有大量产出。

旅游业是非洲许多国家重要的收入来源。旅游设施比较完善的国家有突尼斯、摩洛哥、埃及、南非、博茨瓦纳、肯尼亚、津巴布韦、阿尔及利亚和科特迪瓦。

非洲国家接受开发援助的渠道甚多，主要依各国的政治方向和国际组织的归属而定。

非洲许多地区皆交通不便，内陆国家尤为严重。虽然多数国家有铁路系统，但因轨距不统一和政治上的敌对而问题重重。许多主要河流的通航里程较长，是交通网络的重要一环。非洲的道路只有一小部分铺设了路面。

非洲大多数国家的贸易呈逆差，贸易顺差的国家均为石油、天然气或矿产的生产大国，主要出口品有石油、天然气、粮食、饮料、烟草、原料等，主要输往欧洲共同体各国、美国和日本。主要进口产品为机器、运输设备、各种制成品、食品、饮料、烟草、石油和天然气，大多来自欧洲共同体、中东石油输出国组织、美国和日本。

政体与社会状况 非洲大多数的政府形式是一党制，由一个政党或集团控制。有的国家也实行多党制，但仍属有限的民主政治。20世纪90年代，要求更大民主的压力有所加强。一些非洲岛屿仍受欧洲国家统辖，例如留尼汪岛和马约特岛(法属)、圣赫勒拿岛(英属)、加那利群岛(西班牙属)和马德拉群岛(葡萄牙属)。

今日非洲的许多法律体系多以殖民地时代欧洲列强采用的法律为基础，不过北非各国的法律有许多是源于伊斯兰教义。

非洲的领袖们想通过"非洲联盟组织"用泛非的方式来解决非洲的政治和军事问题。虽然非洲传统的殖民地统治已成为过去，但外来势力仍然想在军事和政治上对这一地区进行控制。非洲各国接受来自世界强国的大量经济和军事援助。

大多数非洲国家仍有待建立完善的社会福利制度，在这方面比较完善的国家有南非以及埃及、突尼斯和阿尔及利亚等北非国家。

保健与卫生状况在非洲普遍较差，都市区以外的地方尤其缺乏医院和医生。非洲很多地区的人口没有饭吃或普遍营养不良，最常见的疾病有疟疾、痢疾、结核病、百日咳、伤寒、淋病和艾滋病。南非、留尼汪岛、毛里求斯、利比亚和阿尔及利亚是非洲地区不太缺乏医生的国家。婴儿死亡率在非洲大多数地区一直很高，在有些国家(如埃塞俄比亚和马里)每千名新生婴儿的死亡率高达150名以上。最不发达国家的平均预期寿命为40岁，而在气候宜人的留尼汪岛和毛里求斯，平均预期寿命可达65岁。

大多数非洲国家未实施义务教育，且普遍缺乏训练有素的师资和设备。唯有突尼斯、津巴布韦和毛里求斯的小学入学率高达90%以上。

非洲大多数国家的新闻媒体均受政府控制。埃及、肯尼亚、摩洛哥、尼日利亚、科特迪瓦、毛里求斯、塞内加尔和南非等国有不同程度的新闻自由。

文化生活 北非的社会文化具有阿拉伯和穆斯林传统。该地区的传统工艺品十分著名，如编织、刺绣、金属雕刻及皮革制品等。在北非随处可见的清真寺，其墙壁和瓦片上多饰以阿拉伯式的几何图案花纹。音乐也体现出阿拉伯的风格，旋律多采用即兴式与装饰音，除了有传统的阿拉伯文学体裁(诗歌、散文、历史)外，该地区还吸收了中东与西方文学的多种模式。

在撒哈拉沙漠以南地区，最原始和令人兴奋的艺术表现形式有舞蹈、戏剧和雕刻；尤其是舞蹈兼具狂野之美与纤细柔情。撒哈拉沙漠以南的非洲人亦有活跃的文学生活，当地作家与剧作家用前殖民地统治国的语言(为吸引更广大读者)或当地语写作。用斯瓦西里语、约鲁巴语、南非班图语出版的作品十分普遍。民间音乐生气勃勃，表现出多种传统风格。几内亚海岸的"高级生活"音乐已在欧洲及北美地区广为流行。

历史 非洲普遍被认为是人类发祥地。约在1 500万～2 500万年前，非洲大陆许多地区已出现多种类人猿，某些科学家认为这是人类与近代人猿的共同祖先。在远东及南部非洲发现的人类远祖古猿(属南方古猿类)可溯至800万年以前。在更新世以前和更新世期间，非洲广大地区居住着"能人"和"直立人"。大约在30万～50万年以前最初的"智人"开始出现。到更新世末期，独特的非洲现代人种已经形成。

非洲历史上第一个伟大的王国——埃及王国，建于尼罗河沿岸，约在公元前3000年完成其统一大业，兴盛达3 000年之久。埃及与美索不达米亚的苏美尔王国和中国古代王朝一样，为世界主要的文化摇篮之一。腓尼基人在迦太基(在今突尼斯)建立起一个殖民地，后来迦太基又战胜了腓尼基，控制地中海西部地区近600年之久。公元前146年以后，整个北非地区沦为罗马帝国统辖区，其影响一直持续到公元7世纪初阿拉伯穆斯林的入侵。

控制横穿撒哈拉沙漠的黄金、柯拉果和奴隶贸易的商业帝国纷纷在非洲西部建立。根据现有资料，第一个商业帝国是加纳，都城在昆比，公元5～11世纪为全盛期。同时期兴起的还有乍得湖周围地区的卡内姆-博尔努帝国，其国力于17世纪达到顶盛时期。西部的一些穆斯林帝国亦同时兴起，其中最具实力的是马里(约1250～1400)，后来是加奥的桑海(约1400～1591)。

东非和中非地区注重与非洲以外的国家，特别是阿拉伯国家进行贸易往来。到13世纪，东非的阿拉伯居民区逐渐发展为势力强大的城邦：如摩加迪沙、蒙巴萨、拉穆、基卢瓦等。在16世纪，这些城邦被葡萄牙人摧毁，而葡萄牙人又被阿拉伯阿曼人逐出；阿曼人建立了一个贩卖奴隶的国家——桑给巴尔。

南部是操班图语的姆韦尼马塔帕帝国以及其他在靠近东非海岸的内陆地区建立的王朝。刚果王国位于刚果河河口附近，其他王国位于更靠南部的地区。

这些帝国多数依赖长途贸易，它们后来逐渐被早期来自欧洲与阿拉伯半岛的殖民势力所削弱，甚至毁灭。这些殖民者为控制长途贸易，把许多商品从内陆市场转到海外市场，并创造了新的贸易商品，其中最主要的是奴隶。据估计从非洲运出的奴隶总数约为1 000万人。

葡萄牙人是首批有系统地对非洲海岸进行勘查的欧洲人(15世纪)。荷兰人则从1652年起出现在南非，但对非洲内陆地区的考察主要是在19世纪由英国的几位探险家进行的，他们是R.伯顿、J.H.斯佩克、D.利文斯敦和H.M.斯坦利。

直至19世纪的最后20年，欧洲人才开始对拓居非洲产生兴趣。只要当地气候许可，欧洲人便永久定居。法国人主要集中在阿尔及利亚，英国人定居在开普殖民地和纳塔尔。在其他地方，欧洲殖民地仅限于沿岸地区的飞地，多为贩卖奴隶时代的遗址。到1884年，欧洲列强已开始竞相瓜分非洲，以致到1920年时，除埃塞俄比亚、利比里亚和南非联邦外，其余地方均受殖民统治或保护。1950年后，反对殖民争取独立的运动如火如荼，逐渐发展到整个非洲大陆，殖民地纷纷独立。

African American English（AAE） **美国黑人英语** 一种语言的变体。在方言学和文学研究的不同时期叫做黑人英语（Black English，Negro English）和黑人方言（black dialect）。20世纪80年代后期以来，该词的用法不很明确，有时只指黑人英语（Ebonics），或者如语言学家所熟悉的，指美国黑人英语口语（AAVE），有时则兼指黑人英语（Ebonics）和格勒语（Gullah，南卡罗来纳和佐治亚两州沿海地区以及海群岛附近的非洲裔美国人所操的克里奥耳化英语）。20世纪，许多论述美国黑人英语的学术成就都是围绕这样几个问题进行的：美国黑人英语受非洲诸语言的影响有多广泛；美国黑人英语究竟是一种英语方言、北美东南部种植园的契约仆役所操的现已不通用的殖民地英语的残存、抑或是17世纪西非混杂英语的派生物。语言学家一致认为黑人英语（Ebonics）是一种美国英语方言，主要是因为其不标准的特征在使用的统计频率上要高于其他方言。例如，hasn't / haven't和isn't / aren't都合并成ain't（在Ebonics中ain't还能代表didn't / don't）。另外在Jesse very tall这类句子结构中系动词都被省略了。20世纪60年代后期以来，格勒语已被当作一种单独的语言，因为它与加勒比海地区的克里奥耳化英语在句子结构上有更多共同点。例如在he bin go（he / she went）句子中，bin用作过去时的标志。又如在he bubba（his / her brother）句子中，he被用来当物主代词。不过，可以争论的是：因为在格勒语中这些克里奥耳化英语的特征来自英语本身，所以它们使用加勒比海地区克里奥耳化英语这一事实本身不能作为确定格勒语就是一种独立语言的结论性的证据。现在更多的人在研究如何详尽地描述黑人英语和格勒语在结构上的特性。这些研究最终可能会使人们对美国黑人英语的起源及其类型上的从属关系有更多了解。

African ant bear **非洲蚁熊** 参阅aardvark土豚。

African arts **非洲艺术** 非洲本土，特别是撒哈拉沙漠以南地区，或黑非洲地区的文学、表演和视觉艺术。众所熟悉的艺术手段有雕刻、绘画、织物、服装、珠宝、建筑、音乐、舞蹈、戏剧和诗歌。

非洲艺术的特点来源于其大多数规模很小的传统社会，艺术与其他社会形态及众多的风格之间的关系比较密切，每一种风格都是在其独特的生态、历史和社会环境中发展出来的。现代非洲的艺术家是在现代城市环境中生活和工作的，当然享有这些文化传统的全部财富，另外还可以运用各种与前人不同的技巧，得到与前人不同的资助。

有一种普遍的但是错误的观念，认为非洲的艺术就是雕刻。非洲最早的艺术遗迹是距今约5 000年的撒哈拉岩壁上的雕刻与绘画。在殖民地时代以前，在伊斯兰教与东方基督教把非洲与世界其他部分联结起来的地区，建筑是最重要的视觉艺术。这一地区包括西非和东非的一部分，境内有马里的杰内和莫普提的壮丽的泥造清真寺、埃塞俄比亚的在岩石上凿出的教堂、东非海岸的伊斯兰教纪念碑。在一些游牧文化占主导地位的区，视觉艺术的重点是个人的装饰品以及家畜的审美价值。这一地区也是岩石艺术的主要发现地。游牧文化从撒哈拉正南的苏丹地区一直延伸到东非和南非的草原。在分享尼日尔河与刚果河两大水系的西非与中非的农业人口中间，雕刻在视觉艺术中占主导地位。

已知最早的雕刻是尼日利亚诺克文化（公元前500～公元200）的陶制人头与人像。同一时期，在由石器时代直接进入铁器时代的撒哈拉以南非洲，也有制造铁器的最早证据。使用铜与铜合金的最早证据来自伊博格人的村庄伊博格-乌克乌（也在尼日利亚），从那里的公元9世纪的遗址中，除其他艺术品外，还发现大量用青铜铸的王权标志。这些作品与尼日利亚的约鲁巴人城市伊费的著名的铜铸品（11～15世纪）或贝宁的铜铸品（15～19世纪）在风格上都没有关联。古代陶制品还有南非莱登堡的人头像（约公元500）。石雕有塞拉利昂的作品（可能出于歇尔布罗雕工之手，时代不晚于16世纪）和刚果河口地区的刚果人民的作品。在16世纪，贝宁和塞拉利昂歇尔布罗人的象牙雕刻极为精巧。已知最早的木雕是在刚果（金）中部发现的库巴的一些国王的雕像，时代估计为17世纪。不过，最精美的一些木雕作品乃是20世纪20年代以后的产物，例如约鲁巴人大师伊塞的奥洛韦（1939卒）和奥西洛林的阿雷奥贡（约1880～1954）的作品。撒哈拉以南非洲已知最早的纺织品是于伊格博-乌克乌发现的韧皮纤维残片（9世纪）和在马里邦贾加拉地区的泰勒姆洞窟中发现的棉布与毛布（11世纪或更早）。这些艺术品都不是初创的作品，而是各具高度发展的风格。

在非洲文化中，表演艺术（舞蹈、戏剧和音乐）至少与视觉艺术同样地普遍。由多种多样的鼓来完成的复杂节奏形式和旋律形式与语言声调结构之间的关系，可能是非洲音乐最大的特色。没有这一点，歌词就会毫无意义，然而，即使在纯粹器乐中，旋律形式也有配合语言声调的倾向。

文学可能是非洲最普遍而且最受尊重的艺术，其中包括神话、民间故事、符咒、谚语，尤以诗歌最为突出，但也是外人最难以理解的艺术，因而对它们还不够重视。这些大多是口头文学，然而豪萨文、斯瓦希里文和阿姆哈拉文的作品也已存在几个世纪。在20世纪，用他种非洲语言，以及用英、法和葡萄牙文写作的文学也发展起来。

在非洲的许多地区，大多数人民对于制造与表演的技巧都有若干实际经验。不过，在有职业艺术家的地方，人们对他们的态度是相当不一样的。一位艺术家所受到的尊敬程度一方面靠他的本领，一方面也与艺术在那一村社所产生的文化作用有很大关系。

化装舞会是运用所有其他艺术手段的一种综合艺术形式。化装舞会的目的可以是娱乐、治病、请示神谕、举行男子成人仪式、扮演祖先、仲裁争论或处理罪犯。面具主要是戏剧的道具，它能够使扮演者脱离他在社区中日常担当的角色。化装舞会的复杂程度及其与群众性庆祝活动的关系，表明它是撒哈拉以南地区的重要艺术形式。

African Cup of Nations **非洲国家杯** 非洲最享有盛名的足球比赛。非洲足球联合会主办，由各国家队参加，参赛队由1957年的3支球队增至1996年的16支球队。1968年开始实行资格赛，并决定每两年举办一次。首届比赛1957年在苏丹喀土穆举行，埃及队在决赛中击败东道主，赢得塞勒姆杯。塞勒姆杯1978年由3次夺冠的加纳队永久保留。第二个奖杯称非洲统一杯，2000年永久奖给3届冠军喀麦隆队。2002年开始设非洲国家杯。球赛成为展示非洲球员才能的橱窗。联赛的进攻与愉悦风格抓住了非洲球迷的心，吸引许多欧洲星探、球队经纪人和新闻记者的注意。1980年允许职业选手参赛，1984年允许公司赞助。在球场以外，国家杯成为表达非洲政治价值和观念的渠道，许多国家都在经济和政治上对本国足球队作出相当大的投入，以期在其多民族的人民中激发自豪感与团结精神。南非的种族混合球队就像是在社会分裂和因种族歧视而产生的经济不平等之上架起的一座沟通桥梁。

African Development Bank（ADB） **非洲开发银行** 非洲金融组织。1963年8月建立，1966年7月开始营业。由联合国非洲经济委员会秘书处同成员国9人专家委员会共同起草创建该行的协定，但该行与联合国无正式组织关系。成员国有50个非洲国家和25个非非洲国家。总行在科特迪瓦的阿比让。宗旨为促进成员国单独的或共同的经济发展和社会进步。该行有下列6个联系机构可作为公私资本流通的渠道：非洲发展基金会、尼日利亚信托基金会、非洲再保险公司、国际非洲投资开发金融公司、非洲开发金融机构协会和非洲收容所。

African Games **非洲运动会** 又称泛非运动会或全非运动会。由国际业余田径联合会（IAAF）主办、非洲国家运动员参加的国际田径运动竞技大会。第一届非洲运动会于1965年在刚果的布拉柴维尔举行，只包括田径项目的竞赛。举办非洲运动会的尝试可追溯到20世纪20年代；60年代早期举办过各种友谊赛，但仅限于在前法属国家中举行。第二届非洲运动会于1973年在尼日利亚的拉各斯举行，参加的国家从29个增加到35个。第三届非洲运动会于1978年在阿尔及利亚的阿尔及尔举行。原定于1982年在肯尼亚举行的非洲运动会被取消。为了向非洲运动员提供更多的正规竞赛机会，1979年首次举办了非洲锦标赛；后来每隔两年举行一次。代表肯尼亚和尼日利亚的运动员在非洲运动会（及锦标赛）上夺得大部分奖牌。

African Greek Orthodox Church **非洲希腊正教会** 东非的一个教会。长期以来，非洲一些基督教徒希望有比各派外国传教组织所建教会更具有非洲特色、更为“纯正”的教会，此派就体现这种追求。乌干达英国圣公会信徒斯巴达斯获悉美国国内有独立的全黑人正教会，即于1929年成立非洲正教会。1932

年，驻在南非的美国正教会大主教为斯巴达斯举行祝圣，授予神职。后来，非洲正教教会得知该大主教属于信奉基督一性论的印度雅各派教会，遂改名为非洲希腊正教会，并于1933年与希腊正教会亚历山大牧首座建立组织关系，1959年又归属东非希腊外方传信大主教区。兴起于肯尼亚西部的一些教会也加入了非洲希腊正教会。1966年该教会发生分裂，斯巴达斯及其追随者另立撒哈拉大沙漠以南自主非洲正教会（在乌干达有教徒约7 000人）。

African horse sickness（AHS） **非洲马病** 又称马瘟。南部非洲和赤道非洲的一种重要的由昆虫（特别是库蠓）传播的病毒病。狗也曾因食病马肉而染病。病毒侵入机体后10天之内即可出现症状（包括发热、局部性液体潴留）。病马由于肺水肿而迅速死亡。疾病或呈慢性型，病马因心力衰竭而死亡。无治疗药物，每年免疫接种可提供有效的免疫力。

African hunting dog（species *Lycaon pictus*） **非洲猎狗** 又作cape hunting dog或hyena dog。非洲野生食肉动物。与其他犬科动物的区别在于每只脚上只有四趾。毛短而稀

非洲猎狗（*Lycaon pictus*）
美国不列颠百科全书公司供图

疏，黄、黑和白色斑驳。体长约76～102厘米，尾长31～41厘米。体高60厘米，体重约16～23千克。四肢长，头阔平，口鼻短，耳大而竖立。常15～60只成群捕食，栖息在非洲南部和撒哈拉东部的大部分地区，特别多在草原。常捕食羚羊或一些大型猎物，有时会捕食家畜，故在人们定居的地方一直遭到猎杀。每窝平均6仔。妊娠期约60～80天。

African International Association 参阅**Association Internationale Africaine** 国际非洲协会。

African languages **非洲诸语言** 非洲撒哈拉沙漠以南的本地诸语言，分属尼日尔-刚果、尼罗-撒哈拉、科伊桑、含米特-闪米特各语系。非洲诸语言估计有800～1 000多种。撒哈拉南部的重要语言有尼日尔-刚果语系的富拉尼语、约鲁巴语、伊格博语、祖鲁语；尼罗-撒哈拉语系的库纳马语、希卢克语、丁卡语、努埃尔语；含米特-闪米特诸语言（**Hamito-Semitic languages**）的加拉语、索马里语和豪萨语。纳入阿拉伯语和欧洲语言外来词的通用语中包括斯瓦希里语、林加拉语、法纳加洛语和桑戈语。

19世纪中叶以来，语言学家们面临非洲语言分类的问题。加之，探寻语言间所展示的系谱关系特征，挑选实用可靠的分类方法问题，也都由于多语言的非洲大陆的语系界限在一些地区相当混乱，难以划分，使分类任务更为错综复杂。其结果是制订出语言分类的许多不同系统往往不被接受。但到1963年，美国语言学家J.格林伯格修订1篇早期论文，提出了1个分类系统，为大多数语言学家所认可。按照格氏的分类，非洲本地语言可分为4大语系或"超系"（stock），它们每个都是独立的，且可继续分为亚群或亚支、语言和方言。这4个超系是，尼日尔-科尔多凡语（包括尼日尔-刚果诸语言），尼罗-撒哈拉语（包括沙里-尼罗诸语言），科伊桑语，含-闪语（即阿非利加-亚细亚诸语言）。此分类不包括通行于马达加斯加的属澳斯特罗尼西亚语系的语言。

尼日尔-科尔多凡语超系，包括两个大小相当悬殊的分支：一是在苏丹的很小的科尔多凡语群；另一是广泛通行的尼日尔-刚果语群系，覆盖整个西非、撒哈拉南部、刚果河流域大部地区以及东非和南非。尼日尔-刚果语系有900多种语言，几千种方言，分为6个分支，其中第一个是西大西洋语群，以富拉尼语通用范围最广，语法亦最复杂。第二是曼德语群，有26种语言，它和其他语言差别极大，因而可说尼日尔-刚果语系内最根本的差别就是曼德语和其他诸语群的差别。第三是沃尔特（古尔）语群，有79种语言通行于布基纳法索（旧称上沃尔特）和相邻地区，其中莫西语最重要。第四是克瓦语群，有加语、约鲁巴语、伊格博语和其他70种语言。第五是阿达马瓦-东部语群，有112种语言，学术界知之不多，主要通用于中非共和国、喀麦隆和刚果（金）部分地区。第六是贝努埃-刚果语群，有斯瓦希里语、刚果语、祖鲁语和其他554种语言，班图诸语言是其1个亚支。

尼罗-撒哈拉语超系，分为大小不等、重要程度不一的6个分支：①桑海语为独立语言，通行于马里和尼日尔境内尼日尔河流域。②撒哈拉语群，有尼日利亚的卡努里语，撒哈拉中部的特达语，乍得和苏丹的扎哈马语。③马巴语群，是通行于乍得的小语群。④科马语群，通行于埃塞俄比亚-苏丹边境的狭小地带，其中语言多数尚不清楚。⑤富尔语，通行于苏丹的达尔福尔省。⑥沙里-尼罗语系，是6个分支中最大的，通行于沙里河和尼罗河流域。它可进而分为4个语支：库纳马语支、贝尔塔语支、中苏丹语支、东苏丹语支。

科伊桑语超系，约有12种语言通行于非洲南部的科伊科伊（霍屯督）人和桑（布须曼）人中间。此类语言具有非洲以外世所罕见的吸气音。坦桑尼亚的桑达韦语和哈扎语通常也包括在科伊桑语系中。

含-闪语超系，或称阿非利加-亚细亚超系，通行于整个北非，其闪语支则延伸至与亚洲相连地区。分为5个分支：①贝贝尔语支通行于摩洛哥、阿尔及利亚以及撒哈拉部分地区。②古埃及语，已经消亡。③闪语支有阿拉伯语，埃塞俄比亚诸闪语，厄立特里亚通用的提格里尼亚语。④库施特语支包括通行于非洲东北部的5个语群。⑤乍得语支诸语言通行于尼日利亚北部及其周围地区。

虽然4个独立的语言超系的语言在结构上彼此大不相同，但仍可看出某些共同特征。大多数撒哈拉南部的语言都是声调语言。例如声调改变常常是唯一区分在所有条件下发音完全相似的两个词。基于音高的声调通常有2或3个。

许多西非语言的名词都分类，每类由1对词缀（前缀、后缀或两者兼用）标出，1个指示单数，另1指示复数。例如班图语分支的斯瓦希里语中，"丢失了1把快刀"这句话应这样表述"ki-su ki-kali ki-moja ki-me-pota"。Su（刀）以ki为其词类前缀，为和"Su"一致，每个词前都需重复"ki"。如表示"刀"的复数就以前缀vi来替换ki-，则"丢失了8把快刀"表述如下："vi-su vi-kali vi-nane vi-me-potea"。各种不同的非洲语言也有动词的派生系统。斯瓦希里语由pata（获得）可派生出下列形式：patana（订约）、patanisha（和解）、patia（为某人而获得）、patika（可以获得的）、patiliza（使某人困扰）、patilizana（彼此困扰）。意义往往可以预见，但并不经常如此。

不操同一语言者之间的接触需要发展通用语以使不同群体彼此得以交流。东非的斯瓦希里语、刚果河流域的林加拉语、中非共和国的桑戈语、苏丹大部地区的阿拉伯语均为此类通用语。

African lion dog **非洲猎狮狗** 参阅**Rhodesian ridgeback** 罗得西亚脊毛狗。

African Methodist Episcopal Church **非洲人美以美会** 美国黑人基督教循道宗教会。1787年一批黑人信徒因反对歧视退出费城圣乔治美以美会，1816年正式组成非洲人美以美会。该会在南北战争前仅限于北方各州，战后迅速传到南方。该会积极在国内传教并派人到非洲和西印度群岛传教，在教义和教会管理制度上都恪守循道宗传统。约有221万信徒。

African Methodist Episcopal Zion Church **非洲人美以美锡安会** 美国黑人基督教会。1796年一些黑人信徒因不满歧视而脱离纽约市约翰街美以美会，1821年组成黑人美以美会，1821年选出第一位黑人主教，1848年改今名。美国南北战争后，该会在南北双方都发展迅速，派遣传教士到南美洲、非洲和西印度群岛传教。该会在教义和教会管理上遵守循道宗传统，有约112万信徒。

African National Congress（ANC） **非洲人国民大会** 南非政党和黑人民族组织，旨在消除南非白人当局推行的种族歧视和种族隔离政策。1960～1990年被取缔，转入地下并在南非境外展开活动。后来获合法地位，其主席曼德拉于1994年成为南非首届多种族政府的总统。

它成立于1912年,是南非最早的政治组织。原名南非土著人国民大会,其主要目的是维护开普省有色人和黑人的投票权。1923年更为现名。20年代后期,党的领导层因是否与共产党合作而分裂,保守派的胜利削弱了党,30年代党组织涣散。40年代,党在年轻一代领导人领导下复活,这些领导人具有更强烈的反对肤色限制的战斗精神。1944年建立的非洲人国民大会青年团吸引了一批如西苏卢、坦博、曼德拉等人物,他们在1949年取代了党的温和派领导人。在他们领导下,非洲人国民大会开始发动非暴力的抗议、罢工、抵制和游行示威,遭到警察的骚扰和逮捕。第二次世界大战结束时,非洲人国民大会发动了强大的反对通行证法的抗议活动。1948年鼓吹种族隔离和白人至上主义的国民党在大选中获胜后,非洲人国民大会队伍迅速扩大,到1952年党员增至10万人,是年卢图利当选为党主席。1960年,从非洲人国民大会分离出去的泛非大会组织了群众性的示威游行,反对通行证法。警察在沙佩维尔杀伤数百名手无寸铁的示威者后,非洲人国民大会和泛非大会被取缔。谋求政治变革的合法道路被断绝后,非洲人国民大会首先转向破坏活动,继而开始在国外组织游击战。1961年非洲人国民大会宣布建立武装力量"民族之矛",由曼德拉领导,展开破坏活动以作为反对种族隔离运动的一部分。1964年曼德拉和"民族之矛"的其他领导人被白人政府判处终身监禁。1976年军警在索维托枪杀600多名黑人后,许多黑人青年加入了非洲人国民大会。不过由于南非当局强化内部安全措施,非洲人国民大会发动的游击战基本上没有奏效。1990年南非当局撤销了对非洲人国民大会的禁令,允许其领导人返回南非进行和平的政治活动;非洲人国民大会则以停止其反对政府的游击战作为回报。1991年接替坦博出任非洲人国民大会主席的曼德拉(**Mandela, Nelson**)是该党90年代最重要的领导人。1992～1993年曼德拉领导该党与白人政府进行了关于以普选为基础建立民选政府的谈判。非洲人国民大会反对种族隔离制度的立场赢得了大多数南非黑人的支持,使它在1994年4月首次举行的多种族选举中获胜,取得了新国民议会中60%以上的席位。1994年5月10日曼德拉就任南非首任黑人总统,领导一个民族团结政府。

African polecat　非洲艾鼬　参阅**zorille**非洲艾虎。

African popular music　非洲流行音乐　20世纪60年代兴起于非洲的音乐,把本土音乐元素与西方流行音乐结合起来。到80年代,其听众已经扩及西方人。和世界其他地方一样,在20世纪20、30年代,非洲受到美洲器乐编曲、节奏、曲目的强烈影响。到60年代初,随着各国纷纷脱离欧洲殖民者而政治独立,整个非洲的乐队改变了曲目,以配合改写的本土民谣乐曲。跟世界其他地方相比,摇滚乐在非洲影响力较小,但在60年代早期,摇摆舞的四拍子像病毒一样蔓延开来;这是一种容易演奏的风格,鼓舞非洲大陆一批新生代成为职业音乐家。许多非洲的吉他手(包括"非洲假日"的尼可博士)偏爱英国"影子"乐队特有的颤音技巧,但到了60年代晚期,J.亨德里克斯和C.桑塔纳精湛的演奏技巧更激起一片跟风。南非乐师常常模仿美国爵士乐,而非洲大陆其他地方的乐师则更喜欢加勒比海地区的音乐,即使许多乐队名称中冠有"爵士"一词。古巴节奏盛行于大部分法语国家。每个乐队都拥有自己的特殊声音和风格,但全受J.帕切科的乐队、阿拉贡等当红乐队的影响,同时也受以吉他为主的古巴创作歌手小乐队的影响。50年代在说英语的加纳和尼日利亚,E.T.门萨等人的爵士乐是源自特立尼达的卡利普索节奏;到了70年代早期,尼日利亚以I. K.戴罗为首的乐队领队以更有冲击力的朱朱(juju)取而代之,此乐风领导了往后15年的乐坛。E.欧拜可说是尼日利亚一直最受欢迎的"朱朱"乐队领队,但更有魅力的K.S.艾德在80年代中期才吸引住西方人的目光。尼日利亚的F.A.库提因其争议性的生活方式而受到国际瞩目,也促使人们注意到他的非洲节拍风格。在20世纪50、60和70年代期间,音乐少有跨非洲流行。在大部分非洲国家,录音室在技术上配备不良,唱片公司甚至很少有渠道把唱片外销到邻国(更别提西方主要市场了)。1956年南非歌手M.梅克芭受"曼哈顿兄弟"特邀合作,发行了一张美国热门单曲《可爱的谎言》,算是当时十分罕见的。11年后,她在美国流亡期间,《巴塔巴塔》挤进热门单曲排行榜前20名。翌年,她的前夫小喇叭手H.马塞卡拉以《草地放牧》在排行榜上名列前茅。1973年喀麦隆萨克斯管演奏家M.狄班戈以《灵魂马科萨》进入排行榜前40名,这是开创性的迪斯科热门单曲,尽管受到广播电台忽视,还是在美国卖出10万张。在英国,南非基维拉舞曲乐队"伊利亚斯与他的锯齿状摇摆乐长笛"的小曲《汤姆·哈克》成为前5名的热门单曲。但是,这些唱片没有一张能够带动其他此类唱片增加可观的收益,它们被视为新奇歌曲。到了80年代中期世界音乐运动开始使非洲音乐受到西方听众的注意时,非洲大部分地区的乐风已别具一格。走新风格路线者使用最新设备开始挑战并取代传统乐器的音乐风格。80年代,有好几位歌手脱离70年代闻名的乐队,在国际舞台上展开他们的国际事业生涯,其中最著名的有M.康特、S.凯塔(与康特皆出自"铁路乐队")和Y.恩多尔(来自"达卡星队")等。

African Pygmy local race　非洲俾格米地域人种　尼格罗地理人种(非洲地理人种)的一个亚群,大致相当于一个遗传隔离种群。非洲俾格米人可以分为3个主要居群:西部居群、北部居群和南部居群。西部俾格米人以分散的居民集团形式居住在喀麦隆、加蓬、赤道几内亚、刚果、刚果(金)以及中非共和国的部分地区。北部俾格米人居住在与乌干达毗邻的刚果(金)东部伊图里常雨林中。南部居群("基伍湖陶工")居住在卢旺达和布隆迪。俾格米人的主要体质特征是:身材矮小(平均身高不到1.5米),腿短而臂长,肤色从黄棕色到红棕色,体毛较浓密,鼻子宽阔,鼻

非洲俾格米人
中国大百科全书出版社供图

梁低,凸颌,下颏内倾。俾格米人还以具有世界最高的基础代谢率而著称。他们与森林地区尼格罗地理人种相似,镰状细胞贫血症发病率高。非洲俾格米人在20世纪末约有17万人。参阅**Negroid geographic race; pygmy**。

African swine fever　非洲猪热　又称疣猪热。一种传染性很强、常能致命的猪的病毒性疾病。特征为高热、躯体损伤、白细胞减少、脉搏和呼吸加快,并在发病后4～7天内死亡。引起非洲猪热的病毒为虹色病毒。这种病毒的理化特性和抗原性与引起猪霍乱的披盖病毒不同,可耐高温、腐烂、烟雾、不彻底的烹调及干燥的环境,并可在冷却的尸体内生存6个月。潜伏期5～15天。这种疾病于1910年首次在肯尼亚发现,该处的家猪与野生猪和疣猪接触后感染。直到1957年,这种病仍局限在非洲的部分地区,其后,大概是通过加工的猪产品传到葡萄牙,然后传到西班牙、意大利、巴西及其他国家。非洲猪热很难与急性典型猪霍乱区别,这两种疾病都可引起持续四五天的高热。但是,一旦热度减退,非洲猪热的病毒通常在2天内引起死亡(而典型猪霍乱为7天)。目前,预防接种已能有效地防止猪霍乱的发生,而对非洲猪热来说,不仅没有有效的预防办法,而且缺乏有效的治疗措施。禁止从有本病流行的国家进口猪只和猪产品,可防止其进一步的蔓延。

African Trade Union Unity, Organization of (OATUU)　非洲工会统一组织　在非洲统一组织的倡议下,1973年在埃塞俄比亚首都亚的斯亚贝巴成立的工会组织,以代替原来的全非工会联合会(1961年成立)和非洲工会联合会(1962年成立)。非洲工会统一组织的会员包括约50个非洲全国性工会组织、南非工会大会和纳米比亚全国工人工会。其宗旨是保持独立于其他国际工会组织之外,在非洲大陆实现非洲工会的统一,协调各国工会组织的行动,在总的方面支持非洲工人阶级的利益。总部设在加纳首都阿克拉。

African Unity, Organization of（OAU） **非洲统一组织** 政府间组织，建于1963年5月25日，旨在促进非洲国家的统一与团结，从非洲消除一切形式的殖民主义，以及促进国际合作。由于政治争端，成员国的数目每年都有所不同。它的活动包括：外交（特别是支持非洲解放运动），调解边界冲突和内战，研究经济与交通问题，以及其他事宜。它的主要成就有：调解阿尔及利亚和摩洛哥争端（1964～1965），调解索马里和埃塞俄比亚及肯尼亚和索马里边界争端（1965～1967）。80年代试图调停乍得内战，建议对南非实行经济制裁以反对南非的种族主义政策。它的主要机构有：国家及政府首脑会议，每年举行一次；最高会议休会期间，决策权属部长理事会，理事会由各成员国外交部长组成。总部设在埃塞俄比亚首都亚的斯亚贝巴。

African violet 非洲紫罗兰 又称非洲紫苣苔。苦苣苔科非洲紫苣苔属（*Saintpaulia*）植物，尤指非洲苦苣苔（*S. ionantha*）。该属12种，原产热带非洲东部高海拔地区。植株

非洲紫罗兰（*Saintpaulia ionantha*）
美国不列颠百科全书公司供图

小，被毛，草本，通常无茎。叶密集簇生，具长柄。花两侧对称，紫绛色、白色或粉红色。全年大部分时间开花。已培育了数以百计花色和形状各异的包括微型和观叶等园艺品种。

Africanus, Sextus Julius 阿非利加努斯（约180，耶路撒冷～约250） 最早的基督教历史学家。曾漫游亚洲、埃及和意大利，后来主要住在巴勒斯坦，任以马忤斯地方长官。222年左右任驻罗马地区代表。他的最伟大著作是《年代志》5卷，该书叙述公元前5499年创造天地起至公元221年间宗教和世俗的历史。他还写过研究《马太福音》和《路加福音》中基督家谱的文章。

Afrīdī 阿夫里迪人 居住在萨菲德山东端到巴基斯坦北部一带山地的普什图族部落。居住地跨越开伯尔山口两侧。16～17世纪常与莫卧儿帝国的军队交战。18世纪阿富汗国王阿哈马德沙·杜兰尼雇用他们当兵，杜兰尼之孙沙阿·苏查（1803～1809在位）受到他们支持和庇护。第一次英阿战争（1839～1842）中，英国人开始与他们发生冲突，波洛克将军向喀布尔进军时曾对他们发动进攻。1849年英国人吞并旁遮普后，为保持开伯尔山口畅通，曾费尽心机，尝试过许多办法。1893年开伯尔地区的阿夫里迪人开始受到杜兰线约束。20世纪30年代，印度国大党曾取得阿夫里迪人的支持。印巴分治后，他们的土地归属巴基斯坦。

Afrikaans language 阿非利堪斯语 又作Cape Dutch（南非荷兰语），为南非西日耳曼语。1806年英国人占据南部非洲前，由定居在这里的荷、德、法移民的后裔根据17世纪的荷兰语发展而成。阿非利堪斯语与英语是南非共和国境内许多官方语言中仅有的两种印欧语。阿非利堪斯语虽然和荷兰语极相似，但很清楚地是一种独立语言，和标准的荷兰语在语音体系上有区别，也没有"格"和"性"的区分。阿非利堪斯语1914年成为学校教学用语，1919年也为荷兰归正会所采用。20世纪以来，独具特色的阿非利堪斯语文学已发展起来，第一部完整的南非荷兰语《圣经》译本，出版于1933年。参阅 **Netherlandic language**。

Afrikaner Bond 阿非利堪人联盟 非洲南部开普殖民地的第一个政党。1880年由杜托伊特建立，1883年与霍夫迈尔的保护农民协会合并。在霍夫迈尔的领导下，这个政党提倡包括英国人在内的更广泛的民族主义。尽管他从来未能组阁，但作为议会多数党领袖，却能够保护阿非利堪人（即布尔人）的利益并使开普殖民地在南非战争中（1899～1902）保持中立。1910年阿非利堪人联盟与南非其他地方的阿非利堪人政党合并成为南非国民党，但1911年又自行解散。

Afrikaner-Broederbond 阿非利堪人兄弟会 南非秘密团体，由年龄在25岁以上、操阿非利堪斯语的男性白人新教徒组成。尽管它的政治影响在南非社会中到处可见，但其仪式和成员——只有受到邀请才能参加——不对外公开。该组织成立于1918年，其宗旨是消除阿非利堪人在南非战争（1899～1902）中被英国人击败而遭受的耻辱。面对南非英国人的粗暴对待和二等公民的境遇，阿非利堪人期望通过阿非利堪人兄弟会弘扬阿非利堪人的文化和传统。兄弟会沉默的组织网成为获取政权的手段，该组织被认为是主要成员为阿非利堪人的南非国民党在1948年成为统治全国的大党的幕后重要势力。尽管它与保守的南非荷兰归正会和主张种族隔离的南非国民党有联系，该组织逐渐开始改变其立场，自1990年起积极支持德克勒克总统宣布取消官方的种族隔离政策。这一立场转变使其成员减少了10%～15%。

Afro-Arabian Rift Valley（Africa） **非洲-阿拉伯大裂谷** 参阅 **East African Rift Valley** 东非大裂谷。

Afro-Asiatic languages 亚非语系 参阅 **Hamito-Semitic languages** 含米特-闪米特诸语言。

Afrocentrism 非洲中心论 亦作Africentrism。一种文化和政治运动，成员多数为非洲裔美国人。他们将自己及所有其他黑人视为非洲人的融合体，他们也相信自己的世界观必须积极反映非洲的传统价值观念。20世纪80年代由非洲裔美国学者和活动家M.阿桑特创造了非洲中心论（Afrocentrism）、非洲学（Afrocology）和非洲中心（Afrocentricity）这些名词。

非洲中心论认为，几百年来，欧洲人通过奴隶制和殖民化统治着非洲人及其他有色人种，而欧洲的文化对于非欧洲人要自主的努力来看，在最好的情况下也是不相干的，而从最不利的一方面来说，它只能起到相反的效果。因此，按照非洲中心论的观点，非洲人需要学会欣赏传统的非洲文化成就，事实上，他们必须将自己的历史和价值体系联系起来。根据非洲中心论，非洲的历史和文化起源于古埃及，那里是世界文明的发源地。埃及曾统辖黑非洲，直到欧洲人窃取了其思想和技术，并掩盖了它的成就记录。非洲中心论者声称拿传统的非洲文化与欧洲文化来比，非洲的历史更加开明（"循环的"而非"直线进行的"）；更富有集体合作性；更直观；与鬼神的精神世界更紧密地结合在一起。他们认为，重新正视这种文化能从心理上帮助非洲裔美国人，提醒他们记住自己也是有文化的，并拥有丰富和古老的传统遗产，只是长期被欧洲裔美国人贬低了。除了重视过去以外，非洲中心论还鼓励保护并发扬在语言、烹饪、音乐、舞蹈和衣着等方面的当代非洲裔美国人文化。

非洲中心论受到更早的几次黑人民族主义运动的影响，包括埃塞俄比亚主义和泛非主义。由于牙买加活动家M.贾维，泛非主义成了美国等地的一种重要运动。贾维提倡非洲人移居的思想，号召美国黑人成立独立的非洲人国家。贾维的劲敌W.E.B.杜波伊斯，1909年参与创建了"全国有色人种促进会"，对泛非主义也感兴趣。1919～1927年W.E.B.杜波伊斯组织了多次有关这个议题的世界大会。其他的先驱者还有L.桑戈尔、E.穆罕默德和M.艾克斯。从20世纪60年代开始，由于民权运动、多元文化运动以及大量非白人移民进入美国，非洲中心论在美国取得了意义重大的合法地位。80年代该运动发展很快。

非洲中心论的基本主张是由白人历史学家M.贝尔纳在其所著的《黑雅典娜：古典文明中的非亚根源》（两卷本，1987～1991）这本具争议性的书中阐述的。从那时起，非洲中心论遭到主流学者们的非议，他们指责这种理论缺乏历史精确性，在学术上不合格，且充满种族偏见。对这理论的公开争论造成了黑人与犹太知识分子之间的冲突，并使得非洲中心论很容易被指控是排犹主义。批评者们进一步指出，非洲中心论只追求非洲的价值

观念,这样有时就危险地接近重走种族偏见的老路。非洲中心论运动的追随者们坚持认为,该运动是一种有价值的世界观,对非洲裔美国人的文化和政治行动主义是一种激励。

AFSC 参阅 **American Friends Service Committee** 美国公谊服务委员会。

Afṭasid DYNASTY **阿费泰西王朝** 穆斯林柏柏尔人建立的王朝(1022～1094),曾统治西班牙西部的巴达霍斯。976年伍麦叶哈里发哈卡姆二世死后,由获得自由的奴隶萨卜尔(976～1022)统治下弗隆德(今葡萄牙中部)。1022年萨卜尔死去,他的大臣阿费泰西取得这一王国的统治权,开创了阿费泰西王朝。在他统治末期,与邻国塞维利亚的阿巴德王朝开始发生争端。1045年阿费泰西死去,其子穆罕默德·穆扎法尔(1045～1060在位)继位。连绵不断的战争使巴达霍斯大为削弱。结果,卡斯蒂利亚和莱昂的基督教国王费迪南德一世向穆扎法尔索取贡赋,又占领了维塞乌和拉梅古的边境要塞以及科英布拉及其周围地区。后来,欧麦尔·穆泰瓦基勒(1068～1094在位)也被迫向卡斯蒂利亚和莱昂的阿方索六世纳贡。他曾企图兼并另一敌对的穆斯林王朝所据有的托莱多(1080),但未成功。1085年托莱多被阿方索占据,穆泰瓦基勒和其他一些穆斯林国王请求北非的阿尔摩拉维德王朝给予援助。阿尔摩拉维德王朝的军队在巴达霍斯附近的宰拉盖击败阿方索(1086-10-23),在西班牙建立了据点。1094年巴达霍斯落入阿尔摩拉维德王朝之手,穆泰瓦基勒及其二子均被杀。

Aftenposten **《晚邮报》** 奥斯陆出版的日报,发行上午、下午两版,为挪威和斯堪的纳维亚重要报纸之一。1860年由C.希布斯泰德创建,对发扬挪威民族意识起了重要作用。初创时以本地新闻报道见长,后来又以日益增加的全国性新闻报道著称。在编辑方针上总的说来持温和的保守立场。它很早就提醒挪威人要防备希特勒德国的危险性。1940年纳粹分子侵入挪威时,《晚邮报》的一个电梯司机原是卖国的吉斯林组织的"第五纵队"成员,就乘机把它接管过来,使该报成为纳粹的宣传机器,直到第二次世界大战结束。纳粹占领期间,有60多名挪威报纸编辑被处死,3 000人被关进集中营。战后年代,《晚邮报》除保持其卓越的本地和全国新闻报道外,还以其国际新闻的报道闻名。

afterburner **加力燃烧室** 又称复燃室。涡轮喷气发动机(**turbojet**)或涡轮风扇发动机中紧挨在发动机喷气口前面的次级燃烧室。在加力燃烧室内注入并燃烧额外燃料,以提供飞机起飞或超声速飞行时的附加推力。大多数情况下,加力燃烧室能使涡轮喷气发动机的推力增加近一倍。由于使用加力燃烧室时,喷管必须更大些,所以一个自动化的可调喷管是加力燃烧室系统的基本部件。由于加力燃烧室燃料消耗很大,并且在亚声速下效力较低,因此其使用大多限于超声速军用飞机上。

afterimage **后象** 一种视错觉,表现为刺激物移开后,在视网膜上仍留有印象,这是由于视觉系统继续活动而导致的。原始印象存留的时间较短。后象分正后象和负后象,前者的亮度和色泽与原始印象相同;后者的亮度较原始印象弱,而色泽与原始印象互补(亮的印象变为暗的印象、红色变为绿色等)。人们在闪光灯发光后所看见的光点便是一种常见的后象。

afterpiece **余兴节目** 18世纪英国剧院在演出大型剧目之后所表演的补充性娱乐节目。通常为一出短喜剧、闹剧或哑剧。这种余兴节目使新古典戏剧的严肃性有所减弱,而使整个演出更加吸引观众。18世纪头20年中兴起了长剧目表演,其中包括音乐、歌曲和舞蹈等幕间节目,起初由J.里奇在林肯律师学院菲尔兹剧院与特鲁里街剧院的竞争中发展而成。将余兴节目加入到正规演出节目中去可能也是吸引劳动大众的一种尝试,因为他们往往错过了前半场的演出,因此便买减价票进场看戏,通常是在一出5幕剧已演完第3幕后才进场。1747年以前,余兴节目一般只是演旧戏时才有,但那年之后,几乎所有的新剧都伴有余兴节目。余兴节目最流行的是闹剧和哑剧,但有时也包括一些音乐喜歌剧和叙事歌剧。

afterripening **后熟** 又作dormancy。又称休眠。植物种子成熟期胚的生长中断的现象,是复杂的酶学和生物化学过程。部分原因是可溶养分在转化成贮藏形式的过程中,水分迅速大量丢失。这在许多热带植物的种子中,可能是对季节和气候变化的一种适应。后熟为植物在最有助于生长的湿度、温度及日长等条件时萌芽作好准备。许多谷类及禾草类需要后熟,以免种子还留在穗上时在潮湿的条件下萌发。参阅 **germination**。

Aftonian Interglacial Stage **阿夫顿间冰期** 北美更新统(160万年前至1万年前)重要的年代地层单元。是气候相对温和的时期,位于内布拉斯加冰期之后,堪萨冰期之前。因在艾奥瓦州阿夫顿地区的沉积而得名。阿夫顿沉积由古土壤组成,含泥炭和风积物,有些地方由河流堆积的砂砾组成。

aftosa 参阅 **foot-and-mouth disease** 口蹄疫。

ʿAfula **阿富拉** 以色列北部埃斯德赖隆平原最大城市。原为阿拉伯人村庄,1925年建于美国犹太复国联盟所获得的土地上,成为巴勒斯坦犹太区第一个按规划兴建的都市定居点。地处两条通向北方的大道的交汇点。一条自特拉维夫—雅法沿海而行,一条自耶路撒冷经纳布卢斯和杰宁沿山地前进。1948年后迁入大批犹太移民,人口开始增长。1972年设市。现有炼糖、纺织及织袜工业。人口约33 000(1994)。

Afyon **阿菲永** 土耳其西部城市。临阿卡尔河,海拔1 034米。古名阿克罗诺斯城,后冠以阿菲永(意即鸦片),反映该地区的主要

阿菲永的市政厅,后面岩石山顶有古城堡遗址
Shostal 供图

产品。历史古迹有部分毁坏的作为该城标志的堡垒、13世纪大清真寺和塞尔柱人建的阿尔提格兹桥。古老的经学院内有地方考古博物馆。阿菲永为伊兹密尔至安卡拉铁路重要枢纽,还有公路、航线通往土耳其各大城市。该市周围地区素为土耳其罂粟主要产区。其他农产品有小麦、大麦、马铃薯、甜菜、牲畜等。工业限于马海毛、羊毛、地毯、水泥和大理石。人口95 643(1990)。

Afẕal od-Dīn Bādel Ebrāhīm ebn ʿAlī Khāqānī Shīrvānī **阿夫扎勒·奥丁·巴代勒·伊卜拉欣·伊本·哈加尼·希尔凡尼** 参阅 **Khāqānī** 哈加尼。

AG catalog **《德国天文学会星表》** 德文全称是Astronomische Gesellschaft Katalog(缩写AGK),德国天文学会编制的载有全天亮于9星等的恒星位置的星表。该学会创办人F. W. A.阿格兰德在完成了《波恩星表》(**Bonner Durchmusterung**)后,于1867年倡议编制这部星表。此项大规模的计划令每一个参加的天文台负责一个指定纬度带的星空巡视,并得到全世界的天文台的响应和合作。星表的第一版,即AGK 1,覆盖了南赤纬18°以北的星空,于1912年出齐。第二版,即AGK 2,主要根据照相底片而不是直接观测资料,于1924年开始编制,分批出版于1951～1958年。第三版,即AGK 3,增加恒星自行(即恒星视位置变化速率),于1969年出版。

aga **阿加** 又拼āghā,土耳其语作ağa。在土耳其,特别是奥斯曼帝国时代,指官级或社会地位高的人。把它与军队或官衔结合起来,就构成一些正式职称,如禁卫军阿加(长官)、骑兵阿加(司令)、皇室阿加(大皇族)、后宫阿加(大宦官)等。后来也适用于中级军官,并成为对家长、村长、地主和伊斯兰教领袖的尊称。在共和制的土耳其,职称消失,称号仅在社会下层使用。

Aga Khan **阿迦汗** 又拼Agha Khān或Āqā Khān。伊斯兰教什叶派中的伊斯玛依派分支尼查尔支派的伊玛目或精神领袖的称号。按年代顺序分列于后,并各以●为标记。

● **Aga Khan I** **阿迦汗一世**(1800～1881-04) 本名哈桑·阿里·沙。伊斯兰教什叶派中的伊斯玛仪派尼查尔支派的伊玛目(精神

领袖)。他自称为先知穆罕默德之女婿阿里和埃及法蒂玛王朝哈里发的直系后裔。任波斯国克尔曼省长,在法特赫·阿里·沙阿朝中甚得宠幸。但在国王穆罕默德统治下于1838年起兵抗命,不久失败,逃往印度。在第一次英阿战争(1839～1842)中援助英军并支援英军攻占信德(1842～1843),从而获得恩俸,最后居于孟买。

● **Aga Khan Ⅱ　阿迦汗二世**(?～1885-08,印度浦那)　本名阿里·沙。阿迦汗一世的长子,1881年继其父为什叶派中的伊斯玛仪派尼查尔支派的伊玛目(精神领袖)。

● **Aga Khan Ⅲ　阿迦汗三世**(1877-11-02,印度卡拉奇[今在巴基斯坦]～1957-07-11,瑞士韦尔苏瓦)　又名穆罕默德沙。阿迦汗二世的独子,1885年继其父任伊斯玛仪派尼查尔支派的伊玛目。1906年率领穆斯林代表团谒见英国总督明托爵士,要求增加印度穆斯林的福利。印度于1909年实行摩利-明托改革,规定设立穆斯林选区。全印穆斯林联盟成立初期,任该联盟主席。第一次世界大战爆发后,阿迦汗支持协约国,但在战后和平会议上力主对土耳其宽厚。在1930～1932年伦敦印度宪政改革圆桌会议上,发挥重要作用。1932年代表印度出席日内瓦世界裁军会议,并先后于1932年及1934～1937年参加国际联盟会议。1937年任国际联盟主席。第二次世界大战期间,寓居瑞士,不参与政治。他以拥有并繁殖英纯血马著称。

● **Aga Khan Ⅳ　阿迦汗四世**(1937-12-13,瑞士日内瓦～　　)　本名卡里姆·侯赛因·沙。阿里汗亲王长子,曾在瑞士和哈佛大学求学。1957年其祖父阿迦汗三世死去时继任伊斯玛仪派尼查尔支派的伊玛目。他是强有力的领袖,号召信徒取得所在国的国籍和迁离歧视迫害穆斯林的国家。他善于经营,拥有大量财产。通过阿迦汗基金会等组织在南亚和东非提供教育、保健和住房服务,并投资于制造、旅游、金融等业。他还继续经营祖传庞大的繁殖良马事业。

Agadez　阿加德兹　尼日尔中部城镇,位于首都尼亚美东北740千米。15世纪曾为图阿雷格苏丹国首都,现仍是游牧的图阿雷格人的中心。周围地区年降雨量不足300毫米。海拔300～1 000米。北部的阿伊尔山海拔2 000米。附近有锡石矿和煤矿。图阿雷格和富拉尼游牧民族每年8月在阿加德兹以西的因加勒举行传统聚会。在集市上买卖牲畜、皮革以及谷物和蔬菜。1976年开设了阿伊尔矿业学校。采铀业也很重要。有一简易机场。人口约50 164(1988)。

阿加德兹镇的清真寺
美国不列颠百科全书公司供图

Agadir　阿加迪尔　摩洛哥西南部城市。大西洋港口,在苏斯河口以北10千米。可能是罗马里萨迪尔港旧址。1913年被法军占领。1914年修建港口,开发内陆资源和发展捕鱼业和鱼罐头工业。现代经济开始增长。1960年的两次地震、海啸和大火使约12 000人丧生,城市几乎全部被毁。后在老城以南重建新市区。公路通萨菲和马拉喀什。有国际机场。苏斯平原出产谷物、柑橘类水果和橄榄。有牛羊饲养业。人口155 240(1994)。

阿加迪尔市的港口
FPG供图

Agadir Incident　阿加迪尔事件　德国在1911年7月向阿加迪尔派遣炮舰"豹"号,企图对法国在摩洛哥的权利进行挑战。这一行动激起了第二次摩洛哥危机(参阅 **Moroccan crises**)。

Agaie　阿盖　尼日利亚中西部尼日尔州城镇和世袭酋长国名。酋长国面积1 909平方千米。初为努佩族支系迪博人居住地。1822年被富拉尼人征服。1832年建酋长国。1897年其西邻比达酋长国与英国皇家尼日尔公司开战,阿盖酋长给予军事支援,不久被英国占领。1908年该酋长国划归一新建行政单位。现居民主要为从事农耕的努佩人。该镇为公路枢纽和农产品(薯蓣、高粱、粟、稻米、牛油果、棉花和花生)销售中心。镇西和镇南的尼日尔河冲积平原为主要经济作物和水稻产区。人口:城镇约85 280(1991)。

Agaja　阿加扎(约1673～1740,达荷美阿拉达[今贝宁])　西非达荷美王国第3代君主(1708～1740在位),将他的王国向南扩张至海岸,推行重要的行政改革以巩固其国家和实施中央集权。阿加扎的统治前期颇有功绩。1708～1727年进行一系列扩张领土的战争,1724年征服阿拉达王国,1727年征服重要的沿海贸易国家维达乌。其统治后期,东北方强大的奥约帝国多次进犯。1726年奥约第一次进攻达荷美,轻而易举地击败阿加扎的军队,焚烧了他的首都阿波美,然后撤回。他们在1728、1729和1730年又侵犯达荷美,烧杀掳夺。最后在1730年,阿加扎被迫投降和纳贡,并放弃了反对买卖奴隶的态度,但仍坚持由王室独揽大权。此后直至去世,他一直设都阿拉达。他的领土处于稳定后,致力于行政改革。1735年后内部出现意见分歧,部分原因是酋长们对于王室垄断奴隶买卖的做法表示愤慨,至1737年奴隶自由买卖。阿加扎无力逐年向奥约纳贡。他去世的次年,奥约再度侵犯。

Agalega Islands　阿加莱加群岛　在印度洋西部,属毛里求斯。由南岛和北岛组成。总陆地面积70平方千米。生产并输出干椰肉和椰油。居民以饲养牛、家禽和种植蔬菜为生。南岛的圣里塔村有一所学校、一个小医院。全岛有几条公路,但机动车辆稀少。人口约300(2003)。

Agam, Yaacov　阿盖姆(1928-05-11,巴勒斯坦里雄莱锡安[今在以色列]～　　)　原名Jacob Gipstein。光效应艺术和动力艺术的先驱和主要代表,以立体绘画和雕塑驰名。其父是位俄罗斯拉比。阿盖姆在早期犹太社区长大,13岁才开始上学。很早开始学画,曾在耶路撒冷(1947～1948)、苏黎世(1949～1951)和巴黎(1951)研究艺术。定居巴黎后,1953年在当地举行第一次个人画展。他的作品终于发展到包括振动和触觉的因素。同时,他开始创作可操纵雕塑。阿盖姆的浮雕绘画具有活动的和逐渐变化的几何形式,表明他注重时间、运动和观看者的参与。观看者在阿盖姆的作品前面移动、转动作品,或者操纵作品的各种元件,就成为他的作品变形(在某种意义上说为创造)的参加者。阿盖姆作品的范例有《三乘三的相互作用》(1970～1971)和耶路撒冷以色列总统府花园中的《一千座门》(1972)。他还设计了座落在巴黎拉德芳斯区的巨大音乐喷泉(1975)。

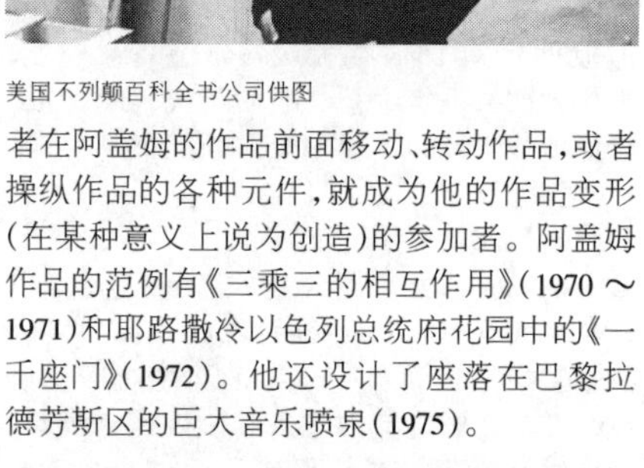

美国不列颠百科全书公司供图

agama　鬣蜥　蜥蜴亚目鬣蜥科鬣蜥属(*Agama*)蜥蜴,约60种。非特化的蜥蜴。体长约30～45厘米,脊突或垂肉不发达。分布在非洲、欧洲东南部和印度中部多岩石的荒漠地区。鬣蜥虽多为褐色或灰色,雄体于交配季节发生明显的体色变化,变成鲜红、蓝及深浅不等的黄色。有些种类的雌体进行求

山鬣蜥(*Agama stellio*)
美国不列颠百科全书公司供图

偶。鬣蜥每次产卵2～20枚，每年可产卵数次。鬣蜥(*A. agama*)是一种普通的灰色蜥蜴，头部红色或黄色。生活在花园、灌木丛和草原。山鬣蜥(*A. stellio*)为埃及北方的常见种类，其尾周围覆满钉状鳞片，相貌凶恶。

agama　阿含　梵语作āgama。中世纪印度教密宗著作，湿婆教的圣典，对应于毗湿奴教的本集和性力教的怛特罗。阿含常用的体裁是湿婆与其妻钵伐底的对话。阿含或许最初成书于8世纪左右，它提供有关寺院建筑、塑像和宗教礼仪的大量最古老的资料。

Agamemnon　阿伽门农　希腊传说中的迈锡尼国王或阿尔戈斯国王。他是迈锡尼的国王阿特柔斯和他的妻子埃洛珀的儿子(或孙子)，是墨涅拉俄斯的兄弟。在阿特柔斯被他的一个侄子埃癸斯托斯——提厄斯忒斯的儿子——杀害之后，阿伽门农和墨涅拉俄斯便逃到斯巴达的国王廷达瑞俄斯那里去，并分别娶了他的女儿克吕泰涅斯特拉和海伦。阿伽门农同克吕泰涅斯特拉生了一个儿子俄瑞斯忒斯和3个女儿伊菲革涅亚(又叫伊菲娅纳撒)、厄勒克特拉(又叫拉俄狄刻)和克律索忒弥斯。墨涅拉俄斯成了廷达瑞俄斯的继承人，阿伽门农则重新得到了他父亲的王国。当特洛伊的国王普里阿摩斯的儿子帕里斯即亚历山德罗斯把海伦拐走之后，阿伽门农便号召本国的王公们团结起来对特洛伊人展开一场复仇战争。他本人提供100只船并且被选为联合军队的总司令。船队在比奥蒂亚的奥利斯港口集合，但是由于无风或由女神阿耳忒弥斯送来的逆风而无法启程，因为阿伽门农过去曾以某种方式触犯了她。为了平息阿耳忒弥斯的怒气，阿伽门农不得不将自己的女儿伊菲革涅亚作为牺牲以祭神。在攻陷了特洛伊之后，普里阿摩斯的女儿卡桑德拉在分配战利品时落到阿伽门农手中。在返回的途中，他在阿尔戈利斯登陆，这期间勾引了阿伽门农妻子的埃癸斯托斯在这里背信弃义地谋杀了阿伽门农、他的同伴和卡桑德拉。希腊诗人埃斯库罗斯则认为谋杀是克吕泰涅斯特拉一个人干的。俄瑞斯忒斯为这一谋杀报了仇，他回来后不但杀死了他母亲而且杀死了她的情夫。阿伽门农可能是一个历史人物，是希腊本土迈锡尼或亚该亚邦的君主。

Agamidae　鬣蜥科　蜥蜴亚目的一科，包括30属或30多属，约300种。体被鳞片，四肢发育良好，尾长中等；体长10～15厘米，尾长20～30厘米，各种之间差异甚大。鬣蜥栖于旧大陆大部分地区的热带雨林及山地森林、荒漠、干草原等处，但最多见于澳大利亚、南亚和非洲。地栖或树栖。参阅 **agama**；**Chlamydosaurus**；**Draco**；**moloch**。

Agana　阿加尼亚　美国无建制海外领地关岛的首府。在该岛西岸的中部。气候温和，但经常受台风侵袭。1940年居民曾多达1万人。第二次世界大战中被毁坏殆尽。战后人口增长缓慢。因许多地块的所有权难以确

阿加尼亚风光
Shostal 供图

定，重建工作曾经受阻。古迹有阿加尼亚大教堂、西班牙广场、总督官屋顶平台和拉条石公园(有史前条石文化建筑的石柱)。人口1 139(1990)。

agape　阿加比　希腊语普通名词，意为“爱”。在《圣经·新约》中指上帝对世人的父爱、人对上帝的爱以及人彼此之间的爱。教父用阿加比一词表示“爱筵”，既指一种礼仪(使用饼和酒)，又指邀请穷人参加的联欢宴会。至于阿加比与耶稣同门徒的最后晚餐和圣餐礼之间在历史发展上的相互关系，仍有待考证。

Agapetus　阿加佩图斯　又拼Agapitus。天主教两个教皇的称号，按年代顺序分列于后，并各以●为标记。

● **Agapetus I, Saint　阿加佩图斯一世，圣**(？罗马～536-04-22，君士坦丁堡[今土耳其伊斯坦布尔])　意大利籍教皇(535～536在位)。出身贵族，当选教皇时为领班神父。在东哥特国王西奥达哈德的敦促下率代表团去君士坦丁堡劝阻拜占廷皇帝查士丁尼一世再次攻略意大利，但查士丁尼坚持己见。在停留君士坦丁堡期间，立门纳斯为君士坦丁堡牧首以接替因信仰基督一性论而被撤换的安提姆斯一世。

● **Agapetus II　阿加佩图斯二世**(？罗马～955-12，罗马)　意大利籍教皇(946～955在位)。在位期间，基督教传入丹麦；兰斯主教人选问题获得解决；日耳曼国王奥托一世在意大利初获成功(951)。

Agar(mother of Ishmael)　参阅 **Hagar 夏甲**。

agar　琼脂　又称洋菜。以海藻类的石花菜及红海藻制成的明胶产品。为最常用的微生物培养基的固化剂，也用于肉、鱼、禽类罐头和化妆品、药品及牙科医疗。在酿造业和葡萄酒工业中用作澄清剂，制作冰淇淋、糕点及沙拉调味料时用作增稠剂，并作金属拉丝的润滑剂等。用海藻制成的琼脂是半透明、无定形的粉末、薄片或颗粒。主要产地为日本、新西兰、澳大利亚、美国和俄罗斯。琼脂不溶于冷水，能吸收相当于本身重量20倍的水。易溶于沸水，稀释液在42 ℃仍保持液状，但在37 ℃凝成紧密的胶冻。琼脂为细胞壁的组成成分，含有复杂的碳水化合物、钙与硫酸盐。

Agaricales　伞菌目　菌门担子菌纲(**Basidiomycetes**)一个重要的大目，含约16个科，4 000种。本目的种类称为伞菌。最著名的一科为伞菌科(Agaricaceae)，其担子着生于薄片状的菌褶上。人们熟悉的有商业性栽培的蘑菇即伞菌科的代表性种类：其担子果由柄状的下部(菌柄)和帽状的上部(菌盖)组成，菌盖的腹面有菌褶。最著名的伞菌是伞菌属(*Agaricus* 或 *Psalliota*)的种类，约60多种(参阅 **mushroom**)，其中最重要的是可食的草甸蘑菇(田野蘑菇、田野伞菌，*A. campestris*)及普通栽培蘑菇(双孢伞菌，*A. bisporus*)。鹅膏科(Amanitaceae)包括多种有毒的伞菌(参阅 **Amanita**)。其余各科中以下的种类可引起人们的兴趣。杯伞属(*Clitocybe*)世界性分布，包括橙黄色、在黑暗中发磷光的杰克灯(磷光杯伞，*C. illudens*)，该种生活于木材及树桩上，外形与人们喜采集的鸡油菌属(*Cantharellus*)蘑菇相似，但有毒，故采蘑菇时应仔细鉴别。

红菇属(*Russula*)含275种，许多种的菌盖为红、橙、黄或绿色。乳菇属(*Lactarius*)含乳状汁液(本属因此得名)或浅蓝色汁液。本属包括可食的松乳菇(美味乳菇，*L. deliciosus*)及若干有毒的种。丛生于路边和老树桩基部的墨伞菌(鬼伞属[*Coprinus*])菌盖形如子弹，孢子黑色(并使菌褶也变成黑色)，菌盖成熟后化成黑色液体。该属大多可食，少数种有一定毒性，有的种仅于与酒精饮料同食时显出轻微毒性。蜜环菌属(*Armillaria*)含约40种，世界性分布。可食蜜环菌(蜜环菌，*A. mellea*)可食，浅黄色，常簇生于树桩上或树基部，可致树木根腐病，在朽木上可见其鞋带状黑色菌索。白松蜜环菌(笨重蜜环菌，*A. ponderosa*)可食，具锡兰肉桂香，见于美国西北海岸森林中；日本出生的美国人喜采食，称之为“松茸”，视同日本产的松茸(*Tricholoma matsutake*，即松口蘑、松白蘑)。口蘑属(白蘑属，*Tricholoma*)有很多种不能食用，包括剧毒的豹斑菇(豹斑白蘑，*T. pardinium*)。鳞伞属(*Pholiota*)几乎仅见于木头上。某些种已知可致树木心材腐朽病。翘鳞伞(*P. squarrosa*)可食，其菌盖及菌柄覆以浓密的干燥鳞片。托架菌的子实体形如托架，生于树干上，包括形似牡蛎的牡蛎菌(糙皮侧耳菌、粗糙北风菌，*Pleurotus ostreatus*)，幼嫩时可食，但与大部分搁板菌和托架菌一样，老后坚韧如革。食用硬柄皮伞菌(*Marismium oreades*)形小，常见于草地。参阅 **fairy ring mushroom**。

Agartala 阿加尔塔拉 印度东北部特里普拉邦首府。位于集约耕作的平原上，傍哈罗亚河，靠近孟加拉国边境。为当地商业中心。有一所大君宫殿，一座寺庙和加尔各答大学的四所分校。人口189 387(2001)。

Agarwālā 阿格瓦尔 印度重要商人种姓。属于印度北部和西部称为班尼亚的商人、银行家、地主和店主的集团。根据种姓的传说，其成员是女蛇神纳格的后代，因此他们不伤害蛇，奉行一种独特的敬蛇方式。种姓的女神是吉祥天女。大多数种姓成员是崇敬毗湿奴神的毗湿纳瓦人，约有14%为耆那教徒。

Agassiz, Alexander (Emmanuel Rodolphe) 阿加西(1835-12-17，瑞士纳沙泰尔～1910-03-27，海上) 海洋动物学家、海洋学家、采矿工程师。对系统动物学、海底研究及某大铜矿的发展做出过重大贡献。瑞士博物学家路易·阿加西之子，1849年随父去美国。后入哈佛大学攻工程学和动物学。早期研究棘皮动物，并于1872～1874年写成他最重要的系统动物学著作《海胆的重新分类》。1866～1869年任苏必利尔湖附近卡柳梅特铜矿的总监督，后任该矿矿长至终。他把一个亏损的企业改变为世界第一流的铜矿，为矿工安装了现代化机械及安全设施、设立了养老金制度及事故基金，并为周围社区建立了卫生设施。曾向哈佛博物馆及其他研究生物学的机构捐献巨款。1874～1885年任哈佛博物馆馆长。1873年将亡父在马萨诸塞州海岸边佩尼基斯岛上著名的生物学实验学校关闭，并在罗得岛州纽波特开设了一所私人生物实验室。1875年在沿南美洲西海岸旅行途中，他发现一个高出海平面3 000英尺的珊瑚礁，观察其似与达尔文的珊瑚礁形成理论相抵触。达尔文假定珊瑚礁形成的速率与海平面的上升相等。他继续研究海洋与珊瑚礁25年以上，多次考察过包括加勒比海、南太平洋及澳大利亚的大堡礁在内的水域。

Agassiz, Elizabeth Cabot 阿加西(1822-12-05，波士顿～1907-06-27，美国马萨诸塞阿灵顿海茨) 母家姓Cary(卡里)。美国博物学家、教育家、马萨诸塞州剑桥市拉德克利夫学院第一任院长。1850年嫁与瑞士博物学家路易·阿加西。夫妇共同进行科学考察旅行，一起撰写论文，并在马萨诸塞州巴泽兹湾内佩尼基斯岛上建立安德森博物学校，成为一座海洋实验基地。1873年路易去世后，她对于建立一所女子学院而由哈佛大学教师任教的主张很感兴趣；这样一所与男校平行的学院将使妇女获得此前以男性为主的教育机会。1879年她参与在剑桥市开办哈佛大学附属女子学校，1882年该分校改组成为妇女高等教育协会，她任会长。1894年附校改为拉德克利夫学院，她出任院长，1899年改任名誉院长，直到1903年。著有《博物学初阶》(1859)；与路易·阿加西合著《巴西之旅》(1867)；另著有《路易·阿加西的生平》(2卷；1885)。

Agassiz, Lake 阿加西湖 世界最大冰缘湖，曾一度淹没今日加拿大的马尼托巴省、安大略省、萨斯喀彻温省及美国的北达科他州、明尼苏达州等地若干部分。此湖存在于更新世(200多万年前)的威斯康星冰期的后两个亚期中。当时劳伦太德冰盖阻塞了大平原北部的排水进入今日的哈得孙湾，结果使萨斯喀彻温河及其他一些河流的水位壅高，形成长1 100千米、宽320千米的阿加西湖以及较小的苏里斯湖和萨斯喀彻温湖。上述诸湖水经由不同的出口(依其水位高低而定)或流入密西西比河(经由明尼苏达河)，或流入苏必利尔湖。随着近1 000年后冰盖的退却，通向北方的一条河道(即今之纳尔逊河)使285 000平方千米的阿加西湖水注入哈得孙湾，遗留下温尼伯湖(**Winnipeg, Lake**)、温尼伯戈西斯湖(**Winnipegosis, Lake**)、马尼托巴湖(**Manitoba, Lake**)和伍兹湖(**Woods, Lake of the**)。聚积在阿加西湖底上的类似黏土的细粉砂是造成雷德河和苏里斯河河谷土地肥沃的原因。该湖于1879年以出生于瑞士、对冰川运动做过广泛研究的路易·阿加西的姓命名。

Agassiz, (Jean) Louis (Rodolphe) 阿加西(1807-05-28，瑞士莫捷～1873-12-14，美国马萨诸塞剑桥) 瑞士出生的美国博物学家、地质学家、教师。在冰川活动、绝灭的鱼类等方面进行过划时代的工作，从而对自然科学研究做出革命性的贡献。他富有革新精神的教学方法改变了美国自然科学教育的特色，他因此获得持久的声誉。

早期生活 阿加西出生于瑞士莫拉湖畔莫捷村一个新教牧师的家庭，曾在比安和洛桑上学，后入苏黎世、海德堡和慕尼黑大学，在埃朗根获哲学博士学位，在慕尼黑获医学博士学位。

青年时期他对瑞士西部小溪的鱼类表现出一定的兴趣，在慕尼黑时研究了两位杰出的博物学家于1819和1820年收集的大量巴西鱼类，特别是亚马孙河鱼类后，就对鱼类学产生持久的兴趣。1826年其中一位收集者开始将这些物种进行分类，他逝世后这些藏品都移交给阿加西。他完成分类工作后，于1829年将结果写成《鱼类种属选》一书发表。研究鱼类从此在他的研究工作中占重要地位。1830年他发表《中欧淡水鱼类志》内容简介，该书在1839～1842年分几部分印行。

美国不列颠百科全书公司供图

1832年在阿加西的早期生涯中十分重要，这年他到当时的科学研究中心巴黎，后来又到瑞士的纳沙泰尔，在该处进行了几年富有成果的工作。在巴黎时他是拉丁区一名贫穷的学者，自己养活自己，间或得到A. von洪堡(德国博物学家，后为他在纳沙泰尔谋得一个教授职位)和居维叶男爵(当时最杰出的鱼类学家)等朋友的帮助。

阿加西已对欧洲的(特别是瑞士格拉鲁斯和维罗那附近蒙特博尔卡的)绝灭鱼类化石产生兴趣，那时这些绝灭鱼类中仅很一小部分得到过详尽研究。早在1829年他就计划对这些化石进行全面严谨的研究，并花费许多时间到可能有资料的地方收集资料。1833～1843年，他的划时代著作《化石鱼类研究》分册出版。在书中他将已命名的化石鱼类的数目增加到1 700多种，通过对这些生活在古代海洋的鱼类的描述他再现了这些古代海洋的面貌。该书的重要性在于它激起人们研究绝灭生物的兴趣。阿加西又对与鱼类化石一道发现的其他绝灭动物产生兴趣，1838～1842年他发表两卷论瑞士化石棘皮动物的著作，1841～1842年发表《化石软体动物研究》。

1832～1846年阿加西担任纳沙泰尔大学博物学教授，在纳沙泰尔他一度担任自己作品的出版者，他的私寓变成一个熙熙攘攘的场所，许多年轻人到这里帮助他工作。此时他开始编写《动物名录》，该书列出自1758年1月1日科学的命名法出现以来所有的动物属名。

1836年阿加西开始研究瑞士冰川的移动及其影响。这以前好几位作者已表明他们的观点:这些冰河的分布范围一度广泛得多,散布瑞士各地并且分布到侏罗山脉之巅的飘砾是由移动的冰川带上去的。他在阿尔冰川的冰面上造了一所小屋——"纳沙泰尔饭店",他和他的同事们在这里考察冰的结构和移动。1840年他发表《冰川研究》,从某些方面而言该书可算他最重要的著作。在书中他证明在距今并不遥远的地质时期,瑞士的大地曾被一片广袤的冰面所覆盖。他的最终结论是:"像现在覆盖着格陵兰那样的大片大片的冰,一度覆盖着所有能找到不成层砾石(漂砾)的国家。"

在美国的活动 1846年阿加西访问美国,访问的目的是研究博物学和地质学,但更具体的目的是到波士顿洛厄尔学会讲学,接着到查尔斯顿讲学,以后又到许多其他城市讲课。1847年,他接受哈佛大学动物学教授的职位;在第一位妻子逝世后,他于1850年与知名的作家、妇女教育的提倡者、波士顿的伊利莎白·卡伯特·卡里结婚。

他在美国发表的主要科学研究著作如下:《苏必利尔湖》(1850)、《美国博物学论文集》(1857～1862,四开本,4卷,其中最著名的部分是关于龟类胚胎学的论文)和《分类文集》(1859,一本杰出的著作,但未能把握动物学正在摆脱特创论而转向进化论这一事实)。除这些大部头的作品外,他还写了许多关于博物学特别是关于美国鱼类的短文。他进行了两次重要的考察,第一次是1865年到巴西,第二次是1871年到加利福尼亚(包括南美两岸)。他与妻子合著的《巴西之旅》发表于1867年,书中记述了他们的经历。他关于美国鱼类的最重要论文讨论了加利福尼亚的胎生海鲫。

阿加西花了很大精力去实现他珍视的计划:在哈佛大学建立一个包容广泛的动物学研究博物馆。该博物馆于1859年建立,他在世时给博物馆无微不至的照顾。现已发展成比较动物学博物馆。在美国,阿加西的事业和对科学研究的奉献精神继续发展,同时他的另外两个特点也为人看重。他很可能是19世纪美国能力最出众的科学教师、管理者、赞助者和资金筹集者。

agate 玛瑙 常见的次宝石级硅氧矿物。是*玉髓*(**chalcedony**)的变种,呈颜色不一和透明度不同的条带产出。玛瑙基本上是石英,所以它的物理性质一般与石英相同。参阅**silica mineral**(表)。世界各地都有玛瑙。在美国,玛瑙产于西部各州。俄勒冈、华盛顿、爱达荷和蒙大拿等州是宝石的主要产地。大量的玛瑙产于喷出岩或古熔岩的洞穴中。这些玛瑙具条带状构造,连续的层与洞穴的边缘大致平行。它们的形成可能是:当熔岩冷却时,蒸气和其他气体形成气泡,这些气泡在岩石固结时被封起来而形成洞穴。在岩石固结很久以后,带有*二氧化硅*(**silica**)的溶液(可能是碱性硅酸盐溶液)渗进气泡,凝结成硅胶。含铁岩石的可溶成分扩散进入硅胶,产生了氢氧化铁的规则层次。最后随着失水和许多二氧化硅结晶为石英或燧石,整个物质便逐渐硬化。在结晶过程中,带色的条带没有受到扰动。因条带的形状奇特,颜色多样,故出现玛瑙的各个变种,可在垂直于玛瑙层的切片中区别它们。条纹玛瑙的横断面中,条带成直线。白色条带与黑色、褐色或红色条带相互交替的玛瑙称为*缟玛瑙*(**onyx**)。环状玛瑙或眼状玛瑙具有不同颜色的同心圆状条带。含绿色物质的变种,此绿色物质嵌在玛瑙中,呈细丝或其他形态分布,看起来好像是植物生长,这就是*藓纹玛瑙*(**moss agate**)。数个世纪以前德国的伊达尔-奥伯施太因建立了玛瑙加工业,因为那里盛产玛瑙。1900年后巴西和乌拉圭提供了大部分玛瑙。大量商业上的玛瑙是人工染色的,这样使由于色调灰暗而不引人注目的天然石料经染色成为装饰品而变成有价值的了。

条带状玛瑙

美国不列颠百科全书公司供图

Agate, James (Evershed) 阿格特(1877-09-09,英国兰开夏彭德尔顿～1947-06-06,伦敦) 英国伦敦《星期日泰晤士报》戏剧评论家(1923～1947)、《每日快报》书刊评论员、小说家、随笔作家。其机智和执拗而可爱的性格,其极为严肃的戏剧评论,以及饶有风趣的日记《自我》9卷(1935～1949),都给人留下深刻印象。曾受中学教育,后去伦敦当记者,在几家报馆当戏剧评论员。第一次世界大战期间作为陆军军官服役。1917年以一份关于一次平淡无奇战争的生动叙述"震动伦敦"。1917～1949年,出版了44卷剧本、书籍、电影评论、随笔、小说以及对1923～1926年和1944～1945年的戏剧评述,其中尚不包括《自我》1～9卷。在英国他也许是最有权威的戏剧评论家之一,也是英国伟大的报刊时代最优秀的记者之一。

Agate Fossil Beds National Monument 玛瑙化石地层国家保护区 在美国内布拉斯加州西北部,奈厄布拉勒河畔,斯科特悬崖北64千米处。是已绝灭的古生物的天然"贮存库"。在2 000万年前(中新世)的沉积层中保存着丰富的史前哺乳动物化石,包括两角犀牛、石爪兽(肩部高2米,头像马)、恐颌猪(巨型猪形兽)。1965年辟为国家保护区,占地918公顷。库克船长是最早发现这些化石的白种人(约1878)。

agateware 玛瑙纹饰陶器 18世纪的杂色黏土陶器,总体上具有大理石状效果,有时被称为实心玛瑙纹陶器,以区别于表面制成大理石纹的陶器。玛瑙纹饰陶器是由英国罗利陶器厂的托马斯·韦奇伍德博士大约于1730年研制出来的。诸如红色和淡黄色等带色黏土的随意搀和,使日用和装饰用的陶器呈明显的脉络纹饰。英国陶工托马斯·惠尔登于18世纪40年代通过使用以金属氧化物着色的白色黏土,进一步改善了玛瑙纹饰陶器。

约1750年的惠尔登款式玛瑙纹饰陶器——船形调味汁碟

美国不列颠百科全书公司供图

把一层层的棕色、白色以及绿或蓝色的黏土反复搀和,可使泥料通体呈现出条状大理石纹;但这样的泥"饼"易受玷污而难以捏制,故需用两件套模来使之成型,烧成后再上釉。早期制品的典型釉色为金黄色,但在约1750年之后,所用的釉是透明的或蓝灰色的,是在着蓝色的黏土中用钴染色而成。惠尔登陶器是以鼻烟壶和刀柄起家的。约西亚·韦奇伍德在埃特鲁利亚用上述工艺制造古典的缟玛瑙和鹅卵形花瓶,模仿天然玛瑙的效果逼真。玛瑙纹饰陶器的制造者还有托马斯·阿斯特伯里和约西亚·斯波德。这种材料不宜用于人像,但用来制作猫、兔等的模型或餐具则已证明效果极佳。玛瑙纹饰陶器的生产于1780年前后停止。有些玛瑙纹饰陶器是在欧洲大陆的工厂生产出来的,例如朗格勒附近的阿普雷工厂(上马恩)。

Agatha, Saint 阿加塔(活动时期3世纪?,西西里) 传说中的基督教女圣徒,殉教士。出生地一说为意大利的巴勒莫,另说为卡塔尼亚。据说,罗马皇帝德西乌斯派任的西西里行政长官向她求爱,她断然拒绝,因而遭到残酷折磨,被割下双乳(后世她的画像都显示此种景象),后受火刑而死。另说当柴火点燃时,突然发生地震,致使人们坚决要求将她放开,后死于狱中。

Agathias 阿加提阿斯(约536,小亚细亚埃奥利斯米里纳～约582) 拜占廷诗人,写过一部关于查士丁尼一世在位期间部分史实的历史著作。曾在亚历山大学法律,在君士坦丁堡完成实习后在法庭充当辩护律师。他用史诗韵律写过许多短篇情诗,称为《咏桂篇》。还编过一本由早期和同时代诗人写的讽寓诗选集,他本人的作品也收于其中。《希腊诗选》中收有他的讽寓诗约100首。在查士丁尼一世死后(565),他开始撰写当代的历史,是一部未完稿的5卷本著作,所记552～558年间大事,为一主要权威之作。

Agathis 贝壳杉属 南洋杉科松状植物属。分布范围从菲律宾到澳大利亚和新西兰。在其他地方有作为观赏植物栽培者。有几种能产生硬脂或树胶(包括壳松玷玶脂、马尼拉玷把脂和达马树脂)，主要用于制造清漆和其他树脂产品(如漆皮、火漆)。

Agatho, SAINT 阿加托，圣(约577，西西里～681-01-10，罗马) 意大利籍教皇(678～681在位)。宣布英格兰约克主教圣威尔弗里德本不应撤职并恢复他的职位。派代表参加谴责基督一志论的第六次君士坦丁堡公会议(680～681)，这次会议同意阿加托所提出的基督有神人两种意志的定论。死于罗马瘟疫。

Agathocles 阿加索克利斯(公元前361，西西里塞尔马埃希梅拉埃阿～前289) 西西里岛叙拉古的僭主(公元前317～约前304)，后自立为西西里王，崇奉希腊文化，曾向迦太基发动战事，未获成功。约公元前343年，他从家乡迁到叙拉古，服役军中，屡建功绩。后因企图推翻执政寡头，两度被逐。公元前317年引兵重来，放逐和杀害约1万名公民，自立为僭主，并发动一系列战争。他袭击西西里岛的其他希腊人，占领许多城市。迦太基人为了维护他们在西西里岛上的领地，派遣大军前来，重启战端，公元前311年围困叙拉古。阿加索克利斯破围而出，攻打敌人在非洲的后方，取得一定战果。但在公元前307年大败，次年订立和约。此后，他继续巩固自己对西西里岛希腊城市的统治。约公元前304年，他觉得自己羽毛已丰，便加上了西西里王的称号，并向意大利南部和亚得里亚海扩充势力。他称王之后，太平无事，在叙拉古兴修了许多公共建筑物。

Agathon 阿迦同(约公元前445～约前400，马其顿) 雅典悲剧诗人，他的剧作于公元前416年的大酒神节上提出，经过评判并首次获胜。柏拉图在他的对话《会饮篇》中描写了这个情景，并把作为对话背景的宴会安排在阿迦同家中。亚里士多德在《诗学》中说阿迦同有两项创举。他写过一部剧本，可能是《花》，剧中人不再取自希腊神话，而是自己独创；他还改变合唱抒情诗的传统作用，使它们成为剧情中的音乐插曲，不再提供旁白加以说明。阿里斯托芬在他的喜剧《地母节妇女》中有意揶揄阿迦同的创作，而在另一部喜剧《蛙》中却称他为“朋友们深深怀念的好(‘好’在希腊语中与阿迦同发音近似)诗人”。阿迦同的晚年是在马其顿阿基劳斯的宫廷中度过的。他的作品只有大约40行保留下来。

Agau 阿高人 又拼Agaw。定居在埃塞俄比亚高原中部和北部的一个古老的民族。以农牧业为生。“阿高”一词，也指现有的好几个文化上相似或由库施特语为基础而联系在一起的民族集团。贡德尔市东北的锡门山区和该市东南地区，都使用阿高方言。塔纳湖以南地区的人所操的方言阿维亚语，同古阿高语最为接近。阿姆哈拉语也有许多阿高语的成分和影响。

Agavaceae 龙舌兰科 百合目的一科。约22属，至少720种，广布于热带、亚热带和温带地区。茎短，常木质化。叶通常成簇基生，窄披针形，常肉质，边缘有锯齿。多数种花簇大，花多数。果为蒴果或浆果。龙舌兰属(*Agave*)的叶片含纤维，是重要的纤维作物。西沙尔麻取自剑麻(*A. sisalana*)，为质量最优

世纪树(*A. americana*)
美国不列颠百科全书公司供图

的硬纤维(叶纤维)；美洲剑麻(*A. fourcroyoides*)产埃内昆麻；坎塔拉龙舌兰(*A. cantala*)产吕宋麻。有几种龙舌兰属植物含汁液，经发酵可制成带奶酪味的致醉饮料。龙舌兰(世纪树，*A. americana*)原产北美西南部，广泛栽培于室内外；无茎，长1.5～1.8米，叶缘具刺；花葶长7.5～12米；植株生长10～15年后抽出分枝的穗状花序，花黄色，开花后植株枯死，基部遗留多数幼株。丝兰属(*Yucca*)多数种具木质茎和带刺的叶，常栽培以观赏其茎、叶。诺兰氏花属(*Nolina*)和假丝兰属(*Dasylirion*)的部分种除花葶较高和叶较窄外，其他特征与丝兰属相似，亦栽培供观赏。假丝兰(*D. acotrichum*)具短茎；弯序诺兰氏花(*N. recurvata*)基部膨大，瓶状；均为常见的观赏花卉。热带种蓝朱蕉(*Cordyline indivisa*)、巨朱蕉(*C. australis*)和铁树(*C. terminalis*)的红叶和宽脉变种常用作温室和室内盆栽植物。龙血树属(*Dracaena*)和虎尾兰属(*Sansevieria*)植物也是观赏花卉。晚香玉(*Polianthes tuberosa*)花白色，排成穗状花序，常栽培以提取挥发油。

Agazzari, Agostino 阿加扎里(1578-12-02，锡耶纳[意大利]～1640-04-10，锡耶纳) 意大利作曲家，以其论文《通奏低音演奏法》著称于世。这篇论文是最早指导演奏通奏低音的书。阿加扎里曾在罗马任职，1630年成为锡耶纳大教堂唱诗班指挥。其创作既有文艺复兴后期的“古风格”，又有巴罗克早期的“新风格”特点。在上述论文(1607)中，他把演奏“旋律”和演奏“基础音”的乐器加以区分。这一区分的意义在于它认识到下述事实：在文艺复兴时期的音乐中，各声部通常具有等同的重要性，而在发展中的巴罗克时期音乐中，旋律与低音声部轮流地处于支配地位，而内声部则是即兴式的，相对地说没有大的起落。

Agboville 阿博维尔 科特迪瓦(象牙海岸)东南部城镇。在阿比让—瓦加杜古铁路线上，临阿涅比河。是阿贝族人农业区贸易中心。经铁路和公路运输咖啡、香蕉、可可和木材(桃花心木、西波木)至东南偏南72千米的阿比让出口。中国专家曾在阿博维尔的手工业中心向科特迪瓦匠人传授藤编、竹编和用其他热带森林产物编制家具的技术。阿博维尔有一所公立医院(1963)。人口46 355(1988)。

Agdistis (religion) **阿格迪斯蒂斯** 参阅 **Great Mother of the Gods** *众神之母*。

Age, The 《世纪报》 墨尔本出版的日报，以对澳大利亚的出色新闻报道而获公认，并以报道准确而备受推崇。创刊于1854年，初为8版周刊，1856年易主后改为日报。在D.赛姆的领导下该报随着维多利亚州的发展而迅速壮大，并以其严肃的态度和自由的办报方针而闻名。该报一贯重视政治与经济的报道，敢于大胆攻击政治领导人，包括R.孟席斯总理(1894～1978)这样的领导人。

age-area hypothesis 年代-区域假说 人类学上主张文化特征(文化诸元素)的年代可以根据它们在较大区域的分布来推断的理论。该假说认为，分布范围广阔的特征早于分布范围比较狭窄的特征。它所依据的设想是：文化特征往往从一个圆心向外扩散，存在于边缘区域的特征离开中心的时间较早，靠近中心处的特征离开中心的时间较晚，因而边缘特征代表中心区域的较早期的文化特征。这个假说存在几个问题：文化传播的方向不同，快慢各异；文化特征的变易使确定文化原始中心的工作发生困难；人口迁移也能打乱文化分布状况。有些因素如社会政治机构也许比其他因素更易于受到生态适应压力的影响。有几个实例因历史资料齐全，而与根据年代-区域假说构拟的情况发生矛盾。因此，这个假说只可用于历史上得到统一的有限地区以决定其历史发展的或然性而不是其必然性。

age distribution 年龄分布 又称年龄结构。在人口研究中，按年龄大小的顺序对某一居民群中各年龄类型人数所作的有比例的统计数字。各国人口年龄结构的差异主要取决于各国生育力的现有水平及发展趋势。例如，如果一个民族一直保持高水平的生育力，这个民族儿童的比例就会大，老人的比例就会小。生育力一直很低的民族如法国人，儿童的比例就较小，老年人的比例就较大。生育力的变化立即会对儿童的比例数产生影响，但要许多年之后，童年以上人口比例数的变化才会逐渐显现出来。因此，如果一个民族的生育力下降了，该民族的儿童及老年人的比例数将会相对下降，而中年人口的比例则会相对增高。年龄结构也会通过不同的方式受到移民、战争及死亡率变化的影响，尽管这些因素一般没有生育力因素的影响大。不过，由于年轻成年移民携带子女来到新的国土，或很快地在那里生儿育女，他们将会使该国中年人口及儿童的数目激增，而老年人口比率却仍然保持在低水平。如某一地区有大量居民移出，则会出现完全相反的情况。

age set 年龄群 由年龄相仿的男子(或女子)正规地组成的小组。在那些以划分年龄

群为主要特征的社会中，一个人从出生时起或从某一特定年龄起就隶属于某一年龄群，然后逐步进入一系列年龄等级。每个年龄等级的成员具有特定的社会地位，或负有特定的社会和政治使命。这些年龄等级被称为年龄级。在苏丹南部的努埃尔族中，年龄群(只有男子参加)构成了社会的不同阶层。同一年龄群中各成员间完全平等，年少的年龄群须得尊重和服从年高的年龄群。各年龄群之间，相隔10年左右，参加年龄群的仪式即以童年期进入成年期之过渡礼仪为主要形式，参加者将终生隶属于他所加入的年龄群。除了童年期到成年期的过渡之外，努埃尔族并无其他年龄等级制，也不按照年龄群的差别来分配不同的特定任务。在较高龄的年龄群自然消亡的过程中，某个特定的年龄群逐步上升到公认的长者地位。其他部落社会中，属于不同年龄级的年龄群各有较为特定的活动内容。因此这些部落可能会根据年龄级制度来组织青年人的军事训练和安排各种军事行动。肯尼亚的南迪部落有7个男子年龄群——2个少年群，1个武士群，4个长者群。武士群负责战事及部落管理，这一年龄群的地位将保持15年左右，然后升入长者群，于是管理部落的任务就移交给比他们低一级的年龄群。北美的5个平原印第安部落中[黑脚族、阿齐纳族(即格罗斯文特族)、阿拉帕霍族、曼丹族、希达察族]，都有按年龄等级制正式划分成的不同祭祀或礼仪团体。有人认为，这些部落之所以保有较为明显的年龄等级制(其他平原印第安民族中并不存在这种制度)，部分的原因或许在于这些部落中不存在细致的劳动分工或经济上的不平等。克劳族等部落拥有大量马匹(处在以作战和猎捕水牛为生文化阶段的民族极需马匹)，他们的个人产业和社会地位主要取决于拥有马匹的多寡；而黑脚族等5个部落拥有的马匹较少，所以他们靠年龄等级制来划分社会等级。这一观点能帮助人们认识部落社会或其他社会形式乃至现代社会之间的区别。现代社会也承认年龄差别，特别是在青年运动和青年组织方面，但全民并不按年龄群或年龄级细致地划分成正式的集团。可见以性别和年龄划分等级的社会属于社会发展的初级阶段，其中明显的"自然"区别成为划分社会等级的依据。当劳动分工越来越细，经济差别越来越大时，上述因素就变得无足轻重了。

Agee, James 艾吉(1909-11-27，美国田纳西诺克斯维尔～1955-05-16，纽约市) 美国诗人、小说家、电影剧本作家、影评家。作为20世纪30～40年代最有影响的美国电影评论家之一，他在评论中采用了严格的理性标准和审美标准。艾吉在田纳西州的坎伯兰山区长大，曾在哈佛大学学习。1934年发表诗集《让我航行吧》。自1948年直到去世，他主要从事电影剧本创作，较著名的有《非洲皇后》(1951)、《猎人之夜》(1955)。长篇小说《亲人之死》(1957)叙述一个人的突然死亡对其6岁儿子及家中其他成员的影响。中篇小说《早班》(1951)写一个12岁男孩的宗教经历。这两部作品都是自传性的。《亲人之死》被改编成话剧时，取名为《归途》(1960)。其他作品包括评论集《艾吉论电影》(1958)和《艾吉再论电影》(1960，其中包括5部电影剧本)。

Agekoyo(people) **阿吉科约人** 参阅 **Kikuyu** 基库尤人。

Agen 阿让 法国西南部阿基坦大区洛特-加龙省城镇及省会，临加龙河，在图卢兹西北埃米塔吉山(162米)脚下。早为伯爵领地阿热奈(**Agenais**)的中心。古迹有圣卡普雷教堂和雅各宾圣母院以及文艺复兴时期房屋(辟为博物馆)。中世纪狭窄街道与现代林荫大道形成鲜明对比。是中世纪著名父子学者斯卡利杰及理发师诗人J.雅斯曼的故乡。现为以经销水果、蔬菜为主的集市贸易中心。工业有食品加工、制药和制鞋业。人口30 553(1990)。

加龙河畔的阿让
美国不列颠百科全书公司供图

Agenais 阿热奈 又拼Agenois。法国旧省，中心为阿让城，大体相当于今洛特-加龙省。曾为高卢-罗马一城邦，疆界与阿让教区相同。在墨洛温和加洛林王朝时期，阿热奈大体上与阿基坦同命运，后来成为世袭伯爵领地。10世纪中叶之后，又先后成为波尔多诸伯爵和加斯科涅诸公爵领地的一部分。1036年，该领地由加斯科涅公爵转入普瓦捷的倭德，即后来的阿基坦公爵手中。1152年阿基坦的埃莉诺嫁给金雀花王朝的亨利(后为英格兰的亨利二世)，阿热奈遂为英格兰王室所有。1249年复为法国王室私产，但在1279年英王爱德华一世根据《亚眠条约》又据有该地。"阿热奈立法机关"最初于12世纪末成立，为欧洲中世纪最早的代议制机构之一。百年战争(1337～1453)中，阿热奈交替为英法两国国王控制，最后英格兰人撤出，该地遂为法王国一省。1578年，法国的玛格丽特嫁给纳瓦拉的亨利(后为法国的亨利四世)时，按协定该伯爵领地作为她部分妆奁归她所有。1615年她死后，该地重新归入法国王室。在法国旧制度(指1789年的王朝)末年，阿热奈是吉耶讷政府和波尔多监管区中的一个司法总管的辖区。自中世纪以来，该地区农业发达，但这与各时期人口减少和入境移民的变动状况有关。

Agence France-Presse(AFP) **法国新闻社** 简称法新社。法国合作新闻社，世界上主要通讯社之一。1944年以现名成立于巴黎，其前身是1832年由哈瓦斯创建的哈瓦斯编译社。哈瓦斯社翻译外国报纸上的新闻报道，分发给巴黎和外省报纸。1835年编译社改为哈瓦斯通讯社，成为世界上第一家真正的通讯社。它强调新闻播发要快，乃于1845年在法国创立第一家电报公司。1852～1919年间，它和一家广告公司——哈瓦斯通用广告社紧密合作。到19世纪末，该社在许多国家首都派驻了专职记者。德军占领法国期间于1940年查禁了哈瓦斯通讯社，它的大批工作人员转入地下。1944年巴黎解放后，地下新闻工作者出来组建法新社作为解放后的法国开展新闻宣传活动的电讯社。战后法国政府把哈瓦斯通讯社财产，包括作为总部的巴黎大厦转交给法新社。法新社很快就和路透社(联合王国)、塔斯社(苏联，后来俄罗斯)、美联社(美国)和合众国际新闻社(美国)一样，成为世界主要通讯社之一。它在大多数的法国城市设有分社，在世界各重要首府也设有分社，驻有记者。它和美联社、路透社、塔斯社签有互换新闻协议，向大多数世界通讯社出售法国国内的新闻报道，向许多通讯社提供全球性报道。它在法国国内拥有电讯专线网，从巴黎通过无线电电传印刷机向国外订户发送新闻。法新社也有摄影部，它还播发很多专稿，其中部分涉及非洲事务。

agency 代理 在法律上，指一个人或一方(委托人)委托另一个人(代理人)为他采取行动——例如从事他的工作，销售他的货物，经营他的企业时——彼此之间存在的关系。

代理制的发展 从古罗马到20世纪，代理制经过了一个长时期的发展。在罗马时代，由于奴隶制的存在及其他原因，代理制度不很发达。在中世纪时仍然没有什么发展。后来由于格劳秀斯提倡自然法，以及商法的发展，这个概念才得到较快的发展。特别在19世纪后半期及20世纪，代理制又有了比较全面而细致的进展。但由于法系不同，大陆法和英美法之间在许多方面是有差别的。

大陆法和英美法对代理制的不同态度 大陆法中的“商业代理人”有下列各种类型：①经纪人，以自己的名义代表委托人进行买卖，有相当大的自由处理本身的业务。②运送经纪人，以自己的名义代委托人运送货物。③商业代理人，代表委托人谈判并订立契约，但他从来不是完全独立的。④居间人，是一种完全独立于委托人的人。⑤售货员，是依赖于雇主的雇员。英美法中的主要代理类型有：①经纪人，是一种最寻常的代理类型；经纪人受托拥有货物，并受委托以最好的价钱出售。②居间人，他并不拥有货物，但被授权为主人签订买卖契约。③地产经纪人，一般只能向可能的买主说明地产的价格，没有进一步代表卖主的权力。④商店售货员，他的权力是比较有限的，除了提供一般的保证，并按雇主规定的价格售货外，不能有其他行为。⑤巡回售货员，他不拥有货物，只负责推销。⑥拍卖员，他除了以最高价格售货外，没有其他权力。⑦经理或管理人，这一类的代理人权力最大，他有经营企业的广泛权限。⑧辩护律师，这类人有权进行一切有利于委托人利益的行为。除了上述的不同外，大陆法和英美法之间对待所谓“名义上的权力”及“实际权力”的态度也不相同。“名义上的权力”是代理人代理委托人行事的名义上的权力。而“实际权力”则不只是代理人在名义上拥有权力，而且也包括他与委托人同时拥有的权力和行使这种权力的特权。这个区别是由大陆法传入英美法的。但后来这两个法系的法院运用这个概念的结果却相当类似。其次，大陆法和英美法对待公开及不公开的代理人的态度也是很不相同的。在大陆法中，关于代理人的条例只适用于公开的代理人，凡未公开承认自己是代理人的只能为他自己取得权利而且也只能由他自己负责。但普通法(即英美法)却承认未公开的委托人在若干情况下可以提出诉讼，也可以被诉。这就引起一系列的问题，如未公开的委托人的身分，补救方法的选择及负责的程度等等。

有关代理制的实体法的比较观察 外部的单方面的“授权”行为：法国、西班牙、葡萄牙、罗马尼亚、巴西及其他拉美国家都不承认代理是一个独立的制度，只把它作为委托或委任的外部影响。因此便没有“授权”是一个明确的法律制度的概念。反之，斯堪的纳维亚国家及德国、瑞士、日本、波兰、捷克、意大利、希腊等国则区分了委托人授权和委托人与代理人的内部契约关系。在形式方面，有的国家要求较正式的形式，如俄罗斯要求书面授权，而德国则采取自由主义。代理制的“内部”契约原则是：当代理人在合法范围内代理委托人进行合法业务时，只有委托人才受契约的约束，代理人不受契约的约束。

委托人对代理人行为所负的责任 大陆法排除了委托人对代理人的违法行为负责的可能，但英美法采取了委托人对代理人的违法行为负责的态度。

终止代理关系 其影响取决于“授权”是一般的还是特定的或全面的，另外，由此产生的问题则涉及到对外和对内方面。因为终止对第三者的影响很可能不同于对代理人的影响。理论上，委托人或代理人都可以取消代理关系。但是违约取消代理关系则可能导致诉讼。死亡、精神病、破产、战争也可以使代理关系终止。

agenesis 发育不全 整个器官或器官的一部分在胚胎时期未能正常发育的先天性疾病。患儿多不能存活，如无脑畸形。但成对器官中仅一个发育不全，则可能几乎不影响正常功能。发育不全见于肾、膀胱、睾丸、卵巢、甲状腺、肺等。四肢长骨的发育不全有部分缺肢畸形(手足发育不全)、海豹肢畸形及无肢体畸形等。在胚胎发育的不同阶段，一些胚胎组织可衍生出相应的器官，该组织若缺失则由它形成的器官就发育不全。有时，一种器官发育不到一定程度，另一种器官就不发育；切去前一种器官的胚胎组织，后一种器官就发育不全。妊娠期接触化学制剂亦可致胎儿的发育不全，如反应停可致海豹肢畸形。发育不全综合征常伴发其他先天性异常。肾发育不全(一侧或两侧肾脏缺如)时输尿管亦常缺如，生殖器官亦可出现异常，患儿两眼距离增宽，耳廓大而低位，鼻扁平(波特氏面容)。肺发育不全可为单侧(较常见)或双侧(常伴无心畸形)。

Agenois (French county) 参阅 **Agenais 阿热奈**。

agent 代理 又称软件机器人。代表个人或组织自动执行各种功能的计算机程序。例如，代理可以归档各种计算机文件或按日程恢复电子信息。然而这种简单的作业仅仅是代理应用的开始。这是因为智能的代理可以观察用户的行为模式并学习预测用户的需要，至少能学会那些重复的动作。这种智能代理经常依赖其他领域的人工智能技术，例如专家系统和神经网络。智能代理不同程度地拥有自主性、灵活性、现实的符号模型，从经验中学习的能力，与其他代理和系统合作的能力。智能代理一般依据它完成的任务来分类。例如，界面代理，像微软的办公室助手，监控用户的桌面并提出建议。一般认为移动代理在收集信息方面更加有用——从因特网文章和学术研究论文到电子报纸、杂志和图书——可以和使用者的兴趣相适应。简单代理也用来推动 eBay 拍卖网上的交易。复杂的多代理系统目前正在建设。

Agent Orange 药剂橙 一种混合型除草剂。1962～1970 年越战期间，美军曾用飞机低空喷洒之，以使越共和北越军队的丛林驻地的树叶脱光、并使农田荒芜。药剂橙主要含有两种等量的粗品成分：2,4-二氯苯氧乙酸丁酯(2,4-滴)和 2,4,5-三氯苯氧乙酸丁酯(2,4,5-涕)。因 2,4,5-涕未经提纯，其中还含有少量的剧毒副产品 2,3,7,8-四氯二苯并-对-二噁英(常称二噁英)。美军在越南共喷洒了 5 000 万升药剂橙，其中二噁英的含量约为 170 千克。除药剂橙外，在越战期间美军还使用了药剂白，药剂紫、药剂蓝、药剂粉、药剂绿，名称源于储存除草剂的容器表面所贴标签的不同颜色。20 世纪 70～90 年代，越南人的流产、皮肤病、各种癌、各种奇形怪状的新生儿缺陷和先天性畸形的发病率奇高，据说这些都是由药剂橙所致。另外，曾在越南服役的美国人、澳大利亚和新西兰人的恶性肿瘤和其他各种疾病的发病率也异常升高。尽管证据不足，但美国退伍军人还是就药剂橙问题向七家制造药剂橙的除草剂生产厂家提起集体诉讼。最后，庭外调解的结果是建立一项 1.8 亿美元的专项基金，用于对约 25 万诉讼者及其家属的补偿。此外，美国退伍军人事务部还给予约 1 800 名退伍军人以补偿。

Ageo 上尾 日本本州埼玉县城市。位于荒川(西)和绫濑川(东)之间的台地上。1883 年与南面相距 40 千米的东京联接，曾为东京和群马县的前桥之间的邮政中心，是四周农业区的中心。1955 年发展起机械、橡胶和冶金工业。人口约 212 947(2000)。

ageratum 胜红蓟 菊科胜红蓟属(*Ageratum*)约 45 种一年生草本植物，原产南美洲热带。叶广椭圆形，齿裂，对生。花蓝色、粉红色、淡紫色或白色，密集簇生；瘦果，小。普通庭园胜红蓟(熊耳草，*A. houstonianum*)的矮化变种栽为沿边植物。胜红蓟属有些种俗名绪丝花、猫脚花。

普通庭园胜红蓟(熊耳草，*A. houstonianum*)
美国不列颠百科全书公司供图

Agesilaus II 阿格西劳斯二世(约公元前 444～前 360，昔兰尼加昔兰尼[今在利比亚]) 斯巴达国王(公元前 399～前 360 在位)。在斯巴达称霸希腊时期(公元前 404～前 371)的大部分时间内，他一直统率军队。为人精于谋略，人们通常把他当作斯巴达尚武精神的化身。他是阿希达穆斯二世之子，由于受到来山得的拥戴得以继承亚基斯二世王位。即位时，斯巴达已经打败雅典(公元前 404)，他正在小亚细亚与波斯作战。公元前 396 年，阿格西劳斯二世渡海到以弗所，与波斯人订立 3 个月的休战协定，在此期间他设法摆脱了来山得的控制。公元前 396 和前 394 年，他两次扫荡弗里吉亚，前 395 年袭击吕底亚。这时，底比斯、雅典、阿尔戈斯和科林斯结成联盟，对斯巴达展开科林斯战争(公元前 395～前 387)，其间有过数次战役。公元前387年缔结《安塔西达和约》,其中有保证希腊各城市独立的条款。他以此为借口,强迫底比斯解散彼奥提亚同盟。在公元前378和前377年的两次围攻中,几乎使底比斯人民活活饿死。公元前371年,阿格西劳斯二世拒绝底比斯人代表整个彼奥提亚签署条约,突然袭击底比斯。但是战争的结果,却是以斯巴达的惨败而告终。这一败局标志着斯巴达霸权的结束和底比斯称霸希腊时代的开始。当底比斯的大将伊巴密浓达进攻斯巴达城时,阿格西劳斯曾两度击退敌人,但是他没有参加后来的曼丁尼亚战役。公元前361年,他到海外去为埃及王塔科斯效劳,但后来又与埃及王争吵,并参加反对埃及王的叛乱。阿格西劳斯二世在从埃及归国途中死去,享年84岁。

Agfa-Gevaert Group　阿克发-吉伐集团　德国和比利时公司集团。1964年由西德莱沃库森的阿克发公司和比利时莫策尔的吉伐照相材料公司合并而成。合并后分设两个姐妹公司:在西德的名为阿克发-吉伐公司,在比利时的原名吉伐-阿克发公司,1971年改名为阿克发-吉伐公司。1981年拜耳公司购得该集团的控制股权。该集团有两家主要工厂,一家设在科隆市的莱沃库森,一家设在安特卫普市附近的莫策尔;生产照相胶片和照相设备、录音带、照相复制和复印设备。该集团在西欧各国、美国、拉丁美洲、日本、澳大利亚和新西兰设有子公司,并在世界各地设有经销处。

Aggada (literature)　参阅 **Haggada** 哈加达。

Aggeus, The Prophecy of (Old Testament) **《哈该神谕》**　参阅 **Haggai, The Book of**《哈该书》。

agglomerate　集块岩　与爆炸式火山喷发时喷出的熔岩流相关联的粗大岩石碎块。虽然集块岩很像沉积的砾岩,但它是火山碎屑的火成岩,几乎完全由不同大小不同形状的、棱角状或带圆形的熔岩碎块组成。集块岩岩块的凝灰通常在凝灰质的基质中分选性很不好,或者出现在成岩化的火山尘埃或火山灰之中。根据特殊的目的,一些地质学家将集块岩分为火山弹与火山岩块或火山角砾岩。火山弹一般大于32毫米,是在熔融状态下喷出的(在凝固过程中变得浑圆),火山岩块是作为棱角状或次棱角状的固体岩块而喷出的。火山岩块在堆积过程中形成火山角砾岩,火山角砾岩是大于64毫米的棱角状固体岩块。

agglutinate　黏合集块岩　由部分熔融的火山弹构成的火山碎屑岩。参阅 **bomb** (volcanology)。

agglutination　黏着法　一种由词素序列构成词的语法过程,每个词素只代表一个单独的语法范畴。此术语常用在语言的类型学分类方面。土耳其语、芬兰语和日语是用黏着法构词的语言。土耳其语的 ev-ler-den 一词(从房子里出来)就是一例。这个词包括一个词干和两个词素,词干 ev-表示"房子",词素 -ler-表示复数,词素-den 表示"从……出来"。奇努克语(一种北美印地安语)的维希拉姆方言中,ač̣imluda(他将把它给你)这个词是由下列成分组成的:a-"将来",-č-"他",-i-"他(宾格)",-m-"你",-l-"对",-ud-"给",-a"将来"。黏着语与屈折语相对;屈折语中一个词的词素可以表示数个语法范畴。黏着语也与孤立语相对;孤立语中每一个词只由一个词素构成。多数语言是上述3种语言类型的混合物。

agglutinin　凝集素　能使颗粒凝结成块的物质,特别是指经过免疫的或正常的人和动物血清中的特异性抗体。当向颗粒(如细菌、原虫、红细胞)表面附有特异性抗原(酶或毒素)的均匀混悬液中加入凝集素时,凝集素与抗原起作用,悬浮的颗粒相互黏着成块而沉淀,而混悬液变澄清。这种凝集现象是典型的抗原-抗体反应,具有高度特异性和可逆性,并与抗体和抗原表面的小反应簇有关。免疫接种和某些感染性疾病的终身免疫现象,实际上都是以某种抗原免疫人体的过程,从而使体内抗这种抗原的抗体的滴定度明显升高。因此,人们常可利用凝集反应间接测定机体目前或过去是否对某特异性抗原有过感染和免疫。反之,含有已知凝集素的血清可用以鉴定各种细菌、红细胞及其他含特异性抗原的物质。人具有同种血细胞凝集素,可凝集同种异型的红细胞。参阅 **blood typing**。

aggregate　骨料　又称集料、粒料。混凝土或砂浆中与水泥、沥青、石灰、石膏或其他材料混合使用的建筑材料。可使混凝土构件具有必要的体积和坚固、稳定、抗腐蚀等性质。常用的骨料有砂、碎石、卵石、碎高炉渣、炉灰和陶粒等。细骨料如砂、碎石和筛过的细矿渣等用来制作混凝土薄板或其他表面光滑的构件;粗骨料如卵石、碎石块、矿渣等用来制作大型构件。

aggression　侵略　在国际关系中指一国无故使用武力进攻他国以遂其扩张行为或政策。国际法曾对侵略一词下过定义,以便在敌对行动结束之后,对侵略者索取赔偿或进行惩罚。这一定义为:在国际关系中使用武装力量,而这种使用不是为防御需要,没有为国际当局或对之采用武力的国家的同意证明是正当的。自第一次世界大战以来,许多条约及官方声明包括《国际联盟公约》(第10条)及《联合国宪章》(第39条)都力求禁止侵略行动以保障各国集体安全。由于多数国家愿意承担义务不使用武力,国际机构有必要考虑敌对双方谁属侵略的问题。在此情况下,国际联盟和联合国通常遵从下令停火的程序,而不遵守停火命令的政府则被视为侵略者。日本是1931年对中国东北地区的侵略者,巴拉圭是1935年对查科地区的侵略者,苏联是1956年对匈牙利的侵略者,因为这些国家拒不遵守停战命令。其他军事干涉的例子,虽未被国际机构宣布为侵略,但为对方所确认。这些包括:1961年美国支持入侵古巴的猪湾事件,1965年美国对多米尼加共和国的军事干涉,美国对越南的军事行动,北越在南越和印支其他地区的军事行动,还有1968年苏联及其东欧盟国对捷克斯洛伐克的入侵。

aggressive behaviour　进攻性行为　动物伤害对手或促使对手退却的行为。但在人类,某些精神病专家认为一切具破坏性后果(包括自杀)的行动均属进攻性行为。哺乳动物的进攻性行为研究得最多,它表现出两种基本模式:攻击行为(刺激下丘脑的外侧及前侧引起)和防御性恐吓行为(刺激下丘脑中心某部位以及中脑的中央灰质区可引起)。新生鼠只表现逼逃行为,至一个月时才会攻击。猫捕食时表现潜步追踪、咬、以前爪擒抓、以后爪搔抓;防御时表现保护性反射(包括眯眼、卷耳、血压升高等),同时喉中作响,背及尾毛竖起。其他物种也有相应表现,其中包括后天习得的技巧性动作。动物的进攻性倾向的发展需要时间。动物幼仔互斗为戏,模仿成体的攻击行为,但以不伤害对方为度。小猫会玩无生命的物体,这是学会真正攻击性行为前的排演。

引起进攻性行为的原因包括:①引发性刺激。只有极少几种刺激可特异性引起攻击反应。成年雄性小鼠的气味,以及动物的体色可能属于此类。陌生的同种动物,特别是当它们逼近(包括逼近自己的配偶和子代)时,常引起攻击反应。在鸟兽中,一个动物迅速跑开可能引起同种动物的追逐攻击。屈顺行为如将腹部暴露给对方曾被认为可防止对方攻击。静止不动及避免一切可能被理解为有进攻意图的行动亦可减少对方攻击的可能性。采取准备性交的姿态可化解对方的攻击倾向。社群中建立的优势等级也有助减少进攻行为。②易化性刺激。疼痛、不适或任何挫折均可使动物易受激惹并表现攻击行为。③强化模式。根据对游戏行为的研究,捕捉猎物和攻击行动本身可强化进攻行为。④进攻。洛伦茨把进攻视为一种激发攻击的驱力,攻击行动消耗这股动力,动力又重新积聚使攻击行动更易发生。接受刺激后,许多物种可保持攻击倾向一段时间。而当对手强大时,它可能转而攻击其他动物或甚至无生命物件,这称为"转向"现象。即或并未真正进行攻击,这种攻击倾向也会消散。并无证据表明,攻击行为长期未出现后,会变得更易发生。进攻性行为不同于进食行为,因为不进食时间越长,低血糖等内部刺激也就越强烈。⑤生理影响。雄性性激素可增加许多雄性哺乳动物或鸟类的进攻性。雌性仓鼠在孕期进攻性增加,原因是体内孕酮水平增高。前脑底部的杏仁核损伤可使动物驯服,防御性恐吓、攻击和逃跑行为都减少。而前脑底部的中隔受损则产生相反效果,这种大鼠受到轻轻触弄即表现防御性恐吓行为。⑥攻击性、恐怖和性等主要驱力间的冲突,可引起恐吓性表演。这有多种表现:动物或充满自信不虑报复,可能只因不想动而仅作出恐吓性姿态;动物或感到威胁而出现保护性反射;最后,动物可能作出准备攻击的姿态如咧嘴、击地等等。

进攻性行为有其进化过程，在无尾两栖类如蛙中可见特化的捕食动作，但蛙被抓握时并无攻击反应。爬行类中可见互咬以及有时用尾击等攻击行为，口咬可能由捕食行为进化而来。爬行类有领域防卫行为，特别在生殖季节。在无脊椎动物中也可见领域防卫行为，如蜻蜓、蜂和蚁，蜂、蚁还借信息素动员整个动物群进入防御状态。多毛环节动物，如沙蚕，也会咬退侵入其地穴的同种动物。除领域防御外，动物还借另外一些行为影响同种动物，例如灵长类中的"发脾气"表演，不过这些行为不应视为进攻性行为。当被捕食时还可见多种反应，如一种臭鼬显露其臭腺，而大部兽类被擒抓时发出惊叫，连许多蛾类都可能突然显示其后翅上的鲜明眼斑，这一切都有助于惊退对手或有助于本身遁逃。

aggressive mimicry 攻击性拟态 拟态的一种，捕食者或寄生物与另一种生物相似从而获益。被模拟的生物可以是猎物或寄主本身，也可以是猎物不认为有危险的物种。猎物被模拟的实例如：*Photuris* 属的萤火虫的雌体能发出类似 *Photinus* 属雌体的闪光，用以引诱 *Photinus* 属的雄体前来交配，从而将其捕食。另一个实例见于欧洲杜鹃（大杜鹃，*Cuculus canorus*）的孵育寄生，欧洲杜鹃的卵与几种小鸟的卵酷似，欧洲杜鹃将卵产于这些鸟的巢中，寄主将杜鹃的卵当成自己的卵，将其孵化并哺育孵出的幼杜鹃。有些捕食者模拟无危险的第三者，实例如美洲带尾鹭，该种形似某些无攻击性的秃鹫，从而得以对小动物发动奇袭。还有一些例子，攻击者甚至模拟其猎物拟捕食的猎物。如鮟鱇头顶部有一细长的钓竿状的棘，其顶端有一个小小的肉质的蠕虫状物，能活动，会在其他鱼的面前晃动，其他小鱼误以为这是自己的猎物前来捕食，自己反被鮟鱇吞食。

āghā (title) 参阅 **aga** 阿加。

Agha Khān 参阅 **Aga Khan** 阿迦汗。

Āghā Mīrak (Persian painter) 参阅 **Āqā Mīrak** 阿迦·米拉克。

Āghā Moḥammad Khān 阿迦·穆罕默德·汗（1742，伊朗戈尔甘～1797，舒沙附近） 伊朗卡札尔王朝的缔造者和第一个统治者。随着萨菲王朝1722年崩溃，卡札尔部落酋长在伊朗事务中崭露头角。6岁时被阉，然而这并未妨碍他日后飞黄腾达。1757年，他成为伊朗北部地区阿塞拜疆省事实上的主宰。次年继承父职，成为卡札尔人的氏族领袖。1785年德黑兰成为首都时，他成为伊朗北部政治上举足轻重的人物。1796年远征基督教的格鲁吉亚王国，使之重新并入伊朗。同年自称"王中之王"。他征服呼罗珊，建立了卡札尔王朝。在他统治期间，首都德黑兰从一个乡村扩大到拥有1.5～2万人口的城市。他在第二次远征格鲁吉亚时被两个仆人刺杀。他留下的主要遗产是一个统一的王国，一直延续到1925年。

Aghlabid DYNASTY 艾格莱卜王朝 又称巴努艾格莱卜王朝。800～909年统治伊弗里基叶（突尼斯和阿尔及利亚东部）的阿拉伯穆斯林王朝。名义上臣属巴格达的阿拔斯王朝，实际上独立。首府为突尼斯的凯鲁万。共传11代。其中主要有易卜拉欣·伊本·艾格莱卜（800～812在位）、齐亚德特·安拉一世（817～838在位）和艾布·易卜拉欣·艾哈迈德（856～863在位）。9世纪期间形成灿烂的凯鲁万文化。该王朝的统治者强征暴敛，用民脂民膏建造金碧辉煌的宫殿。但是他们兴修蓄水和配水工程，对国家的繁荣昌盛也作出一定贡献。总的说来，国家是平静无事的。该王朝的舰队曾称霸于地中海中部地区。

Agin-Buryatiya 阿金-布里亚特 又拼 Agin-Buriatiya。俄罗斯赤塔州自治区。位于阿穆尔河源头鄂嫩河下游左岸。1937年建成，是主要居住在贝加尔湖以东和以南的布里亚特人的一个飞地群体，至20世纪末，布里亚特人仅占人口半数左右（其余多为俄罗斯人）。西半部是森林山地，东半部为干草原低地。无城镇。有3个市区，包括行政中心阿金斯科耶。经济以畜牧业为主，饲养大群牛羊。种植春小麦和燕麦。面积19 000平方千米。人口约79 400（1995）。

Agincourt, Battle of 阿让库尔战役（1415-10-25） 百年战争中期英国对法国的一次战役，英军经过浴血战斗取得胜利。1415年8月英王亨利五世从塞纳河口侵入法国，9月占领阿夫勒尔，随后决定穿越东诺曼底、蓬蒂约和西皮卡第进军加来。为寻找一个可以过索姆河的渡口而深入内地。当他率兵渡河时（10月19日），阿尔布雷的查理一世率领大批法军从巴波姆和佩罗纳出击，断英军北撤之路，在阿让库尔赶上疲劳的英军。但当地森林茂密，仅有1 000码开阔地，法军失去其数量优势。法国骑兵首先发起攻击，但被英国弓箭手击退。当身穿甲胄的法国士兵越过田野发动主攻时，轻装灵活的英国弓箭手拔剑挥斧从两翼杀来。经过3小时肉搏，法军惨败，查理一世、12名高级贵族成员、1 500名骑士和约4 500名士兵阵亡。英军伤亡很少。

aging 增龄 生物个体内发生的进行性的生理变化，会导向衰老（包括生物学功能衰退和机体对代谢应力的适应能力衰退）。

现在认为：在人类和动物，许多与老龄有关的使机体衰弱的变化可以归因于一些疾病过程，如动脉粥样硬化和阿尔茨海默氏病，这些疾病更多地与高龄有关，而不是伴随着自然的增龄过程本身而出现。但某些身体功能的退化却与增龄伴随出现。

关于衰老的原因有许多理论，其中大多数理论认为细胞功能的微小变化逐渐积累，最后达到足以从整体上影响机体功能的地步。有人认为正在发挥功能的细胞在增龄的过程中出现突变，结果该细胞产生的蛋白质不能继续发挥其正常的功能。人们也认为一些称为年龄色素的不溶性物质逐渐在细胞内形成，终致影响了细胞的代谢，最后细胞一个个垮下来，导致器官功能的崩溃。在实验室进行的实验已经证明来自复杂生物体的细胞在死亡之前只出现次数有限的细胞分裂，这一发现支持了细胞事件可以导致衰老的说法。另一方面，年龄对整个机体的影响，一般说来大于对组成机体的细胞的影响。

所有的生物，增龄的出现均与生殖周期有关。在一生只繁殖一次的植物和动物，接近寿命的尽头时，繁殖活动一完成，衰老立即出现。在一生繁殖多次的生物，衰老就是逐渐发展的，生物体开始繁殖，衰老也开始出现，衰老过程还要持续终生。

对哺乳动物，衰老有一个重要的特征：身体的瘦肉部分减少，这常常伴有脂肪和水分增加。哺乳动物成年后肌肉组织持续丢失，这是上述过程的一部分；因此年龄较老的个体常常身体较弱，体力较差。随着身体瘦肉成分的丢失，基础代谢率（身体在静息状态下将食物转化为能量的速率）也降低。

其他重要的变化发生于结缔组织。在人类，增龄引起骨的脱钙，增加了骨骼的脆性，延缓了骨折的治愈率；此过程称为骨质疏松症，在绝经期后的女性特别明显。所有哺乳动物的结缔组织都随着年龄的增长而普遍变硬。胶原是见于骨、皮肤和腱中的纤维性蛋白质，在生命的早期，胶原不断产生，初产生时为可溶性的分子，随后形成一些化学交联键，可溶性分子就转变为更坚实、不溶于水的胶原。当动物变老时，新的胶原不再产生，于是结缔组织越来越由更为坚硬的不溶性形式组成。结缔组织的硬度增加，这降低了结缔组织对营养物质、激素和其他物质的通透性，并使老年人皮肤的弹性降低，出现皱纹，而且脆性增加。

类似的变化亦见于弹性硬蛋白（血管壁上以及肺部的另一种纤维性蛋白质）。血管壁的弹性硬蛋白变硬，这会妨碍血流，导致高血压；心脏已因肌肉体积减少而变得软弱，此时工作负担又会加重。肺部弹性硬蛋白和胶原变硬，使肺部于呼吸时扩张的能力降低，肺活量减少。

在神经系统，与增龄有关的变化主要表现为动物体达到成年后神经细胞更新自身的能力下降。在人类，成年以后周围神经纤维的数量逐渐减少，大脑皮质中的细胞数量也可能减少。因为机体内神经细胞的总数极大，损失这些细胞并不会影响功能。

有一些组织在一生的大部分时间内保留更新自身的能力，但随着年龄的增长这种能力也开始下降。随着增龄这些组织中用以取代死亡细胞的增殖细胞数量减少，这些增殖细胞虽仍保留下来，但细胞分裂率也会下降。这种衰退现象对机体的影响表现在伤口愈合能力、补充因损伤或疾病而损失的血细胞的能力以及产生免疫细胞以抵抗感染的能力均下降。生殖细胞的增殖能力下降，就可能使雌体丧失生育能力（绝经），也使雄体产生后代的能力下降。

植物也要进入衰老阶段，这表现为功能和结构的退化。增龄带来的特征改变见于：叶的结构（如从单叶到复叶），生长习性（如从蔓藤到乔木状），茎结构（如从质软到木质，从多刺到光滑），以及树皮的表面特性（如从光滑到多沟纹）。植株开始出现生殖能力，这就标志着该植株进入成年期；植株会开花结果，但其再生能力（如从插条生根的能力）开始衰退。

Aginskoye 阿金斯科耶 俄罗斯赤塔州阿金-布里亚特自治区首府，位于阿加谷地。1811年建村。1959年设市。为该区文化中心。有一些小型食品加工业。人口约9 300（1994）。

Agis I 亚基斯一世（活动时期公元前11世纪？） 斯巴达早期国王，传说他是创立斯巴达的双生兄弟之一欧里森尼斯的儿子。由于亚基亚德一系的国王是以他的名字命名的，他可能是一个实有人物。据4世纪希腊历史家埃福罗斯的记载，他曾占领拉科尼亚的城市希洛斯，并把其居民降为希洛（农奴）的身分。

Agis II 亚基斯二世（？～公元前400或前398） 斯巴达国王（约公元前427年起在位）。在伯罗奔尼撒战争的大部分时期里，都是他指挥斯巴达正规军对雅典作战。公元前418年，在并不确定的尼西亚斯和约（前421～前415）还生效时，他侵犯雅典盟邦阿尔戈斯的领土，但在切断阿尔戈斯军队和城市的联系后，他却莫名其妙地休战撤兵。数星期后，他在曼提尼亚大败阿尔戈斯联军，恢复了斯巴达的赫赫威名。公元前413年，雅典和斯巴达正式地重启战端，他率兵占领了阿提卡的狄克利亚。历史学家修昔底德着重指出了亚基斯从那里对斯巴达政策产生的影响。虽然这次占领给雅典带来极大困难，但是战争的结束（前404）主要是由于来山得的海军使斯巴达取得了伟大胜利。亚基斯没有参加后来在雅典的和谈。公元前402（或前400）年斯巴达和伊利斯交战，公元前400（或前398）年春，亚基斯迫使伊利斯投降。但此后不久，他就死去。

Agis III 亚基斯三世（？～公元前331，阿卡迪亚迈加洛波利斯附近） 斯巴达国王（公元前338～前331）。曾反抗亚历山大大帝但未成功。他是欧里彭提德家族（斯巴达两个王族之一）的成员，继承其父阿希达穆斯三世的王位。当亚历山大入侵安纳托利亚的时候，他率领希腊各城邦造反。他依靠波斯的金钱和8 000名希腊雇佣军，试图在克里特岛抗击亚历山大。公元前331年在伯罗奔尼撒组成同盟，并围攻迈加洛波利斯。亚历山大的摄政安提帕特与色雷斯人媾和，挥兵南下，在迈加洛波利斯附近鏖战一场（公元前331），杀死亚基斯，粉碎了斯巴达的抵抗。

Agis IV 亚基斯四世（约公元前263～前241） 斯巴达国王（前244～前241）。试图改革斯巴达的经济与政治结构，但未能成功。19岁时继承其父欧达米达斯二世的王位。亚基斯依照斯巴达立法者利库尔戈斯的传统作法，试图改革土地和财富分配不公并使穷人加重债务的制度。他建议取消债务，把斯巴达本土的土地给公民分成4 500块。当时享有正式公民权的人已减到700名。正式公民权将扩大给予许多佩里厄奇（没有投票权的自由人）和异邦人，并且将1.5万块土地分配给其余的佩里厄奇。此外，亚基斯还想恢复利库尔戈斯的军事训练制度。亚基斯受到他的富有的母亲和祖母的支持，她们献出了财产；他的叔父阿格西劳斯和来山得（负有限制王权之责的长官）在公元前243年也都支持他。当另一个国王莱奥尼达斯二世所领导的富人否决了这些建议时，莱奥尼达斯被废黜。前242年度的长官们试图恢复他的王位，但他们也被由以阿格西劳斯为首的一个委员会所取代。亚基斯于是着手取消债务，但却推迟了土地的重新分配。前241年亚基斯应邀离开斯巴达前去支持临时盟友西锡安的阿拉托斯。返回时他发现支持他的人们对阿格西劳斯的统治不满，对改革的拖延感到失望。莱奥尼达斯在雇佣兵的支持下重新取得政权。亚基斯不愿同莱奥尼达斯作战，逃往神殿避难，后与母亲、祖母一道被处死。

agitprop 鼓动宣传 源出俄语agitatsiya propaganda。共产党运用鼓动和宣传技巧以影响和动员舆论的政治策略。鼓动和宣传这两种策略最先是由马克思主义者G.普列汉诺夫提出的，他把宣传视为向一个人或小组传播若干思想，而鼓动是向大批群众传播某个单独的思想。列宁在《怎么办？》（1902）的小册子中扩展了这种看法，他认为宣传者主要通过印刷品阐释诸如失业、饥饿等社会不平等的原因，而鼓动者通过谈话，抓住这些问题的激动人心的方面去激起听众的义愤或采取行动。因此，鼓动是指运用政治口号和半真半假的说法，利用群众的不平去塑造舆论并动员群众；宣传则指合理地运用历史和科学的论证，向社会上受过教育和有知识的人进行思想灌输，其中也包括对党员的政治教育与训练。agitprop一词原系苏联共产党中央委员会书记处鼓动与宣传处的缩写词。20世纪20年代初建立的这个部门，其职能是决定所有官方消息的内容，监督学校的政治教育，监督各种大众传播工具，以及动员公众支持党的计划。苏联共产党各单位，从共和国一级到地方党一级，均设有鼓动与宣传处；在地方一级，鼓动者（党训练的发言人）是党与群众接触的主要手段。此词在英语中具有贬义的内涵，反映着西方人厌恶公开地运用戏剧或其他艺术形式实现其政治目的。

AGK（in astronomy） 参阅 **AG catalog**《德国天文学会星表》。

Aglauros 阿革劳罗斯 希腊神话中雅典国王凯克洛普斯的长女。她看到人身蛇尾的婴儿厄瑞克托尼乌斯，吓得魂不附体，和其姐妹从卫城坠下而死。但罗马诗人奥维德却说阿革劳罗斯被墨丘利变成石头，因墨丘利想拐跑阿革劳罗斯最小的妹妹赫尔斯，为她所阻而进行报复。阿革劳罗斯与其姊妹原是丰饶之神，在卫城有一座神庙，适龄服役青年在那里向她，也向宙斯和其他神祇宣誓。但阿革劳罗斯的这一荣誉却可能来自另一传说，即在一次旷日持久的战争中，她曾为全城人民献身。

Aglipayan Church 阿格里巴扬教会 参阅 **Philippine Independent Church** 菲律宾独立教会。

Agnano 阿尼亚诺 原为意大利南部坎帕尼亚区那不勒斯省一火山口湖。周长约6千米。位于那不勒斯以西的勒格里营火山区。阿尼亚诺早在古希腊、罗马时代就以温泉6层的热水浴场著名。欧洲中世纪时在火山口内形成一处潭湖，至1866年，开始向外排水。阿尼亚诺的火山口周围形成许多温度不同的矿泉，在火山口南缘被利用成为大型矿泉疗养地。

Agnatha 无颌纲 原始无颌鱼类的一纲，包括七鳃鳗、盲鳗（总称为圆口类）及某些已绝灭的类群。现存的无颌纲种类无真正的颌、成对的附器及体鳞，骨骼为软骨。以成对的鳃呼吸，具与低等鱼类相似的肌肉、神经、感觉、循环及排泄等系统。

七鳃鳗体细长似鳗，眼发达，鼻孔位于头

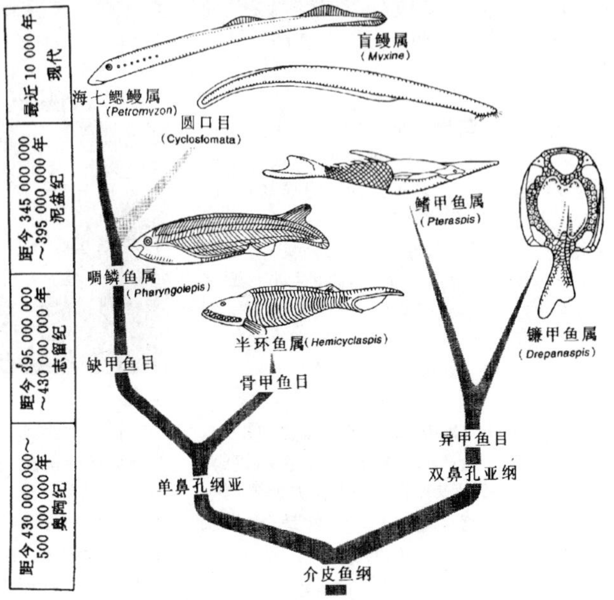

化石及现有无颌目动物的进化

顶。背鳍低;尾鳍低,上下两叶连续,包围尾部。七鳃鳗以多角质齿的舌将自己吸附在体型大于七鳃鳗的硬骨鱼身上,并吸食其血液,其唾液中含抗凝剂,有助于摄食。在淡水中生殖。幼体蠕虫状,称为沙鳗或拭沙毫,钻入河床的淤泥中,以水中的微小植物为食。3年后仔鱼发生变态,发育成熟时返回海水中,生活史如此反复进行。盲鳗身体亦细长似鳗。无背鳍,但尾鳍伸延至身体的背侧及腹侧。眼退化,被覆盖。鼻孔一个,位于口上方。完全靠嗅觉觅食。舌上有角质齿,无明显的漏斗状口,舌周绕以许多短须。盲鳗通常以尾钻入海底,仅露出头部以嗅猎物。通常食死鱼或软体的无脊椎动物。盲鳗具卵巢和睾丸两种生殖腺,但仅其中一种有功能,故盲鳗非雌雄同体动物。雌体所产的卵孵出小型的盲鳗幼鱼。化石目包括骨甲鱼目、缺甲鱼目、异甲鱼目和空鳞鱼目。骨甲鱼身体较七鳃鳗及盲鳗扁,头部及鳃部覆以厚重的骨质甲。缺甲鱼体侧扁,这表明它们自由游泳而非钻入泥沙。异甲鱼身披厚重的甲胄,每侧口角处各有一个鼻孔,而不像七鳃鳗和盲鳗那样只有一个鼻孔。空鳞鱼繁盛于晚志留纪(4.21亿年前至4.08亿年前),对空鳞鱼目至今所知甚少。

Agnelli, Giovanni　阿涅利(1866-08-13,意大利皮德蒙特维拉尔佩罗萨～1945-12-16,都灵)　意大利菲亚特汽车公司创始人,20世纪前半叶意大利最主要的实业家。1899年阿涅利为菲亚特公司主要发起人之一,不久该公司成为国际闻名的汽车制造商。第一次世界大战期间,菲亚特公司在都灵的各大型工厂全速开工,为意大利武装力量提供军备。该公司还生产有轨电车、飞机、铁路车辆、拖拉机及柴油机,雇劳动力超过3万人。1921年工人们占领菲亚特公司,各工厂都升起共产主义红旗,阿涅利随即离开公司引退,工厂由工人管理;不久,应3 000工人的要求回厂。他是墨索里尼的追随者,1923年被该法西斯独裁者提名当参议员。第二次世界大战以前及大战期间,他是意大利战时工业的主要动员者。1945年4月意大利民族解放委员会罢免了他和其他高级管理人员在菲亚特公司的领导职权。直至1966年领导权才回归阿涅利家族。

Agnes, Saint　阿格尼斯,圣(活动时期4世纪初,罗马)　贞女、青年女子的主保圣人、最著名的罗马殉教者之一。据不可靠的传说,阿格尼斯貌美,约13岁时自称除耶稣外别无所爱,矢志不嫁。求婚者不得逞而揭发她信基督教,当局把她投入娼门作为惩罚。嫖客慑于她的正气不敢侵犯她,有一人企图侵犯她立即双目失明。罗马皇帝戴克里先迫害基督教徒时阿格尼斯以身殉教。

Agnesi, Maria Gaetana　阿涅西(1718-05-16,米兰[意大利]～1799-01-09,米兰)　意大利女数学家、哲学家,被认为是西方世界第一位在数学上享有名望的妇女。她是个神童,少年时即已精通拉丁文、希腊文、希伯来文和几种现代语言。用拉丁语发言维护妇女受高

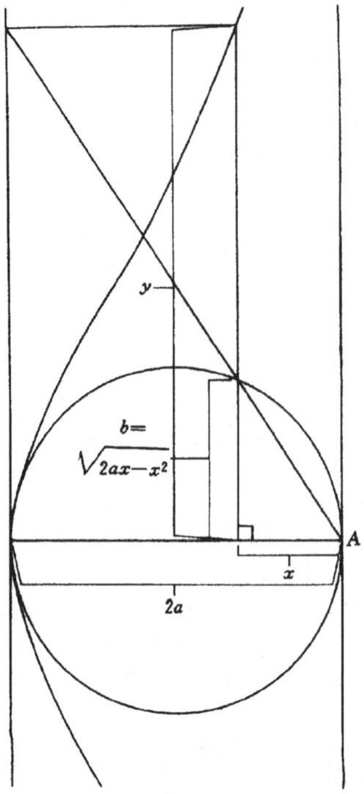

阿涅西箕舌线

等教育权利时年仅9岁。1738年,所著《哲学命题》一书出版,这是根据在其父书房中举行的科学小组会上的议论而写的关于哲学和自然科学的短论汇编。最为广泛流行的著作是《适用于意大利青年学生的分析法规》(1748),其中包含关于阿涅西曲线(或箕舌线)的讨论。箕舌线的方程为 $xy^2 = 4a^2(2a-x)$,如图,若给定圆的直径 $2a$ 同一直线交成直角,这条直线同端点 A 的距离为 x,则由此可以找到线段 y 使得 $x/b = 2a/y$。因为线段 b 的长度可以由这个圆的性质确定,可以肯定箕舌线的轨迹就是上面给定方程的图形。1749年被教皇本尼狄克十四世任命为博洛尼亚大学名誉讲师。1752年以后,醉心于慈善事业和宗教研究。

Agnew, Spiro T(heodore)　阿格纽(1918-11-09,美国马里兰巴尔的摩～1996-09-17,马里兰柏林)　美国第39任副总统,1968和1972年两次以共和党提名、作为总统候选人尼克

Pix 供图

松的搭档而当选,是美国历史上迄今唯一一位被迫辞职的副总统。巴尔的摩大学毕业。1947年起当律师。1962年任巴尔的摩县长,1967年任马里兰州州长。1968年被提名为副总统候选人。由于犯有敲诈、受贿、逃避所得税等罪行,1973年辞去副总统职务,罚款1万美元。

Agni (people)　阿格尼人　参阅 **Anyi** 阿尼人。

Agni　阿耆尼　印度教信奉的火神,其地位仅次于吠陀神话中的因陀罗。阿耆尼既是太阳之火、闪电之火,又是祭神灶火。据印度教经典载,阿耆尼通身血红,有两张脸:一张慈

木雕阿耆尼像
美国不列颠百科全书公司供图

爱可亲,一张狰狞可憎,有三条或七条舌头,头发像火舌,竖立头顶,三腿七臂;带领一只公羊。在《梨俱吠陀》中,有时把他与湿婆的前身楼陀罗当作同一位神。阿耆尼是东南方的保护神。

Agnihotri, Shiv Narayan　阿格尼霍特利(1850,印度奥德邦坎普尔附近～1923,旁遮普邦拉合尔)　印度教社会改革家和称之为天社的一个无神论社团的创立者。16岁入鲁尔基公立汤普森工学院,1873年任公立拉合尔学校制图教师。他在学生时代与妻子对吠檀多研究发生兴趣,后在拉合尔成为梵社的积极成员。1882年辞去教职,专为梵社工作。阿格尼霍特利为人傲慢,作风专横,为其他成员所不容,终于退出梵社,另建天社,自任神师,掌管一切。天社起先是有神论社团,一度消失后,作为无神论社团重新出现。它强调道德行为和忏悔罪过,但否认神的存在。

Agnolo di Cosimo　阿尼奥洛　参阅 **Bronzino, Il** 布龙齐诺。

Agnolo, Baccio d'　阿尼奥洛　参阅 **Baccio d'Agnolo** 巴乔达尼奥洛。

Agnon, Shmuel Yosef　阿格农(1888-07-17,奥匈帝国加利西亚布切克斯[今乌克兰布恰奇]～1970-02-17,以色列耶路撒冷)　以色列最杰出的现代希伯来文小说家,1966年与

N. 萨克斯共获诺贝尔文学奖。出身于波兰犹太商人、拉比和学者之家。起初用意第绪文和希伯来文写作，1907 年在巴勒斯坦定居后不久，即以《圣经》式语言进行写作。《弃妇》(1908)是他在文学上初露锋芒之作，也是他的第一篇"巴勒斯坦"小说。他的第一部巨著是小说《新娘的华盖》(2 卷，1919)，主人公是所有流浪在沙俄和奥匈帝国的犹太区中的犹太人的化身。第二部小说《宿夜的客人》(1938)描写第一次世界大战以后欧洲犹太民族在物质和精神上的衰落，1950 年获比亚利克奖。他的第三部也许是他最杰出的小说《前天》(1945)，阐述西方化的犹太人的问题，

斯德哥尔摩市诺贝尔基金会供图

这一作品既非现实主义的小说，也不是象征派的自传，其内容只有依据作者自身的实际生活和精神生活经历才能理解。阿格农的所有作品都经过多次反复修改后才最后定稿，现存的手稿和已出版的文稿都说明了这一点。他的散文结构古雅，给翻译带来不少困难，但即使是译文，也显示出才华横溢。他还编纂了一部民间故事集《敬畏的日子》(1938)和一部著名的《拉比训言选》(1938)。1958 年还发表了一部自传性的随笔。有关阿格农作品的评论包括 A.J.班德著的《怀旧与噩梦：S.Y.阿格农小说之研究》(1968)；B.霍赫曼著的《S.Y.阿格农的小说》(1970)等。

agnosticism 不可知论 这一理论认为，超出人的经验现象，人不能知道任何东西存在。英国生物学家赫胥黎于 1869 年在伦敦"形而上学协会"的一次会议上首先公开使用这一名词，将不可知论作为最能恰当地表达其观点之词。赫胥黎解释：不可知论同不可认识的事物有关，并特别涉及宗教教义范围。但词源学和当代常用法，对此词用法限制更少。例如，列宁在《唯物主义和经验批判主义》中，称休谟和康德的不可知论是介于唯物主义和唯心主义之间的混合物。赫胥黎说，不可知论并不意味着完全无知，甚至也不是说对于一个特殊的、较大的领域一无所知；相反，他认为，不可知论"并非教条，而是一种方法，其本质在于对每一具体原理进行严格运用"，即是说，一方面遵循着理性前进；另一方面，当你已具有所能获得的知识时，要坦率而真诚地承认其限度。不可知论最基本的方面同无神论形成对比："无神论者断言没有上帝，而不可知论者所坚持的只是他不知道上帝是否存在"。不可知论不同于怀疑论，它同实证主义方法相一致，而怀疑论则与实证主义方法相反。实证主义强调自然科学和社会科学的成就和可能性。当代世俗的和无神论者的不可知论的祖先可以追溯到公元前 5 世纪的智者派和苏格拉底，但它最重要、最直接之理论渊源则来自休谟和康德。休谟的《人类理解研究》和《自然宗教对话录》在某种意义上同洛克和康德一样，都企图确定人类知识的限度。休谟从经验主义的基本论断出发，将立足点放在这样一个不可知论原则上："一个聪明人应当使其信仰同证据相符。"不可知论与信仰主义不相容。赫胥黎认为企图将人类知识的限度性改变为接受某种完全无根据的信仰的观点，无论通过什么途径都不可能与不可知论取得一致。英国经验论者洛克在《人类悟性论》中完全否定信仰主义的虚幻奇想。他认为"信仰是一种关于同意和信念的永恒不变的确定原则，它不允许任何怀疑和犹豫"。

Agnostus 球接子 三叶虫(已绝灭的一类水生节肢动物)的一个属。化石见于早寒武世到晚奥陶世(5.7 亿年前至 4.3 亿年前)的岩层中。球接子类(agnostids)一般体小，只有

寒武纪时的球接子
美国不列颠百科全书公司供图

二个胸节和一个大尾节。球接子全身长仅 6 毫米左右，无眼，头部与尾部类似，往往难以区别。

Agnus Dei 上帝的羔羊 英语作 Lamb of God。基督教礼仪中对耶稣基督的称呼。出自施洗约翰的话："看哪，上帝的羔羊，除去世人罪孽的"(《约翰福音》1:29)。此词又指作为上帝的羔羊的基督之像，特别是印在蜡盘上而经过教皇祝福的这种像。

Agobard, SAINT 阿戈巴尔德(769或779，西班牙～840-06-06，里昂) 法国里昂大主教。在路易一世(虔诚者)统治时期积极参与政治及宗教事务。撰有关于神学与礼拜仪式的论文。782 年从西班牙移居高卢南部，792 年前往里昂，804 年受圣职，816 年任大主教。任内经常与世俗势力发生冲突。833 年撰文公开申明废黜虔诚者路易的理由，因而失去教职，但 838 年又在里昂复职。他还撰文反对乌赫尔的费利克斯所宣扬的耶稣只是养子的异端邪说，并反对犹太人。

agon 对唱比赛 古希腊雅典城邦喜剧中两个角色之间发生的争论或比赛。公元前 487 年，希腊的这种旧喜剧曾在酒神节时演出(幸存于阿里斯托芬的剧作中)。这种戏剧开始是一序幕，概述剧情矛盾，随后是合唱队入场，在阿里斯托芬的喜剧中合唱队通常装扮成动物。接着是一个演员与合唱队之间或两个演员之间进行对唱比赛，每方均由半个合唱队支持。代表持有针锋相对原则的两方演员，按柏拉图辩证式对话的方式进行争论。争论之后是"歌队致词"或"向前"，合唱队走向前直接向观众致词，以诗人的名义演讲，常常是向观众发表长篇的高谈阔论，抨击名人、社会或政治原则。

agonism 动机争胜性行为 又作 agonistic behaviour。包括攻击、防御和逃避等内容的多种动物行为方式的总称。行为学家认为动机争胜性行为的最普遍最重要的功能是调节物种内成员的空间分布、食物供应和配偶的获得。人可以用语言表达意志，人的动机争胜性行为可成为一种建设性活动，亦可成为一种明显反社会的破坏性活动。一些行为学家认为，许多表面上非理性的人类行为(如战争、谋杀)却反映了一些本能机制(如保卫领土)。这种本能机制反映在非人类的动物身上，就是互相咬斗。认为人类动机中含有本能成分的观点就是尚有争论的社会生物学的基本观点。社会生物学家认为，只有在一个人通过自己或亲属的努力，可以改善个体基因的生存可能性的情况下，动机争胜性行为才会发生。因此，人类可通过竞争得到更多的物质利益，这又使他容易获得佳偶。根据条件反射理论，无论是人类还是动物，其动机争胜性行为主要受学习过程的影响。人类社会本身就是构筑人类动机争胜性行为的最重要的原因之一。参阅 **social learning**。

agora 广场 古希腊城市中供市民从事各种活动的露天聚会场所。位于城市中央或临近港口，周围有公共建筑和神庙，四周往往有独立柱廊和店铺，并点缀有雕像、祭坛、树木、喷泉等，当时总的趋势是将广场与城市的其他部分隔开。公元前 5～前 4 世纪时有两种广场，据公元前 2 世纪的保萨尼阿斯记载，一种为古式，另一种为爱奥尼亚式。伊利斯城的广场(建于公元前 470 以后)为古式的一例，其中柱廊和其他建筑不协调，给人散乱的印象。雅典的广场是在希-波战争(公元前 490～前 449)后按这种式样重建的。爱奥尼亚式则较为对称，常将柱廊建在长方形的三条边上或围成正方形空间；小亚细亚的米利都、普里恩、马格内西亚(迈安德河流域)等城的广场是早期的例子。这种式样在希腊和罗马时代得到进一步的发展。广场的用途因时代而异，即使在古典时期，公众集会也并非均在广场上举行。在雅典，政治集会迁到普尼克斯(卫城西面的小山)，但有关贝壳放逐制度的专门集会仍在广场举行，主要的法官席仍设于此。在色萨利及其他地区广场有商业广场和仪式广场之分。在高度完善的广场，

2 世纪雅典广场的石膏模型
美国不列颠百科全书公司供图

如在雅典，每个行业各有其区域。许多城市有专门管理广场的官员。在尚未设有专门建筑或场地以前，广场亦供戏剧和体育表演之用。在雅典，尊贵的妇女很少出现在广场中。被控有杀人或其他罪行的男人在未受审以前不准进入广场。自由民不仅到那里去处理事务、进行陪审，而且也去闲谈游逛，这是喜剧诗人常在作品中提到的一种习惯。在极个别的情况下，作为给某一公民的最高荣誉，可允许他在广场上建墓。

Agostino DI DUCCIO **阿戈斯蒂诺**（1418，佛罗伦萨～1481?，教皇国佩鲁贾） 意大利文艺复兴初期的雕刻家，其作品以线条装饰见长。早期作品受多纳泰洛及米开罗佐影响，曾协

阿戈斯蒂诺刻于圣伯纳丁诺教堂内的乐神浮雕
美国不列颠百科全书公司供图

助他们装饰佛罗伦萨圣母领报教堂。为里米尼的马拉特斯蒂安诺祠作了大量雕刻装饰，祠堂由阿尔贝蒂设计。在该祠唯一可断定为其作品的是阿顿纳迪拱门，他可能为圣西吉斯孟多小礼拜堂制作女巫雕像和嬉戏婴儿雕像以及若干装饰性雕刻。虽然更优美的星辰与七艺小礼拜堂的浮雕不能肯定为他所作，但他受到了这些以新雅典派为基调的浮雕的深刻影响。另一重要作品是佩鲁贾圣伯纳丁诺教堂祈祷室正面的一套浮雕（约 1457～1461）。其风格线条突出，草书般的衣褶，平面的、公式化的形体，缺少当时大多数佛罗伦萨雕刻所具有的自然主义的基本倾向。而其作品之独特风格大半来自里米尼的人文主义环境。

Agostino DI GIOVANNI **阿戈斯蒂诺**（活动时期 14 世纪上半叶） 哥特式晚期雕刻家。以其与阿尼奥罗合作的圭多·达拉迪墓雕塑闻名。1310 年在锡耶纳初露头角，1340～1343 年重返该地。1320 年后和阿尼奥罗一起在沃尔特拉活动。1329～1332 年一起作阿雷佐大教堂的达拉迪墓雕塑。两人作品几不可区分。其作品技巧精纯，但人像刻板乏味，有时甚至陋俗。其重要性在于作为一种社会记录，他喜欢刻画中世纪的日常生活。两人都是建筑师，锡耶纳的罗马纳港及圣弗朗西斯科教堂，据推测为他们所设计。

Agou，Mont（Togo） **阿古山** 参阅**Baumann Peak 鲍曼峰**。

Agoult，Marie(-Catherine-Sophie) de Flavigny，comtesse d'（countess of） **阿古**（1805-12-31，德国美因河畔法兰克福～1876-03-05，巴黎） 女作家。19 世纪 40 年代在巴黎社交界享有崇高地位，并与作曲家李斯特有私情，因而知名。她是流亡贵族弗拉维尼伯爵之

美国不列颠百科全书公司供图

女。1827 年嫁给比她年长 20 岁的 C.阿古上校。她从小意志坚强，热心于正义和自由。但是，她的婚姻使她深为失望。结识李斯特后，1834 年决定与之私奔。他们的关系一直保持到 1839 年。1844 年，两人终于分手。他们的女儿科西玛是作曲家 R.瓦格纳的第二个妻子。1839 年她返回巴黎，开始写作。1846 年出版自传体小说《奈利达》。她与乔治·桑是密友，对道德、政治和社会有相同的看法，在乔治·桑的家里与李斯特共同生活了一个时期。她是一个沙龙的领袖，这个沙龙重点讨论 1848 年的革命，参与者都是杰出的作家、思想家和音乐家。其他作品有《共和党人信札》（1848）、《1848 年革命史》（1850～1853）、剧本《圣女贞德》（1857）、对话《但丁与歌德》（1866）及回忆录。后者因反映了她那个时代的社交、文学和音乐界的面貌而具有意义。

agouti 刺豚鼠 啮齿目刺豚鼠科刺豚鼠属（*Dasyprocta*）约 6 种热带美洲动物的统称。长 40～60 厘米。体长，耳小，尾退化，脚细长，有钩状长爪。毛坚硬，浅红褐到淡黑色，每根

刺豚鼠（*Dasyprocta*）
美国不列颠百科全书公司供图

毛均有本类动物特有的带纹。以根、叶和果实为食，偶为害甘蔗和香蕉树。妊娠期约 3 个月，在巨砾或林地树根之间的地穴里产仔，每产 2～4 只。敏捷而胆怯。英语中 agouti 一词亦指南美的**南美刺豚鼠**（**acouchi**）。南美刺豚鼠和刺豚鼠相似，但较小，尾短，端部白色。

Āgra 阿格拉 印度中北部北方邦中西部城市，滨亚穆纳（又名朱木拿）河。16 世纪初锡坎德尔劳蒂所建，曾几度为莫卧儿王朝都城。18 世纪后期，相继受贾特人、马拉塔人、莫卧儿人及瓜利奥尔人统治，于 1803 年被英国并吞。1833～1868 年为阿格拉省（后为西北省）省会。阿格拉因 17 世纪的泰姬陵而出名，其他古迹有：一座 16 世纪的古堡，为阿克巴皇帝所建，堡内有 17 世纪的珍珠清真寺，用白色大理石建造；一座贾汗季陵；大清真寺及建筑形态优美的墓。城市西北方的锡根德拉有阿克巴皇帝墓。阿格拉是公路与铁路的重要枢纽、工商业中心，城内有阿格拉大学（1927）及其附属的 6 所学院，郊区有北方邦精神病院及"神人谐和"教派的聚居区达亚尔巴赫。阿格拉城周围几乎是一片平野，只在西南方远处有些丘陵。该地区有亚穆纳河及

阿格拉的珍珠清真寺与古堡

美国不列颠百科全书公司供图

阿格拉渠流贯，种植小米、大麦、小麦和棉花等作物。阿格拉城西南方37千米有荒废的莫卧儿王朝古城法塔赫布尔西格里。人口1 259 979(2001)。

Agramonte y Simoni, Aristides 阿格拉蒙特-西莫尼(1868-06-03，古巴卡马圭～1931-08-19，美国路易斯安那新奥尔良) 美籍古巴医师、病理学家、细菌学家。美军里德黄热病委员会成员之一(该委员会于1901年发现黄热病由蚊传播)。其父为著名医师，参加古巴解放军后战死。他在纽约市长大，1892年获哥伦比亚大学内、外科医师学院医学博士学位。后在贝尔维尤医院和纽约市卫生部从事病理学及细菌学研究。1898～1902年西-美战争期间，在美军担任助理军医，1900年后任哈瓦那大学细菌学及实验病理学教授，并为住在哈瓦那的美国人诊治疾病，成为哈瓦那医务界有影响的领袖人物。1931年他受命组建路易斯安那一家医学院的热带病学系，但他逝世于准备赴任的过程中。

agranulocytosis 粒细胞缺乏症 又称粒细胞缺乏性咽峡炎。一种急性感染，表现为严重咽痛、发热、衰竭、白细胞减少(特别是中性粒细胞减少)。病因多为对某些药物或化学物品过敏，感染是严重的粒细胞缺乏的结果，而非原因。最早发现氨基比林可致粒细胞缺乏，今知许多止痛药、镇静药、抗组织胺药、抗惊厥药、磺胺药和抗甲状腺药物均可引起，但仅影响少数对之敏感的个体。治疗是立刻停用致敏的药物，并使用抗生素以控制感染。

Agrarian League 农民同盟 德语作Bund der Landwirte。1893年起在德意志帝国活跃的议会外组织。其宗旨是争取给农民补贴、提高进口关税和确定最低价格；反对首相卡普里维1892年提出的自由贸易政策。卡普里维的继承人同意增加小麦关税。1900年，农民同盟的成员增至25万人，比19世纪90年代中期增加5万多人。并在很大程度上左右了在国会中只代表拥有土地的阶级自身经济利益的保守党。1902年，另一新首相将农产品的关税恢复到1892年的水平，但同盟仍不满意。1921年，农民同盟改名为德国土地同盟。

Agre, Peter 阿格雷(1949-01-30，美国明尼苏达诺斯菲尔德～) 美国医生。因发现细胞膜上的水通道而成为2003年诺贝尔化学奖得主。与他分享诺贝尔奖的是另一位美国人罗德里克·麦金农。阿格雷于1974年在约翰·霍普金斯大学医学院获医学博士学位，1993年晋升为该学院生物化学教授，2000年入选美国科学院。20世纪80年代，开始其创造性的细胞膜水通道研究。早在19世纪中叶，学术界就认识到：作为生命的基本保证，细胞膜上一定有一种让水自由出入的管道。科学家们试图找到这个通道，确定其结构，并弄清它们是如何运作的。阿格雷在1988年分离成功的一种细胞膜蛋白质分子后来被证明就是人们寻求已久的水通道。他的研究包括：制备含和不含这种膜蛋白的两种细胞膜，再将具有这两种细胞膜的细胞分别置入水溶液中，再比较观察它们是如何反应的。结果显示：由于水的流入，含有这种膜蛋白的细胞开始肿胀，而不含这种膜蛋白的细胞仍保持原状。阿格雷将这种蛋白质命名为aquaporin(水通道蛋白)。其后，学术界在动物、植物，甚至细菌体内发现了一个很大的水通道蛋白家族。研究发现，在人肾脏对水的重吸收和浓缩尿的机制中，有两种不同类型的水通道蛋白在发挥着重要作用。

Agreda, María de 阿格雷达(1602-04-02，西班牙阿格雷达～1665-05-24，阿格雷达) 又称修女马利亚，原名科罗内尔。奥秘神学家、女隐修院长。1620年宣誓成为方济各会修女，1627年成为阿格雷达方济各会女隐修院长，任职直至逝世(只有一个短时期除外)。她的名著《上帝的神秘之城》(1670)是圣母马利亚传，所根据的据说是上帝对她的启示。此书于1681年被列入《禁书目录》，1747年解禁。这本书在史实、地理和时间顺序上都有错误，但学者认为，它不失为有价值的禁欲主义和奥秘神学论著。1643年西班牙国王费利佩四世访问阿格雷达，自此不断与她通信，直到她去世。他们的往来信件涉及宗教、政治等问题，是研究费利佩四世统治时期历史的丰富资料。阿格雷达鼓励国外传教事业(特别是圣方济各会的国外传教事业)。她多次宣称，上帝向她发出启示说，希望使北美洲的印第安人归依天主教，并向她保证，要奖赏前往北美洲传教的人，立他们为使徒。

Ağrı 阿勒 原名卡拉库塞。土耳其东部高地的城市。位于幼发拉底河支流穆拉特河河谷，海拔1 640米。为牲畜及畜产品贸易中心和土耳其至伊朗公路干线的转运站。阿勒以东部靠近伊朗边界的亚拉腊山(土耳其语大阿勒山)得名。主要经济活动为农业和牲畜饲养。居民中库尔德人占农村人口一半以上。人口：城市69 384(1997)。

Ağrı Dağı (Turkey) **阿勒山** 参阅 **Ararat, Mount 亚拉腊山**。

Agri Decumates 阿格里·戴可美特 古代黑林山及其邻近地区，即今德国西南部，介于莱茵河、多瑙河与美因河之间的地带。此古地名可能含有早期曾受某个设有10个州的部族占领的意思。罗马人在弗拉维王朝统治下于公元74年开始兼并该区，以确保改善莱茵兵团与多瑙兵团之间的交通联络。据塔西佗的记载，该地区先前是赫尔维蒂人居住的，后来高卢人在那里定居。约在260年，罗马人被阿勒曼尼人从该地区逐出。

agribusiness 农业企业 将农业视为工商业经营的部门，更确切地说它是现代国民经济中从事农产品如食品、纤维制品及其副产品的生产、加工与销售的一个部门。在高度工业化的国家中，许多农业必不可少的活动，包括农业设备、肥料、种子的开发和生产都不在农场进行；有些国家农产品的加工、仓储、保管和发运已与从事耕作的基本农业分离。因此，农事耕作本身已日渐专业化和企业化，甚至有些企业自己也种植农作物，如酿酒厂经营葡萄园，大型蔬菜速冻厂或罐头厂经营农场。近年来，一些非农业的跨行业公司也收购、经营大农场；有些兼营农场的食品加工企业也用自己的牌号开始销售新鲜的农产品。

Agricola, Alexander 阿格里科拉(1446，佛兰德～1506，西班牙巴利阿多利德) 后期勃艮第复调音乐学派作曲家。在荷兰受教育，曾供职于法王查理七世王室。后赴米兰，1474年在洛伦佐·德·梅迪契宫廷任职。同年返回荷兰。1500年成为勃艮第公爵腓力(美男子)的牧师和唱诗班歌手，并陪同公爵去西班牙。作品广泛出现于当时印行的乐曲集，以节奏新颖别致而著称，有弥撒曲、经文歌、法国尚松和意大利狂欢节歌曲等。

Agricola, Georgius 阿格里科拉(拉丁文名)(1494-03-24，萨克森克劳齐～1555-11-21，开姆尼茨) 德文名格奥尔格·鲍尔。德意志学者和科学家，被尊为矿物学之父。他是一

美国不列颠百科全书公司供图

个受过高等教育的古典学者和人道主义者，受到当时和后代学者的推崇。是唯一不受古代权威理论禁锢的人。最早主张对自然科学进行实地观察，反对臆测推断。所著《金属学》一书主要讲述采矿和冶炼方法。他的《矿物学》一书被认为是第一本矿物学教科书，首次提出矿物的科学分类(根据它们的物理特性)，描述了许多新的矿物以及它们的产状和相互关系。1514～1518年在莱比锡大学攻读古典著作、哲学和语文学，为追随当时的风气，他把自己的名字拉丁语化。于1518～1522年在茨维考的一所学校里教授拉丁文和希腊文之后，回到莱比锡开始学习医学。

1523年去意大利学习医学、自然科学和哲学。在威尼斯的阿尔丁出版社工作了两年,主要为出版加伦的医学论文作准备(1525年出版)。在此项任务中他和J.克莱门特合作,后者是T.莫尔等作《乌托邦》一书时的秘书。莫尔这本书可能对他产生影响,使他以后关心萨克森矿区的法律和社会风俗。在意大利他结识了大学者伊拉斯谟并同他结下了友谊。后者鼓励他写作并在以后出版他的著作,为他的第一篇矿物学方面的论文写了引言。1526年回到萨克森,1527～1533年在约阿希姆斯塔尔担任镇医。这是欧洲最富有的金属矿区内一个欣欣向荣的矿业小镇。他抱着从该区矿石和金属中寻找新药物的希望(但最终是一个令人失望的希望),把全部业余时间花在访问矿山和冶炼厂上,找受过良好教育的矿工谈话,阅读古典作家有关采矿的著作。这几年塑造了他以后的一生并为他的大部分著作提供了素材。在医学上,他在德国首先实行检疫隔离,他的书经常提到矿工的职业病。1533年后他一直担任克姆尼茨的镇医。他所著《矿物学》一书于1556年他死后出版。该书介绍了历史经典上提到的金属;古代金属矿藏的分布和赋存量;萨克森各矿产所有权的隶属情况和管理矿业的法律制度;日常劳动管理办法;开矿和冶炼;矿体、地质勘探、矿体的结构、排水和通风;水力利用问题;如何分析矿石的贫富;在熔炼前如何提高矿石成分;若干矿石的熔化和精炼的程序;制造玻璃的方法和用于熔炼的各种化学品。在他的《矿物学》一书里,提出运用几何图形进行矿物分类的方法(圆球形、圆锥形、圆盘形)。他可能是历史上能区分单一物质与化合物的第一人。当时几乎还没有化学知识,除了用火烧法分析矿石之外,也没有化学分析。在另外一些书中他正确地指出矿床之所以成脉络形是因为它是水溶液的沉淀物。他还详细地说明水流的侵蚀作用和它对山脉形成的影响。同时代的学者都尊崇他。伊拉斯谟在1531年预言他将"很快成为学者名流中最杰出的人物";歌德把他与F.培根相比;后来成为美国总统的采矿工程师H.胡佛1912年把《金属学》译成英文,他认为阿格里科拉是科学实验方法的创始人。

Agricola, Gnaeus Julius　阿格里科拉(公元40-06-13,纳尔榜南西斯高卢福伦茹利～公元93-08-23)　罗马将军,以征服不列颠而闻名。最初在不列颠总督苏埃托尼乌斯·保利努斯属下任军事保民官(59～61),后历任亚细亚行省财务官(64)、平民保民官(66)和行政长官(68)。在公元69年的内战中,他支持韦斯柏芗,成为不列颠驻防军司令。73年返回罗马,封贵族。74～77年任阿基塔尼亚总督。77年任执政官,担任不列颠总督。在驻守不列颠期间(77或78～84),他首先征服威尔士一些地区,完成了对今英格兰北方全境的征服。到第3个作战季节结束时,已进入苏格兰,在克洛塔河口与博多特里亚河口之间建立起一道临时边防线。83年罗马军队渡过福斯河,在蒙斯格劳皮尤斯大败喀里多尼亚人。阿格里科拉占领了苏格兰,直至高地的边缘。他建立要塞以封锁各主要关隘,并在英奇图蒂尔设置军团要塞。这次大捷后,阿格里科拉奉召回到罗马,解甲退隐,拒绝担任亚细亚总督之职。

Agricola, Johann　阿格里科拉(1494-04-20,萨克森艾斯莱本～1566-09-22,柏林)　德意志宗教改革家、基督教信义宗教士、路德的友人、反律法论者。他于1525年与他人共同将路德的学说传到法兰克福,同年任艾斯莱本拉丁语学校校长,提出反律法论,力辩律法是从《旧约》沿袭下来的赘疣,与天主教所强调的善功几无二致。1527年激烈抨击路德的助手梅兰希顿,指责他把律法包容在新教神学中。1536年返回维滕贝格,双方冲突愈加激烈,路德连续发表五篇辩词和题为《驳反律法论者》予以还击。阿格里科拉因为抨击路德而受到迫害,1540年到柏林,宣布放弃自己的观点,同年被信奉新教的勃兰登堡选侯约阿希姆二世任命为宫廷布道员。不久返回萨克森。1548年神圣罗马帝国皇帝查理二世选派他与另外两位神学家起草《奥格斯堡临时敕令》。

Agricola, Martin　阿格里科拉(1486-01-06,西里西亚施维布斯[今在波兰]～1556-06-10,马格德堡大主教管辖区马格德堡[德国])　原名Martin Sore或Martin Sohr。作曲家、教师和音乐著作家。最早关注新教归正宗的需要并以方言发表音乐论文的音乐家之一。自学成材。约自1510年起,在马格德堡工作,1524年在该地第一所新教学校任教。出版过几本音乐理论论著,以《德国器乐》(1529)一书最为重要。所创用的德语音乐词汇有许多沿用至今。他的著述为当时的音乐生活提供了一份珍贵的写照,特别是他对16世纪初的乐器所作描绘。未出版的乐曲大多已佚失。已印行的作品集包括圣乐和许多根据主调合唱改编的器乐小品。

Agricola, Rodolphus　阿格里科拉(1443或1444,格罗宁根巴夫洛[今在荷兰]～1485-10-27,巴拉丁领地巴拉丁选侯区海德堡[今在德国])　原名鲁洛夫·赫伊斯曼。荷兰人文主义者、画家、音乐家和古典文学家。他的哲学以文艺复兴思想为基础,强调个人自由和自我在智力和体力方面的充分发展,影响了另一位荷兰人文主义者伊拉斯谟。阿格里科拉曾在格罗宁根、爱尔福特、科隆和卢万等地求学,1465年毕业于卢万大学,1484年接受沃姆斯主教约翰·冯·达尔贝格的邀请,在海德堡大学讲授古典文学,同年写了一部有关教育的著作,题名《论学习热情之形成》。

Agricultural Adjustment Administration (AAA)　农业调整署　美国历史上,拟通过抑制农业产量、减少出口过剩和提高价格来恢复农业繁荣的巨大新政计划。《农业调整法案》(1933-05)是体现全国大规模农场组织规划的一个综合性农业救济法案。它设立了由农业部长华莱士领导的农业调整署,实施一项"国内分配"计划,向削减产量的主要农产品生产者发放补助金。其目的是恢复付给农民的产品价格达到1904～1914年的购买力水平,那是一个相对稳定的时期。另外还设立农业贷款公司,以发放维持价格的贷款和收购特种农产品。到1936年对农民的福利补贴总数达到15亿美元,商品价格的上升主要是由于1933～1936年的严重干旱。尽管成就有限,多数农民还是赞赏早期的农业调整署计划。1936年最高法院宣布《农业调整法案》违反宪法,两年后国会根据土壤保持观念通过了新的农业立法。1932～1936年农民现金收入增加了一倍,这是由于第二次世界大战的巨大需求减少了积累的农场剩余产品,明显增加了农场的收入。

agricultural economics　农业经济学　研究农用资源与农产品配置、分配及运用的学科。农业方面的经济关系体系涉及地球上半数以上人民的生计;在某些地区,这一人口比例甚至高达3/4。农业经济学对发展经济学发挥作用,因为持续稳定的农业剩余是技术和商业发达的源泉之一。

以往农户大多是自给自足,生产的食物仅够自家食用,或许有少量剩余投入当地市场。典型的情形是,一个农业劳动者可养活另外3个人,其中2人为家眷,剩余的产品可能要用来偿付地租或购买小农不能生产的物料。一家中等的农户常种植少量而多种的作物,如此可避免完全依赖某一种作物的收获。19世纪中叶以前,美国农村经济就是上面所述的情形,属于自给自足型的;如今从亚洲到非洲,发展中世界的许多地区仍然是这样。这种农业与市场经济无重大关联,产量很少,主要原因是没有施肥或适当灌溉。土壤也因数十年密集耕种而贫瘠。在欠发达的地区,只有增加耕地面积和单位面积劳动力方可增产。随着人口的增加,需要使用更多劳动力的作物常常代替劳动密集程度小的作物。由于产量低微,农民常困于饥寒,更无勇气发明或尝试新的方法。

然而若能将新耕作方法或新作物品种的优点令人信服地展示出来,就连最保守的农户也会改变其做法的。20世纪60年代全世界迅速采用了许多改进的农业技术就足以证明这点。由于对上世纪所开发的化肥、杀虫剂、除草剂、灌溉系统、机械和高产粮食作物品种进行投资,土地单位面积产量可大幅度提高。例如,1968～1969年种植季度以前,高产品种的水稻尚未引入孟加拉(当时的东巴基斯坦),可是一年以后总收成的1/4却都是新品种的水稻了。机器代替牲口,增加使用化肥,减少了对劳动力与土地的需求量。1910年,喂养拉犁的马匹和骡子约消耗全球作物总产量的1/4强,且农场上1/10的工作是在照顾这些牲畜。农业机械化解决了依赖畜力的问题;利用化肥提高耕地生产力也解除了必须扩大种植面积的压力。

生产量增加,农民有更多的盈余农产品供应市场,于是农村对人力的需求减少,迫使人们涌入城市。农产品盈余驱使农户进入更大的市场经济的同时,却有了其他形式的发展。发达国家中农户不同于从前的自耕农,极易受外界经济条件的侵袭。农产品价格极不稳定,逐年涨落高达1/3或1/2。农产品价格不稳定的部分原因是:消费者对其变动反应平淡。其他行业，往往只需降价便可达到促销目的，但农产品即使大幅度降价仍无法刺激消费量的增长。此外，纵令消费需求发生变化，农民对其反应能力也很有限。因为他们必须按照预期计划先行种植，若其预期计划不能实现，他们也无能为力，只好等待下个收获季再说。

依赖市场的农民受到固定成本（机械、化肥、给料、利息等）较高和收入波动不定的夹击，因而全球农场的收益一直要低于其他行业。各国政府已尝试过许多方法来增补农业收益，如直接付款、限制生产、征收食品进口关税、将农业完全脱离市场系统等。美国农民经常因不种植某些特定的作物而获得政府的补偿，这样既可避免土地过度利用，又能免除市场供过于求的弊端。另外对主要作物，如小麦、稻米、棉花、烟草等，还提供价格补贴（即价格支持），一旦市场价格低于一定的基准，则产品信贷公司便收购农民的作物，然后总是按经济援助方案进行分配。

欧洲经济共同体（EEC，或称欧洲共同市场）对于其10个成员国拟有一套复杂的农业政策。欧共体抽取进口农产品关税，使其价格与国内产品价格水平相当。利用这一制度，共同市场农民一直都能够使其谷物价格保持在高出北美现行价格水平，例如60%～90%以上。在苏维埃时代，苏联及其他多数共产主义国家农业均已集体化，市场废止了，每个农场仅需按配额生产，国家按限价收购。在1953年斯大林逝世前，苏联国家按低价付款，农场收入很低，这实际上是为工业化提供补贴金。在斯大林后的时期，价格已显著提高，农民生活有所改善。

以上多种政策的效用实难评估。尽管这些政策提高了生产力，而农民却并不总是受益。农业实际收益与政府政策的关联，显然不及与当地经济发展水平的关联那么大。农产品价格虽不断提高，却常常被农民人数及垦殖土地面积的增加所抵消。此外，提高价格还常诱导农民在化肥、机械和其他方面投入更多费用，由此也降低了农民的净收入。总之，保持农业生产力的增长、维护土地的自然资源、在社会中用先进的农业实践充分奖励垦殖人员的工作这类问题，仍待彻底解决。

agricultural sciences　农业科学　研究农业生产的对象和问题的科学，研究范围包括土壤耕作、作物生产和收获、家畜饲养以及农产品加工等。史前时期，6个人生产的农业产品仅能勉强供10个人食用，现代农业应用科学的新技术，5个人生产的产品可供100个人的消耗。农业科学主要研究两大类作物，即直接给人类提供食物的作物和饲喂家畜用的饲料作物；有一些分支学科则研究柑橘、葡萄、观赏植物、工业原料作物和热带作物等。最早的农业知识只是在农民间口口相传，宗教典籍中也保存了一些。传统科学、哲学、神学、数学、语文学中极少涉及这平凡的题目。虽然普林尼等古典作家讨论过农业科学，中世纪也有不少农业著作，但农业科学在学术结构中仍无地位。18世纪的自然哲学家也认为普通教育对农民已够用。18～19世纪之交，在匈牙利和德国出现了向农民传授其他农民经验的学校。1840年J. von 李比希的经典著作《有机化学在农业和生理学中的应用》一书出版后，人们才开始应用真正的科学方法对农业科学进行系统研究。此后，欧美各国兴办了各种农业学校。在欧洲并逐渐形成了四级农业教育制度，即义务性农业业余补习学校（讲授农业基础知识，入学年龄为15～18岁）、志愿参加的农业管理人员业余进修学校（通常每周上课一天）、工程学校（一般学习三年）及四年制或五年制的高等教育。在农业高度发达的国家，高等农业教育包括了较多的生产实践内容。农业科学有5大分支。①土壤学。研究土壤的地质学成因。包括土壤物理学和土壤化学，以及与土壤肥力有关的其他因素等。1809年发表的腐殖质学说为现代土壤学的开端。李比希倡导实验科学，包括植物营养理论。到20世纪，提出了土壤耕作、增加土壤腐殖质和土壤养分及水分调控等在内的土壤肥力概念。②植物生产。这方面的研究包括应用植物生理学、植物营养、植物遗传与育种、杂草和植物病虫害防治等，直到19世纪末，农业化学促进植物生理学的发展后，植物生产才成为独立的学科。1834年英国的罗萨姆斯特德实验站开创了田间试验。在两次世界大战之间，植物营养科学发展完备。到18世纪末，在植物品种培育方面也能按预定产量进行谷物品种的系统选育。孟德尔遗传定律的发现、诱发突变的方法的发明，导致了现代植物育种法的产生。到19世纪，植物病害研究有了重大进展，20世纪对各种植物病害进行了系统研究。病虫害的防治采用了化学药剂毒杀法和生物平衡调控法。前者往往产生新病虫害代替老的病虫害以及农药残留污染等问题。③动物生产。这方面的研究包括家畜育种、动物营养和动物饲养等。马是首先应用杂交繁育的家畜。动物几乎只能进行杂交育种，人工诱发突变难以成功。到20世纪，动物营养学发展成一门科学，促进了畜禽饲养业。淘劣选优和预防药剂的研制，有效地消灭了家畜病害。④经济学和管理学。包括行为科学、农业政策、市场研究和农村社会学。农业经济学和科学管理起源于德语国家。19世纪初，即开始研究私人农场企业。近年来，很注意研究农场管理人员的行为。因为已从理论上证明，同样的规章制度，其效果因管理人员实施的方式不同而异。农业政策涉及农业、经济学和社会三者间的关系。20世纪，农业生产的发展和农村人口减少更促使人们研究农业政策。农业社会学是第二次世界大战后才形成的学科。⑤农业工程学。是在20世纪独立出来的学科，包括机械工程、建筑学、水力学和土壤力学中与农业有关的领域，但重点是研究农业机械。农业工程学可分为材料性能、机械设计和技术应用。有些国家把土地改良和水利用技术，以及农业废物处理也纳入农业工程学内。第一次世界大战期间产生的农业工艺学，起源于德国对农村人口中的社会问题的研究。其主要研究项目有：工艺程序的改进、劳动力的合理利用、人的工作能力的分析、机械化生产方法和劳动力需要量的调整、机械化对工人的影响及工人培训等。有些国家将加工技术（尤其是动物产品如奶的加工）、气象学、大地测量学、法律学、历史学也列入农业科学范围。

agriculture　农业　耕耘土地、种植和收获庄稼、饲养牲畜的科学和技术。全世界各地都采用增加土地生产能力的技术，有些地区所用的技术与几千年前相差无几，有些地区则借助于科学和机械化。农业占用的人力仍比所有其他行业合起来还多。

Agrigento　阿格里真托　1927年前称吉尔真蒂。意大利阿格里真托省省会。近西西里岛南岸。公元前约581年由希腊殖民者建立。公元前480年达到鼎盛。公元前406年

西西里阿格里真托的赫拉神殿遗迹
美国不列颠百科全书公司供图

前被迦太基人破坏。古罗马统治时因开发农业财富和开发附近的硫矿而再次繁荣。之后，当地居民迁至较安全的中世纪山城吉尔琴蒂镇。古城原址有极丰富的希腊遗迹。一座拥有8个城门的城墙从北部的两座山峰延伸到山脊，为该城的南部防线。沿山脊发掘出7座多立斯式寺庙，其中保存最完好的是两座非常相似的围柱形6柱式寺庙。宙斯寺庙前面有一大祭坛，是最早最大的多立斯式建筑之一。得墨忒耳圣殿和珀耳塞福涅圣殿内有许多著名的古代祭坛遗迹。在得墨忒耳庙遗址所在地的悬崖下还发掘出一个古希腊以前的洞穴圣殿。市内有14世纪的大教堂、13世纪的圣斯皮里托教堂和圣马利亚德格雷切教堂、巴罗克式教堂和宫殿，以及内容丰富的考古博物馆。经济以矿业（硫磺和钾碱）、农业和旅游业为主。市西南15千米有埃恩佩多克莱港。是西西里西南岸最佳海港和意大利的主要硫磺港。人口：城市区约56 372（1990）。

Agrihan　阿格里汉岛　原称格里甘岛。西太平洋马里亚纳群岛一岛，属美国北马里亚纳群岛联合邦。在关岛以北563千米。为火山岛，最近一次喷发在1917年。陆地面积47平方千米。最高点965米。有肥沃的高地和磷酸盐矿藏。人口（包括阿拉马甘岛和帕甘岛）104（1980）。

agrimony　龙牙草　又称仙鹤草。蔷薇科龙牙草属（*Agrimonia*）植物，尤指欧洲龙牙草（*A. eupatoria*）。该种为耐寒多年生草本，原产于欧洲，已在北半球其他温暖地区广泛生长于河岸及田边。高约120厘米，羽状复叶，互生，小叶为广椭圆形，长2～6厘米，叶缘齿裂，可制取黄色染料；穗状花序长；果为刺

龙牙草(*A. gryposepala*)
美国不列颠百科全书公司供图

果,直径约6厘米。

Agrínion 阿格里尼翁 希腊中西部农业城镇。埃托利亚和阿卡尔纳尼亚州的最大中心。在特里霍尼斯湖西北6千米。与伊奥尼亚海及帕特雷湾距离几乎相等。现在的阿格里尼翁是1887年一次毁灭性地震后重建的。是烟草种植和加工中心。从克里奥奈里翁经州首府迈索隆吉翁的铁路以这里为终点站。有一个商业性机场。人口35 774(1981)

Agrionia 阿格里奥尼亚节 源自希腊语,意为野蛮。希腊宗教节日。每年在维奥蒂亚的奥尔霍迈诺斯等地举行,以奉祀酒神狄俄尼索斯。传说奥尔霍迈诺斯国王米尼亚斯的女儿们由于蔑视这一仪式而被狄俄尼索斯弄疯。她们竟吃了她们一个孩子的肉。作为一种惩罚,她们被变成蝙蝠或鸟。在这一节日里,祭司最初有惯例在夜里追逐并杀死米尼亚斯家族一名妇女。

Agrippa 阿格里帕(活动时期1或2世纪) 希腊怀疑论哲学家。因提出缓期判断的五个比喻或理由而出名。这些比喻或理由一般地总结了希腊怀疑论派成员所用的辩论方法。其论据是:①在日常生活中以及哲学家的辩论中都有意见上的冲突;②没有可以不证自明之事,因为所谓的证据其本身仅是需要证明的第二命题,如此而至于无穷;③感觉和判断在双重意义上是相对的,它们各自对主体是相对的,而各自又受伴随的各种感觉的影响;④设法避免无限回溯的独断哲学家只提供了他们不能证明的假说;⑤哲学家由于想用可以理解的东西证明可以感觉到的东西,用可以感觉到的东西证明可以理解的东西,从而陷入双重束缚。阿格里帕既怀疑感觉提供的证明,又怀疑理解的可能性,其结论是:人并没有获得知识的出发点。五个比喻看来是部分地以早期的希腊怀疑论者埃奈西德穆的十个比喻为依据的。但其怀疑主义更加彻底,不限于埃奈西德穆所怀疑的感性知觉。

Agrippa, Marcus Julius 亚基帕 参阅 **Herod Agrippa I** 希律·亚基帕一世。

Agrippa, Marcus Vipsanius 阿格里帕(约公元前63～前12-03,坎帕尼亚) 罗马帝国第一代皇帝奥古斯都的副手。公元前31年,他击败安东尼;在奥古斯都统治下,他镇压叛乱,建立殖民地并管理帝国的一些部分。他出身寒微,但并非平庸之辈,为罗马贵族所厌恶。早年情况不详。仅知公元前44年凯撒被暗杀时,是其养子屋大维(后来的奥古斯都)的朋友。他随屋大维回意大利,可能在公元前43年当过保民官。在凯撒被刺后的权力斗争中,阿格里帕是屋大维最得力的干将。公元前41～前40年,他与安东尼的兄弟卢西乌斯作战,后来又担任和谈的首席代表。公元前40年出任罗马的司法官。此后两年在阿基塔尼亚和莱茵河地区作战。公元前37年任罗马执政官。在抵抗共和国将军庞培的儿子绥克斯都·庞培的海上进攻时,阿格

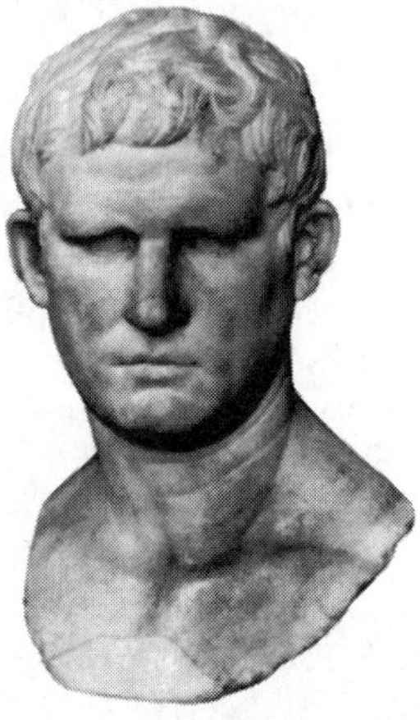

美国不列颠百科全书公司供图

里帕取得迈利和瑙洛丘斯两次海战(公元前36)的决定性胜利,为此荣获金冠。公元前33年任罗马大营造官,公元前31年屋大维与安东尼反目,阿格里帕在亚克兴角海战中指挥舰队,大获全胜。从此,屋大维不在罗马期间即由他和梅塞纳斯代行政务。公元前29～前28年,他协助屋大维进行人口普查,清洗元老院。公元前28年和前27年他两度与屋大维共任执政官。公元前23年与屋大维之女朱莉娅结婚。同年屋大维患病,指定他为帝位继承人,后以帝国宰相身分主持东方事务。公元前22年奥古斯都巡幸东方诸省,他回罗马代主朝政。公元前19年他前往高卢和西班牙,最后征服坎塔布连人。公元前18年回罗马任保民官,后作为皇帝代表再驻东方诸省。公元前13年任保民官和帝国宰相,坐镇潘诺尼亚,同年冬身染沉疴,公元前12年3月逝世。在他的葬礼上,奥古斯都亲自致悼词。由于他曾在罗马建造浴室、排水供水系统和举世闻名的万神殿,罗马人至今对他不能忘怀。

Agrippa von Nettesheim, Heinrich Cornelius 阿格里帕·冯·内特斯海姆(1486-09-14,科隆～1535-02-18,法兰西格勒诺布尔) 查理五世的宫廷秘书、萨伏依的路易丝的医生、天主教教会内部使人恼怒的神学家、西班牙和意大利的军事掮客、众所承认的神秘学家和哲学家。一生起伏很大,有过如下的经历:在多勒和帕维亚等地的大学教书;在梅斯被任命为演说家和公众辩护人(直到因他为一个被指控的女巫辩护而受斥责);1535年被逐出德国(在同科隆的宗教审判官进行斗争之后);最后,在法国被囚禁(因为批评了皇太后)。他的《论神秘哲学》有助于推动文艺复兴时期对于魔法的研究,并使其名进入早期浮士德传说。他在书中用犹太神秘教对希伯来语字母的分析和毕达哥拉斯的数目学来解释世界,并且宣称魔法是认识上帝和自然的最佳手段。1530年左右,他发表文章猛烈攻击神秘主义和所有其他的科学(《论艺术与科学的无益与不可靠》),从而违反了查理五世的意旨,但却促使怀疑主义在文艺复兴时期恢复。他被捕入狱,并被加以异端之罪名。在完全放弃各种科学知识后,他在对《圣经》的朴素的虔诚中求得了宁静的庇护。

Agrippina THE ELDER 阿格丽品娜(大)(约公元前14～公元33-10-18,第勒尼安海上的潘达特里亚岛) 罗马皇帝奥古斯都的孙女,提比略(公元14～37在位)统治后期皇位继承斗争中的主要人物。嫁给奥古斯都的侄孙、提比略的侄子和继子盖曼尼库斯·凯撒。曾陪丈夫前往德意志和东方,公元19年丈夫死在安条克。公元23年提比略之子德鲁苏斯死后,她的儿子们享有直系继承权,她成为提比略的顾问塞扬努斯攻击的目标。塞扬努斯别有阴谋。最后,她于公元29年被流放到潘达特里亚岛,死于绝食,或如某些人所说,按照提比略的命令,使她饥饿而死。她有数幅肖像画存世,最著名的一幅现存罗马卡皮托利尼博物馆。

Agrippina THE YOUNGER 阿格丽品娜(小)(公元15～59) 罗马皇帝尼禄的母亲。尼禄在位(公元54～68)初期受其很大影响。她是大阿格丽品娜的女儿,皇帝盖尤斯(即卡

美国不列颠百科全书公司供图

利古拉,公元37～41在位)之妹,皇帝克劳狄乌斯(公元41～54在位)之妻。公元39年因参加反对盖尤斯的阴谋而被放逐,公元41年获准返回罗马。她的第一个丈夫阿赫诺巴布斯是尼禄的父亲。公元49年她被控毒死第二个丈夫克里斯普斯;同年又与其舅父克劳狄乌斯皇帝结婚,并怂恿克劳狄乌斯立尼禄为皇位继承人,以替代其亲生儿子。公元54年克劳狄乌斯可能被她毒死。尼禄即皇位,时年仅16岁,阿格丽品娜企图充当摄政,

但尼禄亲政后，她的权势逐渐削弱，最后被尼禄下令处死。

Agro Pontino (Italy)　参阅 **Pontine Marshes** 蓬蒂内沼泽。

agroikoi (ancient Greek social class)　参阅 **geōmoroi** 农业主。

agrostology　禾草学　研究禾草类植物的分支学科，主要研究禾草类的分类。1708 年德国植物学家 J. 朔伊切尔撰写了关于禾草植物分类的论文《瑞士禾草专著序论》，开创了禾草学。此后，许多分类系统相继产生。早期的分类系统多仅以植物外部形态为基础，以后的系统应用了细胞学、胚胎学、生理学和组织学方面的研究成果。现代禾草学研究禾草类植物的现存种群，以确定其遗传特性及对特殊生境的适应性。生物化学的研究也有助于确定禾草植物类群间的进化关系。

Aguadilla　阿瓜迪亚　波多黎各西北部城镇和城市区。城镇为港口，濒临宽阔的海湾。为内地农产品加工和贸易中心，产品有雪茄和草帽等。镇内有波多黎各大学地区分院。城市区面积 93 平方千米，属农业区，生产糖、咖啡、水果、烟草和棉花等。有沿岸公路和铁路通首都圣胡安。亦有一飞机场。人口 16 776(2000)。

Aguán River　阿关河　在洪都拉斯北部。全长 240 千米。源出约罗省西部的中央高地，在坎格雷哈和埃斯佩兰萨山脉之间向东北流，在沿海低地形成纵横交错的河道，注入加勒比海。沿河地区虽曾定期受香蕉病、水灾和风灾之害，但在 20 世纪 70 年代末已恢复种植抗病的新品种香蕉。下游农业合作社转而种植柑橘、玉米、稻米、非洲油棕。1977 年河水决堤后开始进行防洪工程。该流域有公路通泰拉、拉塞瓦、特鲁希略和科尔特斯等港口。铁路通卡斯蒂利亚港。

Aguarico River　阿瓜里科河　厄瓜多尔东北部河流。发源于卡尔奇省省会图尔坎以南的安第斯山中。东南流经 370 千米后，在潘托哈附近汇入纳波河。只能航行较小的船只。1942 年的《里约热内卢议定书》规定阿瓜里科（里奇沃特）河下游作为厄瓜多尔和秘鲁两国之间的界河。虽然厄瓜多尔在 1960 年单方面谴责这一议定书，但实际上遵守其一般规定。

流经热带雨林地带的阿瓜里科河
美国不列颠百科全书公司供图

Aguascalientes　阿瓜斯卡连特斯　墨西哥中部州。在中央高原，面积 5 471 平方千米。海拔在 1 000～3 000 米之间。气候宜人，少雨水，灌溉发达，附近多热泉。在 1910～1920 年革命期间曾是激战的战场。1950 年后灌溉计划提高了土地的生产力。北部和西部谷地经营农业，平原畜牧业发达。输出玉米、牛、马、骡和生皮。出产葡萄酒、水果和锌、铜、金、银等矿产。有铁路和公路通本国各地。州首府阿瓜斯卡连特斯(**Aguascalientes**)有机场。人口 943 506(2000)。

Aguascalientes　阿瓜斯卡连特斯　墨西哥阿瓜斯卡连特斯州首府。在中央高原，海拔 1 888 米，临阿瓜斯卡连特斯河。1575 年初建时为矿工居住区。1661年设镇。19世纪50年代成为州首府。周围是水果和蔬菜产区。有铁路修配、纺织、制陶、制烟、酿酒等工厂。市内许多精美教堂藏有殖民时期宗教艺术品。有铁路、公路或航空线。1973 年建立阿瓜斯卡连特斯自治大学。人口 594 056 (2000)。

阿瓜斯卡连特斯市的拉帕罗基亚教堂
美国不列颠百科全书公司供图

ague tree　参阅 **sassafras** 檫树。

Aguesseau, Henri-Françoisd'　阿格索(1668-11-27，法国利摩日～1751-02-05，巴黎)　法国法学家。1717～1750 年的大部时期，作为法国大法官，对国家的司法制度作了重大改革。1700～1717 年任巴黎高等法院总检察长时，反对罗马教廷干涉法国天主教会事务，并反对在法国公布谴责詹森派的《克雷芒通谕》(1713)。1717 年路易十五的摄政奥尔良公爵菲利浦任命他为大法官兼掌玺大臣，但他反对政府的财政政策，次年被放逐到弗雷讷。1720 年被召回。1722 年枢机主教纪尧姆·杜布瓦任首相时，他失去大法官的职务。1727 年新首相枢机主教弗勒里恢复他的大法官职务，命他继续将路易十四时代的法国法律汇编成法典。1731～1747 年路易十五批准了他制订的有关捐赠、遗嘱和继承的 3 项重要法令。

Agui　阿桂(1717-09-07～1797-10-10)　又拼 A-Kuei。中国清代中期大臣。章佳氏，字广廷。满洲正白旗人。大学士阿克敦之子。乾隆三年(1738)举人。历任伊犁将军，四川、云贵总督，工部、兵部、吏部尚书。官至武英殿大学士兼军机大臣。封一等诚谋英勇公。曾参与平定准噶尔部和天山南路的战争。后屡任统帅，用兵四川大小金川，镇压甘肃回民和台湾林爽文起义，颇得清廷器重。嘉庆二年(1797)八月卒。

中国大百科全书出版社供图

Aguilar, Grace　阿吉拉尔(1816-06-02，伦敦～1847-09-16，德国美因河畔法兰克福)　诗人和小说家。以其许多描写家庭生活的感伤小说著称。最著名的《家庭影响》(1847)是唯一在她生前发表的一部作品。她也写关于犹太历史和宗教的著作。在《犹太教精神》(1842)一书中，她抨击了当时犹太教的形式主义和守旧主义。

Aguinaldo, Emilio　阿奎纳多(1869-03-23，菲律宾吕宋甲米地附近～1964-02-06，马尼拉)　菲律宾领袖，为争取菲律宾独立先后与西班牙和美国作战。华人和他加禄人后裔，在马尼拉圣托马斯大学毕业。1896 年 8 月任甲米地省别霍市长，成为浴血苦战并成功地打击西班牙人的革命团体“卡蒂普南”的地方领袖。1897 年 12 月同西班牙总督签订《破石

美国不列颠百科全书公司供图

洞条约》,离开菲律宾定居国外。阿奎纳多于 1898 年 5 月 19 日回国宣布重新同西班牙进行斗争。1898 年 6 月 12 日宣告菲律宾人脱离西班牙而独立,成立临时共和国,阿奎纳多成为总统。根据 1898 年 12 月 10 日签订的《巴黎条约》,西班牙将菲律宾与波多黎各和关岛一起割让给美国。菲美关系开始不和并日趋恶化。1899 年 1 月 23 日菲律宾共和国正式宣告成立,阿奎纳多当选为共和国总统。1899 年 2 月 4 日晚,美菲之间不可避免的冲突终于在马尼拉爆发。同年 11 月菲律宾人开始进行反美游击战争。1901 年 3 月 23 日阿奎纳多在北吕宋岛帕拉南秘密指挥部被俘。他宣誓效忠美国,从美国政府获得一笔津贴后隐退。1935 年再次竞选总统遭到惨败,重新隐退。1941 年日本入侵菲律宾,利用他作为反美工具。美国人回到菲律宾后,因被指控犯有勾结日本罪被囚禁数月,后因总统特赦获释。1950 年埃尔皮迪奥·季里诺总统任命他为议会议员,以此为他恢复名誉。晚年主要从事退伍军人工作,并致力于发扬菲律宾民族精神和民主,以及改善菲美关系。

Aguirre, Lope de　阿吉雷(约1518,西班牙奥尼亚特～1561-10-27,秘鲁总督辖区埃尔托库约[今在委内瑞拉])　西班牙冒险家,主要因杀死探险家乌苏亚和古斯曼而为人所知。1544 年到达秘鲁,先后参与西班牙对印第安人反抗的镇压和西班牙征服者之间接连发生的战争。1560 年 9 月 26 日参加乌苏亚指挥的旨在寻找传说中位于今巴西西部的亚马孙河源头的黄金国的远征。到达该地后,阿吉雷挑起叛乱,杀死乌苏亚及其继任者古斯曼等人攫取了远征队的领导权。据说阿吉雷处死了远征队里反对他计划的一切人员,包括一些传教士。在他最后被西班牙人捕获并处死之前,曾想袭击一些城镇(今委内瑞拉境内)。人们也认为就在他被捕之前,他杀死了自己的女儿。在西属美洲,阿吉雷的名字几乎成为残忍和背信弃义的同义语。

Aguisy, Jean Grolier, vicomte d'　阿吉西子爵　参阅 **Grolier de Servières, Jean** 格罗里埃。

Agulhas, Cape　厄加勒斯角　在非洲大陆最南端,南非开普敦东南 176 千米处。岸外岩礁曾使许多船只失事。故其名葡语意为“针”。1849 年建起灯塔。当地子午线(东经 20°)为印度洋与大西洋的正式分界。

Agulhas Current　厄加勒斯洋流　大洋表层环流。所有大洋中流速最快的洋流之一。作为向西流动的南赤道洋流一部分,到非洲后沿东海岸转向南,然后向东加入到由非洲向澳大利亚的洋流中。但是,其中一小部分绕好望角进入大西洋。马达加斯加与非洲之间的莫桑比克洋流也补给了厄加勒斯洋流的水。厄加勒斯洋流宽 100 千米,流速为0.4～1.2 海里/小时,它的速度取决于南赤道洋流速度的季节变化。因从低向高纬度流,故为暖流,表面温度 14～26 °C。

agunah　无夫之妻　希伯来语作'aguna。在犹太教正统派和保守派中指自称丧夫但丈夫之死未经依法证实因而不得另嫁的妇人。这种妇女处境悲惨,因此犹太教口传律法文献中讨论该问题者甚多,且众说纷纭。寡妇若提不出有关丈夫死亡的确凿证据,宗教法庭无权批准她另嫁,但是这方面的律法已实际上迫于人情而有所放宽。妇人声称丧夫,有一人证明,即使其夫尸体尚未在战场、大海或灾难现场发现,宗教法庭即可批准她另嫁。被故意遗弃的妻子,也称为无夫之妻,宗教法庭不得单方面批准离婚,因此这种妇人也不得改嫁。甚至 20 世纪初犹太人的大批迁徙和两次世界大战后以及纳粹的大屠杀造成大批人的失踪也未能改变原有的规定和做法。

Agung　阿贡(?～1645)　中爪哇马打蓝王国的第 3 代苏丹。使王国拥有最大的版图和强大的军力。曾征服沿海国家巴东和图班(1619)、马辰、加里曼丹和苏卡达纳(1622)、马都拉(1624)以及泗水(1625)。由于经济以农业为基础,因此阿贡苏丹蔑视贸易,也未建立海军。1619 年荷兰军队攻克雅加特拉(今雅加达),并建立基地。1629 年阿贡企图把荷兰人赶走,派兵前去攻城,未克。这次失败后,他又发动“圣战”,攻击当时控制东爪哇巴兰邦岸的巴厘人。虽然在爪哇得胜,但未能把势力伸入巴厘本岛。在内政方面,他曾经改革司法和税收制度。18 世纪中叶,荷兰人已十分强大,将马打蓝分为以梭罗和日惹为中心的两个小国,马打蓝王国从而结束。

Agung, Abulfatah　阿贡(?～1692)　1651～1683 年万丹的爪哇苏丹王国的统治者。他鼓励英格兰和法国来万丹进行贸易。在位初期,他击退了荷兰人的入侵。17 世纪 70 年代,他企图废立长子哈吉,但哈吉以荷兰人为靠山夺取了王位。阿贡在囚禁中度过余生,万丹归荷兰人控制。

Agung, Mount　阿贡火山　印尼语作 Gunung Agung,荷兰语作 Piek van Bali。印度尼西亚巴厘岛东北部火山,巴厘岛的最高点,传统的圣地,海拔 3 142 米。该火山休眠 120 年之后,于 1963 年喷发,死亡约 1 600 人,86 000 人无家可归。据巴厘神话,诸神以群山为神座,将最高的神座阿贡山置于巴厘岛。又有一神话述说诸神见巴厘岛摇动不稳,便将印度教的神山马哈默鲁镇压在巴厘岛上使之稳定,更名为阿贡火山。巴厘岛上每座神庙中都有一座神龛祭祀这座山的山神。居民把向神庙献祭的祭品和火葬岗等物做成阿贡山的形状以示对此山的尊崇。巴厘的主庙普拉伯沙吉建造在阿贡火山的山坡上。

Agus Salim, Hadji　阿古斯·萨利姆(1884-10-08,荷属东印度苏门答腊哥打格当[今印度尼西亚]～1954-11-04,印度尼西亚日惹)　印度尼西亚民族主义者和宗教领袖,出身于上流社会的米南卡保人家庭,20 世纪 20 年代在削弱荷属东印度穆斯林民族主义运动中期待救世主出现和共产主义因素方面发挥了主要的作用。荷兰中学毕业后,在荷兰驻吉达领事馆工作,开始对伊斯兰教中的改良主义和现代主义运动感兴趣。1915 年加入伊斯兰联盟,并很快成为这一印度尼西亚民族主义组织中最有影响的人。他是相信进化论的社会主义者,在 20 年代初期的政治斗争中起过重要作用。他反对使用武力反抗殖民主义。1921 年在关于控制工人运动的大辩论中,他是非共产党的主要发言人,这场辩论导致共产党退出伊斯兰联盟。印度尼西亚独立后,1946～1947 年任外交部副部长。

Agusan River　阿古桑河　菲律宾棉兰老岛上最长河流。源出东南,向北流 390 千米后入保和海武端湾。在中棉兰老高地与太平洋山脉之间形成宽达 65～80 千米的肥沃河谷。重要人口中心如武端、卡巴巴兰和布埃纳维斯塔等,均集中于海湾周围。武端以西的纳西皮特是大规模的木材加工基地。武端与南面的达沃市之间有公路相通。埃斯佩兰萨和塔拉科贡是位于天然冲积堤上的传统贸易站,沿河两岸后又兴建了许多贸易村。沿阿古桑河中游的沼泽区是伐木业集中地。伐木工和商人居住在固定于大树的巨大木筏上。沿河下游为种植园,产椰子、稻米、竹和各种水果,辅以渔业。主要粮食作物为稻米,经济作物以椰子为主。

Agustín I　阿古斯丁一世　参阅 **Iturbide, Agustín de** 伊图尔维德。

Agustini, Delmira　阿古斯蒂尼(1886-10-24,蒙得维的亚～1914-07-06,蒙得维的亚)　乌拉圭女诗人,南美洲最重要的诗人之一。她是第一个敢于大胆以描写肉欲和激情为主

中国大百科全书出版社供图

题的妇女。她的诗歌具有一种当时其他现代派诗歌所缺乏的力量。阿古斯蒂尼的主要作品有《白色的书》(1907)、《晨曲》(1910)、《空杯》(1913)、《爱神的祈祷》(1924)以及《作品全集》(1924)。

Ah Kin　阿金　尤卡特卡马雅人的专职祭司。阿金在以牺牲者的心供奉马雅神的献祭仪式中的所作所为而著称于世。大祭司(阿金梅)兼司行政官、教师、医师、星象家、酋长顾问、占卜者等职责。阿金之职是世袭的,由祭司传给儿子,但训练也扩及有志当祭司的贵族子弟。

Aḥa of Shabḥa　阿哈(沙拜的)(约 680,可能在伊拉克巴士拉附近的沙拜～约752)

犹太教巴比伦派塔木德学者中的佼佼者。于1566年在维也纳出版《教义问题汇编》,是编纂、阐释巴比伦塔木德内容而使之成为法典的创举。该书用古阿拉米语写成,结合口传律法和成文律法两种判例而成,结构独特。书中内容除礼仪律法外,还有伦理义务,颇多创见。

Ahab　亚哈(约公元前874～约前853在位)　又拼 Achab。《圣经·旧约》所载以色列北部王国第七代国王,暗利王之子。在位期间战事不多。通过与犹大南部王国联姻结盟抵拒亚述。其妻耶洗别崇奉迦南人之神巴力而引起一些人特别是先知以利亚的强烈反对。

Aḥad Ha'am　阿哈德·哈阿姆(1856-08-18,基辅附近斯克维拉～1927-01-02,巴勒斯坦特拉维夫)　犹太复国主义领袖。其希伯来文化观念对于早期犹太人定居巴勒斯坦的目标有决定性的影响。他还是一位主要的希伯来文体学家,以其鲜明和准确影响整个希伯来现代文学。在俄国的犹太人家庭生长。精通犹太法典。后又喜好中世纪犹太哲学的理性学派和哈斯卡拉(启蒙)运动的著作。后者力图把犹太文化和西方现代思想融为一体。22岁去敖德萨,受到犹太民族主义以及俄国虚无主义者皮萨列夫和英法实证主义者唯物主义哲学的影响。1889年发表第一篇文章《此非正路》,强调犹太复国主义的精神基础。在犹太复国主义领袖魏茨曼敦促英国政府发表《贝尔福宣言》时期,他是魏茨曼的亲密顾问。晚年在巴勒斯坦,编印《哈阿姆书信集》(6卷,1923～1925)。1931年出版《回忆和书信集》。另有论文4卷,于1895、1903、1904和1913年出版。他虽深受世俗观念的影响,但仍钟情于传统的犹太教,随后的几代犹太复国主义者都可从他的作品中看到一种理性的超脱。

Ahaggar　阿哈加尔　又称霍加尔。撒哈拉沙漠中北部大高原。海拔900米以上,最高点为塔哈特山(3 003米)。南北长约1 550千米,东西长2 092千米。通往尼日利亚北部卡诺的主要商队路线沿西部边缘而过,并穿经绿洲重镇塔曼拉塞特。西北部蕴藏有天然气。

ahaṃkāra　我慢　梵语,意为"我说,我做"。印度哲学二元进化论的数论派用语,指原初物质在进化成现象世界过程中的一个发展阶段。"我慢"描述与原初物质无关的灵魂,呈现为一种知道和体验原初物质的自我,因而错误地以为自己与原初物质有关。我慢的前一阶段是觉的阶段,即没有沉思对象的纯粹意识阶段。在我慢阶段,灵魂开始意识到在它自身之外还有一个存在。从觉一级的"意识"发展出"我慢"一级的"自我意识"。从此,灵魂错误地认为它与原初物质同一,并且被束缚在轮回和再生之中。要达到解脱,就必须消灭自我意识,最后必须消灭原初物质意识。我慢于是在灵魂的轮回中为另一阶段取代。参阅 **Saṃkhyā**。

Ahaz　亚哈斯　又拼 Achaz。亚述语作 Jehoahaz。《圣经·旧约》所载犹大国王(约公元前735～前720)。亚哈斯即位不久,即受到以色列国王和叙利亚国王的入侵,逼他结成反亚述联盟,他拒绝之,并求救于亚述国王,后者击退叙利亚与以色列,亚哈斯遂成为亚述的藩属。

Ahenobarbus, Gnaeus Domitius　阿赫诺巴布斯(?～公元前31)　罗马将军。在安东尼打败凯撒的谋杀者后,是安东尼的主要支持者。卢西乌斯·多米蒂乌斯·阿赫诺巴布斯之子。公元前49年参加阻止凯撒夺权的武装起义,失败。公元前44年凯撒被刺死,他支持刺杀凯撒的一派,负责指挥舰队。公元前42年这一派被安东尼和屋大维的军队击败,他在海上四出掠夺,没有投降。公元前40年与安东尼和解,公元前40～前35年任比提尼亚总督。当安东尼和屋大维在公元前32年最终决裂时,他正在罗马任执政官。最初他从意大利去东方追随安东尼,但是由于反对埃及女王克娄巴特拉对安东尼的控制,又倒向屋大维一方。公元前31年安东尼和克娄巴特拉战败后不久,据说因悔恨自责而身亡,但真正死因可能是疾病。

Ahenobarbus, Lucius Domitius　阿赫诺巴布斯(?～公元前48,马其顿法萨罗[今希腊法尔萨拉])　罗马共和国末年贵族党领袖。公元前60年凯撒、庞培和克拉苏形成三头统治后,他屡次反对3个大将的图谋。公元前49年元老院撤凯撒职,任命他去代替凯撒在高卢的位置。于是凯撒向罗马进军,爆发内战。阿赫诺巴布斯试图在意大利中部的科菲尼乌姆拦住凯撒军队,但兵败被俘。获释后再次兴兵,终于战死沙场。

Ahenobarbus, Lucius Domitius(Roman emperor)　**阿赫诺巴布斯**　参阅 **Nero** 尼禄。

Aḥer(Jewish heretic)　**阿赫**　参阅 **Elisha ben Abuyah** 以利沙·本·阿布亚。

Ahern, Bertie　埃亨(1951-09-12,爱尔兰都柏林～　)　全名 Bartholemew Ahern。1997年6月起任爱尔兰总理。毕业于都柏林大学学院和伦敦政治经济学院,获税务、企业管理和计算机学位。为共和党党员。1977年当选爱尔兰议会众议员,1979年当选都柏林市议会议员,后任都柏林市市长(1986～1987)。在内阁中曾任劳工部长和财政部长等职。1994年11月共和党与工党的联合政府倒台后,当选共和党领袖。1997年大选后与进步民主党组成少数派政府。以促进经济繁荣获得信赖,2002年5月再次轻松当选,蝉联总理。

Ahern, James(writer)　**埃亨**　参阅 **Herne, James A.** 赫恩。

Ahhiyawā　阿希亚瓦　安纳托利亚古代王国,东与赫梯王国接壤。确切位置不详,可能在安纳托利亚西部或为爱琴海的一个岛屿。关于阿希亚瓦的情况,许多都来自赫梯王国的史料。阿希亚瓦人是一个强悍的航海民族。该王国与赫梯王国的关系良好。

Ahidjo, Ahmadou　阿希乔(1924-08,喀麦隆加鲁阿～1989-11-30,塞内加尔达喀尔)　喀麦隆联合共和国第一任总统(1960～1982)。非洲实行超越地区统一的少数成功事例之一

中国大百科全书出版社供图

的领导者。将前英属喀麦隆的南部地区与较大的法语区喀麦隆合并。他是喀麦隆北部地区的穆斯林,1941(或1942)～1953年在法国殖民地政府担任无线电报务员。1947年当选为喀麦隆地区议会议员,1952年和1956年两度重新当选。早期政治生涯也包括曾任法兰西联邦议会的喀麦隆议员数年(1953～1956)。在第一届喀麦隆政府(1957)中任副总理兼内政部长。1958年初第一任总理倒台,他建立了自己的政党喀麦隆联盟,并出任总理。在此期间,鼓吹立即脱离法国独立的更为激进的民族主义的喀麦隆居民联盟,从1956年起就对法国行政当局进行武装斗争。阿希乔同他的前任一样,用法国军队平息了叛乱,不过他也建议对投降者予以赦免。可是,这却遭到了许多人的反对,不时发生的暴力事件困扰了阿希乔若干年。他最初的纲领包括立即进行内部自治,确定一个完全独立的确切时间,与英属喀麦隆重新统一及与法国合作。他在1960年实现了独立,并在1961年通过公民投票与南部的英属喀麦隆实现了统一。在独立后不久举行的选举中,他只赢得了微弱的多数,尽管不断有小规模暴力事件发生,但仍能建立一个稳定和比较繁荣的国家。在5次连任总统(一党执政)后,他于1982年11月6日辞职,声称已感到"筋疲力尽"。取代他的是一位南方的基督徒保罗·比亚,比亚在1983年罢黜了他的执政党主席的职务。1983年后,他过着流放的生活。1984年被指控阴谋推翻比亚罪,在喀麦隆被缺席判处死刑。他再也没有返回喀麦隆,流亡于塞内加尔和法国南部。

Ahikar, The Story of　阿伊卡故事　源自巴比伦或波斯的民间故事,讲一个贤明而又有道德的人,据说为亚述国王辛那赫里布(公元前704～前681)的主要顾问之一。像《圣经》中的约伯一样,阿伊卡是一个正直人物的典范,他的刚正不阿受到严酷考验并最终得到上帝的奖赏。由于被他权欲熏心的养子出卖,阿伊卡被判死刑,受尽磨难,但最后却官复原职。这部作品被归类为伪经,即并非《圣

经》的正统著作，但在风格和内容上却尽量模仿，力求与之相似。有古叙利亚语、阿拉伯语、亚美尼亚语、埃塞俄比亚语、古突厥语、希腊语和斯拉夫语多种文字的译本，表明阿伊卡故事在古代流传甚广。阿伊卡故事和他举世闻名的智慧对希腊化时期（公元前3世纪～公元3世纪）初期犹太智慧文学的发展颇有影响。

ahimsa　不害　印度耆那教的基本伦理崇尚，也是许多世纪以来印度教和佛教的崇尚。现代著名的精神领袖和政治领袖甘地就是根据不害原则提出消极抵抗学说而实现政治变革的。耆那教以不害为判断一切行为的准则。对受持小戒的在家信徒来说，不害就是不杀害任何动物，对受持大戒的苦行者来说，不害就是防止有意或无意伤害任何生命。生命不仅是指人和动物，而且包括昆虫、植物和微尘，不害也是整个宇宙所遵循的法则。阻碍其他活物的精神演变过程，就会增加自己的业行而推迟自己解脱生死轮回的时间。耆那教徒的许多习惯，例如黄昏以后不食不饮，僧人戴布口罩，都是根据不害原则形成。

Ahīr　阿希尔　印度一种姓，分布在印度北部和中部的广大地区。他们以放牧为主，兼务农耕。阿希尔种姓在历史上具有重大意义，因为，属于这个种姓的人，可能就是古代梵文经籍中所提到的阿布希拉人。伟大的叙事诗《摩诃婆罗多》中多处载有关于阿布希拉人的事迹。有些学者认为，有关黑天大神化身牧人的许多故事，正是以居住在今印度的拉贾斯坦邦南部和巴基斯坦的信德省的这些牧民的生活为素材而形成的；这些故事长期流传，至今仍不失为有关黑天大神的传说的一个重要方面。

Ahiram　亚希兰　参阅 **Hiram** 希兰。

Ahithophel　亚希多弗　又拼 Achitophel。《圣经·旧约》人物，以色列国王大卫的最信任的谋士之一，是协助王子押沙龙发动叛乱的主要人物，他的背叛对大卫是个严重的打击。押沙龙先与亚希多弗共同策划叛乱，后又向大卫的另一谋士户筛求教。户筛暗中忠于大卫，提出实际上有利于大卫的计策，并为押沙龙所采纳。亚希多弗预见到押沙龙军队的惨败而自杀（《撒母耳记下》15：31-37；16：20；17：23）。

Ahl al-Bayt　先知后裔　伊斯兰教中指先知穆罕默德的神圣家族，特指他的女儿法蒂玛、女婿阿里及其后代。什叶派认为先知后裔是伊玛目。他们认为伊玛目是穆斯林中权威的合法拥有人，是神圣知识的万无一失的持有人，还是终极时候拯救的源泉。12～13世纪以来，大部分苏非神职都包括先知家族成员在内。除了麦加以外，收藏有先知家族成员及其继承人遗骸的圣地也是穆斯林最想去的朝圣中心，例如伊拉克纳杰夫的阿里清真寺、伊拉克卡尔巴拉和埃及开罗的侯赛因清真寺等。在许多穆斯林社会，称作谢里夫和赛义德的人作为神圣家族的后裔拥有世袭特权。20世纪声称拥有这种地位的人士包括摩洛哥的哈桑二世国王、伊拉克的萨达姆·侯赛因和约旦的侯赛因国王等人。

Ahl al-Kitāb　有经人　英语作 People of the Book。伊斯兰教名词，指分别享有律法书、福音书和《波斯古经》的犹太教徒、基督教徒和琐罗亚斯德教徒，以区别于信奉非启示性宗教的人；赛伯伊人也归于有经人一类。先知穆罕默德给予有经人享受其他宗教信徒所得不到的特权。有经人享有信仰自由；因此，在穆斯林征服战争的初期，并不强迫犹太教徒和基督教徒改奉伊斯兰教，他们只需交纳特别赋税以免服兵役。穆斯林男子被允许娶有经人为妻，即使后者保留她们的宗教信仰。然而，穆斯林妇女不能嫁与基督教徒和犹太教徒，除非他们皈依伊斯兰教。

Ahl-e Ḥaqq　阿里哈克派　阿拉伯语。又译艾赫勒·哈格派。主要吸收伊斯兰教教义，兼而融合其他宗教教义的神秘主义派别。分布在伊朗西部以及伊拉克境内。该派保留12伊玛目派有关12伊玛目的信条以及集体聚礼等伊斯兰教神秘主义习俗。该派相信真主次第有7种显现形式，同时相信灵魂转世，人人须转世1 001次，经历善恶果报。

Ahlgren, Ernst　阿尔格伦　参阅 **Benedictsson, Victoria** 贝奈迪克特松。

Ahlin, Lars　阿赫林（1915-04-04，瑞典松兹瓦尔～　　）　20世纪40和50年代有影响的瑞典小说家。《托布与宣言》（1943）代表了他的作品中许多中心思想。托布是个年轻的无产者，不满足于共产主义的教条，由于对世俗化了的路德教神学的接触，发现这种神学对人的认识没有偏见，而是按照他的行为去判断，从而使他更好地认识自己和世界。人是不可知的，但本质是圣洁的，需要神恩眷顾。他对自己笔下的人物并不作出判断，仅仅力求公正地加以介绍。作品有《我死我的》（1945）、《樟木棍》（1953）、《集市帐篷中之夜》（1957）等。曾多次获文学奖，1960年获"九人奖"，1962年获"小说杰作奖"，1966年获"诺贝尔小奖"。

Aḥmad　艾哈迈德（1806，突尼斯～1855，突尼斯哈勒格瓦迪）　突尼斯侯赛因王朝第10代统治者。1837年继承其兄为突尼斯统治者，立即着手使武装部队现代化，派军校学生留学法国，创办军事技术学院，聘请欧洲教官，组建海军。在克里米亚战争（1853～1856）中派出8 000～10 000名士兵偕同盟国（法国、英国、撒丁岛和奥斯曼帝国）与俄国人作战。积极推行国内改革，1841年禁止买卖黑人奴隶，1846年废除奴隶制，并取消犹太人所受到的法律限制。他在迦太基建立医院，并于1845年创建圣路易学院，向各种信仰的男生开放，这是突尼斯普通教育的开始。为给改革筹集经费而增加税收，引起1840、1842和1843年的叛乱。在他统治以前，突尼斯名义上是奥斯曼突厥人统治的帝国的一部分。他争取法国的帮助以维护独立。1845年奥斯曼承认他为独立的君主。1855年他的堂兄弟穆罕默德继承他的王位，统治到1859年。

Ahmad, Mirza Ghulam　阿赫默德　参阅 **Ghulam Ahmad, Mirza** 古拉姆·阿赫默德。

Aḥmad al-Manṣūr　艾哈迈德·曼苏尔（1549，摩洛哥非斯～1603-08-20，非斯）　摩洛哥萨迪王朝第6代统治者。他实行中央集权和机动灵活的外交政策，使王国达到全盛。抗拒他的名义君主奥斯曼苏丹的要求，在欧洲国家（法国、葡萄牙、西班牙和英格兰）之间进行挑拨离间，以保持摩洛哥的独立。1578年8月继兄阿卜杜勒·马利克王位。他的政府实行中央集权制，对高官分给土地，豁免赋税。统治时期，农业和制糖业均有发展，首都马拉喀什恢复了往日的壮丽面貌。1591年占领苏丹贸易通道上的加奥和廷巴克图两城，使大量的黄金输入国库，因而得到"德哈哈比"（金人）的称号。他与西班牙建立了贸易和外交关系，以打破英国巴巴里公司的外贸垄断。

Aḥmad Bābā　阿赫默德·巴巴（1556-10-26，桑海帝国廷巴克图附近阿拉旺～1627-04-22，廷巴克图）　苏丹西部的法学家、作家和文化领袖。1591年廷巴克图被摩洛哥苏丹占领，阿赫默德因不服从统治并谋反而于1594年被押赴摩洛哥首都马拉喀什。此时他编纂伊斯兰四大法律学派之一马立克派大法学家辞典。1603年摩洛哥苏丹死，他得以返回故乡，从事学术研究，撰有关于西苏丹各民族的论文并编写阿拉伯语法书。

Aḥmad Grāñ　艾哈迈德·格兰（约1506～1543）　本名艾哈迈德·伊本·易卜拉欣·加济。几乎征服了埃塞俄比亚的索马里穆斯林运动领袖。在征服的全盛时期，他占领了王国3/4以上的土地。据《编年史》记载，被征服地区的大多数人已皈依伊斯兰教。他取得阿达尔的索马里穆斯林国家统治权以后，即决定对信奉基督教的埃塞俄比亚发动"圣战"。他把索马里的牧民组成军队，并运用土耳其人的火器和士兵。1526～1527年在阿达尔打败埃塞俄比亚的军队。1531年发动大规模侵略。1535年攻占埃塞俄比亚的南部和中部地区，甚至侵入北部的高地。埃塞俄比亚国王向葡萄牙人求援。但格兰在土耳其人的大力支援下，于1541年击败了葡萄牙的军队。此后，埃塞俄比亚的新王克劳狄乌斯和剩余的葡萄牙士兵重整旗鼓，招募大批壮丁参军。在一次殊死战斗中，格兰阵亡，克劳狄乌斯光复了故土。

Aḥmad ibn Ḥanbal　阿赫默德·伊本·罕百里（780，巴格达～855，巴格达）　伊斯兰教义学家、教法学家和殉教士。他是先知穆罕默德圣训集的编纂者，罕百里学派的创始人。该学派是伊斯兰教四大正统教法学派中最为严格的经典传统主义者。他的教义影响了一些著名的信徒和派别，如13、14世纪的神学家伊本·太米叶，18世纪改革运动者瓦哈比教派以及19世纪埃及的赛莱菲耶思潮。伊本·罕百里15岁开始学习哈底斯（圣训），曾五次到麦加朝觐，其中三次是徒步。他在哈里发马蒙发动的考询时期遭受折磨。考询始于833年，当时马蒙命令穆斯林一律相信穆尔太齐赖派关于《古兰经》是被造之物的学说。伊本·罕百里冒死拒不承认穆尔太齐赖派的主张。他被戴上镣铐，遭到毒打并被监禁约两年之久。833年，他与另一拒不屈服的教法学家穆罕默德·伊本·努赫一同被传前往塔尔苏斯受马蒙的审问。他们铁链加身自巴格达出发，但是启程后不久，马蒙死去。伊本·努赫死于被押回巴格达的途中。伊本·罕百里奉命谒见新哈里发穆阿台绥姆。他受审三天，第三天众学者与伊本·罕百里辩论，随后穆阿台绥姆与他私下会谈。但伊本·罕百里仍然不改口。穆阿台绥姆大怒，下令把他押下鞭打，他遍体伤痕，终生不愈。在下代哈里发瓦西格统治期间，考询继续进行，但伊本·罕百里未受折磨。考询的余波一直继续到穆塔瓦齐勒就任哈里发后两年，848年他才下令停止考询。

Aḥmad ibn Ibrāhīm al-Ghāzī 艾哈迈德·伊本·易卜拉欣·加济 参阅 **Aḥmad Grāñ** 艾哈迈德·格兰。

Aḥmad ibn Muḥammad ibn Abū Bakr ibn Saʿīd 艾哈迈德·伊本·穆罕默德·伊本·艾卜伯克尔·伊本·赛义德 参阅 **Shehu Ahmadu Lobbo** 谢胡·艾哈迈都·洛博。

Aḥmad ibn Ṭūlūn 艾哈迈德·伊本·图伦（835-09～884-03，埃及） 埃及图伦王朝的奠基人，兼并叙利亚的埃及第一任穆斯林总督。早年在巴格达给阿拔斯王朝哈里发当奴仆，后在塔尔苏斯城攻读神学。868年开始在埃及总督府供职。后来掌握财政部门，成为副总督。他利用巴勒斯坦的一次叛乱，购买了大批奴隶以扩充其军队，形成自己权力的基础。882年以反对拜占廷帝国的圣战为借口兼并叙利亚。他从未宣布脱离阿拔斯王朝而正式独立，但已不向阿拔斯纳贡。哈里发本人也无力派兵迫使艾哈迈德臣服。

Aḥmad ibn Ṭūlūn, Mosque of 艾哈迈德·伊本·图伦清真寺 876年由埃及和叙利亚总督（突厥人）兴建的宏伟壮丽的红砖建筑群。寺址即在今日的开罗，有三重庭院围绕礼拜殿。装饰和设计颇有阿拔斯王朝时代伊拉克建筑遗风。此清真寺于1890年列为古迹，彻底重建。

Ahmad Khan, Sir Sayyid 艾哈迈德汗（1817-10-17，德里～1898-03-27，印度阿里格尔） 全名赛义德·艾哈迈德汗。穆斯林教育家、法律学家和作家，印度北方邦阿里格尔穆罕默德英国东方学院的创建者，19世纪后半叶印度穆斯林全面复兴运动的主要推动者。1888年他荣获印度之星勋章，成为英国爵士。其家族颇受垂死的莫卧儿王朝的尊重。其父领取行政当局的津贴，成为类似宗教隐士的人物。其父死后，家境十分窘困，他不得不辍学做工。1838年在东印度公司当职员。三年后取得助理法官资格，在各地法院工作。他具有多方面的才能，业余积极参加各种活动。23岁开始用乌尔都文写作宗教小册子，1847年出版一本比较有价值的著作《伟大的遗迹》（介绍德里的古迹）。他所写的《印度革命的原因》大胆揭露英国当局的缺点和错误。他一生最感兴趣的是教育。1858年在穆拉达巴德、1863年在加济布尔开办学校。他所创建的科学协会翻译出版多种教科书，发行一种使用乌尔都语和英语的双语杂志。1867年他被调往贝拿勒斯，当时那里正掀起以印地语取代乌尔都语的运动。这一运动使他相信，印度教徒和穆斯林只能各走各的道路。在1869～1870年访问英格兰期间，他产生了建立一所穆斯林的剑桥大学的想法。为了实现这一目标，他建立了一个委员会，出版《社会改革》杂志。1875年5月，他在阿里格尔创办一所穆斯林学校。1876年他辞去公职，以全副精力将这一学校扩建为学院。1886年他组织全印穆罕默德教育大会。他主张穆斯林应集中精力搞教育，而不要参与激烈的政治活动。

Aḥmad Mūsa 艾哈迈德·穆萨（活动时期14世纪，阿塞拜疆大不里士） 大不里士城伊儿汗宫廷画家。据说，曾从父学画，领会了绘画的奥妙，开创了波斯细密画。在艾布·赛义德统治时期（1316～1335）曾为《动物寓言集》和《穆罕默德登霄记》作插画，这些作品现在可能部分地保留在各征服者画集中（藏伊斯坦布尔托普卡珀宫的奥斯曼帝国图书馆）。

Aḥmad Shāh 阿赫默德·沙赫（1725-12-24，德里～1775-01-01，德里） 全名阿赫默德·沙赫·巴哈都尔·穆哈希德-乌德-丁·阿布·纳斯尔。印度莫卧儿皇帝（1748～1754）。昏庸无能，人称"本性敦厚的低能儿"，全无个性、教养及领导者的品质，完全受别人支配。其在位期间，阿富汗的阿哈马德沙曾两次劫掠西北旁遮普地区，强索钱财和土地。有一次锡根德拉巴德的马拉塔人以大兵压境，他竟弃家而逃，所有后妃尽被掠走。1750年宰相萨夫达尔·姜格勾结西南部的马拉塔人，企图瓜分莫卧儿帝国。1754年阿赫默德·沙赫被马拉塔人及其支持者废黜，囚禁至死。

Aḥmad Shāh Durrānī 阿哈马德沙（1722?，旁遮普木尔坦～1772-10-16至23?，阿富汗多巴马鲁夫） 阿富汗国家创建者，其国土从阿姆达尔雅到印度洋，从呼罗珊至克什米尔、旁遮普和信德。他在首相和9名顾问辅佐下，全面控制着内政、外交、民事和军务。他出身显贵，是阿布达利部落酋长穆罕默德·扎曼汗之次子。曾在波斯纳迪尔沙阿手下当骑兵队长。纳迪尔沙阿死后，阿富汗酋长们推举他为国王。1747年即位，定坎大哈为首都。所铸货币刻有他的名字。1747～1769年9次侵入印度。1757年劫掠德里、阿格拉、马土腊和维尔达伐那。他与莫卧儿公主贝伽姆结婚。1759～1761年将马拉塔人赶出旁遮普，并在德里以北的班尼帕特歼灭马拉塔大军。18世纪60年代曾4次企图征服锡克人，但因国内严重叛乱，反而失去旁遮普。死后葬于新都阿哈马德舍希的陵墓。

Ahmadābād 艾哈迈达巴德 又拼Ahmedabad。印度中西部古吉拉特邦艾哈迈达巴德县县城。傍萨巴尔马蒂河。初建于1411年，历史上经历多次兴衰。第一个棉纺织厂建于

艾哈迈达巴德城的耆那教寺庙一角
美国不列颠百科全书公司供图

1859～1861年，此后成长为印度第六大城与内陆最大工业中心。1960年成为古吉拉特邦临时首府。首府于1970年迁至甘地讷格尔。城内印度教、伊斯兰教与耆那教建筑混杂，与近代工厂建筑成鲜明对照。根格里亚湖为一名胜。有古吉拉特大学。约一半人口靠棉纺织工业为生，并有其他轻工业。为印度西部铁路中心，与孟买、德里以及卡提阿瓦半岛相通。艾哈迈达巴德县位于卡提阿瓦半岛，面积8 707平方千米。东北部有低丘，西南部为肥沃平原，部分地区有森林。主要农作物为棉花、粟、小麦和豆类。主要河流萨巴尔马蒂河注入坎贝湾。人口：市2 872 865；都会区3 297 655（1991）。

Aḥmadī, al- 艾哈迈迪 科威特南部城镇、省和省会。1946年后随当地油田的发展而建成。科威特石油公司总部设此。有输油管与波斯湾上的艾哈迈迪港连接，并设有炼制厂和油轮终点。全省面积5 138平方千米。人口：城镇21 504；省263 806（1995）。

Aḥmadīyah 阿赫默底亚教派 伊斯兰教现代教派。又泛指神秘主义苏非派若干支派。阿赫默底亚教派1889年由米尔扎·古拉姆·阿赫默德（约1839～1908）创立于印度旁遮普省卡迪安镇。古拉姆·阿赫默德自称玛赫迪、弥赛亚和黑天大神，又称穆罕默德再世。阿赫默德死后，毛拉维·努尔德丁当选为哈里发。1914年，毛拉维死，阿赫默底亚教派分化；老派卡迪安派尊古拉姆·阿赫默德为先知，其子哈德拉特·米尔扎·巴希勒丁·马哈穆德·阿赫默德（1889～　）为第二代哈里发。新派拉合尔派则仅承认古拉姆·阿赫默德是改革者。卡迪安派主要分布在巴基斯坦（但在印度、西非以及英国、欧洲大陆和美国也有分布）。其组织严密，资金雄厚。该派传道士积极鼓吹阿赫默底亚信仰的是纯正的伊斯兰

教，穆罕默德和阿赫默德均是先知。拉合尔派积极从事英文和乌尔都文书刊出版事业，并推行伊斯兰教的自由化。阿赫默底亚教派又指埃及的巴达维派等苏非派教团。巴达维因通晓伊斯兰科学而声誉卓著，但最后放弃思辩认主学而隐居冥思静想。不久被尊为行神迹的圣人，拥有数千门徒，阿赫默底亚教派是埃及最流行的教派之一。每年纪念巴达维的三大节日十分隆重。号称此教派支派的诸多小教团散布于穆斯林世界。

Ahmadnagar　艾哈迈德讷格尔　又拼 Ahmednagar。印度西部马哈拉施特拉邦艾哈迈德讷格尔县城镇。古称比纳尔，1490 年被艾哈迈德王征服。后曾被莫卧儿人、马拉夏人和英国人占领。主要古迹有艾哈迈德堡（20 世纪 40 年代尼赫鲁曾被囚禁于此）和莫卧儿宫。有公路和铁路通往孟买、浦那与绍拉布尔。为商业中心。主要工业为棉纺织工业与皮革加工业。设浦那大学的三个学院。艾哈迈德讷格尔县位于哥达瓦里河上游盆地，面积 17 035 平方千米。经济以农业为主，但雨量极不稳定，经常歉收。粟、小麦、棉花为主要旱作物，甘蔗为主要灌溉作物，以产草药著称。主要工业为制糖与轧棉。该县以印度传统草药著称。人口：城镇 181 339；都会区 222 088（1991）。

Ahmadu Hammadi Bubu　艾哈迈都·哈马迪·布布　参阅 **Shehu Ahmadu Lobbo** 谢胡·艾哈迈都·洛博。

Ahmadu Seku　阿马杜·塞库（?～1898，北尼日利亚索科托）　西非图库洛尔帝国第 2 代和末代君主，以抵抗法国占领驰名。1864 年继父亲哈吉·欧麦尔的帝位，统治以古代的塞古班巴拉王国（在今马里）为中心的一个大帝国。根据《楠戈条约》（1881），他给予法国以最惠国待遇。当法军向基塔、巴马科挺进后，他放弃首都塞古，订立《古里条约》（1887-05-12），接受法国保护。L. 阿希纳尔上校 1888 年发动进攻，1891 年攻占他的大部分要塞。

Aḥmad ʿUrābī Pasha al-Miṣrī　阿赫默德·尤拉比帕夏·米斯里　参阅 **ʿUrābī Pasha** 尤拉比帕夏。

Aḥmar, al-Baḥr al-（Asia）　参阅 **Red Sea** 红海。

Ahmed　艾哈迈德　又拼 Achmed 或 Achmet。奥斯曼君王之名，按年代顺序分列于后，并各以●为记。

● Ahmed I　艾哈迈德一世（1590-04-18，奥斯曼帝国马尼萨～1617-11-22）　奥斯曼苏丹（1603～1617）。他的统治因战争、起义和苛政而削弱。他极力镇压暴乱，并处决或流放一些贪污受贿、玩弄阴谋的大臣和宫廷显贵。1606 年同奥地利签订丧权辱国的《吉特瓦托洛克和约》。从此，他不得不在所属领地范围内向法国、威尼斯、荷兰提供商业上的优惠待遇。他虔信伊斯兰教，对圣地麦加和麦地那捐款很多，曾建立一座宏伟的“蓝清真寺”。

艾哈迈德一世在一场模拟侏儒格斗中取乐，17 世纪初期细密画

美国不列颠百科全书公司供图

● Ahmed II　艾哈迈德二世（1642-08-01～1695-02-06，奥斯曼帝国埃迪尔内）　奥斯曼苏丹（1691～1695）。他在位时期，与奥地利-波兰-威尼斯三国神圣联盟连续不断地进行战争。即位不久，他的军队在匈牙利被奥地利人打败，丧失很多领土。威尼斯人于 1692 年进攻克里特，1694 年占领希俄斯。此外，叙利亚、汉志和伊拉克等阿拉伯行省也发生动乱。艾哈迈德二世鼓励游牧的土库曼人定居安纳托利亚和叙利亚，以便结束奥斯曼土地管理中的混乱。总之，他没有独立治国能力，朝政一直为廷臣所左右。

● Ahmed III　艾哈迈德三世（1673～1736）奥斯曼帝国苏丹（1703～1730）。因收容瑞典国王查理十二世，被迫对俄国作战（1711～1713），并打败这个强国。根据和约，俄国同意归还亚速，拆毁亚速炮台，不再干涉波兰和哥萨克人的事务。1715 年，艾哈迈德指挥作战，从威尼斯人手中夺取摩里亚（伯罗奔尼撒半岛）。但当奥地利人出头干涉时，土耳其军转胜为败，1717 年丧失了贝尔格莱德。根据《帕萨罗维茨和约》（1718），土耳其保有从威尼斯人手中占领的土地，但让出匈牙利和塞尔维亚的部分领土。艾哈迈德三世在 1730 年哈利勒所领导的起义期间被废黜，后死于狱中。他的统治时期有时称为“郁金香时代”，因为 18 世纪初期，这种花在君士坦丁堡非常流行。

由一个儿子侍候着的艾哈迈德三世

美国不列颠百科全书公司供图

Ahmed, Fakhruddin Ali　阿赫默德（1905-05-13，德里～1977-02-11，新德里）　印度政治家，1974～1977 年任印度总统。阿萨姆邦一陆军军医之子。在国内受教育后，去剑桥大学攻读历史，1927 年毕业。1935 年选入阿萨姆邦议会。1938 年任阿萨姆邦财政和税务部长，制定了一些激进的税收措施。1939 年被英国人监禁 1 年。获释后再次被捕，关押 3 年半，1945 年 4 月释放。1946 年任阿萨姆邦检察长，在任 6 年。后曾在国民议会任职，任期满后，回到阿萨姆邦从政，直到 1966 年英迪拉·甘地总理请他入阁。他历任灌溉与动力部、教育部、工业发展部和农业部部长。1974 年当选为印度第 5 任总统。阿赫默德言谈温和，文雅、幽默。

Ahmed Cevdet Paşa　艾哈迈德·杰夫代特·帕夏　参阅 **Cevdet Paşa, Ahmed** 杰夫代特·帕夏。

Ahmed Haşim　艾哈迈德·哈希姆（1884，巴格达～1933-06-04，伊斯坦布尔）　土耳其作家，象征主义文学运动最杰出的代表人物之一。出身于名门望族，在君士坦丁堡（今伊斯坦布尔）读中学时，逐渐熟悉法国文学并对诗歌产生爱好，短期学习法律之后，便在政府烟草事务处工作。后任官方译员。第一次世界大战后退役，在奥斯曼公债管理处任职，继而任多项教学工作。1924～1928 年赴巴黎旅行期间，会见了法国文学界著名人士。早期作品以古典奥斯曼文体写成，及至研究了诗人波德莱尔、兰波、马拉梅等人的象征主义诗歌后，文体才有改变。1924 年，他为法国刊物《法兰西信使》撰写一篇有关土耳其文学的论文，在文中阐述诗歌是介于普通语和音乐之间的一种中介语言。他的诗有时似乎有意含糊隐诲，不过，他的想象力丰富，语言优美感人，著名诗集有《湖畔时刻》（1921）和《湖上鸟》等。

Ahmed Vefik Paşa　艾哈迈德·韦菲克帕夏（1823-07-06，君士坦丁堡[今伊斯坦布尔]～1891-04-02，君士坦丁堡）　奥斯曼政治家和学者，第一位奥斯曼议会议长（1877），对土耳其的研究颇有贡献。出生于外交官家庭。1849 年任帝国驻多瑙河流域各公国专员，后任驻波斯大使和驻法国大使。1878 和 1882 年两次任首席大臣。1879 年任布尔萨地方长官，推行重大的改革，建立奥斯曼第一座剧院。他曾翻译莫里哀的剧本，编纂土耳其语辞典和历史地理手册。1847 年主编奥斯曼帝国的第一部《年鉴》。1876 年出版《奥斯曼人的语言》，这是一部强调纯土耳其语的简明辞典。1882 年 12 月后，根据阿卜杜勒·哈米德二世苏丹的命令被软禁在博斯普鲁斯家中，藏书被出卖抵债。

Ahmed Yesevi　艾哈迈德·耶赛维（11 世纪下半叶，赛拉姆[在今哈萨克斯坦]～1166，突厥斯坦亚西[在今土库曼斯坦]） 诗人，苏菲派（伊斯兰教神秘主义）信徒，早期突厥神秘主义领袖，对整个突厥语世界中的神秘主义教团的发展有很大影响。生平不详。传说，诗人幼年丧父，举家迁居亚西，并开始讲授神秘主义。据说，他曾去布哈拉向苏菲的领导人优素福·赫迈扎尼等人求教。《智慧诗集》是他仅存的著作，其中有以神秘主义为主题的诗。一些学者认为那不是他的诗，只不过诗的风格和情感与他的诗作相似而已。对耶赛维的重要性无论怎样评价也不过高。关于耶赛维生平事迹的传说遍及整个讲突厥语的伊斯兰世界。他逐渐拥有为数众多的追随者。1397或1398年，突厥征服者帖木儿在他的坟墓上修建了一座华丽的陵寝。各地香客前来朝圣，把他尊为“圣者”。耶赛维为人民写诗，他的神秘主义团体是个群众性的兄弟会，他们的宗教仪式中保存了伊斯兰教的和古代突厥和蒙古人的行为和习俗。他的信徒在突厥语世界中建立了许多神秘主义的社团。他的诗歌对突厥语文学影响至深，也为神秘主义民间文学的发展开辟了道路。

Ahmedabad (India) 参阅**Ahmadābād**艾哈迈达巴德。

Ahmedi, Taceddin 艾哈迈迪（1334?，安纳托利亚～1413，奥斯曼帝国阿马西亚） 全名塔杰丁·易卜拉欣·伊本·赫泽尔·艾哈迈迪。14世纪安纳托利亚最伟大的诗人之一。青年时期曾与知名学者阿克马尔丁（巴巴蒂）同在开罗学习，后去安纳托利亚的屈塔希亚，为埃米尔苏莱曼（1367～1386）写作。不久，到奥斯曼苏丹巴耶塞特一世（1389～1403）宫廷供职，在土耳其人遭到大败的安卡拉战役中，显然遇见了世界征服者帖木儿，并为其写了一首颂诗。苏丹死后，在埃迪尔内城追随其子苏莱曼·切莱比，献呈颂诗及其最著名的作品之一《亚历山大之书》，后者系模仿波斯著名诗人内扎米（1209卒）的长诗而作。全诗约8 000押韵对句，借用亚历山大传奇为框架，论述自己关于神学、哲学和历史的观点。结尾部分被认为是研究奥斯曼帝国历史的重要早期史料。因为诗人写这一部分时，显然曾以现已散佚的很早的编年史为依据。除《亚历山大之书》外，艾哈迈迪尚有诗集一卷，对句诗多首，以及一部说教性著作《精神的慰藉》等。

Ahmednagar (India) 参阅**Ahmadnagar**艾哈迈德讷格尔。

Ahmet Paşa Bursali 艾哈迈特·帕夏·布尔萨勒（?，奥斯曼帝国埃迪尔内～1496或1497，布尔萨） 15世纪土耳其文学中最重要的人物之一。出身名门，受过正规的伊斯兰教育，曾任布尔萨宗教学院教师，1451年任埃迪尔内城法官。穆罕默德二世苏丹（1451～1481）即位后，升任军事法官兼苏丹私人教师。1453年参与征服君士坦丁堡的军事行动。失去苏丹宠爱后，充军布尔萨多年，后成为奥斯曼一些城市的地方长官。巴耶赛特二世继位后，他仍在朝廷供职直至去世。艾哈迈特·帕夏主要是个颂诗作者，多写颂诗和情诗，被认为是奥斯曼文学古典诗歌第一位大师。他的诗作铿锵有力，韵律悠扬，对后来的奥斯曼古典诗人影响极大，在土耳其文学史中占有重要地位。

Ahmose 雅赫摩斯 又拼Ahmosis，希腊语作Amasis。埃及国王名，按年代顺序分列于后，并各以●为记。

● **Ahmose I 雅赫摩斯一世** 希腊语作Amasis。古代埃及第18王朝的创建人（约公元前1539～前1514在位），完成了其兄驱逐喜克索人（埃及的亚洲统治者）的行动，入侵巴勒斯坦，使埃及对南方的努比亚再度实施霸权。在统治初期，重新进行反抗喜克索人的解放战争。在埃及中部击溃外国人联军，攻占了今开罗附近的埃及传统都城孟斐斯。在其母阿霍特普太后在底比斯（今卢克索附近）掌管政务时，他先从水路进攻三角洲东部的喜克索都城阿瓦里斯，又从陆路对其加以围困，随后终于占领了该城。尔后将敌军追逐至巴勒斯坦的喜克索要塞沙鲁亨，围困3年后攻克之。在向巴勒斯坦进军之前，他发动3次战役，攻入喜克索人的盟国努比亚。南方蕴藏着丰富的金矿是诱使他向努比亚扩张的另一原因。在巩固边疆后，他在埃及成立一个效忠于自己的政府，把土地分给在征战中的功臣和王室成员。重新开采西奈铜矿，恢复与叙利亚沿海城市的贸易，重新修建庙宇和王室礼拜堂，并计划建造更为壮观的建筑物。不久即辞世，留下的是一个繁荣和重新统一的埃及。

● **Ahmose II 雅赫摩斯二世**（活动时期公元前6世纪） 希腊语作Amasis。古代埃及第26王朝的国王（公元前570～前526在位）。原为一将军，在反阿普里斯国王的叛乱中夺取王位。据公元前5世纪希腊历史学家希罗多德的记述，雅赫摩斯是一个精明的、会打如意算盘的统治者，他一方面提倡希腊与埃及通商，一方面又加以严格控制。公元前570年，阿普里斯在攻打昔兰尼（在今利比亚）的战役中失利，埃及军队发生叛乱。雅赫摩斯被派去平定叛乱时，叛乱分子却拥他为王。在接着发生的内战中，他指挥埃及人击败了阿普里斯在巴比伦国王尼布甲尼撒二世支持下的一次入侵。雅赫摩斯在战场上杀死阿普里斯，事后为他举行了国王葬礼。此后，雅赫摩斯致力于外交方面。他与昔兰尼一女子结婚，得以和该国结盟。同时，又在希腊寻求盟友。希罗多德讲述过他和萨摩斯岛暴君波利克拉特斯之间的友谊，还提到他为重建德尔斐神庙而捐款。为了控制希腊对埃及的影响，他把商人限制在其都城西南尼罗河三角洲的诺克拉提斯城内。他在位时期，埃及极度繁荣昌盛。据传，雅赫摩斯可能是雇用他的朋友波利克拉特斯的舰队，征服了塞浦路斯，使之称臣纳贡。据希罗多德叙述，当吕底亚国王克罗伊斯寻求援助以反抗波斯时，雅赫摩斯与他结盟。然而，波斯的力量迅速增长，雅赫摩斯去世仅半年左右，冈比西斯国王就入侵埃及。

Aho, Juhani 阿霍（1861-09-11，俄罗斯帝国芬兰拉平拉赫蒂～1921-08-08，芬兰赫尔辛基） 约翰内斯·布罗费尔特的笔名。芬兰小说家。初为现实主义者，晚年倾向于浪漫主义。曾在赫尔辛基大学读书，作过新闻记者。曾是自由派的团体“青年芬兰”的活跃成员。早年写的现实主义长短篇小说中，以幽默的笔调描写他所熟悉的芬兰边远森林地带的生活。他的小说《铁路》（1884），描写一对年迈夫妇第一次乘火车的故事，是一部芬兰名著。他受当时挪威及法国作家易卜生、比昂松、莫泊桑，特别是都德等人的影响，在《牧师的女儿》（1885）及《牧师的妻子》（1893）中描写知识分子阶层的生活。在19世纪90年代，他为浪漫的民族主义所吸引，著有长篇小说《帕奴》（1897）、《春天与早归的冬天》（1906）等。他最成熟的浪漫主义作品是《尤哈》（1911），写卡累利阿森林的一个瘸腿人的不幸婚姻故事。他的短篇小说集（1891～1921）共有8集，流传最久。在这些作品和他回忆童年的作品《你记得……吗?》（1920）中，阿霍显示了恬静的抒情风格。

aholehole 汤鲤 鲈形目汤鲤科多种鱼类之通称。其中汤鲤属（*Kuhlia*）的许多种栖于印度洋-太平洋地区的海水或淡水中，另两属则仅见于澳大利亚的淡水或半咸水中。因外表特征似翻车鱼（属翻车鱼科），故推测二者亲缘颇近。夏威夷汤鲤（*K. sandvicensis*）囿于夏威夷群岛沿岸海水中，最长达约30厘米。汤鲤科某些种类则可长达45厘米。

Ahom 阿霍姆人 自13世纪起至1838年英国统治时期为止统治阿萨姆大部地区的部落。全盛时代是在国王鲁德拉·辛格（1696～1714）统治时期。他们起源于中国云南省，公元1世纪时迁入印度支那和缅甸北部。本族语言现已消亡，目前操阿萨姆语。

Ahram, Al- 《金字塔报》 开罗出版的日报，一向被认为是埃及最具权威性和最有影响力的报纸。1875年由黎巴嫩基督徒萨里姆和比沙拉·塔克拉两兄弟创办。1881年起成为日报，以其不顾英国人的检查和控制而保持独立和客观的立场而闻名，同时以对国际新闻的报道以及关于埃及和埃及人民的非政治性报道而出名。20世纪50年代末期，《金字塔报》处于埃及政府的影响之下，纳赛尔总统让他的朋友海卡尔担任该报主编。1960年纳赛尔将报馆收归国有，《金字塔报》成为事实上的政府喉舌。海卡尔对该报的影响很深。他本人既是一个雄辩的社论作者，又是一个扎实的记者，他树立了该报的声誉并使采编风格、版面及技术处理提高到新的水平。该报成为阿拉伯世界的权威报纸。1974年海卡尔因失去萨达特总统的信任而离职，但他所树立的质量标准仍继续保持。

Ahrāmāt al-Jīzah (ancient Egyptian pyramid field) 参阅**Giza, Pyramids of**吉萨金字塔。

Ahriman 阿里曼 阿维斯陀语作Angra Mainyu。琐罗亚斯德教二元教义中的邪神。

本性贪婪、暴戾和妒忌。阿里曼创造一群妖魔，分别体现妒忌等恶性，它们协助他攻击智慧之神阿胡拉·玛兹达所创造的光明。印度现代琐罗亚斯德教认为，阿里曼无非是象征人类作恶之习性，这样就贬低了阿里曼的重要性，恢复了阿胡拉·玛兹达的全能性。

AHS 参阅 **African horse sickness** 非洲马病。

Aḥsā', Al-（Saudi Arabia） 参阅 **Hasa, Al-** 哈萨。

Aḥsā'ī, al- **阿赫萨尔**（1753，阿拉比亚哈萨[今在沙特阿拉伯]～1826，麦地那附近） 又名谢赫·阿赫默德。伊朗伊斯兰教什叶派的非正统支派谢赫教团的创立者。阿赫萨尔早年致力于伊斯兰教研究并周游了波斯和中东。之后，1808年定居于波斯境内的亚兹德，在该地宣讲教旨。他对什叶派（伊斯兰教两大主要派别之一）教义的解释，很快吸引了大批信徒，但却在当时的正统派宗教领袖内部引起争论。伊斯兰教什叶派的主要信条是：伊斯兰教的领袖大伊玛目出自阿里（先知穆罕默德的女婿）与法蒂玛（先知之女）的男性后裔，并认为他是由安拉指定，受安拉的感召。874年后，伊玛目的宗教职责由瓦基尔（即代理人）履行，他与马赫迪（即最后的伊玛目和救世主）保持接触。但自阿里·伊本·穆罕默德·萨穆里940年去世后，马赫迪与教众之间的这一直接交往停止了。什叶派人相信，在安拉启示的世界末日到来之前的某一时候，马赫迪将建立一个正义的统治时代。阿赫萨尔宣称，无论什么时代，在马赫迪与教众之间都必然有人担任中介，他可能以这种中介自居。这一学说使他与巴士拉、巴格达和摩苏尔等地的正统什叶派教义学家发生了冲突。后者认为，在马赫迪隐遁期间，他们是教众的信仰看管者。1824年，阿赫萨尔与占统治地位的正统派教义学家最终决裂，他被正式宣布为异教徒。在被排斥后，阿赫萨尔离开了该地区，并死于前往麦加朝觐途中。由赛义德·卡基姆·拉什提（1843年卒）接替他继续领导谢赫教派。

Ahtisaari, Martti **阿赫蒂萨里**（1937-6-23，芬兰维普里[今俄罗斯维堡]～　　） 芬兰政治家和著名的调停人，芬兰总统（1994～2000）。1959年毕业于奥卢大学，60年代早期在巴基斯坦为瑞典国际发展署的一个教育项目工作。1965年回到芬兰在外交部工作；8年后被任命为驻坦桑尼亚大使，一直任职到1976年。1977～1981年担任联合国驻纳米比亚的专员，在这个因内乱分崩离析的国家里，他的外交技巧得到了磨炼。80年代，他在芬兰外交部担任若干职务的同时继续代表着纳米比亚，他领导了一个联合国小组监督纳米比亚过渡到独立的过程（1989～1990）。在波斯尼亚-黑塞哥维纳的和平谈判（1992～1993）中起到重要作用。1994年竞选芬兰总统职位。他希望芬兰是国际事务的积极参与者，这一观点帮助他赢得了选举。他力主芬兰加入欧洲联盟，1999年上半年担任欧盟的轮值主席。同年6月，运用他的外交技巧帮助结束了科索沃的冲突。他和俄罗斯特使V.切尔诺梅尔金一起说服了南斯拉夫总统S.米洛舍维奇接受和平计划，以此作为北大西洋公约组织停止惩罚性轰炸的条件。他常受到来自芬兰议会（倾向更谨慎外交政策）和自己的政党社会民主党的阻力，2000年不再谋求连任。

Ahuachapán **阿瓦查潘** 萨尔瓦多西部城市。在拉拉古尼塔火山山麓，莫利诺河畔。1823年设镇，1862年设市。为制造业和商品集散中心（主要产品为咖啡）。亦以矿泉浴场闻名。有利用温泉热能的地热发电厂（1975年开始发电）。人口：市约20 376；城市区约78 918（1985）。

Ahuitzotl **阿维措特**（？～1503） 阿兹特克人第8代国王，在位时期（1486～1503）使阿兹特克帝国的版图大为扩展。他是一个残忍的武士，即位后大举南征，降服了今危地马拉和墨西哥湾地区的各部落。他经常采用强行军、伏击、奇袭等战术。部下对他既尊敬又害怕。他通过征服为阿兹特克帝国掠夺了巨大的财富。首都特诺奇蒂特兰发展很大，阿维措特增修一条高架水渠，还建造了宏伟的马利纳尔科神庙。他严密统治整个帝国，1487年为特诺奇蒂特兰新建神庙举行4天祭祀活动，有2万～8万名俘虏作为牺牲被开膛取心。1503年发生大洪水，他在逃跑中头撞石梁而死。

ahura（religion） 参阅 **asura** 阿修罗。

Ahura Mazdā **阿胡拉·玛兹达** 又拼Ormazd。古代伊朗宗教特别是琐罗亚斯德教所奉的至高之神。波斯国王大流士一世（公元前522～前486在位）及其后各代国王都

阿胡拉·玛兹达浮雕像

美国不列颠百科全书公司供图

崇拜阿胡拉·玛兹达，认为他保佑贤明君主。阿胡拉·玛兹达创造宇宙和宇宙秩序并维持宇宙秩序。他还创造了孪生神灵斯彭塔·曼纽和安格拉·曼纽（即阿里曼）。前者善良，选择真理、光明和生命；后者邪恶，选择虚伪、黑暗和死亡。两神的斗争构成了世界的历史。

Ahvāz **阿瓦士** 伊朗西南部城镇。临卡伦河，四周是沙岩低丘陵。始建于阿开民王朝。萨珊帝国阿尔达希尔一世曾予重建，并兴修水利，使该镇得以繁荣。7世纪阿拉伯穆斯林征服阿瓦士时改名苏格阿瓦士。多种植甘蔗和稻米。19世纪开始衰落，河堤崩溃，全城几近毁灭。20世纪在胡齐斯坦省发现石油后，阿瓦士重新繁荣。19世纪后期以来，一新型居民点——纳赛尔港在左岸建立，可停泊轮船。阿瓦士是伊朗横贯铁路的两条支线的中继站，有公路通往阿巴丹、霍拉姆沙赫尔、舒什塔尔、迪兹富勒和油田，有班机开往德黑兰。1955年建立均迪·沙普尔大学。人口724 653（1999）。

Ahvenanmaa（Finland） **阿赫韦南马群岛** 参阅 **Åland Islands** 奥兰群岛。

Ai **艾城** 迦南（今巴勒斯坦）古城，据《圣经·约书亚记》第7～8章载，此城毁于约书亚所率领的以色列人之手。《圣经》数处都说，艾城在伯特利之东；伯特利即今以色列占约旦领土内的拜廷。由此可以断定，拜廷附近的旧铜器时代遗址即艾城所在，这片遗迹面积甚广，称泰勒。经过1933～1935年的发掘，在该地发现一座古庙。该城自公元前2500年起即无人居住，只在公元前12世纪～前11世纪时短期有人居住过。《圣经》中提到的事件大约发生在公元前1400～前1200年间。

ai **三趾树懒** 又作three-toed sloth。几种树栖兽类的统称，树懒的一个类型。参阅**sloth**。

Ai Qing **艾青**（1910-03-27，中国浙江金华～1996-05-05，北京） 中国现代诗人。原名蒋海澄。初中毕业后入杭州国立西湖艺术学院学习绘画。1928年去法国勤工俭学，学画并

中国大百科全书出版社供图

阅读哲学、文学著作，开始写诗。1932年回国，在上海参加左翼美术家联盟。同年被捕，在狱中写了不少抒情诗。1933年发表《大堰河——我的保姆》，表达了诗人对劳苦人民的关怀和对不合理社会的控诉。这是他的成名作，也是自由体诗的成功尝试；诗风自由奔放、沉郁真挚。1936年出版第一本诗集《大堰河》，以诗情浓郁得到读者好评。1937年抗日战争爆发，到武汉、桂林、重庆等地从事抗日工作，并进入创作的旺盛期。担任过《广西日报》副刊编委，与戴望舒合编诗刊《顶点》。1938年出版第二本诗集《北方》，以后陆续出版《向太阳》（1938）、《他死在第二次》（1939）《火把》（1941）、《黎明的通知》（1943）等诗集，抒发爱国热情，具有鲜明的时代特色。著有《诗论》（1941），主张自由体诗。1941年去延安，任《诗刊》主编，曾采用民歌体写作，诗风有所变化。后来写的《反法西斯》（1943）、《雪里钻》（1944）、《献给乡村的诗》（1945）等诗集，

具有写实的倾向,都很著名。1945年参加中国共产党,后在鲁迅艺术文学院和华北联合大学任教。在此期间写有《人民的城》、《欢呼》等,歌颂人民的胜利。1949年后任《人民文学》副主编,出访过苏联、智利等国,写有《年轻的母亲》(1954)、《维也纳》(1954)、《一个黑人姑娘在歌唱》(1954)等诗作,出版《黑鳗》、《海岬上》等诗集。1957年被划为右派,长期在新疆、东北农场劳动。1979年恢复名誉,继续诗歌创作,发表了《鱼化石》、《光的赞歌》(1978)、《古罗马大斗技场》,带有历史、哲学的沉思。除上述诗作外,还出版《艾青诗选》(1979)、《归来的歌》(1980)、《雪莲》(1983)等。诗学论著有《论诗》、《新诗论》、《新文艺论集》(1980)、《艾青谈诗》(1982)等。艾青是中国诗坛翘楚,在国内外享有盛誉。1979年恢复名誉后,曾任中国作家协会副主席、中国笔会中心副会长、《诗刊》编委等职。

Aichbühl 艾什布尔 新石器时代中期(公元前第3千纪末)聚落遗址。位于德国西南部巴登-符腾堡州东南部费德湖湖滨。1930年R.施密特在此发现25栋长方形建筑基址。约20栋建筑是2间房的屋舍,大小5米×8米。中间一座似系公共场屋,20米×20米,其余均为仓屋。当时居民以狩猎为主,亦种小麦和大麦,饲养牲畜。发现有小型的磨制石斧和骨器。房内有炉灶。陶器无彩绘,属德国南部新石器时代的一个常见类型。

Aichi 爱知 日本本州中部县,临太平洋。面积5 139平方千米。大部分位于浓尾平原及东部两处较小平原境内。西北以木曾川与岐阜县交界。海岸曲折。三河湾为渥美(在

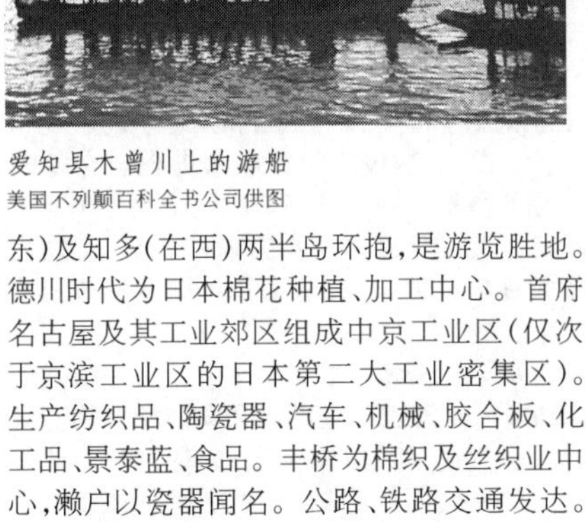

爱知县木曾川上的游船
美国不列颠百科全书公司供图

东)及知多(在西)两半岛环抱,是游览胜地。德川时代为日本棉花种植、加工中心。首府名古屋及其工业郊区组成中京工业区(仅次于京滨工业区的日本第二大工业密集区)。生产纺织品、陶瓷器、汽车、机械、胶合板、化工品、景泰蓝、食品。丰桥为棉织及丝织业中心,濑户以瓷器闻名。公路、铁路交通发达。主要港口为名古屋。人口约6 819 000(1994)。

Aichinger, Gregor 艾欣格(1564,拉蒂斯蓬主教管辖区雷根斯堡[今在德国]～1628-01-21,奥格斯堡) 文艺复兴晚期向巴罗克早期风格转换阶段德国宗教音乐作曲家。曾任圣职,1584年起在奥格斯堡的富格尔家族中任管风琴师。1584～1587年访问意大利,1599～1600年去罗马。作品主要为合唱曲,供教会使用,采用拉丁文唱词。他的音乐受威尼斯学派作曲家、尤其是他的老师乔凡尼·加布里埃利的影响,表现出保守风格。所作经文歌名噪一时,频繁收入当时的歌曲集。他的《教会歌曲集》(1607)是德国最早运用通奏低音记谱法的范例之一。

aid 补助税 中世纪欧洲征收的一种捐税,由个人或团体向某个当权者交纳。补助税可由国王向其臣民征收,可由封建领主向其陪臣征收,或由庄园主向其所属居民征收。随着时间的推移,领主征收补助税的情况只限于:①其长子被封为骑士时;②其长女第一次结婚时;③为他支付赎金时;④当他参加十字军时。这些封建的补助税不同于继承税,也不同于兵役免除税。庄园主向其所属居民、农民和陪臣征收的补助税称为*平民税*(**taille**),后来演变为一种由君主征收的直接税,即王室平民税或佃租。几乎所有欧洲王子都征收直接税以弥补王室收入的不足,尤其是非常时期。

Aidan 艾丹(?～约608) 又拼Aedan。苏格兰的达尔里阿达王国国王。达尔里阿达国王加布兰之子。他拒绝让王国继续从属于爱尔兰的达尔里阿达。在与南面的邻国发生冲突后,曾率大军进攻诺森伯里亚国王艾特尔弗里思,但在德格萨斯坦(可能在利德斯河谷)被击败。

Aidan, Saint 艾丹,圣(?爱尔兰～651-08-31,英格兰诺森伯兰班堡) 古代英格兰基督教教士,诺森伯里亚使徒。他原是苏格兰内赫布里底群岛之一艾欧纳岛上的隐修士,根据诺森伯里亚国王奥斯瓦尔德的要求,于635年被任命为诺森伯里亚主教。艾丹在林迪斯芳设立教会、隐修院和主教府。793年丹麦人入侵,其后艾丹从林迪斯芳开始,向英格兰北部传教,设立多处教会和隐修院,并在林迪斯芳设立培训传教士的学校。据著名的盎格鲁撒克逊史学家、神学家比德记载,艾丹博学、善良而朴素。

AIDS 艾滋病 获得性免疫缺陷综合征(acquired immune deficiency syndrome)的别名。一种致命的免疫系统传染病,病原体是人类免疫缺陷病毒(HIV)。HIV缓慢地攻击并破坏免疫系统(身体抵抗感染的机制),使人容易患上各种其他感染和某些恶性病,这些疾病最终会导致死亡。艾滋病是HIV感染的最后阶段,在这个阶段出现致命的感染和恶性病。艾滋病于1981年由美国纽约和加利福尼亚的研究人员首先报告。1983年,法国和美国的研究人员分离出病原体HIV,到1985年,研究成用以测出病毒的血清学试验。

20世纪80年代,艾滋病到处流行,尤其在其可能的发源地非洲。多个因素似乎都促进了艾滋病的传播,这包括非洲城市化加剧,长距离旅行的机会增加,国际旅行日益频繁、性道德受到挑战,以及人们通过静脉注射滥用毒品。到2002年,艾滋病在全世界已夺取2500多万人的生命。世界上有近4000万人感染了HIV。HIV感染者中70%以上生活在撒哈拉以南的非洲,在该地区的一些国家,居民的HIV感染率超过10%。在世界其他部分感染率要低一些,但东欧、印度、南亚、东南亚、拉丁美洲以及加勒比地区HIV感染也在迅速流行。在美国,HIV的感染率已稳定在每年约4万例。所有新感染者中1/3是女性,对这些新感染的女性而言主要的风险因素是异性间的性交。

HIV通过直接的体液交换从感染者传播到未感染者,这些体液包括血液和血液制品,精液和其他生殖系统分泌物,或母乳。世界上主要的传播方式是与感染HIV的异性性交;此时病毒能通过阴道、阴茎、直肠或口腔的黏膜进入对方的身体。HIV也经常通过共用针头或注射器在静脉扎毒者之间传播;在研制出筛查供血者的措施和杀灭血液制品中HIV的热处理方法之前,HIV也能通过污染的血液制品传播;许多血友病患者就是通过这种途径感染了HIV。今天,通过血液传播而感染HIV的风险极低。在罕见的情况下,当从HIV感染者抽取血液的针头意外地刺伤了医务人员时,医务人员也可能被感染。病毒也能通过胎盘或母乳从母亲传播给孩子,在分娩前后给母儿双方都使用抗逆转病毒药,能降低孩子感染HIV的几率。HIV不会通过咳嗽、打喷嚏或偶然接触(如握手)传播。HIV是很脆弱的,离开人体后不能长期存活。因此,HIV的传播需要体液的直接传送。其他性传播疾病,如梅毒、生殖器疱疹、淋病和衣原体感染,能增加通过性接触感染HIV的风险(可能是通过性传播疾病造成的生殖器损害)。

艾滋病是一种动物源性传染病,人和其他在分类上较人低等的脊椎动物都能感染。曾在赤道非洲西部的黑猩猩身上找到过遗传学结构与HIV相似的病毒。有趣的是,黑猩猩感染了这种称为猴免疫缺陷病毒(SIV)的病毒后却很少患病。人类捕猎和屠杀黑猩猩并食其肉的行径可能使病毒传播到人体,这种情况可能发生于20世纪前半叶。HIV-2型可能由感染非洲绿猴的SIV的一个不同类型生成。HIV-2型也能引起艾滋病,但引起艾滋病的速度慢于HIV-1型。在世界上,最常见的人类免疫缺陷病毒是HIV-1型,HIV-2型大部分发生于西非。

HIV主要侵犯白细胞的一个特别类型。该类型称为辅助性T淋巴细胞或辅助性T细胞,对免疫系统极为关键。辅助性T细胞又称为CD4+T细胞,因为该细胞表面含称为CD4的蛋白质。辅助性T细胞在正常的免疫应答中起中心作用,因为它能产生一些因子,而这些因子能激活几乎所有其他免疫系统细胞。这些被激活的免疫系统细胞包括:B淋巴细胞(能产生抗感染所必须的抗体),细胞毒性T淋巴细胞(能杀灭感染了病毒的细胞),以及巨噬细胞和其他效应细胞(能攻击侵入的病原体)。艾滋病是体内大部分辅助性T细胞丧失的结果。

HIV公认的过程涉及3个阶段:原发HIV感染、无症状阶段和艾滋病。在第一阶段,侵入人体的病毒迅速复制,某些感染者可能表现出急性的流感样症状,症状通常持续1～2

周。在此阶段可能出现多种症状，如发热、淋巴结肿大、咽痛、肌肉和关节疼痛、皮疹和全身不适。标准的HIV检测可测定针对病毒的抗体，在感染之初检测结果为阴性，因为此时HIV抗体的浓度尚未达到可测出的水平，直到数星期之后才能测出。免疫系统对病毒的入侵作出应答，血液中的HIV数量下降。HIV感染的第二阶段——无症状期平均持续10年。在此时期，病毒继续复制，CD4 + T细胞计数（辅助性T细胞数量）缓慢下降。此外，患者可能出现痴呆和某些癌症，包括淋巴瘤。机会性病原体持续侵袭，身体丧失与恶性疾病斗争的能力，这些最终导致死亡。一小部分HIV感染者存活10年以上而未发展为艾滋病。其原因可能是这些人对HIV的入侵作出有力的免疫应答或感染他们的病毒致病力已减弱。

对HIV感染，目前尚无治愈的方法，也没有有效的疫苗。预防的重点在于改变性行为，如实行禁欲和使用安全套。在某些地区，减少静脉扎毒行为和劝阻人们共用针头的尝试已使感染率下降。

正如任何没有治愈方法的流行性疾病一样，悲惨的结局也给艾滋病的前景蒙上一层阴影。与艾滋病伴随的文化方面的效果，其影响之深远丝毫不逊于其社会影响。艾滋病激起了新的医学研究和复杂的法律争论，又引发了科学家、制药公司和研究机构之间的激烈竞争。从20世纪80年代中期以来，国际艾滋病学会已定期召开多届大会，讨论新的研究结果和医学进展。为了提高公众预防艾滋病的意识，人们宣传将一小段红丝带别在身上以表明他们对预防艾滋病的关心。联合国规定每年的12月1日为世界艾滋病日。

aigrette 白鹭羽 用作头饰的一簇白苍鹭（通常是白鹭）羽毛或类似这种头饰的任何其他饰物。在中东礼服中，是受高度珍视的装饰品。嵌以珠宝的白鹭羽饰，最初制成一簇羽毛形状，在土耳其成为头巾装饰品，尤其盛行于奥斯曼帝国时期（1281～1924）。16世纪末及17世纪初，各种镶嵌珠玉的白鹭羽饰都列于宫廷藏品之中。18世纪时，此种装饰在欧洲上层社会妇女中广受欢迎，她们将羽饰用别针系于发上，以支撑头后部的卷曲发髻。钻石常用作饰物以增加原来的白羽头饰之感。

Aigues-Mortes 艾格莫尔特 法国东南部朗格多克-鲁西永大区加尔省城镇。位于尼姆西南，临罗讷河-塞特运河。13世纪中叶，路易九世为其两次十字军远征在此修建登船码头。现四周筑有雉堞和堡垒组成的城墙，高达8～9米。中世纪城镇布局依旧。渔业是收入来源之一。主要工业为沼盐提取加工。人口约6 012（1999）。

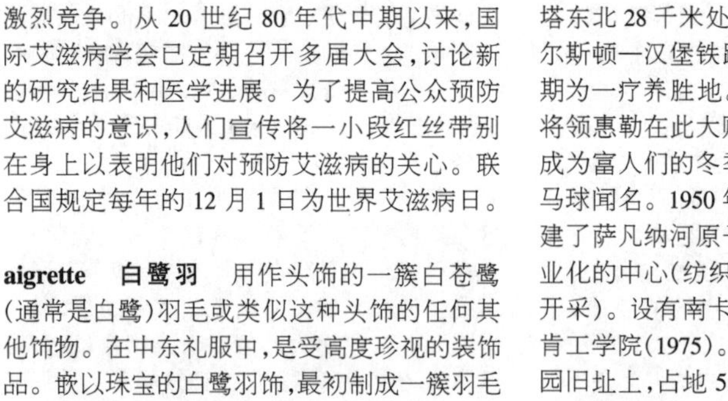
罗讷河-塞特运河畔的艾格莫尔特
美国不列颠百科全书公司供图

Aiguillon, Emmanuel-Armand（de Vignerot du Plessis）de Richelieu, duc d' 艾吉永公爵（1720-07-31～1788-09-01，巴黎） 法国政治家。他的政治生涯表明了中央政府对待省高等法院与三级会议所遭遇的困难，有权势的大臣受宫廷阴谋的支配，以及路易十五时期法国由于实行秘密外交而导致外交上的挫折。1750年继承在艾吉永的公爵领地，1753年任布列塔尼地方军事指挥官。他是中央政府派驻布列塔尼的首席代表，因而招致抵制中央政府1764～1765年财政改革的雷恩高等法院和该省三级会议的敌视。1766年被召回。1771年6月任外交大臣。他与大法官R.de莫普和财政总监J.-M.泰雷结成“三人同盟”，企图推翻高等法院的政治权力。作为外交大臣，他未能挽救法国在中欧和北欧势力的迅速衰落和阻止1772年波兰的被瓜分。1774年路易十六即位后，他被撤职。

Aiken 艾肯 美国南卡罗来纳州西部县城。位于该州的沙丘区，在佐治亚州奥古斯塔东北28千米处。1835年设市，以棉商兼查尔斯顿—汉堡铁路修建者艾肯之名命名，早期为一疗养胜地。美国南北战争期间，南军将领惠勒在此大败北军。自20世纪初至今，成为富人们的冬季游乐地，以马术运动尤以马球闻名。1950年后，由于城南19千米处修建了萨凡纳河原子能工厂，该市成为地区工业化的中心（纺织、玻璃纤维、电气设备、瓷土开采）。设有南卡罗来纳大学分校（1961）、艾肯工学院（1975）。霍普兰德公园建在一座庄园旧址上，占地5.7公顷，为著名旅游景点。人口约134 051（1998）。

Aiken, Conrad（Potter） 艾肯（1889-08-05，美国佐治亚萨凡纳～1973-08-17，萨凡纳） 诗人、短篇小说作家、小说家、评论家。他的作品受早期精神分析理论的影响，涉及的主题多为人们需要认识事实，特别是认识自己。在他看来，人们必须努力认识事实，即令这会带来恐怖。因为艾肯本人在童年时代曾因发现父母的尸体而受过心灵的创伤（他父亲杀死他母亲后又自杀）。后来他在自传《乌尚特》（1952）中写过此事。曾就学于哈佛大学，是T.S.艾略特的朋友和同龄人（T.S.艾略特的诗对他很有影响）。在把美国诗人介绍给英国读者方面他起过重大作用。1915～1920年他写了5部“交响乐”，力求创作出像音乐那样能同时表达几层不同含意的诗歌。他的最佳诗篇收在《诗集》（1953）中，其中包括一部长的组诗《定义的序曲》，某些评论家认为这是他的杰作。他的小说绝大部分写于20世纪20～30年代。一般来说，他的短篇小说比他这一时期的长篇小说更为成功。较著名的短篇小说有《奇异的月光》（1925）、《幽静的雪，神秘的雪》（1934）和《阿库拉里斯先生》（1934）。《康拉德·艾肯短篇小说》于1950年出版。

美国不列颠百科全书公司供图

Aiken, Howard Hathaway 艾肯（1900-03-09，美国新泽西霍博肯～1973-03-14，密苏里圣路易斯） 美国数学家，发明哈佛马克Ⅰ型计算机，这是现代电子数字计算机的先驱。他在威斯康星大学（麦迪逊）学习期间就从事工程工作。1939年获哈佛大学博士学位，在该校短期任教后，进入美国海军军械局。1939年他和其他3位工程师C.D.莱克、B.M.德菲和F.E.汉密尔顿开始研究能执行任意选择的5种算术运算程序（加、减、乘、除和参照以前的运算结果）而不需要人干预的自动计算机。第一台马克Ⅰ型机由艾肯和他的同事在1944年2月完成。它长15.3米，高2.4米，重31 500千克，用了800千米长的电线，有300多万个接点。机器用指令穿孔纸带送入指令（即编程序指令）直接解题。程序一旦编成，工作人员只要稍加训练就能操作。Ⅰ型机用于海军作射击学和弹道学的研究和设计。艾肯在1947年完成改进型全电动的马克Ⅱ型机，美国、法国、荷兰、比利时和德国都给予高的评价。他还在学术性杂志上发表了大量电子学、开关理论和数据处理方面的文章。

aikido 合气道 与柔术和柔道相似的防身术。合气道采用扭摔技巧，借对方的力量和进攻势头转而打击对方，也使用对神经中枢要害施加压力的方法。合气道的目的仅仅在于制服对方，但许多动作均可致人于死地。合气道特别注重精神的完全镇静以及躯体的自我控制。其基本技术可能起源于14世纪的日本。20世纪初期，由日本武术家植芝盛平整理成现代的形式。如植芝盛平所说，合气道是纯粹的防守性武术，因此在练功者之间无法进行直接交手。但后来在合气道武术中也有各种比赛方式，如双方轮流持橡皮刀或木刀进攻，迅速触及对方即得分。参阅 **martial art**。

Ailaoyi　哀牢夷　中国古代民族。因首领名哀牢而称哀牢人，首见于《后汉书·西南夷列传》。汉时聚居在永昌（今云南澜沧江、怒江流域）境内。农业发达，产丝、毛、木棉。东汉建武二十一年（公元 51）首领贤栗遣使谒越嶲郡（今四川西昌、云南楚雄以北）太守，愿率部落 2 000 多户、1 万余人"内附"。受汉封为郡长。自此岁奉朝贡。东汉永平十年（公元 67）汉析益州郡 6 县置益州西部属国（边境郡），规定哀牢"邑豪"年纳布数尺、盐 1 斛为象征性赋税。不久哀牢王柳貌又率所属 77 王、55 万人"内属"。汉明帝准允其请，在哀牢人地区设哀牢（今盈江东）、博南（今永平）2 县，与益州西部属国所领 6 县合置永昌郡。公元 77 年，哀牢夷被昆明夷（**Kunming Yi**）所灭。

aileron　副翼　飞机机翼的活动部分，由飞行员操纵，使飞机绕纵轴滚转，主要用于产生坡度使飞机转弯。它位于机翼后缘靠近翼尖

飞机的副翼
波音飞机公司供图

处。由于副翼在横侧操纵上效率高，莱特兄弟的机翼扭曲系统被副翼所淘汰。

Ailey, Alvin, Jr.　艾利（1931-01-05，美国得克萨斯罗杰斯～1989-12-01，纽约州纽约）美国舞蹈演员、编导、艾尔文·艾利美国舞剧

美国不列颠百科全书公司供图

院院长。1942 年随家迁居洛杉矶，1949 年加入该地霍顿舞剧院。1953 年霍顿逝世后继任院长直至 1954 年该舞剧院解散。同年，艾利移居纽约市，举办了几场演出，上演自己的作品，并与 S. 阿德勒共同研究表演技巧，又同 M. 格雷厄姆、H. 霍尔姆、C. 魏德曼以及其他人研究舞蹈。艾利于 1958 年组织自己的舞团，舞团成员以黑人为主。他的舞团在美国及国外各地作广泛巡回演出，上演的除艾利的作品外，还有若干现代舞蹈始创人的作品，如霍顿、P. 普赖默斯和 K. 邓翰。该舞团的署名作品《启示》（1960）是艾利的早期作品，很有气势，是以黑人圣歌为配乐的舞段。其后艾利继续为他的舞团和其他现代舞的舞团编导作品。从 20 世纪 60 年代到 80 年代，艾利美国舞剧团在世界各大洲巡回演出，获得极大成功，使他成为国外最知名的美国舞蹈编导。

Ailly, Pierre d'　德埃利（1350，法兰西贡比涅～1420-08-09，阿维尼翁）　法兰西神学家、枢机主教、教会改革的倡导者。其主要目标是克服西方教会大分裂（1378～1417）。他曾在巴黎大学纳瓦尔学院学习，1380 年获神学博士学位。1384 年任该学院院长，1389 年任巴黎大学校长，兼任国王的告解司铎和施赈官。他支持敌对教皇本尼狄克十三世，引起巴黎大学当局不满。1395 年本尼狄克任命他为勒普伊主教，1397 年又任命他为康布雷主教。本尼狄克与罗马方面的教皇卜尼法九世都不愿退位以结束分立之局，于是德埃利与本尼狄克决裂。1409 年比萨会议废黜本尼狄克和罗马方面的新教皇格列高利十二世，另推由会议选出的教皇亚历山大五世（次年由约翰二十三世继位），德埃利在这次会议上发挥重要作用。1411 年约翰任命他为枢机主教、奥朗日主教，1413 年又任命他为教皇驻德意志大使。然而分立局面依然存在，由两个教皇变成了三个教皇，于是德埃利主张召开一次全面会议。1414～1418 年在康斯坦茨召开。会议要求约翰二十三世退位，谴责波希米亚的胡斯派，赞成宗教会议权力高于教皇论并通过一项折衷方案，就会议与枢机主教的权力问题达成妥协，从而于 1417 年选出新教皇马丁五世。德埃利对其各项决议的制定发挥重要影响。德埃利重视科学，提出改革历法，日后教皇格列高利十三世根据他的建议颁行新历。还著有《世界形象》一书，赞同向西方航行以到达东印度群岛的主张。

Ailred OF RIEVAULX, SAINT　参阅 **Aelred of Rievaulx, Saint** 艾尔雷德（里沃的），圣。

AIM　参阅 **American Indian Movement** 美国印第安人运动。

Aimar OF MONTEIL　参阅 **Adhémar of Monteil** 阿代马尔。

Aimoin　艾穆安（960～1010）　法国本笃会修士。所著《法兰克史》在中世纪受到很高评价。后来，12 世纪的历史学家加以充实和提炼，使它更臻完善。他所写的阿邦和圣本笃的传记具有更大的历史价值。他对阿邦的两次罗马旅行的描述是其历史著作中所记载的 10 世纪许多重大历史事件之一。

Aimorés Mountains　艾莫雷斯山　巴西东部山区。跨米纳斯吉拉斯和圣埃斯皮里图两州，面积约 10 100 平方千米。平均海拔 900 米。山上覆盖半落叶林。有圣马特乌斯河和几条小河穿过。曼特纳为主要城镇。

Ain　安省　法国东部罗讷-阿尔卑斯大区一省份。面积 5 762 平方千米。在罗讷河和索恩河之间的三角地区，东与瑞士交界。安河穿经本省注入罗讷河。安河东面侏罗山区为草场和林木区；河西布雷斯和栋布地区为农业和猪、禽饲养业区，其他安河流域地区主要经营牧业、奶酪制造和林业。城镇有小型制造加工业，著名的有纺织、塑料业。其他工业有钻石加工和精密机械。电力由安河和罗讷河提供。布尔格为该省省会及最大的城镇。旅游业发达。人口约 497 943（1994）。

Ain, al-（United Arab Emirates）　参阅 **'Ayn, al-** 艾因。

Aïn Beïda　艾因贝达　旧名达乌德。阿尔及利亚东北部城镇。在塞提夫平原东缘的高地上。城东为林木繁茂的山丘，周围多井、泉，有灌溉之利，盛产谷粮。当年曾为罗马人居住点。1848、1850 年法国人在这里建立要塞。现为农产品集散中心。通公路、铁路。加拉耶特埃塔夫低地有盐场。附近有磷酸盐矿。人口：城市区 61 997（1987）。

Ain Jalut, Battle of　参阅 **'Ayn Jālūt, Battle of** 艾因扎鲁特战役（1260）。

Ain River　安河　法国东部河流。源出侏罗高原，向南流经侏罗省和安省，穿越栋布低地后汇入罗讷河。全长 200 千米。沿河有数座水电站。主要支流有比安河和阿尔巴里讷河。

Aïn Salah（Algeria）　参阅 **I-n-Salah** 因萨拉赫。

Aïn Sefra　艾因塞夫拉　阿尔及利亚西部城镇。在撒哈拉阿特拉斯山区。跨艾因塞夫拉河两岸，有铁桥连接。1904 年水灾后重建的前欧洲人住区在河北部。1881 年初建时为法军驻地。有羊、羊毛、皮革和盐等货物的贸易市场。人口 23 799（1987）。

Aïn Temouchent　艾因泰穆善特　阿尔及利亚西北部城镇。临塞奈纳河。1851 年由西班牙移民建立。地处一狭窄谷地。四周土地肥沃，多葡萄园和果园。人口 47 479（1987）。

Ainsworth, William Harrison　安斯沃思（1805-02-04，英格兰兰开夏郡曼彻斯特～1882-01-03，萨里赖盖特）　英国通俗历史小说作家。作品词藻华丽，情节曲折，史实准确。著有《伦敦塔》（1840）、《老圣保罗教堂》

美国不列颠百科全书公司供图

(1841)、《温莎城堡》(1843)和《兰开夏郡的女巫》(1849)。

Ainu 阿依努人 住在北海道、萨哈林岛和千岛群岛,体格不像邻近的类蒙古人,可能是一度广泛分布在亚洲北部地区的早期类高加索人的后裔。原来的阿依努语及多种方言,现多数已为日语所取代。日本的4个大岛上原来都有阿依努人居住,几个世纪以来受日本人逼迫,才往北迁移。民族间的通婚和文化上的同化实际上已使纯种的阿依努人濒于灭绝。北海道约有2.4万阿依努人,但几乎没有纯血统的,很少人保持了本族的语言和宗教。现在多数人的体格像日本人,而纯种

北海道穿礼服的阿依努夫妇
美国不列颠百科全书公司供图

阿依努人圆眼,身材矮小,肤色浅黑,与其类蒙古族的邻人相比,体毛最盛。男子络腮胡须浓重,妇女沿嘴边有髭状痕迹。阿依努人穿着树皮或兽皮所制的衣服,衣上常饰以几何图案。阿依努人本来以渔猎为生,日本人进入北海道后,才设法安置他们,让他们以农为业。许多人现在在建筑行业工作或作临时工。阿依努人信奉以当地自然力量为中心的传统宗教。

air 空气 组成地球大气的各种气体的混合物。空气中有一些浓度几乎不变的气体和一些浓度随空间和时间变化的气体。浓度稳定的气体(以及各类气体体积的比例百分率)如下:氮(N_2)78.084;氧(O_2)20.946;氩(Ar)0.934;氖(Ne)0.001 8;氦(He)0.000 524;甲烷(CH_4)0.000 2;氪(Kr)0.000 114;氢(H_2)0.000 05;一氧化二氮(N_2O)0.000 05;氙(Xe)0.000 008 7。大气运动引起混合,使其成分保持均一。但约在90千米高度以上,扩散过程比混合更为重要;较轻的气体(特别是氢和氦)成分甚大。在有浓度变化的气体中,以水汽、臭氧、二氧化碳、二氧化硫和二氧化氮最重要。这些气体的浓度范围(体积比例的百分率)为:水汽(H_2O)0~7;二氧化碳(CO_2)0.01~0.1(平均约0.032);臭氧(O_3)0~0.01;二氧化硫(SO_2)0~0.000 1;二氧化氮(NO_2)0~0.000 002。这些浓度易变的空气成分,虽然量较少,但对地球上生命的维持却非常重要。水汽是各种降水的来源,也是红外辐射的重要吸收体和放射体。二氧化碳除了参与光合过程外,也是红外辐射的重要吸收体和放射体。臭氧主要存在于地表面上空10~50千米的区域,是太阳紫外辐射的有效吸收体;有效地保护地球免遭波长小于3 000埃的辐射。

air (music) 参阅 **ayre** 埃尔。

air bladder (fish) **鱼鳔** 参阅 **swim bladder** 鳔。

air brake 气动力制动装置 又称气闸。制动装置,分为两类。一类用于火车、卡车和公共汽车上,它由储气瓶内的压缩空气推动活塞来制动。储气瓶与制动缸连接,当制动管内的空气压力减小时,空气自动进入制动缸内。第一个实用的这类气动力制动装置是19世纪60年代由G.威斯汀豪斯(**Westinghouse, George**)发明的,用于火车上。另一类用于飞机和赛车上,又叫减速板,它是一块阻力板,用机械方法使其伸入气流中,增加空气阻力,减小飞机或赛车的速度。

Air Canada 加拿大航空公司 根据加拿大国会1937年4月10日《全加航空公司法案》而创立的航空公司。原名全加航空公司,历时28年后,于1965年1月1日改为现名。总公司在蒙特利尔。开始时仅飞行加拿大温哥华与美国西雅图之间的班机,到90年代,公司班机已在全加拿大和美国90多个社区通航,并有班机可达百慕大、加勒比海地区、英国和欧洲大陆诸国的若干地点。1937~1959年它作为国营公司享有国内空运的垄断权,但到60和70年代限制逐渐取消,其他加拿大承运人为争取国内外航线的航运权而开始参加竞争。1988年它向本公司职工和普通大众售出45%的公司股票,部分实现了私有化。

air-conditioning 空气调节 控制室内的温度、湿度、洁净度和空气移动,不受室外条件的影响。

印度早期使用的冷却空气的方法,是把湿草席挂到窗户上,通过蒸发冷却进入的空气。现代的空气调节起源于19世纪的纺织工业,将水喷成雾状,既增加湿度又降低温度。20世纪初,美国纽约州布法罗的卡里尔发明了"露点控制"空调装置,所根据的原理为:冷却的空气达到饱和和通过冷凝失去水分。卡里尔又发明一套装置(1922年在洛杉矶的格劳曼开设的大都会剧院首次安装),从天花板送进调节的空气,废气由地板层排出。第一座完全空调的办公楼,是20世纪20年代末期建造的美国得克萨斯州圣安东尼奥的米拉姆大厦。30年代初氟利昂的研制是一个重要步骤,这是一种高效制冷而毒性很低的气体,含有氟和氯或溴的碳化合物。30年代中期美国各铁路在列车上安装了小型空调器,到1950年,单独居室已经实际使用微型装置。自50年代末期以来,在美国以外的发达地区,空调的使用已非常普遍。

在简单的空调器中,制冷剂为容易挥发的液体形式,它通过一组蒸发线圈,而室内空气则是由此线圈穿越的。制冷剂进行蒸发,在这一过程中吸收空气中含有的热。当冷却的空气达到饱和点时,其所含的水分在线圈装置的翅片上凝聚。水从翅片流下并排出。采用一个风箱,使冷却和减湿的空气返回室内。与此同时,使经过蒸发的制冷剂进入压缩机,施加压力并迫使通过与外边空气接触的凝聚线圈。在这些条件下,制冷剂又凝聚成液体,放走它在室内所吸收的热。这种热空气被排到外边,而液体再循环到蒸发线圈,继续冷却的过程。在一些空调装置中,两组线圈可以交替功能,从而在冬天的时候,内线圈凝聚制冷剂,使室内增温而非降温。这种装置称为热泵。在制冷的其他系统中包括使用冷却水。可以设一个中心点以制冷剂将水冷却,然后通过线圈流向其他各个地方。在某些大工厂中,依然使用一种早期的空气湿润器,以节省采用其他系统所需的大量线圈。可以向玻璃纤维上喷水雾,而使空气穿过它。某些系统使空气通过吸收潮湿的硅胶达到降低湿度,另一些系统则用液体吸收剂使空气干燥。

空调系统的设计要考虑许多具体情况。如上所述,一个自足式的空调器直接用于一个空间。比较复杂的系统,如在高楼大厦中,则用管道输送冷却的空气。在感应式的系统中,空气在中心站一次冷却后输往各个装置,在那里根据阳光有无等可变因素用水调节空气温度。在双管道系统中,暖空气和冷空气各走单独的管道,可任意混合成所希望的温度。一个更简便的控制温度的方法是确定冷空气的供应量,一旦达到所希望的温度便立即切断。

空气的配布是一件令人关心的事情,因为直接暴露在冷空气中会引起不适。在某些场合,在将冷却的空气吹还一个房间时,需要先把它稍微加热。一种习用的配布方法是天花板分散器,它把空气沿着天花板水平往外吹,让它自己下沉。线性分散器使空气通过一个矩形开口的充气匣或管;由百叶窗转送向下流的空气。另外一些装置是圆形的,它们的翅片分散空气。有些天花板开孔使冷空气通过,另一些天花板则仅仅冷却,以便基本通风能使冷气环流。

air-cushion machine 气垫运载器 又称地面效应运载器或悬浮运载器。一种陆上或水上运载工具,特点是它自身的重量是靠在运载器与地面或水面之间生成的空气压力来支承的。气垫运载器有两类:①不论有无前进速度均能单独产生压差者,称为空气静力运载器(有时按 air-cushion vehicle 的缩写称为 ACV);②需先有前进速度方能产生压差者,称为空气动力地面效应运载器(缩写为 GEM)。最先提出气垫运载器的或许当推英国的 J.桑尼克罗夫特爵士。19 世纪 70 年代他曾推断,如果用一个充气室(实际上是一个底部敞开的空箱子)作为一只船的船体,并且用泵在其中注满空气,则该船将被托出水面,而且会因阻力减小而行驶得更快。他建造了一些模型来验证他的设想,并于 1877 年取得一项专利。但是桑尼克罗夫特发现,在他的设想中有一个难题,就是如何才能使气垫不致从运载器下面逸散;这一难题使这种运载器拖延了几十年才得以研制成功。

一般认为是英国的 C.科克雷尔首先想出了一种将气垫圈闭起来的方法。他没有用充气室作为船体,而是设计了这样一个运载器:在它底部的边缘有一整圈狭缝,用以从中喷射出空气。用来泵出空气的周边喷口向内微倾一个角度,这样就可以使喷出的空气聚集在运载器下面并把它举升起来。据他推断,空气射流的力会产生一道气幕,从而能拢住气垫,不使逸散。世界第一个实用的气垫运载器 SR.N1 号于 1959 年下水。这第一个模型只能搭载 3 名乘客,速度相当低,并且只能在平静的水面甚至是陆地上行驶。它与科克雷尔原方案之间的主要不同点在于,因为已经发现周边空气射流的力不足以圈闭住气垫,所以在运载器周边悬吊了一圈涂有橡胶的“围裙”。围裙的特殊优点是它有助于在崎岖的地面和波涛汹涌的水面上拢住气垫。围裙只是气垫运载器的五种组件之一。另外四种是船体、发动机、举升系统和推进系统。建造船体是把铝蒙皮焊接在铝框架上。船体支承着燃气轮机,后者通常同时为举升和推进两套系统提供动力。从比例上看,燃气轮机用于举升运载器的动力要远远多于用来推进的动力。举升是用高速离心式鼓风机实现的,它推动空气通过运载器下面的喷口喷出。推进则是用改型的飞机推进器来实现。推进器位于运载器的后部,通常是装在可回转的吊架上,以使驾驶员在操纵时更易于控制。更进一步的方向控制则由装在运载器后部的类似于舵的尾翼来完成。这种运载器因有气垫而难于控制。

自从 SR.N1 号下水之后,又对围裙做了多次改进。原来的围裙是像一道帷幕一样围绕运载器的周边悬挂的,并且是用涂橡胶的材料制作的,因而在高速行驶的过程中很快就会因与陆地或水面的摩擦而磨坏。现在的围裙是用非常经久耐用的尼龙和塑料制作的,而且其外形不再是帷幕状的,而是类似于一根粗管,围绕在运载器的下边缘,称为袋式围裙。空气从充气的袋式围裙内侧的孔中喷出,以形成气垫。当运载器停驶时,袋式围裙还可以作为它的支承物。在袋式围裙的下边缘,还缀着一段段的手指状副围裙,以保护袋式围裙,使之免遭摩擦损伤。

在 20 世纪 60 年代初期,曾经设想气垫运载器将可定期往返于世界各大洋,以及开发沙漠和严寒地区。随着围裙设计和发动机维修(燃气轮机易于被飞溅的咸水淤积或堵塞)问题的暴露,早期的乐观情绪已经减退。虽然在 20 世纪晚期有若干国家都在研究和发展各种不同的运载器,特别是供军事应用的,但是只有英国进行了大规模生产。英国人建造了一个比一个更大也更快的运载器,并且率先将它们作为穿越英吉利海峡的渡轮投入商业运行。目前用来在该航线上行驶的运载器速度约为 60 节(约每小时 70 英里),并可搭载约 420 名乘客和 60 部车辆。

air de cour 宫廷恋歌 盛行于16世纪末至整个 17 世纪的法国独唱与主调合唱歌曲体裁。最初是将轻快和声风格的流行尚松(世俗主调合唱曲)改编为诗琴伴奏的唱曲。这类改编曲原称 vau-de-villes(“城市歌声”),至 A.勒鲁瓦和 R.巴拉尔的一本曲集中(1571)开始采用“宫廷恋歌”一词,然后才逐渐得到普遍应用。早期曲集大量采用尚松改编曲,但也有新创作的带伴奏的独唱歌曲。典型的宫廷恋歌是分节歌,由一或两个人声加诗琴或拨弦键琴演出,也可是 4 或 5 个人声无伴奏演唱。有两个重复的段落,常常带有迭句。歌手在反复时往往将旋律加以装饰。歌词通常为爱情诗,语言程式化,有时亦用“有量诗句”(模仿古代诗体而由长短步组成的诗句),但亦有饮酒歌、宗教节庆或其他题材。

air embolism 空气栓塞 动脉或静脉为气泡所梗塞的一种疾病。空气可因外科手术或外伤而进入血管。肺组织破裂时可发生创伤性空气栓塞;气体由肺泡进入毛细血管和静脉,然后进入心脏;气体在心腔内膨胀,可损伤心肌组织,造成心肌梗塞。空气较血液比重轻,因而易上升至脑阻塞脑血管;神经组织在缺氧和缺营养 5 分钟后,就可出现不可逆的损伤,从而引起搐搦、神志不清、呼吸困难甚至死亡。潜水作业需要呼吸压缩空气,因此最常发生空气栓塞。参阅 **mediastinal emphysema**; **decompression sickness**。

air force 空军 一国主要负责进行空中作战的军种。其主要任务为夺取制空权;支援地面部队(如采取轰炸与扫射);达到战略轰炸目的。空军的基本武器系统是各种军用飞机,如战斗机、轰炸机、战斗轰炸机、攻击机、侦察机和教练机等。20 世纪中期起某些大国空军还装备陆基洲际弹道导弹和携带核武器的远程核轰炸机。国家武装力量中的陆军和海军也有飞机,但是空军总是国家空中力量的主体。各国空军的编制与指挥体制不尽相同。

军事航空始于 18 世纪末。热气球和氢气球研制成功后很快就用于军事目的。1793 年法国国民议会授权建立一支军用系留气球部队,1794 年 4 月 2 日该部正式组建,2 个月后即在莫伯日遂行了首次军事侦察任务。美国内战及英国在非洲作战期间气球都应用于军事目的,并建立了相应的军事航空组织。1908 年 8 月 1 日美国陆军在通信兵中建立了航空科,仅装备数艘飞艇。

飞机发明后亦很快用于军事目的。从 1910 年起一些国家进行了飞机加装武器装备的试验。德国人 A.奥伊勒获得了在飞机上安装机枪的专利;美国设计师 G.柯蒂斯进行了轰炸试验并研制出最早的轰炸瞄准具;英国进行了空投鱼雷试验;美国还进行过双翼机舰上起降的试验。第一次世界大战前,英国、法国、德国、俄国、意大利和美国等国武装部队中都建立了军事航空部队。意土战争中,意大利飞行员于 1911 年 10 月 23 日驾驶布莱里奥 11 型单翼机对利比亚的黎波里附近的土军阵地进行了一小时的航空侦察,这是飞机首次用于实战,9 天后意军飞机对土军阵地进行了首次轰炸。1912 ～ 1913 年的两次巴尔干战争中,交战双方都拥有了军事航空部队,这预示着战争的面貌将发生重大变化。

第一次世界大战爆发时,由于受军事思想和航空技术发展水平的限制,交战各国的军事航空部队均为隶属于陆海军的勤务保障力量。战争由运动战转入阵地战后,双方开始注重轰炸对方纵深的战略目标,尤以德国轰炸英国伦敦为甚。1917 年 8 月,英国人斯马兹在给战时内阁的报告中提出将空中力量作为进行战争新手段的思想,1918 年 4 月 1 日英国皇家飞行队和皇家海军航空勤务队合并组建与陆海军平等的独立军种英国皇家空军,这是世界上第一支独立的空军。

20 世纪 20 ～ 30 年代意大利人 G.杜黑积极倡导建立以进攻性力量为主体的独立空军,夺取制空权并粉碎敌人物质和精神上的抵抗,进而赢得战争的胜利。受其影响,继英国之后,加拿大、澳大利亚、意大利、法国和德国相继建立了独立空军。苏联空中力量的建设受陆战场战略进攻思想的影响颇深,其空中力量依然是从属于陆海军的战术突击力量。美国国会于 1926 年 7 月 2 日通过法案,组建了陆军航空队,1935 年 3 月又成立统帅部航空兵,对空中力量实行了集中统一指挥。后组建空中力量战役军团,成立了陆军航空兵。

第二次世界大战的初期战役证明,以空中力量和高速机动的装甲集群相结合的作战思想是正确的,同时也证明了防空在战争中的战略地位。苏联在战争期间加强了空军的建设。英国、美国等同盟国军队在各战场以陆空力量密切配合积极歼灭敌有生力量的同时,以空中力量对敌国心脏地区实施旨在摧毁工业生产能力和瓦解民心斗志的持续的战略轰炸;此外,空中力量还在重要战区实施了持续的战略空运行动。这一切都肯定了空中力量作为独立军种存在的战略地位及价值。第二次世界大战结束后不久,美国于 1947 年颁布国家安全法,建立与陆、海军平等的独立的美国空军(参阅 **United States Air Force, The**)。至此,世界主要国家的武装力量均建立了独立军种——空军。

冷战和核时代的到来及技术的迅猛发展对战后空军建设产生了重要影响。20 世纪 50 年代初世界主要国家的空军实现了飞机喷气式化,作战能力大为提高。核轰炸机和洲际弹道导弹列装及任务的多样化使空军在编成上分为战略空军、战术空军、军事空运部队及其他作战保障兵种。在世界范围内空军在体制上分为空防合一和空防分离两大类型,体现了地缘政治、军事传统及战略思想对空军建设的影响。

20世纪60年代以来,高新技术应用于航空领域使空军的高速机动、远程作战、猛烈突击及准确打击的能力进一步提高,空军在历次重大局部战争和许多突发事件中发挥了重要甚至决定性的作用。冷战结束后国际形势动荡不定,空军因其具有独特的作战能力而备受政治及军事领导者的重视。海湾战争中持续38天的独立空中战役与100小时的地面战斗之间的显著差异,以及人员伤亡之少、飞机战损率之低,均为战争史上之前所未有。海湾战争中战术空中力量遂行战略任务,而战略空中力量遂行战术任务的矛盾促使美国空军进行重大整编。1992年6月美国空军将原有的战略空军、战术空军合并组建空中作战司令部,打破了战略力量与战术力量之间原有的严格区别,同时军事空运司令部改编为空中机动司令部。20世纪90年代初以来西方大国利用空中力量的优势在伊拉克南北和波黑全境建立了禁飞区,这表明空军在现代国际政治舞台上将发挥越来越重要的作用。

Air Force, United States 参阅 **United States Air Force, The** 美国空军。

air force academy 空军军官学校 参阅 **military, naval, and air academies** 陆军、海军和空军院校。

Air France 法国航空公司 法国的国际航空公司,1933年创立,现与全球各地通航。它与英国航空公司一起首先使用超音速协和式飞机。总公司在巴黎。1933年5月17日4家航空公司合并,与法国政府谈判成立一全国性航空系统。同年8月30日该合并成立的公司又与另一航空公司合并,成立法国航空公司。在第二次世界大战前数年间,法国航空公司所开发的航空网络,是欧洲最为广泛的航空网络之一。公司被战争毁灭殆尽,1945年10月11日恢复巴黎-伦敦间的航空业务。翌年公司改组。1948年6月16日根据国民议会法令成立新的法国航空公司,法国政府拥有70%的股权。1946年6月25日法国航空公司实现其首次跨大西洋(从巴黎至纽约市)的飞行。随后数十年航线扩展,到21世纪初期公司业务已扩大到80多个国家的200多座城市。1976年该公司首次使用超音速协和式飞机,最初从巴黎飞往里约热内卢(1月21日);1982年由于赢利问题该航线和其他几条航线停飞,只剩下巴黎至纽约的一条航线。然而,财政的进一步恶化导致法航于2003年终止该公司协和式飞机的飞行。20世纪后期该公司开始私有化。在法国政府同意放弃该公司的绝大多数所有权之后,所有权在1999年增大。2004年法国航空公司收购了荷兰航空公司KLM,成立法国-KLM航空公司,这是世界上最大的航空公司之一。然而,此次交易允许这两家航空公司继续独自经营,保留它们各自的航空枢纽、航线和公司标志。

air gun 气枪 靠压缩空气的膨胀力射出子弹的武器。根据原始吹箭筒的原理制成。现代气枪多为廉价的BB型,其中最佳的一种能使子弹离开枪口的飞行初速达到轻便火枪初速的一半左右,30米以内可以达到满意的准确性,并能射杀小猎物。气枪可以射出带有安定药的箭,使猎物动弹不得,以便处置或捕捉。气枪射程很少达到92米以外者。

Air-India 印度国际航空公司 印度国营的国际航空公司。通航于东南亚、中东、欧洲、非洲、澳大利亚和纽约,总公司在孟买。1932年建立,原为私营的塔塔航空公司,空运卡拉奇、艾哈迈达巴德、孟买、贝拉里、马德拉斯之间的邮件和旅客。第二次世界大战后,1946年改为公众性公司并改名为印度航空有限公司。两年后为开展孟买与开罗、日内瓦、伦敦之间的国际航空业务而组成印度国际航空有限公司。1953年,印度各航空公司实行国有化,改组为两家航空公司:一家经营国内航线,名为印度航空公司(由印度航空有限公司同六家小航空公司合并而成);一家经营国际航空业务,名为印度国际航空公司,1962年以后简称为Air-India。接下来的三十几年间,公司的国际航线大为扩展,现在除南美洲外,可通达世界各地。

air law 航空法 调整空域的使用和在空域中发生的事项的法律。空域被理解为从地面直至外层空间的区域。虽然无线电波、发射体和其他物体可能飞越空域,但航空法一词一般仅指涉及民航和飞机、飞船、气球及其他此类航空器的法律。

国际法的一个基本原则是国家对空域拥有主权,这是航空管理公约(巴黎,1919)承认的一个原则。这个公约由国际民用航空公约(芝加哥,1944)所取代,后者也承认"每个国家对其领土上空的空域拥有完全的和排他性的主权"。芝加哥公约还规定飞行在一个国家的上空的航空器内的人属该国法律的管辖。航空器还必须遵守当地的航空规则和空中交通管制,包括入境、离港、移民、护照、关税、健康和有关机组人员、乘客和货物的文件等方面的规定。每个国家都有权按照芝加哥公约的规定管理外国飞机在其空域内的通过和飞行。

有关航空港的法律也被认为是航空法的一部分。在大多数国家里,航空港是由国家特许的,未经特许的地方只在有限的情况(如果有这种情况的话)下容许飞机降落和起飞。在美国,民用航空委员会(CAB;1938～1984)有权制定安全规则,发给执照,和制定其他的飞行规则;1978～1979年航空业的不正规状况使民航局的活动减少,1985年它剩下的任务也由其他的机构承担了。芝加哥公约的缔约国必须将其机场在向本国飞机开放的同样基础上向其他缔约国的飞机开放。

有关航空港的法律还规定了机场附近的土地所有人与机场经营者之间的相互责任。法院禁止在显然会侵害附近居民利益的地方修建机场。机场附近的土地所有人则可能被禁止建造危及飞机航行的建筑物。

航空器本身受航空法的管理。飞机必须在一个国家注册。芝加哥公约规定从事国际航行的飞机必须有注册国发给的适航证;公约还要求驾驶员和机组的其他成员有发给的合格证书或执照。

航空法还涉及空域中的刑事管辖权。以前,当飞机飞行在一个外国的空域时就适用该国的法律。然而,从那以后常常是适用飞机注册国的刑法,以避免确定究竟是在哪个国家的空域内实施的犯罪行为。

在大多数国家里,一般民法都适用于飞机。为了避免发生无国籍情况,多数国家都把登记国的国籍给予在飞机上出生的婴儿。但若干不同的国际协定却影响一国的民事管辖权的行使。最重要的是1929年华沙国际航空运输公约第28条,其后在1961及1971年曾经两次修订。按28条的规定由国际航空所引起的诉讼只能在某些缔约国的法院中,而不能在其他的法院中提出。

1963年东京公约要求缔约国采取一切步骤把被劫持的飞机交还合法的原飞行指挥官,并要求降落国准许旅客和机组人员继续其旅行,并将飞机和载运的货物交还给合法的所有人。1970年的海牙公约对制止非法劫持飞机更有进一步的规定。

对旅客、运货人、行李及货物,主要由1929年华沙国际航空运输公约加以规定。该公约曾经几次修改。目前实际上有三个单独的条约处理这一问题(华沙条约、华沙-海牙条约、华沙海牙-危地马拉城条约)。有些国家加入了不只一个条约。这些缔约国企图通过国内法的一致规定排除关于航空运输旅客、行李及货物方面的法律冲突,它的规定对缔约国来说是有强制性的,而且在规定之外,则不能对飞机提起其他索赔要求。如果旅客受伤或死亡,行李及货物在航行中受到损失,规定要求运送人负责;如果要免除责任,运送人必须证明他或他的雇员并无过失。

对于地面第三者的责任,大多数的国内法都保护地面的土地所有人,禁止飞机过低的飞行和其他不应有的干扰,诸如航技表演及噪声等。此外通常各国国内法都允许地面的第三者向飞机在飞行中所加的损害提出赔偿要求。1952年罗马公约曾取代以往国际间关于这一问题的规定。它接受了绝对责任制的原则,但有助成过失的原因可以除外。其中规定如果损害仅仅是由飞机按照现行的交通规则飞过大气层而造成的,那么就没有要求赔偿的权利。这个公约规定了由飞机的运营人承担责任,主要的理由据说是出于公约中规定的强制性保险计划。

执行航空法的主要的常设组织是国际民航组织,它加入了联合国,总部设在蒙特利尔。

air lock 气闸室 出入于气压不同的空间时用的设备。常用作室外大气压力环境与高压工作场所(如气压沉箱和水下隧道等)之间的过渡通道。在太空探索中,载人航天飞船

波士顿港隧道内的气闸室
美国不列颠百科全书公司供图

均设有气闸室。气闸室由钢板圆筒制成，两端均有密封门，其中一扇从外向内开，另一扇从气闸室通向高压气室，两扇门都带有阀门以放进或排出压缩空气。两扇门中必须总有一扇是关闭的，在打开一扇门之前，闸内的压力必须与门外一侧的压力相等。通常有两种类型：水平式供隧道用，门铰装在垂直枢轴上；垂直式供沉箱用，门的设计要能通过吊索，以运输材料。

air mass　气团　在气象学中，在任一给定的高度上，温度和湿度都近乎均匀分布的大范围空气团。这种气团的边界明显，其水平范围可延伸数百或数千千米，而高度有时可达到平流层（地表以上约 10 ～ 13 千米）的顶部。每当空气长时间与大范围比较均匀的陆地或海面接触，并获得地表的温度和湿度性质后，就能形成气团。地球上的主要气团全都源自极地或副热带地区。中纬度地区就自然地成了极地和热带气团混合、相互作用和变性的地带。在国际术语学上，通常把气团按 4 个基本源地来分类：极地气团（冷而干）、北冰洋气团（冷而湿）、赤道气团（热而干），以及热带气团（暖而湿）。在美国，上述 4 种分别称为极地大陆气团、极地海洋气团、热带大陆气团和热带海洋气团。极地大陆气团（cP）常常在冬季大范围的陆地上空形成，如亚洲中部、加拿大北部和南极洲大陆。它很可能是稳定的，其特点是没有凝结发生。当地面上有强烈的湍流对这类气团加温或加湿时，就会生成对流不强的层积云并伴有零星小阵雨或雪。夏天，当极地大陆气团移到较低纬度时，大陆强烈增温很快使气团变性。通常在白天产生积云，但气团上层仍很稳定，一般不会下阵雨。极地海洋气团（mP）生成在南北半球的两极地区，其湿度通常比极地大陆气团大得多。随着它们向中、高纬度的内陆移动，当空气被迫沿山坡抬升或赶上气旋活动时就有大的降水发生（参阅 **cyclone**）。热带大陆气团（cT）主要在夏季产生于中、低纬度的干旱或沙漠地区。通常它被强烈增暖，但水汽含量很低，故虽有干空气的强对流，一般情况不能达到凝结程度。在所有气团中，热带大陆气团最干燥，使世界范围内出现副热带沙漠地带。热带海洋气团（mT）是最重要的气团，水汽充沛，富于雨水。冬天，热带海洋气团向极地移动，受地表影响而冷却。因此，它的特点是：多雾，多低层云或层积云，并伴有毛毛雨，能见度差。在气旋活动区上方陡峭的垂直递减率保证了锋面对流性大雨的产生。夏天，海洋上空和气旋活动区内热带海洋气团的特点基本上与冬天的相同。然而，在温暖的大陆地区，气团被强烈增温，所以午后有广泛的地方性强雷暴出现，而不是出现雾和低层云。

Aïr massif　阿伊尔山　尼日尔中部撒哈拉沙漠上崛起的花岗岩山丛。最高点为格雷本山（1 944 米）。山间多深谷，有草场可供图阿雷格人放牧。有温泉和摩崖雕刻。产铀矿等。

air pocket　气阱　飞机在飞行中遇到的下曳气流。参阅 **updraft and downdraft**。

air racing　飞行竞赛　驾驶飞机竞赛飞行的项目，赛程是预先确定的，有些赛程横越全国，有些是洲际的。首次国际比赛是 1909 年在法国兰斯举行的。这种比赛对改进飞机设计起了很大作用。飞行竞赛在 20 世纪 20 年代和 30 年代十分盛行，它大都是由希望展示自己产品的飞机制造商资助的。飞行速度和距离的纪录不断刷新。第二次世界大战后，主要由于价格升高、喷气式飞机的出现以及军队对最佳飞机的优先占有，飞行竞赛日渐衰落。1969 年在美国出现一种仿效汽车赛的一级方程式飞行竞赛，它在很大程度上代替了其他形式的飞行竞赛。在一级方程式竞赛中，对每一等级的飞机的赛程，以及对飞机的翼展、起落架、机体重量、制动器等都作了具体规定。

air sac　气囊　见于多种动物的呼吸器官的延伸部分，内充空气。昆虫的气囊是气管的局部膨大部分，鸟类的气囊为肺的延伸部分，其他脊椎动物的气囊为肺的末端器官。气囊的存在增加了用于气体交换的表面积，从而增加呼吸效率。

air-sea interface　气海界面　大气和海洋水的分界面。分界面是地球环境中物理和化学作用最活跃的部分，因而绝大部分海洋生物生活在它附近。在热带大气通过反辐射而由高温洋面获得大量的热；在高纬度地区则是大气加热洋面。界面上大气的运动产生波浪和海流，大气从界面上水蒸发获得绝大部分水分和潜热形态的能。界面上大量的氧和二氧化碳在大气和海洋之间进行交换。这种交换帮助了海洋生物的生命作用过程。气候对界面的影响，控制着洋面水的盐度和温度，这两个参数决定水的密度，密度又控制洋内水体流动的深度。光合作用是海洋生命的基础，是在紧靠气海界面之下进行的，因为这里太阳能、二氧化碳和海水营养盐等必要的成分全都具备。

air space　空域　在国际法上，指每个国家的领土的上空。普遍认为，领土属于哪国政府，其上空也属于哪国政府。空域不包括外层空间。1967 年的外层空间条约宣告，外层空间是自由的，国家不得占有。但是该条约没有规定空域高度的上限和外层空间的下限。

air spring　空气弹簧　气动悬架系统的载重件，用于机器、轿车和公共汽车上。用在公共汽车上的悬架系统包括：空气压缩机、供气罐、高度控制阀、逆止阀、波纹管和连接管道。实质上，空气弹簧波纹管是一个被封闭在橡胶和纤维织物容器内的空气柱，看起来好像一个汽车轮胎，或二三个轮胎一个叠一个地重叠在一起。当载荷增加时，通过逆止阀给波纹管输入更多的空气，以保持车身高度；或者在由于卸载而车身上升时，从高度控制阀排放多余的空气。因此车身始终保持在相同的高度，与载荷无关。在正常载荷下，空气弹簧是柔软的；当增加载荷而空气弹簧被压缩时，它就逐渐变硬。20 世纪 50 年代末，在一些豪华汽车上已采用空气弹簧。最近，为客车研制了新型的高度控制系统，包括：可调气动式后部减振器，工作时没有空气压缩机的新式空气弹簧悬架系统。

air-traffic control　空中交通管制　对机场附近空中及地面所有飞机运动情况的监控行动。参阅 **traffic control**。

air warfare　空中作战　又称 aerial warfare。由飞机、直升机或其他有人驾驶的动力飞行器进行的军事行动。进行空中作战可以用来攻击其他飞机、地面目标以及水面或水下目标。空中作战几乎完全是 20 世纪的产物，在此期间，它已经成为军事行动的主要组成部分。

军事航空起源于 18 世纪末期，当时首先发明了热气球。随后在 19 世纪的数次战争中，气球用作观察敌军行动的空中平台。20 世纪初期，由于轻于空气的飞行器（如飞艇）的技术改进，以及发明了内燃机，军事航空的发展沿着两个不同的路线都取得了成果。1900 年，德国军人费迪南德·冯·齐柏林将他的第一批硬式飞艇中的一艘飞上天空；1903 年，美国的莱特兄弟则成功地进行了首次重于空气飞行器的有动力的飞行。这些努力刺激了军方对航空的兴趣，此后发展非常快。到第一次世界大战时，英国、法国、德国、俄国和意大利的军队都组建了飞行部队。

第一次世界大战中使用的飞机大部分是双翼机，即有两副机翼的飞机，通常一副机翼安装在另一副机翼的上方。这些飞机是木质机体和布质蒙皮。最初飞机只用于执行侦察任务，但军方很快开始在飞机上装备机枪，以便可以击落敌方飞机，从而夺取制空权。于是产生了双方战斗机之间的“格斗”，这标志着空战的开始。齐柏林飞艇用于对城市进行中程轰炸，协约国制造了大型飞机，其威力是能对铁路和机场投掷相当数量的炸弹。到战争结束时，空中作战成为军事行动的一种有用的但却不是必要的形式。

第一次世界大战中出现了两种最重要的军用飞机。战斗机的主要任务是通过突击并摧毁可能在空域中活动的各种敌机，夺取该重要空域的控制权。战斗机必须是飞行速度快、火力强、机动性能好，并装备有能击落敌机的专门武器的飞机。轰炸机的任务是通过投掷炸弹摧毁地面目标，轰炸机一般是较大型的、较重的并且速度较慢的飞机，需要战斗机的保护以免遭敌方战斗机的袭击。

两次世界大战之间是军用飞机出现重大技术进步的时期。30年代，速度快得多的单翼机取代了机动性能较好但速度较慢的双翼机，耐用的全金属机身（不需要内撑杆）取代了以往飞机单薄的木质框架和布蒙皮。流线型的新型高性能发动机使军用飞机的速度更快，机枪或小口径火炮安装在机翼上（而不是安装在螺旋桨的后面）成为一种标准的做法。轰炸机装备了轰炸瞄准具、炸弹挂架和弹舱，因而载弹量更大，投弹更准确。研制出了一种新型军舰——航空母舰，作为浮动平台，通过该平台能在海上实施空中作战。

第二次世界大战中空中作战的规模比以往的或此后的任何一场战争都要大。制空权是德国的闪击战战术不可分割的一部分。在闪击战中，战斗机和轰炸机摧毁敌前沿防御阵地，破坏敌交通线和后方补给。第一次完全在空中进行的重大战役是不列颠之战（1940），是役以英国的胜利而告结束。面对德国轰炸机和战斗机的集中突击，英国的战斗机部队保持了英格兰空域的控制权。空中作战的另一个里程碑是中途岛之战（1942），这是第一场航空母舰进行的海战，并且是首次完全由数百英里距离以外的轰炸行动构成的战斗。第三个里程碑是1943～1945年盟国对德国本土进行的战略性空中进攻，庞大的空中机群突击了德国的城市、永久性基地和工业体系。1945年，美国在日本城市广岛和长崎投下原子弹，进而结束了第二次世界大战，使战略轰炸具有新的意义。

1944年，研制出世界上第一架喷气式飞机，预示着战后军用飞机最重要的发展。喷气式飞机的飞行速度比飞得最快的螺旋桨飞机还要快，并且到60年代初期，世界上主要国家的空军已全部改装成喷气式飞机。能遂行洲际投送核弹任务的远程喷气式轰炸机也研制出来了。飞得最快的战斗机速度可达2倍甚至3倍音速，除装备机枪和自动炮以外，还装备了导弹和巡航导弹等武器。研制出先进的雷达及其他电子系统，使飞行员在战机稍纵即逝的喷气式飞机空战中能搜索、发现并摧毁目标。

喷气式飞机广泛应用于连续不断的有限战争中，包括朝鲜战争（1950～1953），越南战争（1954～1975），1967及1973年的阿以战争和苏联入侵阿富汗（1978～1989）。在此期间，研制了新型飞机，或使之适应军事使用的需要。人们发现直升机在从战场上迅速撤出伤员方面特别有用。研制了高机动性的强击直升机，对步兵或其他地面目标进行近距离扫射。垂直或短距起降飞机（VTOL/STOL）具有与直升机相同的起飞能力，但上升到一定高度后，又有普通喷气式飞机的性能。参阅 **attack aircraft；bomber；fighter aircraft**。

Airborne Warning and Control System（military technology）　参阅 **AWACS 机载警戒与控制系统**。

Airbus Industrie　空中客车工业公司　1970年成立的欧洲飞机制造企业集团，以满足中短程和大客运量喷气飞机的市场需求并与历史悠久的美国飞机制造公司竞争。集团正式成员包括德国－法国－西班牙拥有的欧洲航空防务与航天公司，拥有80%的股权，以及英国航空航天公司，拥有20%的股权。比利时的比利时空中客车和意大利的阿莱尼亚公司是该企业集团的非正式成员。公司总部设在法国城市图卢兹附近。在21世纪初，空中客车46%的市场份额使其成为仅次于波音公司的世界第二大商业飞机制造商。在法国、德国、西班牙和英国各个股东公司雇佣的大约42 000名员工直接从事空中客车飞机的制造工作。该企业集团拥有1 500多家供应商并与世界上许多公司达成了合作协议。美国公司负责生产大约1/3的空中客车飞机零件。伙伴公司在各自的工厂里进行大部分的局部装配。一个专门的运输机群（用A300－600客机改装成的空中客车大型运输机）用于将这些局部装配件空运到位于法国和德国的两个总装工厂。空中客车A300/A310和A330/A340飞机家族，以及A320飞机都是在图卢兹附近的一个工厂里完成的，而A318、A319和A321飞机则是在汉堡组装的。空中客车飞机的生产始于1965年，当时法德两国政府开始商谈成立一个大财团，用于生产欧洲的大客运量和短途运输的喷气运输机。翌年法国、德国和英国官员宣布南方飞机制造公司（法国）、空中客车联合企业集团（德国航空航天器制造公司的一个非正式集团）和霍克-希德黎飞机制造公司（英国）将研究开发一种300个座位的短程大型飞机。由于符合空中客车需要的发动机没有实现，最初的设计定名为A300，座位减少到250个。1969年英国政府退出该计划，但法国和德国签署了正式条款，并进入到制造阶段。霍克-希德黎飞机制造公司由于负责该飞机的机翼，仍然是该计划的分包商。空中客车工业管理公司作为一个经济互利集团（GIE）成立于1970年，这是1967年法国法律规定的一种独特合作形式。最初，资金的50%来自法国宇航公司（后改称马特拉宇航公司），另外的50%来自德国的德国空中客车公司（后改称梅塞施米特-伯尔科-布洛姆公司）。西班牙航空制造股份有限公司（CASA）以4.2%的股份加入进来。霍克-希德黎飞机制造公司和英国的其他公司于1977年实行国有化，成为一个政府的联合大企业英国航空航天公司，1979年以20%的股份作为正式合伙人加入空中客车公司。2000年除了英国航天航空公司之外，全部合伙人合并为欧洲航空防务与航天公司（EADS），该公司因此获得空中客车80%的股份。

aircraft carrier　航空母舰　可供飞机起飞和降落的海军舰船。早在1910年11月，美国民间飞行员E.伊利在汉普顿驾机从美国海军巡洋舰"伯明翰"号甲板的特制平台上起飞。1911年1月18日在圣弗朗西斯科湾，伊利采用连着沙袋的钢索作为拦阻装置，在"宾夕法尼亚"号战列舰后甲板上降落并再次起飞。英国海军也试验了航空母舰。第一次世界大战期间，英国改装商船，研制出第一艘真正的无障碍飞行甲板的航空母舰"百眼巨人"号。该舰投入使用前大战就结束了。但是美国和日本海军很快就开始仿效英国。美国第一艘航空母舰于1922年3月服役，该舰系由一艘运煤船改装而成，命名为"兰利"号。同年12月，日本第一艘航空母舰"凤翔"号开始服役。航空母舰基本上是海上飞机场，由于

美国航空母舰"肯尼迪"号
美国海军部供图

它的大小受限制并在海上航行，因而带来许多特点。为了缩短起飞和降落距离，将船转向逆风方向，可增大甲板上方的空速。舰上装有与飞行甲板齐平的弹射器，帮助飞机弹射起飞；飞机上装有可收放的钩子，降落时钩住横系在甲板上的绳索，使飞机很快停住。航空母舰的指挥控制中心位于飞行甲板一侧的上层建筑物内，飞机降落时靠甲板上的无线电及雷达，以及目视信号来引导。在第二次世界大战初期，航空母舰第一次用于战斗，主要在地中海。1941年12月7日日本使用航空母舰载机袭击珍珠港，清楚地显示了航空母舰的潜力，此后航空母舰在军舰中占有十分重要的地位。太平洋战区几次重大的海战，如中途岛、珊瑚海、莱特湾之战，航空母舰都起了主要作用。第二次世界大战后制造的航空母舰吨位较大，有装甲飞行甲板。喷气式飞机由于重量大、加速慢、着陆速度大、燃料消耗多，用在舰上出现许多严重问题。英国有3项革新对解决这些问题作出了贡献，它们是：用蒸气作动力的弹射器、斜面飞行甲板和助降镜装置。1960年9月24日第一艘核动力航空母舰"企业"号在美国下水。以后的发展趋势是建造为反潜巡逻设计的装有大量电子设备的轻型航空母舰和两栖突击用的直升机航空母舰，另一种发展趋势是用导弹来代替大量的高射炮。

Airedale terrier　艾尔谷㹴狗　最大的㹴狗。可能是猎水獭狗和已灭绝的黑白相间的老英格兰㹴狗的后代。体高约58厘米，体重18～23千克。体呈方形，吻长而方，从侧面

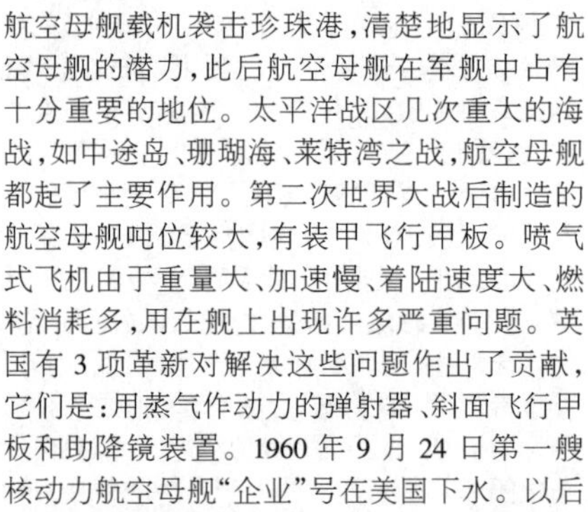

艾尔谷㹴狗
美国不列颠百科全书公司供图

观,前额线一直延伸到鼻端。被毛致密坚韧,背部有鞍状的黑色毛区,腿、口、鼻及体下侧黄褐色。聪明勇敢,有力而富感情,但对陌生人冷淡。一直于战时用于运输急件和守卫,或作警犬,也可用以猎取大猎物。外号"㹴狗之王"。

airfield 参阅 **airport** 航空站。

airfoil 翼型 又拼 aerofoil。在空气中运动时能产生升力和阻力的型面,如机翼、尾翼或螺旋桨桨叶。翼型产生升力的方向与气流成直角,阻力方向与气流方向相同。高速飞机通常采用低阻力、低升力的流线型薄翼型,载重量大的低速飞机使用高阻力、高升力的厚翼型。

airframe 机体 飞机或航天器的基本结构,不包括动力装置和仪表设备。其主要部件有机翼、机身、尾翼组和起落架。机体要承受各种空气动力以及由燃料、乘员和有效载荷的重量产生的应力。早期飞机多数为构架式机体,由硬木窄条或钢管构成,再用张线拉紧。机翼的构架由翼梁和翼肋组成。机身和机翼构架外面是布制蒙皮。机体构造在20世纪30年代有根本性的改进,现代飞机的特征(采用气动外形的机身和小弯度的薄机翼)就从这个时期开始的。整个机体都用高强度的轻金属(主要是铝合金、镁、少量的不锈钢和钛)代替木材和布。

airglow 气辉 地球高层大气微弱的发光现象。是由大气分子和原子选择吸收太阳紫外线和X射线引起的。气辉大多发生在距地面大约70～300千米的高度范围内。与极光(**aurora**)不同,气辉不是弓弧形,随时随地在整个天空都可产生气辉,夜间出现的叫做夜气辉,白天出现的叫做昼气辉,曙暮时出现的叫做曙暮气辉。在可见光频谱内夜气辉很微弱,在地水平面上的照明度约仅与在91米高处的烛光相同;但在红外区可能要强1 000倍。地面观测以及火箭和卫星探测的资料表明,夜间气辉放射的能量大部分是因吸收阳光后从氧分子 O_2 分解出来的氧原子重新结合为氧分子时释放的;此外,自由电子与正离子再结合也可发光。在白天和曙暮时,钠、原子氧、氮以及氧化氮的共振散射过程似乎对气辉有贡献。此外,深空的高能荷电粒子(主要是宇宙线)与高层大气的中性原子和分子之间的相互作用,可能对高纬地区夜气辉和昼气辉现象的形成都起作用。

Airlangga (Indonesian ruler) 参阅 **Erlangga** 埃尔朗加。

airmail 航空邮件 用飞机运送的书信和包裹。1911年英国在亨登和温莎间创办航邮业务,庆祝乔治五世加冕典礼。但航运是不定期的,仅运送了21次。1919年建立伦敦和巴黎间的定期航空信件业务,1921年办理航空包裹。欧洲其他国家纷纷效仿。美国于1918年开始,用陆军部的飞机和飞行员开办华盛顿(哥伦比亚特区)到纽约间的定期航邮业务。从旧金山到纽约市的横贯大陆航邮业务首创于1920年。大陆长途和洲际邮路采用空运很快就显露出其优越性。20世纪20和30年代航邮业务延伸到埃及、卡拉奇、新加坡和英帝国的其他部分。从旧金山到菲律宾(途中有几次停留)的航邮始于1935年,横渡北大西洋的定期航邮始于1929年。从1946年起航邮业务迅速发展,已经形成一个连接欧洲、北美洲与世界各地的网络。但是还有一些地方,如非洲航邮还很不发达。第一类邮件用空运不另加费在欧洲与美国国内早已普遍实现,但洲际空运的邮件通常仍要加费。

airplane 飞机 又称 aeroplane 或 plane。用螺旋桨或高速喷气推进的、由空气对机翼的动力作用力支撑的任何一类重于空气的固定翼航空器。

飞机的基本组成部分是支承飞机飞行的机翼系统、稳定机翼的尾翼、控制飞行姿态的活动面(副翼、升降舵和方向舵)以及推动飞机在空中运动的动力装置。封闭的机身(机体)容纳空勤组、乘客和货物以及操纵装置及导航仪器。飞机在停放和起降时还需要一套支撑系统(如机轮或浮筒)。

目前所使用的大多数飞机都是单翼机(即只有一对机翼的飞机)。机翼装在机身上方时称为上单翼。装在机身中部时称为中单翼,装在机身底部时称下单翼。多翼机实际上已经消失。少量双翼机仍在使用,主要用于体育飞行和农业飞行。

单翼机按机翼平面形状(上视图)区分,有矩形翼、梯形翼、后掠翼或三角翼。所谓可变几何翼是用同一机翼调节其后掠角达到良好的高速和低速飞行性能。起飞和着陆时,铰接的左右翼伸展开与机身构成直角,可发挥大翼展和大展弦比的优点。高速和机动飞行时,翼板后掠(与尾翼)构成三角翼形。

水平安定面、垂直尾翼、方向舵和升降舵的正常位置都在机翼后面,并安装于机身逐渐收缩的后段。喷气发动机出现以前的标准配置是十字形组合,垂直尾翼和方向舵同水平安定面和升降舵构成一个十字,其轴线与机身轴线基本一致。某些大型上单翼且机身较为短粗的飞机,水平尾翼上方的气流受扰动,使某些飞行状态下的操纵效率受到影响。采用将喷气发动机吊舱安装在机身后部的设计方案时,必须调整尾翼的位置使之不受喷气流的影响。解决方案是采用所谓的T形尾翼配置,即水平尾翼安装在垂直尾翼的顶部。

在安装3台喷气发动机的飞机上,尾翼结构需为中央发动机或全部发动机舱安装进气道。由此带来的机尾结构重量增加改变了许多飞机的外貌。为了保持机翼升力中心和飞机重心之间可行的关系,机翼位置后移,机身前段进一步前伸以保持恰当的平衡。

双发动机或4发动机的飞机(活塞式发动机、涡轮螺旋桨发动机或涡轮喷气发动机),动力装置的位置通常沿机翼向外分布,或位于伸出在机翼和前后缘的发动机舱中,或位于吊舱中。如前所述,喷气发动机短舱也可安装在机身后部,也可两种方法相结合(机翼短舱和机尾短舱)。

起落架的结构取决于飞机是在陆上机场起降还是在水面起降,或水陆两用。自发明飞机以来,大多数飞机采用的都是带充气轮胎的轮式起落架。弹簧式减震器及液压式减震器消除着陆冲击力。机轮刹车通常采用液压式。直至20世纪30年代后期,通用配置是2个机轮远在飞机重心前,一个尾橇或尾轮位于重心之后。飞机停在地面的姿态显然是机头上翘,仅在起飞和着陆时才与地面保持平行。20世纪30年代后期,起落架配置方案发生了变化。所有大型飞机和大多数小型飞机的主起落架远在飞机重心之后,一个可转向的前头起落架远在重心之前。停机、起飞滑跑和着陆时机身与地面保持平行。

在水上起降的飞机依其着陆装置的不同可分为浮筒式水上飞机或船身式水上飞机。在浮筒式水上飞机上,轮式起落架被2个浮筒所取代。船身式水上飞机的机身下部设计成像船一样的浮筒,机翼上装有小浮筒。

舰载机起落架的结构与陆基飞机相同但强度加大,以承受弹射装置加速时(在约60米距离内由零速度加速至起飞速度)所产生的过载。机身也必须改进并加固以安装尾钩以便钩住横跨在甲板着陆区上的拦阻索。舰载机必须进行的另一项改进是折叠翼,这可使有限的机库甲板空间能停放更多的飞机,也能使舰载机用连接飞行甲板和机库甲板的升降机输运。

airport 航空站 又称 air terminal, aerodrome, airfield。又称航空港、机场。飞机起飞和着陆的场地和地面设施。航空站通常设有跑道、维护设施和乘客及货物的聚散地。飞机为保持飞行状态需要在空气中的前进速度,这种速度必须借助于跑道来完成。在跑道上飞机从静止状态到起飞需要加速度,在着陆时,跑道则需承受飞机的减速度。在早期航空飞行中,宽广的草地即可用于飞机起降,名为着陆场。航空站允许直接迎风起降(迎风起飞可增加飞机的升力,迎风着陆可减低飞机的速度)。20世纪30年代,飞机重量增大,要求跑道表面坚硬(沥青或水泥)以免飞机陷入泥土之中。而且,这些飞机对侧风很敏感,因此,大多数航空站提供4或5条跑道,按不同方向排列,以便飞机在起降时能选择一条受到侧风影响最小的跑道。30和40年代,飞机的重量和速度不断增加,对侧风不那么敏感了,跑道一般减少到两条。现今,通常是平行的两条跑道,能处理更多的航班并将起降的飞机分开。跑道的长度持续增加到4 570米,以供能载250多名乘客的4发动机喷气机起降。空中交通管制中心借助于雷达和其他电子导航设备,从航空站塔台以及距离航空站稍远的导航台指挥进站和出站的飞机。还有,塔台控制中心也指挥全部飞机的地面行动,引导驾驶员在停机坪和跑道之间滑行。虽然仪表着陆系统日臻完善,航空站灯光设备仍是十分重要的。有绿白两色标志机场位置的旋转灯塔、引导飞行员进入跑道的高强度进场灯、琥珀色的跑道灯(由塔台或自动系统控制)、绿色的跑道入口灯、蓝色的滑行道灯、红色的障碍灯和表示高障碍物的红色闪光灯。国际民航组织曾发布一套国际公认的关于航空站设备和使用的标准，其中包括跑道的数目、长度和方向以及地面目视导航设备及其他规定。

Airport art 机场艺术品 向旅游者销售的非洲和大洋洲的雕刻和绘画。作品迎合旅游者心目中对非洲和大洋洲艺术的概念。这些雕刻品用红木或乌木制成，精工细刻，打磨光亮，不涂色，以吸引欧洲顾客。有时候传统形式被用作机场艺术的基础。在非洲的某些区域，机场艺术具有非传统的"文学"的性质。例如在坦桑尼亚，来自莫桑比克的马翁德的流亡者设立了一所兴旺的雕刻学校，其内容包括传统风格基础知识，主要以传统的民间故事为主题。引人注目的是，许多机场艺术作品都是不署名的，在某些非洲区域内大量生产，导致质量降低。坎巴人 M.蒙格在第一次世界大战中曾在坦噶尼喀服役，开始按照他在扎腊莫所见的模式雕刻动物。第二次世界大战以后，许多雕刻者供应数以千计的凉拌菜盘子和羚角雕刻品。有些作品在乡村里制成，然后到城市工场里雕刻加工。制成品向世界各地的古玩商店出口。有些地方虽大量生产也并未显著降低其质量。在 20 世纪 30 年代，约鲁巴人（尼日利亚）阿克雷多卢，试验在丝光木棉树干的一个 7 厘米半的刺上雕刻一个完整的人形，形象惟妙惟肖。现在他的学徒以预制的足、手、头、躯干大量拼制成这种人形，于是较为复杂的主题也能大量地制作出来。虽然这些作品做得不如他们师傅那样精巧，可是风俗画场景也不失为约鲁巴人生活的生动写照。

airship 飞艇 又作 dirigible 或 dirigible balloon。由动力推进的轻于空气的航空器。飞艇主要有 3 种类型：软式小飞艇、半硬式飞艇和硬式飞艇。这 3 种飞艇都有 4 个主要部

1936 年 5 月 20 日，"兴登堡"号飞艇在美国新泽西州雷克赫斯特着陆

美国不列颠百科全书公司供图

分：雪茄状气囊（或气球），充以轻于空气的气体；吊在此气球下面的吊舱，用以搭载乘员和乘客；驱动推进器的发动机；操纵飞艇的水平方向舵和垂直方向舵。软式小飞艇只是用绳索将吊舱附着在气球上，一旦气体外逸，气球也就瘪了。与此相类似，半硬式飞艇虽有一条结构性的龙骨也依赖内部气体以维持气球的形状。然而，硬式飞艇却有一个以轻型铝合金大梁构成的框架，被覆以织物，但不密封，框架内有许多充气气球，每个气球均可单独充气和放气。所以，硬式飞艇不管是否充气均能保持其形状。

飞艇升空通常使用氢和氦。氢是已知的最轻气体，因而具有很大的上升能力，但是十分易燃，而且已经造成了许多致命的飞艇灾难。氦不似氢有浮力，但远比氢安全，因氦是不燃烧的。第一艘成功的飞艇是法国的 H.吉法尔于 1852 年制造的。他制成一台重 160 千克的 3 马力蒸汽机，能使大型螺旋桨每分钟旋转 110 转。为了装载这样重的发动机，他用 44 米长的气囊，充满氢气，从巴黎的赛马场升空，以 10 千米/小时的速度飞行了 30 千米。1872 年德国工程师 P.亨莱因首先使用了内燃机，并用气囊中产生浮力的气体作为发动机的燃料使飞艇飞行。1883 年法国的蒂桑迪埃兄弟成功地用电动机驱动飞艇。1897 年德国制造了第一艘硬式飞艇，艇身用铝薄板制成。居住在巴黎的巴西人 A.桑托斯-杜蒙特对飞艇作过许多改进，他从1895～1905 年制造了 14 艘飞艇，创造了许多飞行纪录。德国 G.齐柏林从 1900 年开始制造大型硬式飞艇 LZ－1，速度达到 32 千米/小时。第一次世界大战期间，许多齐柏林式飞艇曾用来轰炸巴黎和伦敦，协约国在战时也使用过相当多的飞艇，主要用于反潜巡逻。20 世纪 20 年代和 30 年代欧洲和美国都继续制造飞艇。1919 年 7 月一艘 R－34 英国飞艇完成了横越大西洋的往返飞行。1926 年 R.阿蒙森、L.埃尔斯沃思和 U.诺毕尔将军成功地使用一艘意大利的半硬式飞艇作北极探险。1928 年齐柏林的接班人 H.埃克纳在德国制成了"格拉夫·齐柏林"号飞艇，曾进行过 144 次越洋飞行。1936 年德国用"兴登堡"号飞艇创办横越大西洋的定期客运业务。尽管飞艇取得这些成就，但实际上它很快就被放弃，主要原因是它难抗风暴天气，再加上接连出事故，最著名的是充氢气的"兴登堡"号爆炸，同时重于空气的航空器在 30 年代和 40 年代有了很大的发展。

airspeed indicator 空速表 用以测量航空器与周围空气间相对速度的航空仪器。它利用静止空气的压强（静压强）与被航空器前进运动所压缩的流动空气的压强（冲压）的差别；当飞行速度增加时，压强差也随之增加。测量压强用的皮托管为有两个开口的 U 型管，一个开口与流经航空器的风向垂直，另一个则正对风向。该管的弯曲部分注入水银或类似液体，形成两个平行的液柱，由两端的空气压强保持两柱间的平衡。当空气的静压强与冲压相等时，液柱同高；但当冲压增加时，该端水银被推下降，使两柱不平衡。两液柱的高低差别，用适当的单位标以刻度，即可指示空速；空速值可用每小时几海里、每小时几英里或其他单位表示。空速表是在标准温度和压强下标定的，在不同温度和高度下，其读数便有误差。不准确的空速读数仍可用于估计航空器失速的可能性。经电子仪器校正了上述误差后，空速表可指示准确的空速。高速航空器的空速表，有时以声速为基准，称为马赫计。

Airy, Sir George Biddell 爱里（1801-07-27，英格兰诺森伯兰阿尔尼克～1892-01-02，伦敦格林尼治） 又译艾里。英国多学科科学家，第七任皇家天文学家（1835～1881）。他整顿了皇家格林尼治天文台，为该台安装了新的设备并使数千次观测记录免遭埋没。但是，他没有及时处理 1845 年英国天文学家 J.C.亚当斯的计算结果，耽误了海王星的发现。爱里改进了金星和月亮的轨道运动理论。1871 年他用一架充水的望远镜检测地球运动的光行差效应。1838 年为皇家海军设计了一套罗盘校正系统。1827 年，他第一个尝试用圆柱形目镜矫正人眼的像散。他对光的干涉条纹以及虹的数学理论也曾作出过贡献。平行光圆孔衍射图样中心光斑（爱里斑）就是以他的姓氏命名的。1854 年，他在一深矿井的底部和顶部用同一个摆测量重力，由此算出地球的密度。他最先（约于 1855）提出下述理论：在山脉下面应有密度较低的山根结构方能保持平衡。1872 年受封为爵士。

Aisén 艾森 又拼 Aysén。全称伊瓦涅斯将军艾森区。智利南部的一个区。东邻阿根廷，西濒太平洋。1927 年设省，1974 年改为区。面积 111 873 平方千米，范围包括乔诺斯群岛的 2/3、泰陶半岛以及帕莱纳河和奥伊金斯湖之间地区。行政上分为艾森、卡雷拉将军、普拉特上尉三省。东、南部安第斯山区海拔 1 000～4 000 米，多冰蚀谷和峡湾，1 000 米以上终年积雪。低地多常绿阔叶林，气候多雨，凉爽，河水流急。早期印第安居民近于绝迹。来自奇洛埃等地的移民种植马铃薯、小麦，饲养牛羊。当地出产木材、铅、锌和铜。科伊艾克（区首府和最大城镇）、巴尔马塞达和小智利为内地贸易中心，后两者与蒙特港通航飞机，前两者与艾森港通公路。人口约 86 814（1994）。

'Ā' ishah 阿以莎（614，阿拉比亚麦加～678-07，麦地那） 伊斯兰教创始人先知穆罕默德的第三位夫人，也是最得宠的夫人。穆罕默德最主要助手之一艾卜·伯克尔之女。据说阿以莎 627 年曾随穆罕默德远征，途中失散，某人在旷野发现她，把她护送到麦地那。穆罕默德的敌人造谣说她已不贞，穆罕默德出于对她的信任并得真主启示，宣布她无罪，公开羞辱诽谤她的人。632 年穆罕默德去世，她以 18 岁之年过孀居生活，不参与政治。至第三代哈里发奥斯曼在位期间（644～656），她积极参与起事反对奥斯曼。奥斯曼于 656 年被害。她率军攻击奥斯曼的继位者阿里，失败被捕，默默无闻地在麦地那度其余年。

aisle 侧堂 教堂或巴西利卡内中堂两侧或围绕中堂、唱诗班席或后堂的部分（围绕后堂的侧堂通常又称为后堂回廊），常用列柱或连拱分隔。该词源于法语中的"翼"，因为在罗马式教堂中，只在中堂两侧有侧堂，其屋顶通

常较低,形成两翼。侧堂中亦可设座位,但原来仅作为通往中堂或教堂前部的走道。现今该词泛指教堂、剧院或其他公共建筑中通往座位的过道。

aisling 梦幻 在爱尔兰文学中指对梦幻的诗意般的描绘或陈述。《亚当南的梦幻》一诗是最著名的例子。18 世纪时,作为表达对被流放的英格兰和爱尔兰国王詹姆斯二世的支持的一种手段,非常流行。

Aisne 埃纳 法国北部皮卡第大区一省。面积7 369平方千米。由原法兰西岛省、皮卡第省、香槟省部分地区组成。水源充足,年降雨量 500 ~ 750 毫米,不受暴风雨侵袭。南和西部有富庶产粮区。东北部有乳制品业。

埃纳河畔的主要城镇苏瓦松
美国不列颠百科全书公司供图

甜菜糖加工为本省重要行业。开采石膏、建筑石料和黏土。一些城镇生产丝、棉、毛织品。圣戈班 17 世纪起即制造镜子。保存有中世纪教堂和古城堡。省会拉昂。吉斯是北部工农业中心。人口约 540 500(1993)。

Aistis, Jonas 爱斯蒂斯(1904-07-07,俄罗斯帝国立陶宛考纳斯附近的坎皮斯凯斯~1973-06-13,华盛顿[哥伦比亚特区]) 立陶宛诗人。他的抒情诗被认为是立陶宛文学中的最佳之作,并且是第一个转向个人表现的现代立陶宛诗人。爱斯蒂斯曾在考纳斯大学攻读文学,1936 年靠奖学金去法国格勒诺布尔大学研究法国文学和语文学,1944 年获博士学位。由于苏联占领未回国,1946 年赴美国,1958 年在华盛顿(哥伦比亚特区)任国会图书馆馆员。爱斯蒂斯最早的诗集写于立陶宛,包括他最优秀的作品;第 4 卷诗集《吐火兽的瞎眼》(1937)获得国家文学奖。在流亡时期所写的爱国诗篇,不如早期作品那样成功。他的 3 部散文集也得到了出版,他还编辑了几部诗集,其中有《立陶宛诗歌选集》(1950)。《诗歌》(1961)囊括了他到那时所写的全部诗作。

Aitken, John 艾特肯(1839-09-18,苏格兰斯特灵郡福尔柯克~1919-11-14,福尔柯克) 物理学家和气象学家,通过使用自己设计的仪器所进行的一系列实验和观测,阐明了称为"艾特肯核"的微粒在云雾内水汽凝结过程中所起的决定性作用。他的健康状况欠佳,不能担任公职,只能在家乡福尔柯克的实验室里从事研究工作。艾特肯是爱丁堡皇家学会会员,其著作大部分发表在该学会的期刊上。

Aitken, Robert Grant 艾特肯(1864-12-31,美国加利福尼亚杰克逊~1951-10-29,加利福尼亚伯克利) 美国天文学家。他擅长于研究双星,一共发现了3000多颗双星。1891~

美国不列颠百科全书公司供图

1895 年任加利福尼亚太平洋大学数学教授和天文学教授。1895 年到加利福尼亚哈密尔顿山利克天文台任助理天文学家;1923 年任副台长;1930 年升任台长;1935 年退休。他出版了《双星》(1918)和《北极 120°内双星新总表》(1932)等书。

Aitken, William Maxwell 艾特肯 参阅 **Beaverbrook (of Beaverbrook and of Cherkley), Sir (William) Maxwell Aitken, 1st Baron 比弗布鲁克男爵(第一)**。

Aitmatov, Chingiz (Russian author) 参阅 **Aytmatov, Chingiz 艾特马托夫**。

Aitolia (ancient Greek district) 参阅 **Aetolia 埃托利亚**。

AITUC 参阅 **All-India Trade Union Congress 全印(度)工会大会**。

Aiun (Western Sahara) 参阅 **El Aaiún 阿尤恩**。

Aix-en-Provence 普罗旺斯地区艾克斯 法国南部普罗旺斯山-蓝岸大区罗讷河口省城市。位于马赛北面,阿尔克河右岸平原上。

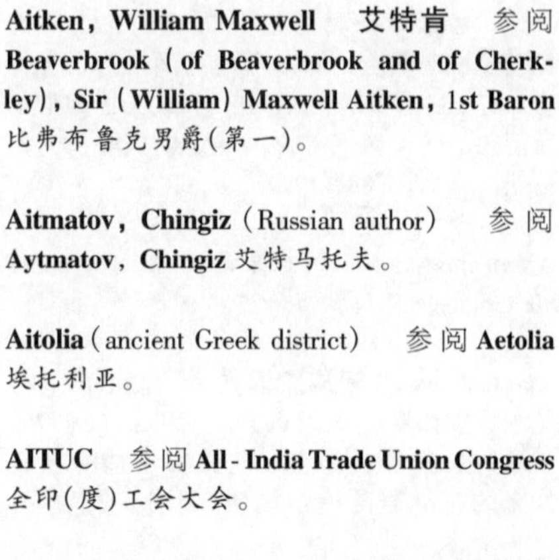

普罗旺斯地区艾克斯的喷泉
美国不列颠百科全书公司供图

地处通往意大利和阿尔卑斯山要道的交叉路口。中世纪时为普罗旺斯首府,在安茹伯爵和公爵统治下,作为一学术和艺术中心发展起来。1409 年建立艾克斯-马赛大学。米拉波林荫道以北是旧城,那里有罗马时代遗迹和 11 ~ 13 世纪的主教区圣索沃尔大教堂及其四围建筑。南部是新城,多精美的 17 ~ 18 世纪房屋,四周为近年建起的新区。当地温泉可治疗风湿和血管疾病。为农业中心。尤以普罗旺斯的橄榄和杏仁最为著名。塞尚绘画过四周乡村的景色;其画室为市内纪念馆之一。现为马赛的住宅郊区,工业发展不多,有食品加工和电机制造业。人口 134 222 (1999)。

Aix-la-Chapelle (Germany) **艾克斯拉沙佩勒** 参阅 **Aachen 亚琛**。

Aix-la-Chapelle, Congress of 艾克斯拉沙佩勒会议(1818-10-01~11-15) 由英国、奥地利、普鲁士、俄国和法国举行的商讨拿破仑战争(1800 ~ 1815)之后的欧洲问题并采取共同行动的 4 次会议中的第一次。会议在艾克斯拉沙佩勒即今德国亚琛举行,参加者有:俄皇亚历山大一世,奥皇弗兰茨一世,普鲁士国王腓特烈·威廉三世以及他们的代表;英国由卡斯尔雷子爵和惠灵顿公爵任代表,法国由黎塞留公爵任代表。在第一次会上,黎塞留提出法国清偿所欠各盟国的大部分战争赔款,交换条件是盟国占领军于 11 月 30 日以前撤出。这一提议得到盟国同意。10 月 9 日签订了一项条约,确定作为战争结果对法国提出的要求,法国则以平等地位参加新的五国联盟。会议讨论了禁止奴隶贸易和镇压柏柏里海盗问题,但未作出决定。会议还考虑了犹太人的地位和其他许多问题。

Aix-la-Chapelle, Treaty of 《艾克斯拉沙佩勒条约》(1748-10-18) 该条约主要由英国和法国议订,它结束了奥地利帝位继承战争(1740 ~ 1748)。条约以互相归还所占土地为特征,包括将新斯科舍的布雷顿角岛上的路易斯堡归还给法国,印度的马德拉斯归还给英国,边境城镇归还给荷兰人。条约承认哈布斯堡继承人玛利亚·特利萨公主拥有奥地利领土主权,但也承认普鲁士征服西里西亚,因此,哈布斯堡家族势力大为削弱。玛利亚·特利萨将在意大利帕尔马、皮亚琴察和瓜斯塔拉的公爵领地放弃给西班牙。条约还确认汉诺威家族在英国和汉诺威的继承权。条约对英、法在西印度群岛、非洲和印度的商业竞争问题未能解决,因此该条约不具备持久和平的基础。

Aix-Marseille Ⅰ, Ⅱ and Ⅲ, Universities of 艾克斯-马赛第一、第二和第三大学 法国公立男女同校自治的高等学府。设于普罗旺斯地区艾克斯和马赛。根据 1968 年法国为改革高等教育颁布的高等教育方向法建立。它由普罗旺斯大学发展而来。普罗旺斯大学原是一所翰学院,由普罗旺斯路易二世于 1409 年创建,经教皇训令认可(1413)。15 ~ 18 世纪,它逐步发展成为一个设有古典学科、人文学科、神学、法律和医学的学校。法国革命期间，该校被关闭，后重建于艾克斯和马赛，名为艾克斯-马赛大学。1896年，该校成为17个公助自治的地方大学之一。1968年高等教育方向法公布之后，艾克斯-马赛大学分为3个学院，每一学院设有独立的教学和研究单位。普罗旺斯大学（艾克斯-马赛第一大学）为语言和文学学院，设有一个天文台和一个电化教育中心。艾克斯-马赛大学（艾克斯-马赛第二大学）是医学和理学院。1973年艾克斯-马赛第一大学和第二大学进行调整改组，增设法律、经济和自然科学等学科，组成艾克斯-马赛第三大学。

Aizawa Yasushi　会泽安（1782-07-05，日本旧常陆国水户～1863-08-27，水户）　日本民族主义思想家，尊王攘夷论者。曾参与策划藩政。所著《新论》强调大和民族的优越性，鼓吹日本的天赋霸权及其在世界中心的独特地位，是由于日本皇室乃天照大神之直系后裔。因此国民道德基础应为忠于天皇。该书为后来的日本极端民族主义提供了依据，直到20世纪还是日本的重要民族主义教科书。

Aizawl　艾藻尔　印度东北部米佐拉姆邦首府。为该邦最大市镇。海拔约900米。有铝制器皿、手工织布和家具等工业，有一座柴油发电站，附近有飞机场。艾藻尔周围地区与缅甸交界，由南北走向的陡峭山丘组成，受托莱索里河、杜伊沃尔河、索奈河（图莱河）切割。茂密的山坡森林出产木材和毛竹。除河谷外，土壤瘠薄。出产稻米、玉米、豆类、烟草、棉花、南瓜、油籽和花生。此外有养禽、狩猎、渔业、畜牧业等。手工业主要有织布、铁工、木工、编织等。居民米佐族多来自缅甸并多信奉基督教。边境公路组织在该地区修建了多条公路。人口约229 714（2001）。

Aizu-wakamatsu　会津若松　日本本州福岛县城市。位于会津盆地中心，火山环抱。1384年建有城堡。德川时代为重要商业和制造业中心，所产漆器最有名。曾为德川家族之一的封邑和抗拒明治维新的最后战场。城堡与市镇于战争中悉被摧毁。19世纪末成为行政中心，通铁路后商业地位更加重要。现有行业大部为传统项目，生产漆器、陶瓷

会津若松经修复的14世纪敦贺城堡
美国不列颠百科全书公司供图

器、米酒、装饰蜡烛和工艺品。市容及古堡（1965年重建）吸引游客。城东南有温泉和枫林。人口约119 289（1991）。

Ajaccio　阿雅克肖　法国科西嘉大区南科西嘉省城镇和省会。位于科西嘉岛西岸，为地中海港口。拿破仑的出生地，其故居已辟

地中海滨的阿雅克肖
美国不列颠百科全书公司供图

为博物馆。罗马人最早在城北3千米处建立居民点阿亚克斯。1492年热那亚人将其迁至现址。1768年归属法国。1793～1811年为里亚莫讷省省会。1976年成为南科西嘉省省会。经济主要依赖旅游业，有一些轻工业和航运业。与本国大陆之间通定期航班飞机和轮船。人口52 880（1999）。

Ajami language　阿哈米语　参阅**Mozarabic language 莫扎拉布语**。

Ajanta Caves　阿旃陀洞穴　印度西部马哈拉施特拉邦奥兰加巴德县阿旃陀村东北105千米的石凿佛教庙宇。在瓦古尔纳河谷高20米的花岗岩陡壁中凿成，周围风景如画。

马哈拉施特拉邦中北部的阿旃陀洞穴
美国不列颠百科全书公司供图

共约30个洞穴，先后凿成于公元前1世纪至公元7世纪之间，分为寺院与隐修院两类，尤以壁画著称。

Ajaria　阿扎利亚　又拼Adzhariya、Adžarija。格鲁吉亚一共和国，在格鲁吉亚西南角。濒黑海并与土耳其接壤。除沿海狭长地带外大部为山地。首都**巴统（Batumi）**为最大城市。阿扎利亚17世纪起为土耳其所统治，1878年被俄国兼并归属格鲁吉亚。1922～1991年为苏联一自治共和国。境内北部阿扎尔-伊梅列特山脉和南部沙夫舍茨基山脉均东西走向，最高超过2 800米。两山之间为阿扎尔河谷。海岸低地属亚热带气候，1月平均温度5～8 °C，8月平均温度21～23 °C。山顶积雪期长达6个月。巴统年平均降雨量在格鲁吉亚为最高（1 600毫米）。低地有亚热带植被，山坡生长针叶林、灌木丛和草甸。居民为格鲁吉亚、俄罗斯、亚美尼亚和伊斯兰化的阿扎尔人，有2/3住在海岸低地和山麓丘陵。亚热带作物为经济基础，有茶、柑橘、鳄梨、油桐、桉树和竹子。较高地区除种植烟草外，畜牧业也重要。工业集中于巴统（起自黑海巴库的输油管道以此为终点），有炼油、航运、造船、食品加工工业，可生产小型机械、酒、胶合板、家具和化工医药等。有公路和铁路通其他地区。班机从巴统飞往第比利斯、莫斯科和其他城市。面积3 000平方千米。人口约381 500（1991）。

Ajax　埃阿斯　拉丁语。希腊语作Aias，别名Ajax the Greater（大埃阿斯）。希腊传说中萨拉米斯王忒拉蒙的儿子。在《伊利亚特》中，他被描绘成身材魁梧，气力和骁勇仅次于希腊英雄阿喀琉斯。他同赫克托耳（特洛伊的主将）进行一对一的决斗，并在雅典娜女神帮助下，从特洛伊人手中夺回阿喀琉斯的遗体。他同希腊英雄奥德修斯争夺阿喀琉斯的甲胄，失败后因恼怒而死。据后来的一种说法，他的失望使他神志失常。在他清醒之后，他就用赫克托耳送给他的刀自杀身死。相传从他的血泊中迸出一朵红花，在它的花瓣上有他的姓名的首写字母AI，以示哀悼。他是守护萨拉米斯岛的英雄，在那里有奉祀他的一座神庙和一座雕像，还为他举行一种名为埃安泰亚的节日。

Ajax　埃阿斯　拉丁语。希腊语作Aias，别名Ajax the Lesser（小埃阿斯）。希腊神话中洛克里斯王俄琉斯之子。尽管他身材矮小，但在特洛伊城下仍能和其他英雄一道坚持下来。他好夸口，傲慢并好争吵。由于他把国王普里阿摩斯的女儿卡桑德拉从雅典娜的神殿里

拖走并强奸了她这一罪行，他几乎被他的希腊联盟者用石头砸死。在乘船返回时，他遇到船难，但只身得救。后因夸耀自己的得救，被波塞冬投到海中淹死。埃阿斯被欧本提亚的洛克里斯人（他们居住在中希腊的马利安湾并且在他们的硬币上有他的像）崇奉为民族英雄，而且他们在自己的战线里永远留一个空位给他。

Ajdukiewicz, Kazimierz 艾伊杜凯维支 （1890-12-12，奥匈帝国波兰塔尔诺波尔[今乌克兰捷尔诺波尔]～1963-04-12，波兰华沙）波兰逻辑学家和语义学家，哲学和逻辑学华沙学派的主要撰稿人。该学派通过分析语言对知识的关系而对理智主义有一定影响。1920年，他为了以句法为基础的逻辑研究而创立第一个演绎理论。曾在利沃夫大学研究哲学、物理学和数学，并获博士学位。1921～1961年间在利沃夫、波兹南和华沙大学讲授哲学。主要著作有：《演绎科学的方法论》（1921），汇辑《逻辑研究》季刊所载多篇论文；另有以《语言和知识》（1960～1965）为书名的两卷集（内容包括1920～1939年和1946～1964年所写的论文）。

ajiva 非命 印度耆那教理指"没有生命的物质"，与"命"（灵魂或有生命的物质）相对。非命分为：①空，即"空间"；②法，即动因；③非法，即静因；④补特伽罗，即物质。补特伽罗由原子构成；它是永恒的，但也要变化和发展；它既是粗大的（可以看得到），又是精细的（不能感觉到）。看不见的业，即"造因"的物质附着灵魂并使灵魂下沉，它可以作为精细的补特伽罗的一个例证。前三类的非命是灵魂和物质存在的必要条件。上述用词中有一些在佛教哲学中也使用，但含义则不同。

Ājīvika 生活派 同佛教与耆那教大约同时在印度出现的一个苦行派别。它的创始人拘舍罗·末伽黎子是耆那教创始人大雄的同时代人和早年友人。人们只能从佛教和耆那教的文献中了解到他和他的门徒的学说。根据这些文献，他是一个出身低贱的人，在与大雄发生争吵后，在佛陀之前不久去世。这一派在灵魂转生（轮回）方面，宣传一种彻底的决定论。其他教派认为人在轮回中可以改善自己的命运，但生活派则认为整个宇宙事务都是由一种被称为尼耶提（梵语：规则、命运）的宇宙力量所支配，这种力量决定一切事物，包括人的命运直至最小的细节；个人所作的改变或改善的努力注定要失败。"正如抛出一个线球，它会全部解开，无论愚人和智者都得走向他们注定的道路。"生活派虽然对人类状况持有这种阴郁的看法，他们却过着严格的苦行生活，但不是有意追求什么目的，而是因为他们的尼耶提已然决定要他们这样做。孔雀王朝统治时期（公元前3世纪），曾有人接受这一派的学说。后来这一派显然衰落下去，尽管到14世纪，在现代的迈索尔邦还有这一派的信徒。在这一派后来的发展中，创始人拘舍罗被当作神来崇祀，而其所倡尼耶提这一信条则发展成一种学说，即一切变化都是虚幻的，一切事物都是永恒静止的，这是始终如一的决定论的最后结果。

ʿAjjul, Tall al- 阿朱勒 巴勒斯坦南部古代遗址，在加沙镇（今加沙）正南加沙河口，常被称为"古加沙"。1930～1934年间英国考古学家进行发掘。遗址中最早的遗物可以追溯到公元前2100年。阿朱勒可能在青铜中期时代（约公元前2300～约前1550）达到鼎盛。特别是公元前17世纪～前16世纪，当时由埃及第15王朝统治着。

Ajka 奥伊考 匈牙利中西部维斯普雷姆州1945年后的工业城镇。位于包科尼山秦盖尔山谷中维斯普雷姆以西24千米处。19世纪末为一小煤矿村庄，20世纪中叶迅速发展。1942年德国占领军在此开采铝土矿。现有炼铝厂、氧化铝厂、玻璃厂、食品加工厂和电信器材厂。邻近有褐煤矿和锰矿。人口约34 000（1989）。

ʿAjmān 阿治曼 又拼ʿUjmān。阿拉伯联合酋长国（过去称特鲁西尔诸国或特鲁西尔阿曼）面积最小的成员国，由3个部分组成，主要部分在波斯湾沿岸，完全被沙迦酋长国包围，是本酋长国唯一居民点和首府阿治曼城所在。另外两部分是阿曼岬即阿拉伯半岛的犄角上内陆两块小飞地，一是阿治曼城东南东60千米的麦纳麦，一是阿治曼城东南90千米、位于哈达干谷和阿曼岬底部的马斯富特。3部分总面积估计为250平方千米。1820年阿治曼酋长签署英国提出的《全面和平条约》，放弃海盗活动，从此阿治曼被承认为自主国家。1835年签署《海上休战条约》，1853年签署《海上永久和平条约》。为了制止土耳其和法国人沿特鲁西尔海岸的扩张，1892年包括阿治曼统治者在内的各酋长们签订了协议，把外交事务交由英国政府管理。1968年英国宣布将从波斯湾地区撤离。阿治曼和特鲁西尔其他6个成员国以及巴林、卡塔尔开始协商，准备创建一个9国联邦。1971年8～9月巴林和卡塔尔各自宣告独立，1971年12月英国撤离，阿拉伯联合酋长国成立，阿治曼是创始国之一。阿治曼是阿拉伯联合酋长国最穷的成员国。1900年，阿治曼酋长的势力范围从阿治曼城向外只有几英里远，仅有的经济活动就是40条左右的采珍珠船和一座椰枣种植园。从1961年到20世纪70年代初，阿治曼主要收入之一是出售各种邮票，邮票是根据西方集邮者的兴趣而设计的。也发行一些纪念币。1972年阿拉伯联合酋长国宣布成立邮政部，从各成员国收回邮票发行权。大部分收入来自石油丰富的联合酋长国成员国阿布扎比的资助。阿治曼城有一座统治者的现代化宅邸和其他新式建筑。70年代曾浚深阿治曼城的小沟，以便提供深水港设备。有一住宅预制板厂和一个修船厂。两块内陆飞地有些农作物，麦纳麦有国防军营地，马斯富特有优质大理石矿。国内有少量工商业。靠科威特的援助建了几所学校。曾特许西方公司勘探石油，但无所发现。阿治曼城与迪拜城及哈伊马角城有铺面公路连接。人口约64 318（1985）。

Ajmer 阿杰梅尔 又拼Ajmere，Ajmir。印度西北部拉贾斯坦邦中部城市。坐落在达拉格尔山低坡。约始建于1100年左右，有耆那教庙宇（约1200年改为清真寺）等古迹。位于重要公路与铁路线上，为食盐、云母、棉织品和农产品的贸易中心。有铁路工厂与榨油厂，并生产棉织品、毛织品、针织品、肥皂、靴鞋、鞍具、药品。以手工艺品、纺织和印染著称。阿杰梅尔位于山地，是阿拉瓦利岭及其外围的一部分。有卢尼河与伯纳斯河支流流贯。主要经济部门为农业。出产玉米、小麦、粟、鹰嘴豆、大麦、棉花、油籽、辣椒和洋葱等。有棉纺织、针织与轧棉等工厂。开采云母、长石和建筑石料。人口约401 930（1991）。

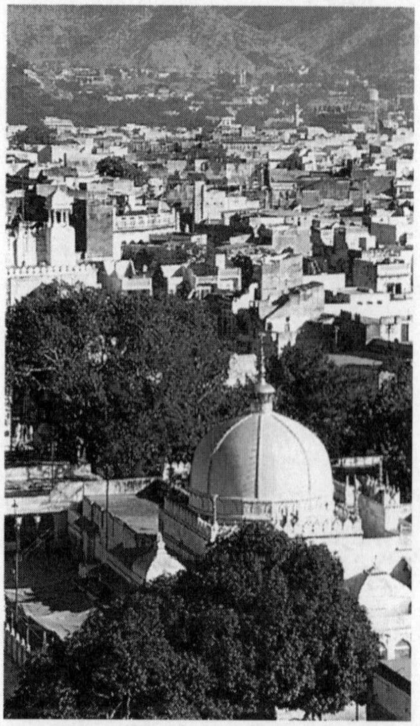

阿杰梅尔的哈贾萨希布神殿
美国不列颠百科全书公司供图

Ajo 阿霍 美国亚利桑那州西南部皮马县城镇。18世纪50年代，西班牙人在此开采铜。20世纪初规划城镇，附近通铁路。经济依赖费尔普斯-道奇公司开办的露天矿和冶炼厂。该镇原名在帕帕戈语中意为"温水"，现名为西班牙语"大蒜"之意（周围山区出产野生大蒜）。镇东有印第安人保留地，西有国家野生动物保护区，南有烛台掌名胜古迹区。人口3 705（2000）。

AK-47 AK-47步枪 又称卡拉什尼科夫1947型步枪。苏联的突击步枪，世界上使用最广泛的肩挂武器之一。首字母AK代表俄语Avtomat Kalashnikov（即卡拉什尼科夫自动步枪），以纪念设计者M.K.卡拉什尼科夫（生于1919年）。它能进行半自动或全自动射击，发射中等威力的7.62毫米枪弹。AK-47是一种尺寸短小、设计精良的步枪。枪管上方有一个分离式气体返回管，长匣型弹仓可装30发枪弹，射速为600发/分。许多国家按两种基本设计样式生产这种步枪，一是木质枪托，另一为折叠式金属托架。20世纪

80年代，改进的AKM取代了AK－47，它是AK－47的现代型，有较好的瞄准装置，但基本性能相同。AK－47和AKM仍是苏联以及实际所有共产党国家军队，还有许多游击队和民族主义运动的基本肩挂武器。生产该枪的国家有：苏联、保加利亚、中国、前东德、匈牙利、朝鲜、波兰、罗马尼亚和南斯拉夫。

Ak Koyunlu　白羊王朝　又拼Aq Qoyunlu（土耳其语"白羊"的意思）。土库曼部落联盟，1378～1508年统治伊拉克北部、阿塞拜疆和安纳托利亚东部。据拜占廷编年史讲，这一联盟至迟在1340年便已在安纳托利亚东部出现，联盟的多数首领，包括白羊王朝的建立者卡拉·奥斯曼（1378～1435在位）在内，均与拜占廷公主结婚。1402年突厥统治者帖木儿把伊拉克北部迪亚巴克尔地区授予卡拉·奥斯曼。乌尊·哈桑（1452～1478）于1467年打败黑羊王朝的统治者杰汉·沙赫，1468年打败帖木儿王朝的阿布·赛义德，此后他占领了巴格达、波斯湾和呼罗珊。1464年白羊王朝与奥斯曼人的敌人威尼斯修好，企图防止奥斯曼人的进攻。但威尼斯言而无信，一直没有提供武器。1473年乌尊·哈桑在泰尔詹为奥斯曼人所败。白羊王朝原属逊尼派，1501～1502年在纳希切万附近同属于什叶派的伊朗萨非王朝交战，结果败北。王朝的末代统治者穆拉德一度据守巴格达。1508年他退居迪亚巴克尔以后，白羊王朝覆亡。

Akaba（Jordan）　参阅**ʻAqabah, al-亚喀巴**。

Akademgorodok　科学城　科学研究中心，俄罗斯科学院西伯利亚分院院部。坐落在俄罗斯中南部，新西伯利亚市附近，新西伯利亚水库东北角。1957年由苏联科学院院士M.拉夫伦奇也夫、S.萨波列夫、A.特洛夫穆克和S.赫利斯奇雅诺维奇创立。旨在组织并发展自然科学、经济科学以及技术科学的理论研究和实验工作，同时着眼于调配西伯利亚和苏联（俄罗斯）远东的生产资源。至20世纪末叶，科学城拥有20多个研究所、1所大学及居住设施。

Akademiya Nauk Range　科学院山　帕米尔西部山脉，1927年命名。位于塔吉克斯坦中部。南北延展约110千米。山顶终年积雪，冰川面积1 500平方千米。塔吉克斯坦最高峰共产主义峰（海拔7 495米）位于此山区，另有海拔6 000米以上的山峰24座。

Akagera River（Burundi）　参阅**Kagera River卡盖拉河**。

Akaka Falls　阿卡卡瀑布　在美国夏威夷州夏威夷岛东北部夏威夷县。为占地26公顷的州立阿卡卡瀑布公园的主要风景。位于希洛西北19千米、离海岸6.5千米的峡谷中，穿热带密林而下，注入科莱科莱河潭，落差128米。

Akāl Takht　阿卡尔寺　印度锡克教的教权中心，也是锡克教主要政党阿卡尔党总部，设在旁遮普邦阿姆利则城内锡克教主要礼拜场所金寺对面。旁遮普邦的阿嫩德布尔、帕蒂亚拉，比哈尔邦的巴特那、马哈拉施特拉邦的楠代德，也分别设有阿卡尔寺。在20世纪，阿卡尔寺受理各地教徒团体关于教义解释或行为准则的非政治性问题，其裁决以命令形式公布，全体锡克教徒必须遵守。1984年，印度军队攻击金寺，阿卡尔寺也遭到严重破坏。

Akālī　阿卡尔派　锡克教的一派。又指印度锡克教军队中的敢死队员。阿卡尔敢死队兴起于1690年前后，当时莫卧儿人处死两名锡克教阿卡尔派前辈，并继续迫害该派，于是第10代祖师哥宾德·辛格起事反抗。阿卡尔敢死队员着蓝色制服。现在阿卡尔派信徒仍着蓝色上衣，以蓝色头巾缠头，盘成圆锥形，佩剑。19世纪20年代兴起谒师所改革运动，当时为反抗英国统治而成立的半军事性义勇队也称阿卡尔。锡克教徒重新控制谒师所以后，阿卡尔队员继续在旁遮普作为锡克教徒的代表，鼓吹另行成立由锡克教徒占多数而以旁遮普语为正式语言的一个邦。1966年旁遮普邦成立。该邦的主要政党是阿卡尔党。

Akan　阿坎人　住在几内亚湾的民族语言集团，由阿肯人、阿尼人、阿散蒂人、阿铁人、鲍勃人、布龙人、芳蒂人和古昂人组成。讲阿坎诸语言，属尼日尔-刚果语系克瓦语支。11～18世纪，阿坎人连续迁徙，多数定居加纳，其他则住在象牙海岸东部和多哥的一些地区。阿坎人以种植薯蓣为主，大蕉、芋头也很重要。可可和棕榈油为主要商品作物。每一阿坎部落分为若干母系氏族，实行族外婚。氏族是按等级组织的，而且分成若干地区性的母系家系。家系是基本的社会和政治单位。绝大多数阿坎人居住在密集的村庄，村庄为一政治单位，由家系选出的头人和长老会议管理。每一长老代表一个家系并负责保管祖宗所用座位，座位为先辈与后代团结之

阿坎人的头人
美国不列颠百科全书公司供图

象征。各家系供奉自己的神明。阿坎人的宗教信仰主要是崇拜祖先，祭祀仪式可加强部落团结和道德秩序。其他宗教信仰是上帝及其他神灵。

Akan states　阿坎诸邦　位于西非科莫埃河和沃尔特河之间的一系列生产黄金的森林地带国家（大致相当于今多哥和加纳两共和国的沿海地区以及科特迪瓦的一部分）。由于同欧洲人在沿海一带进行贸易，这些国家的经济、政治和社会制度在16～18世纪发生了变化。在北部的阿坎或布龙诸邦中，最早的是博诺，约于1450年建立。南部诸邦中最重要的国家是登基腊、阿克瓦穆、芳蒂和阿散蒂。

Akarai Mountains（South America）　参阅**Acaraí Mountains阿卡拉伊山脉**。

Akaroa　阿卡罗阿　新西兰南岛东部社区。临阿卡罗阿港东岸的弗伦奇湾。位于克赖斯特彻奇东南84千米。阿卡罗阿港是班克斯半岛的岩石海湾，由古火山口受海浪冲击侵蚀而成。1838年法国船长朗格卢瓦与毛利人酋长协议买得半岛土地12 000公顷。1840年英国宣布对南岛拥有主权。1849年英法协议将殖民点卖给新西兰政府。该区种植水果和经营奶牛场。亦为避暑地和渔港。人口722（1986）。

Akashi　明石　日本本州兵库县城市。与濑户内海明石海峡的神户相邻。早期为以城堡为中心的城镇，附近山中尚有大量绳纹时代（公元前4500～前250）和弥生时代（公元前

明石市天文科学馆
美国不列颠百科全书公司供图

250～公元250）的遗迹。第二次世界大战前为繁荣的飞机制造业城市，战争中因遭空袭，旧城人口减少1/2。朝鲜战争中随钢铁工业兴起，成为工业区和住宅区。从前为渔业中心，后因捕获过度及水质污染，鱼产减少。地处日本标准时间子午线（东经135°）。人口约278 458（1992）。

Akashic record　阿卡沙秘录　神秘学名词。指关于太初以来人间一切事件、活动、思想和感觉的形象记录。据说是印在阿卡沙上，阿卡沙是一种星光，是人类感觉不到的液

态以太。据说只有一部分人,如能令神鬼附体的人,才能感受到阿卡沙秘录。

Akbar　阿克巴(1542-10-15,印度信德欧迈尔果德～1605,阿格拉)　全名阿布-乌尔-法特·查拉-乌德-丁·穆罕默德·阿克巴。印度莫卧儿王朝最伟大的皇帝(1556～1605在

约 1600 年手抄卷中的阿克巴细密画肖像
美国不列颠百科全书公司供图

位)。将莫卧儿王朝的势力扩展到印度次大陆的大部分地区。为维护帝国统一,采取措施赢得了非穆斯林国民对他的忠诚。改革并加强了中央政权和财政制度,整顿了税收。虽然他从未放弃伊斯兰教信仰,却积极参与其他宗教组织的活动,并劝说印度教徒、祆教徒、基督徒以及穆斯林参加宗教辩论。他本人没有文化,却鼓励、支持学者、诗人、画家和音乐家,把他的宫廷变成了文化中心。13 岁任旁遮普总督。1556 年父皇胡马雍去世后继位。当时他的统治只限于旁遮普和德里周围地区,但在首相拜拉姆汗的辅佐下,他的权力日趋巩固。1560 年亲政后,对外实行扩张政策。1561 年征服在战略和经济上都很重要的马尔瓦。他对于住在贫瘠而多山的拉贾斯坦地区好斗的印度拉杰普特人采取怀柔与征服双重手法。1562 年安伯王公比哈里·马尔主动提出将女儿嫁给阿克巴,阿克巴欣然接受。比哈里·马尔承认阿克巴的宗主权,他的诸子都在莫卧儿王朝荣任高官。阿克巴对拉杰普特人的其他首领也采用同样的政策。只要他们承认阿克巴为皇帝,向他纳贡和提供军队,并与他联姻,他们就可以继续统治祖遗的土地。但是,阿克巴对于拒绝承认他的霸权的王公却毫不心慈手软。1568 年他攻占历史上有名的吉多尔要塞之后下令屠城。尽管美华尔并没有屈服,但是吉多尔的陷落立即使其余的拉杰普特王公们于 1570 年承认阿克巴为皇帝。阿克巴朝廷的重要特征之一是允许印度人,特别是拉杰普特人参政。拉杰普特王公在莫卧儿军政部门中身居要津,担任将军和行省总督一类的职务。无论从行政管理的哪一个方面来说,阿克巴在争取印度人合作上比所有前任穆斯林统治者都要成功。1573 年,阿克巴征服了古吉拉特,该地港湾众多,控制着印度与西亚的贸易。之后,他向东进兵孟加拉,1576 年将其吞并。阿克巴在其统治末期,先后征服了克什米尔(1586)、信德(1591)和坎大哈(1595)。莫卧儿大军闯至温迪亚山脉南麓,进入了印度半岛的德干地区。到 1601 年,坎德什、贝拉尔和艾哈迈德讷格尔的一部分也并入帝国的版图。阿克巴晚年因其子、觊觎权力的萨里姆亲王的叛乱而备受折磨。

Akbar period architecture　阿克巴时代建筑　印度莫卧儿王朝阿克巴帝(1556～1605在位)赞助下发展起来的一种建筑风格。其特征是雕饰丰富多彩,优美雅致,吸收了很多印度传统的艺术成分。最杰出的实例有阿格拉城堡宫殿。巨大的围墙,全长2.5千米,以

德里门,约 1560 年
美国不列颠百科全书公司供图

雕琢的石块为壁面,其主要的进口,即著名的德里门,用白色大理石嵌在浅红色的沙石上,十分美观。在法塔赫布尔西格里首府有印度最著名的回教建筑,其中迪万伊卡斯枢密殿内部结构奇特,居中一根巨大的石柱,周围由托架支撑起一座石头的御座平台,从平台辐射出四座装有栏杆的阳台。另外在柔达巴依大殿和丞相比尔巴尔的府第中,神龛和托架也显示出印度宗教建筑和世俗建筑的特色。法塔赫布尔西格里最壮丽的建筑是宏伟的清真寺杰米玛西特,后成为莫卧儿人建筑礼拜寺院的模式。

Akebia　木通属　木通科的一属,含2种木质藤本植物,原产于亚洲。因生长快,叶美观,已引种世界各地。五叶木通(*A. quinata*)每叶具5小叶,手指状排列;花淡紫色,集合成小簇;浆果长圆形,紫色。三叶木通(*A. trifoliata*)每叶有3小叶。两种木通均为缠绕藤本,常用来搭棚架以遮荫和掩蔽,作篱笆及护堤。

akee(*Blighia sapida*)　**阿开基木**　又拼ackee。即美味布莱氏木。无患子科乔木。原

阿开基木(*Blighia sapida*)
美国不列颠百科全书公司供图

产西非,现热带、亚热带地区广为栽培,以食其果。高达 9 米,叶羽状,花白色,芳香。由奴隶从非洲带到加勒比地区,倒霉的"邦蒂"号船长 W. 布莱将本种介绍给科学界,属名即以其姓氏得名。果实成熟后外层木质浅红色,大小如拳头。果实裂开后露出分成 3 部分的白色果肉,每部分均含多个大型黑色有光泽的种子。果肉质软,味淡,可用作蔬菜。阿开基木的果肉和咸鱼做的菜在加勒比地区很受欢迎。

Akeley, Carl (Ethan)　阿克利(1864-05-19,美国纽约克拉伦登～1926-11-17,比属刚果阿尔贝国家公园)　美国博物学家、探险家。研制出一种动物标本剥制法(将动物的皮剥下,蒙在精制的模型上,可于博物馆内配以自然景观展出,给人以真实感),并把剥制术由技艺水平提高到艺术水平。他由制作模型进而制作雕刻,著名的作品有象、狮和南迪族持矛刺狮勇士等。他的目的是在美国博物馆里展示非洲的景观及其巨大狩猎动物。他 19 岁时在纽约州罗切斯特的沃德自然科学公司当学徒,在同芝加哥菲尔德自然历史博物馆(1895～1909)和纽约市的美国自然历史博物馆(1909～1926)建立联系期间 5 次赴非洲研究、狩猎和采集大型动物。1923 年,他的《在灿烂的非洲》一书问世。他在最后一次探险途中去世,葬于阿尔贝国家公园(今维龙加国家公园)的米凯诺山,该公园是他协助建立的中非洲第一个野生动物禁猎区。他的发明有制作动物标本的胶泥枪,还有阿克利摄影机(一种电影拍摄机,他曾用以拍摄关于自然环境中大猩猩的第一部影片)。他的第二个妻子玛丽·李·乔布·阿克利(1886～1966),在婚前(1924)就是有名的探险家和博物学家。丈夫去世后,她留在非洲负责探险队。她接替丈夫任美国自然历史博物馆顾问,阿克利厅就是为纪念他们夫妇而命名的。

Aken (Germany)　**阿肯**　参阅 **Aachen** 亚琛。

Aken, Jerome van　阿肯　参阅 **Bosch, Hiëronymus** 博斯。

Akenside, Mark　艾肯赛德(1721-11-09,英格兰诺森伯兰泰恩河畔纽卡斯尔～1770-06-23,伦敦)　诗人、医师。所写《想象的乐趣》一诗最为人所知。该诗是一篇折衷主义的哲

美国不列颠百科全书公司供图

学论文,以艾迪生为《旁观者》所写的论述同样主题的文章为出发点,取弥尔顿无韵诗的形式,并模仿罗马诗人维吉尔的《农事诗》和贺拉斯的《书札》,用典雅的语言表达本质上非诗的主题(抽象的哲思);论题转换巧妙,整个题材处理得体,无疑受贺拉斯的影响。后来他喜用颂歌形式作诗,希望自己成为英国的品达罗斯。为此,斯摩莱特在小说《皮克尔传》里曾讽刺过他。艾肯赛德就学于爱丁堡大学,本想当牧师,却改学医学。第一首模仿斯宾塞的诗《艺术鉴赏家》,发表于1737年。《想象的乐趣》初次以3卷集发表于1744年。同年,作讽刺诗《给古董的一封信》,讽刺普尔特尼从反对党接受伯爵采邑一事。其间曾试开业行医,未成功,1747年得朋友帮助,才声誉日增,结果被任命为王后御医。后来的作品有《赞美水神》和《致长庚星》(均1746)。

Akerlof, George A.　阿克尔洛夫(1940-6-17,美国康涅狄格纽黑文～　　)　美国经济学家,为信息不对称市场理论奠定了基础,因而在2001年与A.M.斯彭斯、J.E.斯蒂格利茨共获诺贝尔经济学奖。曾就读于耶鲁大学(1962年获学士学位)和麻省理工学院(1966年获博士学位)。1966年开始在加利福尼亚大学伯克利分校任教,1980年成为戈德曼经济学讲座教授。他的研究往往借助其他学科,包括心理学、人类学和社会学。他在行为经济学的发展中起了重要的作用。他对信息不对称市场的研究着重在这样的市场问题:即销售产品的人比买方更了解产品的质量情况。以二手车市场为例,他证明这种信息不对称可能导致买劣质产品的“不利选择”,如被称作“柠檬”的劣质汽车。他在1970年发表的有重要影响的著作《柠檬市场:质量的不确定性及市场机制》中,解释了不对称的信息是如何妨碍市场有效运作,研究了由此造成的结果。就不发达国家来说,他的分析解释了利率往往过高的原因,因为贷方对于借方的资信缺乏足够的信息。

åkermanite　镁黄长石　由钙-镁二硅酸盐($Ca_2MgSi_2O_7$)组成的矿物,是黄长石矿物系列的一个端员。参阅**melilite**。

Akershus　阿克什胡斯　挪威东南部一郡。面积4 917平方千米。从奥斯陆峡湾向北延伸至米约萨湖南端,东至瑞典国境。沃马河由米约萨湖流经本郡,汇合格洛马河注入厄耶伦湖。首都奥斯陆亦是本郡首府,虽然它是一个分离的城市行政区,且在本郡边界之外。阿克什胡斯却包括奥斯陆许多郊区,是挪威人口最密集的地区之一。奥斯陆以北48千米有历史名胜埃兹沃尔村。1814年挪威议会在这里投票通过挪威宪法。在埃兹沃尔与奥斯陆之间有加勒穆恩国际机场。造船、制造业和旅游为本郡主要经济部门。人口约399 797(1987)。

akh　善魂　埃及宗教中名词,指死者的灵魂的3个方面的主要方面,其他两者为*护卫灵*(**ka**)和*身魂*(**ba**)。善魂可使死者随意活动,还能随时变形,一则是为了使灵魂得以重返世界,再则也是为了自娱。善魂一般画成鸟状,可以幽灵的形象向活人显现。

Akhaïa(Greece)　**阿哈伊亚**　参阅**Achaea** *亚该亚*。

Akhḍar Mountains　绿山　利比亚东北部的山系,沿地中海海岸地带向东北偏东方向延伸。该山脉有河谷切割,稀疏地覆盖着低矮灌木丛、小片灌木林和零星的耕地。雨量偏多(年雨量375～500毫米),湿度很大,但时有干旱发生。20世纪30年代有意大利移民居住,第二次世界大战期间被放弃,现由利比亚人占领。第二次世界大战期间为主要战场。居民饲养骆驼、山羊和绵羊,也从事少量农业(主要在迈尔季平原和德尔纳周围),种植谷物、橄榄、葡萄和杏仁。实行大规模农业发展计划后开垦和灌溉条件有所改善。

Akhenaton　阿肯那顿(活动时期公元前14世纪,埃及)　又拼Akhnaton或Ikhnaton,希腊语作Amenophis。又称奈费尔海佩鲁雷·阿孟霍特普。古埃及第18王朝国王(公元前

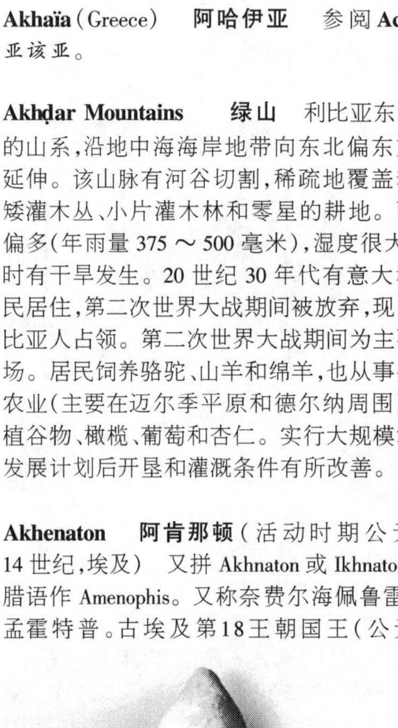

约公元前1370年的阿肯那顿雕像

美国不列颠百科全书公司供图

1353～前1336在位),建立了对阿吞神的崇拜(因而取名阿肯那顿,意为“对阿吞神有益的人”)。当阿肯那顿作为阿孟霍特普四世法老即位时,第18王朝(公元前1539～前1292)已统治了将近200年。帝国征服和控制外国土地也已有100年之久,巴勒斯坦、腓尼基和努比亚都在埃及统治之下。国家强大而富有。为了保持这些成果,一个军事和政治集团控制着文化。在阿肯那顿以前100年,图特摩斯三世法老已征服邻近的亚洲和非洲地区。阿肯那顿的父亲阿孟霍特普三世年轻时是一个非凡的猎人,但他的儿子却身体瘦弱,无法仿效其父从事户外活动。他遂致力于智力活动。

帝国的突然扩展振兴了埃及文化。一些埃及士兵和官员在外国居住,也有外国人在埃及居住。尼罗河河谷人民和国外人民有明显差异。其他国家有埃及神的庙宇,埃及也引入了外国的神。也打破了其他一些传统。然而,为了尽可能地保持王室血统的纯洁,后嗣只能同王族中的公主结婚。阿孟霍特普三世蔑视这一习俗,娶了一个平民女子泰伊。阿肯那顿是他们的儿子。阿肯那顿在掌握大权以前,老国王已去世。他登基时仍使用家族的姓阿孟霍特普,仍信奉旧日的神,特别是底比斯的阿蒙。但不久就有所改变,开始信奉像一轮日盘的太阳神——阿吞神,并为之建造新的神庙。放弃了旧日庙宇的宏大整体的形状,改用小石块筑墙。并鼓励艺术创造,甚至采用怪诞的模仿手法。埃及艺术从静态永恒式转变为栩栩如生式。在底比斯附近的凯尔奈克建造了新的庙宇。在登基后的第5年他把姓阿孟霍特普(意为“阿蒙感到满意”)改为阿肯那顿,从而正式宣布了他的新信仰。他把首都从底比斯迁往尼罗河东岸的特勒·埃尔-阿马纳,或称阿马纳。他营造新城,取名阿赫塔顿(意为“阿吞实际权力的所在”)。阿肯那顿、其妻奈费尔提蒂及他们的6个女儿均信奉新的“真理”。家庭生活公之于众。在露天的祭坛向阿吞神礼拜。新贵和官员效忠于阿肯那顿和奈费尔提蒂。在阿马纳的新城景色迷人。高官们住在有树木、池塘和花园的别墅中。室内墙壁上有新型绘画。阿马纳的艺术风格多种多样。有的雅静庄重,有的奇异怪诞,但都十分生动。在新的艺术作品中有宰相在国王战车前奔跑的景象,也有市场熙熙攘攘和各色人物的生动描述。

阿肯那顿时代,政局动荡不安。但文献表明,阿肯那顿对此并不重视。由于没有强大的陆军和海军,对外贸易逐渐萎缩,国内税收开始流入地方官员的腰包。最后心怀不满的教士、文官同军队联合起来诽谤阿肯那顿的新举措。阿肯那顿有能力抵住这些力量,但他的继承人却软弱得无力抗拒。

从特勒·埃尔-阿马纳废墟中发现的阿马纳文书中可以看到当时的局面。在巴勒斯坦和叙利亚的军队司令和地方长官未受重视。地方的亲王们看到同埃及的贸易中有利可图,但在埃及拒绝支援时,又感到灰心丧气。敌对势力抬头:巴勒斯坦和叙利亚的亲王们野心勃勃,来自东面沙漠的入侵者和北面鲁莽的赫梯人。阿马纳文书以及在赫梯首都发现的档案显示出埃及在亚洲的帝国已四分五

裂。一些忠于埃及的亲王被迫逃离他们的城市。入侵者在赫梯人的援助下，从埃及军队手中夺取领土。除巴勒斯坦西南角外，埃及已失去在亚洲的全部土地。由于阿肯那顿只关注空想的信念，埃及丧失了自豪的帝国。在他执政的第12年，讲求实际的皇太后泰伊亲临阿马纳。此后，阿肯那顿改变了一些极端做法。随后他提升了他的女婿斯曼赫卡拉。阿肯那顿去世后，斯曼赫卡拉短期继承了他的王位，以后又由次女女婿图特安哈顿继承。后者被迫改名图特安哈门，他放弃了阿吞神，重新祀奉阿蒙神，并离开阿马纳迁回底比斯。

Akhisar　阿克希萨尔　史称锡亚蒂拉。土耳其西部城镇。位于大扎卜河畔肥沃平原上。公元前约290年属马其顿王国，公元前190年为帕加马王国的一部分，是帕加马（贝尔加马）至劳底西亚（邻近代尼兹利）的古罗马大道上重要的一站。阿克希萨尔的早期基督教教会，似为使徒约翰所著《启示录》中七教会之一。15世纪被并入奥斯曼帝国。现有铁路和公路通至伊兹密尔和马尼萨。输出棉花、烟草、石墨、鸦片、羊毛、葡萄干、染料。人口约74 002（1990）。

Akhlame　阿赫来姆人　叙利亚北部和美索不达米亚的古代塞姆语游牧民族，亚述人的宿敌。根据埃及文献的记载，公元前1375年左右阿赫来姆人已推进到幼发拉底河，在亚述的尼普尔和波斯湾周围也有他们的踪迹。在下一世纪，他们切断了巴比伦和哈图萨之间的通道。据亚述的图库尔蒂-尼努尔塔一世（公元前1244～前1208在位）记载，他征服了“阿赫来姆人的群山”。亚述王提革拉·帕拉萨一世（公元前1115～前1077）的铭文首次提到阿赫来姆——阿拉姆人，此后，阿赫来姆人就从亚述的编年史中消失了，他们被阿拉姆人取而代之。二者间的关系至今仍是一种推测。

Akhmadulina, Bella　阿赫马杜林娜（1937-04-10，莫斯科～2010-11-29，佩里德尔基诺）　全名Izabella Akhatovna Akhmadulina。鞑靼和意大利裔的俄语诗人。在斯大林时代之后的苏联文学中开创了她特有的诗风。1960年，她在高尔基文学院完成她的学校教育。此后她在中亚细亚旅行。她我行我素地写她

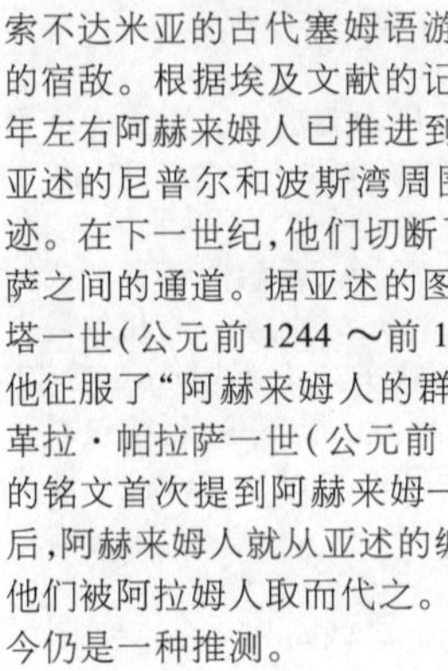

美国不列颠百科全书公司供图

体现自己风骨的诗，因而受到官方的批评，并在发表时遇到一些困难。但苏联作家协会最终接受她为会员。20世纪50年代她与诗友叶夫根尼·叶夫图申科结婚。两人在当众朗诵自己的作品时都能吸引数以千计的听众。她的第一本诗集《琴弦》于1962年问世。她的题为《我的家谱》（1964）的长诗令人想起普希金写于1830年的同名诗作，在主题与技巧方面显然都进行了雄心勃勃的探索。她的诗作中一再出现的主题是富有创造性的作为。后来的诗集有《音乐课》（1969）、《诗集》（1975）和《秘密》（1983）。阿赫马杜林娜还将格鲁吉亚语及其他语言诗歌译成俄语发表。

Akhmatova, Anna　阿赫马托娃（1889-06-23，俄罗斯帝国乌克兰敖德萨附近大丰坦～1966-03-05，莫斯科附近多莫杰多沃）　原名安娜·安德烈耶夫娜·戈连科。苏联女诗

美国不列颠百科全书公司供图

人，逝世后被公认为俄罗斯文学中最伟大的女诗人。11岁开始写诗，21岁加入以N. S. 古米廖夫为首的阿克梅派诗人小组，1910年与古米廖夫结婚，但1918年离异。阿克梅派通过他们的杂志《阿波罗》（1909～1917），反对象征主义的神秘暧昧和矫揉造作。他们企图代之以“优美的清晰”、简洁、质朴和古典形式的完美。在这些方面，阿赫马托娃从一开始就显得出类拔萃。她的第一本诗集《黄昏》（1912），特别是1914年发表的《念珠》，使她声名大振。她的诗主题是爱情，特别是用她自己强烈的女性语言来表达的受到挫折和悲剧性的爱情。

后来，除了写爱情主题，她又增加了一些关于市民的、爱国主义的以及宗教方面的主题，但并没有以牺牲个人的激情和艺术的良心为代价。她的艺术才能和她对自己艺术手段的日益娴熟特别突出地表现在她后来的几部诗集中：《白色的畜群》（1917）、《车前草》（1921）、《公元1922年》（1922）。尽管她扩大了写作范围，仍未能使苏联官方批评家停止宣布她的诗是“资产阶级的和贵族的”。他们批评她的诗专写狭窄的爱情和上帝题材，称她半为修女，半为妓女。1921年，在参与阴谋（塔甘采夫事件）反对苏维埃政权的指控下，她的前夫古米廖夫被处决，她的处境变得更加困难。1923年她进入一个在诗歌创作上几乎完全沉默和文学上受到排斥的时期，1940年以前，在苏联未出版过一卷诗。1940年，她的几首诗在文学月刊《星》上发表，随后，她的早期作品选集《选自六本书》问世，但几个月以后，该书突然从书店和图书馆中消失。然而在德国人入侵后，1941年9月，她获准向列宁格勒（圣彼得堡）妇女发表一篇鼓舞人心的广播讲话。后来，她撤至塔什干，向医院的士兵朗诵自己的诗。战争结束时，她回到列宁格勒，当地的报刊开始发表她的诗。她还朗诵诗歌，并计划出版大型诗集。

但1946年8月，共产党中央严厉地批判了她的“性爱主义、神秘主义和不关心政治”。她的诗被斥为“与苏联人民格格不入”，她再次被说成是“娼妓兼修女”。这次批评她的不是别人，而是斯大林文化管制纲领的负责人苏共政治局委员日丹诺夫。她被苏联作协开除，她正在印刷中的诗被销毁，在以后3年中，她的作品未再出版。1950年，她写了颂扬斯大林和共产主义的几首诗，发表在几期《星火》画报上，诗名为《选自组诗<和平赞>》。这些对苏联独裁者颂扬的屈从性诗文——在其中一首诗中，她宣称：“哪里有斯大林，哪里就有自由、和平和人间的壮丽辉煌”——是她有意识写的，那是为了使1949年被捕后流放到西伯利亚的儿子L. 古米廖夫获释。这些诗的基调（那些颂扬斯大林的诗已从斯大林死后出版的《阿赫马托娃诗集》的苏联版本中删除了），与她创作于1935～1940年间，并因儿子在1937年被捕和遭监禁而深感悲痛的生动感人、且无所不包的组诗《安魂曲》有着天壤之别。这部描述斯大林恐怖时期苏联人民所遭受的苦难的诗歌纪念碑从未在苏联出版过。

在斯大林死后的文化解冻时期，阿赫马托娃的声誉渐渐得到恢复。她的一本薄薄的抒情诗集，包括她的一些译作，于1958年发表。此后，她的一些著作，包括她论述普希金的精彩文章，在苏联出版。然而，这些并非她的全部文学成就，她最长的诗《没有主角的诗》，写于1940～1962年，直到1976年才出版。这部巨大而复杂的作品是她对自己的哲理所作的抒情味道极浓的总结，也是对自己生活的意义和诗歌成就的最终说明。此外，她还翻译了一些诗人的作品，译文绝佳，其中有雨果、泰戈尔、莱奥帕尔迪以及一些亚美尼亚和朝鲜诗人的诗作。她还写了一些关于象征派作家勃洛克、画家莫迪里阿尼和阿克梅派同事曼杰利什塔姆的感人至深的个人回忆录。1964年12月，她荣获在意大利颁发的国际诗歌奖；1965年6月，荣获牛津大学名誉博士学位。她到西西里和英国接受了这些荣誉，这是她自1912年后第一次到国外旅行。阿赫马托娃的作品被广泛翻译出版，她逝世后，其国际声望不断增高。

Akhmīm　艾赫米姆　又拼Ekhmīn。上埃及索哈杰省城镇。位于尼罗河东岸。有埃及第6王朝（约公元前2345～约前2181）至科普特时代后期的古迹。希腊地理学家斯特拉博（约公元前63年出生）说麻布纺织是该城的一种古老工业。现为一集市中心和谷物、甘蔗、椰枣和棉花的加工中心。工业有纺织、服装、陶器和砖瓦。传统的编织业也已恢复。有一座变电站于1980年开始运转。居民中有一部分是科普特人基督徒。人口约70 602（1986）。

Akhnaton（Egyptian king） 参阅 **Akhenaton** 阿肯那顿。

Akhṭal, al- **艾赫泰勒**（约640，美索不达米亚希拉或叙利亚沙漠～710） 全名吉雅思·伊本·加维斯·伊本·阿萨尔特·艾赫泰勒。阿拉伯伍麦叶王朝（661～750）诗人，因善写古老的贝都因传统的阿拉伯诗体而受到尊重。信仰基督教但不认真遵守教规，醉心于美酒和女人。为哈里发耶齐德一世及其大将齐亚德·伊本·艾比希和哈贾杰所宠爱的颂诗作者和朋友。哈里发阿卜杜勒·马利克即位后，他仍为宫廷诗人，后在瓦利德一世手下失宠。在早期阿拉伯文学史上与哲利尔和法拉兹达格齐名，并称"三诗王"。语言学家艾布·俄拜德将艾赫泰勒列为三人之首，因为他有10首长抒情诗被评为无瑕疵的绝佳作品，另外10首也近于绝佳，这是其他诗人所不及的。

Akiba ben Joseph **阿吉巴·本·约瑟**（约40～约135，巴勒斯坦凯撒里亚［今在以色列］） 犹太哲人，拉比犹太教主要缔造者。他用一种新方法阐述犹太口头律法（哈拉卡），从而为密西拿（犹太成文律法）奠下基础。相传原是不识字的牧人，40岁以后才开始学习。在奋力攻读期间（约12年）得贤妻拉结在精神和物质上支援甚多。学成回家，贤妻迎接，他谦虚地对各门生说："你我得有今日，都是她所赐。"他在贝奈贝拉克（今特拉维夫-雅法附近）设立学院，后一代重要哲人如梅伊尔和西缅·本·约哈伊，都出自他门下。阿吉巴改进米德拉西解经法，使之臻于完善，将传统律法、礼仪和道德准则，都看成是《圣经》经文所暗示。实际上，成文律法和传统的口头律法是统一的。2世纪许多米德拉西著作都成书于阿吉巴的学院。此外，他还搜集编纂口传律法，其中包括人物生平、社会活动和宗教事件，阿吉巴被称为密西拿之父。阿吉巴讲授法理、《圣经》注释和宗教思想。他认为，犹太教的中心教义为"爱人如己"。阿吉巴约95岁时与其他哲人访问罗马。132～135年犹太人在巴尔·科赫巴领导下起事反抗罗马，阿吉巴曾参与其事，但他起了多大作用，学者各执一词。有人认为他是这次起义的精神领袖，另有人根据《塔木德》记载指出，阿吉巴认为巴尔·科赫巴是弥赛亚，但无法证实他有进一步行动。阿吉巴确曾被罗马人扣押囚禁于凯撒里亚，最后被害。但据档案记载，他的罪名是公开宣讲而不听劝阻，不是进行革命活动。阿吉巴的重要性在于：①他作为拉比学者的成就；②在当时其人格的对人影响。他还反对死刑，尊重妇女。

Akihito **明仁**（1933-12-23，日本东京～ ） 原名继宫。1989年即位日本天皇，年号平成，是世界上最古老的王族后裔。按传统说法，他是日本传说中第一位天皇神武天皇的嫡传第125世孙。明仁天皇为天皇裕仁和皇后良子所生第5个孩子和长子。幼年按传统宫廷仪式教养，1940年入贵族学校学习。第二次世界大战的最后几年，他住在东京以外的地方。战后又回到贵族学校（1949年起在学习院）。战争给日本社会带来许多变化，其中相当重要的一条是天皇的统治权被取消，只成为礼仪上的象征。明仁受教育的范围得以扩大，包括学习英语和西方文化。他的私人教师是美国贵格会教徒E.C.维宁。他和父皇一样，最后选定海洋生物为深造的领域。1952年成年，被立为皇位继承人。7年后，他打破1500年的传统，与一平民女子正田美智子结婚。她是一位富商之女，毕业于东京的天主教女子大学。他们的第一个儿子王储浩宫德仁亲王生于1960年2月23日，后又生秋篠宫文仁亲王（1965-11-30）和纪宫清子内亲王（1969-04-18）。明仁在父皇死后于1989年1月7日成为天皇。1990年11月12日正式登基。改元平成，取"地平天成"和"内平外成"之意。

Akimov, Nikolay Pavlovich **阿基莫夫**（1901-04-16，俄罗斯帝国乌克兰哈尔科夫～1968-09-06，莫斯科） 苏联舞台设计师兼舞台监督。以舞台设计的大胆实验和与众不同的剧情解释而闻名，尤以对《哈姆雷特》一剧玩世不恭的重新解释而著称。例如他说国王的幽灵是哈姆雷特狡猾设计的虚构之事；奥菲利娅是醉酒而不是发疯，她的溺水被看成是狂饮的结果，等等。1922年开始从事俄国戏剧的舞台设计，并把电影技术和戏剧方法结合在一起。他任舞台监督的第一个冒险行动就是改动《哈姆雷特》的剧情，这一行动引起激烈的反响，终于未能演出。1935～1949年以及1955年之后，一直是列宁格勒喜剧院的首席舞台监督。1960年起兼任列宁格勒戏剧学院设计和舞台监督系主任兼教授。

阿基莫夫自画像
美国不列颠百科全书公司供图

Akindynos, Gregorios **阿金迪诺斯**（约1300，保加利亚～约1349） 拜占廷修士和神学家。曾从修士神学家帕拉马斯修习主张苦修默念的静修派理论。阿金迪诺斯在神学上持保守态度，他起初拥护帕拉马斯，后来则指出他在静修理论上的某些错误。阿金迪诺斯希图夺取帖撒罗尼迦主教之位，就在该地散布反对帕拉马斯的观点。1347年赞成帕拉马斯的拜占廷皇帝约翰六世即位，其后他受到宗教会议的谴责。死后，又于1351年被列上异端分子名单。

akiriyāvāda（Buddhist philosophy） 参阅 **akriyāvāda** 无作业论。

Akita **秋田** 日本本州西北部的县，临日本海。县面积11 611平方千米。西部为低地，东部为高原。八幡高原上火山遍布，广生白杉。东北端的十和田湖为十和田八幡平国立公园主体。地处奥羽山和出羽山之西的秋田平原，河流纵横，西入日本海。男鹿半岛上的八郎潟原为日本第二大湖，1958年后的十年中几乎全部开垦种植水稻。伐木业兴旺。矿藏有铜、硫磺、铅和锰。第二次世界大战前后，沿日本海海岸建有石油精炼厂，后原油进口剧增，遂迁往太平洋沿岸。县府秋田市仍生产某些石化产品。能代以产木器闻名；其他重要城镇有本庄、男鹿、横手和大馆。人口：市302 359；县1 227 491（1990）。

秋田县青年七夕节（8月5～7日）耍灯竿
美国不列颠百科全书公司供图

akita **秋田犬** 日本北部山区育成的役用狗品种。1931年被日本政府定为国宝。体形强健有力，肌肉发达。头宽。耳尖而耸立，与头相比显得较小。尾大，常鬈曲于背部或两胁。毛色和斑纹各异，如纯白色、有斑纹或杂色等。但口周围均呈黑色如面罩状。1973年被美国养狗俱乐部列入展览等级，按该俱乐部标准，雄犬鬐甲高须达66～71厘米，雌犬60～66厘米。

ʻAkkā（Israel） 参阅**ʻAkko** 阿卡。

Akkad **阿卡得** 古代地区，在今伊拉克中部，是古代巴比伦文明的北区（或西北区）。阿卡得地区早期的居民主要是闪米特人，他们说阿卡得语。阿卡得以南地区，居住着非闪米特人，称为苏美尔人。阿卡得之名，源于阿加得城。该城是闪米特征服者萨尔贡于公元前2300年左右所建。萨尔贡王朝崩溃（约公元前2150）后，伊拉克中部地区由苏美尔人和阿卡得人组成的国家统治。阿卡得语成为一种文学语言，随同楔形文字一起使用。阿卡得语作为闪米特语的最古老方言至今犹存。

Akkadian language **阿卡德语** 又拼Accadian。又称亚述-巴比伦语。已消亡的闪米特北部语支语言，公元前3000～前1000年间通行于美索不达米亚。约公元前2334～约前2279年阿卡德王朝的萨尔贡统治时期，阿卡德语从地中海传到波斯湾广大地区。至公元前约2000年时，虽然苏美尔语仍继续用作宗教典籍的书面语言，但是阿卡德语已取代苏美尔语而成为通行于美索不达米亚南部的语言。约在此同时，它分化为通行于美索不达米亚北部的亚述方言和通行于美索不达米亚南部的巴比伦方言。最初亚述方言更广泛通用，但巴比伦语大范围地取代它，至公元前9世纪，巴比伦方言成为中东地区的共同语。公元前7世纪～前6世纪，阿拉米语开始逐渐替代巴比伦口语和书面语。此后，巴比伦语只用作数学、天文学和其他学科的书面语，到公元1世纪便完全消亡。19世纪学者们已释读出这种语言。阿卡德文用楔形文字书写，有600个词和音节符号，源自苏美尔文。它的语音体系包括20个辅音和8个元音（长、短的a、i、e、u音都有）。名词有三个格（主格、属格、宾格）、三个数（单数、双数、复数）和两个性（阳性和阴性）的区别。阴性和阳性用后缀-t或-at加在词干上以示区别。动词有过去时和现在时两种时态。1921年芝加哥大学东方研究所开始编纂阿卡德语标准词典。截至90年代，计划的22卷的大多数已经问世。

Akkadian writing　阿卡德语楔形文字　参阅 **cuneiform writing** 楔形文字。

Akkerman（Ukraine）　**阿克尔曼**　参阅 **Belgorod-Dnestrovsky** 别尔哥罗德-德涅斯特罗夫斯基。

ʿAkko　阿卡　又拼 Acre 或ʿAkkā。以色列西北部城市。濒地中海。地处海法湾北端。其天然港湾屡为入侵者的必争之地。最早记载见于公元前19世纪的埃及咒文，后亦在《圣

阿卡市建于1781年的大清真寺
美国不列颠百科全书公司供图

经》中被提及。曾被巴勒斯坦和地中海东岸的迦南人和腓尼基人长期占据；公元前336年被亚历山大大帝攻取。后为埃及国王托勒密二世所克，曾改名托勒密。公元66～70年该城为罗马人镇压犹太人起义的主要港口。尔后的征服者有波斯人（614）、阿拉伯人（638）及十字军（1104）。1291年该城落入马木路克王朝苏丹哈利勒之手。1516～1918年间主要为奥斯曼土耳其人统治。1918年被英军夺取，1922年属英国委任统治地巴勒斯坦之一部分。1948年5月17日被以色列正规军占领后，多数阿拉伯居民外逃，20世纪末其居民以犹太人为主。该市为加利利西部地区阿拉伯居民点主要贸易中心。其古港已淤塞。现今港口地位不如隔湾相对的海法港。市内现有轧钢、火柴、砖瓦及塑料工业。名胜有古城堡、大清真寺、设于帕夏浴堂内的市立博物馆、圣约翰墓窟和巴哈教创始人巴哈安拉之墓。南部为大工业区，有油漆工厂。旅游业日益发展。设有以色列海军航海学院。人口约45 737（2000）。

Aklavik　阿克拉维克　加拿大西北地区西北部村庄。在马更些河三角洲，近育空地区边界。村名为爱斯基摩语，意为“熊出没之地”。1912年哈得孙湾公司在马更些河西河道南岸建此为贸易站，1920年迁至北岸。现设有无线电台和气象站。居民以捕捉毛皮兽、制作皮毛服装和爱斯基摩手工艺品为主要收入来源。1955年当时北极西部地区的行政人员和部分居民因移动的永久冻土淤泥妨碍了建造房屋、道路和下水道，遂从阿克拉维克迁往东面53千米的伊努维克。人口801（1991）。

Aklya Kona（Inca religion）　**太阳童女**　参阅 **Chosen Women** 选女。

Akmeist（Russian poet）　参阅 **Acmeist** 阿克梅派。

Akmolinsk（city，Kazakhstan）　**阿克莫林斯克**　参阅 **Tselinograd** 切利诺格勒。

Akō　赤穗　日本本州西部兵库县城市。平安时代（794～1185）为京都名妓的海滨游乐地。17世纪时是一座碉堡城镇，20世纪以来赤穗市建立化工和钢铁厂，工业污染十分严重。赤穗市传统的棉纺业及制盐业均已衰落。当地歌舞伎（以舞剑和武士形象为特色）闻名国内，吸引了众多游人前来参加每年12月的赤穗武士节。1951年设市。人口51 131（1990）。

Akola　阿科拉　印度西部马哈拉施特拉邦中北部城市。傍穆尔纳河。为达布蒂河谷中的公路与铁路中心和以棉花贸易为主的商业中心。有纺织厂与榨油厂。重要教育中心，设有那格浦尔大学的几所分校。稻米、棉花、小麦、粟和花生为主要农作物。工业多为农产品加工，如轧棉、榨油和卷烟厂等。人口约327 946（1991）。

Akosombo Dam　阿科松博坝　加纳沃尔特河上的填石坝，位于阿科松博附近。1965年完工，为沃尔特河工程计划的一部分。由加

沃尔特河上的阿科松博坝
美国不列颠百科全书公司供图

纳政府、世界银行、美国和英国联合投资。坝高134米，顶宽670米，体积约7 991 000立方米。拦蓄的沃尔特湖水库，容量1 480亿立方米，供商业性渔业和航运用。发电量882兆瓦，可以满足加纳的需要，并有剩余电力售与邻国。海滨城市特马的大型炼铝厂也由此供电。

Akow（Taiwan）　**阿猴**　参阅 **Pingdong** 屏东。

Akranes　阿克拉内斯　冰岛西部城镇。位于博尔加峡湾与华尔峡湾之间半岛的顶端，临法赫萨湾。为渔港和当地集市中心。有公路与雷克雅未克相连。建有冰岛最大的水泥厂之一。人口约5 272（1992）。

akriyāvāda　无作业论　巴利语作akiriyāvāda。佛教名词。指与释迦牟尼同时的一些印度外道论师所提出的否认业报的学说。这种教义反对修身守德，因为它既然否认关于过去行为影响现世及来世处境的正统业报说，也就否认人行善可以改善自身命运。无作业论的见解散见于佛教和耆那教文献中的贬义引用语。

Akron　阿克伦　美国俄亥俄州东北部城市，萨米特县县城（1842）。濒临凯霍加河，位于克利夫兰东南66千米处，是包括凯霍加福尔斯、巴伯顿、塔尔米奇和斯托等城镇在内的大都会区之中心。始建于1825年，1865年设市。随俄亥俄-伊利运河和宾夕法尼亚-俄亥俄运河的建成而发展起来。1871年随铁路的建成迁来橡胶厂。橡胶工业因汽车的出现及对轮胎的需求而迅猛发展。20年代初起成为“世界橡胶之都”。至今仍为美国橡胶业三巨头（费尔斯通、通用及固特异）的总部所在地。除各种橡胶和塑料制品外，还生产农业机械、铝制壁板、室内设备、电气和运输设备、化工品、渔具、少儿读物、儿童玩具等。然而20世纪后期一些工厂和商店已关闭。当地机场机库被古德伊尔宇航公司用作生产飞船的车间，是世界最大无内支撑建筑之一。该城亦为东部沿海及中西部地区重要的卡车中继站和配货站。公园占该城面积1 700公顷。每年在此举办世界职业高尔夫球锦标赛。附近德比丘陵每年举办全美皂箱车（民家自制借重力驱动的汽车）比赛。文化设施有阿克伦艺术学院、美洲印第安艺术展览馆和阿克伦大学（1870）等。人口217 074（2000）。

Akrotiri　阿克罗蒂里　塞浦路斯南中部的英国军事占领地。根据1959年承认塞浦路斯独立的《伦敦协定》，该地成为主权属英国的基地地区。位于利马索尔西南，范围包括阿克罗蒂里半岛和埃皮斯科皮湾北部沿海一小片地区。建有医院、气象站和飞机场。与其东北面的泽凯利亚主权基地（两地总面积256平方千米）同为英国训练地和运输中间站。也为驻塞浦路斯联合国军的供给地。20世纪70年代后期，因美国利用阿克罗蒂里作为对苏联行动的监听站，在塞浦路斯曾引起争论。

aksak 偏跛节奏 土耳其语原意为“跛足”。又称保加利亚节奏。指以不等同的节拍单位结合为特点的节拍变体，如2拍加3拍，或3拍加2拍以及它们的扩展。因此3+3+2或2+3+3产生的8/8拍子和西方音乐中常见的4/4拍很不相同。随着非西方音乐和东欧民间音乐对西方音乐逐渐产生影响，偏跛节奏也进入20世纪若干作曲家的作品之中，其中以B.巴尔托克和I.斯特拉文斯基最为突出。“偏跛节奏”一词借自土耳其音乐理论，以取代巴尔托克和罗马尼亚民族音乐学家C.布拉伊洛尤早先所用的“保加利亚节奏”一词。

Aksakov, Sergey Timofeyevich 阿克萨科夫（1791-10-01，俄罗斯乌法～1859-05-12，莫斯科） 小说家，长于写作现实主义的记叙体作品，以将一种介乎回忆录和小说之间的新

美国不列颠百科全书公司供图

文体引进俄罗斯文学而闻名。阿克萨科夫青少年时期在一个家长制色彩很浓的家庭中长大，在家里、学校和新创办的喀山大学受过伪古典主义传统的教育。阿克萨科夫曾先后任法制起草委员会翻译、莫斯科书报检查官、督学和土地测量学院院长。1839年后迁居莫斯科，交往的人物主要是作家和斯拉夫派人士。在1834年他的成功之作《暴风雪》问世之前，他的写作反映了过时的文学趣味，如翻译布瓦洛和莫里哀的作品，写一些平庸的诗作和剧评。由于对农奴制时代的农村俄国的热爱，受到斯拉夫派儿子们的鼓励，以及对果戈理的钦佩，他记下了他的祖父、父母和自己童年时代的故事，并把它们写成现实主义小说。结果产生了3部名著《家庭纪事》（1856）、《回忆》（1856）和《巴格罗夫孙子的童年》（1858）。阿克萨科夫以自然的风格和朴实的语言客观地展示了他的叙述性纪事。其引人入胜之处在于赋予现实以幻想的色彩，使对于绵绵不绝的往事的生动回忆产生亲切之感。这几部将个人回忆与小说家的技巧融合在一起的作品，给他带来了声誉。三部曲中最好的《家庭纪事》显示了他对亲属心理的透彻了解。他的一些描绘狩猎、钓鱼和收集蝴蝶的作品也写得颇具特色，他关于果戈理的回忆录提供了有关他的这位友人的复杂性格的第一手资料。

Akselrod, Pavel Borisovich 阿克谢利罗德（1850-08-25?，乌克兰切尔尼戈夫？～1928，德国柏林） 又名Paul Axelrod。马克思主义理论家，最初的俄国社会民主党的卓越党员。后来的孟什维克领袖。19世纪70年代参加民粹派运动，1879年和普列汉诺夫组成分裂出来的革命组织土地平分派。后赴西欧，成为马克思主义者。1883年成为劳动解放社创始人之一。1900年为《火星》报编委会成员。在俄国社会民主党第二次代表大会（1903）上主张孟什维主义，此后15年一直是孟什维克最主要的理论家。他号召俄国马克思主义者放弃暴力革命活动，而致力于劳工组织和议会工作。第一次世界大战期间，他主张保卫俄国。他反对1917年10月布尔什维克革命。此后他是批判列宁统治的主要的马克思主义评论家之一。从1917年起，他移居西欧。他的回忆录《经历与反思》于1923年出版。

Akshak 阿克沙克 美索不达米亚古城，在阿卡得北部边界。据考证为巴比伦的俄庇斯。约公元前2500年，阿克沙克被拉格什国王安纳吐姆征服。约1个世纪后，阿克沙克建立了对苏美尔和阿卡得的霸权。此城位置不详。

Akṣobhya 阿闳婆 佛教大乘和金刚乘所崇奉的五位自生佛之一。参阅**Dhyāni-Buddha**。

Aksu 阿克苏 中国新疆维吾尔自治区阿克苏地区辖县级市，地区行政公署驻地。地名原意为白水，因阿克苏河汛期水呈白色（含白色细沙）而名。位于天山南麓阿克苏河下游及塔里木河上游，南为塔克拉玛干沙漠。

阿克苏市的清真寺

中国大百科全书出版社供图

历来是南疆西北部政治、经济和交通中心。汉为姑墨国，唐贞观年间（627～650）置墨州。元明史书称阿速。清光绪九年（1883）置温宿直隶州，二十八年升为府，治所由温宿（旧城）迁阿克苏（新城在旧城南10余千米）。1913年改为阿克苏县，1983年撤县设市。面积14 450平方千米。辖5个街道、2个镇、5个乡。有314国道通往新疆各主要城市，民航可通乌鲁木齐。附近水土资源丰富，历来是新疆农业区，已建成大型农场十多处，为新疆重要的粮、棉、油生产基地。工业有建材、纺织、造纸、制糖、食品加工等。中部阿拉尔镇为塔里木河上游垦区中心，有农业大学及农业科研机构。人口570 000（2005）。

Aksu River 阿克苏河 中国塔里木河水量最大的源流。在新疆维吾尔自治区塔里木盆地西部。全长224千米。上游有两大支流：北支库玛拉克河水量大，西支托什干河流程

阿克苏河湾晨景

中国大百科全书出版社供图

长。两河均发源于天山西段，河水由山地降水及冰雪融水补给。两河在温宿附近汇合称阿克苏河。南流与叶尔羌河及和田河汇合为塔里木河。

Aksum 阿克苏姆 又拼Axum。在基督教纪元初期，埃塞俄比亚北部的一个强大王国。公元前1000年期间出现。公元3～6世纪，阿克苏姆成为东北非的最大市场。4世纪期间，阿克苏姆的国王们改信基督教，因此在政治和宗教上与拜占廷统治下的埃及结合在一起。同时把势力扩展到阿拉伯南部地区。6世纪时，阿克苏姆国王使也门沦为附属国。约687年，埃塞俄比亚与努比亚之间发生一次战争。约976年，犹太女王埃塞托镇压阿克苏姆的基督教徒，废除了阿克苏姆王朝。基督教的另一支——扎格王朝掌握了阿克苏姆的权力。

Aksum 阿克苏姆 又拼Axum。埃塞俄比亚北部古城镇。曾是阿克苏姆帝国所在地。现为旅游城镇，以古迹著称。中央广场上耸立126座高大的花岗石方尖碑（有的已破碎

古城镇阿克苏姆鸟瞰

中国大百科全书出版社供图

倒塌)。据说,最高的达 34 米(现已倒塌),是历史上最高的这种石碑。从古代王宫废墟出土至少有 27 个石雕王座。17 世纪的锡安圣玛丽教堂里保藏着传说中的摩西匾额,是所罗门之子曼涅里克一世带到埃塞俄比亚来的。海尔·塞拉西一世国王 1965 年在旧教堂附近又盖了一所新的锡安圣玛丽教堂。有一个机场,一个保健中心、一所医院和一个社区中心。人口约 27 148(1994)。

Aksyonov, Vasily Pavlovich 阿克肖诺夫 (1932-08-20,苏联俄罗斯喀山～2009-07-06,俄罗斯莫斯科) 俄罗斯小说家,第二次世界大战结束之后成长起来的一代苏联人的首要文学代言人之一。阿克肖诺夫的父母曾在苏联狱中服刑多年。他本人在一州立孤儿院长大,1956 年于医学院毕业。在作了几年医生之后,他转而从事写作,在 20 世纪 50 年代后期至 60 年代早期的文化解冻期间发表了一些长、短篇小说。长篇小说《同事们》(1960)、《带星星的火车票》(1961)和《摩洛哥的橙子》(1963)都是描写苏联社会中的叛逆或与社会格格不入的青年的情节紧凑的作品。阿克肖诺夫善于通过简洁生动的俚语行话来刻划虽然像上一代人一样仍怀有集体主义理想,但又为西方文化所吸引的人物。在往后的长篇小说如《滞销的桶装货》(1968)和《克里米亚岛》(1981)中,阿克肖诺夫开始注入更多的幻想、讽刺和夸张模仿的因素。他的独往独来、我行我素的作风从 20 世纪 60 年代后期开始引起苏联当局的不快。由于他的名声,也由于他参预筹备出版《大都会》这一不受审查的文学丛刊,他于 1980 年被迫流亡西方。1990 年当局终于下令恢复他的公民资格。他的后期最重要的作品之一为《烧伤》(1980),那是回忆、幻想和写实的记叙的极少章法的揉合,他试图以此来概括俄罗斯知识分子对他们的祖国精神上的感应。另一部长篇小说《笑一笑》(1985)用嬉笑怒骂的文笔给勃列日涅夫主政晚年的莫斯科知识分子绘了一幅群像。

Aktyubinsk 阿克纠宾斯克 哈萨克斯坦西部一州。面积 298 700 平方千米。1932 年设置。大部为被河谷穿切的高地平原,中部有穆戈贾尔山,南部有沙漠。属大陆性气候,降水量少,尤其是南部。主要河流有恩巴河、奥里河、伊列克河和伊尔吉兹河。穆戈贾尔山有丰富的铬、镍、铜矿。赫罗姆陶附近有世界最大优质铬矿。其他矿产有镍和磷灰石等。工业大部集中在州首府阿克纠宾斯克市。农作物以谷物为主,多产在西北部。草原和沙漠地区养羊、马和骆驼。居民约一半居于城市;人口中近半数为哈萨克人,1/4 为俄罗斯人,1/6 为乌克兰人。人口约 720 000(1987)。

akund floss 牛角瓜绒 又作 calotropis floss。萝摩科植物牛角瓜的种子纤维。原产南亚和非洲,后引进至南美和加勒比诸岛。纤维长 2～3 厘米,直径 12～42 微米,淡黄色,人工采摘。牛角瓜绒主要用作室内装饰材料,有时与木棉混合使用。

Akure 阿库雷 尼日利亚翁多州首府。在森林覆盖的约鲁巴丘陵南部。为公路枢纽和农产品贸易中心。可可为当地最主要经济作物,出口棉花、柚木、棕榈产品。亦有编织、制陶、成衣和砖瓦等手工业。有一所师范学校、一所农业学校、几所中学和几个医院。人口约 150 500(1993)。

Akureyri 阿克雷里 冰岛北部城镇,地处埃亚峡湾南端。是冰岛北方的重镇,雷克雅未克都市区之外人口最稠密的城市。阿克雷里为重要贸易中心、渔港、农产品集散市场。

埃亚峡湾端头附近的阿克雷里
美国不列颠百科全书公司供图

也是制造业中心,生产毛纺织品、鱼油、鞋、鱼类和乳制产品。炼铁、木材加工以及造船均为重要工业。设有技术学院、农业实验站、机场、植物园和极现代的基督教信义会教堂。阿克雷里于 1876 年设镇。人口约 14 799(1993)。

Akutagawa Ryūnosuke 芥川龙之介 (1892-03-01,东京～1927-07-24,东京) 笔名澄江堂主人,俳号我鬼。日本多产作家,著有短篇小说、戏剧和诗歌,以风格特异、技巧精湛著

东京国际教育情报学社供图

称。芥川在孩童时多病并高度敏感,但是在学校成绩优异并且是一个贪婪不知足的读者。1913～1916 年在东京帝国大学学习英国文学时开始文学生涯。1915 年发表短篇小说《罗生门》,这使他能够结识当时杰出的小说家夏目漱石。在漱石鼓励下他开始写出一系列的短篇小说,大多取材于 12～13 世纪的日本故事集,但他是根据现代心理分析加以复述的,风格独树一帜。他选择题材的范围很广,从各种互不相干的资料来源汲取灵感,它们有的来自中国,有的来自长崎的日本 16 世纪基督教团体,有的来自欧洲同 19 世纪日本的接触。他的许多短篇小说有一种狂热的、不健康的紧张,这种紧张十分适合于小说的往往是阴森的主题。1922 年他转向自传体的小说,但是他描写现代生活的短篇小说没有旧题材的故事那样有异国情趣和常有的耀眼光彩,这说明它们为什么比较地不受欢迎。他最后的重要作品《河童》(1927)虽然是关于小精灵式的人物(河童)的讽刺寓言,却是以他最后时期的没有欢乐的调子写成的,反映了他当时压抑的心情。他的自杀对文艺界是一次震动。芥川是日本所有作家中作品被最广泛翻译的作家之一,他的一些短篇小说被拍成了电影。黑泽明导演的电影经典作品《罗生门》(1951)便是以芥川的同名短篇小说和他的另一短篇小说《灌木丛中》(1921)为蓝本的。

akvavit(distilled liquor) 参阅 **aquavit** 利口酒。

Akwa Ibom 阿夸伊博姆 尼日利亚东南部的州,在 1987 年建州前为克罗斯河州的一部分。面积约 7 000 平方千米。东临克罗斯河州,西接河流州,西和北连伊莫州,南濒比夫拉湾,克罗斯河为该州东面边界。居民主要是伊比比奥人,他们靠薯蓣和木薯为生。经济作物是油棕和橡胶。近海和深海捕鱼在经济上很重要。矿业资源有褐煤和油田。乌约为州首府。公路和克罗斯河为主要运输通道。人口约 2 430 528(1992)。

Akwamu 阿克瓦穆 位于今加纳南部的森林和沿海地带的阿坎人国家(约 1600～1730)。18 世纪初达到鼎盛时期,其疆域东起维达,西至温尼巴,连绵 400 千米。阿克瓦穆的缔造者是阿坎人,据传他们来自海岸角西北的推福赫曼,在 16 世纪末或 17 世纪初迁至今阿基姆阿布阿夸,创立阿克瓦穆王国。王国以出售黄金致富。其居民设法扩展权势,1679 年征服了东面的拉多库,1689 年征服西面阿戈纳的芳蒂国,1702 年跨过沃尔特河占领达荷美境内沿海国家维达,1710 年征服霍城地区的埃维人。此时,阿散蒂人已发展得强大和富有,并对阿金人怀有敌意,在阿散蒂人压力下,阿金人撤至阿克瓦穆边境,经过一场长时间的战争之后,阿金人越过边境,阿克瓦穆国王败走。1731 年阿克瓦穆王国灭亡 。参阅 **Akan States**。

Akwapim-Togo Ranges 阿夸平-多哥岭 西非加纳的狭窄山脊和丘陵地带,由东北向西南,自多哥边境向登苏河河口附近的大西洋海岸延伸约 320 千米。平均高度 460 米。继续向东伸展至尼日尔河,成为多哥的多哥山和贝宁的阿塔科拉山。多哥边境附近有几个孤峰。肥沃地区有半落叶林。交通不便,公路稀少,主要在南方。南部种植大蕉、木薯

和玉米，较干燥的北部种植薯蓣和水稻。中部高地一度以棕油和可可为重要作物，因侵蚀而遭严重损失。沃尔特河地区产可可和咖啡。气候宜人，有阿布里等山区疗养地。

Akyab（Myanmar［Burma］） **阿恰布** 参阅 **Sittwe** 实兑。

al- al- 阿拉伯语定冠词，相当于英语之"the"。此词常用作阿拉伯专名前缀，尤常见于地名中，如 Al-Jazīrah，阿拉伯语为"岛屿"之意，是苏丹一处两河流域分界地区名称。这个冠词常以小写形式出现，也作 al-Jazīrah。各种参考书往往将 al-列于其名称的主要部分之后，因之，上举一词应为"Jazīrah, Al-"；《不列颠百科全书》中列举阿拉伯语专门名词时，就按照这一体例。但下述情况则属例外：有13个阿拉伯字母名为"太阳字母"，即 t，th，d，dh，r，z，s，sh，ṣ，ḍ，ṭ，ẓ和 n，在发音时要把 al-中的 l 予以同化；因之，大马士革之古典阿拉伯语名字应是 Ash-Shām 而不是 Al-Shām。必须注意，不能将意为"the"的冠词 al-与另一完全不同的阿拉伯语词结构"Āl"相混淆，后者用以指称家族名或部落名。"Āl"既不变化，也不能省略；因此，Āl-Saʿūd 不能写成 Ās-Saʿūd。在英语句子里，"Āl"不论处于何种位置，永远以大写字母译写。

al-ʿArab, Shaṭṭ 阿拉伯河 伊拉克东南部的河流，由底格里斯和幼发拉底两河在古尔奈镇汇流而成。流向东南，经伊拉克的巴士拉港和伊朗的阿巴丹港，注入波斯湾，全程

阿拉伯河中停泊的独桅三角帆船
美国不列颠百科全书公司供图

193千米。其水道后半部的东岸形成伊拉克和伊朗之间的边界；自东岸（伊朗一方）接纳卡伦河。阿拉伯河宽度从巴士拉的37米左右扩展至主河口的0.8千米。沿有人定居的河岸是枣椰树小树林，靠潮水天然灌溉。卡伦河给阿拉伯河带来大量泥沙，要经常疏浚才可通行吃水浅的远洋轮船。目前的河型大概是相对近期的状况，但其构成形状不稳定。底格里斯河和幼发拉底河可能曾一度经过一条偏西的水道注入波斯湾，而阿拉伯河目前较低的水道则有可能曾是卡伦河的一部分。在20世纪80年代，阿拉伯河曾是伊拉克和伊朗的战场；伊拉克在1980年后半年在伊拉克宣称对该河两岸拥有主权后入侵伊朗。

Al-ʿArabah, Wadi 阿拉伯谷地 希伯来语作 Ha-ʿArava。巴勒斯坦南部洼地，北起死海，南至亚喀巴湾，长约160千米；为东非裂谷的一部分。谷地基本上是沙漠，由以色列和约旦分割。在《旧约》中，除《申命记》卷第2章第8句外，阿拉伯谷地指的是约旦河谷，但最后终于成为只用于南部地区的名称。因处在重要贸易通道的位置，并拥有仅有的迦南铁矿和铜矿，所以在圣经涉及的时期内，为争夺该地，犹大国王和埃多姆国王经常发动战争。

Āl Bū Saʿīd DYNASTY **布·赛义德王朝** 阿拉伯半岛东南部（约1749至今）和东非桑给巴尔（约1749～1964）的阿曼穆斯林王朝。约1749年，阿曼苏哈尔省总督艾哈迈德·伊本·赛义德推翻阿曼的伊玛目亚鲁比德，成为阿曼以及东非桑给巴尔、奔巴岛和基卢瓦的伊玛目。他的继承者后来称为苏丹。18世纪后期扩充领地，囊括波斯湾的巴林岛以及阿巴斯港、霍尔木兹岛、格什姆岛（均在伊朗境内）。在赛义德·伊本·苏丹统治时期（1806～1856），这一家族的权势达到顶峰。他同美国（1839）和法国（1844）建立贸易关系，加强了与英国的联系，并将东非阿拉伯人和斯瓦希里人的殖民地——从摩加迪沙到德尔加杜角——都置于他的宗主权之下。但苏丹国仍受到瓦哈比人的袭击和山中部族骚乱的威胁。赛义德在英国人援助下使之就范。1854年，出于对这种支持的感激心情，赛义德将库里亚穆里亚群岛划给英国。1856年赛义德死后，英国把他的领土分给他的两个儿子：阿曼归苏韦尼管理（1856～1866），桑给巴尔归马吉德统治（1856～1870）。1964年桑给巴尔并入坦桑尼亚联合共和国，布·赛义德王朝被推翻。在阿曼，1901年伊萨·伊本·萨利赫组织反抗运动，使布·赛义德王朝受到严重威胁。1920年9月25日双方签订《锡卜条约》，其中规定泰穆尔苏丹统治沿海各省，伊玛目伊萨统治内地山区。1954年又发生反抗运动，苏丹赛义德·伊本·泰穆尔（1932～1970在位）靠英国人的帮助平定叛乱。

Al-Fujayrah 富查伊拉 阿拉伯联合酋长国（原称特鲁西尔诸国或特鲁西尔阿曼）的成员，是该联邦中唯一无濒临波斯湾领土的国家。范围大致相当于阿拉伯半岛东南部的海角阿曼岬的舒迈利亚地区；其全部海岸线都在该海角的东侧，面对阿曼湾。由于富查伊拉的领土是被其他酋长国的飞地（脱离本土的地段）所分开或中断，所以有部分边界线仍未经勘定；总面积估计约1 150平方千米。富查伊拉的近代历史颇多动荡，主要问题在于沙迦酋长国与富查伊拉酋长及其同盟者之间的权力之争，前者大约在1850年吞并了这个地区，而后者则希望独立。在阿拉伯联合酋长国的几个成员国当中，唯独富查伊拉的独立在19世纪末曾获得大英帝国承认，而被认为是沙迦的一部分。富查伊拉酋长发动了多次反对沙迦的暴动，到1886年实际成了独立的统治者。马斯喀特和阿曼组成的苏丹国同阿布扎比酋长国都对富查伊拉的领土提出了要求，但未得大英帝国认可，而且缺乏对该地区实际统治的根据。英政府于1952年承认富查伊拉为自治国，其酋长也签署了其他几个特鲁西尔国向英国缔结的同样几项条约，包括专属协定，据此，富查伊拉同意让英国代管其一切外交关系。当英国宣告将于60年代后期撤离波斯湾的意向时，富查伊拉是倡议中的阿拉伯酋长国联邦的一个成员；在巴林和卡塔尔退出联邦后，富查伊拉在1971年成为新独立的阿拉伯联合酋长国的成员。在经济上，富查伊拉是该联邦中较穷的国家之一。远离海岸的丘陵地区有些农业，出产蔬菜和烟草。阿曼湾沿岸的小港口是小渔船的基地。主要城镇有首府富查伊拉城及其附近的古尔法港和北部的迪巴，迪巴一部分为沙迦大公国飞地，一部分属阿曼苏丹国。穿过半岛从首府到沙迦城并顺阿曼湾沿岸筑有汽车路。1966～1971年，曾将石油及其他矿产开采权转让给原西德的一家公司，但并没有发现什么值得开发的资源，于是这项特许权归还给政府。造船工业具重要地位，在富查伊拉城还兴建了几家大理石厂和瓷砖厂。1964～1972年，富查伊拉为集邮者发行了许多邮票，这些邮票并不具备合法的邮政用途，而且不为可信赖的邮票目录册和集邮组织所承认。人口约63 000（1991）。

Āl Wahībah Dunes 沃希拜沙丘 阿曼中东部荒漠地区。东南临阿拉伯海，沿海岸伸展160多千米。有大量底部暗红的蜂蜜色沙丘，其中有的高达70米。沙地布满车辙和人迹。地面水极其稀少；汲取地下水要挖小倾角的隧道。该区仅有沃希拜游牧民居住。

ʿAlāʾ od-Dīn ʿAṭā Malek Joveynī（Persian historian） **阿拉·丁·阿塔·马莱克·约韦尼** 参阅 **Joveynī, ʿAṭā Malek** 约韦尼。

Ala Shan Desert 参阅 **Alxa Plateau** 阿拉善高原。

Alabama 亚拉巴马 1819年成为美国第22州，面积133 915平方千米，形状略呈长方形，南北向稍长。该州北接田纳西州，东邻佐治亚州，西与密西西比州接壤，南接佛罗里达州锅柄状的狭长地区，西南角的莫比尔湾与墨西哥湾相连。首府蒙哥马利。

该州地形变化多样。田纳西河富饶的农垦谷地位于该州最北部。阿巴拉契亚高地南缘的凹凸不平地带始于该州东北部并继续向西南伸展，穿过该州北半部。此地带以南，有黑土带之称的大草原低地是一片肥沃的土壤，曾形成一种以生产棉花为主的农业生活方式，对该州发展起到很重要的作用。再往南，是茂密的松林，然后是沿海平原，最后是莫比尔县一排排耀眼的、在墨西哥湾微风中盛开的杜鹃花和挂满绿苔的活栎。

在北美大陆的殖民过程和现代美国发展过程中，许多重大事件均发生在亚拉巴马。它曾是欧洲列强争夺新世界土地的战场，白人殖民者与印第安人斗争的场地，南北战争期间两军鏖战的沙场，也是第二次世界大战结束几年来使南方各州在许多方面有了广泛改变的经济和社会改革势力的用武之地。尽管亚拉巴马在很多重大的社会评定指标中仍然处在美国各州的最后几名，但在种族关系

上,特别是在学校废除种族隔离以及选举黑人担任政务等方面,已有改进。该州经济也表明有显著的进步。不过,本州人和外州人都同样承认,该州动乱的历史对当今生活的影响有时仍然是明显的。

自然地理和人文地理

土地 *地形* 亚拉巴马的平均高度大约海拔150米,表明从东北部奇霍山顶734米处,往下穿过黑土带到南方低平的墨西哥湾沿岸几县的逐渐变化。在此范围内,可区分出若干地势区。

阿巴拉契亚山脉的最南端几乎占了该州的一半。北端的坎伯兰高原区,受河流冲刷被分割,向南挺伸穿过州界。在东边更为崎岖的几部分,高度升至约550米。大阿巴拉契亚谷在东面形成另一个明显的分区。皮德蒙特高原的一小块三角形部分从高度平均为305米的佐治亚州横伸进来。

当阿巴拉契亚山末端那些崎岖的、布满森林的丘陵和山岭逐渐转为沿海平原较低的地势时,该州特征就显著地改变了。沿海平原分为一些小区:北部是起伏不平的福尔莱恩丘陵,而在较远的南方,松树带和落叶树带给平坦的平原景色增添了异彩。黑土带呈弯弓状横在该州低地中央,因盛产棉花而享有盛名。该州的肥沃土壤过去一直长期用于棉花生产。85千米长的海岸线间或有些沼泽和牛轭湖,其背后是生长在沙质土壤中的用材林,其前方则是一段段的白沙滩。

水系 坎伯兰高原区的水通过田纳西河及其各支流深深的溪谷流向西北方,很多水流入田纳西河流域管理局于20世纪30年代兴建的3个景色优美的大湖里。该州其余部分的水则通过较为宽阔、迂缓的河谷流向南方。库萨河与塔拉普萨河在蒙哥马利以北汇合,形成亚拉巴马河,该河又与流经亚拉巴马州西部的汤比格比河汇合。合流后的水又再次分流,通过莫比尔河及田索河注入莫比尔湾。

土壤 亚拉巴马有4个主要土壤带。最北部的田纳西河谷里是黑壤土和红黏土,如露出时,可为当地景致增添少许鲜艳色彩。再向南是一条矿物带构成的杂色土壤,接着是黑土带肥沃的石灰石土壤和泥灰石土壤。沿亚拉巴马海岸一带是沙质土壤和深厚疏松的沙地。

气候 亚拉巴马属温带气候,年均气温约18 °C,随高度而变化,北部各县可达到约16 °C,南部各县可达到19 °C,但夏季的酷热常因自墨西哥湾吹来的海风而多少有些减弱。北部各县夏季气温有时可高达38 °C,冬季则偶尔可能降雪,霜冻是周期性的。夏季平均气温26 °C,冬季平均气温9 °C。

全年降雨量分布颇为均匀,年均降雨量1 420毫米,多集中在沿海区。干旱不常见。这些优越条件使该州有很长的生长期,北部有200天,而南部则多达300天。

动植物 亚拉巴马的温和气候培育了丰富的植被,包括125种以上的乔木品种。大多数茂密的森林都位于北部和东北部。松树占绝大多数,活栎也在全州到处可见,美化了较老的城镇和城市街道。胶皮糖香树和黑胡桃树也常见,而在田纳西河谷和黑土带则以红柏为最多,还有丛聚在河流和池塘周围的挺拔的黑柏。灌木和禾本科植物品种多样,竹子、大藤条和槲寄生十分普遍。麝香葡萄、野葡萄和黑莓也生长茂盛。胡须状的铁兰使沿海林地具有独特的迷人魅力。

鸟类也种类繁多。这里可以见到蓝鸲、主教雀、冠蓝鸦、嘲鸫、鸽、啄木鸟、鸮、隼、黄鹂,偶尔也能见到鹰。其他野生动物有兔、松鼠、负鼠、狐、野猫、浣熊、麝鼠、鹿,甚至还有少量的熊。郊狼和犰狳已从西部扩散到亚拉巴马。蛇类有有毒的响尾蛇、噬鱼蛇、铜头蛇和珊瑚蛇,以及几种无毒蛇,如黑蛇之类。沿海地区的某些沼泽和牛轭湖里现仍有钝吻鳄。

住区模式 到1980年,亚拉巴马的农村人口不足全州人口的2/5,因许多农村居民在该州各城市里找到住处,这类人口仍在进一步减少。在20世纪70年代,该州8个县有人口流失现象。大部分县位于黑土带的老产棉区,到80年代那里的人口在大量减少。不过,到70年代,该州已不再是全部人口向北方移民。很大一部分农村人口居住在该州大都市附近,并在市区内工作。

到1960年,亚拉巴马半数以上的人口首次集中在10个县里,自那时以来,城市发展的势头便一直持续至今。伯明翰这个不断扩展的城市仍然是该州主要的大都会,服务性行业发展迅速,为该州大约1/4的工人提供了就业机会,并生产出该州全部制品的1/4。不过,伯明翰市人口的增长主要是在远郊区。

港口城市莫比尔是该州第二大都会。该市在20世纪70年代一度发展迅速,在80年代又减慢了,部分原因是由于石油工业的不景气。像加兹登和弗洛伦斯这些经济结构以制造业为主的城市,在80年代都受到经济停滞的影响,而亨茨维尔则由于国防设备和高新技术产业的投入而发展迅猛。蒙哥马利的人口增加部分原因是由于州政府的扩大。

人民 亚拉巴马州人口4 447 000(2000),其中3/4是白人。白种人在该州的根基深远并非偶然,因为这里国外出生的居民为数极少,大多数白人都是19世纪从东面和北面邻近地区来的殖民者后裔。亚拉巴马的黑人在该地也同样有很长的历史,其时期可回溯到动产奴隶制和非洲奴隶贸易时代。其他少数种族在全州人口总数中仅占极小部分。该州宗教组织主要是新教,自从不允许有其他社会团体活动的时代以来,黑人社区内的各种宗教团体一直起着非常重要的社会作用。

亚拉巴马的出生率,特别是在农村的贫困地区,过去许多年都要稍高于全国平均水平,但随着农村人口的减少和城市经济的扩展,出生比率现已比较接近全国平均水平。目前,该州有些农村地区由于医疗保健设施不足,婴儿死亡率仍很高。

经济 在美国50个州当中,亚拉巴马的地位可以其人均收入来说明:许多年来,其排名一直处于美国经济衡量标准的最后几名。造成这种较低的地位的原因,部分是由于农业的不景气,而从事农业的人口在该州占有相当大的比例。这样,农村的贫困就把全州平均值拖了下来,掩盖了较有前途的发展和存在于城市地区的较强的经济基础。该州经济的一个重要发展是伯明翰正逐渐成为一个金融和商业中心,特别是作为几家大的州银行、地区公用事业、几家全国性保险公司以及几个国际建设财团的总部所在地。

该州将其全部税收的很大一部分用于教育、卫生和医院、福利以及公路建设上。该州财产税总体上是低的,而消费税则相对较高。联邦基金支持对农业、学校教育、各种卫生和福利项目、资源保护区、城市开发和公用事业以及公路建设方面有影响的方案。联邦政府

亚拉巴马州西部田纳西—汤比格比水道上的拖船

美国不列颠百科全书公司供图

负责为蒙哥马利航空大学,设在亨茨维尔的马歇尔太空飞行中心和红石兵工厂,以及几家退伍军人医院和田纳西河流域管理局的一部分工作提供必要的资金。

农业 亚拉巴马的农业经济对单纯依赖棉花生产的传统观念提出挑战。尽管棉花现在仍具有局部重要性,但由于1915年棉铃象鼻虫枯萎病的发作,棉花生产遭受严重打击,种植面积持续缩减。30年代以后,农业机械化和农场合并扩大了农场的平均面积。农业生产的多样化又使林业专用土地面积大为增加,棉田也变成饲养奶牛和肉牛的牧场。家禽已成为该州的一种主要农产品。主要农作物有皮棉、花生、大豆和玉米。农场收入持续上升,农场平均产值自二次世界大战以来已增长数倍。

工业 亚拉巴马的工业发展长期以来一直以伯明翰的钢铁工业为基础,而易于开采的铁矿、煤矿和石灰石又促进了钢铁工业的发展。其他矿产品有该州著名的白色大理石。石油的大量开采开始于1944年,现在沿海地区内有很多口油井。第二次世界大战中的国防工业推动了该州的工业经济。虽然钢铁生产对该州的经济依然十分重要,但日益增长的化学制品业和塑料制品业已减低了对初级金属制品的依赖。自从1960年,位于亨茨维尔的马歇尔太空飞行中心以生产土星助推火箭而闻名,一直是该州经济的一个主要支柱。在20世纪70年代,亨茨维尔经历了包括电脑设计和生产在内的高技术产业的增长。与此同时,伯明翰也转变成以服务性经济为主的城市,从业人员主要集中在该市的亚拉巴马大学及其下属的区医疗中心。

运输 亚拉巴马的6条大河的适航水路总共为2 052千米,而莫比尔湾经大规模挖泥工程也已加深,可驶入大型船只。莫比尔已发展成现代化港口,排名全美12个最大的海港之列。1985年开通的田纳西—汤比格比水路(一条长377千米的运河),将该州两条大水系连接起来。尽管亚拉巴马的铁路运输像美国其他地方一样,已相对衰退,但该州的公共汽车、卡车和航空运输却均有长足发展。

行政与社会状况 *政府* 亚拉巴马州由一个两院制的州议会及一位州长和顾问团治理。议会由35名参议员和105名众议员组成,议员每年定期开会,每4年选举一次。州宪法是一份复杂的文件,有些人还认为它是过时的,并且很不充分。其制定日期为1901年。在各种各样目的在于限制黑人选民登记的人头税及其他税的规定被美国最高法院宣布为非法之后,黑人中间的选民登记工作取得了很大进展。州政府的主要行政官员,从州长到州教育委员会,都是每4年选举一次。由9名当选法官组成的州最高法院是州最高司法机关。

亚拉巴马州县一级的主要当选官员有县督察员、遗嘱检验法官、估税员和收税员以及教育委员会成员。自治市并没有统一的政体:市长-政务会这种形式最为常见,但有些市设立一委员会,有些则聘用一名城市经理。

尽管现在共和党势力有增强的迹象,但亚拉巴马州的民主党长期以来一直在政治上保持着对州政府的控制。1986年,该州选出自重建时期以来的第一位共和党州长,在80年代,有几位来自市郊的共和党人,也在州议会和地方政府机构里赢得了职位。许多黑人政治组织帮助黑人增强了参与政治的意识。从70年代开始,黑人担任公职已司空见惯;有些市还选出了黑人市长,其中包括1979年当选的伯明翰市市长。

教育 自20世纪60年代以来,尽管州内公立学校因该州对财产征收的税率低而只能得到很少地方拨款,亚拉巴马的初等和中等教育仍有实质性改进。教师的薪水自70年代初以来有所提高。农村学校受到的支持不如城市学校。多数公立学校兼收白人和黑人学生,也有少数有钱人家的白人孩子上私立学校。

亚拉巴马有15所州立4年制高等院校、许多专科和商业院校,此外还有十几所私立学院和大学。亚拉巴马大学中包括该州最初设在塔斯卡卢萨的学院以及后来在亨茨维尔和伯明翰新建的分校;伯明翰分校是全国著名的一家医疗中心所在地。奥本大学是州内获得赠地的两个学府之一,在校学生人数在全州最多,并开设了农业函授班。

大多数黑人大学生都在传统上是黑人的学校里上学,但也有越来越多的黑人到原先全是白人的学院上学。在几所公立和私立的黑人学府当中,最著名的是1881年创办的塔斯基吉大学,创办人是B.T.华盛顿和G.W.卡弗。

亚拉巴马的高等教育因学校数目过多,造成事倍功半和财力的分散。这种重复建校的做法是过去为达到种族隔离目的而实行的双重教育体制以及为政治利益而办学的倾向的产物。该州在历史上一直没有用于协调高等教育的机构。

保健与福利 在农村地区以及非白人当中,受教育和就业的机会都比较少,医疗保健的资金和服务也难以到位。该州的福利开支按国家标准衡量,处于全国最低之列。刑罚场所包括几所监狱和几座少年犯管教营。对于这些场地里的条件不时地进行过争论,自1970年以来条件已开始有显著改善。

文化生活 亚拉巴马的农村地区有丰富的民间文化,尤其是在黑人当中。讲故事已引起了民俗学家的注意。农村生活的经历对当代美国流行音乐的发展提供了重要的因素,其中包括雷格泰姆和爵士乐。圣乐仍然是亚拉巴马文化生活中不可缺少的部分,其表现形式为福音四重唱和形状音符唱法,或"法—索—拉"唱法。做棉被是农村居民(不论黑人和白人)当中一种高度发展的民间工艺。

有几位亚拉巴马作家通过对该州环境一些主题的揭示而受人注目。胡珀、巴尔和鲍德温是19世纪受欢迎的当地有色人种作家。B.T.华盛顿和H.凯勒在20世纪初著有感人的自传。小说家W.马奇在20世纪30年代和40年代内所写的故事和小说做出了卓越的文学贡献,他的主要作品有《同伙K》和《镜子》。斯特里布林的30年代的一套现实主义小说三部曲、H.李的《杀死一只学舌鸟》(1960)、M.W.布朗的《火舌》(1986),都对社会环境,尤其是种族问题进行了探讨,受到良好评介。

亨茨维尔、蒙哥马利、莫比尔和伯明翰均建有艺术博物馆,伯明翰艺术博物馆收藏的美洲艺术品给人印象尤为深刻。塔斯基吉大学的G.W.卡弗博物馆拥有关于黑人历史的珍贵资料。斯洛斯熔炉博物馆侧重于伯明翰的工业史。亨茨维尔的亚拉巴马航天和火箭中心探索太空旅行的发展。蒙哥马利的亚拉巴马莎士比亚节上演专业的古典和现代戏剧。

专门的图书馆藏书包括伯明翰市亚拉巴马大学医疗中心收藏的关于医学史的书籍;塔斯基吉大学保留的有关黑人历史的B.T.华盛顿藏书;亚拉巴马档案和历史部收藏的关于该州和南方的历史资料,该部门建于1901年,当时在美国还是第一个。

州内几处历史遗迹由亚拉巴马州政府监管,其中包括黑尔县境内的州立芒德保护区,是密西西比流域印第安文化的一处重要遗址;位于莫比尔湾入口处的摩根堡,是南北战争时期南部邦联的一座堡垒。亚拉巴马拥有许多19世纪的住宅建筑,其中最著名的有迪莫波利斯的盖恩斯坞公馆。美国公园管理局已将塔斯基吉大学的一部分划为国家公园,用于研究黑人历史。

亚拉巴马的许多地方都有各具特色的纪念节日。莫比尔市的"肥美的星期二"是2月份的一件盛事,该市春季的"杜鹃花小径"花园漫游和一年一度的"小姑娘赛会"的情况也是这样。伯明翰市在每年春季举办的艺术节中交流国际文化。奥普镇每年都举办"响尾蛇表演节",吸引众多游人参加。该州大多数镇和市4月份都组织历史朝觐活动,纪念保存完整的古建筑。

该州管理着许多公园和几个对外开放的大湖。滑水橇、划船和汽车比赛是亚拉巴马人最喜爱的娱乐活动。塔拉迪加举办的亚拉巴马国际赛场摩托车比赛每年都吸引着成千上万的赛车爱好者。3个赛狗场也聚集了许多打赌者。大学橄榄球,尤其是该州两所主要大学的球队比赛,引起全州很多居民的热情关注。

历史

印第安人 今日亚拉巴马确认的最早的和历史最长的居民是印第安人。他们在此地居住了将近1万年,这一时期的明显遗迹在迂回穿越河谷附近地形的大土墩中可以见到。该州的许多地名也表明源于印第安语。亚拉巴马这个名称本身即源于印第安语,意为"灌木丛清除者"。在欧洲人最初考察该地区的时期,这里主要的印第安人部族有:居住在西北部的奇卡索族;住在东北高地上的切罗基族;住在中部及东南部的上克里克族,即穆斯科吉族;以及住在西南部的乔克托族。

欧洲人的竞争、殖民和发展 已知最早的欧洲探险家祖籍西班牙,1519年到达莫比尔湾。真正的深入探险发生在1540年,那年德索托和他的大约500人的队伍从田纳西河谷进入内地去寻找黄金。他对该地区进行了广泛、深入的考察,取得了很重要的成果,因为他发现了密西西比河,了解了范围广泛的南方印第安人文化,还促使整个区域向欧洲殖民者开放。但是，在同印第安酋长图斯卡鲁沙的装备低劣的战士进行的一场战斗中，他屠杀了数千名印第安人；这在北美印第安人同白人发生的一场遭遇中，可能是最血腥的。德索托并没有找到黄金，后来的西班牙人也未能在亚拉巴马建立殖民地。

随后的250年演变成法国、英国、西班牙三国为控制该地区的争斗，时常改变同该地区印第安人的联盟。1702年，法国人在亚拉巴马境内建立了第一个永久性的欧洲殖民地，即今日莫比尔市以北的路易堡。英国人从南卡罗来纳和北卡罗来纳也多次来到该地区，但法国殖民地为数更多（从加拿大呈弧线向南方延伸的一连串堡垒的一部分，并把英国殖民地也包含在内）。一艘奴隶船于1719年在多芬岛的多芬港靠岸，为该地运来了首批非洲人。

1763年的《巴黎条约》将当时亚拉巴马唯一的定居区（莫比尔区）给了英国。根据1783年签订的另一个《巴黎条约》（该条约正式宣告美国独立战争结束），西班牙获得莫比尔，战后的美国接收今日亚拉巴马州的其余部分。尔后在1813年，美国声称莫比尔是1803年签订的《路易斯安那购地条约》的一部分，将西班牙人从该地区逐出，一统亚拉巴马全境。至于印第安人，切罗基族、奇卡索族和乔克托族在1806年以前都割让出一些土地。1814年，杰克逊将军在马蹄湾之战中彻底击溃克里克族。白人人口继这些行动之后的大量涌入和棉花经济的制定，迫使印第安人迅速向西部迁移。1832年的《克里克族土地割让条约》实际上终止了印第安人对亚拉巴马境内的领土权的要求。亚拉巴马印第安人的大多数后裔现在都住在俄克拉何马州境内，只有几百名克里克人仍留在亚拉巴马州南部。

南北战争以前时期　亚拉巴马是作为一个独立的准州于1817年建立的，1819年成为州。到1820年，该州人口超过125 000人，包括大约500名自由黑人。到1830年，居住人口达300 000，其中38%是奴隶，棉花是主要经济作物。南北战争之前，内政事务主要集中在驱除印第安人、土地政策、金融体制和奴隶制问题等方面。在继1837年金融大恐慌之后发生的那场经济萧条中，该州遭受了近10年的严重损害。19世纪40和50年代，亚拉巴马为创造更现代的、工业化的经济做出了许多努力。开发了铁路、棉花生产以及一些采矿业，虽然这些努力常因缺少资金而中止。绝大部分投资仍然用于棉花和奴隶买卖。到1860年，人口总数几乎达到100万，其中近半数为黑人，而该州95%的人口生活在农村。

南北战争及其后果　亚拉巴马于1861年脱离联邦，加入美利坚诸州联盟，联盟将其第一个首都设在蒙哥马利。该州议会招募了许多兵士并拨款数百万美元用于军事行动和参战兵士家属的生活费。在战争中服役的122 000亚拉巴马人当中，约有35 000人阵亡。继南部邦联解体以及该州议会拒绝批准美国宪法第十四修正案之后，亚拉巴马于1867年受到军事管制。翌年该州批准了一部保护黑人公民权的新宪法，亚拉巴马再次被接纳加入联邦。

1868～1874年，该州正处于政治动乱中。对许多白人来说，重建时期是一场悲剧，但对许多黑人来说，这却是一个充满希望和机遇的时期。亨茨维尔市《辩护律师》报断言："这是一个白人的政府和白人的州"，三K党还使用恐怖手段去加强那个观点。在亚拉巴马州的白人当中，有些人对黑人应享有政治权利的观念表示蔑视，另有些人则愿同黑人及其北方盟友合作，两派之间的斗争随之发生。黑人要求受教育，也得到了受教育权，但大多数白人坚持认为学校应当按种族隔离。尽管黑人也参与了制宪会议和州议会，但他们的政治权力不如南卡罗来纳、密西西比或路易斯安那州黑人的权力那么大。亚拉巴马州的民主党白人大多数都曾是南部邦联的支持者，他们于1874年重新取得对该州政治机构的控制。在20世纪60年代的民权运动开始之前，黑人几乎毫无政治权力可言。然而在整个这一时期，有些黑人则勤奋地工作，以促进政治活动，启发和感化其同辈的白人公民，并对联邦和州政府施加影响，要求政府保证黑人的政治和社会权利。

1875年，举行了一次州制宪会议，批准了一部保守的新宪法。随后制定的保守的政治工作计划主要是限制黑人进入政府部门，削减开支和州服务机构，促进铁路和工业的发展。1901年，当另一部州宪法（一部剥夺黑人权利的宪法）获得批准时，实际上已无黑人参加政府，而一种社会和政治上的抵触情绪正在到处出现。

经济正从战争的废墟中慢慢地恢复。作为土地使用权和劳动力关系的一种制度——佃农制出现了，随之而来的是对单一农作物棉花的更大的依赖性。在19世纪90年代，萧条的农业状况曾在小农场主中引发了一场平民党起义。由于经济萧条和资本短缺而拖延了15年之后，该州的棉花和生铁生产在大约1880年开始稳定增长，19世纪90年代的经济萧条时期又长期停滞不前。然而，到19世纪末，亚拉巴马仍是南方工业化程度较高的几个州之一。

20世纪　1900年时，该州大部分仍然是农业区。1915年棉铃象鼻虫的发作对单一作物的农业造成严重危害，迫使该州发展多样化的农业经济。农村居民大多数是穷人和黑人，开始流向南部城市和北方，那里国外廉价劳动力的来源在第一次世界大战期间业已枯竭。促使亚拉巴马黑人外迁的一个因素是"吉姆·克劳"制度规定的种族隔离方式。该项制度的执行有些是合法的，有些则超越了法律准许的范围。该州黑人人口开始缓慢下降，到20世纪中叶，黑人已减少到不足全州人口总数的1/3。

20世纪30年代的大萧条在该州造成的损害随处可见。在棉花价格跌至最低点时成千上万户佃农失去了他们的信用贷款。伯明翰的工业经济几乎到了停顿状态。联邦的救济计划缓和了某些问题，田纳西河流域管理局也在亚拉巴马北部创造了新的经济活动。

在第二次世界大战的几年间，美国的防务建设使亚拉巴马州的经济脱离了不景气。从全州范围看，战争比任何其他历史因素都更能刺激工业化。战后，联邦政府对农业和国防建设（包括太空计划）的大力扶植以及对筑路、教育和福利等公用事业的投入，促进了该州经济的转变。20世纪40年代和50年代的农业机械化完成了该州的农业经济革命。

然而种族隔离仍使亚拉巴马的社会结构僵化，实际上是对黑人取得社会和经济权力的排斥。1954年美国最高法院裁定，宣布公立学校中的种族隔离是违反宪法，鼓励亚拉巴马黑人去改善种族关系。但进步仍然缓慢而痛苦。该州发生的几次值得注意的民权行动，受到国际上的关注，例如1955～1956年在蒙哥马利市对公共汽车上的种族隔离的抵制，这次斗争使马丁·路德·金闻名全美；1961年的"自由乘坐"运动；1963年伯明翰市的大街游行，公安督察员E.康纳对游行队伍中的黑人抗议者开高压水龙头，放警犬；同年，G.C.华莱士州长公然试图停止在州立大学内取消种族隔离；同样在1963年，4名伯明翰市黑人儿童被炸死，这次爆炸摧毁了他们的宗日学校；1965年从塞尔马到蒙哥马利的示威游行。

这个时期的黑人行动主义促使了美国法律的重大修改。1964年的《民权法案》终于结束了在公共车辆座位方面的种族隔离现象，并对某些形式的就业歧视予以禁止。1965年的《选举权法案》宣告大多数限制黑人政治权利的方式为非法。

由于这些活动，黑人公民获得了更好地使用公共设施的机会、更多的教育机会和就业机会，以及更自由的政治参与。到20世纪后期，登记参加投票的黑人比例已增加5倍。被选到州和地方政府担任公职的黑人人数正逐渐增多。某些职业和政府部门的就业机会对黑人来说，已大为改善，尽管该州的贫穷状况在黑人当中仍然不相称。许多职业和市民团体以及大多数学校都已实现了消除种族隔离，虽然教堂目前还没有这样做。进步有时是缓慢的，不完全的，但毕竟还是显著的。

Alabama claims　**"亚拉巴马"号索赔案**　在美国南北战争（1861～1865）期间及以后累积起来的美国针对大不列颠的海事索赔。这些索赔在国际法上的意义是进一步运用仲

"基尔萨季"号击沉"亚拉巴马"号的海战，E.马奈绘

美国不列颠百科全书公司供图

裁和平解决争端和说明了中立国对交战国应负的某些责任。美国南北战争期间，英国为南部邦联制造了一艘巡洋舰"亚拉巴马"号。

南军用它攻击联邦的商船，在22个月内连续捕获、击沉或烧毁北方船只68艘。直到1864年6月，它才被美舰“基尔萨季”号击沉于法国瑟堡外的海上。美国商船遭到破坏，航运受到阻挠，而英国的海上经济利益则日益增长。早在1863年10月，美国驻英国公使亚当斯即提出抗议，要求英国赔偿一切损失，但表示美国愿将此案交付仲裁。英国多方推诿，美国则以兼并加拿大相威吓。为了避免英美关系的恶化，双方于1871年5月8日签订《华盛顿条约》，规定设置4个仲裁组，赋予它们极大的决定权，这是世界上前所未有的最大国际仲裁案件。主要的仲裁书中还概述了已由《华盛顿条约》第6条同意的关于中立国的某些战时海事义务，包括：中立国政府必须“适当注意”防止在其管辖区域内武装或装备任何企图攻击与它处于和平状态的国家的船只，并阻止此类船只离开其管辖区域；中立国不得允许其港口或水域被用来作为达到同类目的的海军活动基地。另外，英国还正式向美国道歉。1872年9月14日，日内瓦国际法庭一致投票裁决：英国对“亚拉巴马”号所造成的直接损失应负法律责任，要向美国以黄金支付赔偿1 550万美元。

Alabama Platform 《亚拉巴马政纲》 美国历史上，南方政治领袖W.L.扬西对《威尔莫特但书》(**Wilmot Proviso**)的回答(1848)，他主张美国政府在墨西哥割让地区维护奴隶制度。民主党在1848和1860年的全国代表大会上拒绝采纳扬西的政纲。1860年，南方派的总统候选人J.C.布雷肯里奇以《亚拉巴马政纲》为竞选纲领。

Alabama River 亚拉巴马河 美国亚拉巴马州南部河流。由库萨河和塔拉波普萨河于蒙哥马利东北11千米处汇流而成。蜿蜒向西流，至塞尔马转向南流。河长491千米，流域面积5.905万平方千米。几乎全年通航。于塞尔马下游27千米处接纳其主要支流卡霍巴河，并在莫比尔上游71千米与汤比格比河汇合形成莫比尔河和田萨河，这两支水道向南注入墨西哥湾。莫比尔和蒙哥马利也因处于这一重要交通干线而成为较大城市。库萨-亚拉巴马水系对全州经济发展有重要意义。

alabaster 雪花石膏 细粒的块状石膏(**gypsum**)。几个世纪以来用于雕塑、雕刻及其他装饰品。一般是雪白色、半透明，并能人工染色。通过热处理它可变成不透明，外貌类似大理石。意大利的弗洛伦萨、里窝那、米兰以及柏林是雪花石膏贸易的重要中心。古代的雪花石膏为褐色或黄色细纹大理石。

alabastron 雪花瓶 指装香料或油膏的一种细长的窄颈瓶。希腊的雪花瓶没有把手，但常有凸耳(耳状突出物)，有时穿有束带孔。古典的雪花瓶有3种类型：①基本科林斯球茎形，高约8～10厘米，从公元前7世纪中叶出现，遍及希腊；②在希腊东部发现的长尖形变体，是埃特鲁斯坎和意大利-科林斯陶器；③阿提卡类型，高10～20厘米，圆底，有

公元前625～前600年的科林斯雪花瓶
美国不列颠百科全书公司供图

时带两个小凸耳，从公元前6世纪末出现至公元前4世纪初。这3种类型都是陶器。后两种是用雪花石膏制成的，称它们为雪花瓶，名副其实。

Alaca Hüyük 阿拉贾许于克 古安纳托利亚遗址，在土耳其中北部博阿兹柯伊附近，赫梯人古都哈图萨东北方。1907年马克里迪贝伊开始发掘。地面有大建筑物遗迹，地下有

约公元前2400～前2200年阿拉贾许于克的紫铜顶端饰物，其中有一头鹿和两头公牛
美国不列颠百科全书公司供图

包括13个墓的皇陵，最早的墓约建于公元前2500年。墓内有金银细工装饰品、珠宝、碗、罐、金酒杯、银器、银环、铜或青铜碗和雕像。另外还有女性“偶人”，这大概是安纳托利亚早期的女神像。阿拉贾原始居民究竟是何种族尚未确定，但似乎是比赫梯人来得更早的非印欧人。

Aladdin 阿拉丁 阿拉伯语拉丁字母转写作‘Alā’ Ad-Dīn。《天方夜谭》中最著名的故事之一的主角。父亲是一中国裁缝，早故，阿拉丁依赖寡母抚养成人。在其少年怠惰游荡时，遇到一位非洲魔术师，自称是他的叔叔。魔术师领阿拉丁到一山洞口，吩咐他到洞内去取出一盏神灯，同时给了他一枚有魔力的指环，以确保在洞内的安全。阿拉丁进洞取得灯后，坚持要求须待他安全出洞后才将灯交与魔术师。魔术师将他与神灯一起封闭在洞内，然后离去。阿拉丁被困在黑暗中，急得直搓手。忽然他发现只要一摩擦指环，即有大力神出现。他因此得以脱困回家。不久，他又发现神灯一经摩擦也会召来神怪。这些超自然的精灵能实现他的每个愿望。最后，阿拉丁成为巨富，盖了一座装饰了奇珍异宝的华厦，并娶了美丽的苏丹公主为妻。他击败了非洲魔术师和他的更加邪恶的弟弟夺回神灯的企图后，长时期过着美满的婚后生活，并继承了苏丹王位，在位多年，“子孙绵绵，世袭为君主”。

Aladura 阿拉杜拉 尼日利亚西部约鲁巴人宗教运动，包括非洲西部信奉先知疗法的某些独立教会在内。“阿拉杜拉”意为祈祷得福会。约在1918年兴起于基督教会中的青年知识分子中间，在20世纪70年代初期拥有数十万信徒。他们认为西方宗教形式缺乏属灵的力量，接受美国费城相信祈祷疗法的信心会幕会的宣传。1918年流行性感冒在世界范围内流行期间，尼日利亚境内伊杰布奥德地方的圣公会一般信徒组织祈祷会，强调祈祷可以治病并可以获得保佑，主张严格约束言行。1922年其中一部分人因不赞成圣公会礼仪而分裂出去，自称信心会幕会，有小规模分会若干处。最大的扩展发生在1930年。信心会幕会受到传统统治者、政府和由外国传教士控制的教会的反对，乃向英国五旬节派教会使徒会求援。1932年英国使徒会派来传教士，于是阿拉杜拉运动就以使徒会的名义获得宏传和巩固。英国传教士使用西药，排斥一夫多妻者，并试图完全控制该会，于是问题丛生。1938～1941年一批最有能力的首脑别树旗帜，另立基督教徒会。使徒会依旧与英国使徒会保持关系；其后又出现多次分裂，产生了更多的“使徒派”教会。1925～1926年约鲁巴人先知图诺拉塞和圣公会信徒阿钦索旺创立嗟嗒咱和撒拉弗会，这是阿拉杜拉运动中与众不同的一支。他们于1928年与圣公会和其他教会脱离关系。同年这两位首脑又分道扬镳，不断的分化产生了十几个大支派和许多小支派，他们广为蔓延，及于尼日利亚、贝宁、多哥和加纳。圣公会教理问答作家、教师奥希泰卢于1930年在奥日尔创立我主会(阿拉杜拉)，该会发展到尼日利亚北部和东部、加纳、利比里亚、塞拉利昂，甚至发展到非洲以外的纽约市和伦敦，这两个城市中也有阿拉杜拉运动的其他团体。目前，阿拉杜拉运动仍在继续发展。

Alâeddin Ali Aşik Paşa 阿拉丁·阿里·阿舍克·帕夏 参阅**Aşık Paşa**阿舍克·帕夏。

Alagoas 阿拉戈斯 巴西东北部一州。位于圣弗朗西斯科河北岸。北和西连伯南布哥州，南邻塞尔希培州，西与巴伊亚州相邻，东濒大西洋，海岸线长220千米。面积27 731平方千米。境内多湖泊(拉戈斯)因而得名。1817年前原是伯南布哥的一个区；1822年巴西独立后，为帝国一省；1889年起成为共和国

一州。气候炎热,沿海潮湿,内陆干燥。内陆是半荒瘠的高原,沿海为狭窄的平原。主要河流有圣弗朗西斯科河、蒙达乌河和帕拉巴河等。北湖和南湖是州内最大湖泊。主要山脉为博尔博雷马山脉,利萨山是全州最高点。全州可分为四个植被区:海岸平原区、热带雨林区、疏树草原区和干旱植被区。动物品种繁多。居民有欧洲人、非洲人和印第安人。通用葡萄牙语。天主教为主要宗教。除阿拉戈斯大学外还有州立的医学学校。保罗·阿方索水电站的发电量很大。水供应不足。卫生条件差。医院缺少人员和资金。阿拉戈斯仍是个农业州,但工业化在前进。主要农产品为甘蔗、豆类、棕榈、椰子和棉花等。畜牧业有发展,乳品业集中在州的中西部。工业以制糖为主,此外有纺织、奶制品、冶铁、化肥和制革等。石油开发集中在阿拉皮拉卡、马塞约、德奥多鲁元帅镇等地。首府马塞约是全州最主要的商业城市,可通过其港口进行对外和沿海贸易。马塞约机场有航空线通往其他省会。人口约 2 817 903(2000)。

Alagoinhas　阿拉戈伊尼亚斯　巴西巴伊亚州东北部城市,距大西洋海岸 56 千米。海拔 185 米。1880 年升为市。为该州最大的橘子产地。亦种植香蕉、柠檬和木薯。多乳品厂。亦有制革、采煤和伐木业。产品经铁路和公路运往州首府和附近社区。人口 112 339(2000)。

Alain　阿兰(1868-03-03,法国莫尔塔涅～1951-06-02,巴黎附近勒韦西内)　原名埃米尔-奥古斯特·沙尔捷。法国哲学家。他的著作使几代读者深受影响。在大学时专攻哲学,毕业后在鲁昂等城镇教中学。在鲁昂时曾参加政治活动并开始为一家激进报纸每日写一篇 600 字短文。作品质量甚高,为人们所重视,并汇集成册出版(1908)。被任命为巴黎的昂利·加特尔中学哲学教员后,阿兰成为法国下一代大多数哲学教员之导师。他不顾当时的舆论,预言并谴责了第一次世界大战;但大战爆发后他仍然在炮兵中服役。他拒绝被提升,整个战争期间都是普通一兵。在前线或在电话员的地下掩蔽部中他写出了《玛尔斯,或,战争真相》(1921)、《关于精神与激情的八十章》(1917)和《美术体系》(1920)。随后又返回昂利·加特尔中学任职。他最重要的作品有《思想和时代》(1927)、《海岸上的谈话》(1931)、《思想》(1932)、《神》(1934)、《我的思想历程》(1936)和《心的冒险》(1945)。后因年老多病而退休,隐居在巴黎附近一幢小屋。1951 年被授以文学的国家大奖,是第一位得此奖者。这是他一生中的唯一荣誉。

Alain de Lille　阿兰(里尔的)(约1128,可能是佛兰德里尔～1202,法兰西锡托)　神学家和诗人。博学多才,号称"万能博士"。曾在巴黎学习并执教,在蒙比利埃居住一段时期,然后加入西多会。12 世纪下半叶神秘主义向经院哲学进行反击,阿兰也参加这种活动,提出将唯理主义和神秘主义融合为一的折衷经院哲学。其主要神学论文《公教信仰艺术》,运用数学方法证明信经所规定的教理。

Alain-Fournier　阿兰-傅尼耶(1886-10-03,法国谢尔拉沙佩勒-当日永～1914-09-22,在马恩第一次战役中阵亡)　法国作家。其小说《大摩尔纳》(1913)为一部现代名著,是他

美国不列颠百科全书公司供图

唯一写完的小说。取材于作者在法国中部偏僻农村中度过的幸福生活,反映出作者对一个已失去的欢乐世界的怀念。主人公是一个喜欢空想,性格坚强的学童,他从家中逃出后,与一群孩子在破旧的乡间宅第聚会,在他们当中遇见一个美丽的姑娘。姑娘的原型是他曾经在 1905 年邂逅相识的一位少女。小说接着描述他如何寻觅那位姑娘和那座充满奇幻气氛的乡间宅第。小说的突出之处在于以现实主义手法描写的农村为背景,来衬托怀念中的另一个世界的景象。其他作品主要是在他死后出版的,包括一部通信集(2 卷,1948)。

Alajuela　阿拉胡埃拉　哥斯达黎加西北部省份。北邻尼加拉瓜。面积 9 500 平方千米。畜牧业居全国领先地位,工商业居全国第二位。甘蔗产量约占全国总产量的 1/2。亦为咖啡和水果的重要产地。南部通泛美公路及哥斯达黎加铁路。省会为阿拉胡埃拉。人口约 533 712(1990)。

Alajuela　阿拉胡埃拉　哥斯达黎加阿拉胡埃拉省省会。位于中央高原,海拔 957 米。19 世纪 30 年代曾为国家首都。1856 年抗击美国军事冒险家沃克入侵的英雄 J.圣玛丽亚的故乡。为 19 世纪 70 年代兴建的横贯该国铁路的起点和中心。为避暑胜地,以花卉和集市闻名。通泛美公路。人口约53 430(2000)。

Alakol, Lake　阿拉湖　哈萨克斯坦境内的盐湖。在巴尔喀什湖东 180 千米处,近中国新疆维吾尔自治区边界。流域盆地面积约 6.87 万平方千米,湖面积 2 655 平方千米,湖深约 45 米。有乌尔贾尔河注入。

Alalakh　阿拉拉赫　又称阿特尚纳赫。叙利亚古城,即今泰勒阿恰纳。在土耳其南部的奥龙特斯河(阿西河)流域。1936～1949 年进行考古发掘,出土许多建筑物,包括公元前 1780 年的耶里姆-利姆宫。阿拉拉赫当时为穆基什地区的首府。但因地处边境,常受外敌袭击,公元前 1200 年以后不久即为海上民族所毁。

Alamán, Lucas　阿拉曼(1792-10,墨西哥瓜纳华托～1853-06-02,墨西哥城)　墨西哥政治家、历史学家,曾任保守党领袖近 30 年。他主张建立强有力的中央政府,推进工业化、发展教育和实现农业现代化。在墨西哥政局腐败混乱时期,他是一位正直的、受人尊重的政界人物。早年学习采矿技术。1819 年任西班牙国会中的墨西哥代表,为本国采矿业寻求资金和技术援助。1822 年回到独立的墨西哥。1824～1829 年在 G.维多利亚政府中任外交部长。1829～1832 年在 A.布斯塔曼特政府中任首席部长。他经常与美国发生争执,制订一些抱负不凡但未能实现的经济和政治计划,限制美国向得克萨斯(当时属墨西哥)移民。作为历史学家,他曾创建国家博物馆和墨西哥城档案馆。著有《墨西哥共和国历史论文集》(3 卷,1844～1849)和《墨西哥史》(5 卷,1848～1852)。

Alamanni(Germanic people)　参阅 **Alemanni 阿勒曼尼人**。

Alameda　阿拉梅达　美国加利福尼亚州阿拉梅达县城市。在旧金山湾一岛上。隔奥克兰港湾海峡与奥克兰市相望,并有桥梁、隧道与之相连。原为一半岛,有印第安人贝家。19 世纪 50 年代建居民点。1854 年设市。通往旧金山轮渡的开通及铁路桥和终点站的修建促进了该地的发展。沿岸工业发达,以造船、轧钢和木材加工业为主。有渔港和货运港。1940 年建大型海军航空站。设有阿拉梅达学院(1966)。人口 76 459(1990)。

Alamein, battles of el-　阿拉曼战役(1942-06～07;1942-10-23～11-06)　第二次世界大战期间,英军与轴心国军队在埃及进行的两次战役。意军在北非失利后,德军将领隆美尔任利比亚战区轴心国武装部队司令(1941-02),并于 1942 年 1 月向东沿北非海岸发动一场新的进攻,企图夺取苏伊士运河。英军在 1 月失掉班加西后,阻止德军前进,直至 5 月。其后德军和意军歼灭大部分英国坦克部队,攻下图卜鲁格,长驱直入埃及,于 1942 年 6 月 30 日抵达阿拉曼。到 7 月中旬,隆美尔所部仍被英军阻止,甚至被迫采取守势。这样,第一次阿拉曼战役结束。8 月,亚历山大将军任该战区英军司令,蒙哥马利将军任他的战地司令。1942 年 10 月 23 日,英军第八军团自阿拉曼发动了一次歼灭性进攻,隆美尔兵力不足 8 万,面对 23 万英军,寡众悬殊,被彻底击溃。到 11 月 6 日,英军已将德军逐出埃及,结束了第二次阿拉曼战役。

alamiqui(mammal)　参阅 **solenodon 沟齿鼩**。

Alamo　阿拉莫　美国得克萨斯州圣安东尼奥市内的 18 世纪天主教方济各会教堂和为使得克萨斯摆脱墨西哥统治,争取独立而战的一小群坚定斗士进行历史上有名的抵抗活动的所在地。教堂建于 1716～1718 年,但到 18 世纪末已不再使用。1835 年 12 月得克萨斯独立战争爆发后,一支得克萨斯志愿军把墨西哥军赶出圣安东尼奥并占据阿拉莫。1836 年 2 月 23 日,A.L.de 圣安纳将军统帅墨军越过格兰德河,包围了阿拉莫。在估计有

1 800～6 000 人的墨军猛攻下，不足 200 名的得克萨斯志愿兵坚守阵地达 12 天之久，后虽全部阵亡，但阿拉莫成为得克萨斯人英勇抵抗的象征。现今阿拉莫及其毗邻建筑物已在原址上修复。

阿拉莫历史纪念地
美国不列颠百科全书公司供图

Alamogordo 阿拉莫戈多 美国新墨西哥州南部奥特罗县县城，位于萨克拉门托山西麓、图拉罗萨河谷东部。建于 1898 年。1912 年设市。后成为铁路路段站、木材业城镇和农贸中心。第二次世界大战期间建有霍洛曼空军基地。1945 年 7 月，世界第一颗原子弹在市西北 97 千米的“特里尼蒂试验场”试爆成功。后又进行过导弹试验，现有航空与航天研究设施。水资源匮乏影响了其战后发展，但现有多口水井及一 137 千米长管道系统为该城供水。附近有白沙国家保护区、国际航天先驱者纪念厅和梅斯卡莱罗印第安人保护区。市内有林肯国家森林总部、新墨西哥盲人学校（1903）和州立大学分校。人口 35 582（2000）。

Alamosa 阿拉莫萨 美国科罗拉多州南部城市，阿拉莫萨县县城。濒临圣路易斯河谷中的格兰德河。建于 1878 年，当时原丹佛与里奥格兰德西方铁路终点加兰市迁移至此。后成为铁路和公路运输中心。设有州立亚当斯学院（1921）。地处大沙丘国家保护区入口。附近有格兰德河国家森林。人口 7 960（2000）。

Alanbrooke（of Brookeborough），Alan Francis Brooke，1st Viscount 阿兰布鲁克子爵（第一）（1883-07-23，法国巴涅尔德比戈尔～1963-06-17，英格兰汉普郡哈特利温特尼） 英国陆军元帅，第二次世界大战期间帝国总参谋长。曾在法国和英国皇家军事学院受教育。参加过第一次世界大战。在两次世界大战之间，从事参谋工作成绩卓著，并负责军事训练（1936～1937）。第二次世界大战初期任驻法英军军长，1940 年 5～6 月负责掩护向敦刻尔克撤退。7 月起负责指挥国内部队，直至 1941 年 12 月晋升总参谋长。1945 年受封男爵，1946 年受封子爵。

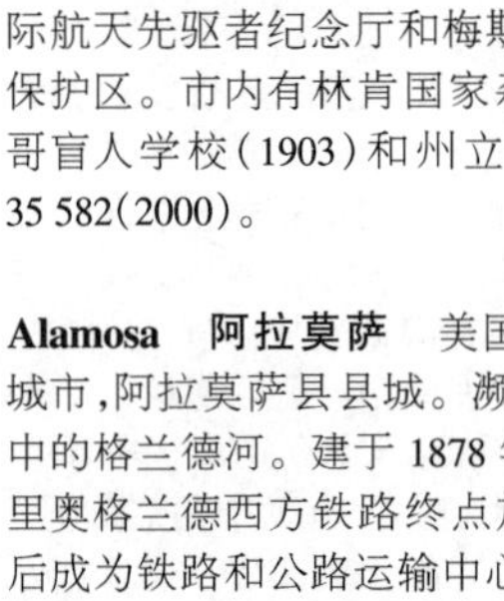

美国不列颠百科全书公司供图

Åland Islands 奥兰群岛 芬兰语作 Ahvenanmaa（阿赫韦南马群岛）。在芬兰西南部，位于波的尼亚湾入口处，在奥兰海东缘，距瑞典海岸 40 千米。行政上为阿赫韦南马自治省。陆地面积 1 527 平方千米。由 35 个有居民的岛、6 500 个无人居住的岛和许多岩礁组成。最大岛奥兰岛北部为崎岖岩石，东南部有富庶农田；岛上有本省行政首府和主要海港玛丽港。群岛土地肥沃、气候温和，农作物单位面积产量居本国最高。居民讲瑞典语。渔业正在衰落。以机械化小农场生产谷物、黄瓜、洋葱、马铃薯，栽培果树，饲养奶牛和羊。与本国大陆和瑞典之间有轮渡和航空往来。当地有青铜器和铁器时代村落遗址、北欧海盗墓地和中世纪教堂的遗迹。因与瑞典的经济、文化联系久远，当 1917 年芬兰宣告独立时，岛民要求有自决权并谋求并入瑞典。1920 年芬兰同意群岛自治。阿赫韦南马自治省设有一院制议会，省长由芬兰总统取得省议会议长同意后任命。人口约 26 000（2002）。

alang-alang（grass） 参阅 **cogon grass 白茅**。

Alang language 阿朗语 参阅 **Halǎng language 哈朗语**。

Alani 阿兰人 古代占据黑海东北部草原的游牧民族。在公元 1 世纪罗马的文献中首见记载，说他们是一个好战的民族，专门饲养马匹，经常袭击安息帝国和罗马帝国的高加索各行省。约 370 年阿兰人被匈奴征服后，大部西迁，一部分在奥尔良和瓦朗斯附近定居，多数随汪达尔人迁往北非。据说留下接受匈奴统治的部分是高加索奥塞梯人的祖先。

alanine 丙氨酸 一种氨基酸。鸟类及哺乳动物的非必需氨基酸（动物能利用糖的分解产物丙酮酸合成丙氨酸而无需从食物中取得），有两种异构体。α-丙氨酸是蛋白质的组分，在丝纤蛋白中含量极为丰富，1879 年丙氨酸即首先由此分离成功。β-丙氨酸不存在于蛋白质中，但天然存在于哺乳动物肌肉中的肌肽及鹅肌肽内，也是维生素泛酸的重要成分。

ālāpa 阿拉帕 梵语意为“对话”，在印度和巴基斯坦艺术音乐中用来引出拉格的即兴旋律。主要用在一段表演的开场部分，演唱时没有节奏伴随，特点为随意及无规则。在只有持续低音的伴奏下，演唱者逐渐引出拉格的基本曲调和旋律变化。这时独唱者才为唱出了拉格的全部旋律并在曲调的含韵律部分注入他独特的情绪和个人的意志。在正式的音乐会中，通常以第一次鼓响作为阿拉帕结束的信号。

Alapayevsk 阿拉帕耶夫斯克 俄罗斯中西部叶卡捷琳堡州城市。临涅依瓦河。是乌拉尔最老的钢铁工业中心之一（1704 建炼铁厂）。亦有机床、木材加工和金属加工业。人口约 50 300（1991）。

Alarcón（y Mendoza），Juan Ruiz de（dramatist） **阿拉尔孔** 参阅 **Ruiz de Alarcón（y Mendoza），Juan 鲁伊斯·德·阿拉尔孔**。

Alarcón y Ariza，Pedro Antonio de 阿拉尔孔-阿里萨（1833-03-10，西班牙瓜迪克斯～1891-07-10，巴尔德莫罗） 西班牙作家，以小说《三角帽》（1874）闻名。曾以志愿兵身分参加 1859～1860 年的摩洛哥战役，此次远征为他写《非洲战争目击者日记》（1859）提供了材料。那是一本描写战争生活的杰作。回国后，任反教会刊物《鞭子》的编辑，但在 1868～1874 年，由于改变立场过快，政治声誉受损，然而他的文学名声却稳步增长。《三角帽》是一部中篇小说，取材于一首民间叙事歌谣，以其巧妙的结构和敏锐的观察而流传至今，被认为是一本风俗主义杰作。

Alarcos，Battle of 阿拉科斯战役（1195-07-18） 在穆斯林占据西班牙时期，阿尔摩哈德人对卡斯蒂利亚国王阿方索八世的军队的一次重大胜利。1190 年，阿尔摩哈德王朝哈里发阿布·优素福·耶古卜打退了卡斯蒂利亚和莱昂两国王对穆斯林在西班牙的领地的进攻，迫使他们停战。停战期满（约 1194）后，卡斯蒂利亚国王阿方索入侵塞维利亚省，阿布·优素福遂率反基督教远征军离开北非的首都马拉喀什。卡斯蒂利亚人对穆斯林的前卫进行突然袭击，但由于低估了阿尔摩哈德军队的力量，在阿拉科斯要塞附近一役中被优素福打败，其时阿方索的私敌卡斯蒂利亚人 P. F.de 卡斯特罗也率其骑兵助战。阿方索和他的军队逃往托莱多和阿拉科斯。此后多年间，当阿尔摩哈德人入侵卡斯蒂利亚，连克蒙坦切斯、特鲁希略、圣克鲁斯及塔拉韦拉诸城镇并毁掉托莱多的葡萄园时，尽管阿方索有阿拉贡国王的帮助，也不愿与他们正面交锋。

Alaric 阿拉里克（约370，珀斯岛［今在罗马尼亚］～410，布鲁蒂乌姆科森蒂亚［今意大利科森扎］） 西哥特人首领，410 年 8 月洗劫罗马的军队领袖。这一事件标志着西罗马帝国的垮台。贵族出身。一度在罗马军中指挥哥特人的部队。395 年罗马皇帝狄奥多西一世死后不久，他离开军队并当选为西哥特人首领。他以罗马人没有给予西哥特人津贴为口实，进军君士坦丁堡。在受到罗马军队的阻击后，又挥师南下，攻入希腊，洗劫比雷埃夫斯（雅典的港口）、科林斯、迈加拉、阿戈斯和斯巴达等地。397 年东罗马皇帝弗拉维·阿卡狄乌斯不得不任命他为伊利里亚地区的军事长官。401 年阿拉里克入侵意大利，为罗马大将斯提利科击败（402-04-06），被迫撤出意大利半岛。虽然第二次入侵仍以失败告终，但罗马元老院终于付给西哥特人一笔巨额津贴。当西罗马皇帝霍诺留拒绝给予阿拉里克土地和物资的时候,阿拉里克率兵围攻罗马(408),直到元老院答应再给一笔津贴之后,他才退兵。可是霍诺留却不让步,因此,阿拉里克于409年再次包围罗马。在阿特卢斯成为西罗马皇帝后,阿拉里克解除了他对罗马的封锁。410年夏与霍诺留谈判破裂后,阿拉里克废黜阿特卢斯,第三次围攻罗马,8月24日罗马终于陷落,这是800年来该城首次为外敌攻占。阿拉里克的军队占领罗马3天,他们劫掠罗马,但只焚毁少量建筑,对城内居民实行人道政策。此后,阿拉里克率军北上,不久死于军中。

Alaric II　阿拉里克二世(?～507)　西哥特国王,484年12月28日继其父尤里克为王。领土包括西班牙(加利西亚王国除外),阿基坦、朗格多克和普罗旺斯西部。他与其父一样是阿里乌派基督徒,但他却减缓了对天主教的迫害,并于506年认可阿格德天主教会议。为给其罗马臣民提供一部法典,他任命一委员会制订罗马法和帝国法令摘要。该法典于506年出版,即《阿拉里克每日祈祷书》,阿拉里克试图维护其父与法兰克人所订的条约,但是法兰克王克洛维却以西哥特人信仰的阿里乌教派作为开战借口,于507年大败西哥特人。据传,阿拉里克在逃亡途中被捕,并由克洛维亲手杀死。

alarm signal　警报信号　动物学术语。指在一个动物群体的成员当中用来传递危险或恐吓信息的仪式化手段。在许多情况下,这种信号是视信号或声信号,但某些动物如蚂蚁、蜜蜂和某些鱼类则分泌化学物质。警报通讯常常超越种间界线。多种小鸟针对隼的警报叫声十分相似,这可使大多数其他鸟类也躲蔽起来。哺乳动物中普遍的一种视警报信号是"打旗"号——抬起尾巴,露出白色的下表面。动物只有在翘着尾巴连蹦带跳地逃跑的惊恐情况下,才显露出它白色的皮毛。生物学家对于哺乳动物这种常见的报警反应的确切意义还没有一致的意见。虽然对警报的反应通常是僵住不动或逃跑,但是如果刺激是在某个关键距离以内,也可能引起攻击反应。

Alas (y Ureña), Leopoldo　阿拉斯(1852-04-25,西班牙萨莫拉～1901-06-13,奥维耶多)别名克拉林。西班牙小说家、评论家。他那辛辣而富有战斗性的文章以及拥护自然主义和反教会的观点,使他不仅成为西班牙最令人生畏的评论家,而且树敌甚多,大大地影响了他的名声。1870年到奥维耶多大学就读,获得学位,留任该校的法学和政治经济学教授,直至去世。早期小说《庭长夫人》(1884～1885)和《独生子》(1890)无情地揭露了外省社会,均被列为19世纪最伟大的自然主义小说。他的短篇小说一般较为轻松幽默,明晰地反映出他的广博学识和深切的情感。

美国不列颠百科全书公司供图

Alaşehir　阿拉谢希尔　土耳其西部城镇。位于博兹山山麓库祖河谷。约公元前150年为帕加马国王所建,后为拜占廷帝国重要城镇。1402年曾被帖木儿攻克,后被奥斯曼苏丹穆拉德二世夺回。土耳其独立战争时(1919～1922)部分被焚毁。阿菲永卡拉希萨尔—马尼萨—伊兹密尔铁路经此。产烟草、葡萄干和水果。有一矿泉喷涌大量伊兹密尔需要的碳酸水。人口:城镇29 484(1985)。

Alaska　阿拉斯加　1959年1月3日阿拉斯加成为美国的第49州,使美国的面积增加了近20%。这片新区包括大片未勘探的土地和有待开发的资源。但当国务卿西沃德通过谈判于1867年从俄国手中购得阿拉斯加时,购买这块土地却被认为是"西沃德干的一件蠢事"。由于阿拉斯加远离美国本土以及在地理和气候上不利于旅行与通讯,该地区的拓居和开发受到了阻碍。阿拉斯加现在仍然是美国最后的边疆。该州一半以上的居民住在大安克雷奇地区。首府朱诺位于锅柄形地带东南方922千米处。

阿拉斯加位于北美大陆的西北端,是西半球最大的半岛。面积1 530 700平方千米(591 004平方英里),包括大约15 000平方英里的峡湾和小港。三面临海,有54 400千米(34 000英里)的锯齿形海岸线和6 600英里面向公海的海岸。北和西北滨北冰洋,西临白令海峡和白令海,南靠太平洋和阿拉斯加湾,东部穿过约1 150英里的高山,分别与加拿大的育空地区和不列颠哥伦比亚省接壤。该州南部的边缘地带是地球上最活跃的地震带。安克雷奇北边的阿拉斯加山脉中的麦金利山高6 194米,是北美大陆最高峰。

由于对土地的商业利用和生态利用,如阿拉斯加公路煤气管道工程,土著阿拉斯加人的土地要求,本地人的非商业性捕鲸及其他有关事宜,使得阿拉斯加的开发与保护问题变得十分突出。自然资源保护论者和石油公司之间对铺设纵贯阿拉斯加的输油管(从北冰洋上盛产石油的北斯洛普铺到南端的瓦尔迪兹)的争论经过持续达百年之久的努力,终于在这片广袤的土地上找到了开发与保护之间的平衡关系。

自然地理与人文地理

土地　阿拉斯加幅员辽阔,地理景观多种多样。全州近1/3面积位于北极圈内,土地终年冰冻(永久冻土),为草木不生的冻土地带。南部海岸和近海面的锅柄地区为全温带。但在这后两个地区和与毗邻的加拿大地区,却有除格陵兰岛和南极洲外世界上最大的冰川。在苏厄德半岛最西端外,白令海峡中的小代奥米德岛(阿拉斯加的一部分)离俄罗斯的大代奥米德岛只有4千米,两国对恶劣天气下经常发生的对领空的无意间侵犯都表现出默忍互容的态度。

地形　阿拉斯加由9个地形和环境显著不同的地区组成。大陆上的锅柄地区大部分为邦德里山岭地区,位于圣伊莱亚斯山脉以东和以南,是一条宽度为25～50英里的狭长地带。这里有数块大冰原,还有包括圣伊莱亚斯峰(18 009英尺)在内的数座山峰,阿拉斯加一育空边界由此峰顶转向正北。这一系列山脉的西延部分即楚加奇山脉,在阿拉斯加湾最北缘构成一个巨弧形。许多偏远的山谷和高岭仍未勘探,地形和冰河制约了开发。沿海的特点是经常有剧烈的海洋性风暴,使临海的一侧山上长满了稠密的雨林。在山谷间的河流中,破坏性很大的洪水常常夹带着过多的融雪水和融冰水,年年泛滥成灾。

南部沿海群岛和阿拉斯加湾群岛包括锅柄地区的亚历山大群岛(11 000个岛屿)、科迪亚克岛及其在库克湾以南的卫星岛屿。这些岛屿是南部地区的延伸部分,地势比较低平,较少受冰川作用。这里雨量充沛,并受黑潮增暖海水的影响。

阿留申地区包括构成布里斯托尔湾南岸线的狭窄的阿拉斯加半岛及长达1 100英里,将北太平洋和白令海分隔开的阿留申群岛。阿留申群岛包括14个大岛、55个重要的但较小的岛屿以及数千个小岛。最大的岛是乌尼马克岛、乌纳拉斯卡岛和乌姆纳克岛。有时在晴朗的夏日,乌尼马克岛上的一些活火山和均匀对称的希沙尔丁火山(高2 857米)等冰川覆盖的山峰历历在目,清晰可见。如此优美的景色是阿留申群岛上最壮丽的。不过,这里的气候通常潮湿而多风暴,为平流风,尖利刺骨,而且浓雾弥漫。

辽阔的阿拉斯加山脉地区,越过占阿拉斯加大陆1/3的南部地区,将阿留申山脉和毗连圣伊莱亚斯山脉广大综合地区的兰格尔山脉连结在一起。兰格尔山脉有巨大活火山和高山谷冰川。这座亚北极山脉的两侧大部分覆盖着冻原。

内陆盆地地区位于北面的阿拉斯加山脉和东面及南面的楚加奇-兰格尔-圣伊莱亚斯山脉之间,地势低洼,气候相对温和。许多低谷地区有肥沃的耕地,阿拉斯加的大部分居民都在这里生活。

阿拉斯加内陆的中部平原和高原构成阿拉斯加山脉西部和北部的广大地区,北部远达布鲁克斯山脉。地势绵延起伏,被流向育空河和卡斯科奎姆河的众多河川支流所切割。平原地区从加拿大边界一直延伸到诺顿湾、苏厄德半岛和育空三角洲;南至白令海的布里斯托尔湾的北缘。这一地区以河滩平原和高原平顶台地为特点,有丰富的猎物,是水禽(包括数量众多的候鸟)的重要筑巢地。

布鲁克斯山脉是自西向东横贯中部平原以北地区的一条大山脉,从沿海几乎延伸到育空边境,向北缓缓倾斜到一条濒临北冰洋的狭长沿海平原,向西倾斜到科策布湾北边的较低丘陵。有少数极地高山冰川,属半干旱地区。较低的山两侧和山谷为冻原覆盖,带有永久冻土的特征。

从塔纳诺河眺望阿拉斯加山脉
美国不列颠百科全书公司供图

布鲁克斯山脉以北的沿海低地，有时称北斯洛普，是大群北美驯鹿的栖息地。这里为真正的极地环境，沿岸海水一年中有8个月冰冻期，土地除在夏季有薄薄一层融化外，终年冰封。无树木生长，夏季草地和极地高山野花十分繁茂。西部有阿拉斯加国家石油保护区，东部有普拉多湾油田和部分国家极地野生动物保护区。

白令海诸岛屿的面积虽小，但具有独一无二的极地海洋环境，其中以圣劳伦斯岛、努尼瓦克岛、圣马修岛和普里比洛夫群岛为最典型。这些被冻原覆盖的岛屿冬天被海冰包围，是海豹、海獭以及海狮和海象等的毛皮动物世界最大的保护区。努尼瓦克岛上有爱斯基摩人驯养的大批驯鹿。

气候 阿拉斯加除几条大山脉之外，一般可分为5个气候区。

阿拉斯加南部沿海和东南部地区、阿拉斯加湾群岛及阿留申群岛，夏季平均气温4～16 °C，冬季4～-7 °C。年降雨量因地区不同而各异，从1 525～4 065毫米（60～160英寸）不等。锅柄地区和南部岛屿布满锡特卡云杉、铁杉和其他常绿植物。科尔多瓦-瓦尔迪兹地区和锅柄地区中西部的部分地区在全州降雨量最高，有220英寸或更多。在瓦尔迪兹，降雪量达200英寸并非罕见。阿留申群岛的雨量较少，但即使在那里每年也有大约250天的阴雨天。

内陆盆地的气温夏季为7～24°C，冬季为-7～-23 °C。该地区比沿海干燥，冬天稍冷，安克雷奇的年均降水量约380毫米。这里气候宜人，靠近海洋，逐渐成为该州人口聚居中心。

白令海沿岸和诸岛屿的夏季温度为4～16 °C，冬季温度-7～-23 °C。太平洋的温暖影响在普里比洛夫群岛的北边消失，北极的海冰常常飘流到这一地区。

中部平原和高原的气温在夏季为7～24°C，冬季-23～-34 °C。年均降水量为10～20英寸，但现在常常不到10英寸。

北冰洋的影响调节着北斯洛普的气温，夏季保持在2～13 °C，冬季-21～-29 °C，不如内陆平原严寒。年降水量为5英寸左右，一年中8个月左右作为积雪留在地面上。夏季，在阳光连续24小时照耀下，可聚集强烈的辐射能，使温度上升到32 °C。但冬季的酷寒，使高北寒带保持永久冻土的特性。北部沿海地区一年中有9个月被海冰堵塞，冰雾常常向南蔓延到费尔班克斯。

住区模式 大部分阿拉斯加人住在安克雷奇周围的南部内陆盆地，其余的人大多数住在费尔班克斯附近的内陆平原或锅柄地区，这里的朱诺是该州的主要城市和行政中心。极少数的人群分散在一些小村落里，人口最稀少的地区是极地平原、白令海沿岸和阿留申群岛。许多边远地区的状况继续存在：男女的比率1910年是5∶1，现已降到几乎相等，但在许多地方，酒吧像教堂一样多。

人民 当地许多英国、俄国、西班牙和法国的地名表明欧洲人早期曾在这里探险。但同样重要的是，许多地名在西方人到来之前就存在。阿拉斯加这一地名就来自阿留申语alaska和爱斯基摩语 ālakshak，两者皆为"大陆"之意。

早在白令航行至此之前，特林吉特印第安人就居住在南部和东部沿海地区，阿留申人居住在阿留申群岛和阿拉斯加半岛；爱斯基摩人则居住在白令海岸和北冰洋沿岸。内陆地区的土著是蒂内印第安人，讲阿萨巴斯卡语，南边大陆上的普莱恩斯印第安人也讲此语。印第安族群可能是15 000多年前从亚洲经白令兰德布里奇（意为白令陆桥）到此的最早移民的后裔，他们带来的移民浪潮早在10 000年以前已到达远至南美洲的最南端。爱斯基摩人和阿留申人是晚到得多的移民，他们大约是在8 000～3 000年以前乘坐兽皮筏子到此地的。所有的部族都卷进了公地授予的争论和裁定之中。

来自南方48州的第一次移民浪潮是对阿拉斯加开始将注意力集中在矿业、渔业和林业资源上的回应，它发生在第一次世界大战前的10年间，那是淘金热结束后的一个时期。油田的发现和阿拉斯加作为一条国际航空枢纽的出现，促进了20世纪40～50年代人力、物力的大量涌入；纵贯阿拉斯加输油管的建设在60～70年代又一次加快了人力、物力的涌入。到1980年，该州的白人仅有20%是在阿拉斯加出生。

阿拉斯加现有居民约1/7为爱斯基摩人、阿留申人和印第安人，其余则为美国人、俄国人、菲律宾人、日本人、中国人及其他民族的人。州内还有军人及其家属。人口626 932（2000）。

经济 阿拉斯加的经济受到该州的边远地区发展阶段的强大制约，从前用于该州和市政发展的税收面不广，但这种情况随着北斯洛普油田的开发已经结束。劳动力和运输费用的昂贵，复杂的环境以及土地利用所受到的限制，仍然阻碍着外界的投资。不过，在从联邦的军事基地过渡到能自我维持的商业性经济这一过程中，该州自然资源的开发起了很大的帮助作用。

政府的作用 阿拉斯加自成为准州之日起，其经济就由政府控制。从1940到1960年，联邦政府在阿拉斯加投资近20亿美元，用来发展军事基地。在阿拉斯加的历史上还不曾有任何事情产生过如此长期的效果：成千上万的居民涌进该地区，提供了大量的工作岗位，有了大批远达偏僻角落的运输设施和通信设施。这些设施加上州政府和地方政府的工作，对阿拉斯加的经济继续有着很大的帮助。

农业 农业只占阿拉斯加经济的一小部分，不过，一个可望独立发展的州内市场仍在形成中。超过120万公顷的可耕地可供开发耕作，不过，许多清地工作尚无人去做。大部分土地在安克雷奇附近和基奈半岛上，虽然费尔班克斯附近也有一些，在科迪亚克岛和乌尼马克岛上已办起了牲畜饲养场。结果，所有的农产品都在本地销售，而大部分食品还须进口，从而极大地增加了生活费用。宅地法案的提付表决使土著人要求土地的争论得到解决，进一步减少了新土地的开发。虽然该地区生长季节短促，但夏季长时间的日照很适合燕麦、大麦、马铃薯、干草和喜欢凉爽气候的蔬菜生产。牲畜和温室农作物也很成功。

渔业、林业和毛皮业 阿拉斯加最稳定的财政进项来自渔业。鱼类大多集中在南部海岸外的水域中。大马哈鱼是最主要的鱼类。科迪亚克岛的凯奇坎和白令海南部的布里斯托尔湾的几个港口是世界大马哈鱼加工工业中心。捕鱼船队也带来大量的鲱、鳕、绿鳕和大比目鱼以及首黄道蟹、堪察加拟石蟹和坦纳蟹。对各国在阿拉斯加水域的捕捞，按200海里专属经济区和《美-加太平洋大马哈鱼条约》(1985,鱼在哪国产卵,其所有权就属哪国)的规定进行管理。

阿拉斯加的大部分木材资源分布在通加斯和楚加奇国家林区以及锅柄地区和南部沿海地区。木材产品主要出口亚洲,凯奇坎和锡特卡的纸浆出口日本。

普里比洛夫群岛的海豹皮占该州每年毛皮产量的一半以上。其他毛皮(主要来自养殖场)也进行加工生产。努尼瓦克岛上的驯鹿皮革生产由阿拉斯加土著人协会经营管理。

电力 阿拉斯加巨大的水力储备量实际上尚未开发。在安克雷奇附近的伊克卢特纳湖上有一项最大的水利工程。朱诺附近开发的水力发电供应锅柄地区,基奈半岛上的另外一项工程计划把电力输送到中部和南部地区。其他许多地区的居民则依靠柴油和煤进行火力发电来满足所需的大部分电力。

矿业 第一次采出石油并进行提炼是在1917～1933年间,但1961年基奈油田的开发使石油和天然气工业成为阿拉斯加最重要的矿业产品。早在19世纪80年代就在北斯洛普地区发现油苗,如今它已成为对该州和全美国都十分重要的大油田。阿拉斯加的石油产量仅次于得克萨斯。

自从1880年在阿拉斯加开采硬矿石以来,约95%的矿石采出了金、铜、锌和银。运用现代科学技术和空中勘探的探矿工作仍在继续。该地区最大的潜在矿藏位于锅柄地区、楚加奇和阿拉斯加山脉,苏厄德半岛位于不受环境法规限制的地区。

第二次世界大战以后,阿拉斯加的黄金产量大幅度下降,但到20世纪80年代,主要是黄金还有锌、银和铅的开采量开始回升。1938年肯尼科特矿关闭,作为主要矿业的铜矿开采也随之结束,但在别处又发现了新的矿床。煤炭依旧是一项重要工业。另一项重要活动是开采供建筑业用的沙子、砾石和黏土。

旅游 阿拉斯加的旅游业发展迅猛。观光者主要乘飞机或船抵达,并可以坐飞机和汽车前往该地区的许多地方。观光者之所以纷纷涌来,部分是因为阿拉斯加海上交通干线有可运载100辆汽车和500位乘客的渡轮。一个渡轮系统将科迪亚克岛与大陆上的苏厄德和阿拉斯加铁路连接起来;另一个系统把科尔多瓦和瓦尔迪兹连为一体;第三个系统承担从凯奇坎到斯卡圭的锅柄地区以及鲁珀特王子港、不列颠哥伦比亚、华盛顿州的西雅图的运送业务。

运输 高昂的运输费用一直在损害阿拉斯加的经济发展,其主要原因是州内与州外的主要交通运输联系都要依靠能快速跨越阿拉斯加迢迢险途的飞机。阿拉斯加有24条航线,每天都有客运和货运航班从南方48个州、加拿大、欧洲、夏威夷、韩国和日本飞来。这里有约800个机场、水上飞机基地和应急简易跑道可供使用,几乎所有乡村都有航空服务,起码是小飞机。该州大部分公路都铺有路面。阿拉斯加公路及海恩斯和斯卡圭两条捷径把阿拉斯加内陆公路网与外界连接起来,使观光者比较易于进入。一条从费尔班克斯到普拉多湾的669千米长的运输公路和现有的公路网衔接起来,提供了一条从南方不冻港到北冰洋的纵贯大陆的道路。但是,公众只限于这条公路的南半部,而且仅在夏季才可使用。

从苏厄德经安克雷奇到费尔班克斯的国营阿拉斯加铁路全程约800千米。海上运输把西雅图、温哥华和加拿大铁路终点鲁珀特王子港同锅柄地区各城镇以及往西到科尔多瓦、瓦尔迪兹、苏厄德和科迪亚克连接起来。在无冰封的仲夏季节,远洋运输船还通往诺姆、巴罗和北极沿岸的油区。一条天然气管道把基奈气田和安克雷奇连接起来,纵贯阿拉斯加的输油管把北斯洛普的石油输送到瓦尔迪兹不冻的油轮码头。

20世纪50年代中期,在西雅图和阿拉斯加之间敷设了海底通信电缆,内陆所有社区都可用无线通信电话进行联络。

行政和社会状况 **政府** 1956年通过了州宪法。州长和副州长是唯一的行政官员,由选举产生,任期4年。40位众议院议员和20位参议院议员也由选举产生,任期分别为2年和4年。最高法院有一位首席法官和4位助理法官。1980年设立了一个三人上诉法院。共有4个地区法院,一个单独的联邦地区法院轮流在朱诺、安克雷奇、费尔班克斯和诺姆开庭。

公共资金的筹措靠征收各种个人所得税、财产税、销售税和商业税,包括与石油有关的各种开采税、采矿租金和开采权使用费。作为"加入联邦法"的一方,国会从出售毛皮和联邦土地的收入中给阿拉斯加州一定的收益。

州和各地区的政府部门由于经济活动范围有限和失业率高,很难提供通常范围内的服务。广漠的地域和复杂的地形又增加了这些问题的难度。

美国印第安人事务局帮助阿拉斯加的土著人在经济上和社会上能够自给自足。尽管有一系列援助方案,但阿拉斯加的许多土著人仍然在失业、低收入和贫穷中受煎熬。虽然在建州以前,印第安人事务局对教育承担了大部分责任,但土著人最初所受的教育却是教会团体提供的。对职业培训、开发就业机会以及对福利事业、社会工作、医疗和保健均提供有一定数量的基金。印第安人事务局还帮助土著人按联邦和州的法律组织自己的村庄。土著人土地上的一些石油收入用于自助计划。1971年,土著人对土地的要求得到解决,44 000 000英亩土地被置于土著人的管辖权利之下,改善了他们的经济状况。

教育 实行八年制或到16岁的义务教育,由州的一个委员会和一位教育专员管理。通过州教育部可得到高中函授教育学习机会。军事基地上建有几所联邦学校。阿拉斯加大学是在政府赠地上兴建的学校,创建于1917年,在费尔班克斯、安克雷奇和朱诺设有分校。在锡特卡、凯奇坎、基奈和瓦尔迪兹等市有几所社区学院。安克雷奇的阿拉斯加太平洋大学、格伦纳伦的阿拉斯加圣经学院和锡特卡的谢尔登·杰克逊学院为私立学校。

卫生与保健 老人、孤儿和盲人由州政府提供帮助,生病和有残疾的渔民也可通过一个专用基金得到救济。该州还设有一所精神病院、一个肺病治疗中心、一个青年营和一座监狱。

普通人就诊的医疗诊所与医院由市政府、区政府或私人机构提供,也有一些是教会医院。自从1950年,美国公共卫生署的护士和医生多次来到这些偏远的村庄,使卫生水准有了显著提高。众多的飞机场、无线电通信网和小飞机在全州的普遍使用,使大多数人(甚至在偏僻的乡村)在紧急需要时能够前往医疗机构进行治疗。费尔班克斯、安克雷奇、朱诺和凯奇坎建有现代化的医院。

文化生活 阿拉斯加的历史,包括土著人的艺术和工艺品,在阿拉斯加的文化中有深远的影响。朱诺是该州的历史图书馆和州博物馆的所在地。这里的大学有一个大博物馆,锡特卡、海恩斯、瓦尔迪兹和罗姆等社区亦然。阿拉斯加的著名艺术家中既有白人也有爱斯基摩人。当地的牙雕和木雕非常出名,几乎失传的图腾雕刻艺术在公、私两方面的激励下又部分得到恢复。

野生动物保护区和繁殖区遍布阿拉斯加,其77 000 000英亩以上土地由美国鱼类和野生动物局管理。联邦土地管理局也拥有约25 000 000英亩土地,用于水力发电的开发。

除已经建成的7 500 000英亩野生动物保护区之外,1980年又有104 000 000英亩土地被指定为国家公园、禁猎区、野生动物保护区和公共莽原区。阿拉斯加国家公园以奇观著名。迪纳利(前称麦金利山)国家公园和禁猎区(1917)有大量的野生动物,包括棕熊、灰熊、北美驯鹿和驼鹿。阿拉斯加半岛上的卡特迈国家公园和禁猎区(1918)包括万烟谷,是一片有活火山的地区,1912年的喷发是世界上最猛烈的火山爆发之一。冰川湾国家公园和禁猎区(1925)有宏伟壮丽的峡湾和冰川(20世纪已大量退缩)。锡特卡国家历史公园(1910)内收集了大量刻有图腾形象的柱子,纪念特林吉特人反抗早期俄国拓居者。东南地区和中南地区的通加斯和楚加奇国家森林,都是联邦公共土地保护区。美国内政部一直在研究需要从公共领地里收回更多的地区用作自然保护区。

体育运动业,包括导游和出售旅行与野营用具及订约租船,一直是一项吸引人的活动。阿拉斯加拥有美国唯一的重要北极莽原,联邦、州、大学和私人机构在冰川、高山、冻原、大气层、电离层和极地海洋学领域做过许多调查研究。例如,阿拉斯加大学通过其地球物理研究所、海洋科学研究所、北极生物研究所和其他团体对许多北极问题开展了广泛的研究。从1946年以来,冰川与环境研究基金会朱诺分会协同国家科学基金会、爱达荷大学和阿拉斯加大学,资助了一项对朱诺冰原冰川与环境研究和实地科学培训计划。

历史

探险 早在1700年,西伯利亚的土著民族就传说过正东方有一大片土地。俄国沙皇派了一支探险队,由丹麦航海家V.白令率领前去考察。1728年,探险队虽然由于浓雾没有找到北美洲,但断定这片新土地同俄国大陆是不相连的。1741年,白令第二次探险航行时,望见了圣伊莱亚斯峰,并将一些人送上岸。带回俄国的海獭毛皮,在下一世纪期间开辟了欧、亚和北美太平洋海岸之间的珍贵毛皮商业贸易。

早期居民点 1784年,俄国人在现今的科迪亚克附近的三圣徒湾建立了第一个欧洲人的居民点。1806年以前,它一直是阿拉斯加的首府,1799年,根据保罗一世皇帝的特许设立的俄美公司把总部移至亚历山大群岛盛产海獭的地方锡特卡。公司一直掌管着阿拉斯加,直到1867年美国把它买下。阿拉斯加的第一任地方长官(当时称总经理)亚历山大·巴拉诺夫是一个暴躁好斗的行政长官,对待本地的印第安人和爱斯基摩人十分严酷,导致1802年在锡特卡的一次大屠杀。

1824年,俄国授予所有国家的毛皮商人均等的贸易权利,停止了一个时期以来俄国、英国和美国毛皮商人之间的剧烈竞争。海獭濒于灭绝和克里米亚战争(1853～1856)的政治后果,是俄国愿意把阿拉斯加卖给美国的原因。1867年,俄国部长提出一项正式建议,在许多公众反对之后,美国国会最终批准了这桩购买交易。1867年10月18日,美国国旗飘扬在锡特卡的上空。

政治成长 阿拉斯加作为美国的领地,在1877年以前由陆军部的军队长官管辖。在这些年间,领地内没有什么发展,不过1878年兴建的一家大马哈鱼罐头厂却是后来成为世界上最大的大马哈鱼罐头业的开始。1884年,国会把阿拉斯加建成一个司法地区,设置了几个联邦地区法院,开始实施一套学校教育制度。1906年,第一个国会众议员,一个无投票权的代表经选举产生,1912年国会建立了阿拉斯加准州,并设有一个选举产生的准州立法机关。阿拉斯加人于1946年投票赞成建州,并于1955年通过了一部宪法。国会赞成阿拉斯加建州的议案于1958年通过,1959年正式加入联邦。

矿业兴旺 阿拉斯加历史上的其他重大事件包括1861年在斯蒂金河,1880年在朱诺,1886年在四十英里克里克早期发现黄金,以及后来在1897～1900年间人群涌向毗连不列颠哥伦比亚和育空地区的阿特林与克朗代克砂矿采金地去淘金。随后,1898年在诺姆,1903年在费尔班克斯也发现了黄金。淘金热使美国人认识到这片先前被忽视的土地的经济潜力。锅柄地区的大量硬石金矿得到了开发,1898年在麦卡锡发现了铜。塔纳诺河谷的黄金1903年开始挖掘,一直持续到1967年。

经济增长 1903年阿拉斯加边界特别法庭解决了美国与加拿大在不列颠哥伦比亚与阿拉斯加锅柄地区之间的边界争端。美国认为边界应沿邦德里山脊划定,此观点被接受,绘制边界图的工作于1913年完成。1898～1900年间,兴建了一条窄轨铁路,穿过怀特帕斯,把斯卡圭与育空的怀特霍斯连接起来,不久,科尔多瓦—麦卡锡铁路铺筑到科珀河。另一条里程碑式的、而且是这些铁路中唯一仍在运营的,是1923年铺筑的阿拉斯加铁路,全程538英里,把苏厄德与安克雷奇和费尔班克斯连接起来。1935年政府鼓励在安克雷奇附近的马塔努斯卡谷地实施一项农业计划,在该地以及塔坦诺和荷马地区建起了奶牛场和农耕业。

第二次世界大战期间,日本军队在1942年占领了阿留申群岛的阿加图岛、阿图岛和基斯卡岛,轰炸了乌纳拉斯卡的荷兰港。这一侵略行为促使了几个大型机场和连接道森克里克、不列颠哥伦比亚和费尔班克斯的阿拉斯加公路(2 400千米)的建成。这两项建设后来证明对该州的商业发展具有巨大的价值。

20世纪期间,该州共发生近40次至少为里氏7.25级的地震。1964年3月27日的灾难性地震(里氏8.4级),波及锅柄地区西北部和库克湾地区,摧毁了安克雷奇的部分地区;随之而来的海啸又彻底淹没了瓦尔迪兹;科迪亚克和苏厄德的沿海地区下沉了9.75米(32英尺);有一段海岸升高了16英尺,摧毁了科尔多瓦的港口。

20世纪50年代在基奈半岛发现石油和天然气及在库克湾近海钻井获得成功,使得这个行业到70年代已在该州矿业生产中占据首位。60年代初,一项纸浆工业开始利用锅柄地区的森林资源。主要的纸浆厂建在凯奇坎和锡特卡,大部分产品供应日本市场。1968年在面对北冰洋的地带发现了石油,使阿拉斯加的经济落后状况有可能得到缓解,但穿越全州并运往南方48州的运输问题,又阻碍了石油的开采。1969年一批石油公司付给该州近10亿美元的油田税,但是,敷设一条穿过布鲁克斯山脉东部、内陆平原和南部山脉到达瓦尔迪兹的输油管的建设,在实业界、政府和自然资源保护论者中引起了激烈的争吵。1973年11月,美国国会通过一条议案,批准这条输油管的敷设,并于第二年开始动工。这条1 262千米长,直径122厘米的输油管于1977年6月20日开始营运。这样,石油便从北冰洋海岸的普拉多湾油田畅通无阻地流到瓦尔迪兹不冻港,油轮再从那里把石油运到美国西海岸的各个港口。阿拉斯加石油储藏的进一步开采要依据经济因素和恶劣的北极环境中的高昂生产费用而定。1989年埃克森-瓦尔迪兹号油轮在威廉王子湾出事,造成了北美历史上灾难最大的石油泄漏,使该地区的海洋生态和地方经济遭受了无法估量的破坏。

Alaska, Gulf of 阿拉斯加湾 北太平洋一宽阔海湾。在美国阿拉斯加州南岸。西邻阿拉斯加半岛和科迪亚克岛,东界斯潘塞角。面积153.3万平方千米。沿岸多峡湾和小海湾,包括库克湾和威廉王子海峡。容纳苏西特纳和库珀两河。从大冰川断裂下来的冰山被阿拉斯加洋流带入海洋。沿岸耸立楚加奇、基奈、费尔韦瑟和圣伊莱亚斯等山。湾内有安克雷奇、苏厄德和瓦尔德斯(北美洲最北部的不冻港,贯穿阿拉斯加输油管终点)等海港。在库克湾一带和康特罗莱尔湾之下找到石油。1741年V.白令带领的俄国探险队是最早发现海湾的欧洲人。

Alaska blackfish (species *Dallia pectoralis*) **阿拉斯加黑鱼** 北极淡水鱼。归属于荫鱼科或另立为黑鱼科。体长约20厘米。体黑色,流线形;下颌突出;背、臀二鳍相对,近于尾部。是地区性的重要食用鱼。生活于北美及西伯利亚浅溪和池塘。据说即使冻硬仍能存活,但此说法未得证实。

Alaska Current 阿拉斯加洋流 表层洋流,为西风漂流的一支,在阿拉斯加湾内形成反时针方向的环流圈。与典型的副极区太平洋水有明显差别,阿拉斯加洋流的水温在4°C以上,表层盐度低于32.6‰。在洋流南部,水深5米处的流速高达每小时1.9英里。水流量据估计为1 000万～2 000万米^3/秒。

Alaska Highway 阿拉斯加公路 旧称阿尔康公路。经育空连接加拿大道森克里克与阿拉斯加费尔班克斯的公路,长2 451千米。由美国工程兵部队在1942年3月至11月建造,耗资1.35亿美元,是一项紧急战时措施,为阿拉斯加提供一条陆上军事供应线。第二次世界大战后,加拿大部分已成为风景游览路线。

Alaska Peninsula 阿拉斯加半岛 美国阿拉斯加本土向西南伸出的半岛。介于太平洋和白令海的布里斯托尔湾之间。长800千米。阿留申火山纵贯全境。有卡特迈国家公园和自然保护区(**Katmai National Park and Preserve**)、阿尼亚查克国家保护区(**Aniakchak National Monument and Preserve**)和别恰罗夫与伊泽姆贝克野生动物保护区。

Alaska Purchase 阿拉斯加购买(1867) 指美国从俄国购得北美大陆西北端面积151.88万平方千米的土地。1867年3月30日,俄国驻美公使B.E.德斯托克尔与美国国务卿W.H.西沃德签订俄国向美国转让北美领土的条约。购买价格为720万美元,约合2美分1英亩。

Alaska Range 阿拉斯加山脉 在美国阿拉斯加州南部。为太平洋沿岸山脉一部分。走向大致向北和向东,呈弧状,由阿留申岭至育空边界,绵亘640千米。中部附近迪纳利国家公园内的麦金利山,海拔6 194米,为北美最高峰,周围多3 960米以上的高峰,吸引登山者竞相攀登。几座山将内地的苔原大草原同太平洋沿岸地区分隔开来。巨大冰川和北极风光更令旅游者神往。横贯阿拉斯加的石油管道在伊莎贝尔山口穿过该山脉,通至南端终点站瓦尔德斯。

Alaskan brown bear 阿拉斯加棕熊 灰熊(**grizzly bear**)的一个亚种。

Alaskan king crab 阿拉斯加王蟹 参阅 **king crab** 王蟹。

Alaskan Malamute 阿拉斯加马拉缪特狗 爱斯基摩马拉缪特部落培育的拖橇狗。体壮,头宽,耳竖,尾羽状卷在背上,被毛厚,多为灰白或黑白相间。头上有帽状或面罩状毛区。体高58～64厘米,体重34～39千克。

阿拉斯加马拉缪特狗

美国不列颠百科全书公司供图

对人忠实友善，一直用于拖曳装货雪橇，又用于南极探险。

Alastor 阿拉斯特 又译阿拉斯托耳。指任何一位复仇之神或精灵，尤其是在古希腊。该词与复仇女神有关，她表明诸神不喜欢人类的傲慢。诗人 P. B. 雪莱的长诗《阿拉斯特》(1816)告诫(像他本人那样的)理想主义者不可为了徒劳无益地追求实现一些犹如过眼烟云的梦想而放弃"美妙的人类之爱"。

Alatri 阿拉特里 意大利中部拉齐奥区弗罗西诺内省城镇。位于科萨河谷，海拔 502 米，弗罗西诺内市的北面。据说建于公元前 1830 年，名为阿拉特里厄姆。现有公元前 6 世纪的巨石城墙，具有重要考古价值。城墙外围长约 4 千米，每隔一定距离留有精美的中世纪城楼，有 3 个巨大城门。另有卡萨格朗迪宫、大主教宫、主教神学院和大教堂等重要建筑。游览胜地有铁路通罗马和那不勒斯，也是农业和制造业中心。人口：城市区约 24 687(1989)。

Ala'ud'din 阿拉乌丁(?～约1564，苏门答腊亚齐？[今在印度尼西亚]) 1528 年继位的马来柔佛王国苏丹。王朝建立者马哈茂德之子。或谓与其父共同建立了马来柔佛国。1528 年其父死去，他将首都迁到柔佛拉马。1564 年亚齐人洗劫此城，他被掳走，死于亚齐(一说死于柔佛拉马)。

Alaungpaya 雍笈牙(1714，缅甸木疏[今瑞保]～1760-04-13，马达班省金濑) 缅甸语意为"胜利的"。又拼 Alompra 或 Aungzeya。统一缅甸和创立雍笈牙(即贡版)王朝的国王(1752～1760 在位)，这一王朝直至 1886 年 1 月 1 日英国吞并上(北)缅甸为止始终当权。他还征服了勃固(在伊洛瓦底江三角洲)的孟族独立王国。雍笈牙出身低微。1752 年 4 月，勃固的孟族国王频耶陀罗攻占阿瓦、消灭统治缅甸的东吁王朝时，他是一个村长。他拒绝向频耶陀罗称臣，组织了抵抗运动。他声称是 15 世纪一位缅甸国王的后裔，在木疏建立了缅甸新首都。1753 年收复阿瓦，并在缅甸南部继续进攻。1755 年，在攻入孟族国家的闪电战结束后，他在孟族渔村大光的地址建立一个新港，称为仰光。1757 年攻占勃固城，生俘频耶陀罗。他有效地控制了以前由东吁王朝统治的全部区域。由于法国人与孟族结盟，雍笈牙急于求得英国的支持，1757 年与英国东印度公司缔约，给对方以特惠贸易权。但是该公司正在印度同法国人作战，不愿在缅甸卷入第二条战线。1759 年 10 月，内格赖斯岛上的英国商人因有协助地方叛乱嫌疑，国王的军队进行了大屠杀。在这一行动之后，英缅关系一时中断。雍笈牙的最后一次战役是入侵暹逻(泰国)。他率兵越过土瓦镇，南进到丹那沙林，然后挥师北上，直指暹逻首都阿瑜陀耶(即大城)，1760 年 4 月将其包围。他在围城期间受伤，率军撤回缅甸途中死去。

Alaungpaya DYNASTY 雍笈牙王朝 又称贡版王朝，是缅甸的最后一个王朝(1752～1885)。这个王朝在英帝国强权面前崩溃，标志着长达 60 余年的缅甸主权国家的结束(有些权威人士把贡版王朝的名称限定在 1782 年孟云国王时期到 1885 年)。雍笈牙王朝把缅甸引入一个扩张主义时代，只是在 1824～1826 年的第一次英缅战争中遭到失败后方告结束。18 世纪以前，在东吁王朝(1486～1752)统治下的缅甸四分五裂：阿瓦北部和东部的掸邦，中国人与缅甸人平分秋色；而在东南部到 1740 年时，孟人的分裂主义已经死灰复燃。1752 年，瑞保当时称为木疏，邻近曼德勒的一个村庄酋长雍笈牙组织一支军队，对缅甸南部的孟人统治者发动攻击一举成功。雍笈牙继续挥师南下，所向无敌。雍笈牙认识到他的权力全在于他能否使其王国归于一统，于是迫使掸邦统治者承认他的宗主权。雍笈牙又继续东进，攻打暹罗人的阿瑜陀耶(在今泰国境内)王国，但被迫撤退，雍笈牙退却时(1760)受致命重伤。1764 年，这个王朝的第 3 代国王孟驳重整旗鼓再次征讨阿瑜陀耶，1767 年将该王国夷为废墟，但未能长期占有其地。孟驳的军队曾侵入掸人和老挝人各邦以及印度的曼尼普尔王国，并 4 次挫败中国人对缅甸的侵犯。孟驳一心想平定南部地区，但在 1776 年遭到阻碍。第 6 代国王孟云(1782～1819 在位)企图重新征服阿瑜陀耶，多次与暹罗人交战皆以失败告终。他还将国都迁到附近的阿马拉布拉。孟云之孙和继承人孟既(1819～1837 在位)统治期间，缅甸在第一次英缅战争(1824～1826)中败于英国人之手。此后缅甸领土逐渐被蚕食，权力逐渐被削弱。沙耶瓦底(1837～1846 在位)和其子蒲甘(1846～1853)都是懦弱的君王，外交内政均少成就，在第二次英缅战争(1852)中任凭英国霸占整个缅甸南部地区。国王曼桐(1853～1878)是位开明的统治者，曾力图挽回颓势，但未能成功。曼桐与英属缅甸之间发生磨擦，主要因为曼德勒(曼桐的新国都)对英国宗主权的专横感到不满。最终，当曼桐的幼子锡袍于 1878 年登上王位后，英国极力寻找借口吞并全部缅甸。结果在第三次英缅战争中达到这个目的，于 1886 年 1 月 1 日灭亡了雍笈牙(贡版)王朝。

Álava 阿拉瓦 西班牙北部巴斯克地区最南端省份。大部处在比利牛斯山脉南坡，西南以埃布罗河为界。并围绕着分别属于布尔戈斯省和比斯开省的特雷维尼奥与奥尔杜尼亚飞地。面积 3 047 平方千米。北部森林地区主要出产玉米，中部维多利亚山间盆地(海拔约 460 米)种植小麦、大麦、燕麦和甜菜，阿拉维塞里奥哈南部以其葡萄园、果园和橄榄林闻名。工业集中在省会维多利亚。人口约 272 563(1988)。

'Alawite 阿拉维派 又称努赛里派或纳米里派或安萨里派。主要居住于叙利亚的什叶派穆斯林的一个小宗派的任何成员。阿拉维主义来源于穆罕默德·伊本·努赛尔·纳米尔(活动时期 850)的学说，他是巴士拉人，与第 10 代伊玛目属于同一时期。阿拉维派主要是由侯赛因·伊本·哈姆丹·卡西比(卒于 957 或 968)在哈姆丹王朝(905～1004)建立的，当时阿拉维派在阿勒颇具有很大的影响。但是，随着什叶派统治的垮台，阿拉维派与什叶派的其他各支派一道成为遭受迫害的牺牲者。除了多次集团内部战争外，他们饱受如潮水涌来的十字军的、马木路克的以及奥斯曼征服者的凌辱。许多穆斯林曾把阿拉维派当作异端邪说的信奉者，今日阿拉维派人已从什叶派的支派十二伊玛目派的黎巴嫩领袖那里获得了承认其穆斯林身分的法律裁决。阿拉维派在叙利亚政坛已具有举足轻重的地位，1971 年该派信徒阿萨德当选国家总统之后更是如此。该派在叙利亚的拉塔基亚地区势力很大，并向北扩展到土耳其的安条克。霍姆斯和哈马城内及其周围地区也居住着许多阿拉维派人。叙利亚人大多数为穆斯林，逊尼派约占穆斯林人口的 3/4，以人数而论，阿拉维派在叙利亚仅次于逊尼派，居第二位。"阿拉维"一名更普遍用于指与阿里某一后裔有关联的所有群体，因此穆斯林通常把叙利亚的阿拉维派称为努赛里派或纳米里派。虽然 12 世纪以后阿拉维派已经在叙利亚打下牢固的基础，但是直到 1920 年法国占领该地区为止，他们未能完全采用"阿拉维"这一名称。阿拉维派信仰的基本教义是将阿里奉为神。他是三位一体(大致相当于基督教的圣父、圣子和圣灵)中的一位。阿拉维派把伊斯兰教的五功(每个穆斯林必需履行的 5 种义务)解释为象征，因而并不实际去完成伊斯兰教的义务。他们庆祝呈折衷色彩的一组节日，有些是伊斯兰教的，有些是基督教的，阿拉维派的许多宗教仪式是秘密奉行的。他们认为自己是温和的什叶派，与十二伊玛目派无大差异。

ālaya-vijñāna 阿赖耶识 意译为"藏识"，是大乘佛教唯识学派学说中的重要概念。唯识学派既认为外在的实在并不存在，而又认为识和识的客体是存在的，因而提出必然存在着更高一级的识，即阿赖耶识，它是有形个人的终极依据。该派认为宇宙存在于无数潜在的识之中，这些识静心不动。潜在的识发射出无尽的思维，而其本身也形成不停之流，一直到业的毁灭为止，业是既往行为之后果的积累。

alb 白袍 天主教主祭以及基督教安立甘宗、信义宗部分人员在某些礼拜时所穿的礼服。是通常用白麻布做的长袖束腰长外衣，

13 世纪的花边白袍
美国不列颠百科全书公司供图

象征纯洁。白袍的前身是希腊-罗马世界的白色便袍，6 世纪世俗式样改变后，基督教人士仍保留原式作为礼服。在 10 世纪，白袍边缘及袖口饰以刺绣花纹，后改为四五块长方形绣花补块。16 世纪时逐渐改用花边，后来整个白袍的大部分都饰以花边。20 世纪天主教改革礼仪，又恢复朴素无饰的白袍。

Alba　阿尔巴　843年皮克特人和苏格兰人联合成立的王国，由肯尼思一世麦卡尔平统治。版图横跨中、南苏格兰大部，是英伦三岛能抵挡住北欧海盗入侵的少数地区之一。南英格兰被北欧人和丹麦人征服后，王国陷入孤立状态。北欧人退走后，英格兰人又来入侵，最后在卡尔汉姆战役(1016 或 1018)中，马尔科姆二世将入侵者击退。1034 年其孙邓肯一世即位，将阿尔巴与斯特拉斯克莱德、坎布里亚、洛锡安联合到一起，从此，“阿尔巴”的名称逐渐消失，所有国王都正式称为“苏格兰王”。据记载，邓肯二世在 1094 年首次使用这一称号。

Alba　阿尔巴　意大利西北部皮埃蒙特区库内奥省城镇。位于都灵西南塔纳罗河畔。建于 1486 年的圣洛伦佐教堂和藏有古罗马史前文物的市博物馆均很著名。农业贸易中心，特产葡萄酒和白色麦蕈。有葡萄栽培和轻工业学校。人口：城市区约 30 363(1990)。

Alba　阿尔巴　罗马尼亚西部一县。面积 6 231 平方千米，属西喀尔巴阡山区。穆列什河及其支流向西流经县境。在县城**阿尔巴尤利亚**(**Alba Iulia**)及其他遗址发现有新石器时代的器物。阿尤德有公元前 3 世纪凯尔特人社区遗迹。阿尤德、塞贝什和阿尔巴尤利亚有达契亚-罗马人村庄遗迹。穆列什河谷有葡萄园。南部地区种植玉米，北部种植小麦，西部开采水银、黄金、白银和其他有色金属。城市中有机械、化工、纺织、造纸、皮革和木材加工等工业。公路和铁路沿河而行，通阿尔巴尤利亚、肯佩尼和阿尤德。人口约 425 903(1987)。

alba　黎明俪歌　游吟诗人(**troubadour**)(11 和 12 世纪法国南方诗人-音乐家)的音乐中情人们在黎明时刻的告别歌曲；或巡夜人在黎明时对情人们唱的提醒曲。它有时采用巡夜人与情人之间的对唱形式。与法国行吟诗人相对应的德国恋诗歌手亦采用这一形式，称之为“昼歌”。

Alba, Fernando Álvarez de Toledo y Pimentel, 3er duque de(3rd duke of)　**阿尔瓦公爵**　(1507-10-29，西班牙旧卡斯蒂利亚彼德拉伊塔～1582-12-11，里斯本[葡萄牙])　Alba 又拼 Alva。西班牙军人和政治家，以征服葡萄牙(1580)而闻名。1567 ～ 1573 年任尼德兰总督，设置戡乱委员会(被咒为“血腥委员会”)。出身于豪富之家，先辈多仕于卡斯蒂利亚王朝。1524 年参加西班牙军队，在丰特拉维亚与法军作战。由于战绩辉煌，占领敌城后任司令官。他身经百战，成为当时最优秀的司令官。他勤于练兵，精于后勤管理，并改进火器的运用。具有不可动摇的信心，能力排部下轻率建议而指挥若定。1535年奉皇

美国不列颠百科全书公司供图

帝查理五世之命远征突尼斯，每战必胜。1546 ～ 1547 年指挥帝国军队与士马尔卡登同盟的德意志新教王公作战。1547 年 4 月 24 日，他在米尔贝格大捷，使查理五世的权力达到顶点。1552 年任帝国驻意大利军队的总司令。1556 年腓力二世成为西班牙国王后，他任那不勒斯总督。1557 年在意大利进行的法国-西班牙战争的最后阶段中，他出奇制胜，打败吉斯公爵，迫使教皇保罗四世对西班牙作出让步。1559 年缔结《卡托-康布雷齐和约》后，他成为腓力二世的两名主要大臣之一，但腓力二世从未充分信任他。在国务会议上，他总是与国王的另一谏议大臣罗伊·戈麦斯·德西尔瓦唱对台戏，一再强调举行强硬外交政策。1563 年他曾劝说国王下令把尼德兰贵族反对派诸领袖斩首示众。1565 年陪同王后伊丽莎白到法国去谒见王后之母、摄政者卡特琳·德·梅迪契。卡特琳欲为其子与西班牙公主联姻，但腓力不愿作此承诺，于是阿尔瓦设法劝阻卡特琳。他建议法国推行更积极的反胡格诺派的政策，表示西班牙将予以支持，但未得卡特琳的承诺。新教派后来指控阿尔瓦与卡特琳在巴约讷策划了圣巴托罗缪节对新教徒的大屠杀事件(1572)，事实上毫无根据。1566 年尼德兰群众运动兴起后，阿尔瓦于翌年受命率军镇压起义，清除异端，重建摇摇欲坠的国王政权。他到尼德兰后，逮捕了埃格蒙特伯爵拉莫拉尔和反对派领袖霍讷伯爵菲利普斯，并建立戡乱委员会，无视当地的法律，判决约 1.2 万名起义者有罪，但许多人早已逃离尼德兰。阿尔瓦还卷入与英国的贸易竞争，给尼德兰的商业造成巨大损失。他在尼德兰不顾三级会议的反对，强行征收 10%的商品销售税及 1%的财产税。但他面临民众与教士的反对，不得不做出让步，最后停止实施。1572 年乞丐军，即荷兰游击队，占领荷兰和泽兰的大部地区，奥兰治亲王和拿骚的路易分别从德意志和法国侵入尼德兰。阿尔瓦打退他们的陆上进攻，收复荷兰的部分失地，所到之处，烧杀抢掠，无所不为。由于军饷不足，又没有足够的海上力量进攻对方的舰队，他未能收复荷兰和泽兰的其他地区。阿尔瓦的军事失利与戈麦斯一派的宫廷密谋，导致腓力于 1573 年召回阿尔瓦。1579 年，阿尔瓦因其子婚姻违背国王意愿，被软禁在其庄园内。经枢机主教格兰维尔说项，1580 年腓力派阿尔瓦进攻葡萄牙，不出数周便取得辉煌胜利，攻下了里斯本，但他未能再得腓力的重用。

Alba Fucens　阿尔巴富钦斯　意大利韦利诺山麓古代设防城镇，现为阿尔贝。原为古代马尔西人城镇，公元前 303 年前后被拉丁移民所占。坐落在小山上，四周围有城墙，形势险要，因此在公元前 1 世纪的同盟者战争和历次内战中均为必争之地。罗马人常在此囚禁政治犯。大部城墙和出入通道迄今依然存在。

Alba Iulia　阿尔巴尤利亚　德语作 Karlsburg(卡尔斯堡)。匈牙利语作 Gyulafehérvár(久洛费海尔瓦尔)。罗马尼亚中西部阿尔巴县城，在布加勒斯特西北 270 千米，傍穆列什河。最古老居民点之一。16 ～ 17 世纪是特兰西瓦尼亚公国首府。1599 年瓦拉几亚、特兰西瓦尼亚和摩尔达维亚在此宣布结盟。1918 年 12 月 1 日特兰西瓦尼亚和罗马尼亚联盟在此宣告成立。有 13 世纪罗马式的天主教大教堂和 18 世纪的要塞。巴蒂亚尼图书馆收藏许多珍贵书稿。工业有制革、食品加工、靴鞋、建筑材料和酒类。人口约 66 369(2002)。

Alba Longa　阿尔巴隆加　意大利拉丁姆地区古城。在罗马东南 19 千米的阿尔班丘陵，现甘多尔福堡附近。传说由神话人物埃涅阿斯之子阿斯卡尼俄斯于公元前 1152 年左右所建，因而是最古老的拉丁城市。阿尔巴隆加曾领导一个规模不详的拉丁同盟，直到约公元前 600 年为罗马所毁。从公元前约 150 年到君士坦丁一世大帝时期，这里是皇家别墅，迄今仍留存不少遗迹。

Albacete　阿尔瓦塞特　西班牙中部偏东南卡斯蒂莱-拉曼查自治区中一省。位于中央高地东南端，面积 14 862 平方千米，气候为伊比利亚半岛内陆省中最干旱者，局部地区年降雨量仅 50 毫米。南部多山，胡卡尔河和塞古拉河流经该地，两河为南部地区发电和灌

溉主要资源。西部有阿尔卡拉斯山脉。经济以畜牧业为主,但近来小麦种植量增加,畜牧业比例相对减少;所产奶酪输往西班牙各地;亦种植葡萄,但蚜虫为害甚烈;产品还有橄榄。卡夫列尔河和胡卡尔河谷所产桃子运往巴伦西亚省制罐头。其他产物有番红花、茅草和松木等。工业集中在省会阿尔瓦塞特。重要城镇有阿尔曼萨、埃林和拉罗达。该省除有良好铁路通马德里和阿利坎特外,大部分地区只有公路。人口约 364 835(2001)。

Albacete 阿尔瓦塞特 位于西班牙中部偏东南,为卡斯蒂莱-拉曼查自治区阿尔瓦塞特省省会。是历史上的拉曼查地区,在唐璜河与玛丽亚·克里斯蒂娜运河汇流处。初为摩尔人所建,1145 年和 1146 年摩尔人和基督徒曾两度于此交战。1365 年重建,始用今名。该城在西班牙王位继承战争中处于重要地位,1707 年西班牙国王腓力五世在此附近的阿尔曼萨战役中获胜。19 世纪玛丽亚·克里斯蒂娜运河开通后,将孳生疾病的沼泽地中积水向南排净,该市得以繁荣发展。城分上、下两城区,上区是旧城,下区是新城。名胜有 16 世纪的圣胡安·包蒂斯塔大教堂(1936 年火灾后修复)及一座博物馆。现为农产品(水果及番红花)贸易中心。所产小刀和匕首在西班牙很著名,但现在主要作纪念品出售。1978 年成立的省博物馆展出本地区艺术家的作品。人口:城市区约 148 934(2001)。

albacore(species *Thunnus alalunga*) **长鳍金枪鱼** 又作 albicore。一种大型远洋性鱼类。以其肉质精美而闻名。英语中 albacore 一词有时亦指蓝鳍金枪鱼(*T. thynnus*)。参阅 **tuna**。

Albalag, Isaac 阿尔巴拉格(活动时期13世纪,西班牙北部或法国南部) 犹太教哲学家。他把阿拉伯哲学家加扎利所著《哲学家的追求》(各派学说述评)的一部分译成希伯来文,附以自己的观点和评论。他认为哲学和宗教本质同一,只不过宗教的对象是群众而哲学的对象是少数人。哲学结论如与启示抵触,无须让哲学屈从启示。

Alban, SAINT 阿尔班,圣(活动时期约3世纪,据传在不列颠维鲁拉米翁) 第一个在不列颠岛上被害的基督教徒。据史学家贝德记载,阿尔班在罗马军队服役,保护逃亡的教士并在这位教士的感召下信奉基督教。他同这位教士互换服装,替他殉教。此事约发生在 304 年,另有学者考证为 254 或 209 年前后。429 年,在他的墓地建立教堂,其后周围地区发展成为市镇,名圣阿尔班斯(又译圣奥尔本斯)。

Albán, Monte(Mexico) 参阅 **Monte Albán** 阿尔班山。

Alban Hills 阿尔班丘陵 意大利中部拉齐奥区的死火山区,位于罗马东南。该丘陵区外围直径为 10 ~ 13 千米,其中卡沃山海拔 949 米;内缘直径约 2 千米,其中法埃特山海拔 956 米。阿尔巴诺湖与内米湖为占据火山口的两个湖。有古罗马道路、庙宇、别墅和剧场遗迹。夏季气候凉爽,空气清新,数世纪以来一直为罗马人喜爱的避暑地。当地生产著名的罗马尼堡葡萄酒。有电气化铁路通罗马。

Albani, Francesco 阿尔巴尼(1578-03-17,教皇国博洛尼亚[意大利]~ 1660-10,博洛尼亚) Albani 又拼 Albano(阿尔巴诺)或 I'Abane。17 世纪意大利博洛尼亚派画家。就学于卡拉齐画室,曾协助奎多·雷尼绘过许多重要装饰组画,其中有奎里纳尔宫圣母领报小教堂(1609 ~ 1612)和帕切圣母院的唱诗班席的装饰画(1612 ~ 1614)。他曾在罗马开办自己的美术学院,并按卡拉齐的构思,绘制圣贾科莫教堂内的圣迭戈小教堂全部壁画。他的著名壁画均取材于神话。

Albania 阿尔巴尼亚 全称阿尔巴尼亚共和国。巴尔干半岛国家,西临亚得里亚海。该国南北长约 340 千米,东西最宽处约 153 千米。西北邻黑山,北与塞尔维亚接壤,东靠马其顿,东南与希腊为邻;西部边界为崎岖的亚得里亚海沿岸。首都地拉那。面积 28 748 平方千米。人口约 3 130 000(2005)。

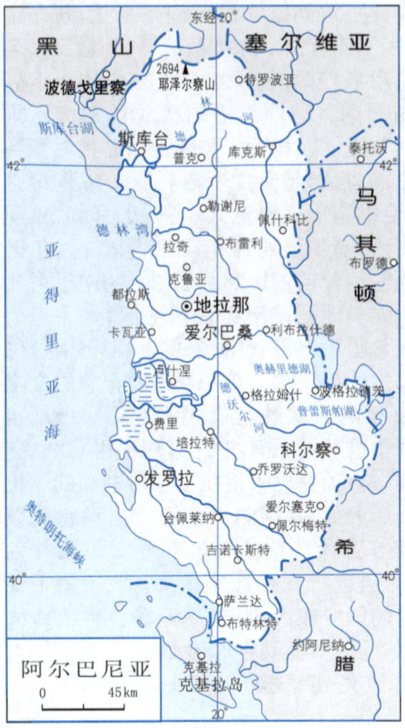

美国不列颠百科全书公司供图

土地 阿尔巴尼亚可分为两个主要地形区:一为多山高地区(北、东及南部)占陆地面积的 70%;另一为西部沿海低地区,几乎包括该国的全部农业区,为阿尔巴尼亚人口最密集的部分。高地区又可再分为北阿尔巴尼亚阿尔卑斯山区、中央高地和南部高地 3 个部分。北阿尔巴尼亚阿尔卑斯山区有许多崎岖的石灰岩山峰,高度均在海拔 2 700 米以上;中央高地为数条绵延于马其顿边界的崎岖山脉,有阿尔巴尼亚最高峰科拉比峰(2 751 米);南部高地的地貌较北部山脉低而平缓。阿尔巴尼亚虽属沿海国家,但多山的地形使该国平均高度达到 700 米以上,是欧洲平均高度的两倍。德林河及其他河流均向西流入亚得里亚海。沿海地区为地中海气候,冬季温和多雨,夏季干热。山区则骤变为较严酷的大陆性气候;夏季温暖或炎热(依高度而定),冬季寒冷,年均降雨量各个地区差别很大,阿尔巴尼亚阿尔卑斯山区在 2 500 毫米以上,而在东部边界大部分地区则不足 800 毫米。

阿尔巴尼亚的天然植被受多山地形的影响很大。较为干燥的低地区以地中海灌木丛林为主,高度在1 000米以下地带以稀疏的橡树林居多,在此高度以上主要生长桦树及栗树,在更高的山上则为针叶林。

人民 阿尔巴尼亚人是古伊利里亚人的后裔。伊利里亚人原居住在中欧地区,铁器时代初期南迁至希腊北部的阿尔塔湾。阿尔巴尼亚人按其现代语言可分为两大部分:北方居民讲盖格方言,南方居民讲托斯克方言。另有一些希腊族人,主要集中在东南部。尽管在共产党政府统治下,所有宗教活动自 1967 ~ 1990 年间均不受鼓励或遭到禁止,人口中仍有 65% 为穆斯林,其余为希腊正教徒或天主教徒。

国家鼓励生育,自第二次世界大战结束以来阿尔巴尼亚一直在欧洲保持着最高出生率。平均预期寿命男性 69 岁,女性 75 岁,稍低于南欧平均水平。人口中约 1/3 为城市居民,主要城市为地拉那。

经济 阿尔巴尼亚经济属发展中经济,1991 年以前为生产资料全部国有的社会主义制度所控制。政府于 1992 年推行了一项以自由市场经济和私有化为重点的经济改革计划。该国的人均国民生产总值位居欧洲最低之列。

阿尔巴尼亚的土地约有 25% 为可耕地,其中一半用于种植谷物,永久性牧场约占国土总面积的 15%,另有 38% 为林地。阿尔巴尼亚的农田有一半以上得到灌溉。作物主要有小麦、玉米、大麦、燕麦、豆类、甜菜、棉花、向日葵、烟草、马铃薯和水果。绵羊、山羊、牛和猪为其主要牲畜。

阿尔巴尼亚的多山岩层富含矿藏,湍急的河流具有很好的水电潜力。其与能源有关的矿产有原油、褐煤、天然气和天然沥青。金属矿产有铬矿石(为世界主要生产国之一)、镍铁矿石和铜矿石。阿尔巴尼亚的石油和天然气储量虽属一般,却能基本满足国内需求,并有剩余可供出口。该国的电力生产近 90% 来自水电站。

阿尔巴尼亚的制成品有精炼石油、钢铁产品、精炼铬和铜、石油化工产品、塑料制品、氮肥和过磷酸盐等。消费品仍处于全国短缺状态。

1945 年以前,阿尔巴尼亚既无标准轨距的铁路,也无公路网,但到 80 年代中期,地拉那已有铁路通往各主要工业中心和南斯拉夫,而公路网则扩展至边远山村。阿尔巴尼亚在亚得里亚海沿岸有 4 个主要港口。

出口商品包括矿物燃料、铬矿石、铁矿石、钢、铁和铜、蔬菜和水果。进口商品包括机械及运输设备、矿石、金属制品和食品。主要贸易伙伴为南斯拉夫、保加利亚、罗马尼亚、意大利和德国。

政体与社会状况 1944 ~ 1990 年,阿尔巴尼亚为一党专政的共产主义国家,斯大林主义的政治思想意识居主导地位。一切重要政治决策均出自阿尔巴尼亚劳动党(1991 年改名为社会党)的成员,然后再由人民议会批准。1991 年非党员代表被选入人民议会,次年,非共产主义的民主党赢得了具有决定性多数的 140 个席位。按照法律,人民议会先选举出总统,然后再由总统任命总理和部长会议(内阁)成员。

阿尔巴尼亚实行不需缴纳基金的社会保险制度和免费医疗制度。人民健康状况自 50 年代以来虽大有改善,但作为一个欧洲国家水平仍然很低。在阿尔巴尼亚一切教育均为免费,7 ～ 15 岁的未成年人须接受义务教育。高等学府有地拉那大学(1957)。

历史 阿尔巴尼亚人为伊利里亚人的后裔。伊利里亚人为一支古老的印欧民族,至少在公元前 1 000 年起就居住在巴尔干半岛的西半部,经历了其历史的大部分时期。阿尔巴尼亚南部各部族深受希腊文化的影响;现代的阿尔巴尼亚的城市——都拉斯和莱什——原为希腊殖民地。北部的伊利里亚人曾在不同时期统一在当地国王的统治下,其中最重要的一位是阿尔冈(公元前 3 世纪下半叶),其王国疆域从北方的达尔马提亚一直扩展到南方的维约瑟河,都城位于斯库台。阿尔冈死后,王后泰乌塔的征讨激怒了罗马人。168 年罗马人征服了伊利里亚全境。于是阿尔巴尼亚成为罗马伊利里亚行省的一部分。

在罗马人统治下,伊利里亚行省渐臻兴盛。公元 395 年后,这一地区在行政上隶属君士坦丁堡(今伊斯坦布尔)。尽管经历了 3 ～5 世纪西哥特人与匈奴的入侵以及 6 ～ 7 世纪斯拉夫人的入侵,阿尔巴尼亚人仍不失为巴尔干仅有的几个能保持其自己的语言和习俗的民族之一。

土耳其人的入侵始于 14 世纪。奥斯曼帝国的统治受到民族英雄 G.卡斯特里奥蒂的抵抗,此人曾在土耳其受教育,改宗伊斯兰教,取名斯坎德培。1443 年,他重新皈依基督教并成功地抵制了土耳其人在阿尔巴尼亚的统治。他死后,土耳其人巩固了在阿尔巴尼亚的统治,该地区后来在经济上趋于衰退。当地对奥斯曼帝国的统治经常进行反抗,1912 年举行起义,建立了独立的阿尔巴尼亚。但是国际社会迟至 1921 年才给予承认。墨索里尼统治下的意大利于 1939 年入侵阿尔巴尼亚,而 1943 ～ 1944 年的一场内战则导致社会主义国家阿尔巴尼亚的建立。在恩维尔·霍查的统治下(1944 ～ 1985),经济实行了在阿尔巴尼亚劳动党监督下的国有化,阿尔巴尼亚劳动党是唯一的合法政党。阿尔巴尼亚曾先后与南斯拉夫、苏联和中国结成经济和军事上的同盟,然后又采取了严格的自力更生和孤立的政策。这样一来,该国在数十年中与多数欧洲国家割断了联系,但在 1990 年,这一孤立政策为该国带来的经济困难迫使霍查的继任人 R.阿利雅重新将阿尔巴尼亚对世界开放。人民的不满也迫使他放松国家对经济的控制,并给予政治上的反对派以合法地位。在 1992 年 3 月的多党选举中,非共产主义的民主党和其他自由党派获胜,更名为社会党的共产党人只在议会中保有 1/4 的席位。在此期间,阿尔巴尼亚在经济上依然极度贫困。1997 年该国经济和政体崩溃,许多阿尔巴尼亚人失去了他们在各种投资计划中的储蓄。联合国维和部队应召前往平息由此产生的社会动乱,同年晚些时候社会党在选举中大获全胜。1999 年大约 45 万名阿族人在阿尔巴尼亚寻求避难,以躲避科索沃地区的战乱。种族骚乱还使阿尔巴尼亚与黑山的关系在 2001 年趋于紧张,当时黑山有大批阿族少数民族发动了一场武装叛乱。

Albanian language 阿尔巴尼亚语 通行于阿尔巴尼亚以及巴尔干南部、意大利东海岸、希腊南部、乌克兰等地部分阿尔巴尼亚裔人中。它是印欧语系一个独特语族的现代的代表。有两种主要方言:盖格方言和托斯克方言,大多可以相互理解。阿尔巴尼亚的什昆比尼河大致可作为两种方言的分界线,盖格方言通行于北方,托斯克方言则通用于南方。意大利和希腊农村操阿尔巴尼亚语者,主要用托斯克方言变体。阿尔巴尼亚语的语音特点接近匈牙利语或希腊语,而盖格方言却有许多很特别的鼻元音。语法方面,阿尔巴尼亚语保留许多古语词特点,但和现代希腊语及罗曼诸语言仍保持相近似的特点。名词有 3 或 4 个格,有性和数之分。其语法的突出特征是名词修饰语有词尾变化,既作定语,又表一般意义。除少数例外(如数词),名词之后用形容词,它要求与之相应的置于名词前的冠词。动词词干的构成通常极不规则。阿尔巴尼亚语词汇和其他语言接触受到很大影响,特别是受拉丁语影响。16 世纪以来,主要影响也来自意大利语、土耳其语、现代希腊语、塞尔维亚语和斯拉夫语。阿尔巴尼亚语显然源自古伊利里亚语。阿尔巴尼亚语最早的书面记载出自盖格地区,是用意大利语或希腊语字母,有时也用土耳其-阿拉伯语字母信手拼写的。第一件书面记载的文献是 1462 年的一次洗礼仪式的套语。1909 年拟出阿尔巴尼亚语官方的标准化拼写法,是以盖格方言为基础采用拉丁字母书写的。第二次世界大战后,阿尔巴尼亚官方语言改以托斯克方言为典范。阿尔巴尼亚语因其独特,故对语言研究有特殊意义。它不属于现代语言的任一较大语族,尽管操该种语言的人数相对很少,但其在印欧语系中所居位置却与其他主要语族(如日耳曼语族)是一样的。

Albanian League 阿尔巴尼亚同盟 又称普里兹伦同盟。阿尔巴尼亚第一个民族主义组织,1878 年 7 月 1 日在塞尔维亚的普里兹伦成立。最初,这一同盟在土耳其的支持下,企图向柏林会议施加影响,阻止瓜分阿尔巴尼亚(当时是奥斯曼帝国的一部分)。吁请无效后,阿尔巴尼亚同盟便以武力阻止门的内哥罗兼并划给它的阿尔巴尼亚北部地区,并努力减少希腊得到的地区(1881),但被迫把乌尔齐尼(杜尔西格诺)让给门的内哥罗(1880)。后来,同盟由于要求政治自治,1881 年 5 月遭到土耳其的镇压。同盟虽遭失败,民族主义运动依然存在,1912 年阿尔巴尼亚终于宣告独立。

Albanian literature 阿尔巴尼亚文学 阿尔巴尼亚语言文学的主体部分。现存的作品用两种方言书写:盖格语和托斯克语。

在 15 ～ 19 世纪后期奥斯曼帝国统治阿尔巴尼亚期间,阿尔巴尼亚文学的发展遭受严重阻碍,而且在很长时期内禁止用阿尔巴尼亚语出版作品。用阿尔巴尼亚语书写的最古老的片断文献是 1462 年的《洗礼祷告语》。16 ～ 17 世纪出版的散落在各地的阿尔巴尼亚宗教书籍大量是在盖格语地区创作的,反映了罗马天主教传教士的活动,教士们能够得到奥斯曼王国苏丹王的允许出版书籍。增补这些作品的是 1635 年出版的一部拉丁语-阿尔巴尼亚语词典。受希腊东正教的激励最早用托斯克方言写的书是由居住在西西里岛的阿尔巴尼亚人创作的。

阿尔巴尼亚现代文学复兴的先驱是意大利的阿尔巴尼亚人后裔耶洛明·戴·拉达。他毕生搜集古老的民间诗歌,编写成史诗,如关于阿尔巴尼亚民族英雄的《斯坎德培》(1873)的史诗。戴·拉达还编辑了第一本阿尔巴尼亚杂志《旗帜》(阿尔巴尼亚旗帜),在它出版的 4 年间(1883 ～ 1887)曾被偷运进阿尔巴尼亚。

自 19 世纪 70 年代起,阿尔巴尼亚民族主义成为文学集中表现的焦点。在君士坦丁堡和巴尔干各首府成立了阿尔巴尼亚人的团体,出版诗人和作家的作品,并将这些作品偷运到阿尔巴尼亚境内。于是,弗拉舍里三兄弟——剧作家萨米·巴伊、诗人纳伊姆、政治活动家阿卜杜勒于 1878 年在普里兹伦成立了解放委员会并共同致力于从土耳其统治下解放阿尔巴尼亚和传播阿尔巴尼亚语书籍。该团体后被奥斯曼当局解散,但其领导者流亡到埃及和布加勒斯特,仍继续他们的文学活动。阿卜杜勒的儿子米德哈特·弗拉舍里于 1897 年开始出版一部袖珍文学杂志并被大量偷带进阿尔巴尼亚境内。民族独立前的文学展示其民族历史、各地区民间传说中富有战斗的爱国主义精神及显著的浪漫主义色彩。

使用拉丁字母的标准发音是由民间诗人和讽刺作家杰尔吉·费什达发明的,并于 1908 ～1909 年在比托拉(现在马其顿境内)阿尔巴尼亚知识界召开的一个代表大会上被采纳为阿尔巴尼亚语字母表。阿尔巴尼亚文学的真正繁荣出现于 1912 年独立后数十年。米哈尔·格拉梅诺、费乔·波斯托里以及迈赫迪·弗拉舍里的小说、诗剧,集中反映了地区风俗、家族仇杀、阴谋诡计、背信弃义及阿尔巴尼亚高原地区人民为土地而相互争斗和为争取独立与土耳其人和希腊人所进行的斗争。米德哈特·弗拉舍里写出了阿尔巴尼亚第一部短篇小说《灰尘和余烬》(1915),此书是描写家族宿仇和烧毁村庄的。20 世纪初期的阿尔巴尼亚诗歌以浪漫的民间歌手杰尔吉·费什达、古典抒情诗人恩德莱·米也达、多才多艺的诗人阿列克塞·德莱诺瓦(笔名 Asdren)为最好的代表。

两次世界大战期间对阿尔巴尼亚文学做出重大贡献的是流亡在美国马萨诸塞州波士顿的作家克里斯托·弗洛奇和法伊克·科尼特萨,两人编辑了阿尔巴尼亚文学杂志。具有重大贡献的还有作家、高级教士方·S. 诺里主教。他翻译成阿尔巴尼亚语的莎士比亚、易卜生及其他外国作家的优秀作品极大地丰富了阿尔巴尼亚语言，并一直在阿尔巴尼亚国家剧院盛演不衰。20世纪30年代埃勒内斯特·科里奇的短篇小说也同样引人注目。其作品集中描写他的故乡斯库台高原地区，并以富有想象力的散文为主要表现形式。阿尔巴尼亚-罗马尼亚人米特鲁什·克胡泰里（季米特尔·巴斯科的笔名）是该时期另一位短篇小说作家。多产且不平凡的剧作家克里斯托·弗洛奇支配着阿尔巴尼亚的戏剧。同期脱颖而出的还有受罗马尼亚影响的、不可思议的杰出抒情诗人拉斯古什·波拉代兹。

第二次世界大战后共产主义政权将严格的正统思想标准强加给作家，因此该国的文学受到压抑。普遍萧条中的一个值得注意的例外是伊斯玛伊尔·卡达莱，他的小说《亡军的将领》(1963)被译成欧洲几种主要语言，至今仍是唯一赢得国际声誉的阿尔巴尼亚文学作品。

Albano, Francesco (Italian painter) **阿尔巴诺** 参阅 **Albani, Francesco** 阿尔巴尼。

Albano, Lake 阿尔巴诺湖 意大利罗马东南阿尔班丘陵的火山口湖。海拔293米。由两个古火山口合并而成，呈椭圆形，面积5平方千米。最深处170米。湖水来自地下，有公元前398～前397年修建的人工排水口。湖滨有阿尔巴诺拉齐亚莱疗养区和罗马教皇避暑地甘多尔福堡。

Albany 奥尔巴尼 澳大利亚西澳大利亚州最南端城镇和海港。位于乔治王湾罗亚尔公主港北岸。1826年在此建立本州第一个欧洲人居民点。19世纪40年代成为重要捕鲸基地。1852年起是印度洋航线上的加煤港。1900年弗里曼特尔开港后曾一度衰落，但以后随内地的开发，成为南岸主要港口。通铁路和公路。是附近农、牧区的服务中心。有木材加工、鱼肉罐头和化肥等工业。夏季气候凉爽，为避暑胜地。人口约20 493(1996)。

Albany 奥尔巴尼 美国佐治亚州西南部城市，多尔蒂县县城。濒临弗林特河，是该河通航段的起点。建于1836年，为主要棉花市场。1838年设市。1857年同梅肯通铁路。后其余6条铁路均交会于此，该城遂为交通枢纽。1915年虫灾之后，植棉业一蹶不振，乃发展多种经营的农业，主要产品有薄壳山核桃、西班牙花生以及牲畜等。工业产品有飞机和农具等。设有州立奥尔巴尼学院(1903)和奥尔巴尼初级学院(1965)。切霍印第安纪念碑位于该市正北。附近有一海军陆战队供应站。镭迪厄姆泉风景区位于城南6千米处。人口：市76 939；奥尔巴尼都会统计区120 822(2000)。

Albany 奥尔巴尼 美国奥尔巴尼县县城(1683)，纽约州首府(1797)。临哈得孙河。位于纽约市北230千米，为包括特洛伊和斯克内克塔迪在内的大都会区的核心。是哈得孙河深水航道北端的口岸，以及远洋货轮与西至大湖区的纽约州巴杰尔运河航线的天然货物转运站。1609年亨利·哈得孙乘"半月"号探索西北航道时停泊于附近的浅滩。1624年数户瓦隆人在附近建奥兰治堡，为第一个居民点。1664年奥兰治堡降英，改名奥尔巴尼。1686年设市。由于战略地位重要，建有弗雷德里克要塞，该市成为重要的殖民地城市。人口1695年为200户，1790年（美国第一次人口普查）为3 498人，1850年增至50 763人。很多街道名称及每年5月在华盛顿公园举行的郁金香节均具荷兰传统。1754年在此召开具有历史意义的奥尔巴尼会议，通过了本杰明·富兰克林的"联盟计划"。此次会议为1774年的大陆会议做好了准备。1783年以后奥尔巴尼成为皮毛交易中心，并为西进货车的主要补给站。伊利运河的开辟(1825)和铁路的通车(1831)，增加了通过该市的货运量，使之成为通往密歇根准州（上大湖区）的交通枢纽。工业发展缓慢，生产纸张、机床、毛毡、金属制品等。该市是美国最早建立商业性机场的城市之一(1919)，奥尔巴尼港1932年对远洋轮船开放，遂成一海运中心。该市有许多荷兰式、乔治式及法国哥特式建筑，如：克雷洛堡（约建于1700）、斯凯勒宅邸(1762)、州立奥尔巴尼银行(1803)、古荷兰教堂(1799)、市政厅(1883)、"法国城堡"式的州议会大厦(1871～1899)、圣公会圣彼得大教堂(1859)及约瑟夫·亨利纪念馆（原奥尔巴尼学院，1815年落成）。市中心为帝国广场，周围是政府机关、文化部门和各种会议厅。有纽约州立博物馆等建筑群。高等院校有奥尔巴尼纽约州立大学(1844)；协和大学各专业院系，包括奥尔巴尼医学院(1839)、法学院(1851)、药学院(1881)及达德利天文台；还有天主教圣罗斯学院(1920)和天主教马利亚学院(1958)及奥尔巴尼商学院(1857)。人口：市95 658；奥尔巴尼-斯克内克塔迪-特洛伊都会统计区875 583(2000)。

Albany 奥尔巴尼 美国俄勒冈州西部城市，林恩县县城。位于威拉米特河谷，威拉米特河与卡拉普亚河汇流处，塞勒姆南42千米。建于1848年，1864年设市。为羊毛、谷物和药鼠李皮的转运点。1870年通铁路。发展了木材、皮革、金属和食品加工业。美国矿务局在此设有奥尔巴尼冶金研究中心。世界伐木竞技表演大会每年7月4日在此举行。人口40 852(2000)。

Albany, DUKES OF **奥尔巴尼公爵** 苏格兰贵族封爵名，按年代顺序分列于后，并各以●为标记。

● **Albany, Robert Stewart, 1st duke of 奥尔巴尼公爵（第一）**（约1340～1420-09，苏格兰斯特灵的斯特灵堡） 即R.斯图尔特。苏格兰摄政者，1388至1420年苏格兰的实际统治者。苏格兰国王罗伯特二世的第三子。1382年任苏格兰王家侍从长，在对英格兰作战中立有军功。1388年当选为苏格兰的监护官。1390年其弟罗伯特三世即位后，他继续掌管政务。1398年封奥尔巴尼公爵。1399年其侄罗斯西公爵戴维接替他任执政。不久，叔侄发生分歧。1402年戴维死在福克兰狱中，奥尔巴尼和道格拉斯伯爵虽对囚禁罗斯西肯定负有责任，但后者的死因不明。他恢复了执政职务。1406年罗伯特三世死后，由于新国王詹姆斯一世在伦敦被囚，奥尔巴尼公爵遂被选为王国摄政。他继续进行对英格兰的战争，但没获得什么成功。死于斯特灵堡，葬于邓弗姆林教堂。

● **Albany, Alexander Stewart, duke of 奥尔巴尼公爵**（约1454～1485，法国） 即A.斯图尔特。又称马奇伯爵。苏格兰国王詹姆斯二世的次子，1458年或在此以前封奥尔巴尼公爵。奥尔巴尼和马尔伯爵约翰与兄长詹姆斯三世发生争吵，1479年均被监禁。在逃走后，他与支持他谋取苏格兰王位的英格兰人策划一系列的阴谋活动。1484年在一次反叛中被击败。后逃亡法国，次年客死异域。

● **Albany, John Stewart, 2nd duke of 奥尔巴尼公爵（第二）**（约1484～1536-06-02） 即J.斯图尔特。詹姆斯五世时代苏格兰的摄政，主张苏格兰与法国保持密切关系。第一代奥尔巴尼公爵亚历山大·斯图尔特之子。幼年丧父，由母亲安娜·德拉图尔·德奥维涅在法国将他抚养成人。1515年他应苏格兰议会的请求从法国回到苏格兰，出任摄政。次年11月被宣布为王位继承人。1517年返法，缔结《鲁昂条约》，重申法国与苏格兰的联盟。1521年底返回苏格兰，迅即受到英格兰的攻击。1522年9月爆发与英格兰的战争，但奥尔巴尼未能取胜，退居法国。1523年9月再次返回，复遭失败。1524年5月20日最后离开苏格兰。1530年起任法国驻罗马大使。

● **Albany, Henry Stewart, duke of 阿尔巴尼公爵** 参阅 **Darnley, Henry Stewart, Lord** 达恩利勋爵。

Albany Congress 奥尔巴尼会议 北美殖民史上英国商务部在纽约州奥尔巴尼召集的会议(1754-06-19～07-11)。会议的目的是促进英国北美殖民地的团结，号召共同抵御法国的扩张，以及拉拢易洛魁联盟。7个殖民地的代表都要求加强对印第安人的管理和推动向西部移民的工作。会上通过了B.富兰克林关于建立拥有广泛权力的殖民地联盟的提案。

Albany River 奥尔巴尼河 在加拿大安大略省中部偏北。发源于海拔1 218英尺(371米)的圣约瑟夫湖，东流注入詹姆斯湾，全长610英里，其中250英里(400千米)通航。在毛皮贸易兴盛时期是重要通道，因小船可从哈得孙湾公司在河口的贸易站奥尔巴尼堡（建于1684年）驶入内陆。此河最大支流是长200英里的凯诺加米河。原来一条支流奥戈基河已改道注入尼皮贡湖以增加尼皮贡河各水电站的水力发电量。

albarello 阿尔巴雷罗陶罐 一种供药剂师贮藏软膏和干药材用的陶罐。原产于近东和西班牙。15～18世纪在意大利曾生产过这种产品，称作**马约利卡陶器**(**majolica**)，或称为锡釉陶器。为便于握持、使用和搁置，陶罐基本形状为圆筒形，但向内弯曲便于抓握，并且有广口便于使用。所有阿尔巴雷罗细腰罐均约高18厘米。少数产品在罐上有把手，紧贴罐体。但因为这些陶罐不是用于盛装液体，故一般没有流槽、唇边、把手状和外曲形

15世纪的西班牙-摩尔式阿尔巴雷罗陶罐
美国不列颠百科全书公司供图

状，并常用纸或羊皮扣在罐沿上作为盖子。15世纪前不久，药罐由波斯、叙利亚和埃及传入意大利；原为西班牙-摩尔式的釉瓷罐经西西里传入。15世纪初意大利阿尔巴雷罗陶罐上色彩显受西班牙和伊斯兰影响，为白底蓝色。传统橡叶和花朵的图案甚普遍，几何图案亦常见。16世纪文艺复兴工匠制造彩色阿尔巴雷陶罐工艺成熟，其上图形由早期装饰变为多种怪物、肖像、历史画面、寓言、动物等，视产地及工匠技巧而异。到18世纪末，此种陶罐由其他容器取代。

Albatenius 参阅 **Battānī, al-** 巴塔尼。

albatross 信天翁 鹱形目信天翁科十几种大型海鸟的统称。在岸上表现得十分驯顺，故许多信天翁俗称"呆鸥"或"笨鸟"。是最善滑翔的鸟类之一。在有风的气候条件下，能在空中停留几小时而无需拍动其极长而窄的翅膀。无风时，则难于使其笨重的身体升空，多漂浮在水面上。也像其他海鸟一样，能喝海水。通常以乌贼为食，也常跟随海船吃船上的剩食。信天翁仅在繁殖时才成群地登上远离大陆的海岛。在那里，成群或成对从事交配行为，其中包括展翅和啄嘴表演，伴随着大声鸣叫。每窝产一枚大白卵，产在地面上或简易堆起的巢里。亲鸟轮流孵卵。幼雏成长很慢，尤其是大型种类者；幼雏孵出后3～10个月才长齐飞羽，之后在海上度过5～10年，在到陆地配对前，换过几次羽。信天翁寿命很长，是仅有的能活到老死的鸟类之一。海员一度对信天翁颇为敬畏，他们认为杀死信天翁会带来厄运。在S.T.柯尔律治的叙事诗《古舟子咏》中反映出这种迷信。尽管如此，海员们还是常常用饵钩捕捉信天翁以食其肉。北太平洋的种类被大量屠杀以取其羽

黑眉信天翁（*Diomedea melanophris*）
美国不列颠百科全书公司供图

毛用于女帽业和充天鹅绒毛。最著名的信天翁如下：黑眉信天翁（*Diomedea melanophris*）翅展约230厘米；于远离北大西洋海岸处漂游；有黑色的眼纹，故显出绉眉的外貌。黑脚信天翁（*D. nigripes*）是三种北太平洋信天翁之一，翅展约200厘米；大部分为灰褐色；营巢于热带太平洋岛屿，广泛漂泊于北太平洋。皇家信天翁（*D. epomophora*）翅展约315厘米；成鸟羽毛大多为白色，外侧翅上覆羽黑色；繁殖于新西兰附近岛屿及南美最南端附近岛屿。乌黑信天翁（*Phoebetria* 属）有2种，翅展约215厘米；翅和尾较信天翁属（*Diomedea*）种类细长；营巢于南方海洋的岛屿上。漂泊信天翁（*D. exulans*）翅展超过340厘米（是现存鸟类中最大者）；成鸟似皇家信天翁；营巢于南极圈附近岛屿和南大西洋一些岛屿；非繁殖季节漂泊于南方海洋，北至南纬30°左右。

albedo 反照率 指一物体或一表面反射光的分数值。它通常在天文学中用来描述行星、卫星和小行星的反光特性。反照率通常区分为两大类型：垂直反照率和邦德反照率。垂直反照率即为垂直反射本领，它是一个表面在被垂直照射并且在垂直条件下被观测时的相对亮度的一种量度。例如，雪的垂直反照率接近1.0，而木炭的只约为0.04。科学家往往利用垂直反照率的观测资料来测定卫星和小行星的表面成分。他们还发现这类天体的垂直反照率和它们的直径大小密切相关。假如，能在相同的距离上，观察谷神星和灶神星这两个小行星，灶神星会比谷神星更亮出10%，然而，灶神星的直径小，只及谷神星的一半，灶神星显得更亮是由于其反照率约为0.35，而谷神星的才只有0.09。邦德反照率的定义是一个行星反射回空间的太阳辐射和同入射的太阳总辐射之比，它是行星的能量平衡的一种量度。1861年，美国天文学家G.P.邦德发表了太阳、月球和木星的亮度对照表，为此后人将这一类型的反照率冠以邦德之名。邦德反照率的值大小取决于入射辐射的光谱，这是因为此类反照率定义为覆盖整个波长范围。现已利用环地人卫测量地球的邦德反照率，已取得最新值接近0.33。只有很稀薄大气且无云层的月球的反照率为0.12。可供对照的金星，它为稠密云层覆盖，反照率为0.76。

Albee, Edward (Franklin) 阿尔比（1928-03-12，美国华盛顿［哥伦比亚特区］～　）美国剧作家、戏剧演出人，以其剧本《谁怕弗吉尼亚·吴尔夫?》而闻名于世。在纽约市长大，曾就学于康涅狄格州乔特学校和三一学院。起初曾从事小说和诗歌创作，但在50年代后期转而从事戏剧创作。早期的独幕剧包括：《动物园的故事》（1959）、《沙箱》（1960）、《美国之梦》（1961），它们使他成为敏锐的美国价值观念评论家。第一部多幕剧《谁怕弗吉尼亚·吴尔夫?》（1962）被认为是他的最重要的剧作，曾多次获奖，阿尔比此后被认为是美国主要的剧作家，于1966年改编成电影。还写有《小小艾丽斯》（1964）、《优美的平衡》（1966）、《海景》（1975）。后两剧曾获普利策奖。此外，他还改编其他作家的作品，主持演出过不少戏剧，并曾在美国各地讲学。

Albee, Edward Franklin 阿尔比（1857-10-08，美国缅因马柴厄斯～1930-03-11，佛罗里达棕榈滩） 美国剧场经理。作为基思-阿尔比剧院联营组织的总经理，他是美国**歌舞杂耍表演（vaudeville）**界最有影响的人物。1885年和基思合伙建立"波士顿宝石剧院"，为扩大基思-阿尔比歌舞杂耍表演联营组织出力。该组织在20世纪20年代控制了美国东部和中西部近400家剧院。自1900年"联合演出预约处"成立起，他就任总经理。1916年他组织"全国歌舞杂耍表演艺术家联合会"，从而几乎垄断了美国歌舞杂耍表演剧表演的人才与演出。这种支配地位一直继续到1928年，那时雷电华电影公司为了控制剧院，兼并了他的联营组织。

albeluvisol 漂白淋溶土 联合国粮食农业组织分类系统的30个土壤组之一。特征是褐色黏土表下层，上层漂白物质"舌状物"伸入其中，为经过大面积淋溶的黏土和氧化铁。于寒冷气候下在相对平坦地形形成，可维持北方地貌、针叶林或针叶混合林。高酸度、低植物营养含量和易碎的团块结构，是这种土壤的共性。不利的气候和化学条件，加上黏土层阻滞，影响了农业利用，但有些地区在种植季节可放牧，种植耐寒作物或根系抗酸的农作物。漂白淋溶土占地球土地总面积的2.5%，集中于欧亚大陆从波兰到西伯利亚，及从巴芬湾向西到加拿大这一地带。根据其表下层结构特征，北部相当于FAO土壤分类组的灰化土，南部为淋溶土。

Albemarle, George Monck, 1st Duke of 阿尔比马尔公爵 参阅 **Monck, George** 蒙克。

Albemarle Sound 阿尔伯马尔湾 美国北卡罗来纳州东北部沿海小湾。湾外有外滩群岛与大西洋隔开。东西延伸约80千米，宽8～23千米。平均深度5～10英尺（1～3

米),最深不过25英尺。有帕斯阔坦克河、阿利盖特河、乔万河及罗阿诺克河汇入,通过罗厄诺克湾和克罗阿坦湾在东南端流入帕姆利科湾。通过迪斯默尔沼泽和阿尔伯马尔-切萨皮克运河连接切萨皮克湾。大西洋沿岸水道经过海湾。伊丽莎白城为主要港口。

Albéniz, Isaac (Manuel Francisco)　阿尔贝尼斯(1860-05-29,西班牙坎普罗东～1909-05-18,法国康博莱班)　作曲家、钢琴演奏大师。西班牙民族乐派倡导人之一。4岁即以

美国不列颠百科全书公司供图

钢琴神童而闻名。1875～1876年间就学于莱比锡音乐学院。后获奖学金去布鲁塞尔求学。自1883年起执教于巴塞罗那和马德里。原先曾写过一些浅易的钢琴沙龙音乐,约于1890年开始认真学习作曲,师从西班牙音乐民族化运动的先驱F.佩德雷尔。1893年迁往巴黎,受到V.丹第、P.杜卡和其他法国作曲家影响,并一度在圣歌学会教授钢琴。后罹肾小球肾炎,缠绵病榻多年,直至去世。阿尔贝尼斯主要以其钢琴作品闻名于世,采用西班牙民间音乐旋律风格、节奏与和声。最著名的是《伊比利亚》组曲(1905～1909),包括12首技巧精湛的钢琴曲,深刻体现出西班牙的(尤其是安达卢西亚的)民族精神。最佳作品中还有《西班牙组曲》(其中包括流行的《塞维利亚》一曲)、《西班牙曲调》(其中包括《科尔多瓦》一曲)、《纳瓦拉》及《D大调探戈舞曲》。他的许多作品被改编为管弦乐曲。

Alberdi, Juan Bautista　阿尔维迪(1810-08-20,拉普拉塔联邦圣米格尔-德图库曼[今在阿根廷]～1884-06-18,法国巴黎)　阿根廷政治思想家。1838年因反对独裁者胡安·曼努埃尔·德·罗萨斯而被流放。曾在乌拉圭学习法律,在智利和欧洲居住。1852年罗萨斯被推翻后,他写了主要著作《阿根廷共和国政治组织的基础和出发点》,强调成立联邦中央政府,主张吸引移民和外国资本。这部著作对议会制订1853年宪法产生了影响。19世纪50年代,历任驻巴黎、马德里、华盛顿和伦敦的特命全权大使。60年代,因反对巴拉圭战争(1864～1870)而失宠。晚年在欧洲过着半流放的生活。

Alberoni, Giulio　阿尔韦罗尼(1664-05-21,帕尔马公国皮亚琴察[意大利]～1752-06-16,皮亚琴察)　政治家。作为事实上的西班牙首相(1716～1719),他在王位继承战争之后的西班牙的复兴中起了主要作用。园丁之子,由耶稣会教育成人。1698年任帕尔马大教堂神甫。1702年帕尔马政府派他到驻意大利的法军指挥官旺多姆公爵处完成外交使命,后随公爵到法国、西班牙。1712年公爵死后,他仍留在马德里,次年成为帕尔马的官方代表。他促成西班牙国王腓力五世与帕尔马公爵的女儿伊莎贝拉联姻。他在西班牙宫廷中的影响一步步增加,到1716年已行使首相的权力。他继续推行财政改革、鼓励工业发展的政策,并采取措施削弱皇家委员会以抑制贵族们反对改革的活动。在对外政策上,他坚持把奥地利人赶出意大利,保护西班牙同美洲殖民地间的贸易。1717～1718年西班牙远征撒丁和西西里,导致与四国同盟(英、法、奥和联合省)的战争。法英联军侵入西班牙后,阿尔韦罗尼于1719年被放逐,返回意大利。由于他在1717年已被任命为枢机主教,故参加了1721年选举教皇英诺森十三世的秘密会议。教皇审查西班牙对他的指控后,宣布他无罪。1735年他出任教皇驻拉韦纳使节,1740年改任驻博洛尼亚使节。

Albers, Josef　艾伯斯(1888-03-19,德国博特罗普～1976-03-25,美国康涅狄格纽黑文)　画家、诗人和美术理论家。1908～1920年在柏林、埃森和慕尼黑学习,并在家乡教书。

美国不列颠百科全书公司供图

1920年入刚刚建立的包豪斯设计学校,1925年任该校"大师"。1933年纳粹政府关闭了包豪斯学校后赴美,在黑山学院组建美术系,并任教至1949年。翌年任耶鲁大学美术系主任。在系列雕刻《设计的变形》(1948～1952)和《结构组画》(1953～1958)中创造出由线条组成的复杂图案。其抒情诗收入《诗与画》(1958)一书。

Albert　阿尔贝特　又译艾伯特。统治者之名,按国家次序分列于后,并各以●为标记。捷克、荷兰、德语亦作Albrecht。

奥 地 利

● **Albert I**　参阅Albert I(Germany/Holy Roman Empire)阿尔贝特一世(德意志/神圣罗马帝国)。

● **Albert V　阿尔贝特五世**　参阅Albert II(Germany/Holy Roman Empire)阿尔贝特二世(德意志/神圣罗马帝国)。

● **Albert VII　阿尔贝特七世**(1559-11-11,奥地利维也纳新城～1621-07-13,布鲁塞尔)　奥地利枢机主教大公,作为低地国家的总督和君主(1598～1621),与其妻西班牙公主伊莎贝拉共同统治西属尼德兰。阿尔贝特为皇帝马克西米连二世之子,早先在其叔西班牙国王腓力二世的宫廷内接受神职教育。虽于1577年被任命为西班牙托莱多的大主教和枢机主教,但他不是以高级教士的身分,而是作为军人和外交家为腓力效劳。他于1581(或1585)～1595年作为代表腓力的总督统治葡萄牙。在其兄尼德兰总督恩斯特1595年2月去世后,他被腓力任命为尼德兰总督,赋予征服北方7个联合省叛乱的新教徒的任务。在腓力的坚持下,他勉强接受教皇解除他的神职,并娶腓力之女伊莎贝拉公主为妻。1598年他获得低地国家的共同统治权,作为伊莎贝拉与他结婚(1599年4月)的嫁妆。由于无法在军事上打败联合省或取得政治和解,他与伊莎贝拉仅能控制南方10个天主教省份。经过数年毫无结果的战争后,他与荷兰于1607年4月达成停战协议,自1609年起停战12年。在此期间,他加强了西属尼德兰的天主教势力,对繁荣艺术也有很多贡献。

比 利 时

● **Albert I　阿尔贝特一世**(1875-04-08,布鲁塞尔～1934-02-17,比利时那慕尔附近马尔什莱达姆)　比利时国王(1909～1934),第一次世界大战中统率比利时军队并在战后领导国家的恢复工作。佛兰德伯爵菲利普(利奥波德二世国王之弟)之幼子,1909年继

美国不列颠百科全书公司供图

承王位。阿尔贝特在第一次世界大战之前努力加强军队,1913年促使通过征兵法。1914年夏重申比利时保持中立,拒绝接受德皇威廉二世1914年8月2日要求允许德军自由通过比境的最后通牒。两天后德国入侵比利时,他即领导陆军进行抵抗。10月安特卫普陷落后被迫撤过伊瑟河。停战后他要求协约国废除1839年欧洲一些条约确定的比利时中立地位,促使议会通过男性普选制的法令。以后15年他一直领导国家的重建工作。

● **Albert II　阿尔贝特二世**(1934-06-06,比利时布鲁塞尔～　)　比利时国王(1993起)。国王利奥波德三世的次子。在家中以及日内瓦和布鲁塞尔接受教育。1953年加入比利时海军。从1962年到他继位期间,曾任比利时外贸部长,同时成为航运专家。他还

是比利时红十字会主席。1959 年与意大利卡拉布里亚公主保拉·鲁福结婚。有 3 个子女：菲利普（1960 生）、阿斯特里（1962 生）、洛朗（1963 生）。1993 年 7 月其兄博杜安去世，因无嗣，阿尔贝特于 1993 年 8 月 9 日即位为比利时第 6 位国王。

勃兰登堡

● **Albert I　阿尔贝特一世**（约 1100 ～ 1170-11-18）　又名大熊阿尔贝特或大熊阿尔布雷希特。第一位勃兰登堡侯爵，**阿斯卡尼亚王朝（Ascanian dynasties）**的创建者，12 世纪德意志向东欧扩张的主要领袖之一。1123 年从其父手中继承哈茨山脉和易北河中游之间的萨克森领地。1142 年其母死后又得到比隆王朝的中德意志领地，但欲取得萨克森公国未果。他的最大成就在东方：因在意大利为神圣罗马帝国皇帝洛塔尔二世服务有功，1134 年获得易北河与哈弗尔河汇合处以东的北马尔克地区。后封勃兰登堡侯爵。他在斯拉夫地区进行移民和传教工作，恢复了哈弗尔贝格和勃兰登堡两主教区。洛塔尔的继承人红胡子腓特烈一世可能曾任命阿尔贝特为帝国侍从长，由此使历代勃兰登堡侯爵获得选帝侯的权利。

● **Albert III Achilles　阿尔贝特三世**（1414-11-24，勃兰登堡唐格明德～ 1486-03-11，美因河畔法兰克福）　勃兰登堡选侯，军人和行政制度革新者。勃兰登堡选侯霍亨索伦的腓特烈的第 3 子，在父兄死后获得大片领地。1470 年继其兄腓特烈二世为勃兰登堡选侯。他戎马一生，厌恶城镇的相对自治权，几度镇压其叛乱。1473 年 2 月 24 日颁布《财产处置法》，保持勃兰登堡作为联合整体，保证其王朝代代相传。规定勃兰登堡选侯的徽号应完整地传给长子，霍亨索伦家族利益丰厚的法兰克尼亚领地则传给其他儿子。从而向长子继承制迈出重要一步。他治国有方，与贵族的结帮行为进行斗争，对官员支付薪俸，建立会计制度。在政治方面，他支持哈布斯堡家族。在法兰克福议会上，他支持选举马克西米连一世为德意志国王（1486）。他还进行货币和司法改革，致力于德意志全国和平。

勃兰登堡-库尔姆巴赫

● **Albert II Alcibiades　阿尔贝特二世·阿尔齐比亚德斯**（1522-03-28，安斯巴赫～1557-01-08，巴登）　勃兰登堡-库尔姆巴赫侯爵。霍亨索伦家族法兰克尼亚支系成员，在哈布斯堡家族与法国瓦卢瓦王朝的战争中发迹的军人。1552 年 1 月以前为神圣罗马帝国皇帝查理五世服务。是年与萨克森选侯莫里斯一起同与查理五世为敌的法王亨利二世结盟，联军把查理逐出因斯布鲁克。查理五世的兄弟斐迪南与莫里斯订立《帕绍条约》（1552-08），德意志内部的宗教纠纷才告休止。阿尔贝特反对这一条约，再度投靠查理，欲从法国手中收复梅斯的查理认可阿尔贝特占据大片德意志领土。1553 年初，查理将控制德意志事务的权力交给斐迪南。与斐迪南结盟的莫里斯遂领导一个反对阿尔特的联盟。1553 年 7 月 9 日阿尔贝特在锡沃斯豪森战败被放逐。1556 年返回德意志，图谋复仇未果而死。

德意志/神圣罗马帝国

● **Albert I　阿尔贝特一世**（约 1255 ～ 1308-05-01，瑞士布鲁克）　奥地利公爵和德意志国王（1298 ～ 1308 在位），他制止私人战争，关心农奴，保护受迫害的犹太人。哈布斯堡王室鲁道夫一世国王的长子，1282 年钦赐奥地利和施蒂里亚两公爵领地。鲁道夫去世（1291）后，诸选侯为阻止哈布斯堡王室世袭德意志王位，不让阿尔贝特继承，而选择拿骚的阿道夫为德意志国王。但阿尔贝特却将诸选侯联合起来，于1298年6月23日废黜了阿道夫。7 月 2 日阿道夫在格尔海姆战败被杀。战斗以前阿尔贝特就在美因茨被推选为国王，7 月 27 日在法兰克福再被确认，他于 8 月 24 日在亚琛加冕。1299 年，阿尔贝特与法王腓力四世结盟，反对拒绝承认他为国王的教皇卜尼法斯八世。他要求把荷兰、西兰岛和弗里西亚作为继承人不明的采邑而占有，但未成功。有 4 个莱茵的选侯反对他的亲法政策和控制莱茵河河口的努力，打算将他废黜。1300 ～ 1302 年，阿尔贝特在莱茵兰各城邦的支持下，在一系列的战役中粉碎了选侯的联盟。1303 年 4 月 30 日，教皇卜尼法斯八世承认他为德意志国王，他宣誓效忠教皇，承诺他的儿子们不经教皇同意，不得当选为德意志国王。1306 年，他企图使其子鲁道夫登上波希米亚空悬的王位，但只是一时的成功。他要求继承图林根和迈森，也由于 1307 年在卢卡附近战败而受挫。阿尔贝特被他的侄子士瓦本的约翰（后被称为“杀酋长者”）暗杀，因为他不公平地剥夺了约翰的继承权利。

维也纳奥地利国立图书馆绘画档案馆供图

● **Albert II　阿尔贝特二世**（1397-08-16 ～ 1439-10-27，匈牙利奈斯梅伊）　德意志国王（1438 起）、匈牙利国王、波希米亚国王（称阿尔布雷希特）和卢森堡公爵（称阿尔布雷希特）。作为哈布斯堡王室成员，幼年从 1404 年起成为奥地利大公（称阿尔贝特五世）。他的岳父神圣罗马帝国皇帝西吉斯蒙德死后，他被立为匈牙利国王（1438-01-01），3 月当选为德意志国王，尽管遭到反对，6 月仍被拥为波希米亚国王。1438 年在纽伦堡召开议会，结束了由于私人战争权而引起的一切宿仇，任命仲裁人解决争执。为了保持和平，他把德意志分为若干行政区。次年虽死于出征土耳其之役，但其继承人通过实行他的措施均达到稳定的统治。

美国不列颠百科全书公司供图

美 因 茨

● **Albert　阿尔贝特**（1490-06-28 ～ 1545-09-24，德意志美因茨）　勃兰登堡侯爵、枢机主教，美因茨和马格德堡选侯及大主教，慷慨的艺术赞助人。因出卖赎罪券而成为宗教改革家马丁·路德攻击的对象。他捐款重建罗马圣彼得大教堂，换取教皇利奥十世违法同意他掌握一个以上的主教管区。阿尔贝特还把出卖赎罪券的一半收入送给利奥十世。路德在其《九十五条论纲》中谴责这种作法。1518 年任枢机主教，在宗教上思想开明，是人文主义者冯·胡滕和 D.伊拉斯谟的朋友。但晚年对新教愈来愈不容忍，鼓励德国的反宗教改革运动。

摩 纳 哥

● **Albert　阿尔伯特**（1848-11-13，巴黎～ 1922-06-26，巴黎）　全名 Albert-Honoré-Charles Grimaldi。摩纳哥公国亲王（1889 ～ 1922）、海员、业余海洋学家和科学的赞助人。对海洋学发展的贡献包括革新海洋测量设备和技术以及捐建进行基础研究的机构。早年就对海洋感兴趣，青年时在西班牙海军中服役。后在一系列型号越来越大、装备越来越好的海船上进行了海洋考查。1889 年继承王位后，仍积极参与海洋学事业，建立了摩纳哥海洋博物馆（1899）和巴黎海洋学研究所（1906）。

Albert II，PRINCE DE MONACO　阿尔伯特二世（1958-03-14，摩纳哥～　　）　摩纳哥公国世袭第 32 代元首。曾在美国马萨诸塞州阿默斯特学院学习，并短期在法国海军服役。酷爱运动，是公国的雪橇队队员，5 次冬奥会金牌得主；在国际奥委会中任多个职务，1994 年起任摩纳哥奥委会主席。2005 年 4 月其父兰尼埃亲王病逝，他于 7 月 12 日正式登基。由于他先前曾公开承认有一个非婚生子，引起了争议。1992 年的宪法修正案规定，王位继承人的父母必须是结婚的配偶，因而他的儿子不能继承王位。不过另一项宪法修正案将姐妹及其合法子女包括在继承的序列之内，解除了人们对摩纳哥未来的担心。因为1919年同法国签订的条约规定，一旦国家元首逝世而没有男性后裔，摩纳哥将并入法国。

尼 德 兰

● **Albert 阿尔贝特** 参阅 **Albert Ⅶ** (Austria)阿尔贝特七世(奥地利)。

罗马教廷

● **Albert 艾伯特**(活动时期12世纪初) 又名阿勒里克。敌对教皇(1102)。原是萨拜纳枢机主教,1102年当选,继敌对教皇圣拉菲纳的狄奥多里克之位。狄奥多里克是由拥护神圣罗马帝国皇帝亨利四世的一派人选出以对抗合法教皇帕斯加尔的。艾伯特登位后不久被监禁,帕斯加尔下令剜其双目,关入隐修院为修士终其一生。

普 鲁 士

● **Albert 阿尔贝特** (1490-05-17, 安斯巴赫～1568-03-20,东普鲁士塔皮奥) 条顿骑士团最后一任首领(1510～1525),普鲁士第一位公爵(1525始),德意志的新教统治者。

美国不列颠百科全书公司供图

以结束条顿骑士团在东普鲁士的统治而代之以建立世袭公国而著称。安斯巴赫-拜罗伊特侯爵,霍亨索伦的腓特烈之子。1510年成为条顿骑士团首领,从而成为东普鲁士领主。后因与波兰人不和而引起战争(1519～1521)。1523年,他听从宗教改革家马丁·路德的劝告,解散条顿骑士团,将普鲁士领地改为波兰王室治下的世袭公国。1525年波兰国王西格蒙德一世接受了这一解决办法。16世纪30年代,神圣罗马帝国皇帝查理五世宣布废黜加入基督教新教的阿尔贝特,要求将东普鲁士重归条顿骑士团统治。阿尔贝特加入反帝国联盟,并扶植新教的丹麦和瑞典。在国内实行政府世俗化,但仍保留贵族的许多特权,以争取后者的支持。1544年倡建柯尼斯堡大学。晚年,宗教界和政界冒险分子一度挑起争端但最终得以平息。

萨 克 森

● **Albert Ⅲ 阿尔贝特三世**(1443-07-27或31,萨克森的格里马～1500-09-12,东弗里西亚的埃姆登) 又称阿尔贝特·阿尼莫苏斯或勇敢者阿尔贝特。萨克森公爵,韦廷家族阿尔贝特支系的始祖和神圣罗马帝国的元帅。萨克森选侯腓特烈二世之子。12岁时与其兄弟恩斯特同被萨克森贵族K.冯·考冯根劫持。这次王子被劫事件成为传奇文学作品(特别是16世纪的德意志戏剧)的流行题材。父亲死后,兄弟二人共同统治萨克森领土,直至1485年根据莱比锡分治决定二人将领土分开。1471年候选波希米亚王位未获成功。1488～1493年任神圣罗马帝国皇帝驻荷兰总督,作为对他的酬劳,1498年被授予弗里斯兰世袭总督之职。

● **Albert 阿尔贝特**(1828-04-23,萨克森德累斯顿～1902-06-19,西里西亚奥尔斯附近) 萨克森国王(1873-10-29起)。虽是新教国家的天主教国王,但深孚众望。他还是一位颇有才能的军人,在1866年七周战争和1870～1871年普法战争中立有战功。约翰亲王的长子。15岁时成为炮兵军官。曾在波恩上过一年大学。参加过1849年不勒苏益格-荷尔斯泰因战役与丹麦人作战。1853年同瑞典国王古斯塔夫四世的孙女卡罗琳结婚。1857年升任步兵将军,1862年任萨克森议会上院议员。七周战争中,他指挥萨克森军队,普军侵入萨克森后,他率军撤退,有条不紊。1866年7月3日奥地利及其盟国(包括萨克森)在克尼格雷茨(萨多瓦)战役中败北,但阿尔贝特牢固地保住了自己的地位。普鲁士很赏识他,在萨克森加入普鲁士控制的北德意志联邦后,他担任第12军团司令。在普法战争中,他的军团在打赢格拉夫洛特战役(08-18)和色当战役(1870-08-31～09-02)中起了重大作用。1871年3月18日～6月8日任占领法国的德军司令。不久任德意志帝国陆军总监,并晋升陆军元帅。1873年继承王位后,主要兴趣仍在军事方面,但亦主张在地方行政、教育和税收方面实行改革并鼓励工业化。身后无子女,王位由其弟格奥尔格继承。

Albert, Archduke 阿尔贝特(1817-08-03,维也纳～1895-02-18,奥匈帝国南蒂罗尔阿科) 奥地利陆军元帅。精明强干,功勋卓著。他进行改革,使奥军在败于普鲁士之后成为一

美国不列颠百科全书公司供图

支现代战斗力量。打败拿破仑的查理大公之子,1837年加入奥地利陆军。他从J.拉德茨基元帅那里受到完整的军事教育,并在他的统帅下参加1848～1849年的意大利战役,在诺瓦拉作为师长战功卓著。1851～1863年任匈牙利总督。对普鲁士的战争爆发后,他指挥意大利战线,1866年6月在库斯托扎获得决定性胜利。1866年7月10日任奥地利全军总司令。战争结束后致力于改革陆军。1869年任陆军总监。他着重发展工业和铁路,创立短期征兵制以扩充兵员,采用并改进新武器和建立参谋部制度。

Albert, Prince Consort of Great Britain and Ireland 艾伯特(1819-08-26,萨克森-科堡-哥达公爵领地科堡附近施洛斯罗泽瑙～1861-12-14,英格兰伯克郡温莎) 英国维多

美国不列颠百科全书公司供图

利亚女王的丈夫、英王爱德华七世之父。萨克森-科堡-哥达公爵恩斯特的次子,原名法兰西斯·艾伯特·奥古斯图·查理·伊曼纽尔。曾在布鲁塞尔和波恩大学就读。维多利亚和艾伯特原为表兄妹,经比利时国王利奥波德一世撮合,于1840年2月10日结为夫妇。实际上,艾伯特成为女王的私人秘书和首席顾问。女王本来性好闲散,但也变得像他那样勤奋工作。他敦促女王放弃对辉格党的偏爱,保持政治中立。1856年与俄国、1861年与美国的争端均得以和平解决。艾伯特不受大臣们(特别是帕麦斯顿勋爵)的欢迎。英国贵族不喜欢王室严格讲求道德的思想作风,以及艾伯特的教授风度和艺术才能。他曾设计位于怀特岛的皇家邸宅奥斯本宫,也是一位很有成就的音乐家。他成功地举办了1851年伦敦水晶宫的大博览会,并在病笃时规划了1862年南肯辛顿的博览会。他死于伤寒。与女王家庭生活美满。在女王居孀近40年当中,决定大事时均想到他会如何处理。

Albert Animosus 阿尔贝特·阿尼莫苏斯 参阅 **Albert** (Saxony)阿尔贝特(萨克森)项下的 **Albert Ⅲ** 阿尔贝特三世。

Albert l' Ouvrier 阿尔贝(工人)(1815-04-27,法国比里～1895-05-28,梅洛) 1848年法国临时政府和国民议会中的工人代表。原名亚历山大·马丹,是法国产业工人进入政府的第一人。19世纪30年代在巴黎当技工,曾加入几个秘密会社,1841年一度坐牢。后参加基督教社会主义运动,协助《车间》杂志工作。1846年成为四季社领袖。1848年2月国王路易-菲力普被推翻后,阿尔贝被选入临时政府,所有文件上都出现他的名字,称为工人阿尔贝。他同L.勃朗一起组成极左派,鼓吹深入进行社会经济改革,支持由工人和雇主组成的实行工时制改革的短命的卢森堡委员会。4月,被选入由共和派支配的、温和的新制宪议会。不久因领导5～6月起义而被捕入狱。1859年获赦。

Albert OF AIX 阿尔贝(艾克斯的)(活动时期1130) 亚琛教堂的教士和研究第一次十字军的史学家。他搜集第一次十字军参加者的口头和文字资料,写成一部重要的编年史。此书在1130年左右完成,现在依然是研究第一次十字军和1120年以前耶路撒冷王国历史的权威性著作。他的生平不详。

Albert OF BRANDENBURG 阿尔贝特(勃兰登堡的) 参阅 **Albert**(Mainz)阿尔贝特(美因茨)项下的 **Albert** 阿尔贝特。

Albert OF COLOGNE 阿尔伯特(科隆的) 参阅 **Albertus Magnus, Saint** 大阿尔伯图斯,圣。

Albert OF SAXONY 阿尔贝特(萨克森的)(约1316,萨克森黑尔姆施泰特～1390-07-08,哈尔伯施塔特) 日耳曼经院哲学家,尤以对物理学的研究而著称。早年在布拉格求学,后转入巴黎大学,1351年起任该校教师,1353年任校长。他被认为极有可能与吕克梅尔斯多夫的阿尔贝特是同一个人,后者1365年任维也纳大学校长,1366年起任哈尔伯施塔特主教,直到1390年去世。阿尔贝特的逻辑学依据W.奥康姆,物理学依据J.比里当,数学依据T.布雷德沃丁,伦理学依据W.伯利(排斥比里当的心理决定论)。最初人们对其论述的清晰精确,较对其创造性更为尊重。经院派逻辑学家晚辈所采用的许多专门名词都首先出现在他的作品中,他将254个反论或逻辑上似是而非的隽语加以研究分类。在物理学方面,他详细论述过有关空间、时间、位置等的问题;论述过多元世界同时存在的不可能;并详细论述过物体的运动(达·芬奇在这方面似受益于阿尔贝特)。他特别注意重力问题,可能是区分重心和几何中心的第一位思想家;还特别注意落体的速度问题,认为关键是速度与时间还是与空间成正比。他又是现今的气体静力学的先驱,主张如果把一点火封闭在轻气球内,该气球会上升并悬浮于空中。他对以数学公式来表达自然法则的研究,开现代物理学方法之先河。

Albert THE BEAR 阿尔贝特(大熊) 参阅 **Albert**(Brandenburg)阿尔贝特(勃兰登堡)项下的 **Albert I** 阿尔贝特一世。

Albert THE COURAGEOUS 阿尔贝特(勇敢者) 参阅 **Albert**(Saxony)阿尔贝特(萨克森)项下的 **Albert III** 阿尔贝特三世。

Albert THE GREAT, SAINT 大阿尔伯特,圣 参阅 **Albertus Magnus, Saint** 大阿尔伯图斯,圣。

Albert, Eugen (Francis Charles) d' 阿尔贝(1864-04-10,格拉斯哥～1932-03-03,拉脱维亚里加) 德籍作曲家,钢琴巨匠李斯特的学生。在柏林执教多年,但主要兴趣在作曲。以歌剧《低地》(1903)及为J.S.巴赫的音乐而作的改编曲著名。

Albert, Heinrich 阿尔贝特(1604-07-08,萨克森洛本施泰因～1651-10-06,普鲁士柯尼斯堡) 作曲家,以一本著名歌曲集受到欢迎,该歌曲集是德国巴罗克时期独唱歌曲最富有代表性的典范之作。曾在莱比锡随表兄许茨学习作曲,音乐活动得到J.H.沙因的鼓励。1631年,阿尔贝特在柯尼斯堡任大教堂管风琴师,曾为勃兰登堡诸亲王创作大量节庆作品,但以其为宗教与世俗歌词谱写的人声与数字低音《歌曲集》(1638～1650)最为著名。阿尔贝特亦作有多部歌剧,但仅两首咏叹调得以传世。

Albert, Lake 艾伯特湖 又作Albert Nyanza,1973年后又名蒙博托湖。位于中非洲东部,刚果(金)与乌干达之间的边界上,为裂谷系统西支最北面的一个湖。欧洲人S.贝克首先于1864年调查了此湖。当时他正在寻找尼罗河的源头;他用维多利亚女王配偶之名命名此湖,并将其经历写在《艾伯特湖》(1866)一书中。意大利籍军人兼探险家R.盖西于1876年环航此湖。H.斯坦利和穆罕默德·艾敏·帕夏都曾在湖岸上构筑堡垒。该湖面积约5 600平方千米(2 160平方英里),长160千米(100英里),平均宽度22英里;为一浅水体,水深平均25米(80英尺),最深处达190英尺。西南方有塞姆利基河,将爱德华湖、刚果陡崖和浸透雨水的鲁文佐里山脉的水都输入该湖,在输送过程中造成了一大片冲积平原。湖北端是一片广大的低地,有维多利亚尼罗河——沼泽地三角洲内的一条迂缓溪流——注入。湖面在和艾伯特尼罗河会合处变窄,湖水即通过此河补给白尼罗河。湖东西两岸均是布满森林的悬崖和深沟。艾伯特湖面海拔2 021英尺。位于乌干达最低和最热的地区。年平均温度为26 °C,年平均降雨量864～1 016毫米。该地区由于蒸发率很高,所以湖水有些咸味,且含游离的磷酸盐。

湖区有大量野生动物,如象、水牛、河马、鳄鱼、羚羊等,在塞姆利基平原上和靠近默奇森瀑布(即卡巴雷加瀑布)的北岸尤多。湖岸村庄人口不多,以捕鱼为生。

Albert Canal 阿尔贝特运河 连接比利时安特卫普和列日的水道。1939年建成,长约130千米,河床最窄处宽24米,可通航排水量2 000吨、最深吃水2.7米的船。它通过高度工业化的地区,有6座三厢船闸,在列日的蒙新地方有一座单厢船闸。

Albert Lea 艾伯特利 美国明尼苏达州南部城市,弗里鲍恩县县城。在明尼阿波利斯以南145千米处,位于农业区的方廷和艾伯特利湖畔。1855年始有人定居。因1835年美军上校艾伯特·利曾对此地进行考察,遂以其名命名。1859年赛马会上因胜过邻镇艾塔斯卡,艾伯特利便成为县城。地处公路、铁路交叉点,发展成批发、销售中心。有大型肉类加工厂。地区农业以种植玉米、大豆、土豆和养猪为主。市东有州立赫尔默迈尔公园。1878年设村;1927年设市。人口18 356(2000)。

Albert Memorial 艾伯特纪念碑 英国伦敦威斯敏斯特区肯辛顿公园内的纪念碑。位于公园的南侧,在亚历山德拉门和女王门之间,皇家艾伯特大厅的北面,以纪念维多利亚女王的丈夫艾伯特亲王。纪念碑由G.G.斯科特设计(他为此受封为爵士),1872年完成,但中央的艾伯特雕像是1876年安放的。纪念碑高53米。

Albert National Park 艾伯特国家公园 参阅 **Virunga National Park** 维龙加国家公园。

Albert Nile 艾伯特尼罗河 又称蒙博托尼罗河。在东非乌干达西北部,属尼罗河上游。艾伯特(蒙博托)尼罗河从维多利亚尼罗河口以北开始,向北流经帕夸奇,在尼穆莱流入苏丹边境后,称为杰贝勒河或山地尼罗河。全程210千米均可通航。

帕夸奇附近艾伯特尼罗河段
Shostal 供图

Albert Nyanza (lake, Africa) 参阅 **Albert, Lake** 艾伯特湖。

Alberta 艾伯塔 加拿大南部草原3省中最西面的省份。南北长1 216千米,东西宽650千米,总面积为661 190平方千米。东与萨斯喀彻温省为邻,西接不列颠哥伦比亚省,北接西北地区,南与美国为界。省会为埃德蒙顿。

现在称作艾伯塔的地区,至少在1万年前就已经有印第安人居住。18世纪50年代欧洲毛皮商抵达该地区。18世纪后25年,两个互相竞争的商行哈得孙海湾公司和西北公司开始在阿萨巴斯卡、北萨斯喀彻温以及皮斯河沿岸建立贸易货栈。1821年两公司合并。从这时起直到1870年该地区划归加拿大自治领,哈得孙海湾公司一直统治着这一地区。1870年以后,欧洲移民增加,欧洲传来的疾病和酗酒使印第安人大批死亡。由于威士忌酒商的横行霸道,把西北骑警引入该地区,1874年建成麦克劳德堡。

19世纪后期该地采取强有力的措施使人口有所增加。通到卡尔加里的铁路建成,新来者可获得廉价或免费的土地。结果艾伯塔的人口从1901年的73 000增加到1911年的374 000,许多入境移民被雇用从事小麦种植工作。

1882年艾伯塔成为西北地区的一个区,1905年成为加拿大一个省。自由党组成第一个省政府。尽管1914年在特纳流域的城镇发现石油,但是在第一次世界大战期间,其人口和经济均增长缓慢。

战后,小麦价格暴跌导致农民开展政治

运动。1921年,艾伯塔农民联合党在政府中获得多数票。20世纪30年代,艾伯塔经历了大萧条,1935年社会信用党以货币改革的政纲当选,并一直执政,至1971年,因渐趋保守遂被进步保守党击败。

加拿大落基山脉为艾伯塔西南部边界,其最高峰哥伦比亚峰海拔3 747米。省的其余部分多为起伏不平的高原,海拔从不足300米至1 000余米不等。阿萨巴斯卡河、皮斯河以及黑伊河为北部艾伯塔大部分地区排水泄流,这些河水流经麦肯齐河注入北冰洋。南方的河流主要是北、南萨斯喀彻温河和它们的支流,河水经萨斯喀彻温河和纳尔孙河注入哈得孙湾。艾伯塔属大陆性气候,冬季寒冷干燥,夏季温暖潮湿,日照时间长于加拿大其他省份。南部的奇努克风生成于落基山脉,有时会使温度转眼之间升高。年降水量平均466毫米,6～8月份降水量约占一半。

第二次世界大战后经济开始复苏。由于1947年在勒杜克发现石油,接着又在其他地方发现石油和天然气,艾伯塔的经济随即迅速发展。丰富的自然资源有矿物燃料、木材、水力发电,以及促进旅游业发展的自然景色和野生动物,还有适合于种植小麦和饲养牛的土地。经济增长导致生态破坏,两相比较孰得孰失引起了广泛的争论。

1867年的《英属北美法案》和1905年的《艾伯塔法案》为该省提供了宪法结构的轮廓。艾伯塔的议会由成年人(18岁及18岁以上)选举出一院制立法议院组成,任期5年。多数党领袖成为总理,由他从议院中选人组成执行委员会。加拿大总督任命一位副总督作为英王代表,任期5年。最高法院的成员由总督任命,是本省最高法庭,有审判和受理上诉两部门。

公立小学和中学为免费教育,省政府对私立的教会学校提供补助。联邦政府另为印第安人开办学校。艾伯塔技术院校分别设在卡尔加里、埃德蒙顿和斯托尼普莱恩,大学则分别设在卡尔加里、莱思布里奇、埃德蒙顿和阿萨巴斯卡。所有大学生都可享受省助学金。班夫美术学校在国际上享有盛名。

艾伯塔的民族和文化特征是加拿大省份中最多样化的。以不列颠群岛集团为最大,其他主要民族有德国、乌克兰、斯堪的纳维亚、法国和荷兰。居民中还有印第安土著、波兰人、奥地利人、俄国人、中国人、日本人、黎巴嫩人和越南人。丰富的文化遗产都保存在大批的博物馆、美术馆和图书馆中。人口2 974 807(2001)。

Alberta Basin　艾伯塔盆地　加拿大艾伯塔省中部沿落基山脉东缘的一个富含石油的大型沉积盆地。这个盆地是在泥盆纪(4.08亿年前至3.6亿年前)的时候,当地壳沿落基山脉的大陆一侧下沉时形成的。从此时至白垩纪晚期(9 750万年前至6 640万年前)该地区有时被海水淹没。海相沉积物逐渐在盆地最深的部位堆积起来,沿盆地边缘部分形成了由海相化石和藻类构成的巨礁。大约始于6 500万年前的这个区域的隆起使沉积作用停止,并使盆地遭到各种侵蚀。经历了几百万年,埋藏在沉积层下部的有机物受到高温、高压作用演变成石油和天然气,在周围多孔的岩礁中聚集起来。落基山脉形成期间,盆地中岩层的褶皱和断裂,造成构造圈闭,更有助于石油的聚集。

Alberti FAMILY　阿尔贝蒂家族　意大利佛罗伦萨富有的商业银行家族,对14世纪下半期欧洲政治很有影响,还以赞助艺术和救助贫民而著称。该家族兴盛始于尼科洛·迪·阿尔贝蒂(1377卒)。他在阿维尼翁(教皇驻地,今属法国)经营家族银行大获成功。1369年他任教廷银行董事,1372年任董事长;其金融势力和家族影响与日俱增。他大力支持佛罗伦萨亲教皇的归尔甫党,在该地任重要公职,如首席地方行政官(1355)、审判长(1363)。他为佛罗伦萨在竞争中战胜比萨作出贡献,使佛罗伦萨船只得以自由进入比萨港。他为家族建造金碧辉煌的极乐宫,为文人画士提供保护和赞助。贝内德托(1388卒)领导阿尔贝蒂家族竭力遏制对手阿尔比齐家族的兴起。他是归尔甫党领袖,鼓动并参与了1378年7月反对佛罗伦萨寡头政府的起义,虽一度成功,但终于1382年失败,贝内德托被流放。安东尼奥(1358～1415)继续与阿尔比齐家族斗争。他曾任北方行政官(1384),且是主要的艺术赞助人。他继续将极乐宫作为艺术家、作家和学者活动的中心,直到1401年被放逐为止。1402年阿尔比齐家族把阿尔贝蒂家族的全部男性成员流放。1428年虽允许他们返回,但直到1434年阿尔比齐家族倒台后阿尔贝蒂家族才完全恢复了公民权。此后,阿尔贝蒂家族最著名的人物是莱昂·巴蒂斯塔·阿尔贝蒂。

Alberti, Domenico　阿尔贝蒂(约1710,威尼斯[意大利]～1740,福尔米亚或罗马)　威尼斯作曲家。所作拨弦键琴奏鸣曲中采用的伴奏音型大多为分解和弦或琶音,被称为"阿尔贝蒂低音"。师承作曲家A.洛蒂,以歌唱家和拨弦键琴演奏家而闻名于罗马。"阿尔贝蒂低音"可能并非他首创,但他始终加以应用。这一伴奏音型将旋律置放于徐缓进行的和声背景之上,以适应当时要求突出旋律的美学趣味。它也经常为海顿、贝多芬和莫扎特采用(莫扎特的《C大调钢琴奏鸣曲》K279中的第一乐章就是一例),还见于19世纪其他作品。阿尔贝蒂的奏鸣曲曾被歌唱家兼拨弦键琴演奏家G.约齐所剽窃。

Alberti, Leon Battista　阿尔贝蒂(1404-02-14,热那亚～1472-04-25,罗马)　意大利人文主义者、学者、建筑师和文艺复兴时期艺术理论的主要创始人。由于他的人品、著作和广博的学识,被认为文艺复兴时期"全才"的楷模。

他是佛罗伦萨一银行家的私生子,受过多方面的教育,曾从父学数学,10岁或11岁时在帕多瓦受拉丁文经典教育,20岁写出拉丁文喜剧,1428年获博洛尼亚大学法学博士学位后却选择了"文学"作为自己的职业。1432年任罗马教廷秘书,后又被任命用华美的"古典"拉丁文重写圣徒和殉教者的传记。此后的活动始终与教会密切相关。1432年写于罗马的《论家庭》是他以伦理思想家和文体家闻名的几篇对话录中最早的一篇。他用本地语言为一般城市居民而写的论文,依据古典范文将古代哲人,首先是西塞罗和塞内加教诲的为人处世之道用于当代资产者社会的日常生活:例如如何看待命运无常;如何应付得志与失意的际遇;如何处理家政,对待朋友与家人;以及有关教育和对公众利益应负的义务。虽是古人之见,但由阿尔贝蒂娓娓道来,参以他的人生历练,读来便耳目一新。在他看来,伦理理想是建立在行动观念上的道德;而非正确的思想;它不是产生于超然物外的态度,而是出于奋斗追求,劳作与生产。

在佛罗伦萨,他与雕刻家多那太罗和画家布鲁内莱斯基过从甚密,完成了一项重大成就《论绘画》(1435)。他在历史上首次得出了在平面木板或墙壁上绘出立体场景的规则。论文对意大利的绘画与浮雕起了立竿见影的效果,产生了准确、丰满、几何形的合乎透视画法的文艺复兴时期的绘画风格。后来的透视画法的理论家,如画家P.德拉·弗朗切斯卡和莱奥纳尔多,只是在他的论著的基础上加以完善。

他似乎曾与他的友人,宇宙志专家托斯卡内利进行过合作,写出了一篇地理论文,列举了测量和绘制一块陆地区域(他在文中以罗马城为例)的地图的规则。他所说的方法以及他描写所用的仪器与在15世纪后期至16世纪早期精确绘制城市和陆地区域图所用的方法与仪器正好相同。

在费拉拉的埃斯特宫廷作客卿时,他又在建筑艺术上取得了极高的成就;他所设计的仿古式建筑至今仍矗立在费拉拉,那是一

阿尔贝蒂自制青铜像牌
美国国立美术馆供图

微型的凯旋拱门,门上有一雕像。他受人敦促,从事修复罗马皇帝奥古斯都时期的建筑师和建筑理论家维特鲁威的经典著作全文,于是他一丝不苟地从事古代建筑工程实践的研究;1447年他任教皇尼古拉五世的建筑顾问;他们共同主持了圣彼得大教堂和梵蒂冈教皇宫的重建以及其他宏大的文艺复兴时期罗马的建筑工程。1452年,他完成了《论建筑十篇》,体现了长期研究维特鲁威的成果,这已不是恢复旧著,而是献出了一部全新的著作,赢得了"佛罗伦萨的维特鲁威"的名声。《论建筑》成为文艺复兴时期建筑学的圣经;它吸收了在古代工程知识的基础上取得的新成就,植根于古典风格原则之中而又充分发展了美学理论中的相称和和谐的要求。

15 世纪 50 至 60 年代，他周游意大利各地，但他的根据地始终在罗马与佛罗伦萨。他写出了第一本意大利语法，说明托斯卡纳当地语言和拉丁语同样“正规”，因而可以用作文学语言；他还写出了一本密码学的先驱性著作，其中有已知的第一张频率表和第一套通过大概是阿尔贝蒂所发明的密码索引轮子而制订的多字母编码方法。

在他的所有工作中，他的多才多艺始终服务于当时佛罗伦萨流行的“有公民意识的人文主义”的社会观。

他的最后也是最优秀的一篇对话录是《论英才和家长》，充分体现了他所属的资产者早期讲求公益精神的人文主义；阿尔贝蒂正是这种人文主义的首创人。这篇对话录赞颂理论与实践的统一，视有所成就和为公众服务为美德。据 16 世纪的阿尔贝蒂的传记作者 G.瓦萨里称，他死时“满足而平静”。

阿尔贝蒂是意大利文艺复兴初期文化生活的先行者，其学识渊博、包罗万象、受人景仰之程度不亚于半个世纪后的莱奥纳多·达·芬奇。他的学识与成就既是多方面的又是统一的。达·芬奇的天才使他超越了阿尔贝蒂，因为他见识得更多，观察得也更深刻；而阿尔贝蒂则达到了思想上生活上的全面性，而这是实践文艺复兴的理想（合乎分寸与和谐）所必需的。他达到了在理论和实践之间的平衡，在社会和政治事件开始使之黯然失色的时刻实现了他这一代的主要愿望。

Alberti, Rafael　阿尔维蒂（1902-12-16，西班牙圣玛丽亚港～1999-10-28，圣玛丽亚港）　意大利－爱尔兰裔西班牙作家。20 世纪著名的西班牙诗人之一。曾在马德里学艺术，1923 年以前从事绘画，小有成功，后开始写作，在杂志上发表诗作。第一本诗集《陆地上的水手》（1925），回忆故乡加的斯地方的海，获国家奖。1927 年，参与筹备贡戈拉诞生三百周年纪念活动，这个时期的作品有贡戈拉影响的明显痕迹，如《紫罗兰的黎明》（1927）和《石灰与歌》（1928）。在带有超现实主义倾向的诗集《关于天使》（1929）中，他的诗歌已趋于成熟并有独自的风格。20 世纪 30 年代，其作品明显带有政治倾向；他周游各地，写剧本，并加入共产党（后被开除），创办评论杂志《十月》。内战期间，参加共和军作战，后逃亡阿根廷，在洛萨达出版社工作，并继续写诗作画。1941 年出版诗集《在石竹花与剑之间》；1942 年出版自传《失去的丛林》和一本关于内战的剧本、散文、诗歌合集《随时》。其他作品有：有感于绘画而发的诗集《献给绘画》（1945）、关于海的诗集《潮汐》（1944）。1961 年后，多半时间住在意大利，1977 年返回西班牙。

Albertina Graphics Collection　阿尔贝特版画收藏馆　德语作 Graphische Sammlung Albertina。奥地利霍夫堡或维也纳皇宫中的版画艺术品收藏馆。该馆以广泛收藏版画、素描、速写和细密画而名重于时。该馆所藏为 18 世纪萨克森－特申公爵阿尔贝特·卡西米尔所收集，并由 A.冯·巴奇编目。该馆收藏品的版画异常丰富，质量极佳，诱使巴奇进一步编纂了详细目录（每个艺术家创作的作品目录）。该馆收集品由阿尔贝特的继承人管理和扩充，直至 1920 年奥地利政府接管为止。该馆所收集的艺术品以 15 ～ 20 世纪的欧洲素描和版画为主。

Albertinelli, Mariotto　阿贝尔蒂内利（1474，佛罗伦萨［意大利］～ 1515，佛罗伦萨）　佛罗伦萨画家，与巴托洛米奥关系密切。在佛罗伦萨的艺术领导地位让位于罗马之后，仍坚持文艺复兴鼎盛期艺术原则的画家。与巴托洛米奥是同学，后来许多作品是两人合画的。他的主要作品集中于佛罗伦萨，代表作为《圣母的访问》（1503，乌菲齐）。画风朴素、端庄、宏伟。与巴托洛米奥相似，但其所作贵族式的微笑人物，给人以亲切感的构图以及明暗的强烈对比，明显存在着达·芬奇的影响。

Albertini, Luigi　阿尔贝蒂尼（1871-10-19，意大利安科纳～ 1941-12-29，罗马）　意大利新闻工作者，很早就公开反对法西斯主义。他使米兰的《晚邮报》成为欧洲最有声望和销路最广的日报之一。年轻时在伦敦研究《泰晤士报》的组织体制和考察劳工状况。1898 年任《晚邮报》营业经理，两年后任编辑。通过《晚邮报》，他捍卫了当时人们迫切需要的个人自由和政府权威。他不是教条式的爱国者，主张意大利参加第一次世界大战，但不赞成意大利强占阜姆（今克罗地亚里耶卡）和兼并达尔马提亚的行为。他支持 1920 年 11 月南斯拉夫与意大利签订的《拉巴洛协定》。他虽批评战后早期意大利历届政府软弱无能，但对比较强有力的法西斯主义政权也不信任，是抵制法西斯威胁和欺骗手法的少数报纸主编之一。1925 年 11 月因持反政府立场，被《晚邮报》辞退。晚年从事历史研究。1914 年起任参议员。主要学术著作《1914 年战争的起源》（3 卷，1942 ～ 1943）于死后出版。

Albertosaurus　惧龙属　原称 Gorgosaurus。巨大食肉恐龙的属。化石见于北美和亚洲东部的上白垩统地层（9 750 万年前至 6 640 万年前）。头骨大，颌部有许多大尖牙。为两足

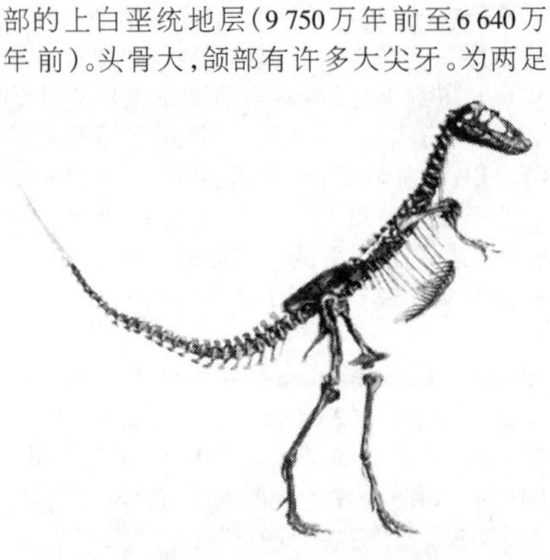

惧龙属（*Albertosaurus*）骨骼
美国不列颠百科全书公司供图

行走的动物，具有发育完善的后肢和支撑的三射式骨盆。尾长而发达，对身体起平衡作用。大约 9 米长，站立时头离地面 3.5 米。存活时，大概是以俯曲的姿势缓慢地走动。可能至少部分是以腐肉为食，吃已死或将死的爬行动物躯体。其身体结构和推测的生活习性，很可能类似霸王龙属（*Tyrannosaurus*），不过躯体小些。化石存在于比发现霸王龙属化石稍早的地层中。

Albertus MAGNUS, SAINT　大阿尔伯图斯，圣（约 1200，士瓦本多瑙河畔劳英根［德意志］～ 1280-11-15，科隆）　英语作 Saint Albert the Great（圣阿尔伯特大师）别名科隆的阿尔伯特

美国不列颠百科全书公司供图

或劳英根的阿尔伯特。天主教多明我会的主教和哲学家，因为是托马斯·阿奎那的老师和在巴黎大学宣讲亚里士多德哲学而闻名。首倡把对自然界的研究建成为基督教传统中的一门合法科学。1941 年按照罗马教皇敕令，宣布他为所有研究自然科学者的守护神。他是多产作家，在世时唯一得到“大师”称号的学者。

他出身于富有的德意志贵族，曾在帕多瓦大学文科学习，1223 年在帕多瓦加入天主教多明我会，并继续在帕多瓦、波伦亚和德意志学习，此后在德意志的几所修道院讲授神学，最后是在科隆。1245 年之前不久，他被派往巴黎大学的圣雅克多明我会修道院，开始接触由希腊文和阿拉伯文翻译的亚里士多德著作新译本以及 12 世纪西班牙－阿拉伯哲学家阿威罗伊对亚里士多德著作的注释。他在圣雅克讲授了两年《圣经》，接着又讲授两年隆巴德的《格言》，这是中世纪大学的神学教科书。1245 年他担任神学系导师，并获得多明我会的“外籍”教授职位。阿尔伯图斯很可能是在巴黎开始从事介绍全部知识的宏伟事业。他写了关于《圣经》和《格言》的评注。他是中世纪唯一对已知的亚里士多德全部著作（包括伪作）加以注释的学者。但在诠释原著时，他常常加入些“题外的话”，以表示他自己的见解、“实验”和推论。实验一词对阿尔伯图斯来说表明观察、叙述和分类的细致过程。他的推论接受了新柏拉图主义思想。他对所有自然科学各部门、逻辑学、修辞学、数学、天文学、伦理学、经济学、政治学和玄学进行了诠释，历时约 20 年。他认为获得知识的方法有两种：一种知识从启示和信仰得来，另一种是哲学的和科学的知识。这两种获得知识的方法不是对立的，并没有“双重真理”。一切真理都是真正的真理，并且相互协调，联成一体。阿尔伯图斯的讲课和出版的著作使他获得巨大声誉。他的学说和阿拉伯哲学家阿维森纳、阿威罗伊甚至亚里士多德本人的学说一样常被引证。一位同时代的英国学者罗杰·培根虽然对阿尔伯图斯并不友善，但也

说他是“基督教学者中最著名的”人物。1248年夏,他被派往科隆建立德国第一个多明我会的研究院,并担任院长直至1254年。他专心致志地进行研究、教学和写作。当时他的主要门徒是1252年返回巴黎的托马斯·阿奎那。即使教义上的分歧已开始出现,这两个人仍保持着密切关系。1254～1257年阿尔伯图斯是多明我会的德国教区“条顿教区”大主教,虽然担负着行政职务,他仍继续从事写作和科学观察及研究。1257年阿尔伯图斯辞去大主教职务,在科隆恢复讲学。1259年教皇任命他继任雷根斯堡主教,于1260年1月就职。1261年亚历山大四世死后,阿尔伯图斯得以辞去他的主教职位,随即回到多明我会,在科隆讲学。1263～1264年任教皇乌尔班四世的使节,在德国各地和波希米亚传道;后来在维尔茨堡和斯特拉斯堡讲学。1270年他最后定居科隆。在他的最后几年中,他从科隆出发作过两次长途旅行。1274年他去法国参加第二次里昂会议,并发言表示承认哈布斯堡王朝的鲁道夫为德国国王。1277年他前往巴黎,为几年前业已逝世而新近受到谴责的托马斯·阿奎那的名声和著述进行辩护。

阿尔伯图斯的著作代表着他那个时代的全部欧洲知识,不仅在神学方面,也包括哲学和自然科学方面。他对于中世纪科学的重要贡献,基本在于他把亚里士多德哲学用于对抗当时神学的反动倾向。另一方面,他也对新柏拉图学派的思辩给予最广泛的自由,并不感到其中有任何矛盾。这种思辩是由斯特拉斯堡的乌尔里希和14世纪的德国神秘主义延续下去的。然而,正是他关于自然科学的著作,发挥了最大影响。必须把阿尔伯图斯看做他那个时代独一无二的学者,因为他曾使亚里士多德关于自然的知识变得容易理解和可以利用;还因为他通过自己对自然科学所有学科的观察思索而丰富了它。他在科学史上占有杰出地位。

Albertville 阿尔贝维尔 参阅 **Kalemie** 卡莱米。

Albi 阿尔比 法国南部城市,米迪比利牛斯大区塔恩省省会。在朗格多克历史地区内。位于图卢兹东北,跨塔恩河。早为高卢-罗马人属地阿尔比根斯和阿尔比乔斯子爵领地的首府。作为阿尔比派的活跃中心,成为宗教异端的象征,因而有1209年阿尔比根森宗教战争和后来的宗教裁判。1264年世俗权授予主教(止于法国革命)。著名古建筑有哥特式圣塞西尔大教堂(1277～1512)、13世纪大主教宫(现为博物馆)和9世纪河桥等。市中心区仍保持着中世纪风貌。有旅游业。生产水泥、染料、合成纺织品和玻璃等。人口42 724(1982)。

阿尔比市的圣塞西尔大教堂
美国不列颠百科全书公司供图

Albigenses 阿尔比派 12～13世纪法兰西南部异端派别特别是清洁派的通称。其实该派活动中心并非阿尔比而在图卢兹一带,可能是沿商道自东欧渗入这一带的。该派形成与罗马教会对立的集团,经常抨击当时神职人员腐化。清洁派最早出现于1012～1020年间,他们首先受到阿奎坦公爵威廉九世的庇护,后来法兰西南部许多贵族都支持他们,于是在南方甚为得势。1119年图卢兹会议要求世俗当局协助教会镇压这种异端派别,世俗当局置之不理。阿尔比派势力不衰,直到教皇英诺森三世登位时为止。英诺森先用和平劝化的手段,最后在1209年命令西多会鼓吹成立十字军,讨伐阿尔比派。战事僵持甚久,1229年签订巴黎条约,南方诸侯丧失独立。尽管战争期间屠戮甚多,但异端并未消灭。在整个13世纪和14世纪一段时间内,异端裁判所连续在图卢兹、阿尔比和南方其他城市大事活动,终于将该派粉碎。

albinism 白化病 源自拉丁语albus,意为“白色”。指双眼、皮肤、毛发、鳞片、羽毛等处无色素的情况。患白化病动物难以在野外生存,因为它们缺乏色素提供的保护色和对阳光紫外线的屏障功能。人类及脊椎动物中的白化病为遗传性。全身性白化病患者的皮肤和头发呈乳白色,不过皮肤因深层的血管可略显粉红色。眼虹膜粉色而瞳孔呈红色,这是因为无色素的脉络膜中的血液反光所致。眼部异常如散光、眼震颤(眼球的快速不自主的摆动)和畏光都很常见。白化病人很容易被日光晒伤,因此也易于发生皮肤癌瘤。全身性白化病是因为缺少黑素,即人类皮肤、毛发和双眼中的暗褐色色素。白化病是因为一种遗传缺陷,身体不能合成制造黑素所需的酪氨酸酶。当两个等位基因都缺乏时就出现白化病。人类白化病呈常染色体隐性遗传模式。白化病见于一切种族,2万人中约出现一个。有一个相关疾病即白癜风,患者的局部皮肤缺乏色素,其外观像白化病,但身体他处的色素均正常。

Albino 白化马 皮肤粉红、被毛纯白的马。有些皮色的马成年后才显示其特征性的毛色,但白化马初生时即为白色,且终生不变。白化马属骑乘马。其眼睛不是粉红色,而是蓝色或浅棕色,所以从生物学上说并非真正患有白化病。白化马在内布拉斯加州白色马场培养,注册于美国白化马俱乐部。

Albinoni, Tomaso Giovanni 阿尔比诺尼 (1671-06-08或14,威尼斯[意大利]～1750或1751-01-17,威尼斯) 意大利作曲家,主要以其器乐传世。父为造纸商,家道殷实,生活富裕。虽曾受过完整音乐训练,他认为自己只是个业余爱好者。生平不详,仅知在1694～1741年间他的50余部歌剧主要在威尼斯演出。还曾出版9套器乐曲,当时广为流传,至今仍受到赏识。J.S.巴赫曾以阿尔比诺尼创作的主题写作4首键盘赋格曲。作品中最著名的有《五声部交响曲与协奏曲》(作品第2号,1707),为小提琴独奏写的协奏曲(作品第5号,1710),为一支和两支双簧管写的协奏曲(作品第7号和作品第9号)。这些作品均以其温文尔雅与娇媚迷人的特性著称。

Albinovanus Pedo 阿尔比诺瓦努斯·佩多 (活动时期1世纪初) 罗马诗人。著有《特赛得》,其友诗人奥维德曾在一封信中提及此诗;诗中警句颇受拉丁语诗人马提雅尔推崇;另有一首史诗写提比略皇帝的养子罗马将军格马尼库斯·凯撒的武功,佩多可能曾在其麾下效力。该史诗或许曾被罗马史学家塔西佗用作史料。流传下来的佩多的作品仅有一个美妙的片断,保存在老塞内加的《劝训辞》一书中,描述了公元16年格马尼库斯由埃姆斯河到北海的航行。

Albinus, Decimus Clodius Septimius 阿尔比努斯(?～197) 即克洛狄乌斯·阿尔比努斯。罗马将军。193～197年为皇帝候选人。原籍罗马阿非利加行省的哈德鲁梅(今突尼斯苏塞)。他显然是在皇帝马可·奥勒利乌斯在位末年成为元老院议员。180年左右在达契亚(今罗马尼亚)以北的一次战役中立下战功。此后历任执政官(2世纪80年代末)、莱茵河地区军事长官和不列颠军事长官(约191),193年初皇帝佩提纳克斯被谋杀后,罗马的禁卫军拥戴狄第乌斯·萨尔维乌斯·朱利亚努斯为帝。但多瑙河地区和叙利亚的罗马军团却分别拥立他们自己的司令官塞维鲁和尼格尔为皇帝。结果狄第乌斯被杀,塞维鲁入主罗马。他与阿尔比努斯达成协议,承认阿尔比努斯为凯撒和皇位继承人。但塞维鲁在消灭尼格尔以后,与阿尔比努斯决裂。197年,已被部下拥立为皇帝的阿尔比努斯统率原驻不列颠的部队进入高卢,并向罗马挺进。

美国不列颠百科全书公司供图

塞维鲁率军越过南德意志，在今法国里昂城外进行一场持续两天的战斗。结果，阿尔比努斯兵败被杀。

Albinus, Decimus Junius Brutus 参阅**Brutus Albinus, Decimus Junius 布鲁图·阿尔比努斯**。

Albion 阿尔比恩 不列颠岛最早为人所知的名称。公元前4世纪甚至更早的古希腊地理学家区别爱尔兰和不列颠诸岛较小的岛屿，而使用此名。希腊人和罗马人可能是从高卢人或凯尔特人那里接受了这个名称。阿尔比恩这个名称一直被解释为“白色的土地”，罗马人认为这个名称与多佛尔的白垩崖壁有关（拉丁语 Albus 意为“白色”）。

albite 钠长石 一种常见的长石矿物，为钠铝硅酸盐（$NaAlSi_3O_8$）。在伟晶岩和酸性火成岩如花岗岩中最常见，亦见于低级变质岩中，并作为自生钠长石见于一些沉积岩中。钠长石通常形成脆性玻璃状晶体，可能是无色、白色、黄色、粉红色、绿色或黑色。可用来制造玻璃和陶瓷，但其主要地质学意义在于是一种造岩矿物。钠长石是斜长石固溶体系列和碱性长石系列的钠质端员矿物（参阅 **plagioclase; alkali feldspar**）。具三斜架状结构，硅和铝为四面体配位，形成较大的间隙（即晶格位置），主要被阳离子钠占据。虽然所有硅原子和铝原子在这一结构中都占有四面体位置，但其位置具体情况不同。低温时硅和铝原子的分布是高度有序的，高温（约1 100 °C）时，原子的分布极其紊乱。关于钠长石的物理特性的详尽论述，参阅 **feldspar**（表）。

Albizia 合欢属 又拼 Albizzia。豆科的一大属，乔木，原产于旧大陆温暖地区。二回羽状复叶，互生。花小，聚生成球状或指状花簇。荚果大，带状。有些种可栽培供观赏。合欢（丝蕊树、含羞草树，*A. julibrissin* 或 *A. julibrizzin*）原产于亚洲和中东，高约9米，树冠宽展，荚果扁平，长约12厘米。阔叶合欢（妇人舌树，*A. lebbek*）原产于热带亚洲和澳大利亚，高约24米，荚果长23～30厘米。羽状合欢（簇长合欢，*A. lophantha*）原产于澳大利亚，

合欢（*A. julibrissin*）
美国不列颠百科全书公司供图

高约6米，荚果长7.5厘米。

Albo, Joseph 阿尔博（约1380，阿拉贡蒙雷阿尔？～约1444） 西班牙犹太哲学家和神学家。以介绍犹太教义的《教理之书》（1485）而闻名。从他的作品可知，哲学家哈斯达伊·克雷斯卡斯是他的恩师。他曾学习基督教神学、伊斯兰教教义学、数学和医学，参加过1413～1414年的托尔托萨辩论会。在西班牙犹太教与基督教的这次决定性论辩中，他出色地解释犹太教经典。《教理之书》在严重的排犹气氛下完稿，既是对犹太教的辩护，又是对它的阐述。

Alboin 阿尔博因（？～572-06-28，伦巴第维罗纳） 日耳曼伦巴第人的国王，具有非凡的军事和政治才能，曾征服意大利北部。约565年继承其父奥多因的王位时，伦巴第人占领了诺里库姆和潘诺尼亚（今奥地利和匈牙利西部），但东邻宿敌格庇德人在达契亚（今匈牙利）。阿尔博因与阿瓦尔人结盟，夹击宿敌，亲手杀死其国王库尼蒙德。第一个妻子死后，他强娶库尼蒙德之女罗莎蒙德。他把格庇德人残部纳入伦巴第族。然后纠集所有其他日耳曼部落的冒险分子，包括数千撒克逊人，携带妇女儿童越过阿尔卑斯山脉，向由拜占廷人占据的意大利迁徙。意大利北部各行省分崩离析，对入侵的伦巴第人很少抵抗。阿尔博因的军队势如破竹，横扫威尼斯、米兰、托斯卡纳和贝内文托，于572年创立伦巴第王国，建都帕维亚。据传说，阿尔博因按照伦巴第人的风俗，逼其妻罗莎蒙德用她被杀的父亲的颅盖骨饮酒，罗莎蒙德令人将其刺杀。

Alboni, Marietta 阿尔波尼（1823-03-06，教皇国卡斯特洛城～1894-06-23，巴黎附近阿夫赖城） 原名 Maria Anna Marzia。意大利歌剧女低音歌唱家，以其古典的意大利美声唱法而闻名。就学于博洛尼亚时引起 G. 罗西尼的重视，后受罗西尼指导主演其歌剧中的女低音角色。1842年首次演出于博洛尼亚，在乔凡尼·帕契尼的《萨福》中饰演克利梅内一角；继而在米兰拉斯卡拉歌剧院演唱罗西尼的《科林斯之围》，获得极大成功。先后赴奥地利（1843）、俄国（1844～1845）、德国以及东欧（1846）进行巡回演出。1847年分别在伦敦的科文特加登剧院和巴黎的意大利剧院主演罗西尼的《塞米拉米德》，引起轰动。1852～1853年巡回演出于西班牙和美国，受到热烈欢迎。结婚后定居巴黎，1868年在罗西尼的葬礼上演唱，后因肥胖症日益严重而退隐。1872年作最后一次演出。阿尔波尼为了保护嗓音从不排练，直到中年以后嗓音仍保持美妙动听。由于女低音角色为数不多，她亦演唱女高音角色，甚至唱过男角，例如《唐卡洛斯》一剧中的剧名主角。

Ålborg 奥尔堡 又拼 Aalborg。丹麦北日德兰州城市、港口和首府，在利姆水道南岸。约建于公元1000年以前，是丹麦最古老的城镇之一。1342年建制。1554年成为主教区中

奥尔堡市附近的北欧海盗墓地
美国不列颠百科全书公司供图

心。17世纪成为主要商业中心，直至1850年前后为丹麦第二大城市。现有造船、水泥、烟草、化工、纺织品等工业。奥尔堡大厅是斯堪的纳维亚最大的会议和音乐厅。有圣神隐修院（1431）等中世纪建筑。市南有雷比尔山国家公园（1912），是美籍丹麦人赠送的礼物，内设移民博物馆。1974年创办奥尔堡大学中心。人口：市约114 970（1982）；城市区约157 270（1983）。

Albornoz, Gil Álvarez Carrillo de 阿尔沃诺斯（约1310，卡斯蒂利亚昆卡～1367-08-23或24，教皇国维泰博） 西班牙枢机主教和法学家，博洛尼亚西班牙学院创办人。初为军人，后进入教会，1338年成为托莱多大主教。他支持国王阿方索十一世对穆斯林的战役。阿方索死后，其子即位为彼得一世，转而反对阿尔沃诺斯。他逃往教皇驻地阿维尼翁。1350年教皇克雷芒六世任命他为枢机主教。在教皇英诺森六世时期，他被任命为教皇使节和意大利的代理主教，并受命去恢复被剥夺的罗马教皇财产。1357年完成使命，返回阿维尼翁。他所著的《圣母教会规章书》详细规定了政教双方的权利与义务。1358年他返回意大利去解散雇佣军的自由连队。1364年他从米兰的维斯孔蒂家族手中收回博洛尼亚，教皇乌尔班五世任命他为驻博洛尼亚的使节，他在那里创立迄今仍以他的名字命名的西班牙学院。他在意大利的政绩为教皇乌尔班五世1367年访问罗马打开了僵局。

Alborz Mountains (Iran) 参阅 **Elburz Mountains** 厄尔布尔士山脉。

Albrechtsberger, Johann Georg 阿尔布雷希茨贝格(1736-02-03,奥地利哈布斯堡领地维也纳附近克洛斯特新堡[今在奥地利]～1809-03-07,维也纳) 奥地利作曲家、管风琴家和音乐理论家,当时最博学和技巧最高的对位作曲家之一。其声誉吸引了很多学生,其中包括贝多芬。曾向L.皮特纳学习管风琴和通奏低音。1755～1766年在多处任管风琴师。1772年被委任为维也纳宫廷助理管风琴师。1793年任圣司提反大教堂唱诗班指挥。他是当时最优秀的管风琴家之一,也是一位有影响的教师,他培养出维也纳音乐的一代人,包括贝多芬、车尔尼和J.N.洪梅尔。750首作品的大多仍为手稿,其中有弥撒曲35首、为各种乐器所作的240首赋格曲、许多弦乐四重奏和二乐章的奏鸣曲,以及其他宗教和室内乐作品。主要理论著作《作曲基础》于1790年出版。他熟知巴罗克复调音乐和多声部音乐。丰富并发展了他那个年代的维也纳古典音乐。

Albret FAMILY 阿尔布雷家族 法国历史上加斯贡地方的著名家族。家族成员中有武士、主教和纳瓦拉的国王,其势力在公元14～16世纪时达到顶峰。家族源出一个名叫拉布里的小村庄。通过联姻和授赠逐步扩大了领地。其成员参加过第一次十字军远征(1096～1099)、反对法国南部阿尔比派异端教派的战争(1209～1229)和百年战争(1337～1453)。在百年战争中,阿尔诺-阿玛尼厄·德·阿尔布雷(1401卒)一度为英格兰人作战,最后倒向法国一边,获丰厚报酬(1368):法王查理五世不仅将自己的妻妹、波旁的玛格丽特嫁给他,而且赐予土地和钱财。他的儿子查理一世·德·阿尔布雷曾任法国宫廷总管,死于阿让库尔战役(1415)。查理一世之孙阿兰,人称"大阿兰"(1440～1522)领有大片的封地,成为最后的封建领主之一。其子让(1516卒)于1484年与卡特琳·德富瓦结婚,从而成为纳瓦拉国王。1550年阿尔布雷家族的领地被封为公国,让的孙女让娜·德·阿尔布雷(1528～1572)嫁给安东尼·德·波旁,并将封号传给其子纳瓦拉国王亨利三世。后来亨利继承法国王位,称亨利四世。1654年该家族米奥桑支系的凯撒-费比斯·德·阿尔布雷(1614～1676)任法国元帅。

Albright, Ivan (Le Lorraine) 奥尔布赖特(1897-02-20,美国伊利诺伊州斯黑文～1983-11-18,佛蒙特伍德斯托克) 画家。以其逼真而引人注目地描绘衰败和腐化的场景著名。第一次世界大战后,曾在芝加哥美术学院、宾夕法尼亚美术学院和纽约市国立设计学院等处学习。1927年在芝加哥附近定居,专事绘画。1930年作《一个名叫艾达的人来到世间》,同年在芝加哥举办画展。1931年开始画《我本应该做而未做的事》(芝加哥美术学院藏),1941年完成,是其杰作之一。另一优秀作品是《可怜的房间——没有时间,没有结局,没有今天,没有昨天,没有明天,只有永远、永远、永远、永无穷尽》(1941～1962),画面上是透过窗子看到的一间堆满杂物的房间。他的双胞胎兄弟M.M.奥尔布赖特(卒于1983-09-14)也是一位画家和雕刻家。

Albright, Madeleine 奥尔布赖特(1937-05-15,捷克斯洛伐克布拉格～) 婚前名Marie Jana Korbel。捷克裔美国官员,前美国驻联合国大使,第一位女国务卿。犹太人,捷

美国不列颠百科全书公司供图

克外交官之女,1939年纳粹占领捷克后举家逃往英国。二战后返回捷克,但苏联支持的共产主义政变迫使他们再次成为难民,1948年定居美国。1955年毕业于韦尔斯利学院,与报业家族的J.奥尔布赖特结婚。

1968年获哥伦比亚大学硕士。1976年获博士学位,跟随卡特总统的国家安全顾问布热津斯基工作。在80年代和90年代初里根和布什当政时期,她在华盛顿的家成了有影响的民主党政治人物和政策制定者的沙龙。1982～1993年还任乔治敦大学的国际事务教授。1993年克林顿总统任命她为驻联合国大使。在联合国她以坚决维护美国利益而著称,并提出应加强美国在联合国中的作用,特别是在军事方面。1997年对她担任国务卿的提名,在美国参议院获全体一致通过。

Albright, Tenley (Emma) 奥尔布赖特(1935-07-18,美国马萨诸塞牛顿中心～) 赢得世界业余花样滑冰锦标赛冠军(1953)和冬季奥运会花样滑冰比赛金牌(1956)的第一个美国女运动员,也是一年(1953)中连获世界、北美洲和美国三个冠军的第一个运动员。她曾患非麻痹性脊髓灰质炎,11岁起练滑冰以恢复体力。1952～1956年连获美国女子成人花样滑冰锦标赛五届冠军,1953和1955年获两届北美冠军,1953年首次夺得世界冠军,1955年再获冠军,1956年获奥运会冠军。

Albright, W(illiam) F(oxwell) 奥尔布赖特(1891-05-24,智利科金博～1971-09-19,美国巴尔的摩) 美国《圣经》考古学家、中东地区考古学者,以发掘《圣经》时代的古遗址而著称。曾获约翰斯·霍普金斯大学闪语诸语言博士学位,出于P.豪普特门下,1929年继其师之位任闪语诸语言斯彭斯讲座教授,1958年退休。他于1919年任耶路撒冷美国东方研究院研究员,1920～1929年及1933～1936年间两度担任该院院长,这期间曾在巴勒斯坦、俾路支和约旦从事发掘。1950～1951年任美国人类研究基金会首席考古学专家,负责指导在阿拉伯半岛瓦迪拜汉、哈贾尔·本·胡迈德以及提姆纳等地的发掘工作。奥尔布赖特独辟蹊径,自成一家,强调考古学、地志学和语言学对《圣经》时代史研究的价值,并把陶器和陶瓷碎片的鉴定作为一种可靠的科研手段。他的著作有《巴勒斯坦考古学与〈圣经〉》(1932～1935)、《古埃及音节文字之元音化》(1934)、《贝特米尔西姆山考古发掘记》(1932～1943)、《石器时代至基督教时代》(1940～1946)、《考古学与以色列的宗教》(1942～1946)、《〈圣经〉与古代近东》(1961)等。

Albright-Knox Art Gallery 奥尔布赖特-诺克斯艺术馆 位于美国纽约州布法罗,是一个以收藏当代绘画和雕刻而著称的博物馆。奥尔布赖特-诺克斯艺术馆藏有20世纪50～70年代的美国和欧洲各流派的艺术品,诸如抽象表现主义、波普和光效应艺术、概念派艺术以及极简抽象派艺术,都有代表作展出。艺术馆还有一个永久收藏馆,包括许多世纪以前的艺术品,其中有基克拉季斯岛公元前3000年的偶像和19世纪法国印象派和后印象派的绘画,毕加索、布拉克、马蒂斯、米罗的作品以及20世纪20～30年代立体主义、超现实主义、结构主义等诸多流派的作品。奥尔布赖特艺术馆的前身是1862年建立的布法罗美术学院,1905年建立新馆对公众开放,1962年又开放了由G.邦沙夫特设计的增建部分;原奥尔布赖特艺术馆同时改为奥尔布赖特-诺克斯艺术馆。

Albright's syndrome 奥尔布赖特氏综合征 一种遗传性疾病,为美国医师F.奥尔布赖特首先描述,故名。特征为骨发育异常、皮肤色素斑、精神发育迟缓、内分泌障碍(包括女孩性早熟)及钙代谢异常。皮肤、脑、晶状体有钙质沉着,骨内亦见钙质沉着于正常无钙质的部位。本病症状似甲状旁腺功能减退,故亦称假性甲状旁腺功能减退,但甲状旁腺功能实为正常,而机体对甲状旁腺激素的反应降低。因骨骼脆弱、长骨弯曲,易继发骨折。本病作为性连锁显性特性而遗传,女性发病率为男性的两倍。

Albucasis (physician) 参阅 **Abū al-Qāsim** 阿布·卡西姆。

Albufera da Valencia, Louis-Gabriel Suchet, duc d' (duke of) **巴伦西亚的阿尔武费拉公爵** 参阅 **Suchet, Louis-Gabriel** 絮歇。

Albula Alps 阿尔布拉山 瑞士东部雷蒂亚山的组成部分,位于格劳宾登州境内,圣莫里茨旅游疗养胜地以北。从施普吕根山口(6 932英尺[2 113米])向东北延伸到弗吕埃拉山口(7 818英尺),并包括阿尔布拉山口(7 585英尺)。许多山峰都高达1万英尺以上,最高峰是冰川覆盖的凯施峰,海拔11 214英尺。山区盛行各项冬季运动。

album 白板 古罗马书写告示的白色木板。最高祭司编纂的年报、行政长官的年度敕令、元老和陪审员名单、每日大事记和其他告示都用黑色字写在白板上。今英文单词album(意为收集手迹、素描、照片之类的粘贴簿)即源于此。

Albumazar 阿尔布马扎(787-08-10,呼罗珊巴尔赫～886-03-09,伊拉克瓦西特) 又拼Abū Maʻshar。穆斯林世界的重要星占学家。他提出:世界之始正当七大行星合于白羊座一度,世界末日将发生在七大行星合于双鱼座末度之时。意大利哲学家、科学家乔万尼·巴蒂斯塔·德勒·波尔塔所撰剧本《星占学家》中的邪恶星占学家,就是以他为原型。其主要著作有《星占学入门》、《天体互合之书》和《世界年来复之书》。

albumen paper 蛋白相纸 在纸上涂以蛋白和氯化铵,然后用硝酸银溶液进行后处理而制成的感光相纸。此法是法国摄影家布朗卡特-埃夫拉尔于1850年左右发明的,曾被广泛使用了60年。当时,蛋白也被应用在玻璃底板上作为光敏晶体的黏合剂。蛋白纸相片影调丰富,颗粒细腻,为现代收藏家所珍视。

albumin 白蛋白 一类可溶于水及半饱和盐溶液(如硫酸铵溶液)的蛋白质。血清白蛋白见于血清;乳汁中有 α-乳白蛋白。卵清的蛋白质中约50%为卵白蛋白(此外尚有伴白蛋白)。植物种子含极少量的白蛋白(占其重量的0.1%～0.5%)。参阅 **proteinuria**。英语中,曾用 albumen 一词指水溶性的蛋白质系统,如卵清,其中含白蛋白以外的蛋白质。

albuminuria(medicine) **白蛋白尿** 参阅 **proteinuria** 蛋白尿。

Albuquerque 阿尔伯克基 美国新墨西哥州最大城市,伯纳利欧县县城。临格兰德河。东面有桑迪亚山脉和曼萨诺山脉之间的山口。四周为印第安村庄和锡沃拉国家森林

阿尔伯克基市的圣菲利普德奈里教堂
Shostal 供图

区,该市为其管理机构所在地。1706年由西班牙人建立。后成为一重要贸易中心。1846年被美国占领。现保存有西班牙式的旧城和教堂(1706)。20世纪30年代起,100多个联邦机构在此设立。第二次世界大战后,当地开展核能、航天和太阳能研究工作,人口激增。生产拖车、石膏制品、木材、服装、航空器件。海拔1 620米,气候干燥温和,为闻名的结核病治疗中心。旅游业重地。牧场、采矿和木材业的服务中心。市东北有通空中缆车的桑迪亚峰滑雪场。每年9月中举办新墨西哥州交易会。市内有圣菲公司铁路修配厂、新墨西哥大学(1889)、阿尔伯克基大学(1920)、阿尔伯克基学院(1955)和阿尔伯克基专业技术学院。1890年设市。人口:市384 736;阿尔伯克基都会统计区480 577(1990)。

Albuquerque, Afonso de, THE GREAT 阿尔布克尔克(1453,里斯本附近阿良德拉～1515-12-15,印度果阿附近海上) 葡萄牙军人、葡属印度殖民地总督,果阿和马六甲的征服者。他控制东方航路、建筑要塞、安置移民等措施,为葡萄牙在东方的霸权奠定了基础。阿尔布克尔克是韦拉·韦尔德的次子。曾祖及祖父曾任国王约翰一世及爱德华的机要秘书。外祖父曾是葡萄牙海军大将。他曾在北非服军役10年,参加对穆斯林的十字军东征。葡萄牙国王约翰(若奥)二世任命他当御马总监。1489年他去北非参加保卫格拉西奥萨的战斗。约翰的继承人曼努埃尔一世即位后,阿尔布克尔克在宫廷不得志,再一次到北非任职。1499年瓦斯科·达·伽马在完成绕好望角去印度的航行之后回到葡萄牙,国王曼努埃尔立即派遣佩德罗·阿尔瓦雷斯·卡布拉尔率第二支舰队前往印度,目的是与当地统治者建立关系和相互贸易。由于垄断香料的穆斯林商人的挑拨,葡萄牙人遭到卡利卡特的印度王公的攻击,但是卡利卡特的属国科钦却欢迎他们。1503年阿尔布克尔克和他的表弟弗朗西斯科去科钦保护当地的统治者。他在科钦修筑葡萄牙在亚洲的第一座要塞,配备一支警卫部队。1504年7月他在奎隆建立商站以后返回里斯本,受到曼努埃尔的亲自接见。1505年曼努埃尔任命多姆·弗朗西斯科·德·阿尔梅达为印度总督,领副王衔,他的任务是发展贸易和扶持葡萄牙在当地的盟友。1506年4月阿尔布克尔克离开里斯本,与特里斯托·达·昆阿前去勘察非洲东海岸。他在索科特拉岛上修筑一座要塞,封锁红海的咽喉,切断阿拉伯与印度的贸易。为了开辟欧洲与波斯的贸易,他又攻占波斯湾和阿曼湾之间的霍尔木兹岛。阿尔梅达任期届满,曼努埃尔国王任命阿尔布克尔克接任葡萄牙驻印度总督。1508年12月他抵达印度时,有一支来自埃及的海军打败并杀死了阿尔梅达的儿子。阿尔梅达要在为死去的儿子复仇之后交权,把阿尔布克尔克软禁起来。1509年2月阿尔梅达在第乌沿海打败穆斯林舰队,但直到11月他才将权力移交阿尔布克尔克。阿尔布克尔克企图控制东方的主要沿海商站,他使移民定居,建立永久性的要塞。1510年他率领23艘兵舰攻克由穆斯林王公统治的果阿,将进行抵抗的穆斯林全部处死。阿尔布克尔克以果阿作为进攻穆斯林的海军基地,同时在这里收购香料和向印度王公提供波斯的良种马。1511年7月阿尔布克尔克征服马来半岛的马六甲,分兵驻防,并派船只四处收集香料。不久,他又率领葡印联军向红海进发,在阿拉伯和阿比西尼亚沿海进行勘察。回印度后,他终于使反葡萄牙的主要地区卡利卡特降服。1515年他率兵舰前往霍尔木兹,占领该岛的部分地区。同年9月因病返回果阿,12月死在果阿海边的船上。

alburnum(botany) 参阅 **sapwood** 边材。

Albury-Wodonga 奥尔伯里-沃东加 澳大利亚新南威尔士州和维多利亚州交界处的城市,由墨累河两岸的两个城镇组成。位于悉尼西南沿铁路约398英里(640千米),墨尔本东北约186英里。周围地区农牧产品的贸易中心。是悉尼-墨尔本铁路线上最大的货运中心。工业有钢铁、机车、电器部件、混凝土、化肥、印刷、纺织和木材加工等。有休姆水库用于水上运动和灌溉。1973年联邦政府与两州政府签署协定共同规划发展这一城市。人口76 561(2001)。

Alburz Mountains(Iran) 参阅 **Elburz Mountains** 厄尔布尔士山脉。

Alcaeus 阿尔凯奥斯(约公元前620,莱斯沃斯岛米蒂利尼～约前580) 希腊抒情诗人。他的作品在古代评价很高。10卷本阿尔凯奥斯体诗集(已佚)成书于公元前2世纪。他是罗马抒情诗人贺拉斯所喜爱的典型,后者学他写了阿尔凯奥斯体诗节。他的作品仅存片断和引句,尽管这样,也能从中看出他题材的广度,以及他的诗才。他的诗可分成4组:颂扬神和英雄的颂歌、情歌、饮酒歌和政治诗。诗人的许多片断表现了他如何积极参与了米蒂利尼的生活,尤其是政治生活。经过多年政治动乱,皮塔科斯上台后,给米蒂利尼带来一定程度的稳定,他以温和闻名,世称希腊七贤之一。阿尔凯奥斯曾和皮塔科斯并肩与雅典人作战,但皮塔科斯反而对他恨之入骨。阿尔凯奥斯曾赋诗对皮塔科斯极尽攻击之能事,嘲弄其脚成八字、大腹便便、吝啬贪鄙、酗酒放纵,并揭露其出身低贱。其他作品的一些片断表达了公元前6世纪米蒂利尼日常生活的气氛。他描写航船和河流,葡萄酒和宴会,赛美会,成群结队飞翔的野鸭,以及迎春花朵。他描写爱琴海地区各城邦居民的精神及道德观念,如:他认为伟大"不在于豪华宅第、壮丽城墙、运河船坞,而在于能利用命运之赐予的人"。

alcaic 阿尔凯奥斯诗体 古典希腊诗节,由音步各不相同的四行诗组成,其中前两行有5个长音节,后两行有4个长音节,并在前3行的开头各有一个非重音音节。因可能创造这一诗体的公元前7世纪末和前6世纪初古希腊诗人阿尔凯奥斯而得名。后来成为拉丁诗歌的一个重要诗体,尤其贺拉斯的《歌集》多用此诗体。文艺复兴时期,英法两国各自按照本国语言的特点采用了这一诗体,后来的作品,例如丁尼生的《弥尔顿》也采用了这种诗体。

Alcalá, Calle de 阿尔卡拉大街 西班牙首都马德里的主要街道。从市主要广场太阳广场东侧向东北延伸,穿独立广场和阿尔卡

阿尔卡拉大街的阿尔卡拉拱门
美国不列颠百科全书公司供图

拉拱门,长约6千米。两侧有政府机构和银行等。1752年建立的艺术、音乐学院也坐落在这里。

Alcalá de Guadaira　瓜代拉堡　西班牙西南部安达卢西亚自治区塞维利亚省城镇。位于塞维利亚市东南,临瓜代拉河。经济以面包和面粉业为主,素有"面包城"之称。也有橄榄出口、榨油和旅游业。附近有1246年被基督教军队占领的摩尔人城堡遗址,1925年被定为国家级保护单位。人口56 244(1998)。

Alcalá de Henares　埃纳雷斯堡　西班牙中部马德里省城市。早为罗马人城市。1000年被摩尔人摧毁,1038年重建。1088年被阿方索六世收复并赐与托莱多大主教。城内有1136年建、1936～1939年内战中严重破坏后修复的哥特式教堂,以及主教宫(现为神学院,存有托莱多和巴伦西亚宗教裁判所的文献)。16世纪所建埃纳雷斯堡大学1836年迁往马德里,1977年设新的埃纳雷斯堡大学。制造业有化工品、棉纺织品、香水、陶器、电器和家用器具等。作家塞万提斯在此出生。设有机场和军营。人口163 831(1998)。

Alcalá de Henares, University of　埃纳雷斯堡大学　参阅 **Madrid, Complutensian University of** 马德里康普鲁顿大学。

Alcalá Zamora, Niceto　萨莫拉(1877-07-06,西班牙普列戈～1949-02-18,布宜诺斯艾利斯)　西班牙政治家、总理和第二共和国总统(1931～1936),因试图调和各派政策而被罢免而流亡国外。1905年被选入议会,1917年任工程部长,1922年任陆军部长。由于西班牙在摩洛哥遭到失败,德里维拉将军夺取了政权,解散了议会,并结束了战争。萨莫拉指责国王阿方索十三世独裁。他成为一个共和派,在1930年8月签订《圣塞瓦斯蒂安条约》时,他参加了社会主义派和加泰隆左派。作为革命委员会的领导人,他根据1931年4月的市政选举,迫使阿方索退位。阿方索离开西班牙。萨莫拉担任总理。当议会在新宪法中增补反教权条款时,他于同年10月14日辞职。但12月11日被选为第二共和国的首任总统。他是天主教徒,反对新宪法,但他也想竭力消除各政党之间的斗争。他压制极左分子,也拒绝宪法修正派掌握政权。结果,他几乎遭到所有党派的攻击。1936年2月人民阵线在选举中获胜,议会以238票对5票将他罢免。他前往法国,后又去阿根廷,在流亡中逝世。

alcalde　法正　此名源于阿拉伯语 al-qāḍī,意为"法官"。西班牙国内及其控制或影响所及诸地区对城镇或乡村行政、司法首席官员的称呼,适用于地方政府官员中职务不同,但涉及司法事务者。按照其司法职能的分工,法正可分为:宫廷法正,系宫廷法院的法官,辖区为王宫内外划定地区;市政法正,协助皇家法官处理城市司法事务;刑事法正,是西班牙一般刑事法院的专职法官。19世纪以来,法正具有双重职司,既是地方议会的议长,又是中央政府的代表。他的任务主要在行政方面而很少涉及司法管理工作。乡村法正是下级行政官员,拥有警察及司法权力。在西班牙美洲殖民地,常务法正为地方司法官员,与市镇议员同样拥有议会的席位。在这些地区,市政法正都是下级官员,被派驻印第安社区,而印第安事务法官则被派往较大社区;这些人实际拥有全部行政及司法管理权,但一般不属政府薪给人员。乡村法正有时称乡村警官。自1635年起,在秘鲁设置了地方法正,与乡村法正相辅相成。大约在同一时间也在新西班牙设置了同类职衔。印第安事务法正是印第安人聚居区的下级官吏,要对地方印第安酋长及西班牙派去的地区法官负责。区法正负责管理大城市的各区事务。各级法官与市政法正由于贪污腐化,据查理三世的改革方案于1790年在西班牙美洲属地上全部为一种新官职督统(**intendente**)所取代。这一措施,是原殖民地事务大臣 J. de 加尔维斯在西班牙推行的一项类似政策的继续。

Alcamenes　阿尔卡姆内斯(活动时期公元前5世纪末,爱琴海利姆诺斯岛及雅典[希腊])　古希腊雕刻家,稍晚于菲迪亚斯。其作品以精致优美著称,尤以《赫法耶图斯》和《花园中的阿佛洛狄忒》最为著名。帕加马祭坛入口处的《赫耳墨斯》头像复制品,有铭文可确定原件为其所作。另据希腊旅行家鲍萨尼亚斯(公元2世纪)的记述,他也是奥林匹亚山宙斯神庙一面山墙雕刻的作者。

Alcamo　阿尔卡莫　意大利西西里岛西北巴勒莫西南偏西37千米处特拉帕尼省城市。建于1233年。有著名的阿桑塔教堂和圣托马索教堂。现为工农业中心,以酿制葡萄酒闻名。人口:城市区约43 553(1999)。

Alcan Aluminium Limited　阿尔康铝业股份有限公司　加拿大跨国公司,1928年创立,原名铝业股份有限公司。1966年采用今名。现为加拿大最大的工业企业,业务网遍及100多个国家。拥有铝土矿采掘场和冶炼厂、电解铝厂、水电厂、各种各样铝制品加工厂、运输公司、生产和销售工业用化学品机构,并拥有一些从事研究和试制工作的实验室。总公司在蒙特利尔。1928年美国铝公司在加拿大设立独立分公司,名为铝业股份有限公司。前者将其在外国资产几乎全部移交给后者,换得后者的普通股权,因此1951年前两公司的主要股东都是共同的。1951年美国地方法院为消除两公司互相勾结的嫌疑,强迫股东们放弃两公司之一的股权,非此即彼,二者不可兼得。现阿尔康铝业股份有限公司的股东多为加拿大人。

Alcan Highway　阿尔康公路　参阅 **Alaska Highway** 阿拉斯加公路。

Alcántara　阿尔坎塔拉　西班牙西部埃斯特雷马杜拉自治地区卡塞雷斯省城镇。临塔吉斯河南岸,在西葡边界正东。当地罗马人于公元105～106年建六拱桥,长204米,经多次修葺,被称为西班牙最壮观的罗马古迹之一。人口1 876(1996)。

Alcántara, Order of　阿尔坎塔拉骑士团　西班牙的基督教军人教派,1156年由唐·苏埃罗·费尔南德斯·巴里恩托斯创立,1177年12月由罗马教皇亚历山大三世认可。其宗旨是保卫基督教的西班牙,反对摩尔人的侵占。1218年莱昂国王阿方索九世把阿尔坎塔拉镇赐给该骑士团。在此后200年中,该骑士团一直守卫基督教西班牙的南部边界。其人员多达10万,岁入4～5万杜卡特。1493年阿拉贡国王费迪南德二世和卡斯蒂利亚女王伊萨贝拉一世将各军人教派并入王室,以后,该骑士团的采邑成为王家世袭财产的一部分。

Alcântara, Osvaldo　阿尔坎塔拉　参阅 **Lopes da Silva, Baltasar** 洛佩斯·达席尔瓦。

Alcaraz carpet　阿尔卡拉斯地毯　15和16世纪在西班牙穆尔西亚的阿尔卡拉斯以手工织成的铺地用品。单经,拴西班牙扣。15世纪的若干产品除大边图案和配色不同外,其他都十分近似现代土耳其地毯。这类地毯在长方格子内有轮状物,且有几种不同的式样。其他地毯系模仿多种织锦和丝绒的花样。此类地毯有相当数量保存至今,有的完整,有的残缺。15世纪的产品配色鲜艳,带有悦目的茜红色;但在16世纪,红色变浅,呈珊瑚色和橙红色,以后逐渐消失,随之流行的是以绿色、黄色或黑棕色和白色进行配色的方式。织锦和丝绒的花样,尤其是在各交叉点上有一带有花冠的葱形花格花样仍继续使用。然而最受欢迎的图案是成排的锯齿状树叶的花环。大边现在一般都有宽条,有时为阿拉伯式的龙,而窄条外框可能为方济各会式编结花饰。阿尔卡拉斯地毯和当时萨拉曼卡及巴伦西亚生产的地毯非常相似,以致无法准确地予以区分。

Alcatraz Island　阿尔卡特拉斯岛　别名石头岛。美国加利福尼亚州旧金山湾内的一座岩石岛,在距海岸2千米处,面积9公顷。胡安·曼努埃尔·德·阿雅拉上尉于1775年来此探险时,岛上无甚植被,却是海鸟的栖息地,于是将其命名为阿尔卡特拉斯岛,意为鹈鹕岛。1849年被售与美国政府。该岛以加利福尼亚沿海第一座灯塔(1854)的所在地而享有盛名。此后在岛上建起了其他建筑物。第一支军队分遣队于1859年来此驻守。1868年被指定为违反军法的人员的居住地。后来犯人还包括来自亚利桑那准州的叛乱的印第安

从旧金山海德街看阿尔卡特拉斯岛
美国不列颠百科全书公司供图

侦察人员、1900年在菲律宾作战开小差而参加菲律宾革命事业的美国士兵以及反对美军驻在中国的平民。1907年该岛被指定为美国军事监狱太平洋分部。1934～1963年为监禁最危险的平民重犯的联邦监狱。在此监禁的众多犯人中著名的有卡彭、"机关枪"凯利和阿尔卡特拉斯的鸟类学家斯特劳德。虽然该监狱可容纳450名罪犯，单人牢房面积为3米×1.5米，但是岛上从未同时监禁过250名以上的犯人。很少有人试图越狱，但也确有极少数逃出过，只是他们是否能在湾流中保命则不得而知。由于需要将淡水运往岛上，并从岛上运出垃圾污物，1963年该岛终于被弃置不用。1964年3月有一群苏印第安人引证1868年同苏人订立的准许住在居留地的印第安人对任何"政府未占领的土地"提出所有权要求的条约，于是他们对该岛提出了要求。1969年11月一群为数89名的印第安人占领了该岛，直至1971年6月被联邦法院执行官下令赶出为止。1972年该岛成为新设的金门国家游览区的一部分。岛上大部分建筑物年久失修，具有历史意义的灯塔和另外4座建筑毁于1970年的大火中，但当局未有对岛上建筑进行修复的计划，尽管如此，阿尔卡特拉斯岛现仍然向公众开放。

alcázar 要塞 14、15世纪西班牙人建造的一种城堡。西班牙人为驱除摩尔人而励精图治，因而他们建立的既是要塞又是宏伟的大厦。要塞一般呈长方形，有便于防守的城墙与雄伟的角楼。要塞内有空旷的庭院，庭院四周建有小教堂、客厅、医院、花园等。现存要塞遗址主要在塞哥维亚（建于14世纪）和托莱多（建于14世纪，16世纪重修）等地，但最著名的要塞在塞维利亚市（其城垣建于1364年）。

Alcázar de San Juan 阿尔卡萨尔-德圣胡安 西班牙中部卡斯蒂莱-拉曼查自治区雷亚尔城省城镇。地处中央高地。海拔650米。1186年被圣约翰骑士团占据。1292年又为卡斯蒂利亚国王桑乔四世攻克。14～16世纪为圣约翰骑士团中心地。名胜古迹有14世纪的奥地利唐胡安塔、在基督教前海格立斯神庙遗址上修建的圣马利亚教堂和藏有2～3世纪罗马镶嵌画的市立考古博物馆。有农产加工厂、肥皂厂、铁路工厂和铁厂。人口约25 972（1991）。

Alcazarquivir（Morocco） **阿尔卡萨基维尔** 参阅 **Ksar el-Kebir** 凯比尔堡。

Alcedinidae（bird family） **翠鸟科** 参阅 **kingfisher** 翠鸟。

alchemy 炼金术 以将诸如铅或铜等贱金属转变为诸如银或金等贵金属为目的的伪科学。虽然这种尝试中也包括了化学方法，但化学的发展与炼金术有联系仍属没有结论的说法。

古代中国、印度和希腊的哲学家几乎都以相同的方式假设这样的观念：五种元素（空气、水、土、火、空间）以各种方式组合，构成了所有物质。进一步的说法是：物质世界起源于各种互不相容的相反的"力"，如热和冷、湿和干、正和负、阳和阴。在与它们相似的占星术传统遗产中，古代的中国、印度和希腊的哲学家们发现了元素、行星和金属之间的相似之处。

占星术士相信，宏观的宇宙世界中发生的事件会反映在微观的人类世界中，反之亦然。因此，在独特的占星术的影响下，炼金术认为铅转变为金的理想是可以实现的，它正像人的灵魂在天堂中能获得一个完美的状态一样。也许工匠们能在实验室中利用细心地培养和长时间地加热，来加速这一转变过程，即利用将贱金属毁灭，然后把它们更新为更好的形式（贵金属）。

尽管这些有实践经验的炼金术士发明和使用了许多实验仪器和方法（它们经过改进后仍在今天被使用），但他们仍然主要是工匠，而且他们并不希望泄露自己的秘密。为了努力保藏住自己的深奥的实验结果，他们为曾经操作过的物质想出许多隐蔽的和用符号代替的名称。另外，在希腊作者的手稿中，通常用上帝、英雄、皇帝或古哲学家来描述这些物质，以作为进一步的伪装。

这种混乱的趋势使"神秘"的地位得以增强，从而产生了炼金术的观念。当希腊化时期哲学家越来越强调以诺斯替教、新柏拉图主义和基督教的神灵的展现来代替技术科学观点时，炼金术著作就因全都是含糊难解的观点而变得十分奥秘。在这一时期，中国炼丹家热衷于炼金，但他们的目的不在于金子自身的使用价值，而是把金子当做一种使人长生不死的灵丹妙药，他们强调所有实用技术的神秘深奥之处，从而使工艺多数退化为巫术。印度的炼金术最终也遭遇相似的命运。

阿拉伯炼金术像其他流行的炼金术一样，一开始就是神秘难解的。在希腊化时期，阿拉伯炼金术可能已转移到埃及，在那里，被编入第一位身分已被证实的潘诺波利斯的炼金家佐西莫斯的著作。阿拉伯炼金术士通过与中国炼丹家的接触，接受了变性的"医学"。稍后，在欧洲炼金术中出现的神秘物质有哲人石。12世纪时，基督教学者翻译拉齐（约850～923或924）的阿拉伯炼金术著作导致该术在欧洲的复兴。1300年左右，当时的先导哲学家、科学家和神学家研讨了炼金术，这一时期的重要炼金术发现包括无机酸和酒精。在瑞士出生的德国炼金术士帕拉切尔苏斯（1493～1541）的影响下，2个世纪后出现了医药化学（或称药物化学）。

文艺复兴时期的物理学家和化学家们恢复了对希腊原子论的兴趣，而开始怀疑将一般金属转变为贵金属的可能性，同时炼金术士积累的化学知识也被现代化学重新解释和认识。然而，直到19世纪，用化学方法制金的可能性尚未被科学证据所否定。进入20世纪，炼金术的哲学思想和方法还时有零星的复活。

alcheringa（myth） 参阅 **Dreaming, the** 梦想期。

Alchevsk（Ukraine） **阿尔切夫斯克** 参阅 **Kommunarsk** 科穆纳尔斯克。

Alchian, Armen A(lbert) 阿尔奇安（1914-04-19，美国加利福尼亚弗雷斯诺～ ）美国经济学家。他的学说和20世纪后期流行的关于人工成本或有关财产所有权的一些经济理论相反。曾就读于斯坦福大学，1936年获得学士学位，1943年获博士学位。1946年起在加利福尼亚大学洛杉矶分校任教，1947～1962年间与兰德公司有联系。第二次世界大战期间在美国空军服役，在那段时间里对成本曲线产生了兴趣。作为他的研究成果之一，论文《成本与产量》（1959）说明较快的生产速度将会提高单位成本，因为随之而来的将会是回报率的递减。

阿尔奇安认为在整个研究过程中，必须使用精确的历史数据作为证明假说的方法。这个方法使他得以驳斥许多一般人持有的经济观点。例如，流行的观点认为，通货膨胀提高了产出的价格，但是并不同时提高工资。阿尔奇安则认为很少有实际上的数据支持这些观点。相反，他提出与价格有关的证据，证明通货膨胀实际上影响工资，也就是说，价格提高，并不有损于工人而有利于公司。其研究成果表明，市场终归会对有效率的行为给予报偿。他一贯地论证：重视利润的公司会兴旺，效率低的玩家不会生存。他还提出，私人财产所有权导致更大的风险承受力和高效率，而公共财产所有权总会产生低效率。20世纪70年代开始研究关于组织和公司的理论，也发表了一些关于就业问题的文章。阿尔奇安对许多经济学家有影响，包括1990年诺贝尔经济学奖得主W.F.夏普。

Alcibiades 亚西比德（约公元前450，雅典［希腊］～前404，弗里吉亚［今在土耳其］）出色但不谨慎的雅典政治家与军事统帅，他曾在雅典挑起尖锐的政治对立，从而导致雅典在伯罗奔尼撒战争（公元前431～前404）中为斯巴达所打败。

出身名门、家境富有。童年时其父阵亡；

美国不列颠百科全书公司供图

监护人和远亲又忙于政治，无法给他以必要的指导与爱护。成年后英俊、机敏，但生活奢侈、责任心差，且事事以自我为中心。不过他对于哲学家苏格拉底的道义力量和敏锐的思想十分倾倒，而苏格拉底也为他的漂亮仪表、才智和抱负所吸引。前432年，他们曾同在哈尔基季基地区服役，且相互照顾。但后来他却放弃了苏格拉底要求于他的健全的理智而去追求苏格拉底所鄙视的那种政治回报。

在公元前5世纪20年代期间，亚西比德以个人的豪奢生活作风和战斗中的勇气而享名，但在埃克莱西亚（公民大会）又是一位公认的演说家。当雅典走向和平之时，他希望曾存在于他的家族和斯巴达之间的联系能使他取得给雅典带来和平的荣誉。但据历史学家修昔底德的说法，事实乃是：斯巴达人选择通过已有定评的政治领袖进行谈判。

在公元前420年，他第一次成了将军，但他反对主张谈判和平的贵族领袖尼西亚斯，并使雅典同阿尔戈斯、伊利斯和曼提尼亚城邦结成反斯巴达的同盟。这个同盟在曼提尼亚战役（公元前418）中被斯巴达打败。但是由于他同尼西亚斯联合起来反对希珀波路斯而逃脱了贝壳放逐制度的流放。公元前417年，他有7辆车参加奥林匹亚车赛并取得了第1、2和4名，从而恢复了名声。这使得他在前415年比较容易地说服人民，派一支远征军去西西里进攻叙拉古。他受命参加指挥行动。但出发前不久，赫耳墨斯神柱（上有宙斯的使者、使用道路者的保护神赫耳墨斯的半身像，立在城市的所有公共场所）受到严重破坏。在随后发生的惊恐情绪中，亚西比德被指控为渎神行为的肇事者，还被指控亵渎了埃莱夫西斯秘仪。他要求立即进行调查，但是他的敌人在希珀波路斯的继承者安德罗克勒斯领导下却一定要他带着指控出发。到达西西里后不久，他被召回；但他在途中逃亡，并在得知已被缺席判了死刑之后去了斯巴达。他建议斯巴达人派一位将军去帮助叙拉古人，并在阿提卡的狄克利亚设防。这对雅典是两个沉重的打击。他勾引率军驻守狄克利亚的亚基斯二世的妻子，又在女人当中赢得名声（她们对他要这个富有的雅典女人是十分欣赏的）。

公元前412年，亚西比德又插手挑起小亚细亚西岸伊奥尼亚地区雅典同盟者中间的叛乱，但是斯巴达现在也反对他了，于是他又去萨迪斯向波斯统治者施展自己的魅力。当舰队里的某些雅典军官开始策划一次寡头政变时，他指望如果民主体制被推翻，他可从波斯获得财政支援。但他失算了，夺得政权的寡头当局抛弃了他；可是仍然忠于民主体制并且需要他的才能的雅典舰队召回了他。从公元前411到前408年，他帮助雅典大大地恢复了元气，在赫勒斯滂的阿拜多斯（公元前411）和库齐库斯（公元前410）先后打败了斯巴达舰队，重新控制了生命攸关的自黑海输入谷物的粮道。公元前407年他返回雅典，受到热烈欢迎，并被授予控制战争行动的最高权力。同年雅典海军在一次他未参加的战斗中失利，他的政敌趁机煽惑群众将他罢免，他便隐退到色雷斯的一座城堡里去。不过他对雅典政治依然是一个不安定的因素并且破坏了在政治上取得一致的任何希望。当雅典人在伊哥斯波塔米（公元前405）面对赫勒斯滂的斯巴达人变得越来越疏忽大意的时候，他曾经提醒他们会遇到的危险。但是他的意见不被重视，当斯巴达的海军统帅来山德发动一次突然袭击时，雅典的海军便全军覆没了。亚西比德在他的色雷斯城堡中也不再有安全，于是他便逃到小亚细亚西北部弗里吉亚的波斯统治者那里去。这位统治者在斯巴达人的劝诱之下把他杀害了。

亚西比德是一个丰富多彩的人物，人们可以回忆起很多故事，又编造了很多故事。他也许是他那一代最有才能的雅典人。但他缺乏自我约束的力量，并且他那永无休止的野心对雅典是灾难性的。激进的领袖克里昂和他的继承者对他恨之入骨，且在关键时刻破坏雅典人对他的信任。亚西比德不能实践他的老师的美德，而他的榜样反而加重了前399年对苏格拉底腐蚀雅典青年的指控。

Alcidae 海雀科 鸻形目的一科，包括海雀（**auk**）、小海雀（**auklet**）、短翅小海雀（**dovekie**）、海鸽（**guillemot**）、海鸦（**murre**）、小海鸦（**murrelet**）和海鹦（**puffin**）。

Alcindor, Lew (basketball player) **阿尔辛多** 参阅**Abdul-Jabbar, Kareem**阿布达尔-杰巴尔。

Alcinous 阿尔喀诺俄斯 希腊神话中谢里亚岛上的淮阿喀亚王，瑙西索厄斯之子，波塞冬神之孙。据荷马史诗《奥德赛》，他款待过被一场暴风吹上岸的奥德修斯。谢里亚与很早以前的克基拉一样奉阿尔喀诺俄斯为英雄。但在有关阿尔戈英雄的传说中，他住在德雷帕纳岛，当伊阿宋和美狄亚从科尔基斯逃走时，在途中接待过他们。

Alciphron 阿尔奇弗龙（活动时期2或3世纪，雅典） 希腊修辞学家，写过一本虚构书信集，这是当时流行的一种文学体裁。现存这类信件有100多封，其背景均为公元前4世纪的雅典，虚构的写信者有农民、渔夫和名妓。信件内容大多取自所谓"新喜剧"的一些作者。信件以模仿道地的雅典方言写成，信中可看出作者同代人卢奇安的影响。

Alcira 阿尔西拉 西班牙东部巴伦西亚自治地区城市，在里贝拉区巴伦西亚市南。早为苏克罗河两支流间苏克罗岛上伊比利亚人的定居点。曾先后被罗马人和摩尔人占据。1242年并入西班牙。现保存有1540年建市政厅、罗马时代河桥和14世纪隐修院遗迹等古迹。输出柑橘，有纸制品生产和家禽饲养业。人口约38 558（1991）。

Alcithoë 阿尔奇索厄 希腊传说中奥尔霍迈诺斯（在比奥蒂亚）的米尼亚斯的女儿。她和她的姐妹曾拒绝参加狄俄尼索斯节庆祝活动，留在家中纺线织布。天色已晚时分，节日的乐声在她们四周缭绕，房屋充满烟火，她们被变成蝙蝠和鸟。据普卢塔克所述，两姐妹由于不敬神而被变成疯人，她们掷骰子决定吃掉她们的哪一个孩子。且作为惩罚，她们后人中的女性要在阿格里奥尼亚节被狄俄尼索斯的祭司追杀一人。

alclad 包铝硬铝合金 叠层金属板材。其组成是：心部为杜拉铝（**Duralumin**），外层是铝。

Alcmaeon 阿尔克迈翁 希腊传说中先知安菲阿拉俄斯和厄里费勒的儿子。安菲阿拉俄斯知道自己作为七将之一出征第比斯凶多吉少，动身时，就命令他的儿子们杀死厄里费勒，因她接受贿赂，劝说他去作战；他还要儿子们对第比斯进行第二次征讨，为他的死报仇。阿尔克迈翁率领后辈英雄摧毁第比斯后就杀死了自己的母亲，但作为这一行为的惩罚，他发了疯并被复仇女神四处追逐。他逃至阿卡迪亚的普索菲斯，与国王斐勾斯之女成婚，但因该地被诅咒以致荒芜，神喻告之只有到达在他弑母之时太阳照不到之处他方能安居，他找到阿谢洛奥斯河河口，住在新升上海面的岛上。他忘却了妻子，娶河神之女卡利罗厄。但斐勾斯及其子杀死阿尔克迈翁。临死时卡利罗厄祷告神使其二幼子立即长大成人，为父复仇；果如所愿，两个儿子杀死了斐勾斯。阿尔克迈翁死后在第比斯受奉祀，其墓在普索菲斯。

Alcmaeon 阿尔克迈翁（活动时期公元前6世纪） 克罗顿（现意大利南部的克罗托那）学园的希腊哲学家和生理学家。据文献记载，他是第一个为研究的目的而解剖尸体的人。也可能是第一个进行动物活体解剖的人。他推论：脑子是智力的中心，灵魂是生命的源泉。并应用毕达哥拉斯的对立物之间宇宙和谐的原则而作出论断：人的健康在于身体内部对立物（即干湿、暖冷、甜苦）之间的平衡。这种理论开希波克拉底类似学说之先河。

Alcmaeonid FAMILY **阿尔克迈翁家族** 雅典的一个有权势家族，自称系神话人物阿尔克迈翁的后裔。公元前6～前5世纪在政治中起过重要作用。这个家族的成员麦加克勒斯（前632?）任执政官时，一个叫基伦的人图谋自立为僭主，失败后其党徒在神庙的祭台上通通被杀。阿尔克迈翁家族被控渎圣和杀人而被流放，到公元前6世纪初梭伦上台时才回雅典，领导一个支持梭伦改革的党派。公元前 561 ～前 560 年庇西特拉图当了僭主后，阿尔克迈翁家族联合保守派贵族，两次把他赶出城邦。庇西特拉图东山再起后，又将该家族放逐。俟召回后，该家族成员克利斯提尼任执政官（前 525 或前 524）。公元前 514 年因庇西特拉图之子喜帕恰斯被暗杀，再次放逐该家族。公元前 513 年克利斯提尼率领阿尔克迈翁家族成员从比奥蒂亚出发侵犯阿提卡，未能获胜。公元前 510 年，斯巴达人根据德尔斐神谕的要求最后赶走了庇西特拉图。阿尔克迈翁家族因重修被焚的德尔斐阿波罗神庙有功而得到奖赏。两年后，克利斯提尼提出宪政改革纲领，大大地推动了雅典民主政治的发展。在马拉松战役（公元前 490）中，据传该家族与波斯人暗中勾结。亚西比德和伯里克利是这个家族母系的后裔。在伯罗奔尼撒战争开始时，斯巴达曾要求驱除阿尔克迈翁家族，乃是向伯里克利的直接挑衅。

Alcman　阿尔克曼（活动时期公元前7世纪末，斯巴达）　希腊诗人。所知最早的多利安人合唱抒情诗作者。现存作品均为片断，最长者为《帕台农神庙歌》（女声合唱），是 1855 年在埃及的一部 1 世纪抄本中发现的。有一首残诗描述世界末日时沉睡的大地，对大自然的喜爱为希腊诗所少见，歌德在其《夜游人》中曾模仿此诗。在《修伊达词汇》（10 世纪末）中，阿尔克曼被描写为“一个十足的情种，爱情诗的发明者”。他显然是一个有学问的人，他的诗句描述地理甚详。他的写作风格明快，与后期斯巴达文体迥然不同，以致传说他不是土生土长的斯巴达人。有人认为他原是吕底亚的萨迪斯人，但不能确定。

Alcoa　阿尔科阿　美国田纳西州东部布朗特县城市。大雾山国家公园的门户。1913 年由美国铝公司（简称 Alcoa）建立。1919 年设市。现发展成为一个按规划布局的工业中心，生产生铝、铝锭、铝板、铝粉和铝箔。人口 7 734（2000）。

Alcoa　参阅 **Aluminum Company of America 美国铝公司**。

Alcobaça　阿尔科巴萨　葡萄牙中西部莱里亚区城镇和自治市。在莱里亚市西南偏南阿尔科阿和巴卡两河汇流处。以镇内西多会圣马利亚隐修院闻名。该隐修院 1152 年为纪念从摩尔人手中收复圣塔伦城而建，13 世纪经重建，现为葡萄牙王族墓地。经济以水果种植、加工，纺织和陶瓷业为主。人口：城镇约 5 159；自治市约 53 880（1991）。

阿尔科巴萨的西多会圣马利亚隐修院
美国不列颠百科全书公司供图

Alcock, Sir John William　阿尔科克（1892-11-06，英格兰曼彻斯特～1919-12-18，法国科特瓦德）　英国飞行员，曾与 A. 布朗完成第一次跨越大西洋的不着陆飞行。1912年取得飞行执照。第一次世界大战时任皇家海军航空队飞行教官，1917 年飞机坠海被俘，战后获释。1919 年退役，任维克斯飞机公司试飞员。该公司正准备一架飞机作跨越大西洋的不着陆飞行，以获取伦敦《每日邮报》提供的1万英镑奖金。阿尔科克与布朗于 1919 年 6 月 14 日格林尼治平时下午 4 时 13 分起飞离开纽芬兰，次日在爱尔兰着陆，航程 1 890 英里，历时 16 小时 12 分。阿尔科克受到全国尊敬，并被授予英帝国勋章。几个月后，他送一架水陆两用飞机去巴黎，遇到坏天气，飞机坠毁，重伤致死。

美国不列颠百科全书公司供图

alcohol　醇　分子内含一个或多个羟基（OH），拥有羟基的碳原子又与其他三个原子相连的一类有机化合物。醇既非酸又非碱，但却活泼，所有的醇均能溶解有机物。拥有羟基的碳原子与一个碳原子及两个氢原子相连的伯醇可被氧化成醛（用于制造塑料的有机物）和酸。拥有羟基的碳原子与两个碳原子及一个氢原子相连的仲醇可被氧化成酮（同样用于制塑料）。而拥有羟基的碳原子与三个碳原子相连的叔醇，经氧化则分解，碳链随即断裂。醇与无机物结合形成类似普通水合盐（无机物与水分子结合）的晶体产物。醇通常与羧酸反应形成酯——在脂肪和油脂中发现的中性有机物。醇又能转化成醚和烯烃。多数的醇是无色液体或固体，室温下碳原子数少于 12 的伯醇是液体，含有 12 或以上碳原子数者是固体。多元醇（含一个以上羟基）一般具有糖浆稠度。碳原子排列复杂的醇（例如甾醇）通常是固体。随分子量增高醇在水中的溶解度降低，而其沸点、蒸气压、密度和黏度则升高。保持碳原子数不变增加醇分子中的羟基数，可使其性质发生许多变化；在某些情况下，可使醇的甜度增强供作甜味佐料用。含有 8 ～ 12 个碳原子数的醇具有一种特殊的类似玫瑰或百合香味，可用于制香料。通常，醇的最重要工业用途是作为化学中间物，这主要是因为醇可容易地被转化成许多其他化合物。通过简单化学反应可生成脂肪和蜡类等产物，用于洗涤剂的表面活性剂、增塑剂、乳化剂、润滑剂、软化剂以及起泡剂。醇是工业上大量生产的有机产品。有些如乙醇和甲醇使用量很大。乙醇又称酒精，可通过发酵糖（来自水果、糖蜜、谷物及其他农产品）制取，也可从乙烷（来自天然气）制取。乙醇用于化妆品和药物，还可供医院器械的灭菌、用作燃料、制取麻醉用的乙醚。另外，乙醇又是饮料酒。甲醇又称木醇，可自硬木或由氢与一氧化碳（CO）反应制取。它可用作溶剂、特殊燃料、防冻剂以及净化（金属）剂，是制甲醛与特殊树脂的原料。

alcoholic beverage　酒精饮料　任何含乙醇（CH_3CH_2OH）的发酵酒，如果酒、*啤酒*（**beer**）或*蒸馏酒*（**distilled liquor**），可用作致醉剂。酒精饮料由水果、浆果、谷物和其他类似配料如植物汁、块茎、蜂蜜和乳类发酵而得，并可利用蒸馏以减少水分而提高酒精浓度。啤酒是麦芽酒类中最知名的一种，包括爱儿啤酒、上面发酵的浓烈黑啤酒、英国黑啤酒和麦芽蒸馏酒；由麦芽、玉米、稻米和葎草的雌花（即啤酒花）制成；酒精浓度约 2% ～ 8%。果酒由葡萄或其他水果如苹果、樱桃、浆果或李子等的汁液发酵而成。制酒者在果物收获后，将果汁置于一大桶中发酵并严格控制温度。发酵完毕后，将该混合物过滤、陈化和装瓶。未添加酒精的天然葡萄酒含酒精约 8% ～ 14%，它们包括波尔多、勃艮第、基安蒂和索泰尔讷等葡萄酒。添加酒精或白兰地的果酒，含酒精 18% ～ 21%。这种酒包括雪利酒、波尔图葡萄酒和玫瑰香葡萄酒。蒸馏酒的制造从捣碎谷粒、水果和其他原料开始，将发酵后的液体加热，直到酒精和香料蒸发出来，然后再冷凝成液体。蒸发后剩下的水废弃不用。浓缩的液体即蒸馏酒，包括威士忌、金酒、伏特加酒、朗姆酒、白兰地和甜露酒或加香甜酒，酒精浓度通常为 40% ～ 50%，但常会较高或较低。酒精饮料一旦咽下后，所含的酒精可不经消化即被胃肠道吸收，故血中的酒精在饮酒后不久即可达到相当高的浓度，接着酒精会分布到体内各个部分，其中尤以脑受到的影响最大。酒精对脑有镇静作用，它抑制人的意志，所以它属于以乙醚和巴比妥盐为代表的一类抑制性药物。酒精对脑部功能的影响有一定的方式，酒精对脑的半自主功能的影响要比对其他复杂功能的影响小得多（例如，一个打字员在酒精的影响下，虽打字速度照常，但错误会增加）。脑最复杂的功能——判断、自省和自幼养成的抑制——首先减弱，失去这些抑制后，在早期会感到兴奋，这是酒精有时会被误称为兴奋剂之故。当饮酒量渐增后，饮酒者会有警惕性减退、环境感觉模糊、肌肉协调受损和昏昏欲睡等症状。参阅 **alcoholism**。

Alcoholics Anonymous（AA）　戒酒协会　酗酒者的自愿组织。其宗旨在于自助戒酒或互助戒酒。虽然戒酒协会定期召开大会并在纽约城设立戒酒协会世界联合会总部，但其所有组织基本上是地区性的和自治的。为了抑制自己的纵酒和促进组织的福利，成员只称教名和姓氏的首字母。该组织的纲领基本上是社交性的、灵修性的和非宗派的。1935年5月，两名酗酒者(一是纽约的一名证券经纪人W.G.威尔逊[1895～1971]，自称“Bill W.”；另一人是俄亥俄州外科医生R.H.史密斯[1879～1950]，自称“Dr. Bob S.”)面商解决酗酒问题，成立了这个组织。他们依据自身的经验，开始帮助其他酗酒者戒酒，并在所著《戒酒协会》(1939)一书中首先提出了他们的章程。20世纪后期，该组织在114个国家中有63 000个地方组织，成员共约200万人(美国和加拿大占多数)。

alcoholism　酒精中毒　反复饮用酒精饮料以致对饮者的身体造成反复性或持续性损害的现象。酒精中毒可被看作是一种疾病，一种毒瘾，一种对于危机的经验性反应，一种潜在的心理或生理疾病的征候，或所有这些因素共同作用的结果。对酒精中毒原因的解释，同样是众说纷纭，有的认为是一种遗传缺陷，是生理机能失调，是精神病，是由于经济、社会压力或罪恶而引起的反应等等。酒精中毒的表现形式因人而异。酒醉之后可能会产生宿醒，这是较轻的症状；极端的脱瘾征候可出现震颤性谵妄、幻觉及其他急性脑疾。综合性神经病——神经系统退化的一种疾病——及急性肝炎都是常见的症状。酗酒者也会患饮食不足而引起的疾病。肝硬变与慢性酒精中毒有关，多种脑损伤亦然。酗酒者的事故率高，对传染病的抵抗力减弱，造成失业和家庭破裂，寿命会减少10～12年。治疗酒精中毒的方法多为要求嗜酒者认识到他所患的病症并进行戒酒。具体治疗步骤则取决于对酒精中毒所下的定义以及对酒精中毒起因的解释。可能采用住院综合治疗；全面心理恢复疗法；成立如戒酒协会(AA)之类的自助团体；服用安塔布施(戒酒硫)和氰胺柠檬酸钙之类戒酒药；注射维生素或荷尔蒙；使用以改变行为模式为基础的反感疗法。

Alcott, (Amos) Bronson　奥尔科特(1799-11-29，美国康涅狄格沃尔科特～1888-03-04，马萨诸塞康科德)　美国哲学家、教师、改革家和新英格兰超验主义运动成员。贫苦农民

美国不列颠百科全书公司供图

之子，自学成才。曾在美国南方作旅行推销。后为儿童办学。其教育理论在一定程度上来自瑞士改革家裴斯泰洛齐和得之于苏格拉底的范例和福音书。其目的在激发人们的推理能力并“唤醒灵魂”；方法是对话式的，温和而有礼。学科上的问题提给作为一个集体的班级。他的学校引人注意的特点或许是在某种场合老师可以接受一个受冒犯的学生的责罚，从而羞耻意识可以逐渐灌输到走入迷途的孩子的脑中。这些革新并未广泛地被接受。在40岁之前，他被迫关闭最后一所学校，即波士顿著名的坦普尔学校，出售所有财产以偿还他的债务。1842年受爱默生的资助，访问了英国，在伦敦附近创办一所类似的学校，为尊重他该校被命名为奥尔科特学校。后偕同一位同道，神秘主义者莱恩回国，在马萨诸塞州共同建立一个短暂的乌托邦公社，取名为“佛路特兰”即“水果园”之意。奥尔科特是素食主义者、废奴论者和妇权论者。他的思想是含糊的、玄虚的和高度超越世俗的。他一直很穷，直到他的第二个女儿路易莎·梅·奥尔科特在文学上取得成就，他在经济上才获得保证。奥尔科特的最好著作见于谢泼德选编的《奥尔科特日记》(1938)。

Alcott, Louisa May　奥尔科特(1832-11-29，美国宾夕法尼亚日耳曼敦～1888-03-06，波士顿)　美国女作家，以写儿童读物闻名。《小妇人》是她最成功的作品。一生主要在马萨诸塞波士顿和康科德度过。在该地，爱默生和梭罗是她最早的朋友。她很早就意识到父亲不切实际，不能维持妻子和4个女儿的生

路易莎·梅·奥尔科特纪念协会供图

活。她开始为家境而操劳，短期教过书，当佣人，最后从事写作。内战开始后，她志愿当了护士，在卫生条件很差的医院里染上伤寒，被送回家。此后一直没有完全康复。但是她的书信集《医院速写》(1863)的出版使她初露头角。短篇小说开始在《大西洋月刊》上发表。由于家庭经济困难，她写自传体的《小妇人》(1868～1869)一书，获得成功。1869年，她在日记中写道：“感谢上帝，债务全部付清。”随后，一批以她早年经历为题材的作品相继问世，其中包括《墨守陈规的姑娘》(1870)、《乔大妈的废物袋》(6卷，1872～1882)、《小男儿》(1871)、《八个表兄妹》(1875)、《乔的男孩们》(1886)。

alcove　凹室　房间或其他空间中用墙或围护材料包围的凹进部分。中世纪建筑中，常用作大厅边沿处分隔出来的卧室。凹室最初用幕帘与大厅分隔，后来用木隔断围成独立

18世纪的意大利卧室式凹室

美国不列颠百科全书公司供图

的房间。近代，在小面积住宅特别是公寓中，为了节约空间，重新采用了放床的凹室和作厨房用的凹室等。壁龛是指厚墙上凹入的平面常为半圆形的空间，用以陈列雕像，常见于古罗马和文艺复兴时期的建筑之中。

Alcoy　阿尔科伊　西班牙东南部巴伦西亚自治区阿利坎特省城镇。在阿利坎特市北，塞尔皮斯河两源流汇流处。罗马时代前即有人居住。现城由摩尔人创建。1800年始有纺织业。西班牙第一所工业学校的所在地。现为铁路终端站和纺织业中心，有造纸和金属加工业。当地每年4月的圣乔治节为重要旅游项目。人口约65 514(1991)。

Alcuin　阿尔昆(约732，英格兰约克郡约克或附近～804-05-19，法国图尔)　盎格鲁-拉丁语诗人、教育家和教士。查理大帝在亚琛创建的巴拉丁学校的校长。他把盎格鲁-撒克逊的人文主义传统介绍到西欧，是所谓加洛林王朝“文艺复兴”最杰出的学者，对天主教的礼拜仪式进行了重要改革，留下的300

多封拉丁文书信是研究他那个时代的宝贵史料。一生前50年在约克郡度过，778年以后任当时最有名的约克天主教学校校长。781年，在意大利遇见查理大帝，应邀前往亚琛，

美国不列颠百科全书公司供图

国王在那里聚集了当时爱尔兰、英格兰和意大利的杰出学者。这所查理大帝本人、他的亲属、朋友及朋友的儿子读书的学校，成为热烈的学术讨论和交流知识的中心。阿尔昆把英国研究学问的方法介绍给弗兰克各所学校，使课程系统化，提高了学识水平，鼓励对文科的钻研，以便更好地理解宗教教义。796年，他离开宫廷，到图尔著名的圣马丁隐修院任院长。他对天主教发展的决定性影响主要表现在对弗兰克教会礼拜仪式的改革上。他还推广了爱尔兰诺森伯兰人的唱经习惯，天主教徒至今仍按照他编排的仪式在一星期的特定日子做感恩弥撒。他重新编纂了拉丁文《圣经》，写有教育、神学和哲学等方面的著作。他的一生充满着矛盾。整个中世纪，他在教会和国家中所起的领导作用一直为人们所缅怀。然而，他仅以助祭地位终其一生。晚年，他因献身宗教而享有崇高声誉。

Aldabra Islands　阿尔达布拉群岛　印度洋中的环礁，在塞舌尔群岛西南约600英里（1 000千米）处，属塞舌尔共和国。与法夸尔和德罗什及查戈斯群岛于1956～1976年间同是英属印度洋领地的组成部分。为椭圆形环礁（长19英里，宽8英里），被海水分为4个海拔100英尺（30米）左右的小岛：即南岛（最大）、西岛、波利姆尼岛和中岛。均为花岗岩基底。1955年为英国租借，开发红树林和发展捕鱼业。南岛用作捕鱼站和英国皇家学会生态研究站。该岛以产特大海龟著名，1965年岛上建自然保护区以保护海龟和其他动物。阿尔达布拉岛原富有鸟粪资源，但在50年代初已挖掘一空。1982年被列为世界遗产保护区。20世纪末该群岛无人居住。

Aldan River　阿尔丹河　俄罗斯东西伯利亚河流。源出斯塔诺夫山脉，曲折西北流，在巴塔迈处注入勒拿河。长2 273千米，为勒拿河第二大支流，流域面积72.9万平方千米以上，年平均流量5 000米^3/秒。托莫特以下可通航。结冰期从10月中旬至翌年5月中旬。

Aldebaran　毕宿五　又名金牛座α，为金牛座中的红色巨星，天空中15颗最亮的恒星之一，目视星等为0.86等，直径约为太阳的50倍。它有一颗很暗的（13等星）红色伴星。毕宿五距地球约50光年。过去曾认为它是毕星团的成员星，但实际上毕宿五比毕星团要近80光年。Aldebaran一词可能源于阿拉伯文，意为“追随者”，因它紧随昴星团之后从东方升起而得名。

Aldecoa, Ignacio　阿尔德科亚（1925-07-11，西班牙维多利亚～1969-11-15，马德里）　西班牙小说家。作品以地方色彩和精心的构思见长。曾在马德里大学求学，为报刊撰稿。1947～1956年间任“长枪党之声”电台播音员。发表过政论文章，几本短篇小说集，两本诗集《仍然在生活》（1947）和《海藻篇》（1949）；后来出版长篇小说《闪光和鲜血》（1954），《乘着东风》（1956）。他的作品描写普通劳动者和他们的希望、他们的恐惧以及他们越来越倾向的单调生活。他善于使用各种行业的术语以达到艺术效果，如《大太阳》（1957）里的航海，《一段历史》（1967）里的捕鱼。

aldehyde　醛　一类有羰基（>C=O）存在的有机化合物。在醛中，碳原子的两个剩余的键至少有一个与氢原子相连。醛的通式是RCHO，R表示氢原子或烃基。醛类有较高的反应活性，它们的化学活性很大程度上由羰基的特性所决定。羰基具有很强的极性，换言之，它表现出一个不均匀的电子分布，致使氧呈负电性而碳呈正电性，从而增大醛的化学活性并影响它的物理性质。许多醛有特殊的、悦人的气味。它们用多种方法合成，在原理上它们可以从醇脱氢（除去氢）获得，因此命名为aldehyde（醛）。醛类可以发生许多化学反应，它们很容易氧化成酸或还原成醇。许多亲核试剂（寻找正电中心的化学物质）能与羰基碳原子相互作用，这些反应构成重要化学合成方法的基础。例如，结合在直接与羰基相邻的碳原子（也称α碳原子）上的一个氢原子被酸或碱除去，由此而形成的碳离子成为能够引起许多有用反应的亲核试剂。醛类也可以发生聚合反应，简单的醛，例如甲醛和乙醛，可以很容易地连接在一起成为含有数万个分子的链。醛与其他类型的分子化合产生数种常用的塑料。例如，酚醛树脂是用甲醛和苯酚制成的，脲醛树脂是用甲醛和尿素制成的。许多醛可以大规模生产。它们可以用作溶剂、聚合物组分、香精成分，以及生产塑料、染料、药物的中间体。甲醛可以防止富含蛋白质的物质变质，因而被用作防腐剂。有些醛也存在于生理过程中。例如，视黄醛（维生素A醛）在人的视觉中很重要；磷酸吡哆胺是维生素B_6的一种形式。葡萄糖和其他被称为还原糖的糖是醛，数种天然的和合成的激素也是醛。

Alden, Cynthia May Westover　奥尔登（1862-05-31，美国艾奥瓦阿夫顿～1931-01-08，纽约布鲁克林）　婚前名Cynthia May Westover。美国社会工作者和新闻记者，其后半生致力于为盲童谋福利。科罗拉多大学毕业后到纽约。1887年成为海关稽查员。1890年任纽约市环卫局长秘书，并发明了清扫街道的手推车和自卸车。1892年与C. F. 奥伯合著《曼哈顿，历史和艺术》。1894年任《纽约纪事报》妇女部编辑。她的第二本书《法尔威斯特地区的儿童生活》是根据自己的童年生活写的。1898年开始给伤残病人送圣诞卡，并和一些新闻记者组织“阳光协会”实行这种做法。1900年国际阳光协会成立，奥尔登终生担任会长。1917年在本森赫斯特建立一个盲童疗养院，1905年在布鲁克林为盲童建立一个托儿所和一个幼儿园。1910年在新泽西州萨米特为盲婴建立阳光之家。由于协会的努力，美国18个州通过了为盲童提供看护的法律。其他著作有《妇女的赚钱之道》（1904）和《盲童》（1915）。去世时，国际阳光协会已在美国38个州设有500个分会，并在国外有8个分会。

Alden, Isabella Macdonald　奥尔登（1841-11-03，美国纽约罗切斯特～1930-08-05，加利福尼亚帕罗阿尔托）　婚前名Isabella Macdonald，笔名Pansy。美国儿童读物作家。曾在纽约州的奥奈达学院、塞尼卡学院和青年女子学院就读，后在奥奈达学院任教。10岁时就以在当地报纸上发表故事而出名。第一部小说是1866年的《海伦·莱斯特》。同年与教士G.R.奥尔登结婚。其后的几年间，随着丈夫职务的变动，往来于纽约州和印第安纳州各地。《海伦·莱斯特》的成功鼓舞她写出一系列作品，多达75部以上。几乎全部是儿童读物，而且基本上以宗教为主题。此外还给一些杂志写文章和当编辑。1874～1896年间出版自己的儿童期刊《潘西》。她的作品每年售出10万多册，并且经图书馆广为传阅。由期刊衍生的潘西学会有很多要求进步的青年参加。所著自传《昨日回忆》由她的外甥女G.L.希尔续写完成（1931）。

Alden, John　奥尔登（1599?，英格兰～1687-09-12，马萨诸塞达克斯伯里）　1620年乘“五月花”号到达美洲的清教徒之一、新英格兰第一个英国殖民地（普利茅斯殖民地）的创建者。后由普利茅斯迁往达克斯伯里农场，大半生在此居住。曾担任马萨诸塞总督助理（1623～1641，1650～1686），并两次代理总督。有关他的传说富有浪漫主义色彩。据说他是踏上普利茅斯土地的第一个清教徒。根据H.W. 朗费罗的长诗《迈尔斯·斯坦狄什的求婚》，他曾代表友人斯坦狄什向普丽西拉·马伦斯求婚未成，而后来他代表自己求婚却如愿以偿。1623年他与普丽西拉结婚，两人生子女11人。

alder　桤木　桦木科桤木属（*Alnus*）植物约30种观赏灌木和乔木。遍布北半球和南美西部，生于海拔2 500米以下的凉爽和潮湿地区。与桦木不同之处为：桤木的冬芽有柄，具翅的小坚果散布以后，球果状的果苞仍留在树枝上。树皮鳞片状，有些种类近白色，有些种类灰褐色。叶广椭圆形，互生，有锯齿，常浅裂；初展开时有黏性，成熟后有光泽，脱落时不变色。柔荑花序，花单性，雌雄花序同株。花序于夏季形成，于翌春先叶开放。北美种有：红桤木（俄勒冈桤木，*A. rubra* 或

A. oregona)为高大乔木,叶下表面有锈色毛;白桤木(菱叶桤木,*A. rhombifolia*)是早花乔木,细枝和芽橙红色;斑点桤木(*A. rugosa*)为小乔木,具有明显的白色,瘤状皮孔;美洲绿桤木(*A. crispa* 或 *A. mitchelliana*)叶芳香;锡特卡桤木(*A. sinuata*)较高大;山桤木(薄叶桤木,*A. tenuifolia*)是灌木状乔木,叶上有黄色或橙褐色中脉,枝条下垂,树冠穹顶状。欧洲桤木(黏性桤木,*A. glutinosa*)有时被称为黑桤木,因树皮及果序色深而得名,广布欧亚,有几个变种在北美种植。英语中,black alder亦指轮生冬青。绿桤木(*A. viridis*)是一种欧洲灌木,叶亮绿色,先端锐尖。白桤木(灰白毛桤木,*A. incana*)有几个变种可用作观赏

黏性桤木(*A. glutinosa*)
美国不列颠百科全书公司供图

植物。桤木对真菌病以外的病害有免疫力。桤木通常以种子繁殖,亦可用插条或根出条栽种。木材淡黄色至红褐色,纹理细,耐用,水浸不坏,可用制家具、车削产品、门窗及烧炭。红桤木和欧洲桤木是重要的材用树。欧洲桤木、意大利桤木、日本桤木、中国东北桤木、斑点桤木和海滨桤木都是观赏植物。桤木根系发达,耐潮湿土壤,常种植于河边用以防洪和防水土流失。在植物被滥伐的地区,桤木是最先出现的木本植物,虽寿命较短,但可增加土壤的有机物质及氮含量,为寿命更长的树木准备条件。

Alder, Kurt　阿尔德(1902-07-10,普鲁士柯尼希斯许特～1958-06-20,科隆)　因开发广为应用的合成环状有机化合物的方法而与O.狄尔斯共获1950年诺贝尔化学奖。他们给出了关于这个反应本质的第一个实验证据,并证明它可用于合成许多类型环状化合物。阿尔德曾在柏林和基尔的大学攻读化学,1926年获博士学位。1928年他和狄尔斯合写了第一篇关于双烯和醌反应的论文。1934～1936年在基尔任教授,并在当时世界最大的化学康采恩法本化学工业公司任研究所所长(1936～1940)期间,把研究成果用于研制各种塑料。1940年任科隆大学化学教授及化学研究所所长。

alder buckthorn(*Rhamnus frangula*)　**桤木鼠李**　又作alder dogwood。又称药炭鼠李。鼠李科灌木或小乔木,原产亚洲西部、欧洲和非洲北部,北美和其他地区引入作为观赏植物。植株生长快,高达5.5米。叶深绿,有光泽而密集,广椭圆形,互生,长3.75～6厘

桤木鼠李(*Rhamnus frangula*)
美国不列颠百科全书公司供图

米,秋天变黄色。花小,白色,2～10朵簇生。果小,初为红色后变黑。高篱鼠李(*Rhamnus frangula* "Columnaris")为其园艺变种,因株形挺直且易管理,故有栽培。

alderfly　泥蛉　广翅目泥蛉科昆虫。触角长,呈丝状;翅大,两对膜质,发育良好,前翅长20～50毫米,部分后翅折叠如扇。成虫色深,长15～30毫米;行动迟钝,飞行力弱。

泥蛉(*Sialis*)
美国不列颠百科全书公司供图

常栖于岸边植物,尤其是桤木上,故英文名意为"桤蛉"。幼虫水生,咀嚼口器,腹部有7或8对气管鳃,在池、河底爬行,以小昆虫为食。蛹作在泥土或苔藓中。一年一代。

alderman　市参议员　英国和美国的市立法机构成员。早期的英国,在盎格鲁撒克逊人中,伯爵、省长及其他知名人士都可以获得这种头衔,后来这种头衔用来称呼一个郡或负责很多郡的首席长官。直到1972年为止,英国的郡议会有两种议员——议员和参议员,1972年后,除伦敦市外,在英国全国,市参议员一职均取消。在北美殖民地时期,市议会类似英国的模式,在市长担任主席的情况下,市参议员和众议员坐在一起,但各有特色,成为一个机构。独立后,包括市参议员在内的所有议会成员均由普选选出。市参议员这个头衔指市长和议会共同领导的城市的议会成员,在其他形式的市政府中,往往采用委员或议员的称呼。市参议员同议员和委员不同,由选区选举,而不是在全市选举。

Alderney　奥尔德尼　法语作 Aurigny(奥瑞尼)。英国**海峡群岛**(**Channel Islands**)岛屿之一。在英吉利海峡。面积8平方千米。隔奥尔德尼海峡(16千米)与法国诺曼底海岸相望。北与英国海岸最近点距离88千米。该岛为一台地,大部分高逾60米,西、南岸峭壁高达83米。东部和北部两个主要水湾为布雷港(北)和隆基湾(东南)。11世纪起被诺曼底人控制。1338～1340年被法国占领。现属**根西**(**Guernsey**)管区,但有自己的行政机构。根据修改后的1949年宪法,当地议长和议院(9位议员)经民选产生。19世纪英国加强了该岛防务,1930年以前一直有军队驻防。经济以奶牛和旅游业为主。居民大部住在本岛唯一城镇圣安妮斯。与根西岛之间有船运和航空往来,并经该岛与外界沟通。人口2 375(1994)。

Aldfrith　奥尔德弗里思(?～704-12-14,英格兰德里菲尔德)　诺森伯里亚国王(685～704),文学赞助人。奥斯威的私生子。其兄埃克弗里思原为国王,后在尼奇塔尼斯梅尔战役中阵亡,奥尔德弗里思遂继其位。曾准备任教士。他在位时鼓励学术发展。

Aldhelm　奥尔德海姆(约639～709)　西撒克逊马姆斯伯里隐修院院长和7世纪韦塞克斯最博学的教师。是撒克逊人中写拉丁诗的先驱人物,有许多拉丁诗文留存至今。最初师事马姆斯伯里隐修院的爱尔兰籍创始人,学习拉丁文和凯尔特-爱尔兰文的学术著作;后去著名的坎特伯雷书院进修,受到欧洲大陆文化影响。曾博览世俗的及宗教的拉丁文诗歌和散文,研习希腊语,密切注意当时的天文历算之学,并尝试以多种格律形式写诗。约在675年开始担任马姆斯伯里隐修院长,身兼三职:神职人员、学术赞助者、拉丁文诗人;705年又受任舍伯恩主教。除担任神职、兴建教堂、创办隐修院外,还写信鼓励其他学者,文体显示了他的凯尔特文化修养。他还用同样的散文写下关于巴京地方修女独身生活的长篇论文,文中的渊博知识和晦涩的文风深受教区读者欢迎,因之,又用六韵步诗体写成了拉丁文本。他还写有关于韵律学的著名论文。

Aldington, Richard　奥尔丁顿(1892-07-08,英格兰汉普郡～1962-07-27,法国叙里昂沃)　诗人、小说家、批评家和传记作家。伦敦大学毕业。早年就以意象派诗集引人注目。1913年与美国意象派女诗人杜利特尔结婚。最著名的作品是《英雄之死》(1929)及其续篇《人人都是敌人》(1933),这部小说反映出经历过第一次世界大战的一代人的失望心情。长诗《森林中的傻瓜》(1925)和《卢森堡之梦》(1930)以笑中带泪的浪漫主义笔调,猛烈反对现代人的机械化。曾翻译古希腊和拉丁诗人的作品。论文集有《文学研究》(1924)和《法语研究》(1925)。另外还写有伏尔泰、D.H.劳伦斯、道格拉斯和惠灵顿的传记。晚期著作《阿拉伯的劳伦斯》(1955)无情地抨击了T.E.劳伦斯。

Aldiss, Brian W(ilson)　奥尔迪斯(1925-08-18,英格兰诺福克东迪勒姆～　　)　英国科幻小说家。1943～1947年在军队服役,此后开书店至1956年。小说集有《温室》(1962)、《奥尔迪斯优秀科学小说集》(1965)、《唾液树》(1966)和《奥尔迪斯选集》(1969～1971)。

非科幻作品有自传体小说《亲手抚养的孩子》(1970)和《英勇不屈的士兵》(1971)。后期作品有《猛然醒悟》(1978)、《生活在西部》(1980)、《莫罗岛》(1981)。

Aldobrandini，Ippolito(pope) **阿尔多布朗迪尼** 参阅 **Clement Ⅷ** *克雷芒八世*。

aldosterone 醛甾酮 肾上腺分泌的一种甾激素，为人体盐水平衡的主要调节剂(一种矿物类皮质激素)，对脂肪、碳水化合物和蛋白质的代谢起微弱的作用。在人体内由胆甾醇衍生的甾族化合物皮质甾酮合成。肾上腺皮质的丝球带中醛甾酮的生成(成年人每天约20～200毫克)明显地受肾脏分泌(为了响应血压，血液量，血浆钠、钾含量的变化)的血管紧张肽原酶的控制。由于醛甾酮对相邻肾小管的影响，造成盐水滞留。1953年英国和瑞士合作组从牛的肾上腺分离出纯的醛甾酮。1956年确定了结构，并由其他甾族化合物合成。制法虽有几种，但激素成本高且有其他矿物类皮质激素可用，醛甾酮在医疗中的应用很有限。

Aldred (Anglo-Saxon archbishop) 参阅 **Ealdred** *伊尔德雷德*。

Aldrich，Bess Genevra Streeter 奥尔德里奇(1881-02-17，美国艾奥瓦锡达福尔斯～1954-08-03，内布拉斯加林肯市) 婚前名Bess Genevra Streeter，1918年前笔名Margaret Dean Stevens。美国作家，写了大量长短篇小说，将北美大平原及其居民描绘得有声有色。1901年毕业于艾奥瓦州立师范学院，1907年嫁给C. S. 奥尔德里奇。从小便对写作感兴趣，14岁开始发表小说。1924年出版第一部短篇小说集《梅森大妈》。1925年丈夫去世。当年出版第一部长篇小说《草原的边缘》。一生共写了160多篇短篇小说，发表在《妇女家庭伴侣》、《星期六晚报》、《世纪》、《科利尔周刊》、《麦考尔周刊》和《哈珀周刊》等著名刊物上。有些收入《赶上恶劣天气的男子》(1936；同名小说获欧·亨利奖)、《迈向圣诞》(1936)和《B. S. 奥尔德里奇选集》(1950)等小说集中。长篇小说《她手中的灯》(1928)在美国获得巨大成功，在国外有多种译本。《百鸟在飞翔》(1931)和《毕晓普小姐》(1933)成为畅销书，后者改编成电影后也获成功。

Aldrich，Nelson W(ilmarth) 奥尔德里奇(1841-11-06，美国罗得岛福斯特～1915-04-

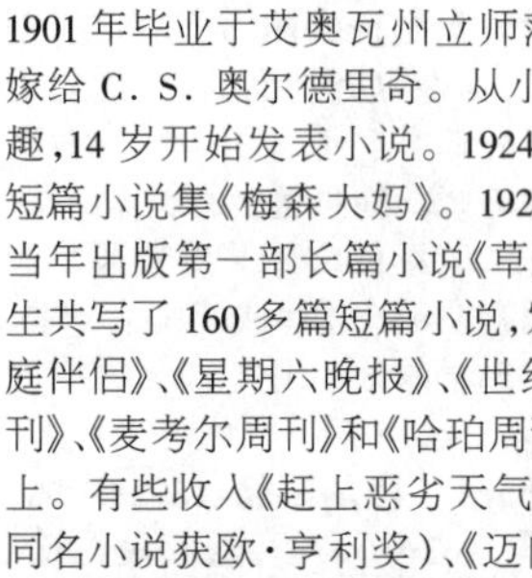

美国不列颠百科全书公司供图

16，纽约市) 美国参议员和金融家。曾任全国货币委员会主席(1908～1912)，提出《奥尔德里奇-弗里兰货币法案》，为1913年的《联邦储备法》铺平道路。1879～1881年任众议员，1881～1911年任参议员。他向银行、电力、煤气、橡胶和蔗糖各业投资，积聚一笔财产。他在国会中主张实行保护关税和金本位制，反对控制商业。在他的影响下，1887年《州际商业法案》和1890年《谢尔曼反托拉斯法案》都按着保守派观点进行了修改。

Aldrich，Thomas Bailey 奥尔德里奇(1836-11-11，美国新罕布什尔朴次茅斯～1907-03-19，波士顿) 美国诗人、短篇小说家、编辑。他在作品中使用意外结局的手法，对短篇小说的发展具有影响。他颇受欢迎的杰作《一个坏孩子的故事》(1870)，记述了他在新罕布什尔童年时代的经历。13岁辍学后，在纽约市当店员，后不久为各种报刊撰稿。第一部诗集《钟声》(1855)出版后，任《纽约晚镜报》的初级文学评论员，后任《家庭杂志》副编辑。1881～1890年任《大西洋月刊》编辑。他的诗歌描写了新英格兰的文化气氛和他多次游历欧洲的见闻。这些诗歌集有：《金色的布》(1874)、《花与刺》(1877)、《默西迪斯及其后的抒情诗》(1884)、《温德姆之塔》(1890)。他最著名的散文是短篇小说集《马乔里·道及其他人们》(1873)。

Aldridge，Ira Frederick 奥尔德里奇(1805，美国纽约市或马里兰布莱尔城～1867-08-10，波兰罗兹) 美国出生的黑人悲剧演员，被看作当时最杰出的表演艺术家之一。据说英国

美国不列颠百科全书公司供图

著名演员基恩访美期间曾雇佣他为个人随从，他们一起回到英国。基恩鼓励他学习舞台表演。1826年在伦敦首次登台演出，非常成功地扮演了奥赛罗。人们用杰出的罗马喜剧演员的名字称他为"非洲的罗西乌斯"。以后在欧洲巡回演出大获成功，扮演奥赛罗、李尔王、麦克白等莎士比亚戏剧人物，得到许多人包括奥地利皇帝在内的赞誉。1863年加入英国籍。

aldrin 艾氏剂 六氯六氢二甲桥萘的几种异构体(组成相同而结构不同的化合物)之一。一种氯化烃，用作杀虫剂。艾氏剂首次于20世纪40年代末制成，由六氯环戊二烯与双环庚二烯(两者均为石油烃的衍生物)反应生产的。艾氏剂刺激中枢神经系统，对温血动物有毒。由摄食、吸入或皮肤吸收而引起中毒。杀虫剂狄氏剂是用过氧醋酸与艾氏剂反应制得的。异艾氏剂是艾氏剂的立体异构体，是由环戊二烯和六氯双环庚二烯制备的。其杀虫性能和艾氏剂相似，它与过氧醋酸作用可生成另一种杀虫剂异狄氏剂，为狄氏剂的立体异构体。艾氏剂、狄氏剂、异艾氏剂和异狄氏剂，以及其他氯化烃类，因对其他动物有害，已禁止用作杀虫剂。

Aldrin，Edwin Eugene，Jr. 奥尔德林(小)(1930-01-20，美国新泽西蒙特克莱～) 第二个登上月球的美国航天员，并创航天器舱外活动记录。1951年毕业于纽约西点军校

美国国家航空和航天局供图

后，任空军飞行员。曾在朝鲜执行飞行战斗任务。1963年他撰写有关空间轨道力学的学位论文，获得麻省理工学院哲学博士学位。后来被选为航天员。1966年11月11日他同J.A.洛弗尔(小)参加4天的"双子星座"12号飞行，出舱进行了5.5小时的太空行走，证明人体在宇宙真空中能够有效地活动。"阿波罗"11号飞船载着奥尔德林、N.A.阿姆斯特朗和M.科林斯于1969年7月16日升空，飞向月球。4天后，阿姆斯特朗和奥尔德林在靠近月球静海边缘的地方着陆，在月球上采集岩石标本、拍摄照片和建立科学试验装置。他们完成月面上的活动后，驾驶登月舱在绕月轨道上与科林斯驾驶的指挥舱会合。这次飞行于7月24日溅落在太平洋而告结束。1971、1972年他先后从国家航空航天局以及空军退役。著有自传《飞回地球》(1973)。

Aldrovandi，Ulisse 阿尔德罗万迪(1522-09-11，意大利博洛尼亚省博洛尼亚市～1605-05-04，博洛尼亚市) 意大利文艺复兴时期的博物学家和医生。以其对动植矿物系统的、精密的观察而知名。他在攻读数学、拉丁语、法律和哲学后，约在1545年去帕多瓦深造，并在1553年取得医学学位。后在博洛尼亚大学系统讲授博物学，1561年任正教授。博洛尼亚的植物园建成后，他又担任该园的负责人。人们反对任命他为药物检查官，但教皇格列高利十三世批准了这一任命。由他执笔的官方药典《博洛尼亚解毒药集节录》(1574)，记述了药物的成分和特性，成为同类著作的典范。教皇格列高利十三世为他提供财政支持以出版他的有关博物学的许多著作，但在他生前只刊出了附有详细铜版图像的4卷。其余部分是他的学生从他的部分手稿编订而成的。另著《罗马城的古迹》

(1556),记述罗马各种雕像。他的生物标本博物馆按他自己的体系对标本进行分类,对尔后动物分类学的发展做出了贡献。

ale 爱儿啤酒 经发酵的麦芽饮料。爱儿啤酒的酒体丰满,略苦,有强烈的啤酒花芳香味,流行于英国。现今在英国,爱儿啤酒与啤酒是同义词。17世纪晚期以前,爱儿啤酒不加啤酒花(加啤酒花的叫啤酒),用酵母、水及麦芽酿成。现代的爱儿啤酒往往用富含硫酸钙的水、上面发酵酵母和较高的温度酿成。淡爱儿啤酒含酒精达5%,深色的浓爱儿啤酒含酒精可达6.5%。

ale cost(herb) **淡啤酒艾菊** 参阅 **costmary** 艾菊。

Aleandro, Girolamo 阿莱安德罗(1480-02-13,威尼斯附近莫塔迪特莱维索～1542-02-01,罗马) 枢机主教、人文学家、宗教改革运动的有力反对者。学识渊博,尤其精通古典

美国不列颠百科全书公司供图

语言。青年时代与荷兰人文学家伊拉斯谟关系密切。先后执教于威尼斯、奥尔良和巴黎,曾任巴黎大学校长。1520年奉教皇利奥十世派遣赴德国参加沃尔姆斯议会,带头反对路德;从此与伊拉斯谟决裂。这次议会所通过的批判路德的敕令,是由他执笔并提出的。第一批在布鲁塞尔被害的宗教改革家,也是死于他之手。1523年任教皇克雷芒七世驻法兰西国王弗兰西斯一世宫中使节,在帕维亚战役(1525)中与弗兰西斯一世一同被俘。其后又多次代表教皇出使德意志等地,但未能阻止新教教义的蔓延。1538年教皇保罗三世任命他为枢机主教。

Aleardi, Aleardo, Conte(Count) **阿莱阿尔迪**(1812-11-04,奥地利维罗纳～1878-07-17,意大利维罗纳) 意大利诗人、爱国志士、政治活动家、19世纪意大利爱国诗人的原型。生长在奥地利控制下的维罗纳。其爱情诗《致玛丽亚的书信》(1846)人们争相诵读。写过一系列反奥地利的讽刺诗篇,其中著名的有:《意大利沿海和商业城市》(1856)、《三条河流》(1857)及《七个士兵》(1861)等。两次被奥地利政府监禁(1852、1859),最后被放逐国外。1866年奥地利人被驱逐后,返回维罗纳,参与意大利王国政治活动,曾任参议员,从事公众活动直至逝世。

aleatory dance 阿利亚托里克舞 指一种即兴舞,舞蹈中自由发挥各种舞步。有时由计算机设计出舞蹈动作。M.坎宁安的《偶然组曲》(1952)是第一个这种随机编导的舞蹈作品。

aleatory music 偶然音乐 又称机遇音乐(chance music)。一种20世纪音乐。它的机遇性的或与不明确因素由演奏者自行处理。偶然音乐这名称的含义是不确切的,用来形容那些在其中有明确规定的即兴演奏范围的作品,或者只有模糊说明,如"演奏5分钟",这样一些无结构的乐曲。偶然音乐中的不明确部分通常出现在两个领域。一是演奏者可自行安排乐曲的结构——如重新安排乐曲各部分的顺序或者按照演奏者的愿望同时演奏几个部分;二是乐谱上会有一些说明,指出演奏者该在何处进行即兴演奏或者甚至做一些类似戏剧性的姿势。这类要求也许会促使创造性记谱法的产生,如在括号内包含一个涂黑的空间,表示即兴演奏的音高范围和时间等等。著名的偶然音乐作品有美国作曲家J.凯奇的钢琴曲《变之乐》(1951)和《钢琴与管弦乐队音乐会》(1958),还有德国K.施托克豪森的《键盘作品XI》(1956)。

Alecsandri, Vasile 阿列克山德里(1821-06-14,摩尔多瓦巴克乌～1890-08-22,罗马尼亚米尔切什蒂) 罗马尼亚抒情诗人兼戏剧家,第一位罗马尼亚通俗民歌的收集者和罗马尼亚两个公国统一运动的领导者。先后在雅西和巴黎受教育(1834～1839),1844年出版第一部民歌选集,并积极参与罗马尼亚革命事业。抒情诗《杜依纳舞和铃兰》1853年在巴黎发表。1852～1853年间,两卷民谣和诗歌在雅西出版。1868～1875年,出版名为《粉笔画》的风景诗。他创作了罗马尼亚的社会喜剧,但在戏剧方面最重要的贡献是诗剧《暴君沃德》(1879)、《布兰杜济亚的喷泉》(1883)和《奥维德》(1885)。阿列克山德里的后半生在国事中起重要作用。任外交大臣(1859～1860)时,曾出使伦敦。1885年任罗马尼亚驻巴黎公使。

Alegre, Caetano da Costa 阿莱格里 参阅 **Costa Alegre, Caetano da** 科斯塔·阿莱格里。

Alegrete 阿莱格雷蒂 巴西南里奥格兰德州西部城市。濒伊比拉普伊塔河。海拔89米。1817年创建,1857年建市。饲养大量牛羊。该市为肉类加工中心。阿雷格里港以西的铁路枢纽通公路和航空线。人口75 091(2000)。

Alegría, Ciro 阿莱格里亚(1909-11-04,秘鲁萨尔廷班卡～1967-02-17,利马) 秘鲁小说家。主要描写秘鲁印第安人的生活。对印第安人生活的第一手知识来自他的故乡瓦马丘科省。小说《金蛇》(1935)描绘秘鲁马拉尼翁河一带人们多种多样的生活。《饿狗》(1938)描写秘鲁高原印第安牧民面临的困境。一般认为他的杰作是小说《广漠的世界》

美国不列颠百科全书公司供图

(1941),它以史诗的规模描叙秘鲁高原一个印第安部落反抗白人贪婪的土地掠夺、挣扎求生并终遭摧毁的故事。

Aleichem, Sholem 阿莱赫姆 参阅 **Sholem Aleichem** 肖洛姆·阿莱赫姆。

Aleijadinho 阿莱哈丁诺(1738-08-09?,巴西维拉里卡～1814-11-18,马里亚纳) 原名安东尼奥·弗朗西斯科·利斯沃亚。巴西多产的、有影响的雕刻家和建筑家。其洛可可式雕像和宗教题材作品使他设计的教堂格外庄严肃穆。他兼有葡萄牙人和黑人的血统,天生畸形(绰号"小跛子"),最后两手残废,双目失明。但他用带子把工具捆在手腕上,不倦地工作了一生。他曾主持设计、建造和装饰马托西纽什耶稣教堂(1757～1777)和普雷托的圣弗朗西斯科教堂(1766～1794)。

Aleixandre, Vicente 阿莱克桑德雷(1898-04-26,西班牙塞维利亚～1984-12-14,马德里) 西班牙诗人,"二七年一代"成员。1977年获诺贝尔文学奖。他深受超现实主义技巧影响。擅长自由诗,写有诗集《毁灭或爱情》(1935)。诗人在其中探讨了人与物质世界的同一性。诗集《天堂的影子》(1944),亦采用相同主题。在《心的历史》(1954)和《在一个辽阔的领域里》(1962)中,他更为强调人生,写的是时间、死亡,以及人们的休戚与共。近期诗作具有形而上学的性质;在诗集《终极的诗》(1968)和《知识对话》(1974)中他探索了死亡、知识和经验。1949年起,任西班牙皇家学院院士。

Alekhine, Alexander 阿廖欣(1892-11-01,莫斯科～1946-03-24,葡萄牙伊什托里尔) Alekhine 又拼 Alekhin 或 Aljechin,原名 Aleksandr Aleksandrovich Alyokhin。1927～1935、1937～1946年的国际象棋世界冠军。是一名早熟的棋手,16岁就成为大师,22岁成为国际大师。以善攻多变闻名,曾夺得1924、1925和1933年度蒙目国际象棋世界锦标赛冠军。1917年苏联十月革命后成为法国公民,在巴黎大学学法律。1927年从古巴的卡帕布兰卡手中夺得世界冠军,8年后被荷兰人尤伟取代,1937年又从尤伟手中夺回。

Aleksandriya 亚历山德里亚 乌克兰基洛沃格勒州城市。位于因古列茨河畔。1754年初建，同年设市。现为褐煤煤田中心，20世纪50年代开始为当地人造纤维工程及其他工厂提供能源。人口约101 000(1998)。

Aleksandrovsk(city, Ukraine) **亚历山德罗夫斯克** 参阅 **Zaporizhzhya** *扎波罗热*。

Aleksandrovsk-Grushevsky (city, Russia) **亚历山德罗夫斯克-格鲁舍夫斯基** 参阅 **Shakhty** *沙赫特*。

Aleksandrovsk-Sakhalinsky 萨哈林岛亚历山德罗夫斯克 俄罗斯远东萨哈林州城市。在萨哈林岛(库页岛)西岸。1881年为流放犯人而建居民点，1926年设市，1932～1947年为萨哈林州首府。作家契诃夫曾在此居住，为其《萨哈林岛》一书搜集有关犯人生活的材料。人口约19 600(1991)。

Alekseyev, Konstanin Sergeyevich (theatre director) **阿列克谢耶夫** 参阅 **Stanislavsky, Konstantin (Sergeyevich)** *斯坦尼斯拉夫斯基*。

Alekseyev, Mikhail Vasilyevich 阿列克谢耶夫(1857-11-15[旧历11-03]，俄罗斯特维尔～1918-10-08，叶卡捷琳诺达尔) 第一次世界大战时期任俄军总司令两个月。十月革命后在俄国内战中成为白军军政领袖。他是士兵的儿子。1876年参加俄国军队。1890年毕业于参谋学院。1904年成为将军。在第一次世界大战中，曾担任西北战线司令官。1915年8月任俄军总参谋长。1916年曾因要求改革被停职。1917年3月尼古拉二世退位后，出任总司令，因抗议临时政府对军中的失败主义情绪和无政府主义状态压制失败，于5月21日辞职。十月革命后他在顿河地区组织反布尔什维克的军队(白军)。

Alekseyev, Vasily Ivanovich 阿列克谢耶夫 (1942-01-07，苏联俄罗斯波克罗沃-希什基诺～2011-11-25，德国巴登豪森) 苏联超重量级举重运动员。1970～1978年共创79次世界纪录。其职业为矿业工程师，曾获列宁勋章。1961年开始参加举重比赛，在1968年全苏运动会上获举重第3名，1970年获全苏冠军，一直保持到1976年。他还是超重量级举重的世界冠军(1970～1971、1973～1975、1977)和欧洲冠军(1970～1975、1977～1978)。1970年破4项世界纪录。在1972年慕尼黑奥运会和1976年蒙特利尔奥运会上均获超重量级冠军。

Alekseyevsk (Russia) **阿列克谢耶夫斯克** 参阅 **Svobodny** *斯沃博德内*。

Aleksin 阿列克辛 俄罗斯西部图拉州城市。临奥卡河。在图拉市西北65千米处。1236年首见记载。先为要塞，后为河港。1917年十月革命后成为拥有机器制造和建筑材料工业的重要工业中心。人口约74 200(1991)。

Alemán, Mateo 阿莱曼(受洗1547-09-28，塞维利亚～约1614，墨西哥) 西班牙小说家和卓越的文体学家，以其脍炙人口的小说《古斯曼·德·阿尔法拉切的生平》而闻名。出身于被迫改信天主教的犹太家庭。作品表现出16世纪西班牙新改宗的天主教徒的多方面经历和情感。最主要的文学作品《古斯曼·德·阿尔法拉切的生平》(第1部1599，第2部1604)是最早的流浪汉小说之一，使他闻名全欧，但是经济上收益甚微。小说的第1部多次出书，几乎全为盗版；甚至在他写完第2部之前，就已出现赝本。他的一生，在许多方面恰如他的书中主人公古斯曼，不断受到经济拮据和个人不幸的折磨。阿莱曼的父亲是一名监狱医生，他本人在1564年毕业于塞维利亚大学，然后又在萨拉曼卡和阿尔卡拉攻读医学，但从未执医师业。1580年因债务入狱。1608年移居墨西哥后，才使经济问题得到解决，生活安定下来。

Alemán, Miguel 阿莱曼(1902-09-29，墨西哥萨尤拉～1983-05-14，墨西哥城) 墨西哥总统(1946～1952)。学习法律，曾在墨西哥城操律师业，擅长办理劳工问题案件。被指

美国不列颠百科全书公司供图

定为韦拉克鲁斯州参议员后，1936年任该州州长。1940年辞职，为M. A. 卡马乔竞选总统。卡马乔当选后，他出任内政部长。1946年他被革命组织党提名为总统正式候选人，轻而易举地击败E. 帕迪利亚。执政后墨西哥农业改革放慢，但工业发展加速。虽然其政府被指责为贪污腐败，但他执政期间，经济有显著发展。自20世纪60年代初起，任全国旅游委员会主席，直至去世。

Alemanni 阿勒曼尼人 又拼Alamanni。日耳曼人中的一支。213年罗马人进攻阿勒曼尼人的记载中，最早提到此名。其后数十年中，他们对罗马诸行省的威胁日趋严重。大约260年占领"十营房"地区。5世纪末，扩张到阿尔萨斯和瑞士北部，在这些地区使用德语。496年被克洛维征服，并入法兰克王国版图。阿勒曼尼人起初是由几支零星的日耳曼人组成，在斯维比居民集团中(参阅**Suebi**)始终是一个松散的部落联盟。战时几个部落的兵力共同由两名领导人进行指挥，但平时各部落不能联合起来，故无中央政府可言。法语与西班牙语中"德国"(Allemagne; Alemania)一词即派生于这一支人的名称。

Alembert, Jean Le Rond d' 达朗伯(1717-11-17，巴黎～1783-10-29，巴黎) 法国数学家、自然科学家、哲学家和作家，《百科全书》的编纂者，法国启蒙运动的领袖人物之一。他是私生子，出生后即被遗弃在巴黎一教堂旁，其父找到他并委托给一位玻璃匠的妻子

美国不列颠百科全书公司供图

抚养，因而即以教堂名Jean-Le-Rond取名。青年时学了两年法律一年医学，后改学数学，几乎全靠自学。1739年在科学院宣读第一篇论文，1741年成为科学院院士。26岁时发表关于动力学的一部基础性著作《论动力学》(1743)，书中有著名的"达朗伯原理"，他说牛顿的第三运动定律对于自由运动的物体和固定不动的物体都适用；1744年发表的《论流体的平衡和运动》中就应用他的原理于液体平衡和运动的理论。接着他发展了偏微分方程，因而获得柏林科学院奖并被选为该院院士。1747年发表《弦振荡的研究》，把偏微分方程运用到振荡弦问题上。1749年找出地球岁差的原因，测定它的特性，并解释了地轴章动的现象。1752年，发表《论流体阻力的新理论》，提出一些新的见解和观测结果。在柏林科学院的刊物上，他发表研究积分学的成果，提出用变量的数值的变化率来寻求诸变量间的关系。1761～1780年陆续出版《数学论丛》(8卷)。达朗伯不仅在数学上有成就，还致力于哲学研究。在思想上和当时的启蒙学者一样，主张理性和自然的权力，反对权威和启示，反对旧教条和旧制度，拥护社会改良。科学，这一知识的源泉，必须普及才有益于人类，基于这个传统，1746年他参加编纂《百科全书》，负责编辑数学与自然科学的条目。他在1751年出版的第一卷的前言中提出百科全书要以统一的观点反映当代知识，追溯发展历史，研究各种学科分支间的关系并显示出它们如何融为一体。1752年他在《百科全书》第3卷的序言中反驳了当时对百科全书的种种批评。1754年他被选为法兰西学院院士；1772年担任学院终身秘书，对法兰西学院的发展有巨大影响。1752年后普鲁士国王腓特烈二世多次邀请他担任柏林科学院院长，1762年俄国女皇叶卡捷琳娜二世请他去任皇子家庭教师，他均予拒绝。他对音乐也有兴趣。1752年发表《音乐的要素》，1754年发表综述他对音乐的思想的文章；在他的《数学论丛》里谈到声学物理；编写《百科全书》时也写了一些音乐方面的条目。他与伏尔泰是好友。

Alencar, José (Martiniano) de 阿伦卡尔(1829-05-01，巴西梅塞雅纳～1877-12-12，里约热内卢) 巴西记者、小说家、剧作家。他

的小说《瓜拉尼人》(1857)促使描写印第安风土人情的巴西小说开始流行。它写印第安蛮族中的贵人佩里和白人地主之女塞西的精神恋爱。故事以后为巴西作曲家改编为意大利歌剧。《伊拉塞玛》(1865),描写美貌的印第安姑娘伊拉塞玛对一个葡萄牙士兵的爱情。后来的小说如《加乌乔》(1870)和《腹地人》(1876),描写巴西边境地区的生活;《卢西奥拉》(1862)、《迪瓦》(1864)和《夫人》(1875)为巴西的心理小说打下了基础。他也写历史小说,如《银矿》(1862)。在一些剧本中如《母亲》(1860),他显示出废奴主义立场。他被认为是开巴西小说创作先河的作家。

Alençon　阿朗松　法国西北部下诺曼底大区奥恩省城镇。在萨尔特和布里扬特两河汇合处,山林环绕的平原的中心。以生产17世纪中叶从威尼斯引进的薄纱和花边闻名。公元911年并入诺曼底公爵领地,曾为阿朗松公爵领地首府。1549年归王室所有。该城镇的部分城堡1048年被诺曼底的威廉所占,现仍保存至今;法庭已改建成城堡的居住区。该城镇的圣母院约建于15～17世纪。中世纪的奥泽宫和18世纪的市政厅在1944年曾遭炮击但并没有全部毁坏。新兴工业包括印刷和轻工业。人口28 935(1999)。

Alençon, (Hercule-) François, duc d' (duke of)　**阿朗松公爵**　参阅 **Anjou, (Hercule-) François, duc d'** 安茹公爵。

Alençon lace　阿朗松花边　法语作 point d'Alençon。法国城市阿朗松制造的针织花边;该市为路易十四的财政大臣柯尔贝尔选定的、制造在价格上和工艺上堪与进口花边媲美的法国花边生产中心之一。阿朗松花边的独特风格通常是以马鬃改制的粗绳边、双股的纱线编制成结实的针织网,并在花卉和涡卷形图案中加进许多不同的补针。

Alentejo　阿连特茹　葡萄牙中南部历史省名。位于塔古斯(特茹)河东南,东抵西班牙边境,西南临大西洋。为本国最干旱地区之一。经灌溉可种植小麦、稞麦、燕麦、大麦、甜

阿连特茹省的栓皮槠树
美国不列颠百科全书公司供图

菜。该省出产的软木占世界总量2/3。放牧牲畜,生产毛纺织品、地毯和橄榄油,开采花岗岩、石灰岩、玄武岩、大理石、雪花石膏以及铜和硫磺。迄至1974年革命时,阿连特茹有地产400余公顷,多数为在外地主所拥有。其中一部分森林和农田通常以协作形式已在阿连特茹人中进行分配。

'alenu　阿勒努　极为古老的犹太教祷文的开场白。原意为"这是我们的责任"。但自中世纪以来,犹太教徒每天三次祈祷结束时则要背诵这句祷文。阿勒努的第一段是为以色列人蒙选侍奉上帝而谢恩;第二段是期望即将到来的弥赛亚时代即"全世界将在全能者的国度中臻于完善"的时代到来。《阿勒努》的结尾是:"主必做全地的王,那日耶和华必为独一无二的,他的名也是独一无二的。"(《撒迦利亚书》14:9)。古代传说《阿勒努》是约书亚所撰,一般学者则认为它是3世纪巴比伦境内苏拉犹太教经学院院长阿巴·阿里卡(又名拉夫)所作。

Aleppo　阿勒颇　阿拉伯语拉丁字母转写作 Ḥalab,土耳其语作 Halep。叙利亚北部重要城市,也是该国第二大城市(仅次于大马士革)。坐落在叙利亚西北距土耳其南部边界

阿勒颇市的托卡里亚赫清真寺
美国不列颠百科全书公司供图

约48千米处,是数条重要商路的交汇点,西距地中海,东距幼发拉底河均约100千米。该市的阿拉伯名得之于古代闪米特人,公元前3000年末首见记载。公元前18世纪,阿勒颇是阿莫里特人亚姆哈德王国的首都,此后在公元前17～前14世纪之间曾先后沦为赫梯人、埃及人、米坦尼人和又一次赫梯人的统治。在随后的几个世纪里,阿勒颇作为赫梯人的一个公国,获得了一些独立。公元前8世纪,被亚述人征服。公元前6～前4世纪,一直受波斯阿开民王朝的控制,之后落入塞琉西王朝之手,得到重建,更名贝罗伊。至希腊时代发展成一座一流城市,并成为地中海地区和远东地区之间的重要商贸中心。公元前1世纪,并入罗马帝国叙利亚行省。在拜占廷统治下曾一度繁荣,但540年却遭波斯萨珊国王霍斯罗夫洗劫和焚烧。637年,被阿拉伯人征服,在其统治下恢复了旧名阿勒颇。10世纪时,哈姆丹王朝在阿勒颇建立起独立自主的公国,在其统治下,这里的文化生活十分繁荣。12世纪,阿勒颇成为穆斯林抵抗十字军的中心,1124～1125年,十字军的围攻遭到失败。1260年,蒙古人占领阿勒颇,大肆屠杀当地居民。在马木路克人统治下度过几个世纪之后,该城于1516年并入土耳其奥斯曼帝国,经历了成就显著的商业复兴,成为地中海东部及爱琴海沿岸国家和岛屿的主要市场,并保持经济繁荣直到18世纪末。1880年通铁路后经济全面恢复。到20世纪阿勒颇成为与大马士革相媲美的工业中心。阿勒颇有一座高耸于城市之上的半人工土岗,上有一座公元12世纪的城堡,旧市区便建于城堡周围。旧市区内有中东地区最享盛名的带顶棚市场,市场穿过狭窄的街道延伸达数英里。市内的众多商栈、清真寺、商号均用石灰石建成,其中许多可追溯到16和17世纪。另一名胜为大清真寺,或称撒迦利亚清真寺(始建于715年,1258年重建)。此寺乃以施洗约翰之父撒迦利亚的名字命名。该城的部分旧石砌城墙以及若干城门至今仍完好无损。阿勒颇的主要工业有丝织、棉印染、肥皂和染料生产,以及皮、毛、干果和坚果的粗加工。阿勒颇亦是文化中心,有一所大学,一所音乐学院,几所穆斯林神学校。国家博物馆陈列着从叙利亚北部几处重要考古遗址发现的文物。阿勒颇位于伊斯坦布尔—巴格达铁路线上,并有铁路通大马士革和贝鲁特(黎巴嫩)。公路连接大马士革、拉塔基亚和安条克(在土耳其)。有机场。周围农业地区出产小麦、棉花、大麦、蔬菜、水果、坚果和芝麻。人口约1 591 400(1994)。

aleppo boil (infection)　**阿勒颇疖**　参阅 **Oriental sore** 东方疖。

alerce (species *Fitzroya cupressoides*)　**智利柏**　又称巴塔哥尼亚柏(Patagonian cypress)。柏科智利柏属(*Fitzroya*)唯一的种,球果乔木。原产于智利南部和阿根廷南部。在野外可生长成世界上最老最高大的树木。一般认为智利柏是北美巨大的乔木红杉的分布于南方的近缘种,据信已知最老的一株智利柏已有约4 000年树龄。栽培的智利柏常生长成灌木,但自然生长于森林中的智利柏可高达45米,树干直径可大于3米。叶小而狭窄,每3片叶成一簇而轮生,叶面沿纵轴有明显的白色条纹。木材呈红棕色,质轻而耐用,可用于各类建筑物。

Aleric (antipope)　**阿勒里克**　参阅 **Albert** (Papacy) 艾伯特(罗马教廷)项下的 **Albert** 艾伯特。

Alès　阿莱斯　法国东南部朗格多克-鲁西永大区加尔省城镇。在尼姆西北偏北,傍塞文山脉,临加尔东达莱斯河。为一工业区中心。有化工、采煤、金属加工、纺织、饲料、酿酒等行业。阿莱斯一名源出公元前10世纪创建此城的腓尼基人的语言,意为"行业"。1243年成为法兰西王国的一部分。1788年建成的要塞现辟为博物馆和图书馆。旧城改建后,郊区已发展起来,新公寓取代了旧的不合乎卫生条件的住房。人口39 346(1999)。

Alessandri Palma, Arturo　亚历山德里·帕尔马(1868-12-20,智利隆加维～1950-08-24,圣地亚哥)　1920～1925年和1932～1938年的智利总统。早年支持工人团体,特别是北方的硝石矿工人,晚期趋于保守。意大利移民之子。1893年毕业于智利大学法律系。1897年当选众议员。曾任工业部长、财政部长,6次当选众议员,2次当选参议员。1920年作为自由联盟的候选人当选总统。1924年

美洲国家组织供图

9月15日被军人执政委员会流放。后以修改宪法、扩大总统权力为条件于1925年3月20日应召回国。1932年再次出任总统。作为严格的宪政主义者，他主要靠右翼政治力量支持。尽管他使因世界市场对智利硝石和铜的需求减少而萧条的国家经济有所恢复，但这时已失去大部分劳动者和中产阶级的支持，这些人参加了人民阵线。1946年当选参议员，重新表现出自由主义倾向。

Alessandria　亚历山德里亚　意大利西北部城市，皮埃蒙特区亚历山德里亚省省会。位于博尔米达河和塔纳罗河汇合处，都灵的东南面。建于1168年，1175年成为主教区，14世纪转属米兰的维斯孔蒂家族，1713年正式传与萨伏依王室。1796～1814年为法国马伦戈省省会。19世纪初为皮埃蒙特的自由运动中心。现存著名建筑物有大教堂、罗马-哥特式圣马利亚宫教堂（14～15世纪重建）、15世纪的主教宫和15～19世纪的其他宫殿、市政厅（1826）、市博物馆和画廊等。现为铁路和公路枢纽，有多种工业，以制帽业著名。也是重要的农业和酒类市场。人口：城市区约85 939（2004）。

Alessandro　亚历山德罗（1510或1511，佛罗伦萨［意大利］～1537-01-05或06，佛罗伦萨）第一代佛罗伦萨公爵（1532～1537）。英语作Alexander。据说是乌尔比诺公爵洛伦佐·德·梅迪契（1492～1519）的私生子，或更可能是枢机主教朱里奥的私生子，伟大的洛伦佐的侄儿。1523年朱里奥当选为教皇，立即命亚历山德罗和另一个私生子继承统治佛罗伦萨，由西尔维奥，即枢机主教帕塞里尼任摄政。1522年，皇帝查理五世封亚历山德罗为彭纳公爵。1527年3月佛罗伦萨爆发革命，帕塞里尼与这两位私生子出逃。接着，皮亚尼奥尼家族上台，恢复了共和政体。1529年6月教皇和皇帝达成协议，查理同意恢复梅迪契家族在佛罗伦萨的统治，派兵进攻该城。经过11个月（1529-10～1530-08）的围攻，佛罗伦萨投降。1530年10月查理指定亚历山德罗为佛罗伦萨政府首脑。1531年6月亚历山德罗回国。1532年4月佛罗伦萨颁布新宪法，宣布亚历山德罗为世袭公爵和共和国终身旗手。1536年与查理皇帝的私生女玛格丽特结婚。1537年被他的远房堂弟洛伦齐诺（1514～1548）刺杀。

Ålesund　奥勒松　挪威西部默勒-鲁姆斯达尔郡渔港。位于斯图尔峡湾出口处的诺尔夫和阿斯普两岛上，有桥梁相连。其历史可以追溯至9世纪，但直到1848年方获得设镇权。1904年该镇被焚后，用石块代替木头重建。是地区商业中心和孙默勒地区丘陵的一个旅游点。有诺朗谷、厄耶冰川、伦岛和吉斯克海盗村等一些名胜。作为挪威最大的渔港，是捕鳕鱼和大比目鱼拖网船队的基地，亦是极地捕猎海豹船队的大本营。当地生产水果和牛奶。人口：城市区约39 695（2003）。

位于斯图尔峡湾出口处的奥勒松

美国不列颠百科全书公司供图

Aleut　阿留申人　阿留申群岛与阿拉斯加半岛西部地区之土著。讲3种可以互相通晓的方言，在语言、种族、文化等方面都与爱斯基摩人相近。古阿留申人最早于公元前2000年从阿拉斯加大陆迁来。靠捕猎海豹、水獭、鲸、海狮、海象为生，有些地区捕猎驯鹿和熊，也捕食鱼、鸟和软体动物。运输工具为单人或双人乘坐的海豹皮船与大的木框皮船。古阿留申人居住沿海的淡水区，18～19世纪后也住在河口地带。村庄由（互有亲缘关系的）家庭组成。一名酋长能管辖数个村庄或一个岛屿，但无兼管数个岛屿或全部阿留申人的大酋长。在俄罗斯人统治下，阿留申人人口猛降，原来约有2.5万人，到20世纪后半期仅存2 000人左右。到19世纪30年代，他们传统的生活方式已被破坏，仅存某些残余。

Aleut-Eskimo languages　阿留申-爱斯基摩诸语言　参阅 **Eskimo-Aleut languages** *爱斯基摩-阿留申诸语言*。

Aleut language　阿留申语　阿留申语作Unangam tunuu。*爱斯基摩-阿留申诸语言*（**Eskimo-Aleut languages**）的一支。现存有两种能互相理解的方言，即东阿留申语和阿特卡阿留申语。第三种方言为阿图语，在阿拉斯加地区现已消亡，但在白令岛（科曼多尔群岛之一）上仍以一种混合语的形式继续通行，其中杂入俄语动词变位结构。阿留申语通行地区为阿拉斯加半岛、乌姆纳克岛、阿留申群岛中的阿特卡岛、阿留申群岛以北的普里比洛夫群岛以及白令岛。

Aleutian Basin　阿留申海盆　太平洋海底凹地。构成白令海海床的西南部分。西部隆起接西伯利亚和堪察加半岛，东北接阿拉斯加西南北美大陆架，南部抬升成阿留申群岛。南北长约1 800千米，东西宽约1 000千米，深3 000米以上。以多火山的阿留申岛弧与北太平洋底相隔。

Aleutian Islands　阿留申群岛　弧形链岛群，自阿拉斯加半岛尖端向西南然后折向西北延伸至阿图岛，长达1 800千米，分隔白令海（北）和太平洋（南）。群岛由14个大岛、约55个较小岛和许多小岛组成，总面积17 666平方千米，为美国阿拉斯加州的一部分。主要岛群由东至西为福克斯、四山、安德列亚诺夫、拉特和尼尔岛群。堪察加半岛（俄罗斯）附近的科曼多尔群岛在地理上是阿留申群岛的一部分。群岛是环太平洋地震带的一段，属阿拉斯加阿留申山脉半淹没部分。大部分为火山岛，有些火山仍在活动。岸边岩石密布，受海浪冲击而磨蚀，接近极危险。陆地自海岸突起形成险峻、陡峭的山脉。群岛间的主航线有经过乌尼马克、乌姆纳克、阿穆克塔和塞瓜姆等通路。四季温差小，风大、雨多、雾重。群岛上几乎无树，为丛生的杂草和许多开花植物所覆盖。阿拉斯加国家海洋野生动物保护区的阿留申群岛单元位于乌尼马克岛（东）和阿图岛（西）之间，占地11 000平方千米。保护区通过控制野生动物数量（主要为海獭和海豹），使一向靠狩猎和捕鱼为生的阿留申群岛人免遭饥饿威胁。饲养蓝狐为许多人带来就业机会。乌纳拉斯加、埃达克和谢米亚岛上建有大居民点。乌纳拉斯加岛是最早定居点（1760～1775），一度为美国大型海岸警卫队舰队指挥部所在地。该舰队曾在该岛北面的普里比洛夫群岛一带的海豹猎场巡逻。1741年俄国派遣丹麦人白令和俄国人奇里科夫作探险航行。船队在一次风暴中失散后，奇里科夫发现了东部几座岛屿，白令则发现了西部几座岛屿。西伯利亚猎人得知此地富于毛皮动物后即涌至科曼多尔群岛，并逐渐东迁，越过阿留申群岛至大陆，这样俄国便在北美有了立足点，但也几乎使土著阿留申人灭绝。1867年俄国将阿拉斯加连同该群岛卖给美国。1942年日军侵占阿图和基斯卡岛。一年后，美国经过19天激战收复阿图岛。阿留申群岛各军事基地是北美大陆重要战略防御环节。

阿留申群岛埃达克岛的小海湾

美国不列颠百科全书公司供图

Aleutian Range　阿留申岭　北美西部太平洋沿岸山脉的一部分。从阿拉斯加山脉西端延伸至美国阿拉斯加湾的库克内湾顶端，长达970千米。阿留申群岛是纵贯阿拉斯加半岛诸峰西南部的延伸部分。阿留申岭内有卡特迈国家公园、阿尼亚查克国家保护地和万烟谷等名胜。

alewife (species *Pomolobus*, or *Alosa*, *pseudoharengus*) **灰西鲱** 又作 sawbelly, grayback, gaspereau 或 branch herring。又称锯腹鲱、灰背鲱、灰背西鲱。鲱科北美重要食用鱼。体较

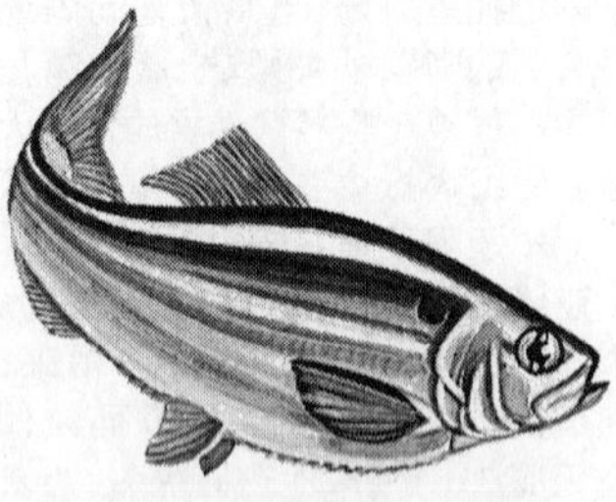

灰西鲱(*Pomolobus Pseudoharenqus*)
美国不列颠百科全书公司供图

真鲱为高,腹侧有明显锯齿缘。体长可达30厘米。除少数湖泊种群外,均在北美大西洋沿岸生活数年后,方于春季上溯淡水溪流(可能是原出生溪流),在池塘或缓流河中产卵。曾通过圣劳伦斯航道和韦兰运河进入五大湖,20世纪60年代因增殖过快,与土著鱼类争食而成为一种威胁。后移入银大麻哈鱼和王鲑,到20世纪70年代使种群趋于平衡。

Alexander **亚历山大** 统治者之名,按国别或罗马教廷分列于后,并各以●为标记。

与此字相等的外语:

保加利亚语	Aleksandŭr
希腊语	Aléxandros
意大利语	Alessandro
拉丁语	Alexander
波兰语	Aleksander
俄语	Aleksandr
塞尔维亚-克罗地亚语	Aleksandar

保加利亚

● **Alexander I** **亚历山大一世**(1857-04-05,威尼斯维罗纳[意大利]～1893-11-17,奥地利格拉茨) 自治的现代保加利亚首位大公。黑森亚历山大大公之子。1877年在俄军中服

美国不列颠百科全书公司供图

役,参加俄土战争。战后,保加利亚获得自治权,他于1879年4月被选为大公。上台后极力破坏宪政基础,解散国民议会(1880),中止宪法,实行个人独裁(1881)。后来,由于与俄国关系恶化,才恢复宪法,允许成立联合政府。1885年9月保加利亚兼并东鲁米利亚,俄保关系进一步恶化。1885年11月保加利亚与塞尔维亚之间爆发战争,亚历山大于月末率军攻入塞尔维亚领土,但因奥地利施加压力而被迫停战并签署和约,维持现状。1886年8月亲俄军官发动政变,把他押送出境。1886年9月他正式退位。后在奥地利军中任将军。

拜占廷帝国

● **Alexander** **亚历山大**(870～913-06-06,君士坦丁堡) 拜占廷皇帝,为皇帝巴西尔一世的第三子,912年5月12日即位,是马奇顿王朝缔造者,曾引起保加利亚与拜占廷的战争。879年,他的长兄君士坦丁去世,他与另一个兄弟利奥六世共同加冕为皇帝,但在利奥912年5月去世前,他并不过问朝政。他执政后即把利奥之妻佐伊送入女修道院,撤换了利奥的顾问,并把遭贬的牧首尼古拉·米斯提库斯复位。他拒绝按照896年与保加利亚人签订的条约交纳岁贡,从而引起拜占廷和保加利亚国王西美昂之间的战争。亚历山大立其侄,即利奥之幼子君士坦丁七世为继位人,并与之共治数月。

佛罗伦萨

● **Alexander** 参阅 **Alessandro** 亚历山德罗。

希 腊

● **Alexander** **亚历山大**(1893-07-20,雅典～1920-10-25,雅典附近塔托伊宫) 希腊国王(1917～1920在位)。康斯坦丁国王(1913～1917;1920～1922在位)和索菲娅王后次子。当其父在第一次世界大战同盟国的强迫下退位时,他于1917年6月12日即位。即位不久,E.韦尼泽洛斯成为首相并控制亚历山大,主持政府,使希腊参加第一次世界大战。战后在和会上取得一系列外交胜利,根据1919年《纳伊条约》和1920年《塞夫尔条约》,从土耳其和保加利亚手中获得士麦那、东色雷斯和西色雷斯。韦尼泽洛斯还向亚历山大提出把希腊边疆进而扩展到安纳托利亚的远景。但亚历山大尚未实现这项目标,就被宠物猴子咬伤,死于血中毒。

马 其 顿

● **Alexander I** **亚历山大一世**(?～约公元前450) 绰号"亲希腊者亚历山大"或"富有者亚历山大"。古马其顿第10代国王,约公元前500年继承其父阿敏塔斯一世的王位。此时,马其顿便已是波斯的属国。公元前480年亚历山大被迫随波斯王薛西斯一世征伐希腊,却在暗中支持希腊的盟邦。显然在薛西斯的同意下,他曾占领希腊移民地彼得那,并把疆土向东扩展到斯特里门河畔,取得了克雷斯托尼亚和比萨尔提亚以及富产白银的杜索路斯山。可能是他把人民群众组成重甲步兵,即有基本政治权利的步兵队伍。与之相对应的则是贵族的骑兵。绰号"亲希腊者"说明他力图取得希腊人的同情;他还获准参加奥林匹克运动会,曾用波斯的战利品在德尔斐建立一座黄金的雕像,并在宫廷中款待过诗人品达罗斯。

● **Alexander III** **亚历山大三世**(公元前356,马其顿培拉～前323-06-13,巴比伦) 即亚历山大(马其顿的)。别名亚历山大大帝。马其顿国王(公元前336～前323),历史上最伟大的将军之一。他推翻了波斯帝国,率领马其顿军队前往印度,为由领土国家组成的希腊世界奠定了基础。生前已是神奇故事的主角,死后成为十足的传奇英雄。这种传奇和他的史绩对比,相去较远。

生平 腓力二世与奥林匹亚斯(伊庇鲁斯国王涅俄普托勒摩斯的女儿)之子。13～16岁拜亚里士多德为师。在亚里士多德的鼓励下,他对哲学、医学和科学调查发生兴趣。后来他超过了老师的狭隘训导,即认为非希腊人应作为奴隶对待。公元前340年腓力进攻拜占廷期间,亚历山大坐镇马其顿,击败了色雷斯的梅迪人。两年后,他在喀罗尼亚战役中指挥马其顿军队的左翼。腓力击败了希腊城邦联盟,而亚历山大全歼底比斯神圣军团,表现出了个人的英勇气概。一年后,腓力和奥林匹亚斯离婚。在庆祝其父新婚的喜宴上发生争吵后,亚历山大偕同其母逃往伊庇鲁斯。后来,他前往伊利里亚。不久,父子和好,亚历山大返回马其顿,但他作为继承人的地位却岌岌可危。

公元前336年,腓力遇刺身亡,亚历山大在军队拥戴下继承王位,未遭到反对。他立即将涉嫌幕后操纵暗杀腓力的林塞斯蒂斯诸王子以及所有可能的对手和反对他的整个集团予以处决。然后,他向南方进军,恢复对不

利西马科斯(公元前335～前281)时期钱币上的亚历山大大帝头像
美国不列颠百科全书公司供图

稳定的色萨利的控制,在科林斯的希腊同盟议会上被任命为最高统帅,准备执行已由腓力策划和发动的入侵亚洲的计划。他取道德尔斐(当地祀奉阿波罗神的女巫称他是"无敌的")返回马其顿,于公元前335年春进入色雷斯,在攻克希普卡山口、粉碎特里巴利军队后,渡过多瑙河,驱散盖塔人。他挥师向西,击败并粉碎了曾经入侵马其顿的伊利里亚人的联军。与此同时,关于他已去世的谣传导致第比斯民主派的叛乱,其他希腊城邦拥护第比斯,而雅典人在狄摩西尼的敦促下,投票决定给予援助。14天中,亚历山大行军240英里,从伊利里亚的佩莱昂(靠近现在的阿尔巴尼亚的科尔察)到达第比斯。第比斯人拒绝投降,他强行攻入,将全城夷为平地,仅留下神庙和品达罗斯的故居。6 000人被杀,幸

存者全部被卖为奴隶。其他的希腊城邦被这种严厉手段所吓倒,而亚历山大此时却能宽大对待雅典人。马其顿驻军留在科林斯、哈尔基斯和卡德米亚(第比斯的要塞)。

远征波斯的开始 亚历山大从登位后便下决心要远征波斯。随着他的成长,这一思想也逐渐形成。而且,如果他要保持腓力建立的军队并偿清他欠下的500塔兰特(古希腊货币)债务,他需要波斯的财富。希腊雇佣军(万人军)和斯巴达的阿格西劳斯在波斯领土上作战获胜的战绩表明,波斯帝国易被攻破。亚历山大使用训练有素的骑兵部队,能够击败任何波斯军队。公元前334年春,他渡过达达尼尔海峡,让已效忠其父的安提帕特统率1.3万余名士兵作为他的代表留在欧洲,他本人统率3万步兵和5 000多名骑兵,其中约1.4万名是马其顿军,约7 000名是希腊同盟派来的盟军。这支军队拥有配合平衡的武器,骁勇善战。许多任务落在拥有轻武器装备的克里特人和马其顿的弓箭手,以及色雷斯人和阿格里亚投枪手身上。在激战中,打击力量是骑兵。如果在骑兵冲锋后,胜负仍悬而未决,军队的核心是步兵方阵,拥有9 000人,备有13英尺的长矛和盾以及3 000名皇家营的持盾兵。亚历山大的副帅是帕尔梅尼奥。后者在腓力生前已在小亚细亚建立了一个立脚点。他的许多家属和支持者都居于要职。随大军出征的还有勘测员、工程师、建筑师、科学家、宫廷官员和历史学家。从一开始亚历山大似乎已设想到战争的范围是无限的。

在访问伊利厄姆(特洛伊)——这是受荷马启发采取的一个浪漫姿态——以后,他在公元前334年5、6月,在马尔马拉海附近的格拉尼库斯河(今科贾巴什河)首次同3个波斯地方总督率领的波斯军队交锋。波斯人原想诱使亚历山大渡河,在混战中将他杀死,这个计划几乎获得成功。但波斯防线崩溃,亚历山大获得全胜。波斯国王大流士的希腊雇佣军大部被杀,2 000名幸存者被戴上镣铐,押回马其顿。这次胜利将小亚细亚西部暴露在马其顿军队面前,大多数城市纷纷打开城门,独裁者被驱走,共和派掌权(这与马其顿在希腊的政策形成对比)。如此,亚历山大得以强化他的泛希腊政策。其已经成为象征的行动是将在格拉尼库斯河缴获的300副甲胄作为"腓力之子亚历山大和希腊人(斯巴达人除外)从居住在亚洲的野蛮民族那里"(这句俗套语在希腊历史学家阿里安撰写的亚历山大远征史中曾经引证,由于没有提到马其顿而引人注目。)获得的战利品献给雅典的雅典娜女神。这些城市实际上在亚历山大的统辖下,由他任命卡拉斯为赫勒斯滂弗里吉亚地方总督,这反映出他要继承波斯国王王位的意愿。当米利都由于波斯舰队泊在附近得到鼓舞而进行抵抗时,亚历山大猛攻后将其占领。但他拒绝海战,将他自己的代价高昂的海军予以解散,宣称他通过占领沿海城市,将"在陆地上击败波斯舰队"。在卡里亚,哈利卡纳苏斯进行抵抗,但被攻克。对于将亚历山大收作养女的艾达(寡妇和地方总督伊德里尤斯之妹),亚历山大将其兄弟皮克索达鲁斯赶走,让她重任地方总督。然而,卡里亚的部分地区仍坚持抵抗,直至公元前332年。

小亚细亚与伊苏斯战争 公元前334～前333年冬,亚历山大征服了小亚细亚西部,讨平了吕基亚和皮西迪亚两个山地部落。公元前333年春,他沿海岸道路前往佩尔吉,幸而遇到顺风,穿过了克莱马克斯山脉的悬崖峭壁。海平面的降落被奉承亚历山大的人们(其中有历史学家卡利斯提尼斯)解释为上帝恩典的象征。在弗里吉亚的戈尔迪乌姆,传说他切开了戈尔迪乌姆绳结,这个绳结只有能够统治亚洲的人才能解开。这个故事可能不足凭信或至少是被歪曲的。此时,亚历山大因波斯舰队的能干的希腊司令门农暴卒而得到机会。他从戈尔迪乌姆向前推进到安赛拉(今安卡拉),然后从该地通过卡帕多西亚和奇里乞亚门(今屈莱克-博阿齐)向南挺进。在西利西亚,他因患发烧而一度耽搁下来。与此同时,大流士统率大军沿阿马努斯山东侧向北推进。双方的情报均有错误。亚历山大已在迈里安德鲁斯(靠近今土耳其的伊斯肯德伦)附近安营扎寨时,听到大流士已在他的驻地以北,横跨他在伊苏斯的交通线(公元前333年秋)。亚历山大转变方向,发现大流士已经沿着皮纳鲁斯河作好准备。在随后发生的战斗中,亚历山大获得了决定性胜利。这场搏斗使波斯人一败涂地,大流士仓皇逃窜,家眷被亚历山大俘获,但女俘们受到了尊重。

对地中海沿岸和埃及的征服 亚历山大从伊苏斯向南进军,攻入叙利亚和腓尼基,目的是要将波斯舰队与其基地隔离开来,将它作为一个有效的战斗力量加以摧毁。腓尼基城市马拉瑟斯和阿拉杜斯悄悄地投降,帕尔梅尼奥奉命前进以便获得大马士革及其丰厚的战利品,包括大流士的战争基金。大流士来信提议媾和,亚历山大以傲慢口吻给予答复,扼要重述希腊在历史上遭受的不公正对待,要求对他这个"亚洲之王"无条件投降。在攻占比布鲁斯(今米巴)和西顿(阿拉伯赛义达)后,他在提尔遇到阻截,不得进入这个岛屿城市。他使用一切围攻技术,提尔人进行抵抗,坚持达7个月之久。在此期间(公元前333～前332年冬),波斯人在小亚细亚从陆地上进行反攻,被大弗里吉亚总督安提柯击败;同时,又展开海上反攻,收复了一些城市和岛屿。

提尔围攻战期间,大流士提出一项新提案:他为家眷付1万塔兰特巨额赎金,并割让幼发拉底河以西的全部土地。据说帕尔梅尼奥曾说:"如果我是亚历山大,我会同意媾和。"亚历山大著名的反驳是:"如果我是帕尔梅尼奥,我也会同意媾和。"公元前332年7月对提尔的猛攻是亚历山大的最大军事成就,提尔居民遭到大规模屠杀,妇女儿童被卖为奴隶。他将帕尔梅尼奥留在叙利亚,自己向南推进,未遇抵抗,直到抵达位于高冈上的加沙。当地的激烈抵抗阻止他前进达2个月之久,在一次出击中他的肩部受了重伤。传说他曾转道访问耶路撒冷,但全无根据。

公元前332年11月,他抵达埃及,人民将他当作他们的解救者加以欢迎,波斯总督马扎厄斯明智地向他投降。在孟斐斯,他向神牛即埃及人信奉为神的化身的公牛献祭,被戴上传统的双重法老王冠。当地的祭司得到安抚,他们的宗教受到了鼓励。他在埃及过冬时,对其加以整治,任命埃及人作总督,但军权独由马其顿人执掌。他在尼罗河西海湾建立了亚历山大城。该城坐落在海与马雷奥蒂斯湖之间,地势优越,前有法洛斯岛庇护,建筑设计出自罗得岛的建筑师戴因奥克拉斯之手。据说他曾派遣一支探险队去考察尼罗河泛滥的原因。他从亚历山大城沿着海岸前往帕拉托里厄姆,再从该地向内地进发去拜谒著名的阿蒙神神殿(坐落在锡瓦);这次艰苦的旅程被一些阿谀奉承的传奇大加渲染。当亚历山大抵达锡沙绿洲的神殿时,祭司给予他作为阿蒙神之子的法老所应享有的礼遇。亚历山大向神请教他的远征的成败,但他未向任何人透露神的启示。后来,此事导致他是宙斯神之子的传说,从而使他被神化。公元前331年春,他返回提尔,为叙利亚任命一名马其顿人总督,并准备进军美索不达米亚。他对埃及的征服完成了他对整个地中海东海岸的控制。

公元前331年7月,亚历山大到达幼发拉底河畔的底比斯。他没有顺河流而下直接前往巴比伦,而是横越美索不达米亚北部,前往底格里斯河。大流士从马扎厄斯派往幼发拉底河渡口的先遣队那里获悉这一行动,便溯底格里斯河而上,以抵制亚历山大。这场战争的决战是在尼尼微和埃尔比勒之间的高加梅拉平原上进行的。亚历山大追击溃败的波斯军队达35英里之远,直到埃尔比勒。但大流士率领他的大夏骑兵和希腊雇佣军逃入米底。

亚历山大占领了巴比伦城和全省。马扎厄斯交出巴比伦后被准予担任总督,与一个马其顿军队司令联合统治,而且十分例外地被授予铸造钱币的权利。如在埃及那样,当地的祭司获得了鼓励。波斯都城苏萨也投降了,交出巨额财富,价值5万金塔兰特。亚历山大让大流士的家眷在此过着舒适的生活。在击溃奥克西安山地部落后,他向前推进,越过扎格罗斯山脉,进入波斯本土。他顺利地绕过由阿里奥巴尔赞总督把守的波斯门关口,进入波斯波利斯和帕萨尔加德。在波斯波利斯,亚历山大焚毁了薛西斯的宫殿,以象征泛希腊的复仇战争宣告结束。这似乎是焚烧行动的意义所在,然而后来传说,这是雅典名妓泰依丝鼓动的一场酗酒狂欢的恶作剧。公元前330年春,亚历山大向北进军,攻入米底,占领首府埃克巴坦那,色萨利人和希腊同盟军被遣返家乡。此后,他进行一场纯粹的个人战争。

如马扎厄斯的任命所表明的,亚历山大关于帝国的看法正在改变。他已开始设想由马其顿人和波斯人组成联合统治。这扩大了他和他的人民之间此刻产生的误解。在继续追击已退入大夏的大流士以前,他聚集所有的波斯国的财富,将它委托给哈尔帕卢斯看管,后者作为财务主管留在埃克巴坦那。帕尔梅尼奥也留在米底以控制交通;这个年长者留在亚历山大身边也许已引起厌烦。

公元前330年仲夏,亚历山大通过拉盖(今拉伊,位于德黑兰附近)和里海入口处率军火速前往东部诸省,得知大夏总督贝苏斯废黜了大流士。在靠近现代的沙赫鲁德附近的一场小规模战斗中，大流士被篡位者刺伤后死去。亚历山大将大流士的遗体以适当的礼仪安葬在波斯波利斯皇陵。

东征，向中亚进军 大流士之死使亚历山大宣称自己为伟大的国王已不再有任何障碍。而这一年（公元前 330 年），一块罗得岛的碑文中称他为“亚洲之王”——即波斯帝国的统治者。不久，他的亚洲钱币就刻有了国王称号。他穿过厄尔布尔士山脉前往里海，占领了希尔卡里亚的扎德拉卡塔，接受了一批总督和波斯著名人士的投诚，其中一些人由他批准继续留任。在一次向西方（可能到今阿莫勒）的牵制行动中，他降服了居住在厄尔布尔士山脉的山地民族马尔迪人。他还接受大流士的希腊雇佣军的投降。他的东征进展很快。在阿里亚，他讨平萨蒂巴尔赞内斯，后者曾表示顺从，但目的在于举行叛乱。亚历山大建立了阿里亚人的亚历山大（今赫拉特）。在德兰吉亚纳的弗拉达（靠近今塞斯坦的纳德伊阿里或更北面的法拉），他最后采取步骤消灭帕尔梅尼奥及其家属。帕尔梅尼奥的儿子菲洛塔斯是精锐的陪同骑兵团的指挥官，与一个据称企图暗杀亚历山大的阴谋有牵连，被军队定罪，予以处决。一封机密信件送给帕尔梅尼奥的副将克林德。克林德服从指令，将帕尔梅尼奥杀害。这个残酷无情的行动激起了广泛的恐惧，但是，对于他的批评者和他认为是拥护其父的人们来说，此举加强了亚历山大的地位。所有的帕尔梅尼奥的追随者已被排除，而亚历山大的亲信则被擢升。陪同骑兵团重新予以组织，分为两部，每部有 4 个骑兵中队（现称骑兵司令部）；一部由亚历山大长期的朋友赫费斯提翁统率，另一部由一个年长者克利图斯统率。公元前 330～前 329 年冬，亚历山大从弗拉达沿赫尔曼德河流域向前推进，穿过阿拉霍西亚，越过山岭，经过今喀布尔所在地，进入帕鲁帕米萨达人的领地，建立了高加索山脉附近的亚历山大城。

贝苏斯这时在大夏，在辖地东部举行全民族叛变，僭称“伟大的国王”。亚历山大向北越过哈瓦克关口（11 650 英尺），跨过兴都库什山脉，克服军队缺粮困难，终于将军队开到德拉普萨卡（有时指现代的巴努[安达拉卜]，也可能在更北面的孔杜兹）。贝苏斯因翼侧被包围，逃往奥克苏斯河（今阿姆河）对岸。亚历山大向西进军到巴克特拉-扎里阿斯巴（今阿富汗境内的巴尔赫），在大夏和阿里亚任命了一些忠诚的地方总督。他渡过奥克苏斯河后，派遣他的将领托勒密追击贝苏斯。在此期间，贝苏斯已被粟特国的斯皮塔梅内斯推翻。贝苏斯被捕，遭受鞭挞，被送往巴克特拉，后来按照波斯方式被弄成残废（割掉鼻子和耳朵），经过一段时间在埃克巴塔纳公开处决。

亚历山大从马拉坎达（今撒马尔罕）取道昔罗波利斯推进到波斯帝国边界药杀水（今锡尔河）。他在该地使用石弩击溃了西徐亚游牧部落的抵抗，在河北的一次战斗中打败他们后，一直追击到内地。在锡尔河畔的今列宁纳巴德（苦盏）所在地，他建立一座城市，“最远的”亚历山大城。与此同时，斯皮塔梅内斯已鼓动粟特全国发动反叛来支持他，使萨卡联盟的一个民族（马萨格泰人）参加进来。亚历山大直到公元前 328 年秋才打垮他在远征中所遇到的最坚决的反抗者。同年晚些时候，他攻打奥克斯阿特斯以及在帕拉塔森内（今塔吉克斯坦）的山中坚持作战的其余贵族们；志愿人员占领了奥克斯阿特斯筑有堡垒的岩崖。在被俘人员中有其女儿罗克桑娜。为了求得和解，亚历山大和她结了婚，其余的对手们或被争取过来或被压服。

在马拉坎达发生的一个事件扩大了亚历山大和他的许多马其顿人之间的裂痕。在一次醉后的争吵中，他杀害了他最信任的指挥官之一克利图斯。由于他表现出过度的悔恨，他的军队通过一项法令，在克利图斯死后宣判他犯有叛国罪。这个事件标志着亚历山大走向东方专制主义的一步，而他的这种日益加强专制的态度在外表上则表现为他使用波斯皇帝服装。不久后，在巴克特拉，他企图将波斯的宫廷礼仪包括匍伏礼也强加给希腊人和马其顿人。这种习俗虽然波斯人在朝拜国王时习以为常，但对于希腊人和马其顿人来说，却意味着一种礼拜行为，在个人面前是无法容忍的。马其顿人的讪笑使这个试验归于失败。亚历山大遂予以放弃。不久，卡利斯提尼斯被控暗中参与王室侍从们的一个阴谋而被处决（或死于狱中，传说不一）。对这一行动的忿恨使亚历山大在与卡利斯提尼斯关系密切的亚里士多德学派的哲学家中失去了对他的同情。

入侵印度 公元前 327 年夏初，亚历山大统率一支军队离开了大夏。军队经过增强，指挥部也经过重建。如果普卢塔克所说的军队拥有 12 万人的数字有真实性的话，它必须包括各种辅助性服务以及赶骡人、赶骆驼人、医疗队、商贩、表演者、妇女儿童，战斗人员有 3.5 万人左右。亚历山大也许通过巴米安和戈班德河谷重新越过兴都库什山脉后，将其兵力分散。半数以上的军队及辎重由骑兵指挥赫费斯提翁和佩尔狄卡斯率领，穿过开伯尔山口；他本人统率其余部队以及围攻人员通过山地前往北方。他通过斯瓦特和犍陀罗向前推进。最引人瞩目的事件是猛攻坐落在印度河以西、邦纳河以北几里的几乎坚不可摧的奥尔诺斯（现名比尔萨）天然屏障。这是包围战术给人难忘印象的成就。公元前 326 年春，亚历山大在阿托克附近渡过印度河，进入塔克西拉。该地统治者塔克西莱斯提供战象和军队以换取援助来对抗统治着希达斯皮斯河（今杰赫勒姆河）和艾斯辛内斯河（今杰纳布河）之间土地的对手波罗斯。6 月，亚历山大在希达斯皮斯河左岸进行了他的最后一次大战。他在当地建立了两座城市：亚历山大尼卡亚城（以庆祝其胜利）和布克法拉城（以纪念在当地死亡的他的战马布克法卢斯）。波罗斯成为他的同盟者。

关于希法西斯（也许今比阿斯河）那一边的印度，亚历山大究竟知道多少，难以肯定。没有任何确证表明他知道恒河。但是他急切地更向前推进，等他抵达希法西斯后，他的军队哗变，拒绝继续向前进军。他们身心交瘁，亚历山大的 4 个主要的最高指挥官之一科努斯作为他们的代言人。亚历山大发现他的军队态度坚决，同意班师回国。

他在希法西斯山建造了献给 12 位奥林匹斯神的 12 个祭坛，而在希达斯皮斯河，他建立了一支拥有 800～1 000 艘船的舰队。他离开波罗斯后，顺河而下，驶入印度河。他的军队半数乘船，另有半数分成 3 个纵队沿河两岸行进。舰队由奈阿尔科斯指挥，亚历山大自己的船长是奥尼西克里图斯；两人后来都写下这次行军的记录。这次行军中发生了多次战斗及重大的无情的屠杀。在海德拉奥特斯河（拉维河）附近攻打马利的一个镇时，亚历山大身负重伤，身体变弱。

他抵达坐落在印度河三角洲源头的帕塔拉后建造了一个港口和码头，并勘探可能从此地流入卡奇沼泽地的印度河的两个港湾。他计划统率部分军队循陆地回国，其余人员乘 100～150 艘船在奈阿尔科斯率领下回国。奈阿尔科斯是一个有航海经验的克里特岛人，曾沿波斯湾进行过一次勘探航行。当地的反抗使奈阿尔科斯于公元前 325 年 9 月启航，但他被耽搁了 3 个星期，直到 10 月底他才遇到东北季节风。亚历山大也于 9 月启程，沿海岸通过格德罗西亚（今俾路支斯坦）回国。不久，因地区多山，被迫向内陆行进，因而不能按照他的计划为舰队建立粮食仓库。高级将领克拉特罗斯已经奉命率领辎重、攻城队列、战象、伤病员以及战斗方阵的 3 个营取道毛拉山口、奎达和坎大哈，进入赫尔曼德流域，从那里通过德兰吉亚纳，在卡曼尼亚的阿马尼斯河（今米纳卜河）和主力部队会合。亚历山大穿过格德罗西亚的行军证明是灾难性的，由于沙漠无水而且粮食和燃料短缺，军队遭受巨大苦难。许多人特别是妇女儿童在干涸河道上露营时，突然遇到季风带来的洪水泛滥而被淹死。最终他在阿马尼斯与奈阿尔科斯的舰队会师，后者在途中也遭受了损失。

帝国的巩固 亚历山大进一步执行更换高级官员和处决渎职总督的政策，这项举措在离开印度前已开始进行了。公元前326～前 324 年，1/3 以上的总督被更换，6 名被处死，其中包括波西斯、苏西安纳、卡尔马里亚和巴拉塔森内的波斯总督；米底的 3 名将领，其中包括科努斯（前不久死去）的兄弟克林德，被控犯有敲诈勒索罪，被召到卡尔马里亚，予以逮捕、审讯和处决。亚历山大从这时起对他的总督们所表现的严厉态度在多大程度上代表他对在他出征期间的严重失职行为给予的警戒性惩罚，以及在多大程度上要消灭他开始不信任的人（如菲洛塔斯和帕尔梅尼奥），是值得辩论的。但是在给予他好评的古代文献里，通常都对他的严酷手段加以指责。

公元前 324 年春，他回到埃兰首府和波斯帝国行政中心苏萨。关于他通过卡尔马尼亚的旅程中在一次醉后的狂欢宴会上扮成狄俄尼索斯的传说即便不完全是杜撰，也是大加渲染的。他发现他的财务主管哈尔帕卢斯显然由于害怕因盗用公款而受惩罚，带领 6 000名雇佣军和 5 000 塔兰特逃往希腊。此人在雅典被捕后又逃脱，后在克里特岛被杀。在苏萨，亚历山大举行宴会，庆祝占领波斯帝国。在宴会上，为了推进将马其顿人和波斯人融为一个优秀种族，他和他的 80 名将领娶了波斯妻子。他和赫费斯提翁分别同大流士的女儿巴尔辛（亦名斯塔提拉）和德赖佩蒂斯结婚。他的 1 万名士兵和本地妻子被赠予丰厚的嫁妆。

这种种族融化政策使亚历山大与他的马其顿人之间的关系日益不和。马其顿人对于他改变了的帝国观念不表同情。他决心要把波斯人按平等地位纳入军队和这些省的行政体制，引起了强烈的愤懑。这种不满情绪被煽动起来，因为 3 万名曾接受马其顿军事训练的本地青年返回了，而且来自大夏、粟特、阿拉霍西亚和帝国其他部分的东方人开始被收入陪同骑兵团。东方人以前是否曾在这些骑兵团中服役难以肯定，但如果情况确实如此，他们必然组成了单独的骑兵中队。此外，波斯贵族人士已被纳入皇家骑兵卫队。波西斯新任总督普塞斯塔斯为了奉承亚历山大，对这个政策给予充分支持。但多数马其顿人认为，这对他们的特权地位是一个威胁。

公元前 324 年，这个问题在俄庇斯发展到了严重关头。当时亚历山大决定将克拉特罗斯指挥的马其顿老兵遣送回国，这件事被解释为准备将权力中心转移到亚洲的行动。于是发生了公开哗变，涉及除皇家卫队外的所有士兵。亚历山大解散了他的全部军队，招收波斯人入伍，反对派失败了。随后发生了一个令人激动的和解场面，举行了一个有 9 000 宾客出席的盛大宴会，以庆祝误会的结束和马其顿人与波斯人在政府中的合作——但并未如人们所称的那样，将所有从属的民族作为伙伴纳入共和政体中。这时，1 万名老兵携带馈赠的礼品被遣返马其顿，危机被克服了。

公元前 324 年夏，亚历山大试图解决另一个问题，即游荡的雇佣军，在亚洲和希腊有几千人，其中许多是从自己城邦出外的政治流亡者。由尼卡诺带往欧洲并在奥林匹亚宣告的一项法令（公元前 324 年 9 月），要求希腊同盟中的希腊城市将所有流亡者及其家属（底比斯人除外）接收回去。这个措施意味着亚历山大的总督安提帕特在希腊城市维护的寡头政府统治进行了某种修正。亚历山大这时计划将安提帕特召回，由克拉特罗斯取代。但在事成之前，安提帕特便去世了。

公元前 324 年秋，赫费斯提翁在埃克巴塔纳去世。亚历山大为他最亲密的朋友举哀大肆铺张奢费。他在巴比伦为死者举行帝王葬礼，火葬用的柴堆耗资 1 万塔兰特。赫费斯提翁留下的首相职位，无人继任。他向希腊人发出的一项通令，要求将赫费斯提翁尊为英雄，这同亚历山大要求他本人被授予神的荣誉的意图也许相关。长期以来，他心中一直考虑神性观念。希腊人的思想对神与人没有划分非常明确的界限，因为传奇举出不止一个关于人的实例，这些人由于他们自己的成就取得了神的地位。亚历山大曾有好几次鼓励人们将他本人的成就与狄俄尼索斯和赫拉克勒斯的成就进行对比，从而作出有利于他的评价。他似乎对他自己的神性的真实变得深信不疑，并且要求别人予以接受。我们没有理由假定他的要求具有任何政治背景（在一个希腊城市中，神的地位并不给予所有者任何特殊的权利）。相反，这都是日益增长的自大狂和感情的不稳定性的一个症状。诸城市不得已表示遵从，但往往予以讥讽。斯巴达的法令声称："既然亚历山大想成为神，那就让他成为神吧。"

公元前 324 年冬，亚历山大对洛雷斯坦山中的科萨安人进行了一次残酷的讨伐行动。翌年春天，他在巴比伦接见了利比亚人以及意大利的布鲁蒂安人、埃特鲁斯坎人和卢卡尼安人的友好使节。但是关于使节们还来自更遥远的民族如迦太基人、凯尔特人、伊比利亚人，甚至罗马人的传说，则是后来凭空捏造的。希腊诸城市的代表们也来了，戴着与亚历山大的神的地位相称的花环。随着奈阿尔科斯的航行，他在底格里斯河口建立了一座亚历山大城，并计划和印度发展海上交通，以沿阿拉伯海岸进行一次勘察作为开端。他还派一名军官赫拉克利德斯去勘察希尔卡尼亚海（里海）。亚历山大在巴比伦正忙于设计改进幼发拉底河的灌溉和解决波斯湾海岸问题时，在一次延长的宴会和狂饮后突然病倒了。10 天以后，于公元前 323 年 6 月 13 日逝世，享年 33 岁，在位 12 年另 8 个月。他的遗体由后来的国王托勒密转移到埃及，最后在亚历山大城装入金棺。在埃及和希腊城市的其他地方，他获得了神的礼遇。

亚历山大没有指定任何继承人来继承王位，他的将领们选定腓力二世的弱智的私生子腓力·阿里达乌斯和亚历山大的遗腹子亚历山大四世（罗克桑娜所生）继承王位。经过多次讨价还价，将总督领地在二人之间分配。帝国在亚历山大死后很难作为一个统一体幸存下去。两位国王均被杀害（阿里达乌斯在公元前 317 年，亚历山大四世在公元前 310 或前 309 年）。诸行省变为独立的王国，而将领们则效仿安提柯在公元前 306 年所作的榜样，采取了国王称号。

评价 关于亚历山大的计划，没有留存多少可靠的文献。公元 1 世纪的希腊历史学家狄奥多罗斯所记载的关于征服西地中海和建立一个普遍的君主政体的远大计划，也许是根据后世的伪造。否则，这些计划就是被他的继位人和军队一同抛弃了。如果亚历山大活着，他无疑会完成对小亚细亚的征服，而在小亚细亚，帕夫拉戈尼亚、卡帕多西亚、亚美尼亚仍保持着有效的独立。但是在他晚期的岁月里，亚历山大的目标似乎针对着探险活动，尤其是对阿拉伯和里海的勘探。

在建立其帝国过程中，亚历山大在许多领域满足于顺应和凑合他所发现的情况。他的财政政策是个例外，虽然细节不能全部恢复原状，但明显的是，他建立了一个中央机构，没有可能独立于当地总督的税收官。这项措施被证明是失败的，部分是因为他的财政主管哈尔帕卢斯的性格软弱。但是，根据雅典的银本位制而建立的一种新币制，以取代在马其顿和波斯盛行的旧金银复本位制，促进了各地的商业，加上从波斯国库中投放出巨大数量的条金，使整个地中海地区的经济获得了迫切需要的振兴。

亚历山大建立的新城市——据普卢塔克说有 70 余座——在希腊的扩张中开始了一个新的篇章。毫无疑问，许多殖民者（决非志愿移居者）舍弃了这些城市，而和当地妇女的联姻却导致希腊习俗某种程度的淡化。但是希腊（而非马其顿）的影响在大多数城市仍然巨大。由于这个过程被亚历山大的塞琉西继位人带到更远地区，希腊思想与习俗在亚洲大部分地区的传播，甚而远至大夏和印度，是亚历山大远征的比较引人瞩目的影响之一。

另一方面，他想实现种族融合的计划却是一个失败。伊朗地方总督也许办事不力，因 18 个总督中有 10 个被撤职或处决——根据什么正当的理由，现已不能说明。但更重要的是，马其顿人，不论领袖或部下，都拒绝接受这个想法。在后来的塞琉西帝国中，希腊和马其顿的成分占有明显的主导地位。

如果亚历山大活着的话，他在完成协调其广大领地的艰巨任务中能获得多大程度的成功，难以确定。在一个比哈布斯堡王朝更加截然不同而又庞大得多的帝国的众多构成部分之间，唯一的连接环节就是亚历山大本人，但他却在处理这个问题之前去世了。

截至此时，使帝国全部团结在一起的决定因素是他本人充满活力的个性。他既有钢铁般的意志和驱使自己和部下全力以赴的能力，又有柔顺灵活的思想，并能使二者融为一体。他知道什么时候退却和改变自己的政策，尽管这样做是出于勉强。他富于想像力而且也并非毫无浪漫的冲动。像阿喀琉斯、赫拉克勒斯、狄俄尼索斯这类人物时常萦绕在他心中，而且在阿索神殿的礼拜之后一直影响他的思想和雄心。他动辄发怒，在长期远征的压力下，他性格的这一面表现得更加显著。他残酷无情、刚愎自用，日益采取恐怖手段，毫不犹豫地消灭他不再信任的人，表面上采取或不采取公正的审判。在亚历山大死后多年，他所领导的马其顿帝国的一个摄政安提帕特之子卡山得，在走过树立在德尔斐的亚历山大塑像时仍不禁浑身发抖。然而，他却赢得了他的部下的忠诚。他们追随他前往希法西斯而毫无怨言，在经过种种苦难后仍对他表示信赖。只是在他的奇思怪想要驱使他们更深入地进入未经探明的印度时，他才不能得逞。

作为一名将领，亚历山大可与世界最伟大的将领并列而无愧。他在组合不同兵种和将自己的战术适应那些掌握新的作战方式的敌人——如萨卡游牧部落、印度山地种族，或使用战象的波罗斯——的挑战时表现出他异常的多面才能。他的战略巧妙而富于想像力。他知道如何利用每次战役带来的，对于胜负具有决定意义的机遇。他还依靠不懈的追击从胜利中取得最后的优势。他指挥骑兵极其有效，因此很少依靠步兵给予敌人粉碎性的打击。

亚历山大的短暂统治标志着欧洲与亚洲历史上的一个决定性时刻。他的远征以及他本人对于科学调查的兴趣使地理和自然历史的知识获得了许多进步。他的事业导致伟大的文明中心向东方转移，开创了希腊领土君主制的新时代，在一个遍及近东的广泛的殖民浪潮中传播了希腊文化，而且如果不是在政治上，至少在经济上和文化上创造了一个单一的世界。这个世界从直布罗陀一直延伸到旁遮普，对商业和社会交流实行开放，共同文化遍及相当大的地区，而古希腊共同语则成为一种混合语。我们不妨说，罗马帝国、基督教作为一种世界宗教的传播以及拜占廷的漫长世纪在某种程度上都是亚历山大的成就所带来的结果。

罗马教廷

● **Alexander I，SAINT　亚历山大一世，圣**（？～约115或119，罗马？）　圣彼得后第五代教皇。在位约10年（105～115或109～119）。据有些天主教著作说，他首创使用圣水和在圣事中往葡萄酒中掺水，并可能曾对礼仪进行增益。他可能在罗马皇帝图拉真或哈德良迫害基督教时被斩首殉教。

● **Alexander Ⅱ　亚历山大二世**（？，米兰附近巴吉奥～1075-04-21）　又称安塞尔莫（巴吉奥的）或安塞尔莫（卢卡的）。教皇（1061～1073在位）。在任卢卡主教时致力于取缔圣职买卖和厉行教士独身制。当选教皇后，德意志宫廷另立帕尔马的彼得·卡达鲁斯为教皇，称霍诺留二世。1062年德意志各执政不再坚持霍诺留为教皇，1064年亚历山大获得帝国当局承认。

● **Alexander Ⅲ　亚历山大三世**（约1105，托斯卡纳锡耶纳～1181-08-30，罗马）　教皇（1159～1181在位）。本名罗兰多·班迪内利。他排除神圣罗马帝国皇帝腓特烈（红胡子）和英格兰国王亨利二世的反对，大力伸张罗马教廷的权力。

亚历山大早年研究神学和法学，后在博洛尼亚任法学教授而成为重要的法学家和神学家。教皇犹金三世在位期间他平步青云。教皇阿德里安四世在位期间，他担任教廷的首席谈判代表，与腓特烈交涉。在罗马教廷内部，有一派枢机主教惟恐神圣罗马帝国在意大利势力增长，想靠近由诺曼人掌权的西西里王国以重新调整力量对比，班迪内利即属于这一派。教廷与西西里国王威廉一世缔结贝内文托协议（1156），班迪内利曾参与起草。翌年（1157），他在贝桑松称帝国为教廷的"封地"，进一步流露他对帝国的戒心。这种提法使他同帝国首相赖纳尔德之间爆发了激烈争论。赖纳尔德认为，这种言辞是指帝国从属于教廷，乃是对皇帝的侮辱。在1159年的选举教皇活动中，大多数枢机主教都推选班迪内利为教皇，称亚历山大三世。但腓特烈大力进行干预，于是少数枢机主教另推枢机主教奥克塔维安（称维克托四世），是为一系列敌对教皇之始。亚历山大三世面临在意大利帝国势力的强烈反对，于1162年4月逃往法兰西。他继续推行前一世纪在教皇格列高利七世督导下开始的教会改革。坎特伯雷大主教贝克特就神职人员的地位问题与英格兰国王亨利二世发生争执，亚历山大三世支持贝克特，他还谴责亨利二世在克拉伦登宪法中的一些主张。11世纪和12世纪初发生的重要情势，使中世纪社会日趋二元化，存有宗教与世俗两种权威来源，必须设法予以调和。亚历山大三世发现自己在捍卫他所谓的教会合法权力方面具有重大的政治作用。他同腓特烈的争斗，耗费了他自12世纪60年代到70年代这段时期的大部分精力，但他认为他是在捍卫教廷，而教廷是教会自由的基础。当腓特烈暂时不在意大利时，政治气候好转。亚历山大三世1165年回到罗马，冲突也进入了关键阶段。腓特烈于1166年重返意大利，迫使亚历山大三世再度流亡，腓特烈进入罗马，由他所扶植的敌对教皇帕斯加尔三世为他戴上皇冠。亚历山大此时争取意大利北部各城市的支持，他发现许多城市希望捍卫自身的独立地位，不受帝国控制，这种想法与亚历山大三世的奋斗目标具有共同之点，结果组成了伦巴第联盟，使亚历山大三世获得重要支持，以继续同腓特烈进行抗争。然而亚历山大三世又不愿把事情做绝，他认为腓特烈皇帝是基督教世界的合法世俗首脑。拜占廷皇帝曼努埃尔一世主张东西方统一于拜占廷统治之下，亚历山大三世加以反对，而进一步依靠意大利南部的诺曼人和伦巴第各城市的力量。他的这种政策终于成功，奠定了教廷13世纪的政策基础。腓特烈在意大利日益陷于孤立，并与德意志强大势力意见相左。腓特烈在莱尼亚诺与伦巴第人作战而遭受决定性的失败（1176）后，签订了《威尼斯和约》（1177），结束了这一阶段的斗争。亚历山大三世在主持天主教会期间维持改革传统。他关心教育，在位期间大学纷纷成立。他曾主持在博韦和图尔举行的重要宗教会议（1160；1163）以及第三次拉特兰会议（1179）。他是关注法兰西南部清洁派（阿尔比派）异端势力蔓延的最初几代教皇之一。

● **Alexander Ⅳ　亚历山大四世**（1199，罗马附近阿纳尼～1261-05-25，教皇国维泰博）　教皇，原名塞尼的里纳尔多（1254～1261在位），由叔父教皇格列高利九世任命为枢机主教（1231）。他登位后继续执行教皇英诺森四世的政策，向1258年称西西里国王的曼弗雷迪（神圣罗马帝国皇帝腓特烈二世的私生子）作战，并判处他绝罚，另立英格兰国王亨利三世之子埃德蒙特执掌西西里教皇领地。他支持巴黎众修士反对世俗教师，在法国增设异端裁判所，争取恢复东西方教会的联合，并组织进攻鞑靼人的十字军，但未成功。

● **Alexander（Ⅴ）　亚历山大（五世）**（约1339，克里特岛干地亚～1410-05-03，教皇国博洛尼亚）　原名彼特罗斯·菲拉尔戈斯，别名彼得（甘地亚的）。敌对教皇。1409年由非法的比萨会议一致推选为教皇，在位仅10个月。这次会议选举他原是想结束西方教会大分裂（1378～1417），但并未能使教皇格列高利十二世和另一敌对教皇本尼狄克十三世逊位，结果形成三教皇鼎立的局面。1410年亚历山大指示布拉格大主教兹比内克焚毁威克里夫的异端作品。1410年亚历山大神秘地死去，一说是被日后即位的敌对教皇约翰（二十三世）投毒害死，但无法证实。

● **Alexander Ⅵ　亚历山大六世**（1431，阿拉贡哈蒂瓦～1503-08-18，罗马）　意大利名博尔吉亚。教皇（1492～1503在位）。他是一位腐化、追求名利而野心勃勃的教皇，他忽略教会的灵性传统，这是促使宗教改革运动爆发的原因之一。他曾在博洛尼亚学习法律，1456年由叔父、教皇加里斯都三世任命为枢机主教。他与罗马贵妇卡塔奈伊私通，生有子女4人。他不顾贿买之嫌，将俸金分赠选

美国不列颠百科全书公司供图

举教皇的各枢机主教，在教皇选举中经过秘密会议激烈争吵而当选。登位后着手改革教廷财政，大力鼓吹对奥斯曼土耳其作战。1494年，法兰西国王查理八世侵入意大利，声称有权管辖那不勒斯，亚历山大六世遭受威胁，政治上孤立无援，乃求助于土耳其。最后，亚历山大六世同米兰、威尼斯以及神圣罗马皇帝结盟，迫法兰西军撤出意大利。1493年他任命自己的儿子塞萨尔和他的宠妇裘丽娅的兄弟法尔内斯（后为教皇保罗三世）为枢机主教。他在位期间，为了推行自己的家族、教会和政治政策，先后任命枢机主教47名。他的儿子胡安任甘迪亚（今西班牙境内）公爵，娶卡斯蒂利亚国王费迪南德四世的堂妹；另一子约弗雷娶那不勒斯国王的孙女；女儿卢克雷齐娅先嫁米兰的斯福尔扎，后以男方不能人道为理由，由亚历山大六世宣布结婚无效，改嫁阿拉贡的阿方索。阿方索被暗杀后，卢克雷齐娅再改嫁弗雷拉公爵阿方索一世德埃斯特。1497年7月亚历山大六世的宠儿胡安被暗杀，悲痛之余宣布进行整顿，限制教廷的豪奢挥霍，改组宗座办事处，禁止买卖圣职，厉行神职人员独身制。多明我会修士萨伏那洛拉1494年僭取佛罗伦萨政权，谴责教廷罪恶，要求废黜教皇；教皇在同他交涉时多所容忍。为巩固博尔吉亚家族与法兰西国王路易十二的联盟，1498年其子塞萨尔辞去枢机主教职位而娶夏洛特·迪·阿伯雷特；同时他又批准路易离婚。塞萨尔采取围困城池和暗杀要人的残暴方法，控制意大利北部；先后征服罗马尼阿、翁布里亚和艾米利亚等公爵领地。在罗马，亚历山大六世摧毁奥尔西尼和科隆纳家族，与西班牙结盟，将公教君主的称号授予西班牙女王伊莎贝拉和国王费迪南德。1494年亚历山大六世主持谈判，缔结托德西利亚斯协议，将美洲大陆分为两部，分别授予葡萄牙和西班牙。他赞助艺术事业，建立罗马大学的中央部分，重建圣安杰洛教堂，装饰梵蒂冈各宫室，并嘱咐米开朗琪罗为重修圣彼得大教堂绘制图纸。

● **Alexander Ⅶ　亚历山大七世**（1599-02-13，佛罗伦萨共和国锡耶纳～1667-05-22，罗

马） 原名基吉（F.Chigi）。教皇（1655～1667在位）。教皇保罗五世的甥孙。1639～1651年任教廷驻科隆使节，在谈判威斯特伐利亚和约（1648）的过程中，声称不与异端新教分子共同议事，力诫忠于天主教的诸侯勿牺牲天主教会权益。但诸侯厌战而向法兰西和新教徒作出让步。1651年任教皇英诺森十世的秘书，1652年任枢机主教。1655年4月当选为教皇，在位期间发生多次纷争。

● **Alexander VIII　亚历山大八世**（1610-04-22，威尼斯～1691-02-01，罗马） 原名奥托波尼。教皇（1689～1691在位）。1652年任枢机主教，1654年任布雷西亚主教，1689年10月当选教皇。经过他的倡议，教廷与法兰西国王路易十四之间的纠纷得到解决。他坚持对限制教皇权力的1682年高卢派条款进行谴责并反对詹森主义。

波　兰

● **Alexander　亚历山大**（1461-08-05，波兰克拉科夫～1506-08-19，立陶宛维尔纽斯） 波兰亚盖沃王朝国王（1501～1506），其兄J.阿尔贝特的王位继承人。他因王权被贵族削弱，财政上受控制，无力支援宝剑骑士团大头领反击莫斯科的侵略，也不能阻止沙皇伊凡三世对立陶宛的掠夺。他只能守卫斯摩棱斯克和其他堡垒。只是因摩尔多瓦大公斯特凡之死，波兰才能继续保持在多瑙河畔的存在。又由于教皇尤利乌斯二世的财政援助，他才能在普鲁士诸省稍挫条顿骑士团的气焰。

俄　国

● **Alexander I　亚历山大一世**（1777-12-23［旧历12-12］，俄罗斯圣彼得堡～1825-12-01［旧历11-19］，塔甘罗格） 俄国皇帝（1801～1825），在拿破仑战争期间，他先与拿破仑作战，后又与他为友，但最终（1813～1815）帮助组织了打败法国皇帝的联盟。他参加了维也纳会议（1814～1815），推动组建了神圣同盟（1815），并参加了其后的各次会议。帕维尔·彼得罗维奇大公（后来的保罗一世）之子。祖母叶卡捷琳娜二世从小就将他从父母身边接

梅里韦瑟·波斯特夫人供图

走，亲自抚育，准备让他作自己的继承人。叶卡捷琳娜聘请百科全书派学者狄德罗作他的导师。狄德罗婉辞谢绝以后，俄国女皇又选择杰出的教育家瑞士人拉阿尔普来任此职。少年时代，亚历山大去圣彼得堡郊外的加特契纳看望他的父亲帕维尔。亚历山大接受帕维尔严厉的管教。他满16岁时，祖母让他与巴登-杜拉赫公主路易丝结婚。1796年11月叶卡捷琳娜突然去世，亚历山大虽然知道她已经写好一份剥夺儿子的继承权而指定孙子当继承人的诏书，但他不敢将诏书公开发表，因此帕维尔就成了沙皇。保罗一世由于暴虐无道，1801年3月23日被人刺死。亚历山大遂即沙皇位。他与亚当·恰尔托雷斯基亲王、帕维尔·斯特罗加诺夫伯爵、维克托·科楚别伊伯爵以及尼古拉·诺沃西利采夫组成一个枢密委员会，改革行政，建立各种类型的学校（包括3所新大学）。但是，亚历山大缺乏废除农奴制度所需要的勇气，把一生中大部分时间都用于外交事务。他是希望保持各国和平与团结的“欧洲派”，对欧洲大陆政局的波动极为敏感。他刚一主持朝政，就立即批准被保罗一世摧毁的俄英联盟。他希望遏止拿破仑的征服野心，以实现宏大的“全面媾和”计划。他与普鲁士签订友好条约，对普鲁士国王腓特烈·威廉三世和王后路易莎表示亲近。他相信组成各种联盟，将来就会出现一个欧洲联邦。但是拿破仑却另有打算，企图夺取世界霸权。1804年拿破仑加冕为皇帝后，亚历山大对他宣战。亚历山大自任总司令。他忽视俄国战略家库图佐夫的韬略，而以几个奥地利将军作为得力助手，结果造成1805年12月2日俄奥联军在摩拉维亚的奥斯特利茨的惨败。不过，俄国本土仍然完好无损，因为拿破仑希望与亚历山大一道瓜分世界。亚历山大决心报仇雪恨。1806年拿破仑在耶拿和奥尔施塔特大败普鲁士，亚历山大不顾母亲和臣下的劝告，仓促地向普鲁士提供援助。1807年6月俄国在弗里德兰遭到惨重的损失。6月25日，亚历山大与拿破仑在蒂尔西特城外涅曼河中游的一艘木筏上举行会谈。后来的事态发展表明，俄国沙皇在蒂尔西特会谈中欺骗了法兰西皇帝。当时他接受战胜者拿破仑的全部条件，应允与英国断交，加入拿破仑建立的大陆封锁体系，承认新建立的华沙大公国，作为补偿，拿破仑给亚历山大以侵犯瑞典和土耳其而扩张领土的自由。亚历山大在阿拉克切耶夫的大力协助下改组和加强俄国军队，并委任斯佩兰斯基进行内政改革。1808年在萨克森的埃尔福特再次会见拿破仑时，他的态度十分冷淡。1809年法奥两国再次开始战争，亚历山大不顾以前的许诺，假装进兵虚晃一招。法俄关系冷淡下来了。拿破仑指责亚历山大说，俄国不该打着中立国船只的幌子与英国作买卖，亚历山大不该拒绝拿破仑向他妹妹安娜·巴甫洛夫娜的求婚。在拿破仑吞并波罗的海沿岸的德意志领土以后，亚历山大提出抗议，认为这是对他个人的冒犯。1812年6月24日，拿破仑率60万大军侵入俄国。法军进兵神速，俄军节节后退。拿破仑认为一旦拿下莫斯科，俄国沙皇就会投降。但在博罗季诺大血战后，法军进入被大火几乎烧光的莫斯科，只得在一片废墟中扎营。这时亚历山大在公众舆论的压力下，任命库图佐夫为最高统帅。这位老军人以其天才的战略，在英勇的游击队协助下，猛追穷寇，将拿破仑赶出俄国。亚历山大宣布：“要么是拿破仑，要么是我，从现在起，我们的统治不能共存。”他的热情、坚韧和对胜利不可动摇的信心使普鲁士国王和奥地利皇帝振作起来，1813年10月俄普奥联军取得莱比锡大捷。1814年3月亚历山大耀武扬威地进入巴黎，拿破仑随即宣布退位，亚历山大成为欧洲最有权势的君主和欧洲命运的主宰。1814年秋，亚历山大倡议在维也纳召开有史以来最重大的国际会议。拿破仑从流放地厄尔巴岛逃回法国，重登皇位以后，战幕再次拉开。但是1815年6月18日他终于在滑铁卢被联盟军彻底击败。获得胜利的君主们再一次在巴黎聚会，缔结和平条约。会后，亚历山大一世组织神圣同盟。当意大利和西班牙爆发一系列反对专制制度的起义时，“神圣同盟”进行了血腥的镇压。甚至在希腊人民起来反对土耳其暴政的时候，亚历山大也拒绝支持信仰同一宗教的希腊人民。亚历山大让奥地利首相梅特涅公爵处理欧洲事务，即返回俄国。他在克里米亚视察期间因病在旅途中去世。

● **Alexander II　亚历山大二世**（1818-04-29，莫斯科～1881-03-13，俄罗斯圣彼得堡） 俄国皇帝（1855～1881）。他所受的开明教育和他为俄国在克里米亚战争中暴露出许多弱

梅里韦瑟·波斯特夫人供图

点而感到的忧伤，激励他在国内进行各种伟大的改革。最重要的一项改革就是解放农奴（1861）。1866年后的高压政策时期，导致革命恐怖主义的兴起和他本人被暗杀。尼古拉·帕夫洛维奇（1825年为尼古拉一世）之长子。由于父亲专横，他的青少年时期十分黯淡。不过，在母亲的敦促下，聘请诗人茹科夫斯基负责他的品德和智力教育。1855年2月父亲去世，36岁的亚历山大继承皇位。当时克里米亚战争方酣，俄国暴露出它的许多弱点。俄军的失败在国内激起要求进行根本改革的普遍呼声。亚历山大二世顺应潮流，开始一系列的改革，他想通过“现代化”使落后的俄国跨入先进的西方国家的行列。这位新沙皇很注意提高交通运输的能力。当时俄国只有一条从圣彼得堡到莫斯科的铁路干线。他即位时，全国的铁路线只有965千米左右，而到1881年他去世时已经增加到22 525千米左右。在俄国这样以封建农业占统治地位的社会中，铁路建设意味着经济生活的普遍高涨。另一项现代化措施是废除农奴制度，这也产生了同样的效果。亚历山大二世亲自

参加立法工作,1861年2月19日正式颁布《解放法令》,使改革达到了最高峰,数千万奴隶不但获得人身自由,而且还可以获得一块不大的土地。这一改革所产生的影响极大,人们称之为在法国大革命之后最伟大的社会运动。亚历山大二世在1864年颁布司法条例,改组地方政府,建立地方自治会,改进地方福利事业(教育、卫生、医疗保健、手工艺、农艺等等),给愚昧落后的俄国农村带来思想启蒙的第一道曙光。1874年颁布军队条例,俄国第一次采用征兵制,使全国青年不分阶级都有服兵役的义务。这些改革的主要目的在于使俄国摆脱封建主义的束缚和接受西方的文化和技术。另外,亚历山大二世自即位之日起就开始政治解冻,下令释放政治犯,允许西伯利亚的流放者回归内地,取消并减轻对笃信宗教的少数民族(特别是犹太人)的大量限制。放宽了对出国旅行的限制,废除野蛮的中世纪刑法,放松了俄国对波兰的残酷统治。尽管他采取了这些措施,但是,如果像某些人那样认为亚历山大二世是自由主义者,那仍然是错误的。实际上,他是独裁政治原则的坚定维护者,认为俄国没有实行立宪或代议制政府的准备条件。1863年亚历山大二世冒着西方各国进行干涉的风险,坚决镇压波兰人的起义。他认为比较严重的问题是民粹主义学说在俄国青年中的传播,因此愈来愈多地采取镇压手段。此外,亚历山大二世统治时期,俄罗斯对外扩张尤其是对亚洲的扩张势头愈益猛烈。1858和1860年从中国夺取了沿海省并建立符拉迪沃斯托克(海参崴)为远东首府,最终征服高加索(60年代)、征服中亚(希瓦、布哈拉、突厥斯坦),1867年还把阿拉斯加卖给美国。亚历山大二世的统治为俄罗斯帝国在亚洲的活动开辟了道路。1866年春,革命青年德米特里·卡拉科佐夫刺杀亚历山大未遂。1879年初,革命的恐怖主义活动再次兴起,不久即将目标集中于刺杀沙皇本人。在枪击、覆倾列车以及炸毁圣彼得堡冬宫的阴谋未遂之后,亚历山大二世授予临时执法官以最高的镇压权力。亚历山大二世终于在民意党人的一次阴谋中被炸死。可以说,他是一个伟大的历史人物,但不是一个伟大的人。他所做的一切,比他是怎样一个人更重要。他进行的伟大改革在重要性上的确可与彼得大帝和列宁所进行的并列,但他的个人品格却远远不如他们。

● **Alexander III** **亚历山大三世**(1845-03-10,俄罗斯圣彼得堡～1894-11-01,克里米亚利瓦季亚) 俄国皇帝(1881～1894)。他反对代议制政府,拥护俄国民族主义。在正教、专制和民族性思想原则的基础上,实施一系列政治纲领,包括在俄罗斯帝国推行各少数民族俄罗斯化和迫害非正教宗教团体。亚历山大二世的次子。20岁以前并没有继承皇位的希望,因而只受过很少的教育,最多不过中小学程度。他懂一点法语、英语和德语,接受过一些军事训练。1865年长兄尼古拉死去,他获得继承权,此后才开始学习法理和行政管理。在他作皇储期间(1865～1881),毫不隐瞒自己的某些观点违背沙皇政府的政策。他不赞同接受过多的外来影响,特别是德国的影响。这位皇储倾向于斯拉夫派。1881年3月13日亚历山大二世遇刺。翌日,亚历山大三世掌握独裁统治的大权。亚历山大二世在遇刺那天,发出一道御旨,同意建立

美国国会图书馆供图

协商委员会。亚历山大三世撤销了这道御旨,并在即位诏书中表示,他无意限制自己所继承的独裁权力。他所实行的一切国内改革,其目的都是纠正先帝时期过分"自由化"的倾向。他认为如果想要从无政府状态和革命骚动下拯救俄国,决不能依靠西欧的议会制度和自由主义政治,只能依靠三项原则,即:正教、专制、民族性。亚历山大的政治理想是建立一个只有一个民族、一种语言、一种宗教和一种政治制度的国家。他竭尽全力去实现自己的目标。他强制日耳曼、波兰和芬兰血统的臣民学习俄语和进入俄罗斯式的学校;他镇压基督教的其他教派,鼓励正教的传播;他迫害犹太人;他在边疆各省清除日耳曼、波兰和瑞典制度的残余;在其他的省份,他取消地方自治会,建立农民公社的自治管理。他力图加强和集中帝国行政机构的权力,使其听命于自己。在对外事务中,他强调维持和平。他虽然对俾斯麦的反俄行动表示愤慨,但却避免与德国公开破裂,甚至一度恢复德俄奥三帝同盟。只是在他统治后期,特别是1888年德皇威廉二世即位以后,他才对德国采取较为敌对的态度。1890年亚历山大与法国结盟。他对中亚推行俄国的一贯政策,即逐步扩大俄国的霸权,而又避免引起与英国冲突。就整体来看,不能说亚历山大在位时期是俄国历史上的多事之秋,但是在他的残酷无情的统治下,俄国是否向前发展则是一个疑问。

苏格兰

● **Alexander I** **亚历山大一世**(约1080～1124-04,可能卒于苏格兰斯特灵郡斯特灵) 苏格兰国王(1107～1124)。马尔科姆三世之子,兄埃德加死后即位。遵从埃德加的指示,让其弟戴维统治南部苏格兰。他可能承认英格兰国王亨利一世为最高统治者。与亨利的私生女西比拉结婚。1114年率苏格兰兵参加亨利的威尔士战役。然而,他极力保持苏格兰教会的独立,使其不受英格兰教会的束缚。死后由戴维一世即位。

● **Alexander II** **亚历山大二世**(1198-08-24,苏格兰东洛锡安哈丁顿～1249-07-08,阿盖尔凯勒拉岛) 苏格兰国王(1214～1249)。他与英格兰保持和平,并大大加强了苏格兰的君主政体。其父雄狮威廉一世去世后即位。1215年英格兰诸侯叛乱反对国王约翰(1199～1216在位)时,亚历山大站在反叛者一边,希望重新得到他所要求的英格兰北部的领土。1217年叛乱失败后,他向英王亨利三世(1216～1272在位)表示效忠,并于1221年娶亨利之妹琼(1238卒)为妻。1237年亨利与他缔结《约克和约》,他放弃对英格兰领土的要求,而接受几处英格兰地产作为交换条件。苏格兰的边界遂大致确定在现今的位置。与此同时,他镇压反叛的苏格兰贵族,巩固他对直至当时只在名义上承认王权的苏格兰部分地区的统治。1222年征服阿盖尔。

● **Alexander III** **亚历山大三世**(1241-09-04～1286-03-18或19,苏格兰法夫金霍恩附近) 苏格兰国王(1249～1286)。马尔科姆三世坎莫尔(1058～1093在位)传下来的王朝的最后一位重要统治者。他在苏格兰巩固了王权,给王国带来独立、统一和繁荣。他是亚历山大二世的独生子,即位时年仅7岁。1251年与英王亨利三世11岁的女儿玛格丽特结婚。1255年苏格兰的亲英派拘押了他。两年后反英派占了上风,并控制政府,直到他成年(1262)。1263年他击败统治苏格兰西部沿海各岛屿的挪威国王哈康四世。1266年取得赫布里底群岛和马恩岛。1286年因坐骑坠落悬崖而死。

塞琉西帝国

● **Alexander** Balas **亚历山大·巴拉斯**(?～公元前145) 又名亚历山大·埃皮法纳斯。叙利亚和帕加马国王,塞琉西帝国余部统治者(公元前150～前145在位),自称是安条克四世之子。在雇佣军帮助下,打败并杀害了塞琉西的直系继承人德米特里一世底米丢。在罗马元老院和埃及托勒密王朝支持下,统治塞琉西帝国的旧域,直至战死。

塞尔维亚

● **Alexander** **亚历山大**(1806-10-11,塞尔维亚托波拉～1885-05-04,奥匈帝国巴纳特泰梅什堡) 1842～1858年的塞尔维亚大公。塞尔维亚自治运动领导人卡拉乔尔杰第三子。长年流亡国外。1842年国民议会推选他为大公后回国。即位后努力改革官僚机构以及教育和司法制度,并在经济领域推广货币和信贷的使用。但是由于贪官载道,贿赂公行,他的新政很快化为泡影。无论守旧的农民阶层,抑或新生的知识分子,都表示不满和反对。1848年匈牙利南部的塞尔维亚人举行反匈起义时,他不肯支援革命运动,但允许志愿人员过境。在1853～1856年的克里米亚战争中,他又保持中立,不去支援俄国。因此,许多拥护泛斯拉夫主义的塞尔维亚人都不再支持他。1858年国民坚决要求他退位。后在国外终其余生。

● **Alexander** **亚历山大**(1876-08-14,贝尔格莱德～1903-06-11,贝尔格莱德) 塞尔维亚国王(1889～1903),实行独裁统治,结果不仅被杀,而且导致奥布廉诺维奇王朝崩溃。米兰亲王(后为国王)的独生子。1889年3月其

父退位后即位,因年幼,设摄政会议。1893年4月亲政。他采取了一系列不得人心的政策,如:不准亲俄的激进党参加内阁;废除开明的1889年宪法,恢复旧宪法;经常撤换内阁大臣;任命亲奥的父亲为陆军总司令。一时舆论哗然。1899年有人谋刺其父未遂。他立即采取极为残酷的镇压措施,特别取缔激进党人的活动。1900年,他不顾其父和其他政治顾问的强烈反对,宣布要同情妇马欣结婚。她是一位波希米亚工程师的遗孀,原为宫廷女侍,名声很坏,而且比他大10岁。内阁全体辞职,表示抗议。由于臭名昭著,亚历山大不得不在1901年颁布比较开明的宪法,增设参议院。在位期间亦改善该国的经济状况,实行军队改革并采取措施提高塞尔维亚的国际地位。但是,他对君主立宪又采取嘲弄态度。1903年,当他打算进行违宪活动时,竟宣布宪法停止生效数小时。结果,反对势力不断增强。当举行政变的军人冲入王宫,把他和情妇一齐杀死时,全国人民无不拍手称快。

南斯拉夫

● **Alexander I　亚历山大一世**(1888-12-16[旧历12-04],门的内哥罗采蒂涅～1934-10-09,马赛)　塞尔维亚-克罗地亚-斯洛文尼亚王国国王(1921～1929)、南斯拉夫国王(1929～1934),曾为将政治与种族分裂的多民族群体组建为统一国家而斗争。P.卡拉乔尔杰维奇次子,早年随父旅居日内瓦,1899年去圣彼得堡。1904年参加俄皇禁卫军。1909年回塞尔维亚,成为王位的当然继承人。在1912～1913年巴尔干战争中表现出卓越的指挥才能。1914年摄政。第一次世界大战期间任塞尔维亚武装部队总司令,1918年10月率军胜利进入贝尔格莱德。同年12月以摄政身分宣布成立塞尔维亚-克罗地亚-斯洛文尼亚王国。1921年8月即位,努力团结各民族群体和政党,建立统一的国家。在政局紧张的20世纪20年代,由于无法达成令人满意的妥协以改组议会和组织有效的政府,他解散议会,废除1921年宪法,并于1929年1月实行独裁。1929年10月改国名为南斯拉夫。1933年努力缓和同保加利亚的关系,1934年使南斯拉夫加入小协约国和巴尔干协约国。不久,在去法国访问时遇刺身亡。

Alexander, Saint　亚历山大,圣　参阅**Alexander**(Papacy)亚历山大(教皇)项下的**Alexander I, Saint**亚历山大一世,圣。

Alexander Aetolus　亚历山大(埃托利亚的)(活动时期约公元前280)　希腊埃托利亚的普勒隆的诗人。埃及的马其顿国王托勒密二世菲拉德尔弗斯曾委派他整理亚历山大图书馆的悲剧作品并编目。他自己的悲剧作品除《掷骰者》一剧的标题外,一无所留。他的短篇作品仅存几个片断,包括对欧里庇得斯的一个简评。亚历山大其他作品的标题只是由于其他作家的引用我们才得以知道。

Alexander Balas　参阅**Alexander**(Seleucid Empire)亚历山大(塞琉西帝国)项下的**Alexander Balas**亚历山大·巴拉斯。

Alexander Nevsky, Saint　亚历山大·涅夫斯基(约1220,弗拉基米尔大公国弗拉基米尔～1263-11-14,戈罗杰茨,1547年俄国教会正式封为圣徒)　原名亚历山大·雅罗斯拉维奇。13世纪俄罗斯人的领袖。弗拉基米尔大公雅罗斯拉夫二世维萨沃洛多维奇之子。1236年当选为诺夫哥罗德城王公。1240年瑞典人侵入俄罗斯,遮断俄罗斯通往海洋的道路。亚历山大在伊佐拉河与涅瓦河的交汇处打败瑞典人,因此被称为"涅夫斯基",意为涅瓦河的英雄。但在几个月后,诺夫哥罗德人把他赶走。后来由于条顿骑士团攻入俄罗斯,诺夫哥罗德人又把亚历山大请了回去。经过几次交锋,亚历山大于1242年4月在楚德湖畔彻底打败日耳曼人,这次战役就是著名的"冰湖大屠杀"。同时,他在对立陶宛人和芬兰人的作战中也屡屡告捷,然而,蒙古大军在东方征服了大片俄罗斯土地。亚历山大的父亲雅罗斯拉夫大公向俄罗斯的新统治者屈膝投降。1246年9月在朝觐蒙古大汗回国后,雅罗斯拉夫大公中毒而死。在争夺大公宝座的斗争中,亚历山大和弟弟安德烈去见金帐汗国可汗拔都。拔都将他们送去觐见成吉思汗。成吉思汗不顾俄罗斯长子继承的惯例,指定安德烈为弗拉基米尔大公,亚历山大为基辅大公。后来安德烈联合俄罗斯的其他王公以及西方各国阴谋反对蒙古占领者,亚历山大则前往伏尔加河畔的萨莱,向拔都的儿子萨尔塔克告密。萨尔塔克发兵赶走安德烈,立亚历山大为大公。他派儿子瓦西里去统治诺夫哥罗德。1255年诺夫哥罗德人不堪忍受大公的残暴统治,将瓦西里驱逐出去。亚历山大调集军队,重新扶立其子。1257年蒙古为征敛赋税而对俄罗斯大部分地区进行一次人口普查。当进行人口普查的消息传到诺夫哥罗德时,当地人民起来反抗。1258年亚历山大生怕蒙古人会因为诺夫哥罗德的造反而惩罚俄罗斯所有的人,就协助蒙古人强迫诺夫哥罗德接受人口普查和向蒙古人缴纳赋税。这一行动使俄罗斯北方彻底屈服于蒙古统治的枷锁。1262年许多城镇爆发了反对金帐汗国的穆斯林包税人的起义。亚历山大第4次前往萨拉伊劝说蒙古人再次进行镇压。1263年11月14日,他在归途中病死于伏尔加河畔的戈罗杰茨。他死后,俄罗斯再次分裂为许多互相争吵不休的公国。亚历山大是他那个时代的一位伟大的军事指挥官,他保卫了俄罗斯的西部边界,使之免遭瑞典人和日尔曼人的侵犯。他的这一形象在俄罗斯西北部深受爱戴。因此,俄瑞战争结束后,于1725年设立了亚历山大·涅夫斯基勋章。1942年7月当德军已经深入俄罗斯腹地时,斯大林宣布他为民族英雄,并用他的名字设立一种军功勋章。

Alexander of Aphrodisias　亚历山大(阿弗罗狄西亚的)(出生于安纳托利亚卡里亚阿弗罗狄西亚,活动时期约200)　哲学家。以对亚里士多德著作的注释和对灵魂及心灵的研究而留名后世。2世纪末,他是雅典吕刻昂学园的主持人。当时在学园占统治地位的是阿摩尼奥斯·萨卡斯的混合哲学,它把柏拉图和亚里士多德的学说混合在一起。亚历山大的注释旨在重建纯粹的亚里士多德观点。在其他作家后来的讨论中人们可以看到他的已经失传的注释的片断。在古代,他的影响主要在于他的注释,这些注释使他赢得了"评注者"的头衔;但在中世纪,他却以其独创性的著作而更加闻名。他的著作中最重要的是《命运论》和《灵魂论》。在《命运论》中,他为自由意志辩护,而反对斯多葛派的必然性学说或人类行为预定论。在《灵魂论》中,他吸收了亚里士多德的关于灵魂和理智的学说,认为人的思想过程(他称之为"有死的理智")只有借助于每个人都具有的"能动的理智"(这种理智与上帝同一)才能发生作用。这一学说自13世纪初起在欧洲经常引起激烈争论。这些争论反映了人们对亚里士多德关于个人不朽的看法的正确解释,意见还很不一致。在争论中,亚历山大派接受了亚历山大的解释,即人的理智在人的肉体死后不复存在。

Alexander of Hales　亚历山大(黑尔斯的)(约1170或1185,英格兰格洛斯特郡黑尔斯～1245,巴黎)　英格兰神学家、哲学家。求学和执教于巴黎,取得文学硕士和神学硕士学位,1235年任考文垂教区助祭长,1236年左右加入方济各会。在巴黎创办小弟兄学校。圣波拿文都拉和拉罗歇尔的约翰等神学家的学说在很大程度上是根据亚历山大的学说提出的。在神学上他基本上属于奥古斯丁派,在一定程度上采纳亚里士多德关于心理学、物理学和形而上学的学说,反对波斯哲学家阿维森纳所提出的关于万物是由上帝溢出的风行一时的理论。"方济各派"关于灵性受造物之物质和形式的理论、关于形式多样性的理论和启示与经验相结合的理论,可能是亚历山大根据奥古斯丁派和其他圣传的类似理论加以综合而成。其原作除《神学大全》(大部为其门徒所作)和《释教规》中的一些章节外,还包括对彼得·伦巴德的《格言》的注释、布道词及论文《冷僻词释义》等。

Alexander of Macedonia　亚历山大(马其顿的)　参阅**Alexander**(Macedonia)亚历山大(马其顿)项下的**Alexander III**亚历山大三世。

Alexander of Pherae　亚历山大(费莱阿的)(?～公元前358)　希腊色萨利的费莱阿城邦的专制统治者(公元前369～前358),他的暴政曾引起许多城邦干涉色萨利的事务。除费莱阿外,色萨利的其他城邦都拒绝承认亚历山大是他们的首席执政官。他们向第比斯人求救,第比斯人派遣派洛皮德前来支援。亚历山大把派洛皮德投入狱中,第比斯只好派出大军迫使亚历山大将他释放。公元前364年,派洛皮德在库诺斯克法莱打败了亚历山大。在第比斯的压力下,亚历山大不得不承认色萨利各城邦的自由,而他只限于统治费莱阿,并且要参加维奥蒂亚同盟。亚历山大后被妻子谋害。

Alexander of Tralles **亚历山大(特拉列斯的)**(约525～约605) 拜占廷医师。在罗马行医和教授徒弟,以病理学及治疗学的论文(12册)著名,在他逝世后很久该论文都被用作教材,并被译为阿拉伯文及拉丁文(《医书十二种》),16世纪曾多次用希腊文、拉丁文及拉丁土语印行。

Alexander Philhellene **亚历山大(亲希腊者)** 参阅**Alexander**(Macedonia)亚历山大(马其顿)项下的**Alexander I** 亚历山大一世。

Alexander Polyhistor **亚历山大(波利希斯托)**(?,小亚细亚米利都～约公元前35,罗马附近劳伦特) 罗马哲学家、地理学家和历史学家。其著作残篇为研究古代犹太教课题提供了宝贵的材料。在罗马将军苏拉对本都国王米特拉达梯的战争中为罗马人监禁,售与一贵族为奴。他被带到罗马,教育主人的孩子。获释后继续住在意大利,成为罗马公民。他的最重要著作有42卷,叙述古代世界几乎所有各国的历史和地理情况。另外还有关于犹太人的论著,其中辑录犹太、苏美尔及其他民族各著作家的有关篇章,以意译形式出之,使希腊化时期有关犹太人著作的实际内容赖以保存下来。

Alexander the Great **亚历山大大帝** 参阅**Alexander**(Macedonia)亚历山大(马其顿)项下的**Alexander III** 亚历山大三世。

Alexander the Paphlagonian **亚历山大(帕夫拉戈尼亚人)**(生于帕夫拉戈尼亚阿博努台科斯,活动时期公元2世纪) 2世纪著名骗子手和神谕伪造者。他的事迹仅在卢奇安的著作中有所记载。卢奇安由于调查亚历山大的骗局,几乎危及自己生命。亚历山大在其故乡想确定一项有关希腊医药之神阿斯克勒庇俄斯"复活"的神谕,就采用医神以蛇的形状重现于人间的骗术,把那条蛇称为"格吕空"(Glycon)。他创立把敌人基督教徒和伊壁鸠鲁派排除在外的神秘"仪式"。他甚至宣布自己与月神结婚。靠招摇撞骗,他勒索了大量钱财。

Alexander the Wealthy **亚历山大(富有者)** 参阅**Alexander**(Macedonia)亚历山大(马其顿)项下的**Alexander I** 亚历山大一世。

Alexander, Francesca **亚历山大**(1837-02-27,美国马萨诸塞波士顿～1917-01-21,意大利佛罗伦萨) 全名Esther Frances Alexander,别名Fanny。移居国外的美国插图画家、作家。16岁随家移居欧洲,后长期定居佛罗伦萨。自幼以乐善好施闻名于托斯卡纳,并喜欢收集当地的民歌、民间故事和风俗。1882年,J.罗斯金购买了她的手稿《托斯卡纳路边之歌》,手稿中的精美插图极具个人风格。1883年,罗斯金又购买并出版了她的第二部手稿《艾达的故事》,该书在英国和美国有多个版本。1884～1885年《路边之歌》出版;1887～1889年出版第三部书《亚平宁山脉的耶稣子民》。1897年和1900年,相继发表《托斯卡纳之歌》和《神秘仆人老故事集》。晚年疾病缠身并失明。

Alexander, Franz (Gabriel) **亚历山大**(1891-01-22,布达佩斯～1964-03-08,美国加利福尼亚帕姆斯普林斯) 匈牙利出生的医生及精神分析专家。由于他在肯定情绪紧张是造成身体疾病的重要原因方面起了主导作用,有时被称为心身医学之父。1919年他作为第一个研究学者加入柏林精神分析研究所时已是一名医生。他在所内成为一名助手,并于1924～1925年间发表了一系列演讲,1927年将讲稿扩充成他的第一部著作《整体人格的精神分析》。这部著作发展了超我的精神分析理论,并受到弗洛伊德的称赞。他在把精神分析原理应用到犯罪人格的研究与诊断方面取得成功,因此于1930年被邀赴美。在芝加哥大学专为他设立精神分析教授职位。这也是第一个精神分析教授职位。一年后,他去波士顿与W.希利合作对青少年犯罪进行精神分析的研究,结果写成《罪恶的根源》一书。1932年他返回芝加哥大学建立芝加哥精神分析研究所,并任所长至1956年。在其领导下,该所吸引了许多精神分析专家和学者,他们对情绪障碍和心身疾病进行了广泛研究,明确了各种不同的疾病与患者本人所觉察不到的特殊心理矛盾有关。1938～1956年他还在芝加哥伊利诺伊大学医学院精神病科兼职任教。1956年在洛杉矶西奈山医院又从事一项关于心理治疗和心身医学的新的研究计划。在洛杉矶他与南加利福尼亚大学及南加利福尼亚精神分析研究所合作,专门探讨治疗者的人格在治疗过程中的作用。他是研究弗洛伊德的权威,他认为有必要发挥弗洛伊德的观点。但他保留了一定的独立见解,认为精神病的主要原因是人际关系的障碍而不是性的障碍。他论述弗洛伊德的重要著作之一是《精神分析基础》。他的《西方心理在转变中:一个见证人的故事》,部分是自传性作品,在书中他考察了现代文明基础的变化。

Alexander, Grover Cleveland **亚历山大**(1887-02-26,美国内布拉斯加厄尔巴～1950-11-04,明尼苏达圣保罗) 美国职业棒球运动员。为历史上最好的右手投球手之一,控

美国不列颠百科全书公司供图

球力甚强。1911～1930年在美国大联赛中胜373场或374场(资料来源不同),负208场,在第一个赛季中就胜28场,1915～1917年连续3年每年至少胜30场,在1916年所胜的33场中,有16次未让对方得分,创大联赛纪录。在他全部运动生涯中共有88或90次未让对方得分。1938年入选棒球名人堂。

Alexander (of Tunis), Harold (Rupert Leofric George) Alexander, 1st Earl **亚历山大(突尼斯的)**(1891-12-10,伦敦～1969-06-16,英格兰白金汉郡斯劳) 第二次世界大战中

美国不列颠百科全书公司供图

杰出的英国陆军元帅,以在北非与德国陆军元帅E.隆美尔作战和以后在意大利、西欧的战功而闻名。第四代卡利登伯爵的第三子。曾在哈罗公学和皇家军事学院受教育。1911年参加爱尔兰禁卫军,为陆军少尉。第一次世界大战期间战功卓著。后在印度西北边境省任旅长。第二次世界大战中在敦刻尔克指挥英军30万人撤退,他最后一个上船。1942年2月在缅甸时,在日军进攻面前解救了英国和印度的部队。在地中海战区,他组织英军并指挥盟军自埃及和阿尔及利亚发起地面攻势,迫使德军于1943年5月在突尼斯投降。他继续从西西里和意大利南部追击德军。1944年11月任在意大利作战的盟军总司令。战后任加拿大总督(1946～1952)、国防大臣(1952～1954)。1946年被封为突尼斯的亚历山大子爵,1952年被封为伯爵。

Alexander, Hattie Elizabeth **亚历山大**(1901-04-05,美国马里兰巴尔的摩～1968-06-24,纽约州纽约) 美国儿科医师和微生物学家。她最重要的贡献是大幅度地降低了婴儿流行性脑膜炎的死亡率,并促进了微生物遗传学学术水平的提高。1923年在马里兰州陶森的古彻学院毕业后,以公共卫生细菌学家的身份,先后供职于联邦政府和马里兰州政府的卫生部。后离职就读,在约翰·霍普金斯大学医学院获医学博士学位。在巴尔的摩哈里特·莱恩儿童收容院实习期间,她就将研究流行性脑膜炎——当时的一种不治之症——作为她终生为之奋斗的事业。在哥伦比亚长老会医学中心下属的纽约市儿童医院任职期间,因成绩优异被任命为儿科学讲师。她的整个职业生涯都是在哥伦比亚大学度过的,先后出任讲师、研究员和执业医生。1939年,在纽约洛克菲勒研究所成功地研制出抗肺炎兔血清的基础上,亚历山大报告了流行性脑膜炎被完全治愈的首例个案。其后数年间,她用磺胺类药物和多种抗菌素成功地、大幅度地降低了婴儿流行性脑膜炎的死亡率。当她认识到某些流感杆菌菌株发生抗药是因为基因突变之后,就又开始一个全新的研究领

域一微生物遗传学。1950年,还是以洛克菲勒研究所的工作为基础,亚历山大及其同事G.莱迪成功地利用DNA技术改变了嗜血性流感杆菌——流行性脑膜炎致病菌之一——的遗传特性。1964年出任美国儿科学会的首位女性主席。退休以后继续以儿科学特邀讲师和哥伦比亚长老会医院顾问的身份服务于社会。

Alexander, James W(addell), II　亚历山大(1888-09-19,美国新泽西锡布赖特～1971-09-23,新泽西普林斯顿)　美国数学家和拓扑学的创立者。为美国国会图书馆作画的壁画家J.亚历山大之子。1910年毕业于普林斯顿大学。由于对数学和物理学有极强烈的兴趣,遂在该校多留一年,获硕士学位。1912年该校数学系邀他任教职,直至1933年加入新成立的高级研究院,成为该院最初成员之一。他对有形变的几何图形关系的兴趣,使他致力于发展拓扑学的研究。

Alexander, Jane　亚历山大(1939-10-28,美国马萨诸塞波士顿～　　)　婚前名Jane Quigley。美国女演员,她不仅在表演方面取得巨大成就,而且还是第一位担任美国艺术基金会主席职务的演员。1957年进入萨拉·劳伦斯学院,两年后转到爱丁堡大学学习。由于在校一直参加表演,因此1961年到纽约想当职业演员。1963年在流行剧《一千个小丑》中扮演一个替角,从此一炮走红。1965年获得在《圣女贞德》中扮演贞德的机会。1967年在描写黑人拳击冠军J.杰斐逊生平的《拳王奋斗史》中与J.E.琼斯搭档,分别饰演杰斐逊和他的白人妻子。该片后来被搬上百老汇舞台,仍由二人主演。她的表演深受好评,为她赢得1969年托尼奖的最佳女配角奖。在接下来的20年里,在舞台、电影、电视中出演很多角色,著名的有《惊天大阴谋》(1976)、《克莱默夫妇》(1979)和《光荣战役》(1989)。拍摄的电视剧包括《艾利诺和富兰克林》(1976)等,并以《集中营血泪》(1980)中的出色表演获得艾美奖最佳女主角奖。1993年被任命为美国艺术基金会主席。作为第一位担任该职务的演员,在争取艺术基金方面表现出诚实可信和能言善辩的宝贵品质。1997年辞去主席职务。

Alexander, Marcus Aurelius Severus　亚历山大　参阅**Severus Alexander 塞维鲁·亚历山大**。

Alexander, Samuel　亚历山大(1859-01-06,悉尼～1938-09-13,曼彻斯特)　澳大利亚出生的哲学家。他发展了一种突生进化的玄学体系,包含时间、空间、物质、精神和神等因素。在墨尔本学习后,于1877年靠奖学金入牛津大学巴利奥尔学院学习。因对进化论感兴趣而放弃牛津林肯学院的研究员职位,以便在德国的H.明斯特尔贝格指导下研究实验心理学(1890～1891)。1893年任欧文斯学院(后改称曼彻斯特的维多利亚大学)教授,直到1924年退休。任职期间他向英国介绍了生理心理学。在格拉斯哥大学担任吉佛德讲座时,他将自己的哲学思想组成一个综合体系,构成为他唯一的一部重要著作《空间、时间和神》(1920)。这部著作将世界解释成以空间-时间作为基本宇宙基质的单一宇

美国不列颠百科全书公司供图

宙过程。"突然出现的事物"定期地作为较高级的综合而出现。空间-时间于是产生物质,物质又产生精神(或"意识"),作为一种进一步的、更高级的质的综合。"神"意味着一种更高的目标,宇宙秩序自然而然地趋向于神。他并不想对世界的存在作出根本的解释;只是试图根据自发的创造倾向来解释世界。

Alexander, Sir William　亚历山大　参阅**Stirling, William Alexander, 1st earl of 斯特林伯爵(第一)**。

Alexander Archipelago　亚历山大群岛　美国阿拉斯加州东南沿海岛群。约有岛屿11 000个。由海水淹没山地形成。位于汤加斯国有森林境内,从冰川湾和克罗斯海峡向南延续至迪克森海峡入口。群岛与大陆之间狭而深的海峡为内航道的一段。其中大岛有奇恰戈夫、阿德默勒尔蒂和巴拉诺夫等9个。主要城市为锡特卡和凯奇坎。经济以木材、捕鱼、皮毛和采矿业为主。群岛1867年得名,用以纪念俄国沙皇亚历山大二世。

Alexander City　亚历山大城　美国亚拉巴马州中东部塔拉普萨县城市。1836年始有人定居在一印第安人村落旧址,1873年设市。工业以纺织为主,由市南塔拉普萨河马丁坝水电站供电。铁制装饰品生产亦重要。1926年因大坝而形成的马丁湖有1 125千米长的湖岸地带可供游乐。附近有霍斯舒本德国家军事公园,1812年战争中杰克逊率部在此击溃克里克印第安人。人口15 008(2000)。

Alexander Epiphanes　亚历山大·埃皮法纳斯　参阅**Alexander**(Seleucid Empire)**亚历山大**(塞琉西帝国)项下的**Alexander Balas 亚历山大·巴拉斯**。

Alexander Island　亚历山大岛　南极洲岛屿,又称亚历山大地。别林斯高晋海中的大岛。与大陆相隔乔治六世海峡。地形起伏极大,山峰海拔达2 987米。岛长435千米(270英里),宽达201千米。面积约43 250平方千米。1821年为俄国探险家别林斯高晋和拉扎列夫发现,并冠以俄国沙皇之名。原先认为该地是大陆一部分,直到1940年一支美国探险队的到来才证明是一个岛屿,与大陆之间有一宽20英里的冰棚相连。宣称该岛为本国领土的有:英国(1908)、智利(1940)和阿根廷(1942)。英国在岛上设有研究站。

Alexander romance　亚历山大传奇　有关亚历山大大帝生平的一批传说中的任何一种都叫亚历山大传奇,后代各种文化曾反复传述,但所强调的重点和宗旨则各不相同。全部亚历山大传奇文学主要来自民间史诗。该诗是2世纪时一位住在亚历山大城的希腊化埃及人用希腊文所写。各种残存的译文和副本使这个传奇得以重现。该传奇把亚历山大描绘成一个救世主式的民族英雄,一位有巫术的埃及国王与马其顿的腓力二世之妻所生的私生子。巫术和奇迹在史诗中处于次要地位——例如,在有关亚历山大出生的故事和他与亚马孙人在印度相遇的故事中就是如此。但是,在后来的故事中,奇迹和有异国情调的轶事占支配地位,历史人物的特征逐渐消失。原著充满次要插曲,常以伪托亚历山大的往来信件的形式出现,另外,有关他被歌革和玛各这些野蛮民族俘获的独立传说被编入许多俗语版本中。在欧洛西乌斯的世界历史的一个9世纪的古英语译本中便有关于亚历山大传说的一个记述。11世纪出现了中世纪爱尔兰语的亚历山大传奇,在1100年左右则有中世纪高地德语的《年代歌》。在12世纪在以阿尔贝里克·德·布里安松的《亚历山大传奇》为开始的一系列伟大叙事诗当中,亚历山大表现为侠义的骑士精神的一种典型。德国诗人教士兰普雷希特便是在这一作品的启发下而写出来的。盎格鲁-诺曼诗人肯特的托玛斯在12世纪末写了《骑士全传》,而在1275年左右,这一作品被改写成英国的传奇《亚历山大王》。意大利的亚历山大传奇在14世纪开始出现,紧随其后的则是瑞典语、丹麦语、苏格兰语的本子以及(时间稍早)各种斯拉夫语的本子。后者主要来自假托卡利斯提尼斯的一个保加利亚语的译本,它们里面的插曲不见于他处。在这同时,有关亚历山大的传说事件的拉丁文献继续出现,其中包括"有关奇迹的信",据说这是亚历山大写给他的老教师亚里士多德的。新的传说也出现了,其中包括12世纪有关亚历山大的"天堂之旅"的一个传说。东方所载亚历山大的传奇,特别注重歌革和玛各这一段插曲,《古兰经》里就有这个故事的一种说法。阿拉伯人扩充了传说的各种叙利亚的说法,把它们传给同他们有接触的许多民族。通过他们,波斯的诗人,特别是12世纪的内扎米,使故事有了新的形式。亚历山大传奇到12世纪后期开始衰落,到了文艺复兴时期,研究古希腊罗马的风气复苏,历史纪事遂取代亚历山大传奇。

Alexander Severus(Roman emperor)　**亚历山大·塞维鲁**　参阅**Severus　Alexander 塞维鲁·亚历山大**。

Alexanderson, Ernst F(rederik) W(erner)　亚历山德森(1878-01-25,瑞典乌普萨拉～1975-05,美国纽约斯克内克塔迪)　美国电气

工程师和电视的先驱。研制出高频发电机（将直流电转换成交流电的器件），能产生连续无线电波，从而彻底革新了无线电通信。1901年他移民美国，次年到纽约斯克内克塔迪的通用电气公司，在C.P.施泰因梅兹领导下工作。1906年亚历山德森完成了他的高频发电机，在以后的岁月中该装置大大改善了越洋通信，并确立了无线电在航运和战争中作为重要工具的地位。他继续改善高频发电机，另外对无线电天线、电气铁路、船舶推进和电动机等方面都作了重要改进。1916年他获得无线电接收机调谐装置的专利，这一装置成为现代无线电系统的重要组成部分。他还发明了微场电机放大器。这是一种非常复杂的自动控制系统，最先用于使工厂复杂的生产过程自动化，第二次世界大战期间用于高射炮上。亚历山德森早在1927年就在他的家里演示过电视。1930年他把电视机及其系统第一次公开展览，该电视机显示图像的屏幕为2米（7英尺）。1948年亚历山德森从通用电气公司退休，但继续任工程顾问。1952年任美国无线电公司顾问。1955年获得他的第321项专利，就是为美国无线电公司研制的彩色电视接收机。

Alexandra　亚历山德拉（1844-12-01，丹麦哥本哈根～1925-11-20，英国诺福克桑德灵厄姆）　英王爱德华七世的王后。她是丹麦克里斯蒂安九世的长女。1863年3月10日在温莎的圣乔治教堂与爱德华（当时为威尔士亲王）结婚。非凡的秀丽和优雅的风度使她很快并长久地受到英国公众的爱戴。她有6个子女：艾伯特·维克多（克拉伦斯公爵）、乔治（约克公爵，后为乔治五世）、路易丝（后为法夫女公爵）、维多利亚、莫德（后为挪威王后），以及幼年早逝的约翰。1867年患重病，致使她跛足，并使遗传的听力低下更为严重。作为王后，她将多数财产与大部分时间贡献给了贫困苦难的人们。1902年创建了帝国军医护士队。她曾发起亚历山德拉健康日活动，为英国医院筹措资金。

Alexandra　亚历山德拉（1872-06-06，德国达姆施塔特～1918-07-16或17，俄罗斯叶卡捷琳堡）　俄国皇帝尼古拉二世的皇后。第一次世界大战期间皇帝指挥俄军作战时，她的

美国不列颠百科全书公司供图

暴政促使帝国政府于1917年3月垮台。黑森-达姆施塔特公爵路易四世之女。1894年与尼古拉结婚，在宫廷中不得人心。1904年生皇太子阿列克谢。皇太子患血友病，她求助于淫棍“神医”拉斯普廷（**Rasputin, Grigory Yefimovich**）。1915年8月尼古拉亲临前线以后，她恣意解除一些大臣的职务，代之以拉斯普廷所喜欢的鸡鸣狗盗之徒。结果朝政陷于瘫痪，人们普遍认为她是一个德国的代理人。十月革命后，她和尼古拉以及他们的子女都被布尔什维克处决。

Alexandra　亚历山德拉　新西兰南岛中南部自治市。位于克卢萨河和马努希里基亚河汇合处。处于三条山脉环绕之中。1862年当地发现金矿，开采持续到1963年。1862年设自治市。现四周农区养羊和种植水果。水果加工为重要季节性行业。有铁路和公路通达尼丁。为度假胜地。人口约4 617（1996）。

Alexandretta（Turkey）　**亚历山大勒塔**　参阅**İskenderun**伊斯肯德伦。

Alexandria　亚历山大　亚历山大（阿拉伯语拉丁字母转写作al-Iskandarīyah）一度为古代世界最伟大的城市，自公元前332年亚历山大大帝建城起至公元642年被阿拉伯人占领，曾是埃及的首都。现为埃及第二大城市、城市省和主要海港。滨地中海，在尼罗河三角洲西缘，东南距开罗的空中距离约183千米（114英里）。

自然地理和人文地理

景观　城市位置　现代的城市沿着一条1～2英里宽的灰岩山脊从东向西伸展25英里，此山脊将现已部分排干和开垦的迈尔尤特盐湖与埃及大陆分开。亚历山大建城后不久即修一道防波堤，称海波塔斯他狄乌姆（Heptastadium），经淤塞形成一个沙漏形的岬，它把法罗斯岛与大陆上的城市中心连接起来。它的两个陡弧形湾形成现在东港和西港的海盆。

气候　从地中海上吹过来的盛行北风，使亚历山大的气候与沙漠内地的气候显著不同。夏季相对地温和，不过7月和8月湿度上升可形成最热的月份，平均温度达31 °C。冬季凉，总有一系列猛烈的风暴，会下倾盆大雨甚至冰雹。1月为最冷月份，日平均温度18 °C。

城市规划　此城由亚历山大的私人建筑师狄诺克拉底设计，吸收了古希腊规划和建筑方面的精华。在建城后的100年间，其富丽堂皇可与古代世界已知的任何景物匹敌。屹立在法罗斯岛东端的大灯塔“亚历山大的法罗斯”是古代亚历山大的骄傲和世界七大奇观之一。传说高达135米以上，12世纪仍然存在。但是在1477年，苏丹卡伊特·巴伊使用已经倾坍的结构的石块兴修一个以他的名字命名的要塞，现在还立在法罗斯灯塔原址的近旁。

这座希腊城市的主要大路东西走向，穿过中心地区，原称卡诺卜路，现称胡利叶道。1959年出土的罗马剧院在胡利叶道和铁路车站之间。胡利叶道还残存着几段阿拉伯城墙，这一城墙所围绕的面积要比希腊罗马时代的城市小得多。

19世纪初，现代城市仅大于希腊时代的旧城，但从那时以后急剧扩大。解放广场原用作商业中心，靠近棉花交易所和证券交易所。后商业中心东移至扎格卢勒广场，塞西尔大饭店和世界卫生组织地区总部坐落此处，并由此向内陆火车站扩展。城市的西端

世界七大奇迹之一的法罗斯岛灯塔基址

中国大百科全书出版社供图

是海港和工业区，它沿着滨海路（这条海滨人行道的正式名称是杰士街）向东、然后向内陆发展。现在，滨海路是一连串的海滩小棚、游泳俱乐部和咖啡店，而路的另一侧则是鳞次栉比的旅馆、假日（公寓）大楼。

人民　从19世纪末至20世纪80年代，人口增长了10倍，这是出生率高和农民流入造成的结果。据1976年人口调查，已达200万人以上，其中半数在20岁以下。估计到2000年，该市人口还要增加1倍以上。曾经有相当多人的外国人社区，在1947年还占总人口的1/10，但现在的数目已经减少到无足轻重，主要是对国有化纲领和埃-以冲突的反应。亚历山大大多数人属于两大宗教集团（埃及穆斯林和埃及科普特基督教徒）之一。人口：市区和行政区约3 328 196（1996）。

经济　工商业　亚历山大的主要经济活动是银行业、航运业、货栈和纺织工业，这反映出港口和棉花贸易的重要性。该市已成为一个重要的工业中心，占埃及工业产量1/3左右。在进入城市的西口，即比较现代化的西港周围和西港南侧一带，工业最发达。现在，工业是该市的主要就业部门。

港口周围地区称米纳贝萨勒，有一些货栈和棉花交易所。马哈茂迪耶运河的西岸是喀巴利小区，有沥青工厂、碾米厂和造纸厂。再往西是迈克斯区，有制盐和鞣皮工业，还有亚历山大的主要炼油厂和一座水泥厂，往前是石灰岩采石场。再往西的杜海莱区、往南的阿米利亚区，以及迈尔尤特湖以南，发展了其他一些工业。驳运业集中于马哈茂迪耶运河两岸。

农业是内地的重要经济活动，垦荒工作已略见成效。

海港　埃及对外贸易大部分经由亚历山大的两个主要海港，其中西港显然重要得多。埃及棉全部和所产石油大部均由这一海港出口，由此出口的还有传统物品，诸如水果、蔬菜、香料和一些成品。最大量的输入品显然是谷物。这一海港的吞吐量大大超过它的额定能力，但正在加以改进以求缓解可能很严重的拥塞现象。增加了一个集装箱车终点站，在港湾以西的杜海莱区建一集装箱港，预计使亚历山大的港口吞吐量增加一倍。随着达米埃塔海港的发展，埃及对亚历山大海港的依赖将会逐步减少。

亚历山大滨地中海的扎格卢勒广场
美国不列颠百科全书公司供图

运输 亚历山大有铁路、公路和航班通达埃及其他各城市中心。又有运河通尼罗河。通开罗的铁路干线已经提高标准,亚历山大又是直通利比亚边境塞鲁姆的铁路线的终点站。去开罗的沙漠公路已经改善,从而缓解对穿过三角洲地区的农业交通线的压力。另一条主要公路从本市通到利比亚。飞往开罗的班机每日两次,但尚未制订开辟定期国际航班的计划。考虑到填筑迈尔尤特湖以扩大现有的努宅机场受到严重限制,已选定阿米利亚区为新机场的场址。

行政与社会状况 **政府** 1895年,亚历山大成为埃及第一座组织完善的自治市。它以外国商人所成立的早期组织为基础,在筹措市政府的经费方面有高度的自治权。1952年革命以后,这一自治市失去了筹款的权利,并经受了其他一些变化。1960年,根据全国政府的权力下放政策,该市及其郊区并为一个城市省。一位由全国政府任命的省长和绝大多数成员由选举产生的委员会掌管省政,他们对地方事务部负责。

公用事业 在城市服务方面,亚历山大与埃及的其他城市省相同,除很少的住宅外,一概供应电和洁净的饮用水。但是,一半以上的城市无下水道,海滩的污染正在成为危害健康的大患。正在修建的一个新的下水道体系,为城市改进全面计划的一部分。

教育 亚历山大是古代世界的主要学术中心,这里如同埃及全国各地一样,由国家管理教育。国家的学制分为小学、初中、高中和技术学校,绝大多数埃及人都经由这一途径。1952年革命以前的私立学校有少数几所现仍开办。亚历山大大学是1942年创立的国立大学,位于市中心的正东侧,容纳学生约10万名,该校图书馆为埃及最大图书馆之一。

文化生活 亚历山大最主要的博物馆是希腊罗马博物馆,坐落在胡利叶道市府大楼后面,以收藏古希腊罗马遗物著称,其中大多是在本市内发现的。由于对古典时期的兴趣再次高涨,考古探察又活跃起来,重点是法罗斯灯塔的水下遗址考姆狄凯和寻找亚历山大陵墓。美术馆隔铁路线与市体育场相对,展览现代和地方艺术作品。另外,有两座王宫向群众开放,一为法罗斯岛上的丁角王宫,一为杰士道东端的蒙太宰王宫。亚历山大拥有极多户外娱乐场所,最为人喜爱的是阿拉伯墙残迹周围的沙拉拉特花园。体育运动俱乐部和斯穆海体育俱乐部提供各种各样的体育设施。还有极佳的植物园和公众周末度假的海滨胜地。

历史

创建和中世纪的发展 **希腊时期** 公元前332年,亚历山大大帝在开始他的波斯战役之后建立此城,作为他新占领的埃及地区的首府以及可以控制地中海的一个海军基地。所以选择包括古代居民点拉库提斯(公元前1500年即存在)在内的这一地址,是由两个因素决定的:迈尔尤特湖当时是卡诺卜尼罗河的一个积水潭,水量丰富;近海有法罗斯岛,提供良好的锚地。

亚历山大离开埃及后,他委派的总督克莱奥梅尼继续创建亚历山大城。公元前323年亚历山大卒,帝国土崩瓦解,此城转由他的总督托勒密一世(救星)控制,并创立了以自己的名字命名的王朝。最初几代托勒密成功地把古代希腊和埃及的宗教融合于对萨拉匹斯的崇拜,在他们领导下,亚历山大有一个黄金时代。公元前332年亚历山大大帝洗劫推罗后,腓尼基的势力消失;欧洲通过尼罗河和当时连接尼罗河与红海的运河对东方的贸易不断增长;这两种情况都使亚历山大从中得益。的确,在建城100年之内,亚历山大就变成了全世界最伟大的城市和希腊学术与科学的一个中心。欧几里得、阿基米德、哲学家柏罗丁、地理学家托勒密和厄拉多塞等等学者均曾在托勒密王朝创办的巨大研究所博学园学习过。亚历山大又是犹太学术的一个中心,据传《圣经·旧约》从希伯来文译成希腊文的七十子本便是在那里产生的。

罗马时期 公元前2～前1世纪托勒密王朝的衰落和罗马的兴盛是互为因果的。在导致建立罗马帝制的密谋中,亚历山大曾起巨大的作用。正是在亚历山大,托勒密王朝的末代女王克娄巴特拉向凯撒大献殷勤，声称给他生了一个儿子。但是，由于凯撒遭暗杀，她支持安东尼反对凯撒的外甥屋大维未成，那些企图恢复托勒密王朝的好运的美梦全都化为泡影。屋大维（后来称奥古斯都皇帝）于公元前30年将亚历山大和埃及正式划归罗马的版图。为了惩罚该城不支持他，他撤销了亚历山大元老院，并在当时的郊区赖姆勒自建一城。然而，亚历山大是不可抹煞的，因为罗马越来越依赖埃及的粮仓，而此城正掌握着粮仓的钥匙；为时不久，此城就恢复了它的独立。

公元45年，传说的第二篇对观福音书的作者圣马可在亚历山大第一次改信基督教。从那时起，该城的基督教徒和犹太教徒社区日益增大，联合起来反对罗马强迫他们信仰官方的多神教的企图。早期的几代皇帝不时地进行迫害，特别是戴克里先在公元303年开始大迫害运动，都未能使这些社区屈服；而在君士坦丁一世在位时期罗马帝国正式采纳基督教以后，该城又成为基督教会内部分裂的舞台。

引起早期教会分裂的第一次冲突是亚历山大的两位高级教士亚大纳西和阿里乌关于基督神性的论战。325年通过《尼西亚信经》解决了这个问题，肯定基督具有精神的神性，而谴责相信基督低于上帝的阿里乌主义为异端邪说。然而，罗马皇室有许多阿里乌主义的捍卫者，这加剧了亚历山大教会与国家之间的冲突。391年，基督教徒们捣毁托勒密王朝膜拜的圣所萨拉贝姆和克娄巴特拉从博学园巨大图书馆救护出来的那些宝藏。415年，基督教的一个宗派杀害新柏拉图主义哲学家希帕蒂娅，亚历山大的希腊文化很快衰落下去。

君士坦丁堡牧首区占有支配地位以后，亚历山大主教区于364年罗马帝国分裂时即表明态度，当地教会采取基督一性论（相信单一性质，因而认为基督肉体的神性）作为坚持自己独立的一种方法。虽然卡尔西顿会议（451）否决了基督一性论，但亚历山大教会抵制了君士坦丁堡要使其就范的企图。一个与国教会唱对台戏的地下教会发展起来，并成为埃及爱国主义的中心。因对拜占廷统治不满，就创造条件使亚历山大于616年先落入波斯人之手，又于642年被阿拉伯人占有。

伊斯兰时期 阿拉伯人占领亚历山大时未遇抵抗。从那时以后，除645年拜占廷舰队一度短暂地攻占该城外，亚历山大的荣枯是与发源于阿拉伯沙漠的新信仰和文化结合在一起的。为时不久，亚历山大在政治上就黯然失色，被阿拉伯人的新都伏斯泰特（后来并入今首都开罗）取代，这座城市变成为了控制埃及的兵家必争之地。尽管如此，随着阿拉伯的影响通过北非向西扩展然后进入欧洲，亚历山大继续作为主要经营纺织品和奢侈品的贸易中心而繁荣昌盛。该城也是重要的海军基地，特别是在法蒂玛王朝和马木路克人的统治时期。不过，它的城区范围已经依照其新的次要地位在缩小。阿拉伯墙（13～14世纪重建，1811年拆除）内的地区不到希腊罗马时代城市面积的1/2。

在前几次十字军东侵时，亚历山大都幸免于难，未受很大损害。随着埃及所垄断的东西方香料贸易的发展，该城再次进入繁荣时期。1498年发现通往印度的海路和1517年土耳其人征服埃及以后，此种贸易衰落，对该城的好运是决定性的一击。在土耳其人的统治下，任凭连结亚历山大与尼罗河罗塞塔支流的运河淤塞，扼杀该城的商业生命线。当拿破仑于1798年入侵埃及时，亚历山大已萎缩成一个小小的渔村。

现代的城市发展 1805年奥斯曼帝国任命穆罕默德·阿里为驻埃及总督和帕夏，亚历山大从此开始复兴。阿里希望使埃及现代化，修筑45英里长的穆罕默德运河（1818～1820竣工）、几个新码头和一座兵工厂（1828～1833），以此重新打开了亚历山大通往尼罗河的道路，并把工业设置在这条线上。外国商人受到《外侨权利章程》的鼓舞，开始前来定居并发展城市，该章程给与他们某些合法权利和特权（例如在他们自己的法庭受审）。19世纪20年代埃及引进棉花植株，到19世纪40年代，因欧洲人对棉花的需求不断增大，亚历山大遂富庶起来。这个城市变成一个日益重要的银行业和商业中心。1856年开罗铁路通车，19世纪60年代初美国南北战争引起棉花行情暴升，1869年苏伊士运河通航使埃及重新成为前往印度的主要结集待发基地，这些情况带来了新一轮的飞跃发展。

1882年英国人为镇压地方民族起义而轰炸这个城市，这直接导致一直持续到1922年的英国占领。尽管如此，本市继续繁荣和扩大，仍保持其作为埃及第二（夏季）首都的地位。在英国的庇护下，外国社区（约达10万人之多）继续兴旺。

第一次世界大战期间，亚历山大是协约国在地中海东部的首要海军基地。在第二次世界大战中，这个城市以更大得多的积极性参加作战，当时岌岌可危，几乎被轴心国军队攻占，反复遭到轰炸。1946年英军撤出该市。

同时，在两次世界大战之间和以后，亚历山大在民族主义者的斗争中也发挥了它的作用。1952年，法鲁克国王被纳赛尔领导的革命废黜后便是由这里离开埃及的国土。1956年，纳赛尔总统将苏伊士运河收归国有，英、法和以色列3国军队随后入侵遭到失败，使继续居留外国社区受到挫折。由于仿照苏伊士实行强制管理以及后来在60年代初收归国有，又赶跑了许多外国人。

20世纪60年代期间，亚历山大彻底埃及化了，牢牢控制在民族政府的手中。但是，它从纳赛尔的工业化纲领得到了好处；在两次世界大战之间大有扩展的食品加工业和纺织品制造业特别感到这种恩泽。埃及在六日战争（1967年6月）中被以色列打得惨败，因战争而关闭苏伊士运河时引起的混乱，以及埃及人撤离运河区，都给该市造成不利的影响。由于贸易改由塞得港进行，亚历山大的港口已经荒废失修，当1974年埃及政府实行门户开放贸易政策而导致舶来品大量涌入的时候，它才得以完全恢复过来。

由于贸易自由化以及纳赛尔的接班人萨达特总统所采取的试验性权力下放措施，商界重新响起要求扩大财政自治权的呼声。而这一切又反转来创造出一种新思想意识，即公民的独立人格和自豪感。1976年在阿布吉尔湾的近海上以及在沿尼罗河三角洲更往前去的阿布马迪的海岸上发现天然气田，这刺激了工业的发展；主要受惠者是杜海莱区，它已经成为巨大的钢铁中心。精炼技术也已提高，特别是在1977年建成从苏伊士市输送原油到亚历山大附近的地中海岸的管道和另一条连接穆斯图鲁德（在开罗以北）与亚历山大的管道以后；埃及的石油化学工业已经在阿米利亚区建立起来。新的亚历山大图书馆（2000年建成）毗邻亚历山大大学，就在原古代图书馆附近，既是工作图书馆、稀有手稿的宝库、会议中心，也是研究机构。

Alexandria 亚历山德里亚 罗马尼亚南部城镇和泰莱奥尔曼县县城。位于多瑙河泛滥平原上，濒临韦代亚河。为地区农产品（主要为谷物）的贸易中心。有面粉厂及其他食品加工厂。工业产品有建材、化学品和橡胶制品。设有历史博物馆。公路、铁路自县城通往县内各地。人口约59 007（1997）。

Alexandria 亚历山德里亚 美国路易斯安那州中部城市，拉皮德斯堂区管理中心。位于雷德河畔，与派因维尔城隔河相对。1810年在当时雷德河通航道尽头的险滩处开始规划该城，并以亚历山大·富尔顿的名字为该城命名。1818年设镇，1882年设市。南北战争前，水上贸易（棉、甘蔗、牛）兴盛。1863年5月和1864年3月该地先后被D.波特和N.P.班克斯将军领导的联邦军占领。1864年5月12～13日军队撤出时，该城被烧毁，城内档案丧失殆尽。由于扩建了铁路、开发了当地的松林和硬木林，促进该城战后的恢复。亚历山德里亚与派因维尔均是农产品、木材、牲畜的集散中心，还有轻工业制品；1906年在派因维尔建立了浸礼会的路易斯安那学院，1960年在亚历山德里亚开办了路易斯安那州立大学。附近有温泉疗养胜地、科蒂勒娱乐地、基萨特奇国家森林区。人口：市约49 561；亚历山德里亚都会统计区约132 552（1991）。

Alexandria 亚历山德里亚 美国明尼苏达州西部城市，道格拉斯县县城。位于湖滨游览和乳牛饲养业地区。该地曾为奥吉布瓦人和苏人营地的一部分，1858年始有白人定居，1866年设镇并以亚历山大·金基德（一早期开拓人）的名字为该镇命名。颇有争议的肯辛顿石（刻有记述1362年古代斯堪的纳维亚人曾来到这一地区的如尼文的铭文）现存鲁纳斯通博物馆。高9米的北欧海盗塑像和巨型肯辛顿·鲁纳斯通纪念碑的复制品，可增强人们对古代斯堪的纳维亚人曾来此探险的信念。该市经济以综合性农业、轻工业和旅游业为支柱。市北数英里有州立卡洛斯湖公园。建制：1877年设村，1908年设市。人口8 820（2000）。

Alexandria 亚历山德里亚 美国弗吉尼亚州北部城市，邻接阿灵顿和费尔法克斯两县。位于哥伦比亚特区以南波托马克河畔。1695年始有人定居，1779年建镇，1852年为独立城市（不属于县管辖）。法国与印第安人战争期间，华盛顿在此练兵并帮助规划街道。1791～1847年，是哥伦比亚特区的一部分。此

亚历山德里亚市19世纪的市政厅
美国不列颠百科全书公司供图

后,划归弗吉尼亚州。南北战争后发展成为运输面粉和烟草的河港,后因巴尔的摩的崛起而黯然失色。现主要为住宅区,但有大量的商业和铁路货运业务。还有一些工业,制造冷藏车、化肥、化学品和木材产品。许多殖民时代的旧建筑物至今犹在。设有亚历山德里亚学院(1785)。市南15千米的芒特弗农有华盛顿的宅院,内有他和夫人的坟墓,现为国家历史名胜。人口约128 283(2000)。

Alexandria, Library of　亚历山大图书馆　最著名的古籍图书馆,是设在埃及亚历山大城的亚历山大博物馆这一庞大研究机构的一部分。亚历山大博物馆和图书馆均是自公元前3世纪起由埃及托勒密王朝各代陆续建立和管理的。亚历山大图书馆的创建归功于熟悉雅典图书馆成就的法勒鲁斯人德米特里。附设的"子馆"约于公元前235年由托勒密三世创建。原来的理想是要建立一个国际性的图书馆:不仅收罗所有希腊文图书,而且收藏由地中海、中东和印度等各种语言译成希腊文的译著,这个理想在多大程度上得到实现,现在不得而知。确知的是馆中藏书基本上都是希腊文本,唯一有记载的译文,是《七十子希腊文本圣经》。图书馆的编辑计划包括编纂希腊诗歌大典和逐步推行标点和重音体系。编纂全国总书目的工作由卡利马科斯担任。该书目现已散佚,但存在到拜占廷时期,一直是希腊文典籍的标准参考书。博物馆和图书馆曾存在了几个世纪,后来毁于3世纪末叶奥勒利安统治时期发生的内战。它的"子馆"则于391年毁于基督徒之手。

Alexandria, School of　亚历山大学院　最早的基督教高等学府,2世纪中叶成立于埃及亚历山大。该院在潘代努、克雷芒、奥利金等人领导下形成一个学派,主张隐喻解经法。与它对立的是以安提阿学院(参阅 **Antioch, School of**)为中心的一派,强调字面解经法。

Alexandria, Synod of　亚历山大会议(362)　基督教主教会议,由亚历山大主教亚大纳西在亚历山大城召开。会议决定,曾与阿里乌派有牵连但本人并未相信该派教义的神职人员可以恢复原职,并阐明:圣灵非受造之物而与圣父和圣子同质。会议还为基督论术语"位"和"体"提出确切定义。

Alexandria Municipal Museum　亚历山大市立博物馆　建在埃及亚历山大的希腊罗马古物博物馆。创建于1892年,是一座希腊复古式建筑,1895年开馆。藏有在亚历山大市发现的资料,在尼罗河三角洲、上埃及的法尤姆以及中埃及地区发现的托勒密时期和罗马时期的实物,还有从亚历山大地区和尼罗河三角洲发现的法老时期的古物。藏品实物中有一块罗塞塔石碑模型(原物存不列颠博物馆)和一些精美的古希腊时期的雕刻,其中包括一块公元前4世纪末期的雅典大墓碑。有一尊表现皇帝或耶稣基督的大斑岩石像,是在亚历山大阿塔林清真寺外面发现的,被认为是此类石像中最大的作品。收藏的其他许多实物中有赤陶器、塔纳格拉陶俑、柱头、陶器、银器和钱币。

Alexandrian Museum　亚历山大博物馆　参阅 **Museum** 博物馆。

Alexandrian rite　亚历山大式礼仪　埃及和埃塞俄比亚东仪天主教会及一些独立教会通用的一套崇拜礼仪与教规。它的历史渊源与福音书作者圣马可有联系。现代科普特公教会(**Coptic Catholic Church**)的这种礼仪来源于拜占廷礼仪。礼拜书用科普特文与阿拉伯文对照,使徒著作及福音书文词则用阿拉伯文。埃塞俄比亚礼仪(参阅 **Ethiopian Orthodox Church**)则又源出于科普特礼仪,用埃塞俄比亚古代的吉兹文,这种礼仪文和《圣经》都已译成现代埃塞俄比亚通用的阿姆哈拉语。

Alexandrina, Lake　亚历山德里娜湖　澳大利亚南澳大利亚州东南部河口湾潟湖。位于阿德莱德东南70千米。长约37千米,宽21千米,水面总面积570平方千米。与艾伯特湖和狭长的库龙潟湖构成墨累河河口。1828年曾有捕海豹的人到达该处。湖水浅(1.5～4.5米),海口处有沙坝和岛屿,故不能成为该河航道的出海口。1940年湖口建筑5座大坝,以防止海水入侵,发展沿岸农田灌溉。

alexandrine　亚历山大诗体　法国诗歌中的主要诗体。每行有12个音节,主重音在第六音节(其后是中间停顿)和最后音节;每半句诗行各有一个次重音。因为6个音节是正常的换气组,而次重音可以落在行中任何其他音节上,所以,亚历山大诗体是一个灵活的诗体,可以适应于范围广泛的主题。它的韵律结构的原则是重音随意义而变。因此,这一诗体可以表现简单或复杂的感情,可用来进行叙事性描写,也可以抒发宏伟的爱国感情(在法国诗歌中它被称为英雄诗)。亚历山大体的名称可能因为这一诗体早期用于法国的《亚历山大传奇》,这是一部12世纪编成的有关亚历山大大帝的经历的传奇集。自从16世纪法国七星诗社的诗人(特别是龙萨)恢复这一诗体以来,它在下一世纪就成了用于诗剧和叙事诗的主要诗体,并在高乃依和拉辛的悲剧里得到最充分发展。19世纪末,特别在魏尔兰的作品中,出现了结构松散的现象。诗人们往往写一种经过改变的亚历山大诗体,一种分成三部分的诗句,即所谓浪漫句或三音步格句。在英国诗法中,亚历山大诗体也叫抑扬六音步格句,包括6个主重音,而不是像法国那样,有2个主重音和2个次重音。亚历山大诗体虽然在16世纪被引入英国,在17世纪改用于德国和荷兰的诗歌,但除法国以外,它的成就十分有限。

Alexandrinum, opus　参阅 **opus Alexandrinum** 亚历山大工艺。

Alexandrist　亚历山大学派　文艺复兴时期的意大利哲学家派别。他们在关于个人永生的争论中,信奉阿芙罗狄的亚历山大对亚里士多德《灵魂论》的解释。亚历山大认为《灵魂论》是否定个人永生的。T.阿奎那和他的徒众们强调亚里士多德认为理性是永恒的,也是个体灵魂的一种官能,所以应该以此证明他相信个体灵魂永存。另一方面,拉丁阿威罗伊学说的信奉者们则提出普遍永生的学说与之相对立,认为个体死后,个体理智将再被吸收进永恒理智中去。以P.蓬波纳齐为首的亚历山大学派则认为,托马斯主义和阿威罗伊主义的观点都不能直接归因于亚里士多德。与此相反,他们认为亚里士多德将灵魂当做一种物质,因而也是一个终会死亡的实体,灵魂与肉体有机地联结在一起,并且依据普遍理性在人活着的时候起作用,当肉体死亡时它也就消失了。

Alexandropol (Armenia)　**亚历山德罗波尔**　参阅 **Kumayri** 库麦里。

Alexandroúpolis　亚历山德鲁波利斯　希腊色雷斯地区西部埃夫罗斯州首府和海港。在埃夫罗斯河(马里查河)河口湾西北,临色雷斯海的艾诺斯湾。1860年由土耳其人创

亚历山德鲁波利斯城市和港口一角
《黑星》杂志社供图

建,名为杰贾加赫。随大鳞栎贸易的发展,1871年后逐步发展起来,伊斯坦布尔—塞萨洛尼基铁路通车后(1896)进一步繁荣。但其

归属问题长期是希腊与保加利亚间的争论点，1913 年割让给保加利亚，但 1919 年《纳伊条约》和 1920 年《塞夫尔条约》都规定为希腊所有。1923 年的《洛桑条约》肯定了这一点。1941 年被保加利亚占领，但 1944 年归还希腊。是希腊正教的亚历山德鲁波利斯-萨莫色雷斯主教区的首府所在地。原为一渔村，现已成为高速发展的农业区（小麦、大麦、烟草、牛和蚕丝）的中心。有一机场。人口约39 283（1991）。

Alexis　阿列克谢（1629-03-19，俄罗斯莫斯科～1676-02-08，莫斯科）　全名阿列克谢·米哈伊洛维奇。俄国皇帝（1645 ～ 1676）。他是俄国罗曼诺夫王朝第一代沙皇米哈伊尔

美国不列颠百科全书公司供图

（1613 ～1645）的儿子。在 16 岁登基之前，从他的家庭教师 B. I. 莫罗佐夫那里受过一点粗浅的教育。莫罗佐夫是阿列克谢的姐夫，原来曾管理过国家事务。1648 年由于一次莫斯科的人民起义，沙皇被迫把他流放到西伯利亚。此后，阿列克谢的朝政由许多顾问操纵，其中包括 N. I. 奥多叶夫斯基公爵、尼康大主教等人。在这些人指导下，阿列克谢颁布一部承认农奴制度合法性的新法典（《1649 年会典》），1654 年 1 月确立了对第聂伯哥萨克的宗主权，同波兰（1654 ～1667）和瑞典（1656 ～1661）进行了战争，占领了第聂伯河以东的乌克兰地区和斯摩棱斯克与基辅（1667），批准了尼康的教会改革，从而导致了俄国正教中的一次大分裂（1666 ～1667），镇压了在 1662 年的城市暴动中达到高潮的、连绵不断的民众暴动以及斯切潘·拉辛领导的农民起义（1667 ～1671）。阿列克谢鼓励发展对外贸易，提倡在俄国发展教育并传播西欧文化。

Alexis　阿列克谢（1690-02-28，俄罗斯莫斯科～ 1718-07-07，圣彼得堡）　全名阿列克谢·彼得罗维奇。俄国皇储。彼得大帝之子，被控企图推翻其父。由姑母养大成人。1704 年参加围攻纳尔瓦，1707 年指导莫斯科城防工事。1709 年去萨克森的德累斯顿学习。1711 年与不伦瑞克-沃尔芬比特尔的索菲亚·夏洛蒂公主结婚。他对彼得所进行的战争和改革一直没有热情，甚至持敌视态度。1715 年彼得的第二个妻子叶卡捷琳娜生子以后，阿列克谢就提出放弃皇位继承权，请求彼得允许他去当修士。1716 年彼得叫他同去丹麦，而他逃往维也纳，得到神圣罗马帝国皇帝查理六世的保护。彼得担心国内外敌人

美国不列颠百科全书公司供图

借机支持阿列克谢争夺皇位，就派遣使臣把阿列克谢接回。阿列克谢刚一回到俄国，就被发现有谋反活动。他在严刑拷打之下供认有进行阴谋活动的罪行，经特别法庭审讯，判处死刑。但在处决前，死于彼得保罗要塞。

Alexis　阿列克谢（1904-08-25，俄罗斯圣彼得堡附近彼得霍夫～ 1918-07-16 或 17，叶卡捷琳堡）　全名阿列克谢·尼古拉耶维奇。俄国末代沙皇尼古拉二世和皇后亚历山德拉的独生子，自 17 世纪以来第一个一出生即确定为皇位的男性继承人。他是一个血友病患者，当时无药可治。神医拉斯普廷被召进宫为他治病。拉斯普廷用催眠术和麻醉剂等药物减轻了阿列克谢的病痛，并使他在几次病危中幸存下来。阿列克谢和皇室其他近亲被布尔什维克关押在叶卡捷琳堡，一起在地窖里被处死。

Alexis I　阿列克谢一世（1877-11-08，俄罗斯莫斯科～1970-04-17，莫斯科）　原名谢尔盖·弗拉基米罗维奇·西曼斯基。俄罗斯正教会莫斯科和全俄罗斯牧首（1945 ～1970）。由于他忠于苏联政府，因而有助于使他在一个官方主张无神论的国家中加强了教会的结构。1902 年成为修士，1904 年在莫斯科神学院获神学博士学位。1913 年任季夫赫金主教兼诺夫哥罗德代理主教，直到 1917 年俄国革命时。1933 年任列宁格勒都主教。1941 年希特勒进攻苏联，斯大林的反教会态度有所缓和，他留在列宁格勒组织信徒支援红军。1943 年俄罗斯正教会正式恢复，他当选为圣主教公会常任成员，1945 年接替谢尔盖任莫斯科牧首，领导俄罗斯正教会。在任职期间积极支持苏联政策并力图统一西半球东正教会。晚年在美国建立独立东正教会。

Alexis II　阿列克谢二世（1929-02-23，爱沙尼亚塔林～ 2008-12-05，俄罗斯佩里德尔基诺）　俄罗斯正教莫斯科及全俄牧首，1990 年就职。1953 年毕业于列宁格勒神学院，1964 年祝圣为大主教。1968 ～1986 年任塔林及爱沙尼亚都主教；1986 年 7 月改任列宁格勒（圣彼得堡）及诺夫哥罗德都主教。他是圣主教公会的常任会员兼莫斯科牧首区教务员，1990 年 6 月 7 日继皮门任牧首。阿列克谢二世是前苏联历史上第一位在不受政府压力下选举出来的牧首，候选人由基层提名，选举采取不记名投票制。阿列克谢就职后不久即率直维护教会的权利，要求苏联政府允许在公立学校设宗教选修课并敦促政府通过“良心自由”法，宣布礼拜为合法。叶利钦于 1991 年 7 月就任俄罗斯共和国总统，阿列克谢出席了就职典礼。在 1991 年 8 月的未遂政变期间，他应叶利钦的请求，谴责扣押苏联总统戈尔巴乔夫的行为，诅咒一切参与政变的人员。阿列克谢还曾发表声明，谴责排犹主义，拒绝承认教会与俄罗斯民族主义有任何关系。

Alexis, Saint　阿列克谢，圣（约1295，俄罗斯莫斯科～ 1378，莫斯科）　1354 ～ 1378 年任俄罗斯正教莫斯科都主教和在治理俄国方面起真正积极作用的第一位代表。曾在莫斯科大公伊凡二世在位的短暂时期（1353 ～ 1359）摄政。他奉行前俄罗斯大公涅夫斯基的两项政治原则：①服从在 13 世纪征服俄罗斯并控制该国将近 200 年的强大的鞑靼人；②抗拒西方国家，特别是企图征服俄罗斯的立陶宛在政治或军事上的侵犯。他以精明的政治手腕运用教权。他死后不过 3 年，俄罗斯联军在库利科沃战役（1380 年 9 月）中打败蒙古人，鞑靼统治结束。

Alexis, Willibald　亚历克西斯（1798-06-29，普鲁士西里西亚布雷斯劳［今波兰弗罗茨瓦夫］～ 1871-12-16，德国阿恩施塔特）　格奥尔格·威廉·海因里希·黑林的笔名。德国

美国不列颠百科全书公司供图

作家、评论家，以其有关勃兰登堡和普鲁士的历史小说最为著名。曾作为志愿兵参加 1815 年的战役，后在柏林和布雷斯劳学习法律，但在他的附会之作《瓦拉德摩尔》（1824）获得成功以后，他就放弃了法律生涯，转向写作。《瓦拉德摩尔》是模仿司各特写成的作品，出版时说成是“从英文意译过来的司各特的作品”。开这个玩笑是有损于亚历克西斯的文学声誉的，然而，小说《阿瓦隆城堡》（1827）又重复了这个玩笑，而且更大胆，更奇特。他家住柏林，在该地编辑发行《柏林对话报》（1827 ～ 1835）并撰写随笔和评论在文学刊物上发表，但他游迹甚广，遍及欧洲，写了不少游记以志见闻，其中著名者为《斯堪的纳维亚秋游记》（1828）。亚历克西斯以一本描写腓特烈大帝时代的故事《卡巴尼斯》（1832）开始着手写一组小说，其宗旨在于使普鲁士历史中已被人遗忘、但却很重要的那些时期永志不忘。他不断地试用展示法。《柏林的罗兰》（1840）描述了 15 世纪柏林克尔恩市政府和勃兰登堡统治者之间的权力之争；《虚伪的沃尔德马尔》（1842）追述了一位 14 世纪王位觊觎者的盛衰兴亡。他在《布雷多夫先生的长裤》（1846 ～ 1848）的第一部中，显示了一个幽默作家的品质，虽然结尾部分描写选帝侯约阿希姆徒劳无益地反对路德的教导，语调较为

严肃。在《保持平静是公民的首要义务》(1852)里，罪犯的活动被陈述为1806年普鲁士堕落的征兆。其续篇《伊泽格林》(1854)则预示了爱国主义的复生。亚历克西斯是第一个显示勃兰登堡诗情画意风光的作家。他的写法并非平铺直叙，有些段落是令人印象深刻的现实主义描写，而在另外一些段落里浪漫的神秘色彩则占优势。1856年，他突然中风，从此退隐到阿恩施塔特。

Alexius 阿历克塞 拜占廷皇帝之名，按年代顺序分列于后，并以●为标记。

● Alexius I Comnenus 阿历克塞一世康尼努斯(1048，君士坦丁堡[今土耳其伊斯坦布尔]～1118-08-15) 拜占廷皇帝(1081～1118)，康尼努斯王朝的创建者。在位期间，

美国不列颠百科全书公司供图

正值第一次十字军东征。他曾在11世纪屡受挫于诺曼人及突厥人之后，一度中兴，恢复帝国部分实力。J.康尼努斯的第三子和皇帝伊萨克一世(1057～1059)之侄，出身拜占廷豪门，本人也是军事贵族之一。这些军事贵族长期在保卫国土时功勋卓著，尤其是保卫安纳托利亚东部及中部诸省免受突厥人侵凌更有成绩。1068～1081年，历罗曼努斯四世、迈克尔七世、尼斯福鲁斯三世等短期统治年代，他屡建军功。后来，他从尼斯福鲁斯三世手中篡夺帝位。1081年4月加冕。1081～1082年，他击退入侵希腊西部地区的诺曼人。为了战胜诺曼人，他授予威尼斯在拜占廷帝国内进行贸易的特权，从而得到威尼斯海军的协同作战。1091年他打败不断跨越多瑙河侵犯巴尔干半岛的突厥游牧部族佩切涅格人。对于在安纳托利亚中部地区建立鲁姆(科尼亚)苏丹国的塞尔柱突厥人，阿历克塞阻止他们进一步的扩张，1081年与科尼亚苏丹苏莱曼·伊本·库塔勒米什订立和约，1093年又与库塔勒米什的儿子基利只·艾尔斯兰及其他拜占廷东部边境上的穆斯林君主签订类似的条约。在内政方面，他加强中央集权制，建立常备陆海军，努力加强拜占廷在安纳托利亚西部、南部地区以及东地中海水域的实力地位。他迫害异教，保护东正教会。为了解决财政困难，他毫不迟疑地掠夺教会的财产。为此，他常遭教会责难。后之治史者往往认为阿历克塞拯救帝国于危难之际，使之延续至1204年，部分地区甚至到1453年。但自1097年起，西欧十字军突起，不断侵犯拜占廷帝国，同时阿历克塞在外交上也屡屡受挫。他与穆斯林诸国关系恶化，安条克落入西欧诸小公国之手，并以拉丁教会取代希腊教会。由是引起东西教会之争。阿历克塞确也控制了安纳托里亚部分地区，获得阿达纳及塔尔苏斯沿海肥沃平原，并南达叙利亚沿海，但他及其后继者均未能对十字军所建拉丁诸小国长期予以遏制。拜占廷帝国对诺曼人为患其西部边陲，亦往往束手无策，仅在1107～1108年阿历克塞击退安条克公爵博希蒙德一世对希腊西部阿瓦隆的入侵。拉丁(特别是诺曼人)诸小公国的骚扰，穆斯林的经常侵袭，加之匈牙利及巴尔干诸国的兴起，使拜占廷落入敌对势力的包围之中。阿历克塞在外交上似乎纵横捭阖，但帝国倾颓之势加剧，终于为奥斯曼帝国所灭。

● Alexius II Comnenus 阿历克塞二世康尼努斯(1169～1183-11，君士坦丁堡[今土耳其伊斯坦布尔]) 拜占廷皇帝(1180～1183)，曼努埃尔一世之子，1180年9月其父去世，他11岁时即位，由母后摄政。母后重用其亲信，曼努埃尔之侄阿历克塞，此人有恶誉而无能。母后出身拉丁世家，亦遭普遍反对。反对者包括阿历克塞二世之妹及其夫雷尼耶，但未能废黜摄政。1182年5月首都爆发反罗马暴动。曼努埃尔的堂兄安德罗尼卡一世率军队开进首都，俘获并刺瞎了阿历克塞，宣布自己充任阿历克塞二世的保护人。他将政敌逐一处决，其中包括皇太后，她的死使阿历克塞被迫宣布退位。1183年9月安德罗尼卡加冕为同朝皇帝，随即将阿历克塞绞死。

● Alexius III Angelus 阿历克塞三世安基卢斯(?～1211，尼西亚帝国尼西亚[今土耳其伊兹尼克]) 拜占廷皇帝(1195～1203)，阿历克塞一世之孙和安德罗尼卡·安基卢斯的次子。1195年，被军队拥立为皇帝；他在马其顿境内的斯塔伊拉将其兄、皇帝伊萨克二世擒获并刺瞎而投入监狱。1195年4月加冕为帝。贪婪无能，在位期间拜占廷帝国在巴尔干半岛的威望一落千丈，由于他没有提供援助，他的女婿斯蒂芬·内马尼亚也被迫向保加利亚人求援。1195和1196年帝国与保加利亚人进行的两次战役均以失败告终。由于保加利亚新君卡洛扬承认罗马教皇而不承认君士坦丁堡，外交上亦告失利。1203年十字军恢复了被他废黜的伊萨克二世及其子(加冕后称阿历克塞四世)的皇位，阿历克塞三世携财宝逃往色雷斯。复辟无望以后，在希腊境内四处流亡。先投奔当时巴尔干霸主蒙费拉的卜尼法斯，后又求助于伊庇鲁斯君主迈克尔一世。最后，他前往小亚细亚，联合伊康(今土耳其的科尼亚)的苏丹，要求狄奥多尔的王位。遭到拒绝后，他便向狄奥多尔进军。1211年被狄奥多尔俘获，关进尼西亚的一所隐修院，不久死去。

● Alexius IV Angelus 阿历克塞四世安基卢斯(?～1204-02-08，君士坦丁堡[今土耳其伊斯坦布尔]) 拜占廷皇帝(1203～1204)。他是皇帝伊萨克二世之子。借第四次十字军之助复位，旋因内乱再失之。1195年，与其父一道被阿历克塞三世囚禁。1201年他设法逃出，去日尔曼投奔他的姐夫士瓦本的腓力。他许下种种诺言，愿为腓力提供财物及军队以出兵埃及，在圣地保持一支500人的西方骑士团，并把拜占廷教会置于罗马管辖之下，终于说服士瓦本的腓力和十字军领袖蒙费拉的卜尼法斯以及他们的威尼斯盟友，同意把第四次十字军的矛头转向君士坦丁堡，恢复阿历克塞父子的皇位。1203年阿历克塞父子如愿以偿，但是没有兑现向西方作出的许诺，也未能统一东西方教会。沉重的赋税以及十字军在君士坦丁堡的胡作非为，激起了一场全国性的大暴动。暴动的领袖是阿历克塞三世的女婿阿历克塞·杜卡斯·穆泽弗卢斯，1204年1月他被拥立为皇帝，即阿历克塞五世。阿历克塞五世随即派人绞死了阿历克塞四世。几天以后，伊萨克二世也死于狱中。

● Alexius V Ducas Murtzuphlus 阿历克塞五世杜卡斯·穆泽弗卢斯(?～1204，君士坦布尔]) 坦丁堡[今土耳其伊斯拜占廷皇帝(1204)，阿历克塞三世安基卢斯的女婿。他领导了一场希腊的大暴动，推翻了拉丁十字军扶植上台的两位皇帝伊萨克二世和阿历克塞四世。阿历克塞五世是拜占廷帝国最后一名希腊皇帝。1204年1月，他派人将阿历克塞四世绞死，开始其4个月的短暂统治。他拒绝承认阿历克塞四世向十字军许下的种种诺言，并要求十字军撤离君士坦丁堡。十字军以围攻君士坦丁堡作为回答。1204年4月12日，阿历克塞五世逃离该城去和流亡在外的阿历克塞三世会合，但被后者刺瞎双眼。最终被十字军俘获，将他从君士坦丁堡一柱顶抛下予以处死。

Alfa Romeo SpA 阿尔法-罗密欧汽车公司 意大利汽车公司，生产高级赛车与普通汽车。在1986年被菲亚特公司收购之前，为意大利国营持股公司伊利集团(工业复兴公司)所占有与经管。总部设在米兰。1910年一些意大利商人组成伦巴德汽车制造公司(简称阿尔法)，购下米兰附近一家日渐衰落的法国汽车装配厂，雇用著名汽车设计师G.梅罗西制造高级跑车和赛车。第一次世界大战期间，公司被N.罗密欧收买后，主要生产工业和军用车辆与发动机。战后，公司取现名，重新生产赛车。1933年以前该公司在生产赛车上占显著地位，同年意政府将公司国有化，但并不资助它生产高质量小汽车。第二次世界大战后，仍生产一些高价赛车，但重点转移到批量生产普通汽车。为制造发动机及其部件和工

业用车辆，该公司还与其他汽车制造商组织合营公司。

alfalfa(*Medicago sativa*) **苜蓿** 又作lucerne，purple medic。又称紫苜蓿、紫花苜蓿或栽培苜蓿。豆科多年生植物，似三叶草，以耐干旱、耐冷热、产量高而质优、又能改良土

紫苜蓿(*Medicago sativa*)
美国不列颠百科全书公司供图

壤而著称。广泛栽培，主要用制干草、青贮饲料或用作牧草。植株高30～90厘米，分枝多，从部分埋于土壤表层的根颈处生出。植株生长时许多茎从根颈处生出。茎上有多数具三小叶的复叶。枝顶的腋芽生成总状花序。花小。荚果螺旋形，含2～8枚乃至更多的种子。在阳光充足、热量中等、气候干燥、有传粉昆虫的地区生长繁盛。苜蓿的初生根能深入地下。植株生长20年以上时，若底土多孔则主根可深达15米以上，因此苜蓿对干旱的耐受能力极强。生长2个月时籽苗的根可深入土壤90厘米，5个月时达180厘米。常见这种情况：新栽种的苜蓿能耐受严重的夏天干旱而其他根系较浅、分支较多的豆科植物因不耐干旱而死亡。苜蓿茎枝收割后能迅速再生出大量新茎，因此每个生长季节内可收割干草1次到13次之多。可收割的次数及每个生长季节的总产量主要决定于生长季节的长度，对土壤的适应性，阳光是否充足，尤其是生长季节降雨及灌溉的数量和分布。绿叶的苜蓿干草营养丰富，为牲畜所爱食，含约16%的蛋白质及8%的矿物质，又富含维生素A、E、D及K。与所有的作物一样，苜蓿也会受恶劣气候、疾病及昆虫之害，其中为害最烈的包括冻害、细菌性萎蔫病、苜蓿象甲、蚱蜢、苜蓿斑翅蚜及叶蝉等。在潮湿或灌溉地区，生长3年以上的苜蓿群丛常常为土壤中的萎蔫病病原体植物单胞菌(*Phytomonas insidiosum*)所侵染，因而变得稀疏。

alfalfa weevil(*Hypera postica*) **苜蓿叶象** 又作clover leaf weevil。又称车轴草叶象。鞘翅目象甲科害虫。成虫深褐至黑色，形小(长3毫米)，具有典型突出的喙，用以钻小孔产卵其中。秋季产卵，每雌产卵600～800粒。以卵及成虫越冬。幼虫于春季孵出，体躯丰满，无足，绿色，背面有一白色条纹。幼虫大量出现，剥食植物(通常是苜蓿和三叶草)的嫩叶和茎组织，使之仅剩叶脉。在欧洲，尤其在美国，苜蓿叶象在6月份和8月份进入成虫期，对农作物造成相当严重的为害。

Alfaro Siqueiros, David **阿尔法罗·西凯罗斯** 参阅 **Siqueiros, David Alfaro** 西凯罗斯。

Alfasi, Isaac ben Jacob **阿尔法西**(1013，摩洛哥非斯附近～1103，西班牙卢塞纳) 亦拼作Al-phasi，又名拉比·伊萨克·法西或根据其缩写词音译为里夫。犹太教塔木德学者。所撰《律法之书》与迈蒙尼德和卡洛分别所编的犹太律法齐名。阿尔法西一生大部分时间住在非斯，上述名著即在此处写成。1088年两个仇人向政府告发他，罪名不详。于是他逃往西班牙。在卢塞纳领导犹太社团，成立塔木德学院，促进西班牙塔木德研究的复兴，使其中心从东方移到西方。《律法之书》涉及塔木德法或哈拉卡(希伯来法)各个方面，包括民法、刑法和宗教法，但删去了所有布道的段落和只流行于巴勒斯坦的宗教义务的部分。这部著作在建立巴比伦塔木德的优势上发挥了重要作用。

Alferov, Zhores **阿尔费罗夫**(1930-03-15，苏联白俄罗斯[今白俄罗斯共和国]维捷布斯克～) 全名Zhores Ivanovich Alfyorov。苏联物理学家，与H. 克勒默和J. S. 基尔比一起为现代计算机和信息技术做了许多基础性工作，从而共获2000年诺贝尔物理奖。1970年获约费物理技术学院物理和数学博士学位；1987年任该院院长。20世纪50年代开始研制用半导体异型结构制作快速的光电和微电子组件(当时大多数计算机芯片和其他半导体组件都是由一种材料如硅制作的，异型结构半导体是由不同材料层组成的)。克勒默的理论认为，异型结构晶体管的性能要优于传统的晶体管。阿尔费罗夫和他的研究小组利用克勒默的理论，于1966年研制出第一个实用的异型结构电子器件。之后，他们在用异型结构制作电子组件方面一直处于领先地位，包括第一个异型结构激光器，这是由阿尔费罗夫和克勒默于1963年各自提出的。异型结构的固态激光器使光纤通信成为可能，后来，异型结构的器件还用于通讯卫星、条形码阅读器、手提电话通信等产品。

Alfieri, Vittorio, Conte(Count) **阿尔菲耶里**(1749-01-16，皮埃蒙特阿斯蒂～1803-10-08，佛罗伦萨) 意大利悲剧诗人。反暴政是他作品的主要题材。他希望以自己的悲剧作品为意大利提供堪与欧洲各国文学相媲美的戏剧。通过抒情诗及戏剧促进意大利民族精神的复兴，因而有意大利复兴运动先驱之称。曾周游欧洲。在英国，他体验到政治自由，甚为向往；在法国，文学对他影响极深。他研究伏尔泰、卢梭，尤其是孟德斯鸠等人作品。创作悲剧《克莉奥佩特拉》，1775年上演，一鸣惊人。从此决心献身于文学事业，开始系统研究经典著作和意大利诗人作品。至1782年

美国不列颠百科全书公司供图

已写出14部悲剧及许多诗篇(包括一组对美国独立的颂诗)，还写了一篇讽刺论文《论暴政》(1777)。他以《打倒巴士底狱的巴黎》(1789)一诗为攻陷巴士底监狱而欢呼。1783年，有10部悲剧在锡耶纳出版。他的才华主要表现于悲剧创作上，内容多半描写自由战士与暴君之间的斗争。1787～1789年间，在巴黎又出版了19部作品，其中最杰出的是《腓力》、《安蒂戈涅》、《俄瑞斯忒》、《弥拉》与《扫罗》等。《扫罗》是一部杰作，被认为意大利戏剧中感染力最强的作品。逝世后出版的自传是他的主要散文著作。

alfisol **淋溶土** 湿润多林地区的土壤类型，特征为有发育良好的黏土(粘化)层。在土壤系统分类的10个土纲中，淋溶土面积居第2位，占世界土地面积10%～15%，见于各个大陆，在阔叶树林地区尤为常见。淋溶土的肥力及物理性状较好，又出现于气候宜农地区，乃成为世界上最丰产的土壤之一。在加拿大部分地区、美国和北欧等地的3个最大淋溶土区，小麦和玉米是主要作物。淋溶土湿度高，有别于较干的软土。水含量高促进黏土中矿质的活化，并保证钙、镁、钾等化学盐基能在刚被淋溶出来之后便迅速受风化作用而被释放出来(这些盐基是土壤肥力的必备条件)。

Alföld(Hungary) 参阅 **Great Alföld** 匈牙利大平原。

Alfonsine Tables **《阿方索星表》** 又拼Al-phonsine Tables。又译《阿尔方斯天文表》。为献给国王阿方索十世，在西班牙托莱多编制的一套星表。领导编制工作的是耶胡达·本·摩西·柯亨和伊萨克·本·希德，1252年全部完成。这套星表是根据托勒玫地心学说编制的。用这套星表，天文学家能求出日月食和任何时刻的行星位置。星表的原本1320年在巴黎铸版。手抄本则迅速传遍欧洲。在两个多世纪内，被认为是最好的天文表。1483年首次印刷。这些星表是哥白尼早期获取资料的重要来源，但他本人的研究工作已在16世纪50年代取代了这些星表。

alfonsino **金眼鲷** 金眼鲷目金眼鲷科10种纯海水鱼类的统称。该科有2属，即金眼鲷属(*Beryx*)与刺金眼鲷属(*Centroberyx*)。其种类栖于大西洋、太平洋及印度洋的深海。非洲沿岸的彩金眼鲷(*B. splendens*)系一种可食用的深水鱼，长达60厘米，色彩绚美，体下

半部银色，上半部及各鳍鲜红色。

Alfonso 阿方索 统治者之名，按国别分列于后，并各以●为标记。

与此字相等的外语：

法语 Alphonse

意大利语 Alfonso

葡萄牙语 Afonso

西班牙语 Alfonso

费 拉 拉

● **Alfonso I 阿方索一世**（1476-07-21，费拉拉公爵领地费拉拉～1534-10-31，费拉拉）意大利费拉拉公爵（1505起），文艺复兴时期埃斯特家族著名亲王，工程师和艺术赞助人。其父埃尔科莱一世死后继承公爵领地。他曾雇用诗人L.阿里奥斯托以及画家提香和G.贝利尼。作为工程师，他使费拉拉拥有意大利当时最优良的大炮。与法国结盟以抵制罗马教廷不断扩张的势力。

刚 果

● **Alfonso I** 参阅 **Alfonso**（Kongo）阿丰索（刚果）项下的 **Afonso I** 阿丰索一世。

那不勒斯

● **Alfonso I 阿方索一世** 参阅 **Alfonso**（Spain：Aragon）阿方索（西班牙：阿拉贡）项下的 **Alfonso V** 阿方索五世。

纳 瓦 拉

● **Alfonso 阿方索** 参阅 **Alfonso**（Spain：Aragon）阿方索（西班牙：阿拉贡）项下的 **Alfonso I** 阿方索一世。

葡 萄 牙

● **Alfonso I－VI** 参阅 **Afonso**（Portugal）阿丰索（葡萄牙）项下的 **Afonso I－VI** 阿丰索一世至阿丰索六世。

西班牙：阿拉贡

● **Alfonso I 阿方索一世**（约1073～1134-09） 别名阿方索（战斗者）。1104～1134年阿拉贡和纳瓦拉的国王。桑乔五世之子。他听从莱昂和卡斯蒂利亚国王阿方索六世的劝说，与后者的女嗣、勃艮第的雷蒙伯爵的遗孀乌拉卡结婚。因此，1109年阿方索六世去世后4个基督教王国合并，阿方索一世继承了其岳父的国王称号。但由于莱昂和卡斯蒂利亚人反对由阿拉贡人称王，乌拉卡也不喜欢其第二个丈夫，加之托莱多大主教贝尔纳希望他的门徒阿方索·拉米雷斯（乌拉卡和她第一位丈夫所生之尚未成年的儿子）继承王位，因此4个王国的合并归于失败。贝尔纳促使教皇宣布阿拉贡国王的婚姻无效，但阿方索继续卷入中央王国的内乱。直到1126年乌拉卡死后他把王位让与他的继子为止。他曾战胜摩尔人，取得辉煌的胜利。1118年攻取萨拉戈萨，1125年指挥一次出色的奇袭，深入安达卢西亚南部。1134年他在弗拉加战役中伤重致死。他的宗教信仰虔诚，曾将王国遗赠给圣殿骑士团和医院骑士团，但臣民拒绝承认，4个王国最终落入巴塞罗那伯爵之手。

● **Alfonso II 阿方索二世**（1152，巴塞罗那～1196，鲁西永佩皮尼昂） 巴塞罗那伯爵（1162起）、阿拉贡国王（1164起）。他继承其父贝伦格尔四世成为巴塞罗那伯爵，继承其母为阿拉贡国王，从而将两个国家长期结合在巴塞罗那王室之下。在他统治时期，阿拉贡愈益卷入法国事务。1171年他征服特鲁埃尔，为征服巴伦西亚开辟了道路。1179年与盟友卡斯蒂利亚的阿方索八世订立《卡索拉条约》，确定了两国未来的重新占领区。按照他的意愿，他沿袭西班牙的惯例将王国加以分割，普罗旺斯因而落入阿拉贡国王之手。

● **Alfonso III 阿方索三世**（1265～1291-06-18，巴塞罗那） 别名阿方索（开明的或坦率的）。阿拉贡国王（1285～1291在位）。佩特罗三世之子。他软弱无能，曾卷入一场与阿拉贡贵族之间的宪法斗争，未获成功。1287年被迫把所谓“联盟的特权”，即一些重要的王权交给贵族操纵。死后王位落入其兄弟詹姆斯二世之手。

● **Alfonso IV 阿方索四世**（1299～1336-01-24，巴塞罗那） 别名阿方索（善良的）。阿拉贡国王（1327～1336在位）。詹姆斯二世之子。他心地善良但软弱无能。在位期间撒丁爆发严重的叛乱，引起与热那亚的战争；与北非摩尔人诸王国建立了外交关系。立嗣问题引起严重的政治动荡。

● **Alfonso V 阿方索五世**（1396～1458-06-27，那不勒斯） 别名阿方索（高尚的）。阿拉贡国王（1416～1458）及那不勒斯国王（称阿方索一世，1442～1458）。他在意大利及地中

皮萨内洛1448～1449年制作的青铜纪念章上的阿方索五世像

美国不列颠百科全书公司供图

海中部的征战使他成为当时最著名的人物之一。16岁时，其父成为阿拉贡国王，他随父前往阿拉贡。1416年继承父位。即位伊始，因聘请一些卡斯蒂利亚的顾问和罢免阿拉贡最高法官的职务而在政治上遇到阻力。他继续推行阿拉贡的地中海扩张政策。1420年率舰队扫荡撒丁尼亚和西西里，进攻热那亚的属地科西嘉。这时，那不勒斯女王乔瓦娜二世为了要他帮助对付安茹的路易三世，认他为义子和继承人。1421年7月5日他以解放者的姿态来到那不勒斯。然而，朝秦暮楚的女王不久又与安茹的路易和好，1423年阿方索不得不回加泰罗尼亚去寻求援兵。阿方索为了维护兄弟亨利和约翰的权力，曾干涉卡斯蒂利亚的内政。然后又去意大利，从此再也没有回到西班牙。1432年，他再度为重利所诱而干涉那不勒斯。他用两年时间在西西里组织舰队，秣马厉兵。1435年安茹的路易三世和那不勒斯女王乔瓦娜二世相继去世，他认为有机可乘，封锁可作进攻那不勒斯的跳板的战略要地加埃塔港。但他在蓬扎岛附近被热那亚舰队打败，与其部下多人同时被俘。他先被解往热那亚，后又押到米兰。他拉拢统治热那亚和米兰两城的米兰公爵菲利普，与之结为盟友。然后，他继续为攻取那不勒斯而与威尼斯、佛罗伦萨和教皇作战。1442年7月2日他攻占那不勒斯，1443年将宫廷迁到此地。在意大利文艺复兴和西班牙哥特文化的培育下，他的宫廷成为艺术文化中心和沟通地中海西部两半岛文化的桥梁。阿方索在非洲、巴尔干半岛和东地中海采取积极的外交和军事行动，以保护东方贸易和保卫基督教地区，反对土耳其人。他协助圣约翰骑士团保卫罗得岛，并分别于1444、1447、1450年与匈牙利、塞尔维亚和阿比西尼亚建立联盟。1453～1454年他与埃及作战。但是由于力量不足，未能阻止1453年土耳其人攻陷君士坦丁堡。同时，他的西班牙领地也发生严重的骚乱，担任总督的玛丽娅王后与阿方索之弟纳瓦拉国王约翰均束手无策。加泰罗尼亚农民要求免除封建债务并得到阿拉贡王室的某些支持。马霍卡的农民起义使岛上首府与农村地区发生战争，阿方索不得不从那不勒斯派兵前往镇压。巴塞罗那也发生严重的阶级斗争，使城市陷于混乱，阿方索只得改组当地政府，答应公职人选由抽签来决定。与此同时，他与卡斯蒂利亚时断时续的冲突，不仅耗竭了阿拉贡王国的实力，而且使他丧失了卡斯蒂利亚的世袭领地。只有瓦伦西亚经济繁荣，未受普遍动乱的影响。阿方索是一位精力旺盛的君主，直到生命的最后一刻还在操劳。1458年6月，当他正忙于筹备进攻不久前投降法国的热那亚时，猝然去世。那不勒斯王位由他的私生子费兰特继承，其他各小国由他的弟弟约翰接管，约翰于1425年任纳瓦尔国王，兼阿拉贡国王，称约翰二世。

西班牙：阿斯图里亚斯和莱昂

● **Alfonso I 阿方索一世**（693？～757，加利西亚坎加斯） 别名阿方索（天主教徒）。阿斯图里亚斯国王（739～757在位）。741年伊斯兰西班牙的柏柏尔人驻军叛乱，接着该地区发生内讧，他趁机将加利西亚并入自己的王国。他曾深入阿斯图里亚斯山脉以南地区，但因缺少人力，不能对阿斯图里亚斯与科尔多瓦酋长国之间的平原地带进行永久性的控制。

● **Alfonso II 阿方索二世**（759，阿斯图里亚斯奥维耶多～842，奥维耶多） 别名阿方索（纯洁的）。阿斯图里亚斯国王（791～842在位）。弗鲁埃拉一世之子。在位时期，频受科尔多瓦酋长国军队袭击，并屡遭败北。但他的顽强斗争精神，终使自己的国家免遭灭亡。他在山区战略要冲建立新都奥维耶多，并使王国具有民族特色，他设法与查理曼建立联系，未获成功。在位期间，在加利西亚发现了

据认为是使徒圣雅各的墓，使该王国成为基督教重要圣地的保护者。

● **Alfonso III 阿方索三世**(约 838 ～ 910-12-20?,莱昂萨莫拉) 别名阿方索(伟大的)。阿斯图里亚斯国王(866 ～ 910 在位)。奥多尼奥一世之子。即位以后，他将都城从奥维耶多移至莱昂。868 年占领波尔图，他自称要复兴西哥特人的王朝，使圣地亚哥-德孔波斯特拉的圣詹姆斯教堂成为基督教王国的圣地。统治末期，他又占领了科英布拉、萨莫拉和布尔戈斯。

● **Alfonso IV 阿方索四世**(? ～ 933) 别名阿方索(修道士)。莱昂和阿斯图里亚斯国王(约 926 ～约 931 在位)。奥多尼奥二世之子，继承其叔父弗鲁埃拉二世的王位。他成为修道士并放弃王位，但后又反悔，设法恢复王位。在他短短的统治时期，王国政治极为混乱。

● **Alfonso V 阿方索五世**(994 ～ 1028) 别名阿方索(高尚的)。莱昂国王(999 ～ 1028 在位)。贝尔穆多二世之子。他的登位是由于阿尔曼苏尔(参阅 **Manṣūr，Abū ʿĀmir al-**)大军四处劫掠，迫使其父承认阿尔曼苏尔对莱昂的宗主权。1003 年莱昂被迫参加摩尔人反对加泰罗尼亚人的战斗，再次遭受耻辱和入侵。1031 年阿尔曼苏尔倒台，莱昂摆脱穆斯林的压力，政治动荡方告结束。但为时不久，又面临纳瓦拉的桑乔三世的扩大。1023 或 1024 年阿方索与桑乔之女乌拉卡结婚，才摆脱这一威胁。晚年，他收复了被阿尔曼苏尔夺去的葡萄牙土地。他在围攻维塞乌时阵亡。

西班牙：卡斯蒂利亚和莱昂

● **Alfonso I－V** 参阅 **Alfonso** (Spain：Asturias and Leon)阿方索(西班牙：阿斯图里亚斯和莱昂)项下的 **Alfonso I－V 阿方索一世至阿方索五世**。

● **Alfonso VI 阿方索六世**(1040-09 以前～1109,卡斯蒂利亚托莱多) 别名阿方索(勇敢者)。莱昂国王(1065 ～ 1070)及卡斯蒂利亚和莱昂国王(1072 ～ 1109),1077 年自称“全西班牙皇帝”。他对其穆斯林附庸国家实行高压政策，导致 1086 年穆拉比特人自北非入侵。他的名字也与西班牙民族英雄熙德相联系，熙德曾是他的敌人和不热心的支持者。他是国王费迪南德一世的次子，由后来成为巴伦西亚主教的雷芒多和卡里翁伯爵安苏雷斯教养成人。1065 年费迪南德去世时，留给阿方索的是莱昂王国以及托莱多穆斯林王国缴纳的贡赋。他的哥哥、继承卡斯蒂利亚王国和萨拉戈萨贡赋的桑乔二世垂涎他的领地。在两次交战中，阿方索都被兄长打败。在 1068 年兰塔达一役，他勉强保住自己的王国；在 1072 年古尔佩吉拉一役，他被俘后遭到放逐，暂时栖身于托莱多穆斯林国王马蒙的宫廷。不久其妹乌拉卡在莱昂举义，桑乔把她围困在萨莫拉城中。围城期间，桑乔大概受到乌拉卡的暗算，被杀。桑乔的暴死，不仅使阿方索恢复了自己的王国，而且取得卡斯蒂利亚王位(1072),并占领了加利西亚。从此，他的统治一帆风顺，先后夺取里奥哈和巴斯克两省，同时埃布罗河以北纳瓦拉地区的桑乔·拉米雷斯也望风投降。称帝后开始

美国不列颠百科全书公司供图

征服托莱多，经过长期围困，于 1085 年 5 月将其占领。

阿方索向穆斯林附庸王国索取巨额贡金，作为保护它们免被敌国侵凌的条件。他希望凭借暴敛削弱这些小国实力，将会兵不血刃而兼并其土地。结果，大量穆斯林的黄金流入基督教势力下的西班牙地区，他把这笔财富用于战争以及向圣所、教堂和修道院捐赠。强索黄金使附庸国王课重税于其臣民，造成怨声载道，暴乱屡起，有助于这些小国的进一步削弱而最终使托莱多投降。塞维利亚穆斯林统治者穆耳台米德在绝望中孤注一掷，向北非的穆拉比特人(柏柏尔人)埃米尔优素福·伊本·塔舒芬及其撒哈拉诸部落求援。这位埃米尔于 1086 年 7 月末率军在阿尔赫西拉斯登陆，10 月 23 日在巴达霍斯附近的萨拉卡重创阿方索的部队。萨拉卡之败，使阿方索与熙德重修旧好。阿方索原因熙德曾支持桑乔而有夙怨。后来阿方索授命熙德进占并镇守西班牙东部地区，熙德完成使命，立下大功。1086 ～ 1109 年，阿方索不断遭到阿尔摩拉维德人的沉重打击。1108 年乌克莱斯决战中，他的独子捐躯沙场。阿方索立即把女儿乌拉卡嫁给阿拉贡国王阿方索一世，以便能使抗击穆拉比特人的战争在他死后仍能继续进行，即使此举意味着莱昂与卡斯蒂利亚将会由一名阿拉贡君主来统治，也在所不惜。

● **Alfonso VII 阿方索七世**(1104? ～ 1157-08,卡斯蒂利亚弗雷斯内达) 别名阿方索皇帝。莱昂和卡斯蒂利亚国王(1126 ～ 1157 在位)。勃艮第的雷蒙多之子，阿方索六世之孙，承袭其祖父的称号。在位期间虽帝国统一思想达到中世纪西班牙的顶峰，并多次取得对摩尔人的辉煌胜利，但对他的事迹仍有些知之不详。幼时，他母亲乌拉卡与其第二个丈夫阿拉贡国王阿方索一世为争夺控制卡斯蒂利亚和莱昂而勾心斗角。1126 年乌拉卡死后，他的继父放弃王位要求，于是阿拉贡和潘普洛纳(纳瓦拉)的国王、巴塞罗那伯爵以及西班牙的各摩尔人统治者承认他为皇帝。1147 年他从摩尔人手中夺得阿尔梅里亚，10 年后丢失；科尔多瓦在他手中也仅 3 年。1146 年北非狂热的穆瓦希德人再次入侵，阿方索联合穆拉比特人，阻止了穆瓦希德人在西班牙南部的扩张。尽管此时帝国统一思想占上风，但整个半岛分裂倾向并未销声匿迹，他未能阻止葡萄牙于 1140 年成为独立王国。他在遗嘱中按西班牙惯例将领地分给两个儿子——卡斯蒂利亚的桑乔三世和莱昂的费迪南德二世。此举最后破坏了中世纪西班牙的统一帝国思想。

● **Alfonso VIII 阿方索八世**(1155 ～ 1214-10-06,卡斯蒂利亚布尔戈斯) 别称拉斯纳瓦斯的阿方索。卡斯蒂利亚国王(1158 起)。桑乔三世之子，3 岁继承其父王位。在他没有成年之前，王国一片混乱，并遭到纳瓦拉王国对内部事务的干涉。在位期间与阿拉贡王国保持密切的联盟。1179 年缔结《卡索拉条约》，确定将来重新征服摩尔人西班牙后卡斯蒂利亚和阿拉贡之间的分界线。1172 ～ 1212 年他努力抵抗摩尔人穆瓦希德王朝的侵略，1195 年遭到失败。同年莱昂和纳瓦拉两国国王进犯卡斯蒂利亚，他在阿拉贡国王佩德罗二世援助下将其打败。1212 年他在拉斯纳瓦斯德托洛萨获得重大胜利，打败穆瓦希德苏丹，从而粉碎了穆瓦希德人在西班牙的势力。

● **Alfonso IX 阿方索九世**(1171,莱昂萨莫拉～ 1230-09-24,加利西亚萨里亚新镇) 莱昂国王(1188 ～ 1230 在位)。莱昂国王费迪南德二世之子，卡斯蒂利亚国王阿方索八世之堂弟(家族中最小的成员)。他决心收复被卡斯蒂利亚占领的国土，不惜与穆瓦希德人结盟，受到教皇的惩罚。尽管他被迫娶卡斯蒂利亚国王长女为后，但仍拒绝出兵帮助其岳父征讨穆瓦希德人。他自己率兵出征，在南部国境以外获得重大胜利，1227 年从阿尔摩哈德王朝手里夺得卡塞雷斯，1230 年夺得梅里达、巴达霍斯。这些胜利为以后重新征服塞维利亚开辟了道路。

● **Alfonso X 阿方索十世**(1221-11-23,卡斯蒂利亚希尔戈斯～1284-04-04,塞维利亚) 别名智者阿方索。卡斯蒂利亚和莱昂国王(1252 ～ 1284)。其父费迪南德三世征服安达卢西亚并向西班牙残余穆斯林国家穆尔西亚及格拉纳达索取贡金，其母比阿特丽丝是神圣罗马皇帝腓特烈一世的孙女。阿方索是一知名学者。1252 年即位后在其宫中延揽许多学者，本人也参与撰述及编订之事。学者中不乏罗马法专家，阿方索希望以罗马法为蓝本编纂一部本国统一的法典。但是，由于宫廷费用浩繁，再加上馈赠亲友及外交密谋的花费，迫使阿方索推行重税。1252 年，他粉碎

一次穆斯林暴乱；1254 年又镇压了一次贵族造反。1264 年，摩洛哥、格拉纳达及穆尔西亚联合进犯，他借阿拉贡王国之助打退敌人，还吞并了穆尔西亚。阿方索曾要求得到许多国外头衔，主要是 1256 年提出的神圣罗马皇帝这一称号。1257 年，他以行贿手法获得 4 张选侯赞成票，而康沃尔伯爵理查只获得 3 张。但理查却加冕为皇帝。1275 年理查死，阿方索前往法国向教皇格列高利十世就此事提出申诉，教皇劝他放弃要求。阿方索在法期间，摩洛哥和格拉纳达联军进犯卡斯蒂利亚。阿方索的长子费尔南德战死，次子桑乔击退入侵者，成为英雄，便宣布自己为嗣君（阿方索死后即位，称桑乔四世）。阿方索的宫廷学士们，绝大多数使用卡斯蒂利亚西班牙语写作，他们规范句法，用此前未经讨论过的概念界定词义，或借用外来语使之成为书面语言。在他们所撰《事类系年》一书中，力求根据编年史、民间传说及阿拉伯资料来叙述历史事件。《世界通史》因大量证引、翻译《旧约全书》而未免失实。《阿方索星表》根据阿拉伯资料列出星系，1262～1272 年由托莱多天象台予以校正、更新。《七法全书》是一部重要法典，以罗马法为蓝本，附有有关礼仪、道德的论文多篇，并提出国君与臣民同为一体而君主为上帝及臣民之中介人的概念，较封建制度的君权神授之说有所进步。阿方索死后，《七法全书》在 1348 年即被公布为全卡斯蒂利亚和莱昂国家的法律，并把阿方索宫廷撰写此书所用语言演化为现代卡斯蒂利亚西班牙语。

● **Alfonso XI** **阿方索十一世**（1311，莱昂萨拉曼卡～1350-03-26，直布罗陀） 别名正义的阿方索。1312 年起为卡斯蒂利亚和莱昂的国王，1 岁即继承其父费迪南德四世之王位。在他未成年时，贵族的派系斗争非常激烈。他于 1325 年亲政后，大力恢复国家的秩序。他赋予市政当局以新的权力，争取支持反对贵族；遴选与贵族没有渊源的官吏，从而进一步扩大了王权。1340 年摩洛哥的马里尼德国王占领直布罗陀，并在阿尔赫西拉斯击溃卡斯蒂利亚舰队，阿方索遂将注意力转向马里尼德人。他与葡萄牙人一起在萨拉多河打败入侵者，1344 年收复阿尔赫西拉斯。1348 年他颁布《埃纳雷斯堡法令》，实行重要的行政与法律改革。英、法两国都极力讨好他，希望建立结盟以取得他的强大舰队的支持，但他避免向任何一方作出承诺。

西 班 牙

● **Alfonso I－XI** 参阅 **Alfonso**（Spain：Castile and Leon）*阿方索*（西班牙：卡斯蒂利亚和莱昂）项下的 **Alfonso I－XI** *阿方索一世至阿方索十一世*。

● **Alfonso XII** **阿方索十二世**（1857-11-28，马德里～1885-11-25，马德里） 西班牙国王（1874～1885 在位）。在位虽短，但给西班牙实行君主立宪制带来希望。女王伊莎贝拉二世的长子。1868 年 9 月革命推翻女王，他随母流亡国外。曾在奥地利、英国的军事学院学习。1870 年 6 月女王将王权让给他，但直到 1874 年 12 月 29 日才宣布他为西班牙国王，1875 年初回国。他执政时期西班牙国泰民安，两度出任首相的 A.C.德尔卡斯蒂略确立了政治生活的格局。1876 年解决了两项迫切的问题：结束内战，起草宪法。后签署《桑洪条约》以使古巴实现和平。1879 年阿方索与奥地利大公查理·斐迪南之女 M.克里斯蒂娜结婚，生二女一子（其子即后来的阿方索十三世）。阿方索虽缺乏政治经验，但天性机智善断，深得人心。他因结核病而早逝。

● **Alfonso XIII** **阿方索十三世**（1886-05-17，马德里～1941-02-28，罗马） 西班牙国王（1886～1931）。由于设法提高君主权威，降低议会作用，被第二共和国的辩护者们所废黜。他是阿方索十二世的遗腹子，生后立即即位，由母后玛丽亚·克里斯蒂娜摄政。1902 年他 16 岁时已拥有全部王权。他继续采取由保守党和自由党轮流坐庄制度，1902～1923 年西班牙换了 33 次内阁，议会制度名誉扫地，他个人的声望也受到影响。在他与维多利亚·欧亨尼娅结婚的日子（1906-05-31），有人企图暗杀他和新娘。此后经常发现暗杀他的阴谋。但他个人面对这些威胁无所畏惧，也赢得别人对他的敬佩。1909 年毛拉内阁倒台，形势进一步恶化，议会政治的最后希望似已消失。第一次世界大战后，他极力推行极权制度，设法使自己不受议会的约束。他直接干预 1921 年的摩洛哥战争。1923 年 9 月普里莫·德里维拉将军发动政变，阿方索与之勾结。1930 年 1 月德里维拉政府垮台，由 D.贝伦格尔组成临时政府。阿方索试图恢复立宪政权，1931 年同意举行市政选举。当共和党在选举中取得胜利的时候要求国王退位，阿方索表示拒绝，但不得不离开西班牙（1931-04-14），从此未再回国。F.佛朗哥将军恢复了他的西班牙公民资格，并退还 1932 年时所没收的财产。但他还是将自己的权利让给了第 3 子唐胡安。

Alfonso THE AFRICAN **阿方索（非洲人）** 参阅 **Afonso**（Portugal）*阿丰索*（葡萄牙）项下的 **Afonso V** *阿丰索五世*。

Alfonso THE BATTLER **阿方索（战斗者）** 参阅 **Alfonso**（Spain：Aragon）*阿方索*（西班牙：阿拉贡）项下的 **Alfonso I** *阿方索一世*。

Alfonso THE BRAVE **阿方索（勇敢者）** 参阅 **Alfonso**（Spain：Castile and Leon）*阿方索*（西班牙：卡斯蒂利亚和莱昂）项下的 **Alfonso VI** *阿方索六世*；**Afonso**（Portugal）*阿丰索*（葡萄牙）项下的 **Afonso IV** *阿丰索四世*。

Alfonso THE CANDID **阿方索（坦率的）** 参阅 **Alfonso**（Spain：Aragon）*阿方索*（西班牙：阿拉贡）项下的 **Alfonso III** *阿方索三世*。

Alfonso THE CATHOLIC **阿方索（天主教徒）** 参阅 **Alfonso**（Spain：Asturias and Leon）*阿方索*（西班牙：阿斯图里亚斯和莱昂）项下的 **Alfonso I** *阿方索一世*。

Alfonso THE CHASTE **阿方索（纯洁的）** 参阅 **Alfonso**（Spain：Asturias and Leon）*阿方索*（西班牙：阿斯图里亚斯和莱昂）项下的 **Alfonso II** *阿方索二世*。

Alfonso THE CONQUEROR **阿方索（征服者）** 参阅 **Afonso**（Portugal）*阿丰索*（葡萄牙）项下的 **Afonso I** *阿丰索一世*。

Alfonso THE EMPEROR **阿方索（皇帝）** 参阅 **Alfonso**（Spain：Castile and Leon）*阿方索*（西班牙：卡斯蒂利亚和莱昂）项下的 **Alfonso VII** *阿方索七世*。

Alfonso THE FAT **阿方索（胖子）** 参阅 **Afonso**（Portugal）*阿丰索*（葡萄牙）项下的 **Afonso II** *阿丰索二世*。

Alfonso THE GREAT **阿方索（伟大的）** 参阅 **Alfonso**（Spain：Asturias and Leon）*阿方索*（西班牙：阿斯图里亚斯和莱昂）项下的 **Alfonso III** *阿方索三世*。

Alfonso THE JUST **阿方索（正义的）** 参阅 **Alfonso**（Spain：Castile and Leon）*阿方索*（西班牙：卡斯蒂利亚和莱昂）项下的 **Alfonso XI** *阿方索十一世*。

Alfonso THE KIND **阿方索（善良的）** 参阅 **Alfonso**（Spain：Aragon）*阿方索*（西班牙：阿拉贡）项下的 **Alfonso IV** *阿方索四世*。

Alfonso THE LIBERAL **阿方索（开明的）** 参阅 **Alfonso**（Spain：Aragon）*阿方索*（西班牙：阿拉贡）项下的 **Alfonso III** *阿方索三世*。

Alfonso THE MAGNANIMOUS **阿方索（高尚的）** 参阅 **Alfonso**（Spain：Aragon）*阿方索*（西班牙：阿拉贡）项下的 **Alfonso V** *阿方索五世*。

Alfonso THE MONK **阿方索（修道士）** 参阅 **Alfonso**（Spain：Asturias and Leon）*阿方索*（西班牙：阿斯图里亚斯和莱昂）项下的 **Alfonso IV** *阿方索四世*。

Alfonso THE NOBLE **阿方索（高尚的）** 参阅 **Alfonso**（Spain：Asturias and Leon）*阿方索*（西班牙：阿斯图里亚斯和莱昂）项下的 **Alfonso V** *阿方索五世*。

Alfonso THE WISE **阿方索（智者）** 参阅 **Alfonso**（Spain：Castile and Leon）*阿方索*（西班牙：卡斯蒂利亚和莱昂）项下的 **Alfonso X** *阿方索十世*。

Alfred **阿尔弗烈德**（849～899） 别称阿尔弗烈德大王。英格兰西南部撒克逊人的韦塞克斯王国国王（871～899）。他使英格兰免于落入丹麦人之手，并促进了学术和文化的发展。《盎格鲁-撒克逊编年史》的编纂大约始于他在位时的 890 年。由于有 4 个哥哥，他原来没有继承王位的可能性。他说，他从来没有期望得到王权。868年参军，随其兄艾特尔雷德一世前去协助麦西亚的伯格雷德抗击在东英格兰登陆的丹麦大军。871 年丹麦人入侵韦塞克斯，艾特尔雷德和阿尔弗烈德同他们交战。871年艾特尔雷德去世，阿

9 世纪盎格鲁-撒克逊钱币上的阿尔弗烈德大王头像
美国不列颠百科全书公司供图

尔弗烈德继位。876 年丹麦人再次向韦塞克斯进军。阿尔弗烈德秘密组织一支军队，在埃丁顿战役中打败丹麦人。阿尔弗烈德得到暂时休战的机会。885 年丹麦军队又入侵肯特，阿尔弗烈德将其击退。886 年阿尔弗烈德进占伦敦，一切不受丹麦统治的英格兰人都拥戴他为国王。892 年一支丹麦大军由欧洲大陆进攻英格兰，阿尔弗烈德予以迎头痛击。896 年丹麦军队停战。丹麦人之所以未能再度进攻阿尔弗烈德，主要是因为阿尔弗烈德在交战期间采取防御措施，他加固旧有的要塞，在战略要地修建新的堡垒。早在 875 年，他就整编军队，使用兵船抗击入侵者。后来他又下令建造更大的军舰。阿尔弗烈德的外交手腕很灵活，他同麦西亚和威尔士保持友好关系，893 年威尔士曾向他提供一些部队。阿尔弗烈德不仅善战而且治国有方，整顿财政、司法，曾经制订一部重要的法典。他对学术的态度也与众不同。878 ～ 885 年，他将麦西亚、威尔士和欧洲大陆的学者邀至宫中。他自修拉丁文，887 年开始将拉丁语著作译成英语。他翻译的书有 6 世纪教皇圣格列高利一世的《牧师的关怀》、5 世纪神学家圣奥古斯丁的《独白》、波伊提乌的《哲学的慰藉》等。阿尔弗烈德一直为人们所怀念，到 12 世纪还有人手抄他的一些著作。

Alfred Jewel　阿尔弗烈德之宝　精美的黄金饰物。是一块珐琅饰板，板上有一人像。人像一端由一雕刻图案固定，另一端则由一

约 9 世纪的阿尔弗烈德之宝
美国不列颠百科全书公司供图

组构成网格的金字铭文固定。铭文为古英语“*Aelfred mec heht gewyrcan*”（奉阿尔弗烈德之命制作）。该宝于 1693 年在英国萨默塞特的艾塞尔内附近发现，现藏于牛津阿什莫尔博物馆。此饰物呈现出明显的拜占廷影响。

Alfvén, Hannes　阿耳文（1908-05-30，瑞典诺尔雪平～ 1995-04-02，于什霍尔姆）　全称 Hannes Olof Gösta Alfvén。又译阿尔文。瑞典天文学家，因创立等离子体物理学的重大贡献，与法国的 L.奈耳共获 1970 年诺贝尔物理学奖。等离子体物理学是研究等离子体（离子气体）的。阿耳文在乌普萨拉大学就读，1940 年在斯德哥尔摩皇家理工学院任职。30 年代末和 40 年代初，他在空间物理学方面有突出贡献，其中包括磁通量冻结定理的确立。根据这一定理，在一定条件下，等离子体可束缚在穿过它的磁力线上。后来他用这一观念来解释宇宙线的起源。1939 年阿耳文发表磁暴和极光理论，对现代磁层（地球磁场的范围）理论产生重大影响。他发现一种有广泛应用的数学近似法，用此法可容易地将带电粒子在磁场中的复杂螺线运动计算出来。磁流体动力学（研究磁场中等离子体的学科，简称 MHD）主要是阿耳文创立的，它已被公认为控制核聚变试验的基础。在与瑞典政府发生多次意见分歧之后，阿耳文赴圣地亚哥加利福尼亚大学任职（1967）。后来又分别在奥斯陆的皇家学院和加利福尼亚大学两校任教。阿耳文是支持“等离子宇宙学”的早期学者。等离子体宇宙学的观念与大爆炸宇宙起源学说的观点是对立的。在支持等离子宇宙学的人看来，宇宙并不存在开始（也不存在可预见的末日），而是带电、磁力的等离子体在把宇宙中的物质组成星系和其他可见的庞大天体结构时所起的作用比引力要大。他的许多早期著作被编入《宇宙电动力学》（1950）。还著有《论太阳系的起源》（1954）、《世界-反世界》（1966）和《宇宙等离子体》（1981）等。

alga　藻　原生生物界一类真核生物。主要水生，无维管束，能进行光合作用。体型大小各异，小至长 1 微米的单细胞的鞭毛藻，大至长达 60 米的大型褐藻。一些权威继续将藻类归入植物或植物样生物，但藻类没有真正的根、茎、叶，也没有维管束。这点与**苔藓植物**（**bryophyte**）相同。藻类可由一个或少数细胞组成，亦可有许多细胞聚合成组织样的结构。丝状体可分支（如 *Sticheoclonium* 属），可不分支（如水绵属［*Spirogyra*］），有些藻类是单细胞的鞭毛藻（如 *Oochromonas* 属），而另一些藻类（如栅藻属［*Scenedesmus*］）则聚合成群体。绿藻类的松藻属（*Codium*）由无数分支丝体交织缠绕而成，部位不同的丝体形态和功能亦异。藻类虽然主要为水生，但无处不在，分布范围从温带的森林到极地的苔原。某些变种可生活于土壤中，能耐受长期的缺水条件；另一些生活于雪中，少数种能在温泉中繁盛生长。藻类与其他真核生物一样有细胞核，有具膜的液泡和细胞器（如线粒体），大多数藻类于生活过程中需要氧气。用各种叶绿体分子（如叶绿素、类胡萝卜素、藻胆蛋白等）进行光合作用。地球上的光合作用 90% 由藻类进行，据信在地球早期的历史上藻类在创造富氧环境中起了重要作用。浮游的藻类是海洋食物链中非常重要的环节，所有高等水生生物的生存最终依靠藻类的存在，此外，从史前时代起藻类一直被用作牲畜的饲料和人类的食物。藻类有广泛的商业用途。藻类制品包括由 70 多种红藻制成的琼脂糖类（如琼脂）。琼脂用于鱼罐头制造、烹制鱼的包装、织物上浆及胶片和高级黏合剂的制造，又可用于汤、调味汁、果冻、糕饼糖霜等中。由角叉菜制成的角叉菜胶，用途与琼脂相同，又包括钠、钾、钙盐。藻酸是褐藻的组分，可制成能像丝一样纺成线的碱金属盐。藻类可进行营养繁殖（通过细胞分裂或断裂）、无性繁殖（通过释出游动孢子或其他孢子）或有性繁殖。有性繁殖通常发生于生活史中的艰难时期（如于生长季节结束时或处于不利的环境条件下）。

Algardi, Alessandro　阿尔加迪（1595，教皇辖地博洛尼亚［意大利］～ 1654-06-10，罗马）　继贝尔尼尼之后 17 世纪最重要的罗马巴罗克风格雕刻家。曾受教于 L.卡拉奇。

《阿迪拉和教皇利奥相会》（1646 ～ 1653）
美国不列颠百科全书公司供图

在曼图亚短期活动（1622）后迁往罗马（1625），设计了圣西尔维斯特罗教堂的灰泥装饰，并曾在修复古典雕刻方面取得一定成就。创作了波波罗圣母院的米林尼主教（卒于 1629）纪念碑、柯尔索圣马尔切罗教堂的弗兰吉帕尼纪念碑和扎基亚主教胸像（柏林），从而在肖像雕刻方面成为贝尔尼尼的主要对手。其肖像作品虽不如贝尔尼尼的作品那样富有活力和深刻的性格刻画，但其严肃、庄重和表面的真实感却受到人们赞赏。教皇英诺森十世当权（1644）后，阿尔加迪取代贝尔尼尼，受到教皇庇护。此后直到去世，创作了一系列最著名的作品，其中有教皇坐像（1645），圣彼得教堂的巨型大理石浮雕《阿迪拉和教皇利奥相会》（1646 ～ 1653）。还设计了 D.潘费里别墅和梵蒂冈圣达马索宫的喷泉。其风格不如贝尔尼尼那样热情奔放和丰富多彩。甚至在其典型巴罗克式的作品上，如圣彼得

教堂的教皇利奥十一世之墓（1634～1652）和博洛尼亚圣保罗教堂的高祭坛（1641）等，均使人强烈地感到古代拘谨风格的影响。

Algarotti, Francesco　阿尔加罗蒂（1712-12-11，威尼斯［意大利］～1764-05-03，比萨）艺术鉴赏家和科学家，因知识渊博和思想进步受到启蒙运动哲学家的推崇。早年在罗

美国不列颠百科全书公司供图

马、博洛尼亚、佛罗伦萨求学，20 岁去巴黎，因少年英俊，谈吐风雅，在知识界颇有影响。1737 年著《向女士们介绍牛顿学说》，通俗地讲述了牛顿的光学理论。1739 年访问俄国。后应腓特烈大帝之请，在德国居住 9 年，后因健康不佳重返意大利。死后墓碑上刻有“墓中人阿尔加罗蒂，但并非全部”。著有古典作品研究以及关于建筑、歌剧和绘画的论文。

Algarve　阿尔加维　葡萄牙南部早期省份，相当今法鲁行政区。西与南濒大西洋，东以瓜迪亚纳河下游为界。内陆高地大部贫瘠，人口稀少；沿海低地肥沃，人口稠密。早年有腓尼基人在此定居，后被罗马人征服。经过近 500 年伊斯兰教统治，1189 年并入葡萄牙王国。现仍保持着摩尔风貌。经济以农业为主。渔业亦重要。有鱼加工、软木加工、酿酒和采矿等行业。近年旅游有很大发展。20 世纪 70 年代，前葡萄牙殖民地安哥拉和莫桑比克独立，有近 50 万葡萄牙人回到该地区。

algebra　代数学　数学的一个分支，该学科中将算术的方法推广并应用于变量。外行认为初等代数就是代数学。在初等代数中人们学到用变数代替算术中的数来进行计算和解多项式方程。对数学家和科学家而言，代数学更意味着近世代数、高等代数或抽象代数——对抽象数学结构的研究，其运算具有加法和乘法的性质。代数学的第一个特征在于，其计算经常只包含有限个数量，经过有限次运算后得出结果。换句话说，凡是“在极限情况下”取得答案的过程，均不属于代数学。因此

$$1+x+x^2+x^3+\cdots+x^n=\frac{1-x^{n+1}}{1-x}$$

属代数学，而

$$1+x+x^2+x^3+\cdots+x^n+\cdots=\frac{1}{1-x}$$

则不属代数学。

代数学的第二个特点是抽象性。初等代数中用字母代表数，高等代数中字母可代表更一般的对象，而计算系统本身就是具有相似性质的各系统的抽象。由于数学中其他各分支皆倚重代数方法，同时，公理化的、抽象的代数观点使得其他领域的研究工作得到简化和阐明；因此，20 世纪数学有明显的“代数化”特点。

初等代数最重要的任务是解多项式方程即“代数”方程，并逐步引入新型的数——负数、实数、复数——以解这些方程。行列式和矩阵是解联立方程的手段；排列和组合是真正的初等概率理论，但仅利用代数论据；指数和对数虽然定义上涉及极限的概念，但其运算法则，仍属于代数学。1830 年主要由于 E. 伽罗瓦的研究，从初等代数发展出近世代数；近世代数主要研究对象为群、环、域和向量空间。环的理论来自对整数和多项式的形式性质的研究。域起源于解代数方程的研究。解联立一次方程，直接导致向量空间和矩阵理论的产生。群论对理论物理学中量子力学的发展有重大贡献。布尔代数则在计算机设计上广泛被应用。在社会科学中，心理学和经济学也正在将矩阵和线性代数应用于所谓线性规划中。

algebra, linear　参见 **linear algebra 线性代数**。

algebraic equation　代数方程　由一组变数的代数运算所构成的两个表达式的等式。所谓代数运算即加、减、乘、除、乘方和开方。凡包含非代数运算（例如求对数或三角函数）的方程称为超越方程。解代数方程的过程，即求出一个或一组数值，如将此数值代入式中的变数，则可保持等式两端相等，此数值称为该方程的根（**root**）。参阅 **Diophantine equation；linear equation；quadratic equation**。

algebraic geometry　代数几何　用代数的方法研究几何对象的一门学科。几何是研究空间对象（如圆和矩形）的学科，而代数则包括比单纯的计算更多的内容，例如可以研究包含未知量的方程。几何和代数（以及与之有关的代数几何）等术语的含义是随着时代的发展而变化的，所以有必要作出一些历史的综述。

大约公元前 1700 年，古巴比伦人曾经提出如下的问题：“我把长度和宽度相乘，得到面积；再把这个面积加到长度超出宽度的余量上得 183（是其结果）；然后又把长度和宽度相加得 27。求长度、宽度和面积。”这是关于一种几何对象（矩形）而又包含未知数的一个问题，所以是代数几何的一个例子。古典的希腊几何，例如，正如在欧几里得的《原本》（公元前约 300）所示：除了用小的正整数以外，不用数。对于古希腊数学家来说，按照定义，数就是我们称之为正整数的那种东西，并且他们坚持这个定义，从而不能用数来研究几何。他们确实有一类代数，但它是线段、面积和体积的代数，而不是数的代数。在某种意义上讲，他们所建立的是几何和代数的一种混合物；因而他们的某些数学看来很有些像我们所谓的代数几何。他们曾提出这样的问题：作一个立方体的边，使得该立方体的体积是给定立方体的两倍。若给定立方体的边为 a，则所要找的立方体的边 x 应适合 $x^3=2a^3$。希俄斯的希波克拉底（公元前约 430）把这个问题变成要在 a 和 $2a$ 之间内插两个比例中项的问题，即要找 x 和 y 使得 $a/x=x/y=y/2a$（由此 $x^2=ay$ 和 $xy=2a^2$）。梅内克缪斯（公元前约 350）考虑在一直角坐标系中适合 $x^2=ay$ 的点 (x,y) 的轨迹，和适合 $xy=2a^2$ 的点 (x,y) 的轨迹。他知道前者是一抛物线，后者是一双曲线（抛物线和双曲线定义为直圆锥的截线），而要从这些曲线的交点找出 x，y。因此，这似乎使我们可以认为梅内克缪斯不会只懂得很少一点代数几何的知识。

通常认为笛卡儿（1596～1650）是坐标几何的创造者（见他的著作《方法论》）。到他那个时候，数的概念已经包括十进制分数，文字记号也已经由维埃特（1540～1603）引进数学，所以对于用代数方法研究几何来说，基础是已经准备好了的。他和费马（1601～1665）都研究过圆锥截线，并知道它们的轨迹上的点 (x,y) 满足 x 和 y 的二次多项式方程；还知道这个结果的反面，即任意二次多项式方程表示一条圆锥截线，除非那是没有一对 x，y 能够满足的方程（如 $x^2+y^2+1=0$），或只有一对 x，y 能够满足的方程（如 $x^2+y^2=0$）。牛顿研究了三次多项式方程，并把对应的轨迹，即三次曲线分成 72 类。因此，如果不算古代的知识以及笛卡儿和费马所做的第一阶段的工作，我们可以认为牛顿是研究平面代数曲线（由任意次代数方程所给定的曲线）的创始人，这方面的研究是代数几何的基本课题。

导致我们现在所知道的代数几何的许多步骤，可以用对贝祖（1730～1783）定理的讨论来阐明。在有了某些预备性的说明以后，这个定理断言：如果分别由 m 次和 n 次多项式方程给定的两条平面代数曲线，没有无穷多个公共点，则它们恰好有 mn 个交点。因为直线是由一次方程给定的，根据贝祖定理，两条（不同的）直线应当恰好有一个交点。除了平行线的情况外，这是正确的。这个例外情况可以通过引进“无穷远点”技术性地变成一般的情况。而引进“无穷远点”就过渡到射影平面：在射影平面中，点由三个不全为零的数 (x_0,x_1,x_2) 给定，两个三数组 (x_0,x_1,x_2) 和 (y_0,y_1,y_2) 给出同一个点的充分必要条件是它们成比例（即有一个数 t 使得 $x_0=ty_0$，$x_1=ty_1$，$x_2=ty_2$）；点 $(1,x,y)$ 对应于通常的点 (x,y)，而点 $(0,x,y)$ 则对应于无穷远点。在射影平面上的平面代数曲线由齐次多项式（所有的项有相同次数的多项式）方程给定。在射影平面上任意两条（不同的）直线恰好交于一点。

为了说明另一个困难，我们暂时回到通常的（或仿射）平面，例如：考虑中心相距 3 个单位、半径为 1 的两个圆：$x^2+y^2=1$ 和 $x^2+(y-3)^2=1$，它们没有公共点。然而，如果我们允许 x 和 y 是复数（即形如 $a+ib$ 的表达式，其中 a 和 b 是实数），则这两个圆将有交点 $(\pm i\sqrt{5}/2,3/2)$；此外，在射影平面上还可以找到两个交点，故共有四个交点，与贝祖定理相符。还有一个困难发生在相切曲线的情形，例如圆 $x^2+y^2=1$ 和圆 $(x-2)^2+y^2=1$

在点(1,0)相切,这两条曲线在通常的平面上只交于这个切点,还有两个公共点在射影平面上的“无穷远”处;这样就只有三个交点。这个困难可以通过把切点(1,0)算作重数是2的点来克服。计算交点的重数要有统一的规则,而这是能够做到的。在有了这样的理解并过渡到以复数为基础的射影平面以后,就可以发现贝祖定理是普遍成立的。

在这些发展中,可以看到某些有代表性的现象:在研究几何时,对于什么是几何这个问题的回答不是一成不变的;并且新的代数方法不断发明出来。基于复数的射影平面上的曲线,不能用仿射平面上的实曲线的方式去理解;但是,仍然可以继续使用由逻辑所支配的几何术语。这样,人们便发展了类似于通常空间的直觉的直观想象力。在平面上,一个点由两个坐标(x,y)给定;在通常的空间中,由三个坐标(x,y,z)给定。从代数的观点来看,对于任意的正整数n,可以同样容易地考虑有序数组$(x_1,\cdots,x_n)$,并且像凯莱那样把它叫作(仿射)n维空间中的点。在n维空间中,一个代数簇定义成为满足一组多项式方程$F_1(x_1,\cdots,x_n)=0, F_2(x_1,x_2,\cdots,x_n)=0,\cdots$的点集。这些对象及其推广是代数几何研究的主要对象。

algebraic number　代数数　整数系数多项式方程的根。例如自然数、有理数、某些(但不是全部)无理数,以及所有形如$a+ib$(其中a、b是整数)的复数。实数中不是代数数的数,例如π,称为超越数。

algebraic surface　代数曲面　三维空间中由多项式方程$f(x、y、z)=0$所规定的曲面。曲面的次数就是多项式方程的次数。曲面如果是一次的,就是一张平面。如果是二次的,它的方程可以写成$Ax^2+By^2+Cz^2+Dx+Ey+Fz=G$的形式。如$A$、$B$、$C$全不为零,这个方程通常能简化成$ax^2+by^2+cz^2=1$的形式,如果$a$、$b$、$c$都是正的,这曲面称为椭球面,它在每一点的高斯曲率(一个向量绕着包围该点的小环路平行移动一周后产生的角差与这小环路所包围的面积之比,当小环路收缩到该点时的极限)总是正的。如果这些系数中有一个是负的,这曲面是单叶双曲面(如果坐标轴取适当的方向,这种二次曲面被平行于某个坐标平面的平面所截,得到的交线是椭圆,被平行于其他坐标平面的平面所截,得到双曲线)。如果有两个系数是负的,这曲面是双叶双曲面。单叶双曲面可以想象为双曲线$x^2-y^2=1$绕y轴旋转所生成的曲面,它上面的点$x=1,y=0,z=0$是一个鞍点(即曲面在该点与两个互相垂直的平面的两条交线的法曲率反号)。双曲线$x^2-y^2=1$绕x轴旋转,则生成双叶双曲面。如果A、B、C中可能有零,则可以得到柱面、锥面、相交的或平行的平面以及椭圆抛物面和双曲抛物面。后两种情形的例子分别是$z=x^2+y^2$和$z=x^2-y^2$,通过二次曲面上的每一个点,有两条直线(可能是虚的)落在曲面上。立方曲面是一种三次曲面,在它上面有27条直线,每一条和其他的10条相交。一般地说,四次或更高次的曲面不包含直线。

Algeciras　阿尔赫西拉斯　西班牙南端安达卢西亚自治区加的斯省海港。隔阿尔赫西拉斯湾与直布罗陀相望。713年由摩尔人建立。1344年为卡斯蒂利亚国王阿方索十一世夺取。后复被摩尔人夺回并于1368年摧毁。1704年由来自直布罗陀的西班牙难民重建。1906年在此举行阿尔赫西拉斯会议(**Algeciras Conference**)。现经济以港口运输为主。冬季气候温和,旅游业发达,此外有制冰、捕鱼、鱼加工等行业。当地农产品有谷类、烟草及家畜猪、牛等。人口86 042(1981)。

Algeciras Conference　阿尔赫西拉斯会议(1906-01-16～04-07)　欧洲列强与美国在西班牙阿尔赫西拉斯举行的一次国际会议,讨论法国同摩洛哥政府的关系问题。会议把第一次摩洛哥危机(参阅**Moroccan crises**)推到高峰。两年前,英法签订协约,英国支持法国在摩洛哥的特殊利益。法国执行协议,向摩洛哥苏丹提出一项经济及警务“改革”计划,此举激怒了德皇威廉二世,他于1905年3月出兵丹吉尔,声称维护苏丹主权,要求保持商业上的“门户开放”政策。后德皇劝说美国总统T. 罗斯福出面召集1906年的阿尔赫西拉斯会议,紧张局势遂告缓解。但出于德国意料之外的是,会上只有奥匈帝国支持德国意见,意、俄、英、美都支持法国。但还是签订了1906年4月7日的《阿尔赫西拉斯条例》,表面上似乎限制了法国渗透。这个会议的真实意义在于英美两国都支持法国,而摩洛哥危机不过是第一次世界大战的预兆。

Alger (city, Algeria)　参阅 **Algiers** 阿尔及尔。

Alger of Liège　阿尔杰(列日的)(约1060,下洛林列日[今在比利时]～约1131,勃艮第克吕尼[今在法国])　又称阿尔杰罗斯·麦吉斯特(学者)。佛兰芒基督教司铎,以博学多才和著作闻名于当时。曾任列日圣巴多罗买教堂助祭,约1100年任兰伯特大教堂司铎。后婉辞德意志各主教多次延请,退隐于克吕尼隐修院。他的《列日教会史》等著作已失传,现存最重要的是《论怜悯与公义》、《论圣体与主的血》、《论自由意志》和《论弥撒祭》。

Alger, Horatio　阿尔杰(1832-01-13,美国马萨诸塞切尔西～1899-07-18,马萨诸塞南内蒂克)　又作Horatio Alger, Jr.。19世纪晚期美国最受欢迎的作家,也许还是他这一代人中最有社会影响的作家。父亲是一位论教派牧师,自他6岁始便亲自为他授业。年轻时就对写作发生兴趣。1852年毕业于哈佛大学。古典文学课成绩优秀。1857年入哈佛神学院,1860年取得学位。他拒绝在南北战争中服役。1864年阿尔杰任神职,但1866年因被怀疑有鸡奸行为而离职,迁居纽约市。1868年他的《衣衫褴褛的狄克》(又名《纽约的街头生活》)出版单行本,这是一本极为畅销的青少年读物,描写一擦皮鞋的穷孩子发迹致富的故事。从此,他便终身致力于少年文学的创作。《衣衫褴褛的狄克》的成功促使阿尔杰积极赞助救济弃儿和流浪儿童的机构。多少年来,这里的孩子们一直把他看成恩人和英雄。在这种环境中,阿尔杰写了许多描述穷孩子由穷而成名致富的故事。这些作品使他出名也使这位“阿尔杰英雄”对美国的语言作出贡献。在30年中他连续出版的100多部著作中,除了人物的名字不同外,内容大致相似。虽情节、人物个性与对话千篇一律甚至荒谬绝伦,但销售量至2 000万册。他在书中宣讲:凭着诚实、不屈不挠的乐观精神和艰苦的工作,善良的穷孩子终会得到应有的报偿——尽管这种报偿往往凭好运而突然到来。最畅销的作品还有《勒克与普拉克》及《衣衫破烂的汤姆》系列。到19世纪90年代中期,由于健康状况不佳,他与姊妹奥利弗夫妇定居内蒂克。

Algeria　阿尔及利亚　全称阿尔及利亚民主人民共和国。非洲国家,位于马格里布(非洲西北部)的地中海沿岸。为非洲第2大国(仅次于苏丹),首都阿尔及尔。南北长约2 000千米,东西最宽约1 800千米。东邻突尼斯、利比亚,东南与尼日尔相连,西南与马里、毛里塔尼亚交界,西北接摩洛哥,北濒地中海。面积2 381 741平方千米。人口约32 854 000(2005)。

土地　阿尔及利亚南部广大的撒哈拉地区是一片几乎荒无人烟的沙漠,占全国总面积的85%以上;北部地中海沿岸的较小地区——泰勒地区,包括散布在阿特拉斯山系中的平原和山地。该山系从北至南包括:断续的褶皱海岸山地及数块互不相连向南延伸的平原;阿特拉斯山脉(马格里布阿特拉斯山脉的一段,向西伸入摩洛哥,向东伸入突尼斯);半干旱的上高原;把马格里布同南面干旱的撒哈拉沙漠隔开的撒哈拉阿特拉斯山脉。该沙漠地区的景观一般比较单一,有广阔的砾石滩(通称砾质沙漠)和浩瀚的流动沙丘(亦称沙质荒漠),但东南部也有阿尔及利亚著名高原——阿哈加尔高原(霍加尔山),其最高峰塔哈特山,海拔2 918米。北部的泰勒地区地处构造板块交界地带,强烈地震活动频繁。1717年的一次大地震摧毁了整个奥南镇,1790年阿尔及尔有大约2万人死于大地震。1954年和1980年约5 200人在阿斯南地震中丧生。

阿尔及利亚主要河流分布在雨量充沛的北部。撒哈拉地区有少量绿洲靠开发深层地下水或用自流泉进行灌溉,是该地区唯一可靠水源。由于各季节雨量分配不均,全国河流多为季节河或间歇河,唯有水库(主要在阿尔及尔附近)可供终年灌溉。谢利夫河和哈米兹河流域可满足全国约1/3的灌溉需要。

北部雨量不足(一般每年平均不到800毫米,有时不足400毫米),年降雨量的变化幅度很大,撒哈拉阿特拉斯山脉南缘年降雨量不足100毫米,常年干旱,从此开始即为撒哈拉大沙漠。北方冬季(12～3月)多雨,其余季节半干旱。

沿海地区月平均气温全年变化幅度很低,最暖与最凉月份的气温仅相差约11 ℃。例如阿尔及尔7月下午平均气温为28 ℃,夜间气温下降到大约21 ℃,而在1月日气温变化幅度介于15～9 ℃之间。内陆地区的日气温变化幅度和全年气温变化幅度都较大，沙漠地区的气温变化幅度则达到最大。

橡、桧林和针叶林带有限，几乎均分布在东北部和泰勒阿特拉斯山脉。作为过渡地带的上高原属类草原气候，只有禾草和灌丛。濒危动物有豹、猎豹和多种瞪羚。

天然气田位于阿尔及利亚的中北部和东北部，是世界已探明的最大天然气田之一。阿尔及利亚有非洲最大的石油资源基地之一，仅次于利比亚和尼日利亚。作为非洲唯一的汞生产国，阿尔及利亚为世界提供了约1/10的汞。主要的铁矿床位于温札(已开采)和沙漠西部的加拉杰比莱特(尚未开发)。

人民 阿尔及利亚人口中有大约4/5为阿拉伯人；主要少数民族是柏柏尔人，还有少数讲法语的土著人。主要语言有阿拉伯语(官方语言)和柏柏尔语。阿尔及利亚的柏柏尔种族集团包括卡比尔人、沙维亚人和姆札人。柏柏尔族的另一分支图阿雷格人是游牧民族，主要居住在阿尔及利亚撒哈拉沙漠东南部的阿哈加尔高原和阿德拉尔高原的小片绿洲上。哈拉廷人是祖先为黑人的苏丹人，居住在全国各地分散的小片绿洲。其余人口是一小部分来自法国、西班牙和意大利的欧洲人。伊斯兰教为国教。

阿尔及利亚人口的年增长率很高，高于中东和北非地区的平均水平。20世纪50年代以来出生率稳步下降，而死亡率下降更快，大大抵消了较低出生率的作用。人口总数中有2/5以上不满15岁，约1/2居住在城市区。20世纪末法国限制移民迁入以后，阿尔及利亚移居欧洲谋生的失业者有所减少。预期寿命男性为65岁，女性67岁。

经济 阿尔及利亚实行的是中央计划的发展中经济，存在部分私有制企业，主要以石油和天然气为基础。国民生产总值增长速度稍逊于人口增长速度；人均国民生产总值位居非洲最高之列。

全国土地面积仅有约3%为可耕地，且大部分已经开垦，但只有一小部分土地可获灌溉。作物包括小麦、大麦、蔬菜、水果(如柑橘)、海枣和少量的桃、豆类、扁豆、烟草和甜菜。葡萄为主要的出口作物，牧场大多是干旱的牧地，放牧的牲畜包括绵羊、山羊和牛，以及驴、骡、骆驼和马。农业产量只能满足全国需求量的1/4左右，其余依靠进口。

森林在阿尔及利亚独立战争期间遭到严重毁坏，实施植树造林计划后，部分林区已经恢复。该国有大片栓皮槠丛林，软木生产居世界前列。尽管该国的地中海海岸线很长，但捕鱼业并不发达。

除石油和天然气外，主要矿产有优质铁矿石、沙、砾石和碎石、磷酸盐岩。80年代曾削减石油产量以延长储藏量寿命。几乎全国所有的电力全靠热电厂提供，只有小部分靠水电站。

制造业以碳氢化合物生产部门为主，包括液化天然气和精炼石油产品。其他重要的制品有粗钢和生铁、液化石油气、石脑油、塑料、化肥、自行车、拖拉机和汽车。轻工制品包括陶器、油漆、聚酯纺织品、电器、靴鞋、面粉、食用植物油、酒和香烟。

阿尔及利亚1962年独立后，逐步对碳氢化合物生产、采矿、重工业、运输、金融和外贸部门实行国有化。面向消费者的轻工业和某些房屋建筑业仍由私人控制。零售业、少量房地产所有权以及该国的部分农业也是如此。

在全部参加经济活动的人口中，农业人口所占比重最大(多达人口总数的1/5)，其次为服务业、制造业、商业和金融业。全国的工会组织是1956年成立的工人总联合会，与政府关系密切。代表农民的是阿尔及利亚全国农民联合会。

预算收入源于碳氢化合物制造收入(约占总收入3/5)以及公司税和其他税收。1967～1972年期间阿尔及利亚的银行业实行了国有化。

铁路网主要集中在北部。约3/5的公路网已铺筑路面。有两条穿越撒哈拉沙漠的公路建成通车，一条为已铺筑路面的公路线，从古莱阿至塔曼拉塞特再向南至尼日尔(1985建成)；另一条公路线从古莱阿至马里。阿尔及尔港是全国最大港。其他主要港口在阿尔泽、贝贾亚和奥兰。全国建有5个国际机场和若干小型机场和简易机场。有管道运输网络连接撒哈拉沙漠油气田与地中海各港口。

出口物资以石油和天然气为主，另外还有化肥、酒、柑橘和生铁。出口产品主要销往意大利、美国、法国和德国。进口物资包括工业原料、机械、运输设备、食品和消费品。主要进口来源是法国、意大利和德国。

政体与社会状况 从1962年独立起，阿尔及利亚即由唯一的合法政党——民族解放阵线执政。该党通过当选的总统，其任命的总理以及由选举产生的全国人民议会进行管理。1989年通过新宪法，规定实行多党政治体制。1991年在首轮全国自由选举的初期阶段，伊斯兰(原教旨主义者)拯救阵线以压倒多数获胜。武装部队于是夺取政权，以防止原教旨主义者控制全国人民议会。

全国现在仍受到严重疾病困扰，如结核病、沙眼、麻疹、痢疾、性病和伤寒。农村地区医疗设施缺乏，为此政府采取了一些防病措施，大力进行保健教育并在农村地区推行保健计划。由于人口增长率过高和大量农村人口向城市流动，城市住房严重短缺。

全国识字率略高于50%，多数人懂法文，而不懂阿拉伯文。对学龄儿童实行9年义务教育制，约90%以上的学龄儿童受过教育。然而，中学学生入学率仅占学龄儿童的1/2左右。25岁(含25岁)以上的人口中有4/5以上从未受过任何正规教育。主要高等学府为阿尔及尔大学(1929年创办)。

报纸、广播和电视等新闻媒体大多受政府控制，《圣战者报》是代表国家的官方报刊，发行量广泛。

文化生活 1962年该国摆脱法国统治独立后，政府致力于强化阿拉伯的传统文化。在法国人统治的年代，这些文化遗产多遭摧残，主要的传统和现代艺术形式是文学。文学艺术包括出生在阿尔及利亚的法裔作家，如加缪、罗布莱斯和克洛，用法文撰写的文学作品，阿尔及利亚本地作家用法文撰写，但按阿尔及利亚的表达方式描述其对当代事件看法的文学作品以及用阿拉伯文或柏柏尔方言撰写的诗歌和戏剧。地毯、珠宝和玉器也是著名的传统艺术形式。伊斯兰教提供了同过去历史的文化联系；市民仍庆祝伊斯兰节日，如纪念先知穆罕默德出生的节日——圣纪。该国建有许多人种史和考古学博物馆，一所国立美术学校和多座古老而美丽的圆顶清真寺，展现出早期建筑风格的魅力。

历史 阿尔及利亚的出土文物表明，早在公元前20万年这里已有人类居住。腓尼基商人在公元前第一个千年期即在地中海沿岸定居。迦太基(现今的突尼斯)成为腓尼基最重要的城市，后成为其自己的帝国中心，公元前146年，迦太基落入罗马人之手；到公元40年，罗马人至少牢牢控制了沿海地区，阿尔及利亚变成罗马人所称的“凯撒的毛里塔尼亚”的一部分。然而，腹地仍然不受罗马人控制。5世纪罗马衰亡后，汪达尔人和拜占廷人先后入侵。在此期间基督教势力壮大，北部非洲各地通用拉丁语。7世纪伊斯兰教徒开始入侵；到711年，整个北非均被伍麦叶哈里发帝国所统治，土著的柏柏尔人逐渐伊斯兰化。

740年，在哈里吉异教的影响下北非人从伍麦叶人手中夺取了控制权，以后接连建立起几个伊斯兰教柏柏尔帝国，其中最著名

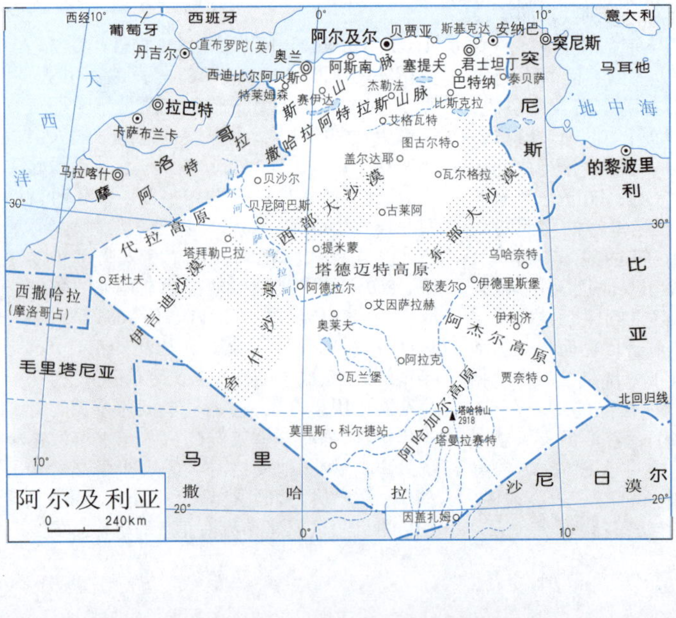

美国不列颠百科全书公司供图

的是穆拉比帝国(约1054～1130,其疆土扩至西班牙)和穆瓦希德帝国(约1130～1269)。这些帝国培育了北非伊斯兰文明的黄金时代。与穆瓦希德帝国衰落的同时,贝都因移民涌入,移民使基本上定居的人口变为游牧人。

16世纪初西班牙入侵北非,非洲人求助于奥斯曼帝国;1536年奥斯曼帝国有效地控制了这一地区。在数百年间柏柏里海盗一直威胁着地中海的贸易,法国人以此为借口于1830年进入阿尔及利亚。到1847年,法国已平息了阿尔及利亚人的多次抵抗,但是直到1884年仍有战斗发生。阿尔及利亚人为争取摆脱法国统治实现民族独立的运动,导致1954～1955年的起义,激烈的阿尔及利亚独立战争从此开始;法国投入50万军队试图镇压民族解放阵线,平定该国动乱。法国总统戴高乐力主和平谈判,1960年终于就独立问题举行全国公民投票并获得通过。1962年7月3日民阵接管政府,阿尔及利亚正式独立,多数大型的法国人社区居民均撤离该国。在胡阿里·布迈丁上校(执政期1965～1978)和沙德利·本·杰迪德上校(执政期1979～1992)控制时期,阿尔及利亚实行社会主义的中央指导经济,石油和天然气工业均由国家经营。然而,民阵政府长期掌权导致腐败蔓延和管理失误,1988年发生大规模反政府暴乱,促使民阵于1989年通过新宪法,允许举行多党选举。民阵至高无上的地位很快受到其他党派,尤其是支持伊斯兰原教旨主义的各党的挑战。1991年伊斯兰拯救阵线在国民议会选举中即将获得压倒多数的席位时,一群军人夺取了政权。伊斯兰拯救阵线随后开展了报复性的反政府暴力活动。到1995年,由于政府的安全部队试图镇压有武装的伊斯兰反对派,但未能成功,阿尔及利亚实际上已陷入内战状态。

Algerian Reformist Ulama, Association of 阿尔及利亚革新派乌里玛协会 穆斯林宗教学者(阿拉伯语音译"乌里玛")的团体。在法国统治下,主张恢复以伊斯兰教和阿拉伯的传统为基础的阿尔及利亚国家。该协会于1931年创立,1935年5月5日由谢赫·阿卜杜勒·哈米德·本·巴迪斯正式组建。它深受穆斯林伟大改革家穆罕默德·阿布杜(1849～1905)的影响,承袭了阿布杜这样一个信念:伊斯兰教本质上是一种有弹性的宗教,如果除掉非伊斯兰的和庸俗的添加物,是能够适应现代世界的。因此,阿尔及利亚的乌里玛广泛展开反对穆斯林广大群众中普遍存在的迷信和穆拉比特主义的运动。阿布杜相信现代教育的功能,他们也具体执行,努力改革使国内的中世纪心理状态保持不变的过时的教育体制。开办了200多所学校,最大的一所在君士坦丁,约有300个学生;也打算成立穆斯林大学,但未实现。阿尔及利亚的乌里玛强调研习阿拉伯文(即阿尔及利亚穆斯林的语言)的重要性,并力图使它在阿尔及利亚的小学和中学里成为义务教育。本·巴迪斯反对阿尔及利亚穆斯林采纳欧洲文化,1938年公布正式的穆斯林法特瓦(决断)加以抵制。该协会遭遇两股反对力量,即法国化的阿尔及利亚穆斯林(称为进步派)和传统的穆斯林。前者坚持伊斯兰和法国并非不能共存,且拒绝"一个阿尔及利亚国家"的概念,并陈述阿尔及利亚几世纪以来就在经济和文化关系上认同法国。当伊斯兰教教职人员伊玛目(清真寺内带领祈祷的人)、卡迪(教法执行官)和穆夫提(教法权威)都受到协会的教育改革和反法观点的影响时,传统的穆斯林如苏非派(神秘主义)的领导人物和穆拉比特就直接受到协会的语文纯洁运动的威胁。法国政府为消除该协会与日俱增的影响力,禁止其会员在清真寺传教。然而,即使1938年本·巴迪斯被捕,协会亦未减少它的活动。1940年,本·巴迪斯去世,谢赫·塔利卜·贝希尔·布拉西米继承其职。在阿尔及利亚与法国战争期间(1954～1962),协会与民族解放阵线(1956)联合;其秘书长陶菲格·马达尼且于独立(1962)后在临时政府担任要职。

Algerus MAGISTER **阿尔杰罗斯·麦吉斯特(学者)** 参阅 **Alger of Liège** 阿尔杰(列日的)。

Alghero 阿尔盖罗 意大利撒丁岛西北部萨萨里省城镇和主教区。在萨萨里市西南。建于1102年,是目前全国唯一能听到加泰罗尼亚语,能看到阿拉贡建筑风格的城镇,如16世纪的主教座堂。该镇的另一名胜为14世纪的圣方济各教堂。阿尔盖罗的古老渔港已建成现代化海滨疗养胜地。水果罐头、橄榄油、木材加工等为主要工业。人口:都市区约38 404(2001)。

Algiers 阿尔及尔 法语作Alger,阿拉伯语拉丁字母转写作Al-Jaza'ir。阿尔及利亚首都和主要海港,该国重要的政治、经济和文化中心。阿尔及尔市建在平行于海岸的萨赫勒丘陵山坡上,沿阿尔及尔湾延伸16千米。该市面向东、北两面形成一座俯览海港和海湾的耀眼的白色大厦所构成的半圆形阶梯式露天大看台。该市名取自海湾里原先存在的几个小岛(阿拉伯语名称意为"岛"),但除一个岛以外,其他全都已经同海岸连结起来或被港口工程湮没了。阿尔及尔是腓尼基人作为其众多的北非殖民地之一建立起的。迦太基人和古罗马人称之为伊科西乌姆。该城在5世纪时被汪达尔人摧毁。10世纪时,在柏柏尔王朝统治下作为地中海区的一个商业中心而得到恢复。16世纪初叶,许多从西班牙被驱逐出来的摩尔人在阿尔及尔避难。其中有些人开始对西班牙的海运商业作海盗式袭击。作为报复,西班牙于1514年在阿尔及尔湾内离岸不远的佩尼翁岛上修筑了工事。阿尔及尔酋长请求两位土耳其海盗把西班牙人从佩尼翁岛上赶走,其中一位即巴尔巴罗萨(红胡子)于1529年占领了阿尔及尔,赶走了西班牙人,并把阿尔及尔置于鄂图曼苏丹统辖之下。他的努力使阿尔及尔在此后的300年间变成了柏柏里海盗的主要基地。欧洲列强作了一次又一次消灭这些海盗的尝试,包括

阿尔及尔市的凯乔瓦清真寺

美国不列颠百科全书公司供图

1541年神圣罗马帝国皇帝查理五世进行的海上远征以及19世纪初叶英、荷、美3国的海上远征，但均无成效。以阿尔及尔为基地的海盗行为依旧发生，尽管已大为减弱，直到法国于1830年攻占该城为止。法国人把阿尔及尔变成了其在北非和西非的殖民帝国的军事和政治指挥部。第二次世界大战期间，阿尔及尔成了盟军在北非的指挥部，一度还是法国临时首都。在20世纪50年代，当阿尔及利亚人反对法国的起义开始时，这座首都城市就成了斗争的焦点。1962年阿尔及利亚独立后，新政府决计要从一个落后的殖民地社会创造一个现代的社会主义社会，该市因而发生许多深远的变化。在阿尔及利亚独立后的几十年里，该市的很大一部分欧洲人口离开了。阿尔及尔的旧的土耳其区或穆斯林区建在丘陵山坡的上半部，保存了很多该区的建筑特色：墙面无粉饰的高大房屋和迂回曲折的狭窄街道。穆斯林区占显著地位的是卡斯巴的堡垒，卡斯巴就是最后两任土耳其驻阿尔及尔的"代"即总督的住宅。穆斯林区的一座突出的建筑是凯乔瓦清真寺，该寺在1962年以前为圣菲力普大教堂（建于1845～1860）。阿尔及尔的法国区沿丘陵山坡的下半部扩展，更靠近海港。该区有许多公共广场和宽阔的林荫大街。位于现代城市中心的是阿尔及尔大学（1879）和许多外国大使馆以及几座摩天大厦。其他场所有国家图书馆的现代大楼；有大主教的旧邸宅，原先是"代"的邸宅；还有冬宫，先前是法国总督的邸宅。市区已继续向南扩展，同时正在兴建新的近郊区，以解决从市中心大量涌出的人口的住房问题。阿尔及尔主要是用于进口原材料、工业商品和一般生活用品的港口。主要出口货物是葡萄酒、早熟的蔬菜和柑橘、铁矿石及磷肥。达雷尔贝达机场在该市以东。人口约1 519 570（1998）。

Algirdas 阿尔吉达斯（约1296～1377） 波兰语作Olgierd。立陶宛大公（1345～1377），他使立陶宛成为欧洲当时最大的国家之一。其子亚盖沃成为波兰与立陶宛国王，称弗瓦迪斯瓦夫二世。立陶宛统治者格迪米纳斯之子。他同维捷布斯克公爵的女儿结婚后，继承了公爵的领地。阿尔吉达斯同父亲一起与条顿骑士团进行战斗，并试图占领俄罗斯领土诺夫哥罗德和普斯科夫。1341～1345年成为克雷沃和维捷布斯克公爵。1345年利沃尼亚爆发反日耳曼人的起义。某农民领袖对阿尔吉达斯说："起义者推选我当国王。如果你与我联合抗敌，就会把日耳曼人赶走。"阿尔吉达斯不但不听劝告，反而下令将那位农民领袖斩首。他多次想要取得普斯科夫和诺夫哥罗德，由于遭到莫斯科大公的抵制，都没有成功。1357年后金帐汗国开始衰落，他把势力范围几乎扩展到姆斯季斯拉夫尔和布提扬斯克。1362～1363年战败3个鞑靼人的王公。他占领基辅公国，赐给儿子弗拉基米尔。1368～1372年他曾3次进犯莫斯科，皆未得逞。

Algol 大陵五 又称英仙座β。一类被称为食变星的典型星，北天英仙座中的第二亮星。目视星等在2.2～3.5等之间作周期性变化，在最暗时，肉眼也不难看到。Algol可能来自阿拉伯文，意为"恶魔"或"挑拨离间者"，阿拉伯人可能在望远镜发明以前就已知道大陵五的光度有变化。欧洲第一个注意到它光度有变化的天文学家是意大利的G.蒙塔纳里（1670）。1782年，英国天文学家J.古德利克测出了它的光变周期（69小时），并认为光变是由其中一颗星被另一天体偏食造成的。这一假说已于1889年得到证实。掩食的时间较长说明两颗子星的大小同子星之间的距离相比不可忽略。光变周期内的小起伏则被解释为该系统还有另外两颗子星，它们不参与掩食。分光观测已证实确有一颗绕转周期为1.87年的子星。

algology 藻类学 又作phycology。研究藻类的学科。藻类是以水生植物为主的一个大类群，其个体大小从微型到小树状。藻类在生态学中有重要意义，因此，本学科对人类具有直接利害关系。某些藻，特别是浮游种类，组成食物链中极为重要的部分。在沿海地区，许多大型种类直接为人类食用。由于藻类是碘、琼脂、角叉菜胶、藻酸和钾碱等的来源，因此藻类还有工业上的应用价值。一些藻类被用来制作绝缘材料、砖、去污粉和过滤材料。还有的种类在废水氧化塘中用作消化剂。而有些藻类能使水体中的其他水生生物窒息死亡，从而影响渔业或娱乐业。

Algonquian languages 阿尔冈昆诸语言 又拼Algonkian。北美印第安语系。现在或过去通行地区有：加拿大、新英格兰、北卡罗来纳州以北大西洋沿岸地带以及大湖区和落基山以东地区。阿尔冈昆诸语包括克里语、奥吉布瓦语、布莱克福特语、夏延语、米克马克语、阿拉帕霍语、福克斯-索克-基卡普语。阿尔冈昆这个术语在英语中也拼作Algonquin，系指奥吉布瓦一种方言，以示与本语系之名有别。某些学者认为，阿尔冈昆诸语言属于更大的阿尔冈昆语群，即大阿尔冈昆语超系。参阅 **Macro-Algonquian languages**。

Algonquin 阿尔冈昆人 许多操阿尔冈昆语的分散部落之总称，散居于加拿大渥太华河上游两岸的密林中。他们深受东西两面的蒙塔格奈人、纳斯卡皮人及奥吉布瓦人的文化影响。以狩猎为主，仅少量种植玉米。经常是少数人聚集一起，所以常遭易洛魁人袭击屠杀。有些人罹欧洲人的传染病。到20世纪晚期仅存2 000人。现主要种植并出售蔬菜，为猎人作向导，或设陷阱捕兽。

Algonquin, Lake 阿尔贡金湖 曾出现于北美洲的大冰湖，覆盖过今日苏必利尔湖、密歇根湖和休伦湖三大湖所占面积的大部分。存在于更新世的一次冰期时期，那时劳伦太德冰盖正从大湖区向北退却。该湖面积大概有25万平方千米，深460米，湖水在不同阶段分别经由特伦特河谷和马特瓦、渥太华、圣克莱尔、密西西比等河排出。该湖的残留部分现在有苏必利尔湖、密歇根湖、休伦湖、尼皮贡湖、锡姆科湖、尼皮辛湖等。

Algonquin Provincial Park 阿尔贡金省立公园 在加拿大安大略省东南部，距多伦多市东北225千米。面积7 653平方千米。建于1893年。园内山地栖息有鹿、熊、麋等野生动物。地跨渥太华河与乔治亚湾之间的分水岭，多可划艇和垂钓的湖泊和溪流。

Algonquin Round Table 阿尔贡金圆桌 又称The Round Table。美国文艺界男女人士的非正式团体。在20世纪20年代和30年代，他们在周日聚会于纽约市的阿尔贡金饭店，围着大圆桌共进午餐。阿尔贡金圆桌聚会始于1919年，在几年之内，与会者中有许多纽约市最著名的作家、记者和艺术家，其中有多萝西·帕克、亚历山大·伍尔科特、海伍德·布龙、罗伯特·本奇利、罗伯特·舍伍德、乔治·S·考夫曼、弗兰克林·P·亚当斯、马克·康内利、哈罗德·罗斯、哈珀·马克斯和拉塞尔·克劳斯。20世纪20年代，圆桌因其成员的生动而机智的谈论和文雅的风度而名盛一时。以后其成员逐渐分道扬镳，1943年举行了最后一次圆桌聚会。

algorithm 算法 在数学中常常要考虑一个无穷类的问题，例如："是否 a 是一个素数？"其中 a 是一个在全体正整数1,2,3,…中取值的变量。对于 a 的每一个正整数取值就有一个不同的问题。又如：对于 a,b,c 的各种正整数取值"是否丢番图方程 $ax+by+c=0$ 对于 x 和 y 有一个整数解（正整数,0,或负整数）"？在这两个例子中，每个问题都要求回答"是"或者"否"。对于这种无穷类问题，数学家或许有能力描述一种方法或程序，或者列出一组规则或指令，它可以如下所说那样永远适用：在程序既经描述之后，如果从问题组中选取任何一个问题，该程序就可以应用并告诉下一步怎么做，在有限步之后就可得到所选问题的答案，执行程序时，只要像机器人那样照指令做就可以。任何一步做完后，如果并未得到答案，那么结合当时的情况，指令将告诉下一步该怎么做。指令将使我们能认出显现在面前的"是"或"否"的答案的情况；而这种情况总是会出现的。如果对于给定的一组无穷多个"是或否"的问题存在这样的程序，就称之为该类问题的一个算法或判定程序；同时该类问题，或者在该类问题中成立的性质或关系，就称为可判定的。类此，我们可能会有一个程序以同样的方式给出任一无穷组是什么类型问题的答案，例如，"什么是两个正整数 a 和 b 的最大公因子？"就是这种问题。这种程序称为这类问题的一个算法或计算程序；称这类问题，或者用自变量或参数（根据参数值去拣出问题类中的问题）表示答案的这类函数是可计算的。因此应当有一个有限地描述的程序，它足以使我们只要用有限步（多少步依赖于问题）就能回答无穷多个问题中的任何一个问题。

许多无穷组问题确实有算法。例如算术中的长除法就是一个算法，适用于问题："当正整数 a 除以正整数 b 时，商和余数是什么？"用这个算法，看所得到的余数是否等于0，这样就构成"b 能整除 a 吗？"这样一个"是或否"型问题的一个算法。利用这个算法可以容易找到问题“a是素数吗?”的一个算法。还有一个算法,叫做“欧几里得最大公因子算法”,适用于求两个正整数a和b的最大公因子;并且这个算法已经被结合到另一个算法中,适用于求解问题“丢番图方程$ax+by+c=0$有没有x和y的整数解?”

下面说的自然数是指0,1,2,…,并用“$\exists x$”表示“存在一个自然数x使得”,或简单地说“存在x”或“对某个x”。假定$R(a,x)$是自然数a和x间的一个给定的可判定关系。则$\exists xR(a,x)$是自然数a的一个性质。这个性质是否是可判定的?换言之,对问题类“是否$\exists xR(a,x)$成立”有没有一个算法?当试着回答问题类(由取某一个a值而选定)中的问题时,就提示了如下的程序:挨个地问是否$R(a,0)$,$R(a,1)$,$R(a,2)$,…成立。如果有对$R(a,x)$的算法,利用它能回答这些问题。如果对于其中之一得到了“是”的回答,则对“$\exists xR(a,x)$?”的回答也是“是”。但是如果“$\exists xR(a,x)$?”的答案是“否”,那么用所述的程序经任意有限步后都不会得到答案。也许在世界末日来临时能搜索到使$R(a,x)$成立的x;而假如那时还没有找到这样一个x,我们却不知道这是因为世界末日来得太快,还是因为根本就不存在这种x。可以相信,对于特别给定的关系$R(a,x)$,数学家们或许有能力去建立一些定理以说明用另一种不同的程序是合理的,这种程序总是有终止的时候。可以这样做的可判定关系$R(a,x)$的例子是知道的。在丢番图方程类的例子中,问题的形式是

“$\exists x\exists yR(a,b,c,x,y)$?”,

其中a、b、c在正整数范围内取值,而x、y在整数范围内取值。但是利用把三正整数组(a,b,c)和整数对(x,y)分别映到单个自然数a和x上去的映射,问题就化为上面述到的形式“$\exists xR(a,x)$?”。

然而我们没有理由确信,不管我们所取的$R(a,x)$的例子怎么样,这种定理总可建立。因为,有的问题经过数学家们多年研究都没有获得成功,有的已经研究了上百年,如果总存在$\exists xR(a,x)$的一个算法的话,那么从理论上讲这些问题的答案是可以自动得到的。费马大定理就是一个例子。大约在1637年费马声称他已经发现了命题“当$n>2$时$x^n+y^n=z^n$没有满足$xyz\neq0$的整数解”的一个真正漂亮的证明,只是因为书的页边太窄而写不下。而后来在证明或否证这个命题上没有人获得成功。通过一个整数的四重数(x,y,z,n)到单个自然数x的映射,这个命题可写成非$\exists xR(a,x)$的形式,其中$R(a,x)$是可判定关系。这样,应用到$a=0$上去的“$\exists xR(a,x)$?”的一个算法将给出费马“大定理”是错的或对的这一问题的回答。

在50年前看来同样难于置信的是:数学家们能找到一种方法去证明,对一个可判定的$R(a,x)$的某个选择,“$\exists xR(a,x)$?”可能没有算法。现在来考虑为做到这一点需要什么。前述的欧几里得最大公因子算法说明了算法的思想是一种古老的思想。“算法”一词是9世纪阿拉伯数学家花拉子密之名al-Khuwarizmi的误传。在一个接一个的例子(我们只给出了几个)中看出,算法的概念是充分现实的,它把数学家们认为一个给定的程序构成一个算法的情况和不构成一个算法的情况区分了开来。当试图从算法的概念中提取一切可能的算法的总体描绘时,发现算法的概念是含糊的。而在可望证明对某类问题不存在算法之前,必须有这种用确切术语表示的描绘。为此我们让“0”对应于“是”,而“1”对应于“否”,使得“是或否”型问题的算法可以化为“什么”型问题的算法。同前面一样,只考虑数学家称为可数无穷的无穷类问题,即利用自然数作为下标,可把问题计作Q_0,Q_1,Q_2,…。于是在这种表列中下标就可取作为参数或输入,如果参数不是一个或几个自然数的话。这样,只要能确切地表征下述形式的问题类何时存在算法就行了,问题是:“对给定的作为自变量的值的自然数a_1,…,a_n,什么自然数是函数$f(a_1,\cdots,a_n)$的值?”简言之,什么样的数论函数是可计算的?虽然已经有了在2000年中用实例揭示出来的直观概念;但还需要更多的东西。大多数数理逻辑学家认为这些在20世纪30年代找到了,这是用三种等价的方法来完成的。首先,丘奇(在1935年的一篇论文中)推进了由他和克林在1931～1934年定义和研究过的关于所谓的“λ可定义函数”的论文,或等价地由哥德尔在1934年在埃尔布朗的建议下定义的“一般递归函数”。在1936年图灵提出了现在称之为“图灵可计算函数”类似的概念。这些都是用“图灵机”可计算的函数。“图灵机”可简单地描述为没有误差而且运算起来没有存贮量或“存贮”限制的一种理想化的数字计算机。

丘奇利用了他的论证可计算函数与λ可定义函数相等同的论文,他对一个可判定的$R(a,x)$的形为“$\exists xR(a,x)$?”的某类问题,证明了其算法是不存在的。图灵利用图灵可计算性函数得到了同样的结果。后来,又发现对于在代数、分析以及数学家早就在寻求算法的几何学中的某些无穷类的问题,情况也是这样的。

Algren, Nelson　阿尔格伦(1909-03-28,底特律～1981-05-09,纽约州萨格港)　美国作家。由于对穷人的自尊心、幽默秉性以及他们对生活的渴望的敏锐观察,他反映穷人的小说摆脱了自然主义的描写。他还以富有诗意的写作技巧,掌握了城市下层社会的基调:自动唱机的吵闹声,空气中的恶臭,以及令人眩目的霓虹灯光。父亲是机械师。他3岁随家迁居芝加哥。在美国经济最萧条的时期,阿尔格伦靠做工读完伊利诺伊大学新闻系,以当推销员和农业季节工人在南部和西南走上人生之路。后与无产阶级小说家J.康罗伊合作,编辑《铁砧》杂志。《靴中人》(1935)是他的第一部小说,叙述一个年轻的贫苦白人在美国经济衰退时期到处流浪,最后在芝加哥一群穷困潦倒的人中结束了生命。《早晨不会来》(1942)叙述一个波兰裔罪犯梦想成为职业拳击手以脱离芝加哥贫困的西北区的故事。他的短篇小说集《霓虹荒野》(1947)收入了若干最佳作品。第二次世界大战中,他为美国陆军的军医。第一部受人欢迎的成功作品是《金臂人》(1949,1956改编为电影),曾获全国图书奖。书中主人公名F.梅钦,是一个火钳商人,由于吸毒成瘾,身体衰弱,使其金臂(即其商业)受到威胁。在《漫步荒野》(1956,1962改编成电影)中,阿尔格伦回到了20世纪30年代的风尚,写成这部描写新奥尔良的豪放不羁生活的流浪汉小说。他的非小说类文学作品包括散文诗《芝加哥,在建设中的城市》(1951)和特写集《谁失去了一个美国人?》(1963)等。

Alhambra　艾勒汉卜拉宫　阿拉伯文原意为红宫。西班牙安达卢西亚地区格拉纳达的摩尔人王国的宫殿和城堡。建于1238～1358年,宫殿内部装饰华丽。1492年摩尔人被驱逐后,装饰多被清除,家具被毁或移走。1516～1556年查理五世统治西班牙时,仿文艺复兴风格进行部分重建,并拆毁艾勒汉卜拉宫的一部分,而于1526年建立了一座意大利式宫殿。1812年拿破仑入侵时一些塔被毁。1821年地震又造成了进一步的破坏。1828年进行了修复。艾勒汉卜拉宫的摩尔人修建部分包括最古老的城堡,现仅存宏伟的围墙、塔和壁垒。

艾勒汉卜拉宫

美国不列颠百科全书公司供图

ALH84001 ALH84001陨石 1984年在南极阿兰山区(Allan Hills)冰陆上发现并回收的一块重1.9千克的陨石。1996年,美国宇航局经过显微研究和化学分析,确认它来自火星。该陨石被认为于45亿年前在火星岩浆中结晶生成,随即经历附近的陨星或小行星一次或多次撞击。随后,因撞击而在岩体内形成碳酸盐矿物颗粒。后又遭遇一次巨大的撞击,致使碎裂的岩石飞离火星表面。以每秒超过5千米的速度,逃逸火星的引力束缚后进入环绕太阳运行的轨道。最后,于距今13 000年前偶然和地球相遇,并为地球俘获,陨落在南极大陆。宇航局的科学家推测陨石中碳酸盐由火星微型有机物生成,遂有火星上曾有生命之说。然而,更多的科学家则认为陨石中的遗存物可能不是生物过程产生的,也或许是经受地球微型有机物污染所致。迄今,认为ALH84001中含有地外生命遗存的假设尚未取得共识。

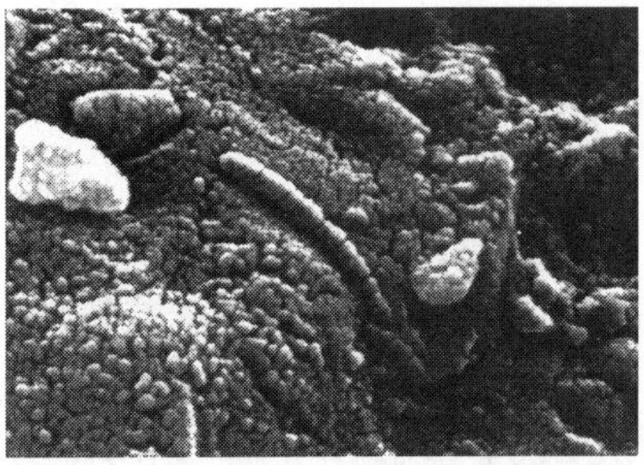

显微照片表明在源自火星的ALH84001陨石上有微生物化石存在的迹象
美国不列颠百科全书公司供图

Alhazen 海桑(约965,伊拉克巴士拉~1039,开罗) 阿拉伯语名Abū ʿAlī al-Ḥasan ibn al-Haytham。阿拉伯数学家和物理学家,在托勒密时代(繁荣时期为2世纪)后第一个对光学理论作出了重大贡献。他的光学论著1270年被译成拉丁文,题名《海桑光学理论》,书中发表了关于折射、反射、双目视觉、透镜聚焦、虹、抛物柱面镜、球面镜、球面像差、大气折射、行星体接近地球地平线时的表观增大等理论。他最先对视觉作了精确的说明,正确地指出光发自被眼睛所见的物体。

Alhucemas 阿卢塞马斯 又称胡塞马(al-Hoceima或al-Khuzama)。西班牙在摩洛哥地中海沿岸的飞地。由1处海湾、3座小岛和1个小港口组成。海湾长8千米,宽14千米,其沙底是里奥内科尔冲积平原的延伸。岛上无居民。1673年起属西班牙。对面摩洛哥的胡塞马港,主要为渔港,其海滩为优良浴场。

Alhucemas(Morocco) 参阅**Hoceïma, al-**胡塞马。

ʿAlī 阿里(约600,麦加~661-01,伊拉克库费) 全名阿里·伊本·艾比·塔列卜。伊斯兰教先知穆罕默德之女法蒂玛的丈夫,第四代哈里发(656～661在位)。阿里为当地氏族首领艾布·塔列卜之子。后为当时在麦加经商的穆罕默德收养。当穆罕默德成为先知时,阿里年10岁。他成为伊斯兰教最初的教徒,一生追随穆罕默德。据传说,622年穆罕默德由于有敌人准备行刺而从麦加去麦地那时,阿里曾冒着生命危险睡在先知的床上。阿里在办完穆罕默德委托的事务之后,才动身前往麦地那。在那里,他与穆罕默德的女儿法蒂玛结婚,两人生子哈桑和侯赛因。据说,当穆罕默德为弘传伊斯兰教而作战时,阿里非常英勇,总是得到最多的战利品。麦加的敌对居民接受伊斯兰教以后,阿里将克尔白圣殿内的异教偶像全部打碎。632年6月8日穆罕默德去世,艾卜·伯克尔继任为哈里发。有一段时间,阿里对艾卜·伯克尔并不服从。但是,可能由于不想使穆斯林世界陷入部落战争的血海,他没有坚持自己的权力要求。他过着一种恬静的生活,主要从事宗教著作的收集和整理。在第三代哈里发奥斯曼被谋杀以后,麦地那的穆斯林立即拥立阿里为哈里发。他冲破重重困难,极力实现伊斯兰教所理想的社会正义与和平。其政策对麦加古来氏贵族的利益是个打击,后者随着伊斯兰教征服战争的进展越来越富。他们为了使阿里难堪,要求将杀死奥斯曼的凶手交付审判。阿里表示完全拒绝。因此麦加的两位知名人物以及先知穆罕默德遗孀、艾卜·伯克尔之女阿以莎领导了一次反对阿里的"骆驼之役"的叛乱,被阿里粉碎了。后来,叙利亚总督穆阿威叶起来闹事,大大削弱了阿里的地位。阿里虽然在奈赫赖万打败哈瓦利吉派("出走者"),但由于穆阿威叶的进逼,他在660年末失掉了对埃及和汉志的控制。一天阿里在库费的清真寺做祈祷时被哈瓦利吉派人用毒剑砍伤。两天后阿里死去,葬在库费附近。

ʿAlī THE GREAT(western African monarch) **阿里(大帝)** 参阅**Sonni ʿAlī** 索尼·阿里。

Ali, Muhammad 阿里(1942-01-17,美国肯塔基路易斯维尔～) 原名Cassius Marcellus Clay。前后3次获最重量级冠军称号的第1个(唯一一个)美国职业拳击手。阿里作为一名业余拳击手曾于1960年赢得业余体育联盟重量级冠军、金拳套最重量级冠军和奥运会重量级冠军,引人瞩目。不久转为职业拳击手,1964年2月25日经过7个回合击倒利斯顿,成为世界最重量级冠军。阿里生来具有独特的快速反应能力、绝好的手腿配合和防守技术。1965～1969年阿里9次卫冕成功。1967年2月6日以15个回合的积分超过世界拳击协会冠军E.特雷尔后被普遍承认为冠军。他加入了黑人穆斯林组织并且取了个穆斯林名字。1967年出于宗教理由,他拒服兵役,违犯了义务兵役法条例,后遭禁赛且被剥夺世界冠军称号。1970年阿里复出。1971年3月8日在同弗雷泽较量中败北。1974年10月30日他以8个回合击败福尔曼后夺回了无可争议的世界冠军。1979年退出拳坛。1984年阿里的一系列症状得到确认。他成了一个被击伤头部变得痴呆的拳击手,患有帕金森氏病,说话含混不清,面无表情,难以保持平衡且走路困难。

阿里击败E.特雷尔
美国不列颠百科全书公司供图

ʿAlī ar-Riḍā 阿里·里达(765或768或770,阿拉比亚麦地那[今在沙特阿拉伯]～818,伊朗徒斯) 什叶派中的十二伊玛目派的第八位伊玛目,以其虔诚和学识而出名。哈里发马蒙为了调和居多数的逊尼派与什叶派之间的矛盾,任命他为继承人。这一任命引起不同反响,伊拉克早已因马蒙把首都自巴格达迁往梅尔夫以及其他不当之举而不满,至此遂发动叛乱。马蒙被迫逐渐改变政策,将宫廷迁回巴格达。途中阿里·里达突发急症而死于徒斯。什叶派历史学家认为他可能是被哈里发亲自置毒害死。

ʿAlī Bey 阿里·贝伊(1728,高加索阿布哈兹[今格鲁吉亚阿布哈兹]～1773-05-08,埃及萨利希耶附近) 埃及臣属奥斯曼土耳其时代的马木路克总督,致力于推翻奥斯曼土耳其的统治。原为高加索奴隶,后被送给埃米尔易卜拉欣·卡苏达。他赢得主人的信任,主人使他列入贝伊(省督)的等级。他极力培植自己的势力,后来出任开罗长官,曾参与许多政治阴谋,终于成为埃及的独立统治者。他获得对麦加的控制权,并攻占叙利亚。由于军队司令的背叛,他于1772年逃往叙利亚。后在收复埃及的战斗中兵败被俘,伤重而死。

ʿAlī Gauhar 阿里·高哈尔 参阅**Shāh ʿĀlam II** 沙·阿拉姆二世。

Ali Haji bin Raja Amhad, Raja 阿赫玛德(约1809,东印度群岛廖内帕嫩加特[今在印度尼西亚]～约1870,廖内) 布吉-马来王子、历史学家,19世纪中叶马来文艺复兴运动的领导人。其祖父为著名的布吉领袖哈吉。作为一名研究宗教和文学的学者,阿赫玛德为把廖内建成19世纪中叶马来地区的文化中心做出了贡献。著有《马来成语辞典》、《语言知识手册》和《马来人和布吉人世系》。他的最大学术贡献是继承父业续编《珍贵的礼物》(约1866),这部史书迄今仍为有关马来半岛、婆罗洲和苏门答腊历史的宝贵资料。

'Alī ibn Abī Ṭālib (son-in-law of Muḥammad) **阿里·伊本·艾比·塔列卜** 参阅**'Alī** 阿里。

'Alī ibn Būyeh (Būyid founder) **阿里·伊本·白益** 参阅**'Imād ad-Dawlah**伊马德·达拉。

'Alī ibn Muḥammad al-Jurjānī **阿里·伊本·穆罕默德·朱尔贾尼** 参阅**Jurjānī, al-**朱尔贾尼。

Ali Khan, Liaquat **阿里汗** 参阅**Liaquat Ali Khan** 利亚格特·阿里汗。

Âli Paşa, Mehmed Emin **阿里帕夏**(1815-03-05,奥斯曼帝国君士坦丁堡[今土耳其伊斯坦布尔]～1871-09-07,君士坦丁堡) 奥斯曼首席大臣奥斯曼帝国坦志麦特(改革)时期(1839～约1870)的主要人物之一,以其西化改革政策闻名。小店员之子。少年时即进行政部门工作。未受正式教育,曾自学一些法语。1836年随外交使团去维也纳。1841年任驻伦敦大使。回国后任外交大臣,曾参加维也纳会议(1855)和巴黎会议(1856)。5次担任首席大臣(1852、1855～1856、1858～1859、1861、1867～1871)。他用和平手段解决了塞尔维亚内部以及摩尔达维亚与瓦拉几亚之间的争端。1868年以同意地方自治方式平息了克里特岛的叛乱。他极力主张与英法两国发展友好关系。

Ali Paşa Tepelenë **阿里帕夏**(1744,奥斯曼帝国 阿尔巴尼亚 台佩莱纳～1822-02-05,奥斯曼帝国约阿尼纳[今希腊约阿尼纳]) 别名约阿尼纳之狮。原系阿尔巴尼亚土匪,通过凶杀和阴谋手段,1788年成为约阿尼纳的帕夏(省督)。他把自己的势力范围一直扩展到阿尔巴尼亚与马其顿的许多地区、伊庇鲁斯、色萨利亚和摩里亚。其父韦利,台佩莱纳贝伊(省督),在阿里14岁时死于贫困。其母组织匪帮以重振家业,阿里就成为匪帮首领。1819年,马哈茂德二世苏丹拟建立中央集权的帝国政府,下决心除掉阿里。阿里企图运用谋杀、阴谋和欺诈等老手法解救自己。结果因其子和同盟者见弃而倒台。

Ali Shan **阿里山** 中国台湾省中西部山脉。在玉山以西,近南北走向。北起鼻头角,南到高雄附近,全长280千米。一般情况下,阿里山主要指其南段,即玉山以西,浊水溪以南部分,长约135千米。大部分由新第三纪砂岩、页岩组成,为年轻褶皱山地。山岭高度1 000～2 000米,最高峰阿里山(又名大塔山)海拔2 663米。为著名风景区,有铁路可抵阿里山麓,20世纪90年代因建成登山公路,交通更为便捷。森林茂密,为台湾省重要林区之一。盛产红桧、台湾扁柏、台湾杉、台湾铁杉和台湾五针松等良材,号称"阿里山五木",为台湾三大林场之一。树龄在3 000年以上的红桧树被誉为"神木"。还产驰名中外的樟脑、樟油、栓皮等。山地两侧有断裂带,形成埔里、鱼池、日月潭等盆地。日月潭为台湾著名游览地。其他著名景观有日出、云海及高山植物园等。

阿里山姐妹潭
中国大百科全书出版社供图

Alia, Ramiz **阿利雅**(1925-10-18,阿尔巴尼亚斯库台～2011-10-07,地拉那) 阿尔巴尼亚主席(1982～1992)和阿尔巴尼亚劳动党(共产党)首脑(1985年起)。该党于1991年易名为社会党。生于南斯拉夫讲阿尔巴尼亚语的科索沃地区,父母为穆斯林教徒。曾在地拉那一所法语中学上学。第二次世界大战期间参加了共产党领导的民族解放运动,1943年加入阿尔巴尼亚共产党。19岁时被任命为阿尔巴尼亚游击部队一战斗师的中校衔政治委员。战后在党的青年组织和宣传鼓动部门担任领导职务。1948年(当时共产党改名为劳动党)当选为党中央委员。1954年结束在苏联的进修后,在党的首脑霍查的保护下,迅速迁升,1955～1958年任教育部长,1956年成为党的权力中心政治局候补委员,1961年进入霍查的核心圈子,成为政治局委员和党的书记处书记。作为党的主管意识形态和文化的主要发言人,在同南斯拉夫、苏联和中国的"修正主义"的激烈争论中,阿利雅发挥了突出的作用,霍查与这3个共产党盟国分别于1948、1961和1978年决裂。在国内,阿利雅领导了对阿尔巴尼亚独立和正统的马克思-列宁主义思想的纯洁性构成威胁的艺术界与知识界的"资产阶级人道主义"和其他"异化"影响进行的清洗运动。1982年当阿利雅被选为人民议会主席时,成为名义上的国家元首。1985年4月,在霍查去世后两天,阿利雅被选为党的第一书记,成为阿尔巴尼亚有实权的领袖。尽管受到霍查孤立主义传统的限制,阿利雅开始扩大同西方与东欧邻国的关系,以便获取外汇、技术和专门技能。面对工农业两方面的长期不景气,他还实行了有限的经济改革,放松了党对阿尔巴尼亚社会的严密控制。这种自由化的政策导致了各民主政党的意外的选举胜利。1992年4月3日,他辞去主席职务。

Aliákmon River **阿利阿克蒙河** 希腊马其顿地区最长的河流(全长297千米)。源出阿尔巴尼亚边境的格拉莫斯山。流向东南,穿过平缓的谷地和盆地,流经卡斯托里亚湖后,进入品都斯峡谷。由韦尔米翁山和皮埃里亚山之间流出之后穿过塞萨洛尼基平原(萨洛尼卡平原)。中世纪时该河段小型船只可以通航,但现在韦里亚以南修建了一座水力发电站,阻断了河上交通。阿利阿克蒙河在韦里亚附近接纳了最后的支流——流经整个西塞萨洛尼基平原的莫格莱尼察斯河,一同注入爱琴海的塞尔迈湾。从整个历史角度看,它是一条防御来自北面敌人侵略的天然防线,第二次世界大战期间,一支新西兰部队曾凭借该河对入侵希腊的德国军队进行了短暂的抵抗。

Alicante **阿利坎特** 西班牙东南部巴伦西亚自治区省份。1833年由历史上的巴伦西亚省与穆尔西亚省的部分地区并成。面积5 863平方千米。该省西北和北部为贫瘠山地,南部是富庶的沿海平原。主要出产酒、水果、蔬菜和鱼。阿利坎特(**Alicante**;省会)和阿尔科伊、希约纳两镇以产杏仁和杏仁糖闻名。托雷维耶哈有本国最大产盐业。省内的旅游业亦占重要地位。西班牙地中海沿岸的德尼亚、卡尔佩、阿尔特阿、贝尼多姆和阿利坎特市均为夏季与冬季的旅游胜地。人口约1 632 349(2003)。

Alicante **阿利坎特** 西班牙东南部巴伦西亚自治区阿利坎特省省会,港市。濒临地中海的阿利坎特湾。公元前325年由希腊人创建。公元前201年被罗马人攻占。718～1249年由摩尔人统治。后归属阿拉贡王国。现为马德里的商港。铁路、公路、航空交通便利。出产葡萄酒、葡萄干、蔬菜、茅草、番茄、砖、卷烟、铝制品、家具和刺绣等。名胜有18世纪巴罗克式市政厅和文艺复兴式教堂。温暖的气候使其成为冬季休养胜地,地中海沿岸部分的海滩吸引着游客。人口约380 357(2001)。

alicatado **彩釉镶嵌细工** 一种采用多边形彩釉面砖的镶嵌细工。可拼成各种图案,

艾勒汉卜拉宫饰用的彩釉镶嵌图案
美国不列颠百科全书公司供图

多用于西班牙式或摩尔式庭院的地面，也可用作墙面装饰。13世纪克里斯蒂安统治下的领土扩张，在西班牙导致哥特式和伊斯兰式建筑风格混合为穆迪扎尔风格，西班牙匠人常在这种风格的建筑中使用彩釉瓷砖。在受西班牙或阿拉伯影响较大的地区仍沿用这种传统的模式。

Alice 艾丽斯 南非东开普省城镇。位于蒂乌默河西南岸。在东伦敦西北偏西处。海拔524米。原为格拉斯哥传教团为科萨族人建立的传教站，建于1824年，并以维多利亚女王之女艾丽斯公主的名字命名，1847年为地方行政官管辖区首府。1852年成为城镇。周围沿海高原饲养牲畜和种植柑橘与烟草。附近设有洛夫代尔师范学院和黑尔堡大学(建于1916，为南非最老的黑人大学)。有公路和铁路连接东伦敦。人口：城市区约15 703(1990)。

Alice Springs 艾丽斯斯普林斯 澳大利亚北部地方城镇。是中澳大利亚(约26万平方千米面积)被称作中心地区的主要聚集点，该中心地区内有大片沙漠与石山。1871年始为横贯大陆电报线路之一站。1890年设镇。现为澳大利亚中央铁路的北部终点站。横贯大陆的斯图亚特公路经过此地。为肉牛和矿产(金、铜、钨和云母)的重要运输点。灌溉条件差。只有有限的水果和乳品生产。有些小工厂，生产纤维浆、软饮料和金属片材、连接件和砖等。旅游业很重要，在温和的冬季(5～9月)，许多游客来此观看"赛船"(赛跑者扛着小船，在干涸的河道内比赛)。1926～1931年曾一度成为中澳大利亚地方首府。现为皇家飞行医疗队和空中学校总部所在地。人口约27 092(1996)。

艾丽斯斯普林斯
美国不列颠百科全书公司供图

alicyclic compound 脂环族化合物 含有由3个或多个碳元素的原子连结成环的一大类有机化合物的总称。在一对相邻原子之间的价键可全部为单键(含有2个电子)，或其中某些是双键或三键(分别具有4个或6个电子)。而由单键和双键交替组成的6元环则属于另外重要的一类(芳香族)化合物，在化学反应性上具有与脂环族化合物不同的特征。含有3或4个碳原子环的脂环族化合物比具有较大环的脂环族化合物稳定性低。因为前者的相邻共价键的键角小于最大重叠的要求。在较大的环中，所有键角具有择优值(约109.5°)，因而环中的原子不在同一平面内。含有双键和三键的脂环族化合物的稳定性，也受到这两种键中键角的影响。

alien 外侨 在国内法和国际法中，指原出生在外国的居民，由于父母的身分或入籍问题，他们不属本国公民，仍是他国的公民或臣民。古时倾向于将外侨视为敌人，把他们当作罪犯或被放逐者来对待。亚里士多德曾把非希腊人看作是野蛮人，是"天生"的奴隶，这可能反映了当时的普遍看法。罗马法中的国际法适用于公民和外国人，并倾向于认为外侨也享有权利；基督教关于将全人类统一于教会的思想也至少在理论上促进了以人道对待外侨。但是，总的来说，在法律上和意识形态上表达以人道对待外侨，却是较为现代的事。随着现代民族主权国家的发展，国际法的奠基者们宣称，所有的人，无论是公民还是侨民，都享有天赋的权利，文明社会或其政府都不能剥夺他们的这些权利。虽然对涉及外侨天赋权利的内容和范围没有达成普遍的一致，但却明确宣称存在着某些文明对待的最低标准。不过也承认这些最低标准并不包括外侨拥有不动产和从事有利可图的职业的权利。基于这种情况，各国纷纷缔约，规定缔约国各方，在允许经商和从事各种职业、对财产的拥有或所有权、上法庭的权利、享有宗教自由和礼拜自由等方面，同对待本国国民一样平等地对待他国公民。但有些条约其目的不在于将国内法仅保留给本国国民的权利延伸至外侨，因此，实际上起控制作用的不是协定国际法，而是国内法。另一方面，各国共同的经济需要对外侨的地位放宽也起着作用。例如，组成欧洲共同市场的条约规定，缔约国公民可以自由居住在向他们提供就业机会的任何一个签约国里；工资和工作条件对公民和外侨都将一样。根据美国联邦法律，从1940年起，所有外侨必须登记。1965年一项新的法律规定到1968年逐步取消以民族血统为根据的移民限额，这一制度从1921年起生效，曾数度修改。目前美国移民服从于它所规定的全球范围内的最高限额，以及以职业和与美国公民的关系为条件的优先选择制。允许合法进入美国的外侨可得到证明和授予"绿卡"，从而享有包括就业在内的权利。但在地方法律中，他们仍然受到限制。例如，1982年美国最高法院裁定，各地市政当局可要求警官只能由美国公民担任。在美国，外侨享有很多经济上的机会。他可以申请人身保护状；在刑事诉讼中他有权得到《人权法案》的保证；他的财产不能在没有公正赔偿的情况下被剥夺。但留在这个国家"并不是他的权利，而是一件允许和容忍的事情"。外侨只要还在美国，就会受到宪法的保护，但决定他去留命运的却是国会，而不是宪法。

Alien and Sedition Acts 《客籍法和镇压叛乱法》(1798) 美国联邦党为了在可能爆发的对法战争中确保国内安全而在国会通过的对外侨及新闻报道施加限制的4项内部安全法。联邦党人认识到法国在欧洲的军事胜利很大程度上是由被入侵国家中的持不同政见者促成的，为了防止在美国发生此类颠覆而通过这4项法律作为战备措施的一部分。3项客籍法(针对法国和爱尔兰的移民)将申请入籍的等候期自5年延长至14年，准许拘留敌国的臣民，并授予主管行政长官以驱逐他认为危险的外侨的权利。镇压叛乱法则禁止进行攻击政府的恶意宣传，禁止煽动反抗国会或总统的任何一个法令。杰斐逊共和党人在弗吉尼亚和肯塔基决议中强烈反对客籍法和镇压叛乱法。这些法实施后，仅一外侨被逐，起诉案25起，仅10起被判定罪。自战争威胁消失以及共和党人于1800年入主联邦政府后的两年中，客籍法和镇压叛乱法相继失效或被废除。

Alien Registration Act of 1940 (U.S.) 《1940年外侨登记法》 参阅Smith Act《史密斯法》。

alienation 异化 社会科学中指一个人感到与自己的环境、工作、产品或自我本身处于分离或疏远的一种心态。尽管异化这个词在分析现代生活方面很流行，但它一直是概念模糊、意义含混。最普通的含义有下列几种：①无能为力。感到个人的命运不受自己控制，而由各种外力、命运、运气、机遇或制度的安排所决定；②无意义。在任何活动领域（如世俗事物或人与人之间的关系）都缺乏理解力或一致的解释，笼统地感到生活没有意义；③不正常。不遵守行为的社会惯例；④文化隔离。离开社会公认的价值（如知识分子和学生对传统制度的反抗情绪）；⑤社会孤立。抱有孤独或被排除在社会之外的感觉；⑥自我疏远，这种情况最难下定义。在某种意义上也是"异化"一词的主要含义，而可把它理解为个人以这样那样的方式与他自己失去了接触。

异化观念在柏罗丁（又译普罗提诺）的著作及圣奥古斯丁和马丁·路德的神学中可以找到根源。在黑格尔看来，异化是一个本体论的事实，植根于人在世界中存在的本性中。费尔巴哈，尤其是马克思把异化转变成世俗的和唯物主义的观念。马克思认为，在劳动中认识自己是人的本性，但是经济制度使他不可能做到这一点。因此，资本主义制度下的异化劳动是关键问题：劳动不是自发的和创造性的，而是被迫的；劳动者不能控制劳动过程；劳动产品被别人夺去并用来反对劳动者；而劳动者自己则成了劳动市场的商品。

除了马克思派的传统，对于异化看法的第二种思潮以埃米尔·涂尔干和马克斯·韦伯等人为代表；他们看到19世纪和20世纪初由工业化产生的分崩离析现象，感叹传统社会的消逝因而提出所谓"民众社会"的理论；第三种有影响的思潮是由克尔恺郭尔开始的，他强调主观经验比客观知识更为重要，认为在一个人生毫无意义和悲观失望的世界里达到充分的自我意识，这是异化的中心问题。他这一主题延续在海德格尔、萨特和其他存在主义哲学家的著作中。

现代作家对异化的定义与前面所说的极不相同。就自我疏远而论，有下列几种完全不同的看法：①精神分析学家E.弗罗姆和哲学家H.马库泽在很大程度上借鉴于马克思，指控现代文明不能实现人性中创造性的潜力。②S.弗洛伊德及其追随者把自我疏远看作人格中有意识的力量和无意识的力量之间的分裂。③对于萨特和其他存在主义者来说，自我疏远是在一个失去意义、失去目的的世界中事物的自然状况。④还有些人企图把自我疏远限定在更易掌握的范围中，但仍然保持着马克思和弗洛伊德的见解。例如，认为个人与他的自我的脱离可被看作是现实的自我与理想的自我的脱节。

关于产生异化的原因至少有5种理论：经济的、技术的、社会学的、哲学-存在论的以及心理学的。①经济学方面的理论与马克思的看法被认为是一致的，即罪恶集中体现在私有财产制，尤其是生产资料私有制。这一经济根源提供了对劳动者剥削的基础，不可避免地导致了人与人之间的疏远。亦即人的异化。在马克思后来的著作（如《资本论》）中不再提异化这个概念，而代之以对剩余价值、剥削、阶级关系等的详细分析。②那些从技术方面探讨异化根源的哲学家，如美国的L.芒福德和法国的J.艾路尔，他们不仅关注自动化的直接冲击，而且基本上关注技术精神的优势。迫使其生活方式适应机器，从而走向异化。③从当代社会学的观点看来，异化是社会扩展过程中的一种产物。基于传统的地方社区的没落和基于大规模的群众行动的现世主义的社会的相应出现导致异化感的产生，而这种异化感又导致各种紊乱，其中有政治的冷淡，群众间的敌对和易激动的社会运动。④哲学-存在派的理论强调指出，异化是由于人在世界上作为一个"陌生人"而存在，所形成的狭隘的孤独的性格生出来的。⑤从心理学方面说，弗洛伊德学说中的两个基本因素可以合起来解释异化的由来。第一个是恋母情结的冲突，意思是说男童下意识地敌视他父亲，认为他父亲是他争取母爱的对手；第二个是文明社会中固有的各种挫折。

当代人借助于异化的概念来解释几乎一切事物——从法西斯的兴起到某一次的选举失败，这正是这一概念的弱点之一。由于被认为是异化结果的东西是如此广泛（精神病、自杀、少年犯罪、身心失调、自发的罢工、种族歧视、国内暴乱等等），而且常常互相矛盾，因而，通过详细说明这些异化表现得以产生的场合、条件、过程，从而对问题作出有条理的叙述是重要的。这是一项艰巨的任务。关于克服异化问题，有关文献很少详细论述。在追随马克思传统的人看来，最重要的是经济变革。他们认为社会主义不仅改变劳动关系和生产过程，而且还会保持必要的道德风尚和思想方法（包括对消费和国际关系的态度）。然而有时候异化也能在社会主义制度下发生。如果说"创造性劳动"是马克思主义者对克服异化的基本解决办法，那么，"承担义务"和"意识"则分别是存在主义者和弗洛伊德主义者用以解除异化的秘诀。

Alienus，Aulis Caecina（Roman general） **阿列安努斯** 参阅 **Caecina Alienus，Aulus** 凯基纳·阿列安努斯。

Alīgarh 阿里格尔 又称戈伊尔或戈尔。印度北方邦中西部城市。位于德里东南。农产品贸易中心，农产品加工和制造业也很重要。设有阿里格尔穆斯林大学（1875）及其附属学院。市中心有18世纪清真寺，还有穆斯林圣人之墓。周围地区产小麦、大麦及其他农产品。人口约479 978（1991）。

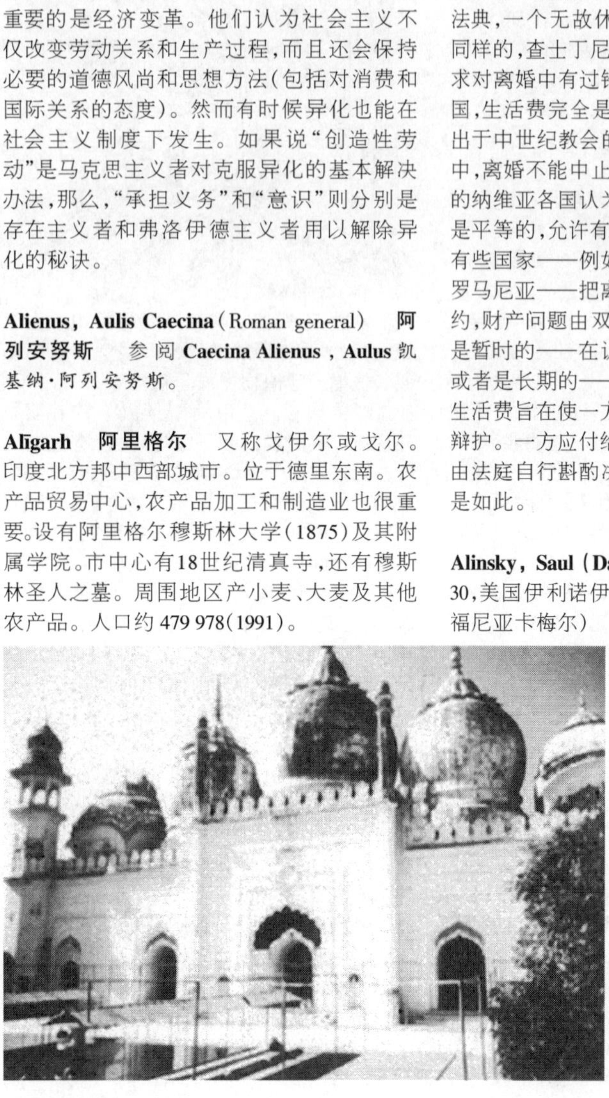

阿里格尔的清真寺（1728）
美国国会图书馆供图

alignment 石林 由许多排直立的石柱组成的纪念物，主要建于新石器时代和早期青铜器时代的布列塔尼。参阅 **megalith**。

alignment chart（applied mathematics） **列线图** 参阅 **nomograph** 诺谟图。

alimentary canal 消化道 又作digestive tract。食物进入动物的通道，残渣也由此排出。哺乳类的消化道包括口、咽、食管、胃、小肠、大肠和肛门。参阅 **digestion**。

alimentary paste 营养面食 由粗面粉、谷粉、细面粉或它们的混合物，加水或牛奶后经成形烘干的面食；其中也可加入鸡蛋或蛋黄。参阅 **pasta**。

alimony 生活费 在离婚法中，指离婚以后配偶一方补偿给另一方维持生活的费用。生活费的目的是维持一方的生活，而不是惩罚另一方。在某些地方，这个词仅仅意味着一种财产上的安排而不考虑维持日后的生活。在传统上，生活费是丈夫付给妻子的，但偶尔也有妻子付给丈夫的情况。有义务付给生活费的做法，最初是由埃及人、希腊人和希伯来人实行的。这种做法有助于避免同离了婚的妻子的亲属们发生争执。根据汉穆拉比法典，一个无故休妻的丈夫要罚一块银子。同样的，查士丁尼一世统治时期的罗马法要求对离婚中有过错的一方罚一块金子。在英国，生活费完全是制定法的产物——也许是出于中世纪教会的这一信念：在上帝的心目中，离婚不能中止对婚姻应尽的义务。斯堪的纳维亚各国认为丈夫和妻子在离婚诉讼中是平等的，允许有互相要求损害赔偿的权利。有些国家——例如俄罗斯、奥地利、比利时和罗马尼亚——把离婚视为一种正常的终止契约，财产问题由双方协议解决。生活费或者是暂时的——在诉讼期间维持生活和开支；或者是长期的——维持以后的生活。暂时的生活费旨在使一方可以提起离婚诉讼或进行辩护。一方应付给暂时的还是长期的生活费由法庭自行斟酌决定，付给的次数和金额也是如此。

Alinsky，Saul（David） 阿林斯基（1909-01-30，美国伊利诺伊芝加哥～1972-06-12，加利福尼亚卡梅尔） 美国社会组织者，曾促使许多积极分子及社区团体的出现。在大学学习考古学及犯罪学。毕业后,在伊利诺伊州从事犯罪学研究达8年。1938年在芝加哥劳工区开始社会组织活动;成立工场委员会后卫团,为一代人的社区组织提供了榜样。1940年创建工业区域基金会,用他的方法训练组织工作干部。他和基金会小组在几所联邦机构进行战时服务之后,将其训练方法推广到全国各社区;在加利福尼亚州创办的社区服务组织,为C.查维斯的早期培训和锻炼提供了条件,后来查维斯进而组织成美国农场工人联合会。阿林斯基在家乡芝加哥组织城区黑人居民,成立伍德朗福利会,取得了显著成绩。该组织也是全国同类福利工作的成果之一。著有:《激进分子的号角》(1946)、《激进分子的准则》(1971)和一本J.L.刘易斯的传记(1949)。阿林斯基一生都在致力于社会福利活动。

aliphatic compound　脂肪族化合物　原子相互间没有连成环状结构的有机化合物。按照有机分子的主要官能团的一种分类,脂肪族化合物包括烷烃、烯烃、炔烃以及它们的衍生物,即在理论上或实际上,这些烃中的1个或多个氢原子被其他元素原子或原子团所取代。

Alīpore　阿里布尔　又拼Alīpur。印度东北部西孟加拉邦城镇。市区包括加尔各答南郊的一部分。工业以印刷、装订、水泥、榨油和机械制造为主。有动植物园、观景楼、国立图书馆与加尔各答大学的一所分校。

Alīpur Duār　阿里布尔杜阿尔　印度东北部西孟加拉邦城市。位于格利亚尼河以北,有公路与杰尔拜古里相连。为一重要稻米、烟草和黄麻贸易中心。每年在此举办农产品与牲畜集市。碾米为重要工业。1951年定为市。人口约65 945(1991)。

Aliquippa　阿勒奎帕　美国宾夕法尼亚州西部比弗尔县、城市。位于匹兹堡西北,临俄亥俄河。1750年左右成为与印第安人做生意的贸易点。阿勒奎帕可能为莫霍克印第安人"女王"之名。1754～1763年法国和印第安人战争后,此地荒废。18世纪70年代始有白人定居。早期工业有木材和谷物加工。1909年匹兹堡钢厂扩建后,该市迅速发展,有很多居民从事钢铁生产。1894年建制,1928年与邻近的伍德朗自治镇合并。人口11 734(2000)。

Alişar Hüyük　阿利萨土丘　古安纳托利亚城镇遗址,在今土耳其中部博阿兹柯伊东南。1927～1932年芝加哥大学东方研究所曾进行全面发掘。这个土丘有一个不是在正中心的尖顶和一个倾斜的梯地。其最早居民大概在铜石并用时代晚期和铜器早期时代。在青铜器时代(约公元前3000～约前2000),这个遗址有两种不同的文化。当时可能有印欧语系的赫梯人或有关系的部落入侵,但不久即被当地人同化。公元前13世纪以后,弗里吉亚人曾在这个土丘修筑要塞,下坡有用墙围起的一个部分。居民点可能存在到公元前6世纪,后来被火完全烧毁。

Alismatales　泽泻目　又作Alismales。百合纲(Liliopsida,单子叶植物)的一目。均为多年生草本水生植物。于沼泽及其他淡水生境沉水生长或部分挺水生长。肉质性。一般表面无毛,80%种类组织内充以气隙。机械组

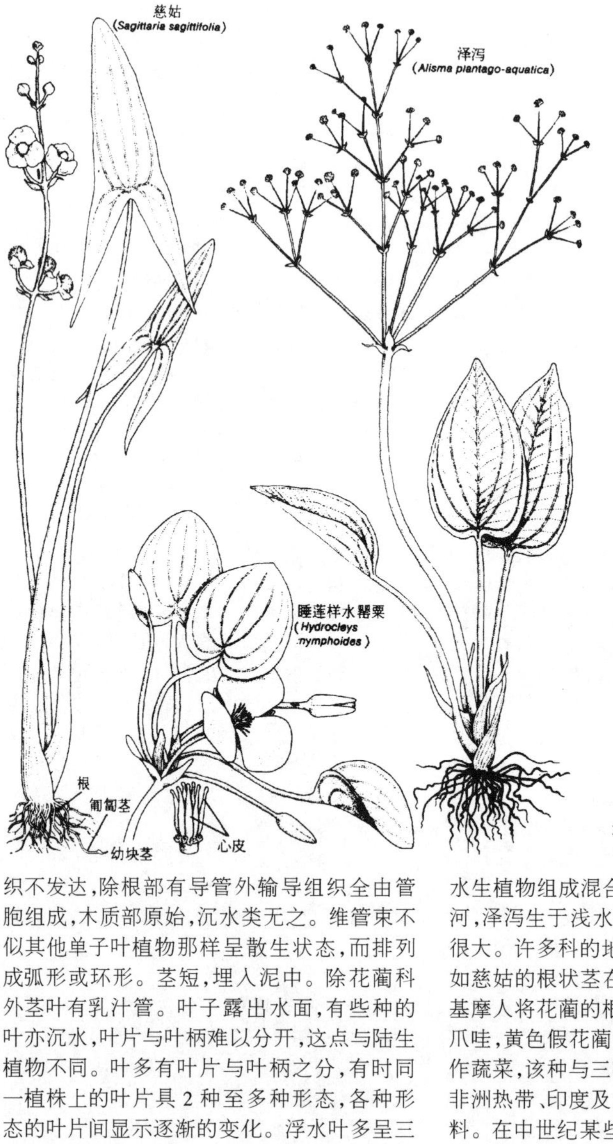

泽泻目代表植物

织不发达,除根部有导管外输导组织全由管胞组成,木质部原始,沉水类无之。维管束不似其他单子叶植物那样呈散生状态,而排列成弧形或环形。茎短,埋入泥中。除花蔺科外茎叶有乳汁管。叶子露出水面,有些种的叶亦沉水,叶片与叶柄难以分开,这点与陆生植物不同。叶多有叶片与叶柄之分,有时同一植株上的叶片具2种至多种形态,各种形态的叶片间显示逐渐的变化。浮水叶多呈三角形或箭头形,泽泻属的叶为心形,叶脉轮廓分明,交叉脉纤细精致。叶柄常肥大,切面呈三角形、马蹄形或椭圆形。气孔为平列型,花多两性,慈姑花为单性,雄花位于花序的上部,雌花位于花序的下部。花的各部分离生。花被片6枚,2轮,通常分为3萼片及3花瓣。雄蕊3、6或9枚,花粉粒具3细胞及3核,除花蔺科外均具多萌发孔。虫媒或风媒,媒介动物多为蝇类,次之为甲虫及蜗牛。心皮多数,离生,子房上位,胎座层状,胚株多数,胚马蹄形或直,胚乳于种子成熟时消失。种子有较长的休眠期。泽泻属(*Alisma*)的种子有浮力借水传播。慈姑属(*Sagittara*)的种子具侧翼,充有气隙,可浮水数日至两个月之久。*Baldellia*属的果实成熟后即沉水,幼苗上浮水面,数周后生根。花蔺属的果实成熟后裂开释出种子,其他类群,如泽泻科,仅于子房壁在水中崩解后种子方释出。本目植物与其他水生植物一样常进行营养繁殖。自根状茎、匍匐茎及自植物体分出的断片都能生出新个体。泽泻科等有假胎萌现象:花序的水下部分行无性繁殖,水上部分行有性繁殖。慈姑的顶芽后可生出顶生块茎,借以越冬,入春萌发成新植株。本目广布于温带及热带,但种类数及种群中个体数均不大。常与其他水生植物组成混合群落。慈姑生于缓流的江河,泽泻生于浅水中。本目植物经济意义不很大。许多科的地下茎富含淀粉,可以食用,如慈姑的根状茎在东方供烹食或生食,爱斯基摩人将花蔺的根茎晒干磨粉以制面包。在爪哇,黄色假花蔺(*Limnocharis flava*)的幼株用作蔬菜,该种与三叶慈姑(*Sagittaria trifolia*)在非洲热带、印度及东南亚采作肥料及猪、牛饲料。在中世纪某些科入药并收载入草药志。本目许多种类为妨碍灌溉及航运的水生杂草,另一些为鱼类提供重要的生境并有助于稳定岸线。它们与其他水生植物及河岸植物一道组成复杂的群落,带来植被演替,一个池塘会被植物及淤泥填满,成为由生物转变而成的垫土,最后陆地植物得以生活于其上。另外在植物分类学研究方面很受重视。本目被认为是单子叶植物与双子叶植物间的一个环节。单子叶植物的叶片与双子叶植物的叶片并非同源,而是来自扩展增宽的叶柄,故实为叶状柄。在慈姑可见到具叶片、叶柄之分的叶与具平行脉的线形叶之间的各个过渡阶段。双子叶植物睡莲目水生,无导管,子叶有合并的趋势,这些与泽泻目相似,可能泽泻目来自与现代睡莲目相似的祖先类型。泽泻目分3科,18属,约100种,①花蔺科(菽蒗科,Butomaceae)。有水平匍匐的地下茎。叶直

立,线形,无叶柄与叶片之分,实为叶状柄,叶基成鞘状。伞形花序,挺立于水面之上。花两性;花被片6、2轮,似萼片;雄蕊9,花药内向,花粉粒单孔;心皮6,红色,离生;胚珠多数,胎座层状,蓇葖果。仅花蔺属(*Butomus*)一属,花蔺(*B. umbellatus*)一种,栽于水生植物园以美化自然环境。②沼草科(假花蔺科,Limnocharitaceae)。有沉水叶与浮水叶之分,具叶柄,有乳汁管。萼片3,绿色,花瓣3,早落;花粉粒4孔;心皮3、6、9或15～20,胎座层状。胚弯生或马蹄形。3属,分布于热带地区。有几个种在热带鱼养殖池中生长良好。③泽泻科(Alismaceae)。沉水或挺水;叶基生,基部有鞘;叶形变化大,沉水叶线形,出水叶薄片状。有小腋鳞。茎叶有乳汁管。花序分枝,总状或聚伞状,花两性或单性;萼片3,花瓣3。雄蕊6至多数,花药外向,花粉粒多孔;心皮3至多数,胚珠1,稀2,基生或边缘胎座。聚合瘦果。胚囊双胞泽泻型,胚马蹄形,胚乳沼生圆形或核形。14属,90种,多分布于北半球温带及热带。水车前(水车前泽泻、欧洲泽泻;*Alisma plantago-aquatica*),慈姑(慈姑属)及刺果泽泻(刺果泽泻属[*Echinodorus*])为常见种类。泽泻科与沼草科亲缘关系近而较进化。花蔺科与眼子菜科(Potamogetonaceae)和芝菜科(Scheuchzeriaceae)有亲缘关系。

Alismatidae 泽泻亚纲 单子叶显花植物的一个亚纲,草本,生长于水中或潮湿地区。分3或4个目:泽泻目、水鳖目、茨藻目和霉草目。共16科,400多种。花的大小及颜色各异,或大而艳丽,或小而不显著;整齐花或不整齐花,排列于各种花序中,通常为总状花序或穗状花序。花瓣及萼片均为3基数,某些种类的花被退化乃至消失。单叶,沿茎互生,某些种的叶对生或轮生。叶片具平行脉,基部常为鞘状,某些种类的叶片可退化或完全消失。一般认为泽泻目、水鳖目及茨藻目为近缘。但霉草目甚为独特,亲缘关系不详。有人认为本亚纲从总体来说是单子叶被子植物中最古老的类群。

Alitalia-Linee Aeree Italiane 意大利航空公司 意大利的国际航空公司。1946年创立,名为意大利国际航空公司。1947年开始飞行都灵至罗马的航线。1957年与另一意大利航空公司合并取现名。1980年起,与欧洲、非洲、亚洲、南北美洲和澳大利亚的120多个城市通航。总公司在罗马。公司自1957年以来日益成为跨行业的联合企业,购入和创立一些饮食供应公司、联营旅馆、旅游疗养胜地、保险和再保险公司;拥有一家资产管理公司、一家数据处理公司和从事收购外国公司股票的意大利国际持股公司(在卢森堡)。

Alito, Samuel A(nthony), Jr. 阿利托(小) (1950-04-01,美国新泽西特伦顿～) 美国最高法院大法官。1972年于普林斯顿大学获得学士学位,1975年于耶鲁大学获得法律学位,并担任《耶鲁法律杂志》编辑。在R.里根和G.布什总统执政期间担任美国司法部副部长助理(1981～1985)、司法部长副助理(1985～1987)、新泽西区检察官(1987～1990)。1990年被布什任命为联邦上诉法院第三巡回审判庭的法官。他通常被认为是保守派的法官,投票赞成限制人流权,并赞成地方政府在假日展示宗教标志的权利,反对联邦枪支控制立法。2005年被G.W.布什总统任命为美国最高法院大法官。第二年得到美国参议院的确认。

Alitus (Lithuania) 参阅 **Alytus** 阿雷图斯。

aliyah 进前 犹太教礼仪中对信徒的一种光荣待遇。即召唤到会众之前宣读指定的一段律法书(《圣经》首五卷)。由于供安息日上午礼拜诵读的一段经文被分为七小段,故分由七名信徒应召进前诵读,最后由另一信徒进前复诵末段经文的一部分以及《圣经》先知书中的一段。在现代,"进前"又指散居世界各地的以色列人迁回以色列国土,正如过去"进前"曾意指前往圣地。

alizarin 茜素 又拼alizarine。红色染料,通常来源于普通茜草属植物的根,在这种根中茜素与葡萄糖和木糖结合而存在。对茜草进行培植,并将其经磨细的根以复杂的土耳其染红方法用于染色的事最早见于古代印度、波斯和埃及。约在公元10世纪,这一应用传到小亚细亚,13世纪传到欧洲。自蒽醌制茜素的实验室制法发现于1868年,从1871年合成染料开始应用,天然染料很快从市场上消失,然而天然的玫瑰茜草有时仍被画家用作颜料。茜素用于棉、毛、丝前,要预先将纤维用金属氧化物或媒染剂浸渍,生成的色调取决于所含有的金属。铝产生红色,铁产生紫色,铬产生棕红色。

Alkalai, Judah ben Solomon Hai 阿勒卡莱 (1798,奥斯曼帝国波斯尼亚萨拉热窝[今波斯尼亚和黑塞哥维那]～1878,巴勒斯坦耶路撒冷) 西班牙系犹太人的拉比,早先提倡犹太人返回巴勒斯坦定居。成长于耶路撒冷,专受培育为拉比的教育。25岁赴克罗地亚境内塞姆林任拉比,向会众内操拉迪诺语的青年传授希伯来语。他用拉迪诺语写了两本书,第一本书他提出,以色列人如希望获得救赎,先决条件是实际上重返圣地而不是依靠悔改和返回上帝之道象征性地重返故国。正统派犹太教徒不能接受他这个学说。第二本书是驳斥对他的犹太复国主义观点的猛烈攻击。1840年反犹太人的大马士革事件发生后,他就借机警告犹太人说,这个事件实际是神的旨意来唤起犹太人的觉醒,看清他们在流放中的现实情况。他认为唯有巴勒斯坦才是犹太人应定居之处,他遍历英国和欧洲大陆,为犹太人移居巴勒斯坦争取支援,所到之处建立组织,但是这种努力未见效果。最后于1874年他离塞姆林的会众赴巴勒斯坦定居,并为定居人民创办一个新团体,也归于失败。但是阿勒卡莱的著作和他本人的行动是赫茨尔等人倡导的犹太复国运动的先声。

alkali 碱 碱金属(即锂、钠、钾、铷、铯)的任何可溶性氢氧化合物。碱能使红石蕊试纸变蓝;与酸作用生成中性盐;它们是苛性的,其浓溶液会腐蚀有机体组织。碱这个词也适用于碱土金属如钙、锶和钡的可溶性氢氧化物,以及氢氧化铵。该名词原用于燃烧含钠或钾植物后所遗之灰烬,从这些灰烬中可以沥取钠与钾的氧化物。

制造工业用碱通常指生产纯碱(Na_2CO_3,碳酸钠)和烧碱(NaOH,氢氧化钠)。其他的工业用碱有氢氧化钾、碳酸钾和碱液。纯碱和烧碱对于玻璃、肥皂、多种化学药品、人造丝与赛璐玢、纸与纸浆、清洁剂与洗涤剂、纺织品、水软化剂、某些金属(特别是铝)、小苏打与汽油,以及其他石油衍生物的生产,是必需的。人们用碱已达几个世纪,最初是从某些荒芜土壤中的沥取液(水溶液)中获得的。18世纪的后期,沥滤木材与海藻的灰烬成为碱的主要来源。1775年法国科学院对于制碱的新方法提供奖金。法国人N.吕布兰获得颁予纯碱的奖金,他发明从食盐(氯化钠)制碳酸钠的一个方法,并于1791年获得专利。吕布兰法一直主导着世界上碳酸钠的生产直至19世纪后期。但第一次世界大战后,吕布兰法就完全被另一盐转换法所取代,这是比利时人E.索尔维于19世纪60年代完成的。到19世纪末,电解制烧碱法出现,且其重要性迅速增长。

索尔维法即**氨碱法**(**ammonia-soda process**)制造纯碱,是将浓盐水形式的食盐进行化学处理,以除去钙、镁杂质,然后在塔中用循环的氨进行饱和。这种氨化盐水再在另一种类型的塔中在适中的压力下用二氧化碳进行碳酸盐化。这两个过程产生碳酸氢铵与氯化钠,它们复分解生成所需的碳酸氢钠与氯化铵。再将碳酸氢钠加热分解生成所需的碳酸钠。此法中,用石灰处理氯化铵得氨与氯化钙,氨几乎完全回收,然后再重复用于上述过程中。

电解法生产烧碱,是在一电解槽中电解(电解是利用电流将溶液中一化合物分解为它的组分以引起化学变化)浓盐水生成氯与氢氧化钠或金属钠。对于同一用途,氢氧化钠在有些情况下可与碳酸钠竞争,无论如何,这两种化合物可用相当简单的方法相互变换。两种方法均可将氯化钠制成碱,二者的区别是:氨碱法生成氯化钙形式的氯,氯化钙是经济价值不高的化合物;而电解法产生的元素氯,在化学工业中有无数的用途。因此,氨碱法过去取代了吕布兰法,而后来自己也被其他方法取代。旧的氨碱工厂仍在继续很有效率地运转,而新建的工厂则采用电解法。

世界上少数地方有碳酸钠类矿石的丰富矿藏,称为天然碱。这类矿石通常是碳酸氢三钠($Na_2CO_3 \cdot NaHCO_3 \cdot 2H_2O$)。美国从怀俄明州大量的地下天然碱矿藏和加利福尼亚州的干湖床,生产出世界上最多的天然碱。

alkali feldspar 碱性长石 一种常见的硅酸盐矿物。常以各种颜色的玻璃状晶体出现,用来制造玻璃和陶瓷;透明、多色或者出现晕彩的变种,有时可作为宝石。碱性长石是岩石的重要组分,它在碱性和酸性火成岩中(特别是正长岩、花岗岩和花岗闪长岩)以及伟晶岩、片麻岩中广泛分布,而量亦多。碱性长石是钠铝硅酸盐($NaAlSi_3O_8$)和钾铝硅酸盐($KAlSi_3O_8$)的混合物。钠铝硅酸盐和钾铝硅酸盐都有几种不同的形态,每一形态都具有不同的结构。高温时稳定的形态为高温钠长石、透长石、高温透长石,其铝和硅原子在晶体结构中是无序分布的;低温形态(钠长石、正长石、微斜长石)则是有序分布。如果高温变种的样品急速冷却,无序分布就被保存下来。所以在地壳上各种碱性长石表现为从完全无序排列的高温透长石,经过透长石和正长石到完全有序分布的微斜长石。参阅 **feldspar**。

alkali flat　盐碱滩　又作 salina 或 salt flat。干盐湖,已干涸的沙漠湖,尤其是含有高浓度淀积的闪光的干盐湖。这个术语一般限于指美国西部的盐滩,最著名的是盐湖城以西的邦纳维内盐沼(**Bonneville Salt Flats**)。

alkali metal　碱金属　周期表Ⅰa族的6个化学元素,即锂(Li)、钠(Na)、钾(K)、铷(Rb)、铯(Cs)和钫(Fr)。因为它们以碱的形式(即中和酸的强碱性能)与其他元素化合,所以又称碱金属。碱金属中只有钾和钠在地壳中丰度较高,最早被分离出来(1807)。碱金属与人们熟悉的金属如铁和铜不大相似。它们是银白色的,有金属光泽,柔软可用刀切割。在所有金属中,它们的化学活性最大,易形成带一个正电荷的离子,这是由于其原子最外层只有一个易游离的电子。碱金属与氧和水反应迅速,有时很剧烈。因为其反应能力强,在自然界总是与其他元素结合成简单和复杂的化合物。电解熔融的盐类或氢氧化物可从这些化合物中获得纯的碱金属。也可用其他方法,已知如热还原法,得到锂和铯。

alkaline-earth metal　碱土金属　周期表Ⅱa族的6个化学元素,即铍(Be)、镁(Mg)、钙(Ca)、锶(Sr)、钡(Ba)和镭(Ra)。碱土金属名称中的"土"是由中世纪炼金术士把不溶于水并在火中不改变的物质称为土演变而来的。这些土(如石灰石)具有与碱(如碳酸钠和碳酸钾)相似的性质,故称为碱土。19世纪初才清楚,以前认为是元素的土,实际上是金属和氧的化合物,即氧化物。其后将组成碱土氧化物的金属称为碱土金属。1808年英国化学家H. 戴维爵士首次分离出不纯的镁、钙、锶和钡的金属。碱土金属基本上呈灰白色,有延展性,但硬度变化很大,如铍很硬可刻划玻璃,而钡却软似铅。与其他金属相似,碱土金属是电的良导体。其熔点和沸点变化虽无规律,但均比相应的碱金属高。碱土金属原子有相似的电子结构,最外层有一对电子,比较容易从原子中移去,而且这种电离是碱土金属明显的化学性质。这些元素易与大多数氧化物和许多非金属化合,因而在自然界从不以纯金属形式存在。只有镁和钙是地壳中含量比较丰富的碱土金属,它们也是这一族中在商业上最重要的元素。

alkaline phosphatase　碱性磷酸酶　通常以高浓度存在于生长中的骨及胆汁内的酶。亦见于血中。对矿物质在骨及牙中的沉积是必需的。低磷酸酯酶症(缺乏碱性磷酸酶)是一种遗传性疾病,表现为骨畸形,重者可致感染而夭折。碱性磷酸酶也存在于血液中,并为某些疾病(包括慢性骨髓性白血病)的一种重要的临床诊断指示剂。

alkaloid　生物碱　一类天然存在的有机含氮碱。对人类和其他动物有多种多样重要的生理作用。常见的生物碱有吗啡、士的宁、奎宁、麻黄碱和尼古丁。

生物碱主要存在于植物中,尤其常见于若干科开花植物中。在总计4 000多种植物中已鉴定出3 000多不同类型的生物碱。虽然鸦片罂粟(*Papaver somniferum*)和麦角菌[麦角菌属(*Claviceps*)]各含约30种不同类型的生物碱,但是一般说,一种已知植物只含少数几种生物碱。某些科的植物特别富含生物碱;一般认为罂粟科的所有植物都含生物碱,毛茛科、茄科和石蒜科是其他几科富含生物碱的植物。在某些动物,例如美洲河狸(*Castor canadensis*)和毒蛙(*Phyllobates*)中,发现少数的生物碱。麦角菌和少数其他真菌也产生生物碱。

生物碱在植物中的功能现在尚不清楚。有人提出,它们是植物代谢过程的废物,但是有证据表明,它们可能有特殊的生理功能。在某些植物中,生物碱的含量在种子形成前增加,种子成熟时减少,这说明生物碱可能在此过程中起一定作用。生物碱还可保护某些植物免受某些昆虫的毁坏。

生物碱的化学结构差别极大。一般说,一个生物碱分子至少含有胺型结构——即由称为烃基的碳-氢基团取代氨中的氢原子而衍生的结构——中的一个氮原子。这些氮原子可在酸碱反应中起强碱作用。最初给予这种物质的英文名 alkaloid 的原因在于,它像无机碱一样,可与酸反应生成盐。大多数生物碱含有一个或更多的氮原子,作为原子环(常称为环系)的一部分。各种生物碱的英文名都有一个-ine 的词尾,即将它们按照胺类进行分类的参照符号。纯净形式的生物碱大都是无色、不挥发的结晶体,多带苦味。

对于生物碱的重视,起因于它们在人和其他动物的身体内产生的广泛生理效应(有利和不利的)。对它们的利用可追溯到古代文明,但是关于这些化合物的科学研究不得不等待有机化学的发展,只有认识了简单的有机碱后,才能阐明生物碱的复杂结构。第一种被分离和结晶出来的生物碱是鸦片罂粟的有效成分吗啡(1805～1806)。

生物碱常根据其化学结构分类。例如,含有一种称为吲哚的环系的生物碱,称为吲哚碱类。在此基础上,生物碱的主要类别分为吡咯烷、吡啶、托烷、吡咯双烷、异喹啉、吲哚、喹啉及类萜和类固醇等。另一方面,生物碱又可按它们所在的生物系统来分类。例如,罂粟碱存在于鸦片罂粟中。这种双重分类法实际上很少会引起混乱,因为在生物碱的化学类型与其生物学分布之间有一个大致的关联。

各种生物碱的医药性能差别很大。虽然吗啡的成瘾性限制了它的用途,但是它仍是用于减轻疼痛的强麻醉剂。可待因是存在于鸦片罂粟中的吗啡的甲醚衍生物,它是一种比较不易上瘾的优良止痛剂。某些生物碱可起心脏或呼吸兴奋剂的作用。由金鸡纳树属植物中提取的奎尼丁用于治疗心律失常或心律不齐。许多生物碱影响呼吸,但是其作用方式复杂,以致可能在兴奋后有严重的呼吸抑制。药物山梗菜碱[取自北美山梗菜(*Lobelia inflata*)]在这方面比较安全,因此用于临床。麦角新碱(取自真菌 *Claviceps purpurea*)和麻黄碱(取自麻黄属)可起血管收缩剂的作用。麦角新碱用于治疗产后子宫出血,麻黄碱用于减轻感冒、窦炎、枯草热和支气管性哮喘的不适。

许多生物碱具有局部麻醉性,但在临床上它们很少用于此目的。可卡因[取自古柯(*Erythroxylon coca*)]是一种有效的局部麻醉剂。奎宁(取自金鸡纳树)是一种强效抗疟剂,过去专用于治疗此病,但是现已主要被毒性较小和更有效的合成药物所取代。生物碱筒箭毒碱是南美箭毒[取自甘密树(*Chondodendron tomentosum*)]的有效成分,在外科中用作肌肉弛缓药。长春新碱和长春灭瘟碱[取自长春花(*Vinca rosea*)],两种生物碱用作化学治疗剂,以治疗多种癌症。

取自栽培烟草(*Nicotiana tabacum*)的尼古丁是纸烟、雪茄和烟斗烟丝中的主要生物碱和主要成瘾成分。有些生物碱是禁药和毒药。它们包括致幻药仙人球毒碱[取自老头掌属(*Anhalonium*)]和二甲-4-羟色胺磷酸[取自墨西哥裸盖菇(*Psilocybe mexicana*)]。生物碱吗啡和麦角酸(取自 *C. purpurea*)的合成衍生物分别可制得海洛因和麦角酰二乙胺(LSD)。生物碱毒芹碱是芹叶钩吻(*Conium maculatum*)的有效组分。士的宁[取自马钱子属(*Strychnos*)]是另一种剧毒药。

已开发出可分离出工业用生物碱的专用方法。在大多数情况下,加工植物组织以取得生物碱溶液。然后用萃取法从该溶液中回收生物碱,萃取包括用反应剂溶解该混合物的某些组分。然后必须将不同的生物碱从该混合物中分离出来和进行精制。可采用色谱法,以利用不同生物碱在氧化铝或二氧化硅等固体物质上的不同吸附程度。利用某些溶剂可制得晶体形式的生物碱。

alkalosis　碱中毒　体液(包括血液)酸度过低或碱度过高的病理状态。代谢性碱中毒可能源于因严重呕吐或服用强效利尿剂而导致的酸性物质丢失过多,亦或源于因摄入过量的碳酸氢盐或因脱水导致体液量减少致使体内碱性物质积蓄。呼吸性碱中毒多因换气过度引起,换气过度可见于焦虑、哮喘、充血性心力衰竭、肺栓塞和肺炎。参阅 **acidosis**。

Alkan, (Charles-Henri-) Valentin　阿尔康　(1813-11-30,巴黎～1888-03-29,巴黎)　原名 Charles-Henri-Valentin Morhange。法国钢琴家和作曲家。19世纪最杰出的演奏大师之一,也是19世纪音乐界最神秘莫测的人物之一。父母均为犹太人。7岁即崭露头角,在巴黎音乐学院首次获一等奖,他在该院多次荣获一等奖。17岁即以钢琴大师之名蜚声乐坛。青年时代出入于乔治桑、雨果、肖邦和李斯特等人的朋友圈子,但20岁后长期深居简出,亦不在音乐会演出,而专心作曲。所作音乐难以演奏,常常不拘成规,表现出极大的独创性和想象力,推动了键盘技巧的发展。意大利作曲家兼钢琴家布索尼认为阿尔康在这方面的成就仅次于李斯特和勃拉姆斯。在他的难得几次音乐会演出中,他宁愿弹奏18世纪作曲家的作品(当时已不流行),而不弹自己的乐曲。所作大量乐曲(大多为钢琴与脚键盘钢琴而作)中包括用所有大、小调而作的前奏曲和练习曲,乐曲12首《月份》,奏鸣曲《4岁》,以及《升C小调钢琴协奏曲》。C.弗兰克曾将他的几首作品改编为管风琴曲。

alkane (chemistry) **烷烃** 参阅 **paraffin hydrocarbon** 石蜡烃。

alkanet **朱草** 紫草科牛舌草属(*Anchusa*)约50种植物和与其近缘的常绿难忘草(*Pentaglottis sempervirens*)的俗称,主要分布于地中海地区。花簇生,蓝、紫或白色,似勿忘我;茎草质,多毛。真朱草(紫花牛舌草,*A. officinalis*)高60厘米,叶狭窄,花紫色,螺旋着生。在北美东部部分地区已归化。大蓝朱草(蓝花牛舌草,药用牛舌草,*A. azurea*)高达1.2米;叶狭窄;花大、鲜蓝色,花管喉部具一簇白毛;普遍种于庭园。常绿朱草(常绿难忘草)高达1米;叶常绿,广椭圆形,先端尖;花蓝色具白斑点。以上3种均生长于田野和路边荒

常绿难忘草(*Pentaglottis sempervirens*)
美国不列颠百科全书公司供图

地。染匠朱草即染料用红根草(*Alkanna tinctoria*),与上述种近缘;其根可提取一种不溶于水的红色染料,用于油脂、香水、木材、大理石及药品的染色。

alkaptonuria **尿黑酸尿症** 较为少见的先天性蛋白质代谢障碍,特点是机体对酪氨酸和苯丙氨酸的代谢障碍(初生婴儿中的出现率约为二十万分之一)。在酪氨酸正常代谢途径中,尿黑酸(2,5-二羟苯乙酸)在肝脏尿黑酸盐1,2-二氧化酶的作用下转化成顺丁烯二酸单酰乙酰乙酸,而尿黑酸尿症患者的这种酶无活性,致使尿中尿黑酸含量激增,尿黑酸氧化后使尿色变黑。但患者在二三十岁以前,除了尿色变黑之外并无其他不适;而后,患者体内各种纤维结缔组织出现褐色素沉着。这些色素在关节软骨和椎间盘胶原纤维上的不断沉积,可致其弹性降低、脆性增加,以及四十岁左右开始出现的进行性、变性性关节病。先是椎间盘变薄、钙化,而后累及膝、肩和髋关节。本病并不影响寿命。虽有报道说本病患者可合并动脉硬化,但无法判断这二者是因果关系,还是单纯的巧合。目前尚无根治方法。

alkene (chemistry) 参阅 **olefin** 烯烃。

Alkmaar **阿尔克马尔** 荷兰西北部北荷兰省城市。临北荷兰运河,在北海以东10千米处。10世纪时为渔村,1254年建市镇。后将四周沼泽改成良田,至1564年已发展为重要

阿尔克马尔市的干酪集市
Shostal 供图

贸易中心。1573年该城战胜西班牙的围困,成为荷兰抵抗运动的象征,维多利亚公园有一座纪念碑。18世纪末英俄联军企图推翻巴达维共和国,失败后,1799年在此开会,订立和约,联军撤出荷兰。这里是牛、乳制品和蔬菜交易中心,每年4~10月举行的星期五干酪集市吸引了大批旅游者。生产家具、服装、纸张和教堂管风琴。著名名胜有过磅房(1582,由一座14世纪教堂改建而成,有一钟琴塔楼)和圣劳伦斯教堂(1470~1520),内有一架荷兰最古老的管风琴(1511)。人口约92 421(1993)。

alkylation **烷基化** 石油炼制中烷烃与烯烃反应生成一种比原有物质重并且辛烷值高的石油产品的过程。原本在第二次世界大战期间为改进航空汽油的性能而发展出的烷基化,现在主要用于生产汽车用无铅汽油。在某种意义上,烷基化是裂化(使烃类断裂)的逆过程。烷基化可采用热法或催化法,最终产品视采用的方法而异。烷基化与裂化联合进行,可提高炼油厂的动力汽油收率,这是由于在裂化过程可得到更多的汽油和在烷基化中含有3或4个碳原子的气体可被转化为所需的汽油组分。参阅 **cracking; gasoline**。

All-African Trade Union Federation(AATUF) **全非工会联合会** 参阅 **African Trade Union Unity, Organization of** (OATUU) 非洲工会统一组织。

All-America team **全美明星队** 原指某一赛季中由美国各大学优秀橄榄球运动员组成的橄榄球队。目前,在棒球、篮球、游泳和田径等项运动中,都评选全美明星队,评选全美明星队的活动遍及大学、高中和大学预科。

All-American Girls Professional Baseball League **全美女子职业棒球联合会** 美国体育组织。1943年成立,拥有来自美国、加拿大和古巴的545名女运动员,是口香糖大亨P.K.里格利因当时男运动员多已入伍、棒球联赛趋于停顿而创办。然而,"球赛美女"有很高的水平,1948年的比赛吸引了100多万球迷。早期比赛使用的球与垒球差不多,实行低手投球。后期则使用较小的硬球,实行高手投球。尽管推动女子棒球成为正式的职业运动,但P.K.里格利和后来的M.奇克斯都不是拥护男女平等的人。他们要求运动员体现里格利认定的"女子最完美的典型",在球场上抹口红,穿短裙,而这是绝对不适合滑垒的。尽管出现了许多优秀的一垒手、二垒手和投手,但该联合会还是在1954年被解散。

all-around (gymnastics) 参阅 **combined exercises** 全能体操比赛。

All-China Federation of Industry and Commerce **中华全国工商业联合会** 简称全国工商联。工商业界组织的社会团体,民间的对内对外商会,各级工商联的全国性组织。1952年建立全国工商联筹备委员会。在此以前,全国各大中城市接收和改组了旧商会、工业会和同业公会,成立了工商联,它对广大工商业者进行爱国守法经营教育,协助政府恢复生产、稳定市场、开展税收、安排就业、协调劳资关系,对恢复国民经济起了促进作用。1953年10月,全国工商联举行第一届会员代表大会,中华全国工商业联合会正式成立。以后在中国共产党和各级政府领导下,配合贯彻和平改造资本主义工商业的方针和赎买政策,推动加工订货、统购包销、经销代销以至公私合营,对实现私营工商业的社会主义改造和发展生产作出了有益的贡献。"文化大革命"期间停止活动。1988年11月召开第六届会员代表大会,确定了新时期工商联的任务是:团结工商业界,在国家改革、开放方针指导下,积极参加社会主义建设,维护会员的合法权益,开展对外经济联系和友好往来,为实现社会主义现代化和促进祖国统一贡献力量。工商联按国家行政区划设置组织。工商联的会员有企业会员、团体会员和个人会员三种。2004年,全国县级以上地方组织有3 111个,会员174万多人。全国工商联主办的报刊有《中华工商时报》(每周两期)和《中华工商》(月刊)。

All-China Federation of Taiwan Compatriots **中华全国台湾同胞联谊会** 简称全国台联。中华人民共和国台湾各族同胞的爱国民众团体。1981年12月22日在北京召开的全国台湾同胞第一次代表会议上正式成立。林丽韫当选为会长。全国台联成立以来,主要工作

有:①团结和联络国内外台湾同胞及其民众团体,帮助乡亲了解政府对台湾的方针政策和祖国大陆的情况。积极促进在台湾、港澳和国外的台湾同胞同祖国大陆同胞开展多项交流活动,维护台湾同胞的合法权益。②联系居住在大陆的台湾同胞,协助了解政府的方针政策,及时介绍台湾的情况;反映台湾同胞的意见和要求,配合有关部门予以处理。③对于前来大陆访问的台湾同胞,主动配合有关部门做好接待、服务工作。推动两岸的直接“三通”(通邮、通商、通航)和双向交流,协助台湾同胞在大陆经商、投资和进行学术、文化交流。④积极协助居住在大陆的台湾同胞返乡探亲与访问和进行文化学术交流。到1989年,除西藏外,大陆29个省、自治区、直辖市和台胞比较集中的68个地、市、县相继建立了台联。全国台联主办《台声》月刊。

All-China Federation of the Returned Overseas Chinese 中华全国归侨联谊会 简称全国侨联。是在中国共产党领导下,由归侨、侨眷组成的全国性社会团体。1949年中华人民共和国建立后,为了加强归国华侨的团结和联络,在北京成立归国华侨联谊会筹委会。到1956年,各地的侨联组织已发展到近80个。1956年10月5日至12日,全国归国华侨第一次代表大会在北京举行,345名代表出席大会。10月5日正式成立中华全国归国华侨联谊会,确定的基本任务是:领导全国各地的归国华侨联合会,团结和组织全国归侨、侨眷,加强社会主义教育;反映归侨、侨眷和国外华侨意见,向有关部门提出建议;联系国外华侨,促进国外华侨的爱国大团结;鼓励和协助归侨、侨眷和国外华侨参加祖国建设;为归侨、侨眷和国外华侨服务;举办或协助举办有关归侨、侨眷的文教、福利及其他公益事业。大会选出全国侨联的领导机构,陈嘉庚当选为全国侨联主席。“文化大革命”期间,全国侨联被迫停止活动,1978年4月恢复活动。1990年1月11日,中国人民政治协商会议第七届全国委员会常务委员会第十二次会议决定:将“归国华侨界”改为“中华全国归国华侨联谊会”,作为全国政协的组成单位;各级侨联组织也陆续成为当地政治协商会议的组成单位。全国侨联实行团体会员制。各级侨联是上一级侨联的团体会员。基层侨联实行团体会员制和个人会员制。到1989年,全国县以上侨联组织已发展到2 700多个。全国各级侨联与世界各地数以万计的华侨、华人社团建立了联系,开展多方面的活动。

All-China Federation of Trade Unions 中华全国总工会 简称全总。中国共产党领导的中国工人阶级的群众组织,中华人民共和国国家政权的重要社会支柱之一。

1921年8月,中国共产党成立不久,中共中央在上海成立了中国劳动组合书记部,作为领导工人运动的公开机构,张国焘、邓中夏先后任主任。1922年5月,中国劳动组合书记部在广州召开第一次全国劳动大会,决定筹备全国性工会组织。1925年5月1日在广州召开第二次全国劳动大会,正式成立了中华全国总工会,选举林伟民为委员长,刘少奇、邓培为副委员长,邓中夏为秘书长。1927年第一次国共合作破裂,全总转入地下。1932年冬,全总随中共中央机关由上海迁往中央苏区所在地江西省的瑞金后,分别在国民党统治区建立全总白区执行局和在苏区建立苏区执行局。1937年抗日战争爆发,国共第二次合作,全总的名称暂停使用。以后,在陕甘宁边区成立了陕甘宁边区总工会和各抗日根据地总工会、解放区总工会。1948年8月1日,解放区总工会和国民党统治区进步工会在哈尔滨联合召开了第六次全国劳动大会,决定重新恢复中华全国总工会,选举陈云为主席,李立三、朱学范、刘宁一为副主席。全总和各地工会成立后,为进行经济斗争和政治斗争,掀起了多次大罢工。

中华人民共和国建立后,全总团结带领广大职工,努力恢复和发展国民经济,并致力于维护职工合法权益,提高职工政治和文化技术水平,改善和丰富职工的物质文化生活。1988年10月召开的全国工会第十一次全国代表大会,提出工会工作的方针是:以经济建设为中心,立足改革全局,把发展社会生产力和维护职工具体利益结合起来,增强基层工会活力,实现工会的群众化、民主化,团结教育广大职工为建设有中国特色的社会主义而奋斗。工会改革的目标是:把中国工会建设成为中国共产党领导的、独立自主、充分民主、职工信赖的工人阶级群众组织,在国家的社会生活中发挥重要作用的社会政治团体。

中国工会第十一次全国代表大会会场
中国大百科全书出版社供图

中国工会实行产业和地方相结合的原则,各产业建立全国的和地方的产业工会。工会受同级共产党委员会和上级工会双重领导,以同级共产党委员会领导为主。至2003年已召开十四届中国工会全国代表大会。全总主办的机关报刊有《工人日报》和《中国工运》(月刊)。

All-China Women's Federation 中华全国妇女联合会 简称全国妇联。中国共产党领导的中国各族各界妇女的群众组织,中华人民共和国的重要社会支柱之一。1948年9月,中共中央决定:由解放区妇女团体发起,召开全国妇女代表大会,成立全国妇女组织。经过解放区妇女联合会和国民党统治区进步妇女团体共同筹备,1949年3月24日至4月3日,中国妇女第一次全国代表大会在北平召开,正式成立中华全国民主妇女联合会。大会通过了妇联章程,选举宋庆龄、何香凝为名誉主席,蔡畅为主席。1957年9月,第三次

中国妇女第六次全国代表大会会场
中国大百科全书出版社供图

全国妇女代表大会决定将名称改为中华人民共和国妇女联合会,规定妇联的工作方针是:勤俭建国,勤俭持家,为建设社会主义而奋斗。“文化大革命”期间妇联工作被迫停止。1978年9月召开第四次全国妇女代表大会,全面恢复妇联的工作。大会提出“四个现代化需要妇女,妇女需要四个现代化”的口号,并决定将中华人民共和国妇女联合会改称为中华全国妇女联合会。1988年9月,第六次全国妇女代表大会召开,提出妇联的基本社会职能是:代表和维护妇女利益,促进男女平等。工作方针是:团结教育广大妇女,贯彻党的基本路线,在建设富强、民主、文明的社会主义现代化国家中发挥积极作用,维护妇女的合法权益,推进妇女解放事业。妇联实行团体会员制度。按国家行政区划建立各省、市、地、县、街、乡、镇各级地方组织。它接受中国共产党和上级妇联的双重领导,以同级党委领导为主。全国妇联的机关刊物是《中国妇女报》(每周3期)和《中国妇女》(月刊)。

All-England Championships 全英锦标赛 又称温布尔登锦标赛(Wimbledon Championships)。国际闻名的草地网球锦标赛,每年在伦敦的温布尔登(**Wimbledon**)举行。

All Fools' Day 参阅 **April Fools' Day** 愚人节。

All-Fours 全四牌 纸牌游戏,17世纪起源于英格兰。2或3人玩,亦可4人分两组打对家。每人发6张牌,一次发3张。翻开底牌的第一张牌以决定将牌。发牌人左家为头家,由头家出牌,每家跟同花牌或出将牌,也可跟出任何高等级的牌,花色不限。出最大的将牌或先出花色中最大牌者赢墩。赢墩者先出牌以继续凑墩。牌出完后算分,满7分赢一局。这种牌戏中共有4种得分法,故名。

All India Muslim League 全印度穆斯林联盟 参阅 **Muslim League** 穆斯林联盟。

All-India Trade Union Congress（AITUC）**全印度工会大会** 仅次于印度全国工会大会的印度第二大工会联合会。由国大党（独立运动的中心机构）于1920年建立，在国联（后来的联合国）的国际劳工组织中代表印度。20年代，当英国共产党努力进行工会组建工作时，控制了该组织的大部分。后来，一些反对派分裂出去。第二次世界大战期间，共产党人完全控制了该组织，不过当共产党人在苏联参战后作出同英国一起支持战争行动的选择后失去了某些公众的支持。从那时起，全印工会大会的领导人分裂成改良主义派和革命派。该组织加入世界工会联合会。

All Nippon Airways Co., Ltd. 全日本航空公司 日本最大的一家飞国内航线的航空公司，也是世界上最大的航空公司之一。该公司成立于1952年，公司总部设在东京。根据日本政府严格的民用航空条例的规定，全日本航空公司只能在日本主要的国内航线上载运旅客和货物，而日本航空公司则垄断了该国的海外空运业务。在20世纪70年代，全日本航空公司开始在东亚国家做包机飞行，至80年代后期，它利用废除某些民用航空条例的机会，开始在主要国际航线上定期营运。该公司经营有许多副业，如飞机维护、修理和加油等，另外还经营旅馆业以及为该公司旅客提供一揽子观光服务。

all-or-none law 全或无定律 一条生理学定律，论述具兴奋性的组织对刺激产生应答的规律。1871年由美国生理学家H. P. 鲍迪奇首先提出，用以描述心肌收缩的情况。他说："诱导性冲击，因其强度不同可产生或不产生收缩，一旦产生收缩，所产生的就是在当时心肌对任何强度的刺激所能产生的最大收缩。"当时人们认为这定律为心肌所特有，而其他高度特化的反应迅速的组织——骨骼肌和神经——则以不同的方式来应答，其应答强度随刺激强度而增大。但后来证实，无论是骨骼肌还是神经，单个纤维对刺激的应答均遵守全或无定律，但这点并不意味着应答的大小不变，因为反应能力因组织的具体情况而异。并且在前一应答的恢复期，组织对刺激的应答表现为低常态。不过，只要刺激的强度足够大，应答的大小便与之无关。心肌、骨骼肌和神经等特化的组织所产生的功能性应答基本相同，其精确性质未明，但知类似于爆炸反应，这时反应所赖以发生的可利用的贮存能量暂时耗尽。

All Saints Bay（Brazil）**万圣湾** 参阅**Todos os Santos Bay** 托多苏斯桑托斯湾。

All Saints' Day 万圣节 基督教节日。纪念有名的和无名的一切圣徒。在天主教为11月1日，在东正教为圣灵降临节后的第一个星期日。教皇格列高利四世于837年下令普遍守此节日。在中世纪英格兰，此节称"诸圣日"，今其前夕仍称"诸圣日前夕"。

All Souls' Day 万灵节 天主教节日。纪念已逝世的信徒即生前受过洗礼但有轻微罪过而被认为是在炼狱中进行涤罪的亡魂。该节定在11月2日。根据天主教义，在世信徒的祈祷有助于这些亡魂的涤罪，使他们得以有资格在天堂觐见上帝。

All-Star Game 全星赛 美国职业棒球运动的一种比赛。由全国棒球联盟和美国棒球联盟各选所属最优秀队员组成球队，分别代表两组织进行对抗赛。每年6月举行，但1959～1962年举行过两次全年比赛。大部分门票收入作为运动员退休基金。首届全星赛于1933年在《芝加哥论坛报》体育编辑A. 沃德倡导下为配合百年进步博览会在芝加哥举行。美国职业和业余足球、篮球界和其他体育项目亦有类似全星赛的比赛。

All-Union Council of Evangelical Christians and Baptists 全苏基督教福音浸礼会 苏联基督教组织，1944年由福音会联会与俄罗斯浸礼联会自动联合而成。俄国1917年革命后，政府宣布各教派信仰自由，于是浸礼会新信徒迅速增加。自1929年起苏联政府取缔宗教，第二次世界大战期间及战后政府对教会有所让步，但是教会的教育事业和社会活动仍受限制。

All-Union Leninist Communist League of Youth 参阅**Komsomol** 苏联共青团。

Allāh 安拉 阿拉伯语对伊斯兰教所信奉的唯一的神的称呼。中国通用汉语的穆斯林称其为"真主"，通用突厥语的穆斯林称之为"胡达"。从词源学上讲，"安拉"可能是从阿拉伯语"阿尔-伊拉"（神）缩约而来。这名称的由来可追溯到闪米特语最早的著作。在这些著作中，神被称作"伊勒"或"埃勒"，后者是《旧约》中的雅赫维的同义词，"安拉"在阿拉伯语中是"神"的规范用语，穆斯林和信奉基督教的阿拉伯人均用之。信安拉是穆斯林信仰的核心。穆斯林的圣典《古兰经》不断地宣讲安拉的真实存在、他的莫测高深的神秘、他的各种名称、他为他的创造物所作的行为。其中，偏重三个主题：

①安拉是造物主、审判者、报应者；②他是独一无二的和固有的；③他无所不能，至仁至慈。神是"万物的主宰"，是至高无上的，"无物可与他匹配"，这实际上就是要求信徒将安拉作为保护者来崇拜，并颂扬他的怜悯和宽容。

《古兰经》宣称"神爱那些行善者"，在《古兰经》中有两节经文表示了神与人之间的互爱，但犹太教-基督教的箴言"以你的全心爱上帝"，在伊斯兰教中并未被系统阐述。其更强调的是神的不可思议的至高无上之权力，人必须沉溺于这一权力。"顺从于安拉"（islam，顺服）实质上就是该宗教本身。在《古兰经》和《哈底斯》（先知穆罕默德的言论）中，虔诚的穆斯林找出了神的99个"最美的名号"，而且这些名号一直成为虔诚诵读和沉思的内容。在"安拉"的称谓中有：独一无二的主、永存的主、永生的和不灭的主、实有的主、伟大的主、至睿的主、万能的主、全聪的主、明察的主、彻知的主、见证的主、可信赖的主、普慈的主、特慈的主、宽恕的主和公断的主等。在伊斯兰教内，一直存在着自由思想家，但否认安拉真正存在的穆斯林思想家却极少。一个人皈依穆斯林社团时所做的信仰表白（作证言）由下列证词组成：我证除安拉外，别无神灵；穆罕默德是安拉的使者。虔诚的穆斯林做每一件事都由诵念圣名开始。诵言"如果安拉意欲"在日常语中经常出现。这一诵言是世界秩序和人类行为中永远存在的神的干预的一个提示。穆斯林认为，除非出自安拉的意志或指令，否则任何事不会发生，任何事无法进行。因而，一个穆斯林信徒的个人态度是完全顺从神，"他对神从不置疑"，根据神的言语（《古兰经》经文），他知道神是公正的审判者，既是令人生畏的又是仁慈的，而且是最大的救助者。

Allahābād 安拉阿巴德 印度北部北方邦南部城市。位于恒河与亚穆纳河汇合处。原为古代圣城普拉亚格。在宗教上一直十分重要，每年举行庆典，每12年举行一次十分盛大的无遮大会，有上百万人参拜。今城建于1583年，名为伊拉哈巴德，意思是"神之城"。莫卧儿帝国时期成为省会。1801年被英国吞并。1904～1949年为联合省（今北方邦）省会。作为尼赫鲁家族的住地，曾经是印度独立运动的中心。现在主要为行政与教育中心。有食品制造等工业，并为农产品贸易中心与重要公路与铁路中心，附近有飞机场。安拉阿巴德大学（1887）有几所学院，还有一个航空训练中心。城市周围地区位于恒河平原。稻米、大麦、小麦和鹰嘴豆为主要农产品。人口：市约792 858；都会区约844 546（1991）。

尼赫鲁的骨灰被洒入安拉阿巴德市附近恒河的情景
联合国供图

Allais, Maurice 阿莱（1911-05-31，巴黎～2010-10-9，圣克卢） 法国经济学家，因其提出指导大垄断性企业进行有效作价和资源分配的原则而于1988年荣获诺贝尔经济学奖。先后在综合工科学校和巴黎国家高等矿业学院学习。1937年在国营矿业管理部门工作，1944年任国家高等矿业学院教授。自40年代开始，指导各种政府研究机构进行经济学研究。1977年被任命为法国荣誉勋位团（Legion of Honour）官员。40年代发表两部主要著作，考察了诸如国家公用事业公司之类国营垄断企业的作用，为这些企业决定产品或服务的价格打下了理论基础。他的学说为大型国家垄断企业有效运用市场经济学原则提供了良机。鉴于第二次世界大战后数十年间西欧各国经济中国营垄断企业迅速增长，阿莱的工作显得尤为重要。

Allan, Sir Hugh 阿伦(1810-09-29，苏格兰艾尔郡索尔特柯茨～1882-12-09，爱丁堡)加拿大金融家和造船商。1872年资助保守党竞选费30万元引发太平洋丑闻，致使约翰·麦克唐纳爵士组阁的政府倒台。1826年移民到加拿大。1831年开始在蒙特利尔造船公司工作，1839年成为大股东。1853年与其兄安德鲁合办阿伦航运公司，经营蒙特利尔、格拉斯哥和利物浦之间的航运。因对加拿大商业有所贡献，1871年被封为爵士。1872年加拿大政府批准他修筑加拿大太平洋铁路。但后来被人揭发，他作为一芝加哥金融辛迪加成员，曾资助保守党30万元进行竞选。这件丑闻不仅使保守党政府名声扫地，他的铁路公司也因此关门。

allantois 尿囊 或称尿膜囊。爬行类、鸟类和哺乳类的胚外器官。膜质，位于后肠下方，膨大成为囊状。爬行类和鸟类胚胎的尿囊大部分位于绒毛膜和羊膜之间，腔内贮存胎儿的排泄物，并用作暂时的呼吸器官。哺乳动物(除有袋类外)的尿囊直接与绒毛膜相连，在绒毛膜与子宫内膜结合形成胎盘后，向之供应血液。

Allbutt, Sir Thomas Clifford 奥尔巴特(1836-07-20，英格兰约克郡迪斯伯里～1925-02-22，剑桥郡剑桥) 英国医师、心脏病学权威、医学史家、现代短管体温计的发明人。曾

美国不列颠百科全书公司供图

在利兹开业28年，进行了卓有成效的临床研究，主要研究动脉和神经疾患。1866年创制了现代短管体温计，用以取代以往长达30厘米、要用20分钟才能测得体温的温度计，很受欢迎。1868年首次描述了梅毒引起的脑动脉组织结构的变化。3年后出版专著，论述检眼镜的使用。1892年任剑桥大学医学教授。1894年提出心绞痛起源于主动脉。1895年描述了原发性高血压。著有《动脉疾病，包括心绞痛》(1915)、《罗马的希腊医学》(1921)、《医学体系》(8卷，1896～1899)等。

allée 园林小径 法国规整式园林中，兼有散步和延长景观作用的小径。小径的尽端，或设殿坛，或可极目眺望遥远的空间。小径两侧通常均有葱郁的小树丛。17世纪时，则把这种小树的边缘与顶部修剪为方形。18世纪时，这种规整式园林不大时兴，修剪整齐

维也纳申布伦府邸园林小径
美国不列颠百科全书公司供图

的林木也不被采用了，笔直的园林小径为曲折的便道所代替。

Alleghenian orogeny 阿勒格尼造山幕 晚古生代(二叠纪，约2.9亿年前至2.45亿年前)影响阿巴拉契亚地槽的造山事件。从前曾经用术语“阿巴拉契亚造山运动(Appalachian Revolution)”来表示这次事件。在阿巴拉契亚山脉中段和南段表现最为明显，产生了岭谷地区的挤压褶皱和断层，蓝岭岩层向西逆冲到岭谷地区岩层之上，还有皮德蒙特地区的褶皱、轻微变质和火成岩侵入。阿勒格尼造山幕的证据在阿巴拉契亚山脉北段不太明显，但是沿着新英格兰东海岸和加拿大东部海滨诸省的一部分地区也呈现出晚古生代的褶皱和岩浆侵入。阿勒格尼造山幕可能是由于晚古生代时期阿巴拉契亚大陆边缘的中部和南部与北非碰撞所引起的。

Allegheny Mountains 阿勒格尼山脉 在美国阿巴拉契亚山脉阿勒格尼高原的东部。从宾夕法尼亚州中北向西南延伸至弗吉尼亚州西南部，绵亘800多千米。其中戴维斯峰

阿勒格尼山脉风光
美国不列颠百科全书公司供图

979米和斯普鲁斯峰1 482米，分别为宾夕法尼亚和西弗吉尼亚州最高峰。四周有莫农加希拉、乔治·华盛顿和杰斐逊国家森林区，风景优美。一度为西部交通障碍，现有多条公路、铁路穿山而过。

Allegheny Plateau 阿勒格尼高原 美国阿巴拉契亚山西段。东北起于纽约州中部的莫霍克河流域，西南至西弗吉尼亚州南部的坎伯兰高原。大体向西北倾斜。境内多河流，大部被硬木林覆盖。煤的发现结束了这一地区的闭锁状态。经济以煤、天然气和石油开采为主。

Allegheny River 阿勒格尼河 源出美国宾夕法尼亚州波特县多山的高原地区。北流130千米进入纽约州，几经曲折后在匹兹堡与莫农加希拉河汇成俄亥俄河。全长523千米，流域面积3.03万平方千米。支流有基斯基米内塔斯河、克拉里恩河、科纳芒河等。19世纪中期铁路竞争开始前，阿勒格尼河为重要的内河货运航道。河系多水坝，一为通航，二为防洪。

allegory 讽喻 一种书面的、口头的或艺术的表现手法，利用象征性的虚构的人物及行动，表达关于人的行为或体验的实况或概括。讽喻就像隐喻一样，以有形具体的东西表现精神的、心理的或抽象的概念。如在13世纪法国教诲诗《玫瑰传奇》中，花园中的多数细节都有典雅爱情的固定含义。在讽喻小说中，特别是欧洲中世纪道德剧中，许多人物是概念的化身。讽喻既有所掩饰也有所揭示。G.奥威尔在《兽园》(1945)中将上述数种方法结合起来。也许，在20世纪对讽喻最别出心裁的运用，可见于F.卡夫卡的作品。

allele 等位基因 又作allelomorph。可能出现在染色体某特定座位上的两个或多个基因中的一个。若一个座位上的基因以两个以上的状态存在，便称为复等位基因。若成对的等位基因中两个成员完全相同，则该个体对此性状来说称为纯合子。若两个等位基因各不相同，则该个体对该性状来说是杂合子。在杂合子配对中，显性等位基因使隐性等位基因的性状得不到表现。某些成对基因的两个成员为共显性的，即彼此间没有显性和隐性的关系。例如人类的ABO血型系统；AB血型的人有一个等位基因决定A，一个等位基因决定B(既无A又无B等位基因的人的血型为O型)。参阅**dominance**及**recessiveness**。多数性状由两个以上的等位基因决定。可存在着多样形式的等位基因，但减数分裂时只有两个等位基因附着于一定的基因座位上。有些性状由两个或多个基因座位决定。以上两种情况均使有关的等位基因数目增加。所有遗传性状均为等位基因相互作用的结果。突变、交叉及环境条件选择性地改变种群内部的表现型(也就相当于其等位基因)的频率。

alleluia 参阅**hallelujah哈利路亚**。

allemande 阿勒曼德舞 列队行进的男女对舞。舞步端庄流畅，流行于16世纪贵族社会，也是18世纪的一种花样舞蹈。起源于德国，后来流行于法国宫廷和英国。法国舞蹈

教师T.阿尔博认为这是一种极为古老的舞蹈,是研究文艺复兴时期舞蹈的重要资料。17世纪开始逐渐衰落。舞蹈时男女成对排成行,双手前伸互握,沿舞厅纵向来回行进,

阿勒曼德舞
伦敦索塞比公司供图

走三步,然后单足站立一下。一种较活泼的变体则是三个颤步一个单足跳。音乐4/4拍。作为17世纪的音乐形式,阿勒曼德舞曲是因袭此种舞蹈风格的变体,一般为组曲中的第一乐章,如J.S.巴赫的"英国组曲"。18世纪时成为2/4拍的花样舞蹈,由四对男女表演。其中一种执手姿势可能来自早期阿勒曼德舞,舞蹈者手臂交叉,并作错综复杂的回旋式舞步。

allemontite 砷锑矿 成分为锑化砷(AsSb)的矿物。通常产于矿脉中,如在法国伊泽尔的阿勒蒙、意大利的瓦尔泰利纳,以及美国内华达州的康斯托克银矿,也产于瑞典的瓦鲁特拉斯克的含锂伟晶岩中。矿脉物质的磨光片显示砷锑矿与纯砷交生,而伟晶岩物质的磨光片则显示砷锑矿与近于纯的锑交生。在瓦鲁特拉斯克还发现有均质的砷锑矿。详细的物理性质,参阅 **native element**(表)。

Allen, Bog of 艾伦沼泽 爱尔兰语作 Móin Alúine。爱尔兰中东部的泥炭沼泽,位于利菲河和香农河之间。面积约958平方千米。大规模开采泥炭以供电厂作燃料。挖掘泥炭后的土地用来放牧。沼泽区中有一座早期隐修院遗址。

Allen, Elizabeth Anne Chase Akers 艾伦(1832-10-09,美国缅因斯特朗～1911-08-07,纽约图克荷) 婚前名 Elizabeth Anne Chase。美国记者和诗人。其令人伤感的诗篇《摇我入睡吧》在美国南北战争时期特别受欢迎,人们至今还为此怀念她。在缅因州法明顿长大,曾就读于法明顿学院。据说15岁时曾在《波士顿橄榄枝》发表过一首诗。1855年在一家公司工作。第二年出版她的第一本诗集。1859～1860年用这笔稿费赴欧旅游。在罗马将诗稿《摇我入睡吧》寄给费城的《星期六晚报》。诗中开头两行"向后,向后,请时光倒转;让我再当一回婴孩,就为今晚!"家喻户晓。1860年8月与B. P. 艾克斯结婚。次年丈夫去世。1865年与E. M. 艾伦结婚。诗集《诗》于1866年出版。曾在弗吉尼亚州里士满居住几年,后于1874年返回波特兰。1881年夫妇迁居图克荷。曾出版《凯瑟琳王后的玫瑰花》(1885)等诗集。

Allen, Ethan 艾伦(1738-01-21,康涅狄格利奇菲尔德[美国]～1789-02-12,美国佛蒙特伯灵顿) 军人和拓荒者,美国独立战争期间**格林山兄弟会(Green Mountain Boys)**的领袖。参加法国印第安人战争(1754～1763)之后,定居于今佛蒙特州。美国独立战争爆发时,他召集他的格林山兄弟会民兵(1770年组建)和康涅狄格军队,协助攻占纽约泰孔德罗加英军要塞(1775-05-10)。后作为P.斯凯勒将军部队中的一名志愿兵,执行攻占蒙特利尔的秘密任务(1775-09)。后被俘并监禁至1778年5月6日。国会颁给他荣誉上校军衔并补发薪酬。但他获释后并未在战争中服役,而致力于佛蒙特的地方事务,尤其致力于使佛蒙特脱离纽约另成一州。失败后,他试图通过谈判将佛蒙特并入加拿大。

Allen, Florence Ellinwood 艾伦(1884-03-23,美国犹他盐湖城～1966-09-12,俄亥俄韦特希尔) 美国第一位州法院和联邦法院女法官。美国独立战争英雄E. 艾伦的后代。1904年毕业于西部保留地大学女子学院,并在柏林学习音乐两年。因伤无法从事音乐事业,1908年获西部保留地大学政治学硕士。又在芝加哥大学和纽约大学改学法律,获法学硕士。1914年起在克利夫兰当律师,并积极参加妇女选举权运动。1919年任凯霍加县助理检察官;1920年当选中级法院法官;1922年当选为俄亥俄州最高法院法官,1928年以绝大多数票再次当选。1934年被F. D. 罗斯福总统任命为美国第六巡回上诉法院法官,任职25年,最后成为首席法官,直到1959年10月退休。著有《我们的宪法》(1940)、《作为法律的条约》(1952)和回忆录《做到公正》(1965)。

Allen, Fred 艾伦(1894-05-31,美国马萨诸塞剑桥～1956-03-17,纽约州纽约) 原名约翰·弗洛伦斯·沙利文。美国幽默家。他的简洁文体、冷静的机智和善于选择时机,影响了整整一代的广播和电视演员。青年时代,他在波士顿公共图书馆担任书库管理工作时,偶然见到一本关于玩杂耍、变戏法的书,由此学会了这种技巧。他参加业余巡回演出,表演变戏法,他的舞台名字为弗雷德·圣詹姆斯(后改为弗雷德·詹姆斯)。在业余巡回表演时,还加演口技。1915～1916年他到澳大利亚、新西兰及夏威夷等处进行歌舞杂耍表演。回到美国后,杂耍表演成为他的职业。他更加倾向于喜剧,并采用了最后的舞台名字弗雷德·艾伦。20世纪20年代,他在若干有小型歌舞的时事讽刺剧中出现,如《瞬息即逝的景象》、《小小表演》、《三人为群》等。1932年他进入广播界,成为一名公认的演员。哥伦比亚广播公司在许多节目中均安排他主演。他最受人欢迎的节目为《今晚的市政厅》(1934～1939),此一节目于1939年改名为《弗雷德·艾伦表演》,并且一直流行到1949年。他演出的电影包括《爱你的邻居》(1940)。他的自传于1954年出版。

Allen, Gracie 艾伦 参阅 **Burns, George; and Allen, Gracie 伯恩斯夫妇**。

Allen, Hervey 艾伦(1889-12-08,美国宾夕法尼亚匹兹堡～1949-12-28,佛罗里达科科纳格罗夫) 美国诗人、传记作家、小说家。他的历史小说《逆性的安东尼》对通俗文学产生了巨大的影响。初次发表的著作是诗集《边疆民谣》(1916)。在20世纪20年代,他已赢得诗人名声。在第一次世界大战中曾负伤。长篇小说《扑向战火》(1926)就是写他的战时经历。同年,他的权威性传记《伊斯拉费尔:埃德加·爱伦·坡的生平和时代》问世。用5年时间写成的《逆性的安东尼》于1933年出版,获得巨大成功。小说以拿破仑时代的欧洲为背景,在复杂的情节中描写了大量人物和逼真的环境。这部作品篇幅很长,对性生活作了赤裸裸的描写,因而为通俗小说确立了新的标准。艾伦后来的小说不如《逆性的安东尼》那样受欢迎并得到评论界的肯定,但他以美国殖民时代为题材计划要出5部系列作品的前3部:《森林和要塞》(1943)、《贝德福德村》(1944)、《天将破晓》(1948)也拥有广泛的读者。去世时正在写系列小说的第4部《黎明中的城市》(1950)。

Allen, Sir Hugh (Percy) 艾伦(1869-12-23,英格兰伯克郡雷丁～1946-02-20,牛津郡牛津) 管风琴师、音乐教育家,对当时英国音乐生活有深远影响。曾在剑桥大学基督学院

美国不列颠百科全书公司供图

学管风琴,后又在伊利大教堂(1898)和牛津大学新学院(1901～1918)任管风琴师。1918年任伦敦皇家音乐学院院长,同年在牛津大学任音乐教授。他在牛津大学提高了音乐课程地位,并为教学与研究提供更为适宜的条件,这些成就在其他地方亦有广泛影响。他又以研究H.许茨和J.S.巴赫闻名,曾指挥牛津的巴赫合唱团(自1901年起)和伦敦的巴赫合唱团(1907～1920),是英国现代音乐的主要倡导者。

Allen, Sir James 艾伦(1855-02-10,澳大利亚南澳大利亚阿德莱德～1942-07-28,新西兰达尼丁) 新西兰政治家、革新党领袖。

1887年被选入议会,1892～1912年为议会反对党领袖。1912年革新党执政,历任财政、国防和教育部长。1913年提出海上防卫法,建立英国海军新西兰分舰队。在他领导下,新西兰远征军成为第一次世界大战中的一支英勇善战的部队。1917年因功受封爵士。革新、自由两党联合执政时期(1915～1919),他任国防部长,1915年提出战争抚恤法案,1916年提出征兵法案。1917～1919年代理总理。1919年任财政部长和外交部长。1920～1926年任新西兰驻伦敦高级专员。1927年起任立法议会成员至1938年退休。

Allen, Paula Gunn　艾伦(1939-10-24,美国新墨西哥阿尔伯克基～2008-05-29,加利福尼亚布拉格堡)　婚前名Paula Marie Francis。美国女诗人、小说家和学者。作品兼受女权主义和美国本土传统的影响。大学没有念完就辍学结婚,1962年离婚,回到大学继续学业。1966年获英语文学学士学位,1968年获创作专业硕士学位。1975年在新墨西哥大学获博士学位。在写博士论文期间出版第一本诗作《盲狮》(1974)。在第一部长篇小说《拥有阴影的女人》中,她将传统的部落歌曲、礼仪和传说编成一个具有混杂传统的女人的故事。她的作品集中描写美国土著妇女的经历。她还主编了几本全面论述美国土著文学的作品,包括开拓性的《印第安人文学研究》(1983)和《知识奶奶》(1991)。其他诗集有《人形精怪白昼出行》(1978)、《影子国》(1980)、《肌肤与骨头》(1988)和《生活是致命的疾病:诗选1962～1995》(1997)。她在写作之余还讲授美洲土著研究及英语等课程。

Allen, Richard　艾伦(1760-02-14,美国宾夕法尼亚费城～1831-03-26,费城)　美国基督教主要派别之一、非洲人美以美会的创立人和第一任主教。父母都是奴隶,出生后不久随全家被卖给特拉华州一家农户。17岁信奉基督教,属循道宗,22岁获准讲道,1786年赎身后到费城,参加美以美会圣乔治教堂。他偶尔应邀讲道,也主持黑人信徒祈祷会。教会限制参加艾伦所主领的聚会的人数,引起艾伦不满,遂于1787年退出,参与另立教会。1787年他把一个锻工车间改作美国黑人的第一处教堂,他所率领的一派人称为艾伦派。艾伦于1799年在美以美会受按立,是循道宗第一位黑人牧师,后来艾伦成立伯特利会,继而又于1816年成立非洲人美以美会,艾伦当选为第一任主教。

Allen, Steve　艾伦(1921-12-26,美国纽约州纽约～2002-10-30,加利福尼亚恩西诺)　美国最早的电视娱乐节目表演者,多才多艺的作家,流行歌曲作者,在广播、电视、电影和舞台上演出的喜剧演员。出身于演员家庭,他母亲是喜剧演员,父亲是歌手,在歌舞杂耍节目中为他母亲伴唱。年轻的艾伦在中学时即成为广播演员。曾在两所高校学习新闻,于1942年成为亚利桑那州菲尼克斯市电台播音员,小有名气后迁往西部在好莱坞哥伦比亚广播公司(CBS)工作。曾以自创的"史蒂夫·艾伦节目"在全国电视网露面,1953年在全国广播公司(NBC)的纽约电视台创办划时代的深夜谈话和杂耍节目,一年后该节目成为全国广播公司节目。艾伦担任该节目的主持人直至1957年。之后,他担任一连串其他节目的主持人,这些节目长期为深夜观众所深深喜爱。艾伦还是一位多产的流行歌曲作者,由他作曲和作词的歌曲达3 000多首。

Allen, Viola (Emily)　艾伦(1869-10-27,美国亚拉巴马亨茨维尔～1948-05-10,纽约州纽约)　美国受人欢迎的女演员,尤以扮演莎士比亚戏剧角色以及F. E. 伯内特的《小方特勒罗伊勋爵》和B. 霍华德的《谢南多亚》中的角色著称。出身于戏剧之家,14岁在纽约首次登台演出,在伯内特的《埃斯梅拉达》中扮演同名角色。1884～1886年,同19世纪最著名的演员合作,演出各类现代剧目和莎士比亚戏剧。1903年组成她自己的莎士比亚戏剧剧团。1915年拍摄唯一的影片《纯洁的姊妹》。1918年以后不再参加职业演出,但她一直积极支持戏剧和慈善组织的活动。

美国国会图书馆供图

Allen, William　艾伦(1532,英格兰兰开夏罗瑟尔～1594-10-16,罗马[意大利])　英格兰枢机主教、学者。他监督杜埃-兰斯《圣经》译本的编译,多方反对伊丽莎白一世的新教政权。他受教育于牛津大学,1556年任该校圣玛丽学院院长。由于日益受政府压制,他于1565年前往西班牙属尼德兰的梅赫伦,在该地受祝圣为司铎。1568年,他为培训英格兰人传教而在杜埃创立神学院,任院长和讲师,1578年该院迁往兰斯,艾伦随之迁居,1585年离职。G. 马丁在该院在艾伦的指导下译出《圣经》,即有影响力的杜埃-兰斯译本。1576年他在罗马参加创建英语学院。1580年组织耶稣会传教士前往英格兰。他请求西班牙国王腓力二世进攻英格兰,为此1587年在腓力的要求下他被立为枢机主教。但英格兰击败西班牙的无敌舰队后,艾伦的政治策略失败。1585年起他住在罗马,参加修订通俗拉丁文本《圣经》。

Allen, Woody　艾伦(1935-12-01,美国纽约州纽约布鲁克林～　)　原名Allen Stewart Konigsberg,正式名Heywood Allen。美国作家、电影导演、编剧、演员,以其包含揶揄模仿、插科打诨和荒诞的辛酸滑稽的喜剧片著称。他同时还以同情妇女的导演而闻名,创造了许多坚强和性格鲜明的女性角色。其主要演员有D. 基顿和M. 法罗。

艾伦喜剧中的笑料,大多源自其犹太中产阶级家庭背景。读中学时即开始写独角喜剧,希望成为剧作家。数年后进入演艺界,受雇为S. 凯撒和A. 卡尼等电视喜剧演员撰写台词。20世纪60年代初开始在夜总会演出固定喜剧节目。他的喜剧人物是那种自我感觉不安全、疑心重重、夸大自身的失败和忧虑的人。不久,开始创作和导演戏剧与电影,并常在影片中扮演角色。他自编自演了《出了什么事,小猫咪?》(1965)。他的第一个剧本《别喝这水》于1966年在百老汇上演。在关于一个笨拙的未遂犯的滑稽喜剧片《拿了钱就跑》(1969)中,他出演主角并担任导演。随后拍摄的影片《香蕉》(1971)、《你总想知道但又羞于启齿的有关性的一切》(1972)和《沉睡的人》(1973)运用了一种非常独出心裁的开玩笑的风格,奠定了他作为主要喜剧电影导演的地位。从模仿19世纪俄国小说的《爱与死》(1975)开始,透过滑稽的表象增加了严肃性。这一点在艾伦导演的下一部获奖影片《安妮·霍尔》(1977)中更加突出,影片主角(艾伦扮演)自嘲式的幽默仅是一个引导,借以对当代城市生活中的浪漫关系做了丰富多彩的描绘。他还主演了由他在百老汇颇获成功的剧本《再弹一遍,山姆》(1969)改编拍摄的影片(1972)和影片《前线》(1976)。

艾伦的后期影片往往是喜剧与哲理古怪结合,时代大事与生活琐事纷然杂陈。继不成功的严肃正剧《内心世界》(1978)之后,亦庄亦谐的喜剧《曼哈顿》(1979)受到了高度赞扬。在《星尘回忆录》(1980)、《泽利格》(1983)、《开罗的紫玫瑰》(1985)、《汉娜姐妹》(1986)、《犯罪与恶行》(1989)和《艾丽斯》(1990)等晚近影片中,艾伦试图将其荒诞的幽默风格同更现实的叙事、更广泛的性格刻画以及轻松而严肃的主题融为一体,并在不同程度上取得了成功。

Allenby (of Megiddo and of Felixstowe), Edmund Henry Hynman Allenby, 1st Viscount　艾伦比(1861-04-23,英格兰诺丁汉郡绍斯韦尔附近布拉肯赫斯特～1936-05-14,伦敦)　英国陆军元帅,英国最后一位伟大的骑兵司令。第一次世界大战中曾指挥巴勒斯坦战役。桑德赫斯特皇家军事学院毕业。1882年加入恩尼斯基林龙骑兵,积极投入贝专纳兰远征(1884～1885)、祖鲁兰战役(1888)和南非战争(1899～1902)。1910～1914年任骑兵总监。第一次世界大战期间率领骑兵师前往法国,1915年10月担任第三军军长,在1917年4月的阿拉斯战役中战功卓著。1917

美国不列颠百科全书公司供图

年6月指挥埃及远征军。1917年11月在加沙取得对土耳其人的决定性胜利,1917年12月9日攻克耶路撒冷,1918年9月19日在美吉多取得决定性胜利,接着占领大马士革和阿勒颇,从而结束了奥斯曼帝国对叙利亚的统治。艾伦比在这些战役中的胜利部分归功于他巧妙而独创地在阵地战中运用骑兵和其他机动兵力。他在任驻埃及高级专员时(1919～1925),使埃及克服政治动乱,于1922年成为主权国家。1919年10月被封为美吉多和费利克斯托的第一代艾伦比子爵。

Allende (Gossens), Salvador　阿连德(1908-07-26,智利瓦尔帕莱索～1973-09-11,圣地亚哥)　智利第一位马克思主义总统。出身于中上层阶级。1932年在智利大学获医学学位。他在校时已是一个马克思主义活动家。1933年参加创建智利社会党。1937年当选众议员。1939～1942年在P.A.塞尔达总统的自由主义左翼联合政府中任卫生部长。1945年起4次当选参议员。

1952年第一次参加总统竞选,但因接受非法的共产党人的支持而暂时被逐出社会党。他1958年再次竞选仍失利。1964年在总统竞选中又败于基督教民主党的E.弗雷。1970年大选中,他作为人民联盟候选人获得36.3%的选票,位居榜首;虽得票未超过半数,但国民议会于10月24日肯定了他的当选。11月3日就职后,他开始对智利社会进行社会主义的改造。没收美国在智利的铜业公司,使他和美国政府严重对立,使外国投资商对他的政府失去信任。他的政府还采取步骤收购私人的采矿和制造部门,接管大庄园供农民合作社使用。为了重新分配收入,他大幅度提高工资,冻结物价。他还印刷了大量没有支持的纸币,以图消除因政府收购基础工业所产生的财政赤字。至1972年,智利生产停滞,出口和私营部门投资减少,财政储备耗尽。国内到处举行罢工,通货膨胀,食物短缺,局势不稳。来自美国和西欧的国际信贷也已枯竭。他无法控制自己的左翼激进支持者,招致中层阶级的敌对。在对外关系方面,他同中国和古巴建立了外交关系。但他仍得到多数工人和农民的支持,在1973年3月的国民议会选举中,他的竞选联盟得到44%的选票。1973年9月11日的军事政变推翻了他的政府。是日,当军队向总统府发动进攻时,他开枪自杀。直至1990年才公开宣布他自杀身亡,并在圣地亚哥举行了公开的正式葬礼。

Allentown　阿伦敦　美国宾夕法尼亚州东部城市,利哈伊县县城(1812)。临利哈伊河,与伯利恒和伊斯顿形成工业区。初建于1762年,称北安普敦。1811年设自治镇,1838年改现名。1812年横跨利哈伊河大桥的建成和1829年利哈伊运河的通航促进了经济的发展。之后炼铁业、水泥厂和轧钢厂陆续建成。当地矿藏丰富,农田肥沃,使它发展成为工商业中心。市内有谬伦堡学院等六所高等院校。自由钟圣祠存有原自由钟的复制品,系美国独立战争期间运到阿伦敦由锡安归正会保管的。特雷克斯勒-利哈伊禁猎区中多野牛、鹿、麋鹿等。1867年设市。人口:市区106 632;都会区637 958 (2000)。

Alleppey　阿勒皮　印度西南部喀拉拉邦城镇。位于阿拉伯海与文伯纳德湖之间的狭长陆岬上。该城港口于18世纪末由英国人开放对外贸易。经济主要依靠椰子,有椰油业,出口棕绳、棕席与棕毯。加工黑胡椒。该城位于从科钦到特里凡得琅的公路线上,并有运河通往蒂鲁尔与特里凡得琅。设有喀拉拉大学的几所学院。人口174 666(1991)。

Allerdale　阿勒代尔　英格兰西北部坎布里亚郡的一个区,位于郡的西北部。西临爱尔兰海,西北临索尔韦湾,北界苏格兰,面积1 259平方千米。西部和西北部为海岸平原;其余为景色优美的山地和湖泊密布的河谷,构成坎布里亚山湖区国家公园的西北部分。沿岸平原出产燕麦、马铃薯和奶牛。沃金顿为深水港口,有炼铁和冶金工业。玛丽波特外运鞋、化工品和塑料制品。凯西克是湖区旅游中心。区首府威格顿。人口约93 493 (2001)。

allergen　变应原　能使某些人处于过敏状态及能刺激机体产生反应抗体的物质。可分为天然的及人工合成的两类,包括花粉、霉菌孢子、尘埃、动物皮屑、昆虫碎屑、食物、血清及药物等。其鉴定方法为观察症状发生的部位(如霉菌、花粉、动物皮屑等吸入物常侵袭眼、鼻及支气管;化妆品常致面及手部皮肤病变)和症状出现的时间(如季节性花粉变态反应)。参阅 **antigen**; **reagin**。

allergy　变态反应　有些个体对某些抗原的刺激可能产生过敏反应,但对同样一种抗原刺激,有人却可能毫无反应。可致变态反应的抗原又称变应原。典型的变应原有花粉、药物、棉绒、细菌、食物、染料和某些化学制剂。正常情况下,机体免疫系统可通过多种机制使机体免受各种抗原物质的侵害,其中最主要的免疫成分就是淋巴细胞,这是一种能针对某种特殊抗原产生特异性反应的免疫细胞。淋巴细胞分为B细胞和T细胞两类。B细胞产生的抗体(即免疫球蛋白)可以结合、破坏或中和抗原;T细胞虽然不产生抗体,但它们能直接和抗原结合,并激发杀伤抗原的反应。变态反应可以是速发型反应,也可以是迟发型反应,这要看进入机体的抗原所诱发的免疫反应是以B细胞反应为主,还是以T细胞反应为主。速发型变态反应是抗原-抗体反应的结果。这种有B细胞参与的变态反应可分成三个基本类型。典型的Ⅰ型变态反应有枯草热、昆虫毒素反应和过敏性哮喘等。参与Ⅰ型变态反应的抗体是免疫球蛋白E (IgE)。IgE分子能被疏松结缔组织中的肥大细胞捕获,当被肥大细胞捕获的IgE分子又结合了足够量的抗原后,肥大细胞就会释放组织胺、肝素和leukotrienes一类的细胞产物。这些生化产物具有强烈的舒张血管、收缩气管平滑肌的作用。组织胺导致的变态反应症状有流鼻涕、喘鸣、黏膜水肿等。重症Ⅰ型变态反应又称过敏反应(**anaphylaxis**),常可致命。Ⅰ型变态反应是遗传性的,最好的预防办法是脱离接触过敏原。治疗用抗组织胺类药物可暂时缓解症状。脱敏方法常可奏效,即在一定时间内,逐渐加大患者对致敏原的接触量,直到不再出现变态反应为止。Ⅱ型变态反应是指抗体和某些靶细胞的特异性抗原之间的免疫反应。这里的靶细胞特异性抗原可以是正常的细胞成分,也可能是细胞非固有成分,如药物或感染微生物的代谢产物等。在这种情况下,抗原-抗体复合物通过激活补体系统破坏靶细胞,补体系统是一组系列酶。Ⅲ型变态反应是指一个曾被某种抗原致敏的人,再次接触这种抗原时发生的过敏反应。此时,抗原抗体复合物会沉积在小血管壁,并通过激活补体系统诱发局部炎症和血管损伤。和Ⅰ型、Ⅱ型不同,Ⅲ型变态反应和遗传体质无关。最好的预防办法也是避免接触已知的致敏原。Ⅳ型,即迟发型变态反应,是有T细胞参与的变态反应。T细胞向抗原部位聚集的速度要比B细胞抗体慢得多,一般要在接触抗原后12～24小时或者更长的时间才出现症状,如接触性皮炎。器官移植时出现的排异反应也是经由T细胞中介,故可被认为是一种迟发型变态反应。

Allerød　阿累鲁期　欧洲阿尔卑斯地区出现于玉木冰期末期冰川退缩的一个短暂的小间冰期。放射性碳测定年龄表明,阿累鲁期大约开始于1.2万年前。其后为一个重新变冷的冰川扩展时期。该时期冰川前缘位于芬兰南部和瑞典中部。气候温和,从而使大部分一度为苔原的地区再次变为森林区。但苔原环境在邻近冰盖保留的地区仍然存在。在冰川以南的地区,松、云杉或白桦占优势的森林在不同区域都存在。当时的温度虽然较现今凉爽,但仍比冰川最盛时期温暖得多。该期英国的冰川作用区局限于苏格兰高地。当时的海面比寒冷时期为高,接近现代海面,然而位置仍足够低,使得多佛尔海峡和北海的大片海底处于海面以上。

alley cat　里巷猫　参阅 **domestic shorthair** 短毛家猫。

Alleyn, Edward　艾莱恩(1566-09-01,伦敦～1626-11-25,伦敦)　伊丽莎白时代戏剧舞台上最杰出的演员之一。伦敦达利奇学院创建人。唯一对手是R.伯比奇。在C.马洛

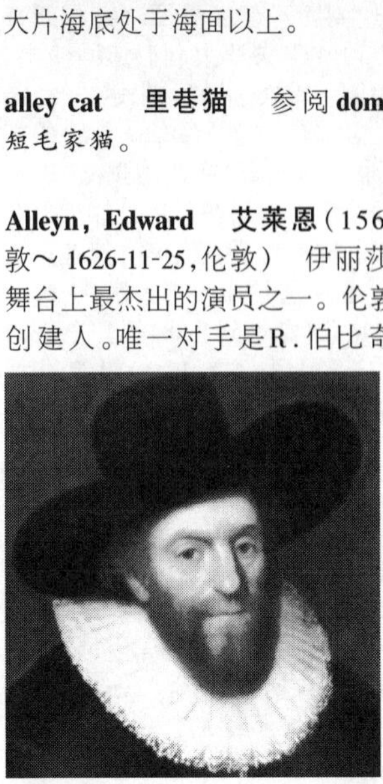

美国不列颠百科全书公司供图

的《帖木儿大帝》、《浮士德博士的悲剧》和《马耳他的犹太人》以及R.格林的《疯狂的奥尔兰多》等剧中的表演,赢得了B.琼森和T.纳

什这样一些作家们毫无保留的赞赏。1592年与剧院经理P.亨斯洛的继女J.伍德沃德结婚,遂为亨斯洛投资事业中的股东,终于独自拥有伦敦的几家剧院和其他资产。他拥有的剧院中有著名的玫瑰剧院和命运剧院,后者长期为海军大将供奉剧团所使用,艾莱恩是该团的主要演员和经理。1619年艾莱恩在达利奇创建上帝恩赐学院,后改组为达利奇学院。

Allgemeine Enzyklopädie der Wissenschaften und Künste 《世界科学与艺术百科全书》 一部未完成的大型的德国百科全书。从1818～1889年共印行167卷。这部百科全书由德国目录学家J.S.艾尔什于1813年开始编纂,以其载有世界上最长的百科词条(有关希腊的词条)而著称。该词条在第80～87卷中,占3 668页。书中署名各词条均由19世纪德国第一流学者撰写。

Allgemeine Zeitung 《汇报》 19世纪最大的一种德文报纸。1798年由J.F.科塔创刊于蒂宾根。由于新闻检查及其他压力,被迫相继迁移到斯图加特、乌尔姆、奥格斯堡、慕尼黑等地。从某种意义上说,该报名称被《法兰克福汇报》和埃森的《西德汇报》所继承。这些报加上慕尼黑的《南德意志报》都是目前德国的主要报纸。

Allgood, Sara 奥尔古德(1883-10-31,都柏林～1950-09-13,美国加利福尼亚伍德兰希尔斯) 爱尔兰性格演员,女。早期指导者有弗兰克、W.G.费伊、W.B.叶芝及J.M.辛格等。1903年加入费伊的爱尔兰全国戏剧协会并在该协会演出的《国王的门槛》中饰演布安。1904年随阿比剧院剧团首次在都柏林演出。尔后10年,在阿比剧院饰演《海亚辛斯·哈尔维》中的德莱恩太太、《西方世界的花花公子》中的寡妇奎因等。1914年加入利物浦轮演剧团,后又与其他剧团一起在曼彻斯特和斯特拉特福演出。1916年去澳大利亚巡回演出。她在阿比剧院剧团首次创造了《朱诺与孔雀》(1924)中的朱诺,《犁与星》(1926)中的伯吉斯。1940年《朱诺与孔雀》在纽约重演,这是她的最后一次演出。定居美国后只参加电影拍摄。她的第一部影片是英国第一部有声片《讹诈》(1929),在英国拍摄的其他影片有《大惊小怪》(1937)、《凯瑟琳》(1938)等。在美国拍摄的影片有《青山翠谷》(1941)、《简·爱》(1944)、《螺旋形楼梯》(1946)、《悲悼》(1947)和《我的爱尔兰野玫瑰》(1947)等。

Alliaceae 葱科 百合目的一科,约30属,670余种,除热带、澳大利亚和新西兰外广布于世界大部地区。本科植物具球茎、鳞茎或其他地下茎;叶多狭长;花密集簇生,朵数不一。葱属(*Allium*)包括洋葱(*A. cepa*)、垂花葱(*A. cernuum*)、蒜(*A. sativum*)、熊葱(*A. ursinum*)、韭葱(*A. porrum*)、细香葱(*A. schoenoprasum*)和火葱(*A. ascallonicum*)。其他种如欧洲的黄花茖葱(*A. moly*)、龙骨葱(*A. carinatum*)和紫葱(*A. pulchellum*)以及北美的草原葱(*A. stellatum*)和网状葱(*A. textile*)都栽培于花

熊葱(*A. ursinum*)
美国不列颠百科全书公司供图

坛边缘以供观赏。百子莲属(*Agapanthus*)植物可作速生盆栽花卉,具块根,花蓝色,高而密集,伞状花序顶生。熊葱、非洲百子莲(尼罗百子莲,*A. africanus*)有许多品种,有些品种的花白色或紫色,另一些的叶有斑纹。常供观赏的还有特尔巴赫葱属(*Tulbaghia*)植物,特尔巴赫葱(*T. violacea*)茎粗,叶带蒜味,花壶状,紫色。布罗迪氏花属(*Brodiaea*)的观赏种叶窄如禾草,花漏斗状,通常紫色或蓝色,单花布罗迪氏花(*B. uniflora*)是最常见的栽培种。

Alliance 阿莱恩斯 美国俄亥俄州东北部斯塔克县城市。位于坎顿东北34千米处,濒临马洪宁河。1854年由威廉斯波特等四个村庄合并而成。原纽约中央铁路及宾夕法尼亚铁路在此汇合,1889年设市。现已高度工业化。生产磨料、钢材、机械和金属制品等。设有芒特尤宁学院(1846)。人口23 376(1990)。

alliance 同盟 在国际关系中,不同国家为共同行动而结成的联盟,比如在第二次世界大战期间,欧洲列强与美国为共同抗击德国及其盟邦而结成的同盟,再比如,为对付苏联及其盟邦而结成的北大西洋公约组织国家同盟。现代的同盟要求行动一体化,远远超出过去的同盟。比如,在第二次世界大战时期的各结盟中,设置军事和经济计划的联合机构,这已是一种共同的、引人注目的特点。甚至比较松散的结盟,如北大西洋公约组织,对军事上或政治上的密切合作都予以极大的重视,特别是在20世纪核威慑战略之下,更是这样。

Alliance for Progress 进步联盟 国际性经济发展计划,由美国和22个拉丁美洲国家根据1961年8月乌拉圭埃斯特角宪章建立。宪章规定的目的主要在于保持民主政体、发展经济、推动社会前进。具体项目则有保证按人口计算的平均收入的持续增长、更公平的收入分配、加速工农业发展、土地改革、改进保健事业与福利事业、稳定出口价格以及保持国内物价稳定等。这项计划开始时,估计在第一个十年里,约需200亿美元的外部资金,其中约一半从美国获得,其余从国际贷款机构和从私人资本获得。虽然根据这项计划新建了一批学校、医院和其他这类设施,但多数观察家认为计划失败了。大规模土地改革未能实现;人口增长速度较社会保健福利事业的兴建速度为快;美国的援助逐年减少,而美国同拉丁美洲各国之间的政治紧张局势加剧。

Alliance Party of Northern Ireland 北爱尔兰联合党 北爱尔兰最早的跨教派政党,主要代表东部地区中产阶级的利益。成立于1970年4月,旨在以温和的政策打破北爱尔兰政治上的宗教派性。在天主教和新教社区按其人数比例吸收党员,是一个有卓见的双教派政党。其领导人先后有O.内皮尔、P.奥尼尔、J.库什纳汉、J.奥尔德戴斯和S.尼森。1972年,英国下院中有3位议员(两个新教,一个天主教)转而参加联合党。在北爱尔兰的第一个两教派政府(1973～1974)里联合党有两人参加。在1977年的选举中赢得14.3%的选票。1998年6月的选举获得约6%的选票,在北爱尔兰议会中占有6席。直到20世纪末,北爱尔兰联合党也没有实现在北爱尔兰政治中消除宗派主义的目标。在统一主义占优势的政治机构中它得不到主张与爱尔兰合并的天主教徒的支持,而且由于它不是一个统一主义的政党,也得不到主张和英国统一的新教徒的欢迎。北爱尔兰联合党主张通过取消隔离教育、权利法案和改革保安部队来改善不同教派之间的关系。其政策属中间偏左。党的主要组织是党委员会,由地区支部的8名代表、全体委员和高级干事组成。每年召开一次会议,选举党的主席和副主席,遴选执行委员,通过或修改政策文件。

Allied Powers 联盟国家 又作Allies。指第一次世界大战时抗击同盟国(德国、奥匈帝国和土耳其)的诸联盟国家,即"协约国";以及第二次世界大战时抗击轴心国(德国、意大利和日本)的诸联盟国家,即"同盟国"。第一次世界大战时的主要协约国成员是:英国、法国、俄国,根据1914年9月5日签订的伦敦条约正式结盟。其他国家如与此三国中的任一国家或更多国家订有盟约者,亦为协约国成员:葡萄牙、日本与英国订约而加入协约国;意大利则根据1915年4月26日伦敦条约与英、法、俄结盟而成为协约国一员。其余反对同盟国的国家,包括1917年4月6日参战的美国在内,则均称为联系国,而不称为协约国;美国总统威尔逊曾强调这一区别以保持美国的自由权利。凡尔赛和约曾列举27个协约国和联系国(比利时、玻利维亚、巴西、英国、中国、古巴、捷克斯洛伐克、厄瓜多尔、法国、希腊、危地马拉、海地、汉志、洪都拉斯、意大利、日本、利比里亚、尼加拉瓜、巴拿马、秘鲁、波兰、葡萄牙、罗马尼亚、塞尔维亚-克罗地亚-斯洛文尼亚国、暹罗、美国和乌拉圭)。第二次世界大战时,同盟国主要成员是:英国、法国、苏联、美国和中国。更广义地讲,同盟国成员包括全部联合国宣言签字国家,即联合国全部战时成员。1942年1月1日的原始签署国是:澳大利亚、比利时、加拿大、中

国、哥斯达黎加、古巴、捷克斯洛伐克、多米尼加共和国、英国、希腊、危地马拉、海地、洪都拉斯、印度、卢森堡、荷兰、新西兰、尼加拉瓜、挪威、巴拿马、波兰、萨尔瓦多、南非、苏联、美国和南斯拉夫。后来的战时签署国有:菲律宾、墨西哥、埃塞俄比亚、伊拉克、自由法国和自由丹麦。

Allied-Signal Inc.　联合-西格纳尔公司　美国一家公司,为航空航天系统和组件的主要制造商。前身为联合化工染料公司(1958年前)、联合化工公司(1958～1981)和联合公司(1981～1985)。总部设在新泽西州莫里斯敦。公司1920年创立,由数家化工产品制造商联合而成,这些制造商是巴雷特公司(成立于1903年,供应煤焦油化工产品和屋顶材料)、通用化学公司(成立于1899年,专门经营工业酸类)、国民苯胺化工公司(成立于1917年,生产染料)、塞梅特-索尔维公司(成立于1894年,生产焦炭及其副产品)和索尔维法公司(成立于1881年,生产碱类和含氮化合物)。20世纪40年代,这些公司改变为联合化工染料公司的"各部"。在50、60和70年代,有若干公司和工厂继续改组和加入,联合成为一个跨行业公司。1982年,该公司接纳本迪克斯公司(汽车和航空航天设备制造商)。1985年,联合公司与西格纳尔公司(一家主要的航空航天工程公司)合并(当时最大的工业合并),形成联合-西格纳尔公司。1986年,联合-西格纳尔公司分离出约35个附属机构而成立一个新的独立公司,以使母公司能够集中力量来经营其日益增长的航空航天电子设备和汽车生产。

Allier　阿列　法国中部奥弗涅大区省份。位于中央高原北缘,由前波旁省组成。面积7 340平方千米。东北以卢瓦尔河为界。阿列河南—北流贯,谢尔河与其平行穿经西部。垦荒区有畜禽饲养业。中南部土地肥沃,耕作精细。东南部福雷地区海拔1 031米,有严冬。省会穆兰。波旁拉尔尚布特为第一代波旁贵族的住地。许多城镇保存有中世纪建筑。谢尔河以东分布有煤露头,因工业的兴起,采煤业渐趋衰落。蒙吕松生产轮胎和机械。南部的维希是法国最著名矿泉疗养地。人口约352 970(1994)。

Allier River　阿列河　法国中部河流。源出洛泽尔省,过深峡谷,穿朗雅克和布里尤德盆地,流经小麦产区大利马涅,在穆兰以北容纳锡乌莱河,最后在讷韦尔以西6千米处汇入卢瓦尔河。全长410千米,流域面积14 434平方千米。

Allies　参阅 **Allied Powers** 联盟国家。

alligator (genus *Alligator*)　**钝吻鳄**　钝吻鳄属(鼍属)两种长吻爬行动物的统称,与南美的宽吻鳄(凯门鳄)组成钝吻鳄科。与其他鳄一样体大,蜥蜴样,尾粗壮有力,用于自卫和游泳。头长,眼、耳、鼻孔均位于头顶,钝吻鳄常漂浮于近水面处,此时眼、耳、鼻孔均稍露出水面。与鳄不同之处为吻较宽大;此外鳄

密西西比鳄(*A. mississipiensis*)
美国不列颠百科全书公司供图

于闭口时下颌两边的第四齿伸出吻外。钝吻鳄为肉食性。栖于较开阔的水域(如湖泊、沼泽和江河)的岸边。能挖洞,在洞内躲避危险和冬眠。密西西比鳄(美国钝吻鳄,*A. mississippiensis*)体较大,产于美国东南部。幼体黑色,带黄色条斑,成体全身浅褐色。最大体长5.8米,一般体长1.8～3.7米。皮可用,幼体曾作为宠物出售。曾因捕猎过度而从许多盛产的地区内消失,后来法律规定禁止捕捉,直到恢复到原来的数量后,又规定了可以小量捕捉的季节。成体主要捕食鱼类、小型哺乳动物和鸟类,有时也能捕食鹿和牛等大型动物。雌雄两性皆发出嘶嘶的叫声,雄性能大声吼叫,声传很远。繁殖季节,雌性用烂泥和植物筑一丘状窝,在窝内产20～70枚硬壳卵。雌性有护卵习性,护卵期间可能伤人。但平常总是避开人类。中国钝吻鳄(扬子鳄,*A. sinensis*)体型小得多,产于长江流域,尚乏研究。其外貌与密西西比鳄相似,但最大体长仅约1.5米。体浅黑色,带不明显的淡黄色斑纹。已被国际自然和自然资源保护联合会列为濒危种(可能绝灭)。

alligator apple　鳄鱼苹果　热带美洲果树,属番荔枝类(**custard apple**)。木材有利用价值。

alligator fish　鳄鳞鱼　参阅 **poacher** 海盗鱼。

Alligator Rivers　阿利盖特河　澳大利亚北部地方东北部三条常年河流。东阿利盖特河源出阿纳姆地,流向西北;南阿利盖特河源出埃尔沙拉纳(铀矿基地)附近的丘陵,向北流;西阿利盖特河的流向大致与南阿利盖特河平行。它们均注入帝汶海范迪门湾。卡卡杜国家公园设于该地区。

Allingham, Margery (Louise)　阿林厄姆　(1904-05-20,英国伦敦～1966-06-30,埃塞克斯科尔切斯特)　英国侦探小说家。她思想敏锐、才智过人、想象丰富,曾创造一个极有趣味的侦探人物坎皮恩,此人温文尔雅,戴着眼镜,机智灵活。以坎皮恩为主角的有下列这样一些扣人心弦的作品:《布莱克德利谋杀案》(1928)、《神秘的一英里》(1929)、《葬礼中的警察》(1931)和《甜蜜的危险》(1933)。她还写过许多结构严谨的理性问题故事,受到评论界的推崇。第一篇是《鬼的死亡》(1934),另外有《给法官的鲜花》(1936)、《寿衣的式样》(1938)和《叛徒的钱包》(1941)。《验尸官的行话》(1945)、《殡仪员要忙起来了》(1949)、《烟中虎》(1952)和《中国保姆》(1963)等作品,对侦探小说发展为一个严肃的文学体裁做出了宝贵贡献。《老鹰所载的货》(1968)又以坎皮恩为主角,但她未脱稿就不幸逝世,由丈夫P. Y.卡特续成。

Allison, William B.　艾利森(1829-03-02,美国俄亥俄阿什兰～1908-08-04,艾奥瓦迪比克)　美国众议员(1863～1871)和参议员(1873～1908),1878年《布兰德-艾利森法

美国不列颠百科全书公司供图

案》的联合发起者。曾任住房筹款委员会委员和参议院拨款委员会主席。20世纪初与N.W.奥尔德里奇、O.H.普拉特、J.C.斯普纳组成"四人团",操纵参议院。1888和1896年两次争取共和党总统候选人提名。

alliteration　头韵　在韵律学中,几个词或重读音节开头的辅音重复,叫头韵。有时开头的元音重复也可以叫头韵。作为一种诗手法,它常常同母韵和子韵结合在一起进行探讨。在强调声调的语言(如汉语)中,很少用或不用头韵。许多普通短语,如 pretty as a picture, dead as a doornail,都用了头韵。它在几乎所有的语言中都是一种常见的写诗手法。虽然在散文和诗歌中头韵现在只是一种辅助性的装饰,但在古日耳曼诗歌中,这种头韵却是一条正式的结构原则。

alliterative prose　头韵文　指使用头韵及头韵诗某些技巧的散文体作品,见诸古英语和中古英语的作品,包括盎格鲁-撒克逊作家埃尔弗里克的作品。

alliterative verse　头韵诗　日耳曼系语言早期的一种诗体,诗中以头韵为基本格律原则,而不是一种偶尔的装饰。虽然在几乎所有诗歌中头韵是一种常见的手法,但在印欧系语言中,把它当作一种主要原则并与有关重音和音量的严格规则同用的,只有古斯堪的纳维亚语、古英语、古撒克逊语和古低地德语和高地德语。古日耳曼语的头韵诗句包括两个半句,中间有一个停顿。中顿前的半句有一两个头韵字母,这里头韵字母同后半句的第一个重音音节的头韵相同。头韵都在重音音节上;非重音音节即使以头韵的字母开头也是无效的。自从中世纪拉丁赞美歌的韵法被介绍过来,头韵诗也就衰落了。

Allman Brothers Band, the　奥尔曼兄弟乐队　美国摇滚乐队,其即兴的布鲁斯风格促成了20世纪70年代南方摇滚运动的兴起,为几代重视南方本地音乐的即兴摇滚乐队创

造了条件。从 1960 年起，吉他手 D. 奥尔曼与键盘手 G. 奥尔曼就在佛罗里达的不少乐队里合作。后在一唱片公司老板的建议下，才成立奥尔曼兄弟乐队。虽然他们 1969 年发行首张同名专辑，在南方之外几乎没什么影响，但 1970 年 D. 奥尔曼受 E. 克拉普顿之邀共同录制唱片时，该乐队已引起人们广泛的注意。即兴风格的《在东菲尔莫尔剧院》(1971)确立了乐队的即兴大师地位。他们在布鲁斯摇滚音乐语汇基础上又增强了爵士、乡村音乐和拉丁音乐等诸因素。由于乐队具有强烈的南方风格，它的成功带动了一大批本地区摇滚乐手，从而促成了南方摇滚乐的繁荣。1976 年乐队宣布解散。1978 年重建，1981 年又告解散。1989 年再次重建。1995 年乐队入选摇滚乐名人堂。

Allobroges 阿洛布罗克斯人 古代凯尔特部落，居住在纳尔榜高卢(即法国东南部由罗讷河和伊泽尔河为界的地区)的东北部以及日内瓦附近地区。公元前 218 年汉尼拔的部队穿过阿洛布罗克斯人的土地，这个民族的名字首见这段历史的记载。阿洛布罗克斯人后来受到罗马人的攻击，公元前 121 年，他们在罗讷河及伊泽尔河交汇地带被罗马人征服，并入山北高卢省。

allocation of resources 参阅 **resources, allocation of** 资源分配。

allodium 自由私有地 (所有者)自由持有并不对任何领主负有义务的土地。自由私有地制度在中世纪的欧洲特别重要。9 世纪末期，法国的很多土地被自由占有。到 12 和 13 世纪时，只剩下西南地区还有自由私有的农民土地。在德意志，特别是在萨克森，贵族保有的巨大的自由私有的田庄继续存在。英格兰在诺曼征服(1066)以前有大量的自由私有地，但在新统治者统治下消失了。自由私有地虽摆脱了来自上面的约束，却不能免于来自下面的限制。地主对佃农负有某种义务，对土地不能绝对控制。随着封建主义在法国的衰落，曾经处于地主管辖之下的土地转而处于国王的管辖之下，国王在土地出卖或转让时收取一定的费用。在法国大革命(1789)后，所有的土地都变成了自由私有。

Allon, Yigal 阿隆(1918-10-10，巴勒斯坦塔沃尔村[今属以色列]～1980-02-29，以色列阿富拉) 原名 Yigal Paicovitch。以色列军人和政治家。早先是犹太复国主义军事组织哈加纳的精锐分队帕尔玛赫最早的指挥官之一。第二次世界大战期间作为志愿兵和英军一起在黎巴嫩和叙利亚对维希法国作战。1948 年以色列独立后，哈加纳成为以色列国防军。在第一次阿以战争中，阿隆作为帕尔玛赫的司令参加了各个战线上的主要战役。从纳盖夫直到西奈追击埃及军队，俘虏许多战俘，包括后来的埃及总统 G.M.纳赛尔。自 1955 年起开始从政，曾当选为以色列议会议员。先后在本-古里安、L.艾希科尔和 G.梅厄的内阁中担任重要职务，并于 1969 年短期代理总理。1967 年的“六日战争”占领一些阿拉伯领土后，他作为副总理制定了一项和平计划，即著名的《阿隆计划》，将西岸大部分领土归还约旦，而保留沿约旦河的军事据点。该计划虽然未被采纳，但促使在被占领土兴建以色列居民点。他后来在有望成为工党领袖之际突然死亡。

allophone 音位变体 一个音位(**phoneme**)在语音上有区别性的变体之一。出现这一音位变体而不出现另一音位变体的原因，通常由它在词中的位置(词首、词尾、词中等)来决定或者由它的语音环境来决定。操某种语言者往往难以听出同一音位的音位变体间的语音差别，因为这些语音差别不是用来区分词义的。英语 hit(打)、tip(尖端)和 little(少的)等词中的 t 音均为音位变体，虽然按其送气、浊音化和发音部位来说，这些变体在语音上是有差别的，但按照音位来说它们均被认为是同一个音。在日语里和汉语的某些方言里，f 和 h 音均为同一音位的变体。

allopurinol 别嘌呤醇 用于治疗痛风的有机化合物。别嘌呤醇抑制体内尿酸的形成，尿酸是痛风患者血中含量异常增高的一种物质。患痛风时，尿酸在关节、肾脏和其他组织中形成固体沉积物。别嘌呤醇主要用于治疗严重的慢性痛风。一般用别嘌呤醇治疗痛风，即或不是无限期地治下去，也要治疗多年。别嘌呤醇促进关节中固体沉积物的吸收，因此可改善关节功能。别嘌呤醇比丙磺舒和硫氧唑酮等促尿酸尿药物更好，因为它能够减少尿中排泄的尿酸量，从而减少痛风病人在肾脏中形成尿酸结石的风险。参阅 **uricosuric**。

Allosaurus 跃龙 大型食肉恐龙类的属。化石见于北美、非洲和澳大利亚的晚侏罗世至早白垩世地层(侏罗纪末距今 1.44 亿年)。跃龙体重 2 吨，身长 10.4 米，极其发育的尾巴占长度一半，可能起平衡身体的作用。两足行走的跃龙有很强壮的后肢和带向前向后的强壮凸起的粗大骨盆，前肢比后肢小得多，可能用于攫取食物。有 3 个末端为尖爪的趾。相对于小而结实的身体而论头骨很大，因存在几个大空腔而使头骨变轻。上下腭强，具大而尖的齿，很灵活，使这种动物能从它的猎食对象身上咬一大口。跃龙很可能以中型恐龙为食，尤其是鸟脚类及其亲缘的类型；也可能是一种腐食动物，吃已死或将要死的动物的躯体。它们也许是成群猎食的。

allosteric control 变构调控 小分子(调节分子)在变构位点(而非活性中心)上与酶相互作用而抑制或激活酶的现象。这相互作用改变酶的形状，从而影响在活性位点上酶与其底物间惯常化合物的形成。根据诱导-契合学说，底物或某些其他分子与酶结合后可引起酶形状的改变，使酶的活性或是增高或是抑制。调节分子可为合成途径中的产物，当它抑制了该途径的酶后(参阅 **feedback inhibition**)，可阻碍其自身的进一步合成。某些分子起激活剂的作用，即能与酶相互作用，结果增进了酶与底物的结合，从而提高催化活力。哺乳动物需能时释放的肾上腺素活化腺苷环化酶，该酶催化环化腺苷-磷酸(cAMP)的合成；cAMP 又激活糖代谢的酶，从而产生能量。变构激活和变构抑制的交互作用，使细胞能迅速地调节所需物质的合成。

allotropy 同素异形现象 一种化学元素以两种或多种形式存在的现象，可能是由于原子在晶体中的排列形式不同，也可能是由于组成分子的原子数目不同。一种元素有不同结晶形式的现象在化合物中称之为同质多晶型现象。同素异形现象有单变性的，即在所有条件下，只有其中的某一种形式是最稳定的；也有互变性的，即不同形式在不同条件下是稳定的，并且在特定的温度和压力下，可发生从一种形式到另一种形式的可逆转变。具有同素异形现象的元素有锡、碳、硫、磷和氧。锡和硫是互变性的，灰锡在低于 13.2 ℃是稳定的，白锡在高温下稳定。正交晶体硫低于 95.5 ℃稳定，单斜晶体硫在温度介于 95.5 ℃和其熔点(119 ℃)之间稳定。碳、磷和氧都是单变性的。在所有正常条件下石墨比金刚石稳定，红磷比白磷稳定，双原子氧 O_2 比三原子氧 O_3(臭氧)稳定。

Allouez, Claude-Jean 阿卢埃(1622-06-06，法兰西圣迪迪耶～1689-08-27 或 28，新法兰西圣约瑟夫堡附近) 天主教耶稣会会士。在新法兰西(今加拿大和美国部分地区)传教。他在图卢兹加入耶稣会，1655 年受祝圣为司铎，1658 年渡海到达北美洲魁北克，在圣劳伦斯河沿岸各居民点活动，1663 年任西北区代理主教。他遍历今美国威斯康星州周围未经考察的地区，包括希夸默根湾和格林湾，向印第安人传教和创办教会。晚年主要在今密歇根州西南部圣约瑟夫河沿岸迈阿密人中间度过。

Allouez Bay(Lake Superior, U.S.) **阿卢埃湾** 参阅 **Superior Bay** 苏必利尔湾。

Alloway 阿洛韦 苏格兰斯特拉斯克莱德行政区凯尔-卡里克区艾尔镇南郊区。为苏格兰民族诗人 R.彭斯的诞生地(1759)。在其出生的茅屋旁有一博物馆和一座建于 1820 年的希腊神殿式的纪念馆。附近的杜恩河桥因彭斯在《汤姆·奥桑特》一诗中提到而闻名。

alloy 合金 由两种或多种元素组成的金属材料，以化合物或溶体形式存在。主要元素组分一般是金属，但非金属碳是钢的重要组分。通常采用熔炼其组分的混合物来制取合金。在古代就发现合金的价值，以黄铜(铜锌合金)和青铜(铜锡合金)为尤。现在最重要的是合金钢。合金钢一般说来除铁和碳外，还含有相当数量的其他元素。加入钢的主要合金元素有铬、镍、锰、钼、硅、钨、钒和硼。合金钢具有范围广阔的特殊性能，如硬度、韧性、耐蚀性、磁化能力和延展性。有色合金(主要是铜镍合金、青铜和铝合金)大量用于制造钱币。合金化元素和杂质有时难以区别。例如，在铝合金中硅可以认为是杂质也可以认为是有用组元，要视其用途来定，因为硅能提高强度但降低耐蚀性。易熔金属或易熔合金是指一组熔点低于锡的熔点(232°C)的合金。这些合金大部分是低熔点金属(如锡、铋和铅)组元的混合物。易熔合金用作焊料；用在灭火器件中作保险片，当火焰的热量熔化合金时，即会自动喷水；也用作保险丝，当电流过载时就熔化而切断电路。许多易熔合金配制在 90 ～100°C 熔化，例如达塞特易熔合金(50％铋、25％铅、25％锡)在 98 °C熔化。在该易熔合金中，用镉代替一半的锡即构成伍德合金，熔点仅70°C。参阅 **amalgam; ferroalloy; intermetallic compound**。

Allport, Gordon W(illard)　奥尔波特 (1897-11-11，美国印第安纳蒙特苏马～1967-10-09，马萨诸塞剑桥)　美国心理学家和教育家，对现代人格研究作出贡献。1924年任

美国不列颠百科全书公司供图

哈佛大学社会科学讲师，6 年后任心理学教授，晚年任社会伦理学教授。他不断将人格研究与其社会兴趣联系起来。越来越多的心理学家试图将人文主义的影响引入心理学，他就是其中之一。1937 年出版其重要的开创性的人格理论著作《人格：心理学的解释》。他的著名论点是：成人动机虽由婴儿冲动发展而来，但已不受婴儿冲动的支配，因之强调成人人格问题而不强调婴儿的情绪和体验。在《生成》(1955)一书中，他着重指出了自我的重要性和成人人格的独特性，认为自我是每个个体中一种可辨认的结构，是人格的一致性、高级动机、个人记忆连续性的基础。1954 年发表《偏见的本质》，在偏见的分析方面作出重要贡献。其最后的重要著作为《人格的模式与成长》(1961)。

allspice　多香果　桃金娘科热带常绿树(*Pimenta diocia*，旧称 *P. officinalis*)，原产西印度群岛和中美。浆果可提取高级香料。因其干燥的浆果具有类似丁香、桂皮和肉豆蔻的综合香味，故名。广泛用作烘烤、腌制食品和肉馅的香料。早期西班牙探险家把它误认作一种胡椒，因此其学名即来源于西班牙语胡椒(pimenta)一词。英语中又称 pimento 或 Jamaica pepper(牙买加胡椒)。据记载，1601 年首次输入欧洲。多香果树高达 9 米。果实在完全成熟前采摘，然后晒干，使之从绿色变成暗淡的浅红褐色。果实近球形，直径约 5 毫米，含 2 粒肾形暗褐色种子，味芳香而辛辣。牙买加产多香果含精油约 4.5%，而中美产者约含 2.5%；精油主要成分是丁子香酚($C_{10}H_{12}O_2$)。称为多香果的有好几种其他芳香灌木，如卡罗来纳多香果，即佛罗里达夏腊梅(*Calycanthus floridus*)，原产美国东南部，欧洲常有栽培，株形优美；日本多香果，即腊梅(*Chimonanthuspraecox*)，原产东亚，在欧洲和

多香果(*Pimenta diocia*)
美国不列颠百科全书公司供图

美国栽作观赏植物；野多香果，即美国山胡椒(黄果山胡椒，*Lindera benzoin*)，产于北美东部，其浆果芳香，可作真正多香果的代用品。

Allston, Robert (Francis Withers)　奥尔斯顿 (1801-04-21，美国南卡罗来纳万圣牧区～1864-04-07，南卡罗来纳乔治敦)　美国水稻种植家，曾任南卡罗来纳州州长，他的论文

美国不列颠百科全书公司供图

《南卡罗来纳州水稻种植》提供了美国南北战争前南方在农业、政治和社会方面的重要情况。他用科学方法排干和开垦该州的沼泽地，在大西洋沿岸低地上建立了水稻大种植园。他还写了两部有关水稻种植的权威性著作。1847 ～ 1856 年任南卡罗来纳州参议院议长，1856 ～ 1858 年任州长。

Allston, Washington　奥尔斯顿 (1779-11-05，美国南卡罗来纳沃卡莫河畔布鲁克格林多曼奥尔斯顿殖民地～1843-07-09，马萨诸塞剑桥港)　画家兼作家，被誉为美国第一个重要的浪漫派画家，以题材动人和色彩淡雅著称。1800年毕业于哈佛大学，曾在英国皇家

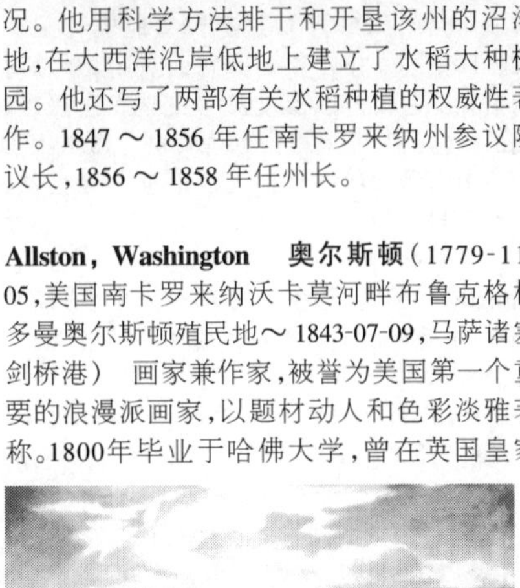

奥尔斯顿绘《月夜》(1819)
美国不列颠百科全书公司供图

学院进修，研究过巴黎和意大利重要博物馆的藏品。其作品带有强烈的生活气息。在他笔下大自然产生了能左右人情感的巨大力量。1808 ～ 1811 年在波士顿，以后 7 年在伦敦进行创作，1818 年回波士顿，此时作品倾向超自然的题材，如《复活》(1811 ～ 1813)和《伯沙撒的盛宴》(1817 ～ 1843)。风景画《洪水》(1804)和《沙漠中的伊莱贾》(1818)被誉为美国早期风景画的重大成果。1818 年回波士顿后，其作品变得更加恬静和富于想象，如《月夜》(1819)。他创作诗集与小说，并出版过艺术理论著作《论艺术与诗》(1850)。

Allucingoli, Ubaldo (pope)　阿卢辛戈里　参阅 **Lucius III** *卢西乌斯三世*。

allusion　典故　文学作品中暗指或间接提到某人、某事、某物或另一文体的一部分。大部分典故是基于一个假设：作者和读者共享大量知识，因而读者会理解作者暗指的是什么。因此西方文学中常见圣经人物和古典神话人物的典故。典故可以用作一种直截了当的手段，以提供进一步的含义来深化主题，但也可就其更复杂的意义通过对一件不相似的事情进行比较，来对某事作出讽刺的评论。该词源自后期拉丁语 *allusio* (“文字游戏”或“游戏”)，词源是拉丁语 *alludere* (“玩弄”或“嘲弄地提及”)。

alluvial fan　冲积扇　在山谷出口处由于流出的河流沉积物搬运作用停止而堆积下来的未固结沉积物，它一般在平面上呈扇形。多种气候条件下都可发育，在加拿大的北极地区、瑞典的拉普兰区、日本、阿尔卑斯山、喜马拉雅山以及其他地区均已研究过。而在干旱、半干旱地区，冲积扇往往比较大和更明显并且通常被视为荒漠地形的特征。这在伊朗、阿富汗、巴基斯坦、美国西部、智利、秘鲁、西奈、西阿拉伯和中亚细亚部分盆地-山岭型地区尤其如此，在那些地区，基本地貌结构由毗连着盆地的山系组成。冲积扇对人类有实际经济意义，尤其在干旱与半干旱区，它有用于农业灌溉和维持生命的主要地下水水源。有些情况下，例如洛杉矶，整个城市都建在冲积扇上。

冲积扇以每个扇的顶端挨着山地的前沿，扇顶正好在峡谷口里，峡谷口又是山地排水系统的出口。山地内部侵蚀作用产生的沉积物被这些排水系统输运到紧邻的盆地，在干旱地区，这主要出现在比较不常有的山洪暴发期间，这种山洪可能包含泥流。所以，作为主要沉积场所的冲积扇是一个侵蚀-沉积系统的固有部分，在这个系统内，整个地质历史时期中，山地慢慢地倾向于削减，盆地则倾向于被沉积物填充。

因为沉积冲积扇的河流倾向于快速流动，所以第一批沉积下来的物质一般较粗。但是，冲积扇从顶到底沉积物颗粒大小变化范围很宽，且分选程度高。冲积扇的初期建造常常因表层水渗透到粗碎屑的早期沉积物中而得到促进。这种渗透推动了较细粒物质的沉积。通常情况下，较粗大的沉积物组分向扇顶附近堆积，细的砂粒和粉砂则朝向扇

底堆积。此外，辫状的小支流也起着某种分选作用，把薄薄的砂和粉砂层铺于冲积扇的整个表面，而在水流较快的主河道则沉积着较粗的砂和卵石。

在荒漠和半干旱地区，当河水在沉积物中渗透并逐渐往下渗漏到扇底之时，冲积扇就可以起地下水贮集库的作用。如果水被潴积在冲积扇内的不透水层之间，那么，这些水就可以通过沿扇底打的井而开采出来，这些井可以显示为自流井，因为地下水在冲积扇内部形成了压力。不过，荒漠区冲积扇作为持久性水源来利用还是有限的，因为周期性的降雨仅仅提供很低的补给率。

冲积扇可以是很大的，可以占据较宽的面积，其基底半径从只有几米到大于 150 千米。当很多条河流注入一个平原时，它们的冲积扇可以连接起来，构成一个山麓冲积扇。

潮湿地区的很多冲积扇实际上具有在较早年强烈侵蚀与沉积时期所造成的化石特征。例如，在法国比利牛斯山脉北侧的拉讷姆藏高原就是一个大的山麓冲积扇，这个山麓冲积扇为加龙河与阿杜尔河的支流所造成。然而，这个山麓冲积扇简直太大，以致不可能为今天的河流所形成。它形成于新生代晚期，并且是由来自比利牛斯山脉的粗大的上新统卵石所构成。

alluvial plain　冲积平原　参阅 **floodplain** 河漫滩。

alluvium　冲积层　指河流沉积的物质。通常在河流下游广泛发育，形成泛滥平原和三角洲，但凡是河流漫出河岸的地方或是河水流速突然降低之处(例如流入湖泊之处)都可能沉积。冲积层由粉砂、砂、黏土和砾石组成，并常含大量有机物。因此，冲积层能产生非常肥沃的土壤，如密西西比河三角洲、尼罗河三角洲、恒河三角洲、布拉马普特拉河三角洲和黄河三角洲等。在有些地区，冲积层中含有金、铂，或各种宝石，以及占世界供应量大部分的锡矿石(锡石)。

allyott (plant)　参阅 **jute** 黄麻。

Alma　阿尔马　加拿大魁北克省中南部城市。萨格奈河-圣让湖区东圣让湖县县城。范围包括阿尔马岛及萨格奈河两岸，是魁北克市北 230 千米圣让湖的出口。1923 年马林内岛大型水电工程建成之前，阿尔马基本上是农业区。现该市经济主要为铝制品和纸张生产以及花岗石开采。1958 年设市。人口 25 910(1991)。

Alma　阿尔马　美国密歇根州中部格拉希厄特县城市。濒派恩河，在兰辛以北约 80 千米处。1853 年建立，位于生产豆类、玉米和甜菜的农业区中心。轻工业、石油和甜菜加工具有经济意义。市内有阿尔马学院(1886 年建立)和密歇根州共济会疗养院。1872 年建村，1905 年建市。人口 9 034(1990)。

Alma, Battle of the　阿尔马河战役(1854-09-20)　克里米亚战争中的一次战役。此役使俄国海军基地塞瓦斯托波尔腹背受敌，整个俄军在战争中的地位岌岌可危。俄军在 A.缅什科夫公爵指挥下，曾占领克里米亚西南阿尔马河上游高地的一个阵地，从而封锁了进攻塞瓦斯托波尔的道路。然而，9 月 14 日英法联军在克里米亚登陆，在拉格伦勋爵和 A.德·圣阿尔诺元帅指挥下向俄军发动进攻。俄军虽然击退联军的第一次冲击，但俄军惊慌撤走其炮兵。联军继续进攻，迫使俄军向防卫工事十分简陋的塞瓦斯托波尔方向退却。不过联军未能跟踪追击，以致丧失一举攻占该城的战机。

Alma-Ata　参阅 **Almaty** 阿拉木图。

Alma-Tadema, Sir Lawrence　阿尔玛-塔德玛(1836-01-08，尼德兰德龙赖普～1912-06-25，德国威斯巴登)　描绘早期日常生活的画家，在当时极有名望。生于一个公证人的家庭，

阿尔玛-塔德玛绘《拜访》(1868)
美国不列颠百科全书公司供图

1852～1858 年在安特卫普学院师事历史画家 H.利斯。1859 年协助老师绘制安特卫普市政厅壁画。1863 年访问意大利时，开始对希腊和罗马古迹以及埃及考古学发生兴趣，此后的作品几乎都取自这些题材。1873 年加入英国国籍。1879 年被选为皇家学会会员，1899 年封为爵士。

Almadén　阿尔马登　西班牙中西部卡斯蒂利亚-拉曼查自治区雷亚尔城省城镇，地处世界最大汞矿产区。曾为罗马和摩尔人居民点，1151 年被阿方索七世攻占并封给卡拉特拉瓦骑士团，后者开发了当地汞矿。现经济仍以采矿为主。设两所矿业学校。郊区种植谷物并饲养牲畜，城内有面粉厂和制鞋厂。人口约 7 723(1991)。

Almagest　《天文学大成》　希腊天文学家托勒玫在公元 140 年前后编纂的天文学和数学百科全书，在 17 世纪初以前一直是阿拉伯和欧洲天文学家的基本指南。该书阿拉伯文原名意为“至大”，其他名称还有“伟大论文”、“大天文学家”、“数学文集”等。827 年被译成阿拉伯文，12 世纪后半叶又从阿拉伯文转译成拉丁文。该书共 13 卷。第一卷概述托勒玫体系。第二卷载现存最古老的三角学：一个列有间隔半度，精度为 5 位数的弦值表以及有关解球面三角形的方法。第三卷论太阳运动和年的长度。第四卷论月球和月份。第五卷除继续论第四卷的问题外，还论太阳和月球的距离并介绍如何制作星盘。第六卷论日月食和行星的冲、合。第七、八两卷主要论恒星，按喜帕恰斯(公元前 129 年)星表列出 1 022 颗恒星的黄道坐标和星等，还提及岁差和天球仪的制作。其余 5 卷详论第一卷概述的托勒玫体系。

Almagro, Diego de　阿尔马格罗(1475，西班牙卡斯蒂利亚阿尔马格罗～1538，秘鲁库斯科)　西班牙军人，在西班牙征服秘鲁过程中起了重要作用。曾在西班牙海军服役。1524 年去南美，同密友 F.皮萨罗率军征服了印加帝国(今秘鲁)，并且都成为被征服地区新卡斯蒂利亚的总督。不久两人发生仇隙，给新殖民地带来政治动乱。1534 年被西班牙国王查理一世(同时为神圣罗马帝国皇帝查理五世)派往协助征服今智利一带。后秘鲁印第安人叛变，围攻西班牙人的要塞库斯科，阿尔马格罗赶回平乱，并以不服军令监禁了皮萨罗的两个兄弟。皮萨罗遂进攻库斯科，击败、俘虏并处死了阿尔马格罗。这是西班牙总督之间在新殖民地互相残杀的战争中的第一次。

Almalyk　阿尔马雷克　乌兹别克斯坦塔什干州城市。位于库赖马山脉北坡、阿汉加兰河左岸、塔什干市东南 55 千米处。1951 年建市。现为重要有色金属冶炼中心，产铜、钼、铅、锌等，并精炼铜和锌。人口约 116 400(1991)。

almanac　历书　记载包含一年之中日期、星期、月份的一览表，各种天象的记录，常附有供乡民参考的天气预报和季节性启示等内容的书或表格。历书提供关于太阳和月球升起与降落的时间、月相、行星位置、高潮和低潮一览表，以及基督教会节日和圣徒纪念日的记录。术语“almanac”(历书)可能源于中世纪的阿拉伯；在现代阿拉伯世界，al-manākh 是用于天气方面的词。第一本印刷的历书大概在 1457 年出现于欧洲，但在天文学产生后

已出现某种形式的历书。古埃及和希腊的历法指出节日和吉日(或不吉利日)。历书开始显得真正重要是在印刷业发展之后。德国天文学家雷乔蒙塔努斯(即 J.缪勒)在 1473 年以书名《星历表纪元》发表了最重要的早期历书。在英格兰最早印刷的一些历书由文具公司出版,其中最著名的是 F.穆尔的《星球之音》,该书第一期完成于 1700 年。17 和 18 世纪西方科学的发展,使科学历书发展成为现代的精确的天文历表。同时,在欧洲和新大陆,大众历书发展成为民间文学的形式,如日历和天气预报、有趣的统计和事实、戒律和谚语、健康忠告和治疗、笑话,甚至诗和小说。用历书作指导,农民能够校正已经停了的钟,辨别一天的时间,估计适合各种农事的季节。第一本在殖民地北美印刷的历书是《1639 年新英格兰历书》,在哈佛学院监督下由 W.皮尔斯完成,在马萨诸塞剑桥印刷。随后出版了其他美国历书,其中最著名的是《天文日历和历书》,该书在 1725 年由马萨诸塞戴德姆的 N.埃姆斯开始编写,于 1775 年出版。B.富兰克林的兄弟詹姆斯在 1728 年付印了《罗得岛历史》,5 年后,B.富兰克林(用笔名理查德·桑德斯)在费城开始编写《穷理查的历书》,这是一本最著名的美国历书。现今历书有几种类型:传统类型继续存在于《旧农历》中,1792 年后在美国继续出版;最有名的类型是现时使用方便,集统计、历史和其他资料于一身的历书。

almandine 铁铝榴石 紫色红尖晶石(**ruby spinel**)变种或含铁铝的石榴子石这两种次等宝石中的任何一种。铁铝榴石是石榴子石中最为常见的,其标本经常是晶体,含有高达

产自美国康涅狄格州索斯伯里的铁铝榴石
美国不列颠百科全书公司供图

25%的钙铝榴石或钙铁榴石,往往呈褐红色,宝石级的这种矿物则呈深红色和浅紫色。通常琢磨成戒指。琢磨成馒头形(凸圆形抛光面)的深红色铁铝榴石叫红榴石,它的底往往掏空使颜色变浅。当包有针状金红石时,这种馒头形琢型宝石往往显出四条光道的星芒。铁铝榴石往往同镁铝榴石和锰铝榴石两种矿物混合出现。产于变质岩中,它的存在可作为变质级的指示矿物。关于其化学性质及产地,参阅 **garnet**。

Almansa Dam 阿尔曼萨水坝 位于西班牙卡斯蒂莱-拉曼查自治区阿尔瓦塞特省的维加·德·贝伦河上。是目前仍在使用的最老的砖石结构重力坝。约建于 16 世纪,坝身狭长,以凿平的石块贴面,内部为毛石。高 25 米、长 90 米,体积 5 700 立方米,库容为 160 万立方米。

Almaty 阿拉木图 俄语作 Alma - Ata。原名韦尔内(1855～1921)。原哈萨克斯坦首都。1997 年 12 月 10 日起哈萨克斯坦首都迁往阿克莫拉,阿拉木图仍是阿拉木图州的行

阿拉木图芭蕾舞剧与歌剧院
美国不列颠百科全书公司供图

政中心。在外阿赖山脉北部丘陵地带,海拔 700～900 米。现代城市建于 1854 年。1867 年成为土耳其斯坦一总督辖区的行政中心。1918 年建立苏维埃政权。1929 年哈萨克首都迁此,1930 年通铁路,后发展迅速。第二次世界大战中发展起机械制造业。所在地区有地震和泥石流之患,已采取立坝的办法保障城市安全。现为较重要的工业中心,其中食品工业和轻工业均占很大比重。设有若干高等院校,包括哈萨克国立大学(1934)及 5 所学院、哈萨克斯坦科学院。建有博物馆、剧院、图书馆、植物园、动物园、体育场和展览馆。城市范围不断扩大,布局整齐,林荫道宽阔,多公园和果园,被认为是哈萨克斯坦最美城市之一。市内阿森松大教堂(1907)是世界现存第二高木结构建筑。居民中俄罗斯人约占 60%,其他主要为哈萨克(不到 1/4)、乌克兰、鞑靼、维吾尔、日耳曼等族人。人口约 1 156 200(1991)。

Almeida, Francisco de 阿尔梅达(约1450,里斯本～1510-03-01,桌湾[今开普敦]) 葡萄牙军人、探险家,首任葡属印度总督。在对摩尔人的战争中成名。1505 年 3 月曼努埃尔一世任命他为新征服的印度领土的总督。率领由 21 艘军舰组成的强大舰队,绕过好望角,沿非洲东海岸航行,途中占领基卢瓦(今坦桑尼亚之基卢瓦基西瓦尼),修建要塞,然后摧毁蒙巴萨。接着到印度,定居科钦,决心使葡萄牙称霸东方并垄断香料贸易,为此修建一系列设防贸易站。在其压力下,与马六甲签订了商务条约。他,特别是他的儿子洛伦索继续探险。当阿拉伯人及其埃及盟友向葡萄牙的霸权提出挑战后,他于 1509 年 2 月烧毁和劫掠了他们的港口,并在印度第乌沿海击败了联合舰队。同年底,他不得不把总督职务移交给阿丰索·德阿尔布克尔克。后乘船回国途中航至桌湾时,在与霍屯督人的冲突中丧命。

Almeida, José Américo de 阿尔梅达(1887-01-10,巴西帕拉伊巴州～1980-03-10,里约热内卢) 巴西小说家。其作品标志着重要的一代巴西东北地区派作家的开端。这派作家作品反映巴西最贫困、干旱地区最主要的社会经济问题,呼吁予以关注和公平解决。他的文学活动和政治活动相并而行,曾任部长(1930～1934)和州长(1951～1954)。巴西东北部的特殊问题,包括贫瘠内地的匪患,以及较肥沃的沿海地带甘蔗工人的贫穷和无知,都是他的小说描写的重点。著名小说《甘蔗渣》(1928),描写一群小自耕农被旱灾所迫,离乡背井到甘蔗种植园从事奴隶般的劳动;其他类似作品有《峡谷》(1935)和《匿匪者》(1935)。

Almeida, José Valentim Fialho de 阿尔梅达(1857,葡萄牙弗拉迪什镇～1911-03-04,阿连特茹地区) 葡萄牙现实主义和自然主义时期短篇小说家和政论家。他的系列短篇小说集《猫》(1889～1893),是对当时里斯本的生活和风俗的讽刺。在《葡萄园之乡》(1893)和其他短篇小说集中,他生动、朴实地描写了葡萄牙的乡村生活,使其与城市生活的腐化堕落适成对比。其他讽刺性短篇小说集有《嘲讽》(1890)、《令人啼笑皆非的生活》(1892)、《风雅的里斯本》(1890)。

Almeida, Lourenço de 阿尔梅达(?～1508,印度焦尔) 葡萄牙船长,1505 年赴锡兰(今斯里兰卡)远征队的领导人。其父弗朗西斯科·德·阿尔梅达为葡属印度第一任总督(1505～1509),派他去勘探马尔代夫群岛,要他与当地人结盟,建立贸易关系。1505 年在科伦坡设置居留地,确立葡萄牙影响,1506 年在印度西海岸附近击败一支阿拉伯舰队,1508 年在焦尔附近击败一支马六甲舰队,但在该处遭埃及舰队伏击。他英勇战斗,负伤致死。其业绩为 16 世纪葡萄牙诗人卡蒙斯的史诗《卢西塔尼亚人之歌》所歌颂。

Almeida, Manuel Antônio de 阿尔梅达(1831,里约热内卢马赫～1861-11-28,在海上) 巴西作家。早年学艺术,后又学医,由于贫困,学习时常中断。以翻译和新闻工作为生。他唯一的小说《民兵队长的回忆》(1854～1855),被认为是巴西文学中第一本伟大小说,其现实主义远远走在同时代巴西作家的浪漫主义前头,也比欧洲自然主义早若干年。当时未受到重视,至 20 世纪始为现代主义者所发现。小说以日常的实际活动反映了 19 世纪初里约热内卢的生活,通过青年莱昂纳多所看到的风俗习惯、各种人物,以及宫廷阴谋,给读者提供了一幅生动的画面。这个青年社会地位不高,混迹于乞丐、卖淫妇女、教士或者水手之中寻找奇遇。他在沉船事故中溺死于巴西海岸,时年仅 31 岁。他是巴西文学巨匠马查多·德·阿西斯的朋友。

Almelo 阿尔默洛 荷兰东部上艾瑟尔省城市,位于上艾瑟尔运河和特文特运河支流阿尔默洛-诺德霍恩运河汇合处。包括原先的安布特-阿尔默洛、斯塔德-阿尔默洛和弗里曾芬三个城镇。19 世纪末叶,随着特文特区迅速发展起来,现为纺织和冶金中心和铁路枢纽。著名建筑物有 17 世纪荷兰新教教堂和 16 世纪市政厅等。人口约 66 080(1999)。

almemar(Judaism)　参阅 **bimah** 诵经台。

Almendares River　阿尔门达雷斯河　在古巴西部哈瓦那省，源出高约225米的贝胡卡尔高地，沿弧形北流，转西，再折向北，经古巴沿岸平原，穿过哈瓦那市区，注入佛罗里达海峡。全长47千米，供给哈瓦那市部分水源。两岸有游人云集的阿尔门达雷斯公园。

almendro　杏仁树　又称巴拿马天蓬树(Dipteryx panamensis)。中美洲热带雨林中主干周期性分叉并形成优美的圆形树冠的树种。雨季来临后，这些树的枝头会开出成束的花朵。坚硬致密的主干被光滑的略带粉红色的金色树皮所包裹。重18～26克的果实包含一粒封在厚厚的木质果荚内的种子，果荚外包裹着一层薄而甜的绿色果肉。在丰收年，每平方米的树冠可以结20多个的果实，但单株的果实数每年不尽相同。在巴拿马，杏仁树的果实在12月到次年4月之间成熟，可缓解这一时期的食物短缺。果实成熟时，大量的树栖动物会聚集到杏仁树上采食，而生活在地面上的动物则寻找落在地上的果实。大多数动物只吃果实外层甜美的果肉，而西貒和啮齿类动物则能咬开木质的果荚，吃到里面的种子。杏仁树的种子必须埋在远离母株的地方才有机会长成成熟的植株。两种动物通过担任不同的角色来完成这项任务。狐蝠可以把它的果实带到远离母株的栖息处，吃掉果肉，扔掉种子；刺豚鼠接着搬运并埋藏这些种子。大多数被埋藏的种子随后被挖出来吃掉，但是在果实丰富的年份里会有一些种子发芽并且成长起来。杏仁树属于蝶形花亚科。

Almendros, Nestor　阿尔门都斯(1930-10-30，西班牙巴塞罗那～1992-03-04，美国纽约)电影摄影师，曾因拍摄《天堂里的日子》(1978)获奥斯卡最佳摄影奖。1948年从西班牙移居古巴，业余拍过一些影片。曾在美国短期教学。1959年古巴革命后，返回古巴，为早期卡斯特罗政权制作了几部纪录片。1961年迁居法国，拍短片和电视片。他拍摄的第一部故事片是罗默导演的《女收藏家》(1966)。他还拍摄了罗默的《莫德家一夜》(1968)、《克莱尔的膝》(1970)和《下午的爱情》(1972)。与特吕福一起拍摄了《野孩子》(1970)、《夫妻生活》(1970)和《两个英国少女》(1971)。他后期的影片，包括风行一时的《匆忙中的爱情》(1979)。著有自传《一个携带摄影机的人》，1984年出版。

Almería　阿尔梅里亚　西班牙安达卢西亚自治区东南部省份，临地中海。1833年建省，面积8 774平方千米。大部为山区，有佩尼贝蒂科山系横贯。阿德拉、阿尔曼索拉和安达拉克斯三河流域土地肥沃，降雨量虽少，但灌溉便利，使农业产量有较大的提高。出产水果，大量出口柑橘和白葡萄。也产橄榄油、甘蔗、甜菜、杏仁和茅草。有畜牧(尤其是羊)、采矿(铁、铅、金)和旅游业，地中海沿岸地区全年均可供游人休憩。全省天空云量甚少(在欧洲极为罕见)，因此1979年在卡拉尔峰建立大型天文台(西班牙和西德合办)，1980年在该省塔韦纳斯村建设两座世界最先进的500千瓦太阳能电站。省会阿尔梅里亚为交通枢纽和海港。其他主要城镇为阿德拉、贝尔哈，库埃瓦斯-德阿尔曼索拉，韦尔卡奥韦拉和加鲁查。人口约512 843(1999)。

Almería　阿尔梅里亚　西班牙南部安达卢西亚自治区阿尔梅里亚省省会和海港。濒临地中海阿尔梅里亚湾。罗马人称为波尔都斯-马格努斯，摩尔人称为"海镜"，1489年为

阿尔梅里亚旧城一角
Black Star 供图

卡斯蒂利亚君主费迪南德和伊莎贝拉攻占。市内建筑及其耀眼的光辉呈现一种摩洛哥而不是欧洲风貌；阳光明媚，气候宜人，四季均可游泳，使它成为西班牙属地中海海滨旅游中心。有金属加工、炼油、化工和鱼加工等行业。20世纪70年代末建起大型水泥厂。港口有现代化设备，8～12月为柑橘和葡萄出口旺季。名胜古迹有哥特式大教堂(1524～1543)、主教官和城堡遗迹等。人口约169 027(1999)。

Almetyevsk　阿尔梅季耶夫斯克　俄罗斯鞑靼斯坦城市。在斯捷普诺伊斋河左岸。1950年发现石油后设立居民点。有原油管道(1957建)通往彼尔姆和克斯托沃(下诺夫哥罗德[高尔基]附近)的炼油厂以及东欧国家。生产轮胎和钢筋混凝土构件。人口约140 000(1997)。

Almirante Brown　布朗海军上将　阿根廷大布宜诺斯艾利斯的主要城镇和行政分区，位于布宜诺斯艾利斯省、布宜诺斯艾利斯市以南。分区建于1873年，城镇常被称做阿德罗格——该地创建者的名字。分区面积122平方千米，北连洛马斯-德萨莫拉行政分区，东接基尔梅斯和弗罗伦西奥·巴雷拉行政分区，南界圣维森特行政分区，西邻埃斯特万·埃切维里亚行政分区。分区除布朗海军上将城镇外，还有布尔萨科、隆尚、格柳、里瓦达维亚部长镇、克莱波莱等。1886年在阿德罗格的中央广场上一座纪念吉列尔莫·布朗海军上将的雕像揭幕，他是1827年阿根廷军舰击败巴西舰队的洪卡尔海战中的英雄。该地区原来发展缓慢，1947年后，随着布宜诺斯艾利斯市城市的扩大，发展速度加快，逐渐被并入大布宜诺斯艾利斯的南部郊区，有1/2以上的地方划入大布宜诺斯艾利斯市区。该地区饲养牲畜，并开办纺织厂和奶制品厂。人口：分区550 000(1999)。

Almohads　阿尔摩哈德人　阿拉伯语作 al-Muwaḥḥidūn(穆瓦希德人)，意为"信仰真主独一教义者"。一个柏柏尔人联合体，曾在北非和西班牙建立伊斯兰帝国(1130～1269)。在伊本·图迈尔特的号召下，柏柏尔人约于1120年在摩洛哥阿特拉斯山区的廷麦尔兴建一个国家。1121年，伊本·图迈尔特自立为"马赫迪"，作为宗教和军事领袖，开始对穆拉比特(阿尔摩拉维德)人进行战争。在他的继承者阿卜杜勒·慕敏的领导下，阿尔摩哈德人于1147年推翻了穆拉比特人的国家，征服马格里布，攻占马拉喀什，并定都于此。哈里发阿布·雅库布·优素福(1163～1184在位)时又攻取穆拉比特人的安达卢西亚，1172年进驻塞维利亚，随后，其统治范围扩展到伊斯兰西班牙的其余地方。在阿布·优素福·雅库布·曼苏尔统治时期(1184～1199)，由于阿拉伯人叛乱，帝国东部省份备受蹂躏，而在西班牙，尽管在阿拉科斯取得胜利(1195)，依然经常受到基督教徒的威胁。在拉斯纳瓦斯-德托洛萨战役(1212)中，阿尔摩哈德人被莱昂、卡斯蒂利亚、纳瓦拉和阿拉贡等4个王国的基督教联军击溃，退到北非。1269年，帝国首都马拉喀什被马里尼德人攻陷。在阿尔摩哈德人的帝国中，原先部落的等级制度被保留下来作为帝国的政治和社会结构，帝国创建者及其后代组成统治贵族集团。然而，建立在这个柏柏尔人组织之上的是西班牙模式的中央政府。

Almon, John　阿尔蒙(1737-12-17，利物浦～1805-12-12，英格兰赫特福德郡博克斯穆尔)英国议会记者和政论作家，曾参与新闻界与议会之间关于报道议会辩论权的斗争。他是政治改革家约翰·威尔克斯的朋友，18世纪60年代初以写辉格党的小册子和在伦敦经营出售政治书刊的书店而出名。1771年他在《伦敦晚邮报》上发表的议会报道，引发了出版商与议会间的冲突。威尔克斯利用其伦敦市政官的特权，阻止逮捕出版商，并废除议会惩罚报道其辩论情况的记者的权力。1773年他在《伦敦晚邮报》上发表指控第四代桑威奇伯爵约翰·蒙塔古出卖重要官职的文章，使《伦敦晚邮报》的发行人付出2 000镑罚款。他一度因诽谤罪下狱，被迫逃离英国。1774年创办《议会记录》月刊(出版到1813年)。18世纪80年代发表攻击威廉·皮特的文章，因而被监禁14个月(1792～1793)，此后在保释状态下度过余生。

almond(*Prunus dulcis*)　**扁桃**　原产于西南亚的一种乔木及其可食种子或坚果。坚果有甜仁型和苦仁型。甜仁型扁桃是可食型坚果，可烹食，或用制扁桃油或扁桃粉。扁桃植株较桃树略大，寿命也较长，花鲜艳，未成熟果外形与桃相似，成熟时革质外壳裂开并向外翻卷，露出果核。甜仁型扁桃广泛栽培于北纬28°～48°和南纬20°～40°适宜生长的地区。植株与近缘桃种很相似，并偶尔与之杂交。虽然甜仁型扁桃花期较早(赤道以北从1月末至4月初)，但在休眠期内其耐寒性与桃接近。因花期内可能遇到霜冻，所以坚果产量不稳定。在类似英格兰南部的气候条件

扁桃（*Prunus dulcis*）
美国不列颠百科全书公司供图

下，扁桃很难成熟。在旧大陆扁桃主要小规模栽培以供家用，可与其他作物间作，因树龄、环境不同，单株结果能力各异。现代种植者则重视品种改良。“约旦”扁桃和“巴伦西亚”扁桃产于西班牙。20世纪70年代末去壳扁桃的主要输出国是美国、西班牙、意大利、伊朗、葡萄牙和摩洛哥。苦仁型扁桃不能食，约含50%的固定油（甜仁型扁桃亦含之），还有酵乳剂（一种酶，有水存在时可产生葡萄糖、氢氰酸）和苯甲醛。除去氢氰酸后，苦仁型扁桃油可用于制作食品和利口酒的香料。扁桃含少量蛋白质、铁、钙、磷、B族维生素，脂肪含量高。扁桃可生吃、去皮吃或烹食，通常用来制作果点。在欧洲加糖的扁桃酱用于糕点、蛋白杏仁糖果（一种传统糖果）。在亚洲扁桃亦广泛用于鱼、肉、禽类等荤菜及素菜的烹调。

Almond, Gabriel A(braham)　阿尔蒙德（1911-01-12，美国伊利诺伊罗克艾兰～　）美国政治学家，以对政治制度进行比较研究和对政治发展进行分析著称。1938年在芝加哥大学获得博士学位后，1939～1946年在布鲁克林学院任教。其间1942～1945年任职于美国战时情报局。后于1947～1951和1959～1963年执教于耶鲁大学，1951～1959年执教于普林斯顿大学。1963年为加利福尼亚州斯坦福大学政治学教授，1964～1968年任系主任。1965～1966年被选为美国政治科学协会会长。著作有：《德国争取民主的斗争》（1949，与他人合著）、《美国人民与外交政策》（1950）、《共产主义的号召力》（1954）、《发展中地区的政治》（1960，与他人合著）、《市民文化》（1963，与他人合著）、《政治发展》（1970）、《比较政治：体系，进程，政策》（1978）、《市民文化修订本》（1980）和《进步及其不满者》（1982）等。

almoner　施赈员　原指负责赈济贫民的人员，通常属宗教救济部门或其他机构，也可以是政府委派的。13世纪，施赈人员是法国朝廷官员，负责发放皇家赈济。1486年法国设置施赈大臣一职，由一位高级教士兼任，负责管理朝廷教士事务及监督赈济工作。这一官职于1790年撤销，后由拿破仑一世及三世重新设置，最终于1870年废止。在英国，世袭的施赈大臣及一般高级施赈人员至今仍然存在，为王室之组成部分。高级施赈人员一般由主教或其他高级教士担任，负责在濯足节发放皇家赈济品。此词（almoner）在现代英国也指有能力从事医务工作并受过训练的社会工作者，通常是女性，因之1964年此词就被“社会医务工作者”所取代。美国也采用这个名称。社会医务工作者由医院和公共卫生部门所雇用。

almonry school　救济学校　英国中世纪时期隐修院的慈善学校。由分配给寺院施赈员（almoner）的部分基金中得到资助。这种学校始办于14世纪初，当时设立的一种奖学金为10岁以上能唱会读的男孩提供了上天主教会学校的膳宿费。这些学生在天主教歌唱队唱歌，当修士的小听差。他们的教师是隐修院的世俗文书。这种学校大多数现已不复存在。

Almora　阿尔莫拉　印度北方邦城镇及阿尔莫拉县县城，坐落在喜马拉雅山山麓的一条山脊上。1790年廓尔喀人占领阿尔莫拉后在山脊东西两端筑城堡。1815年英军在此击败廓尔喀人。为农产品贸易中心，有一些制造业。设有古毛恩大学的一所附属学院。有道路通往南方诸城市。阿尔莫拉县位于喜马拉雅山区，与尼泊尔交界。该县面积5 400平方千米，境内多森林，农业大都限于谷地；稻米、小麦、水果、黍稷和茶叶为主要农产品；开采铜矿与锰矿；主要市镇为阿尔莫拉与拉尼凯德。人口：城镇26 001；都会区28 051（1991）。

Almoravids　穆拉比特人　阿拉伯语作al-Murābiṭūn，意为“边防战士”或“僧侣战士”，英语作“阿尔摩拉维德人”。由桑哈贾部族的莱木突奈、古达拉和麦苏发3个柏柏尔人部落组成的联合体，他们以其宗教狂热和军事冒险行为，于11～12世纪在西北非和穆斯林西班牙建立一个帝国。1054～1092年间征服摩洛哥和阿尔及利亚西部（远达阿尔及尔），1062年在马拉喀什建立首都。优素福·伊本·塔叔芬采用“穆斯林艾米尔”的称号，但仍向巴格达的阿拔斯王朝哈里发称臣。1085年，他移师进入西班牙。除巴伦西亚外，整个穆斯林西班牙最终都处于穆拉比特人的统治之下。阿里·伊本·优素福在位时期（1106～1142），西班牙与非洲结成一体，安达卢西亚文明开始生根：行政机构采取西班牙的模式，作家和艺术家们越过海峡，阿里在马格里布建造的大型建筑物是纯安达卢西亚艺术风格的典型作品。但是，穆拉比特人仅为西班牙-阿拉伯帝国统治阶层中的少数柏柏尔族成员，自从1118年萨拉戈萨失陷以后，他们已经无法阻挡基督教徒收复失地的浪潮。1125年，穆瓦希德（阿尔摩哈德）人在阿特拉斯山区发动叛乱，经过22年的战斗，终于取得胜利。1147年马拉喀什失陷。此后，穆拉比特人的首领只在西班牙和巴利阿里群岛残存了一个时期。穆拉比特时代的艺术以庄重和谨严著称。穆拉比特人只是在织布和象牙雕刻中采用必要的装饰。保留下来的穆拉比特时代的最著名的艺术作品是阿尔及利亚特莱姆森的大清真寺（建于1082）。

Almqvist, Carl Jonas Love　阿尔姆克维斯特（1793-11-28，瑞典斯德哥尔摩附近埃德～1866-09-26，德国不来梅）　瑞典作家。以从怪诞的浪漫主义到大胆的现实主义的大量文学作品而对瑞典文学的发展产生了巨大影响。直到19世纪30年代中期发表了一系列的散文与诗歌作品之后，才为人所知。这些小说、诗歌与诗剧大多收集在名为《野蔷薇花集》里（其中前13卷于1832～1840年出版，第14卷于1851年出版）。特别著名的有《阿

美国不列颠百科全书公司供图

穆丽娜》（约1821年写出；1839年改写后出版）以及《王后的首饰》（1834）。《这就行了》（1838）是一篇出色的现实主义小说，宣扬爱情与婚姻自由，成为斯特林堡的提出问题来争论的创作方法的先导。他还是一位音乐家，曾为他的一些短篇抒情诗配乐。他的兴趣活动之广泛令人惊叹，他抨击传统的婚姻习俗，讽刺路德教派的信仰（虽然他自己于1837年曾被授予神职），当过新闻工作者，并在他的创作中为道德和社会改革而斗争。

almshouse　救济院　又作poor house或county home。在美国，指对无家可归的贫苦老人提供的地方性的公共收容机构。这类机构在20世纪后半期已大为减少，而为其他形式的生活津贴和照顾的办法所取代。在殖民地时代，这种机构原系用来收容精神病人、癫痫病人、低能者、盲人、聋哑人、跛者、结核病患者、贫困老人、无家可归的失业者、流浪者、轻罪犯、娼妓、未婚的母亲、弃儿；同时它还经营农场，强调以出售农产品之收入弥补开支。但在20世纪初期它遭到广泛指责，因为它对于住在救济院的人所反映出的各种问题不能区别对待，医护条件极差，因而卫生和安全状况也很坏。由于管理不善，住院者之身体和精神方面均呈现恶化。19世纪中期，开始把病人、残废人和青年人分别安置到政府设立的专门场所，并根据1935年社会保障法把一些年老体健者转用于伺应其他老病者，上述弊端逐渐有所改正但未彻底消除。20世纪30年代初，救济院人数最高曾达135 000人，1940年降为约88 000人，1950年降为72 000人，其中多数为年老体弱者。救济院之数量，经过关停并转之后，由1923年的2 200所降至1950年的大约1 200所。社会保障法规定，对于联邦政府发放的老年人生活津贴，凡属公共救济院所收容的人员不得享用，这一

规定反映出救济院已无必要的一种看法；但1935年以后的经验，特别是商业性护理设施的迅速增长，都说明许多老年人需要专门护理或至少是家庭护理，同时，在缺乏其他免费设施的条件下，贫困老人要依靠一些地方公共单位的救助。20世纪40年代，此种现状引起大众日益对那些长期患有慢性病者缺乏适当医疗和救济的景况倍感关注。结果许多州通过立法，把救济院改为地方疗养院。社会生活保障制度下的救济金及其后的社会医疗保险等措施，都使人们不再依靠救济院，此类机构几近绝迹。

almucantar　地平纬圈　天文学名词，又称等高圈，指天球上同地平圈平行的任何圆圈。若两物体在同一地平纬圈上，则它们的地平纬度相等。almucantar还指等高仪，这是美国天文学家S.C.钱德勒所发明的一种仪器，用它观测恒星通过某一固定等高仪的时刻，可确定某一地点的纬度或时间。

almwirtschaft　参阅 **alpwirtschaft** 高山牧场经济。

Alness　阿尔内斯　苏格兰北部罗斯-克罗默蒂历史区罗斯历史郡高地政务会辖区村庄，在克罗默蒂湾北岸。20世纪70年代初从附近的因弗戈登迁入约1.6万人，那里因创办新企业（特别是炼铝厂）和开发北海油田（包括建设世界上最大的干船坞和制造油井钻具）而人口剧增。人口5 696(1991)。

alnico　阿尔尼科合金　用来制造强永久磁体的一系列合金。其主要成分是不同比例的铝、镍、钴，并加入一种或几种少量的其他元素，如铜、铁、钛。含钛阿尔尼科合金有时在商业上称蒂克纳尔磁合金。这类合金硬度高，难于加工，通常铸造成型，然后经严格的热处理和磁场处理。

Alnwick　阿尔尼克　英格兰北部诺森伯兰行政、历史郡的一个区，面积1 080平方千米。西北与苏格兰交界，东临北海。该区从切维厄特丘陵（海拔超过610米）的泥煤沼地，沿苏格兰边界，越过阿尔恩与科凯特两条河上游，并穿过称为罗斯伯里森林的砂岩高地（250～425米），一直到肥沃的沿海平原，与北海相会处为低矮的峭壁以及由沙丘衬托的浅水海湾。区内以放牧绵羊为主，强壮的切维厄特羊为重要品种。在阿尔恩与科凯特两条河上游及沿海平原上畜养着少量的肉用牛和奶牛。在大农场中，尤其是在沿海平原栽种的农作物有燕麦、大麦、车轴草、芜菁和甘蓝。海边小村克拉斯特在历史上以产熏鲱鱼闻名。人口约31 033(2001)。

Alnwick　阿尔尼克　英格兰诺森伯兰行政、历史郡阿尔尼克区的一个教区和城镇，在阿尔恩河南岸，切维瓦特丘陵与大海之间。该镇于1309年后大部分被珀西家族的别墅诺曼底城堡所占用，18世纪在著名建筑师R.亚当的主持下修葺一新，并经L.布朗设计，使周围环境园林化。约1855年A.萨尔文改变亚当的大部分哥特式建筑，将内部改为意大利文艺复兴式的殿堂。胡尔恩公园和北领地为古代狩猎场遗址。其他名胜古迹有中世纪城墙、阿尔尼克隐修院(1147)门楼和15世纪语法学校等。人口7 419(1991)。

阿尔尼克城堡
美国不列颠百科全书公司供图

Aload　阿洛德　希腊传说中阿洛埃厄斯的妻子伊菲美迪娅和波塞冬生的双生子奥图斯和厄菲阿尔特斯中的任何一人都叫阿洛德。他们身材高大，气力超凡。他们向奥林波斯山诸神宣战，甚至企图攻击上天本身，但阿波罗在他们还未长大成人时就把他们杀死。据后来的神话，他们曾向阿耳忒弥斯（野生动物、植物和生育女神）和赫拉（宙斯的妻子）求婚，阿耳忒弥斯于是化为一只鹿，出现在他们之间，当他们想把鹿杀死时，却互相杀死了对方。

Aloe　芦荟属　百合科的一属。约200种。灌木状肉质植物。原产于非洲。植株多无茎；叶簇生于基部呈莲座状。有几个种的叶锐尖，带刺；花黄或红色，总状花序，花、叶均美观，可供观赏。有些种，特别是习见盆栽植物真芦荟（*A. vera*）的汁液供制作化妆品、泻药和烫伤药。

芦荟（*Aloe Saponaria*）
美国不列颠百科全书公司供图

aloe (plant)　参阅 **Mauritius hemp** 毛里求斯大麻。

Alojzy, Fortunat　阿洛伊齐　参阅 **Żółkowski, Alojzy Fortunat** 佐乌科夫斯基。

Alompra (Burmese king)　参阅 **Alaungpaya** 雍笈牙。

Alonso, Dámaso　阿隆索（1898-10-22，西班牙马德里～1990-01-24，马德里）　西班牙诗人、文学批评家和学者，“1927年这一代”的诗人群体的成员。阿隆索于马德里大学毕业后，1923～1936年在马德里历史学中心执教，1933～1939年任巴伦西亚大学教授，1939～1968年间任马德里大学教授。他多次去美国，也曾去德国和英国讲学或担任访问教授。他的第一本诗集《纯诗集》(1921)，属于意象派作品，强调表意的精炼，但其后期作品的风格渐趋自由而复杂，他的最著名的诗作《暧昧的信息》(1944)和《愤怒的孩子们》(1944)的风格更是如此。他的自选诗集于1969年出版。作为批评家，他编辑出版了17世纪巴罗克风格诗人贡戈拉-阿尔戈特的《孤独》(1927)，并发表了论文《贡戈拉的诗之语言》(1935)和其他论著，从而在恢复这位诗人的声誉上起了不小的作用。他的《西班牙诗歌》(1950)最能说明他是位出色的批评家。他还翻译了诸如J.乔伊斯、G.M.霍普金斯及T.S.艾略特的诗作。

alopecia　参阅 **baldness** 脱发。

Alor Islands　阿洛群岛　属印度尼西亚小巽他群岛东努沙登加拉省，包括两座大岛和一些小岛。位于弗洛勒斯海与萨武海之间。阿洛尔岛最大，面积2 330平方千米，有两座老年火山：科拉纳，海拔1 765米；穆纳，1 440米。该岛为陡峭沟谷所割裂，只有一块台地和几片海滨小平原。潘塔尔岛地势高峻，德拉基山海拔1 318米，海岸崎岖。居民讲南岛语，属马来-波利尼西亚语族，信仰泛灵论，沿海还有基督教徒和穆斯林。人口144 620(1990)。

Alor Setar　亚罗士打　马来西亚西北部城镇。濒临吉打河。市容整齐。是吉打苏丹的住地。为北部吉打平原稻米的主要集散地。因隔有沼泽森林，无法与19千米以西的海洋沟通。经公路和铁路可北达泰国，南至槟榔屿。东北10千米的克帕拉巴塔斯有机场。

人口 114 949(2000)。

Alost(Belgium) **阿洛斯特** 参阅**Aalst**阿尔斯特。

Aloysius Gonzaga, Saint **阿洛伊修斯·贡扎加,圣**(1568-03-09,威尼斯共和国斯蒂维耶雷堡[今在意大利]～1591-06-21,罗马) 天主教青年信徒的主保圣人。他是侯爵费兰特之子,曾受贵族教育。1585年放弃遗产继承权,在罗马参加耶稣会。他在即将接受神职时因护理鼠疫患者受感染而死。教皇本尼狄克十三世于1729年命名他为青年的主保圣人,教皇庇护十一世于1926年予以重申。

ALP 参阅**Australian Labor Party**澳大利亚工党。

Alp-Arslan **艾勒卜-艾尔斯兰**(约1030～1072-11或1073-01) 土耳其语作Alparslan。原名阿杜德·道拉。塞尔柱突厥人的第二代苏丹(1063～1072),他继承了塞尔柱呼罗珊和伊朗西部的疆土,进而征服格鲁吉亚、亚美尼亚,并从拜占廷夺取了小亚细亚的大片领土。伊朗的呼罗珊统治者查加尔贝格之子。1063年其叔死后,为家族唯一继承人,成为伊朗南部的统治者,由大臣尼札姆·穆尔克掌握朝政。艾勒卜-艾尔斯兰虽然控制着伊拉克,但极力避免在这个国家露面,以免与哈里发宫廷发生冲突。艾勒卜-艾尔斯兰的政治活动是以塞尔柱3位伟大君主的共同理想为基础的。他曾经多次率兵攻打拜占廷帝国、亚美尼亚和格鲁吉亚,1064年占领亚美尼亚旧都阿尼和卡尔斯城。当他刚要进攻阿勒颇时,听说拜占廷皇帝罗曼努斯四世迪奥杰尼斯已经率领大军去侵占他在亚美尼亚的后方。他迅速回师,1071年8月在曼齐卡特附近与敌相遇。拜占廷军人数虽多,但因士气低落,竟被奋不顾身的突厥人打败,拜占廷的皇帝破天荒第一次成为穆斯林君主的俘虏。艾勒卜-艾尔斯兰的目的不是要消灭拜占廷帝国,只是想调整边界,索取更多的贡金。1072年底这位苏丹突然被一名囚徒刺伤致死。他传位给13岁的儿子马利克沙阿,由尼札姆·穆尔克担任摄政。艾勒卜-艾尔斯兰一生的最大乐趣是征战,他对与智力有关的事务缺乏兴趣,因此他把这些以及帝国的管理都交付给大臣。

alpaca(*Lama pacos*) **羊驼** 偶蹄目骆驼科动物,产于南美,与美洲驼、栗色羊驼和骆马近缘。这几个种统称为羊驼类,与骆驼不同之处为无驼峰;体型细长,腿和颈长,尾短,头小,耳大而尖。羊驼类能进行种间杂交并产生能育的后代。羊驼与美洲驼一样都是家畜,都不存在野生者。这两个种似乎在印加印第安文化期间或以前即已驯化。羊驼肩高约90厘米。饲养及繁育羊驼的目的是取用其毛,有一个品种称为苏里(suri),体毛极长,可垂到地面。羊驼的毛质轻,隔热性能好,用于制造风雪大衣、睡袋及优质的外衣衬里。印加贵族穿着羊驼毛制造的长袍。华卡亚(huacaya)和苏里两个羊驼品种的毛纤维属于特种动物毛纤维(specialty hair fibres)。自前哥伦布时代以来羊驼毛就一直是安第斯地区重要的纺织纤维来源。通常羊驼每2年剪毛1次,苏里品种每头可产约6.5磅(3千克)纤细的毛,而每头华卡亚品种的羊驼可产约5.5磅较粗的毛。在剪下时每根毛的长度从20厘米到40厘米。虽然羊驼毛纤维中包含一些粗毛,但羊驼并无保护性的外层皮毛。毛纤维的直径约22～30微米,每根毛从尖至根部直径亦各不同。羊驼毛纤维的表面具不易辨认的鳞片,并有具条纹的皮层。较粗的纤维形直,因为这种粗纤维有髓(即是空心的),所以与直径相同的羊毛相比其密度较低,重量较轻。羊驼毛中直径较小的纤维占最大的比例,这些纤维相当柔韧,又与粗纤维不同,有髓的很少。羊驼毛按颜色分类,其颜色包括不同浓淡的棕色(从棕黄色到深棕色)、灰色、黑色、白色及杂色斑驳。华卡亚纤维占羊驼毛产量的最大部分,外形卷曲,蓬松,手感有点粗。具银色光泽,似中档的羊毛。苏里纤维形直或呈波浪形,形成不易分开的毛撮,触之有光滑感,光泽较低。羊驼毛较羊毛硬,并较直径中等的羊毛牢固,其中华卡亚纤维较苏里纤维更为牢固。华卡亚纤维对化学药剂的反应与羊毛颇为相似;而苏里纤维对化学药剂则更为敏感。羊驼毛有缩绒性,但与中档的羊毛相比,此过程较慢,形成的黏结块也不及羊毛紧密。羊驼毛像羊毛一样能吸收并保存水分。羊驼毛有时与其他纤维混合制成衣料用于女装及西服,又可纺成软绒织物,可制上衣或外衣衬里。秘鲁是最主要的羊驼毛生产国。

Alparslan(Turkish leader) 参阅**Alp-Arslan**艾勒卜-艾尔斯兰。

Alpenrhein River **阿尔卑斯莱茵河** 莱茵河的一段。自前莱茵河和后莱茵河汇合处起,至注入康斯坦茨湖止,长102千米。先流经瑞士境内,其后构成瑞士-列支敦士登界河。最后一段为瑞士-奥地利两国界河。河水混浊多泥沙。

Alpes(Roman province) 参阅**Alps**阿尔卑斯。

Alpes-de-Haute-Provence **上普罗旺斯阿尔卑斯** 法国东南部普罗旺斯山蓝岸大区一省。建于1790年。面积6 925平方千米。东邻意大利。1970年以前称下阿尔卑斯。该省为地势较高的多山地区,也是法国人口最稀疏的地区之一。环山盆地为迪朗斯河及其支流流域。20世纪修了几条道路,其中包括拿破仑公路和布里扬松至尼斯的公路,从而改变了当地的闭塞状态。山谷种植谷物、蔬菜,有果园和葡萄园,在灌溉的草地上牧羊。韦尔东河上游为农田灌溉和水力发电提供水源,河的中游有一个美丽的峡谷,是该地区的一个旅游胜地。该省由四个专区构成,属艾克斯教育区和法院管辖。省会为迪涅莱班(**Digne-Les-Bains**)。人口约133 800(1992)。

迪朗斯河谷地

美国不列颠百科全书公司供图

Alpes-Maritimes **滨海阿尔卑斯** 法国东南部普罗旺斯山蓝岸大区省份。东北与意大利接壤,南濒地中海,西与瓦尔省和上普罗旺斯阿尔卑斯省交界。面积4 294平方千米,行政上划为尼斯和格拉斯两个专区。全省大部分地区为山地。该省所环绕的摩纳哥岩石岬角,连同邻近的蒙特卡洛和拉孔达米讷形成一个独立公国。西部的坎内斯和东部意大利边界之间沿海一带已发展成为旅游地区,称法国里维埃拉。旅游胜地有尼斯(**Nice**)、戛纳(**Cannes**)、芒通(**Menton**)、昂蒂布(**Antibes**)、蒙特卡洛(**Monte-Carlo**)和瑞昂莱潘等。格拉斯以产香水闻名。农业大部在狭窄的沿海地区,有为香水工业而种植的薰衣草,有葡萄园、橄榄树林和果园等。工业不发达,但生产电子器件。人口881 198(1982)。

Alpha and Omega **阿拉法与俄梅戛** 原是希腊文字母表的首末两个字母,基督教用以表示上帝的兼容性,意即上帝包容一切可能存在之物。在犹太教的拉比文献中,埃米特("真理")一词由希伯来文首末两字母组成,原意为"上帝之印",其含义与"阿拉法与俄梅戛"相似。

Alpha Aquilae **天鹰座α** 参阅**Altair**河鼓二。

Alpha Aurigae **御夫座α** 参阅**Capella**五车二。

Alpha Boötis **牧夫座α** 参阅**Arcturus**大角。

Alpha Canis Majoris **大犬座α** 参阅**Sirius**天狼星。

Alpha Canis Minoris **小犬座α** 参阅**Procyon**南河三。

Alpha Canum Venaticorum **猎犬座α** 参阅**Cor Caroli**常陈一。

Alpha Centauri **半人马座α** 即南门二,是一颗三合星,其中最暗的子星(比邻星)是距太阳最近的恒星,距离为4.3光年。两颗比它约远0.1光年的子星以约80年的周期相互绕转,而比邻星则以可能是几百万年的周期环绕这两颗子星运转。最亮的子星的光谱型、直径和绝对星等都与太阳相似,它的目视星等为0.1等。第二亮的子星是一颗较红的

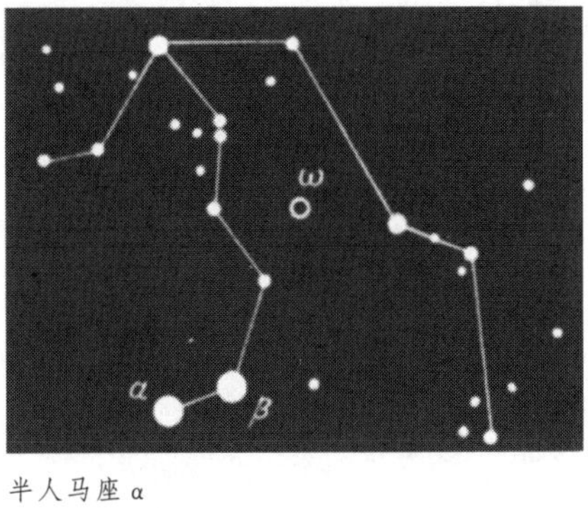

半人马座α
中国大百科全书出版社供图

星，目视星等为1.5等。第三颗子星是一颗红矮星，星等为11等。在地球上观测，半人马座α(系统)是全天第三颗最亮的星(仅次于天狼星和老人星)，但肉眼看不见那颗红矮星——比邻星。只有在北纬40°以南的地区才能看到半人马座α。

Alpha Crucis 南十字座α 又称十字架二。从地球上看是第13颗最亮的恒星(太阳除外)。它实际上是双星；两颗子星的视星等为1.58等和2.09等。它离地球约400光年，位于南十字座中。另一名称Acrux可能是Alpha Crucis的缩写。

Alpha Cygni 天鹅座α 参阅 **Deneb** 天津四。

alpha decay α衰变 放射性蜕变的一类，某些不稳定原子核自发射出一个α粒子以耗散过剩能量。因为α粒子有两个正电荷，质量为4，射出后产生的子核的正核电荷和原子序数都比母核小2单位，质量小4单位。例如，钋210($^{210}_{84}Po$)通过α发射衰变为铅206($^{206}_{82}Pb$)。一个原子核射出的α粒子的速度和能量是母核的一种特性，它确定α粒子穿行的特征距离。α粒子的穿透力不大，其出射速度约为光速的1/10，在空气中的行程仅为2.5～10厘米(约相应于4～10兆电子伏的能量)。α粒子的主要放射源是重于铋(原子序数83)的元素和从钕(原子序数60)到镥(原子序数71)的稀土元素，α衰变的半衰期，从1微秒到约10^{17}秒。

Alpha Eridani 波江座α 参阅 **Achernar** 水委一。

Alpha Geminorum 双子座α 参阅 **Castor** 北河二。

Alpha Herculis 武仙座α 参阅 **Ras Algethi** 帝座。

Alpha Leonis 狮子座α 参阅 **Regulus** 轩辕十四。

Alpha Lyrae 天琴座α 参阅 **Vega** 织女一。

Alpha Orionis 猎户座α 参阅 **Betelgeuse** 参宿四。

alpha particle α粒子 带正电荷的粒子，与氦$4({}^{4}_{2}He)$的核完全相同，从某些放射性物质自发射出。由两个质子和两个中子结合而成，质量数为4，正电荷为2，是E.卢瑟福发现并命名的(1899)。他和同事用α粒子作探索薄金属箔内原子的结构，第一次得出原子核的概念(1909～1911)。还用来轰击氮，使它变为氧，这是第一次人工核嬗变(1919)。现在，核研究中用作射弹的α粒子，是用电离法剥离氦原子的两个电子产生的，然后将这个带正电的粒子加速到高能。

Alpha Piscis Austrini 南鱼座α 参阅 **Fomalhaut** 北落师门。

Alpha Scorpii 天蝎座α 参阅 **Antares** 心宿二。

Alpha Tauri 金牛座α 参阅 **Aldebaran** 毕宿五。

Alpha Ursae Minoris 小熊座α 参阅 **Polaris** 北极星。

Alpha Virginis 室女座α 参阅 **Spica** 角宿一。

alphabet 字母表 代表语言声音的一组符号。每个符号通常代表1个元音、1个复合元音或1个辅音，而不是代表1个音节或1组辅音和元音。字母表这个术语有时也包括音节表的概念。字母表以清晰、易懂、可再现的符号表示语言的语音系统。它通常包括大多数普遍通用的语音，为之制订出个体字符或书写形式。可是仍有许多相同的重复，即同一语音用两个或更多字符表示(如 *gentle* 中的 *g* 和 *jewel* 中的 *j* 语音相同)。或反之，1个字符没有其口语中的语音形式(如 *scissors* 中的 *c*，*paradigm* 中的 *g*)。这些例外大多由于语言使用者未能在拼写中相应地作出调整使之符合口语中已发生的变化。

字母表起源难以准确界定。一般认为公元前1700～前1500年源于地中海东部沿岸一些地方的北闪米特字母表为最早者。公元前2千纪末，由于以色列、腓尼基、阿拉姆在政治上兴起，阿拉伯西南部示巴王国出现商业繁荣，希腊民族渐趋成长等条件，字母表形成4个分支：迦南字母表、阿拉米字母表、南闪米特(示巴)字母表和希腊字母表。迦南字母和阿拉米字母最终孳乳而生成现代希伯来字母和阿拉伯字母。西方诸字母表可能溯源于腓尼基字母应由希腊字母发展而来。

字母表传播途径之多如起源之争一样。最普遍的看法是：①征服者的军队连同其字母表一定程度地强加给被征服者。②中东地区肥沃新月地带贸易发展，商人为以最低限度的不便而获得最大数量的交易额，自然会造成字母表的相互沟通。③各宗教团体派出传教士或其他人员用经典、布道词等形式传播了字母表。

至今仍在通用的希伯来字母表，源于一种所谓方体希伯来字母，这种方体字母本身就是巴比伦囚掳期(公元前586?～前538)借自阿拉米字母表的产物。标准化的希伯来方体字母约产生于公元之初，沿用至今几乎未变。希伯来字母从右至左书写，没有元音字符，不过22个字母中有4个用于表示长元音，其他元音则在辅音字母上、下、左方加上16种附加符号以表示之。

阿拉伯字母也是阿拉米字母的一个支系，发展为库法体和那斯基体两种主要形式。库法体曾用于金石雕刻，钱币铭文和书写《古兰经》手卷，现已不通用。区别特征在于笔划厚重，字形正规。那斯基体的字形更为流畅，适于手写，后来发展成为现代的阿拉伯字母。阿拉伯字母表如同希伯来字母表一样，几乎无元音字符。28个字母中只有3个用来表示长元音，有14种附加符号不仅用于其他元音，也用来区别辅音并用作名词或动词的修饰成分。

印度所有的字母表都溯源至婆罗米字体。大概婆罗米字母也是由阿拉米字母衍生而来，如非直传，也系循例创制。印度的另外一种本源字母表——佉卢体字母，几乎可以肯定是直接源自阿拉米字母的。从婆罗米字母发展成笈多体字母，继而演进成悉达字母。悉达字母的重要意义在于由它衍生出书写梵文的天城体字母。天城体字母自9世纪以来，未曾有过本质上的变动，是另一种通用最长久的字体。值得注意的是，所述这些印度字母不像希伯来字母和阿拉伯字母那样，其本身并无单独书写的辅音字符，只要有辅音出现，它就是二合音的一部分，或者其后紧跟短 *a* 音。

希腊字母表是在公元前1000～前900年发展起来的，可能源自腓尼基字母表。它衍生出东部和西部一系列分支，其特点是结构一致而差异较少。东部一种称作爱奥尼亚字母的变体逐渐取代当地多种字母，至公元前403年被用作雅典官方字母表。公元前3世纪出现最后一次字母表修订，引进3个声调符号以帮助外国人纠正希腊语发音。希腊字母表最著名的支系是西里尔字母表和埃特鲁斯坎字母表。前者演变成俄罗斯、乌克兰、保加利亚、塞尔维亚及白俄罗斯诸民族的文字，后者演化成拉丁字母。起初，罗马人从埃特鲁斯坎字母表的26个字母中借用21个，另两个即“*y*”和“*z*”是公元前1世纪罗马人征服希腊后借来的。以前可和“*i*”及“*u*”分别互换的“*j*”和“*v*”，中世纪时也借入拉丁字母，增加源自诺曼人的“*w*”，形成通行至今的26个字母的拉丁字母表。

人们曾经有过制订更为完善的字母表的各种意图，要求1个字符能代表语言的1个语音。19世纪末发明“国际音标”是共同努力的最显著成果。

alphabet rhyme 字母歌 一种有助于儿童学习字母的便于记忆的诗或歌。几乎每一种拼音文字都有字母歌。英文字母歌已有约300年的历史。早在1671年就有一首连续字母歌刊行。开头是：

A was an apple-pie(A 是一块苹果馅饼)；
B bit it(B 咬了一口)，
C cut it(C 把它切开)，
D dealt it(D 分派)……

另一首一直流行的是《汤姆的拇指学字母歌》，1712年首见刊载。这些早期字母歌只注意达到教学目的，而忽视“D是一个醉汉，有一张大红脸”，“U 放高利贷，牟取十分利钱”，“Y 是一个小伙子，不爱上学读书”之类的歌词对儿童幼小心灵所起的有害作用。17 世纪晚期出版的《新英格兰初级课本》中的有名的字母歌克服了这个缺点。当前流行的简化英文字母歌是用著名的“Twinkle, Twinkle, Little Star”(《闪烁吧，闪烁吧，小星星》)的曲调作谱，歌词是：

A B C D E F G
H I J K L M N O P
Q and R and S and T
U V W X Y Z
Now I' ve said my *ABC*' s,
Tell me what you think of me.

Alpharabius 参阅 **Fārābī, al-**法拉比。

Alphege, SAINT 参阅**Aelfheah, Saint**艾尔夫赫亚克，圣。

Alpheus River 阿尔菲奥斯河 希腊伯罗奔尼撒地区最长河流，发源于阿卡迪亚中部的扎维亚附近。长约 110 千米。流经迈加洛波利斯平原后折向西北，最后注入伊奥尼亚海。它的主要支流有拉宗河和埃里曼索斯河。特罗派阿村附近的拉宗水电站大坝拦蓄成一个 10 平方千米的人工湖。河水多次流入阿卡迪亚山脉的石灰岩溶洞中消失，在地下流过一段距离之后又再次流出地面。基于这一事实，有阿尔菲奥斯河穿过伊奥尼亚海底从西西里岛泉眼中喷出来的传说。

Alphonsine Tables 参阅**Alfonsine Tables**《阿方索星表》。

Alphonsus 阿方索环形山 著名的月球环形山。按卡斯蒂利亚国王阿方索十世之名命名。1958 年在该处第一次发现有气体爆发并作了光谱记录。阿方索环形山的直径约为 110 千米，位于南纬 14°、西经 2° 附近。1958 年 11 月，苏联天文学家 N.A. 科兹列夫拍摄到该环形山的中央峰附近的一种喷出物的光谱，并检测到具有碳化合物的标识辉光。早先已有人猜测过该环形山可能曾有爆发，但并无记录。

alphorn 阿尔卑斯号角 阿尔卑斯山的牧民和村民吹的长号角，用于互相联系、日常礼仪和季节性庆典。用木刻制或挖空而成，裹以桦树皮。有的号角号身挺直，长达 4 米；自 19 世纪中叶以来，特别是在瑞士，其号嘴可向上弯曲。而另外的号角，主要在东阿尔卑斯山区，则呈小号形，亦有 S 形的。其音域和音通常与 F 调自然法国圆号(无阀键)的相同(从低音谱表下方的记谱音 F 上行，约 3 个八度)。至 19 世纪，开始引入三重奏和四重奏。罗马历史学家塔西佗(约公元 56 ～ 120)曾提到过阿尔卑斯号角。斯堪的纳维亚、立陶宛、喀尔巴阡山和比利牛斯山等地区均有类似的乐器。

瑞士阿尔卑斯山节时吹奏的阿尔卑斯号角
美国不列颠百科全书公司供图

Alpine 阿尔派恩 美国得克萨斯州西部边陲布鲁斯特县县城(1887)，位于海拔高 1 366 米的山谷内，东、北两侧分别为格拉斯山和戴维斯山，西北距埃尔帕索 306 千米。1882 年通铁路后建市，始为一大牧区服务中心，后为山区游乐之地。西北郊设有州立戴维斯山公园、戴维斯堡国家历史遗址及麦克唐纳天文台(参阅 **Davis Mountains**)。往南 129 千米有**大本德国家公园**(**Big Bend National Park**)。1920 年设立师范学院(现为州立萨尔罗斯大学)。布鲁斯特县面积为 16 068 平方千米，比康涅狄格州大，是得克萨斯州最大的县。人口 5 786(2000)。

Alpine lakes 阿尔卑斯山湖群 分布在阿尔卑斯山两侧的 11 个著名湖泊的总称。由于风景秀丽，成为人们聚居中心和旅游胜地，并具有重要科学研究意义。大部分阿尔卑斯山湖泊是更新世冰期末冰碛石堵塞山谷积水而成，湖泊窄而长，一般都很深。山南有日内瓦湖、马焦雷湖、卢加诺湖、科莫湖和加尔达湖。山北有纳沙泰尔湖、卢塞恩湖、苏黎世湖、康斯坦茨湖、基姆湖和阿特湖。各个湖泊水中所含成分十分相似，主要含碳酸氢钙(96%)，还有少量碳酸氢镁。大约 100 年前几乎所有湖泊中植物生长所需的磷含量极少。20 世纪以来，许多湖泊四周建起许多住宅和旅馆，把废水注入湖内，使湖水含磷量增加，浮游生物迅速繁殖。浮游生物的腐败大量消耗水中的氧，在缺氧严重的地方可能危及鱼类在湖底产卵繁殖。

各湖的基本情况表

湖 名	面 积 (平方千米)	长 度 (千米)	深度 (米)	高度 (米)	所在地
日内瓦	581	72	310	372	瑞士-法国
康斯坦茨	541	66	252	396	德国-瑞士
加尔达	370	54	346	65	意大利
纳沙泰尔	218	38	153	429	瑞 士
马焦雷	212	54	372	193	意大利-瑞士
科 莫	146	46	414	199	意大利
卢塞恩	114	39	214	434	瑞 士
苏黎世	88	29	143	406	瑞 士
基 姆	82	15	73	518	德 国
卢加诺	51	35	288	271	意大利-瑞士
阿 特	46	20	171	467	奥地利

Alpine local race 阿尔卑斯山区地域人种 高加索(欧洲)地理人种的一个亚群，大致相当于一个遗传隔离种群，包括欧洲阿尔卑斯山区和巴尔干半岛地区诸民族，有时不论其遗传关系而把体型相似的一些民族也包括在内。阿尔卑斯山区诸民族体质特征是：身材较矮胖，短头型，肤色白，发褐色，体毛浓密。参阅 **local race**; **Caucasoid geographic race**。

Alpine orogeny 阿尔卑斯造山幕 第三纪中期影响欧洲南部广大地段和地中海区的造山事件(第三纪开始于 6 640 万年前，终止于 160 万年前)。使先期存在的岩层发生强烈变质，岩层破碎、隆起并伴有正断层和逆断层，是造成现在阿尔卑斯山脉上升的原因(该幕即由此得名)，同时也是造成巴尔干半岛、科西嘉岛和撒丁岛等处高原隆起的原因。该幕活动期间在英、法、冰岛及意大利的部分地区都发生过火山活动。

Alpine skiing 高山滑雪 19世纪末、20世纪初在欧洲中部阿尔卑斯山高山地带发展起来的滑雪技术。分速度项目和技术项目两类。前者包括**滑降滑雪**(**downhill skiing**)和超级大回转，后者包括**回转**(**slalom**)和大回转。速度项目线路较长，坡度较大，速度快而转弯少，比赛的每人滑行一次。技术项目则考验运动员在设有相距很近的门形的线路上滑行的技巧，比赛时每人在两条线路上各滑行两次，加起来的时间最少者为优胜。两项全能包括滑降和回转比赛，两项加起来的时间最少者为优胜。国际滑雪联合会于 1930 年首次承认滑降比赛。1931 年首次举办世界滑降和回转滑雪锦标赛。1936 年高山滑雪被列入奥运会项目。参阅 **Sporting Record**; **Olympic Games**。

Alpini, Prospero 阿尔皮尼(1553-11-23，维琴察马罗斯提卡[意大利]～ 1616-11-23 或 1617-02-06，帕多瓦) 意大利医生和植物学家。因将咖啡和香蕉引进欧洲而著名。在担任威尼斯驻开罗领事 G. 埃莫的医学顾问期间(1580 ～ 1583)，他广泛研究了埃及和地中海地区的植物区系。首创了椰枣的人工栽培法。1592 年发表《埃及植物》一书。1593 年任帕多瓦大学植物学教授。栽种了该书中描述的几种东方植物。书中有对咖啡、香蕉和姜科的一属——山姜属(*Alpinia*，以他的姓氏命名)——的论述，这是欧洲人首次从植物学角度论述这些植物。他的关于当时埃及医学实

美国不列颠百科全书公司供图

践的著作《埃及医药》(1591)是研究医学史的宝贵资料。在著名的《疾病中生死的前兆》(1601)中,他详细论述了埃及的疾病。

Alps　阿尔卑斯　拉丁语作Alpes。罗马帝国时期阿尔卑斯山脉西部的几个小行省,位于今法国、意大利和瑞士部分地区。包括阿尔卑斯滨海行省、阿尔卑斯科蒂行省和阿尔卑斯希腊行省。

Alps　阿尔卑斯山脉　欧洲中南部大山脉,起自西南地中海的热那亚湾,呈弧形向东北绵亘约1 200千米至维也纳,面积逾207 000平方千米。阿尔卑斯山脉分西、中、东3段,每段又有若干不相连的山岭。西段在法国东南部和意大利西北部,中段在意大利中部偏

德国阿尔卑斯山区一旅游点
中国大百科全书出版社供图

北和瑞士南部,东段在德国、奥地利和斯洛文尼亚部分地带。地质上属第三纪(6 640万年前至160万年前)的年轻褶皱层山脉。阿尔卑斯山脉中的结晶质地区大部分(著名的有海拔4 478米的马特峰)具有山峰高、山坡近于垂直峭立的特点,而在灰石地质地区(如法国和奥地利的多洛米蒂山)则多有巨大的断崖和峡谷。阿尔卑斯山的平均高度约为1 800～2 400米,许多山峰高达3 000米。勃朗峰为最高峰,海拔4 807米。阿尔卑斯山脉的地形受到冰川侵蚀的巨大影响,使各处山顶及旁边山谷的高度相差极大。阿尔卑斯山是大西洋、地中海和黑海的分水岭,是罗讷河、莱茵河以及多瑙河和波河的支流等欧洲河流的发源地。年降水量从边缘地带的2 000毫米渐减到山脉内部的500毫米。在海拔3 000米以上处,有总面积约为3 900平方千米的冰川覆盖地区。瑞士西南部的阿莱奇冰川为其中最大者,面积130多平方千米。海拔1 500米(5 000英尺)以下有落叶树(山毛榉、桦树);中等高度地区(6 000英尺)生长针叶林(枞、松和落叶松);6 000～8 000英尺海拔高度地区为阿尔卑斯山草地(有花、草和灌木)。10 000英尺以上的地区终年积雪,只有岩石,无植物生长。阿尔卑斯山区有国家公园和保护区保护土生动物群(大角山羊、高山小羚羊、山拨鼠、山兔和鹫)。1980年新建的圣哥达隧道在瑞士南部圣哥达山口,长16.3千米,为世界最长的公路隧道。山区主要城市有法国的格勒诺布尔、奥地利的因斯布鲁克和意大利的博尔扎诺。

Alpujarra rug　阿尔普亚拉地毯　西班牙格拉纳达以南阿尔普亚拉地区以手工编织的扎针铺地用品。底子是亚麻布,各色栽绒按照图案沿纬线扎于毯面。图案均为民间美术,但互不相同,配色浓郁。

alpwirtschaft　高山牧场经济　又作almwirtschaft。指在阿尔卑斯山形成的独特的游牧经济体系。一年之间温暖季节,牲畜在山地牧场放牧,其他时间在低地饲养。这种经济的形成是由于许多山谷被村庄和耕地所占用,不能为牲畜放牧提供充分的土地;牲畜随全年季节的变化在不同高度的高地上迁移,就是由于低地缺少牧草而采取的补救办法。冬季,牲畜用干草喂养,也放牧在低谷的农庄和稍高的矮山农场之间。在春、夏、秋各季,牲畜就在矮山上的农场、高地农场和海拔最高的高地农场之间迁徙放牧。牧场可为私人所有、与邻居共有、出租给佃农或为集体所有。在较低处放牧时,用干草补充喂养,而让较高处的牧草适当生长,以便下一阶段的放牧。在不同高度的农场和牧场上,村落和住房都是适应牧主、牧民及其家属需要全部迁移或局部迁移而部署的。现在许多山谷中已建起一些新的工业,这已使许多家庭在保留其山中住宅的同时去寻找工业职业。这样,参与季节性迁移的家庭逐渐减少,废弃不用的牧场则增多;许多比较偏僻的牧场已变成了游乐胜地。

Als　阿尔斯　德语作Alsen(阿尔森)。丹麦小贝尔特海峡的岛屿。属南日德兰州。面积312平方千米。隔狭窄的阿尔斯海峡与日德兰南部的松讷沃半岛相望。阿尔斯土壤肥沃,有综合性农业、果树栽培业和奶牛饲养业。1921年在此发现已知最早的北欧船只(约公元前300年)。1864年阿尔斯同北石勒苏益格一道划给德国,1920年经公民投票回归丹麦。主要城市有始建于12世纪的森讷堡、诺堡、奥古斯滕堡。诺堡有生产取暖和制冷设备的丹麦重要企业丹福斯公司。人口约55 781(1987)。

Alsace　阿尔萨斯　法国规划区。范围包括法国东北部的上、下莱茵省,与历史上的阿尔萨斯区大致相当。首府为斯特拉斯堡。面积8 280平方千米。西与摩泽尔省、默尔特摩泽尔省和孚日省交界。西南邻贝尔福地区。南与瑞士接壤,东和东北与德国交界。

公元前1世纪被凯撒的罗马军团征服,至5世纪阿勒曼尼人入侵时期,已经完全罗马化。但是496年阿勒曼尼人被克洛维领导的法兰克人征服,阿尔萨斯成为法兰克公爵领地。墨洛温王朝时期,该地区皈依基督教,并成为殖民地。9世纪中叶阿尔萨斯并入洛萨林,并根据《梅森条约》(870)与加洛林王朝的德意志地区合并。17世纪前一直为神圣罗马帝国的一部分。在这一时期,土地被分成许多块世俗和宗教贵族领地及城市。这种状态一直持续至法国大革命。中世纪阿尔萨斯的另一个特点是斯特拉斯堡、科尔马和阿格诺等城市的重要性日益增加。这些城市在皇帝的支持下逐渐从其封建领主的统治下解脱出来。

宗教改革时期,新教在阿尔萨斯取得重要收获。改革家马丁·布塞尔在斯特拉斯堡非常有声望,该城成为阿尔萨斯新教中心。但斯特拉斯堡的新教影响受到哈布斯堡罗马天主教徒的坚决反抗,他们企图消灭上阿尔萨斯的异端邪说。

16世纪末叶宗教战争时期,阿尔萨斯开始受法国影响。三十年战争时期这种影响日益增强。由于阿尔萨斯的各城市夹在对立的天主教和新教之间而感到自己的自由受到威胁,所以它们向法国寻求帮助。根据《威斯特伐利亚和约》(1648),法国成为这一地区的非正式保护国。路易十四执政时期,法国于1681年占据斯特拉斯堡后完全统治该地。

18世纪在法王室统治下,阿尔萨斯享有很大的自治权。阿尔萨斯人利用不受法国关税制度限制的权利发展起欣欣向荣的过境贸易。法国大革命(1789)中阿尔萨斯在行政上并入法国,从行政上分成上、下莱茵两个省,而不再是一个单独省份。阿尔萨斯人仍然讲一种称为阿尔萨斯语的德语方言,而法语在上流社会中流行。

1815～1870年阿尔萨斯积极参与法国的国家生活,实行普选(1848)和修筑铁路,使法国及其东部边界省份的联系更加密切。但普法战争(1870～1871)时,这种联系遭到破坏。阿尔萨斯从法国分离出来并入德意志帝国。此后阿尔萨斯的历史参阅 **Alsace-Lorraine**。

阿尔萨斯西部为孚日高原,地势向东逐步降低至阿尔萨斯平原。上莱茵省南部的森德戈地区属汝拉山脉。年降水量较少,为500～700毫米。

阿尔萨斯人口稠密,农业和轻(纺)工业发达。约1/3人口集中在斯特拉斯堡、科尔马和米卢斯3个主要城市。孚日高原以外的乡村人口稠密,因此造成农场规模小和其他土地零散。这些小农场的葡萄栽培很兴旺。出产世界驰名的雷司令和特拉明加香白葡萄酒供出口。出产葡萄酒的地区集中在孚日周围的山区,科尔马是这一地区的中心。广泛种植的工业原料作物有甜菜、酒花和烟草等。工业集中在上莱茵省。阿尔萨斯大运河引入莱茵河水用作发电和运输,促进了阿尔萨斯平原工业的发展。生产纺织品、电器和化工产品。上莱茵省费斯内姆建有核电厂。人口1 689 800(1995)。

Alsace-Lorraine　阿尔萨斯-洛林　德语作Elsass-Lothringen。地区名。包括今法国上、下莱茵和摩泽尔省,即普法战争后法国于

1871年割让给德国的13 123平方千米的法国领土。1919年第一次世界大战后,这块土地退还法国。1940年第二次世界大战期间,再度割让给德国,1945年又归还法国。

历史上,这一地区位于9世纪查理大帝的法兰克帝国中心,后成为神圣罗马帝国德意志诸邦的一部分,直到三十年战争时期一直是由不同的君主统治下的德意志领土。《威斯特伐利亚和约》(1648)结束了那场战争,并使法国获得了对阿尔萨斯-洛林的控制权。

由于阿尔萨斯-洛林历史上与德意志的联系,以及相当大一部分当地人讲德语,因此法国在普法战争(1870～1871)中失败后,该地并入德意志帝国。1871～1914年法国的反德情绪主要是由于失去了阿尔萨斯-洛林地区,因这一地区宝贵的铁矿石矿藏、炼铁厂、炼钢厂和其他工业落入德国手中,法国经济损失严重。

在德国统治下,阿尔萨斯-洛林被划为德意志帝国的一个省,但直至1902年才被赋予有效的自治权。此外,当地居民从一开始就对新生的法兰西共和国具有热情,他们一直不欢迎德国的统治,连续多年反对德国的兼并。在这一时期成千上万把自己看成是法国人的当地居民迁离。但到了1905年,法国反对教权的政策使该地许多天主教徒望而却步,因此他们转而致力于使阿尔萨斯-洛林在德意志帝国内取得自治权。此后,特别是1911年颁行一部宪法后,该地德意志化有所进展。

第一次世界大战后,阿尔萨斯-洛林回归法国。但是,法国政府企图迅速同化该地,特别是企图用国立学校取代当地传统的教会学校并禁止德文报纸出版(德语是75%的当地居民使用的书面语),这使法国政府遇到了麻烦。20世纪20年代,阿尔萨斯-洛林“自治”运动蓬勃发展,寻求在法兰西共和国内自治,但未获成功。

第二次世界大战初期,法国于1940年失陷,随后阿尔萨斯-洛林重新并入德国。1945年又交还法国。此后法国修改了许多战前与当地自主独立主义相抵触的政府政策,因此,自治运动大部分销声匿迹。从语言上看,称为阿尔萨斯语的日耳曼方言仍为当地的通用语。学校里既教法语也教德语。

Alsatian(dog) **阿尔萨斯狗** 参阅**German shepherd**德国牧羊狗。

Alsen(Denmark) **阿尔森** 参阅**Als**阿尔斯。

Alster River **阿尔斯特河** 德国北部易北河支流。源出卡尔滕基兴东南6千米处,南流50千米至汉堡,过水坝后沿两条平行的运河注入易北河。运河是汉堡西部新城区(建于17世纪)和东部老城区的分界。水坝建于中世纪,坝后形成的湖被17世纪初所建使汉堡在三十年战争中保持独立的防御工事分为两部分。

Alston, Walter (Emmons) **阿尔斯顿**(1911-12-01,美国俄亥俄威尼斯～1984-10-01,俄亥俄牛津) 美国全国棒球联盟职业队经理。他在俄亥俄州牛津市迈阿密大学学习时,在棒球队中任内场手,击球有力。其后参加圣路易斯枢机队,担任游击手。1944年转入洛杉矶道奇队,任队员部主任,1953年任道奇队经理。培养出纽科姆、坎帕内拉、厄斯金和小吉列姆等球星。在他任道奇队经理期间,该队7次获锦旗,7次参加世界系列赛,获胜4次。1955年道奇队首次获世界系列赛冠军。1976年赛季结束后退休。1983年人选棒球名人堂。

alstonite **三斜钡解石** 又作bromlite。指一种无色或浅灰色至粉红色、透明到半透明的钡和钙的碳酸盐矿物[$CaBa(CO_3)_2$],含少量锶。晶体结构为斜方晶系并与霰石一致,钡和钙为9次配位,但在层内呈有序排列;层又排列成各种不同的堆垛序列,造成一种复杂的结构。三斜钡解石与方解石、重晶石和碳钡矿共生,成为低温热液矿床。关于其详细的物理性质,参阅**carbonate mineral**(表)。

Alta **阿尔塔** 美国犹他州北部盐湖县城镇和滑雪胜地。位于盐湖城以东42千米沃萨奇岭的小卡顿伍德峡谷之中,海拔2 616米。原为银矿开采营地,建于1866年,名森特勒尔城,1871年改为现名(西班牙语,意为“高”)。经几度兴衰后,大萧条时期实际上已成为一个被废弃的城镇。20世纪30年代发展为滑雪胜地,以著名的粉状雪吸引游客,年均降雪量达12.7米。常年有人来此拍摄电影,并举办各种艺术节。人口370(2000)。

Alta Gracia Island(Nicaragua) **上格拉西亚岛** 参阅**Ometepe Island**奥梅特佩岛。

Altai(Russia) 参阅**Altay**阿尔泰。

Altai Mountains 参阅**Altay Shan**阿尔泰山。

Altaic languages **阿尔泰诸语言** 包括3个语族:突厥语族、蒙古语族和满语-通古斯语族,在词汇、语法结构和某些语音特点上有共同点。许多语言学家认为,这些语言是亲属语言。有9 000万以上的人使用40多种阿尔泰语言。土耳其语也许是这些语言里最著名的语言。

使用阿尔泰诸语言的人口分布在亚洲大陆的大片区域(包括俄国、蒙古、中国、土耳其、伊朗和阿富汗等国家的大部分地区)以及欧洲的部分地区。对有些语言的谱系存在着不同的意见。诸如这些语言是否真正构成一个较大的语系等问题仍悬而未决。但是,名称源于阿尔泰山脉的阿尔泰诸语言的确包括上述3个基本语族。

大多数阿尔泰人讲突厥语。突厥语族中——或在阿尔泰诸语言中——的主要语言土耳其语,在土耳其、部分巴尔干国家、塞浦路斯和其他一些地区使用。这一语族中的其他主要语言包括乌兹别克语、维吾尔语、阿塞拜疆语、鞑靼语、土库曼语和哈萨克语。尽管操不同语言的人相互理解颇有困难,在某些情况下甚至互不理解,但突厥语族各语言之间仍被认为存在着亲缘关系。

大多数蒙古人使用蒙古语。在英语文献中,Mongol这个词一般指蒙古语本身,而Mongolian是指蒙古语族。但是,这两个术语是可以通用的。现代蒙古语族语言如蒙古语、布里亚特语和卡尔梅克语之间存在相同的特点,但它们之间相互理解的程度越来越小,特别是在孤立地区和那些方言没有书面文字的地区。

在满语-通古斯语族和方言中,满语曾一度最为重要,但现在据认为几乎已经消亡。满语支或南部语支的其他语言还在中国和俄国的部分地区使用。使用通古斯语支或北部语支诸语言的只有几千人,主要也分布在俄国和中国。满语支语言和通古斯语支语言之间的差别相当大。

阿尔泰诸语言的特点是元音很多,仅有几个特定的元音组合或元音和辅音的组合。因此,具有语音和谐的效果,特别见诸于突厥语族和蒙古语族。语法特点包括黏着构词法,即在词根上加后缀构成单词。所加后缀的次序是有规则的,但是可加在词根上的后缀的数量是不固定的。没有定冠词,没有性,也没有介词。

阿尔泰诸语言的3个语族之间在句法上差别很大,但又有若干共同点。与突厥语族和蒙古语族相比,满语-通古斯语族在句法上具有更大的灵活性。在这3个语族之间,突厥语和蒙古语在词汇方面的亲缘关系最为明显。

阿尔泰人也许首先居住在西藏高原和中国内地之间的一片地区,向北进入西伯利亚。他们是游牧民族。显然,突厥人和蒙古人比满族人和通古斯人走得更远。最早的阿尔泰语言的碑铭记录始于公元8世纪,因此要对8世纪前的语言进行比较研究极为困难。有证据表明,曾使用过各种书写系统。已知最早的是突厥人所用的书写系统,可能源自闪米特语。最早的突厥语文献发现于亚洲腹地,称为鄂尔浑碑铭。早期的蒙古语文字记载始于1225年,重要文献《蒙古秘史》就成书于那个世纪。满语是满语-通古斯语族中唯一有文献记载的语言。最早文献始于17世纪,反映了满族自17世纪直至20世纪初对中国的强大统治。

第一次世界大战以来,阿尔泰诸语言发生了极大的变化。战后形成了一些新的政治实体,它们的存在使阿尔泰诸语言的文字改革变得非常重要。如果人们是文盲,就得建立一种新的书面语言——例如,直到20世纪30年代蒙古语族的布里亚特语才发展成书面语言。使用阿尔泰诸语言的各国,成功地采取了多项措施来改进和统一语言。现今出现于蒙古、俄国和土耳其的变化尤为明显。土耳其的改革既具体又显著:这一时期的重点是在词汇更新上。这种做法以及其他一些使语言现代化的努力,使一种以原先通行的民族语为基础的全新的文学语言得以发展起来。

Altair **河鼓二** 即天鹰座α,又名牵牛星或牛郎星。15颗最亮的恒星之一,也是天鹰座最亮的恒星，目视星等为0.77等。距地球约16光年。河鼓二是一颗质量和体积都比太阳更大的炽热的白色恒星。它发出的光比太阳约亮10倍。alpha Aquilae(天鹰座α)可能源于阿拉伯文，意为“天鹰”，即所在星座的名称。

Altaisky Nature Reserve　阿尔泰自然保护区　俄罗斯中南部，阿尔泰山脉北段、东滨捷列茨基湖的自然区，为进行自然科学研究而开辟。建于1932年。1963年确定现在的疆界，面积863 900公顷。境内有高山及冰河形成的地貌、高山森林、山地草原。树木多为西伯利亚银杉和松，也有落叶松和白杨的混合林，高处有草地和杜鹃花属灌木丛。野生动物：山地草原有阿尔泰鼠兔，西伯利亚金花鼠和北极地松鼠；山地森林有黑貂、红鹿；高山区有驯鹿、野羊等。旅游业仅限于少数有组织的游览。

Altamira　阿尔塔米拉洞窟　位于西班牙北部桑坦德市西30千米，因有优美的史前绘画和雕刻而闻名。1868年为一猎人发现，1875年桑坦德市贵族M.德绍图奥拉游览此

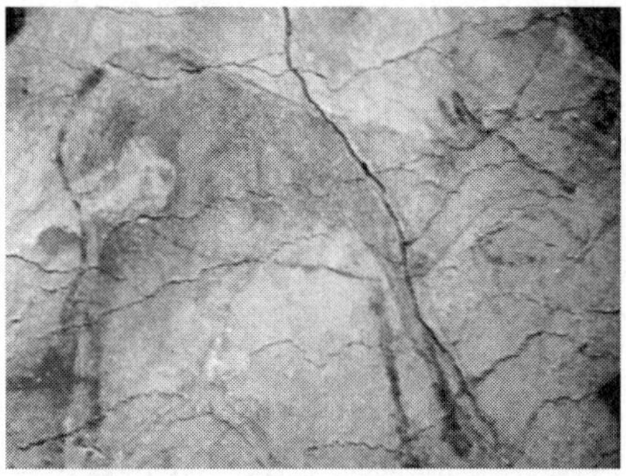

阿尔塔米拉洞窟壁画——鹿
美国不列颠百科全书公司供图

洞窟，在洞内发现了动物骨化石和石器。1879年夏，又携其小女玛丽亚重游此地，她发现了洞顶的野牛绘画；他于1880年将其发现公布于世。初时国内外专家误认此为赝品，20世纪初方被承认。洞窟长270米。人们在洞前部发现奥瑞纳文化期(佩里戈尔文化期)、上梭鲁特文化期以及马格德林文化下期或中期的许多古代遗迹，包括仪仗雕刻的动物肩胛骨等。大多数壁画都在巨大的侧洞内。侧洞长18米，宽9米。拱顶高1.15～2.65米，洞顶布满壁画。画面主要是野牛，栩栩如生，着以鲜艳的红、黑、紫三色。还有两头野猪、几匹野马、一头雌鹿，以及其他一些简单形象；此外还有镌刻的8个人形像、各种手印以及人手的轮廓图形。在其他室里也有许多黑色绘画或刻像。许多图形依岩石表面的天然轮廓而绘。

Altamsh (Indian sultan)　参阅 **Iltutmish** 伊尔杜德米什。

Altamura　阿尔塔穆拉　意大利东南部普利亚区巴里省城市，位于巴里西南部穆尔杰高原，海拔1552英尺(473米)。约建于1200年。现仍有高大的中世纪城墙。建于1232年的罗马式升天大教堂几经修葺，其雕饰的大门和正面中部的圆花窗最为著名。城郊4英里(6千米)处的莱洛迪阿尔塔穆拉是一石灰岩深渊，宽1 640英尺，深246英尺。主要出产牛和谷物，亦产杏仁和酒。有一羊毛市场。人口：市区约58 673(1993)。

Altan　阿勒坦(?～1583，蒙古)　又名俺答。蒙古可汗。1543年成为东部蒙古人的首领，时常威胁中国明朝北部边境。1550年率军跨过长城，袭击北京郊区。但几日后即被迫撤回蒙古。他随即在蒙古开始建立稳固的政治制度，按照中国模式建立官僚机构，建都呼和浩特。1571年他与中国订立和平条约。明朝赐给他顺义王的称号。1580年，阿勒坦接待西藏佛教格鲁派(黄教)领袖，尊为达赖喇嘛，并定黄教为国教。

altar　祭台　宗教名词，指供献祭用或作为礼拜活动的中心的平台。在原始宗教，大概天然岩石、一块或一堆石头、或一座土丘就可以当作祭台。随着庙宇祭献制度的发展，出现了用石或砖垒成的祭台，在其上屠宰牺牲，让血从其上流下，也可能在其上烧肉。有时在平地挖沟或坑当作祭台，例如在古希腊庙宇中；也有一些宗教用供桌代替祭台。

Altar of Augustan Peace　奥古斯都和平祭坛　参阅 **Ara Pacis** 和平祭坛。

Altare glass　阿尔塔雷玻璃制品　意大利热那亚附近阿尔塔雷镇出产的玻璃器皿。当地的玻璃工业是11世纪由来自诺曼底的玻璃工人创建的，与享有盛名的威尼斯玻璃厂并无联系。15世纪时，威尼斯玻璃畅销，唯利是图的工厂主用严刑峻法将工人囚禁在穆拉诺岛，企图保住工艺秘密。但实际上阿尔塔雷的玻璃制品与威尼斯所产的相似而且经常冒充威尼斯玻璃制品出售。威尼斯玻璃制品的风格和制造工艺的迅速传播，主要是阿尔塔雷工匠的功绩。他们与威尼斯人不同，鼓励工匠们到别处工作。他们与几百个从穆拉诺岛上逃出来的威尼斯人一起，帮助许多欧洲国家建立起玻璃厂，从而导致16～17世纪称为威尼斯式玻璃器皿(**façon de Venise**)的国际风格的发展。

altarpiece　祭坛画　祭坛上方的装饰结构，画有神圣人物、圣徒以及《圣经》上的内容。祭坛画专指饰屏或隔板，并不直接与祭坛相联，而是固定于台后墙上；上面饰以精美的图画、浮雕和立体雕刻。已知最早绘制的饰板有11世纪意大利蒂沃利大教堂的3联饰板，画有耶稣，两旁为圣母马利亚和圣约翰。最著名的有《根特祭坛画》(根特圣巴翁大教堂)，为12联饰板，上面有凡·爱克兄弟的绘画(1432)。参阅 **retable**。

Altay　阿尔泰　又拼Altai。俄罗斯西伯利亚西南部的边疆区，位于鄂毕河上游，东南与中国和蒙古接壤。阿尔泰州曾是准噶尔汗国的一部分，从18世纪起俄罗斯人殖民于此。北部和西北部为略有起伏的平原和山前地带，有草原和森林覆盖；南部的戈尔诺-阿尔泰共和国是森林山地和高地，有宽广的山间盆地和幽深的山谷；北部几乎全部为适宜耕种的平原。主要作物有小麦、燕麦、玉米和向日葵、亚麻、甜菜。南部山地放牧牛、羊。兹梅伊诺戈尔斯克和戈尔尼亚克附近有铜、锌、铅、金、银、汞、钡、钨等有色金属矿开采业。首府巴尔瑙尔(**Barnaul**)和其他主要城市有轻型机械、化工和木材加工工业。计划在鄂毕河畔卡缅建设水坝和电站，以灌溉广袤的库伦达草原。面积169 100平方千米，人口约2 695 000(1995)。

Altay Shan　阿尔泰山　又作Altay(或Altai) Mountains。亚洲中部大山系。蒙语意为“金山”。西北-东南走向，延伸2 000千米以上。西北部在哈萨克斯坦境内，东南段在中国与蒙古国界上。主峰友谊峰海拔4 374米，

阿尔泰山喀纳斯湖风光
中国大百科全书出版社供图

发育有现代冰川。自西北向东南山势逐渐降至3 000～3 500米左右。山前有西北大断裂。发源于山地的河流出山后受断裂影响，汇入额尔齐斯河流向西北，成为鄂毕河上游，是中国唯一流入北冰洋的河流。1931年发生8级大地震，并产生近南北的断层，延续40～60千米。山地植物分布垂直变化很明显。1 100米以下为山麓草原带；1 100～2 300米为森林带，生长西伯利亚松、西伯利亚冷杉、云杉等；2 300米以上为山地草甸带与亚高山草甸带，为良好的夏季牧场。低处山间盆地有少量农业。山地富藏有色金属矿和金矿。

Altdorf　阿尔特多夫　瑞士中部乌里州首府，邻近罗伊斯河与沙亨河汇流处，在卢塞恩市的东南。市中心有威廉·退尔的青铜雕像(1895)，传说这里是他射中其儿子头上苹果的地方。从1899年开始专门有一剧院一年一度演出席勒的剧本《威廉·退尔》。该地著名建筑有：建于1581年的嘉布遣会隐修院、

阿尔特多夫市的威廉·退尔青铜雕像
美国不列颠百科全书公司供图

一座中世纪城楼及1799年后重建的市教堂和市政厅。城市位于圣戈特哈尔德铁路线上,有电缆厂、橡胶厂和瑞士联邦的弹药厂。居民大多信仰天主教、讲德语。人口8 200(1990)。

Altdorfer, Albrecht 阿尔特多费尔(约1480～1538,雷根斯堡帝国自由市) 德意志画家和版画家,风景画的奠基人之一。他是雷根斯堡城邦的公民和官吏,多瑙画派的领袖。欧洲第一个画森林、日落和美丽的废墟的画家,在画中把人作为大自然的一部分与树木、岩石、山、云融为一体,甚至把人画得类

阿尔特多费尔绘《圣母降生》
美国不列颠百科全书公司供图

似后者。林茨附近的圣弗洛里安教堂有他的几幅祭坛画(1518)。其栩栩如生的手抄本插图杰作是《伊苏斯的亚历山大之战》(1529,慕尼黑旧藏画馆)。其版画与木刻均为小幅,富有想象力,其中最重要的是40幅组画《人的堕落与赎罪》。

Altenburg 阿尔滕堡 德国中部萨克森州的城市,滨普莱瑟河,位于莱比锡以南、德国中部褐煤矿区的南部边沿。据记载976年为靠近一斯拉夫古城堡的钟楼所在地,12世纪发展为贸易中心和重要居民区。1243年转归韦廷的萨克森家族。1603～1672年和1826～1918年为萨克森-阿尔滕堡公国首府。以作为三人纸牌游戏"斯卡特"的发源地闻名。在古老的公爵城堡内有牌戏博物馆和带有"斯卡特"玩牌者雕塑品的喷泉。名胜有城堡教堂、市政厅、15世纪圣巴多罗买教堂和林德瑙博物馆(藏有大量绘画)等。设有各种专科学校。生产纸牌、缝纫机、帽子、雪茄、鼓皮等。人口约46 291(1995)。

alternating current 交流电 缩写为AC。周期性换向的电流。例如,从零开始,电流增大到一个最大值后又减小到零,再反向增至最大值后又减小到零,不断地重复这个循环。连续两次达到一定值的时间间隔称为周期;每秒周数称为频率;任一方向的最大值称为交流电的振幅。50和60赫的低频交流电用于家庭和商业,100兆赫左右的交流电用于电视,几千兆赫的交流电用于雷达和微波通信。参阅 **electric current**。

alternation of generations 世代交替 又作metagenesis。又称异型生殖。生物体繁殖中有性期和无性期交替出现的现象。在形态上,有时在染色体上,两期(或两代)是不同的。藻类、真菌、苔藓、蕨类、种子植物的世代交替是常见的,但这种交替有时不易观察到,因为其中某一世代常常很小,甚至需用显微镜方能见到。有性期称为配子体,产生配子(性细胞);无性期称孢子体,可无性繁殖产生孢子。从染色体数的角度看,配子体有单倍染色体(单倍体),而孢子体为二倍体。许多无脊椎动物有有性和无性世代的交替(如原生动物、水母、扁虫),但没有单倍体与二倍体世代的交替。

Altgeld, John Peter 阿尔特吉尔德(1847-12-30,普鲁士下塞尔特斯～1902-03-12,美国伊利诺伊乔利埃特) 美国伊利诺伊州州长(1893～1897),属民主党改革派。主要以赦免(1893-06-26)秣市骚乱(1886-05-04)中的几名德裔无政府主义分子闻名,在该次骚乱中有7名芝加哥警察被杀。阿尔特吉尔德的父母为德国移民。他在俄亥俄长大,19世纪70年代移居芝加哥。早年写文章对穷人表示同情。后参加民主党,在库克县高级法院任职(1886～1891)。1893年,他认为对参加秣市骚乱的一些人审判不公。这得到劳工首领的

美国不列颠百科全书公司供图

赞同,也引起保守派报纸的抗议。一年后,他反对在普尔曼罢工事件中使用联邦军队,向G.克利夫兰总统提出抗议。1896年竞选连任失败,重操律师业。

Althiburos 阿尔西布罗斯 古代北非努米底亚城市,现为突尼斯艾拜古苏尔。在2～3世纪相当繁华。约400～700年为主教区。经考古发掘,有保存完好的凯旋门及古代广场,广场周围有2座神庙,1座纪念哈德良的拱门和1座剧院。

althorn 参阅 **tenor horn** 次中音号。

Althorp, John Charles Spencer, Viscount 奥尔索普子爵 参阅 **Spencer, John Charles Spencer, 3rd Earl** 斯潘塞。

Althusius, Johannes(Latin) **阿尔特胡修斯**(1557,维特根斯坦-贝勒堡迪登斯豪森～1638-08-12,荷兰埃姆登) 德语作Johannes Althaus。荷兰加尔文派政治理论家,首倡现代联邦主义,鼓吹人民主权论。曾任拿骚黑博恩大学教授,1604年任荷兰弗里斯兰省埃姆登市市政官。曾撰写综论罗马法的论文。他将基督教加尔文派的教义应用于政治研究,并利用希伯来文《圣经》探讨政治理论。他的理论反映清教徒思想。他还着重指出:任何社会集团,只要是能够使其每一成员享受完美而幸福的生活,就应当加以肯定。

Althusser, Louis 阿尔杜塞(1918-10-16,阿尔及利亚比尔芒德雷～1990-10-22,法国巴黎附近) 法国哲学家,20世纪60年代以企图融合马克思主义和结构主义而在国际上知名。1939年入法军服役,1940年被德军俘虏。1948年加入法国共产党;同年任巴黎高等师范学校教师,执教近30年,影响了几代学生。主要著作《保卫马克思》(1965)和《读〈资本论〉》(1965)反对将马克思主义解释为"人道主义"和"个人主义"哲学的流行说法。他认为这种"黑格尔主义"的解释过分重视早期尚未摆脱黑格尔"观念形态"的马克思,而忽视了发表《资本论》等著作之后成熟的马克思。在后来一篇有影响的论文《意识形态与意识形态的国家机器》中,他对根据马克思后期著作中基于政治、法律和观念形态的"准自发作用"将马克思看作是固执的经济决定论者的传统说法,力加驳斥。他认为历史的变化取决于力量关系和生产关系等"客观"因素,"意识"的问题是次要的。他以主要为结构主义

的用语重新阐释马克思主义思想，使法国的新一代知识分子信服，并广泛传播马克思主义的永恒意义。但法国共产党对他的成就并不赞赏，他们把党员中任何思想上的独立迹象都看作是一种威胁。1974年阿尔杜塞被迫对他所谓“理论上的背离”作自我批评。1980年患精神病，扼死他已婚30年的妻子，后住院数年。他的忏悔自传《未来永恒》在他逝世后于1992年出版。

Altichiero 阿蒂基耶罗（约1330，维罗纳附近泽维奥～1390以后，维罗纳？） 文艺复兴早期画家，维罗纳画派的奠基人，14世纪意大利北方重要艺术家。他在维罗纳开始从事

阿蒂基耶罗绘于圣乔治礼拜堂内的壁画《圣乔治被斩首》，约1384年
美国不列颠百科全书公司供图

艺术，但在此间几年中的创作情况现已不为人知。1370年移居帕多瓦，绘制壁画和肖像画，其作品风格受到佛罗伦萨大画家乔托的影响。遗存的主要作品是在帕多瓦画的两组壁画，一组在圣安东尼奥教堂圣费利切礼拜堂，表现耶稣被钉上十字架和圣詹姆斯生平（1379年完成）；另一组在邻近的圣乔治礼拜堂，表现圣乔治和其他圣徒生平（约1384）。

Altieri, Emilio (pope) **阿尔蒂里** 参阅 **Clement X 克雷芒十世**。

altimeter 高度表 量度地面或某一物体（如飞机）高度的仪表。主要分气压式高度表和无线电式高度表两类。气压式高度表内有一个波纹状金属真空膜盒，当气压变化时膜盒相应地膨胀或收缩。由于气压随高度升高而减小，二者之间存在一定关系，故可由测量气压以求得高度。借助杠杆和齿轮装置，膜盒的胀缩可使高度表度盘上的3根指针转动。由于气压是参照海平面的，故气压式高度表必须经常调整，以补偿因天气变化引起的气压变化。无线电式高度表测量的是飞机离地面而不是离海平面的距离。用阴极射线管指示飞机上发出的无线电脉冲到地面来回所经历的时间。高度即等于这段时间的半数乘以无线电脉冲的速度。无线电式高度表用

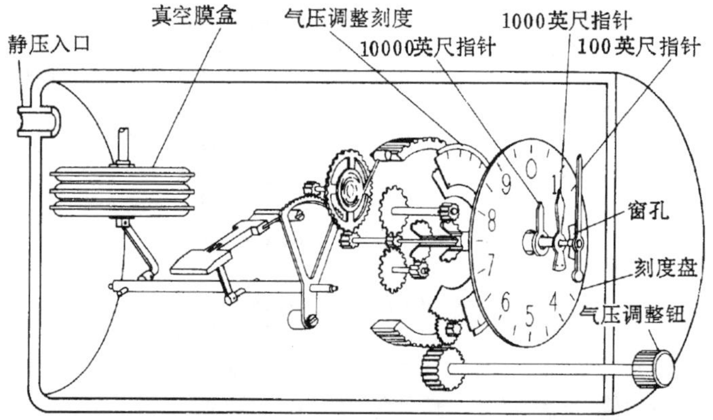

气压式高度表

于自动导航及仪表着陆系统上。除上述以外，还有一种高度表是利用液体（通常为水）的沸点随气压减小而降低的原理做成的，称为沸点式高度表。其中包括一个圆筒状容器，用以煮沸液体。圆筒周围有一加套的竖筒，蒸气即在其中一只带护罩的温度计周围循环。高度越高，气压越低，因而沸点也越低。沸点温度与高度成反比例。

Altiplano 阿尔蒂普拉诺 又称Puna（普纳），秘鲁东南部和玻利维亚西部一区域。起自秘鲁南部的的喀喀湖西北，延伸至玻利维亚西南隅，长965千米。为一系列山间盆地，

玻利维亚波托西省境内的阿尔蒂普拉诺山间盆地
美国不列颠百科全书公司供图

海拔约3 650米，由西科迪勒拉山脉向东延伸的支脉分隔开。该区东侧有一条连续的缓坡通道向南延伸至玻利维亚。主要植被为灌木丛。野生动物最初包括羊驼和美洲驼，现都由人饲养，以取得驼毛和用作驮畜。西南部较干燥，东北部较湿润。的的喀喀湖沿岸气候适宜，在海拔3 900米的地区仍可种植玉米和小麦。的的喀喀盆地自古为人口较集中的地区，现有秘鲁的普诺、胡利亚卡和玻利维亚的拉巴斯等大城市。高原南部为沙漠地带，人烟稀少，有重要的铜、银、钨和锡矿床。沿东侧通道建有玻利维亚铁路干线。有两条支线。一条通往玻利维亚的尤尼西亚矿区；另一条通往玻利维亚的科恰班巴。

Altis 阿尔提斯 希腊宗教用语，指最高天神宙斯的圣林或奥林匹亚的一处圣地，这是一块不规则的方形土地，每边长超过183米，北面以克洛尼昂丘陵为界，其他几面都有围墙环绕。圣地内有宙斯和他的配偶赫拉的神殿，有主要的祭坛和还愿的供物，还有多里亚各邦修造的小宝库，以及奥林匹克竞技管理机构的房舍。圣地外有体育设施场、赛马场、浴场和招待参拜者的设施。

altitude and azimuth 地平纬度和地平经度 天文学、射击学、航海学和其他一些学科用来指示物体在地面上空位置的两个坐标。地平纬度用高出地面的仰角表示（最高为90°）。在天体测量中，地平经度（通常）是指从正南点起沿顺时针方向到物体所在垂直圈（即通过物体和天顶的大圆）的角度。在天文学以外，地平经度多从正北点起算。

altitude sickness 高原病 又称高山病。从海平面或海拔较低的地区进入海拔8 000英尺以上的地区时发生的急性反应。虽然多数人能逐渐适应高原缺氧的低压环境，但有些人反应甚为严重，若不返回低地则可能致死。正常情况下，机体对高原低氧会产生生理性的适应性反应，反应过强（如气喘和心跳加快等）即为高原病。高原病的其他表现为眩晕、头痛、下肢浮肿、胃肠功能紊乱、软弱无力等。症状常发生于到达高原6小时至4天内，持续2～5天。肺水肿是一种较严重的高原反应，罕见于初次进入高原者，但已适应高原生活者，在低海拔地区生活数天后，再次进入高原时肺水肿发生率反而较高。此时液体在肺部积聚，产生缺氧症状。给氧或返回低地后症状迅速消退。虽然直至1937年高原病才被承认为独立的疾病，但由于运输工具的改进，大量旅游者早就得以到过去人迹罕至的安第斯山、喜马拉雅山、落基山游览，所以高原反应早已引起人们的关注。虽然据推测该病与低压和缺氧有关，但确实病因尚未阐明。有证据表明，激素分泌的异常可能是某些症状发生的原因。

Altizer, Thomas J(onathan) J(ackson) 奥蒂泽尔（1927-09-28，美国马萨诸塞剑桥～ ） 基督教激进派神学家。与20世纪60年代兴起的**上帝死亡运动**（**Death of God movement**）神学有关。他说：“我们必须承认上帝的死亡是历史事实：在我们这个时

代,在我们的历史上,在我们的生活中,上帝已经死亡。"奥蒂泽尔毕业于芝加哥大学,于1954～1956年在沃巴什学院、1956～1968年在埃默里大学教授宗教学,后任纽约州立大学英语教授。

altjira(mythology)　参阅**Dreaming, the** 梦想期。

Altman, Benjamin　奥尔特曼(1840-07-12,纽约市～1913-10-07,纽约市)　美国商人、艺术收藏家和慈善家。曾创建世界性大百货公司之一奥尔特曼公司。生于纽约下东区,幼时很少受正规教育,25岁时在曼哈顿开绸布店,1906年领先将商店迁至住宅区。1913～1914年营业扩大,商店占据了整个街区。他以组织才能出众以及促进雇员医疗服务、休闲及其他福利而著称,还为雇员福利及其他慈善宗旨建立基金会。他锐意收集艺术品,建起艺术珍品收藏库,其中有大量中国瓷器、水晶制品、地毯以及名画等。奥尔特曼逝世后,其价值2 000万美元的珍藏遗赠给纽约大都会艺术博物馆。遗产3 500万美元,内有一大笔为其促进美国绘画而赠给全国设计院的礼物。

Altman, Robert (B.)　奥尔特曼(1925-02-20,美国密苏里堪萨斯城～2006-11-20,加利福尼亚洛杉矶)　又译阿特曼。美国反传统的独立电影导演。他的作品探讨无辜、腐败和求生的主题,着重人物性格和环境的刻画,而不是情节。他最著名的影片是以朝鲜战争时期美国一个陆军野战医院为背景的反战喜剧片《陆军野战外科医院》(1970),这也是他的影片在卖座率上获得的第一次也是最大的一次成功。1943～1947年奥尔特曼在美国空军服役,后在密苏里大学学习3年。随后执导工业影片。50年代后期和60年代,他导演了《公共汽车站》和《战斗》等电视系列片。他最初的两部故事影片《倒计时》(1967)和《公园里寒冷的那一天》(1969),在制作上遇到困难,卖座率也不高。但他的《陆军野战外科医院》却使他赢得热烈赞扬,包括在戛纳电影节上获得大奖。该片独具特色的导演手法上的创新是不注重常规的情节和将对话与其他音响交相重叠,这后来成为他的惯用手法。同年晚些时候的《布鲁斯特·麦克劳德》是一部关于人类飞行的怪诞幻想片。备受赞扬的《麦凯布和米勒太太》(1971)因其对边境新兴城市生活不敬的描绘而被称为"反西部片"。他的其他影片包括:《纳什维尔》(1976)、《漫长的告别》(1973)、《三个女人》(1977)、《婚礼》(1978)以及《睁大的眼睛》(1980)。80年代,他开始将当代戏剧作品改编拍摄成影片,其中包括《吉米·迪恩的片断生活》(1982)、《旗幡》(1983)和《情痴》(1985)。

Altman, Sidney　奥尔特曼(1939-05-07,加拿大魁北克蒙特利尔～2022-04-05,新泽西)　加拿大出生的美国分子生物学家,同T. R. 切赫共获1989年诺贝尔化学奖。奥尔特曼先后在麻省理工学院(1960年取得物理学学士学位)和科罗拉多大学(1967年取得生物物理学博士学位)求学。1967～1969年任哈佛大学分子生物学研究员。1969～1970年任剑桥大学分子生物学研究员。1971年到耶鲁大学生物系工作,1980年成为正教授,1983～1985年任系主任。1985～1989年任耶鲁大学本科生院院长。1984年成为美国公民,但仍保留加拿大公民身份。奥尔特曼和切赫分别独立地发现核糖核酸的一个新作用。过去认为酶活性——触发和加速体内生物化学反应的能力——只限于蛋白质分子才有。奥尔特曼和切赫却发现,这个过去只认为是在细胞内不同部位间被动传递遗传信息的核糖核酸,还能发挥酶的作用。这个新的知识开辟了科学研究和生物工程方面的新领域,它促使科学家重新考虑细胞是如何发挥功能的,甚至要重新考虑生命是如何在地球上开始的。

alto　女低音　意大利语原意为"高"。在声乐中指约介于中央C以下的F与向上第二个D之间的嗓音音域;四声部乐曲中的第二最高声部。本术语原指用假声唱的最高男声,参阅**countertenor**。alto一词源自拉丁文*contratenor altus*,它在文艺复兴时期的音乐中指紧靠男高音声部之上的声部。alto一词又指中音乐器,具有大致相仿音域的乐器,如中音萨克斯管、中音单簧管、中音长笛等。

alto horn　参阅**tenor horn** 次中音号。

Alto Uruguai, Rio(Brazil)　**上乌拉圭河**　参阅**Pelotas River** 佩洛塔斯河。

Alton　奥尔顿　英格兰汉普郡东汉普区城镇("教区")。位于韦河丘陵草原,温切斯特东北沿公路约29千米处。圣劳伦斯教堂的建筑为垂直式,有一诺曼风格塔楼。英国内战时期的1643年在教堂近旁曾发生过激战。埃加的文法学校创办于1642年。此外还有许多乔治亚式的建筑物。植物学家W. 柯蒂斯1746年生于奥尔顿,1855年建柯蒂斯博物馆。附近还有特雷洛尔市长矫形医院,20世纪所建圣保罗修道会大教堂和霍利本村,小说家兼传记作家盖斯凯尔(夫人)1865年卒于此村。1809～1817年小说家J. 奥斯汀曾居住于奥尔顿之南1.6千米的乔顿;诗人G. 威瑟1588年生于其西北5.5千米的本特沃思。爱德华二世批准该城每年举行交易会,现今每两年举行一次。本地生产蛇麻草,主要工业为啤酒酿造。人口27 865(2010)。

Alton　奥尔顿　美国伊利诺伊州西南部麦迪逊县城市。为密苏里州圣路易斯城市工业联合体一部分。地近密西西比和密苏里两河汇流处。1817年始建。1833年设镇。1837年设市。原为河港。19世纪90年代军火制造业兴起,现仍为重要经济组成部分。其他制造业包括钢铁、石油产品、玻璃制造机械。粮食、煤炭和石油产品通过港口运输。博彩业也在经济中占一定份额。居民区设在高处,有些地段高约60米。设有舒特莱夫学院(1827)及在原蒙蒂塞洛学院校址上建起的三所社区大学(1969)。1837年废奴派报界人士E. P. 洛夫乔伊在本城遇害。1858年林肯与道格拉斯在该市最后一次辩论的地点立有纪念碑。人口30 496(2000)。

Alton, Charles Talbot, Marquess of　奥尔顿侯爵　参阅**Shrewsbury, Charles Talbot, Duke and 12th Earl of** 施鲁斯伯里公爵和伯爵(第十二)。

Altona　阿尔托纳　德国西北部的汉堡州和汉堡市西北部区名。在易北河右岸峭壁上。1640年被丹麦人占领。由于获得贸易和关税特权,很快成为汉堡难以对付的一个竞争对手。1664年设市。1866年归属普鲁士。1937年并入汉堡。该地设有联邦德国渔业研究所。

Altoona　阿尔图纳　美国宾夕法尼亚州中部布莱尔县城市。地处阿勒格尼弗朗特山东坡。长期以来就是交通要冲,18世纪60年代就有人定居。1849年宾夕法尼亚铁路公司在此建基地。经济以多种工业和铁路修配厂为主。附近有著名的州立加利津王子公园、沃普森诺诺克山(786米)及森林动物园。1939年建立宾夕法尼亚州立大学阿尔图纳分校。人口:城市46 320;都会统计区127 089(2010)。

Altranstädt, treaties of　《阿尔特兰施泰特条约》　第二次北方战争期间(1700～1721),瑞典国王查理十二世于1706年9月24日与波兰国王、萨克森选侯奥古斯特二世于1707年9月1日与神圣罗马帝国皇帝约瑟夫一世达成的协议。1699年秋,奥古斯特与丹麦、俄国结盟反对瑞典,诱发了第二次北方战争。查理很快击溃丹俄联军(1700),侵入波兰。查理坚决要求波兰人废黜奥古斯特,于1702年占领华沙和克拉科夫。瑞典占领区的一些贵族废黜了奥古斯特,并推选波兹南城主S. 莱什琴斯基为新王(1704-07-12)。1705年秋,瑞典军队侵入萨克森,迫使退至该地的奥古斯特接受第一个《阿尔特兰施泰特条约》,即放弃王位、承认莱什琴斯基为其继承人,萨克森退出反瑞战争,终止与俄国的联盟。直至1709年7月8日俄皇彼得大帝在波尔塔瓦大败瑞军之后,奥古斯特才宣布与查理缔结的条约无效,重返波兰恢复王位。查理在萨克森打败奥古斯特后,正忙于反法战争(即西班牙王位继承战争)的神圣罗马帝国皇帝约瑟夫一世害怕瑞典与法国结盟并进攻维也纳,于是与查理签订第二个《阿尔特兰施泰特条约》,答应给予西里西亚新教徒以更多的宗教自由,以换取查理不与法国结盟的保证。

Altria Group　高特利集团　旧称菲利普·莫里斯公司(Philip Morris Companies, Inc.)。美国的控股公司,创办于1985年,为美国几家大公司的拥有者,其中著名的有菲利普·莫里斯公司、通用食品公司和卡夫公司,投资于多种烟草和食品的制造。总部设在纽约市。在20世纪30到50年代,公司把业务扩展到烟草加工和销售领域,成为主要的香烟制造公司。20世纪50年代中期菲利普·莫里斯公司开始用牛仔形象为万宝路牌香烟做广告,到20世纪70年代中期万宝路不断增长的销量把该公司推到美国第二大烟草制造公司的位置。到20世纪90年代初,尽管实行多元化经营,但该公司近一半的收入还是来自烟草制品。公司在美国和国外出售的其他著名香烟品牌还包括本森-赫吉斯、百乐门、维吉尼亚细长型和美里特。1969年菲利普·莫里斯公司获得米勒啤酒酿造公司的控制权。1978年又收购利格特集团公司的国际香烟业务和软饮料制造商七喜公司。由于无法再扩大软饮料市场,公司在1985年将七喜公司售出。为减少对正在衰退的香烟市场的依赖,1985年公司购入通用食品公司。1988年购入卡夫公司,使得菲利普·莫里斯公司成为世界最大的消费品制造公司之一。2003年1月公司改名为高特利集团;其相关的烟草业务仍沿用菲利普·莫里斯公司之名。

altruism 利他主义 一种将他人的利益作为道德行为目标的伦理学的行为理论。这个词是实证主义创始人A. 孔德,在19世纪创造的,一般用作利己主义的对立面。作为一种行为理论,它的根据充分与否要视对于"利益"的解释而定。假如"利益"被认为是快乐和没有痛苦,或者幸福被作为生活的目标,那么多数伦理学家都认为有道德的行为者有责任促进他人的快乐和减少他人的痛苦。H. 斯宾塞和L. 斯蒂芬等英国的功利主义者反对区分自己和他人——而这正是利他主义和利己主义的基础。这些功利主义者认为道德行为的目标是社会的幸福,亦即社会有机体的幸福。

Altun Shan 阿尔金山 中国新疆维吾尔自治区东南部山脉。东端绵延至青海、甘肃两省省界。为塔里木盆地与柴达木盆地的界山。全长约750千米,面积62 000平方千米。为一断块山,呈北东方向延伸,平均高度3 500～4 000米。西段较高,最高峰为尤苏巴勒塔格,海拔6 161米。有小型冰川发育。若羌河、米兰河等发源于此,但水量不大;山麓的若羌、米兰等绿洲面积很小。东段山势降低到4 000米以下,至青海、甘肃两省交界处,高度又上升到5 798米。气候干旱,植被贫乏,无常年有水河流。阿尔金山东接祁连山,两山之间的当金山口为柴达木盆地与河西走廊之间的交通要道,有215国道通过。

Altus 阿尔特斯 美国俄克拉何马州西南部城市,杰克逊县县城(1907)。1886年始建,原址近比特河,因水患频繁,于1891年东迁4英里(6千米)至现址,改称现名(意为"高地")。1901年设镇,1919年设市。第一次世界大战时期经济发展迅速。20世纪30年代经济萧条,旱灾严重。1948年建成规模巨大的奥斯丁灌溉工程,农业生产(棉花、小麦、牛)得以恢复。该工程主体部分阿尔特斯水库在城北18英里处州立阔茨山公园境内。设有西俄克拉何马州立学院(1926)和阿尔特斯空军基地。人口21 447(2000)。

Altvatergebirge(eastern Europe) **阿尔特瓦特山** 参阅**Jeseník Mountains**耶塞尼克山脉。

Aluko, T(imothy) M(ofolorunso) 阿卢科 (1918-06-14,尼日利亚伊莱沙～2010-05-01,拉各斯) 尼日利亚作家。其小说详尽地描述了现代非洲的社会变化和文化冲突。他是一位职业土木工程师和城市规划专家,曾就读于伊巴丹、拉各斯和伦敦等地,并任西尼日利亚市政工程主任等职和拉各斯大学教授。最初以短篇小说崭露头角,其中有些作品曾获英国文学奖,并在英国广播公司的对非洲广播节目中播送。嗣后发表了4部小说:《一夫一妻》(1959)、《一人一把砍刀》(1964)、《亲属与工头》(1966)以及《可敬的首席部长》(1970)。小说《尊敬的陛下》于1973年问世,其简洁的文风、优雅的文笔以及小说中温和的讽刺,均受到评论界的赞誉。

alum 明矾 一组通常由硫酸铝、水合水及其他元素的硫酸盐组成的水合复盐的总称。工业上最重要的明矾是硫酸铝钾,又称钾明矾,分子式写成$K_2SO_4 \cdot Al_2(SO_4)_3 \cdot 24H_2O$或$KAl(SO_4)_2 \cdot 12H_2O$。钾明矾由含硫酸铝和硫酸钾的水溶液蒸发制得。硫酸铝也能同其他硫酸盐结合而形成明矾,这些硫酸盐有钠、铵、铯、银、铷、铊、肼、羟胺和许多有机胺的硫酸盐,可能还包括硫酸锂。另外,三价的铁、铬、锰、钴、镓、钛、钒、铱、铑、铟的硫酸盐可取代硫酸铝。总体说来,明矾具有许多重要用途,用于医药、纺织品、糖、纸张、油漆、火柴、除臭剂生产等。也用于发酵粉、灭火器、防水纸中,以及用作染色的媒染剂、水净化的絮凝剂。

alum stone 参阅**alunite** 明矾石。

Alumbrado 光照派 16、17世纪西班牙天主教神秘主义派别,鼓吹人的灵魂达到一定程度的纯全之后即可见到上帝,与圣灵直接相交。至此,灵魂再无所谓进退,已经受到"光照"者无需参加圣礼、行善功或拘泥于形式。异端裁判所于1568、1574、1623年先后3次谴责该派。

alumina 矾土 氧化铝。存在于自然界的一种氧和铝的二元化合物,性质如刚玉。参阅**aluminum**。

aluminum 铝(Al) 又拼aluminium。化学元素,周期表Ⅲa主族(硼族)中的银白色轻金属,为地壳中丰度最高的金属元素,也是应用最广的有色金属。由于铝的化学活性,在自然界中从不以金属状态存在,但其化合物或多或少的存在于几乎所有的岩石和动植物中。铝富集在距地面16千米厚的区域内,占地壳总重量的8%,仅低于氧和硅。

铝存在于火成岩,主要以硅酸铝形式存在于长石、似长石和云母中。此类矿石经风化而成黏土,进一步风化为铝土矿和富铁红土,分布于土壤中。铝土矿,即水合氧化铝混合物,是最主要的铝矿物。结晶型氧化铝(刚玉)存在于少数几种火成岩中,开采后即可作为天然磨料,较纯者为红宝石和蓝宝石。铝还存在于诸如黄玉、石榴子石和金绿玉等宝石中。此外还有许多其他铝矿石,其中明矾石和冰晶石具有一定工业价值。

1825年H. C. 奥斯特用钾汞齐还原氯化铝制得粗铝。1809年英国化学家H. 戴维通过电解熔融矾土(alumina,氧化铝)制得铁-铝合金,并定名为aluminum。1827年德国化学家F. 维勒用金属钾作还原剂制备出铝粉。1845年维勒又制得了金属铝小球并测试了它的某些性质。

1855年在巴黎博览会上把铝这种新金属公诸于世,当时这种铝是用钠还原熔融氯化铝制取的,数量不大,成本极高。当电力普及并变得较便宜时,美国的C. M. 霍尔和法国的P.-L.-T. 埃鲁几乎同时(1886)发现了现代工业制铝法:将纯净的氧化铝溶解于熔融冰晶石(Na_3AlF_6)中进行电解来制取铝。20世纪60年代铝在全世界有色金属产量上超过了铜上升到首位。

为满足特殊要求,可在某些金属中加少量铝以改善其性能:如铝青铜和大多数的镁基合金,或者是把适量的其他金属和硅加到金属铝中以制成铝基合金。铝及其合金广泛用作飞机构件、建筑材料、耐用消费品(电冰箱、空气调节器、炊事用具)、导电体、化工和食品加工设备。

纯铝(纯度99.996%)相当软、强度不大。含有少量硅和铁的市售铝(99.0%～99.6%)硬而坚。铝的延展性高,可拉拔成铝丝或轧成薄膜,铝的密度约为铁或铜的1/3。虽然铝化学性质活泼,但在空气中其表面能形成一层坚韧的氧化物薄膜,故有很强的耐腐蚀性。

铝是热和电的良导体,热导率约为铜的一半,电导率约为铜的2/3。铝的晶体是面心立方结构。所有天然铝都是稳定同位素铝27。金属铝、铝的氧化物和氢氧化物都无毒。

铝与大多数稀酸反应缓慢,但在浓盐酸中则迅速溶解。由于浓硝酸能使铝钝化,故可用铝槽车装运浓硝酸。即使很纯的铝也能跟氢氧化钠或氢氧化钾等强碱发生激烈反应,生成氢气和铝酸根离子。由于铝跟氧有很大亲合性,在一氧化碳和二氧化碳中点燃细铝粉,就燃烧形成氧化铝和碳化铝。但是,即使在炽热高温下,铝与硫也不发生化学反应。铝通常呈+3价,但在高温下也制备出少数几种一价和二价的气态化合物($AlCl$、Al_2O、AlO)。

铝的一些化合物具有重要的工业应用价值。氧化铝Al_2O_3在自然界中以刚玉形式存在,但工业上也可以大量制备,它可用于生产金属铝、绝缘材料、火花塞以及其他各种产品。加热时,氧化铝形成多孔结构,这种结构使氧化铝能吸收水蒸气。上述形式的氧化铝工业上称作活性氧化铝,可用于干燥气体和某些液体,同时它也可用作各种化学反应催化剂的载体。

铝的另一重要化合物是硫酸铝,它是一种无色的铝盐,可由硫酸与水合氧化铝反应制得。市售硫酸铝是一种水合的结晶体,化学式为$Al_2(SO_4)_3$,在造纸业中广泛用作染料黏结剂和表面填料。硫酸铝跟一价金属硫酸盐结合形成水合的硫酸复盐,俗称矾。最重要的一种矾是硫酸铝钾,也称钾明矾$KAl(SO_4)_2 \cdot 12H_2O$。这些矾类具有很多实际应用,尤其是在医药、纺织和油漆工业中。

氯气跟熔融金属铝反应,生成氯化铝 $AlCl_3$,它是弗里德-克雷夫茨反应最常用的催化剂,利用弗里德-克雷夫茨有机合成反应可以制备各种各样的有机化合物,其中包括芳香酮、蒽酮以及蒽醌的衍生物。水合氯化铝($AlCl_3 \cdot H_2O$)可用作局部止汗剂或人体除臭剂(它起阻塞毛孔的作用),它同时也是化妆品制造业中所使用的几种铝盐之一。

氢氧化铝 $Al(OH)_3$ 用于制造防水织物以及生产各种其他铝化合物,其中包括含有 AlO_2^- 根离子的铝酸盐。铝跟氢反应生成氢化铝 AlH_3,它是一个多聚体固体,由它还可制备出四氢铝酸盐(一种重要的还原剂)。氢化铝锂 $LiAlH_4$ 可由氯化铝与氢化锂反应制得,氢化铝锂在有机化学中有着广泛的应用,例如可用以将醛和酮分别还原为伯醇和仲醇。

铝原子序数 13。原子量26.981 5。熔点660 °C。沸点 2 467 °C。比重 2.70(20 °C)。化合价 3。电子组态 2,8,3 或 $1s^2 2s^2 2p^6 3s^2 3p^1$。

aluminum bronze 铝青铜 含4%～15%铝和少量其他金属、具有较高强度和耐蚀性的一组铜合金,用来大量制造多种机器零件和工具。这组合金有不易变暗的金色光泽,故也用于珠宝饰物和建筑中。铝青铜在高温下具有抗氧化性和耐蚀性(特别是在稀酸中),故可用于酸洗设备和其他与稀硫酸、盐酸和氢氟酸接触的装置。铝青铜的强度与低碳钢接近,可用作造纸机、电焊机电刷座和夹柄、重型齿轮、涡轮、金属成型模、机器导轨,不发生火花的工具、无磁性链条和锚等。铝青铜可用金属电弧法焊接并可用专门焊剂进行铜焊(用某些合金进行钎焊)。含铝量达8%的合金可冷轧成板材或拉拔成管材,用于化工厂和炼油厂作压力容器和热交换器。含铝量超过 8%的合金(也可含有铁和锰)只能进行有限度的冷加工,但能进行热轧、挤压或锻造。含有镍的铝青铜,强度和耐蚀性最高,用作燃气轮机的压缩机叶片。约含 10%铝的青铜合金可用砂型铸造法和金属型铸造法制造高强度铸件,如船舶螺旋桨。

Aluminum Company of America(Alcoa) **美国铝公司** 美国和全世界最大的铝业公司。1888 年由一群包括 C.M.霍尔在内的年轻人创立,称匹兹堡冶炼公司。1907 年公司改组,取现名。业务范围从铝土矿和其他矿砂的采掘直到铝的冶炼加工、铝制品的制造、销售和装运。它在全世界最大的氧化铝生产商澳大利亚美国铝公司中占有多数股权。其国外业务机构遍及世界各地。总公司在匹兹堡。1928 年,它另设一独立的公司,名为**阿尔康铝业股份有限公司**(**Alcan Aluminium Limited**),将当时总公司在外国的资产几乎全部移交给该公司,换得了该公司的普通股权。1912 年美国政府就对其提出反托拉斯诉讼。1922～1930 年,联邦贸易委员会一份调查报告,又控告其进行不正当竞争和歧视。1937 年,美国司法部控告美国铝公司在 16 个市场和商品上垄断州际贸易,并和外国厂商进行不法勾结。1951 年法院终审判决,撤销控告,但各大股东被迫同意放弃其在阿尔康铝公司的普通股权。

Alun 阿伦 参阅 **Blackwell, John 布莱克韦尔**。

alunite 明矾石 又拼alum stone。一种分布广的造岩的硫酸盐矿物。在火山岩例如流纹岩、粗面岩和安山岩内呈囊状体或薄层产出,据认为它是由于这些岩石与逸出的含硫蒸气进行化学反应形成的。曾用作钾的原料(第一次世界大战时)和氧化铝的原料(第二次世界大战时)。在欧洲曾广泛用它制作钾明矾,而且从 15 世纪以来就为此进行了开采。大的矿床在乌克兰的别列戈沃附近、西班牙的

产于犹他州马里斯韦尔的明矾石

美国不列颠百科全书公司供图

阿尔梅里亚和澳大利亚新南威尔士的布拉德拉。关于化学式和物理性质,参阅 **sulfate mineral**(表)。

alunogen 毛矾石 由硫酸盐溶液作用于含铝矿物而形成的一种硫酸盐矿物。它是含水的硫酸铝[$Al_2(SO_4)_3 \cdot 18H_2O$]。常在含黄铁矿的煤层、页岩或板岩中呈盐华或裂隙充填物产出,并在硫化物矿床的铁帽(风化后的冠状矿)中和火山喷发矿床中产出。比较老的文献中,毛矾石和其他毛发状硫酸盐矿物被称为发盐("hair salts")。参阅 **sulfate mineral**(表)。

Alushta 阿卢什塔 乌克兰克里米亚的旅游胜地。位于克里米亚半岛南岸。公元 6 世纪时即为居民点。14 世纪为热那亚人要塞。有优良海滩和凉爽的夏季,19 世纪末兴起旅游业。人口约 37 600(1991)。

Aluyi (people) **阿卢伊人** 参阅 **Lozi 洛齐人**。

Alva, Fernando Álvarez de Toledo y Pimentel, 3er duque de(3rd duke of) 参阅 **Alba, Fernando Álvarez de Toledo y Pimentel, 3er duque de 阿尔瓦公爵**。

Āḷvār 直觉知神派 7～10世纪印度南部神秘主义者,他们如醉如狂地唱着毗湿奴神的颂歌巡游各庙。他们的颂歌堪与世界上最伟大的宗教文学作品媲美。据文献记载,他们在拜世尊像时狂喜而失去知觉;该派圣人南马尔瓦尔号召该派成员跑、跳、哭、笑、唱,让人人都见得到。

Alvarado, Pedro de 阿尔瓦拉多(约1485,卡斯蒂利亚巴达霍斯[西班牙]～1541,新西班牙瓜达拉哈拉或其附近[今在墨西哥]) 替西班牙征服墨西哥和中美洲的人。1518 年率船从古巴出发去尤卡坦半岛探险。1519 年 2 月随军队征服了墨西哥。后被任命管理特诺奇蒂特兰(墨西哥城),1522 年任该城第一任市长。1523 年征服了危地马拉的基切人和卡克奇克尔人。1524 年建立了危地马拉的圣地亚哥-德洛斯卡瓦耶罗斯(别哈城,今危地马拉的安提瓜)。1534 年未经特许出征基多,但于 1535 年将船只及军火售与了弗朗西斯科·皮萨罗手下的船长。1537 年回到西班牙受命任危地马拉总督 7 年,并获准去墨西哥探险。1539 年到达洪都拉斯,在企图平息一次印第安人叛乱时死于墨西哥中部。

Álvares Pereira, Nuno (Portuguese soldier) **阿尔瓦雷斯·佩雷拉** 参阅 **Pereira, Nuno Álvares 佩雷拉**。

Álvarez, Juan 阿尔瓦雷斯(1790,墨西哥康塞普西翁-德阿托亚克～1867-08-21,阿卡普尔科) 西班牙统治结束前后历时 40 多年的革命领袖,1855年任墨西哥临时总统。一

美国不列颠百科全书公司供图

个有着西班牙人和墨西哥印第安人混血儿血统的地主。1811 年参加 J.M.莫雷洛斯领导的没有成功的反西独立运动。后参加1822～1823 年 A.L.de 圣安纳领导的起义,表现卓越。这场起义推翻了墨西哥独立后的第一个统治者伊图尔维德。1847 年参加墨西哥对美国的战争。两年后任新成立的格雷罗州州长。1853 年圣安纳重建独裁统治,阿尔瓦雷斯在其州长地位未受威胁的情况下,采取了妥协立场;次年圣安纳企图直接统治格雷罗州,遂于阿尤特拉发动叛变。圣安纳逃亡后,阿尔瓦雷斯控制了政府,但不久即辞职,以支持其盟友 I.科蒙福尔特。由于两人的努力,促成了称之为"革新运动"的自由主义倾向,并导致颁布 1857 年宪法。

Alvarez, Luis W(alter) 阿耳瓦雷茨(1911-06-13,圣弗朗西斯科[旧金山]～1988-09-01,加利福尼亚伯克利) 美国物理学家,因发现许多寿命极短且仅存在于高能核碰撞中的亚原子粒子,而获 1968 年诺贝尔物理学奖。1945 年任加利福尼亚大学教授。1938 年发现某些放射性元素因俘获轨道电子而衰变,结果产生序数比原来小1的元素。1939年与

加利福尼亚大学劳伦斯辐射实验室
(设于伯克利)供图

F.布洛赫首先测定中子的磁矩。1940～1943年在麻省理工学院从事微波雷达研究。1944～1945年在洛斯阿拉莫斯科学实验室研究原子弹,提出爆聚型原子弹的起爆技术。他还参与研制微波信标、线性雷达天线、地面控制着陆系统以及利用雷达定位轰炸目标的高空投弹方法。第二次世界大战后,他参加建造第一座质子直线加速器,研制成探测亚原子粒子及其反应的液氢气泡室,这使物理学家们发现了大量新基本粒子并对核理论作了重大修正。

Álvarez Quintero, Serafín and Joaquín 阿尔瓦雷斯·金特罗兄弟(塞拉芬1871-03-26,西班牙塞维利亚乌特雷拉～1938-04-12,马德里;霍阿金1873-01-20,乌特雷拉～1944-06-14,马德里) 西班牙剧作家。两人合写了约200部剧本,描写安达卢西亚的生活、风俗和语言。他们的作品在20世纪初的西班牙十分流行,极大地促进了西班牙戏剧的复兴。他们的戏剧以活泼巧妙的表演为特色,最著名的有《划船奴隶》(1900)、《过去的爱情》(1904)以及《马尔瓦罗卡》(1912)。《马尔瓦罗卡》是一部严肃戏剧,曾获西班牙皇家科学院奖。他们的有些戏剧由海伦和格兰维尔-巴克于1927～1932年间译成英文。他们的作品全集于1953～1954年分为7卷出版。

Alvear, Marcelo T(orcuato) de 阿尔维亚尔(1868-10-04,布宜诺斯艾利斯～1942-03-23,布宜诺斯艾利斯) 阿根廷政治家、政治领袖,1922～1928年阿根廷总统。出身显

美洲国家组织供图

贵,早年求学于布宜诺斯艾利斯大学,获法理学博士学位。1890年参与创立主张民主自由的"激进公民联盟"。先后参加1890、1893和1905年旨在确立自由民主制度的革命。胜利后,1911年担任公共工程部长,1912～1917年成为国会议员,1917～1922年任阿根廷驻法大使。1922年激进公民联盟领袖、阿根廷总统H.伊里戈延指定他继任总统。他担任总统直至1928年,这一年他与伊里戈延分裂,成立"反私人主义联盟党"(从激进公民联盟分裂出来的一个小派别),同时与许多保守派分子结成联盟。在1928年的大选中,伊里戈延重新担任总统。1930年保守派策划军事政变推翻了伊里戈延政府,阿尔维亚尔重新加入激进公民联盟。1931年再度参加总统竞选。因离职时不满一个总统任期,被宣布取消资格。著有《民主行动》(1938)等。

Alvensleben-Erxleben, Gustav, Graf von 阿尔文斯勒本-埃尔克斯勒本伯爵(1803-09-30,普鲁士艾兴巴勒本[德意志]～1881-06-30,德意志盖恩罗德) 普鲁士将军、副官长、威廉一世国王(后为皇帝)的主要私人顾问。1847～1858年在总参谋部工作。1849年参与镇压巴登的革命,后任驻军参谋长。1854年在莱茵兰军政府中担任同样职务。1858年晋升陆军少将。1861年升任副官长。1863年奉命去圣彼得堡商定条约。1863年晋升中将,1868年晋升步兵部队上将。在普法战争中统帅第三军团。

alveolar proteinosis 肺泡蛋白质沉积症 大量肺泡为蛋白质及类脂质颗粒所充满的疾病。肺泡内壁通常盖有一层薄膜,由肺泡细胞分泌的一种脂肪质形成。脂肪质分泌过多,或肺泡细胞大量死亡碎片落入肺泡腔中时,气体交换即受很大妨碍。本病症状为呼吸费力(常伴疼痛)、咳嗽及黄痰,可能有疲乏、体重减轻等,重症时发绀。X射线检查往往发现肺浸润及积液。病因未明。发病年龄通常在20～50岁之间。本病可在相当时间内不出现症状,亦有自行痊愈者。但有时可危及生命。治疗包括使用能溶解蛋白质和脂肪的酶,可同时用生理盐水通过气管进行肺脏灌洗,一次灌洗一肺,洗出液内脂肪含量甚高,有时灌洗后即可治愈。

Alves, Francisco de Paula Rodrigues 阿尔维斯 参阅 **Rodrigues Alves, Francisco de Paula 罗德里格斯·阿尔维斯**。

Alves de Lima e Silva, Luiz 阿尔韦斯·德利马-席尔瓦 参阅 **Caxias, Luiz Alves de Lima e Silva, duque de 卡希亚斯公爵**。

Älvsborg 艾尔夫斯堡 瑞典西南部省份,邻界挪威,维纳恩湖和哥德堡-布胡斯、哈兰、

艾尔夫斯堡省特罗尔海坦的水闸
美国不列颠百科全书公司供图

延雪平、斯卡拉堡、韦姆兰诸省。面积11 395平方千米。约塔河为主要河流,多激流瀑布,水力资源丰富。土壤贫瘠,大部为森林,但亦种有小麦、黑麦和燕麦。养牛业和乳品业很重要。主要经济基础是工业,以布罗斯为中心。特罗尔海坦有水力发电站、水闸和机车工厂。省会为维纳什堡。人口约449 767(1995)。

Alwar 阿尔瓦尔 又拼Alwur。印度西北部拉贾斯坦邦东北部城市。有城墙和护城河环绕,还有一座俯瞰全城的堡垒坐落在锥形小山上,山后为绵延的山脉。1775年定为阿

阿尔瓦尔的宫殿和湖水
美国不列颠百科全书公司供图

尔瓦尔邦首府;城内有14世纪时菲鲁兹国王兄弟塔朗苏丹的陵墓和几座古清真寺。宫殿内有博物馆,收藏着印地文、梵文和波斯文手稿以及拉贾斯坦人和莫卧儿人的彩饰绘画。阿尔瓦尔是农产品贸易中心和交通枢纽。主要工业有织布、榨油、磨粉,还有油漆、清漆和陶器的制造。设有几所医院和拉贾斯坦大学的几所学院。人口205 086(1991)。

Alxa Plateau 阿拉善高原 又作Ala Shan Desert。中国内蒙古高原的组成部分。在内蒙古自治区西部。西起马鬃山,东到贺兰山,南抵北山(包括合黎山、龙首山),北止中蒙国

阿拉善荒漠中的野生骆驼
中国大百科全书出版社供图

界。一般海拔1 000～1 500米,地势缓向北倾,地面起伏小,仅少数山地超过2 000米。高原西南部有巴丹吉林沙漠,东南部有腾格里沙漠,东北部有乌兰布和沙漠;均以流动沙丘为主。沙丘间散布许多盐沼,如吉兰泰盐池,以产原盐著名。高原中部的额济纳盆地,有发源于祁连山的弱水注入,水草丰美。高原西部马鬃山一带气候干旱,地面遍布岩屑。

Alyattes 阿利亚特(?～公元前约560) 安纳托利亚中西部吕底亚的国王(公元前约619～前560),曾创建强大的但是短暂的吕底亚帝国。即位不久,即开始连续5年的侵

略。向东,他与米底人交战;向南,他征服卡里亚人;他把游牧的辛梅里安人从安纳托利亚西部赶走,然后又攻占希腊的士麦那城(今土耳其的伊兹密尔)。死后其子继位。希罗多德的著作中有关于他的陵墓的记载,此墓至今犹存,在吕底亚首都萨迪斯遗址以北。

Alyn and Deeside 阿林-迪赛德 威尔士东北部克卢伊德郡的一个区。1974年设立。面积154平方千米。地形为起伏的低地及丘陵。自迪河向南折西延伸至克卢伊德丘陵。北界德林区,南为雷克瑟姆-马罗尔,西邻格林德尔,东为英格兰的埃尔斯米尔港和切斯特郡。自罗马人占领不列颠以后,该地区就一直是英格兰与威尔士之间的重要通道。19世纪丰富煤藏的开发,导致迪河两岸地区工业高度发展。从20世纪70年代起,一些重要工厂关闭,特别是巨大的肖顿钢铁厂。地区首府为黑瓦登。人口约71 700(1991)。

Alyokhin, Aleksandr Aleksandrovich(chess champion) 参阅**Alekhine, Alexander** *阿廖欣*。

Alypius 阿利皮乌斯 (创作时期公元3或4世纪,亚历山大) 音乐论文作家。其《音乐导论》对希腊音阶及变调的复杂系统作了全面的介绍,还包括记谱法图表。该论文于1616年由I.默修斯出版,1652年的M.迈博姆版附有记谱图表。K.冯·扬编入《希腊音乐论文集》(1895～1899)的是其权威性版本。

Alyssum(plant genus) **庭荠属** 参阅**basket-of-gold** *岩生庭荠*;**sweet alyssum** *香雪球*。

Alytus 阿雷图斯 又拼Alitus。德语、波兰语作Olita(奥利塔)。立陶宛南部城市,滨涅曼河。位于考纳斯以南60千米处。建于14世纪。20世纪发展成工业城市,有铸铁、松脂、亚麻、服装等厂。为铁路终点站和公路枢纽。有农学院。人口约77 400(1994)。

Alzheimer's disease 阿尔茨海默氏病 发生在中年以后并以进行性、不可逆的记忆及其他认知功能衰退为主要表现的退行性脑病。主要病变有神经细胞的变性、坏死、大脑皮层神经联系的破坏和脑实质组织的萎缩。阿尔茨海默氏病是*痴呆*(**dementia**)的最常见形式,其发生和发展因人而异,形式多样,显然是源于不同的发病机制。因短期记忆和即时回忆功能损害,典型病例的早期症状即表现为健忘。随着病情发展,患者的记忆丧失进一步加重,并且出现语言、知觉和运动功能障碍;而后,患者情绪变得不稳定、烦躁不安,稍事紧张就表现为交互出现的狂怒、焦虑或抑郁。到了晚期,患者表现为行为木讷、反应迟钝、生活无能。阿尔茨海默氏病病程2～20年,但多于5～10年内死亡。

早发性、家族性阿尔茨海默氏病约占总数的10%,发病年龄小于60岁,病因为遗传性基因突变。其余绝大部分患者没有明显家族史,且多在60岁以后发病;故此类患者被称为迟发性、散发性阿尔茨海默氏病;但人们普遍认为这些散发病例也都有其遗传基础。

本病由德国神经病理学家A.阿尔茨海默于1906年首次报告。在一例死于严重痴呆的55岁患者的尸检中,他注意到死者大脑有两种病变;多发性灶状神经炎(通称老年斑)和神经原纤维缠结。后者是阿尔茨海默首次发现并予以定性的重要特异性病变实体。因为阿尔茨海默的这个尸检病例的年龄尚属年轻,故长期以来人们把它看成是"早老性痴呆"的一种类型。但后来,人们发现同样的脑组织病变也见于很多老年痴呆患者。从此,阿尔茨海默氏病一词就被应用于各个年龄组的痴呆病人。

多发性灶状神经炎和神经原纤维缠结至今仍然是界定阿尔茨海默氏病的特异性病变,是尸检病理诊断根据。据信,上述两种病变能以某种方式干扰神经细胞的正常功能,但人们还不清楚它们究竟是本病的致病原因,还是本病的终极病变。多发性灶状神经炎(另有很多别名,如老年斑、树状斑、灶状淀粉样变性等)主要由退化变性的神经元和沉积在其周围的β-淀粉样蛋白构成。这种沉积蛋白衍生自一种大分子物质——淀粉样蛋白前体,这种蛋白前体是神经细胞的正常成分之一。神经原纤维缠结是指神经细胞内出现缠结成团的τ-蛋白性纤维。τ-蛋白也是神经元正常成分之一。在病理情况下,τ-蛋白分子之间可出现融合缠结。

阿尔茨海默氏病还有几种其他类型的脑病变。神经介质乙酰胆碱的含量水平低下就是其中最具意义的一种,因为含有乙酰胆碱的神经细胞在记忆活动中有着重要作用。老年斑和神经原纤维缠结病灶中的铝离子浓度异常高,但它是否是致病原因,尚属不明。

早发性、家族性阿尔茨海默氏病的基因缺陷现已被查明。1991年,人们最先认识的基因突变是发生在第21对染色体上的一个淀粉样蛋白前体的编码基因上。据信,这一基因缺陷可致β-淀粉样蛋白的产量激增,或促成其在细胞间质的沉积,从而构成阿尔茨海默氏病脑组织老年斑的核心病变。不过,这种基因突变只占全部家族性阿尔茨海默氏病的2%～3%。其余约70%～80%家族性患者的基因突变发生在第14对染色体上;另有约20%发生在第1对染色体上。

此外,对于绝大多数迟发性、散发性阿尔茨海默氏病患者来说,其病因中有部分是第19对染色体上的一个基因突变。此基因编码的阿朴脂蛋白E和胆固醇运输有关。此基因有三种形式——ApoE2、ApoE3和ApoE4,其中ApoE4和本病关系密切。

对阿尔茨海默氏病目前尚无有效治疗方法,主要是对症治疗,如抗抑郁、纠正行为障碍、安眠等。9-氨基四氢吖啶能减缓病情发展,但只对部分患者有效,而且还会伤及肝功能。

Alzira 阿尔西拉 又拼Alcira。西班牙东部巴伦西亚自治区巴伦西亚省城市。该市位于巴伦西亚市以南里贝拉地区境内。原为苏克罗岛(因其位于苏克罗河——胡卡尔河两汊流之间,形似岛屿,故名)上的伊比利亚人聚居地。罗马帝国时期为赛塔比库拉,摩尔人称之为舒夫尔岛。1242年并入基督教的西班牙,17世纪初在驱逐大量摩尔人居民后逐渐衰落。现有文艺复兴时期的市政厅(1540,现为国家保护区),还有罗马时代的胡卡尔河桥。附近还存有14世纪拉穆尔塔隐修院遗址。出口柑橘及其副产品,生产纸制品,饲养家禽。人口约38 558(1991)。

Alzon, Emmanuel d' 阿尔松(1810-08-30,法国勒维冈～1880-11-21,尼姆) 法国天主教教士、奥古斯丁圣母升天会创立人。1834年在罗马受神职,后任尼姆教堂教士和教区主教代理人。1843年购得尼姆市的圣母升天学院院址,1845年建立圣母升天会,致力于教育、传教及社会服务工作。为协助这些工作,他又为妇女成立圣母升天在俗人员会。

AM(Judaism) 参阅**anno mundi** *创世纪元*。

AM 参阅**amplitude modulation** *调幅*。

AMA 参阅**American Medical Association** *美国医学协会*。

Amadeus 阿马戴乌斯 统治者之名,按国别分列于后,并各以●为标记。

与此相等的外语:

法语	Amédée
意大利语	Amadeo
西班牙语	Amadeo

萨伏依

● **Amadeus Ⅵ 阿马戴乌斯六世**(1334,萨伏依尚贝里[今在法国]～1383-03-01,卡斯特罗皮尼亚诺) 意大利萨伏依伯爵(1343～1383)。在位期间,扩展了萨伏依的领土和势力。9岁继位。1348年越过阿尔卑斯山脉,镇压皮埃蒙特各城市的叛乱。14世纪50年代在阿尔卑斯山脉地区购买许多土地,扩大自己的疆域,为建立统一国家打下基础。1366年参加十字军,与土耳其人交战,曾恢复约翰五世帕里洛奥加斯为拜占廷皇帝。其后曾多次调停意大利诸侯间的纷争与冲突。

● **Amadeus Ⅶ 阿马戴乌斯七世**(1360,萨伏依尚贝里[今在法国]～1391-11-01,里帕伊莱) 意大利萨伏依公爵(1383～1391)。阿马戴乌斯六世之子。1377年与法国贝里公爵的女儿结婚。举行婚礼时穿大红服装,故人称"红衣伯爵"。1382年率兵在罗策贝克之战中与佛兰德叛军交锋。31岁时因吃错药而暴卒。

● **Amadeus Ⅷ 阿马戴乌斯八世**(1383,萨伏依尚贝里[今在法国]～1451-01-07,日内瓦) 意大利萨伏依伯爵(1391～1416)和公爵(1416～1440)。在他统治期间,把疆土从北方的纳沙泰尔湖一直扩展到利古里亚海岸。1391年继父位,由摄政辅佐。1393年与勃艮第公爵之女结婚。15世纪40年代初不断扩张领地。1416年神圣罗马帝国皇帝晋升他为公爵。1434年部分退隐,由其子路易做其副手,继续执行政务。1439年教皇犹金四世与叛逆的巴塞尔会议决裂后,那些抗命的主教便选阿马戴乌斯为教皇,自称菲利克斯五世。1449年在法国、英格兰和西西里三国国王的压力下改任枢机主教。

西 班 牙

● **Amadeus　阿马戴乌斯**(1845-05-30,皮埃蒙特都灵[今在意大利]～1890-01-18,都灵)西班牙国王(1870-11-16～1873-02-11),他退位后西班牙第一共和国建立。他是撒丁-皮埃蒙特的未来国王维克托·伊曼纽尔二世的次子,最初被称为奥斯塔公爵阿马戴乌斯一世。1868年伊莎贝拉二世被废黜后,在西班牙首相J.普里姆和摄政F.塞拉诺的支持下,他成为西班牙王位的候选人,但为伊莎贝拉之子、后来的阿方索十二世及主张共和的人士所反对。经议会选举后,他于普里姆被袭击致死的1870年12月30日到达西班牙。即位后所面临的是一片混乱局面,支持阿方索和提倡共和制的呼声日高,兼之第二次卡洛斯战争(1872～1876)爆发。他在条件许可下,光荣引退,返回意大利。

Amadeus, Lake　阿马迪厄斯湖　澳大利亚北部地方西南部含盐泥盆。被从麦克唐奈山脉(北)和马斯格雷夫山脉(南)冲刷下来的沉积物所填充。有水时可长达145千米,宽20千米,此时面积880平方千米。旱时为干盐湖。附近依靠地下水有少量牛群饲养,湖北有天然气开采。该湖以西80千米的尼尔湖情况与其类似。

Amadeus Quartet　阿马迪厄斯四重奏团　英国弦乐四重奏团(1948～1987),是欧洲历时最久、最受器重的四重奏团之一。该团成立于1947年,起因于第二次世界大战期间3位奥地利青年难民在俘虏收容营中的邂逅,他们是中提琴手P.希德洛夫,小提琴手N.布雷宁和S.尼塞尔。3人得赫斯夫人和沃恩·威廉斯之助而被收容营释放。希德洛夫原为小提琴手,后改学中提琴。1946年英国大提琴手M.洛维特经人介绍加入上述3人小组,于是阿马迪厄斯四重奏团形成。四重奏团于1948年1月10日在伦敦首演,后又在欧洲各国、加拿大、美国、日本和南美洲广泛巡回演出。因其流畅精湛的风格、天衣无缝的默契合作、细腻微妙的诠释而闻名。该团灌制唱片约200张,包括贝多芬、勃拉姆斯和莫扎特的全部四重奏。他们以标准的古典与浪漫主义曲目为重点,但也演奏B.巴尔托克和B.布里顿等20世纪作曲家的作品,布里顿的第3四重奏即专为他们而作。1987年希德洛夫去世,四重奏团解散。

Amadi, Elechi　阿马迪(1934,尼日利亚阿卢拉～　　)　尼日利亚小说家和剧作家。作品主要写超自然力量在农村生活中的作用。在乌穆阿希亚公立学院和伊巴丹大学学院求学,专攻数理。在尼日利亚军队中当过兵,教过书,还在河流州新闻部工作过。《比夫拉的日落》(1973)是唯一的记实作品,写他在比夫拉冲突中作为士兵和平民的经历。最著名的作品是关于尼日利亚农村传统生活的历史三部曲:《情妇》(1966)、《大池塘》(1969)、《奴隶》(1978)。这些小说集中写人的命运以及人改变命运的程度。人与神的关系也是这些小说的重点。他对日常生活和宗教礼仪作过敏锐的观察,观察所得都反映在他的戏剧故事中。诗剧《伊西布鲁》(1973)写的是一个摔跤冠军最终被敌手的超自然力量所击败。其他作品有:《胡椒汤和去伊巴丹之路》(1977)。

Amadís of Gaul　《阿马迪斯·德·高尔》　一部骑士散文传奇,可能源出葡萄牙文。该作品的已知的最早版本是加尔西·奥多涅斯·德·蒙塔尔沃于1508年以西班牙文写成,作者声称他对掺杂讹误的原著作了"修正与校勘"。据考证,《阿马迪斯》从14世纪早期甚至13世纪后期就已开始流传。在蒙塔尔沃的本子里,阿马迪斯是一位最英俊、正直和勇敢的骑士;在令人难以置信的武功故事里,他永立于不败之地。这个故事与他和英国国王利苏亚尔特的女儿奥里安娜的恋爱交织在一起;她永远是他的鼓舞者,他终于赢得了与她缔结良缘的权利。《阿马迪斯》里的许多人物是以凯尔特人的传奇为蓝本的,实际上该作品就带有亚瑟王传奇的色彩。

Amado, Jorge　亚马多(1912-08-10,巴西伊列乌斯附近费拉达斯～2001-08-06,萨尔瓦多)　巴西小说家。他的描写巴西东北部生活的小说获得国际上的赞誉。出生和成长于奥里西地亚的可可种植园,在耶稣会学校和萨尔瓦多的另一学校受教育。20岁时出版第一本小说。早期作品中有3部描写可可种植园,着重写采摘可可豆的黑人和混血儿季节工及贫苦白人所受的剥削与苦难,一般表达的是共产党人对社会问题的解决办法。其中最著名的是《无边的土地》(1942),描写敌对的种植园主争夺可可林的斗争,作品具有民间传奇的质朴及宏伟。亚马多自1930年起从事新闻工作,在写作的同时,参加激进的政治活动,并在1946年当选为代表巴西共产党参加立宪会议的联邦议员。他早在1935年就进过监狱,并由于从事左倾政治活动而多次流亡国外。他的许多作品在巴西和葡萄牙被禁止。他继续熟练地写作小说,其中大多数是描写巴伊亚城种族杂居的下层社会的流浪汉的生活故事。《加布里埃拉、丁香与肉桂》(1958)和《堂娜弗洛尔和她的两个丈夫》(1966,1978年改编成电影)都在讽刺中包含着作家的政治态度。他以后还写了《奇迹的店铺》(1969)、《村姑蒂埃塔》(1977)、《摊牌》(1984)、《圣者的战争》(1993)等作品。

Amagasaki　尼崎　日本本州兵库县城市,为大阪-神户都会区的工业郊区。封建时代筑有城堡。20世纪建立大型工厂,现生产钢铁、电机、运输车和化工产品。主要的工业带沿海岸分布并筑有昂贵的防波堤。铁路、运河交通发达,与大阪经济联系密切。由于工业生产大量抽取地下水,使地面严重下沉,台风季节城市易遭海浪袭击,因而采用地面注水、从外地引水等防护性措施。1995年阪神地震使铁路线及许多其他设施遭到破坏。人口约493 158(1994)。

amakihi(species *Loxops virens*)　**弯管舌鸟**　雀形目管舌鸟科的一种鸟,可能是夏威夷最常见的土生鸣禽。长12厘米,体黄色,有黑眼斑,喙较短而稍弯。食灌丛和林中的昆虫和小果实。能发喵喵声和颤音。

弯管舌鸟(*Loxops virens*)
美国不列颠百科全书公司供图

Amakusa Archipelago　天草列岛　日本九州岛西海岸外天草海上诸岛,行政上属熊本县。由大约100个岛屿组成,大岛有加美、天草和大矢野岛。地势崎岖不平,少农业。林业、柑橘种植、近海捕鱼活跃。主岛上产烟煤

与九州岛有桥梁相接的天草列岛
美国不列颠百科全书公司供图

和陶土。由五座彩桥联接的群岛为云仙天草国立公园的一部分。有轮渡通九州本土的三角。一向为西方文化输入的门户,是早期基督教中心。最大城市本渡和牛深在天草岛。

Amalaric **阿马拉里克**(?~531) 西哥特的国王(526 ~ 531)。阿拉里克一世之子。当父王在与法兰克国王克洛维作战中死去时,他尚在幼年。为了安全起见,他被送往西班牙。从那时起,西班牙以及南朗格多克和普罗旺斯都由他的外祖父狄奥多里克大王通过副摄政、名叫特乌迪斯的东哥特贵族实行统治。526 年狄奥多里克死后,阿马拉里克在西班牙和朗格多克的一部分地区取得了全部王权,而将普罗旺斯让与他的表兄弟阿塔拉里克。他与克洛维之女克洛提尔达结婚,但婚后经常发生争执(他是阿里乌派教徒,她是天主教徒),最后导致法兰克人的入侵。531 年战死。

Amalasuntha **阿马拉珊萨**(498~535,托斯卡纳[意大利]) 意大利东哥特国王狄奥多里克大王之女,东哥特的女王和摄政(526 ~ 534)。丈夫死后,她成为其幼子阿萨拉里克的摄政。极力把儿子培养成罗马式的君主。534 年阿萨拉里克死后,她与表兄**西奥达哈德(Theodahad)**共同执政。由于相互争权,西奥达哈德把她放逐到博尔塞纳湖中的一个小岛上。

Amalekite **亚摩利人** 古代一游牧部族或部族集团,据《旧约》载,亚摩利人是以色列的凶恶敌人,但与以色列十二支派之一以法莲人关系密切。他们的活动地区在犹大以南,可能延伸到阿拉伯北部。当希伯来人迁离埃及时,他们在西奈山附近发动攻击,终被约书亚打败。

Amalfi **阿马尔菲** 意大利南部坎帕尼亚区萨莱诺省的城镇和大主教区。位于那不勒斯东南。9 世纪时为首批意大利沿海共和国之一。与东方进行海上贸易的实力可与比萨、热那亚、威尼斯和加埃塔相匹敌。1135 和 1137 年被比萨人洗掠,地位迅速下降。圣安德里阿大教堂俯瞰全城,该教堂(始于 9 世纪,经常修复)有数座宏伟的青铜门,约于 1065 年制成于君士坦丁堡,还有一座钟楼(1180~1276)。著名建筑还有与大教堂邻近的帕拉迪索隐修院和原卡普金女隐修院(建于 1212 年,现改为旅馆)。现为全国最重要的旅游胜地之一,以其秀美的海滨景色、高耸的峭壁和风景如画的山腰间房屋著称。该地柠檬种植业闻名全国。人口:城市区约 5 619(1993)。

阿马尔菲的圣安德里阿大教堂(左下)
美国不列颠百科全书公司供图

Amalfi, Ottavio Piccolomini, duca d' (duke of) **阿马尔菲公爵** 参阅**Piccolomini-Pieri, Ottavio 皮科洛米尼-皮里**。

amalgam **汞齐** 汞和一种或多种其他金属组成的合金。汞齐一般为晶体结构,但汞含量高的为液体。古时就已知有汞齐,公元 1 世纪老普林尼就曾提到过汞齐。牙医用含少量铜和锌的银锡汞齐补牙。在以汞流为负极的电解槽中电解盐水制取氯气和氢氧化钠时生成钠汞齐。它与水反应能形成氢氧化钠溶液并再生出汞以供重复使用。用汞与银和金的矿石一起搅拌,使所得的糊状物或液体状的汞齐沉降下来。然后蒸馏汞齐以回收汞,细颗粒的银或金则作为残留物而分离出来。已知自然界中有银、金和钯的汞齐存在。在德国莫歇兰茨堡、瑞典萨拉和法国伊泽尔已发现汞银天然合金即银汞齐。金汞齐存在于加利福尼亚、哥伦比亚和婆罗洲。在圭亚那波塔罗河,在矿工采集金刚石时淘洗过的砂土中发现了钯汞齐。

Amalgamated Clothing and Textile Workers Union **服装及纺织工人混合工会** 美国和加拿大工会,1976 年由美国服装工人混合工会(ACWA)和美国纺织工会合并而成。后者是个比较小的工会,成立于 1939 年。服装工人混合工会作为从服装工人工会中分裂出来的派别于 1914 年成立,**S.希尔曼(Hillman, Sidney)**从该工会成立起即担任主席,直至 1946 年去世为止。到 30 年代,服装工人混合工会成为服装行业工会中最重要和最有成效的工会。它为自己的会员们提供了重大的改进措施和福利,包括合作建住房、银行和保险计划。1933 年服装工人混合工会被接纳加入美国劳工联合会(劳联),但在 1935 年它又退出了劳联而成为产业工会联合会(产联)的发起成员。1976 年新成立的工会约有 50 万会员。1995 年它与国际妇女服装工人联合会合并组成成衣业、工业、纺织业雇员联合会,有会员 35 万。

Amalgamated Engineering and Electrical Union (AEEU) **机械工程和电气混合工会** 英国制造业部门的主要工会,1992年由机械工程混合工会和电气、电子、电信、管子工联合会合并而组成。合并前的那两个组织原先仅吸收熟练工匠为会员,后来才对各自行业中的所有职工开放,前者(机械工程混合工会)较后者大得多,且历史也悠久得多。机械工程混合工会的前身为工程师联合会,是 1851 年合并几个工会(其中最大的成立于 1826 年)而组成的。工程师联合会是当时实力最强、威望最高的行业工会,直至第一次世界大战后它与 9 个其他工会合并组成机械工程混合工会时仍兴盛不衰。由于手工艺让位于大批量生产,机械工程混合工会于 20 世纪 20 年代开始按工业行当发展组织,吸收一切手加工工人为会员。尽管在 80 年代会员减少 40%,而机械工程混合工会在它与电气、电子、电信、管子工联合会进行合并时,仍为欧洲第二大的金属加工工人工会,有会员约 70 万人。后者(电气、电子、电信、管子工联合会)在 1889 年创建时名为电气工会,1968 年与管子工工会合并时更名为电气、电子、电信、管子工联合会。1992 年机械工程混合工会和电气、电子、电信、管子工联合会合并而成为现在的机械工程和电气混合工会,会员共约 100 万人。合并主要是从防御性出发,为了更好地适应 20 世纪末期英国急剧变化后的工业趋势。

Amalienborg **阿马林堡** 位于哥本哈根的一个建筑群。丹麦国王腓特烈五世在位时期(1746 ~ 1766)兴建,包括四座皇宫和中央八角形的庭院。该建筑群及其周围的许多房屋均由丹麦建筑师 N.埃格维德设计。庭院中央有腓特烈五世骑马像,为法国雕刻家 J.F.J.萨利所作。阿马林堡建筑群为欧洲洛可可风格建筑的最佳例子之一。

Amalric I **阿马里克一世**(?~1174-07-11) 耶路撒冷国王(1163 ~ 1174)。他是一个强有力的统治者,以捍卫臣属的权利和圣地周围的穆斯林的统一而闻名。富尔克国王之子。原封雅法和阿什克伦伯爵,1163 年继承兄鲍德温三世的王位。1163 年阿马里克以从未履行纳贡的诺言为借口,侵略埃及。正在作战时,他自己的王国却遭到叙利亚统治者努尔丁的袭击。他向拜占廷皇帝曼努埃尔一世和法国国王路易七世求援。曼努埃尔同意提供舰队,但要求平分埃及。阿马里克一世的远征虽然失败,但得以维持拜占廷与巴勒斯坦的联盟。死后由其子鲍德温继位。

Amalric II **阿马里克二世**(约1155~1205-04-01) 塞浦路斯国王(1194 ~ 1205),耶路撒冷国王(1198 ~ 1205)。原为巴勒斯坦总管。兄盖伊死后,应法兰克人召唤由他继承塞浦路斯王位。1197 年与巴勒斯坦国王亨利六世的遗孀伊莎贝拉一世结婚。翌年成为耶路撒冷国王。他在位时,极力与穆斯林邻国敦睦邦交。死后,塞浦路斯王位由他 6 岁的儿子继承,而耶路撒冷王国则留给伊莎贝拉。

Amalthaea **阿玛尔忒亚** 据希腊(原克里特)神话她是众神之王宙斯的养母。她有时被描绘成在克里特的一个山洞里哺育宙斯的母山羊,有时则被说成用山羊奶哺育宙斯的仙女。这只山羊折断了一只角,她便在角里装满鲜花和水果送给宙斯。根据一种说法,宙斯把角连同山羊安放在众星之间。一般说来,这只角被看做是无穷无尽的财富和丰饶的象征,并且变成了不同的神和作为土地的施肥者的河流的属性。

Amalthea 木卫五 美国天文学家E.E.巴纳德于1892年发现的一颗木星的近距小卫星,每11小时57分绕木星公转一周,距离为181 000千米,轨道接近正圆,倾角为零。从“旅行者”1号和2号于1979年拍摄的照片看出,它是一颗体积为270千米×166千米×150千米的不规则天体;长轴总是朝向木星。它的表面既红又暗,红色可能是受附近木卫一发出的硫蒸气污染的结果。它表面上最大的陨石坑称为“潘”,直径90千米。

Amambaí Mountains 阿曼巴伊山 巴西南马托格罗索州西部及巴拉圭东部高地。自南马托格罗索州格兰德营向西南延伸约320千米一段名马拉卡茹山,构成巴西高原西坡,为巴拉圭河与巴拉那河各支流间分水岭。与马托格罗索州多数高地同为无峰平顶高地。平均海拔1 300英尺(400米),最高处达2 300英尺。南端为巴西和巴拉圭部分边界。主要城镇有巴西的蓬塔波朗和巴拉圭的佩德罗胡安-卡瓦列罗。

Amambay 阿曼拜 巴拉圭东北部省份。北和东与巴西相邻。阿帕河和阿曼巴伊山界于阿曼拜省和巴西之间。面积12 933平方千米。经济以林业为主,亦从事养牛业、种茶及自给农业。5号公路和一条铁路连接省会佩德罗胡安-卡瓦列罗和巴西边界上的各社区及河港康塞普西翁。人口约68 534(1982)。

Amana Colonies 阿马纳殖民地 在美国艾奥瓦州中东部,艾奥瓦市西北32千米处。由7个村庄组成。前身是1714年在德国黑森建立的真实灵感派信徒社区。1842年该派部分信徒移居美国,1855年其中约800人到艾奥瓦定居,建此殖民地,称阿马纳(《旧约·雅歌》中意为“保留真实”或“笃信”)。社区由当选年长者治理,财产公有;成员参加各种宗教仪式,反对兵役、发誓、娱乐和牧师拿薪金。此社区于南北战争后衰落。20世纪30年代的萧条促使其重新组合(1932年),按股份组合分村。现除每村有农场外,还有工厂,生产毛织品、家具、葡萄酒、肉制品以及冷冻机、冰箱和微波炉。1932年成立的阿马纳教会社团仍为此社区主导力量。简单的礼拜仪式用德语进行。此社团由26名长者控制,不设牧师。70年代晚期成员发展为600名。人口约1 700(2000)。

Amanita 鹅膏属 又称毒伞属。伞菌目鹅膏科(毒伞科)的一属,约100种。某些种对人有毒。本属孢子白色,菌柄伸长,菌盖张开时外菌幕破裂,残留于菌柄基部成菌托,近菌盖处有菌环。春生鹅膏(*A. verna*)、鳞柄白鹅膏(*A. virosa*)、具稃鹅膏(*A. bispongera*)和赭鹅膏(*A. ochreata*)均有剧毒,被称为毁灭天使;夏秋天气潮湿时产于森林,子实体大而白色。毒鹅膏(*A. phalloides*)在夏季或初秋出现于林

春生鹅膏(*A. verna*)
美国不列颠百科全书公司供图

地,伞盖绿或褐色,有毒。其他有毒种类包括:褐鹅膏(*A. brunnescens*)及黄豹斑鹅膏(*A. pantherina*)。毒蝇鹅膏(*A. muscaria*,曾用以杀蝇,故名)夏季见于田野和牧场。常见的可食种类包括橙盖鹅膏(*A. caesarea*)、赭盖鹅膏(*A. rubescens*)及灰鹅膏(*A. vaginata*)。参阅**mushroom; mushroom poisoning**。

Amānollāh Khān 阿曼诺拉汗(1892-06-01,阿富汗帕格曼～1960-04-25,苏黎世) 阿富汗的统治者(1919～1929),他领导国家摆脱了英国的统治,获得了完全独立。哈比波拉

美国不列颠百科全书公司供图

汗之爱子。1919年父王被刺以后立即登上王位。他在加冕的演说中宣布完全脱离英国独立。这引起与英国的战争。1919年8月在拉瓦尔品第(今在巴基斯坦)签订承认阿富汗独立的和约。他即位不久即推行各项西式改革,其中包括教育纲领和修路规划。1928年从欧洲旅行归来时带来了立法改革和解放妇女的计划。1928年由于一次部族叛乱而造成混乱状态,臭名昭著的土匪头子巴克钦·萨果趁机占领了首都喀布尔,自立为王。阿曼诺拉汗企图夺回王位,未能成功。他在1929年1月退位,5月离开阿富汗,永远流亡国外。

Amapá 阿马帕 巴西北部一州。北部与苏里南的一小部分及法属圭亚那接壤,东北濒大西洋,南、西邻巴西的帕拉州,东南临亚马孙河。阿马帕原为帕拉州的一部分,1943年设为地区,1990年建州,首府马卡帕(**Macapá**)。面积140 276平方千米,大部分为热带雨林,但沿海有一片片稀树草原,人烟稀少。主要产品是细质木材(桃花心木、杉木、松木、桉木、黑黄檀)、药用植物、兽皮、橡胶、黄麻、巴西果、鱼、甲壳纲动物和软体动物。溪流中有金砂。阿马帕主要以马卡帕的内陆地区的大型锰矿和铁矿闻名。20世纪70年代末建起了以矿石生产锰铁和硅锰的工厂。在阿马帕州的大陆架发现石油并已钻井勘探。马卡帕港(圣安娜港)以及公路和铁路将马卡帕同该州内陆和巴西西北部联系起来。人口约248 100(1989)。

Amar Dās 阿马尔·达斯(1479,印度哈都尔?～1574,戈因德瓦尔) 印度锡克教第3代祖师。他将旁遮普分成22个教区,并派人四出传教。他鉴于定期召开全锡克教大会有利于锡克教的巩固,遂规定每年3次大节。他在极端禁欲与放纵肉欲之间采取中间生活态度,嘉许正常家庭生活,认为人可以享有财产而仍能蒙神喜悦。他推广不分种姓的免费食堂制,并规定,信徒要见他必须先在免费食堂进餐。他扫除印度习俗,鼓励跨种姓通婚,允许寡妇再嫁,并要信徒禁绝殉夫制。

ʿAmārah, al- 阿马拉 伊拉克东南部城市。位于底格里斯河畔一低矮的山脊上。为该河巴格达以南主要港口和农牧产品贸易中心。有著名的编织和银器手工业。第一次世界大战期间,当地曾被发动美索不达米亚战役的英军占领。1958年以前一直置于拥有大量土地和私人军队的首长专制统治之下。君主制被推翻后,土地分配渐趋民主化。人口约131 758(1985)。

Amaranthaceae 苋科 石竹目的一科,约60属800余种。大多是草本,少数为灌木、乔木或藤木。原产热带美洲和非洲。叶缘通常无齿;花单性或两性,每花有数枚叶状苞片;果为蒴果、胞果、小坚果、核果或浆果。千日红属(*Gomphrena*)和青箱属(*Celosia*)栽培供观赏。莲子草属(*Alternanthera*)和血苋属(*Iresine*)的一些种叶美观鲜艳,为观叶植物。苋属

老枪谷(*A. caudatus*)
美国不列颠百科全书公司供图

(*Amaranthus*)的观赏植物有老枪谷(红缨花、尾穗苋,*A. caudatus*)、绿穗苋(*A. hybridus erythrostachys*)和雁来红(三色苋,*A. tricolor*),还有许多称猪草的野生植物,尤指反枝苋(*A. retroflexus*)。平卧猪草(广布苋,*A. graecizans*)和白猪草(风滚草白苋,*A. albus*)在欧洲的农田及荒地均常见。白苋是美国西部的广布杂草,现已传播世界各地。某些苋属植物是有潜力的高蛋白质谷类作物,人们还在培育高产及收割时不落穗的品系。

Amarapura 阿马拉布拉 中缅甸市镇。位于伊洛瓦底江左岸,为曼德勒市郊。1783年由孟云王建为新首都。1810年毁于火。沙耶瓦底王(1837～1846在位)重建并重定为首都,1839年又毁于地震。原城1千米见方,四角各有高30米砖塔。寺庙金碧辉煌,有巨大铜佛像。在市内有孟云王及其继承人孟既王的坟墓。一向以丝绸纺织业著称。当地有一所纺织学校。铜器业以制造佛像、铜铃和铜锣为主。产瓷砖、陶器和篮筐。该市在仰光—曼德勒铁路线上,是腊戌和密支那的联轨站。城市附近有一组湖泊。湖上有一座200年以前用阿瓦宫廷里的柚木建造起来的著名木桥,通向丹达曼觉都枝塔。人口10 519(最新统计)。

Amaravalli(India) **阿马拉瓦利** 参阅**Amreli** 阿姆雷利。

Amarāvati 阿默拉沃蒂 又拼Amaravathi。印度南部安德拉邦中东部市镇。傍克里希纳河。古代为佛教中心。有印度最大的舍利塔,但现在只剩遗迹。其修道院和大学吸引了来自全印度和远东的学生。阿默拉沃蒂以佛教神殿的浮雕著称,现已分存于各博物馆。

Amarāvatī sculpture 阿默拉沃蒂雕刻 约公元前2世纪到公元3世纪末萨塔瓦哈纳王朝统治时期,在东南印度的安得拉地区风行的雕刻。以华丽的浮雕闻名,是世界上最优

印度安得拉邦约3世纪的阿默拉沃蒂佛本生浮雕
美国不列颠百科全书公司供图

美的叙事体雕刻之一。这种雕刻除在阿默拉沃蒂等地大塔遗迹可以见到外,还流传于锡兰(今斯里兰卡)的阿努拉德普勒,以及东南亚地区。阿默拉沃蒂大塔约建于公元前2世纪,历经整修和扩建,是印度佛教地区最大的一个塔,直径50米,高约30米。但大部分已毁圮,残存的叙事体浮雕和饰板保存在马德拉斯政府博物馆和不列颠博物馆。其中一块饰板上描绘有塔,从中可知公元2世纪末佛塔的形状。整个构筑由精雕细琢的栏杆围绕着,主要的4个部分,被5个一组的石柱群标示出来。顶端蹲着狮子的柱子,分别竖立在4个进口处,替代早期佛塔的礼门(toraṇa)。这些淡绿色石灰石上的浮雕主要描绘佛传和佛本生故事。雕刻栩栩如生,充满对因果报应的悟觉以及对大千世界的眷恋。而且形象重叠,层次分明,很有立体感。4个世纪来,雕刻风格不断发展,为表现佛陀从无像演变为有像的时期。在阿默拉沃蒂雕刻中,表现佛陀的这两种形式出现在同一饰板上:一是坐佛或立佛,而另外则用空着的宝座象征其存在。

Amargosa Range 阿马戈萨岭 美国加利福尼亚州东部和内华达州南部的一组山脉,将死谷同阿马戈萨沙漠分隔开来。从格雷普韦恩峰(2 653米)向东南延伸180千米至阿马戈萨河。由格雷普韦恩、菲尤纳勒尔和布莱克3大山群组成。站在布莱克山脉1 669米的但丁维尤峰,可清楚地鸟瞰死谷及远方的帕纳明特岭。

Amarillo 阿马里洛 美国得克萨斯州北部城市,波特县县城。建于1887年,原为铁路工人营地,1892年设市;1900年后逐渐发展。20世纪20年代发现石油和天然气后,成为工业中心。30年代的经济萧条和持续干旱妨碍了该城发展。但1940年后大规模的地下水灌溉又提高了农业产量。除石油和农牧业外,还有大型炼铜厂、军械厂及直升飞机厂。此地发现大量氦,并在阿马里洛建有一座氦加工厂(1968)。1929年建立阿马里洛学院和阿马里洛美术中心。该城有著名医疗中心。举办大规模禽畜拍卖。设有美国四分之一英里赛马协会总部。附近的坎宁设有西得克萨斯州立大学(1910),东南26千米为州立帕洛杜罗峡谷公园。西南有布法罗湖国家野生动物保护区。人口:市区173 627;都会区217 858(2000)。

Amarinya language 阿马林亚语 参阅**Amharic language** 阿姆哈拉语。

Amarna, Tell el- 阿马纳 上埃及埃赫塔吞古城遗址及其附近墓葬所在地,位于今明亚省艾斯尤特以北71千米处。约公元前1348年,阿肯那顿亦即阿孟霍特普四世在位时,在尼罗河东岸令人勘察新址构筑此城,建为王国的新都。当时他废止对阿蒙神的崇拜,转而敬奉阿吞神,故称此城为埃赫塔吞,意为"阿吞神德泽所被之地"。阿肯那顿死后4年即公元前1332年前后,宫廷迁回底比斯,埃赫塔吞亦随即废弃。尽管埃赫塔吞城在历史上仅昙花一现,它却是古埃及城市中少数经过认真发掘的一座。由于阿肯那顿选择了一块未经使用过的地点建都,也由于该城占居时间很短,故考古家们得以重新构拟该城原有规划图景,达到精确异常。

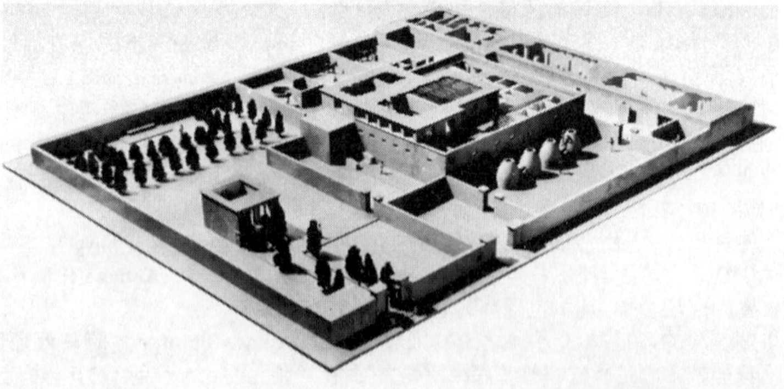

阿马纳贵族庄园模型
美国不列颠百科全书公司供图

埃赫塔吞城中主要建筑物分布于御道两侧,最宏伟的是阿吞神庙。神庙由若干筑有围墙的庭院组成,各庭院均与露天的主祭坛相通。神庙附近是宫殿及内廷。阿马尔圆丘的大多数住所是用烧过的泥砖建成的,而住室的墙壁、地板与天花板等部位都有彩绘,风格生动而自然。每幢较大房舍都设有神龛,内供石碑,碑上主要描绘阿肯那顿家居生活的场景。

其他主要的考古发掘中有奈费尔提蒂王后的半身雕像若干件,是在雕刻家图特摩斯的住宅中发现的;另外还有1887年一农妇偶然发现的楔形文字泥板,共有300块。根据这些文物,学者们可以寻绎出在第十八王朝末埃及帝国究竟拥有多少财富。

建于埃赫塔吞的贵族的庄园只有一层,这与建于底比斯的大不相同。不过,庄园中部起居室的屋顶高出邸宅中的其他建筑,可以收到高窗采光及通风的良好效果。工匠则住在成排的简朴住房之中。

官僚的墓葬方式与在底比斯发现的相似,都是在沙漠荒山的东面开凿墓室进行埋葬的。墓室中的彩饰浮雕尽管多为工匠急就之作,却成为人们了解阿肯那顿的日常生活与宗教活动的重要资料来源。墓壁上绘有城中各种建筑物的图画,也有助于考古发掘人员对那些往往只留下断垣残壁的建筑遗存进行解释。浮雕风格不落俗套,有些意在夸张,以反映瞬间情景,不同于较早期埃及艺术作品之典型的静态风格。

阿肯那顿及其嫔妃的陵寝位于城东一条干涸的水道之旁,其中绘有王族成员哀悼米克塔顿公主的画面,堪称是一幅尚无先例的作品。米克塔顿公主亦葬于此。19世纪90年代和20世纪70年代末期的各次发掘,曾

出土若干阿肯那顿的石棺碎片和许多破碎的陶俑,显然是被蓄意破坏的。图特安哈门执政时,将王室迁回底比斯,并将皇族陵墓也移至底比斯墓地。斯曼赫卡拉和泰伊王后的干尸都贮藏在该墓地的王族木乃伊地窖中。

埃赫塔吞城废弃之后,霍伦希布曾把该城夷为平地,拉美西斯二世则将该城被毁神庙的石块运往附近的埃尔穆波里斯,以用于他的建筑工程。

Amarna style　阿马纳风格　又称特勒·埃尔-阿马纳风格。埃及艺术的创新风格,由第十八王朝的统治时期(公元前 1353 ～前 1336)自称为阿肯那顿的阿孟霍特普四世所创导。阿肯那顿对埃及的艺术和宗教生活的改变是非常激烈的,常被称为阿马纳异端。他极力强调自己的神圣,他是唯一的至高无上的神日轮(埃及太阳神象征)阿吞的化身。他恢复了古老的习俗,崇拜太阳,废除埃及人信奉的一切众神,其中包括阿肯那顿的父亲极端崇拜的以前尊为万神之王的阿蒙-瑞。阿肯那顿不满足于仅在首都底比斯建立阿吞神庙,他建新都于沙漠的边缘,靠近现在的特勒·埃尔·阿马纳的地方,命名为埃赫塔吞(意为"阿吞神德泽所被之地")。

废除了除阿吞外的所有埃及众神之后,阿肯那顿规定以他自己和他的家庭为艺术作品的主要题材,既要描绘他喜爱的家庭场面,也要画他和阿吞的和谐一致;阿吞被画成金色的球,光芒四射最后变成众多小手,把象征生命的**安可(ankh)**赐予阿肯那顿和他的王后奈费尔提蒂。阿马纳艺术最值得注意之处是描绘这位法老及其家庭的方法,摒弃了旧时的清规戒律,为"自然主义"的描绘开辟了道路,把他们画得更像真实的人。它实质上实现了艺术的世俗化,国王家族同过去画中的奴仆和平民一样,取家常姿态和家常环境。有些专家看到描绘阿肯那顿本人的像——长形的头、细长的颈项与四肢和隆起的肚子——是基本真实的身体特征的艺术夸张,可能是某种稀有疾病改变了他的头和臀部的结果。无论是什么原因,这种表现主义的体型最终在某种程度上成为整个阿马纳时期大多数描绘人物形象的典范。

在埃赫塔吞的官员坟墓中发现的着色墓壁浮雕,与通常坟墓中发现的死后生活光景相反,对当地日常生活揭示颇多。画面从一面墙到另一面墙,不理会传统惯用的把可画空间分成框格或水平带状的方式。呈现出热爱自然形象,并且单纯的风景也被认为是主题的素材。还有单纯的半身像和头像。

艺术革新和崇拜阿吞都没有使阿肯那顿成为不朽。大神庙被反对膜拜阿吞的人们夷为平地,阿肯那顿的名字从官方帝王名册中除去,后来被称为"那个埃赫塔吞的罪犯"。他的继位者、年轻的图特安哈门试图回到较传统的艺术观念,但是这个时期的美术仍然明显地受阿马纳的影响。在第十八王朝剩余的全部岁月中,继续坚定地清除艺术异端成分,到霍伦希布统治时期又恢复严格的形式主义。

Amaryllidaceae　石蒜科　百合目的一科,约 65 属,至少 835 种,多年生草本。主要产于热带和亚热带地区。具鳞茎或其他地下茎;叶少数,舌形或披针形,基生或互生;花通常具花瓣 3 枚,萼片 3 枚;果为蒴果或浆果状。许多种可供观赏,尤其是朱顶红(孤挺花,*Amaryllis belladonna*)、晚香玉(晚香玉属[*Polianthes*])、雪花莲(雪花莲属[*Galanthus*])、雪片莲(雪片莲属[*Leucojum*])和黄水仙(水仙属[*Narcissus*])。许多热带的百合状植物也属于本科,如网球花属(*Haemanthus*,好望角郁金香血百合或名血莲)、六出花属(*Alstroemeria*,秘鲁百合)和朱莲属(*Hippeastrum*)。欧亚大陆的冬黄水仙(黄施特恩贝格氏花,*Sternbergia lutea*)常种于沿边花坛和岩石庭园。南非的多年生草本植物红花君子兰(君子兰,*Clivia miniata*)是室内植物,花大,猩红色,带黄色条纹。

Amasis(kings of Egypt)　参阅 **Ahmose I 雅赫摩斯一世**;**Ahmose II 雅赫摩斯二世**。

Amasis Painter　阿马西斯画匠(活动时期公元前 555 ～前 525)　古希腊陶瓶画匠,和埃克塞基亚斯同是古风时期最有成就的陶瓶画家。阿马西斯的一些黑绘人物双耳瓶、酒

约公元前 530 年的阿马西斯画匠陶瓶画
《酒神狄俄尼索斯和女祭司》
美国不列颠百科全书公司供图

瓶和油瓶都是由他绘制的。真名不详,因在阿马西斯陶工的作品上绘画,故得此名。在 8 件器物上有其署名。其中被认为出自他手的有《酒神狄俄尼索斯和女祭司》(双耳长颈瓶,藏巴黎国家图书馆),《阿波罗和赫拉克勒斯》(现藏波士顿美术博物馆),描绘婚礼场面的陶瓶(现藏纽约大都会艺术博物馆)。

Amasya　阿马西亚　土耳其北部的城市及阿马西亚省省会。临耶希尔河。公元前约 183 年前为本都王国首都。公元前 65 年由庞培建为自由城市和大片领土的行政中心。2 世纪在罗马帝国统治下获"大都会"、"第一城市"称号。地处狭长河谷中,风光美丽,果园颇负盛名,为早期奥斯曼人垂青,往往由王储亲任地方长官。古代地理学家斯特拉博出生于此,他提到过的城堡,现在岩石顶上犹见其残迹。著名中世纪建筑有清真寺和图书馆。古建筑集中在人口密集的耶希尔河南岸,有五座桥可通北岸。许多古迹被毁于 1734、1825和1939年的地震。阿马西亚省位于黑

耶希尔河畔的阿马西亚
Shostal 供图

海与内地安纳托利亚之间的肥沃平原上,有耶希尔、切凯雷克、铁尔萨坎河流经。经济活动有农业、采矿、纺织和水泥生产。人口:城市 53 431(1985)。

Amaterasu　天照大神　日本神道教所奉之神,即太阳女神,日本皇室的祖神。她自其父伊弉诺尊左眼出生。伊弉诺尊赠给她八坂琼曲玉(玉项圈),命她司理高天原即诸神所居之处。其弟之一风神素戋呜被派掌管海原,行前向她告别。为了表示信誓,天照大神咀嚼素戋呜所赠之剑,吐出碎片,落地成为婴儿,素戋呜咀嚼其姐所赠之玉,吐出碎片,也落地成为婴儿。其后素戋呜举动粗暴。天照大神怒而隐入天石窟,天地阴暗。八百神祇经过聚议收集报晓雄鸡,并在窟前榊树上悬挂八咫镜和八坂琼曲玉。女神**天钿女命(Amenouzume)**在倒置的桶上半裸歌舞,诸神大笑。天照大神向外窥探,眼见神镜中自身形象,耳闻鸡鸣,被引出石窟。诸神向窟口投出注连绳(稻草绳),使天照大神不再能退隐其中。天照大神的主要奉祀地是伊势神宫,以八咫镜(三宝之一)为神体。参阅 **Ukemochi no Kami**。

Amateur Athletic Association(AAA)　**业余田径协会**　英国管理田径运动的全国性组织。1880 年成立,是世界上第一个此类机构。过去体育界规定,业余运动员必须出自上层社会。业余田径协会是最先废除这种规定的组织之一。协会总部设在伦敦。

Amateur Athletic Union of the United States(AAU)　**美国业余体育联盟**　美国体育组织。由全国性和地区性的协会、业余体育团体和学校组成。1888 年成立,负责批准各项运动的业余运动员的资格。目前管理着篮球、拳击、体操、手球、游泳、跳水、水球、摔跤、举重、田径、有舵雪橇、无舵雪橇、掷马蹄铁、柔道、捻棒和空手道等体育项目;监督奥运会预选赛,为奥运会的选手筹措资金。

amateur radio　业余无线电通信　非商业性双向无线电话或电报通信。在意大利发明家 G.马可尼于 1901 年第一次成功地跨越大西洋发射无线电信号后不久,人们于 20 世纪初对业余无线电通信发生浓厚兴趣。政府因业余广播干扰商业通信和军用通信,于 1911

年开始对业余无线电通信加强管理。第一次世界大战后，业余无线电爱好者积极地进行无线电实验，对发展远距离无线电广播做出了贡献。业余无线电通信使用的频率包括中波波段的最高端的频率，短波波段中的5组频率，甚高频波段中的2组频率和超高频波段中的3组频率，还有供调辐和调频电报、电话通信用的极高频波段中的7组频率。此外，对业余无线电通信的发射功率有一定限制。长期以来，业余无线电通信在发生森林火灾、水灾、飓风等灾害时是一种紧急的通信手段。在正常通信联络恢复以前，业余无线电通信在灾区与外部的联系中起重要的作用。在美国，业余无线电人员须遵守有关的国际条例和联邦政府的规定。业余无线电人员的执照分5等。高级执照持有者必须能够熟练使用国际莫尔斯电码，有一定的无线电理论知识并熟悉无线电管理条例。

Amathus　阿马苏斯　塞浦路斯古城，在利马索尔附近，因四周沙丘环抱而得名（希腊语阿马苏斯为"沙"）。腓尼基人所建（约公元前1500）。亚历山大大帝死后，塞浦路斯大部分被并入埃及，但阿马苏斯抵抗着吞并。物产有谷物和铜。直至公元7世纪，此城仍极繁荣。到12世纪已满目荒凉。

Amati FAMILY　阿马蒂家族　16和17世纪意大利克雷莫纳著名小提琴制造业家族。安德雷阿（约1520～约1578）是克雷莫纳制琴学派创始人，最初或曾受略早的布雷西亚制琴师的影响。现在所知他最早制作的小提琴约制作于1564年。在基本要素上它们为该家族后代成员所制小提琴确立了风格，经斯特拉迪瓦里改进后，成为现代小提琴的典范。安德雷阿所制小提琴有两种尺寸，大的一种后称为"大阿马蒂琴"，富有特色的琥珀色清漆亦由他最早采用。安德雷阿之子安托尼奥（约1550～1638）和吉罗拉莫（Girolamo或Hieronymus，1551～1635）一起工作，人称阿马蒂兄弟。尼科洛（1596～1684）是吉罗拉莫之子，在本家族中最为有名，所制乐器以工艺精巧、音色优美著称。斯特拉迪瓦里与瓜尔内里等人都曾从师于他学习手艺。其子小吉罗拉莫（1649～1740）继承父业。小吉罗拉莫所制小提琴精美不亚于前辈，但与斯特拉迪瓦里相比仍略逊一筹。阿马蒂家族对小提琴的发展所做的杰出贡献在于逐渐将它演化成扁平而浅的样式，后又经斯特拉迪瓦里改进，因能发出明亮的高音音色而成为最能在现代音乐会条件下历久不衰的乐器。

Amatique Bay　阿马蒂克湾　在加勒比海洪都拉斯湾内，位于危地马拉东和伯利兹（前英属洪都拉斯）东南。自危地马拉圣托马斯-德卡斯蒂亚向西北延伸约64千米，从东北至西南约24千米。有杜尔塞河、萨尔斯通河和莫奥河注入。主要港口有危地马拉的*巴里奥斯港*（**Puerto Barrios**）、圣托马斯-德卡斯蒂利亚、利文斯顿和伯利兹的蓬塔戈尔达。

Amatitlán, Lake　阿马蒂特兰湖　在危地马拉中南部。位于海拔1 248米的中央高地。为火山湖。深40米，长11千米，宽3千米，面积约15平方千米。该湖和阿马蒂特兰城镇均为著名旅游地，有危地马拉市西南的公路在其旁通过。

amaurotic familial idiocy　家族性黑蒙性白痴　参阅**Tay-Sachs disease** *泰伊-萨克斯氏病*。

Amazon　亚马孙　在希腊神话中指由妇女战士组成的一个种族的成员。亚马孙的故事可能来源于许多文化中的某个故事的一种异型，即在遥远的地方有一处以完全和自己

约公元前440年菲迪亚斯制作的亚马孙雕像
美国不列颠百科全书公司供图

相反的方式组织起来的国土。希腊人的地理学知识越丰富，人们给亚马孙人指定的地区也就越遥远。当希腊人在黑海地区殖民时，这里最初被说成是亚马孙人的地区。但是当那里没有发现任何亚马孙人时，这就有必要说明她们发生了什么事。按照传统的说法，要求希腊英雄赫拉克勒斯所服的劳役之一就是率领一支远征队伍去夺取亚马孙女王（希波吕忒）的腰带，远征期间据说他打败了亚马孙人并把她们驱逐出原来的地区。后来人们又编出一些辅助性的故事来解释，为什么完全由妇女构成的整个民族经一代人后没有全部消失。最常见的解释是，亚马孙人同另一个民族的男子婚配，生下来的孩子只把女孩留下，男孩子则送到他们的父亲那里去。另一种说法是，忒修斯曾和赫拉克勒斯一道或单独地进攻过亚马孙人。亚马孙人也进攻过阿提卡，但是最后被打败了，并且忒修斯在某个地方要了她们当中一个名叫安提俄珀的女人。在希腊化时期，人们把亚马孙人同狄俄尼索斯（酒神）联系在一起，一说她们是他的联盟者，但更常见的说法是她们是他的敌人。古希腊的艺术作品常常描述亚马孙人和希腊人之间的战斗，而忒修斯同亚马孙人的对抗是他们特别喜爱的题材。从这些艺术作品所描绘的亚马孙人来看，她们的形象和雅典娜女神相似，他们的武器是弓、投枪、轻型的双刃斧、半盾，而在早期的艺术作品中，她们还戴着头盔。在后来的艺术作品中，她们更像是阿尔忒弥斯女神，她们穿的是薄的衣服，腰带系得高以便于疾行。而在后来绘有图像的酒瓮上，她们的衣着往往是波斯式的。根据某些记载，亚马孙河的名字是16世纪西班牙探险家奥雷利亚纳所起，因为在先前被称为马拉尼翁的土地上，他说他曾同他遇到的妇女作战过。

Amazon Rain Forest　亚马孙雨林　南美北部亚马孙河及其支流流域的大片热带雨林，面积700万平方千米，覆盖巴西总面积的40%。北抵圭亚那高原，西界安第斯山脉，南为巴西中央高原，东临大西洋。亚马孙河流域为世界最大流域，其雨林由东面的大西洋沿岸延伸到低地与安第斯山脉山麓丘陵相接处，形成一条林带，宽度从320千米逐渐拓展至1 900千米。雨林异常宽广，而且连绵不断，反映出该地气候特点：多雨、潮湿及持续高温。亚马孙热带雨林蕴藏着世界最丰富最多样的生物资源，昆虫、植物、鸟类及其他生物种类达数百万种，其中许多种类在科学上至今尚无记载。在繁茂的植物中有各类树种，包括桃金娘科、月桂属、棕榈科、金合欢属、黄檀属、巴西胡桃科及橡胶树。桃花心木和亚马孙雪松可作优质木材。主要野生动物有美洲虎、海牛、貘、赤鹿、水豚和许多啮齿动物，亦有多种猴类。20世纪，巴西迅速增长的人口定居在亚马孙热带雨林的各主要地区。居民伐林取木或开辟牧场及农田，致使雨林急剧减少。90年代，巴西政府及各国际组织开始致力保护部分雨林免遭人们侵犯、开辟和毁坏。

Amazon River　亚马孙河　葡萄牙语作Rio Amazonas，西班牙语作Río Amazonas。南美洲最大河流，世界上流量最大、流域面积最广的河。亚马孙河最西端源头在秘鲁安第斯山脉

亚马孙河
中国大百科全书出版社供图

高处，距太平洋不足160千米，穿过巴西北部到巴西东北大西洋岸入海，流程近6 400千米。其长度仅次于尼罗河。据估计，所有在地球表面流动的水约有20%～25%在亚马孙河。在其240千米宽的河口，泛滥期流量为18万米^3/秒，约为北美洲密西西比河的10倍，世界第二大河非洲刚果河流量的4倍。亚马孙河泻水量如此之大使距岸160千米以内的海水从咸变为微咸。亚马孙河已知的支流有1 000多条，发源于圭亚那高原、巴西高原和（主要地）安第斯山脉。有7条支流长度

超过 1 600 千米，其中从玻利维亚流向东北的马德拉河超过 3 200 千米。亚马孙河全年通航，大货船入内陆可远至马瑙斯，从大西洋溯河至此有1 600千米。亚马孙河流经坡度平缓的地带，牛轭湖、废弃河床和其他曲流河迹象显示了该河的特点。每年洪水退去后，沉积下的肥沃淤泥滋养了约 65 000 平方千米的地区，几乎是荷兰面积的两倍。该河总流域面积约 705 万平方千米，几乎是世界上任何其他大河流域的两倍。亚马孙河及其支流可以视为是一个广袤的淡水海，栖息着无数鲇鱼、电鳗和锯脂鲤等鱼类。

Amazonas 亚马孙 巴西西北部最大的州。面积 1 564 445 平方千米。虽面积广阔，但人口稀少。它占亚马孙河盆地热带森林区的大部。首府马瑙斯在州的东部，地处内格罗河和亚马孙河的汇合处。1669 年，葡萄牙船长F.达莫塔·法尔孔在此筑堡。1755 年在此建立圣若泽都督辖区。巴西独立后，它成为帕拉州的一部分。1852 年建亚马孙省。1889 年推翻帝政，亚马孙成为巴西的一个联合州。从 1880 至 1910 年，橡胶贸易为亚马孙带来繁荣。1946 年，巴西政府为亚马孙制订了经济发展计划，实行至今。北部边境地区的内布利纳峰高 3 014 米，为巴西最高点，除此地区外，全州平均海拔不到 90 米。亚马孙河主流从西至东横穿全州，北方和南方都有其主要支流。全年平均温度 26 °C，降雨量 2 000 毫米，气候温和，极为潮湿。除北部边境有小片稀树草原外，遍布赤道雨林。本地动物品种繁多。哺乳动物有猴、蝙蝠、啮齿目动物，鸟类有鸫、鹦鹉、巨嘴鸟，爬虫类有海龟、蟒、森蚺、大蜥蜴。农村人口几乎全是欧洲人和印第安人的混血种。在 20 世纪末，印第安人估计有 6 万人，占巴西全国印第安人的 1/5。境内大片地区无人居住。几乎半数人口集中在马瑙斯。州内通行葡萄牙语。天主教为主要宗教。黄热病、疟疾、麻风和其他热带疾病不时流行。马瑙斯的亚马孙大学创办于 1965 年。橡胶、巴西坚果、木材、植物油和纤维形成本州经济的基础。矿产很少，有一家小型铁工厂。沿河地带种植木薯、黄麻、甘蔗、香蕉和甘薯。运输以水运为主，可航行大船和独木舟。横贯亚马孙地区的公路从东至西，把大西洋海岸和秘鲁边界连接起来。人口约 2 961 801(2002)。

Amazonas 亚马孙 哥伦比亚东南部的特区。地处湿热的亚马孙盆地。东邻巴西，南以普图马约河与秘鲁为界。为全国最大行政区，面积 109 665 平方千米。也是人口密度最小的地区之一。经济以林业(桃花心木、橡胶和吐根等)、渔业和农业(花生、香蕉、菠萝、稻米、甘蔗)为主。多数人口住在首府及主要贸易中心莱蒂西亚(**Leticia**)及其附近。交通完全依靠水路和航空。人口约 76 381(2003)。

Amazonas 亚马孙 秘鲁北部省份。北邻厄瓜多尔。面积 39 249 平方千米。北部多为雨林，南部有马拉尼翁河及其支流切割中科迪勒拉山。该河形成亚马孙省西部边界，向东北流入亚马孙河盆地。人口密度低，以农村人口为主，大多分布在南部。省会查查波亚斯(**Chachapoyas**)有航空线和公路与外地沟通。南部主要种植甘蔗、玉米、稻米、马铃薯、棉花和谷物等。人口约 428 095(2002)。

Amazonas 亚马孙 委内瑞拉南部的州，北临玻利瓦尔州，东面与南面毗邻巴西，西接哥伦比亚。面积(175 750 平方千米)广阔而人烟稀少，位于源于巴西边境附近的奥里诺科河及亚马孙河北部支流内格罗河流域。该地区中心附近是一个复杂曲折的自然河道网。其中之一为从奥里诺科河向南流的卡西基亚雷河，长 328 千米，通常有半年可供小型船只航行，将奥里诺科河与内格罗河相连，并从而与亚马孙河连接起来。亚马孙也包括圭亚那高原西部的外露层。该州大部未经开发，主要由湿热雨林和许多热带稀树草原构成。约 2/3 的居民为居住于森林中的印第安人，以渔猎为生，大多仅能餬口。州首府阿亚库乔港(**Puerto Ayacucho**)濒奥里诺科河，就在阻碍该河继续通航的湍滩之下。经济以采集橡胶、巴拉塔树胶、香草和糖胶树胶为主。交通主要依靠小船、飞机和独木舟。人口约65 252(1994)。

amazonstone 天河石 又作 amazonite。绿色微斜长石(**microcline**)的宝石变种，是一种长石矿物。常误作玉石，颜色由黄绿色到蓝绿色，也可能呈现细白条纹。通常不透明，所以切割磨成弧面型，用来做串珠及装饰品。虽然其名源自 Amazon River(亚马孙河)，但在那里没有发现矿床。主要产地有加拿大的安大略和魁北克，巴西的米纳斯吉拉斯，意大利的巴韦诺，俄罗斯的乌拉尔山。1876 年后，美国科罗拉多派克斯峰地区成为天河石最重要的产地。

Amb 恩布 巴基斯坦西北边境省中部小邦。1947 年并入巴基斯坦，位于印度河西岸，德尔贝拉水坝以北 24 千米处。除主要市镇恩布外，该邦只有 3 个村落，面积 70 平方千米。统治者(纳瓦布)的驻地原在恩布，现迁往达尔班德。该邦以农业为主，主要产小麦、大麦及玉米。

Ambāla 安巴拉 又称乌巴拉。印度西北部哈里亚纳邦城市。位于克格尔河以东。重要谷物、棉花与蔗糖贸易中心，有公路和铁路通往德里和阿姆利则。东南 6.5 千米有印度最大兵营之一，营区内设有商业中心和机场。有轧棉、磨粉、食品制造和其他工业。织布和竹器编制为重要手工业。有古鲁格舍德拉大学的几所学院。周围地区基本上为平原。多灌渠。谷物、鹰嘴豆、棉花、甘蔗、花生与芒果为主要农产品。人口约119 338(1991)。

Ambartsumian, Viktor 安巴楚米扬(1908-09-18，俄罗斯帝国格鲁吉亚第比利斯～1996-08-12，亚美尼亚埃里温) 天文学家和天体物理学家。因其建立恒星和恒星系统的起源和演化的理论而闻名。他被认为是苏联理论天体物理学派的奠基人。

安巴楚米扬出身于亚美尼亚人家庭。在其任文学教师的父亲鼓励下，他显示出对数学和物理学的聪明才智。1925年进列宁格勒

美国不列颠百科全书公司供图

(圣彼得堡)大学，立志研究天体物理。第二年即发表了一篇论太阳活动的文章，即他在大学期间完成的 10 篇论文的首篇。1928 年，大学毕业后，在列宁格勒附近的普尔科沃天文台成为A.A.别洛波尔斯基的天体物理学研究生。

1931～1943 年，他在列宁格勒大学执教并任天体物理系主任。1932 年提出热星紫外辐射同周围气体相互作用的理论，并就这一理论完成了一系列有关气体星云物理的论文。1934～1936 年，他用统计分析方法研究恒星系统，第一次计及它们的物理特性，发现这种方法可适用于双星和星团的演化及其他许多有关问题的研究。1939 年，当选苏联科学院通讯院士。1941～1943 年，任列宁格勒大学副校长并提出光在宇宙空间弥漫介质中行为的理论，使之成为地球物理学、空间科学，特别是天体物理学(例如星际物质)研究的重要工具。

1943年，安巴楚米扬应聘亚美尼亚科学院，并在埃里温大学任教。1946 年，他在埃里温附近组建比拉干天文台，开始了另一轮卓有成效的科学活动。1947 年，他发现一种年轻的新型恒星系统，称之为星协。他得出的最重要的结论是:包括我们的太阳及其行星系在内的银河系中的恒星形成过程仍在继续，大多数恒星都诞生于演化着的恒星系统之中。

后来，安巴楚米扬研究了不断改变诸如光度、质量或密度等物理特征的恒星的大气现象。他认为这些变化必然与恒星外层大气直接向星际空间释放能量有关。他还从事星系中不稳定过程的研究。这些研究无论对星系演化问题，还是迄今尚未知的物质特性的探索都有重大意义。

他的著作《理论天体物理》(1958)已多次再版，并译成多种文字。此外，他还研究银河系之外的射电，并认为这种射电并非有如广泛被视为出自恒星碰撞系统，而是星系中亚原子裂变过程的反映。按照他的观点，射电星系乃是由超密态恒星物质形成的、距离我们较近和正在扰动的恒星系统。他指出，颜色发蓝的喷射物、凝聚物以及股流的存在，均是恒星演化的早期阶段的特征，以此来支持他的论点。安巴楚米扬的新论著包括:《现代天体演化学问题》(1969)、《宇宙研究中的哲学问题》(1973)。在国际学术研讨会上，众多的听众都为安巴楚米扬在他的演讲中反映其学术思想的表达方式所吸引，他甚至在最乏味的数学式报告中也能生动活泼地引用古典和现代诗人的词语。

安巴楚米扬荣获许多国家授予的荣誉学位和奖状。1947 年,他当选亚美尼亚科学院院长和亚美尼亚苏维埃主席团成员。1950 年,选入最高苏维埃。1953 年,成为苏联科学院院士。1948 ～ 1956 年和 1961 ～ 1963 年,任国际天文学联合会副主席和主席。1968 年,当选国际科学联合会理事会主席。他还参与了国外科学院和科学团体的活动。由于他对科学事业的贡献,两次获斯大林奖金,5 次获列宁奖章,还获有其他许多荣誉头衔。

ambassador　大使　一国政府派驻另一国政府的最高一级外交代表。在 1815 年的维也纳会议上,大使是正式界定和认可的四类外交代表之一。大使被认为代表君主(或国家元首)本人及其尊严,有资格亲自去见驻在国的君主。《维也纳外交关系公约》(1961)将外交代表减为三类:

①向驻在国元首派遣的大使和其他相同等级的外交使团团长。

②向驻在国元首派遣的特使、全权公使和其他代表。

③向驻在国外交部长派遣的代办。而常驻公使不再作为一类。

最初,仅在主要的君主国之间交换大使、使节或代办便足以处理与次要国家的关系。后来,也向视为同等的共和国派遣大使。美国在 1893 年任命第一批大使。1914 年各个大国——奥匈帝国、法国、德国、英国、意大利、日本、俄国和美国之间,还有西班牙和土耳其之间都广泛交换了大使。1919 ～ 1939 年间,比利时、中国、波兰和葡萄牙等国的使节被提高到大使地位,而从 1945 年起,按照所有国家礼节上、法律上平等的理论,大多数国家的政府把大使级代表派到所有给予外交承认的国家。

在现代通讯尚未发达之前,大使往往享有广泛的、甚至是全权。后来越来越成为其外交部的发言人,大使很少享有广泛的处理权。另一方面,大使的人格和声望对宣扬其政府的观点能起重要作用,大使在驻在国获得的第一手材料使他对本国政府的政策能产生决定性的影响,大使享有外交豁免权。参阅 **extraterritoriality**。

Ambato　安巴托　厄瓜多尔中部城市。濒安巴托河,在钦博拉索山东北山麓附近的山间盆地中。海拔 2 600 米。在独立战争时期,西蒙·玻利瓦尔的副手安东尼奥·何塞·德·苏克雷于 1821 年在此击败西班牙军,获决定性胜利。1949 年 8 月的一次地震使城市大部遭毁灭。残存的著名历史建筑物有文艺复兴时代风格的大教堂和 1832 年诞生于此的厄瓜多尔著名作家和自由战士胡安·蒙塔尔沃陵墓。为农贸中心,安巴托河盆地以新鲜水果著称,还有甘蔗种植园和谷物农场。工业有鞣革、皮革加工、食品加工和纺织厂。位于瓜亚基尔通基多的铁路和泛美公路线上。郊区米拉弗洛雷斯为旅游胜地。人口约 111 505 (1983)。

安巴托市的大教堂(建于 20 世纪中叶)
Shostal 供图

Ambedkar, Bhimrao Ramji　阿姆倍伽尔　(1891-04-14,印度姆豪～ 1956-12-06,新德里)印度贱民领袖,印度司法部长(1947 ～ 1951)。出生于印度西部的马哈尔贱民家庭。童年时代受到高级种姓同学的欺辱。父为军官。他曾去美、英、德等国留学。回国后在巴洛达从政,因受高级种姓的同事歧视,转业律师和教学。不久成为贱民的领导者,创办代表贱民的刊物,并在立法会议中为贱民争得特别代表权。1945 年与甘地争论,写有《国大党和甘地为贱民做了些什么?》。1947 年任印度政府司法部长,在制定印度宪法的工作中起主要作用,使歧视贱民成为非法。1951 年辞职。1956 年终因对印度教教义不改对贱民的歧视感到绝望而放弃印度教,与大约 20 万贱民一起成为佛教徒。

Amber(India)　**安贝尔**　参阅 **Āmer** 阿梅尔。

amber　琥珀　埋藏于地下、经过化学变化失去挥发成分而达到稳定状态的树脂化石。遍布世界,但最大最有意义的矿床位于波罗的海沿岸,6 000 万年前至 4 000 万年前的砂层中。呈不规则结核状、棒状或水滴状,一般为橘黄色或棕色,红色的较少见。乳白色不透明的变种称骨琥珀。有些琥珀的混浊是由许多小气泡包体引起的。琥珀的包体包括数百种昆虫和植物的化石。深色半透明到透明的琥珀被视为宝石。用现代技术离析和鉴定树脂成分,可望在树脂化石和现代脂树之间建立种属关系。通过红外光谱分析,发现墨西哥琥珀与一种现代李叶豆属树有关系。过去认为琥珀完全是非晶质结构,通过 X 光衍射分析发现有些树脂化石有结晶成分。用琥珀可做成念珠、串珠、烟嘴和烟斗咬口等雕刻装饰品。压缩琥珀是由小块琥珀加压熔化而成,其平行纹理有助于同天然琥珀区别。尽管有了许多合成代用品,但仍以天然琥珀最为美丽。

产自美国新泽西州的琥珀,约形成于 1 亿年前的白垩纪,琥珀中为古老的像黄蜂的蚁(*Sphecomyrma freyi*)
美国不列颠百科全书公司供图

Amber Valley　安伯谷　英格兰德比行政、历史郡北部一区。面积 264 平方千米。辖原奥尔弗雷顿、贝尔珀、希诺的市区与现里普利、贝尔珀的郊区。名称源于安伯河。该河在安伯加特汇入德文特河。东半部为工业区,西半部是农业区。采煤和炼铁原为主要工业,但 20 世纪 50 年代末期以后,工业实现多样化,矿业地位下降。里普利和贝尔珀生产重要的技术设备,后者亦是棉纺和针织业中心。人口约 116 600(1998)。

Amberes, Gil de　安贝里斯　参阅 **Siloé, Gil de** 德西洛埃。

Amberg　安贝格　德国东南部拜恩州(巴伐利亚州)城市。濒临菲尔斯河。在纽伦堡东面。1034 年始见记载。14～16 世纪为工商业发达的宫廷镇。1621 年以前为公爵住

跨菲尔斯河的中世纪城堡
美国不列颠百科全书公司供图

地。1810年以前为上巴拉丁首府，有许多贸易和船运的特权，被认为是中世纪德国最强大的设防城镇之一。现存有古城墙和城门，中世纪和巴罗克式选侯宫、市政厅和公爵城堡，14、15和17世纪教堂等。上巴拉丁及省档案均存于本市，另有一个1730年建的极佳省级图书馆。工业有铁矿开采和加工、镜片研磨、陶瓷和砖瓦制造以及酿酒等。人口约44 596(2003)。

ambergris　龙涎香　在抹香鲸肠道内形成的固体物质。在东方主要用作调味香料，在西方主要用作高级香精的定香剂。龙涎香被认为是在抹香鲸所吞食的枪乌贼或其他捕获物的不能被消化部分周围积聚的排泄物。还不能确定这一过程是正常的还是病态的。新鲜的龙涎香是软的，呈黑色，有难闻的气味。遇到阳光、空气和海水，就硬化、退色并产生宜人的香气。它被海水冲到许多国家的海岸，特别是拉丁美洲的巴哈马群岛。捕鲸者也从被捕的鲸鱼体内或从海面上的漂浮物获得它。它的碎块一般都较小，但曾发现重约418千克的大块。

amberina glass　琥珀玉髓玻璃制品　一种用复色玻璃制成的器皿，下部呈淡琥珀黄色，往上逐渐变成宝石红色。1883年，马萨诸塞州东剑桥新英格兰玻璃公司获得了生产这种玻璃器皿的专利权，并大量生产。19世纪90年代，俄亥俄州托莱多的利比玻璃公司也生产这种玻璃器皿。底胎是一种含有少量黄金的琥珀色玻璃，在重新加热后显出从淡琥珀黄到深宝石红的色调。新英格兰玻璃公司用这种方法生产具有菱形图案和螺旋形纹路的餐具和装饰器皿。在马萨诸塞州新贝德福也生产名为玫瑰琥珀的琥珀玉髓玻璃制品。

amberjack　鰤　几种受欢迎的游钓鱼的通称。参阅**jack**。

Ambikāpur　安比加布尔　旧称苏尔古贾(Surguja)，又称比斯然布尔。印度中部的中央邦东部城镇。曾是原苏尔古贾王公统治的土邦首都，当时本城即名苏尔古贾。有公路通特尔姆杰伊格尔、巴特那和松哈德。农产品贸易发达，为煤炭的主要集散中心。附近地区曾是苏尔古贾、昌巴喀及戈雷阿3个王公土邦的所在地，中部为肥沃的高原，北、东、南3面被大块丘陵及台地所环绕。安比加布尔周围地区的主要农产品是稻米、小麦和油菜籽，林产品也有重要经济价值。人口：镇约50 278；都会区约53 228(1991)。

Ambler, Eric　安布勒(1909-06-28，英国伦敦～1998-10-22，伦敦)　侦探小说家。原在伦敦大学学习工程学，后来转向文学，以《黑暗的边界》(1936)、《不寻常的危险》(1937)、《一个间谍的墓志铭》(1938)、《恐慌的原因》(1938)、《迪米特里奥斯的假面具》(1940)和《进入恐惧的旅行》(1940)等作品闻名。第二次世界大战时作为电影导演在英军服役，战后写有电影脚本并与罗达合用笔名"埃利奥特·里德"写长篇系列小说。战后用自己的名字发表第一部作品《对德尔切夫的审判》(1951)。此书以巴尔干半岛为背景，作者运用自己对欧洲的广博知识，细致入微地描写一个人所共知的政治话题。《夜间来客》(1956)描写东南亚的一次革命所引起的恐惧。长篇小说《光天化日》(1962)及其续集《肮脏的故事》(1967)描写一个被击溃的雇佣兵如何卷入伊斯坦布尔、雅典和中非的秘密交易。后来发表的小说有《逃债者》(1972)、《弗里戈博士》(1974)、《不要再送玫瑰花》(1977)和《岁月的烦恼》(1981)。几部小说已被拍成电影。他的自传《躺在这里》于1985年出版。

amblygonite　磷铝锂石　锂、钠和铝的磷酸盐矿物$[(Li, Na)AlPO_4(F,OH)]$。一种锂矿石。产于富含锂和磷酸盐的花岗伟晶岩中，常呈很大的白色半透明块体。已在美国南达科他州的基斯通和南非、津巴布韦以及其他几个国家开采。采自美国缅因州希伯伦质地明净的曾被琢成宝石。详细的物理特性参阅**phosphate mineral**(表)。羟磷锂铝石是一种与磷铝锂石相似的矿物，它所含的羟基多于氟；自然界里在羟磷锂铝石与磷铝锂石之间有连续的固溶体系列。

amblyopia　弱视　眼球无器质性改变而视力减退的现象。发病缓慢或突然，影响单眼或双眼，病程短暂或持久，并可发展而致盲。病因为癔病或因乙醇、甲醇、铅、砷、铊、奎宁、麦角、绵马、二硫化碳、曼陀罗及印度大麻等所致的中毒。有一种弱视称为懒眼，见于2%～3%的5岁以下儿童。病因是两眼的视像不能在大脑中形成单一的融合视像，为避免复视，一只眼的黄斑视力受到抑制，久之形成弱视。参阅**strabismus; visual-field defect**。

Ambo　安博人　又称奥万博人(Ovambo)，分布在西南非洲(即纳米比亚)北部的干旱草原和安哥拉南部。在纳米比亚，他们常被称作奥万博人，在安哥拉被称作安博人。操克宛亚马语，属于一种班图语。安博人原由世袭国王统治，国王兼有祭司职能。其经济几乎农牧并重，辅以渔、猎和采集。按母系传代，实行一夫多妻制。正妻地位高，但妻妾各有茅舍。家院仅由父母及未独立子女的核心家庭组成。各家院聚居在中心集会地周围。聚会地有酋长房舍和燃着圣火的议事房，圣火由当地酋长的妻女照管，可用于炊爨或取暖，是村社的象征。当地的酋长或头人各从其上级的圣火引燃本族圣火。

ambo　读经台　基督教礼拜仪式中朗诵《圣经》的讲台。最初是一种可移动的台架，到6世纪时已发展成教堂的固定装置，反映了基督教礼拜仪式的演变。到拜占廷和早期罗马式建筑时，曾成为教堂中的一个重要部分。到12世纪时，读经台逐渐被布道讲坛所取代。读经台有单、双两种设置方式，且其位置并不固定，随教堂平面布局而异。在俄罗斯的正教教堂里，读经台采取通向圣像屏(**iconostasis**)前平台的台阶的形式。在希腊正教教堂里，仍保持着可移动的形式，并设在一侧。至少到11世纪时教堂中就已出现两个读经台，在唱诗班席的两侧。在装修华丽的教堂中，读经台常用大理石修建，有时还用镶嵌图案或雕刻加以装饰。

Amboina(Indonesia)　**安波那**　参阅**Ambon 安汶**。

Amboina Massacre　安汶岛大屠杀　1623年在印度尼西亚安波那(即今安汶岛)发生的一次惨案，有10名英国人、10名日本人和1名葡萄牙人被荷兰当局杀害，使英荷合作之希望破灭，标志着荷兰人在该地得势。17世纪初荷属东印度公司已在安汶岛立足，该岛有荷军驻守，且设置总督。英国东印度公司亦垂涎该岛。1623年初荷兰驻安汶岛总督H. van斯珀特听说英国商人准备在日本雇佣兵的帮助下杀害他，并待英国舰船赶来支援他们的时候击溃荷兰卫戍部队。于是，他下令逮捕这些嫌疑分子。在严刑拷打下，嫌疑分子承认了罪行。经当地法庭裁决，于1623年2月将他们处决。

Amboise　昂布瓦斯　法国中部中央大区安德尔-卢瓦尔省城镇。在图尔市东面，跨卢瓦尔河。建有晚期哥特式城堡(有文艺复兴时代风格的扩建部分)。504年首见记载。11

卢瓦尔河畔的晚期哥特式城堡
美国不列颠百科全书公司供图

世纪，安茹伯爵富尔克三世内拉从布卢瓦伯爵手中取得此城，建起高大方块石要塞。后在此基础上建起城堡。15～17世纪法国君主常到此居住。查理八世生卒于此，曾从意大利带来工匠艺人装饰城堡。从亨利四世起，城堡常被用作囚禁地。城镇内16世纪的镇公所现辟为博物馆。城东南原克劳克斯城堡为达·芬奇去世地，现为博物馆。其南面有18世纪中国风格的7层尚特卢塔。工业生产机床、化工品和鞋等。人口11 457(1999)。

Amboise, Conspiracy of　昂布瓦斯阴谋　1560年年轻的法国胡格诺派贵族反对信奉天主教的吉斯家族的一次未遂的阴谋。1559年14岁的弗兰西斯二世即位时，吉斯家族在政府中得势，一些较小贵族产生敌对情绪。他们在南特组成一个推翻政府的阴谋集团，并以贫穷贵族拉勒诺迪为名义首领。法国国王在布卢瓦时，吉斯家已经获悉这一情况。为了安全，国王迁往昂布瓦斯。1560年3月19

日拉勒诺迪和其他阴谋者袭击昂布瓦斯城堡,没有成功。拉勒诺迪被杀,很多参加者被俘。吉斯家采取残酷无情的报复手段,在整整一星期内,他们以酷刑处死多人,将尸体投入卢瓦尔河中。

Amboise, Georges d' 昂布瓦斯(1460,法国卢瓦尔河畔肖蒙～1510-05-25,里昂) 法国枢机主教。路易十二时代任首相,以推行国内改革及其在路易的意大利战役所起作用著

美国不列颠百科全书公司供图

称。14岁任蒙托邦主教和路易十一的放赈官。查理八世在位期间,由于追随奥尔良公爵(后为路易十二)而被投入监狱。奥尔良公爵重新得宠后,他获得纳博讷(1492)和鲁昂(1493)两个大主教区,并任诺曼底副总督。1498年奥尔良即王位后,他任枢机主教和首相。他曾压缩行政开支以减少赋税,实行重要的司法改革,为路易十二远征米兰进行准备工作。1503年教皇亚历山大六世逝世,他希望成为教皇,但未当选。作为补偿,他被教皇任命为驻法国和弗内森伯爵领地的终身使节。后为与神圣罗马帝国皇帝马克西米连一世谈判《布卢瓦条约》(1504)和谈判成立反威尼斯的康布雷联盟的代表。

Amboise, Jacques d' 参阅 **d'Amboise Jacques** 丹波伊斯。

Ambon 安汶 前称安波那(Amboina或Ambona)。印度尼西亚马鲁古省的中马鲁古县岛屿和城市。在塞兰岛西南11千米处,面积761平方千米。丘陵起伏,萨哈都山海拔1 038米。有若干温泉和硫质喷气孔。热带多雨气候。塞兰岛产安汶硬木,是珍贵的装饰用材。安汶湾多海鱼,湾的东端有几处海洋公园。葡萄牙人首先被安汶的丁香贸易吸引,于1521年建殖民点。1605年荷兰占领了葡萄牙要塞,并于1623年安汶岛大屠杀中摧毁了英国人定居点。其后两度易手,1814年由荷兰夺回。第二次世界大战中被日本占领。印度尼西亚独立后,安汶人拒绝加入印度尼西亚共和国,宣布为南马鲁古共和国,遭军事镇压。安汶港口城市位于安汶湾东侧莱蒂莫尔半岛上,为马鲁古省省会。安汶人主要属于美拉尼西亚人,分布于乌利阿塞尔斯和附近的塞兰岛沿海。穆斯林一般居于北部,基督教徒占居民的大多数,分布在南部。语言属帝汶语,是当地混合方言,为印度尼西亚语族,夹有许多葡萄牙语和荷兰语的外来语汇。出产玉米、咖啡、块根作物、西谷和丁香。出口椰干、蔗糖和鱼,酿制棕榈酒。安汶港是进出口物资集散中心。岛上道路甚多,有政府办的无线电台、电话网和帕蒂穆拉机场。文化机构有宗教学院和博物馆等。人口:岛880 200;市312 100(2000)。

Amboseli National Park 安博塞利国家公园 东非肯尼亚南部公园。原为马赛安博塞利禁猎区,初建于1948年。面积3 261平方千米。位于乞力马扎罗山的西北部。禁猎区内有马赛人及其畜群。1974年将禁猎区

安博塞利国家公园内的斑马群
美国不列颠百科全书公司供图

10%稍多的面积(392平方千米)以安博塞利湖为中心,划为安博塞利国家公园。气候干旱,地形平坦。主要动物有狒狒、狮子、猎豹、象、黑犀牛、河马、马赛长颈鹿、野牛、大羚羊、非洲角马、长颈羚、黑斑羚和瞪羚。

Ambridge 安布里奇 美国宾夕法尼亚州西部比弗尔县自治镇。位于匹兹堡西北,临俄亥俄河。曾为乔治·拉普领导的哈莫尼协会(来自德国的宗教移民)建立的伊科诺米村(1825～1906)所在地。此派别兴盛达50年,后因奉行独身而衰落。1901年美国桥梁公司在此买下1 012公顷土地,建起城镇。1905年设为自治镇,1906年改称现名。1919年宾夕法尼亚州买下许多拉普信徒的早期住房,修复老伊科诺米村,成为一名胜古迹。除桥梁修建外,有熟铁、管材、电器设备和建材制造业。人口7 769(2000)。

Ambrim(Vanuatu) 参阅 **Ambrym** 安布里姆岛。

Ambrogini, Angelo(Renaissance scholar) **安布罗吉尼** 参阅 **Politian** 波利齐亚诺。

Ambros, August Wilhelm 安布罗斯(1816-11-17,布拉格附近上米托～1876-06-28,维也纳) 音乐学家,著有一部综合性的《音乐史》。原习法律,1840年入文职部门工作,1850年在布拉格任检察官。是位才思敏锐、训练有素的音乐家,捷克歌剧《布热季斯拉夫和娅特卡》的作曲者,又以撰写音乐文章文采洋溢而著称。所写小册子《诗歌与音乐的界线》(1856)曾引起美学界热烈争论。1869年在布拉格大学任音乐教授,1872年在维也纳大学任音乐史教授。所著《音乐史》包罗古代、中世纪及文艺复兴等时期,生前未及完成,后人根据其笔记续完。

Ambrose, Saint 安布罗斯,圣(约339,高卢贝尔吉卡奥古斯塔特雷维罗伦～397,米兰) 基督教米兰主教、《圣经》评注家、中世纪教会与国家关系观的倡导者。他的著作曾被誉为拉丁语雄辩杰作,他创作的赞美诗反映了他在音乐方面的造诣。他又是劝化圣奥古斯丁并为他施洗礼的导师(奥古斯丁日后成为伟大的基督教神学家)。安布罗斯为罗马帝国驻高卢总督之子,早年丧父,由寡母在罗马抚养成人。374年在米兰意外地被市民推举为主教。帝国朝廷常在米兰举行会议。安布罗斯在同朝廷折冲中,既坚持关于罗马元老院议员特权的共和主义理想,又大鼓其如簧之舌,纵横捭阖。384年,他努力使罗马元老院否决异教议员提出的关于宽容的请求。385～386年,他拒绝向阿里乌异端派别提供教堂。388年安布罗斯指责皇帝狄奥多西惩

美国不列颠百科全书公司供图

治焚毁犹太教会堂的主教。狄奥多西屠杀塞撒洛尼卡公民以制裁暴乱,390年安布罗斯强令他公开认罪忏悔。安布罗斯固然打破惯例地干涉皇帝,但他又是帝国的忠诚而有才干的外交家,如在383和386年到特里尔去访问僭位者马克西穆斯。安布罗斯迅速吸收当时先进的希腊学术,不论基督教的或异教

的，主要是斐洛、奥利金、圣巴西勒（该撒利亚的）以及异教的新柏拉图主义者柏罗丁的著作，他利用这些学术思想在讲道时解释《圣经》，尤其是运用哲学隐喻法为《旧约》的“灵意”辩解。他的《论六天创世》和关于以色列人列祖的讲道词（尤其是《论以撒和灵魂》和《论死亡之善》）显示，作者熟悉新柏拉图主义的神秘学说用语。讲道词是安布罗斯著作的主体，可惜年代难考。它们被公认为拉丁语雄辩术的杰作，今日仍是研究希腊哲学和神学在西方传播史的学者所仰赖的重要资料来源，安布罗斯就是用这些讲道词劝化奥古斯丁改信基督教的。安布罗斯引进了新的东方曲调，谱写美妙的赞美诗，大受米兰人欢迎。他不遗余力地对准备受洗的人进行教育。他谴责社会弊端，经常努力使被判罪的人获得宽恕。他提倡最严格的禁欲苦修，在讲道时往往劝告婚龄妇女不嫁以保持童贞之身，因而贵族不愿让婚龄女子听他讲道。

Ambrose OF CAMALDOLI　安布罗斯（卡马尔多利的）（1386-09-16，佛罗伦萨共和国波蒂科～1439-10-20，佛罗伦萨）　原名特拉弗沙利。人文学家、神职人员、古代教会著作翻译家。1400年在佛罗伦萨加入卡马尔多利会，在该地苦学30年，终于精通拉丁文和希腊文，遂使他有可能将亚历山大的圣亚大纳西、该撒利亚的圣巴西勒和君士坦丁堡的圣克里索斯托等希腊教会人士的著作译成拉丁文。1431年教皇尤金四世任命他为卡马尔多利会会长，1435年又任命他为教廷使节，差遣他出席巴塞尔会议。在佛罗伦萨会议进行期间，1438年他以教廷代表身分接见拜占廷皇帝约翰八世和君士坦丁堡牧首约瑟。他精通希腊语，熟悉东派教会神学，因此，关于暂时恢复东西方教会联合的教令的拟订，得力于安布罗斯甚多。该项教令于他死前不久颁行。

Ambrosian chant　安布罗斯圣咏　安布罗斯教仪中伴随拉丁文弥撒和规定祈祷礼拜的单声或齐唱圣咏。此名源自米兰主教圣安布罗斯（374～397），因此这一教仪有时又称“米兰教仪”。尽管传说纷纭，实际上没有一条安布罗斯圣咏的曲调可说是出自安布罗斯笔下。安布罗斯常规弥撒（即弥撒的唱词不是每天变化的那些圣咏）与罗马格列高利常规弥撒（标准的天主教教仪与圣咏）有一定关系：二者均有《慈悲经》与《荣耀经》，又各有一《信经》与《圣哉经》。安布罗斯常规弥撒圣咏通常是一个音对一个音节。节庆的《荣耀经》则在唱词句子结束时采用富于表情的“花唱”（一个音节配以许多音）。同格列高利教仪相比，安布罗斯教仪不大用常规弥撒圣咏。一些安布罗斯圣咏的手稿出现的年代较晚（12世纪），使人们对它的起源时间产生了怀疑。人们认为它确立于查理曼大帝（卒于814年）时代，在风格上与格列高利圣咏不同。查理曼大帝曾试图以格列高利仪式取代安布罗斯仪式，但未能成功。从这时起，直到后来，在安布罗斯曲目中就融入了格列高利旋律和唱词。但安布罗斯圣咏中仍包含一些不大划一的而且从理论上看是比较杂乱无章的原始圣咏，显然没有受到经过润色和系统化的格列高利曲目的影响。

Ambrosiaster　伪安布罗斯　假托的作者名。有一部评注基督教《圣经·新约》中保罗书信的著作，对考证拉丁文本《新约》很有参考价值，本来人们认为它是米兰主教圣安布罗斯（卒于397年）所著，1527年伊拉斯谟对此提出怀疑，其后学者即称该书作者为伪安布罗斯。4世纪奥古斯丁认为其中关于《罗马书》的若干部分是奚拉里所作，因而有一些学者又认为这部书是奚拉里所作而不追究是哪一位奚拉里。

Ambrym　安布里姆岛　又拼Ambrim。太平洋西南部瓦努阿图岛屿。面积665平方千米。有马鲁姆（4 167英尺）和本鲍（3 720英尺）两座活火山，最近一次喷发均在1973年。出产椰干。人口7 191（1989）。

ambulatory　后堂回廊　教堂中堂两侧走道的延伸部分，环绕后堂（教堂东端半圆形凸出部分）或圣坛（教堂东端祭坛所在处）形成的走廊。教堂圣坛后拥挤的走道中原先有许多奉祀圣徒的祭坛，修建后堂回廊后往往可将这些祭坛移至回廊内，回廊半圆形外墙上开启许多圆拱洞，内设置祭坛。最早设置后堂回廊的是法国图尔的圣马丁教堂，约1050年重建时加建。13世纪初本笃会传入英格兰时，许多英格兰大教堂也加建了后堂回廊。

法国卢瓦尔河畔圣伯努瓦的11世纪后堂回廊
美国不列颠百科全书公司供图

ambush bug　瘤蝽　异翅目瘤蝽科（Phymatidae）昆虫，约200种，多分布在热带美洲和亚洲。藏伏花上或植物上，当猎物靠近时即用前足捉住，故英文原意为埋伏虫。前足的胫节及膨大的股节上均有齿状构造，互相啮合时可将猎物夹住，再插入短吻，吸取体液。本身虽小（通常不到12毫米），却能捕食像熊蜂、胡蜂和蝴蝶一样大的昆虫。瘤蝽外形古怪，体向侧方延伸并具圆形突。*Carcinocoris*属分布于亚洲，体上具刺。齿瘤蝽（*Phymata erosa*）是北美最常见的瘤蝽之一，黄绿色，通常见于一枝黄花属植物上。

瘤蝽（*Phymatidae*）
美国不列颠百科全书公司供图

AMC　参阅 **American Motors Corporation** 美国汽车公司。

Amda Tseyon　阿姆达·锡安（?～1344?）　埃塞俄比亚统治者（1314～1344在位）。编年史称他为反抗穆斯林的英勇战士；有时被看做是埃塞俄比亚王国的创建者。早年是个酒色之徒，后来成为英勇无比的战士。他进攻东南方的一些穆斯林王国，尽管各国企图联合对抗，但他却能将它们一一击败。他吞并了许多小国，扩展了埃塞俄比亚的版图。

ameba　参阅 **amoeba** 阿米巴。

Ameghino，Florentino　阿米希诺（1853-09-19，撒丁王国莫内利亚～1911-08-06，阿根廷拉普拉塔）　阿根廷古生物学家、人类学家和地质学家，他在阿根廷大草原发现的化石可与19世纪晚期在美国西部发现的相提并论。阿米希诺还是小孩时，他的家移居阿根廷，他年轻时就开始采集化石，并很快发展了对化石分类的兴趣。他的第一批文稿被南美的期刊极大地忽视了，但是他与法国古生物学家、动物学家、《动物学杂志》主编P.热尔韦的通信使他得到国际承认。他总共发现了已绝灭动物群的6000多个化石种。1884年任科尔多瓦大学动物学教授，1887年任国立拉普拉塔大学地质学和矿物学教授。虽曾在欧洲3年，但仍与科学思想的主流隔绝，使他对自己在化石方面的某些发现作了错误的解释，并提出了一些遭到强烈抨击的过激的人类学理论。他宣称所有哺乳动物（包括人在内）都起源于阿根廷大草原。被解除了教学职位，声誉也大受影响，只是到了晚年，其工作价值才开始为其他古生物学家所认识。他于1902～1911年任布宜诺斯艾利斯自然历史博物馆馆长，并于1906年重新被任命为国立拉普拉塔大学地质学教授。有将近200篇专著和论文收入24卷本的《阿米希诺全集与科学通信》（1913～1936）。

Amelanchier　唐棣属　蔷薇科的一属，灌木或小乔木，有的种是观赏植物。除卵圆叶唐棣（*A. ovalis*，灌木状，原产欧洲）及东亚唐棣（*A. asiatica*，小乔木，原产东亚）外，大多数种原产于北美。有些种被称为六月果、糖李、花楸果等。一些北美东部种的盛花期正值西鲱溯河回游产卵的早春季节，故俗称为西鲱木或西鲱花。花小，白色成簇顶生，先于叶开放；果淡红色至紫黑色，形似小苹果，鸟类喜食。有些种的果实可做果子冻。流行的观赏唐棣有：桤叶唐棣（*A. alnifolia*），俗称六月果，

加拿大唐棣（*A. canadensis*）
美国不列颠百科全书公司供图

灌木，高约3米；加拿大唐棣（*A. canadensis*），俗称西鲱花楸树，高约8米；平滑唐棣（*A. laevis*），俗称阿勒格尼花楸果，类似加拿大唐棣，但植株更高，下垂花簇更多。乔木状唐棣（*A. arborea*）俗称绒毛花楸果，似加拿大唐棣，但更粗壮，花簇大而下垂。大花唐棣（*A. grandiflora*）是乔木状唐棣和平滑唐棣的天然杂交种，高达9米，花单生而大，有些呈淡粉红色。匍匐唐棣（*A. stolonifera*）为铺散灌木，高约1米，适于半野生栽培用以固土（尤其是巩固堤岸）。野生唐棣能自由杂交，种间的区别甚微，园林工人和园艺家也往往不能鉴别。

Amelung glass　阿梅龙玻璃　原籍德国不来梅的J.F.阿梅龙1784～1795年间在美国生产的玻璃制品。阿梅龙在德国和美国友人

1788年的阿梅龙玻璃无柄平底杯
美国不列颠百科全书公司供图

的资助下，在马里兰州弗雷德里克附近建立了一座新不来梅玻璃厂，并准备从德国迁来玻璃工人、其他手艺人、校长、音乐教师和医生，建设一个自给自足的社区。该计划得到G.华盛顿、T.杰斐逊和B.富兰克林等人的赞助。1789年，根据美国新宪法通过的第一个保护性税则，政府对窗玻璃和其他玻璃制品征税，次年国会又拒绝给予贷款，工厂倒闭。经鉴定现仅有少量产品传世。其中有一套送给华盛顿的餐具和一个赠予德国支持者的带盖高脚酒杯。

Amen（Egyptian god）　参阅 **Amon 阿蒙**。

amen　阿们　犹太教徒、基督教徒和穆斯林用语。表示同意、肯定或愿望。其语源闪语词根意为："坚定"、"确定"或"确实"；有关的希伯来语动词意为"可靠"和"可信"；古希腊文《旧约全书》通常将"阿们"译作"诚心所愿"。古代犹太人以"阿们"作为祈祷的结束语；基督教徒每次祈祷后必念"阿们"。穆斯林不常用此语，但每次诵毕《古兰经》第一章后必念"阿们"。

amendment　修正案　政府和法律中对宪法、法令、法案或决议的增补或改变。修正案可对现行宪法和法令做出，通常要在立法过程中形成议案。由于对国家宪法的修正能根本改变一国的政治制度或政府机构，故这样的修正案通常要完全按照法定程序提出。最著名的修正案是对《美利坚合众国宪法》（**Constitution of the United States of America**）所做的修正案。宪法第五条是关于宪法修正案的条款。第一次10条修正案称为《人权法案》。对美国宪法共有27条修正案。为了形成修正案，必须经国会两院2/3的议员同意，再经3/4的州批准。在美国许多州内，对州宪法的提案修正必须经由全体选民复决投票通过。参阅 **Rights，Bill of**。

Amendola，Giovanni　阿门多拉（1882-04-15，意大利罗马～1926-04-07，法国戛纳）　意大利新闻工作者、政治家，20世纪20年代初期反法西斯主义的先驱。他最初在《呼声报》上，后来在《古钱报》和《晚邮报》上发表文章。1915年竭力主张意大利参加第一次世界大战。志愿参军，升至上尉。战后投身政治，支持与斯拉夫人接近的政策。1919年选入议会，1922年任殖民大臣。墨索里尼掌权后，他成为反对党领袖。当社会党领袖G.马泰奥蒂被暗杀后，他是退出议会以示抗议的议员之一。1924年大选时，他不顾生命危险声明法西斯选举法违反宪法。后遭法西斯匪徒攻击受伤而死。

Amenemhet　阿门内姆哈特　又拼Amenemhat。埃及国王名，按年代顺序分列于后，并各以●为标记。

● **Amenemhet Ⅰ　阿门内姆哈特一世**（活动时期公元前20世纪）　埃及国王（公元前1938～前1908在位），第12王朝创建者。前朝宰相。前任国王去世后爆发内战，战后偕同几省省长使埃及再度统一。他把都城由底比斯迁至孟斐斯以南的伊特杰·陶伊（今利什特村附近）。公元前1918年，指定儿子塞索斯特里斯一世为共同摄政王。其子把埃及疆界向南扩及努比亚，并前进至尼罗河第二瀑布处，还在战略据点建立要塞。在他执政第30年时，其子塞索斯特里斯听说父王遇刺。塞索斯特里斯返回都城，继承父位。

● **Amenemhet Ⅱ　阿门内姆哈特二世**（活动时期公元前19世纪）　埃及国王（公元前1876～前1842在位），第12王朝创建者阿门内姆哈特一世之孙。他促进了埃及的贸易关系和国内的发展。他同其父塞索斯特里斯一世任共同摄政王时，远征至努比亚，以获取金矿。在位期间又多次远征努比亚和西奈，以取得黄金和铜。他在西奈开一口新矿井，并到朋特（今埃塞俄比亚附近）进行商业活动。在几座叙利亚城市中都可以看到他的塑像。他在代赫舒尔修建金字塔。从在金字塔附近发掘出的阿门内姆哈特女儿的首饰，可以看出他在位期间的艺术水准甚高。

● **Amenemhet Ⅲ　阿门内姆哈特三世**（活动时期公元前19～前18世纪）　埃及第12王朝的国王（公元前1818～前1770在位）。他使中王国时期（包括第11王朝和第13王朝）

美国不列颠百科全书公司供图

的埃及达到经济繁荣的顶峰。他建成一套水系，调节美利斯湖的水位，开垦62 200公顷土地为农田，并在附近建造了自己的两座塑像。他在西奈开采铜矿，为矿工修建有水井的永久性住房；构筑防御工事，以抵抗贝都因人的侵袭。在位期间太平无事。他是第12王朝中最后一位国王，在位长久而且较有成就。

Amenemope　阿门内莫普　古埃及人。著有《阿门内莫普的教诲》一书，可能撰于新王国（公元前1300～前1075）后期。此书内容与大多数早期规箴作品相似，辑录有关生活行动的格言和诫词。最初人们认为这一著作取自希伯来箴言书，但现在多数学者认为这本书是埃及智慧文学长期发展的顶峰。

Amenhotep　阿孟霍特普　又称Amenophis。埃及国王名，按年代顺序分列于后，并各以●为标记。

● **Amenhotep Ⅰ　阿孟霍特普一世**（活动时期公元前16～前15世纪）　埃及国王（公元前1514～前1493在位）。第18王朝创建者雅赫摩斯一世之子，扩大了埃及在努比亚（今苏丹）的疆界。在努比亚进行过战争。在位第7年时到过位于尼罗河第二瀑布的边界。他袭击过利比亚，重新开采西奈铜矿，并占据

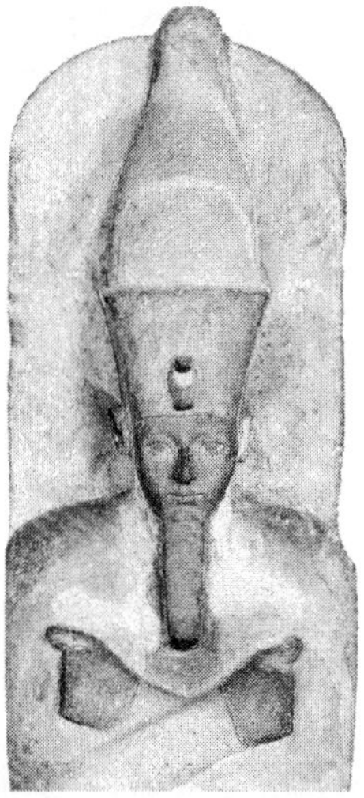

美国不列颠百科全书公司供图

中王国时期建造的要塞。已发现他修建的一座小型神殿和一座寺庙。

• **Amenhotep II　阿孟霍特普二世**(活动时期公元前 15 世纪)　埃及国王(约公元前 1426～前 1400 在位)。图特摩斯三世之子。埃及帝国鼎盛时期的统治者,以其英勇及军

美国不列颠百科全书公司供图

事才干,努力保持其父的征战成果。在父王的精心培育下成长,受过战斗和体育训练。他第一次战役是出兵镇压北叙利亚的暴动,迫使亚洲一些君主效忠。第二次战役是进军加利利海,从米坦尼、巴比伦和赫梯人那里缴获了很多战利品。在埃及内部,他父亲的许多行政官员仍然为他效劳。他还完成了图特摩斯三世开始建造的一些建筑物。他的木乃伊已在底比斯王陵谷的陵墓中发现。

• **Amenhotep III　阿孟霍特普三世**(活动时期公元前14世纪)　埃及国王(公元前1390～前 1353 在位)。他致力于发展外交关系,并在埃及和努比亚大兴土木。在位时期国家和平繁荣。早年喜爱狩猎。在位初期与泰伊结婚,其子是后来主张改革的阿肯那顿国王。在位第 11 年,他下令在卢克索以北 160 千米泰伊的家乡艾赫米姆城附近挖掘一个巨大的人工湖。他利用海普之子阿孟霍特普的才干,积极进行包括西底比斯祠庙在内的宏伟建筑规划。还在努比亚、孟斐斯建造了许多建筑物。他与当时各大国之间的频繁外交活动,已由《阿马纳文书》(阿孟霍特普三世和阿肯那顿的外交档案)所证实。这些文书揭示埃及曾用黄金向亚洲换回马匹、铜和天青石。他和米坦尼(北叙利亚幼发拉底河畔的强大帝国)及巴比伦国王的姐妹和女儿缔结政治性婚姻,以加强双方的联盟关系。他还与一位赫梯公主结婚。与他发生外交联系的国家

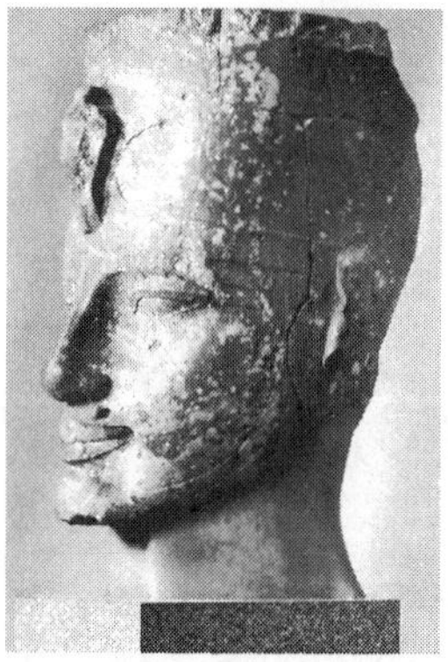

美国不列颠百科全书公司供图

有亚述、塞浦路斯,还有一些埃及的叙利亚诸侯。在他统治的末期,王后泰伊起了很重要的作用。

• **Amenhotep IV　阿孟霍特普四世**　参阅 **Akhenaton 阿肯那顿**。

Amenhotep, SON OF HAPU　阿孟霍特普(约公元前1440,下埃及阿斯里比斯～约前1360)　埃及阿孟霍特普三世时代的高级官员。海普之子,他一生深受国王的宠信,死后在托勒密时代被人奉若神明达1 000年之久。在阿孟霍特普三世时代负责征募新兵,后率兵驻扎尼罗河支流的检查站,控制从海路进入埃及的客运,也检查从陆路渗入埃及的贝都因人。他在任王室事务总管时,很可能掌管过阿孟霍特普三世的庙宇修建工程。阿孟霍特普三世为对他表示崇敬,美化了他的家乡阿斯里

美国不列颠百科全书公司供图

比斯。甚至下令在自己祠庙旁边为他盖了一个小的墓庙,这是对埃及非王室成员的人的一种特殊荣誉。

Amenophis(Egyptian king)　参阅 **Akhenaton 阿肯那顿**。

amenorrhea　闭经　又作 amenorrhoea。无月经来潮的一种妇科情况。原发性闭经是已达成年期而月经初潮延迟或不能来潮。继发性闭经是有过月经来潮而后异常停止。闭经本身并非一种单独的疾病,它反映了下丘脑、垂体、卵巢及子宫之间相互平衡的失调。垂体分泌促性腺激素,刺激卵巢,促使卵巢分泌雌激素和孕激素。雌激素作用于子宫时,可调节月经周期,在无受精卵着床时产生周期性出血。其中任一环节的障碍都有可能造成闭经。下丘脑性闭经是由于精神创伤、焦虑、恐惧或中脑损害所致;颅底骨折或神经系统感染(如脑膜炎、脑炎)亦可损害下丘脑的功能,但病因多为心理性或情绪性的。在上述种种情况中,闭经可为其主要症状,亦可为其唯一症状。能影响垂体分泌的疾病有肿瘤、系统性疾病、营养缺乏等。原发性闭经患者的生殖器保持幼稚型,乳房不发育,无阴毛,身材矮小,肌肉发育不全。若闭经继发于肿瘤、破坏性病变或出血性休克,则可见生殖器萎缩、阴毛减少。亦可见昏睡、消瘦或肥胖,可出现男性特征。治疗应针对病因。卵巢性闭经可由卵巢的囊肿、肿瘤、激素分泌过量或不足引起,生殖器的变化多与垂体性闭经相同,但身材不受影响。闭经的其他原因包括全身性肥胖、阴道闭锁及妊娠、哺乳、绝经等。非器质性病变引起的闭经及稀发月经对身体并无损害。

Amenouzume　天钿女命　日本神话中的女神,用歌舞把退隐在天石窟的太阳女神天照大神引出,使世界重见光明。她是舞伎的保护女神。在民间的神话中,她是妇道的化身。有时把她同代表男性的**猿田彦神**(**Sarudahiko**)联系起来,也有时把他俩画成夫妇。

amensalism　偏害作用　两个不同种生物之间的一种联合:一方被抑制或受损害,而另一方不受影响。有两个基本类型:**竞争**(**competition**)指较大或较强壮的生物把较小或较弱的生物排斥出生存空间或掠夺其食物;抗生则指一种生物不受影响,而另一种生物被前者的化学分泌物伤害或杀死。青霉属(*Penicillium*)真菌对某些细菌的毁灭性影响是抗生作用的典型例证。它的分泌物青霉素已成为抗细菌感染斗争中的有效药剂。某些高等植物分泌的物质可抑制附近的与之竞争的植物的生长或将其杀死。黑胡桃树(*Juglans nigra*)分泌胡桃醌,可杀灭其根区范围内的许多草本植物。美国西部的浓密常绿阔叶灌丛和荒漠的组成,在很大程度上依赖于种间的这种抗生联系,其结果是这样形成的稳定群落可以不必为稀少的水源而竞争。

Āmer　阿梅尔　又称安贝尔(Amber)。印度西北部拉贾斯坦邦城镇。为斋浦尔城镇群的组成部分。周围群山环抱。12 世纪后的 600 年间一直是政治中心。该城镇原来全名为安巴里克哈内拉,后简化成安比内尔或安贝尔,但官方称阿梅尔。其王宫是拉杰普特建筑的典范,约于 1600 年始建,到 18 世纪才完成。人口 16 054(1981)。

amercement 罚款 在英国法律中,指一种擅断性的财产刑。以前由罪犯的贵族主人科处,或由法院或领主自行斟酌决定。尽管这个词实际上已与罚金相同,但有一个区别是罚金由法令规定,而罚款则由法院判处。最初,罚款是用来代替没收财物的判决的刑罚,而罚金则是法官和犯人之间达成的一项代替徒刑的安排。《大宪章》(1215)试图规定对罚款的估算方法。

America (Western Hemisphere) **亚美利加洲** 参阅 **Americas** 美洲。

America, Volunteers of 参阅 **Volunteers of America** 美国义勇军。

America First Committee 美国第一委员会 美国有影响的政治压力集团(1940～1941)。在第二次世界大战中反对援助同盟国,担心美国直接卷入战争。号称有80万会员,其中包括R.E.伍德将军、飞行员C.A.林白和参议员G.P.奈等著名人士。虽然它发起的阻止《租借法》、阻止使用海军进行护送和阻止废除《中立法》的运动遭到失败,但它施加的公众压力无疑使给予被纳粹德国围困的英国以更多的直接军事援助受到阻碍。1941年12月7日日本袭击珍珠港后,委员会解散并敦促其会员支持美国参战。

America NT & SA, Bank of 美洲银行国民信托储蓄会 美洲银行公司(**BankAmerica Corporation**)的附属机构。

American Academy of Arts and Sciences 美国艺术和科学学会 1780年5月4日组成的荣誉学会,设在美国马萨诸塞州的波士顿,宗旨是促进"各种艺术和科学"。目前在美国约有2 400名会员,还有约400名外国荣誉会员(均为学者和国家领导人),共分4类——数学和物理科学、生物科学、社会艺术和科学,以及人文科学。目前办公机构设在马萨诸塞州的剑桥。学会是一些哈佛大学毕业生于1779年创立的,其中包括J.亚当斯、S.亚当斯、J.汉考克和J.鲍登,于次年组成社团。它基本上成为1743年在费城成立的美国哲学学会的对手,最后又成为更大的学会,自称在全国代表美国。其出版物包括《公报》(每年出版8期)和《美国艺术和科学学会会刊》(季刊)。学会每年5月在剑桥举行大会,并召开各种各样其他的会议和研讨会、颁发埃默森-梭罗奖章、艾默里奖、拉姆福德奖、帕森斯奖和人文科学的研究奖。

American Airlines, Inc. 美国航空公司 美国主要的航空公司,运营于美国一些州、加拿大、夏威夷、墨西哥、中南美洲、加勒比海、欧洲及西太平洋等地的城市。其母公司或控股公司AMR公司(创建于1982年)在食品供应、饭店旅馆、机场地面运输与行李托运、机场养护及其他有关业务方面亦拥有股份,总公司设在美国得克萨斯州沃思堡。美国航空公司为近年来与大约85家公司联合或合并后发展而成。其中两个核心公司为罗伯逊飞机公司和殖民空运公司。罗伯逊飞机公司于1921年首先组建于密苏里州,经营一般飞行服务及飞机制造,1926年4月15日首次开辟芝加哥与密苏里州圣路易斯之间航邮业务,首航飞行员为林白。殖民空运公司由1923年组成的、经营包机业务的短线飞行公司发展而成,于1926年6月18日开始纽约市与波士顿之间的航邮飞行。1929年两公司由控股公司安排合并。重组后的航空公司为一营业公司,1930年更名为美国航运公司。同年,与数家航空公司合并后该公司航线自波士顿和纽约市经克利夫兰和堪萨斯市延展至圣迭戈和洛杉矶。1934年由于新的国会方针和失去航邮合同,美国大部分航空公司被迫进行改组。该公司亦对其航线重新安排,使之成为一综合体系,并重新命名、重新建成美国航空公司。同年,史密斯被选为总裁,并作为董事会的董事长掌管公司全部资财,直至1968年被任命为美国商务部长,1973年短期回公司任总经理,1974年退休。20世纪70～90年代,该公司有巨大发展,从基本为国内航空公司发展成国际运输机构,主要通过购买其他公司的航线,业务延伸至加勒比海、南美洲、欧洲和太平洋地区。2001年该公司并购了美国环球航空公司。

American Anti-Slavery Society 美国反奴隶制协会(1833～1870) 美国以废除奴隶制为宗旨的团体,各地均有分会。1833年在W.L.加里森领导下成立,是*废奴运动*(**Abolitionism**)的一支主要力量。迄1840年有2 000个分会,15～20万会员。协会组织集会,出版刊物,向国会请愿,作口头宣传。会员主要来自宗教界、慈善界人士和自由黑人团体。1839年协会全国组织发生分裂。加里森一派比较激进,猛烈抨击美国宪法;塔潘兄弟一派成立美国及国外反奴隶制协会,提倡道义上的劝导。由于协会发生分裂,在19世纪40～50年代,大部分活动由州和地方协会领导进行。1870年南北战争结束后,美国反奴隶制协会正式解散。

American arborvitae (species *Thuja occidentalis*) **金钟柏** 又作eastern arborvitae、northern white cedar。又称北美崖柏、西方崖柏、东部崖柏或北方白雪松。柏科观赏和材用常绿针叶乔木。原产于北美东部。在木材贸易中又称白柏、东方白柏或新布郎斯威克雪松。高20米,可能是崖柏中最常见、最坚硬的树种。有时树干在近地面分叉,分成几个主干,树皮红棕色。球果有8～10片种鳞,通常仅4片能育。大多数栽培变种为灌木,树冠高圆锥状,叶色多歧。参阅 **arborvitae**。

金钟柏(*Thuja occidentalis*)
美国不列颠百科全书公司供图

American Association for the Advancement of Science 美国科学促进协会 美国科学协会。1847年在马萨诸塞州波士顿一次地质学家和博物学家的集会上成立,1848年首度在宾夕法尼亚州费城召开会议。宗旨是推动科学家的工作,促进彼此合作,以提高科学在增进人类福利方面的效率,并使大众进一步了解和评价科学在人类进步中所起的作用。20世纪后期拥有13万个人会员,还有近300个全国性或地方性科学协会和学院为其团体会员。协会的总部设在美国首都华盛顿,主要出版物为《科学》周刊。

American Association of Retired Persons (AARP) **美国退休人员协会** 美国非营利性、无党派的组织,旨在反映美国中老年人的需要和利益。所有50岁以上的美国人不论退休与否均可参加。总部设在华盛顿。美国退休人员协会是1958年由退休教师E.P.安德鲁斯组织的,目的是帮助年纪大的美国人通过为他人服务保持身心的活力。1982年该协会与全国退休教师协会(NRTA)合并,后者是安德鲁斯在1947年成立的,旨在为退休的教育工作者取得养老金和医疗保险。美国退休人员协会为其成员提供多方面的服务和福利,其中包括团体医疗保险计划;汽车租赁、航空及旅馆住宿费的特殊优惠;汽车保险;信贷协会以及药剂和旅游服务等。该协会主办一些小区服务计划,包括预防犯罪、警觉性驾驶、继续教育、消费者事务,以及鳏寡者的咨询机构等。还提供有关退休计划的项目。美国退休人员协会发行关于各种保健题材和其他与老年人有关问题的影像节目和印刷品。出版双月刊杂志《现代成年人》,还有每月的《美国退休人员协会公报》。志愿者们通过当地的美国退休人员协会分会完成大部分的小区服务以及其他的活动项目。美国退休人员协会的董事会是志愿服务性质的,由两年一次的大会选举产生。其主要功能之一是担任专门为联邦和州的老年人服务的立法辩护人,致力于影响事关老年公民的法案通过。美国人口中老年人的比例稳定增长,到20世纪末协会的成员数量超过了3 000万。如此多的人数,再加上美国老年人较高的投票率,使美国退休人员协会成为20世纪末美国政策最强大的支持团体之一。

American Association of University Women (AAUW) **美国大学妇女协会** 1881年由17名大学妇女在马萨诸塞州波士顿创立的组织,旨在倡导"争取全体妇女和女孩的教育权和平等权"。当时在妇女上大学和在专业领域找到工作等方面有着许多障碍。该组织的目的是改善妇女的生活状况和个人成长状况,该组织也相信如果有更多妇女接受大学教育,将对社会有益处。到1951年,该组织承认游说是争取改变的有力工具。它最早的游说活动就促成设立了美国教育部。1958年该组织设立教育基金。20世纪90年代期间,该基金将重点放在增加会员的多样化，并将奖学金授予各少数民族妇女。1981 年该组织建立法律辩护基金，为教育界的妇女控告受到性骚扰和性歧视的案件提供经济和法律支持。

American Ballet　美国芭蕾舞团　1934年由L.柯尔斯坦和E.沃伯格与美国芭蕾舞学校同时创办，G.巴兰钦担任艺术指导的芭蕾舞团体。1934 年在美国康涅狄格州哈特福德举行首次演出。1935 年成为大都会歌剧院的固定性芭蕾舞团。1938 年由于该院不同意巴兰钦的打破常规的舞蹈设计而导致该团一度解散。1936 年柯尔斯坦创办巡回芭蕾舞团，专门演出美国青年舞蹈编导家的作品，通过E.洛林、L.克里斯坦森和W.多拉尔的早期作品，使许多美国芭蕾舞蹈家崭露头角。该团于 1938 年在美国国内巡回演出。1941 年该团与美国芭蕾舞团合并，为了参加由政府发起的赴南美巡回演出，更名为美国巡回芭蕾舞团。巡回演出后，原来的两个舞团都解散，但它们形成了于 1946 年建立的纽约市芭蕾舞团(**New York City Ballet**)的核心(时称芭蕾舞学会)。美国芭蕾舞学校作为后来成立的舞蹈团的一部分，继续是美国芭蕾舞的创作中心。

American Ballet Theatre　美国芭蕾舞剧院　纽约市主要芭蕾舞团体。附设有一所舞蹈学校。1939 年由 L.蔡斯和 R.普利桑特创办，1940 年 1 月 11 日首次演出。最初名芭蕾舞剧院(1939 ～ 1957)。蔡斯自 1945 至 1980 年与 O.史密斯同为导演，1980 ～ 1989 年舞蹈家 M.巴里什尼科夫为艺术指导。A.图德、A.德米尔、J.罗宾斯、M.基德、E.费尔德、T.撒普、G.泰特利和巴里什尼科夫等舞蹈编导都为该团编排过舞剧。M.福金使他的许多杰作在该团重演，并为该团创作了《蓝胡子》(1941)和《俄罗斯士兵》(1942)。舞蹈家 A.阿朗索、巴里什尼科夫、E.布鲁恩、A.多林、A.埃格列夫斯基、C.格里戈里、R.海托华、N.凯、J.克里扎、H.莱恩、N.马卡罗娃、A.玛尔科娃、I.纳吉、J.里德、V.韦尔迪以及 I.尤斯凯维奇等都曾是该团成员。

American Baptist Association　美国浸礼协进会　浸礼派一些自治教会的联谊组织，1905 年由退出南方浸礼联会的各教会组成。初名浸礼总协进会，1924 年改今名。在组织上，美国浸礼协进会要求各地方教会实行绝对自主。协进会教义属基要主义，主张按照字面意义解释《圣经》，并期望基督复临。协进会每年举行会议。总部设在得克萨斯州的特克萨卡纳。

American Baptist Churches in the U.S.A.　美利坚合众国浸礼会　美国基督教浸礼宗一些教会的联合组织。1907 年成立，初名北方浸礼联会，1950 年改称美国浸礼联会，1973 年改今名。它的前身是浸礼宗各教会 18、19 世纪在美国所组成的联合会、社团。1845 年，南北两方浸礼会在蓄奴问题上主张歧异，于是南方派分裂出去，另立南方浸礼联会。美利坚合众国浸礼会一般较南方浸礼联会观点开明，参加美国全国基督教协进会和世界基督教协进会。该会总部设在宾夕法尼亚州瓦利福奇市。

American Bar Association (ABA)　美国律师协会　美国律师和法官的自愿组织。成立于 1878 年，到 20 世纪末期，其成员已超过 30 万。总会设在芝加哥，属非官方性质。它所寻求的目标是，推动对律师行业的改善，确保对全体公民提供法律服务和改进司法行政。为此目的，该协会实施教育和研究计划，这些工作主要由该协会的各处、常务委员会和特别委员会执行。各处或委员会致力于一项专业业务或是与律师和公众有关的问题。各处和委员会对于法律和专业问题加以讨论和研究后，将所通过的决议提交给协会的代表会议或理事会执行。该协会出版月刊《美国律师协会杂志》。

American Basketball Association (ABA)　美国篮球协会　美国职业篮球运动组织。1967 年成立，与较早成立的全国篮球协会抗衡。协会的第一个赛季有 11 个队参加。1976 年该会宣告解散，其中 4 个队被全国篮球协会吸收，部分队员被全国协会雇用，其他队员获准为自由职业运动员。参阅 **Sporting Record**：Basketball。

American bear　美洲熊　参阅 **black bear** 美洲黑熊。

American Bible Society (ABS)　美国圣经学会　由非教牧人员管理的基督教国际组织。1816 年成立于纽约。由 28 个地方圣经学会联合组成，旨在对《圣经》不加评注而通过翻译、出版、发行并鼓励使用等方法促进其在全世界流传。美国圣经学会受基督教(新教)80 多个会派资助。

American Brands, Inc.　美国商标公司　美国工业联合公司，曾经是世界上最大的卷烟制造商。1969 年成立，是美国烟草公司(1890 年创立)和一些关联公司的母公司。公司总部设在康涅狄格州旧格林尼治。美国烟草公司的历史可追溯到南北战争后的时期，当时 W.杜克便在北卡罗来纳州从事烟草贸易。1874 年 W.杜克及其二子创设制烟厂，1878 年组织杜克父子公司。该公司是首先采用机器制造卷烟的公司之一。1890 年杜克二子组建美国烟草公司。通过合并和收购，该公司取得了整个美国烟草工业(共约有 150 家工厂)的控制权。20 世纪 50 年代由于该公司未创出名牌带过滤嘴的香烟，到 70 年代它已滑至美国烟草制造商中无足轻重的地位。1994 年该公司将其子公司(美国烟草公司)售给英国联合企业——英美烟草工业公司(B.A.T. Industries PLC.)。

American Broadcasting Company (ABC)　美国广播公司　美国最大的电视网，是迪斯尼公司的一个分支。总部设在纽约。该公司的历史可追溯到 1926 年。当时美国无线电公司和其他一些公司成立全国广播公司(NBC)，经营全国性的无线电广播网。它迅速发展，到 1928 年觉得它在同一城市里的分支机构太多，遂把它的广播节目计划分为各自独立的红色广播网和蓝色广播网。1941 年联邦通讯委员会宣布每个公司不得拥有 1 个以上的广播网，全国广播公司遂把蓝色广播网售给百万富翁诺布尔。诺布尔把它命名为广播系统，翌年改名为美国广播公司，1953 年联合派拉蒙影院公司与美国广播公司合并，美国广播公司便成为全国数百家电影院的业主(其中多家于 1974 年售出)。1955 年，美国广播公司购入一家子公司后，又进入唱片业；多年间在合并后的美国广播公司唱片分部创出了几个重要的唱片牌子，如 ABC 牌、威斯敏斯特牌等。1979 年将唱片部售出，同时建立录像部。1985 年美国广播公司被大都会传播公司购下。1995 ～ 1996 年迪斯尼公司以 19 亿美元收购了大都会/美国广播公司，从而成为世界上最大的传媒与娱乐公司。合并给美国广播公司提供必要的资金去扩展新的电视传媒业务，很快它就成为 3 家最大的电视网之一。自 20 世纪 60 年代初，美国广播公司电视网就以播送体育新闻见长，即时重放法就是 1961 年由该公司工程技术人员发明的。

American Can Company　美国制罐公司　参阅 **Primerica Corporation** 普里梅里卡公司。

American Civil Liberties Union (ACLU)　美国公民自由联盟　1920年由鲍德温等人在纽约市成立的组织，以维护美国宪法中的自由权利为宗旨。该联盟致力于保障美国人享有美国宪法及其修正案中所规定的各项权利和自由。联盟在 3 个基本领域进行工作：言论、信仰及结社的自由；法律的正当程序；法律面前人人平等。联盟通过影响法庭中具体案件的审理结果，寻求促进某些特定方面的公民自由权利。联盟自成立以来，除干预法庭中已有的案件外，还提出试验案件。这样它可以为案件直接提供法律咨询，或提供名为“法庭之友”的诉讼要点，对案件中的公民权利问题发表意见。联盟提出的最著名的试验案件之一是 1925 年的斯科普斯审判案。在该案中，联盟支持田纳西州理科教员约翰·斯科普斯的决定，不服从田纳西州法律禁止讲授达尔文进化论的禁令。联盟常常通过一些故意购买被禁材料而被关押受审的案件，积极进行废除书报检查法的活动。在这些审判中联盟并非每次都获胜，但是案件的公开讨论常常导致以后上诉的胜利或立法机关重新考虑原先的法令。由于它为反对检查制度所作的努力，类似乔伊斯的《尤利西斯》等书终于获准进入美国。在 1921 年的萨柯-万泽蒂案及 1931 ～ 1935 年的斯科茨伯勒案中，联盟曾为被告辩护。联盟经办的最著名的争取宗教自由的案件之一，是 30 年代后期为耶和华见证会所作的辩护，该教派出于信仰的原因，不准他们的孩子在学校教室里向国旗敬礼。在 20 世纪 50 和 60 年代，联盟经办了一些对忠诚宣誓和将想象的左翼“颠覆分子”列入黑名单是否符合宪法提出质疑的案件。在最高法院禁止在学校中进行祈祷、认为系违反宪法中政教分离原则的裁决中，联盟也起了一定作用。在60年代，联盟参与了确立在刑事检控中贫穷被告有权得到法律辩护人的案件。同一时期，还参与作出了禁止在法庭上使用由警察通过非法搜查或夺取所获得的证据的决定。从事联盟工作的有成千上万的志愿者，正式工作人员有300余人，包括许多律师在内。联盟由一个全国理事会主持，总部设在纽约市。在20世纪末期，联盟有会员约275 000人。

American Civil War 美国南北战争 美国历史上，联邦政府与宣称有权脱离联邦的南方11个州之间持续4年(1861～1865)的战争。南方各州于1860～1861年相继脱离联邦和随后爆发的敌对军事行动使过去数十年来在奴隶制、贸易与关税，以及州权说等相关问题上日益激化的地区性分裂达到高潮。到19世纪50年代，一些北方人已开始呼吁彻底废除奴隶制，南方数州则以脱离联邦相威胁，以捍卫在州内蓄奴的权利。1860年晚些时候，主张废奴的共和党候选人A.林肯当选，南方各州遂将所发出的威胁付诸实施，脱离了联邦。组建为美利坚诸州联盟的南方各州在总统J.戴维斯领导下指望以爱国热忱、内陆交通线方面的战略优势及其经济作物棉花在国际上占据的重要地位，来赢得一场短期的独立战争。林肯领导下的联邦北方各州拥有为南部邦联两倍以上的人口，在制造业和运输能力上也占有大得多的优势。

1861年4月12日战争爆发，双方旋即招募和组建军队。7月21日，约3万名联邦军进攻南部邦联首都——弗吉尼亚的里士满，在布尔溪受阻并被逐回华盛顿，在联邦引起震动。1862年2月发生首场重大战役，联邦U.S.格兰特将军攻占田纳西西部南部邦联要塞亨利堡和多纳尔森堡。6月联邦军占领科林斯和孟菲斯，7月又控制新奥尔良。在东部，G.B.麦克莱伦将军率联邦军10万发动期待已久的攻势，再次试图攻占里士满，遭到R.E.李将军率部抵抗；在七天战役中联邦军受挫，其半岛战役失败。在8月末的第二次布尔溪战役中，李将军将另一支联邦军逐出弗吉尼亚，进而入侵马里兰。麦克莱伦在安蒂特姆战役(9月17日)中成功地挫败李将军。但12月13日李将军在弗吉尼亚的弗雷德里克斯堡重创麦克莱伦的继任者A.E.伯恩赛德。J.胡克将军接替伯恩赛德任波托马克兵团司令后于1863年4月发动攻势，试图从侧翼包抄李在钱瑟勒斯维尔的阵地，又遭彻底失败。李二度入侵北方，但其部队在葛底斯堡战役(7月1至3日)中被G.G.米德将军击溃。与此同时，西部战事也出现转折。格兰特将军于7月4日攻克维克斯堡，全面控制了密西西比河。W.S.罗斯克兰斯将军于佐治亚奇卡莫加河败绩(9月19至20日)后，格兰特将军接手这一战区的指挥权，于11月末将南部邦联的军队逐出查塔努加和田纳西。1864年3月林肯任命格兰特将军指挥全军。格兰特接任后亲自指挥东线波托马克兵团，并很快制订以联邦在人员与供应方面所占绝对优势为基础的消耗战略，后虽在莽原、斯波特瑟尔韦尼亚和冷港诸战役中伤亡惨重，但到6月中已将李将军困于彼得斯堡的工事中。联邦将领W.T.谢尔曼于9月初占领亚特兰大，12月10日到达萨凡纳，很快便占领该城。格兰特于1865年4月1日开始向五叉作最后推进，4月3日占领里士满，4月9日在附近的阿波马托克斯县政府接受李将军的投降。谢尔曼向北进入北卡罗来纳后，于4月26日接受J.E.约翰斯顿的投降。至此，战争遂告结束。

南北战争中的海战从属于地面战争，但也有一些辉煌战绩。D.法拉格特在新奥尔良和莫比尔湾的军事行动受到称颂，"莫尼特"号和"梅里麦克"号之战常被视为现代海战的开端。不过，海战主要还是联邦遏制南部邦联与欧洲开展贸易的封锁行动之一。

美国南北战争中北方的胜利使联邦得以保留，奴隶制被废除，被解放的奴隶获得公民权。这场战争还标志着迅速走向工业化和日益都市化的北方各州在经济和政治上获得了新的优势地位。

American Colonization Society 美国殖民协会 1817年成立于美国，致力于把自由黑人和解放的黑奴送回非洲，得到地方分支、教会和边境各州议会的支持。协会赎买和解放黑奴，支付他们到非洲西海岸的路费，协助他们在到达非洲后得到安置。1821年与当地酋长谈判后获得梅苏拉多角地区(今蒙罗维亚)安置释奴，这一地区于1847年宣布独立，为利比里亚。1821～1867年，由这个团体协助安置的黑人约10 000名。该会于1964年解散。

American Coloured local race 美洲有色地域人种 又称美洲尼格罗人，是一个混血居民群，其遗传基因主要来自西非的诸居民群(尼格罗[非洲]地理人种中的森林地区尼格罗地域人种)和欧洲诸居民群。美洲尼格罗人的体质特征是：中、高身材，肤色色素沉着中等程度乃至浓重，发型为卷曲发乃至小卷结发，发色多为黑色，鹰钩鼻脸型的人的出现率比森林地区尼格罗地域人种为高。美洲尼格罗人种在遗传上携有镰状细胞贫血症基因者高达5%。参阅 **Negroid geographical race; sickle-cell anemia**。

American Dictionary of the English Language, An 《美国英语词典》(1828) 美国词典编辑学家诺阿·韦伯斯特所编的一部两卷本词典。他1807年开始这项工作，1824～1825年在法国和英国编辑完成，全书共收12 000个单词与30 000～40 000条释义，超过以前任一英语辞书。这部词典的编撰以"字词的用法应从口语演化而来"为原则。因为它的"美国语"，或者因为它在字的拼法与用法上不遵惯例以及它收入的非文学的字词，特别是一些艺术和科学上的专门术语等而受到了攻击。尽管如此，它还是销售一空，在一年多点的时间内，美国销了2 500部，英国销了3 000部。然而后来就相对地不再受欢迎，尽管在1840年出版了第二版校订版。1843年韦伯斯特将其版权卖给乔治和查理·梅里厄姆公司。

American Equal Rights Association (AERA) 美国平等权利协会 美国的一个旨在"不分种族、肤色和性别，为所有美国公民争取平等，尤其是选举权"的组织。成立于1866年5月10日，1867年召开第一次会议。当年，在共和党占多数的堪萨斯州，先后两次公民投票，否决了给予黑人和妇女选举权。由于1870年的宪法第15修正案偏重于黑人而忽视妇女的权利，E.C.斯坦顿和S.B.安东尼甚为不满，要求平等权利协会支持进行第16修正案，一些谨慎的领导人予以拒绝。斯坦顿和安东尼退出平等权利协会，1869年5月组织一个完全是妇女的全国妇女选举权协会。11月，L.斯通、J.W.豪以及其他一些保守的女权运动者则成立美国妇女选举权协会。1890年两个组织合并成为全美妇女选举权协会。

American Evangelical Lutheran Church 美国福音信义会 美国基督教组织。1874年由丹麦移民所建，原名美国丹麦裔福音信义会，1878年在威斯康星州尼纳市正式成立为联合会，1954年改今名。1962年该会(约有信徒24 000人)与美国联合信义会、奥古斯塔那福音信义会和索米信义联合会合并，组成美国信义会。

American Express Company 美国运通公司 美国信用卡发行商及金融服务公司，从事银行业务、保险业务以及与全球旅游相关的服务业务。总部设在纽约市。原来的公司建于1850年3月18日，由活跃于纽约市与布法罗、中西部各地之间，从事货物、贵重物品和硬币快速运输的3家公司合并而成。这3家公司是：①利文斯顿-法戈公司，它以前称西方运通公司，1845年由韦尔斯(1805～1878)和法戈(1818～1881)所创建，后因韦尔斯、法戈而负盛名；②韦尔斯公司，它以前称利文斯顿-韦尔斯公司，1846年由韦尔斯参与创建，合并时他是所有人；③巴特菲尔德与沃森公司，由巴特菲尔德(1801～1869)和沃森所创建。美国运通公司开始时是一个未经注册的投资者联盟，由韦尔斯任总裁，法戈任秘书。到美国南北战争结束时，其业务已兴隆发达，在10个州设有大约900个办事处。为此，而招惹来1866年商人联合运通公司的成立并与之竞争。这两家公司进行了殊死的竞争达2年之久，在双方濒于财尽力竭的情况下，终于在1868年11月25日进行合并，组成美国商人联合运通公司，由法戈继任总裁。公司在1873年更名为美国运通公司。1881年法戈逝世时，其弟詹姆斯·康德尔·法戈(1829～1915)任总裁，管理公司达33年。1882年开始应用美国运通汇款单，1891年开始应用美国运通旅行支票，1895年在巴黎开设第一家欧洲办事处。这家办事处在经营公司传统的货运业务的同时，还迅速开展了各种旅游和银行业务活动。第一家单独的旅行分部于1915年在纽约市成立。1918年7月1日，美国联邦政府对捷运业实行国有化，将国内所有捷运业务并入美国铁路捷运公司(1929年改组并使其非国有化)。美国运通公司被剥夺捷运业务后，几乎全力转向旅游及银行业务(不过1970年前国际货运业务仍在继续)。公司1965年重新组织,现在主要经营旅游、保险、银行和投资方面业务。旅游方面,它提供旅行支票、信用卡(运通和奥普蒂玛)、旅行代理、旅行一揽子承包、预订汽车旅馆、预租汽车等服务。保险方面,它于1968年购得了消防人员基金会美国保险公司集团,该集团可为个人或团体提供许多名目的保险。银行业方面,它所属的美国运通银行及其分支机构在欧洲、中东、亚洲以及其他各地经营商业银行业务。投资方面,它通过80年代的收购和合并,建立了子公司希尔森·莱曼兄弟公司。它是美国最大的投资业务公司之一,经营证券的认购与销售、投资管理、选择权和货物的经纪业、不动产的融资、公司财务和货币市场贸易。该公司还投资教育、出版、研究、地球物理勘探和有线电视等许多方面。1984年该公司收购了投资者多样化服务公司,它是位于明尼阿波利斯的从事保险、联合投资和财务咨询的大公司。

American Farm Bureau Federation 美国农业社团联合会 美国最大的农民组织,49个州的农业社团和波多黎各农业社团的联合会。创立于1919年。这个联合会是县农业社团运动发展的产物。在第一次世界大战前不久,利用县示范代理人、农业专家或额外工人,为农民提供科学研究成果的思想,在很多地区被采用。在不少地方,这些代理人得到组成县委员会或社团的当地农民团体的支持。在战争结束前,几个州的县农业社团已组成州的组织。1919年11月州农业社团代表在芝加哥聚会,成立美国农业社团联合会。联合会很快积极提倡在广阔范围采取各种政治措施。20世纪30年代,在形成和通过1933年和1938年《农业调整法》方面,它参与了很大部分工作。在第二次世界大战期间,它反对价格管制。随后,它支持减少政府对农产品价格补贴的措施,从而端正了农业经济主要依靠商业市场的方向。一般说,它倾向于支持农业综合企业,同时仍维持与许多小农场主的联合。在20世纪后期,会员总数(多数以家庭为单位计算)超过300万。联合会每年举行年会,并出版《农业社团新闻》周刊。

American Federation of Labor-Congress of Industrial Organizations(AFL-CIO) **美国劳工联合会-产业工会联合会(劳联-产联)** 1955年由劳联和产联合并成的美国独立劳工工会联合会。劳联(建立于1886年)是以把工人组织成行业工会的原则建立的,而产联(建立于1935年)则按工业部门组织工人。

劳联的历史 1886年美国劳工联合会(简称劳联)成立,其前身为1881年成立的"有组织的工会劳工联合会"。劳动骑士团是当时最强大的产业工会,它力求吸收当时的行业工会,使它们失去独立性并卷入行业纠纷,而行业工会本身的直接利益在纠纷中并未明显处于危急状态。为了反对这种趋势,各行业工会在S.龚帕斯的领导下,于1886年自行组织起来,成为一个松散的联合会。在半个世纪的时间里,它一直是美国劳工运动唯一的统一机构。

劳联在成立初期遵循行业工联主义的原则,使其所属的约100个全国性和国际性工会对自身事务保留充分的自主权。而每个工会都从劳联得到对工人和对声称属自己管辖的产业领域的保护。尽管这种政策使加入劳联的各工会之间产生激烈的管辖权限纠纷,但加入劳联的工会数量仍不断增加。

20世纪20年代是经济繁荣初期,未出现工联主义扩张现象。1929年证券市场崩溃引起的经济大萧条以及1932年和1933年初期发生的所谓灾难性的调整,使劳工运动处于瘫痪状态,仅能从事少量的、散漫的、令人绝望的罢工。罗斯福总统的新政给劳工带来了新的曙光。

在新的政治气候下,由于政府对工联主义的庇护,美国的劳工运动获得了空前的机会来发展其会员。为了促进这种大好形势,劳联有时候特许一些地方工会加入劳联。但代表劳联会员大多数的老工联分子往往看不起大生产中的产业工会,认为他们分裂劳工运动。

产联的历史 行业-产业的问题在1935年的劳联全国大会上达到了危急关头。产业工会的决议声明:"在大生产工业中,……组织产业工会是唯一的解决办法。"由于产业工会的这个决议被大会否决,8个国际工会的代表于1935年11月9日宣布成立产业工会委员会。劳联当即予以反击,先是提出警告,然后于1936年8月宣布勒令所有10个工会(其中2个是后来参加的)暂停活动。但是产业工会委员会继续在钢铁、橡胶、汽车等关键工业中活动,并同美国钢铁公司、通用汽车公司这样一些大公司达成了协议。此后若干年中,产联和劳联为争夺美国劳工运动的领导权进行了激烈的斗争。

产业工会委员会于1938年11月14～18日在宾夕法尼亚州的匹兹堡市召开了第一次大会,采用了新名称"产业工会联合会",通过了章程,并选举J.刘易斯为主席。刘易斯曾发誓称:如果罗斯福总统在1940年重新当选,他便辞去产联主席之职,而他过去是支持罗斯福的。他履行了诺言,1940年罗斯福连任美国总统,产联主席由P.默里接任。默里过去曾在刘易斯的领导下,在联合矿工工会工作。1941年产联将福特汽车公司的工人、几家小钢铁公司(伯利恒、共和、内陆、扬斯敦)及其他大型产业公司的工人组织起来加入工会,而这些公司过去曾拒绝与产联签定协议。1943年产联成立了政治行动委员会。该委员会于1944年支持罗斯福竞选连任总统获得成功。

劳联与产联的合并 1947年《塔夫脱-哈特莱法案》被通过,加之包含在法令之中的国家劳工政策日益趋于保守,唤起工会重新进行政治活动。产联和劳联团结在一起,共同反对新的法律。但是政治上的团结导致两个组织的统一,却是一个渐近的过程。1952年W.P.默里死后,由产联的联合汽车工人工会主席鲁瑟接任产联主席。3年之后,即1955年,劳联与产联合并,劳联前主席G.米尼担任了新工会的主席(米尼担任此职直到他去世之前数月,即1979年11月止)。

合并后的新工会对伦理、道德方面甚为关注。由于卡车司机中的腐败现象及劳工诈骗等恶行被揭发,便于1957年开除了当时这个全国最大的工会(直到1987年卡车司机工会才被允许重新入会)。

保守的米尼和自由主义的鲁瑟均未能使两者之间的关系超过冷淡的友好状态。1968年米尼终于将鲁瑟及另外数人排除在工会的执行委员会之外。于是,鲁瑟的联合汽车工人工会立即脱离劳联-产联(1968～1972年,联合汽车工人工会曾短期与卡车司机工会结成联盟)。1970年鲁瑟去世。米尼退休后,L.柯克兰于1979年继任劳联-产联主席。两年后,联合汽车工人工会再度成为劳联-产联的会员。

劳联-产联的会员在70年代末曾达到最高的1 700万,其后由于制造业雇员减少而下降到90年代中期的1 300万。1995年前服务业雇员国际联合会主席J.斯韦尼接替柯克兰为劳联-产联主席后着手扭转会员减少、权力下降问题。

整个组织 劳联-产联的主要管理机构是两年一度的代表大会,大会成员是全国各工会按会员人数比例派出的代表,代表们选举主席,每届任期两年。执行理事会一般每年至少开会3次,由主席、司库及约50个副主席组成。理事会成员大多是其成员——全国性工会的主席。理事会选出的6个副主席组成执行委员会,此委员会经常开会,同主席、司库讨论政策性问题。此外,还有一个总委员会,由执行理事会和每一个加入劳联-产联的工会的一名主要官员组成,每年至少开一次会来决定提交给它的政策方面的问题。

劳联-产联依靠向加入其组织的工会及组织委员会征收按会员计算的会费来维持。劳联-产联的任务是为了劳工运动的利益组织力量,开展教育活动,对有利于劳工的立法予以政治上的支持。

American Federation of State, County and Municipal Employees(AFSCME) **美国州县市雇员联合会** 美国代表广泛的、公有和私有部门雇员的联合会,包括地方和州政府公务员、医院工作人员、大学雇员、教师和其他公立学校的教职员。几乎所有蓝领和白领职业在联合会都有谈判组。最初于1938年由劳联准许成立。美国大多数工会一度衰落,人数锐减,而美国州县市雇员联合会则是发展最快的工会之一,会员人数由1955年的10万名增加到21世纪初的140多万。该组织已加入劳联-产联。

American Football League (AFL) **美国橄榄球联盟** 美国职业橄榄球运动组织。成立于1959年。为全国橄榄球联盟的竞争对手。全国橄榄球联盟起初拒绝承认该组织。两组织争夺运动员。1966年宣布合并计划。由两个联盟冠军队参加的第一届世界锦标赛——超级杯赛于1967年举行。那一年两联盟共同招募队员。1968年赛季前两联盟之间进行了比赛。1970年原属美国联盟的各球队与全国联盟下属的克利夫兰、巴尔的摩、匹兹堡队合并,成立新的美国橄榄球联盟全国会议,下属26个球队。

American Friends Service Committee(AFSC) 美国公谊服务委员会 美国和加拿大基督教公谊会组织，成立于 1917 年。其宗旨在于从事社会服务和互通声气以促进和平与和解。在第一次世界大战期间，该委员会辅导为了宗教信仰原因而拒绝服兵役的人参加救济或救护事业。在第二次世界大战中，该会辅导范围扩大，包括护理精神病人或从事其他人道主义工作。在和平时期，该委员会在国内和国外进行活动，如扶持地方社会发展、调解种族争执，救济流动工人，赈济战区平民和救济难民。1947 年该会与英国公谊服务协进会共同获得诺贝尔和平奖。该会总部设在费城。

American Fur Company 美国皮毛公司 1808 年 J. 阿斯特在纽约州创立的企业。在 19 世纪最初 30 几年间，它控制美国中部和西部的皮毛贸易。当它在五大湖地区、密苏里河流域、落基山脉和俄勒冈收购皮毛的时候，竞争的对手不是被它吸收就是被它挤垮。1810 年阿斯特组织太平洋皮毛公司为子公司，以开展与中国的皮毛贸易。到 1834 年阿斯特售出其股权时，美国皮毛公司及其子公司已成为美国最大的商业机构。

American Hebrew Congregations, Union of 美国希伯来会众协进会 美国历史最悠久的犹太会众联合组织，1873 年成立于俄亥俄州辛辛那提市，主办许多项目来巩固该组织，并在每一个水平上提高犹太人的教育。该协进会是由拉比魏斯组建的，其当务之急就是要建立和资助一所神学院来训练美国出生的拉比。1875 年创办美国第一个成绩卓著的拉比神学校，起名希伯来协和学院。1950 年该校与 1922 年创立的纽约犹太教学院合并。这两个学校一直是犹太教改革派的中心，现仍受协进会的赞助。协进会还组织了 5 个辅助团体，每个团体都在协进会内部独立活动。协进会曾主办或与其他团体合办宗教学校，教师讲习班，函授学校，学生学习小组及领导人员培训班等。协进会会众团体约有 600 个改革派会众(包括在加拿大的几个会众)；总部仍设在纽约。该组织已加入世界进步犹太教同盟。

American Highland 美利坚高地 南极洲东部的内陆高原区。从西部的恩德比地延伸到东部的威尔克斯地，从英格里德·克里斯滕森海岸和埃默里冰棚向内陆延伸。这块覆有冰盖的高地平均海拔 2 000 ～ 3 000 米。1939 年由美国探险家 L. 埃尔斯沃思发现和命名。是澳大利亚宣布为己有的南极洲东部大片地区的中央部分。

American Indian 美洲印第安人 又作 Amerindian 或 Amerind。西半球爱斯基摩人和阿留申人以外的土著民族。美洲印第安人的祖先，是在最后一次冰期(约 3.5 万年前至 2 万年前)自亚洲穿过白令海峡狭长陆地移入北美的蒙古游牧人种。有的学者则认为其迁徙时间还要早些。他们与同代亚洲人有某些相同的文化特色，例如用火、驯养家犬及某些特殊仪式与医疗方法等；但那时亚洲人的畜牧、某种植物的种植以及使用轮和犁等则为美洲人所无。

北美洲　北美洲史前居民，各有其传统，西部、大平原和北美东部的古印第安人尽管环境不同，却有类似的经济。他们的食物主要是肉类，以兽皮蔽体。在克洛维斯发现的更新世屠杀兽类的场地及带沟槽的投掷尖状器的使用年代约在公元前 9000 年。在现今的美国西部——从俄勒冈州到墨西哥北部，从太平洋海沿岸到落基山东部——散居着沙漠文化的印第安人，他们穴居，以狩猎和采集果实为生。从考古发掘的石磨之类的人造器物来看，当时已有原始农业出现。

东太古期(公元前8000 ～前1500)大平原及大盆地气候由湿潮转为干热，更新世动物绝迹，社会经济模式转为狩猎和采集；公元前约6000年时，人们多居住在沿海和河边。晚太古期已有诸如带沟槽的石斧、石杵和石锤等工具，而且在不同地理区域的部落间产生了贸易来往。整个太古期(公元前 8000 ～前 3000)的狩猎工具以普兰诺投掷尖状器为主，猎兽以野牛为主。公元前 3000 ～前 2000 年，气候变得温暖，于是部分印第安人随着逐水草而迁移的兽群进入萨斯喀彻温与艾伯塔地区，有些人更往北进入北极冻原。

公元前 2000 年前后，美国西南部印第安人已开始种植玉米，但直到公元 1 世纪以后，原始农业才对印第安文化产生真正影响。在俄亥俄河和伊利诺伊河流域，玉米种植成为霍普威尔经济(公元前 200 ～公元 200)的主要部分。此时过剩的物质资源成为某一特权集团的财富，并用于繁缛的葬礼。200 ～ 700 年是一个寒冷时期，阻碍了农业发展，文化出现衰退现象。700 ～ 1200 年，密西西比河流域发展了一种以村落为基础的文化，特点是进步的农作方法与复杂的宗教仪式。宗教祭祀产生了礼器制作场所和祭司职业。此时期在西南部各处散居的土著，如阿纳萨齐人、莫戈隆人和霍霍坎人等均属前普韦布洛社会。莫戈隆人的农业技术，尤其是利用雨水与引河水浇灌作物是由阿纳萨齐人加以改良的。亚利桑那南部的霍霍坎文化依靠灌溉来维持其农业经济。1100 ～ 1300 年之际的干旱现象阻滞了文化的发展而使人口大减。普韦布洛文化在公元后第 1 千纪发展了用石料和土坯建造居室的技术，农作物已有几种不同的谷物，还种植长纤维棉花。到了古典普韦布洛时期(1050 ～ 1300)建筑和制陶方面有重大进展。巨大的悬崖房屋有一层到四层，住室约有 20 ～ 1 000 间。此时已出现彩陶。1300 ～1700 年为普韦布洛衰退时期，由于居民向东、向南迁移，许多房屋被废弃。现代普韦布洛时期始自 16 世纪后期西班牙人前来移居之时。普韦布洛文化与农作方法的某些特色至今犹存。

在殖民时期，欧洲各国采取不同的政策来对待北美印第安人。西班牙人力图迫使土著民族信奉基督教，并将他们安置于指定地区。法国人则主要想与印第安人建立贸易关系。英国早期立法禁止任意征用印第安人的土地，并在 1763 年宣告将阿巴拉契亚山以西全部土地拨给土著居民使用，英国统治结束后，美国继续采用这一政策。英国 1867《北美法案》建起加拿大，赋予这个新国关印第安人及其土地的特别立法权利。18 年的《印第安移民法案》标志着采用一系列强制政策的开端。1848 年在加州发现黄金后，大批白人向西迁移，许多条约剥夺了印第安人的土地所有权，遂爆发欧洲白人与印第安人争夺土地的长期战争，其中有 1876 年苏人、夏延人所进行的卡斯特大屠杀。到 1887 年时多数印第安人已被安置在居留地，同年《道斯土地分配法案》使印第安人丧失了近 348 100 平方千米(134 400 平方英里)的土地。1934 年的《印第安人重新组织法》施行改善土著生活的措施。20 世纪 50 年代以来，由于新政策的实施以及社会上对民权的呼吁，使印第安人得以成立许多组织，并加深了全国对于印第安人问题的关注。

中美洲　1 万多年前，印第安人进入现今的尼加拉瓜到墨西哥北部地区之间的中美洲。耕种技术的发展可追溯至公元前 4500 年左右，由于对野生玉米和豆类的驯化进程稳步前进，到公元前 2000 年时已建立了农业社会。以后几个世纪内，粮谷丰盈，促使较小的居留地发展为较大的市镇，并刺激了陶器与其他手工业品的发展。在称为古典时期的公元第 1 千纪，马雅文化兴起。马雅人以宗教为凝聚力而由祭司阶级进行统治。祭司掌农时，主神为农神特拉洛克，其标志是美洲虎，是现存马雅人雕刻品中常见的主题。在后来的诸文化中，美洲虎的图案就被习惯上认为更勇武的鹰所代替，同时人祭也成为一种常见的宗教仪式。公元 1000 年前后，托尔特克人与阿兹特克人所建立的帝国取代了这些以宗教为基础的社会，直至 16 世纪西班牙人入侵时为止。阿兹特克帝国在极盛时几乎控制了整个中美洲。

这些早期移民发展成为几个亚文化群，根据其居住地区，可划分如下：第一支是生活在现在墨西哥西北部的海岸、不毛之地与山区的印第安人；第二支是塔拉斯科人，居住在米却肯山区；第三支是马雅人，占据现今的危地马拉部分地区、尤卡坦半岛和墨西哥的恰帕斯州；第四支是阿兹特克人，集中在墨西哥中部高地和现在的墨西哥城；第五支生活在墨西哥南部海岸和高地。中美洲印第安人的文化特色是小型社区和单个家庭。男性与年长者居统治地位，实行父系继承制。社区活动以市场为中心，进行农产品与手工业品的交易。另一中心为议政机关，其成员兼宗教职务。每一社区都由全国性的领袖人物为其代表。虽以西班牙人引入的天主教为主要信仰形式，但崇拜基督教圣徒、相信万物有灵、迷信和占卜之风依然流行。

西班牙的征服不仅给中美洲土著居民带来天主教与欧洲的工业技术和工具，也标志着早期社会结构的重建。殖民的早期，耶稣会士在西北地区设置了宗教专用地；其余地方建成监护征赋制，由西班牙人管理这许多小片土地。后来征赋制解体，专用地也不再受教会保护，种植园、牧群和矿山等便成为殖民社会的经济活动中心。1821 年的革命使当地出生的西班牙人、墨西哥与危地马拉的其他混血后裔脱离欧洲人的控制而组成新的共和国政府。在随后的工业化和商业化时期，印第安人的各个社区日益采取孤立主义，而不顾经济上遭受损失以保持其固有文化的完整。1910年墨西哥发生另一次革命，废除了排他性的社会与经济政策，开始采纳印第安人在政治、文化与经济方面的成果。墨西哥制定各项措施以解决印第安人的问题，普遍重视墨西哥原始艺术和土著传统。危地马拉采取类似政策但不久即被废弃。到20世纪后期印第安人在墨西哥城市与农村社会中已显示出更为全面的融入状态，但在危地马拉则只表现为人口的增加而已。

南美洲 根据考古记录，南美文明开始于公元前10000年第一批北美与中美移民的到来。他们定居于现今的火地岛区、阿根廷、智利南部、大查科的中南部平原及安第斯山脉中部地区，后来被更先进的农业社会所代替。游牧部落分散居住，以利于逐水草而居，因而形成以亲属关系为基础、以年龄和性别来分等级的群体，此点与农耕部落相同。另一部分以农耕为主，散居于巴西和阿拉瓦克海岸、大安的列斯群岛及内陆森林地区。他们种植玉米、豆类及当地谷物，辅以狩猎，能够维持较大而且稳定的社会群体。这两部分印第安人都崇尚巫术，以为巫术可以胜天(战胜自然环境)。这是许多前文字时期文化共有的特点。其他在加勒比海沿岸和安第斯山北部定居的农业部落，其社会模式比较复杂，由军事及宗教领袖人物来统治，农业技术比较发达。这些部落以战争推动社会前进，获得奴隶和人祭牺牲品。其发展不成熟的中央集权制和由巫术向早期宗教形式过渡的过程，使其同印第安人森林农业社会的区别更加显著。

最进步的南美洲土著文明大约在公元前2300年生根于安第斯山脉中部地带，其后数千年间在文化和技术上逐渐发展。公元1000年前后，有奇穆和蒂亚瓦纳科以及后来的印加等王国兴起，繁荣富庶，持续到16世纪西班牙人入侵。印加帝国的领域从秘鲁延伸到智利北部，发展了有效的灌溉系统，还建立了由国家管理的粮食生产、储存与分配的先进体制。极盛时期人口多达350万。其社会等级制度分为世袭的王室、大小贵族、工匠和农民。印加文明最显著的新成就是以法制而不以习俗来管理社会。手工制品精美，尤以金属制品为最。

这4种社会文化类型是与南美洲诸土著民族有史时期发展诸阶段相一致的。自游牧部落开始涌入数千年后，依靠进步的动物驯化、农业及其他技术而不借助任何外来模式，发展起日益复杂的社会结构并形成中央集权体制和严格的阶级划分。11世纪的中部安第斯诸帝国是更早的地区模式之顶峰，其渊源可上溯至公元前500年左右。

16世纪欧洲人征服南美，使南方的部落濒于灭绝，另一些部落的文化受蹂躏，其余则全部变为殖民社会。沿海地区的部落文明毁灭殆尽，但偏远的安第斯山印第安人部落的文化却得以保存到今天，甚至人口也稳定增长。不过，印加帝国的农业技术与政治措施完全被西班牙人的模式取代，天主教亦取代了印加宗教。印加贵族与工匠在一定程度上纳入殖民地各阶级中，而土著农民则沦为卑贱的奴役。在遭受压榨较轻的地区，印加人仍保持他们某些文化传统，并与现代工业中心维持贸易往来。其他南美印第安人，如阿劳坎人等一直成功地抗拒西班牙人的统治，直到19世纪后期才被西班牙人镇压下去，有的被同化，有的被迁入保留地。

American Indian geographical race 美洲印第安地理人种 生活在北美洲、南美洲及加勒比群岛的一部分居民(包括诸地域人种和少数人种)之统称。自从1500年以来，因为欧洲人迁移到北美洲和南美洲，使美洲印第安人种的人数大减，并且大都被迫离开原居住地。在中美洲和南美洲的现代居民中，大部分人是印第安人与欧洲人的混血后裔，而在加勒比地区和南美洲部分地区，有一部人是印第安人和非洲人的混血人种。美洲印第安地理人种的特征是：皮肤色素沉着程度中等；头发直而粗，黑色；铲形门齿的出现率高；体毛稀疏，男子秃顶者出现率很低；没有B型(ABO血型系统)和Rh阴性(Rh血型系统)血型的人，N型(MNSs血型系统)血型的人也很少，迪戈(Diego)-阳性血型出现率很高。印第安人这些血型特征，与蒙古人种显然不同，但过去他们有时被划为蒙古人种。

American Indian languages 美洲印第安诸语言 西半球原始居民与其现代后裔所操的语言。美洲印第安诸语言与印欧诸语言不同，不能构成一个单一的而又有历史渊源的语系，同时也没有语音学、语法、词汇等结构上的共同特色。因此美洲印第安诸语显然不是与其他地区所使用的语言有所区别的一个整体。在前哥伦布时代，美洲印第安诸语言通用的地区包括美洲大陆与西印度群岛。然而语言与语族的分布情形及操这些语言人口的多寡，则大不相同。

在墨西哥以北的美洲地区，印第安人口稀少，而语族很多，例如爱斯基摩-阿留申语、阿尔冈昆语、阿萨巴斯卡语和苏语，这些语言通行的地区很广，约有20种以上密切关联的方言。其他的语群则较小，在流行地区内相对地显得语言更为分歧。例如在加利福尼亚州，不同的语群即有20个以上。E.萨丕尔认为，这些语言为数之多与区别之大，甚于整个欧洲的语言。墨西哥以北的美洲地区，估计人口为150万，而语言约有300种。

中美(墨西哥与中美洲北部)印第安人口估计为2 000万人，所操语言至少有80种。有些语言，如墨西哥中部的阿兹特克人的语言与尤卡坦和危地马拉的马雅人的语言，曾是幅员广阔而组织复杂的帝国通行的语言，很可能为大多数土著所使用。其他语言在地区与人数上都差得很多。语言最分歧的地方在墨西哥南部和中美洲北部现今几个共和国所在地区。

南美洲的土著人口在1 000万至2 000万之间，语言的分歧最大，在500种以上。这些人口大部分分布在安第斯山地区，该地也曾是强大的印第安人国家印加帝国的所在地。这些土著居民所使用的克丘亚诸语言本来只流行于秘鲁南部高地，后来流通范围逐渐扩大，导致另外许多印第安语的消亡。

欧洲人的征服与殖民活动，最终导致许多美洲印第安语群消失，并使其中仅存的几个语群产生了根本性的变化。西印度群岛的土著语言几乎全部消失，而在墨西哥以北的美洲地区有1/3的土著语言已消亡。中美与南美洲的情况稍有不同，尽管没有精确统计数字，但是许多土著语言仍在使用。有些语言，其使用人数还是大量的。现仍通用的美洲印第安诸语言有许多种只有极少的使用者。在墨西哥以北的美洲土地上，尚存的土著语言中有50%以上语种的使用者不超过1 000人，这些少数人在交际中多数人会讲两种语言，而年轻人受的是英语教育，所以对本族方言所知甚少。总之，虽然北美地区印第安人口有所增加，而大多数语言正在逐渐消失，仅有少数语言仍在流行：新墨西哥州与亚利桑那州的纳瓦霍语；美国北部与加拿大南部的奥吉布瓦语；俄克拉何马州与北卡罗来纳州的切罗基语；美国中西部以北的达科他-阿西尼本语。但使用这些语言的人们多操两种语言。

在南美洲与中美洲部分地区，仍有一些盛行的印第安语族，由极相近的几种方言组成的克丘亚语族便是其中之一，在厄瓜多尔和秘鲁，以及玻利维亚与阿根廷的部分地区，估计使用者达数百万人。另一语族为秘鲁的库斯科方言，曾是印加帝国的主要语言。墨西哥与中美洲的印第安人，仍然使用西班牙征服时期的语言；墨西哥中部与南部部分地区的犹他-阿兹特克诸语言；尤卡坦和危地马拉及附近地区的马雅诸语言；墨西哥中部的奥托-曼格诸语言。后三者都是公元1500年以前的印第安人帝国通行的语言，而马雅人与阿兹特克人早已有自己的文字体系。

巴西东部与巴拉圭的图皮-瓜拉尼诸语言在前哥伦布时代是一个主要语群，至今尚存。在欧洲人到达以前，使用这些语言的人口多而广。巴西的图皮语在西班牙征服后成为亚马孙地区欧洲人与印第安人之间进行交流的媒介——杰拉尔混合语——的基础。瓜拉尼语亦成为巴拉圭大部分地区的通用语言。到20世纪后期，图皮语渐为葡萄牙语所取代，但瓜拉尼语在今日的巴拉圭仍为重要的第二语言，并有大量的民间文学作品。

American Indian Movement (AIM) 美国印第安人运动 美国印第安人争取民权的战斗性组织，1968年由D.班克斯、C.贝勒库特、E.B.巴奈和G.米切尔在明尼苏达州明尼阿波利斯创立。后来，R.米恩斯成为这一集团的主要发言人。运动的最初宗旨是救济在政府规划的影响下被迫离开保留地而移居于城市犹太人区的印第安人。后来，它的目标终于反映了印第安人的全部要求：经济独立，传统文化的复兴，保护合法权利，尤其是印第安人部落的地区自治和恢复他们认为被非法剥夺的土地。美国印第安人运动曾经参加许多轰轰烈烈的抗议活动，并且是参加以下行动的印第安人团体之一：印第安人为抗议政府违反协议而占领阿尔卡特拉斯岛(1969～1971)和向哥伦比亚特区华盛顿进军(1972，美国印第安人运动的成员占领了印第安人事务局办公大楼),以及为抗议政府对印第安人的政策而接管翁迪德尼的一个遗址。20世纪70年代中期,美国印第安人运动集中力量阻止联邦政府在印第安人的土地上开发资源。由于运动的许多领导人入狱以及发生内讧,尽管地方支部继续活动,全国的指挥部已于1978年解散。1981年以后,美国印第安人运动的一个支部占领了黑山的一部分,强烈要求把这一地区还给他们。

American ivy　美洲常春藤　参阅**Virginia creeper** 弗吉尼亚爬山虎。

American Labor Party(ALP)　**美国劳工党**　美国小政党,以纽约州为基地,1936年由劳工领袖S.希尔曼和D.杜宾斯基及自由派民主党人与保守的社会党人创立,与工会有着牢固的关系。该党支持F.罗斯福总统的新政,并投票支持那些赞同自由主义社会立法的议员候选人,无论其为民主党人或共和党人。在1936年的总统选举中,该党投给罗斯福的票超过27万张;1937年帮助F.拉加第亚连选连任纽约市长。1940年和1944年,该党继续支持罗斯福竞选总统。从该党成立时起,内部左派与温和派之间即发生派别斗争。共产党分子渗入该党,在1940年代表大会上起而反对支持罗斯福。在共产党分子在1944年的预选中控制该党后,杜宾斯基和党的其他创始人退出该党,另组自由党。美国劳工党1948年支持华莱士竞选总统,给他投了50多万张票,但却因此而使更多的党员脱党。在该党成立20年之后,因无法调和党内个人之间及政治上的分歧,该党纽约州委员会投票决定解散该党。

American League　美国棒球联盟　美国和加拿大两大职业棒球联合会之一。成立于1900年。全称美国职业棒球俱乐部联盟。1903年经历史较为悠久的美国全国棒球联盟承认,得以享受平等地位。80年代该联盟分东西两个分会。参阅**Sporting Record**:baseball。

American Legion　美国退伍军人协会　美国退伍军人的组织。1919年3月15～17日,由美国远征军作战及后勤部队代表在巴黎组成。同年9月16日,美国国会向该协会颁发国家特许状。特许状经过几次修订:1942年修改以接纳第二次世界大战退伍军人,1950年修改以吸收朝鲜战争退伍军人,1966年修改又包括越南战争退伍军人。美国退伍军人协会是非政治性、非党派性的组织,入会资格是光荣服役和光荣退役。该协会的年会是美国自由团体集会中规模最大者之一。全国总部设于印第安纳州的印第安纳波利斯。该协会的一项主要业务始终是关心残疾和患病的退伍军人。该协会曾大力协助为第一次世界大战退伍军人设立医院及提供其他服务,这些服务已经扩大范围,以适应其后几次战争退伍人员的需要。它努力为残疾军人及军人的孤儿寡妇争取抚恤金和退休费。1930年发起创立美国退伍军人管理局。1944年在制定第二次世界大战美国退伍军人权利法案和其后在支持为朝鲜战争退伍军人制定同样法案时,该协会均起重大作用。以上各种措施使得1 050多万退伍军人能够接受大学教育或职业训练,560多万退伍军人能够按贷款条例购买住宅。该协会在儿童福利计划中,从1925年起,曾拨出2.5亿多美元巨款,为退伍军人的子女提供紧急援助,大部分为食物、衣服及医疗等项目。该协会曾经通过联邦政府及州政府的立法,协助提高少年法庭诉讼程序、儿童收养与监护,以及给予儿童各种权利的水平。该协会所倡导的忠于美国,忠于美国传统、风习、制度的精神以及所制定的青年培养纲领包括给予青年团体关于民主政府职责的实际教育的计划。其中还包括成立数以千计的童子军和无数的少年棒球队。21世纪初,该协会的会员总数约300万人,分别隶属于各地的15 000个小组。

American lion　参阅**puma** 美洲狮。

American literature　美国文学　在美国用英语创作的全部作品。美国文学源自17世纪美国殖民初期,但只有在独立战争后,作家们才创造出有特色的美国文学。随着美国逐步形成自己独特的民族特征和制度,反映这些社会、经济、地理和语言特征的文学传统亦开始形成。国土十分辽阔,种族差异大,边疆不断拓展,便引出若干文学主题。

早期美国文学作品是基于欧洲模式,不仅包括小说和诗歌,而且还包括政治和宗教题材的论文。诗人中,布雷兹特里特和泰勒写的诗具有很高的文学水平,二人都深受英国诗人的影响。

18世纪中叶最主要的作家富兰克林和潘恩,均就重要的政治题材撰写过非小说类文学作品。富兰克林最初当过记者,他写的《可怜的理查德年鉴》为大众所喜爱,其中的警句通情达理、精妙睿智。它向殖民地社会宣讲,语重心长。它还研究分析殖民地和英国间的冲突。潘恩写的小册子《常识》(1776)在独立战争时期不断鼓舞着美国人民。

在独立战争后,人们开始探索独具一格的美国文学。19世纪初期重要的作家有欧文、库柏和爱伦·坡。库柏的《皮袜子故事集》(1823～1841)探讨美国本土的生活,尤其是边疆的生活;欧文是讽刺作家;而爱伦·坡则是美国第一位伟大的诗人,也是恐怖小说和侦探小说流派的创始人之一。

1830年左右到内战开始为美国文学的第一次繁荣时期。杰克逊就任总统后国内出现的扩张和民主的情绪以及遍布全国的希望和冒险的新精神,使许多作家受到鼓舞。他们的作品描写的不是英国文学中常见的贵族,而是普通人。这批作家中最伟大的有:小说家梅尔维尔,他的代表作是描写英雄事迹的有寓意的小说《白鲸》(1851);霍桑代表作为《红字》(1850);诗人惠特曼,他的最著名的诗是进步的、不从惯例的诗歌体自传《草叶集》(1855)。此外,还有诗人狄更生和一群以超验主义者著称的作家,包括爱默生和梭罗。梭罗主张个人的行动和信仰完全自由。他的名著《华尔腾,或林中生活》(1854)描绘了他学习万事依靠自己的经历。

19世纪领土向西部扩展,结果产生了许多地区性的和幽默的文学作品。其中马克·吐温贡献最为重要。他的《汤姆·索耶历险记》(1876)和《哈克贝利·费恩历险记》(1884)描绘了密西西比河沿岸的生活。19世纪末,涌现一批自然主义作家。他们认为人是自己命运的牺牲者,他们以非虚构的手法处理日常题材,并且坚定地用现实主义手法描写细节。最伟大的自然主义作家中就有德莱塞,其小说《嘉莉妹妹》(1900)和《金融家》(1912)探讨在迅速工业化的美国出现的新的社会问题。还有克莱恩,他的小说《红色的英勇奖章》(1895)出色地描绘了南北战争期间的战斗。诺里斯和杰克·伦敦也是著名的自然主义小说家。同时代的詹姆斯与众不同,他描写中产阶级上层人物的心理活动过程以及欧洲人和美国人间产生的社会的和心理上的冲突。詹姆斯著作极其丰硕,精通各种文体,心理描写细腻,他也许是美国最伟大的小说家。

第一次世界大战后,一批重要的小说家和诗人赢得了人们的赞扬,他们反映了对战后幻想的破灭,被称为“迷惘的一代”。在两次世界大战之间最重要的小说家有菲茨杰拉德、海明威、福克纳、刘易斯、斯坦贝克和沃尔夫等。菲茨杰拉德的《了不起的盖茨比》(1925)以及其他作品表明对20世纪20年代美国社会幻想的破灭及道德的沦丧。海明威的《永别了,武器》(1929)和《丧钟为谁而鸣》(1940)写的是第一次世界大战期间或者战后美国在欧洲的侨民。在《喧嚣和狂怒》(1929)及《当我垂死的时候》(1930)等小说中,福克纳向人们描绘了人类社会的缩影——一个虚构的密西西比河畔农村县城。

20世纪前半期美国最有影响的两位诗人是庞德和艾略特,他们的创作生涯中许多时间是居住在海外,在那里他们对现代英美诗歌有决定性的影响。同时期的其他著名诗人有弗罗斯特、桑德堡、威廉斯、斯蒂文斯和卡明斯等。奥尼尔是两次世界大战之间美国戏剧界最重要的人物,也是20世纪最重要的剧作家之一。包括《直到夜晚的漫长一天》(死后发表,1956)在内,他的剧作一般都显示出一种悲剧景象。

第二次世界大战后,一群小说家崭露头角。他们在战后以及原子武器和冷战到来之时经常重新阐述传统的美国社会准则。梅勒、琼斯、海勒和小库尔特·冯内古特等人根据美国参加第二次世界大战以及随之而来的恐怖与愚蠢的行动等纪实材料写了许多小说。巴思、巴塞尔梅和平钦等人的小说日益转向幻想和黑色幽默。俄国出生的纳巴科夫写的小说以使用嘲讽和语言创新而驰名。贝洛、马拉默德、罗斯和用意第绪语写作的辛格等人经常以更乐观的态度描写人类状况,突出幽默和宽恕。厄普代克、塞林格和奇弗等作家经常侧重描写中产阶级在性和道德问题上的混乱。在美国文学创作中坚持南方传统的作家有华伦、斯蒂伦、韦尔蒂、奥康纳和麦卡勒斯等人。20世纪的美国黑人作家常从黑人的角度探讨种族主义和种族关系等主题。著名黑人作家有赖特、埃利森、鲍德温、哈利和莫里森等。

20世纪中叶的美国诗人是用新技巧和

新风格表达思想感情的先驱。其中最杰出的诗人有洛威尔、罗特克、布鲁克斯、华伦、贾雷尔、金斯堡、普拉斯和里奇等。在戏剧方面，第二次世界大战后涌现出著名的剧作家米勒和威廉斯，他们分别写出《推销员之死》(1949)和《欲望号街车》(1947)。20世纪60年代著名剧作家有阿尔比，70年代和80年代则有谢泼德和马梅特。

American Lutheran Church　美利坚信义会　美国基督教组织，1988年与信义宗的另外两个教会合并为美国福音信义会(**Evangelical Lutheran Church in America**)。

American Medical Association(AMA)　**美国医学协会**　美国医师的组织。其目的为"促进医学的科学和技术，改善公共卫生"。该协会于1847年由28所学院、40多个医学团体推选的250位代表所建立。下辖54个州协会及其他医疗协会。20世纪80年代，会员总数达25万左右，约占美国全部执业医师人数之半。总部在芝加哥。协会常将有关保健的科学资料散发给会员及公众，并通过大众传播媒介及讲座进行大量内容广泛的公共卫生教育工作。不断将重要的有关医疗及卫生立法的信息通知会员，在国会及其他政府组织机构面前，代表医务界陈述意见。协助制定医学院校及实习医师制度的标准，尽力揭发并提醒公众注意庸医及假药。协会总会有多个部门，分别负责各种有关医疗的问题，包括老年病、妇幼保健、医院设备、医学教育、营养、药物、保险计划、科学展览、农村保健、心理卫生、医疗费用、产业工人保健、医学书刊等。这些工作多在各委员会指导之下进行。各委员会收集并分析有关医学新发现和新疗法的资料。这些机构包括：1904年设立的医学教育及医院委员会，1905年设立的药学委员会(初称药学和化学委员会)，1906年设立的庸医假药调查局，1906年设立的化学实验所，以及1910年设立的卫生教育局。协会的出版物有：《美国医学协会杂志》(周刊)、《美国医学新闻》(周刊)及9种专科(如内科学、精神病学、儿童疾病等)月刊。协会不立法不执法，也没有法律权力。它在医疗事业许多方面之所以能有深远的影响，可能全靠会员对协会所定的标准及所提的建议能诚意遵守。该协会依靠道德力量改进医药治疗、保险项目及医疗教育标准。

American Mercury　《美国信使》　以讽刺笔调评论美国生活、政治与风俗的文学月刊。1924年由H.L.门肯和G.J.内森创办。它以门肯的批评美国公众(称公众为"笨伯阶级")的辛辣文章和内森的卓越剧评著称。所载小说和其他文章均出自当代讽刺名家之手。在E.莱昂斯主持下曾对美国国会施压，促其在第二次世界大战开始时通过为空军拨款的决议。后来该刊物几度易手，论调变得极右，并采取极端反共立场。

American Missionary Association(AMA)　**美国传教协会**　美国非教派组织，以发展美国境内黑人及其他少数民族受教育的机会为宗旨。美国传教协会的前身是1839年成立的以保护一群非洲奴隶为目标的委员会，这些奴隶反叛西班牙主人而将奴隶船驶入美国水域以寻求保护。1846年，3个反对奴隶制的教会社团合并，正式组成美国传教协会，其目的是为海外已解放的奴隶建立教会。1850年以后，该协会转而以从事废除黑奴制度的活动为主。美国南北战争期间，当北军开始解放黑奴之际，该协会为他们开办学校。在其后的数十年中，在南方陆续成立500多所学校以教育被解放的黑奴。这些学校当然对所有的学生开放，在战后重建期间通常采取黑白合校制。当美国南部从战祸中复苏而开始办理公立学校的时候，该协会即将其所办的小学和中学交给公立学校系统而致力于改善及扩充为南部黑人开办的大学或学院。在该协会的努力下，办起了10所著名的黑人大学或学院，其中6所现在仍与该协会有着密切关系。此外，该协会还经常为美洲印第安人、东方人以及劳工移民举办教育及其他社会福利事业。

American Motors Corporation(AMC)　**美国汽车公司**　美国主要从事汽车和其他汽车业产品制造的企业。产品有AMC牌小型汽车、吉普车、AM通用牌卡车、公共汽车、园地用拖拉机和刈草机、各种塑料压制的汽车零件、用具等。1987年该公司成为克莱斯勒汽车公司的子公司。美国汽车公司的前身为两家汽车制造业先驱——1916年成立的纳什汽车公司和1909年创建的赫德森汽车公司。1937年纳什公司与凯尔文纳特公司合并，称纳什-凯尔文纳特公司，1950年生产出美国第一辆现代化的小型汽车"漫游者"。与此同时，赫德森公司多年间生产出三种重要牌号("赫德森"，"埃塞克斯"和"特拉普伦")的汽车。1954年赫德森公司与纳什-凯尔文纳特公司合并，组成美国汽车公司。1970年美国汽车公司收购了吉普公司(当时称凯泽-吉普公司，1903年成立)。

American Museum of Natural History　美国自然历史博物馆　1869年在纽约建立。为自然科学的研究和教育中心。有藏书40万册的自然历史图书馆，并为公众组织范围宽广的教育活动。海登天文馆为该馆一部分，有一个藏书1万册的天文图书馆和一个直径23米的太空剧场。

American Museum of the Moving Image　美国影视博物馆　1988年在纽约州阿斯托里亚建立，致力于向公众传播电影电视艺术的历史及对流行文化的影响。前身是派拉蒙电影公司的阿斯托里亚电影制片厂。博物馆中有8万多件与电影史和电影艺术有关的物品，包括影片和电视剧中使用的道具、演出服、旧电影杂志以及商品。W.福克斯陈列室展示数字媒体的历史。有一层楼存放许多有历史意义的电影摄影机、放映机、电视机和放像机。其他两层为参观者提供互动演示，参观者能够为电影片段配音，试穿著名影片中的服装等。有几个电影和电视节目在有200个座位的里克立斯放映厅或图特热门电影宫中经常放映；一些小型的放映室播放教育片或纪录片。该博物馆还通过电影电视节目帮助人们学习历史和英语。

American Muslim Mission　美国穆斯林教团　参阅 **Islam, Nation of** 伊斯兰民族组织。

American Negro　美洲尼格罗人　参阅 **American Coloured local race** 美洲有色地域人种。

American organ (musical instrument)　参阅 **melodeon** 美国式簧风琴。

American Party　美国党　参阅 **Know-Nothing Party** 一无所知党。

American Philosophical Society　美国哲学学会　美国现存最早的学术团体，1743年在富兰克林推动下成立。在20世纪后期，它有650余位会员。会员们需在4个领域(数学与物理学、地质学与生物学、社会科学和人文学科)中任何一个领域取得学术和科学上的成就，才能当选。总部设在宾夕法尼亚州的费城。1727年当富兰克林只有21岁的时候，在费城组织了一个年轻人的"小集团"，在那里他产生了对实验和探索的兴趣，使他于1743年发表了《在北美的英国殖民地中提高有用知识的建议》。这个建议很受欢迎，导致美国哲学学会的成立，由霍普金森(1709～1751)担任主席，富兰克林担任秘书。1769年美国哲学学会与富兰克林建立的另一个科学团体北美学会联合，富兰克林被选为主席(他担任这个职务直到1790年去世)；1780年新学会组成。天文学家里顿豪斯是学会的第2任主席，杰斐逊是第3任主席。美国哲学学会在费城独立国家历史公园占有两幢建筑，即哲学会堂(1787～1789年建造)和图书馆(按费城图书公司建筑[1798]的原样建造)。图书馆与会议室藏有丰富的手稿(多达600万件)和有关美国科学与文化的图书。学会的出版物有：《研究报告》、《会务纪要》、《会议记录》和《年鉴》。

American plum weevil　美洲梅锥象甲　参阅 **plum curculio** 梅象。

American Protective Association(APA)　**美国保护协会**　美国历史上一个反天主教、反移民的秘密组织，19世纪90年代一度拥有会员达200多万。保护协会的前身是南北战争以前的一无所知党，1887年由鲍尔斯在艾奥瓦州克林顿创立。当时农村人口担心外来移民形成的城市日益扩大，政治势力日强，保护协会即利用这种顾虑而发展。1896年麦金利当选为总统，中西部农业繁荣恢复，美国保护协会会员减少。美国保护协会到1911年便彻底消失。

American Quarter horse　美国夸特马　为参加四分之一英里马赛而培育成的一种马。这种马起源于美国独立前的13个州。美国夸特马没有英国纯血马好，但是后来在美国

美国夸特马
美国不列颠百科全书公司供图

西部及西南部被作为种马使用。它身材矮壮，肌肉发达，胸宽而深。因用于放牧中驱分畜群，故要求能速动速停，转身敏捷，能在短距离内疾跑。毛色各异。体高145～163厘米，体重431～544千克，性安详，易训练。1940年成立了美国夸特马协会。

American Railway Express Company　美国铁路捷运公司　参阅 REA Express，Inc REA捷运公司。

American Renaissance　美国文艺复兴　又称新英格兰文艺复兴。大致指19世纪30年代到南北战争结束的一段时期，这一时期美国文学随着浪漫主义运动的发展而日趋成熟，成为一种反映民族精神的文学。这时美国文坛由一批新英格兰作家所统治，其中著名的有朗费罗、霍姆斯以及洛威尔。朗费罗采用欧洲讲故事的方法和改写为叙事诗的手法来描述美国历史。霍姆斯在他的应景诗及组诗《早餐桌上》(1858～1891)中，把文雅和幽默的情调带入纯文学。洛威尔则在诗中，特别是在他的讽刺诗《比格罗诗稿》(1848～1867)中大量写到他家乡的风光和价值观念。这一时期最有影响的是超验主义作家，包括爱默生、梭罗、奥尔科特、里普利和M.富勒。这些人积极提倡对宗教、国家和社会实行改革，并对自由宗教的兴起、废奴运动和各种乌托邦团体的形成起了促进作用。废奴运动也得到了其他一些新英格兰作家的支持，其中包括基督教公谊会诗人惠蒂埃和小说家斯托；后者的《汤姆叔叔的小屋》(1852)生动地描绘了黑人奴隶的悲惨生活。除了这些超验主义作家以外，还出现了一些伟大的富有想象力的作家如霍桑、梅尔维尔和惠特曼，他们的小说和诗作在美国文学史上占有永恒的地位。与这些人同时代的非新英格兰派作家还有南方巨匠E.A.坡，他后来对19世纪的欧洲文学产生了强烈影响。

American Revolution　美国革命　参阅 United States War of Independence 美国独立战争。

American round　美利坚赛　射箭运动中射准比赛项目之一。内容为从60、50和40码(55、46和37米)距离各射5组箭(每组6支)。美利坚男、女少年组比赛内容为从50、40和30码距离处各射30支箭。

American Saddlebred horse　美国骑乘马　一种身体健壮、步法轻盈、姿态美观的骑乘马。是美国马展上最常见的骑乘马。平均高度152～163厘米，体重450～540千克。特征为背部短而强健，躯体较多数轻型马为圆。

美国骑乘马
美国不列颠百科全书公司供图

颈细长，呈弓形；肩部形状优美，肩颈之间无截然分界。臀部长，几乎为水平位。毛色各异，大部分纯色可见于本品种，带白色斑点。展出时配以平鞍，表演3种或5种步法。3种步法为走、小跑、慢跑。5种步法还要再加上小步跑及一种慢步(通常为跨步，亦可视为跑走或狐步)。三步法马展出时将鬃毛剪短竖立，尾毛亦剪短。五步法马展出时鬃毛及尾毛不剪短。它们又用于娱乐、驾车、狩猎，经训练能跳越障碍物。1891年被承认为独立品种，同年成立美国骑乘马育种者协会(今美国骑乘马协会公司)。该组织出版有《美国骑乘马名录》及《美国骑乘马》杂志。

American Samoa　美属萨摩亚群岛　太平洋中部的美国无建制领地。包括东萨摩亚群岛的土土伊拉、奥努乌和罗斯岛，马努阿群岛的塔乌、奥洛塞加和奥富岛，以及斯温斯岛。总面积199平方千米。领地首府为土土伊拉岛上的帕果帕果，人口约57 000(1995)。

土地　土土伊拉岛占土地总面积2/3强，为美属萨摩亚群岛的最大岛屿，位于群岛的最西端，离西萨摩亚岛的乌波卢岛不到80千米。马努阿群岛位于土土伊拉岛东约97千米处，面积属第二；塔乌岛面积居马努阿群岛中三岛之冠。其他岛屿均甚小；奥努乌岛位于土土伊拉岛东南端海岸以外；罗斯岛是无人居住的珊瑚礁，位于土土伊拉岛东约400千米；斯温斯岛系一私人所拥有的珊瑚礁，位于土土伊拉岛西北约450千米处。除斯温斯岛和罗斯岛外，其他岛屿均由死火山形成，岩石累累。中部山脉是土土伊拉岛和马努阿群岛的主要景观。土土伊拉岛上的最高峰为马塔福峰，但最著名的却是皮奥阿峰(563米)，由于山顶经常乌云密布，故有“造雨大师”之称。塔乌岛呈圆锥形，岛上最高峰为拉塔山，海拔在966米。这些群岛四周都环绕着珊瑚礁，有些珊瑚礁围成环礁湖。在多数区域，山脉和珊瑚礁有缩小海岸平原宽度之势。热带性气候因有海洋信风和充足的雨量调节，温暖适中。帕果帕果年降雨量约5 000毫米。全年气温十分稳定，日最低平均气温20 °C，午后最高气温约32 °C。约70%的陆地面积为长满高大的蕨类植物和树木，诸如滨玉蕊、面包树、露兜树，以及大量的椰子树雨林。

人民　人种相当单纯。萨摩亚人或有萨摩亚血统的人构成人口的绝大多数。萨摩亚人属波利尼西亚人的一支。萨摩亚语言属南岛人(马来-波利尼西亚)语系，大多数美籍萨摩亚人也讲英语，群岛上公民被认为是美籍人，但不是美国公民。传统宗教实质上已不复存在，半数以上美籍萨摩亚人为基督教公理教会教徒，其余多数为天主教徒或卫理公会教徒。95%的人口集中在土土伊拉岛，半数以上聚居在岛的东部，这里有最大的居民区帕果帕果。其余多居住在马努阿群岛，少数人住在斯温斯岛。

经济　虽然渔业和旅游业是其主要产业，但美国政府却是主要的业主。国民生产总值大致与人口增长同样迅速，但人均国民生产总值却是太平洋群岛中最高者。捕获的鱼均在美国人开办的工厂加工和做成罐头，出口罐头金枪鱼的收入几乎占美属萨摩亚群岛全部出口的收入。群岛土地总面积中仅有1/5是可耕地，而可耕地中又有一半左右可永久耕种。农产品主要提供岛内消费。主要农作物有椰子、芋头、薯蓣、香蕉、番木瓜、菠萝和面包果。当地商业多为岛民和旅游者的需要而设。帕果帕果是太平洋中部主要的客机中转站。群岛政府雇用了1/3的劳动力，为经济做出主要贡献。政府资金来源有当地的税收、美国内政部提供的资金，以及美国政府对特别项目的拨款。大多数道路集中在土土伊拉岛。岛上建有一个国际机场，另有小型机场可供塔乌岛和奥富岛之间的飞机往返。帕果帕果是主要港口。

政体和社会状况　群岛政府的结构极其类似美国政府。行政部门由当选总督主管，1977年以前均由美国内政部指派。立法机构又称议会，由一个参议院和一个众议院组成。参议院由酋长会议选定的18名参议员组成。众议院中的21名众议员由普选产生。教育参照美国的8年制小学和4年制中学模式。美属萨摩亚社区学院提供广泛的职业训练课程。1972年政府制订了政府工作人员的社会保障制度，随后渔业部门也制订了相应的制度。土土伊拉岛上设有医院，群岛均设有诊所。

历史　美属萨摩亚在2 500年前就有波利尼西亚人居住。在欧洲人来此接触和探险之前，土土伊拉岛是乌波卢岛(现萨摩亚的一部分)的下属区，而马努阿群岛则由其自己强有力的首长统治。1722年荷兰航海家J.罗杰文首次发现马努阿群岛，并与岛民来往。1768年法国探险家抵达，1787年法国探险队中的11名成员被杀。其后的40年，欧洲探险家均避开这些岛屿，这期间，这些岛屿变成逃跑的水手和逃犯们的避难所。19世纪30年代伦敦传教会首批传教士抵达群岛，随后有更多传教士相继涌来，土土伊拉岛和马努阿群岛均在传教范围之内。1872年1月美国与萨摩亚王国签订一项条约，取得在帕果帕果建立海军基地的权利。1889年，美国、英国和德国同意萨摩亚的中立地位，并使它成为3国的共同保护国。1899年的一项公约承认美国在西经171°以东的岛屿和德国在此经度以西的岛屿拥有最高权益。根据主要酋长契约,东部岛屿于1904年转让给美国,但美国国会直到1929年才接受(斯温斯岛于1925年由英国转赠予美国)。这些岛屿原由美国海军管辖,直到1951年才转交给美国内政部。1960年美属萨摩亚群岛立宪会议通过第一部宪法。1978年第一位选举产生的总督就任。

American spikenard(plant) **总状花序美洲楤木** 参阅 **spikenard** *穗甘松*。

American States, Organization of(OAS) **美洲国家组织** 几乎所有西半球独立国家参加的旨在促进相互间经济、军事和文化合作的组织(古巴的成员国资格于1962年被暂时中止)。它的主要目的是防止西半球以外的国家干涉,并维持西半球各国之间的和平。美洲国家组织产生于美国倡建的西半球国际组织——泛美联盟,它于1889～1890年至1948年间曾举行过9次泛美会议,在美国与拉美国家间各种商业与司法问题上达成协议(参阅 **Pan-American conferences**)。第二次世界大战中,大多数拉美国家站在美国一边对轴心国宣战。战后,西半球的21个独立国家于1947年签订共同防御公约。到1948年随着冷战的开始,需要一个更加强大的安全体系以对付可感觉到的共产主义威胁。在美国的强烈要求下,在波哥大举行的第9次泛美联盟会议签署了《美洲国家联盟宪章》(1948-04-30)。该组织的目的旨在加强西半球的和平与安全,和平解决成员国间的争端,提供集体安全,鼓励经济与文化合作。60年代加勒比海的新独立国家多数加入了该组织,最后一个不愿参加的主要国家加拿大也于1990年加入。美洲国家组织传统上具有强烈的反共倾向。美洲国家组织建立的基础是西半球各国普遍接受的美国门罗主义诸原则,尤其是对一国的攻击将被视为是对全体国家的攻击这一原则。它试图"洲化"门罗主义,使其他国家承担义务但不限制美国立即采取自卫行动的权利。美洲国家组织的行政机构是总秘书处,最高决策机构是一年一次的由各国外长或元首出席的大会。当该组织内部或成员国间出现进攻或侵略行动时,由成员国大使组成的常设委员会应立即开始磋商直至举行外交部长会议,外长会议上若没有2/3与会者的批准,不能采取集体活动。总秘书长和常设委员会设在华盛顿(哥伦比亚特区)。美洲国家组织曾多次解决拉美国家间的边界冲突;1962年支持肯尼迪总统阻止苏联导弹运入古巴;1964～1975年对古巴实行贸易禁运并断绝外交关系;1965年支持美国单方面军事干涉多米尼加共和国以防止左翼政府夺取权力,并在美国入侵后组建维和部队,直到多米尼加举行新的大选(1966)。但桑地诺运动在尼加拉瓜执政时(1979～1990)。美洲国家组织没有反对,因为它没有看到苏联干涉西半球的潜在危险,尽管美国不这样认为。90年代初冷战结束,美洲国家组织愈加积极地鼓励成员国的民主政府;观察和监督大选,防止舞弊和不守规则。在经济和社会领域,它最重大的成就是通过《埃斯特角城宪章》(1961),建立进步联盟。1979年还在哥斯达黎加的圣何塞建立了美洲国家人权法院。

American Stock Exchange(AMEX) **美国证券交易所** 美国第二大证券交易所。最初以其交易大多是在户外进行,人称"场外证券市场"。一般认为该市场于1849年左右开办。到1908年,正式命名为纽约场外证券代理处,1929年改名纽约场外证券交易所,1953年改称现名。交易市场1921年开始移至屋内,在纽约市华尔街地区该交易所的现址。多年中,它是那些声誉不配在纽约证券交易所挂牌买卖的证券的交易市场;而现在无论是就证券挂牌的要求或是就公司成为市场成员的资格来说,该交易所同纽约证券交易所都具有同样声望。

American Telephone & Telegraph Company(AT&T) **美国电话电报公司** 美国电信公司,全世界资产最多的公司之一。它为约1 700家独立的美国电话公司提供大部分的长途服务,并在电讯、信息处理和储存方面的各种研究与制造中起主导作用。到1984年1月1日,原来由美国电话电报公司独资占有的22个地区性经营具体业务的公司,作为1982年反托拉斯安排的一部分,脱离母公司而独立。该公司总部设在纽约市。

该公司的起源可追溯到1875年,那年贝尔与两位投资者哈伯德和桑德斯签订了一项协议。一年后贝尔获得了一项尚未开发出来的装置的专利权,然而在一星期内他所试验的电话使历史上第一次清晰语言的有线传送取得成功。1877年专利协议的3位签字人成立了贝尔电话公司,与电话巨头西部联合公司展开开发电话业务的竞争。这时西部联合公司已有自己的电话装置并获得专利。1878年维尔成为贝尔电话公司的总经理,领导了反对西部联合公司专利权的斗争。西部联合公司本身也陷入范德比尔特家族与古尔德之间争夺控制权的斗争。1879年11月10日西部联合公司终于向贝尔公司屈服,通过庭外和解,放弃了电话业务的所有专利权、债权和设施。

1878～1900年贝尔公司经历过多次改组与改名。1885年成立的美国电话电报公司,开始时是一家负责建筑长途线路的子公司,1900年成为贝尔系统的中心组织。(一家子公司——西方电气公司,于1869年创建,1881年受贝尔公司控制。另一重要单位——机械部,于1883年成立,成为贝尔电话试验室,1925年改组成为一家单独的公司。)

1907～1919年期间,美国电话电报公司总经理维尔将贝尔的各联营公司并入州和地区组织,吸收了许多原先独立的公司,贝尔系统在该公司实际上存在到1984年。

1918年根据国会法令,美国电话电报公司实行国有化,归美国邮政部管辖,1919年又恢复私有制。根据1913年首先发表,1921年格富厄姆-威利斯法案予以证实的一项承诺,美国电话电报公司——作为一家"自然垄断"商,同意向一切独立电话公司提供长途服务,并同意只能在州际商业委员会批准下才得收购独立的电话公司。

1934年一个新成立的联邦通讯委员会代替州际商业委员会成为管辖电话业务的机构,1935～1939年它对贝尔系统的业务实践做了严格的调查。调查的结果之一是,司法部1949年依据《谢尔曼反托拉斯法》对美国电话电报公司提出诉讼,目的之一是要西方电气公司脱离贝尔系统。1956年该诉讼案结束,裁决同意西方电气公司仍留在贝尔系统之内,但仅保留有限的垄断性业务。1974年美国政府提出了第二个反托拉斯诉讼案,要求更多的成员脱离贝尔系统。1982年美国电话电报公司同意自身与22家地方性经营具体业务的公司脱钩;协议允许该公司进入诸如资料处理、计算机通信、设备销售之类以前禁止的领域。朝此方向努力的一部分是,1991年该公司收购了一家计算机和信息处理系统的大制造商NCR公司。

22家业务公司脱钩后,该公司被改组并转变成7家地区性电话公司:尼内克斯公司,服务于康涅狄格、缅因、马萨诸塞、新罕布什尔、纽约、罗得岛和佛蒙特;贝尔大西洋公司,服务于特拉华、马里兰、新泽西、宾夕法尼亚、弗吉尼亚、西弗吉尼亚和哥伦比亚特区;美国信息技术公司,服务于伊利诺伊、印第安纳、密歇根、俄亥俄和威斯康星;贝尔南公司,服务于亚拉巴马、佛罗里达、佐治亚、肯塔基、路易斯安那、密西西比、北卡罗来纳、南卡罗来纳和田纳西;西南贝尔公司,服务于阿肯色、堪萨斯、密苏里、俄克拉何马和得克萨斯;美国西部公司,服务于亚利桑那、科罗拉多、爱达荷、艾奥瓦、明尼苏达、蒙大拿、内布拉斯加、北达科他、南达科他、俄勒冈、犹他、华盛顿和怀俄明;太平洋特勒西斯集团,服务于加利福尼亚和内华达。

American trypanosomiasis **美洲锥虫病** 参阅 **Chagas' disease** *查加斯氏病*。

American University **美利坚大学** 设在美国华盛顿(哥伦比亚特区)的私立男女同校高等学府。成立于1891年,是一所研究生学院和研究中心,与基督教卫理公会有着联系。它虽于1893年经国会通过法令获准建立,但直到1914年开设研究生课程时才开始运行。1925年开设大学部,1949年将华盛顿法学院并入。该大学包括:公共事务、国际事务、通信、教育、艺术、科学等学院,还设有科戈德商业管理学院以及华盛顿法学院。所有学院均可授予专业学位。学生可赴国外在设于欧洲和南美各地或北京的中心学习。全校学生约9 400人。

American Woman Suffrage Association(AWSA) **美国妇女选举权协会** 1869～1890年为争取妇女选举权而进行活动的美国政治组织。由L.斯通、H.B.布莱克韦尔、J.W.豪和T.W.希金森等人创建,总部设在马萨诸塞州波士顿。该协会是比较保守的组织,支持共和党,寻求普通选举权,其队伍中也有废奴主义者。她们认为必须在州和地方政府一级进行组织工作,鼓励建立有效的群众体系以传播妇女选举权运动的信息。经过20多年的独立活动后,美国妇女选举权协会与全国妇女选举权协会合并，成立全美妇女选举权协会。

American yew（species *Taxus canadensis*） **美洲紫杉** 又作 Canada yew（加拿大紫杉）、dwarf yew（矮紫杉）、ground hemlock（平地铁杉）、creeping hemlock（蔓生铁杉）。紫杉科蔓生常绿灌木，分布于北美东北部。是紫杉属中最坚硬的植物，在森林地区是良好的下层植被。通常高1米，叶小、黄绿色、顶端骤尖。"美洲紫杉"一词在木材贸易中亦指西部紫杉（短叶红豆杉）。

Americana 亚美利卡纳 巴西圣保罗州中东部高原城市。1868～1938年为亚美利卡纳镇。邻皮拉西卡巴河。海拔528米。1868年设居民点。1924年设自治市。农业为主要收入来源。市内有食品加工业。有公路和铁路通圣保罗市（东南109千米）。人口约153 592（1991）。

Americanization 美国化 为国外出生的美国居民正式加入美国国籍而组织的各项准备活动。其目的是不仅使这些居民取得美国国籍，而且使他们理解和奉行美国的生活准则。1914年第一次世界大战爆发之前，美国公众一般认为，外国移民的不断流入，给美国带来强盛和繁荣。人们用"熔炉"这一比喻来象征真正民主的不可思议的力量，使得来自世界各地的人民熔为一个和谐的、令人赞美的混合体。但是，从大战开始后，由于欧洲人的敌意，使美国人产生种种反应，因而强烈地意识到他们中间有侨民和"外国人"。人们认为同化必须通过审慎的、有目的的方法进行。美国化运动原是学校、各种志愿社团以及各种公共事业的一种教育计划。最初，教育计划针对一些最明显的缺陷给予补救。课程主要是英语、美国史、美国政府组织，都是加入美国国籍者所必须懂得的。美国化的热潮在第一次世界大战时期一直持续存在，并延续到战后。后来公众的兴趣逐渐减退，战时的不安宁感平静下来了，而新的立法严格限制移民流入。与此同时，对美国化的概念重新进行彻底的审查。熔炉的思想和早期认为外国人必须改造成为标准的美国人的信念开始显得幼稚天真。这一幻想的破灭是如此深刻，以致停战后不到10年，"美国化"成了避讳之词，不再使用。用标准模式取代全部外来特征的观念已不合时宜，而代之以文化"多元主义"观念。一些人认为，一般意义上的同化不是理想的目标，而各种文化并存将有益于美国文明。还有一些人认为，这种多元主义在今后若干年将会逐渐消失；美国特征尚未定型，它将通过吸取其他民族的长处丰富自己而逐渐形成。

Americans for Democratic Action（ADA） **美国人争取民主行动组织** 美国的一个自由、独立的政治组织。它于1947年由一群劳工领袖、公民和政治领袖以及学者们组成，这些人对国内事务持自由主义观点，在世界观上是国际主义的，在信仰上反对共产主义。该组织致力于宣传自由主义思想，选举自由主义的政府官员，通过自由主义的立法。该组织的影响在J.肯尼迪1960年当选总统后达到高峰，当时该组织的一些领导人和成员被任命担任肯尼迪政府的一些关键职位。该组织支持肯尼迪的继任者L.约翰逊的国内立法议程，但在美国卷入越南战争问题上因持反对态度同约翰逊决裂。它与民主党的成员们有着传统的、精心培育的紧密联系。该组织的总部设在华盛顿（哥伦比亚特区）。

Americas 美洲 又称亚美利加洲。指西半球南、北美洲两个大陆。两者分属不同的气候区：在北美洲，北方为副极地气候，越向南越暖，最后在南部地峡附近成为热带气候；在南美洲，北方为热带气候，越向南越冷，最后在合恩角成为寒冷的海洋性气候。大致分成两个文化区：拉丁美洲（包括北美格兰德河以南、西印度群岛大部地区和整个南美）和盎格鲁美洲（包括加拿大和美国）。墨西哥、美洲中部和西印度群岛地区有时称中美洲。美洲一词首见于德国地理学家马丁·瓦尔德塞弥勒所著《世界地理概论》（1507）一书。通常用来指西半球陆地的"新大陆"一词首见于1504年公布的韦斯普奇的一封信中。

Americas, pony of the 美洲矮种马 一种儿童骑的矮种马，20世纪50年代在美国由多种矮种马与阿帕卢萨马（**Appaloosa**）杂交培育而来。矮种马必须有阿帕卢萨马型斑纹，且成马体高要在11.2～13.2手宽（117～137厘米），才有在美洲矮种马俱乐部注册资格。

America's Cup 美洲杯 国际帆船竞赛中历史最悠久和最著名的奖杯之一。1851年由英国皇家帆船中队设立，原称"一百畿尼杯"，环怀特岛进行比赛。首次获得该杯的是一艘来自纽约市的30米长的纵帆式帆船"美洲号"，后来遂以"美洲杯"闻名。1857年获得此

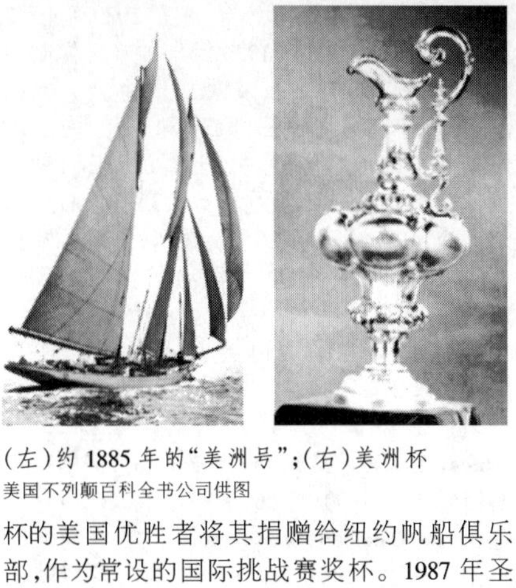

（左）约1885年的"美洲号"；（右）美洲杯
美国不列颠百科全书公司供图

杯的美国优胜者将其捐赠给纽约帆船俱乐部，作为常设的国际挑战赛奖杯。1987年圣迭戈帆船俱乐部控制了美国竞赛。

从20世纪20年代以来，美洲杯竞赛在一艘卫冕船和一艘挑战船之间进行。这两艘船都是分别经过一系列淘汰选拔而确定下来的。每艘参加竞赛的船必须是在它所代表的国家中设计、建造并尽可能装备完全。"美洲杯"捐赠的最初条件对挑战者有许多不利之处，直到1956年才取消要求挑战者驾参赛船独立驶往竞赛地点的规定。这个规定迫使挑战的帆船在建造式样方面要比卫冕的帆船庞大笨重。

1995年以前，美洲杯竞赛一直都是采取7局4胜制；1995年以后，竞赛改为9局5胜制，1958～1987年，每次竞赛都由所谓的12米级（实际长度并非12米，"12"是在帆船建造中所用的复杂数学公式得出的结果）帆船驶过6段39千米长的行程。

1983年，在美国帆船（由纽约帆船俱乐部主办）自1870年第一次卫冕以来成功地连续24次保持此杯后，澳大利亚帆船"澳大利亚Ⅱ号"夺去"美洲杯"。接着在1987年的竞赛中，美国人（当时来自圣迭戈）又赢回此杯。1988年，在获胜的美国18米双体船和一艘新西兰的40米单体船之间引起争论的竞赛中，不得不由法庭判定胜负，并引起对指导未来竞赛的规则重新进行解释。为1992年的赛事，已规定使用一种新的速度更快的帆船作为"国际美洲杯级"——全长23米，参加8段36.4千米行程的竞赛。1995年的竞赛为6段34.4千米的行程。胜者为皇家新西兰帆船中队，这是帆船竞赛史上第二次由非美国挑战者取胜。参阅 **Sporting Record**：Yachting；并参阅 **yacht**。

americium 镅（Am） 周期表Ⅲb族锕系人工合成化学元素（原子序数95）。1944年，G.T.西博格、R.A.詹姆斯、L.O.摩根和A.吉奥索在核反应堆中由钚239（原子序数94）人工合成出镅241同位素。它是第4个被发现的超铀元素（原子序数为96的锔是几个月前才发现的）。镅为银白色金属，室温下在干燥空气中缓慢变暗。镅241因易获得而成为最重要的同位素。从钚已制备出以千克计的镅，在工业上已用于流体密度计、厚度计、飞机油量计和遥感装置，在上述各种仪表中都利用了镅的γ射线。镅的所有同位素都是放射性的，其中最稳定的同位素镅243半衰期较长（7 370年，而镅241的半衰期为458年），便于进行化学研究。镅与氧反应生成二氧化物AmO_2，与氢反应生成氢化物AmH_2。有一些证据表明，已制备出痕量的Am^{2+}离子。由此看来镅与它的镧系同系物铕很相似（铕可还原成2价）。镅有5种氧化态：+2～+6。在酸性水溶液中以下述离子形式存在：粉红色Am^{3+}、玫瑰红色Am^{4+}（很不稳定）、黄色AmO_2^+以及浅棕黄色AmO_2^{2+}。普通+3价态的镅和其他锕系元素、镧系元素很相似。镅原子序数95。最稳定同位素镅243。熔点高于850 °C。比重13.67（20 °C）。化合价2、3、4、5、6。电子组态2，8，18，32，25，8，2或$(Rn)5f^7 7s^2$。

Americus 阿梅里克斯 美国佐治亚州中部偏西南城市，萨姆特县县城（1831）。濒临马卡利河。1830年始建。1855年设市。是农产品、家畜及木材等的加工和贸易中心。亦有一些轻工业。郊区开采瓷土和铝土矿。市东北有安德森维尔国家历史遗址，南北战争时期许多联邦军人俘虏死于南部邦联军兵营之中。C.A.林白在市郊完成了其第一次单独飞行。设有佐治亚西南学院（1906）。吉米·卡特总统的故乡普莱恩斯位于该市西南

西 16 千米处。人口约 17 013(2000)。

Amerindian 参阅 **American Indian** 美洲印第安人。

Amersfoort 阿默斯福特 荷兰中部乌得勒支省城市。临埃姆河。12 世纪筑为要塞。市内保存中世纪街道、旧墙和科佩尔波尔特水上城门(约建于1400年)。名胜有13～16世纪的圣约里斯教堂、哥特式圣母教堂钟楼。现为家禽饲养及蔬菜交易中心。第二次世界大战后,以制造金属品和化工品为主的轻工业发展迅速。设有地区博物馆,国家考古研究站和詹森教派学院。人口约 131 164(2003)。

阿默斯福特的科佩尔波尔特水上城门
Shostal 供图

Amersham 阿默舍姆 英格兰白金汉行政、历史郡奇尔特恩区教区城镇。位于米斯伯恩流域。旧城镇大街两侧有半木质的驿车旅店、乔治亚式房舍和 17 世纪的镇公所。教区圣马利亚教堂建于 14 世纪。阿默舍姆位于从东南 42 千米伦敦来的铁路干线上,吸引来许多使用月票(或季票)的乘客。人口 21 711 (1991)。

Amery, L(eopold Charles Maurice) S(tennett) 艾默里(1873-11-22,印度戈勒克布尔～1955-09-16,英国伦敦) 英国政治家,坚持不懈地主张实行帝国特惠制以及关税改革,并以在 1940 年促使 N.张伯伦政府倒台所起的作用而闻名。曾就读于哈罗公学和牛津大学巴利奥尔学院。1899～1900 年为《泰晤士报》报道南非战争的首席记者。后来主编《泰晤士南非战争史》(7 卷,1900～1909)。1911 年进入议会。1919 年任殖民地事务部政务次官,1921 年调海军部任职。1922 年任枢密官。1922～1924 年任海军大臣。1925 年创立自治领事务部,后改为联邦关系事务部。他被排除于 1931～1940 年的国民内阁之外,对于英国政府与希特勒和墨索里尼缔结《慕尼黑协定》曾提出尖锐的批评。1940～1945 年任印度和缅甸事务大臣。

Amery Ice Shelf 埃默里冰架 位于南极洲美利坚高地以东、印度洋海岸线凹进部分的巨大浮冰体。虽然其确切大小尚不明,但从普里兹湾和马更些湾伸向内陆达 320 千米以上,直抵兰伯特冰川尾麓。澳大利亚在 1933 年宣称冰架所在的地区为其领土。

Ames 埃姆斯 美国艾奥瓦州中部斯托里县城市。在斯康克河畔,得梅因北 48 千米处。1865 年建于锡达拉皮兹一密苏里铁路用地附近。1858 年在埃姆斯创建艾奥瓦州立理工大学。1869 年正式开学。该大学兽医学院(1879)在美国为最早建立者。设有国家动物疾病中心、原子研究所(1945)等联邦和州的研究机构。有轻工业。1870 年设镇。1893 年设市。人口约 50 731(2000)。

Ames, Fisher 艾姆斯(1758-04-09,马萨诸塞戴德姆[美国]～1808-07-04,戴德姆) 美国小品文作家、18 世纪 90 年代的联邦党政治家、杰斐逊民主政治的主要反对者。1774 年从哈佛学院毕业后任教 5 年,后改习法律,1781 年进入律师界。他支持建立新的更强有力的联邦政府,成为私有权、贸易保护的不可调和的辩护士,以锋利的文笔和有说服力的言辞闻名。1788 年赢得第 1 届众议院席位,并在 1790、1792 和 1794 年几度当选。他支持 A.汉密尔顿的财政措施。当英国于 1793～1794 年侵犯美国主权时,他发表演说反对进行报复,拥护维持对英和平的《杰伊条约》。1796 年不再竞选,而以联邦党元老身分回到戴德姆。因健康不佳,拒绝出任哈佛学院院长。他支持对法战争(1797～1798)以便从美国清除雅各宾主义。他赞同 1798 年的《煽动叛乱法》。当 T.杰斐逊当选总统后,他认为国家将陷入无政府状态和群氓统治,他要求联邦党人控制州政府,而自己则成为新英格兰地区出现的地区意识的领导人。

Ames, Jessie Daniel 艾姆斯(1883-11-02,美国得克萨斯帕勒斯坦～1972-02-21,得克萨斯奥斯汀) 美国选举权和人权活动家,对美国南部的私刑进行卓有成效的斗争。1902 年毕业于得克萨斯州西南大学。1914 年丈夫去世,遗有子女三人,她不得不自力更生。不久开始从事妇女选举权运动。1919 年成立得克萨斯女选举人联盟,任主席。1924 年任种族合作委员会得克萨斯分会主任,1929 年任总会妇女委员会主任。1930 年与种族合作委员会一起创立南方妇女反对私刑协会。她指出,所谓非洲裔男子强奸白人妇女的说法不过是动用私刑的借口,私刑的动机来自种族仇恨。她得到成千上万妇女和众多政府官员的支持,1940 年首次实现无私刑记录。她著有两本相关的著作:《南方妇女看私刑》(1937)和《私刑性质的变化》(1942)。1942 年南方妇女反对私刑协会并入种族合作委员会。

Ames, Leslie 艾姆斯(1905-12-03,英格兰肯特伊勒姆～1990-02-26,肯特坎特伯雷) 全名 Leslie Ethelbert George Ames。技术全面的杰出英格兰板球运动员。17 岁任肯特队击球手,1927 年成为守门员。1929 年开始在决赛阶段打比赛,1931～1938 年他是英格兰的首选守门员。1933 年是他成绩最好的赛季,击球获 3 059 分(平均每场 58.80)。第二次世界大战期间,他服役于皇家空军;此后他很少当守门员。1951 年退役后,继续在肯特队,先是担任教练,后来又担任秘书兼领队(1960～1974)。1950～1956 年和 1958 年他也为英格兰队挑选参加板球决赛阶段队员,并 3 次率英格兰队外出比赛。在 1926～1951 年的比赛生涯中,富有进攻性并出手快的艾姆斯作为一名击球手共获 37 248 分(平均每场 43.51 分)和 102 个 100 分,其中 2 434 分(平均每场 40.56分)和 8 个 100 分是在决赛阶段获得的。作为守门员,他曾令 1 121 名击球手出局(其中 418 次是接球或用球击倒球门,这是他一生中所创的世界纪录;其余 703 次是截球)。1928、1929 和 1932 年,他创下赛季双纪录(至少击球得分 1 000 和 100 次令对方出局)。

Ames, Oakes 艾姆斯(1804-01-10,美国马萨诸塞伊斯顿～1873-05-08,伊斯顿) 美国南北战争后发生的信贷公司丑闻中的主角。他相信"自由土壤,自由企业"的口号,因而参加共和党。1862 年当选为马萨诸塞州议员,后 4 次连任。1865 年与 T.C.杜兰特等组织信贷公司,筹建太平洋联合铁路公司。1868 年初,国会准备调查这个公司滥用政府拨款的情况。艾姆斯以向一些议员廉价出售该公司股票的办法,瓦解国会的调查工作。1872 年他的不法行为被揭发,从此名誉扫地、为人不齿。

Ames, William 阿姆斯(1576,英格兰萨福克伊普斯威奇～1633-11-14,鹿特丹) 英格兰基督教清教主义神学家,著有关于伦理学的著作,坚持严格的加尔文主义,反对阿明尼乌主义。在剑桥大学求学时即认为打牌败坏基督教徒生活,与渎神同样邪恶。1609 年他在讲道中抨击圣多马瞻礼日的庆祝活动,斥为邪淫,于是他同圣公会在习俗问题上的争执达到高潮。1610 年被迫离开英国前往鹿特丹,与当地阿明尼乌派牧师格雷文克霍文辩论救赎和得救预定论等问题。低地国家基督教人士普遍认为阿姆斯已在辩论中驳倒对方,对他倍加钦佩。他曾列席多尔德会议(1618～1619),该次会议严厉地谴责阿明尼乌主义。

Ames, Winthrop 艾姆斯(1870-11-25,美国马萨诸塞北伊斯顿～1937-11-03,波士顿) 美国戏剧演出人、剧团经理、导演和作品不多的剧作家。以 20 世纪头 30 年在美国演出一些最精彩的戏剧而闻名。1904 年到欧洲旅行并研究了 60 个歌剧和戏剧公司的经营方法,回到波士顿后同 L.F.德兰一起经营卡斯尔广场剧院,以试行轮换剧目的演出逐渐闻名,虽然经济上并不成功。1908 年任纽约新剧院总经理,努力把该剧院变成一个不受票房压力影响、专演最精彩剧目的定期轮演剧院。在 1909 年 11 月 6 日开幕式上演出《安东尼和克莉奥佩特拉》,随后陆续上演了 M.梅特林克的《蓝色的小鸟》、J.高尔斯华绥的《斗争》以及《第十二夜》、《冬天的故事》、《造谣学校》等剧目,为时两年以上。剧目受到观众的高度赞扬,但因演出费用太高,剧院只好关门。后来他购进纽约的小剧院和布思剧院,一直经营到 20 世纪 30 年代。其间上演的剧目有:萧伯纳的《色鬼》(1913)、高尔斯华绥的《古代英语》(1924)、G.S.考夫曼和 M.康内利的《马背上的乞丐》(1924)及吉尔伯特和沙利文的一系列非常成功的戏剧(1926～1929),

以及他自己用笔名写作的、专为儿童设计的第一个剧本《白雪公主和七个矮人》(1913)。艾姆斯还导演他自己上演的剧目。由于健康不佳于1932年退休。

Amesbury　埃姆斯伯里　英格兰威尔特行政、历史郡索尔兹伯里区的一个教区。位于埃文河流域。多史前遗址，其中城西2.5千米处的巨石阵是不列颠群岛中幸存的最大巨石结构物。该教区现为一个小集镇，为去巨石阵的游客和附近军营服务。人口8 200(1988)。

Amesbury　埃姆斯伯里　美国马萨诸塞州东北隅埃塞克斯县镇区。临梅里马克河。1642年始建，属索尔兹伯里县；1654年成为独立的区，1666年设镇。初为船坞和制造业(铁、钉、帽、马车)中心。1812年后兴办纺织业，但20世纪20年代衰落。现经济以轻工业为主。1836～1876年诗人J.G.惠蒂埃曾居住于此，其诗作多描绘当地乡村生活。现有其故居。人口16 450(2000)。

amesha spenta　阿梅沙·斯彭塔　琐罗亚斯德教所信奉的圣主阿胡拉·玛兹达为了更有效地统治宇宙而创造出来的六位天使长中的任何一位。其中三位男性，三位女性。他们簇拥在阿胡拉·玛兹达周围，运用他的权力向邪神阿里曼进行斗争。他们各司一个特定的月份，各享一个节日，各掌一种花卉，各自管辖世界秩序的一种要素。较晚近的琐罗亚斯德教义认为，六位阿梅沙·斯彭塔各有一个恶魔与之相对。

amethyst　紫晶　硅氧矿物*石英*(**quartz**)的透明、粗粒的变种。由于它的紫色而成为次珍贵宝石。它比其他石英变种含更多的氧化铁(Fe_2O_3)。专家们认为它的紫色是由于含铁造成的，也有认为是由于含锰或含碳氢化合物引起的。加热可以使紫晶颜色退掉或变成黄晶的黄色；大多数工业上的黄晶就是用这种方法制造的。著名的紫晶产地有巴西、乌拉圭、安大略和北卡罗来纳。紫晶的名字来自希腊语amethystos，即“不致醉”，表达了古代民间的一种信念，认为这种石头能保护其主人免于喝醉酒。在古代文献中，拉丁名

产自墨西哥圭勒罗的白尖紫晶
美国不列颠百科全书公司供图

amethystos用来表示紫晶、紫色刚玉和紫色石榴子石。紫晶是二月的*诞生石*(**birthstone**)，它通常被加工成梯级刻面或绿宝石刻面，但它从古代起就被用来凹雕。紫晶是《圣经》上提到的作为耶和华的高级牧师法衣上镶的十二颗宝石之一。紫晶的物理性质就是石英的物理性质。

Ameura　无尾虫　三叶虫(绝灭的节肢动物类)的属。化石见于北美晚石炭世至晚二叠世(3.2亿年前至2.45亿年前)的岩层中。它的特征是有发育完善的头部及中轴叶多

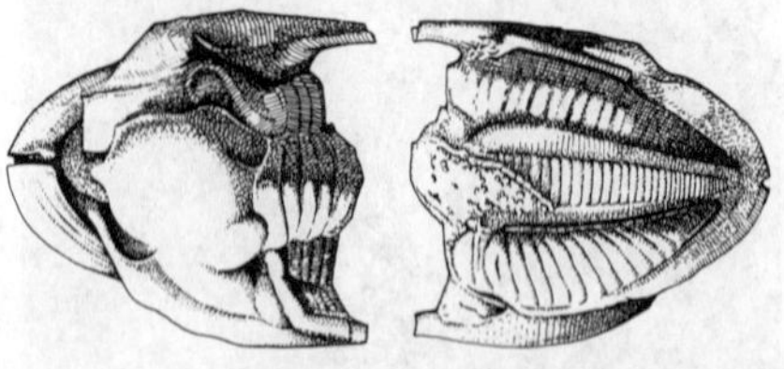

无尾虫(*Ameura*)

节的长尾板。经常发现以防卫姿态卷缩的标本，仿佛它们正在试图保护易受损伤的腹侧。

AMEX　参阅 **American Stock Exchange** *美国证券交易所*。

Ámfissa(Greece)　参阅 **Amphissa** *阿姆菲萨*。

Amhara　阿姆哈拉人　埃塞俄比亚中部高原地带民族，人口占全国人口的1/4以上。阿姆哈拉语属埃塞俄比亚境内闪米特语族南部语支，与埃塞俄比亚正教教堂用语吉兹

埃塞俄比亚拉利贝拉的阿姆哈拉人
美国不列颠百科全书公司供图

语有亲属关系。吉兹语为圣事及文学语言；埃塞俄比亚正教是一种古老的宗教，与公元5世纪拜占廷之基督教一性论派几乎是一脉相承。阿姆哈拉人一直主宰其国家的历史，他们的语言也是埃塞俄比亚的国语。阿姆哈拉人是古代南侵的闪米特人与当地库施特人的混血后裔，大多生活在现埃塞俄比亚中部和西部。该国自1270～1974年间的皇帝除一人外，均为阿姆哈拉人，由此导致他们与北邻提格雷人及其他种族集团(如奥罗姆人)争执不休。阿姆哈拉人以农业为生，种植玉米、小麦、大麦、高粱和埃塞俄比亚画眉草。阿姆哈拉人的传统社会结构以主客之间及上下级之间的坚强的个人纽带为主要特色。帝制时期，土地授予贵族，耕作则由佃农担任。即使在家庭生活中，全部特权与权威亦由族长那里承袭下来。他们实行父系继承制，从夫居，婚姻有三种形式，即宗教结婚、文明结婚和临时姘居。

Amhara Plateau　阿姆哈拉高原　埃塞俄比亚北部和中部山区。阿姆哈拉人和提格雷人的传统家园。属埃塞俄比亚高原一部分。北起提格雷高原，南至绍阿高原，平均高度为2 500～2 800米。达尚角(4 550米)是全国最高峰。

Amharic language　阿姆哈拉语　又称阿马林亚语、库琼巴语。埃塞俄比亚官方语言。通行于该国中部及南部高地，属闪米特语族南部边缘语支；这个语支还包括吉兹语(或埃塞俄比亚语，即埃塞俄比亚教会仪式用语)、提格雷语、提格里尼亚语和南阿拉伯诸方言。现存最早的阿姆哈拉语文献记载，都是溯源自14世纪的歌词和诗篇，19世纪前没有多少重要的文学著作出现。阿姆哈拉语用的是形式稍加改变的吉兹语所用字母表，有33个基本字母，每个字母视其所属音节的元音的发音而各有七种形式。该语言曾受库施特诸语言的影响，特别是受加里尼亚语很大影响。阿姆哈拉语各方言间相互区别不大。

Amherst　阿默斯特　加拿大新斯科舍省北部城镇，坎伯兰县行政中心。位于希格内克托湾一个小湾坎伯兰湾附近，在新不伦瑞克省边界和博塞茹堡国家历史公园正南，新不伦瑞克的蒙克顿东南61千米处。早期为法国人拓居地，取名拉普朗什；1758年为英国人所占，1759年以英国殖民者阿默斯特之名命名。现有劳伦斯城堡(1750年英国人建)残迹和长老会教堂(1788)。四周为农、林和采矿区。生产铁、结构钢、锅炉、服装、化学制品、盐、皮箱和飞机零件。1889年设建制，人口9 742(1991)。

Amherst　阿默斯特　美国马萨诸塞州中西部汉普夏县城镇。在康涅狄格河谷地，北安普敦东北。18世纪30年代始建。1759年划为独立区。1776年设镇。早期有纺织、制砖和马车制造业。19世纪时经济以农业为主。现已发展成为教育中心。设有阿默斯特学院(1821，学院设有R.弗罗斯特图书馆、米德美术馆、普拉特地质博物馆及柯尔比剧院)、马萨诸塞大学(1947，主校园占地445公顷，有160多座建筑)、罕布什尔学院(1970)、史密斯学院和霍利奥克山学院。1812～1822年N.韦伯斯特(阿默斯特学院创办人之一)在此编纂大辞典。镇内有多处文学家故居。人口约34 874(2000)。

Amherst(Myanmar [Burma])　**奄哈士**　参阅 **Kyaikkami** *吉坎眉*。

Amherst, Jeffrey Amherst, 1st Baron 阿默斯特男爵(第一)(1717-01-29,英格兰肯特塞文欧克斯～1797-08-03,英格兰肯特塞文欧克斯) 1758～1760年占领加拿大的英国

美国不列颠百科全书公司供图

陆军指挥官。1731年成为近卫步兵连军官。1758年任加拿大英军司令,率1.4万人包围和攻克路易斯堡(在布雷顿角岛上),后晋升美洲英军总司令。他制订以蒙特利尔为中心目标分三路进军的计划。1760年蒙特利尔投降,加拿大落入英国手中。阿默斯特留在加拿大担任总督至1763年。1761年平定庞蒂亚克领导的印第安人起义。1772～1795年几乎一直担任英国陆军总司令。虽曾镇压1780年的戈登暴乱,但因对美洲殖民地的战争失败和军队中弊端严重,任期内未取得成就。1776年封男爵。1796年晋升陆军元帅。

Amherst (of Arracan), William Pitt Amherst, 1st Earl 阿默斯特伯爵(第一)(1773-01-14,英格兰萨默塞特巴思～1857-03-13,肯特诺尔) 英国外交官。1823～1828年任

美国不列颠百科全书公司供图

英国驻印度总督,在第一次缅甸战争(1824～1826)后为英帝国取得亚洲领土方面起了关键作用。1809～1811年任英国驻那不勒斯宫廷使节。1816年到中国商谈贸易,但因拒绝行叩头礼,没有完成使命。在印度,他通过第一次缅甸战争,于1826年兼并阿拉干、德林达依和阿萨姆。同年封伯爵。

Amherst College 阿默斯特学院 设于美国马萨诸塞州阿默斯特的一所私立男女合校文科学院。1821年创建,1825年得到办校特

阿默斯特学院校园
美国不列颠百科全书公司供图

许状。N.韦伯斯特系创办人之一。创办之初,本打算将一些贫困的男子训练成为牧师。该校课程规划很灵活,学生在两年内完成人文学科、社会科学及自然科学等方面的课程。此后学生进入研究班,第4年进行独立的研究。该校原为男子学院,1975年起开始收转学女生,1976年开始招收一年级女生。

Amhurst, Nicholas 阿默斯特(1697-10-16,英格兰肯特马登～1742-04-12,米德尔塞克斯特威克纳姆) 讽刺诗诗人,辉格党政论小册子撰写人,声望空前的政治刊物《手艺人》的编辑,该刊对罗伯特·沃波尔爵士的辉格党政府抱敌对态度。可能由于直言不讳并在诗中讽刺牛津大学而于1719年被逐出学校,遂在伦敦定居,写了一系列讽刺文章,题名《土地之子》。《手艺人》于1726年创刊,既发表托利党人也发表辉格党人的文章。1737年刊登一封声称来自当时桂冠诗人C.西伯的信,因信中攻击新颁布的戏剧检查法,而犯"诽谤嫌疑",阿默斯特和印刷者均被监禁。被释放后,他在贫困和默默无闻中度过余年。

amice 围肩 衬在白袍里面的礼服。它是长方形白麻布,围在颈部和肩部,有两条带子把它固定在腰部。9世纪在法兰克王国,围肩首先作为世俗各阶级的礼服出现,12世纪全部教士都把围肩当作礼服穿用。

Amici, Giovanni Battista 阿米奇(1786-03-25,摩德纳公爵领地摩德纳[意大利]～1863-04-10,佛罗伦萨) 意大利天文学家和光学仪器制造者,他对反射式望远镜的反射镜做了重大的改进,还研制了用于折射分光镜的棱镜。1815～1825年,任摩德纳大学数学教授,后又成为托斯卡纳大公的天文学家和佛罗伦萨市皇家博物馆天文台台长,他也曾在该市的自然史博物馆讲学。他在复式显微镜的设计方面曾取得较大的进展,并提出了油浸方法(1840),这个方法是把物镜浸在一滴点在观察样品上的油里,以便将像差减至最低限度。他的名字常同显微镜与反射式望远镜的改进连在一起,他还善于充分利用他的仪器。他对木星卫星和某些双星的观察受到较高的评价;他用自己设计改进的测微器对太阳极面和赤道的直径进行了精确的测量;他用改进的复式显微镜对植物树液的循环和植物的繁衍过程做出了重要发现。

Amicis, Edmondo De 参阅**De Amicis, Edmondo 德·亚米契斯**。

amicus curiae 法庭之友 源自拉丁语,指就有关事实或法律问题向法庭提供情况或建议的人。他不是诉讼的一方当事人,因而也就不同于因为与诉讼结局有直接利害关系而被允许作为当事人参与诉讼的人。除经法庭许可,法庭之友通常并不参与诉讼,大多数法庭都很少允许他们参与诉松。然而,美国最高法院却允许联邦、州和地方政府在与它们有关的任何案件中,不经法院或当事人的同意而提出自己的意见。至于私人,如果经双方当事人同意,或者经法庭准许,也可以作为法庭之友在最高法院出庭。

Amida (in Buddhism) 参阅**Amitābha 阿弥陀佛**。

Amida(Turkey) **阿米达** 参阅**Diyarbakır 迪亚巴克尔**。

amidah 立祷词 犹太教名词。指早祷词、午祷词、晚祷词中的主要部分,礼拜者需站立朗诵。立祷词中有19段祝福词,其中有3段赞美词、13段祈告词和3段感恩词。安息日、节日和新月礼拜的立祷词有3段赞美词、3段感恩词以及1段适合当日礼仪的专门祷词以代替平日中间部分的13段祝福词。这13段之所以删去不用,因为在这些欢乐的礼拜中禁止谈及缺衣少食和忧虑这类事。礼拜时每人先默诵立祷词,以便有罪之人获得赎罪而不致为难。随后诵经员高声复诵立祷词。

amide 酰胺 既属于氨又属于胺类的含氮化合物。共价酰胺是中性或具有极弱酸性的物质,由氨基(NR_2,其中R可代表1个氢原子或1个有机基团,如甲基CH_3)取代酸中的羟基(OH)而生成。由羧酸($R'COOH$)制得的羧酰胺($R'CONR_2$)是最重要的一类酰胺,磺酰胺($R'SO_2NR_2$)同样地与磺酸($R'SO_3H$)有关。离子型或类盐酰胺是强碱性化合物,通常用活泼金属(如钠)处理氨、胺或共价酰胺制得。由氨衍生的共价酰胺,除甲酰胺为液体外,均为固体。碳原子数小于5的共价酰胺可溶于水,但不导电,是有机和无机物质的溶剂。共价酰胺,即使分子量不大,也具有高沸点。简单的共价酰胺没有实际可用的天然来源,然而聚酰胺(即酰胺相互连接在一起,形成称作多聚物的大分子)作为生物体的蛋白质大量存在。简单的酰胺通常由酸或酰基卤与氨或胺反应制得,也可由水与腈反应而制得。共价酰胺的特征反应是水解(一种与水的化学反应),从而转化为酸和胺。这一反

应除非为强酸、碱或酶所催化,通常是缓慢的。酰胺还可以脱水成腈。酰胺不易被氧化或被还原,在高温、高压和催化剂存在下加氢会使大多数羧酰胺转变为胺,高效还原剂氢化锂铝能使酰胺转变为胺。酰胺与酰基氯或酸酐反应生成酰亚胺,即在同一氮原子上连有两个羰基(CO)的化合物。具有工业价值的酰胺有乙酰胺(CH_3CONH_2)、用作溶剂的二甲基甲酰胺[$HCON(CH_3)_2$]、磺胺药以及尼龙。尿素或碳酰胺[$CO(NH_2)_2$]是结晶型化合物,是蛋白质代谢而生成的最终产物,由哺乳动物的尿中排出体外。它可由氨和二氧化碳大量合成,用作肥料和动物饲料,并用于合成一类聚合物(如尿醛树脂)以生产塑料。

Amidism 阿弥陀宗 大乘佛教部派,主要奉阿弥陀佛(无量光佛)。此宗认为,只要信仰阿弥陀佛,听闻或呼念其名,或希求与他共处于西方极乐世界,即可往生净土(参阅 **Pure Land Buddhism**)。此宗创立于印度,4世纪传入中国,9世纪传入日本。参阅 **Amitābha**。

Amiel, Henri Frédéric 阿米尔(1821-09-27,瑞士日内瓦～1881-05-11,日内瓦) 瑞士作家。因他的一篇自我分析的杰作《私人日记》而闻名。尽管他的成功是明显的(在日内瓦

美国不列颠百科全书公司供图

先后当过美学和哲学教授),但他仍觉得自己一无所成。由于被迫蛰居,他生活在他的《日记》里。这一日记从1847年起记到他去世。它表现了一个有着高超智力的敏感的人,追求与当时的怀疑主义相对立的价值观。《日记》被广泛译成外文,使阿米尔获得经久不衰的声誉。

Amiens 亚眠 法国北部皮卡第大区索姆省城市和省会。位于巴黎北方的索姆河谷中。中世纪以纺织工业及其壮丽的哥特式圣母大教堂而闻名,这是法国最好的同类建筑之一。后来成为一个罗马城市,4世纪基督教传入。1802年《亚眠条约》标志着拿破仑战争的短暂停顿。1914年德国人短暂入侵后于1918年停止前进。第二次世界大战中被德国人占领。市中心在两次战争中遭到了严重破坏,战后已重建。旧城区为7条索姆河支流所分隔。古建筑包括重建的17世纪市政厅、15世纪的圣日尔曼教堂以及古戏院。大教堂按R.德吕扎什的计划于1220年开始建造,50年以后完工。其正面建有长廊、圆花窗、三扇正门,顶上还有一对高塔,极为壮观。内部亦很出色,有极高的中殿,粗壮的支柱,在应用开阔和引人注目的哥特式建筑特点的同时还运用了罗马式建筑的逻辑性。现除纺织业外,还有机器制造、化学制品和轮胎制造业。附近的隆戈是重要的铁路枢纽。人口135 801(1999)。

Amiens, Treaty of 《亚眠条约》(1802-03-27) 拿破仑战争期间,由英国、法国、西班牙、巴达维亚共和国(荷兰)在亚眠签订的一项协议,使欧洲赢得14个月的和平。尽管在海外战事中失利,法国及其盟邦仍收复其大部分的殖民地。英国则从西班牙获得特立尼达,从荷兰获得锡兰。法国承认七爱奥尼亚群岛共和国,并答应撤出那不勒斯和教皇领地。英国在3个月内将埃及归还奥斯曼帝国,把马耳他归还圣约翰骑士团。奥斯曼帝国和葡萄牙的主权和领土应得到尊重,但法国将保有葡属几内亚。

Amiens Cathedral 亚眠大教堂 又称 Notre-Dame D'amiens(亚眠圣母院)或 The Cathedral of Notre-Dame Of Amiens(亚眠圣母大教堂)。法国亚眠古城的哥特式大教堂,位于巴黎北方的索姆河谷地。它是法国13世纪三大哥特式教堂中最大的一座,如今在法国仍是最大的。教堂外部长达145米,比兰斯大教堂长7米,比沙特尔大教堂长15米,而内部长达133.5米。耸立的中堂拱顶高度达到42.3米,而宽度仅有14.6米。这3:1的比例使中堂比当代其他大教堂更为优雅且垂直状态更佳。20米高的翼侧通道、暗楼和高侧窗的开放式拱廊及大型窗户改善了内部照明及通风。大教堂装饰繁复的外观在双塔形的西正面有最完整的表现,此面主体是巨大圆花窗(直径13米)下方有3个深陷的拱门和一道精雕细琢的走廊。大教堂由E.de富尤瓦主教委托修建,以替代1218年焚毁的一个小教堂。中堂于1220年开始建造。1236年完成中堂和西正面,主体建筑大致完成于1270年。后来添加了许多东西。19世纪时,进行过大规模的整修。大教堂是历史上几次重大事件的发生地,包括1385年查理六世与巴伐利亚的伊莎贝拉在此举行婚礼。尽管在两次世界大战期间亚眠周边战况激烈,大教堂却免遭严重破坏。1981年被联合国教科文组织列为世界遗产。

'Āmilī, Bahā' ad-Dīn Muḥammad ibn Ḥusayn, al- 阿米利(1546-03-20,叙利亚巴勒贝克～1622-08-20,伊朗) 又称谢赫·巴哈依。伊斯兰教义学家、数学家、法学家和天文学家。伊朗萨非王朝时期文化复兴的主要人物。父谢赫·侯赛因是什叶派教义学家,他的启蒙老师。后又拜多位数学家和医学家为师。1559年为逃避奥斯曼土耳其人的迫害,随家迁离叙利亚,住在赫拉特(在今阿富汗)和伊朗的伊斯法罕,投靠阿拔斯一世宫廷,任伊斯法罕伊斯兰宗教法庭首席法官,写过一本关于什叶派法律及其在伊朗的应用的著作。曾往麦加朝觐,归途中去过伊拉克、埃及、汉志和巴勒斯坦等地,与许多学者、医生、神秘主义者进行交流。他以朴实无华的诗句深入浅出地解释复杂的神秘主义理论。最著名的诗《面包与甜食》,写一个到处游历的圣人的经历,这个圣人很可能就是朝觐麦加的他本人。《乞丐的钵子》载有故事和诗,曾被广泛翻译。阿米利的主要天文学著作是《剖析天空》。在伊朗被忽视100多年之久的数学研究能够得以恢复,主要是阿米利出力所致。他的《算术撮要》曾多次被译成波斯文和德文。迄至20世纪初,该书一直被奉为标准的教科书。

Amīn, (Muḥammad) al- 艾敏(787-04～813-09-24或25,伊拉克) 阿拔斯王朝的第六代哈里发。第五代哈里发哈伦·赖世德之子。809年先于长兄马蒙继承王位,因马蒙之母是波斯女奴。当810年艾敏宣布自己的儿子为直接继承人后,马蒙与艾敏间开始敌对。至812年底,艾敏被困巴格达,对抗持续了一年多。由于明显地反对其兄继位的愿望,艾敏终被俘并处死。

Amin, Hafizullah 阿明(1929-08-01,阿富汗帕格曼～1979-12-27,喀布尔) 阿富汗左翼政治家,1979年曾短期担任阿富汗总统。出生在吉尔扎伊的普什图族家庭。从喀布尔大学毕业后,赴美国纽约州哥伦比亚大学读研究生。返回阿富汗后,参加觉醒青年这个改革组织。1963年参加由N.M.塔拉基领导的左翼人民民主党(PDPA)。1978年4月27日发动政变,推翻了穆罕默德·达乌德政府。塔拉基当总统兼总理,阿明任副总理。1979年3月27日取代了塔拉基的总理职位。当时,因为阿富汗人民抗议政府的马克思主义的改革,国家越来越不稳定。1979年9月14日,阿明推翻塔拉基,宣布自己为总统。国家越发动荡。1979年12月24日苏联军队入侵阿富汗。阿明被杀,B.卡尔迈勒就任总统。

Amin, Idi 阿明(1924或1925,乌干达科博科～2003-08-16,沙特阿拉伯吉达) 乌干达军官、总统(1971～1979)。乌干达西北部卡克瓦族人,受过一点正规教育。1943年参加

美国不列颠百科全书公司供图

英国殖民军。第二次世界大战中曾在盟军缅甸战役中服役。曾参加英军对肯尼亚茅茅运动(1952～1956)的镇压。是乌干达独立(1962)前极少数被提升为军官的乌干达士兵之一。他与新独立的国家总理和总统M.奥博特关系密切。1966～1970年任陆军和空军司令。后与奥博特发生冲突,于1971年1月25日发动了一次成功的军事政变,成为总统和武装力量司令,1975年升陆军元帅,1976年成为终身总统。他进行直接统治,不授权

他人。他的反复无常的性格是众所周知的，经常表现为极端的民族主义。1972 年把所有的亚洲人从乌干达驱逐出去，从而导致乌干达的经济崩溃；还公开污辱英国和美国。他信奉伊斯兰教，改变了乌干达与以色列的友好关系，而与利比亚和巴勒斯坦友好。1976 年 7 月他亲自参与了巴勒斯坦人劫持一架法国飞机去恩德培的事件。主张部族主义，迫害阿乔利族、兰戈族和其他部族。据说他共迫害和杀害了 10 ～ 30 万乌干达人。1978 年 10 月乌干达民族主义者和坦桑尼亚军队进攻乌干达，于 1979 年 4 月 13 日抵达乌干达首都坎帕拉。他逃到利比亚，最后隐居在沙特阿拉伯。

amine　胺　原则上或实际上是从氨(NH_3)衍生的含氮有机化合物的总称。根据氨中的氢原子是被一个、两个或三个有机基团取代，把胺分成伯胺、仲胺或叔胺。二胺、三胺或多胺含有两个、三个或多个上述含氮基团。胺类化合物是碱性的，但其碱性强度互不相同。天然存在的胺类化合物包括：某些植物中存在的生物碱，儿茶酚胺神经传递介质(即多巴胺、去甲肾上腺素和肾上腺素)，存在于大多数动物组织中的一种局部化学介体组胺。苯胺、乙醇胺和若干种其他胺是主要的工业产品，用于橡胶、染料、药物、合成树脂、合成纤维及其他许多方面。胺的制备方法有多种，大体上可分为两类：①某些其他类型的含氮有机化合物的化学还原(用氢原子取代分子中的氧)；②胺或氨与有机化合物反应。胺与酸形成盐，伯胺或仲胺与多种有机酸或酸酐可进一步发生反应生成酰胺。

amino acid　氨基酸　由一个碱性氨基($-NH_2$)、一个酸性羧基(—COOH)和一个对每种氨基酸都各不相同的有机基团 R(或侧链)组成的一组有机分子。氨基酸的通式如下：

$$\mathrm{R{-}\overset{\displaystyle NH_2}{\underset{\displaystyle H}{\overset{|}{\underset{|}{C}}}}{-}COOH}$$

脯氨酸和羟基脯氨酸为此基本结构仅有的例外，其一级氨基被一个环状结构的二级氨基所取代。自然界有 100 多种氨基酸，但只有 20 种参与蛋白质的合成，在从原生动物到植物和动物等活性生物体中它们都是相同的。大约有 10 种氨基酸(主要氨基酸)不能在人体内合成，必须从日常饮食中获得；其余 10 种(非主要氨基酸)可以通过所谓氨基转移的氧化还原反应合成。肽键将氨基酸共价地连接起来形成蛋白质(包括酶、毒液和激素，结构蛋白、运输蛋白和收缩蛋白，以及特定的生物活性分子)。肽键由一个蛋白质中的一个氨基酸的羧基与另一个氨基酸的氨基间的缩合(失水)反应生成。因此，蛋白质是由不同的氨基酸按照特定次序线性排列而形成的。大部分普通蛋白质含有 100 种以上的氨基酸。DNA(脱氧核糖核酸)含有遗传信息，这些信息支配所有蛋白质中存在的各种氨基酸的特定顺序。氨基酸的共性是由羧基和氨基的相对特定的排列决定的，各个氨基酸特有的物理性质和化学性质是由 R 基的结构和化学性质决定的。氨基酸一般按极性(与中性 pH 的水相互作用的趋势)和 R 基的电荷归类。在一种中性 pH 的水溶液中，氨基酸既显弱酸性又显弱碱性，因为羧基丢失一个氢离子就呈负电性，氨基吸收一个氢离子就呈正电性。当各个氨基酸结合起来形成蛋白质时，它们的羧基和氨基不再起酸或碱的作用，因为它们已用于形成肽键。因此，蛋白质的酸碱性质取决于该组分氨基酸中各 R 基团的总电离特性。

amīr　参阅 **emir 埃米尔**。

ʿĀmir, ʿAbd al-Ḥakīm　阿米尔(1919-12-11，埃及～ 1967-09-14，开罗)　埃及军官。1952 年参与建立埃及共和国。作为军队首脑，生前是埃及最有权势的人物之一。作为陆军参谋长在 1967 年"六日战争"中战败。在军校学习时结识 G.A.纳赛尔，一起参加自由军官组织，1952 年推翻国王法鲁克一世。埃及共和国成立后任陆军参谋长。1956 年纳赛尔将苏伊士运河收归国有，以色列、英国和法国入侵埃及。在苏伊士危机中埃及取得道义上的胜利，阿米尔的权势随之升高。1958 年埃及和叙利亚成立阿拉伯联合共和国，阿米尔被任命为陆军元帅和国防部长。第二年任叙利亚长官。1961 年联合共和国解体，阿米尔回埃及后任阿拉伯联合共和国(埃及袭用此名至 1971 年)第二副总统。两年后升为第一副总统和副总司令。1967 年 6 月"六日战争"爆发，埃及战败，阿米尔被解除陆军元帅职位。9 月 5 日他被控领导政变而被捕。在军事法庭开庭调查 6 月战败原因前，服毒自杀。

Amir Ali, Sayyid　阿米尔·阿里(1849-04-06，印度克塔克～ 1928-08-03，英格兰苏塞克斯)　印度法学家、穆斯林领袖。赞成英国治理印度，以免独立后受印度教统治。印度全国伊斯兰教协会创始人，曾为其人民争得第一个社区选举权。先知穆罕默德的女儿法蒂玛的后裔。在加尔各答大学取得法律学位。1873 年在英国内殿律师学院取得律师资格。回国后，在加尔各答当律师。1877 年创建全国伊斯兰教协会。1890 年成为高等法院法官。1904 年成为英国永久居民。1909 年参加英国枢密院司法委员会。他为了解决穆斯林的困难而创立英国红新月会。以英文著有《穆罕默德生平和教义的批判研究》(1873)。他所著《伊斯兰精神》(1891)一直被视为伊斯兰的经典著作。

Amīr Khosrow　阿密尔·霍斯陆(1253，北方邦伯蒂亚利[今在印度]～ 1325，德里)　诗人、历史学家，印度最伟大的波斯语诗人之一。德里苏丹伊尔杜德米什部下一名突厥军官之子。一生受到德里诸穆斯林统治者的庇护。一度以"印度鹦鹉"知名，著作甚多，其中最著名的是他在一生不同时期汇编而成的 5 本诗集和由 5 篇叙事长诗合成的组诗《五诗集》。后者系仿效著名波斯诗人内扎米(约 1141 ～ 1209)的《五卷诗》而作。他受人称颂的两部历史诗篇是《九重天》与《图克鲁格之书》。

Amirante Isles　阿米兰特群岛　西印度洋塞舌尔群岛西南 320 千米的一群珊瑚岛。与塞舌尔群岛及其他岛屿组成塞舌尔共和国。该群岛是葡萄牙航海家 V.da 伽马于 1502 年发现的。塞舌尔政府常把岛屿租赁给私营公司种植椰子。岛上可搜集燕鸥蛋。人口 113 (1987)。

ʿĀmirīyah, al-　阿米里亚　旧称迈尔尤特。埃及北部伊斯坎德里耶(亚历山大)省的工业区。面积 2 365 平方千米。工业区的中心为阿米里亚镇，20 世纪 70 年代末开始发展工业，建有炼油、纺织、钢铁和塑料厂。阿布吉尔湾天然气为主要能源。人口 40 505(1986)。

Amis　阿眉斯族　中国台湾现存人数最多的土著民族。定居在土地肥沃但交通不便的东南部山区和东海岸平原。语言属南岛语系印度尼西亚语族台湾语支，分三种方言。人

阿眉斯族人的丰年祭
台湾中华书局供图

口约 122 800(1993)。阿眉斯农业传统方式是砍烧耕种，种植旱稻、水稻、粟、甘薯、烟草和槟榔。阿眉斯族社会由家族绵延而成，集中在一个个村落里，每个村落人口多达 1 000 人，首领是酋长。男性与女性的权利和义务均等，但部落组织以母系为基础；男子成年后入赘他氏族，夫从妻，子女从母而居；财产共有而由妇女管理，遗产由长女继承，但涉外事务仍由男性专责。阿眉斯族崇拜祖先和圣灵，日常生活与宗教信仰牢不可分，每一个家族有世袭的女祭司和巫师。最重要的庆典为每年秋收后的丰年祭。阿眉斯人的语言、风俗已渐被汉族同化。

Amis, Sir Kingsley　艾米斯(1922-04-16，伦敦～ 1995-10-22，伦敦)　小说家、诗人、批评家和教师。第一部长篇小说《幸运儿吉姆》(1954)塑造了一个滑稽人物。20 世纪 50 年代，这个人物的名字在英国已家喻户晓。一般说来，艾米斯属**愤怒的青年**(**Angry Young Men**)作家之列。1949 年在牛津大学获文学士学位。第二次世界大战时期，在皇家通信兵部队任中尉。1949 ～ 1961 年，在威尔士、英格兰和美国的大学里任教。第一部长篇小说《幸运儿吉姆》发表后立刻获得成功，迄今仍为其最受欢迎的作品。书中描写了一个愤懑的反英雄人物吉姆·狄克逊。第二部长篇小说《模糊的感情》(1955)同样刻画了一个反英雄人物。去葡萄牙旅行后，写出长篇小说《我喜欢这里的事物》(1958)。长篇小说《一个肥胖的英国人》(1963)写他在美国教书时的所见所闻。他继续写了 40 多部作品，包括

约20部长篇小说,多卷诗歌和几部散文集。较著名的后期作品有《绿人》(1969)、《杰克的东西》(1978)和《老魔王》(1986)。作为诗人,他是一个有时称之为"回归传统倾向"团体的代表人物。1990年被封为爵士。他的《回忆录》于1991年出版。

Amis, Martin　艾米斯(1949-08-25,英格兰牛津郡牛津～　　)　英国讽刺作家,以精湛的讲故事技巧和对20世纪英国社会的悲观看法而知名。著名小说家K.艾米斯之子,1971年毕业于牛津大学埃克塞特学院,英文成绩优秀。曾在《时代文学补编》和《新政治家》任编辑多年,后来成为专职作家。作品有小说《瑞秋报告》(1973)、《金钱》(1984)、《伦敦田野》(1989)、《光阴似箭》(1991)、《信息》(1995)、《夜间火车》(1998)和短篇小说集《重水》(1999)。2000年发表自传。

Amis and Amiles　阿米和阿米勒　一部古法语韵文故事中的主要人物,以一个盛传的关于友谊与牺牲的古老传说为基础。故事以极为简朴的体裁,叙述了阿米和阿米勒两骑士毕生忠贞忘我的友谊。该故事可能源自东方,通过拜占廷传到西方,并通过拉丁语进入法国文学。后来成了12世纪末的查理大帝传奇系列的一部分。许多欧洲语言中均有类似的故事。这则故事的英文版是在13世纪末以英格兰中部地区的方言写成的。

Amis language　阿眉斯语　中国台湾省高山族语言之一。属南岛语系印度尼西亚语族台湾语支。分布在台湾省东部沿海的台东、花莲、屏东等县,使用人口约13万,有部分年轻人已不使用母语而改用汉语闽南话。有北部、中部、南部、萨克扎耶、太巴望-马太鞍5个方言。阿眉斯语(台东马兰)语音特点是:音位系统较简单,有17个辅音,塞音、塞擦音无送气音和浊音;有i、e、a、u 4个元音;有重音,一般落在多音节词的最后一个音节。有丰富的构词前缀、中缀和后缀。词类有名词、代词、数词、动词、形容词、副词、介词、连词、助词、叹词等10类。名词和代词有"格",分主格、属格和宾格;人称代词复数第一人称有包括式和排除式的区别。动词有"体"、"态"、"式"等语法范畴。体有一般体、进行体和完成体;态分主动态和被动态;式有陈述、命令、愿望、估量等4种形式,均用黏附性形态表达。助词较丰富,有格、结构、体态、判断和语气等5类,语法作用较大。句子的基本语序为谓语在句首,主语和宾语在谓语的后面,着重或突出主语时可放在句首,主语和宾语都有格标记,因此前后次序不十分重要。名词、代词作定语放在中心词前面,数词、形容词、指示代词作定语时放在中心词后面。

Amish　阿曼门诺派　北美洲的基督教保守派别。其主要成员为老派阿曼门诺会的信徒。该派的创始人是17世纪欧洲门诺宗长老阿曼。阿曼在1693～1697年提出新的学说,在瑞士、阿尔萨斯及德意志南部的门诺宗内部引起争论,遂造成分裂。阿曼主张门诺宗信徒一经绝罚,其他门诺宗信徒一律不得与之接近;而凡说谎一次者便绝罚。阿曼派的聚居点和教会曾存在于瑞士、阿尔萨斯、德意志、俄国及荷兰,但一部分阿曼派信徒于19、20世纪迁居北美洲,另有许多人为门诺宗其他各派所吸收,因此该派逐渐在欧洲绝迹。仍保持阿曼派独特生活作风的人,主要是老派阿曼门诺会的信徒。20世纪末美国和加拿大约有50个老阿曼派定居点,以在宾夕法尼亚、俄亥俄、印第安纳、艾奥瓦、伊利诺伊及堪萨斯等州的较大。老阿曼派礼拜用杂有英语的巴拉丁德语,称为宾夕法尼亚荷兰语。该派衣着朴素,生活不从时俗,男子戴阔缘黑帽,颌下留胡须但上唇不留小胡子,穿家中自制的朴素便服不用钮扣而用钩眼。女子戴无缘软帽,着附有披肩的长连衣裙,束头巾,鞋袜色黑,不戴饰物。该派不用电话、电灯,不用汽车而用马及马车。他们精于耕作,但往往不使用现代农业机械。该派的家长仅让儿童上公立小学,不让他们上中学。义务教育法实行后,该派有些信徒宁肯入狱也不许子女上中学。

Amisus (Turkey)　阿米苏斯　参阅**Samsun 萨姆松**。

Amitābha　阿弥陀佛　梵语,意为无量光佛。日语作Amida,汉语音为o-mi-t'o。又译无量寿佛。主要受日本佛教净土宗信徒崇奉。据《无量寿经》载,法藏比丘发大誓愿,第18

日本镰仓1252年的阿弥陀佛铜像
美国不列颠百科全书公司供图

条誓愿说,他成佛后,凡信仰他并称念他的名号者,便能往生极乐世界,享受乐境,终于证得涅槃。法藏比丘实现誓愿以后成为阿弥陀佛,退居西方极乐世界即净土。对此佛的崇拜约在650年盛行于中国,后自中国传入日本,引起12、13世纪日本净土宗和净土真宗成立,该两宗目前在日本仍有众多信徒。在中国西藏地区,阿弥陀佛与无量寿佛两称谓从不混用。阿弥陀佛之像为身佩饰物,头戴王冠,手持甘露净瓶,瓶中洒出长寿宝珠。参阅**Amidism**;**Pure Land Buddhism**。

Amitāyur-dhyāna-sūtra　《观无量寿经》　佛教净土宗三部基本经典之一。此经与《无量寿经》及《阿弥陀经》共同介绍转生至无量寿佛极乐净土的情景。此经提出16种观想形式作为人达到净土的方法,并且说,即使是罪大恶极的人也可以念阿弥陀佛名号而死后往生极乐净土。《观无量寿经》于424年译为汉文,梵文原本已失传。

Amiternum　阿米特努姆　意大利古代城镇,交通枢纽。在今阿奎拉以北8千米处。公元前293年被古罗马人攻占,公元前86年,罗马历史学家萨卢斯特在此出生。经考古发掘,有罗马帝国时期的水渠、竞技场、剧场等遗迹。

'Amm (Arabian god)　阿姆　参阅**Ilumquh 伊伦库赫**。

Amman　安曼　阿拉伯语作'Ammān,圣经希伯来语作Rabbah或Rabbat Bene 'Ammon(意为"太阳神之子的重镇或都城"),古希腊语作Philadelphia(菲拉德尔斐亚)。约旦哈希姆王国的首都。约旦最大城市,也是具备现代化城市基础设施的唯一城市。建在阿杰隆山脉东缘的丘陵地带,临安曼河及其支流。安曼河基本上是一条四季长流的小河。在整个历史上,这里的居民区皆集中于河谷北面的三角形小高原(即今天的卡拉山)。筑有防御工事的居民区早在遥远的古代便已存在,最早的遗迹可追溯到约公元前4000～前3000年的铜器时代。后来成为《圣经》中经常提及的闪米特族的安莫尼特人之京城。该城在《圣经》中及现代的名称均源于Ammon。大卫王之将领约押(《撒母耳记》下卷第12章第26节)所攻占的"王城"很可能就是这片高原上的卫城。大卫王让赫梯人乌利亚战死在该城的城墙前,以便迎娶他的妻子拔示巴(《撒母耳记》下卷第11章)。这一事件是穆斯林的民间传说。在后来的年月中,安曼走向衰落。埃及国王托勒密二世(菲拉德尔斐亚的)(公元前285～前246在位)征服此地后,用他自己的名字为之易名菲拉德尔斐亚,此名沿用至拜占廷和罗马时代。菲拉德尔斐亚由10个城邦组成,是一个从公元前1世纪延续到公元2世纪的希腊联盟。罗马人曾重建此地,他们统治时的一些精美遗迹仍在。伊斯兰教兴起时,安曼于635年被阿拉伯将领耶齐德·伊本·阿比·苏富扬攻占。到1300年前后,该城完全消失,历史学家亦不知其故。1878年该地被奥斯曼土耳其建为自俄国逃出的切尔克斯难民的定居点。至第一次世界大战结束以前,一直为小村庄。第一次世界大战后,外约旦成为巴勒斯坦委任统治地的一部分,但作为受委任国的英国政府却采取措施将它与西巴勒斯坦分开(1921),而建立起一个受保护的外约旦酋长国,由当时的汉志国王及麦加的谢里夫侯赛因·伊本·阿里之子阿卜杜拉统治。安曼很快便成为这个新国家的首都,其现代化发展也始于这一时期,而约旦的独立(1946)更加快了这一进程,城市迅速扩展。1948～1949年阿以战争后,大批巴勒斯坦阿拉伯难民涌入城市地区。1967年的"六日战争"之后,以色列占领了约旦河西岸的全部约旦领土,难民问题更加严重。约旦政府与起义的巴勒斯坦游击队之间的政治冲突,于1970年引发了安曼市内的公开内战。尽管政府军最终获胜,但城市却遭到严重破

安曼市的大型罗马式圆形竞技场及其后的住宅建筑
美国不列颠百科全书公司供图

坏。安曼是约旦的主要商业、金融及国际贸易中心。东城有王室宫殿，西城乃议会所在。约旦大学(1962年创办)设在安曼。主要工业有食品和烟草加工，纺织品、纸制品、塑料及铝制器皿的生产。郊区有生产电池及相关产品和水泥的工厂。亦为国内主要运输中心：有两条公路向西通耶路撒冷，一条大道通西北的萨勒特。约旦国内南起亚喀巴港的主干公路，亦穿过安曼北行。城东有安曼国际机场，与汉志的老铁路线相距不远。名胜有古城堡遗迹和与之毗邻的考古博物馆以及一座保存完好的大型罗马式圆形竞技场。人口约969 598(1994)。

Amman, Jost　阿曼(1539-06-13，瑞士苏黎世～1591-03-17，巴伐利亚纽伦堡[德国]）德国油画家和版画家，16世纪最为多产和富于技巧的插图画家之一。阿曼在苏黎世受教育，并短期工作于巴塞尔，为该地望族家庭设计玻璃画。约在1560～1561年迁到纽伦堡，但1577年前他一直保留苏黎世市市民身分。他为诗人兼戏剧家H.萨克斯创作的版画，充分显示出其技艺。在众多素描作品中，如《马克西米连二世1570年进入纽伦堡》等，表现出他善于记录当代事件的才华和机智。其版画有：历史肖像(如法国历代国王肖像)，纹章图案，图书扉页，以及战斗、狩猎和壮丽行列的场面。并为各种著作制作过数以千计的木刻，其中最令人瞩目的是萨克斯用诗写成的有关艺术与技巧的书，题为《世上各行职业的真实描绘》(1568)。

Ammann, Othmar Herman　安曼(1879-03-26，瑞士沙夫豪森～1965-09-22，美国纽约拉伊）　工程师，设计了许多悬索桥，包括纽约港韦拉扎诺海峡桥，在1965年竣工时它是世界上最长的单跨桥。1904年，安曼移居美国，参加铁路桥梁设计。次年到宾夕法尼亚钢铁公司工作，参与建设纽约市昆斯博罗桥的工程。他在担任著名桥梁工程师G.林登塔尔的副手期间(1912～1923)，协助设计并修建纽约市的赫尔盖特钢拱桥和赛欧托维尔的俄亥俄河大桥。1923年他在纽约市开设工程公司。次年，纽约港务局同意为他提出的在哈德孙河上修建沟通新泽西和上曼哈顿的华盛顿桥提供资金。该桥于1931年竣工时是世界上最长的桥，比以前最长的桥几乎长一倍。1930～1937年任纽约港务局总工程师，1937～1939年任工程主任。在任总工程师期间，负责建设新泽西州基尔范克尔河上的贝永桥，阿瑟基尔河上的奥特布里奇渡口、戈瑟尔斯桥和哈德孙河底的林肯隧道。任工程主任期间，负责建设纽约市的布朗克斯-怀特斯通桥和特里巴勒桥。他还是圣弗朗西斯科(旧金山)金门大桥工程部的成员，该桥在1937年开放。从1946年起，他和C.S.惠特尼合作，设计了纽约市斯罗格斯海峡桥、华盛顿郊区的杜勒斯国际机场和纽约市林肯表演艺术中心的3幢建筑物。

Ammannati, Bartolommeo　阿曼纳蒂(1511-06-18，佛罗伦萨附近塞蒂纳诺[意大利]～1592-04-22，佛罗伦萨）　意大利雕刻家及建筑师。他的建筑物标志着由具有古典风格的文艺复兴形式过渡到更为充满活力的巴罗克风格。阿曼纳蒂以雕刻开创他的事业，16世纪30和40年代在意大利各城市中雕刻雕像。起初他受教于班迪内利，然后到威尼斯跟J.桑索维诺学习，与后者一起在圣马可图书馆工作。1550年，教皇尤里乌斯三世依建筑师兼美术史家瓦萨里的建议召阿曼纳蒂到罗马。他在那里最重要的工作是与瓦萨里和维尼奥拉合作建造教皇尤里乌斯的朱利亚别墅(1551年始建)。1555年科西莫·梅迪契(科西莫一世)带他回佛罗伦萨；此后他的工作几乎全部为梅迪契家族服务。他的第一项任务是完成由米开朗琪罗起始建造的劳伦琴图书馆。1558年他领悟了米开朗琪罗给他的泥塑模型，创造了从门廊直通图书馆主体建筑的特别令人印象深刻的楼梯。阿曼纳蒂在佛罗伦萨的杰作是皮蒂宫，由1560年开始，他扩大了原由F.布鲁内莱斯基设计的基本结构，设计了一个庭院和建筑的正面，通向他也参与设计的博博利花园。以粗面石砌筑的多立斯式、爱奥尼亚式和科林斯式附柱按层排列在建筑正面，俯瞰着庭院，构思非常奇特。它为皮蒂宫的花园提供了颇具农村风味、又令人印象深刻的背景。阿曼纳蒂在佛罗伦萨的另外两项主要工程是有椭圆形拱架的圣三位一体大桥(1567～1569)和海神喷泉(1567～1570；毁于1944年，1957年重建)；后者坐落在塞诺利亚广场，主要有一座巨大的大理石海神像。阿曼纳蒂晚年受耶稣会反宗教改革哲学的强烈影响。他批判自己早期创作的裸体雕刻为淫荡的，并为耶稣会设计了几幢朴素的房屋。

A.卡拉梅依据A.阿曼纳蒂的《海神喷泉》所制雕塑《多丽丝》(1563～1575)
美国不列颠百科全书公司供图

Ammassalik　昂马克沙利克　又拼Angmagssalik。格陵兰东南部城镇，位于昂马克沙利克岛(长40千米，宽19～32千米，最高点1 322米)南岸。1472年欧洲人就在这一地区登陆。1884年由丹麦人G.霍尔姆进行勘查并绘制海岸地图。1895年设贸易站，进口食品和猎枪以资助爱斯基摩人。有气象站和无线电台。人口约1 465(1990)。

ammeter　安培计　测量直流或交流电流(以安培为单位)的仪表。安培计可测定的电流值范围很广，因为当电流值很大时只有一小部分电流通过仪表的机构；而大部分电流则通过与仪表并联的分路流走。安培计由于其操作原理和准确度而有分别。达松伐耳安培计可测量直流电，准确度为0.1%～2.0%。电动式安培计则利用在一固定线圈产生的磁场中旋转着的活动线圈来测量交直流电流，准确度为0.1%～0.25%。热安培计主要用来测量交流电流，准确度为0.5%～3%，是利用被测量的电流来加热热变换器(温差电偶)，再以所产生的小电压驱动毫伏计。数字式安培计则无运动机件，仅使用一线路如双斜率积分器，将被测量的模拟(连续性)电流转换为数字等效值。许多数字式安培计的准确度优于0.1%。

Ammianus Marcellinus　阿米阿努斯·马尔切利努斯(约330，叙利亚安条克[今土耳其安塔基亚]～395，罗马[意大利]）　罗马最后一位大史学家。他的著作为罗马帝国后期历史的续编，写至378年。出身于希腊贵族家庭。曾服役于君士坦提乌斯二世军中，转战高卢和波斯。在背教者尤里安的领导下同波斯人作战，后随他的继承者约维安撤退。他在安条克脱离军队，游历埃及和希腊，最后定居罗马，在此撰写拉丁文罗马帝国史，从内尔瓦即位一直写到瓦林斯去世，是塔西佗史著的续编。这一史著共31卷，仅尚存后18卷，即记述353～378年间事件的部分。该书记述清晰全面，作者具有军人气质，判断有主见，知识渊博。他依据本人见闻，对帝国的经济和社会问题均作了生动的描绘。作为一名提倡宗教宽容的异教徒，对所处时代的思想趋势作了公正的记述。对政治事务直言不讳。他运用后来罗马史学的正规技巧：演讲中的修辞学，在描述中引用人种学上的离题话，例如对匈奴文化的描述以及在人物素描中使用传记常用的手法和爱用文学引喻。他刻意模仿塔西佗，作品具有生动和显著的戏剧效果。

Ammon（Egyptian god） 参阅 **Amon** 阿蒙。

ammonia **氨**（NH_3） 由氮和氢组成的无色而有刺激性气味的气体。它是这些元素的最简单的稳定化合物，用作生产许多工业上很重要的氮化合物的原料。1774 年 J.普里斯特利首次制得纯氨，1785 年 C.-L.贝托莱测定了它的准确的组成。氨极易溶于水，形成一种叫氨水的碱性溶液。氨在水中很活泼，容易与许多化学试剂化合。当氨被压缩或冷却到约 −33 °C时易液化。当它再变回到气态时，便从环境中吸收大量的热（即 1 克氨吸收 327 卡的热量）。由于这一性质，氨常被用作冷冻和空气调节设备中的致冷剂。氨在工业上主要是用哈伯-博施法由其组成元素直接合成的。此外，氨还可作为炼焦炉的副产物而获得。氨的主要用途是作化肥，最常用的是往土壤中直接施用贮罐中的液氨。还有一部分被转化成硝酸铵、磷酸铵和其他盐类，它们也主要用作商品肥料。在纺织工业中，氨用于生产合成纤维，如尼龙和人造丝。此外，还用于棉、毛和丝的染色和洗净。氨是生产酚醛树脂和某些其他合成树脂中的催化剂。更重要的用途是中和石油炼制过程中的酸性副产物，以及在橡胶工业中用于防止生胶乳液从种植园运到工厂的过程中发生凝聚。纯碱生产中广泛应用的氨碱法即索尔维法以及将氨变为硝酸的奥斯特瓦尔德法中也要用到氨。氨用于各种冶金过程中，其中包括合金钢板渗氮以使其表面硬化。由于氨易被分解而释放出氢，它是焊接用的原子氢的一种便携来源。在某些家用清净剂中也使用少量氨。

ammonia-soda process **氨碱法** 又称索尔维法。制造工业碳酸钠（纯碱）的现代方法。由 E.索尔维发明，并于 1865 年在比利时库耶建厂首次投入工业生产。19 世纪 70 年代，德国出生的英国化学家 L.蒙德加以改进。在严格控制条件下，先后用氨和二氧化碳处理食盐，得到碳酸氢钠和氯化铵。加热碳酸氢钠即得所需产品碳酸钠。用石灰处理氯化铵得到氨和氯化钙，氨可供循环使用。此法采用初期，受到旧有的吕布兰法强烈竞争，但索尔维法因生产纯碱的成本较低，终于取胜。

Ammonite **亚扪人** 古代闪米特人的一支。他们的主要城市为巴勒斯坦境内的拉巴亚扪。他们经常与以色列人发生零星的冲突。亚扪人久以游牧为生，公元前 13 世纪始在摩押以北建立王国。以色列国王大卫经过苦战攻下了要塞化的亚扪首府。在约雅敬统治时期（公元前 6 世纪）亚扪人联合伽勒底人、叙利亚人一起进攻犹大，并骚扰企图重建耶路撒冷圣殿的以色列人。公元前 2 世纪，亚扪人被马加比打败。

ammonium chloride **氯化铵**（NH_4Cl） 又称硇砂。氨和氯化氢生成的盐。主要用作干电池电解质；也广泛用作镀锌、镀锡和焊接助熔剂的组分，以除去金属表面氧化层，提高焊料的黏附力。它还是许多治疗感冒和咳嗽药物的组分。氯化铵为无色结晶体，易溶于水，形成稍带酸性的溶液，在 340 °C下不经熔化而升华，形成等体积的氨气和氯化氢。它是制碳酸钠的氨碱法中的副产品，亦可用硫酸铵和氯化钠溶液反应来制备。

ammonium hydroxide **氢氧化铵** 又称氨水。氨气的水溶液，氨的常见商品形式。具有强烈特殊气味的无色液体。浓氨水接触皮肤引起灼伤，普通家庭用作清洁剂的氨水是氢氧化铵的稀溶液。氨的水溶液通常以化学式 NH_4OH表示。实际上，不存在可观测量的 NH_4OH分子，其溶液主要由大量的水 H_2O和氨 NH_3 以及少量铵离子 NH_4^+ 和氢氧根离子 OH^- 组成。

ammonium nitrate **硝酸铵**（NH_4NO_3） 氨和硝酸生成的盐，广泛用于肥料和炸药。商品级硝酸铵约含 33.5% 的氮，其中全部氮都可为植物吸收利用；它是人造肥料中最普通的氮肥。硝酸铵也用来改善其他炸药的爆炸速率，例如所谓硝铵炸药中的硝化甘油，或用作阿芒拿炸药（硝酸铵和铝粉的混合物）的氧化剂。硝酸铵为无色晶体，熔点 169.6°C，易溶于水。加热其水溶液会使硝酸铵分解为氧化亚氮（笑气）。固体硝酸铵在密闭空间内加热，能发生爆炸分解。所以对硝酸铵的运输和贮存制定有政府规章。

Ammonius Hermiae **阿摩尼奥斯**（活动时期约 550） 希腊哲学家。其思想发展方向主要在逻辑学和科学方面。他的学术生活大部用于撰述对亚里士多德的评论。学生时代曾与普罗克洛斯密切合作，后来被任命为亚历山大学派领袖。他的主要评论有《论范畴》和《论理学前编》。这些作品直到文艺复兴时期一直甚受重视，并为学人所认真研究。他还为《天体论》和亚里士多德的物理学论文写过评注。

ammonoid **菊石类** 已绝灭的头足动物，与现存的鹦鹉螺近缘。化石见于海相泥盆系到白垩系（4.08 亿年前至 6 640 万年前）。有壳，很多菊石为捕食性。壳直或卷，既起着保护和支撑作用，又像流体静力装置那样，使动物体适应水深的变化。壳以具高度弯曲和复杂的缝合线为特征，并以此与鹦鹉螺区别。缝合线出现在内部隔壁与外壳壁相连之处。因在浅海海域广泛分布、演化迅速和易于辨认，故是重要的标准化石。按时间相继出现三类菊石，缝合线一类比一类复杂。缝合线形式简单的称棱角石，全盛期为古生代（5.7 亿年前至 2.45 亿年前）；以较多弯曲的缝合线为特征的称锯菊石，替代了棱角石，在三叠纪（2.45 亿年前至 2.08 亿年前）最旺盛；菊石的大多数属在三叠纪末趋向绝灭，但少数属残存下来并发展，白垩纪（1.44 亿年前至 6 440万年前）期间演变为各种形态，以复杂的交织缝合线为特征，称菊石。

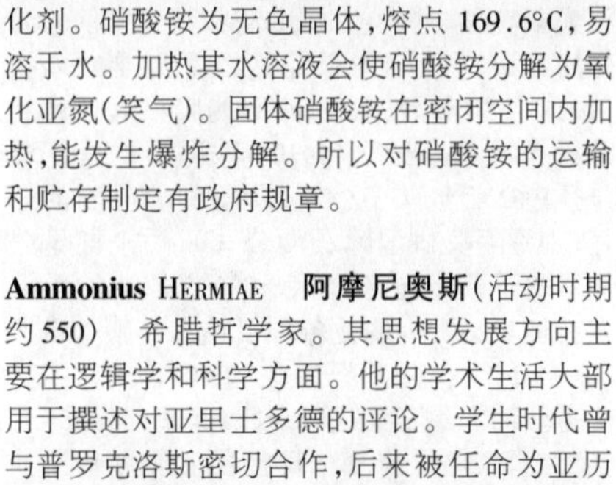

法国南部出土的中侏罗菊石截面
美国不列颠百科全书公司供图

ammunition **弹药** 轻武器、火炮和其他枪炮使用的射弹和发射药。弹药的规格通常按口径来表示，它是以毫米或英寸计的射弹直径。一般来说，直径小于 20 毫米或 0.60 英寸的射弹归类于轻武器，大于这一口径的归类于火炮。完整的一发弹药包括射击所必需的各个部分，这通常包括射弹、发射药和引燃发射药的火帽，还常常包括弹壳、引信和炸药。在火炮弹药中，定装式弹药就是一枚完整的炮弹，各部分由弹壳牢固地连接在一起（虽然第二次世界大战前，弹壳一直都用黄铜制造，但后来大部分由钢替代）。在半定装式弹药中，射弹与弹壳可以拆开，发射药的多少可以调整，射弹很容易插入弹壳。在分装式弹药中，一枚完整的炮弹由 3 部分组成：带引信的射弹，发射药（装在几个易燃的布袋中）和火帽。这种类型的炮弹用于最大口径的火炮，因为它的各个部件易于搬运。完整的炮弹可按射弹用途进一步分类，如高爆弹、穿甲弹、杀伤弹、核弹或化学弹。轻武器的弹药都采用定装式，完整的一发弹药通常称为子弹，射弹称为弹头（猎枪的射弹称为霰弹）。虽然制造子弹壳的材料广泛使用钢，但绝大部分都使用黄铜，猎枪子弹的弹壳是由黄铜和纸板制成的。大多数军用步枪和机枪的弹壳均为瓶颈状，以使口径较小的弹头能与装发射药的大口径弹壳装配。最常用的军用轻武器弹药在英国称为通用子弹，在美国就称为普通弹。这种子弹的弹头包括一个钢或铅合金的弹心，外包铜合金或有铜合金膜的低碳钢。特种弹药有：穿甲弹，其弹心为硬钢或钨碳钢之类的其他金属；曳光弹，底部含有烟火药的药柱，由发射药的火焰点燃，这样就能在子弹飞行过程中产生可见的烟火示迹；燃烧弹，用于引燃诸如汽油那样的易燃物质，弹内含有化学燃烧剂装药。参阅 **bullet**；**cartridge**；**gun powder**；**shell**。

amnesia **遗忘症** 由于脑损伤、脑组织病变、休克、疲劳、衰老、吸毒、酗酒、麻醉、疾病或精神神经症性反应等原因造成的记忆力丧失。可分为顺行性（对损伤或疾病后的事失去记忆）、逆行性（对发病前的事失去记忆）两种。发病前常有情绪上受到严重打击的病史。在这种情况下，受影响的主要是与个人有关的记忆（如身分），而不是个性色彩较少的素材（如语言技能）。这种遗忘症似乎表明，患者不愿意或拒绝记忆那些能引起焦虑的事情，这可作为压抑的例证或称动机性遗忘。实际上，这些记忆并没有真正丧失，因为通过心理治疗或病愈之后，这些记忆还可以恢复。个别情况下，遗忘症可持续数周、数月甚至数年。在此期间，患者可能会按一种全新的方式生活。这种长期反应称为神游状态。愈后，患者对病中发生的事一无所记，但却记得病前发生的事。催眠后遗忘一直被认为是深度催眠状态的一个指征。所谓催眠后遗忘是指受试者在催眠者的暗示下几乎记不起或完全忘记了在催眠状态下发生过的事情。通常人们对儿童期的经历难于记住，这种现象有时称为儿童期遗忘。

amnesty　大赦　刑法中撤销或忘却罪犯过去行为的最高法令。此词源于希腊语amnēsia。大赦由政府向罪犯颁布，通常的条件是罪犯必须在一定的时期内恭顺尽职。大赦通常是对反对国家的政治犯罪，如叛国、谋反或造反实行特赦，一般是对某些阶级和集团以立法的形式或以国家最高权力机关的法令或宪法条文的形式颁布的。例如美国A.约翰逊总统在1865年发布一道文告，宣布前南部邦联成员(除某些领袖外)，只要对美国作无限忠诚的宣誓，就可以对他们既往不咎，予以赦免。根据法学上的严格定义，大赦与一般的赦免不同，后者单纯指免予处分，而前者是宣布无罪或取消罪行。

Amnesty International(AI)　大赦国际　国际性组织，总部设在伦敦。其宗旨为通报关于违反人权、特别是剥夺言论与宗教自由，以及监禁与虐待持不同政见者等方面的舆论；积极争取释放政治犯和必要时救济他们的家属。1977年大赦国际获诺贝尔和平奖。主要由于P.贝南森的努力，该组织于1961年5月28日在伦敦成立。贝南森曾在匈牙利、南非和西班牙担任政治犯的辩护律师，并致力于成立一个伸张人权的组织。1961～1975年，大赦国际的国际执行委员会主席为S.麦克布赖德(1974年诺贝尔和平奖获得者)。到80年代初，大赦国际设有一个150人的国际秘书处，在40多个国家设有分部或办事处，在约100个国家中拥有约20万个人成员。除了印发简讯、年度报告和背景资料以普遍揭露政府的恶行外，该组织也很倚重分布在世界各地的"认办小组"，每组由3～8人组成，负责承办一定限额的"良心犯"案件。他们不断向违反人权的政府提出抗议，直至这些犯人获释。设在伦敦总部内的研究室与世界各地的人权活动分子和有关各方进行联系，为该组织的一切活动提供情报。大赦国际的标识是一支燃烧的蜡烛，四周为带刺的铁丝网所包围。

amniocentesis　羊膜穿刺术　用空心针经腹壁插入孕妇子宫内，吸出羊膜囊中的液体以供研究的外科手术。检查羊水及其中的胎儿细胞，可揭示诸如胎儿的性别异常(性连锁遗传疾病的重要因素)、染色体异常以及其他一些潜在的严重疾病。这种手术通常在妊娠第15～17周进行，相对来说这种手术是无痛的并可在局部麻醉下进行。羊膜穿刺术最早于20世纪30年代应用，开始仅用于治疗胎儿成红细胞增多症(一种胎儿和新生儿的血液病，由母体血液中的抗体所引起)。现在使用此术可诊断50多种代谢性疾病，但更多的是用来确定染色体的异常和神经管的缺损。这种手术也适用于年龄在35岁或35岁以上以及有过三次或更多次自然流产史的妇女。

amnion　羊膜　爬行类、鸟类和哺乳类胚胎外的薄膜，形成一个充满液体(羊水)的囊。充满液体的羊膜囊有时被称为水囊(羊水囊)。羊膜起源于一团胚外组织——胚体壁，胚胎四周组织上褶形成羊膜，羊膜内衬以外胚层，外覆以胚外体壁中胚层，形成一个囊，囊内含有稀薄而透明的羊水，胚胎悬浮其中。其功能为保护胎儿，不致受机械损伤，防止胚胎自身的水分丢失和组织粘连。

Amoco Corporation　阿莫科公司　1889～1985年名为印第安纳标准石油公司。1889年由**标准石油公司和托拉斯**(**Standard Oil Company and Trust**)所设立，负责管理美国中部各州石油炼制与销售业务。1911年美国最高法院解散了全国性的标准石油托拉斯，而印第安纳公司遂独立，总部设于芝加哥。第一次世界大战后，印第安纳标准石油公司为增加石油炼制能力和销售量，购得了堪萨斯、路易斯安那、阿肯色、怀俄明和俄克拉何马各州的油田。此后又取得墨西哥和委内瑞拉(1925)及加拿大(1949)油田的股权。1954年购得美国石油公司(1910年成立)的全部资产。1962年创建子公司，即美国国际石油公司(现称阿莫科国际石油公司)，后来此子公司取得了苏伊士湾、北海和特立尼达的采油权。但美国国内的业务项目仍占其整个资产的一半以上。阿莫科另在约40个国家中有业务活动。除石油之外，阿莫科的产品还包括天然气、化学产品和矿产品。其零售注册商标为Amoco。

amodiaquine　氨酚喹　20世纪40年代始应用于临床的合成抗疟药。为喹啉的衍生物，其盐酸盐供口服。能抑制红细胞期的间日疟原虫及恶性疟原虫。副作用为恶心、呕吐及腹泻。

amoeba　阿米巴　又拼ameba。又称变形虫。根足纲阿米巴目原生动物。在显微镜下可见的单细胞动物。典型种变形阿米巴(*Amoebaproteus*)见于淡水小溪和池底的腐烂

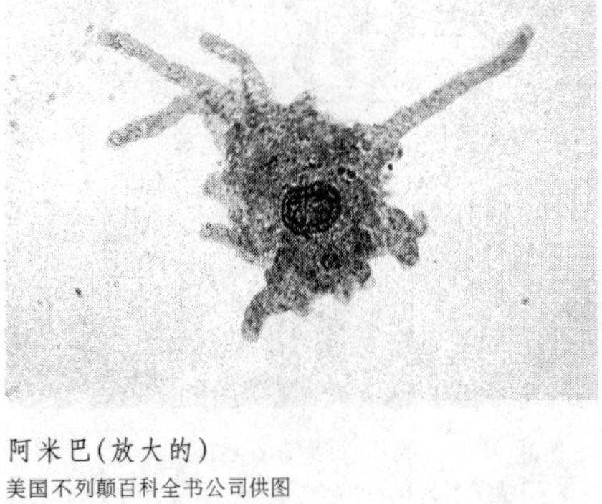

阿米巴(放大的)
美国不列颠百科全书公司供图

植物体上。阿米巴多为寄生性，人体消化道中可见6种，如溶组织内阿米巴(*Entamoeba histolytica*)能引起阿米巴痢疾。棘阿米巴属(*Acanthamoeba*)和内格勒氏阿米巴属(*Naegleria*)为两个有亲缘关系的自由生活的属，但其中某些种类对脊椎动物(包括人)有致病性。鉴别阿米巴是根据其胞浆伸出形成伪足的能力。借助伪足可向各方向运动，这种运动称为阿米巴运动，是动物运动的最原始类型。阿米巴被广泛用于细胞研究来确定胞核和胞质的功能以及其间的相互关系。阿米巴含有一小团胶状的胞质，分化为一层薄的外质膜、外质膜下黏稠澄明的外质及位于中心的颗粒状的内质。内质中含有食物泡、多颗粒的细胞核和澄明的收缩泡。无口，无肛门；食物的摄取和废物的排泄从细胞表面的任何一处进行。摄食时，胞质伸出，包围食物，并形成食物泡，酶分泌入泡内将食物粒消化，氧从周围的水中扩散进入细胞，代谢废物排泄于周围的水中。收缩泡能排出体内过多的水分，但大部分海生的和寄生的种类无收缩泡。繁殖是无性的(二分裂)。在不利的环境中，阿米巴缩成圆形，失去大部分水分，并分泌一层包囊膜作为保护性的外膜；当环境又适宜时，外膜破裂，阿米巴再出活动。

Amoghasiddhi　不空成就　佛教大乘和密宗所崇奉的五名禅定佛之一。参阅**Dhyāni-Buddha**。

Āmol　阿莫勒　又拼Amul。伊朗北部城镇。临哈尔赫兹河。建立的确切年代不详，但可肯定从萨珊王朝以来已有城镇。8世纪阿拉伯人征服该地后成为重要贸易和学术中

阿莫勒镇的布祖尔米哈尔陵墓
美国不列颠百科全书公司供图

心，是阿拔斯王朝泰伯里斯坦省的都城，以陶器出名。11、14世纪，阿莫勒遭受帖木儿的劫掠。17世纪英国旅行者曾描述该地果园遍布，房屋建造精致。以后又多次遭地震和水灾，但历次都得到重建，而且一直是重要城镇。现在的新城在旧城稍许偏东，有一座半传说中的萨珊王朝大臣布祖尔米哈尔的陵墓。该地产柑橘和稻米，附近有煤矿和铁矿。人口159 092(1996)。

Amon　阿蒙　又拼Amun，Amen或Ammon。被崇奉为诸神之王的埃及的神。阿蒙原来是中埃及赫蒙的一个地方神。对他的崇拜传到

了底比斯,他在门图荷太普二世的统治时期(公元前2008～前1957)便在底比斯成了法老的保护神。大约在那时,他又被认为和赫利奥波利斯的太阳神瑞是同一位神,于是作为阿蒙-瑞又被承认为一位国家之神。阿蒙-瑞被表现为人形,有时有一个公羊的头,但也被表现为一只公羊,阿蒙-瑞是作为底比斯三神之一而受到崇拜的,三神中其他两位神是他的妻子穆特和儿童神柯恩斯。

约公元前750～约前550年的阿蒙铜像
美国不列颠百科全书公司供图

阿蒙的名字的含义是隐藏起来的神,而他的形象被画成蓝色的。他的隐蔽性这一属性在新王国时期(公元前1539～约前1075)使得人们普遍相信阿蒙的全知与公正,而使他成为贫苦和受压迫的人们的神。

而且阿蒙的影响是和埃及政治上的安宁密切联系在一起的。在喜克索人统治时期(约公元前1630～约前1523)底比斯的王公们都支持对他的崇拜。在底比斯对喜克索人取得胜利并建立了一个帝国后,阿蒙的重要性和他的神殿的财富都增长了。在第十八王朝后期,法老阿肯那顿,即阿孟霍特普四世进行了主要是反对对阿蒙的崇拜的宗教改革,但是他不能使普通老百姓放弃信仰阿蒙和其他的神;并且在图特安哈门、阿伊和霍伦希布的统治时期(公元前1332～前1292),阿蒙逐渐又被恢复了帝国之神和法老的保护神地位。

在新王国阿蒙的祭司中间神学家的思考使他们得出了这样一个概念,即阿蒙是三神——和卜塔与瑞一道——的一部分,又是一位单一的神,而所有其他的神,甚至卜塔和瑞,都通过他表现出来。在由阿蒙的祭司在底比斯进行统治的神职人员当权的国家里(约公元前1075～约前950),阿蒙演变成为全世界的神,他的权力越过了埃及的边界。

在第二十二和第二十三王朝,亚述对埃及的入侵(公元前671～约前663)以及对底比斯的洗劫(约公元前663)都没有使埃及对阿蒙的崇拜的规模有所减小,因为他已经成为埃及民族主义的中心人物。而且,对阿蒙的崇拜已经在努比亚的库施人中间确立起来,库施人在入侵埃及并成为第二十五王朝(公元前715～前664)的统治者时曾被埃及的阿蒙崇拜者欢呼为英雄。从这一时期起,对埃及的外国占领势力的反抗在底比斯是最强有力的,并且阿蒙的崇拜扩展到各绿洲,特别是埃及西部沙漠中的锡瓦,在这里人们把阿蒙同朱庇特联系在一起,亚历山大大帝由于在锡瓦请示了神谕而得以被承认为法老,并且他也装修了卢克索的阿蒙神殿。托勒密王朝的早期统治者通过对神殿的支持,包容了埃及的民族主义,但是从公元前207年托勒密四世时起,在上埃及爆发了民族主义的叛乱。在镇压了这样的一次暴动之后,托勒密九世在公元前88～前85年的暴动期间洗劫了底比斯,从而严重地打击了对阿蒙的崇拜。公元前27年,一次强烈的地震摧毁了底比斯的神殿,而在希腊-罗马的世界里,对伊希斯和俄赛里斯的崇拜逐步取代了阿蒙。

Amontons, Guillaume　阿蒙通(1663-08-31,法国巴黎～1705-10-11,巴黎)　法国物理学家和科学仪器发明家,最著名的是他关于摩擦和温度测量的工作。他常被认为是摩擦定律的发现者(1699),不过他的工作仅限于静摩擦,即静止物体的摩擦。只是在英国物理学家I.牛顿建立了他的运动定律之后,才有人分析运动物体的摩擦。阿蒙通还曾制造气压温度计(1702),并发表过两篇关于温度测量的著名论文(1702～1703)。他创造了一种测量温度变化的方法,其根据是在体积和质量不变时空气的压强与温度变化成比例,这种方法最后导致在19世纪形成温度绝对零度的概念。

amora　阿摩拉　希伯来文原意为"发言人"。指古代犹太教学者。他们分别从属于巴勒斯坦境内太巴列、塞佛里斯、凯撒里亚等学院或巴比伦境内尼哈尔迪亚、苏拉、彭贝迪塔各学院。他们集体撰写犹太口传律法的权威性法典《密西拿》以及其眉批的评注。阿摩拉是早期称为坦拿的犹太学者的继承人,这些犹太学者就是撰写《密西拿》和编纂《塔木德》的人。在巴勒斯坦,圣职阿摩拉被称作拉比。参阅 **Talmud**。

Amorbach　阿莫巴赫　德国西南部城市,在巴伐利亚州。位于维尔茨堡西南的奥登林山。公元8世纪在一本笃会隐修院四周发展起来。1816年归属巴伐利亚。为疗养胜地,有木材加工和纺织业。人口约4 317(1991)。

Amorgós Island　阿莫尔戈斯岛　希腊爱琴群岛基克拉泽斯岛群的一个东北-西南向岛屿。大部分是狭长的山地,面积约121平方千米。早在青铜器时期就很繁荣,古时有3个城市:阿克兴、米诺亚和埃伊吉亚勒。岛上出产一种叫阿莫吉纳的玲珑剔透的编织品,以本地产的亚麻和棉花为原料。古罗马人曾以此为流放地,今天为一衰落的农业社区,主要在卡塔波拉平原。南岸有阿莫尔戈斯村,北岸有卡塔波拉港和艾伊亚利港,后者在古城阿莫尔戈斯的遗址附近,距今天的阿莫尔戈斯城大约14千米。人口1 718(1981)。

Amorite　阿莫里特人　古代讲闪米特语的民族的一支,约公元前2000～约前1600年支配美索不达米亚、叙利亚和巴勒斯坦的历史。在最古老的楔形文字资料(约公元前2400～约前2000)中,他们被认为是西方人,虽然他们真正的发源地很可能是阿拉伯,而不是叙利亚。他们是游牧民族,据传是使吾珥(亦译乌尔)第三王朝(约公元前2112～约前2004)崩溃的因素之一。公元前第2千纪开始时,来自阿拉伯半岛的部落联盟的大规模迁移,占领了巴比伦的幼发拉底河中游地区、叙利亚-巴勒斯坦,建立了一批小王国,并且迅速融合为苏美尔-阿卡得文化。很可能这部分人与早期资料中提到的阿莫里特人有过接触。有的学者认为,阿莫里特人就是东伽勒底人或伽勒底人。几乎所有的巴比伦国王(如汉穆拉比)都属于这部分人群。在公元前1600～前1100年的黑暗年代,巴比伦和幼发拉底河中游地区的阿莫里特人的语言消失了,然而在叙利亚和巴勒斯坦地区,他们的语言却占优势。

Amorite language　亚摩利语　古代闪米特语中最古老语言之一,曾通行于现在叙利亚北部地区,几乎全靠单个古词和各种名称而为世所知,已知的唯一的语法是关于名称的语法。尽管亚摩利语的语言学特点尚属未知,但是根据其专门名词的年代史却可溯源至公元前第3千纪的最后一世纪。它可能是西闪米特地区半游牧部落的语言。亚摩利语属于含米特-闪米特语系中部闪语的北支。

Amoroso Lima, Alceu　阿莫罗佐·利马(1893-12-11,巴西里约热内卢～1983-08-15,里约热内卢)　巴西散文作家、哲学家、文学评论家,巴西新天主教知识运动的领导人,20世纪20年代现代主义文化潮流的热心支持者。当过社会学、法学和文学教授,大学校长,《巴西日报》和其他报刊的文学批评撰稿人,阿基尔出版社的创办人(1944),泛美联盟文化局的负责人(1951～1953)。1935年,被选入巴西文学院。重要著作有《精神上的反革命》(1932)、《中产阶级的问题》(1932)、《当代的神话》(1943)、《教育人道主义》(1944)、《革命、反动或改革》(1964)。

amortization　分期偿付或摊销　在财务中,有计划地偿还债款叫分期偿付;在会计中,对某项帐目有计划地在几年内冲销,叫摊销。前者如以住宅作为抵押的借款,借款人按月连同利息分期归还,使负债金额逐渐减少。这种有计划地每年小量递减贷款金额的方式较之大额最后一总归还的方式对放款人更为安全。后者如建筑物、机器或矿山之类资产在估计有效使用期限内的摊销,是指减少其资产负债表上的估值,将损耗转入业务费用中。此项费用称为折旧,对可耗尽的自然资源称为耗减。受灾后舍弃或丢失的资产仍可作为企业资产,待逐步摊销。从缴纳所得税的角度来说,加速摊销的好处在于延付税款,而非减少付税。加速摊销,可减轻资产购置后最初几年的所得税负担，使企业有较多资金偿还置产时的负债。

Amory, Thomas　艾默里（1691？～1788-11-25，英格兰伦敦？）　爱尔兰裔英国作家，以其汪洋恣肆的"自传"《约翰·本克尔传》（2卷，1756、1766）而最为人所知。传中主角先后娶

美国不列颠百科全书公司供图

7个妻子，每一个体现艾默里心目中理想女子的一个方面。他的作品富丽、生动、荒诞不经，兼有狄更斯和拉伯雷的某些气质。他是坚定的一神论者，曾学过医学、地质学和古代习俗，因此作品充满这些和其他学科的知识。人们认为他曾先后在都柏林（在那里与讽刺作家斯威夫特认识）和威斯敏斯特住过。

Amos　阿摩司（活动时期公元前8世纪）　在《圣经》中有专卷以他命名的第一位希伯来先知。他准确地预言了以色列王国的覆灭。他在《阿摩司书》中严厉谴责以色列的异教徒邻国、以色列本国和犹太国的腐败以及社会的不公正，宣称上帝是人类的绝对主宰，预言以色列国与犹大国即将灭亡。作为一个神学家，阿摩司认为，全人类不分贫富都应当实行社会公义，即使是上帝的选民也不能 例外，因此阿摩司是主张超越民族利益的道德规范的。

Amos, Book of　《阿摩司书》　《旧约》12卷小先知书中的第3卷。在犹太教正典中《十二小先知书》合为1卷。阿摩司是出身于提哥亚村的犹大国先知，于国王耶罗波安二世在位期间（约公元前786～前746）在北部的以色列王国活动。他并非先知出身，也非先知之子；但称奉雅赫维召唤收集预言与异象记录而成书。阿摩司是否记录自己的预言无法肯定；可能是由他口授而由犹太教法律学家担任记录，也可能后人根据口头传说编纂而成。从今本编排预言的方法看来，此书并非阿摩司本人所撰。

Amos, Valerie Ann, BARONESS AMOS, OF BRONDESBURY　阿莫斯女男爵（1954-03-13，英属圭亚那［今圭亚那共和国］～　）　英国政治家。沃里克大学社会学学士（1976），伯明翰大学文化学硕士（1977）。最初在伦敦地方政府工作，1989～1994年任平等机会委员会主席。1997年8月受封为贵族。作为英国上议院议员，担任社会保障、国际开发、妇女问题和外交及联邦事务方面的政府发言人。2003年5月被任命为国际开发事务大臣，成为英国内阁中首位黑人妇女成员。2003年9月威廉斯勋爵去世，被任命为上议院领袖。

amosite　石棉状铁闪石　硅酸盐矿物镁铁闪石的变种，是石棉的源岩。参阅 **cummingtonite**。

amour courtois　参阅 **courtly love** 典雅爱情。

Amoy　参阅 **Xiamen** 厦门。

ampere　安培　国际单位制（SI）中的电流单位，为科技界所常用。1948年以来将安培定义为：在真空中放置两根横截面可以忽略的无限长的平行直导体，彼此相隔1米，在导体间产生 2×10^{-7} 牛顿/米的作用力的恒定电流。以19世纪法国物理学家A.-M.安培命名的电流单位表示每秒流过1库仑电量的电流。在1欧姆电阻上产生1伏电势差时通过的电流为1安培。参阅 **electric current**。

Ampère, André-Marie　安培（1775-01-22，法国里昂～1836-06-10，马赛）　法国物理学家。建立了电动力学并予命名，现改称电磁学。安培是一个神童，12岁时就掌握了当时已有

美国不列颠百科全书公司供图

的全部数学知识。1801年在布尔任物理学和化学教授，1809年在巴黎综合工科学校任数学教授。1820年他得悉丹麦物理学家H.C.奥斯特发现磁铁在有电流通过的导线附近偏转——一个建立电磁关系的现象，一周内就写出全面阐述新现象的理论的第一篇论文。他提出了一条电磁学定律（通称安培定律），从数学上描述两电流之间的磁力。他还进行了许多实验，由其结果引伸的数学理论，不仅解释了已知的电磁学现象，也预言了一些新现象。安培还是发展测电技术的第一人，他用自由转动的磁针制成测量电流的仪器；以后经过改进，称电流计。1827年出版了他的主要著作《由实验导出的电动力学现象的数学理论文集》。

Ampère, Jean-Jacques (-Antoine)　安培（1800-08-12，法国里昂～1864-03-27，波城）　法国历史学家及语文学家，曾倡导有关西欧诸语言和神话的不同文化渊源之研究，开创一重要领域。他还是一位全球旅行家，既有学术著作，也写过浪漫诗篇。其父安德列-马利·安培是一位杰出的科学家。1826年安培首次游学德国，在那里，他的作品深受诗人兼哲学家歌德赞赏。安培因对斯堪的纳维亚神话学素有研究，1830年受聘执教于巴黎大学文理学院，讲授外国文学史。3年后，他担任法兰西学院教授，致力于研究工作，写出他的主要语文学著作《12世纪前的法国文学史》（1839～1840）3卷和《法兰西语发展史》（1841）。安培还提出环境对历史的影响的理论，对法国文学批评家兼历史学家H.泰纳后来的学术观点，颇有先辈启迪之功。安培的成年期间，大部生活在对著名美人雷卡米耶夫人倾慕爱恋之中，虽然她比他要年长得多，他成了这位女主人的文艺沙龙的常客。安培于1848年当选为法兰西学院院士。他曾与作家P.梅里美结伴访问中东，后来又到美国和墨西哥旅行。安培的主要历史著作是《罗马史》（4卷，1861～1864），其他著述甚多，较重要者有《论诗歌之发展》（1830）、《美洲纪行：美国、古巴和墨西哥》（1855）等。

Ampère's law　安培定律　电和磁之间的基本关系之一，定量地论述磁场与电流或与产生电流的变化电场的关系。这一定律是为纪念1825年奠定电磁理论基础的A.-M.安培而命名的，它是将磁场与产生磁场的电流联系起来的毕奥-萨伐尔定律（**Biot-Savart law**）的另一种表述形式。安培定律通常运用微积分方法来阐明：围绕任一路径的磁场的线积分与该路径所围住的净电流成正比。J.C.麦克斯韦完成这一数学公式，并把这个定律扩充到包括没有电流时产生的磁场，例如对一电容器的两极板进行周期性充电和放电而改变电场时，电容器中虽无电荷流过，却产生磁场。麦克斯韦还证明，甚至在真空中，变化的磁场也伴生变化的电场。完全的安培定律描述所有这些效应。

amphetamine　苯丙胺　一系列对中枢神经系统具有显著兴奋作用的合成药物（统称苯丙胺类）的原型。苯丙胺为无色液体，味辛辣，气味淡薄。应用最广泛的制剂为苯丙胺的硫酸盐，商品名为苯齐巨林，是一种略带苦味并使舌尖麻木的白色粉末。苯丙胺有两种光学异构体，硫酸右旋苯丙胺是其中活性更强的一种。苯丙胺系列的其他成员还有脱氧麻黄碱（**methamphetamine**）和苄甲苯丙胺。这些药物可以部分地逆转麻醉药、麻醉品、催眠药和酒精的抑制作用。所有苯丙胺类都可引起深度精神作用，包括清醒感、警觉性、主动性和信心提高，欣快感、疲劳感减低，语言增多，以及集中注意力的能力增强。苯丙胺在饭前服用可降低食欲，所以广泛用来辅助限食以进行减肥。飞行员、卡车驾驶员和士兵在执行要求长时间保持清醒状态的任务时常使用本药（有时是非法地）。在治疗多动症方面，苯丙胺也起了主要作用，因为本药服用一天之后就可使患儿镇静，使他们能集中注意力。苯丙胺还用于治疗发作性睡眠症。苯丙胺也可引起不良作用，最常见的是过度兴奋，有不安、失眠、震颤、紧张和烦躁等症状。对苯丙胺的躯体耐受性出现得非常快，所以长期服用者必须越服用越多。这些服用者当药力消失时出现"垮掉"的感觉，表现为深度精神抑郁。服用大剂量苯丙胺后最严重的后效就是一种毒性神经病，其症状类似类偏执型精神分裂症。苯丙胺的滥用常和巴比妥药

物及酒精的滥用一同发生。

amphibian 两栖类 两栖纲(Amphibia)脊椎动物,在进化上介于鱼类和爬行类之间。现存约2 400种,包括蛙类、蟾蜍类、蝾螈、鳗螈和蚓螈。两栖类是最早离开水环境上陆生活的脊椎动物,是所有爬行类、鸟类和哺乳类的祖先。虽然有少数两栖类终生生活于水中,但大部分两栖类至少在生活史中的一部分时间要生活在陆上。两栖类为世界性分布,但大部分见于热带。大部分两栖类都有水栖的幼体期(蝌蚪期),幼体经变态发育成陆栖的成体。蚓螈和蝾螈为体内受精,雄性的蚓螈通过泄殖腔的一个突出部分将精子引入雌性体内。雄性蝾螈的泄殖腔分泌物将精子黏合成精包,雌性蝾螈泄殖腔的突出部能将精包纳入。大部分蛙类和蟾蜍类为体外受精,交配时雄体于背侧抱持雌体,雌体将卵排出时雄体亦将精液排出。两栖类的卵无壳,必须排入水中或潮湿的地方,如湿润的土壤或雌体的背部。现存的两栖类共有3类,其结构差异明显。裸蛇目(Gymnophiona)的种类——蚓螈,形似蠕虫;无四肢;尾极短或无;肠道简单;眼小,埋于光滑的皮下。颅骨坚实,适于穿穴。身体有许多环状皱纹,以沟相隔,使体表呈分节状。眼附近的小窝中埋有司感觉的触角。颚骨上生有数列牙齿。有尾目(Urodela)的种类——鳗螈和蝾螈,在美国东南部和墨西哥多见。鳗螈水栖,体细长,无后肢,但有肩带与前肢相关节;有的用鳃呼吸,有的到水面大口吸入空气进行口咽呼吸;眼埋在光滑的皮肤内;缺颌齿及犁齿而具角质喙;具尾鳍以助移动。蝾螈皮肤光滑;有颈部,具发达的四肢,有尾;上下颌和犁骨上均有齿;有些种类终生栖于水中,呈具鳃的幼体状态。无尾目(Anura)的种类——蛙类和蟾蜍类,是两栖类最大的类群。一个显著特点是后肢特别强大,具两根长跗骨,适于跳跃和游泳;蛙的上颌边缘和犁骨有细齿;皮肤光滑柔软,具腺体,某些陆栖种类的皮肤干燥粗糙。两栖类起源于早泥盆纪(4.08亿年前至3.87亿年前)的总鳍类(Crossopterygii)。这些鱼类有肺。偶鳍的骨骼构造似陆栖动物的四肢,又附有肌肉;有内鼻孔。干旱时,这些种类可能会用其肉鳍爬出干涸的池塘去寻找其他水体。除原有的食物外可能又以昆虫及其他节肢动物为食,因此对水的依赖减少。尚未发现蚓螈类的化石,但石炭纪(1.44亿年前至6 640万年前)的岩石中发现过鳗螈的化石,侏罗纪(2.08亿年前至1.44亿年前)的岩石中发现过蝾螈的化石。似乎蚓螈和蝾螈的进化均发生于北半球;而最早期的蛙类可追溯到晚三叠纪(2.30亿年前至2.08亿年前),其进化发生于赤道以南。

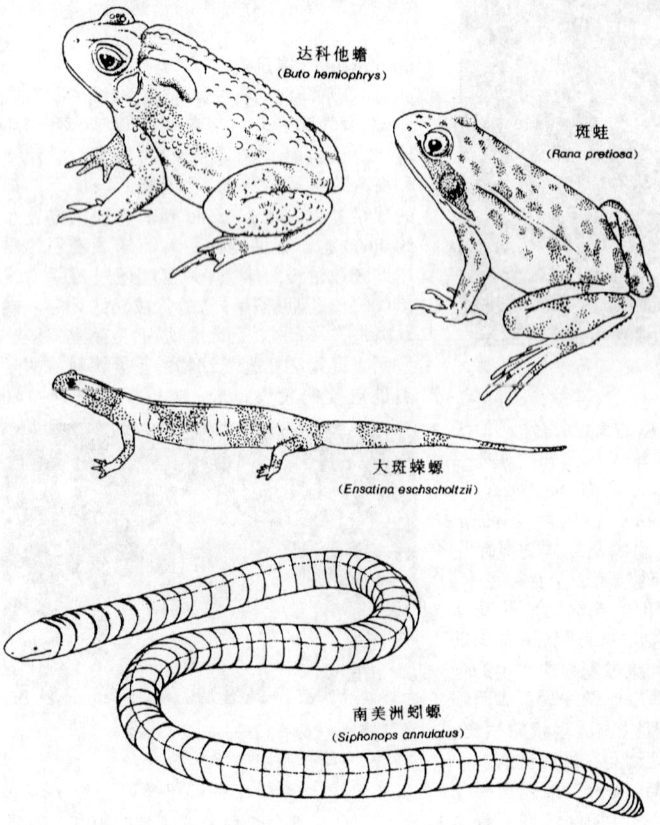

两栖纲的代表种类

amphibious vehicle 水陆两用车 能在陆地上当做轮式车或履带式车和在水上当做船以输送人员和装备的军用车辆。第二次世界大战期间出现的水陆两用车有两种主要类型:一种是为美国海军陆战队研制的履带式登陆车,它像一辆坦克;另一种是由陆军发展的轮式登陆车,它在岸上用轮胎行驶,在水上用螺旋桨推进。气垫船不算水陆两用车。

amphibious warfare 两栖战 从海上以海军和登陆部队向敌方海岸进攻的军事行动。两栖战的主要形式是两栖进攻,其目的在于:准备进一步在岸上进行作战;夺取必要的场地作为海军或空军基地;或者是防止敌人利用这种场地或地区。以远征军在已由友军占领的海岸或港口登陆,一般不算是两栖战。两栖战古已有之,而专门用在两栖战的登陆船只却是现代研制成功的。进攻特洛伊(公元前1200)的希腊军必须在岸上取得立足点,入侵希腊(公元前490)的波斯军也必须在马拉松湾采取这种行动。在罗马帝国衰落之后,在欧洲中世纪,斯堪的纳维亚人频繁袭扰北欧、西欧乃至地中海沿岸,他们所进行的两栖战,固然规模不大,却最为成功。在拿破仑战争期间,拿破仑未能控制英吉利海峡和入侵英国,论者往往以此为典型的事例,证明大陆强国如无制海权则无法使其实力穿过即使是最窄狭的海域。同样,在第二次世界大战期间,德国也是因为缺乏充分的两栖作战能力而大为吃亏。第一次世界大战中的主要两栖进攻是以美国为首的各国军队在加利波利登陆(1915),它是不幸的达达尼尔海峡战役的一部分。另一方面,在第二次世界大战中,盟军为了重新进入被纳粹占据的领土而不得不举行的一系列两栖作战,却为总反攻(不包括苏联的反攻)打下了基础。美国挥戈西指,举行横渡太平洋的跳岛战役,其中包括对日本所占据的岛屿的两栖进攻,计有所罗门群岛中的瓜达尔卡纳尔岛、新几内亚、夸贾林环礁、塔拉瓦环礁、马里亚纳群岛、菲律宾、硫黄岛和冲绳岛。在西方战场,盟军举行诺曼底登陆(1944),成功地攻入德军占据的法国北部海岸,是历史上空前的大规模两栖进攻。现代两栖战实际上包括陆、海、空作战的多种形式。两栖战的最大优势在于机动灵活,其最大的不足之处在于进攻的一方必须从零开始在岸上集结实力。在第二次世界大战以后,为克服一向是缓慢而繁重的卸载过程。研制出新的卸载方法和工具,补充供应、撤退伤员以及运送部队着陆都用直升机。为了改进作战地区的空中支援,已设计出新型的机场,可以在几天之内在岸上造成强大的作战能力,其效能基本上等于进攻型航空母舰。

amphibole 闪石 一族常见的硅酸盐类造岩矿物。作为主要组分或次要组分出现在大多数火成岩中,并且是变质片麻岩和片岩的主要组分。属链状硅酸盐类,具有两组发育完好的柱状解理面,其交角为124°和56°。很多闪石发育成细长形晶体,有一些呈针状和纤维状。有好几种纤维状闪石如钠闪石、镁铁闪石、直闪石和透闪石等,统称石棉。总的说来,闪石晶体不是呈斜方晶系,就是呈单斜晶系。闪石在成分上有很大变化:除硅和氧外,还有钠、钙、镁、铁、铝、氢和氟。闪石族的化学通式可以写成:$(Na,Ca)_{2-3}(Mg,Fe^{3+},Al)_5(Si,Al)_3O_{22}(OH,O,F)_2$ 或 $(Mg,Fe^{2+},Fe^{3+},Al)_7(Si,Al)_8O_{22}(OH,O,F)_3$。闪石的晶体结构由硅氧四面体的双链组成,双链由两个单链通过每隔一个四面体共用一个氧原子连接而成。双链和相邻的与之平行的双链,通过Na、Ca和Mg、Fe^{2+}、Fe^{3+}、Al等离子连接起来。Mg、Fe^{2+}、Fe^{3+}和Al离子的大小只有很少差别,因此,Mg在晶体中占有的位置能够被大小相近的其他离子所代替(即它们可以相互代替)。Ca离子和Na离子大小十分相近，可以相互代替。Al 离子的大小同 Si 离子很接近，所以出现了有限的 Al 代替 Si 的现象。

amphibole asbestos　闪石石棉　硅酸盐矿物阳起石（**actinolite**）的变种。

amphibolite　角闪岩　大部分或主要由闪石族矿物组成的一种岩石。这一名称既用来表示火成岩，也用来表示变质岩。在火成岩中常限于使用角闪石岩这一名称，普通角闪石是最常见的闪石，而且是角闪石岩的典型矿物。角闪石岩是一种超铁镁岩（暗色矿物占优势），也是超基性岩石（二氧化硅含量低）。真正的角闪石岩中除普通角闪石外，很少含其他矿物，它们可能是辉石和橄榄石的蚀变产物。变质的角闪岩是通过变质作用形成而分布相当广泛和变化很大的一组岩石。典型的角闪岩是中粒到粗粒，由普通角闪石和斜长石组成。角闪岩是区域变质作用角闪岩相的特征岩石，它们可能由变质前的各种类型的岩石形成的。基性火成岩（例如玄武岩和辉长岩）和沉积白云岩可能是角闪岩的母岩。

amphibolite facies　角闪岩相　变质岩矿物相分类的主要类型之一。此相岩石是在中温到高温（最高为 500℃）和中压到高压条件下形成的。温度和压力不太高时形成绿帘石-角闪岩相岩石，温度和压力较高时形成麻粒岩相岩石。闪石、透辉石、绿帘石、斜长石、铁铝榴石和钙铝榴石及硅灰石是角闪岩相岩石中的典型矿物。随着变质强度的增加，角闪岩相的特征性化学变化是绿帘石消失，斜长石中钙成分增加。当发生变化的时候，母岩中的水一般消失。角闪岩相岩石广泛分布在前寒武纪（38 亿年前至 5.7 亿年前）的片麻岩中，它们被看作是在褶皱造山带较深部位形成的。

amphictyony　近邻同盟　古代希腊邻近国家围绕一个宗教中心形成的联合组织，其中最重要的一个是近邻同盟（德尔斐近邻同盟）。该同盟原由居住在温泉关附近的 12 个部落组成，先以得墨忒耳女神庙为中心，后来以德尔斐阿波罗神庙为中心。盟员国各派两类代表（理事和执事）出席同盟理事会；理事会每两年开会一次，处理神庙财务，管理神庙财产，监督金库，主持皮托竞技。公元前 4 世纪，该同盟重建德尔斐神庙。同盟本来是宗教性的，但通过成员宣誓施加政治影响，不准毁灭成员的城市或切断水源。其他重要的近邻同盟有提洛同盟及上古时期的卡劳林同盟（由萨罗尼科斯湾附近国家组成）。

Amphion and Zethus　安菲翁和西苏斯　希腊神话中宙斯和安提俄珀的双生子，孩提时曾被丢弃在基塞龙山上等死，但是被牧人发现并抚养成人。安菲翁成为一个伟大的歌手和音乐家，西苏斯则成为猎人和牧人。回到母亲身边后，他们建立了第比斯城，并为之设防，巨石听到安菲翁的竖琴声便自动组成城墙。安菲翁后来娶尼俄珀为妻，并在失掉妻子儿女后自杀。

amphioxus　文昌鱼　又作 lancelet。又称海矛。脊索动物门头索动物亚门的无脊椎动物。为小型海生动物，广泛分布于世界温暖地区海岸水域，而温带水域略少见。

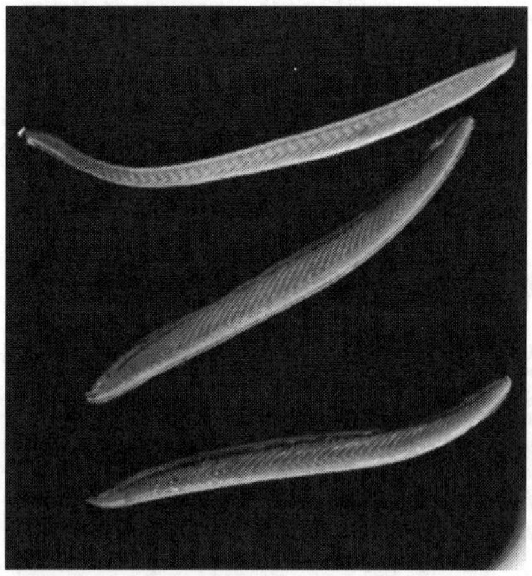
文昌鱼（*Branchiostoma*）
美国不列颠百科全书公司供图

文昌鱼体长很少超过8厘米，外形似无眼、无明确头部的细长体小鱼。分两属——文昌鱼属（*Branchiostoma*，又称 *Amphioxus*）以及偏文昌鱼属（*Epigonichthyes*，又称 *Asymmetron*），共约 20 多个种。幼体及成体均显示出脊索动物的特征——脊索、鳃裂及背神经索。

文昌鱼虽能游泳，但大部分时间将身体埋在洋底的沙砾或泥中。觅食时，将身体前部伸出沙砾表面以滤食流过鳃裂的水中的食物颗粒。夜间常在近洋底处游泳。身体两端渐细，中间较粗，体表覆以一层鞘状的表皮。文昌鱼借身体的迅速运动而在洋底钻洞。

身体两侧肌肉分节，从一端排列至另一端，称为肌节。借肌节的收缩而游泳。身体两侧的肌节交错排列，游泳时产生一种从一侧至另一侧的运动。文昌鱼不具浮力器官，所以停止游动时即沉落水底。背鳍延及背部全长，绕尾端成为尾鳍，然后延续为腹鳍，无偶鳍。

脊索纵贯全身，构成身体中央的支柱。神经索前端略膨大，但无脑。血液沿腹侧向前流，沿背侧向后流，但无明显的心脏。

文昌鱼的口腔外有罩状的口笠，其边缘有一列触毛，触毛为流苏状结构，构成一个粗糙的滤器，用以滤去体积过大难以消化的颗粒。鳃裂上纤毛的运动将水驱动，经小口进入咽部。水流中的食物颗粒为能分泌黏液的鳃篮内壁所黏附，然后进入消化道，与酶混合而被消化。与其他脊索动物不同，文昌鱼能进行称为吞噬作用的消化过程，食物颗粒为单个细胞所吞入。

咽上方为排泄系统，由原肾构成，开口于排泄管，导入围鳃腔。内柱相当于脊椎动物的甲状腺，因为它似乎能产生含碘的酪氨酸分子，起调节物质的功能，犹如文昌鱼的激素。

文昌鱼的雌体与雄体外形相同，但生殖腺不同。生殖腺沿体壁排列，突入围鳃腔。分布于热带地区的种类一年生殖数次，但温带地区的种类一年仅生殖一次。含卵或精子的囊破裂，将卵或精子通过体下侧的腹孔排入水中。受精在水中进行。约 2 天后幼体从受精卵孵出，幼体随洋流飘流，直到它们达到一定的大小并变态为成体。成体随即沉入水底，生活于沙砾中，多生活在 50 英寻以下的深度。

文昌鱼的滤食活动有助于净化水体，文昌鱼数量多的水域通常清洁。沿着部分中国海岸线，文昌鱼数量极多，构成渔业的基础。至今未发现确定的文昌鱼化石，文昌鱼的分类完全根据对现存种类的研究。

amphipod　端足类　甲壳纲端足目（Amphipoda）无脊椎动物。栖于海洋、湖泊、河流、沙滩、洞穴和许多热带岛屿的潮湿（温暖）生境。海生端足类曾见于 9 100 米深处。淡水和海滩的种类俗称为“飞毛腿虾”；栖于沙滩的端足类称为沙蚤（**sand flea**）。现已描述了约 4 600 种。端足类在所有海洋多岩石的沿岸地区数量极为丰富，其密度超过每平方米 10 000个。因形似小虾，故常被误认为虾。端足类是许多鱼类、无脊椎动物、企鹅、滨鸟、小型甲壳动物和鳍脚类动物的重要饵料。端足类是重要的食腐动物。端足类体长1～140

端足类——钩虾（*Gammarus locusta*）
美国不列颠百科全书公司供图

毫米，但中纬度地区的端足类可长约 4 ～ 10 毫米。许多端足类色彩鲜艳：红、粉红、黄、绿或蓝色。身体侧扁，便于在藻类之中滑行。大部分端足类善于游泳，以三对腹部的附肢推动身体，也善于跳跃，沙蚤的跳跃能力尤强。触角长而多毛。像虾一样头端和尾端向下弯曲。无眼柄，眼不能活动。一些种类具刺吸口器，并依附于营固着生活的大型无脊椎动物（如刺胞动物、海绵）身上。爪尾虫科（Cheluridae）的种类海生，啃食木头，并与另一类钻木的甲壳动物——等足目的蛀木水虱属（*Limnoria*）——专性共生。钩虾亚目（Gammaridea）的种类几无掠食性者；主要为食腐动物或植食动物，许多种钻入海底软泥中。端足类的鳃部分得到基节向腹侧延长结构的保护。雌雄异体，雄性的特征是第二胸节上的有爪附肢（颚足）形大，交配时用以握持雌体。雄体排出精子或精荚，体外受精。雌体每次产卵 1 ～ 250 枚。雌体的鳃内有孵育室，供受精卵发育，受精卵成团，由雌体携带于体外近鳃处。钩虾拍动称为腹肢的附肢，引起水流，使受精卵保持新鲜。幼体于 2 ～ 59 天后孵出，并留在孵育室内 2 ～ 35 天。幼体在 1 ～4 个月的期间脱皮 6 ～ 9 次后达性成熟。少数冷水种类可活达 1 年，可能更长。冷水端足类各属间的多样性似高于温水属。西伯利亚的贝加尔湖有端足类 290 多种，这是一个难解的谜。端足类的化石贫乏，仅记录有

6属。其中最早的一属是古钩虾属(*Paleogammarus*),见于早始新世(5 780万年前至5 200万年前)波罗的海的琥珀中;与现存的*Crangonyx*属极为相似。

Amphipolis 安菲波利斯 马其顿斯特里门河上的古希腊城市,距爱琴海约3英里。这个战略运输中心控制着斯特里门河上的桥和由北方希腊去赫勒斯滂的道路,其中包括西方取得木材、黄金和白银的路段。原为色雷斯的城镇,公元前436年便有雅典移民居住。公元前424年斯巴达的布拉西达斯占领该城,并打败企图光复旧地的雅典人克里昂。根据尼西亚斯和约(公元前421),该城正式归还雅典,但实际上保持独立。公元前357年该城被马其顿的腓力二世占领,此后一直由马其顿控制直到公元前168年罗马将其改为自由城市,设马其顿罗马总督驻地。今阿姆菲波利斯镇即位于该城原址,有古代防御工事和罗马水道工程的遗迹。

Amphissa 阿姆菲萨 现代希腊语作Ámfissa。希腊中部福基斯州首府,帕尔纳索斯县县城,农业中心。位于吉奥纳山脉和帕尔纳索斯山脉之间的克里西亚沃野的西北角。为小麦、牲畜和橄榄贸易中心。东南郊有铝土矿,供应安蒂基拉的铝厂。为希腊正教主教区所在地。2世纪的希腊旅行家保萨尼阿斯曾记述该城有一座雅典娜神庙,内有很早的女神雕像。直到罗马后期城市仍很繁荣。10世纪前后,城被保加利亚人破坏殆尽,后来又被法兰克人重建,名为萨洛纳。1311～1335年处于加泰罗尼亚人统治之下,后来又为阿拉贡的弗雷德里克阿方索伯爵家族的辖区,直到1394年落入土耳其人手中。1829年希腊独立后,成为希腊领土的一部分。人口7 233(1981)。

amphitheatre 圆形露天剧场 又译竞技场。平面为圆形或椭圆形的独立式建筑,中央有表演场地,座位沿四周排列。原词源于希腊,意为"四周有座位的剧场"。圆形露天

意大利维罗纳的古罗马圆形露天竞技场
美国不列颠百科全书公司供图

剧场(竞技场)这一建筑形式起源于古代意大利或伊特鲁里亚-坎帕尼亚,它反映了这些地区的民族所喜爱的娱乐方式,即斗剑或斗兽(兽与兽斗或人与兽斗)。起初,这类角斗在古罗马市镇的广场上举行,建立临时性的木制看台。现存最早的永久性竞技场(约公元前80)位于庞培城,其中央场地低于四周自然地面,用石料建造,占地面积136米×104米,可容纳近2万名观众。罗马城的弗拉维竞技场(约公元70～80),即大斗兽场,是韦斯巴芗和提图斯皇帝所建,位于尼禄金殿的旧址,可容纳近5万名观众。在维罗纳和古代的卡普阿(今圣马利亚-卡普阿韦泰雷)也有雄伟的古罗马竞技场。其中一座建于1世纪,规模仅次于罗马城的大斗兽场,占地面积170米×140米,高30米。除意大利外,法国的尼姆和阿尔勒,伊斯特拉半岛(克罗地亚)的普拉以及非洲的蒂斯德鲁斯(杰姆)均有古罗马竞技场。其中央场地一般长约60～90米,宽约35～60米。在幅员辽阔的古罗马帝国各行省里已发现75处以上的残迹。在英国,保存最完好的古罗马竞技场在格温特的卡利恩。

大多数罗马竞技场中,其中央场地之下均建有曲折复杂的地下室,包括运送布景的通道和提升野兽与演出装置的机械,以及角斗士室等。中央场地四周用带有金属网的高墙与观众席隔开。观众席分成若干部分,皇帝及其扈从的席位在底层特别座厢内,在对面观众席的矮墙内是执政官、祭司和其他贵宾的席位,底层看台其余部分为元老院议员和骑士团身分的显贵;第二层专供行政长官使用;第三层为平民;第四层即最高层为妇女的包厢。有遮阳篷为观众遮阳。每层看台都有通向出口的辐射形走道。

在现代,圆形露天剧场(竞技场)一词有时指表演区在中央场地、四周有座位围绕的剧场或演奏厅,例如伦敦的艾伯特大厅和纽约市新、老麦迪逊广场公园的剧场。有时也指体育场。虽然20世纪中期的体育场(**stadium**)已采用有屋顶的巨型结构,但是古代的和较近代的露天体育场(例如芝加哥的士兵运动场),仍在继续使用。

Amphitherium 双兽 早期哺乳动物类的绝灭属。双兽化石见于中侏罗世(1.87亿年前至1.63亿年前)沉积,是完兽目(早期哺乳类)的最早期代表。可以认为,完兽是产生所有晚期较高级哺乳动物的祖先。双兽是由欧洲发现其下颌骨而为人所知,特征是牙齿的数目多而结构独特。

Amphitrite 安菲特里特 希腊神话中的海之女神,波塞冬神的妻子,涅柔斯和多里斯(俄刻阿诺斯的女儿)所生的50(或100)个女

由特里同拖行的战车上的安菲特里特与波塞冬,公元前40年的浮雕
美国不列颠百科全书公司供图

儿(通称涅瑞伊得)当中的一人。涅瑞伊得姐妹在纳克索斯岛上表演舞蹈时,波塞冬选中安菲特里特。她拒绝了他的求婚,逃到阿特拉斯那里去,但波塞冬派了一只海豚把她接回。安菲特里特回来后便成了波塞冬的妻子。他使海豚成为星座,以之为答谢。在艺术作品中,她坐在波塞冬身旁,或共同坐在由海马或其他传说中的海中动物驾辕的战车上。

Amphitryon 安菲特律翁 希腊神话中梯林斯王阿尔凯厄斯之子。由于偶然杀死叔父迈锡尼国王厄勒克特律翁,他偕同厄勒克特律翁的女儿阿尔克墨涅逃到第比斯,在那里,他被他的舅父第比斯国王克瑞翁祓除了罪过。阿尔克墨涅提出,只有在他为她的兄弟报仇以后才同意结婚,这些兄弟除一人外,均在对塔弗斯人作战中阵亡。克瑞翁表示,如果安菲特律翁能使他摆脱无法捉到的卡德美亚魔妇,他才愿提供帮助。安菲特律翁向刻法洛斯借来一只所向无敌的克里特猎狗莱拉普斯,宙斯把猎狗和魔妇都化为石头。塔弗斯人始终顽强抵抗,直到国王的女儿科迈索出于对安菲特律翁的爱剪掉了她父亲的金发(金发使他长生不死)时,他们才被击败。安菲特律翁返回第比斯后,便同阿尔克墨涅成婚。这个神话比较著名的部分是关于安菲特律翁的妻子的。当他有一次出征时,宙斯冒充他去见他的妻子阿尔克墨涅,使她怀孕。丈夫回来后她再次怀孕。结果她生了双生子,其中伊菲克勒斯是安菲特律翁的儿子,赫拉克勒斯是宙斯的儿子。不少古代戏剧家都以这一故事作题材,特别是普劳图斯,他的喜剧《安菲特律翁》一直保存至今。

amphiuma 两栖鲵 又作congo eel或congo snake。有尾目两栖鲵科两栖鲵属(*Amphiuma*)动物。共3种,产于北美洲。因体躯细长、附肢不明显而常被误认为鳗或蛇类。灰色或棕色,体下部灰白色。常栖息于沼泽或水渠。分布最广的是二指两栖鲵(*A. means*),分布在弗吉尼亚至路易斯安那一带,体长60～75厘米;每蹠有二趾;腭强健,齿锐利,能凶狠地啮物;食物以螯虾、螺及其他小动物为主;体内受精,每窝产卵40～150枚。还有两种分别具三趾或一趾。

amphora 双耳细颈瓶 希腊陶器的主要容器形式之一,是一种两耳瓶,瓶颈较瓶身细。双耳细颈瓶有两种形状:颈式双耳细颈瓶,瓶颈以锐角同瓶身相接;整体双耳细颈瓶,瓶颈和瓶身形成连续弧线。第一种形状从有几何图形的陶器时期(约公元前900)到希腊陶器衰落时是常见形式,第二种形状是公元前7世纪出现的。双耳细颈瓶的高度不同,大型几何图形瓶高1.5米,有些瓶只有30厘米高,或者更小(最小的瓶称作*amphoriskoi*)。平均正常高度为45厘米左右。大量保存下来的双耳细颈瓶用作储藏和运输橄榄、谷类、油和酒的容器(盛酒的双耳细颈瓶为39升左右的标准雅典式量具),特大尺寸的瓶用于葬礼或作为坟墓标志。涂有油彩的宽口双耳细颈瓶用作盛水器,并被作为奖品。

颈式双耳细颈瓶在迈锡尼(公元前14世纪)陶器中已有发现,后又重新塑造为原始几何图形风格(公元前1 000～约前900)的主要形式,这种瓶有大约12种不同形状,或出于实用考虑,或出于审美考虑。值得注意的有:诺拉式瓶(来自意大利诺拉),有些有3耳,是红色图案陶器的流行式样;泛雅典娜式双耳细颈瓶,漆黑色图案,作为公元前6～前2世纪在泛雅典娜节上赠予的奖品(内装橄榄油,瓶身上刻有这样的文字:"我是来自雅典的一个奖品");双耳高颈细长瓶,细长瓶身,高颈,喇叭口,从6世纪起用于婚礼和葬礼等仪式。整体双耳细颈瓶的形状是比较一致的,圆柱形耳,喇叭口,圆钟形足,凸肚。作为装酒容器的双耳细颈瓶在罗马帝国期间仍然大量制作。

欧西米德斯约公元前510年绘制的双耳细颈瓶,上有描绘狂欢者的雅典式红色图案

美国不列颠百科全书公司供图

ampicillin 氨苄青霉素 又称α-氨基苄青霉素。一种半合成的青霉素,即在6-氨基青霉烷酸(6-APA)的核心结构上挂上几个酸根而成。其作用和应用最为广泛的天然制剂青霉素G相似,但在胃酸中更为稳定,可以口服,且对某些菌株更为有效。它是这一类抗生素中开发最早的一种。因为使用方便,氨苄青霉素成为最受欢迎的青霉素类抗生素。现常规用于泌尿道感染、某些呼吸道炎症和儿童细菌性脑膜炎等。虽然很多流感嗜血杆菌株种——细菌性脑膜炎最常见的致病菌——已对本制剂产生抗药,但仍然是联合抗生素治疗方案中的常选药物。氨苄青霉素可能有的副作用和其他青霉素制剂相似,主要是过敏反应:从皮疹、荨麻疹直到危及生命的过敏性休克(极少见)。对其他青霉素类药物过敏的人,很可能也对氨苄青霉素过敏。本药引起过敏性皮疹的发病率比使用其他青霉素时高,有人说这可能是毒性反应,也有人说这可能是真正的过敏反应。

amplifier 放大器 将小的输入信号(电压、电流或功率)变成大的输出信号并保持其波形不变的电子学设备。各类放大器广泛用于收音机、电视机、高保真度音响设备和计算机等电子设备。放大作用可由机电设备(如变压器和发送器)及真空管提供,但现在大多数电子系统都用固态微型电路作放大器。这种集成电路是由单个微小硅片上的几千个晶体管和有关器件组成的。单个放大器通常不足以把输出提高到所需要的水平,这时可将第一级放大器的输出馈入第二级,再将第二级的输出馈入第三级,这样持续下去,以达到满意的输出水平。这就是级联放大或多级放大。长途电话、无线电、电视、电子控制与测量仪器、雷达以及无数其他设备都有赖于这个基本放大过程。多级放大器的总放大率等于各单级放大器增益的乘积。根据放大过程中信号的性质,级联电子放大器有多种耦合方式。在相继的两级放大器直接耦合时,固态微型电路比真空管电路更为有利。变压器能用于耦合,但其体积大且昂贵。电子放大器能够设计得使放大后的输出信号在所有方面都等同于输入信号。这就是线性放大。如果经过放大器后输出信号的形状有所变化,就出现振幅失真。如果放大器对所有频率不是等值放大,就出现频率失真或鉴频(有如在音乐录音中加重低音或高音)。当放大器输出功率大到电子设备难以承担时,可使用电动放大器或磁放大器。

amplitude 振幅 振动物体或波上的一点运动时,对平衡位置的最大位移。它等于振动路程长度的一半。一个摆的振幅等于摆锤从一端运动到另一端所经历的路程的一半。波是由振源产生的,波的振幅与振源的振幅成比例。对于横波(例如经弹拨的弦上所发生的振动),其振幅由弦上任一点相对于静止弦的最大位移来决定。对于纵波(例如声波),它的振幅由任一点对其平衡位置的最大位移来决定。由于波的能量耗散,其振幅逐渐减小,便称为阻尼波。

amplitude modulation(AM) 调幅 一个载波(通常是无线电波)的幅度随着一个调制信号的特性而变动。这调制信号可以是由若干声频波组成的人声或音乐的声音。参阅**modulation**。

Ampthill 安特希尔 英格兰贝德福德行政、历史郡中贝德福德区的城镇("教区"),位于贝德福德西南偏南13千米处。圣安德鲁教堂内有一座理查德·尼科尔斯(1624～1672)纪念碑,他是纽约的第一位英国总督。安特希尔公园及其古橡树标志着阿拉贡的凯瑟琳在与亨利八世离婚前被迫居住的城堡所在地。现今在这个地点上的房屋是1694年所建。该地有商品蔬菜的栽培和农业。人口7 200(1998)。

Ampthill(of Ampthill), Odo William Leopold Russell, 1st Baron 安普西尔男爵(第一) (1829-02-20,意大利佛罗伦萨～1884-08-25,德国波茨坦) 英国外交家,英国驻德意志帝国首任大使(1871～1884)。本姓罗素,出身名门。因从家庭教师学习和漫游四方,早年对法语、德语和意大利语已娴熟自如,而且学会了从事外务的交际手腕。后曾在维也纳、巴黎、君士坦丁堡、华盛顿、佛罗伦萨、那不勒斯历任各种职务。1858～1870年在罗马逗留12年,一方面是正式的公使,一方面是英国派往梵蒂冈的非正式代表,对教皇一贯正确的思想进行了若干抵制。此后出任驻柏林大使,虽然了解俾斯麦一向不讲信义,但努力与这位总理大臣友好相处,并坚决对抗他的诈骗行为。安普西尔在柏林会议时任英国全权代表,大力进行幕后活动(1878)。1879年以功封爵士,1881年授贵族爵位,成为安普西尔第一代男爵。

ampulla 圣油瓶 一种用以盛装液体的圆身细颈小瓶,特别用于盛装油和香水。古代地中海一带此种瓶盛装的液体用于梳妆,或涂抹于尸体之上然后瓶子随尸体下葬。在欧洲中世纪初期,圣油瓶用来盛为国王涂抹的圣油。圣油瓶的名称和用途在西方基督教中一直沿用至今,现仍选定这种盛圣油的瓶子作为主教在宗教仪式上祝圣之用,特别是在行坚信礼、神职人员就职或其他隆重的典礼上。圣油瓶还在英国王室举行加冕大典上使用,而且在加冕仪式祈祷中反复诵念此名。作为英国王权标记的圣油瓶造成金鹰展翅的样式。历史上最著名的圣油瓶可能是兰斯的"神圣的圣油瓶",法国国王就是用这个圣油瓶涂圣油的。相传此瓶是一只鸽子从天上衔来给克洛维加冕时用。此瓶在法国革命中被毁。

amputation 切断术 去除身体的任一部分的手术;该词通常仅指切除上肢或下肢的一部分或全部的手术,即截肢术。适用于创伤、感染、肿瘤、糖尿病或供血不足;偶亦用于无功能的或严重畸形肢体。天生肢体残缺称为先天性截肢,病因不明,但可能属于非遗传性疾患。对失血或感染的伤员、对糖尿病或动脉硬化性坏疽的患者(截肢在这种情况下可能是防止坏疽扩散的唯一办法)及对软组织或骨组织恶性肿瘤的患者来说,截肢或能挽救生命。现代的整形外科技术使许多严重病损的肢体毋需截肢就有可能康复。根据第二次世界大战的经验,对许多重伤员进行了早期和彻底的治疗(尤其是使用全血和血浆)后,许多肢体可免于截除。并且,现代的假体(尤其是下肢假肢)能恢复肢体的部分功能。先天性肢体残缺者几乎无需进行任何矫正手术,但可安装假肢从而获得相当的肢体功能。

ʿAmr ibn al-ʿĀṣ 阿慕尔·伊本·阿斯(?～663,埃及富斯塔特) 征服埃及的阿拉伯将领。出身于古来氏部落中的富有家族。629～630年间成为伊斯兰教徒。先知穆罕默德曾派其前往阿拉伯半岛东南之阿曼,说服阿曼统治者们改信伊斯兰教,获得成功。作为哈里发艾卜·伯克尔派往巴勒斯坦的三支军队之一的领导人,他参加了阿杰纳代恩战役(634)和耶尔穆克河战役(636),负责穆斯林对巴勒斯坦西南部的征服。其声望至征服埃及后达到顶点。根据某些资料,他的埃及之役出于自发。640年在赫利奥波利斯(今开罗近郊)及641年在巴比伦(拜占廷城市,在今旧开罗原址)击溃拜占廷主力军后,于642

年进占首都亚历山大。他不仅是一名成功的将领,也是一名能干的行政官员和敏锐的政治家。他在埃及创立赋税系统和司法机构,同时在毗连巴比伦的地方建立富斯塔特要塞城,并在那里建立以他的名字命名的清真寺。657年在王位之争的绥芬战役中,他效忠叙利亚总督穆阿威叶一世,共同反对伊斯兰第四代哈里发阿里,在随后的调停中,又忠实地代表穆阿威叶。随着伍麦叶王朝于661年建立,哈里发穆阿威叶授予他埃及总督的职位,以为酬报。

ʿAmr ibn al-ʿĀṣ, Mosque of　阿慕尔·伊本·阿斯清真寺　埃及最古老的伊斯兰建筑。641年由入侵埃及的阿拉伯军队将领阿慕尔·伊本·阿斯兴建。寺址富斯塔特城原为阿拉伯军营,位于今开罗市,此清真寺原建筑平庸无奇,多次毁而重修,无从知晓其本来面目。现在的阿慕尔·伊本·阿斯清真寺建于19世纪,历代残部和装饰尚依稀可见。

ʿAmr ibn Kulthūm　阿姆尔·伊本·库勒苏姆(活动时期6世纪)　伊斯兰教以前时期的阿拉伯诗人。他的抒情古诗是伊斯兰教出现以前的名诗选《悬诗》中七首长诗之一。生平不详,早年即为美索不达米亚塔格里布族头人。相传他在568年前后杀死希拉王国的阿拉伯国王阿姆尔·伊本·欣德。库勒苏姆享有高龄,由于他的崇高品格,写过一首颂扬塔格里布族战胜巴克尔族的诗歌,并且对希拉的莱赫米诸国王采取了不依附的态度,受到人们极大的尊敬。《悬诗》中他的那首诗可能被后来的诗人改动了。诗人的母亲被阿姆尔·伊本·欣德侮辱,因而导致诗人激烈的攻击。

Amram bar Sheshna　阿姆兰·巴尔·谢什纳(?～875?)　巴比伦境内苏拉城塔木德学院院长。据说犹太教第一部完整的全年家庭礼拜与会堂礼拜祈祷书《阿姆兰拉比的祈祷仪式》是出自他的手笔。此书中除祷文外还收有相应的《塔木德》述评。他还著有一批律法问答集,涉及饮食禁忌,以及关于安息日和节日的规定,是研究彼时犹太教律法与习俗的重要资料。

Amratian culture　阿姆拉特文化　又称奈加代一期文化。埃及前王朝时期的一个文化阶段,中心在上埃及,已经发掘许多约公元前3 600年的遗址。其农业生活方式与拜达里

阿姆拉特陶器与制作工具
美国不列颠百科全书公司供图

文化前的生活方式相似,但技术则进了一步。城镇建筑为泥砖结构。有黑顶红色陶器和带粗线条的人或动物图案的深红色陶器。在奈加代出土的一块阿姆拉特陶器碎片上,画有迄今所知最早的法老红色王冠图案。其他重要遗物有盘状的钉头锤、化妆调色石板、精美的石瓶、象牙雕刻以及大量用不同材料制作的小型雕像。

Amrāvati　阿姆劳蒂　又称阿马拉瓦蒂。印度西部马哈拉施特拉邦阿姆劳蒂县城镇。在贝拉尔地区。位于布尔纳盆地与沃尔塔盆地两个棉产区之间的山口附近。为一发展中的工业中心。向孟买、加尔各答与艾哈迈达巴德供应棉纱。设有那格浦尔大学的7所学院。阿姆劳蒂县面积12 210平方千米,南部布尔纳河的宽阔冲积盆地为印度主要棉产区之一。县内城镇多为农产品市场。工业以轧棉为主。主要工业中心为阿姆劳蒂与伯德内拉。人口421 576(1991)。

Amreli　阿姆雷利　前称阿马拉瓦利。印度中西部古吉拉特邦西南阿姆雷利县城镇。在卡提阿瓦半岛上。属商业中心。工业有粗棉布织造、鞣革、银器和轧棉等。有铁路和机场。该县面积6 760平方千米。主要农作物有粟、花生、棉花、小麦与豆类。人口:城镇67 827;都会区69 366(1991)。

ʿAmri(Israelite king)　参阅 **Omri 暗利**。

Amritsar　阿姆利则　印度西北部旁遮普邦阿姆利则县县城,该邦最大城市。为重要商业、文化和交通中心。临巴基斯坦,距边界约50千米。1577年由锡克教第4代祖师罗

阿姆利则市的锡克教寺庙管理组织总部
美国不列颠百科全书公司供图

姆·达斯始建,环绕阿姆利塔圣池。池中岛上圣堂之铜穹窿敷以金箔,世称金庙。阿姆利则为锡克教中心。1849年并入英属印度。1919年4月13日政府军队向举行政治集会的群众开火,有379人被杀,史称"阿姆利则血案"。1984年政府军与锡克分离主义者之间发生的另一次政治暴力事件导致450～1 200余人死亡。有纺织、食品、鞣革与制造业等工业部门。为重要公路与铁路中心。设有医科、牙科、艺术和技术学院以及卡尔萨学院。阿姆利则县地处拉维河与贝阿斯河平原上,面积5 088平方千米。因气候干旱,依靠灌溉生产小麦、棉花、豆类和玉米等。人口708 835(1991)。

Amritsar, Massacre of　阿姆利则血案(1919-04-13)　英国军队屠杀大批印度群众的案件,在印度与英国的关系上留下不可磨灭的裂痕,并且是1920～1922年甘地所领导的不合作运动的前奏。1919年英印政府颁布《罗拉特法案》,延长行使第一次世界大战时期所拥有的镇压所谓颠覆活动的紧急权力。旁遮普地区阿姆利则有1万名群众在英国殖民军面前举行抗议示威。英军悍然开枪射击。据官方报道,死379人,伤1 200人。此后又宣布戒严,公开实行鞭刑,残酷镇压印度无辜群众。

Amritsar, Treaty of　《阿姆利则条约》(1809-04-25)　英国东印度公司代表C.T.梅特卡夫与旁遮普锡克王国首脑兰季特·辛格之间订立的条约,该条约使双方关系趋于平静。直接原因是法国兵临西北印度,英国需要有一个反法共同防御条约。这个条约规定英国殖民军同兰季特·辛格之间大致以苏特莱杰河为界,不向前进犯。

Amroha　阿姆罗赫　印度北方邦西北部城镇。位于莫拉达巴德之西北偏西,傍索德河。为农产品市场,工业有手工织布、陶器与糖厂等部门。设有亚格拉大学。有铁路与莫拉达巴德和德里相连。人口137 061(1991)。

Amrouche, Jean　昂鲁什(1906-02-07,阿尔及利亚伊吉勒阿里～1962-04-16,巴黎)　最早一代北非法语作家中的第一流诗人。生于小卡比利亚山区的一个天主教家庭。幼年随家移居突尼斯,在突尼斯和巴黎上学。青年时代发表的《灰烬》(1934)和《隐蔽的星》(1937)是用法语写的最重要的阿尔及利亚诗集。他从他的柏柏尔祖先和现代欧洲后象征主义汲取灵感,作为第一流的抒情诗人,以雄辩、流畅的语言写诗。后期作品有一部柏柏尔抒情诗集的法文译本和短论《永恒的朱居尔塔》(1946)。

Amrouche, Marguerite Taos　昂鲁什(1913-03-04,突尼斯～1976-04-02,法国圣密歇尔天文台)　又名玛格丽特·陶斯。卡比尔人女歌唱家、作家。父母改信天主教后,为逃避迫害从阿尔及利亚逃到突尼斯。她是六子之家中的独女。在母亲影响下,对卡比尔人丰富的柏柏尔口头传述很感兴趣。1934年在突尼斯获高校文凭。次年去法国塞夫勒高等师范学校求学。从1936年起,在母亲和哥哥让的合作下,他收集并且开始翻译卡比尔人歌曲。1937～1938年在巴黎和慕尼黑演出。1939年在非斯歌唱大会上获得去西班牙学习的奖

学金。在那里,她研究柏柏尔民歌和西班牙民歌之间的联系。第一部小说《黑风信子》(1947)是北非女作家最早用法文发表的小说,写一名"未开化的"突尼斯姑娘被送往法国求学并遭到种种偏见和冷遇的故事。第二部小说《铃鼓街》(1960)在很大程度上是作者对儿时在突尼斯生活的回忆。她最著名的作品是《神奇的种籽》(1966)。这是一部由柏柏尔文译成法文的关于卡比尔人的传说故事、短篇小说、歌曲、诗和谚语的选集。她还录制了几个唱片集,并为法国广播电台、电视台创作过《从遗忘中找回的歌》、《向深沉的歌致敬》等节目。

Amsdorf, Nikolaus von　阿姆斯多尔夫(1483-12-03,萨克森托尔高[德国]～1565-05-14,爱森纳赫)　德意志宗教改革家 M. 路德的主要支持者。先后在莱比锡大学和维滕贝

美国不列颠百科全书公司供图

格大学求学,1511年在维滕贝格大学任神学教授。和路德一起参加1519年的莱比锡会议和两年后的沃尔姆斯会议,在后一次会议上参与设谋制造假劫持事件把路德保护在爱森纳赫的瓦特堡。1541年路德和萨克森选帝侯腓特烈一世共同任命他为瑙姆堡主教。他身为福音派而任主教,困难甚多,但仍听从路德的意见继续留任,1547年才将此职务让与听命于天主教的冯·普弗鲁格主教。阿姆斯多尔夫被驱逐到马格德堡后,主编耶拿版路德文集,并维护路德教义的纯洁,反对梅兰希顿等改革家的较为自由化观点。

Amstelveen　阿姆斯特尔芬　荷兰西部北荷兰省城市。近阿姆斯特尔河,为阿姆斯特丹市市郊住宅区。有水上运动中心及一些农业和轻工业。附近有斯希普霍尔国际机场。人口约68 090(1986)。

Amsterdam　阿姆斯特丹　荷兰西部的港口城市,位于艾瑟尔湖畔并与北海相连。该市为荷兰首都和主要的商业与金融中心。每年有大量游客来到阿姆斯特丹观光游览,当地的历史名胜、艺术收藏馆以及独具特色的旧城非常著名,并且均得到了妥善的保护。然而,观光客还会看到一个受到环境污染、交通堵塞和住房紧缺困扰的拥挤的大都市。描述阿姆斯特丹是一件容易的事情,该市有700多年的历史,作为一个消逝岁月的活的博物馆,多条有数百年历史的运河和古代贵族住宅的永恒之美,以及那种自由和宽容的氛围都值得赞赏,但是这个现代城市正在制订方案,以缓解它所面临的各种紧迫的城市问题。

阿姆斯特丹只是荷兰名义上的首都而不是政府所在地,真正的政府所在地在海牙。这个城市基本上没有其他国家的首都常见的那种大型建筑。既没有适合举行游行集会的大型广场,也没有凯旋门或气势雄伟的雕塑。阿姆斯特丹的小而舒适的特征在旧城狭窄拥挤的街道中得到了最好体现,在那里多数人每天仍在忙于自己的生意。然而城市的辉煌历史还是依稀可见——山形墙房屋、用沙岩面的堂皇砖建造的建筑物正面、装饰华丽的上楣、塔尖和教堂,以及钟琴和手摇风琴的音乐——但是,这个现代城市中的生活现实却往往否定了这个浪漫形象。阿姆斯特丹的内城被该市的网状运河分成大约90个"岛屿",整个城市有大约1300座桥梁和高架桥。阿姆斯特丹是荷兰的经济中心,在那里传统与创新并存。尽管这座城市有一个现代化的地铁交通系统,但大约有1/5的上班族仍然按照传统把自行车当作交通工具。这个城市现在仍以当地不计其数的中餐馆和印度尼西亚餐馆,以及内城运河中数百条排列整齐的居住船而闻名。自从20世纪60年代中期,阿姆斯特丹还以宽容的社会氛围而著称,吸引了大批追求不同生活方式的人们来此。

面积:市区165平方千米;大都会区635平方千米。人口:市区约727 053(1999);大都会区1 002 868(2000)。

自然地理和人文地理

景观　*城市布局*　阿姆斯特丹位于一个平坦的低地区,大部分在艾瑟尔湖(以前须得海的一个内陆海湾)的南岸,经运河与北海相连接。阿姆斯特尔河从南向北流经该市注入艾瑟尔湖。城市多处地方位于海平面以下,有些地方建在通过围海或围湖拓地形成的土地上。

城市发展　这个荷兰人的首都最初只是中世纪一个很小规模的居民定居点,建在阿姆斯特尔河与艾瑟尔湖交汇处的几个堤坝上。在阿姆斯特尔河上筑堤是为了防洪,城市的名称就源自阿姆斯特尔大堤。到16世纪阿姆斯特丹已经发展成一个以现在的海堤为中心,四面有城墙的城市,墙外基本上被现在称之为辛吉尔和克洛维尼亚斯伯格沃尔的两条运河所环绕。旧城堡的3个塔楼现在依然矗立在那里。在辛吉尔运河之外有始建于17世纪初的3条主要运河:海伦运河(绅士运河)、基泽斯运河(皇帝运河)和普林森运河(王子运河)。这些主要运河与较小的辐射状运河一起,构成了一个独特的蜘蛛网形状,该河网在繁荣的黄金时期(17世纪和18世纪初)沿河港向东延伸,而西部则发展成约尔丹区。

阿姆斯特丹的旧城有许多古老的建筑,最著名的是老教堂建于13世纪,以及始建于15世纪的新教堂。与新教堂毗邻的是17世纪的市政厅,现在是王宫,采用了古典的帕拉弟奥式建筑风格。其他主要建筑包括明特塔,在一个中世纪的大门上增建了一个17世纪的塔尖;南教堂(建于1611年);西教堂(建于1631年),著名画家伦勃朗就安葬于此;特里彭赫伊斯,该建筑现为荷兰皇家艺术和科学学院所在地;老人住宅门,现为阿姆斯特丹大学主要建筑之一的入口。从前的犹太人居住区,位于旧城的东部,现在是葡萄牙犹太教会馆和伦勃朗展馆的所在地。北海运河是一条新修的主要运河,向西流入大海,1876年竣工;新的码头和库房沿着码头区发展起来;1889年城市新的铁路枢纽中央火车站,建在市中心北部艾瑟尔湖的一个人工岛屿上。20世纪初,新的城郊区得到开发,有几个地方以阿姆斯特丹派的建筑风格建成;他们富于想象和不对称的特点,给设计单调的城郊公共住房带来冲击。圣尼古拉教堂(建于1886年)、证券交易所(建于1903年)以及航运大厦(建于1916年)都是该时期的产物。第二次世界大战期间,阿姆斯特丹比许多其他欧洲城市遭受的损失都要小,但是旧的犹太人居住区被洗劫。战争结束之后,城市重建工作和大规模的新的住宅区试图容纳不断增长的人口,收入不断提高,汽车交通以不可阻挡的速度发展。新的花园郊区包括城市西部边缘地带的斯洛特米尔、北部的新文达姆、南部的伯伊腾费尔德特,以及20世纪70年代在东南部建的比吉尔莫米尔。在20世纪的最后几十年当中,加强了对内城区的修复,而不是将其拆除重建。

人民　阿姆斯特丹与大多数国家的首都相比是一个小城市。第二次世界大战之后城市人口保持在80万人以上;在20世纪80年代中期之前一直呈下降趋势,但此后人口总体上回升。大约有一半的城市居民是当地的荷兰人;约1/10的人具有苏里南人的血统;此外还有相当数量的摩洛哥人和土耳其人少数民族。在20世纪90年代期间许多新移民来此寻求政治避难。从20世纪90年代中期,出生率和结婚率一直呈上升趋势。与此同时,像其他的西方国家社会一样,越来越多的人选择独居,生活在单亲家庭,或未婚同居。与荷兰的总体人口不同,阿姆斯特丹的人口在人口统计上并没有老化。处于退休年龄之前的居民在总人口中没有减少,这主要归因于不断有年轻人来到这个城市。

经济　与大多数现代城市一样,阿姆斯特丹也是以服务业为主,当地仅有大约1/10的劳动力受雇于制造业。居主导地位的服务业最具活力和发展最快的部分是它的商业服务部门,包括咨询、信息和医疗技术,以及电信。这个城市过去700年持续不断的生命力一直是国际贸易和运输,这两项加起来为大约1/5的人口提供就业。银行保险业也是阿姆斯特丹经济的一个重要支柱,大约提供了1/8的工作岗位,而大约1/6有固定工作的人受雇于卫生、文化和社会服务业方面。旅游业是这个城市经济另一个重要的组成部分,提供了大约1/10的工作岗位。尽管有繁荣的服务业,但在21世纪到来之际这个城市仍然有许多缺乏必要技能的求职者,有大约1/8的劳动力处于失业状态。

金融与贸易　阿姆斯特丹是一个极受欢迎的国际商业城市,主要由于当地具有交通便利、文化丰富、国际性强等特点,并且由于没有高层建筑和多车道的高速公路而富有人性化。荷兰至少吸引了美国和日本在欧洲全部投资的1/5,其中大部分集中在阿姆斯特

丹。这个城市也是一个重要的金融中心，尽管在地位上略逊于伦敦和法兰克福。荷兰所有的大银行都将总部设在阿姆斯特丹，欧洲期货交易所也设在阿姆斯特丹，大约60家国外银行在当地设有办事处。阿姆斯特丹繁忙的港口和方便快捷的陆空交通线使它能够一直保持区域和国际贸易中心的地位。

工业 工业在阿姆斯特丹的经济份额中不再占有大的比例；然而，仍在延续的工业活动是多种多样的，既有造船业和大型工程，也有石油化工、食品加工（包括酿酒）和钻石加工。为了减少失业，城市积极的经济政策通过完善与周边地区的基础设施连接，以及给雇主提供培训、临时工人和各种优惠来寻求吸引工业投资。在此过程中，市政府到20世纪末创造了数千个给予补贴的工作。

旅游 所有形式的旅游都是重要的和不断增长的经济活动。许多到这个城市来的游客都是因为公务或者参加各种会议。由于在一天之内靠步行就可以看到许多城市景点，阿姆斯特丹一日游也极受欢迎。

交通 阿姆斯特丹通过铁路、水路、陆路和航空建立了极好的交通网。斯希普霍尔机场属欧洲最繁忙的机场之列，并且无可争议地成为世界主要航空枢纽之一。阿姆斯特丹的海港在欧洲也名列前茅，但由于受到附近的鹿特丹港的影响，阿姆斯特丹码头的交通流量在20世纪后期逐渐下降。一个范围广泛的公路交通网把阿姆斯特丹与荷兰的所有地方，以及德国和比利时连接起来。在城市范围内，从20世纪60年代起，规划者就一直大力发展公共交通以减少汽车的使用。高速地铁线于1976年开通，新的通往斯希普霍尔的快速铁路交通于1988年投入运营，但在阿姆斯特丹内城电车依然是主要的交通工具，而公共汽车在外区则很重要。

行政管理 根据荷兰宪法，荷兰每个城市均由一个参议会领导，其规模取决于居民的人数。阿姆斯特丹市政参议会的45名议员经选举产生，任期4年。行政委员会包括8名当选的市政官员和市长，市长由国王任命，任期6年。市长还主持参议会的各种会议，但不是该机构的正式成员。虽然市参议会对市长的任命没有发言权，但市长通常在参议会中代表最大的政治组织。自从第二次世界大战结束以后，工党一直控制着市议会，阿姆斯特丹的历届市长都是该党的普通成员。

市政府的职责包括公共交通、市政工程（包括场地和建筑的获取和分派）、公共卫生、住房、电力和煤气、海港、市场、警察、消防队、环境卫生、社会服务、供水系统、教育以及教堂墓地。城市有自己的结算银行、信贷银行、广告部、印刷厂、游泳池、剧院、档案馆、博物馆、屠宰厂和孤儿院。

文化生活 作为一个艺术中心，阿姆斯特丹可以展示的地方很多。市内有大约40个博物馆，每年吸引了大约400万游客。国家博物馆以其17世纪荷兰人的杰作而闻名。市博物馆主要收藏世界各国的现代艺术品。凡·高博物馆专门收藏文森特·凡·高及其同时代画家的作品。其他的主要博物馆包括安妮·弗兰克博物馆、阿姆斯特丹历史博物馆、荷兰海洋博物馆，以及伦勃朗博物馆。

城市有大约200多个现场表演场地，包括音乐厅，它是世界著名的皇家音乐厅管弦乐队所在地；音乐剧院，国家芭蕾舞团和歌剧团都在此演出。城市还有两所大学，阿姆斯特丹大学（1632年创办）和自由大学（1880年创办），以及许多研究院和音乐学院。内城的建筑（以及一些郊区的建筑）吸引了许多对文化感兴趣的游客，他们探寻出运河边上保存完好的黄金时期的豪宅以及许多历史上著名的遗址，包括王宫。艺术在阿姆斯特丹的经济中起到了重要的作用，提供了数千个工作岗位并且每年有近10亿美元的收入。城市有100多个画廊，包括大型拍卖行。娱乐设施遍及城市每个角落。阿姆斯特丹林区、西面的赞德福特海滨浴场、位于西郊中心的斯洛特湖，以及城南和城北许多较小的湖泊提供了许多户外活动机会。在这个拥挤的城市有大约40个运动场，几乎包括各种运动的俱乐部，以及250多个户外网球场。对于吸引大量观众的体育运动，阿姆斯特丹室内运动场（阿贾克斯足球俱乐部的本部）和奥林匹克体育场都是世界一流的场馆。

阿姆斯特丹的圣尼古拉教堂

美国不列颠百科全书公司供图

历　史

早期拓居与发展 尽管现代历史学家没有排除在罗马时代有某种形式的拓居存在于阿姆斯特尔河河口的可能性，但至今还没有证据被发现。现在人们所了解的阿姆斯特丹，在13世纪只是一个小渔村。为了防御洪水，早期居民不得不在阿姆斯特尔河两岸筑堤，在大约1270年他们在这些堤坝之间建了一条大坝。尽管那样，从阿姆斯特尔河出发的商船还是航行到了波罗的海，并为以后成为贸易中心奠定了基础，成为北欧与佛兰德（现为比利时北部和法国北部）之间的一条纽带。城市当时受荷兰公爵们的管辖，他们当中一个叫弗罗里斯五世公爵的人在1275年授予在阿姆斯特尔河附近居住的人有征收通行税的特权。这个文件首次提到了阿姆斯特丹的名称，尽管正式的特许状直到1306年才授予。城市得到快速发展，1489年为了对该城支持勃艮第-奥地利诸君主表示感谢，马克西米连皇帝一世允许阿姆斯特丹以帝国的皇冠装饰它的纹章。作为荷兰当时最大的商业城镇和海港，以及荷兰北部的粮仓，阿姆斯特丹成为了欧洲最大的财富与权势中心。

16世纪荷兰归西班牙王国统治之后，一场反抗西班牙人压迫的宗教和政治斗争席卷该地区。阿姆斯特丹对是否加入这场由威廉一世（沉默者），即奥伦治亲王领导的斗争犹豫不决，但在1578年城里发生了一场不流血的革命。地方行政官与大多数天主教教士一起被逐出城外；宗教社团被世俗化；荷兰人的新教教会实际上取代了天主教教会；阿姆斯特丹加入了反抗西班牙的斗争。

阿姆斯特丹此时依然是一个小城，居民只有3万人，但是情况变化迅速，尤其是1585年西班牙人重新占领安特卫普（在现在的比利时境内）的时候，该地是荷兰当时的重要港口和商业中心。荷兰军队为此封锁了斯海尔德河——安特卫普唯一的出海口。安特卫普的陷落导致大批主要是新教徒的难民涌入荷兰北部的几个城镇，尤其是阿姆斯特丹。他们的到来丰富了该市的智力、文化和商业生活。金融业和造船业特别兴隆。许多以前集中在安特卫普的商业这时都迁往阿姆斯特丹。约数百名被葡萄牙逐出的犹太人随佛兰芒商人不久也相继迁来。随后，又有来自现代德国和东欧地区的同教派者。该城不久成为一个商业都市，1565～1618年人口增加了两倍多,从阿姆斯特丹启航商船不仅驶往波罗的海和地中海,而且远航到东印度群岛,并在南美和非洲南部建立了殖民地。

此时,这个仍保持中世纪外观的城镇发展成了一个大城市。1612年,市政参议会决定一项新的扩建计划,即三运河规划。此外,这个城市需要一个新的富丽堂皇的市政厅,建筑师坎彭接受委托在达姆广场的新教堂附近建造了一个市政厅。1632年,科学文化中心(该中心在十九世纪成为阿姆斯特丹大学)建成。当《明斯特条约》结束了与西班牙的"八十年战争"(1568～1648)时,阿姆斯特丹是世界的金融、贸易和文化中心,贷款给外国皇帝和国王,因而在国际上产生了政治影响。

市政参议会与荷兰共和国其他政治势力之间的冲突是不可避免的,因为这个国家实际上已不再由海牙的总议会统治,而是由在阿姆斯特丹的一些由市政官员和商人构成的精英控制。这种情况导致与奥兰治亲王威廉二世发生政治纠葛。1650年,威廉计划围困该城。然而,阿姆斯特丹保持其支配地位多年。由于阿姆斯特丹在18世纪逐渐衰落,伦敦和汉堡超越该市成为贸易中心,伦敦成为欧洲的金融中心。1787年,阿姆斯特丹被支持奥兰治亲王威廉五世的普鲁士人占领。法国人在1795年作为解放者受到了欢迎。他们带来了自由,但在几年之内,由于拿破仑对英国实行贸易禁运,贸易与航运几乎停顿。1806年拿破仑宣布荷兰为一个王国,阿姆斯特丹成为该王国的都城,但到了1810年,这个国家被并入了法兰西帝国。1813年,俄国的哥萨克人赶走了法国人并占领了该城。1814年3月30日,奥兰治亲王威廉六世在阿姆斯特丹的新教堂举行登基仪式,成为荷兰国王威廉一世。

现代城市 荷兰在20世纪50年代还不是一个激进的地方,而阿姆斯特丹更是一个循规蹈矩的城市。然而,20世纪60年代西方世界普遍出现社会和文化的变革,而阿姆斯特丹则比任何地方的变化都要大,此种变化包括信奉自由论者的激进主义思想,该市后来一直以此闻名。这场巨变的原因现在仍有争议,但包括长期的经济繁荣、20世纪中期主流荷兰文化中严厉的宗教束缚,以及荷兰人传统上对不同事物的宽容。这种激进思想使得该市对以娱乐为目的的吸毒和卖淫持相对而言不加掩饰的容忍态度。在20世纪60和70年代,出现了许多激进的运动,其中有一些完全是政治运动并且组织严密,但也有许多运动是闹着玩的并带有讽刺意味,主要采取街剧的形式。群众示威经常演变成与越来越不知所措和困惑的警方的冲突。在1966年比阿特丽克斯公主(现为皇后)的婚礼上和她1980年的加冕游行上都发生了骚乱。由于各种政治问题引发的示威、冲突和骚乱在阿姆斯特丹市中心不断发生,并延续到20世纪80年代。在20世纪90年代街头剧烈的抗议活动减少了,但阿姆斯特丹的公共生活中仍然存在着一种在其他任何地方都少见的激进主义思想。

Amsterdam 阿姆斯特丹 美国纽约州东部蒙哥马利县城市。位于斯克内克塔迪西北26千米处,临莫霍克河。1783年始有居民,1830年设村,1885年设市。该城位于莫霍克小道上,1825年伊利运河竣工(已改建为巴尔杰运河),1836年通铁路,促进了该地的发展。1838年建纺织厂。门类繁多的制造业,尤其是电子设备和玩具工业在某种程度上已代替了曾占主要地位的地毯和纺织工业。著名历史建筑有盖伊园林府(1766)和约翰逊堡(1749)等,均辟为博物馆。市西10千米处有北美殉教士圣祠,8千米处有州属斯科哈里渡口古迹。人口约18 355(2000)。

Amsterdam Cabinet, Master of the(late Gothic painter and engraver) **阿姆斯特丹印坊画师** 参阅 **Housebook, Master of the** *家常读本画师*。

Amsterdam-Rhine Canal 阿姆斯特丹-莱茵运河 连接阿姆斯特丹港口与莱克河(经乌得勒支)和瓦尔河(在蒂尔)的航道。1952年开工,全长72千米,有4道船闸。它是西欧最繁忙的运河,可容纳排水量4 300吨的船只,其最小深度为4.2米。

Amstetten 阿姆施泰滕 奥地利东北部下奥地利州城镇。在施泰尔东北,濒伊布斯河。996年首见记载。1276年归属哈布斯堡家族。1897年建镇。保存有14世纪教区教堂。有金属加工、木材和建筑业,生产烘焙制品、玻璃、服装和化学制品等。人口约21 972(1991)。

Amtrak 全国铁路客运公司 英文正式名称为 National Railroad Passenger Corporation。受联邦政府资助,经营美国几乎全部市际客运业务的铁路公司。1970年国会批准成立,次年便从美国各私营铁路公司接管了客运业务。除极少例外,各私营铁路公司都与全国铁路客运公司签定了合同,该公司向行驶其旅客列车的铁路支付租金和设备使用费。它的设立,是为解除美国铁路经营客运业务的财务负担和改善客运业务质量。自60年代初期以来,乘客数量持续下降,营运成本不断增高,各路每年客运亏损达数百万美元。为了避免更多损失,许多公司停办了无利可图的线路。1950年有旅客列车9 000辆左右,负担约全部市际客运量的近50%。但到1970年继续行驶的列车约仅450辆,只占客运总量的7%。全国铁路客运公司成立后,铁路客运业务第一次得到美国政府的直接财务援助。国会最初拨给该公司4 000万美元,并用政府担保贷款方式,增拨1亿美元。此外,它每年还得到政府专款数百万美元,以弥补经营亏损。该公司虽有售票和邮运收入,但仍入不敷出。

Amu Darya 阿姆河 古代称奥克苏斯河。中亚最长的河流之一。由瓦赫什河和喷赤河汇流而成,向西北偏西流,河口在咸海南岸。该河是塔吉克斯坦与阿富汗之间边界的一部分。河长1 415千米,若从东帕米尔的河源起算,全长2 540千米。阿姆河流域南北长950千米,东西宽1 450千米。北界锡尔河盆地,东连塔里木盆地,南接印度河和赫尔曼德河流域,面积465 500平方千米。有三条支流,左边是苏尔霍布河,右边是苏尔汉河和卡菲尔尼甘河。阿姆河水流主要依靠瓦赫什河和喷赤河,多为融化的冰雪。3～5月溶雪、降雨,开始涨水,6、7、8月份流量最大。河水挟带大量泥沙,如在克尔基附近,自1960年以来,年平均为2.1亿吨,在努库斯附近为1.3亿吨。第二次世界大战后,对主流和支流进行了大规模的引流,为棉花和其他农作物提供灌溉。因而自20世纪中叶以来,流入咸海的水量开始减少。从河口至捷尔梅兹可通航,但由于多沙洲浅滩,货运量不大。下游已修筑堤坝,可防洪和引水灌溉。20世纪70年代和80年代初,瓦赫什河上建起两座大水电站,坝高分别为300及335米,属世界最高水坝之列。阿姆河流域内的主要植物有桧、白杨、柳、鼠李等。鱼类最多的是鲟、鲤和鲑。兽类有野猪、野猫、豺和野兔等。鸟类多达200余种。

Amud remains 阿木德人化石遗存 日本东京大学西亚科学考察队的铃木尚于1961年在以色列太巴列湖附近的一座洞穴中发现的人骨遗存。化石包括一个约25岁的成年男子的骨架、另一个成年人的下颌骨碎块和两个儿童的颅骨碎片,估计其年代距今大约6万～5万年。这批人骨化石藏于耶路撒冷洛克菲勒考古博物馆。颅骨和骨架的一些骨头曾被压碎,不过大体上已修复,腭骨和面骨的中央部分均缺失,牙齿和下颌骨都完好。脑量(颅骨体积)是目前已发现的化石人类中最大者,说明他们的脑子很大,但可能尚不如现代智人的脑那样发达。这批人骨不完整,估计骨架高度为172～177厘米。四肢长骨细而长,手骨大,关节硕大,骨盆窄小。颅骨具有尼安德特人的特点,如额部向后倾斜,眉嵴分开,颅骨乳突显著。人骨遗存表明这是近东尼安德特人群体的一部分,具有混合特征,一方面有西亚人的特征,与1957年在伊拉克发现的距今大约4.6万年的化石人相似;另一方面又具有旧石器时代晚期人类的特征,此种人类化石曾在法国西南部和中东发现,距今约3.5万～1万年。与阿木德人骨一同出土的石器属于莫斯特文化期,距今约5万年。这批化石遗存进一步说明,尼安德特人是一个高度变异的种,是古人的最后一个种,他们生活在北半球除新大陆以外的大部分地区。

Amul(Iran) 参阅 **Āmol** *阿莫勒*。

amulet 护符 据说有保佑平安的特殊能力的天然物或人造物。护符或随身佩戴,或置于需要保佑招吉避凶的处所,如屋顶或田地。当做护符的天然物有宝石、金属、牙齿、爪甲、草木等。人造护符有动物、器物的模型,刻有宗教人物像或经文的小牌以及装有这种金属牌的小匣。据说护符之所以灵验是由于它与自然力或宗教教义有关,也可能是由于它是在吉时按照特定的宗教仪式制作的。

Amun(Egyptian god) 参阅 **Amon** *阿蒙*。

Amundsen, Roald 阿蒙森(1872-07-16,奥斯陆附近博尔格～约1928-06-18?,北冰洋) 挪威的极地探险家,第一个到达南极,也是第一批乘飞机飞越北极的人之一。原学医,1897年任比利时探险船的大副,该船是第一艘在南极过冬的船。1903～1906年乘47吨的单桅帆船"佳阿"号由东向西穿过西北航道。1909年计划一次横穿北极的漂流时,得知美国人R.E.皮里已经在当年4月到达那里,便改为继续准备于1910年6月从挪威去南极的航行。他建立的基地比英国探险家R.F.斯科特的基地距南极近60英里。1911年10月19日带了4个同伴、52只狗,乘坐雪橇出发,在12月14日到达南极。1925年,同美国探险家林肯·埃尔斯沃思飞到距北极170英里处。1926年同埃尔斯沃思及一名意大利航空工程师乌姆伯托·诺毕尔乘飞艇从挪威北部的斯匹次卑尔根(今斯瓦尔巴)飞越北极到阿拉斯加。1928年诺毕尔所乘飞艇在斯匹次卑尔根附近失事,阿蒙森飞往营救,不幸罹难。著有《南极》(1912)。并与埃尔斯沃思合著《首次横渡北冰洋》(1927)。

Amundsen Gulf 阿蒙森湾 北冰洋中波弗特海的东南延伸部分。长400千米,位于加拿大西北地区的马更些区和富兰克林区之间,将加拿大大陆与北部的班克斯岛分隔开。1850年,英国探险家R.麦克卢尔率领一个试图首次穿行西北航路的考察队进入其最西段阿蒙森湾,但由于威尔士王子海峡封冻而不得不利用另一条航路。该海湾以挪威探险家R.阿蒙森之名命名。

ʻAmūq 阿米克 土耳其南部三角形平原,同叙利亚接壤,面积约500平方千米。以安条克、克勒克汉、雷伊汉勒三市为界,以阿米克湖为中心,虽然群山环抱,但海拔仅81米。平原上有180多个新石器时期及其后的古居民点遗址,尚未完全发掘。

Amur 阿穆尔 俄罗斯联邦东部一州。建于1932年。面积36.37万平方千米。位于阿穆尔河中游地带。南部是富饶的结雅-布列亚平原。北部和东部地势较高,几乎全为林地。居民大部为俄罗斯人和乌克兰人,当地有16个民族,其中人口较多的是雅库特人和埃文基人。首府布拉戈维申斯克(**Blagoveshchensk**)。平原地区的主要粮食作物为春小麦。经济作物有大豆、向日葵、亚麻等。拉伊奇欣斯克开展露天采煤,北部发现黄金,有木材加工业。80年代初已开始兴建贝加尔-阿穆尔干线铁路。人口约1 038 000(1996)。

Amur River 阿穆尔河 又称黑龙江。东亚河流,发源于中国东北边境和蒙古人民共和国。石勒喀河与额尔古纳河交汇成黑龙江,向东和东南沿中俄边界流达哈巴罗夫斯克(伯力),全长2 824千米。然后转向东北流经俄国,注入日本海与鄂霍茨克海之间鞑靼海峡。流域面积1 855 000平方千米,主要支流有结雅河、布列亚河、松花江、乌苏里江和阿姆贡河等。上游和中游流经山谷和开阔的高地。下游大部分是溢出河岸的沼泽,港汊交错,湖泊散布,河道极宽。黑龙江流域为季风气候。冬季,西伯利亚干燥的冷空气带来晴朗、干燥,有严霜的天气。夏季,主要是湿润的海风。年平均径流量为10 900米^3/秒,水源主要来自夏、秋季的季风雨。在5月至10月间的高水位期,下游流域常成为大湖。黑龙江渔业资源丰富,25种以上具有商业价值。阿穆尔河流域最初的人口为游猎、游牧部落。从18世纪起,河以北地区有俄罗斯、乌克兰、白俄罗斯、鞑靼、拉脱维亚及来自俄国欧洲地区的流放者定居。河以南地区由汉、蒙、满及若干其他民族居住。全河通航期约6个月。流域水力发电潜力很大,但是目前开发有限。

Amurath (Ottoman sultan) 参阅 **Murad** 穆拉德。

Amursana 阿睦尔撒纳(1723～1757) 中国清代厄鲁特蒙古辉特部的台吉(封建主),准噶尔汗策妄阿拉布坦的外孙。1754年在准噶尔内部争权斗争中失利,投归清朝,封为亲王(后晋封双亲王)。建议清廷出兵攻打准噶尔,企图借此统治厄鲁特各部,清廷未从。1755年起兵叛乱,为清军击败,投奔俄国。

Amursk 阿穆尔斯克 俄罗斯哈巴罗夫斯克边疆区城市。位于阿穆尔河(黑龙江)左岸,在共青城南40千米处。建于1958年。为俄罗斯远东地区发展最快的城镇之一。1967年投产的木材加工联合企业为原苏联最大的同类企业之一,生产纸浆、包装纸和纤维板。人口约59 600(1991)。

Amursky, Nikolay Nikolayevich Muravyov, Graf (Count) **阿穆尔斯基伯爵** 参阅 **Muravyov, Nikolay Nikolayevich** 穆拉维约夫。

Amuzgo 阿穆斯戈人 墨西哥瓦哈卡州西部和格雷罗州东南部的中美印第安人,语言与其北部和西部的米斯特克人的语言相近。虽然很多人能说西班牙语,但大多数人(大约65%)只说阿穆斯戈语。务农,使用锄或铲耕作,主要作物有玉米、豆类、南瓜,还种植辣椒、番茄和经济作物甘蔗等,也饲养家畜。传统住房为圆形茅舍,每户拥有茅舍二间或三间以上。聚为城镇或村落,亦有散居者。主要手工制品是织物和陶器,也制作吊床、绳索和鱼网。普遍同教父母关系密切,一般在洗礼和婚礼时选认教父母。在名义上信仰天主教,庆祝守护神节,到教堂领洗和举行婚礼;但也举行一些非天主教的仪式。

Amvrakikós Kólpos (Greece) **阿姆夫拉基亚湾** 参阅 **Árta, Gulf of** 阿尔塔湾。

amygdule 杏仁石 充填于火成岩中圆形、长条状或杏仁状孔洞内的次生矿物。这些孔洞(气孔)是由于熔岩中的气泡或蒸汽膨胀而形成的。有些杏仁石部分地由熔岩组成,这说明杏仁石是在岩石凝固期间形成的。因为气泡往往能穿过熔岩上升,所以杏仁石在靠近熔岩流顶部最常见。次生矿物可能在熔岩凝固之后形成,气体有助于形成充填的矿物。已经发现了种类极多的呈杏仁石形式的矿物,其中包括一些在博物馆展览的沸石标本。

amyl alcohol 戊醇 又作pentyl alcohol。分子式同为$C_5H_{11}OH$,但结构不同的8种有机化合物的总称。戊醇一词通常用于这些化合物的混合物,这种混合物用作树脂和油脂的溶剂,用于制备其他化学品,特别是用作硝化纤维漆的溶剂的醋酸戊酯。商品戊醇为无色液体,稍溶于水,并具有特殊刺激气味。20世纪20年代以前,戊醇的最经济的来源是杂醇油,它是发酵碳水化合物制取乙醇的副产物。规模较大而且更有保证的戊醇生产是用石油烃的两种工业合成法:第一种方法引进于1926年,把戊烷氯化得到混合氯戊烷,再与水及苛性碱反应而转变为戊醇。第二种方法引进于1953年,是用一氧化碳和氢与丁烯反应。

amylase 淀粉酶 催化淀粉水解(加进一个水分子来分裂一个化合物)为较小的碳水化合物分子(例如麦芽糖,它是一个由两个葡萄糖分子组成的分子)的一类消化酶。已知有两类淀粉酶——α淀粉酶和β淀粉酶,它们与淀粉分子键起化学反应的方式不同。α淀粉酶广泛存在于活性生物体中。在人类和许多其他哺乳动物的消化系统中,一种称为唾液淀粉酶的α淀粉酶由唾液腺产生,而胰淀粉酶由胰腺分泌进入小肠。唾液淀粉酶在口腔内与食物混合并作用于淀粉。虽然食物在口腔内只停留片刻,但是唾液淀粉酶的作用则在胃里延续数小时,直到食物与胃液混合,高度酸性的胃液可使唾液淀粉酶失去活性。唾液淀粉酶的消化作用取决于胃里有多少酸性物质、胃里东西腾空得快与慢以及食物与酸性物质混合的均匀程度。在适宜的条件下,唾液淀粉酶在胃里可将30%～40%的淀粉降解为麦芽糖。当食物进入小肠时,剩余的淀粉分子主要由胰淀粉酶分解为麦芽糖。这个淀粉消化过程发生在有胰液注入的第一段小肠(十二指肠)里。淀粉酶水解副产物由其他酶最后分解为葡萄糖分子,并迅速被小肠壁吸收。β淀粉酶存在于酵母、霉菌、细菌及植物中,特别多含于种子中。它们是一种称为淀粉酶制剂的混合物的主要成分,该制剂用于清除纺织品上的淀粉上浆剂,亦用于将谷类食物转变为可发酵的糖。

amyloidosis 淀粉样变性 一种以结缔组织中有淀粉样蛋白沉积为特征的疾病。淀粉样蛋白是一种纤维性的蛋白质——糖类复合物,由免疫球蛋白衍生而成。本病可累及全身各系统,亦可局限于一处而呈肿瘤状,尤见于喉部及上呼吸道其他部位。局限性淀粉样变性为原发性;系统性淀粉样变性可为原发,亦可伴发于某些慢性感染(如结核病、梅毒、类风湿性关节炎等)。原发系统性淀粉样变性没有有效的疗法,而继发系统性淀粉样变性在其原发病得到有效控制后偶可改善。局限性者可行手术切除。

Amyntas III (or II) 阿敏塔斯三世(或二世)(?～公元前370或369) 马其顿国王(约公元前393～前370或369)。他巧妙的外交总算给马其顿在希腊事务中争得了一席尽管是并不重要的地位,为马其顿在其子腓力二世(公元前359～前336在位)统治时崛起为一伟大强国开辟了道路。阿敏塔斯即位于强大的国王阿基劳斯(约公元前413～399在位)死后、马其顿陷入一片混乱之时。阿敏塔斯很快便不得不击退伊利里亚人(在今阿尔巴尼亚)的进攻和马其顿以东哈尔基季基半岛上城市同盟(即哈尔基季基同盟)的进攻。公元前379年斯巴达的干预导致该同盟解体,威胁消除。阿敏塔斯通过同希腊的主要强国(首先是雅典,其次是色萨利)站到一起的办法继续维持自己的独立。

Amyot, Jacques 阿米欧(1513-10-30,巴黎附近默伦～1593-02-06,法国欧塞尔) 法国主教和古典著作研究者。以所译普卢塔克的《希腊罗马名人比较列传》著称。先后在巴黎大学和布尔日大学学习,任布尔日大学拉丁文和希腊文教授,翻译了赫利奥多罗斯的《埃塞俄比亚传奇》,为此弗兰西斯一世任命他为贝洛赞主教,并责成他译完普卢塔克的《名人传》。曾受聘为亨利二世王子的教师。两王子登基后都施恩于他,任他为大施赈官,1570年成为欧塞尔主教,遂在该地度过余生。1554年译了狄奥多罗斯的《历史丛书》,1559年译朗戈斯的《达夫尼斯和赫洛亚》,1572年译普卢塔克的《道德论丛》和《名人传》。他译的《名人传》对文艺复兴时期法国和英国的人文主义发展有重大贡献,因为它提供了具体生动而不是空泛说教的人物形象。而且,他的译文还给读者以古今相通之感,也为后代作家提供了用以创作的人物和情节。他还为法语提供了自然纯真的文体范例;蒙田指出,倘若没有阿米欧的《名人传》,任何人都不会懂得如何写作。这还因为他丰富了法语词汇,使哲学家在写作时得以将以往只能用拉丁语阐述的思想表达出来。

amyotrophic lateral sclerosis(ALS) 肌萎缩性侧索硬化 原因不明的中枢神经系统退变性疾病,并有进行性肌萎缩及进行性延髓性麻痹。好发于40岁以后,男性较女性多见。预后多不良,每于发病后2～5年内死亡。若仅累及脊髓前角细胞,则表现为进行性肌萎缩。若累及延髓内的颅神经核,则称为进行性延髓性麻痹。若两者均受累(有时并有运动长束受累)则称为肌萎缩性侧索硬化。各型均系隐袭起病。肌萎缩性侧索硬化的早期征象常为两手力弱伴肌萎缩,并逐渐向上发展延及前臂及两肩。两下肢亦逐渐无力、痉挛。常见肌束纤维性颤动。力弱及痉挛状态可于出现明显肌肉萎缩前数月即存在。进行性肌萎缩的症状与上述相似,可有肌萎缩及力弱,而两腿及两足不呈痉挛状态。进行性延髓性麻痹时咀嚼、谈话、吞咽均感困难,常有不自主的暴发性强哭强笑,常见舌肌萎缩及纤维性颤动。本病须与其他肌营养不良及类似疾病相鉴别。三种类型病例的预后不尽相同:进行性肌萎缩多死于呼吸肌麻痹,而典型的肌萎缩性侧索硬化多在发病3年之内死亡。

Amyrtaeus of Sais 阿米尔泰乌斯(赛斯的) 埃及国王(公元前404～前399在位),在位期间构成整个第28王朝。可能是阿米尔泰乌斯家族的一个亲属。公元前404年成功地领导一次反对阿契美尼德王朝占领三角洲的起义,公元前400年控制了上埃及全境。虽然在他统治时期经常爆发起义,但阿契美尼德王朝未能再度入主。他没有留下任何纪念物,也没有详细记载。根据后来埃及的传说,由于他在某方面违背了法律,所以他的儿子未能继承王位。

An (Mesopotamian god) **安** 参阅**Anu**安努。

An Abhainn Mhór (Northern Ireland) 参阅 **Blackwater, River** 布莱克沃特河。

An Aird (Northern Ireland) 参阅 **Ards** 阿兹。

An Baile Meánach (Northern Ireland) 参阅 **Ballymena** 巴利米纳。

An Bhanna (Northern Ireland) 参阅 **Bann, River** 巴恩河。

An Caisleán Nua (Northern Ireland) 参阅 **Newcastle** 纽卡斯尔。

An Caisleán Riabhach (Northern Ireland) 参阅 **Castlereagh** 卡斯尔雷。

An-ch'ing (China) 参阅 **Anqing** 安庆。

An Chorr Chríochach (Northern Ireland) 参阅 **Cookstown** 库克斯敦。

An Chung-sik 安中植(1861,汉城～1919,汉城) 号心田。朝鲜李朝(1392～1910)最后一位宫廷画家。作为有前途的青年画家被宫廷派往中国进修,回国后成为当时备受欢迎的南派画师,该派着重指画技法。他也是著名书法家,精谙各种书体。出于对新潮流特别是西方潮流的关心,在艺术实践中把透视和层次观念移植于传统风格中。其作品为青年画家提供了新的起点。晚年是书画协会(1918年创建)的中心人物。

An Dún (Northern Ireland) 参阅 **Down** 唐。

An Giang 安江 越南西南部省份。北与柬埔寨接壤。东为前江和同塔省。省会龙川。面积3 493平方千米。原属高棉王国,18世纪并入越南。1976年由朱笃和安江两省合并而成。该省地处湄公河三角洲地区,西北部为山林,后江流经省境。境内运河、水道纵横,为主要稻米产区。也产玉米、大豆、甘蔗、棉花和烟草等。工业有淡水鱼加工及砖、瓦和陶器制作。有公路北通柬埔寨茶胶省,东至胡志明市。省会龙川濒临后江,居民主要为越南人,还有高棉人、占人及和好教信徒。人口1 532 352(1979)。

An-k'ang 参阅 **Ankang** 安康。

An Lushan 安禄山(703～757-01) 中国唐代"安史之乱"首领。营州柳城(今辽宁朝阳)混血胡人。原姓康,本名轧(一作阿)荦山。母为突厥人,后改嫁突厥人安延偃,故冒姓安,改名禄山。初任管理边境贸易的互市牙郎,后被幽州节度使张守珪收为养子,因军功和贿赂于742年升平卢节度使,751年任平卢、范阳和河东3镇节度使,成为全国最有实力的军官之一。曾多次觐见唐玄宗(712～756在位),深得宠信,被杨贵妃认为义子。755年冬诡称奉密诏诛杨国忠,统领15万军队(号称20万)在范阳(今北京)起兵反唐。时太平日久,军备废弛,名将封常清、高仙芝等也相继溃败,仅33天安军就占领东都洛阳。次年自称雄武皇帝,建元圣武,国号燕。756年安军攻破潼关,玄宗逃奔四川。叛军进入长安后大肆杀掠3天。次年安禄山被其子安庆绪杀死,从此叛军内部混乱。不久长安、洛阳为唐名将郭子仪等收复。安庆绪逃往邺郡(今河南安阳)。759年史思明(703～761)杀安庆绪,还范阳,自称大燕皇帝,改元顺天。761年史思明又为其子史朝义部将所杀,763年史朝义势穷自杀,叛乱才被平定。安史之乱将近8年,使中国北方社会经济遭到极大破坏,人民蒙受浩劫。唐政权无力收拾残局,为笼络叛军首领而令其继续盘踞河朔地区,有些唐将也霸占一方,形成唐中期至五代200年间的军阀割据局面。

An Ómaigh (Northern Ireland) 参阅 **Omagh** 奥马。

An-p'ing 参阅 **Anping** 安平。

An-shan 参阅 **Anshan** 鞍山。

An-shun 参阅 **Anshun** 安顺。

An-ski, S. (Jewish writer) 参阅 **Ansky, S.** 安斯基。

An Srath Bán (Northern Ireland) 参阅 **Strabane** 斯特拉班。

An tIúr (Northern Ireland) 参阅 **Newry** 纽里。

An-tung (China) **安东** 参阅 **Dandong** 丹东。

An-yang 参阅 **Anyang** 安阳。

Ana, Wādī (Europe) **阿纳河** 参阅 **Guadiana River** 瓜迪亚纳河。

Anabaena 鱼腥藻属 固氮蓝藻的一属,细胞念珠状或琵琶桶状,偶见大型的异形细胞。生长于浅水和潮湿土壤,为浮游生物。单生或群体,群体似近缘的念珠藻属(*Nostoc*)。在

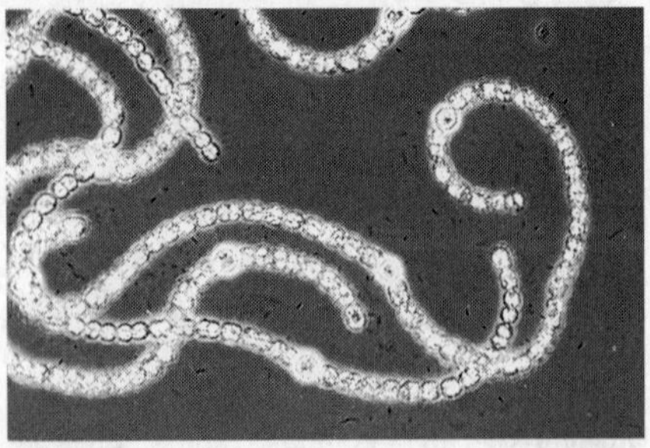

鱼腥藻属
美国不列颠百科全书公司供图

北纬地区夏季,鱼腥藻可形成水华,悬浮水中而非形成水表面的浮渣。鱼腥藻可产生毒素,如果水中毒素浓度过高,动物饮用后有致命的危险。

Anabaptist 再洗礼派 又作Rebaptizer。16世纪欧洲宗教改革运动中的激进派或左派。该派最突出的特点在于主张唯成年受洗方为有效。再洗礼派自己否认主张施第二次洗礼,因为他们根本不承认婴儿洗礼,斥之为渎神的形式。他们遵循瑞士宗教改革家茨温利的说法,认为婴儿不应受到罪的惩罚,只有到了人能够区别善恶之后才可以,那时他们才能行使自由意志,认罪悔改而接受洗礼。再洗礼派还主张政教分离。该派大多数信徒反对基督徒以武力维持社会秩序或从事正义战争;拒绝发表非宗教性的誓愿。成千上万的再洗礼派信徒因为坚持自己的信仰而被害。再洗礼派运动起源于苏黎世一批青年知识分子,其领袖之一为贵族出身而学术造诣甚深的人文学者格雷贝尔。另一位领袖闵采尔宣称,再洗礼派所生存的时代,已经接近末世。1525年他领导图林根农民起事,不久被处死。他的门徒胡特是德意志南部地区宗教改革运动激进派中的主要人物,1527年死于奥格斯堡狱中。胡布迈尔是摩拉维亚地区尼科尔斯堡再洗礼派的领导人,1528年被处死于维也纳。统治摩拉维亚的贵族希望外人入境垦殖,于是许多再洗礼派就在该地安家落户。他们在胡特尔的领导下建立共产主义的聚居点,自称胡特尔派。胡特尔派现今仍然存在,主要分布在加拿大和美国西部。霍夫曼是荷兰再洗礼派的领袖,他吸收了大批信徒。荷兰和德国北部宗奉和平主义的再洗礼派团结在门诺·西门和他的助手菲力普斯的周围形成门诺宗信徒(**Mennonite**)。参阅 **Hutterite**。

Anabasis 《远征记》 希腊文题名《内陆远征记》。色诺芬的散文叙事作品,现分7卷,记载希腊雇佣兵替居鲁士从他兄弟阿尔塔薛西斯二世手中夺取波斯王位的故事。其中有一段关于雇佣兵远征("万人军远征")的著名故事:在居鲁士于库那克萨战役(公元前401)惨败之后,雇佣兵从巴比伦附近远征到攸克塞因海(黑海)。色诺芬以私人身分随军,主要由于他的谋略和胆识,这支部队才得以顺利地撤退。此书第一部在公元前386年后不久写于希腊伯罗奔尼撒的斯奇洛斯,文笔生动,叙事详尽,色彩鲜明。第二部大约成书在公元前377年,带有自我辩解的口气,可能是色诺芬为对付他认为是不公正的敌对舆论而作。

anabatic wind 上坡风 又作upslope wind。沿朝阳的山坡向上流动的局地气流。白天,由于山坡与阳光更接近于垂直,致使在山坡(及其上面的空气)比相邻的低地升温更快。这种升温使空气密度减小,并引起空气上升,下面的空气向上流动以取代已上升的空气,因而成风。上坡风的风速可达6米/秒。

anabolism 合成代谢 又称生物合成。在活细胞中,通过一系列酶催化反应,使结构比较简单的营养物生成比较复杂的分子的过程。合成代谢过程(包括合成糖、蛋白质及脂类等细胞组分)需要高能化合物(如三磷酸腺苷)在分解过程中提供的能量(参阅 **catabolism**)。在生长期的细胞内,合成代谢超过分解代谢过程;在非生长期的细胞内,两者处于平衡状态。

Anacardiaceae 漆树科 显花植物无患子目的一科。约70属650种,常绿或落叶乔木、灌木或木质藤本。原产于世界热带和亚热带地区,少数种见于温带。树皮有树脂道,

毒漆树(*Toxicodendron diversiloba*)
美国不列颠百科全书公司供图

通常为复叶,小叶排列方式多种多样,花多单性,果通常肉质。阿月浑子(*Pistacia vera*)和腰果(*Anacardium occidentale*)的核果可食。杧果(*Mangifera indica*)、槟榔青属(*Spondias*)种类和卡菲尔李(*Harpephyllum caffrum*)的果可作水果。乳香黄连木(洋乳香树,*Pistacia lentiscus*)、漆树(*Rhus vernicifera*)含有用的油、树脂和漆。破斧木属(*Schinopsis*)乔木,尤其是洛伦茨氏破斧木(*S. lorentzii*)的木材红褐色,可提炼商用丹宁。秘鲁胡椒树(柔软肖乳香,*Schinus molle*)和黄栌属(*Cotinus*)、盐肤木属(*Rhus*)的一些种栽培为观赏植物。毒漆藤、毒栎和毒漆会刺激皮肤引起皮炎,这些种类均属漆树属(*Toxicodendron*)或盐肤木属。

anachronism 时代错误 源于希腊语ana(向后)和chronos(时代)。有意或无意地无视或歪曲与时代的关系。最常见于以历史为背景而富有想象力的作品中,某些细节是从较晚时代借用来的。例如,莎士比亚的《尤利乌斯·凯撒》中的时钟;C.B.德米尔《十诫》中的一个法老的侍从穿着网球鞋。时代错误的由来,是因为不顾作为不同时代的特点的不同的生活方式和思想方式,或者是出于对历史事实的漠视。拉斐尔的绘画和莎士比亚的戏剧里都有大量的时代错误。艺术家们总是力图用当代和本民族形式展示人物。圣母或被画成意大利农妇,或被画为比利时家庭妇女。亚历山大大帝在法国舞台上竟然和伏尔泰同一时代,身着路易十四的全套礼服。现代的现实主义、考古学的进步和历史研究的科学化,都表明无意识的时代错误是一种过错。另一方面,审慎地运用时代错误可以收到滑稽、讽刺或其他效果。作家或艺术家通过用当代的风俗习惯或道德行为与不同时代的进行对比,可以对过去或现在(或者二者)进行重新评价。因此马克·吐温写了一个康涅狄格州的北方佬在亚瑟王的宫廷,比利时画家J.恩索尔画出了基督进入布鲁塞尔的图景。

Anacletus, Saint 阿纳克莱图斯,圣(活动时期1世纪) 又称圣克莱图斯或圣阿南克莱图斯。圣彼得以后的第二代教皇(76~88或79~91在位)。据圣伊皮凡尼乌斯和鲁菲努斯的记载,彼得在世时,阿纳克莱图斯与后来继彼得之位者利努斯共同管理罗马教会。他可能是在罗马皇帝图密善统治时代殉教。

Anacletus (II) 阿纳克莱图斯(二世)(?,罗马[意大利]~1138-01-25,罗马) 原名皮埃莱奥尼。敌对教皇(1130~1138在位)。与英诺森二世争夺教皇之位,至今仍有一些学者认为他是合法教皇。1130年教皇洪诺留二世死后,枢机主教中的多数派推选皮埃莱奥尼继位,称阿纳克莱图斯二世,同时,少数派推选帕帕雷斯基继位,称英诺森二世。阿纳克莱图斯与他在1130年所封立的西西里国王罗杰二世结盟,但英诺森有神圣罗马帝国皇帝洛塔尔二世和拜占廷帝国皇帝约翰二世支持,处在优势。1130年法兰西国王胖子路易六世在埃唐普召集宗教会议,宣布英诺森为合法教皇。1136~1137年洛塔尔再次出兵,将罗杰逐出意大利南部。阿纳克莱图斯势穷力竭,不久死去。

Anaconda 阿纳康达 美国蒙大拿州西南部城市,迪尔洛奇县原县城。位于比尤特西北37千米处。建于1888年,名科珀罗波利斯。1884年戴利在此设立铜冶炼厂,人口激增。该厂成为世界上最大的有色金属提炼厂之一,其178米高的大烟囱为当地一景。1888年设市改称现名。戴利饭店在当时属全国一流。戴利创办的报纸不亚于纽约市任何一家报纸。1977年阿纳康达和迪尔洛奇合并,称阿纳康达-迪尔洛奇县。经济以炼铜和生产磷酸盐为主,但1980年大西洋里奇菲尔德公司永久性关闭铜冶炼厂,致使阿纳康达25%劳动大军失业。附近游览区有迪尔洛奇国家森林、州立洛斯特河公园和乔治敦湖。人口9 417(2000)。

anaconda 水蚺 蟒科水蚺属(*Eunectes*)爬行动物,共2种。产于南美洲。巨蚺蛇(*E. murinus*)或称大水蟒,体硕大,一般体长不及

5 米，但亦有长达 7.6 米甚至更长者，若关于 9 米长或更长的巨水蚺的报道可信，则巨水蚺的长度可与最大的巨蛇相比。黄水蚺（*E. noteus*）体较小。巨水蚺呈墨绿色，夹有交

巨蚺蛇（*E. murinus*）
美国不列颠百科全书公司供图

错排列的卵圆形黑斑点。生活在安第斯山脉以东的热带江河沿岸和特立尼达。夜间埋伏水中等待到河边饮水的大如小猪和凯门鳄的生物，先用身体缠绕猎物，然后将其绞死。偶亦上树搜食鸟类。胎生，每产 75 仔。

Anaconda Company　阿纳康达公司　美国最大的矿业公司之一，生产铜、铝、银、铀等。总部在美国科罗拉多州丹佛。1882 年，M.戴利和 G.赫斯特在蒙大拿建立阿纳康达公司的第一个铜矿和冶炼厂，后公司发展成为世界上最大的铜生产商。1899 年被美孚石油托拉斯购买。1914 年阿纳康达公司开始买进国外采矿公司。1929 年已占有智利铜矿公司全部财产，它的丘基卡马塔矿当时是世界上产量最大的铜矿。1971 年，智利新当选的阿连德总统根据智利宪法修改案的授权，没收了阿纳康达公司在智利的铜矿。1973 年阿连德政府被推翻，新政府同意支付赔偿金 2.5 亿余美元，但智利接管铜矿所造成的损失已严重地削弱了该公司的财力。1977 年，该公司被卖给经营多种能源的大西洋里奇菲尔德公司，1979 年后者被指控违反反托拉斯法，限令其放弃阿纳康达公司的某些财产；不过迄今阿纳康达公司仍为大西洋里奇菲尔德公司的子公司。

Anaconda plan　长蛇计划　美国南北战争初期，W.斯科特将军提出的联邦军事战略。该计划要求用海军封锁南部邦联的沿海地区，直插密西西比河，以联邦陆、海两军消灭南军。

Anacortes　阿纳科特斯　美国华盛顿州西北部斯卡吉特县城市，位于菲达尔戈岛北端。有轮渡与圣胡安群岛和加拿大不列颠哥伦比亚省的维多利亚相通。19 世纪 60 年代名为希普港，1877 年改现名。储油设施和鱼类加工为主要税收来源，20 世纪 80 年代发展成旅游中心。1891 年设市。人口 11 451(2000)。

Anacreon　阿那克里翁（约公元前582，奥尼亚提奥斯［今土耳其西部］～约前 485）　古希腊诗人，他是阿尔基洛科斯之后用爱奥尼亚方言写个人抒情诗的最重要作家。诗作现仅存片断。一生中许多时间是在萨摩斯岛波利克拉特斯的宫廷中度过的。后来住在雅典，在僭主希帕尔科斯赞助下写作。希帕尔科斯遇刺身死（公元前 514）后，他仍然受到欢迎。虽然他很可能写过严肃的诗篇，但后来的作家主要还是引用他歌颂爱情和美酒的诗句。但是，他不喜欢过分和粗鄙的事物，他对这些主题的处理是异常正规的。亚历山大的古希腊学者曾编辑了他的 5 本诗集，其中有各类片断留传下来。他的感情和风格受到希腊和拜占廷作家的广泛模仿，虽然他们倾向于夸大他作品中的酒色和轻浮部分。于是出现了一部由大约 60 首短诗组成的诗集《阿那克里翁诗存》，这是古典时代后的一些希腊作家在不同时期写的诗，首次由亨利·埃蒂安纳当做阿那克里翁的诗于 1554 年出版。这些诗对文艺复兴时期的法国诗歌有很大影响。“阿那克里翁诗体”一词于 1656 年首次在英国出现，此后一些作家用英语写了这种诗体的诗。1800 年 T.穆尔翻译了《阿那克里翁诗存》，书名为《阿那克里翁颂歌》，该书对意大利和德国文学也产生了影响。

anacrusis　行首额外音节　在古典韵律学中为上拍（即弱拍），指一诗行开始的、不被认为是该诗行格律一部分的一个或多个音节。有些学者不承认有此现象。

Anadarko　阿纳达科　美国俄克拉何马州中南部城市，卡多县县城（1907）。滨沃希托河。1901 年始建。阿纳达科为印第安卡多人一部落名。富印第安古迹。有南平原印第安博物馆、印第安工艺中心、国立印第安名人纪念馆、河滨印第安学校（1871）、印第安事务局地区办公室以及重建的印第安村庄。每年举行美国印第安展览会。为农产品加工和贸易中心，有轻工业，以地毯编织著称。附近有油气井。人口 6 654(2000)。

anadiplosis　联珠法　又译前词递接法。指一个分句、句子或诗行在开始的地方重复上一个分句、句子或诗行末尾的一词或短语的修辞方法。J.济慈的诗《圣爱格尼斯之夜》中第一、二节即为一例。

Anadyr　阿纳德尔　1920年以前称新马林斯克。俄罗斯东北部最远端的楚科奇共和国城镇、首府。位于阿纳德尔河口湾南岸。1965 年建镇。为北海航线上的港口。有气象站和鱼类加工厂。附近有一座小煤矿，为当地提供少量褐煤。人口约 13 000(1998)。

Anadyr, Gulf of　阿纳德尔湾　俄罗斯东部海湾。位于白令海西北部。湾口宽约 250 英里（400 千米）。深入陆地约 200 英里。每年封冻期长达 10 个月，仅 8 月和 9 月解冻。在阿纳德尔河湾处建有阿纳德尔港，为楚科奇半岛服务。

anaemia　参阅 **anemia** *贫血*。

anaesthetic　参阅 **anesthetic** *麻醉药*。

Anagni　阿纳尼　意大利中部拉齐奥区弗罗西诺内省的城镇。位于罗马东南，萨科河谷上方的丘陵上。古时为赫尔尼基人的首都。中世纪为教皇住地。英诺森三世、格列高利九世、亚历山大四世和卜尼法斯八世教皇诞生于此。现存著名建筑有大教堂（始于 1074）、巴尼高宫、科穆纳尔宫（始于 1163）等。古老城墙依然矗立。阿纳尼为农业中心，有酿酒、煤气和橡胶等工业。人口：城市区约 19 412(1993)。

anagnorisis　相认　指文学作品中触目惊心的发现，从而产生从不知到认知的变化。亚里士多德在《诗学》中论相认是悲剧情节中的一个基本部分，虽然相认也发生在喜剧、史诗以及后世的小说之中。相认通常就是揭穿人物前所未知的真实身分，如父亲认出一个陌生人是他的儿子，或者儿子认出陌生人是自己的父亲。索福克勒斯的《俄狄浦斯王》中有一个最佳的相认场面：使者向俄狄浦斯王吐露了他真实的出身，俄狄浦斯认出他的妻子是他的母亲，他在十字路口杀死的是他的父亲，他本人就是那个使忒拜（一译第比斯）遭到不幸的违反人伦的罪人。这种相认在艺术上比较令人满意，因为它随之又来了一个逆转，由顺境转入逆境，一直转入悲剧性的结局。但相认之后不一定总是接着就来一个逆转。亚里士多德论述过剧作家们所使用的几种相认场面。如他所评论的那样，“由于才智的贫乏”，剧作家们采用的最简单一种是通过伤疤、胎记或信物来相认。较有意义的是由情节的铺叙而自然发生的相认。

anagram　移字母构新词　指将一词或一词组的字母变换位置以组成新词，如其意义与原词有某种逻辑关系更佳。据说此法源自远古，一般认为系犹太人所发明，这也许是因为晚期希伯来著作家（特别是神秘主义喀巴拉派著作家）喜采用此法，宣称“奥秘即寓于字母数目之中”。古希腊人和罗马人都能运用此法。中世纪此法盛行于欧洲各地，其后特别盛行于法兰西，一个姓毕隆的人被委任为这方面的专家，供职于宫廷。16、17 世纪天主教许多修会采用此法。赞颂词“Ave Maria, gratia plena, Dominus tecum”（万福马利亚，天恩归于你，上帝与你同在）为一最喜用的基本形式，转为数百种变体，例如：“Virgo serena, pia, munda et immaculata”（圣母马利亚，安详、神圣、贞淑、纯洁）。其他构词中以将 Florence Nightingale（弗洛伦丝·南丁格尔）这个名字转为“Flit on, cheering angel”（“飞跃吧，救死扶伤的天使”）最为人所熟知。著作家所采用的笔名，往往就是变换字母构成的。20 世纪中，这种构词法常常被用作纵横字谜，即用作提示，也用作谜底。

ʿĀnah　阿奈　伊拉克西部城镇。临幼发拉底河，在通往叙利亚的公路干线上。为附近肥沃的狭长河谷带农产品贸易中心。该镇旧城始建于公元前 2 千纪初期。14 世纪城址位于河中一岛上，17 世纪城址跨河两岸。曾遭波斯人劫掠及沙漠部族的频繁袭击而衰落。在汽车运输发展前，一直是通往地中海路线上的驿站。今城仅局限于河南岸。人口约 6 197(1985)。

Anaheim 阿纳海姆 美国加利福尼亚州奥兰治县城市。临圣安娜河。1857 年由德国移民创建，意为“安娜河上家园”。1915 年设建制。早期的柑橘园和葡萄园随 1950 年后洛杉矶-奥兰治县城市工业区的扩展而消失殆尽。现以迪斯尼游乐园(1955)、阿纳海姆体育场(1966)和阿纳海姆会议中心等为经济收入的主要来源。阿纳海姆现与圣安娜市和欧文市形成一都会联合体。人口：市约328 014；奥兰治县都会区约2 846 289(2000)。

Anāhiti 阿娜希蒂 又称阿娜希塔。古伊朗女神，她保佑王室，掌管武事和丰产。波斯国王阿尔塔薛西斯二世提倡对此神的崇拜，当时波斯帝国各地都为她立像建庙，帝国多族人民都崇拜她，在小亚细亚很久以后还有人崇拜她。希腊人把她混同于雅典娜和阿耳忒弥斯。

Anáhuac 阿纳瓦克 墨西哥历史和地理区域。阿兹特克人统治时期指墨西哥中部高原谷地，长 50 英里(80 千米)，宽 30 英里，平均海拔 2 300 米。内有 5 个湖泊并建有阿兹特克都城特诺奇蒂特兰(今墨西哥城)。1607～1608 年，特斯科科湖湖水大部分排入帕努科河系，至 20 世纪，湖水基本排空，湖区不复存在，土地盐碱化，不宜耕种。湖床上的墨西哥城天然地基很不稳固。

Anai Peak 阿奈峰 印地语作 Anai Mudi(阿奈穆迪峰)。印度西南部喀拉拉邦东部山峰。海拔 2 695 米。属西高止山脉，为印度半岛最高峰。由该峰向北延伸为阿奈马莱山，向东北延伸为伯尔尼山，向南延伸为豆蔻丘陵。贝里亚尔河与阿默拉沃蒂河等发源于该峰周围山地。

Anaimalai Hills 阿奈马莱丘陵 又称象山。印度南部泰米尔纳德邦山地。属西高止山，为东、西高止山结合处，西北-东南走向。阿奈峰海拔 2 695 米，为印度南部最高峰。大部覆盖季风林，其中有黑黄檀、柚木、檀香和西谷椰树。人口稀疏。居民属卡达尔族、马拉瓦尔族与普利亚尔族，从事狩猎、采集与轮垦。有茶、咖啡与橡胶种植园。手工业制造棕席、篮筐、金属物件和卷烟。重要城镇有斯里维利布杜尔、乌德默巴莱耶姆与马努尔。

anal canal 肛管 大多数动物消化道的终末段。不同于直肠的结构特点是其被覆的黏膜完成了从黏液柱状上皮(内胚层来源)向复层鳞状上皮(外胚层)的移行过程。人类的肛管长约 2.5～4 厘米，内径较直肠为窄。肛管共分 3 部：①上段，有若干纵行皱襞(肛柱或直肠柱)，内含小动静脉各一条；②下段，有肛门内、外括约肌，以控制排便；③肛门，肛管和直肠交界的解剖标志是肌性盆膈。肛管上段的黏膜面有 5～10 条纵行的黏膜皱襞，即直肠柱(肛柱)。柱内的直肠动、静脉是直肠肛门区的营养血管终末分支，特别容易发生静脉曲张(痔[**hemorrhoid**])。肛管上段黏膜和大肠相同，由黏液柱状上皮和吸收上皮构成。各肛柱下端之间以半月形的黏膜皱襞(肛瓣)互相连接，瓣间为肛窦、淋巴管、腺体开口，此部分是感染易发区。黏膜向下移行为湿润柔软无毛及腺体的皮肤，又转变为有毛有腺的角化皮肤，与肛口及体表的皮肤相连。肛管全长均有纵行及环行肌层用以扩缩管腔，当收缩时肛口皮肤出现皱折，这样肛口张开时皮肤不致撕裂。距肛门口稍远一些的皮肤中有汗腺分布。下段肛管和肛门有内、外二层括约肌：内层为黏膜层肌，是不随意的环状平滑肌；外层是随意的横纹肌。因此，除婴幼儿外，肛门舒、缩是一种可控制性行为。粪便由直肠到肛管时，直肠反射使内括约肌松弛，而外括约肌先收缩后松弛，粪便得以排出。同时盆膈和纵行肌收缩，向上牵拉直肠及肛门，不使从肛口脱出。支配肛管的神经的主要功能是括约肌反射和感受痛觉。下段肛管对热、冷和机械性外伤特别敏感。参阅 **anus；rectum**。

anal stage 肛门期 S.弗洛伊德精神分析学说用语。儿童心理性欲发展的一个时期，一般指 1～3 岁。儿童在此期间主要关心排粪过程。父母要求儿童学会控制大便，而儿童对此的反应可能在其人格形成上产生深远影响，所以肛门期对儿童以后的发育有重要意义。如果一个人心理性欲的发展固结在肛门期，那么这个人的性格特点(即所谓肛门性格)是有条理、节约而且固执。

analcime 方沸石 又拼 analcite。常见的似长石矿物，是含水的钠铝硅酸盐($NaAlSi_2O_6 \cdot H_2O$)，产于玄武岩、辉绿岩、花岗岩或片麻岩的夹层或洞穴中。也存在于由碱性湖的沉积作用而形成的广阔湖底地层中。它发现于意大利的特伦蒂诺、新西兰及美国的怀俄明州和犹他州。尽管是一种似长石，但却同沸石矿物有密切关系，所以有时被归为沸石类。它的名字来源于希腊文 analkis，意为“弱的”，表示对它加热或摩擦会产生微弱的电荷。关于详细的物理性质，参阅 **feldspathoid**(表)。

Analects of Confucius 参阅 **Lunyu**《论语》。

analgesia 痛觉缺失 丧失痛觉的一种临床表现，由感觉器和脑之间的神经路径中断所致。不同类型的感觉(如触觉、温度觉和痛觉)从皮肤某一区域循经同一神经束内的不同神经纤维传至脊髓。因此神经发生任何损伤或疾病，均可使其支配区内所有感觉尽皆丧失。但感觉神经到达脊髓后，其中的神经纤维分开并继续循经不同的径路上升至脑。有些疾病仅损及脊髓某些区域，并可能导致某些类型的感觉丧失，而另一些感觉依然保留。因某些痛觉和温度觉循经同一路径，所以可能同时丧失。引起痛觉缺失而无触觉缺失的脊髓疾病有脊髓痨、脊髓空洞症及脊髓肿瘤等。痛觉缺失也可以是癔病的一种表现。analgesia 一词亦可意指止痛法，指应用阿司匹林、可待因及吗啡等药物以减轻疼痛的种种治疗方法。

analgesic 镇痛药 可减轻疼痛而又不阻滞神经冲动的传导、不显著改变感觉器官功能的药物。根据药理机制的不同，可将镇痛药分为鸦片类(含鸦片制剂和有类似化学结构的人工合成药物)和非鸦片类[含非甾体抗炎药、对乙酰氨基酚(即扑热息痛)和对乙酰氨基苯乙醚(即非那西汀)]两大类。前者通过直接作用于脑内的神经受体抑制痛觉，后者则是通过抑制前列腺素的体内合成。前者适用于解除各种短期、长期疼痛，但长期用药可出现耐药和成瘾。后者适用于缓解各种短期的、轻度或中度的疼痛，并可自己掌握服药。大部分临床常用的非鸦片类镇痛药都是 19 世纪就已问世的三类化合物的衍生物，它们是：水杨酸、吡唑酮的衍生物和非那西汀。**阿司匹林**(**aspirin**)即乙酰水杨酸，是应用最为广泛的解热、镇痛、抗炎药。服用过量可致耳聋、耳鸣、恶心、呕吐、腹泻、头痛等。停药或减量后，症状即可消失。长期服用阿司匹林可致各种消化道刺激症状和消化道出血。另外，人们普遍认为阿司匹林等水杨酸制剂和**瑞氏综合征**(**Reye's syndrome**)有关，故在儿童病毒感染时，多主张不用水杨酸制剂。20 世纪 70 年代以后，布洛芬成为非甾体抗炎药中应用最为广泛的新药制剂。它的药理作用和服药方式都和阿司匹林相似，但副作用却要小得多，因而被广泛接受。扑热息痛是另一类应用广泛的解热镇痛药，在化学结构上，它是对乙酰氨基苯乙醚的衍生物。因没有胃肠道副作用，故主要用于那些用了阿司匹林就产生强烈胃肠道刺激症状的病人。但扑热息痛的抗炎作用远不及阿司匹林，故对风湿性关节炎无效。过量服用扑热息痛会造成肝、肾功能损伤。吡唑酮类镇痛药，如保泰松的药理作用也和阿司匹林差不多，主要用于风湿性关节炎，而保泰松的其他适应症现已改用非甾体抗炎药。

analog computer 模拟计算机 一种可用连续变化的物理量(如电势、流体压强、机械运动)来模拟地表示待解问题中相应量的装置。模拟系统是根据初始条件建立的，然后让它自由变化。问题的答案是通过测量模拟模型中的变量而求得的。参阅 **digital computer**。早期的模拟计算机都是专用的机器，例如 1873 年 W.汤姆孙(后称开尔文勋爵)研制的潮汐预报器。类似地，1898 年 A.A.迈克耳孙和 S.W.斯特拉顿造出了有 80 个分量的**调和分析仪**(**harmonic analyzer**)，每个分量都能产生一个正弦运动，它们可以通过调整杠杆上的支点来乘一个常数因子。借助于弹簧，诸分量可以相加，产生合量。近代模拟计算机发展史上另一个里程碑是美国电气工程师 V.布什及其同事们于 20 世纪 30 年代初发明的所谓微分分析仪。这个分析仪利用机械积分器(变速装置)来解微分方程，它是第一台这类可靠实用的机器。当前的大多数模拟电子计算机都是通过操纵电势差(电压)来进行运算的。它们的基本元件是一个运算放大器，放大器的输出电流与它的输入电势差成比例。再使这个输出电流流过适当元件，就可获得进一步的电势差，且各种数学运算(包括反演、求和、微分、积分等)可在其上进行。典型的模拟电子计算机由许多类型的放大器组成，放大器可以像建立数学表达式那样连接起来；有时也可能由有众多变量的非常复杂的器件组成。模拟计算机特别适用于仿真的动力系统。这种仿真可以实时进行，也可以极大地加速进行，因此可以用改换的变量重复进行实验。模拟计算机已广泛用于模拟飞行器、核电厂和工业化学过程。其他主要用途还有水力网络（如污水管道系统中的液体流动）和电子网络（如长距离电网的运行）。

analogous structure（biology） **同功构造** 参阅 **analogy** 同功。

analogy 类比 源于希腊文ana logon，意为"依照比率"。希腊人最初用这个名词指比例关系上的相似性。两个尺度不同的图形（如三角形）之间可能有相似性，两个量之间也可能有相似性，这时一个量虽然未知，但只要已知它与另一个量的关系同另外两个已知量所成的关系相似，则这个量便可计算出来。例如，若 $2:4 = 4:x$，则可知 $x = 8$。希腊人发现的另一种类比是推出功能的相似性，称为"推断出相关项"。亚里士多德（《正位篇》，i，17）说明了这两种类比的公式："因为A与B相关，所以C与D相关"；及"因为A在B之中，所以C在D之中。"当柏拉图论证说，善的理念使认识在理智世界成为可能，正如太阳使视觉在知觉世界中成为可能一样的时候，他也运用了功能类比。这里，一种尚未被理解的关系同一种业已为人们所熟悉的关系相类比。中世纪时人们相信，宇宙形成一个有秩序的结构，以致这整体的宏观图式在其各部分的微观图式中复现。因此，能够通过类比，从一个推出另一个。例如，规定人与人之间关系的适当秩序的、法律意义上理解的自然法可以比做描述自然界秩序的、物理意义上的法。据论证，因为自然界表现出隶属等级，所以人与人之间的关系也应当显示出这种隶属关系。这种对比有助于构造论证，而不仅仅是比喻性的说明；例如，当时人们竭力主张，因为有两个发光体照耀世界和两个权威（教皇统治和帝国）凌驾于人的头上，所以，像月光是反射太阳的光一样，帝国的权威必定也来自教皇的权威。但丁在他的《帝制论》（约1313）中虽然宣称帝国从教皇统治所取得的是光而不是权威，但他还是接受了这种论证所根据的原理。在科学思维中，类比或比拟可用来提出假说或者表明某个规律或原理的存在，尤其当两个系统的诸元素的功能可以进行比较的时候。例如，对木星各个卫星的观察使人们通过类比产生现代的太阳系概念。英国经济学家T.L.马尔萨斯提出的关于人口数量的增加超过他们维持生计的资料的论证，使C.达尔文受到启发而提出进化的自然选择假说。这种类比的成果究竟怎样，取决于从这些类比能否推演出可以检验的推论，而这似乎又取决于这比拟究竟是基本的抑或仅仅是表面上的。功能的比拟比性质的比拟（例如颜色）更可能是基本的。例如，下述类比不能说是恰当的：从把原子核看做一个微型太阳系的模型得出结论，说核裂变的过程类似于新行星系可由之形成或崩解的过程。在社会和政治讨论中，类比可以利用比较熟悉的论点来阐明某些陌生的论点。例如，生物学类比可以提示人们领悟到，社团具有"有机的"关系。然而，这些类比引人误入歧途，因为它们忽视了这样的事实：这社团的个别成员还各自有其目的、权利和责任。在应用类比方法时，应当总是能够表明，所找出的相似之处都同有待确立的论点有关，而差异之处则与之无关。在许多情况下，很难把握这种区别，因此，类比论证是靠不住的，除非以可独立地加以确证的考虑作为支持。

analogy 同功 一种生物学现象，起源不同的结构表现出类似的形状和功能。如蝇、蛾、鸟的翅膀都是同功器官，因为它们各沿独立的发展途径，最终都适应同一个功能——飞行。不同生物具同功构造（如翅膀）并不反映它们之间在进化上近缘。同功是进化生物学的一个重要概念，同源则不同，同源（**homology**）指器官结构有相似的胚胎起源和发育方式，是物种间具有共同血缘关系的有力证据。有时同功结构是经由趋同过程而表现出形状的相似，如乌贼、鲨鱼、海豹、海豚、企鹅、鱼龙都具流线型体型，但它们各有不同的祖先。生理过程和行为模式也能表现同功趋同现象，如眼镜蛇、刺鱼、章鱼和蜘蛛的护卵行为均有其独立的进化过程，但这些动物间的亲缘关系甚远。许多新大陆仙人掌与非洲大戟属植物外形相似：多汁，被刺，贮水，适应沙漠环境，但它们分属两个截然不同的科，其共同特性是对相似的环境各自产生适应性变化的结果。

analysis 分析学 从牛顿与莱布尼兹发明的微积分所衍生的一系列数学学科。微积分的发展可以认为是近代技术文明产生的关键事件之一，它引入了若干极其成功的、对以后许多数学的发展起决定性作用的思想。微积分引进了研究函数性质的新型计算技巧，特别如计算函数的极值、平面图形的面积以及三维区域的体积等，这使得微积分有可能用直接的计算机械地得到许多过去是大数学家们绞尽脑汁才能获得的结果。还引进了无限逼近的（极限）概念以及解一般方程的任意逼近的技巧。另外一个很重要的思想是无穷级数，即把一个已知量或要求的量表示为一列无尽的无限变小的量的和。牛顿和他的许多追随者认识到，一般的函数 $f(x)$ 可以表示成无穷幂级数：$f(x) = a_0 + a_1x + a_2x^2 + \cdots$，这就有可能用从有限多项式发展出来的古老的演算技巧来研究许多更一般的数学关系。牛顿和莱布尼兹的直接继承者，其中包括数学上多产的伯努利家族，特别是L.欧拉，推广并完成了微积分的基本技巧，确定了它的主题与方法，以后成为大学教程的标准内容。欧拉还系统地研究了古典函数（正弦与余弦，对数与指数）的性质，并通过把它们展开成无穷级数的方法，在它们之间建立了许多有趣且有用的关系。他还把牛顿求极小值的方法推广到依赖于整条曲线或曲面形状的量上去，从而把牛顿的微分学推广为变分法。此外，早期牛顿用微分学研究物体运动的时候，人们就对常微分方程产生了兴趣，即研究在函数 f、它的导数 f' 和它的二阶导数 f'' 之间的，或者一般地在 f 和它的任意有限阶的导数之间的用代数等式或其他更一般的等式定义的函数。在这段较早的时期，分析学家们强调显式的与标准的结果，即微分方程的积分或解要通过已知古典函数的有限组合或至多是无穷级数来表示。大约在18世纪后半叶，人们认识到，对很多重要问题，用这种显式表示简直是不可能的。因此，分析学的研究方法开始更注意定性而较少要求显式的计算，强调找出由隐式定义的函数类的有用的一般性质。大致同一时期，微积分的另一重要进展是它被系统地推广到多元函数，这是相对于在牛顿的工作中只注意比较简单的单个变量函数而言的。除让一个变量变化外，把其余所有变量固定以决定多元函数 f 的值，然后再对这个变量取导数，人们就得到 f 的偏导数。含有未知函数的偏导数的方程称为偏微分方程，它是描述发生在连续介质中的物理现象（如通过物体的热流，电势分布等）的有力工具。但对这些方程来说，几乎没有能用显式表示的有用的解。多元函数微积分还被证明在研究空间曲线与曲面中十分有用，其中最卓越的应用是由C.F.高斯作出的，他通过用微积分的方法研究几何问题而创立了人们熟知的微分几何这门学科。

应用数学在19世纪早期的重要发展是由J.-B.-J.傅里叶作出的。他用一种新型的无穷级数表示函数，这就是正弦与余弦的无穷级数。这些级数具有特别方便的性质，因为函数的这种傅里叶表示，类似于三维空间中向量在直角坐标系中的坐标表示。这个类似，以及19世纪关于这些级数的工作，推动了100年以后20世纪的泛函分析的产生。

在牛顿以及18世纪他的后继者的工作中，微积分主要处理一个或多个取实数值的变量的函数。19世纪在分析学中的极其重要的贡献，主要是由A.-L.柯西以及其他人做出的，这就是在微积分所研究的函数中，其自变量允许取复数值（参阅 **complex analysis**）。柯西证明了，如果这样的复变函数有导数，则它在一已知点的值可以通过它在其他点的值用积分表示出来。更进一步，这样的 f 的许多其他的积分，可以通过 f 在奇点上的性质纯组合地表示出来，而所谓奇点是指 f 在那里不取任意有限值的孤立点。柯西的研究表明，任何一个可以微分的单元复变函数，都具有这样的显著的构造性质，即它的全体数值与函数在奇点的性质密切相关。这就使得人们可以通过研究函数在定义域的整体几何性质以及奇点的可能位置，来推断这种函数的性质。这样一种研究复变函数的整体方法，把分析学和拓扑这个较新的数学学科联系起来，它在德国数学家B.黎曼的工作中得到强调，它是在一个世纪以后得到蓬勃发展的一个课题。19世纪下半叶和20世纪早期的研究是改进与完善柯西的工作，研究并发现了任意的、可微的复变函数的值所应满足的各种重要的不等式，并且阐明了这些函数的取值方式与它们在奇点附近的性质之间深刻的内在联系。

在欧拉的时代，分析学比较粗糙并处于准备阶段，经常是形式的运算，没有完全弄明白它的准确的逻辑论证。在计算技巧以及对量的解释中不断增多的悖论，使得分析学家逐渐不能容忍它的基础的脆弱,虽然这对欧拉这样的数学家来说是无所谓的。这些情况增加了人们对论证的逻辑严密性的关心,并引导到对分析学基础的一系列批判性的研究,其中特别重要的是柯西、J.狄德金以及G.康托尔的工作。结果是连续量的基础概念被严格分解为更加基本的集合论的概念,从而认识到19世纪前两百年来所建立的分析学的整个机构,可以坚固地奠基在少数最基本的逻辑与集合论的原理上。

20世纪以来分析学又有了进一步的发展。单元或多元实变函数可以进行加与减,例如可以用式子 $f(x)=g(x)+h(x)$ 简单地定义两个函数的和。从抽象的观点看,全体这样的函数可以看成像平面或三维空间中的向量那样具有相同的结构性质,因为向量相加也是按分量逐个相加的。这个类似以及在有限维向量的几何性质与函数集合的性质之间的进一步类似的发现,构成了20世纪分析学的一个主要课题。D.希尔伯特是第一个提出这个观点的,他在20世纪早期研究无穷阶线性方程组时,指出在某类包含积分的方程组与有限个变量的线性代数方程组之间存在着密切的关系。希尔伯特的年轻助手H.外尔成功地研究了这种关系,他证明了希尔伯特的向量方法可以从简单的微分方程的研究中,通过推广傅里叶正弦与余弦级数到各类重要的级数展开而引导出来。J.von 诺伊曼继续了这种类似的研究,他十分系统地发展了泛函分析的方法,把其中许多原理与技巧用简练的抽象公式表示出来。在这一方面做出另外的重要贡献的是波兰数学家S.巴拿赫,他用准确抽象公式表示许多基本原理,并且他的研究使许多数学家注意到泛函分析这门新型分析学的重要性。

强调研究整个函数空间是要阐明这些集合(它们是在希尔伯特与巴拿赫的工作中引入的)中的单个函数的重要性质,这一观点今天已经支配了分析学。事实证明,这是深入了解微分方程解的定量性质以及数学在物理与工程中的某些重大应用的关键。对蕴含在泛函分析方法中的这种分析与代数的关系和类似的研究,在许多方面已经得到加深和利用。代数与分析的这个光辉的结合,由于苏联数学家I.M.盖尔范德与M.奈马克的工作而变得特别显著。复变函数论的重大进步,其中特别是多复变函数构造性质的深入研究,在过去二三十年中也反映了分析学的研究特征。这项工作综合了分析学的技巧与概念和来自拓扑学的大范围方法与观点,从而继承了可以追溯到黎曼的分析中的大范围的及几何的趋向。这方面及与之有关课题的重要工作,应归功于日本数学家冈洁与小平邦彦,法国数学家J.P.塞尔与H.嘉当,美国数学家I.M.辛格以及英国数学家阿蒂亚。最后,应当指出,近20年在分析学的一个全新的领域中已经完成了显著的工作,这就是用概率的方法研究单个变换的重复性质(遍历性理论)。

analysis 分析 在物理学、化学中,指测定某一物质样品的物理性质或化学组成的步骤;在现代物理学中,特指测定核反应中所产生亚原子粒子的能量及其他性质。自**物理科学(physical science)**的其他分支创始起,与其发展紧密地相配合,已不断地提出了大批的系统的分析方法。特别是化学分析,到今日已发展成高度多样化的学科,且有许多分支用以分别解决特种问题。单一化合物的样品,可借分析以确定其元素组成或分子结构。研究组成通常采用包含会破坏样品的化学反应方法,但是研究结构时却更常用非破坏性的物理方法,例如利用光谱分析的技术,确定物质所吸收或发射的电磁波的波长。混合物的分析,通常借助分离、检验和鉴别其中所含的各项成分。所用的方法,大都依靠各物质的物理性质之间的差别,如挥发性、在电场或重力场中的活动性或在两种不互溶溶剂之间的分配等。

analysis, complex 复分析 研究复变量解析函数的数学分支。说复变量 z 的函数 $f(z)$ 在复平面上的一个二维区域内是解析的,是指它的微商 $f'(z)$ 在该区域的每一点存在。解析函数也称全纯、单演、正则函数或正则解析函数。解析函数论是法国数学家A.-L.柯西创立的,他于1814年开始用复极限研究积分,1825年正式发表其结果,用他的新思想奠定了常微分方程和偏微分方程的理论基础,并应用于数学物理问题。1851年德国数学家B.黎曼概述了用满足柯西-黎曼方程的一对**调和函数(harmonic function)**来定义解析函数的理论。函数值组成的集合称为黎曼曲面;同时引进了共形映射的思想。与他同时代的德国数学家K.维尔斯特拉斯则用幂级数定义解析函数,这些级数通过解析开拓联系起来。

单复变解析函数论 设 $f(z)$ 在复平面的一个单连通区域 D 内有定义,我们称 $f(z)$ 在 D 内的点 z_0 是可微的,如果极限

$$f'(z_0)=\lim_{z\to z_0}\frac{f(z)-f(z_0)}{z-z_0}$$

存在。若 $f'(z)$ 在 D 的每一点都存在,则称 $f(z)$ 在 D 内是解析的。如果 $f(z)=U(x,y)+iV(x,y)$ 在 D 内解析,那么实值函数 U 与 V 满足下面的柯西-黎曼方程:

$$Ux=Vy,\ Uy=-Vx。$$

反过来,如果一对具有连续微商的实值函数 U 与 V 在 D 内满足柯西-黎曼方程,那么 $f=U+iV$ 在 D 内是解析的;这时 U 与 V 称为共轭调和函数。函数在 D 内解析的另一个等价条件是对 D 内每一点 z_0,函数在某个以 z_0 为中心的圆内可以表示成幂级数

$$f(z)=\sum_{n=0}^{\infty}a_n(z-z_0)^n。$$

解析函数论中的一个最基本的定理是柯西1825年发表的,内容是:如果 $f(z)$ 在区域 D 内解析,C 是 D 内的一条可求长的简单闭曲线,取反时针方向,其内部全在 D 内,那末函数 $f(z)$ 沿 C 的积分为零,即

$$\int_C f(z)\mathrm{d}z=0,$$

由这个定理可以把解析函数在 C 内部的值通过它在 C 上的值表示出来。设 z 是上述曲线 C 内部的任一点,则有柯西公式:

$$f(z)=\frac{1}{2\pi i}\int_C\frac{f(t)\mathrm{d}t}{t-z},$$

用它可以得到函数的罗朗展开,即若 $f(z)$ 在圆环 $0\leqslant R_1<|z-b|<R_2\leqslant\infty$ 内解析,则它可在该圆环内展成罗朗级数

$$f(z)=\sum_{-\infty}^{+\infty}a_n(z-b)^n,$$

其中 $$a_n=\frac{1}{2\pi i}\int_C\frac{f(t)\mathrm{d}t}{(t-b)^{n+1}},$$

在 $R_1=0$ 的情形,b 就是 $f(z)$ 的孤立奇点。如果函数在 C 内除了孤立奇点外是解析的,并且在 C 上没有奇点,则

$$\int_C f(z)\mathrm{d}z=2\pi i\sum a_{-1,k}$$

其中 $a_{-1,k}$ 是 $f(z)$ 在第 k 个孤立奇点的罗朗级数的负一次幂 $(z-b)^{-1}$ 的系数,求和取遍所有的孤立奇点。这个公式通常称为留数定理。留数定理可用于电工、物理与其他领域,以及解数学物理的边值问题。

单复变解析函数论还研究整函数(在有限平面内是全纯的函数)、亚纯函数(又称半纯函数,除极点外没有其他奇点的全纯函数)与椭圆函数等。

多复变解析函数论 开始于19世纪中叶B.黎曼的基本发现,以后逐渐地变成强调用拓扑与代数几何的方法研究解析函数的整体性质,结果使它变得和其他主要数学学科错综交织起来。20世纪数学的特征是各种思想的互相渗透与影响,多复变解析函数论是这个特征的一个体现。19世纪下半叶与20世纪初,多复变函数论与代数几何特别是代数曲面论一起出现。1895年P.柯辛研究 n 维复空间区域上解析函数的某些整体性质,并提请数学家注意后来以他的名字命名的两个问题。这些以及对相关问题的研究,导致20世纪上半叶多复变函数论的某些最重要的发展。20世纪20年代,由于H.外尔的影响,由黎曼最早引入复分析的几何概念受到重视,并作为拓扑发展的结果,很快被推广为数学的一个分支。S.莱夫谢茨对代数曲面拓扑性质的卓越研究,极大地影响了复分析、拓扑与代数几何以后的发展。É.-J.嘉当系统地发展与应用了外微分形式的理论,帮助产生了**代数拓扑(topology, algebraic)**的上同调概念。S.贝格曼在 n 维复空间的子区域内发现了一种重要的埃尔米特度量(度量又称度规),接着被E.E.凯勒推广为熟知的凯勒度量。1932年起,英国数学家W.V.D.霍奇把黎曼曲面上的调和函数论推广到高维紧致黎曼流形上的以及具有凯勒度量的复流形上的调和微分形式。40年代,小平邦彦发展和完善了霍奇的理论,并推广到开流形,系统地引入了希尔伯特的正交投影方法。

在调和微分形式发展的同时,与柯辛问题有关的问题被日本的冈洁、德国的H.A.L.贝恩克和K.施泰因、法国的H.嘉当以及其他人作了彻底的研究。尽管这些人用的方法与W.霍奇、小平邦彦、G.拉姆的有些不同,但他们的思想产生巨大影响的时机已经成熟,因此,1950年后很快就把源于代数拓扑的新概念引入到复分析中。这就是纤维丛与层内系数的上同调性。

多复变解析函数论的第三个最重要的进展是在1935～1950年由德国数学家C.西格尔作出的多复变的自守函数理论。

位势理论 这是复分析的理论与应用相互交融的一个最吸引人的例子。关于位势概念的知识,原来是物理学的一部分,经过许多数学家的努力才形成了抽象的数学理论。从19世纪中叶以来,位势理论逐渐成为复分析研究的一部分。它来源于静电学与牛顿引力。集中在 X 点的单位质量在另一点 x 处的位势等于距离 $|X-x|$ 的倒数 $\frac{1}{|X-x|}$。这是 x 的调和函数。一般质量分布的位势用积分表示。

早期位势理论的重要的结果是由S.-D.泊松与G.格林取得的,继而由C.F.高斯于1840年完成了奠基性的工作。其中最重要的是边值问题,即在一区域内决定一调和函数,使得它在边界的极限值与一给定的函数相同。高斯的工作是不严格也不精确的,直到1900年前后才被D.希尔伯特严格地解决,困难大概在于边界的限制似乎是不必要的而实际上却是必须的。以后许多数学家研究了不同的方程以及不同形式的边界问题。位势理论第二个时期的特征是引入测度、积分与容量的更广的概念。这时研究更一般的积分 $\int N(x,y)\mathrm{d}\mu(y)$,其中 N 是核,μ 是测度。第三时期大致是1940～1955年,其特征是把拓扑学应用到位势理论中。这时测度被看作空间的一个点,它与原点的距离等于对应于该测度的能量的平方根,这样,就可以应用希尔伯特空间理论的熟知的方法。这时期最显著的一个例子是马丁边界的引入。马丁的工作激励了乔奎特对紧凸集的极值点的深刻研究,这是20世纪中叶以后数学分析的最大发现之一。1955年以后,除了拓扑方面的进一步改进外,产生了位势理论的公理化以及概率论与位势理论的互相促进,这方面的工作主要是J.L.杜布与G.亨特的贡献。

analysis, Fourier 傅里叶分析 数学和数学物理的最重要的工具之一,源于18世纪L.欧拉、D.伯努利对弦振动等问题的研究。这门学科是以法国数学家J.-B.-J.傅里叶的名字命名的,他的关于函数表示成三角函数之和的研究发表在《热的解析理论》(1822)一书中。

傅里叶级数 如果一个三角级数

$$\frac{1}{2}a_0+(a_1\cos x+b_1\sin x)+(a_2\cos 2x+b_2\sin 2x)+\cdots \quad (1)$$

对所有的 x 值收敛,那末它的和 $f(x)$ 是一个以 2π 为周期的函数。在等式

$$f(x)=\frac{1}{2}a_0+(a_1\cos x+b_1\sin x)+(a_2\cos 2x+b_2\sin 2x)+\cdots$$

两边乘上 $\cos nx$ 或 $\sin nx$,并在区间 $0\leqslant x\leqslant 2\pi$ 上积分,形式上便可得到系数 a_n, b_n 的表达式

$$\left.\begin{aligned}a_n&=\frac{1}{\pi}\int_0^{2\pi}f(x)\cos nx\mathrm{d}x,\\ b_n&=\frac{1}{\pi}\int_0^{2\pi}f(x)\sin nx\mathrm{d}x。\end{aligned}\right\} \quad (2)$$

一般来说,如果先给定一个周期为 2π 的函数 $f(x)$,则按照公式(2)就可以定义数列 a_n、b_n,称为函数 $f(x)$ 的傅里叶系数,而相应的级数(1)则称为 $f(x)$ 的傅里叶级数。首要的问题是,对于任意一个以 2π 为周期的函数,其傅里叶级数是否收敛到这函数本身。

傅里叶级数虽然来自数学物理,但对分析学的发展影响很大,常作为正交级数出现在分析中,并给微分方程、积分方程与解析函数等数学理论提供了统一的联系。而三角级数,作为幂级数的实部,则是联系实函数与复函数的桥梁;它作为一种研究工具,在历史上对许多数学概念的发展和澄清起了重大的作用。例如,在18世纪,函数能否用三角级数表示的问题引起了什么是函数的长期论争,而现在通用的函数定义却是在P.G.L.狄利克雷1837年研究傅里叶级数理论的文章中首次给出的。三角级数应用于函数论的另一个例子是,K.魏尔斯特拉斯1861年用三角级数给出了第一个处处连续而处处不可微的函数,它表明三角级数在构造一些特异函数方面是特别有用的。受傅里叶级数影响的另一个重要例子是积分概念。由于(2),积分的概念对傅里叶级数是必不可少的。有趣的是,由B.黎曼引进的、通常在微积分教科书上看到的积分的经典定义,是1854年黎曼在用三角级数表示函数的奠基性文章中第一次阐述的;这篇文章的思想,影响了G.康托尔关于用三角级数表示函数的唯一性的研究。康托尔被迫研究不影响表示唯一性的点集,并企图刻画它们的构造,从而引导到一般集合论,特别是点集论,这是19世纪最伟大的发明之一,它已经渗透到并改变了许多数学理论的面貌,特别是为稍后由波莱尔与勒贝格发展的在分析中极其基本的测度和积分的理论准备了基础,尤其是勒贝格积分理论使傅里叶级数建立在一个新的基础上。

傅里叶级数的收敛与发散 如果函数 $f(x)$ 在区间 $0\leqslant x\leqslant 2\pi$ 的图形只有有限个极大值或极小值(狄利克雷条件),则 $f(x)$ 的傅里叶级数在函数的每个连续点 x 处收敛到 $f(x)$;在每个间断点 x 处收敛到 $\frac{1}{2}[f(x+0)+f(x-0)]$,其中 $f(x-0)$ 与 $f(x+0)$ 分别是 $f(x)$ 的左右极限。这条件与许多其他条件都只是充分条件,充分且必要条件至今仍未找到。仅有函数的连续性并不足以保证傅里叶级数收敛,这是杜·布瓦-雷蒙于1872年证明了的。是否每一个连续函数的傅里叶级数必须几乎处处收敛(即除了一个测度为零的集合外处处收敛)?这是一个长期没有解决而又令人放不下的问题。1966年,瑞典数学家L.卡尔森给出了肯定的回答,这是分析学的一大成就。卡尔森还更一般地证明了,任何平方可积函数的傅里叶级数一定几乎处处收敛。次年,美国数学家R.亨特证明同样的结论成立,只要 $|f(x)|^p$ 可积,其中 $p>1$;至于 $p=1$ 时结论是否定的,则早在1926年已由苏联数学家A.N.柯尔莫哥洛夫证明,他构造了一个勒贝格可积函数,其傅里叶级数几乎处处发散。

帕舍伐尔等式 设函数 $f(x)$ 有傅里叶系数 a_n、b_n[公式(2)]。如果 $f(x)$ 在区间 $(0,2\pi)$ 上平方可积,则

$$\frac{1}{\pi}\int_0^{2\pi}f^2(x)\mathrm{d}x=\frac{1}{2}a_0^2+(a_1^2+b_1^2)+(a_2^2+b_2^2)+\cdots \quad (3)$$

这公式称为帕舍伐尔等式。这定理的逆定理就是由F.里斯及E.S.菲舍尔证明的里斯-菲舍尔定理,它是勒贝格积分理论的一大成就,它说,如果级数 $\sum(a_n^2+b_n^2)$ 收敛,则存在一个函数 $f(x)$,以 a_n、b_n 为傅里叶系数,并且 $f^2(x)$ 是可积的,因而满足帕舍伐尔等式。这揭示了平方可积函数的一个十分简明的特征。

调和分析与积分变换 分析学中经常碰到对某种函数进行运算以得到另一种函数;如这运算含积分,就称为积分变换。

如果函数 $f(x)$ 定义在 $(-\infty,+\infty)$,则称积分变换

$$\hat{f}(x)=\frac{1}{\sqrt{2\pi}}\int_{-\infty}^{+\infty}e^{-ixy}f(y)\mathrm{d}y$$

为 f 的傅里叶变换。当 f 在 $(-\infty,+\infty)$ 绝对可积时,$\hat{f}$ 处处存在;当 f 不是绝对可积时,$\hat{f}$ 在某种意义下也可能存在。研究这个变换及其推广的数学分支,称为调和分析。它研究的主要问题是:已知 f 具有某种性质时,$\hat{f}$ 具有什么性质?还有傅里叶变换的反问题即如果 $\hat{f}$ 已知,能否求出 f?

全体平方可积函数组成一赋范空间 L^2,其范数定义为

$$\|f\|_2=\left(\int_{-\infty}^{+\infty}|f(x)|^2\mathrm{d}x\right)^{1/2}$$

对每一个 L^2 中的函数 f,积分变换

$$\hat{f}_M(x)=\frac{1}{\sqrt{2\pi}}\int_{-M}^{M}e^{-ixy}f(y)\mathrm{d}y \ (M>0)$$

确定一个唯一的函数 $\hat{f}\in L^2$,满足 $\|\hat{f}_M-\hat{f}\|_2\to 0(M\to\infty)$。这可以用来作为 L^2 中函数的傅里叶变换的定义。如果 $f\in L^2$,则 f 与 $\hat{f}$ 满足关系式

$$\int_{-\infty}^{+\infty}|\hat{f}(x)|^2\mathrm{d}x=\int_{-\infty}^{+\infty}|f(x)|^2\mathrm{d}x,$$

称为普朗歇尔公式。

反傅里叶变换是指积分变换

$$\check{g}(x)=\frac{1}{\sqrt{2\pi}}\int_{-\infty}^{+\infty}e^{ixy}f(y)\mathrm{d}y,$$

它和傅里叶变换的定义式的区别仅在于被积函数中的指数差一个负号。如果 $g\in L^2$,则 $\check{g}$ 用类似于上面的 $\check{g}_M$ 的极限来定义。傅里叶变换的反问题的解答是:如果 $f\in L^2$,则 f 是它的傅里叶变换的反傅里叶变换,即

$$f(x)=\frac{1}{\sqrt{2\pi}}\int_{-\infty}^{+\infty}e^{ixy}\hat{f}(y)\mathrm{d}y,$$

这就是通常说的傅里叶反演公式。由于 $e^{ixy}=\cos(xy)+i\sin(xy)$ 表示 x 的调和振动,这个公式实际上是把 f 分解为调和振动而对 y 叠加,因此傅里叶变换的理论常常被称为调和分析。

多元函数的傅里叶变换可以类似地定义。用 $x=(x_1,\cdots,x_n)$,$y=(y_1,\cdots,y_n)$ 表示 n 维欧氏空间 R^n 的点,用 $x\cdot y=x_1y_1+\cdots+x_ny_n$ 表示 x 和 y 的内积,便可定义

$$\hat{f}(x)=(2\pi)^{-\frac{n}{2}}\int_{R^n}e^{-ixy}f(y)\mathrm{d}y,$$

并类似地定义 $\check{f}$。对此有类似的普朗歇尔公式和傅里叶反演公式成立。

傅里叶变换中的一个重要公式是

$$\widehat{\frac{\partial}{\partial x_j}f}(x) = \mathrm{i}x_j\hat{f}(x),$$

它在偏微分方程中很有用。例如泊松方程 $\Delta u = -f$,其中

$$\Delta = \frac{\partial^2}{\partial x_1^2} + \cdots + \frac{\partial^2}{\partial x_n^2}$$

是拉普拉斯算子。由上公式知

$$\begin{aligned}\widehat{\Delta u}(x) &= -(x_1^2 + \cdots + x_n^2)\hat{u}(x)\\ &= -|x|^2\hat{u}(x),\end{aligned}$$

因此方程的解满足 $-|x|^2\hat{u}(x) = -\hat{f}(x)$,即 $\hat{u}(x) = |x|^{-2}\hat{f}(x)$。这就把求泊松方程的解化为求 $|x|^{-2}\hat{f}(x)$ 的反傅里叶变换。

卷积是一类最重要的积分变换。如果函数 $k(x)$ 与 $f(y)$ 定义在 $(-\infty, +\infty)$,$k(x)$ 是固定的,则称积分

$$\Phi(x) = \int_{-\infty}^{+\infty} k(x-y)f(y)\mathrm{d}y$$

为 k 与 f 的卷积,记作 $\Phi = k * f$。它和傅里叶变换之间有一个极简单的关系:

$$(f * g)\hat{} = \hat{f}\cdot\hat{g},$$

卷积的傅里叶变换等于傅里叶变换乘积。

许多对欧氏空间建立起来的傅里叶变换的深刻理论,可以推广到更广的范围。研究傅里叶变换的各种推广的理论称为抽象调和分析,它不仅提供许多新的成果,并且深刻地阐明了在傅里叶分析的各种积分变换中存在着的共通性的本质。

analytic geometry　解析几何　又称坐标几何。几何学的一个分支,它用代数的记号和方法表示并解决几何学中的问题。在近代数学家 D.希尔伯特的工作之后,几何学的基础得到了推广,抽象概念代替了源于直观的古典的空间概念及其中的对象——点、线、角、平面、曲面和立体等,而解析几何则是这个发展过程中的重要一环。解析几何的重要性在于它建立了几何曲线和代数方程之间的一一对应,使得几何问题可以重新叙述为代数中的等价的问题,而代数问题也可重新叙述为几何中的等价的问题;从而几何和代数的方法和知识可以一起用来解决几何或代数中的问题。因此,解析几何成为解决某些几何问题的强有力的方法。

追溯到古代的巴比伦、埃及和希腊,那时的数学家们已经知道图形的几何和数的代数之间的某些对应。例如,古代的希腊人用几何的线段表示数,并且通过几何方法得到了今天称之为代数的大量的结果。公元前3世纪,阿基米德和阿波罗尼奥斯也已经有了用经纬度和距地面的高度来标定点的位置的概念。然而,由于代数的记号和方法的原始水平,并由于他们把数学仅仅看成是依附于现实世界和表示现实世界的东西,它们的发展受到了限制。例如,古希腊人不能考虑像 $y = x^4$ 那样的或更复杂的代数关系的几何等价物。只有当代数更趋完善和由于它自身的原因成为更有用的学科,并当数学家从对现实世界的完全依赖和附属关系中解脱出来的时候,建立几何与代数之间的富有成果的对应才有可能。

解析几何发展的高潮出现在17世纪,一般说,应归功于法国人 R.笛卡儿(1596～1650)和 P.费马(1601～1665),虽然其他许多数学家在他们之前就已致力于建立这种对应,但是,是他们独立地创立和发展了导致作为解析几何基础的那些关系的明确方法,并系统地发展了解析几何的基本方法(以大致与今天使用的一样的方式)解决几何和代数问题。笛卡儿和费马所建立的是二维平面上的点和有序实数偶之间的对应,其办法是:设 l_1 和 l_2 是平面上的任意两条相交直线,其交点O称为原点(图1),l_1 和 l_2 称为轴或坐标

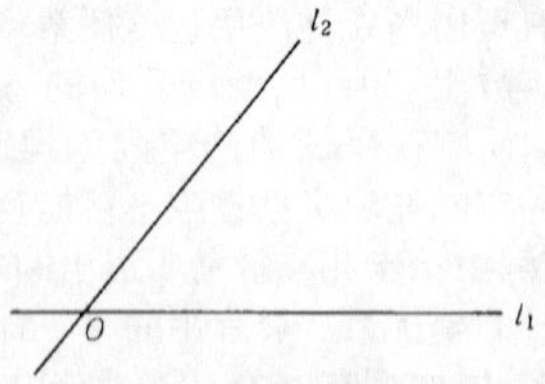

图 1

轴;它们连同所在平面上的点一起,称为一个坐标系。设 A 是这个平面上的任意一个几何点,并设从 O 点出发沿 l_1 走 x 个单位长,再沿平行于 l_2 的方向走 y 个单位长可以到达A点(图2),通常约定在 l_1 上朝右边移动

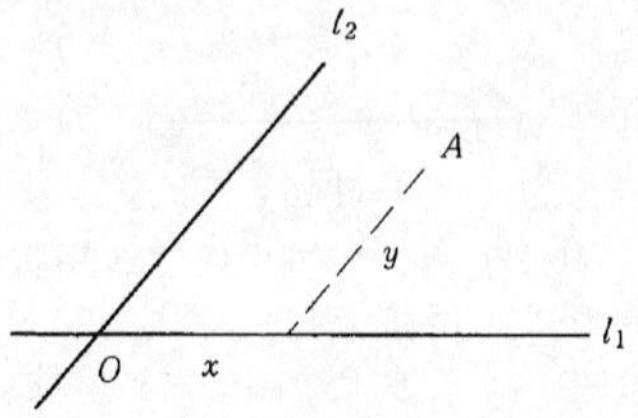

图 2

时 x 为正,朝左边移动时为负;而在 l_2 上向上移动时 y 为正,向下移动时为负。有序实数偶(x, y)称为点 A 在这个坐标系中的坐标。一旦坐标系选定了,每个几何点 A 就有一个以有序偶(x, y)为标志的唯一表示;反之,每个有序实数偶(x, y)表示一个唯一的几何点。为简单起见,近代的解析几何中采用彼此垂直的轴 l_1 和 l_2,其中 l_1 是水平的,l_2 是竖直的(图3)。在笛卡儿之后这样的坐标系称为笛卡儿坐标系或直角坐标系,相对于这种坐标系的坐标(x, y)称为笛卡儿坐标或直角坐标。而在图1中所示的坐标系称为斜角坐标系。应该指出,负距离的概念是由 I.牛顿和 G.W.莱布尼兹引进的。在点和有序实数偶之间的这种简单的对应一经建立起来,其中蕴含着的几何曲线和代数方程之间更加丰富而有用的关系就变得清楚了。例

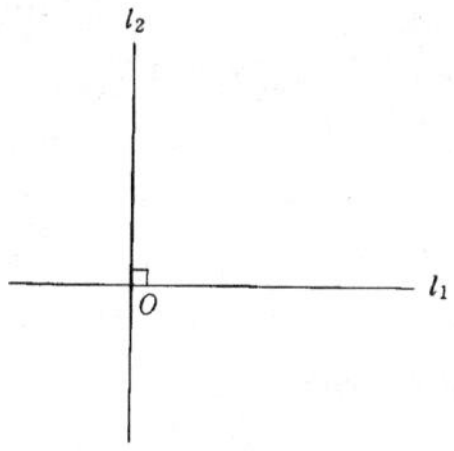

图 3

如,给定简单的线性方程 $x + y = 5$,就有与之对应的几何曲线,它由平面上所有其坐标 (x, y) 满足这个方程的点所组成。在笛卡儿

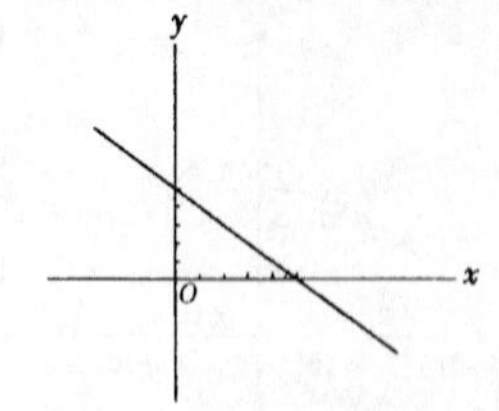

图 4

坐标系中,这条曲线就是图4中的直线。反之,给定了一条几何曲线,譬如说中心在原点 O、半径为5的圆,就有与之对应的代数方程,使圆上的所有点(也仅有这些点)的坐标满足这个方程。在笛卡儿坐标系中,这个方程是 $x^2 + y^2 = 25$(图5)。公元前4世纪希腊

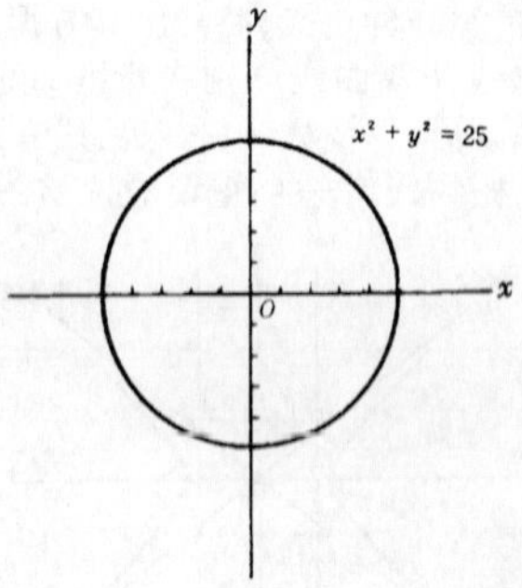

图 5

的梅内克缪斯首先研究圆锥截线,即平面和直圆锥的交线。根据交角的不同,交线可以是椭圆(圆是其特例)、抛物线和双曲线(图6)。他在求解所谓倍立方问题(即作一立方

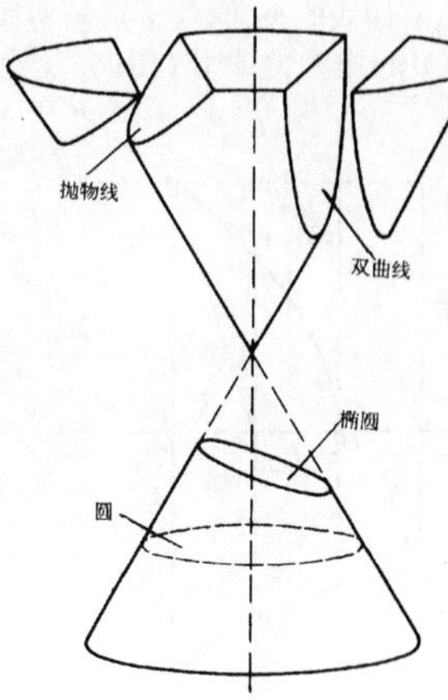

图 6

体,其体积是给定立方体的两倍)时导致对圆锥曲线的研究。阿波罗尼奥斯关于圆锥曲线的著作是希腊几何学的顶峰,他证明了所有圆锥曲线也是任意圆锥(直的或斜的)的截线;椭圆、抛物线和双曲线的名称就是他引入的。公元4世纪的帕普斯证明了圆锥截线上任意一点到一个定点(称为焦点)和一条定直线(称为准线)的距离之比是一常数。这个常数称为离心率,以 e 表示。当 e 小于、等于或大于1时,圆锥截线分别是椭圆、抛物线或双曲线。由此可以求得圆锥截线的方程,并可证明整个曲线由它上面的任何五个点确定。对于椭圆,如取笛卡儿坐标系使焦点在 x 轴上而中心在原点,则有标准方程 $x^2/a^2 + y^2/b^2 = 1$。它同坐标轴的交点 A、A'、B、B' 称为顶点,$AA' = 2a$ 称为长轴,$BB' = 2b$ 称为短轴,其面积为 πab。椭圆有两个焦点 F、F',两

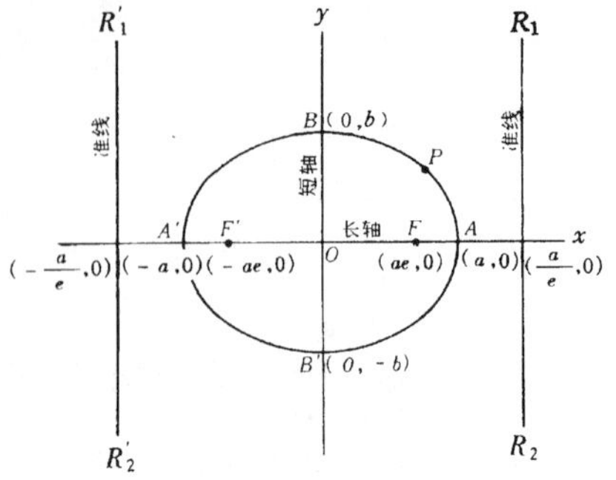

图 7

条准线 R_1R_2、$R'_1R'_2$(图 7)。对椭圆上任意一点 P，有 $FP + F'P = 2a$，这个性质也可作为椭圆的另一种定义，并导出其方程。类似地，抛物线和双曲线分别有标准方程 $y^2 = 2Px$ 和 $x^2/a^2 - y^2/b^2 = 1$。双曲线有渐近线(图8)。抛物线有一个重要的性质：过曲线

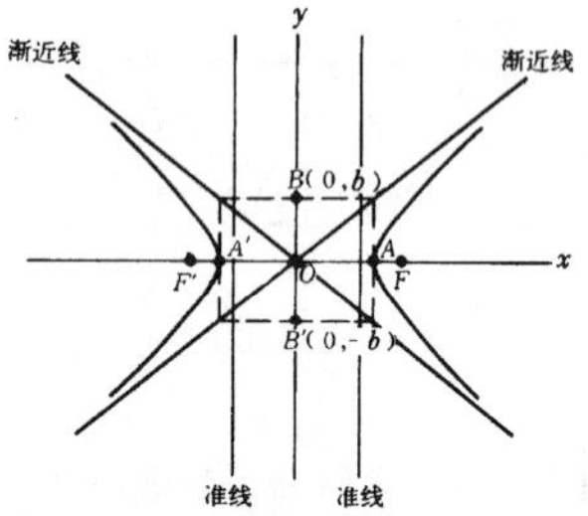

图 8

上任意一点 M 且平行于对称轴的直线与曲线在 M 点的切线的夹角，等于这条切线与焦点 F 和点M的连线的夹角(图9)。这个性质

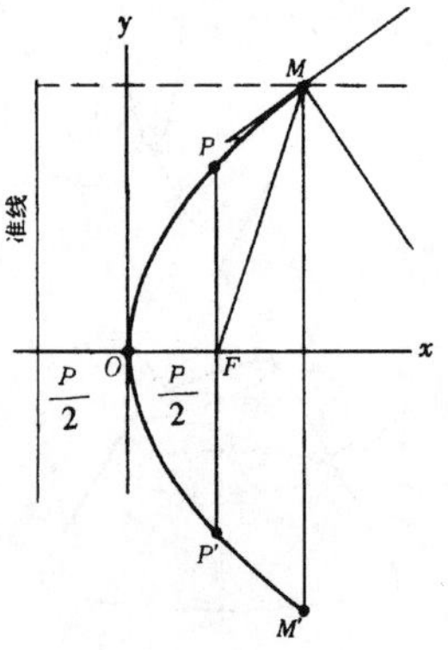

图 9

使得抛物线在实际中有许多应用，例如，探照灯和汽车前灯的反射镜面就是由抛物线绕其对称轴旋转所成的旋转抛物面，若光源位于焦点，则从镜面反射出来的是平行光线。

解析几何的主要发现之一，是许多几何曲线从几何的观点来看，似乎是彼此完全不同的，而从它们所对应的代数方程来考察，却显示出它们是属于同一个"族"或同一个"类型"。这样，古希腊人所致力于逐个解决的几何问题，现在可以通过考虑它们所属的代数族来系统地同时解决。另外，还引起了一个甚至更为重要的变化，这就是对"曲线"这个词本身的理解。古希腊人的几何作图仅限于直尺、圆规和少数几种其他的机械手段，他们的"曲线"主要限于只能用这些简单工具作出的几何图形。而笛卡儿和费马则把"曲线"推广到任意的几何图形，只要它们对应的代数方程是由变量 x、y 的有限次幂所组成。因此，有更多的曲线需要探讨和更多的有关问题需要解答，从而出现了一个宽广的研究领域。

在二维平面上的点和有序实数偶(x、y)之间的上述对应，通过用三个轴 l_1、l_2、l_3 不难推广为三维空间的点和实数的有序三数组(x、y、z)之间的对应。近代习惯于取三条互相垂直相交的直线作为轴，这样的系统称为三维笛卡儿坐标系。笛卡儿和费马都提到了这种三维推广的可能性。更进一步，虽然实际的几何空间限于三维(对应于三个互相垂直的坐标轴)的三个坐标，而从代数上讲，显然完全有理由考虑并使用包含任意多个坐标的有序实数组。所以，解析几何的方法使数学家可以研究高于三维的空间的理论性质，即使这种空间在现实世界中不可能存在。

当然，由笛卡儿和费马所提出的坐标系，不是唯一的坐标系。最有用的另一种是极坐标系，它是由牛顿在 1671 年前后首先提出来的。极坐标的近代形式和用处如下。给定一个平面，设 O 是平面上的一点，l_1 是从 O 出发的半直线，则平面上的任意一点 A，可以用从点 O 到点 A 的距离 r 和半直线 OA 与 l_1 的夹角 θ 来确定(图10)，有序实数偶(r, θ)称

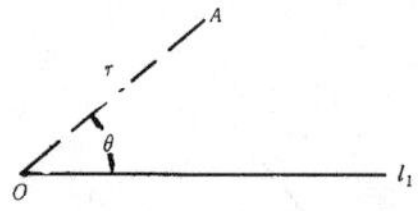

图 10

为点 A 的极坐标。有些几何曲线用极坐标表示的形式比用笛卡儿坐标更为简单。例如，图11中所示的永无止境的对数螺线，在笛

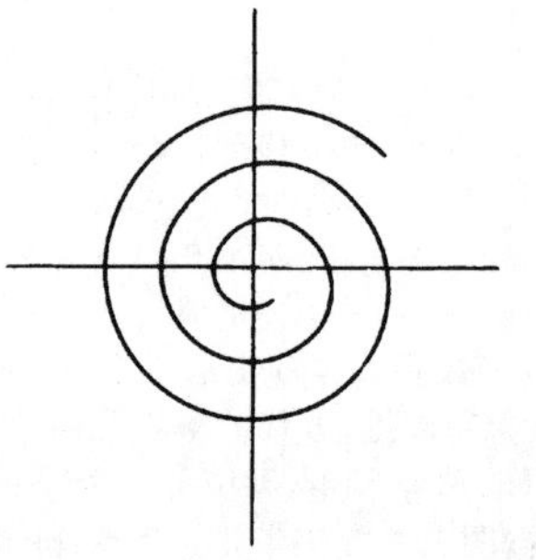

图 11

卡儿坐标系中它的方程是：

$$\frac{1}{2}\log(x^2 + y^2) = \left(\text{arc cos}\frac{x}{\sqrt{x^2 + y^2}}\right)\log a,$$

其中 a 是任意常数。在极坐标系中它的方程却简单得多：

$$r = a^{\theta}.$$

在 300 年后的今天，解析几何这门学科本质上仍然跟笛卡儿和费马提出的时候一样，最常用的坐标系仍然是笛卡儿坐标系和极坐标系。解析几何的方法跟 300 年前的也非常相像，虽然现在它又被应用于为笛卡儿、费马和他们的同时代人所料想不到的问题，它对用代数方法和几何方法研究问题的能力所提供的好处，却仍然是有效的。

analytic language 分析语 任何一种不是用屈折变化(**inflection**)，而是用语法词或小品词来表示句子内部句法关系的语言。因为分析语与孤立语(**isolating language**)趋向于一致，所以一般认为分析语即孤立语。越南语与古代汉语是典型的分析语，因为它们既是分析的又是孤立的。分析语与综合语(**synthetic language**)相对。

Analytic philosophy 分析哲学 又称语言哲学。20 世纪中期在英美占统治地位的一种哲学运动，特点在于其方法注重语言及语言所表达观念的分析。分析学派的代表们认为，哲学的目的是治疗——澄清模糊与混乱，以期解决哲学上的许多传统问题。

盛行于 1945 ～ 1960 年间的分析哲学，是 20 世纪 30 年代逻辑实证主义的延续，而后者在某种程度上源出英国思想家 B. 罗素和 G.E. 穆尔在 1914 年以前的 10 年中所精心论述的唯实论与多元论。罗素是实证主义的提倡者；而穆尔则因主张哲学论述应浅显易懂，并排斥与普通常识不合的信仰，而成为 1945 ～1960 年间分析与语言哲学的先驱。

这一运动的主要倡导者为奥地利学者维特根斯坦、英国思想家 G. 赖尔和 J.L. 奥斯汀。其系统而明确的阐述始于维特根斯坦于 1929 年重返剑桥讲授哲学。当时杰出的青年哲学家们正致力于维也纳学派的实证主义，维特根斯坦的新思想被限制在剑桥追随者的圈子中。奥斯汀在 1946 年纪念性座谈会上关于这一问题的论文在牛津征服了多数。赖尔的《精神的概念》(1949)是这一新风尚的第一部重要著作。维特根斯坦死后于 1953 年出版的他的《哲学研究》一书，使他的观点获得普遍的推广。在美国，他的影响在 1945 年后由在康奈尔大学执教的他先前的学生迅速加以扩大。

这一学派的衰落显然自 1960 年开始。这一年奥斯汀去世，同时美国思想家 W.V. 奎因的《语词和对象》出版，成为 30 年代实证主义的建设性与高度创造性发展。美国语言学家 N. 乔姆斯基此时也展开对语言科学的根本改革。

分析哲学的出发点不单单认为语言是哲学探讨的正确的和直接的目标，其最显著的标志为以下论点；传统哲学问题可通过密切注意如何实际使用语言来说明与讨论这些问题，获得解决或消除。

分析哲学家一致反对其实证主义先驱的求证法则，认为这一法则是武断和荒谬的。实证主义者认为，只有关于实际经验或观念性事实的语言表达才具意义。分析哲学家的论点则是，语言是一种社会与功能现象，是人类正常生活的一部分，而不是通过现代数学逻辑即可彻底揭示其本质的抽象计算。它的使用有不同的方式与目的。分析哲学论者响应穆尔对常识的信念，认为解决哲学问题的正确途径是澄清引起这些问题的语义上的误解。因此，真正的哲学是治疗在观念上混乱的知识界的良方。

维特根斯坦有关语言的哲学只限于它的治疗功能，而牛津大学的分析哲学家却潜心研究语言本身。奥斯汀的最后一本书《如何用言语办事》(1962)，为有关使用语言的系统理论提出了蓝图。虽然赖尔和奥斯汀的影响已成为历史，但维特根斯坦仍然在当代哲学中保持着生命力。

analytic proposition　分析命题　逻辑中根据纯逻辑的理由而必然真的陈述或判断。它仅用来阐明已经隐含在主项中的意义。因此,它的真由矛盾律来保证。这种命题区别于综合命题,后者的意义包含从非逻辑的(通常是经验的)源泉所带来的信息,因而是偶然的。例如,一切物体都有广延这个命题是分析的,因为广延这个概念隐含在物体这个概念之中;而一切物体都是重的这个命题则是综合的,因为重量这个概念的条件除了物体概念之外,还包含物体间相互关系的概念。19世纪布拉格逻辑学家和认识论家 B. 波尔查诺增加了第三个范畴,即分析地假。17世纪德国唯理论者 G.W. 莱布尼兹类似地区分了"理性真理"和"事实真理",而苏格兰怀疑论者 D. 休谟则区分了"观念关系"和"事实情况"。接近逻辑上恰当的分析陈述的定义首先出自波尔查诺。他认为一个语句如果①它的命题形式对于其变项的一切值都是真的,或者②它可以归纳为这样一个语句,那末,它就是分析地真的。大多数当代逻辑学家认为,分析性所适合的最基本领域不是判断(它心理学因素过多)、语句(它属于特定的语言)或定义(它系关于语词而不是对象)的领域,而是陈述(它涉及语句的意义)的领域。除了这种对意义的关系外,当代逻辑奠基人之一,G. 弗雷格又增加了对"一般逻辑规律"的关系,这两种关系是证明分析陈述的唯一必要条件。分析陈述和综合陈述的区别在20世纪中期引起了广泛的论争,尤其引起美国逻辑学家 W.V.O. 奎因的责难。

analytic psychology　分析心理学　瑞士精神病学家 C. 容(又译荣格)创造的一种精神分析法,他用以跟 S. 弗洛伊德的方法相区别。他不像弗洛伊德那样重视性欲在神经症中的作用,而是强调分析患者最近的冲突,认为这比去发掘儿时的冲突更为有用。他认为潜意识包括个体自己的潜意识和从祖先那里继承下来的潜意识(即集体潜意识)两种。他把人分为内向和外向两种类型,并根据四种主要的精神功能(思维、情感、感觉和直觉)中哪一种占优势而进一步加以区分。

Anambra　阿南布拉　尼日利亚中东部的一州。原为中东州的北半部,1976年始分出建州。1991年行政区域改组,新建埃努古州,因而面积缩小。阿南布拉北靠科吉州,东接埃努古州,东南为阿比亚州,南邻伊莫州和里弗斯州,西与德尔塔州及埃多州接壤。州内有尼日尔河的支流下阿南布拉河河谷。州内北部为空旷的草原,间有林地和油棕树林。南部则有沿尼日尔河东岸生长的热带雨林,形成该州西部边界。居民多为伊博人。经济以农业为主,重要产品有山药、芋头、油棕产品、稻、玉米、木薯和柑橘。奥尼查是该州工商业中心,有一大型现代化市场。奥卡是该州首府。奥尼查市的尼日尔河上有大桥,公路向西直达贝宁市和拉各斯市,该州南部产铅、锌和褐煤,亦产石油和天然气。工业有纺织、饮料装瓶、酿酒和家具等门类。金属工艺和木雕是当地传统工艺。公路网使奥卡和奥尼查、埃努古和伊希亚拉相连。人口3 094 783(1995)。

anamorphosis　错觉表现法　视觉艺术中一项独创性的透视法。从通常的视角观看,画中物像呈现畸形;若从特定角度观看,或用凹凸镜观察,画中物像重归正常。错觉表现

《小爱德华六世肖像》(1546)
美国不列颠百科全书公司供图

法出于希腊文,即"改变形象"之意。作为术语首次使用于17世纪。在达·芬奇的画稿中可以见到最早的画例。其他两个重要画例为《小爱德华六世肖像》(1546,伦敦国家肖像画陈列馆),据说是科内利斯·安东尼斯所作;另一幅是小贺尔拜因的油画《大使们》前景的头盖骨(1533,伦敦国家美术馆)。许多画的前面装有特制的窥视孔,观众可以用它来矫正原先的畸形形象。另一种新式设备叫做艾米思室,人和物的形象随变动室中视者等高线而变形。20世纪一些心理学家对于错觉表现法十分注意。

Anan　阿南　日本四国德岛县城市。濒那贺川,临濑户内海与太平洋之间的纪伊水道。1958年由原城堡镇富冈和渔村桔浦合并而成。作为内地农产品销售中心,出产石灰、木材、船舶、木器。人口约60 752(1985)。

Anan ben David　安南·本·大卫(活动时期8世纪后半叶)　波斯犹太人,今犹太教卡拉派的前身异端安南派就是由他所创。770年安南撰写《训诲书》,其根本思想是否定《塔木德》和靠《塔木德》行使权威的众拉比。他推崇《圣经》为最高权威,但在解经时忽而任意发挥,忽而死扣词句。安南死后,其门徒定居在耶路撒冷,逐步形成卡拉派。1948年以色列建国时,卡拉派信徒在该国定居的有数千人。

Anand, Mulk Raj　安纳德(1905-12-12,印度白沙瓦～　　)　印度杰出的英语作家。父亲是铜匠。安纳德以如实和同情地描写印度穷人而知名。1924年以优等成绩毕业于拉合尔旁遮普大学,后在剑桥大学和伦敦大学学院进修。旅欧期间,他在政治上积极参加印度的独立斗争,此后不久从事著述,撰写了一系列关于南亚文化方面的书,其中包括《波斯绘画》(1930)、《印度教徒的艺术观》(1933)等。安纳德是一个多产作家,他的长篇小说《贱民》(1935)和《苦力》(1936)都探索印度社会中的贫穷问题,最先博得广泛好评。1945年他回到孟买为国家改革而奔走。其他主要作品有《村庄》(1939)、《剑与镰》(1942)和《伟大的心》(1945;1980修订)。尚未完成的有他的7卷本自传体小说《人的七个时代》。

Ānanda　阿难陀(活动时期公元前6世纪,印度)　佛陀的堂弟和弟子。他于佛陀开始说法之次年出家为僧,任佛陀随从侍者。据《律藏》载,他劝佛陀允许女子出家为比丘尼。他在佛教第一次结集大会(约公元前544或约前480)召开前不久悟道,在大会上诵读《经藏》。据说《长老颂》中的一批偈颂是他所作。相传他享年120岁。

ānanda　喜　梵语。据印度《奥义书》和吠檀多派哲学,"喜"是最高存在梵的一个重要属性。在《泰帝利耶奥义书》(约公元前6世纪)里就特别用喜来说明梵,同时也说明个人自我的最高境界。这种喜也就是自我摆脱肉体束缚而获得的那种幸福。在这一意义上,喜在印度哲学的正统派即吠檀多派中至今继续发挥着重要作用,不过由于人们对梵本身的看法不同,因而对幸福的解释也就不同。

Ananda Bazar Patrika　《欢喜市场报》　加尔各答出版的孟加拉文日报,为销售量最大的印度非英语报纸。1922年创刊,其销售量之大在印度语报纸中实属罕见,大多数当地语言报纸发行量不超过数千份。《欢喜市场报》可与印度销路最大的日报——英语的《印度快报》相匹敌,大大超过印度最有影响的报纸《印度时报》、《政治家报》和《印度教徒报》。该报还在阿拉哈巴德出版。

Ananda Mahidol　阿南达·玛希敦(1925-09-20,德国海德堡～1946-06-09,曼谷)　又称拉玛八世。暹罗却克里王朝第8代国王。1935年继承叔父巴差提朴的王位时年仅10岁,正在瑞士读书。第二次世界大战的爆发使他无法返回泰国,直到1946年才得以回国。1946年6月9日清晨,人们发现他被枪击,死在床上。这个神秘案件始终没有查明。泰国很快重归军人政府统治。

Ānandatīrtha (Hindu philosopher)　**阿南达蒂尔塔**　参阅 **Madhva** 摩陀伐。

Ananke　阿南克　希腊文学中必然或命运的化身。在荷马的作品里,它还没有被人化,尽管甚至诸神也承认,他们的行动自由是受到限制的。阿南克在荷马以后的文学作品和神学思考,特别是在俄耳甫斯教的神秘祭仪中占有显著地位,但是只有在科林斯,才肯定地知道它变成一种崇祀的对象,在这里她是同比亚一道受到崇拜的。由于她的无法改变的本质,所以对她上供或奉献牺牲是毫无意

义的。有句希腊的谚语说，“没有比可怕的必然更强有力的事物了”。在文学作品中，阿南克是同仙女阿德拉斯泰娅、莫伊拉伊（或称命运三女神，据柏拉图的《理想国》中所云，阿南克是她们的母亲）和诸如此类的神祇联系在一起的。在意大利，她似乎根本没有受到崇拜，在贺拉斯的《诗歌集》里对必然（阿南克）的描述是纯文学方面的。

Anantapur　阿嫩达布尔　印度中南部安得拉邦西南部市镇。位于班加罗尔以北 190 千米。其名称源自本市缔造者中世纪维查那加尔王国一位官员的妻子阿嫩达。有科学与艺术以及工程学院。人口 119 531（1981）。

ānantarika-karma　无间业　佛教上座部名词。指使犯罪者死后立即转生地狱，永远不能成佛的重大罪恶，即杀母、杀父、杀阿罗汉、伤害佛身和分裂信徒。

Anantnāg　阿嫩德纳格　前称伊斯兰巴德。查谟和克什米尔印度控制地区市镇。位于斯利那加以南 50 千米。傍杰赫勒姆河。地处比尔本贾尔岭以北，是农业贸易中心。克什米尔谷地南部航运站。周围多泉水。原为谷地中之要镇，有夏宫。人口 33 978（1981）。

anapest　抑抑扬格　包括两个短音节或非重音音节，其后跟有一个长音节或重音音节的一种音步。最早出现在早期斯巴达的进行曲里，后来则为希腊和拉丁的诗剧（特别在合唱队上下场时）广泛采用。主要按抑抑扬格写成的诗句，常常在第一行末尾加一个非重音的音节，这种格律在英诗中十分罕见。纯粹的抑抑扬格由于节奏缓慢，只用于轻松或通俗的英诗中，但在 18 世纪之后，严肃的诗歌也采用了这一格律。

anaphora　首语重复　希腊语，意为“举起或拿回”。书面或口头表达的一种方法，即把单词或词组重复置于几个句子或分句的句首。著名例子为《旧约》（《传道书》3：1 ～ 2）所载：

> For everything there is a season, and a time
> for every matter under heaven:
> a time to be born, and a time to die;
> a time to plant, and a time to pluck up
> what is planted; ...
>
> “凡事都有定期，天下万务都有
> 定时，生有时，死有时，栽种有时，拔
> 出所栽种的也有时……”

首语重复大多是为了在辩论文、布道文和诗歌中有所强调而发。莎士比亚的著作也有许多极富感染力的首语重复。

anaphylaxis　过敏反应　机体再次接触对之过敏的抗原时迅速发生的一种严重、迅速、常为致命的反应。给易发生过敏性休克的豚鼠第一次注射抗原（如卵白蛋白）时，通常并不造成损害，但 2 ～ 3 周后，再次注射同种抗原，则数秒钟内即发生严重的呼吸道症状，进而呼吸困难，并常因窒息而迅速死亡。动物过敏反应的严重程度各不相同。大鼠常能耐受，家兔中度耐受。人类过敏反应少见，可发生于抗血清或抗生素注射后及蜜蜂、黄蜂叮螫后。其症状包括头皮及舌尖发痒、全身皮肤发红、支气管痉挛或水肿而致呼吸困难、血压突然下降及神志丧失等。轻型患者全身散发荨麻疹，常剧烈头痛。发作数分钟内必须开始治疗：注射肾上腺素，随后给予抗组胺药、可的松等。过敏反应的机制尚未详知，但显然是在某些细胞表面发生抗原-抗体反应，细胞损伤，迅速释放可引起过敏性休克的组胺、5-羟色胺、缓激肽或慢反应物质等所致。过敏反应可在接触极少量抗原后发生，常见于有特应性皮炎病史者。

Anápolis　阿纳波利斯　巴西戈亚斯州中南部城市。濒科伦巴河，海拔 970 米。1907 年建市。繁忙的商业中心，有风景美丽的广场。从里约热内卢和圣保罗至内地铁路的西北终

阿纳波利斯市的主要广场
迪尔森·马丁斯供图

点站。位于巴西利亚—戈亚尼亚—圣保罗公路上。还有一机场。家畜、干牛肉、咖啡、橡胶、玉米、小麦和矿产运销巴西各大城市。人口约 279 752（2000）。

anarchism　无政府主义　一种社会哲学体系，其中心信条是认为没有政府人类就能够公正和睦地生活，而把政府强加给人类实际上是有害的和邪恶的。无政府主义者不同于马克思主义者和其他社会主义者，后者相信必须先接管国家，然后国家才会“消亡”；无政府主义者则不相信这是值得向往的，甚至不相信这是可能的，认为权力将导致腐败。

“无政府主义”一词源于希腊语 an archos（没有统治）。该词首次出现时带有贬意，英国内战中的平均派和法国大革命时期的忿激派都被政敌称为无政府主义者。1793 年戈德温在其著作《关于政治正义的质疑》中，预见了许多后来的无政府主义观点，尽管他当时并未使用这个词。戈德温不仅勾画出一个权力分散的社会的轮廓，还明确地描述了其中的许多理论设想。他坚持认为在政府组织机构及其制度之外，人类个体具有天然的慈善心，以及他们在相互交往中具有天然的和谐性。因此他鼓吹逐渐废除所有导致强迫统治和不平等的组织机构和制度，最后甚至包括婚姻。未来的组织将是松散的和自愿的联合。

法国作家蒲鲁东 1840 年在《什么是财产？》一书中首次将无政府主义这个词作为一个积极的词使用。该书为后来的无政府主义运动奠定了大部分理论基础，因而蒲鲁东被普遍地认为是无政府主义之父。蒲鲁东谴责私人财产（说“财产即盗窃”），但他拒绝共产主义，宣扬地方社团的相对自治。他的主张开始曾得到马克思的赞扬，但后来遭到马克思的严厉抨击。

19 世纪后半期马克思主义面临形形色色的、主要由源出蒲鲁东著作的各种形式的无政府主义构成的异端邪说。其中最早的、也是马克思在第一国际遭到的最大障碍是巴枯宁的学说。巴枯宁这一派的无政府主义后来被称为集体主义。巴枯宁及其追随者赞同马克思强调工人社团的作用和需要采取暴力革命行动，但反对巴枯宁所谓的马克思的日尔曼独裁主义，而提倡较为松散的社团联盟。第一国际于 1872 年解散后，巴枯宁及其追随者保持着对西班牙、意大利等拉丁语国家工人组织的控制。正是在这些国家里，无政府主义运动获得了最强大的力量，直到第二次世界大战前夕，才被法西斯主义最终击溃。巴枯宁强调暴力和革命行动的主张激励了许多后来的无政府主义者。

并非所有的无政府主义运动都与暴力有关。有很多形式，例如蒲鲁东的互助制度，就拒绝革命行动；蒲鲁东的某些追随者甚至拒绝将罢工作为一种策略，认为罢工也是一种强制。追随者最多的一种无政府主义形式是无政府工团主义，它在巴黎公社失败后，于 19 世纪 80 年代末得到发展。无政府工团主义将无政府主义者对政治行动的不信任与工会运动的策略相结合；工团联合组织成为工人阶级直接行动的基础，以发动一场使经济和国家陷于瘫痪的总罢工为最高行动。

由于许多无政府主义的思想家们政治行为很有名望，以及他们关于个人通过自愿联合而形成公正和睦的社会的幻想，使得他们都德高望重，克鲁泡特金是其中的著名人物。无政府主义作为一种社会运动在第二次世界大战中业已消亡，但它的某些信条，如相信没有政府人类能自然地具有道德和完美，至今仍吸引着许多追随者。

Anarcho-Syndicalism　无政府工团主义
参阅 **Syndicalism** 工团主义。

anasarca　全身水肿　又作 dropsy。全身性的重度水肿（**edema**）。

Anasazi culture　阿纳萨齐文化　北美文明，约始于公元 100 年，以迄于今，主要集中于亚利桑那、新墨西哥、科罗拉多及犹他等州的交界地区（“阿纳萨齐”系纳瓦霍语，意为“古人”）。通常分为下述发展时期：编筐时期，100 ～ 500 年；编筐后期，500 ～ 700 年；发展的普埃布洛时期（原名普埃布洛 Ⅰ 及普埃布洛 Ⅱ），700 ～ 1050 年；古典普埃布洛时期（原名普埃布洛 Ⅲ），1050 ～ 1300 年；退化的普埃布洛时期（原名普埃布洛 Ⅳ），1300 ～ 1700 年；现代普埃布洛时期（原名普埃布洛 Ⅴ），1700 年至今。编筐印第安人的起源不明，但当他们开始定居于此时，已掌握精巧的编筐技术，并已种植玉米及南瓜，以弥补狩猎、采集野生种籽之不足。穴居或住在以木

柱砖坯筑成的屋内。洞穴和住屋都设有特殊地窖,地窖封顶,用作储存衣物之处。这种基本文化模式一直延续至编筐后期,农业便成为主要生活来源,狩猎和采集成为辅助手段。村庄或由洞穴组成,或在旷野聚居。位于洞穴的居处都有一排半地下房屋,露天居室兼有地上房及地下室,常连成一线或邻接成新月状。地上房舍或许用作储藏场所,地窖则为居室或礼拜堂。地窖住室实际系原有仓储地窖装修而成。此时传入晒干的陶器。在发展的普埃布洛时期,建成直线形或新月形多重房舍,但最后渐渐扩大。石工开始取代早先泥、木结构。地窖成为地下礼堂。地上房全部用作居室。此时农业因种植棉花而进一步扩大。陶器形式多样,加工精细,装饰美观。编筐已不普遍。古典普埃布洛时期为崖房时期,村落聚于悬崖表面凹陷处,上有天然岩棚,其他与泥石房屋及村落无甚差别。同时期也有大型独立的建筑,形同公寓,沿峡谷或高坪之壁构筑。不论是悬崖住所,或是独立建筑,大都有2层、3层乃至4层。各层建筑均为阶梯式墙壁,下层之顶即为上层之走廊。这些社区结构拥有20间以至1 000间房间。以后人们由外沿居室向内部集中,兴造大型房舍,占地面积逐渐缩小。制陶技艺达到新的水平。棉纤维和丝兰花纤维精巧地织成各种衣物。古典普埃布洛时期之末,人们离开悬崖居所及大型公共住房。部分原因是游牧民族纳瓦霍人与阿帕切人自北方侵入以及1276～1299年的持续干旱歉收。退化的普埃布洛时期的居民以向南向东迁徙为其特征,有些人还到达今亚利桑那州的格朗德河流域及白山山脉一带。新的村落较古典普埃布洛时期的村落为大,但建筑较拙劣、粗糙。精制陶器仍很盛行,不过装饰图案有所改变,纺织一如往昔。现代普埃布洛时期通常以1700年算起,其时西班牙势力开始渗透到美洲。西班牙人强迫印第安人改信天主教并交纳贡物,造成敌对状态,1680年印第安人公开举义。经过一个世纪的动乱,普埃布洛村落由70～80个减少到25～30个,但他们的文化和耕作技术及手工工艺一直留传至今。

Anastasia **阿纳斯塔西娅**(1901-06-18,俄罗斯圣彼得堡附近彼得霍夫～1918-07-16或17,叶卡捷琳堡) 俄国女大公爵。俄国末代沙皇尼古拉二世和亚历山德拉之幼女。十月革命爆发后,阿纳斯塔西娅和她的近亲一起被布尔什维克囚禁在地窖里,并可能一起被处死。但随后国外不时有人宣称自己是阿纳斯塔西娅,要求继承罗曼诺夫王朝存在瑞士银行的财产,成为猜测纷纭的话题。其中最著名的是一个自称为安娜·安德森的女人(评论家们认为是波兰人),她于1968年与历史教授J.E.马纳汉(一位美国人)结婚,晚年住在弗吉尼亚,1984年2月去世。她在1970年前一直企图成为罗曼诺夫王朝财产的合法继承人,这一年西德法院最后驳回她的起诉,将剩余的一部分皇家财产判给梅克伦堡女公爵。这一关于幸存的阿纳斯塔西娅死里逃生的传奇故事成为马塞勒-莫雷特(1909～1972)所写法国舞台剧《阿纳斯塔西娅》的题材,1954年首演。美国亦于1956年拍成电影《阿纳斯塔西娅》,由I.褒曼主演,褒曼并因此赢得奥斯卡最佳女主角奖。

Anastasia, Albert **阿纳斯塔西亚**(1902-09-26,意大利特罗皮亚～1957-10-25,纽约市) 原名Umberto Anastasio。美国著名暴徒和凶手。1919年从意大利移居纽约市,20世纪20年代在G.马塞里亚黑帮中发迹。1931年成为马塞里亚的行刑手之一,受L.卢西亚诺的领导。30年代末成为"暗杀公司"的头目,这个公司是一个受雇杀人的组织。40年代末为纽约市犯罪集团"五大家族"之一的首脑。他在派克·希拉顿旅馆理发厅理发时被他的对手V.吉诺维斯雇佣的两名枪手暗杀。

Anastasius **阿纳斯塔修斯** 希腊语作Anastasios。按国别或教皇世系排列于后,并各以●为标记。

拜占廷帝国

● **Anastasius I** **阿纳斯塔修斯一世**(430?伊庇鲁斯·韦图斯都拉基乌姆～518-07-09,君士坦丁堡) 拜占廷皇帝(491年起),曾完善帝国货币体系,充实国库使之能在内政外交上有所建树,但其基督一性论派宗教政策不时引起叛乱。最初在财政部门工作,后成为皇帝芝诺的卫士,61岁时被芝诺的遗孀阿里阿德涅指定为皇帝并且嫁与他。他即位后废除出售官职,改革税收制度,取消告密者的赏金。他以土地税代替商品税来充作军饷,因而加重了农民的负担。他把芝诺的同乡——那些桀骜不驯、势力强大的伊索里亚人——从君士坦丁堡驱逐到色雷斯。为不使君士坦丁堡受保加利亚人和斯拉夫人的劫掠,修建了一道从黑海延伸到马尔马拉海的长城(512)。在外交方面,497年他承认狄奥多里克在意大利的东哥特政权。不过,双方很快便发生冲突,508年阿纳斯塔修斯派舰队袭击了意大利海岸。在此期间,由于他拒绝分担"高加索大门"(一条高加索游牧民族时常经由该处人侵波斯和拜占廷的峡谷通道)的防务军费,与波斯发生战争(502)。505年,阿纳斯塔修斯同意向波斯国王支付军费,双方签订和约。他初奉正教,后改信基督一性论派,在君士坦丁堡及欧洲诸省引起暴乱,亦未赢得与埃及和叙利亚的和平。在色雷斯,军事将领维塔利安努斯两度举兵作乱,终在515年被击溃。阿纳斯塔修斯原拟传位于其侄,但由70高龄的查士丁一世所取代。

● **Anastasius II** **阿纳斯塔修斯二世**(?～721) 拜占廷皇帝(713～715在位)。前代皇帝腓力比库斯在政变中被废黜,阿纳斯塔修斯二世被推举登位。他扭转腓力比库斯的对教会政策,并试图改组军队,事未成而自己也被废黜。他向教皇君士坦丁表示自己已信奉正统教义,废除腓力比库斯推崇基督一性论教义的诏书。在军事上,他积极加强君士坦丁堡的防御能力,选择罗得岛作为拜占廷海军基地,并派伊索里亚人利奥(后来的利奥三世)驻守叙利亚以抵御阿拉伯人。奥普齐基翁省的军队哗变,拥立当地税官狄奥多西为皇帝。经过6个月的内战,狄奥多西于715年在君士坦丁堡即位。阿纳斯塔修斯二世出逃,716年在帖撒罗尼迦当修士。720年图谋复位遭到失败,被狄奥多西的继位者利奥三世处决。

罗马教廷

● **Anastasius I, Saint** **阿纳斯塔修斯一世,圣**(?,罗马?～401-12-19,罗马) 教皇(399～401在位)。约在400年谴责早期希腊教会最有影响力的神学家奥利金的著作,为此得到圣哲罗姆的称誉。

● **Anastasius II** **阿纳斯塔修斯二世**(?,罗马～498-11-19,罗马) 意大利籍教皇(496～498在位)。在即位后通知拜占廷皇帝阿纳斯塔修斯一世时,对曾在484年被教皇圣菲利克斯三世废黜并逐出教门后来任君士坦丁堡牧首的阿卡丘斯采取和解态度。他接见阿卡丘斯派派到罗马的拜占廷助祭佛提努斯,结果在罗马引起争论,有人指责他想为阿卡丘斯翻案。他在争论声中死去。

● **Anastasius III** **阿纳斯塔修斯三世**(?,罗马～913-06或08,罗马) 教皇(911～913在位)。当时罗马处在泰奥菲拉克图斯家族控制之下,他既无多少权力,又几乎无行动自由。

● **Anastasius IV** **阿纳斯塔修斯四世**(约1073,罗马～1154-12-03) 原名科罗多。教皇(1153～1154在位)。1130年,教皇英诺森二世与敌对教皇阿纳克莱图斯二世争夺合法地位,他当时任萨拜纳枢机主教,拥护英诺森二世,在罗马当他的代表。在位期间解决了神圣罗马帝国皇帝红胡子腓特烈一世与马格德堡主教的纠纷和约克的威廉与所领教区之间的争端。

Anastasius Sinaita, Saint **阿纳斯塔修斯(西奈的),圣**(活动时期7世纪) 基督教神学家、西奈的圣凯瑟琳隐修院院长。其著作中包括对流行于埃及和叙利亚各异端派别和犹太教徒的批驳,因而成为当时捍卫正统教义,特别是关于基督的位格和事功的教义的主要斗士。这些著作也是有关早期基督教思想史的主要文献。他善于领导,长于辩才,号称"新摩西"。阿纳斯塔修斯出身不详,人们有时把他与几个同名者混为一谈。他经常从凯瑟琳隐修院到各地驳斥异端。主要著作《指引》(约685)驳斥基督一性论。此书经过辗转传抄,曾被人误认为其他叙利亚人士所著,后世经考证才判明它的由来。在他的其他现存著作中,有关于当时主要异端派分子的评介。有的学者认为,《教父论道成肉身(神子)教义》文集是在阿纳斯塔修斯的参与下编成的。

Anastasius the Librarian **阿纳斯塔修斯(教廷图书馆馆长)**(约810,罗马?～约878) 语言学者,罗马枢机主教。约848年任罗马圣马尔塞鲁斯教堂大司铎,853年因参与政治活动而被废黜,短期内曾为敌对教皇,与本尼狄克二世(855～858在位)分庭抗礼。和解后任教廷图书馆馆长。他与希腊正教神学家、君士坦丁堡牧首佛提乌辩论圣灵在三位一体中的地位。阿纳斯塔修斯曾代表罗马皇帝诚实的路易二世(约 824 ～ 875 在位)出使拜占廷会见皇帝巴西尔一世(867 ～ 886 在位)为双方斡旋联姻而未成功。他留在君士坦丁堡参与 869 ～ 870 年的第八届公会议。这次会议在三位一体问题上作出结论,强调圣灵的神性,驳斥佛提乌派。阿纳斯塔修斯把会议文献译成拉丁文,汇编有关基督一志论(参阅 **Monothelite**)论争的其他文件,他的这种工作对西方教会的神学研究颇有贡献。他还著有《三部通史》,记述 6 ～ 9 世纪拜占廷帝国的始末,这部历史后来收在一部拉丁文文集内。

anastatic printing　凸版印刷法　又称浮雕蚀刻法。一种版画技法,在版上除需印出的图像外,其余部分一概蚀刻掉,只剩下浮雕的图像。锌版腐蚀法是一种最流行技法,即用

1794 年 W. 布莱克的凸版印刷品
美国不列颠百科全书公司供图

沥青涂盖墨油将图像印在锌版上,然后再用溶剂把版上未经印敷的部分腐蚀掉。这种版画技法因英国诗人兼画家 W. 布莱克的应用而出名。

Anat (goddess)　参阅 **Anath 安娜特**。

anatase　锐钛矿　由二氧化钛(TiO_2)组成的三种矿物之一,另外两种是**金红石**(**rutile**)和**板钛矿**(**brookite**)。它产于火成岩及变质岩内的矿脉中,一般还出现于碎屑的砂矿床中。呈坚硬、闪亮的正方晶系晶体,并具有不同的颜色。著名的脉状矿床产于阿尔卑斯的许多地区;砂矿床则常见于巴西的米纳斯吉拉斯和巴伊亚。许多锐钛矿是由榍石风化形成的,而且它本身可蚀变为金红石;由锐钛矿形成的金红石的同质假象(即有相同外形的交代产物)在巴西和乌拉尔的萨纳尔卡地区的碎屑矿床中是很普遍的。关于详细的物理性质,参阅 **oxide mineral**(表)。

anatexis　深熔作用　又称重熔作用。地质学上岩石的差异熔融或部分熔融。岩石中的每种矿物都有自己的熔化温度,由于与其他矿物密切共生,熔化温度有不同程度的降低。除每种矿物的单独熔化温度外,压力、温度和挥发性物质等因素都会影响矿物集合体的熔化温度。岩石熔化温度的范围取决于这些因素。具最低熔化范围的岩石部分是花岗质组分,而不熔的残余部分较为基性(贫 SiO_2)。混合岩中成层的花岗岩或许还有一些较大的花岗岩体都可能是通过重熔作用形成的。

Anath　安娜特　又拼 Anat。西闪米特人所崇奉的主要女神,司掌爱情和战争,是巴力神的姊妹和助手。她年轻貌美,或许是迦南诸神中最著名者之一,古代文献多称她为童贞,她青春旺盛,勇猛善战,特别为埃及国王拉美西斯二世(约公元前 1304 ～约前 1237 在位)所崇敬。埃及的安娜特像裸体,多立于狮子身上,手执花束。在希腊化时代,安娜特与**阿斯塔特**(**Astarte**)融为一体,称**阿塔迦蒂斯**(**Atargatis**)。

anathema　咒诅　在《旧约》中指选出用作祭物的动物或物品,它们被选定后,即严禁再作世俗之用。此类注定要毁灭的物品,实际上成为被诅咒与供献祭的东西。《旧约》中记述宗教战争时,曾以此词指敌人及其被围城市,以说明它们注定要被毁灭。在《新约》中此词具有新的意义。保罗用此词作咒诅和开除出基督教会解。从 6 世纪起,此词指最严厉的惩罚,即将异端分子开除出基督教会并谴责他的谬说。

Anatidae　鸭科　雁形目雁鸭亚目中包括鸭、雁、天鹅的一个鸟科。按广泛采用的分类法,分为 3 个亚科、8 ～ 12 族:① 鹊鹅亚科(Anseranatinae)——雁鸭族(Anseranatini,参阅 **magpie goose**)。② 雁亚科(Anserinae)——树鸭族(Dendrocygnini,参阅 **whistling duck**);雁族(Anserini,参阅 **goose**; **swan**);有人提议设立第三族:点斑鸭族(Stictonettini,参阅 **freckled duck**)。③ 鸭亚科(Anatinae)——麻鸭族(Tadornini,参阅 **sheldgoose**; **shelduck**);河鸭族(Anatin,参阅 **dabbling duck**);栖鸭族(Cairinini,参阅 **perching duck**);潜鸭族(Aythyini,参阅 **pochard**);绒鸭族(Somateriini)及秋沙鸭族(Mergini,参阅 **diving duck**)和硬尾鸭族(Oxyurini,参阅 **stifftail**)。有人将绒鸭包括于秋沙鸭族。有人将船鸭从麻鸭族中分出另成一族:船鸭族(Tachyerini)。有人从鸭族中分出湍鸭族(Merganettini,参阅 **torrent duck**)。潜鸭、绒鸭、秋沙鸭(或包括硬尾鸭)等族在一般使用中常被视为一体。20 世纪 60 年代后期,在美国和欧洲广为使用的几种野外工作记录本中对鸭科采用较旧的分类法,将鸭科分为几个亚科而不设族:天鹅亚科(Cygninae,天鹅);雁亚科(Anserinae,雁);树鸭亚科(Dendrocygninae,哨鸭);鸭亚科(Anatinae,钻水鸭,包括翘鼻麻鸭和栖鸭);潜鸭亚科(Nyrocinae 或 Aythyinae,除秋沙鸭外的潜水鸭);硬尾鸭亚科(Erismaturinae 或 Oxyurinae,硬尾鸭)及秋沙鸭亚科(Merginae,秋沙鸭)。

anātman (Indian philosophy)　参阅 **anattā 无我**。

Anatolia　安纳托利亚　又称小亚细亚。即今日构成土耳其亚洲部分的半岛。因位于欧亚两洲交界处,自有文明开始,即为许多民族由两大陆迁徙或互相征战的十字路口。安纳托利亚自古以来就以东西方之间的战场而闻名。中央高原为中亚的延续部分,无通航的河流,极少天然通途,景色单调,气候恶劣。其西海岸则河谷肥沃,气候宜人,几乎成了欧洲的一部分。这些条件都不利于安定,所以安纳托利亚的历史就是游牧民族和外来民族进军及诸小国兴衰的历史。

约在公元前 1950 年,安纳托利亚西部似乎已为赫梯人的第一个王朝所据有。两个世纪以后,可能雅利安人入侵,强迫赫梯人接受其语言。赫梯人于公元前 17 世纪在哈图萨(今博阿兹柯伊)迅速崛起,成为一强大帝国,统治安纳托利亚,并为控制叙利亚和米坦尼(今杰拉布卢斯)而分别与埃及法老和亚述人作战。赫梯帝国被越过赫勒斯滂(今达达尼尔海峡)从欧洲到达亚洲的印欧语系的民族(可能是希腊人)推翻,他们使用铁制武器打败了只拥有青铜武器的赫梯人。这些印欧语系的民族沿整个爱琴海岸和内陆地区建立了许多殖民地,由此兴起了弗里吉亚王国。该王国的遗迹仍保留在各种各样的石墓、碉堡和城镇中,也留在希腊人的传说中。公元前 8 世纪,来自亚美尼亚的辛梅里安人蹂躏了弗里吉亚王国;在后者的衰败中兴起了吕底亚王国,首都在萨迪斯。辛梅里安人的二次入侵,后来接着又有基亚克萨里斯的侵入,几乎毁灭了这个新兴的王国,但入侵者被阿利亚特(约公元前 617 ～前 560)制止了。吕底亚的最后一位国王克罗伊斯(公元前 560 ～前 546)将其疆域扩张到哈利斯河,并征服了沿海的希腊人殖民地。这些兴盛的殖民地形成了自特拉布宗延伸到罗得岛的一系列居民区。他们彼此过于猜疑因而不能联合,又以奢侈而道德败坏,因而不能抵御外侮,终于都成了吕底亚的俎上鱼肉。在萨迪斯被波斯的居鲁士大帝二世攻占后(约公元前 546),这些殖民地未经抵抗便转属波斯。在波斯人统治下,安纳托利亚被划分为 4 个州,但希腊人城邦仍由希腊人管理,内地的部族则保留其本地的公侯和祭司兼君主。从大流士着手征服欧洲人、亚洲人和希腊人开始的希波战争于公元前 334 年终止,亚历山大大帝于同年侵入了安纳托利亚。

亚历山大大帝死后,统治权继承者们在该半岛上的不同部分各自建立了自己的统治。罗得岛变成了一个大的沿海共和国。埃及的托勒密王朝统治了安纳托利亚的地中海沿岸部分。公元前 283 年在帕加马建立了一个独立小王国,并持续了一个半世纪。比希尼亚变为一个独立的君主国,卡帕多西亚和帕夫拉戈尼亚成为在本地王公统治下的附属行省。塞琉西王朝在南方建立了安条克、阿帕梅亚及其他一些城邦,作为商业中心,其中

有些城邦在后来当地的希腊化和基督教传播方面起了重要作用。公元前3世纪,某些凯尔特部族越过博斯普鲁斯海峡,在桑格瑞斯和哈利斯之间称为加拉提亚的一些地区建立了政权,其首都设在今安卡拉。安条克大帝在马格内西亚的溃败(公元前190)使安纳托利亚完全受罗马人支配,但直到公元前133年才组成了第一个把安纳托利亚西部包括在内的罗马行省——亚细亚省。在米特拉达梯大帝统治下,本都王国兴起成为咄咄逼人的军事强国。但他被庞培驱逐出国土,死于公元前63年。罗马人将该半岛组成了许多行省、联盟和几乎独立的公国,在这些政体管理之下,安纳托利亚(即小亚细亚)得到了发展,并变得欣欣向荣。3世纪末,戴克里先重建帝国时,打破了强大的军事控制,而将所有行省结合成若干集团,称为教区。随着基督教的传入,发生了重大变化。基督教逐渐传遍了全区。小亚细亚的7座基督教堂就是在这一时期建成的。

罗马帝国于395年分裂为两部分。安纳托利亚属东罗马帝国,其首都在君士坦丁堡。当地的几种语言和旧的宗教部分地消失,整个地区已彻底希腊化。6世纪末,该地区已变得富庶繁荣,但几百年的和平生活和过度集权的后果在拜占廷时代得到体现。强悍的波斯国王霍斯罗夫二世自616至626年侵入安纳托利亚,并派兵进驻博斯普鲁斯王国。然而,希拉克略皇帝通过进兵库尔德斯坦恢复了拜占廷政权。但此后不久,阿拉伯人便进入安纳托利亚,并于668年围攻君士坦丁堡。其后3个世纪内,拜占廷方面与巴格达的几代哈里发为争占幼发拉底河桥头堡和西利西亚隘口而时有战事发生。但更危险的敌人不久就在东方出现。1067年塞尔柱土耳其人蹂躏了西利西亚和卡帕多西亚,1071年战胜并俘获了罗曼努斯四世;1080年占领尼西亚(今名伊兹尼克)。一支塞尔柱人建立了拉姆帝国,定都于伊康。12世纪,一些塞尔柱亚特贝克人在安纳托利亚各据一方,为王称霸;埃及的马木路克人统治叙利亚及更东地区;希腊人统治本都;亚美尼亚人统治西利西亚;达尼什曼德人(亚美尼亚人的一个氏族)统治锡瓦斯;巴彦杜尔人(希腊人的一个氏族)统治埃尔祖鲁姆等等。蒙古人扫荡了全区,并于1243年征服了拉姆帝国的塞尔柱苏丹。在土耳其各部族当中随后为争夺权力的斗争中,奥斯曼土耳其人最终取得优势,并在布鲁萨建立了政权。1400年苏丹巴耶塞特一世几乎统辖幼发拉底河以西的安纳托利亚全境,但后为帖木儿打败并囚禁;帖木儿打通了全区直到爱琴海岸。帖木儿一死,旷日持久的战争最终以穆罕默德二世(1451～1481在位)兼并卡拉曼尼亚和本都而告结束,奥斯曼政权又重新建立起来。往后安纳托利亚的历史即为奥斯曼帝国之历史。奥斯曼土耳其人继续统治安纳托利亚,直到其最高权力于1832年受到易卜拉辛帕夏率领下的埃及大军的威胁,其统治终于在第一次世界大战中被粉碎。

11世纪曾蹂躏安纳托利亚的塞尔柱游牧民族的后继者是接踵而来的一些土耳其游牧部落,他们并不虐待当地人民,但给全地区留下光秃秃一片荒凉。整个乡间没有耕种,而迁往山里或城镇的本地人就把土地遗弃给了这些游牧人,因而当地农民也被迫变成了游牧人。蒙古人长驱直入,掠夺了城镇,并把“一切可以作为武装抵抗用的地方”全部夷为平地。由于在早几代奥斯曼苏丹统治下强制使用土耳其语言和全部改信伊斯兰教,几乎所有的希腊文明痕迹全都消失了。近代时期,安纳托利亚缓慢地恢复起来,但铁路的修建及随后商业和地方工业的增长却因第一次世界大战而中断。当土耳其人于1918年10月30日签署停战协定时,英国军队已占领安纳托利亚所有操阿拉伯语的地带。1919年5月希腊军队占领了士麦那及大部分伊奥尼亚海岸,并逐步将其占领区扩大到今埃斯基谢希尔及阿菲永卡拉希萨尔。土耳其人于1920年8月签署了《塞夫尔条约》,将安纳托利亚的范围退缩到5个世纪以来土耳其统治所建立的地理和种族学的范围。英国接受托管巴勒斯坦和伊拉克,法国接受托管叙利亚。同时,英、法、意签定了一项三国协定,将安纳托利亚南部及东南部划归各自的势力范围。不过,凯末尔领导的土耳其民族主义运动不久又重申其主张,并将法国人逐出西利西亚、希腊人逐出士麦那。但《塞夫尔条约》并未得到批准,而由《洛桑条约》(1923-07)所代替,该条约承认土耳其为安纳托利亚狭义的统治者。土耳其在1923年11月废除了苏丹制后,接着不久又废除了哈里发制,于是宣告建立共和国,定都于安卡拉。在各同盟国主持下并结合《洛桑条约》,土耳其和希腊签订了一项人口交换协定。根据该协定,共约有100万希腊人由安纳托利亚西部被转移到希腊和马其顿。

Anatolian languages 安纳托利亚诸语言 公元前3千纪至公元初年曾通行于安纳托利亚地区的印欧死语言和非印欧死语言,公元初之后渐为希腊语替代。它包括印欧语系的赫梯语、巴莱语、卢维语、象形文字卢维语、吕底亚语、吕西亚语、弗里吉亚语和非印欧语系的哈梯语、胡里语、乌拉尔图语。另两种安纳托利亚语卡里亚语和塞德语研究得极少,以致不知是否为印欧语。安纳托利亚诸语言狭义地也指印欧语系安纳托利亚语族,它包括除弗里吉亚语外的上述诸语。安纳托利亚地区的非印欧语有时又称小亚细亚诸语言。

赫梯语在安纳托利亚诸语言中考证最多,主要以25 000块楔形文字泥板及残片而著称于世,出土于安纳托利亚中部赫梯首都博阿兹柯伊-哈图萨地区。泥板用楔形文字刻制,字体与公元前17世纪通行于阿拉拉赫地区者非常相似。1902年挪威亚述学家J.A.克努森依据藏于阿马纳档案中用赫梯文字写的两封信,最先证明赫梯语是印欧语。1915年捷克东方学家B.赫罗兹尼首次释读成功博阿兹柯伊发掘出的泥板。绝大多数赫梯语文献都与宗教主题有关:包括神谕、赞美诗、祈祷文、神话、宗教仪节、节日庆典等;还有许多历史、政治、行政、文学及律法等方面的文献。

巴莱语(帕拉语)在一些赫梯楔形文字泥板文献中常用作仪式语言。它通行于安纳托利亚西北部的帕拉地区,可能即希腊时期的布拉诺,与赫梯语及卢维语谱系极近,但因研究极少,其他情况罕为人知。

卢维语通行于安纳托利亚南部和叙利亚北部,其文献源于3个主要时期:赫梯新王国(约公元前1400～约前1190)文献出土于博阿兹柯伊-哈图萨;赫梯(新)列国时期(约公元前1190～约前700)文献;约公元前400～约前200年的纪念性巨型碑铭。象形文字卢维语由卢维语东部方言发展而成,吕西亚语则由卢维语西部方言发展而成。

安纳托利亚象形文字体系肇始于公元前18～前17世纪的赫梯语印记;印证最晚文字内容约可溯至公元前8世纪的最后25年。象形文字的通行地域遍及安纳托利亚南部以至叙利亚北部,最北可达赫梯首都博阿兹柯伊-哈图萨。象形文字卢维语的释读完成于20世纪30～40年代。英国考古学家A.H.塞斯、德国出生的东方学家H.G.居特勃克和德国考古学家H.J.博塞特均做出极富成果的贡献。

吕底亚语发现于墓志铭、还愿书以及许多粗拙刻雕中,其中大多数是在吕底亚首都萨迪斯出土的。大都可溯源至公元前4世纪。吕底亚字母源自东希腊字母。吕底亚语研究中因词汇有许多不确定因素而往往受阻,但语法却表明它属于印欧语系的安纳托利亚语族。

印欧语系安纳托利亚语族包括大量古旧语法成分,缺少若干典型的印欧语范畴,如双数、阴性和完成时态。把小品词和非重读代词联结成“链”置于句子或小句之首是另一显著特征。安纳托利尼语有许多喉音,是最明显的音位学特征,其他印欧语则无此现象。

弗里吉亚语在安纳托利亚地区的印欧语系中不属安纳托利亚语族。它的碑铭和粗糙雕刻可分为两组:用典型的弗里吉亚字母刻写的古弗里吉亚语文献,可溯源至公元前730～前450年;用希腊字母刻写的新弗里吉亚语铭文(墓志铭),溯至公元1～2世纪。

哈梯语在赫梯楔形文字文献中因用于仪式方面而为世所知。操印欧语者进入前,它是安纳托利亚北部的土著或基本语言。哈梯语系属未定。

胡里语文献发现于乌尔基什(约公元前2300)、马里(公元前18世纪)、阿马纳(约公元前1400)、博阿兹柯伊-哈图萨(约公元前1400～约前1190)、乌加里特(公元前14世纪)等地区。除少数用乌加里特字母外,全都用楔形文字书写。在博阿兹柯伊-哈图萨、阿拉拉赫、乌加里特等地,特别是在努祖曾发现许多胡里语人名,成为提供胡里语信息的重要来源。

乌拉尔图语在公元前9～前6世纪曾通行于安纳托利亚东北部,是乌拉尔图王国的官方语言。乌拉尔图文献用新亚述文字的一种变体书写。这里也曾发现另一种原始象形文字,由于未作深入研究,迄今仍未释读出来。胡里语和乌拉尔图语有共同的母语。它们都是黏着语,有后缀变化。

研究卡里亚语主要依据埃及发现的粗糙雕刻品,上面刻有卡里亚雇佣者使用的字母文字。卡里亚本地也有这类纪念性碑铭和泥板。将卡里亚语归入印欧语系安纳托利亚语族的假说迄今未获证实。

塞德语通行于潘菲利亚地区沿海的锡德城(塞德城)。公元前5(?)～前3(?)世纪的钱币所铸铭文,以及公元前3～前2世纪的5件碑铭(有两件系双语)都证明塞德语的存在。塞德语的文字仅部分得到释读,因而对其文献内容或语言分类仍毫无所知。

Anatom 阿纳托姆岛 又拼Aneityum(阿内蒂乌姆岛)。太平洋西南部瓦努阿图最南端岛屿。为火山岛。周长56千米,面积65平方千米。19世纪时阿纳托姆岛是檀香木业者、捕鲸人及传教士的中心。南岸的阿内尔高哈特是良港。附近因尤格岛上有简易机场。人口463(1979)。

anatomy 解剖学 研究生物体形状和结构的生物学分支。大体解剖是用解剖刀剖割和肉眼观察(不用显微镜)的方法研究有机体的各种结构。一般情况下,"大体解剖学"特指人体解剖;而"显微解剖学"则研究那些只有在显微镜下才能看到的结构单位。无论哪种解剖学的基本技术都是解剖。最早的解剖学应用记录见于古希腊文献,泰奥弗拉斯托斯把解剖叫做anatomy,取自希腊文anatemnein,意思是"切开"。作为解剖学的一个主要分支,比较解剖学是将不同种属动物的相对应器官或者结构的解剖形态加以比较研究,目的是认识在生物进化过程中,各种动物身上发生的适应性变化。参阅**comparative anatomy**。

大体解剖学 1500～1850年是这一古老的学科最繁荣的时代,现代解剖学的坚实学科构架就是在那个时代建立起来的。还没有哪种最古老的世界文明中有解剖死人的记录,因为我们的祖先对人的尸体怀有一种莫名的敬畏情绪,并常常把尸体和那已经出窍的灵魂联系在一起。人们还坚信人死后还有灵魂,并终日对"借尸还魂",甚至"自尸还魂"一类的传说揣揣不安。古人的这种迷信观念是阻碍解剖学发展的主要原因。但是,人们在救治伤员、接生、处治断肢的过程中还是积累了不少解剖学知识。古希腊医师、解剖学先驱希罗菲卢斯(公元前300年享有盛誉)在他所供职的亚历山大里亚医学院的支持下,第一次对人的尸体进行实地解剖,开始赋予解剖学以实证形态学的学科涵义。希罗菲卢斯的成就是一场革命,他的同时代继承人是被称为生理学奠基人的埃拉西斯特拉图斯。公元2世纪,希腊内科医生加伦把古希腊众多解剖学家的所有发现,连同他自己对生理学的理解和他在医学实验中的发现一起收集起来,整理成册。加伦的许多著作后来都成了欧洲无可争议的解剖学和医学的权威著作,原因是经过欧洲"黑暗年代"的洗劫,他的著作成了唯一幸存下来的、译成阿拉伯语(而后是拉丁语)的古希腊解剖学教科书。

由于教会禁止解剖,中世纪的欧洲医学就是建立在加伦的既有事实,又有想象的大杂烩基础之上。因为当时的欧洲人根本没有机会直接做人体解剖,所以,虽然教学急需,但他们也没有机会直接获取解剖学知识。16世纪初叶,著名画家莱奥纳多·达·芬奇为了他的事业亲自做了一次解剖,他的解剖作图不仅极富专业美术功底,而且极为精确。后来,就是因为极大地得益于达·芬奇的解剖作图,比利时佛兰芒人内科医师A.维萨里才能在1543年完成了他的丰碑式的、所谓重塑"科学解剖学"的7卷本《人体结构》一书,据说,这本书是世界上第一部图文并茂的综合性解剖学教科书。作为帕杜阿大学教授,维萨里极力主张年轻人应该以批判的眼光对待传统解剖学的内容。维萨里的这种严谨的治学态度打破了加伦的权威,从此,解剖学成了完整意义上的实验形态学学科。

维萨里的主要成就是精确地描述了骨骼、肌肉、血管、神经、消化系统的大体结构;他在帕杜阿大学的继承人们则为确立消化腺、泌尿和生殖系统等方面的解剖结构做出了贡献。H.法布里齐乌斯、G.法洛皮奥和B.欧斯塔基奥是当时最具盛名的意大利解剖学家,他们的卓越贡献极大地推动了相关生理学的建立和学科发展。例如,W.哈维发现了血液循环,起码部分原因是受到法布里齐乌斯对静脉瓣的详细描述的启发。

显微解剖学 17世纪后半叶,生物学研究中开始使用放大镜和复合式显微镜,这一技术进步成了推动解剖学研究发展的最重要的因素。M.马尔皮基用最原始的显微镜发现了连接动、静脉的毛细血管系统。R.胡克首次观察到植物体内的无数个小舱室——他把它们叫做"细胞"。再有就是A.van列文虎克,他发现了肌纤维和精子。从此以后,人们开始不满足于肉眼的所见所闻,开始借助显微镜的帮助向微观世界进军。

到了18世纪,人们对显微镜的应用已经有了一个比较系统化的基础。当人们打算向更微观的、前所不知的领域探索时,才发现他们手里的显微镜是那么的不中用。19世纪30年代开始的消色差透镜技术极大地提高了显微镜的分辨率。1838～1839年,德国的M.J.施莱登和T.施万指出:所有生命有机体的最基本的结构单元是细胞。光学显微镜的切片技术带动了各种解剖技术的发展,尤其是切片机的发明,现代病理切片机的制片厚度最薄可达1微米。接下来就是切片染色技术和相关的染料合成技术都获得了长足的发展。在染色后的组织切片上,不同的组织成分被染成不同的颜色。到了19世纪后期,人们为显微解剖学(以及组织胚胎学、细胞学和病理学)制定了各自标准的切片和染色技术常规。细胞学和组织学都是在19世纪、并且都是以显微解剖学的有关资料和技术为基础而发展起来的。

由于新技术的发展不断地超越光学显微镜技术性能的限制,20世纪的解剖学家所关注的研究课题越来越细。50年代发展起来的电子显微镜技术曾经一度成了最时髦的研究手段,并且刺激了一大批相关的亚细胞结构的研究成果问世。几乎与此同时,X射线衍射技术开始应用于生命科学中的多种分子结构、分子解剖学的研究(这是一个崭新的学科)。

解剖学术语 各种人体器官和结构的科学名称一般是用拉丁文,如*musculus biceps brachii*指的是上肢肱二头肌。这类名称中有些是欧洲人直接袭用古希腊和古罗马文字,而更多的是自16世纪以来,众多欧洲解剖学家自己创造出来的。发展中的医学知识意味着不断有更多的机体结构和组织被发现,但不可能预先制订出一个可管千秋万代的构词法,于是就不断有成千上万的新名词问世,而创造这些新名词的唯一标准就是作者的个人兴趣,虽然他们大多数都用拉丁文命名。

到了19世纪末期,这种术语的混乱状态已不堪忍受,有时一种结构有20多个名称,全欧洲当时的在用名词超过50 000。于是,德国解剖学会1887年开始了统一解剖学构词法的工作,在许多国家解剖学会的共同努力下,一部完整的解剖学名词词典于1895年问世,这部词典共编入解剖学词汇5 528个,较前减少85%。这部题为《Basle Nomina Anatomica》的词典后经修订,并于1955年在巴黎召开的第六届国际解剖学学术大会上获得通过,定名为《解剖学名词(巴黎定编)》。

anatomy 剖析 在文学中,把一个主题分成多个部分再进行详细地审查或分析。最著名的例子包括J.黎里的《尤弗依斯:对于才智的剖析》和R.伯顿的《忧郁的剖析》。文学批评家N.弗赖伊在其作品《文学批评剖析》中将该词的词义范围缩小到指与迈尼普斯讽刺作品相似的作品,或是针对被讽刺的主题(通常为某种态度或行为方式)引用了大量信息的作品。该词源自希腊语。

Anatosaurus 鸭嘴龙 以前拼Trachodon。又名粗齿龙。用两后足行走的鸭嘴恐龙类的属。化石通常见于北美洲的晚白垩世(9 750万年前至6 640万年前)地层。与之密切有关的类型分布是世界性的。为大型爬行动物,身长9～12米,身体笨重。后肢和骨盆非常发达。头骨长,颌部宽而扁平,很像鸭的嘴。有时颌部有几百个不太锋利的齿,但不是同时起作用,而是在旧齿磨损或脱落时,由新生齿替代。鸭嘴龙很可能具有一定程度的水中生活的习性。尾侧扁,很像鳄类的尾。有些鸭嘴龙标本保存异常好,像用干燥法保存的木乃伊。这些标本中,保留了皮肤和内部构造。趾间有蹼,是部分水生习性的进一步显示。兽皮很坚韧又粗糙。该类至少有一部分主要吃各种嫩枝、种子、水果、松针,胃里没有发现水生植物残余。看来该类的水生习性可能意味着逃避捕食者,它们是在陆地上

鸭嘴龙复原图
美国不列颠百科全书公司供图

而不是在水中进食。

anattā　无我　梵文作anātman。佛教教义。谓可以称为人的灵魂的永恒不变的根本物质并不存在。人无非是由无常的五蕴构成的。无我、无常和苦是一切存在物的特征(三相)。认识三相,就是八正道的第一步,即正信。

anauxite　富硅高岭石　矿物,一种高岭石及游离硅石交互层的混合物。参阅 **kaolinite**。

Anawrahta　阿罗隆多(活动时期11世纪)　全缅甸第1代国王(1044～1077在位)。他曾向人民推行上座部佛教,并在首都蒲甘建造许多佛塔和庙宇。在位期间不但统一南北两方,而且扩大版图,其国境北迄南诏王国,西至若开,南达马达班湾(今仰光附近),东到今泰国北部。1057年攻占孟人直通城。此后,其他孟人首领也纷纷投降。在缅甸的统治者中,阿罗隆多第一个控制伊洛瓦底江三角洲。由于同孟人接触,缅甸文明丰富起来。缅甸采用孟人的文字,1058年出现用孟人文字刻成的缅甸古铭文。阿罗隆多在一位孟人僧侣的说教下改宗上座部佛教。主要由于他的不懈努力,上座部佛教成为缅甸最主要的宗教。

Anaxagoras　安那克萨哥拉(约公元前500,安纳托利亚克拉佐曼纳～约前428,兰萨库斯)　希腊自然哲学家。因创立宇宙论并发现日、月蚀的真正原因而闻名。同雅典政治家伯里克利有交往。公元前480年左右,移居雅典,将哲学上新的实践和科学探索精神从爱奥尼亚带往该地。在雅典居住30年后,因断言太阳是一块比伯罗奔尼撒地区略大的炽热的石头而被指控为不敬神明。对他的攻击实际上是间接地打击伯里克利。尽管伯里克利设法营救,他仍被迫离开雅典。晚年退隐于兰萨库斯。其著作仅有少许断片留存。人们对其作品有不同的解释,但基本特点是清楚的。他的宇宙论源自早期希腊思想家的努力,他们曾试图通过一个单一的基本元素的假设来解释物质宇宙。但巴门尼德却断言,这样一个假设不能说明运动和变化;恩培多克勒想通过提出4个基本要素来解决这一困难,而安那克萨哥拉则假定了一个无尽的数。他不同于前人,他们选择了热或水这样一些要素作为基本物质,而他却把存在于活的机体内之物如肉、骨、树皮、树叶等均包括在内。他问道:从非肉之物何以能产生肉?他还对生物的变化作了说明,物质在这种变化中以新的面目出现,例如,人们通过饮食而使肉、骨和头发生长。为了解释变化数量很大及其多样性,他说:“每一事物均含有每一事物即每一基本要素的一部分”,但是,“每一事物现在和过去都只能将其包含最多之物明显地表现出来”。安那克萨哥拉学说最有特色的方面是他的精神(nous)学说。他认为宇宙是由精神在两个阶段里形成的:第一阶段是通过一直在继续的、旋转和混合的过程;第二阶段是通过生物的发展。在第一阶段里,全部“黑暗”集合到一处形成黑夜,全部“液体”集合到一处形成海洋,其他要素也如此。“同类事物”互相吸引的同样过程也发生在第二阶段。这时精神把肉和其他要素大量地集合到一起。这一阶段通过原始混合物所固有的动、植物的种子而发生。根据他的说法,生物的成长有赖于有机体内的精神力量,这种力量能使有机体从周围的物质中吸收养分。亚里士多德曾经称赞过他的精神概念。但柏拉图和亚里士多德都因这个概念未包括精神有伦理行动(即为了宇宙的“最美好的利益”而活动)这一看法而表示反对。论述安那克萨哥拉的作品有:J.札菲洛普罗的《克拉佐曼纳的安那克萨哥拉》(1948)和F.M.克利夫的《安那克萨哥拉的哲学》(1949)。

Anaximander　阿那克西曼德(公元前610,米利都～前546或545)　希腊哲学家,常被称为天文学奠基人。发展宇宙论或有关世界系统哲学观点的第一位思想家。据认他曾是

美国不列颠百科全书公司供图

米利都的泰勒斯的弟子。有证据证明他写过多篇有关地理学、天文学和宇宙论的论文,这些论文曾流传几个世纪;他还曾就当时所知的世界画过一幅地图。作为一个理性主义者,他重视对称性,并在绘制天图中引进了几何学和数学的比例。因此,他的理论能摆脱早先那种比较神秘的宇宙观念,并为后继的天文学家预示成功之路。阿那克西曼德的著作中只有一个命题残存下来。所以,后来一些作者的报道就成了有关他的发现的主要记载。那个命题把水或火这种特殊物质的消长比喻为人类社会中的善恶报应。例如,无论是冷或热,都不会永远胜过对方,而是每一方都“付出补偿”,以便在它们之间维持平衡。他认为世界是由一种被称为“无限”的不可察觉的物质形成的。这个不可察觉的物质阶段是处于分离成诸如热与冷、干与湿等对立的性质之前,因而它体现了一切现象的最初的统一。他赞成这样一种哲学观点:在一切复杂事物的背后都一定可以找到统一。在阿那克西曼德理论中有一个新因素是,他抛弃了那种认为地球是以某种方式悬挂在或支撑在天上某处的陈旧观念。他主张地球是无支撑地处于宇宙的中心,因为它没有理由往任何方向运动,所以它是静止不动的。

Anaximenes of Miletus　阿那克西米尼(米利都的)(活动时期约公元前545)　希腊自然哲学家,米利都三位思想家之一(传统认为他们是西方世界最早的哲学家)。其他二人之一泰勒斯认为水是一切物质的基本构成材料,另一人阿那克西曼德则称基本物质为“无限”。阿那克西米尼用气(aer)来代替前人的选择。其著作现已无存,只在后来的作家著作的若干章节里可见一二。他显然相信,适应着不同类型物质的密度,湿气凝结的程度也有所不同。当气“最均匀地分布时”,它就是大气层的一般看不见的空气。它凝结后,人们就可以看到它,先是云雾,然后是水,最后则是土石之类的固体。如再使之变稀薄,它就变成火。因此热与干燥代表稀薄,而冷与湿则同较密的物质有关。阿那克西米尼设想气永远在活动,说明他认为气也具有生命。由于气具有永恒的生命,所以它具有神的特点并成为其他神和一切物质的起因。同样的运动还可以说明气从一种物理状态转入另一种物理状态的原因。他在神圣的空气(它维持着宇宙)和人间的“空气”或灵魂(它使人们有了生命)之间作了一般的比拟。作为一个讲究实际的人,一个富于想象力的天才观察者,他偶尔注意到月夜里看到的虹并且记述了船桨击水时放出的“磷光”。他的思想是从神话向科学过渡的典型代表。从如下的议论中可以看到这种思想的合理性:他认为虹并不是一位女神,而是阳光照到密集的空气上引起的结果。不过他的思想并没有完全摆脱早期神话的或神秘主义倾向的影响,例如他相信宇宙是半个球体。他的具有永恒价值的贡献并不在于他的宇宙论,而在于他提出凝结和稀释在世界的形成中起了一定作用。这个观点,以及他把各种物质明显的质的差别归结为仅仅是量的差别,对科学思想的发展影响颇大。

Anazarbus　阿纳扎布斯　古安纳托利亚西利西亚省城市。罗马和拜占廷时期的重要城市。公元前19年为罗马人所建。公元3世纪以后成为西利西亚塞肯达行省省会。在拜占廷帝国时代为大主教区。6世纪时毁于地震,后又重建。在穆斯林占领时期更名为艾因扎尔巴,仍保持其战略意义。12世纪初成为西利西亚小亚美尼亚首都。1374年为埃及马木路克人彻底摧毁。现为一座拜占廷-亚美尼亚城堡——西利西亚最好的中世纪古迹。残迹中有拜占廷教堂、凯旋门、剧院、露天运动场,圆形竞技场和高架输水渠。人口201(1985)。

Anbar　安巴尔　又名费鲁兹萨普尔。美索不达米亚古城。在今伊拉克安巴尔省拉马迪以下,幼发拉底河左岸。363年为罗马皇帝尤里安所毁。后来重建,至少从6世纪起即以安巴尔之名闻名。588年以后成为被萨珊王朝迫害的犹太人的避难中心。750～762年间为阿拔斯哈里发的都城。

Anbār, al-　安巴尔　原称拉马迪省。伊拉克西部一省。自底格里斯河和幼发拉底河的分水线至叙利亚和约旦边界,包括广袤的沙漠地带。面积83 740平方千米。境内除幼发拉底河外,还有多条间歇小河。幼发拉底河冲积平原有灌溉之利,产棉花、小麦和蔬菜。起自叙利亚和约旦的公路贯穿全省。省会拉

马迪（Ramādī，ar-）。人口466 059（1977）。

ANC（South African political party） 参阅**African National Congress 非洲人国民大会**。

Ancaeus 安凯厄斯 据希腊神话，他是宙斯或波塞冬的儿子，萨摩斯岛列列该斯王。在“阿尔戈”号船出征途中，该船舵手提菲斯死后，安凯厄斯就接替了他的位置。传说在种植一处葡萄园时，有一个预言者说他无论如何喝不到这里的葡萄酿出的酒。当葡萄成熟时，他把葡萄汁榨到杯子里，举到嘴边，并嘲讽预言者。预言者反驳说：“杯到嘴边往往还会移开！”正在这时，有人宣布说，一只野猪正在蹂躏土地。安凯厄斯放下杯子，酒没有沾唇就跑了出去，结果被野猪咬死。

Ancash 安卡什 又拼Ancachs。秘鲁中西部省份。西濒太平洋。面积36 669平方千米。地势极为崎岖不平。桑塔河谷地为省会瓦拉斯（**Huaraz**）所在地（海拔3 052米）和本

流经安卡什省帕托峡谷的桑塔河
美国不列颠百科全书公司供图

省人口最稠密地区。经营自给性农业。经济以采矿（煤、银、铝、铜）和工业为主。在迅速发展的沿海城市钦博特，有一个使用电力的现代钢铁厂。沿海通泛美公路。通铁路。1970年5月31日曾遭地震和山崩严重破坏。现已重建一些小村庄，一些公路已改道。人口约922 900（1984）。

ancestor worship 祖先崇拜 崇奉据说有亲缘关系的死者灵魂的宗教性信仰和习俗，这些死者中有一些是神话人物。祖先崇拜固然不如对死者鬼魂的崇奉敬畏那样普遍，但也存在于多种文化形态中。它普遍流行于非洲、亚洲和太平洋地区的尚无文字的社会，曾存在于古代地中海地区和古代欧洲各民族，目前仍可见于亚洲文化形态，特别是在印度、中国和日本。在实行祖先崇拜的文化形态中，生者与死者之间的关系犹如世上任何社会中两部分人之间的关系，死亡并没有使人脱离某一社会单位（家族、宗族、部落、村落、民族）。有时人们认为死者怀有善意，可以同死者保持和好关系；有时人们认为死者对生前所属单位怀有不满或愤恨，但是如对死者表示适当的尊重、崇敬和崇拜这种恶感就可以冰释。另一方面，人们也会认为死者，特别是异乡人的亡魂，对某一社会的众人不怀善意，他们能够伤害这个社会中的某些人乃至整个社会，正如恶魔一样。祖先崇拜有几种形式。死者可以受生前所属的整个群体（家族、宗教、部落或民族）的崇拜。这种社团崇拜见于古代罗马，整个族系各代亡灵都受崇拜。更为普遍的却是对个别祖先的崇拜，这种崇拜以不同形式结合于社团崇拜，例如古代罗马对皇帝的崇拜、古代埃及对先辈君主的崇拜以及日本对天皇家族成员的崇拜。并不是所有祖先都具有同等受崇拜的资格，因为他们中间强弱悬殊。一个群体的一般成员死后或仅受近亲崇奉，或根本无人崇奉，或者仅一时受崇奉；另一方面，伟大人物的亡灵却受整个社团的更加隆重的崇拜。有时某一位祖先具有一切值得崇敬的品德，或者在某一种品德上表现突出，于是他就不再成其为亡灵而上升到神的地位。人们祈求祖先亡灵以各种方法救助生人社团：保证香火不断、除病祛灾、保障五谷丰登、向诸神代求（因为据说他们与诸神相通，与诸神同住）。

Anchieta, José de 安谢塔（1534-03-19，加那利群岛～1597-06-09，巴西圣埃斯皮里图） 葡萄牙耶稣会士，被认为是巴西民族文学的奠基人之一。出身于葡萄牙望族，在葡萄牙受教育，1551年参加耶稣会。1553年到巴西，在印第安人中间传教，曾设法保护印第安人免受奴役之苦。他的名作是拉丁文圣诗《圣母马利亚》。也写过一些宗教剧，在巴西乡间上演，大部失传。还写过一本印第安图皮语的语法，以及许多叙述印第安人生活、习惯、民谣、疾病和巴西动植物的信札。

Anchises 安喀塞斯 希腊传说中特洛伊王族年幼一支的成员，伊达山上达尔达诺斯的国王。阿佛洛狄忒女神在那里与他相遇，爱上了他的美貌，同他生了埃涅阿斯。由于泄露了孩子母亲的名字，他被杀害或被闪电打瞎了眼睛。在后来的传说以及维吉尔的《埃涅阿斯纪》里，他的儿子埃涅阿斯冒着大火背他逃出特洛伊城，他本人则死在西西里。埃涅阿斯的后人则建立了罗马。

anchor 锚 固定船舶位置的器具，通常用金属制成。它用锚索或锚链连接在船上，下沉后利用锚爪插入水底。

古代的锚是大石块，成筐的石块，沙袋，或用铅加重的原木。这样的锚仅靠自重及其与水底的摩擦固定船位。开始用铁制造锚之后，其形状得到改进，加了锚齿或锚爪。19世纪以前，锚的制造很不完善。那时还缺乏良好而有效的焊接方法，铁质也不好，锚臂是直的，从牢固的锚地起锚时，常常在锚冠处断裂。1813年开始采用弯锚臂。1852年以后，英国海军在舰船上装备了有杆锚。现代形式的有杆锚，在小船上仍在使用。撤掉扁销，即可将上部的锚杆或水平横档折拢而将锚收藏在舷侧。在抛锚之前，必须把锚杆重新支起，以保证有一个锚爪抓住水底。无杆锚是1821年在英国注册专利的，它被广泛使用，主要是因为操作简便，并能收入锚链筒内。世界上大多数大型船都使用无杆锚以代替有杆锚。船上还有几种常用的锚。它们是：蕈形锚，其形状如同倒置的蘑菇，广泛用于永久性系泊的灯船、挖泥船和驳船；海锚，通常是用圆木和帆布做的漂浮装置，用来保持船首迎风或迎浪航行，也用来减小偏航角，在风涛海面航行较为安全；浮锚，小船上用的海锚，当小船通过拍岸浪靠岸时，可防止其向舷侧倾覆；多爪小锚，一种轻型无杆锚，有4～5个弯曲的爪状锚臂，用来打捞海底物体或锚泊小船；移船小锚，一种有杆或无杆的小锚，用于使船作短距离移动，移动时用小船将锚运出，投入水中，然后将船拉向锚地，也可使艏、艉转动，以改变航向。

Anchorage 安克雷奇 美国阿拉斯加州南部港口城市。临库克湾顶端。1914年作为阿拉斯加-费尔班克斯铁路局驻地而创建。1920年设市。第二次世界大战期间为重要航空港和防空基地。战后为欧美至远东航空线中途站。现为该州最大城市和商业中心。经济以国防工程和石油等自然资源开采为主，旅游业亦发达。设有阿拉斯加大学分校（1954）和安克雷奇社区学院（1953）。1964年3月27日一场地震造成若干人员死亡和大量财产损失。人口：市和都会统计区260 283（2000）。

anchovy 鳀 鲱形目鳀科多种集群性咸水鱼类的统称。鳀与鲱近缘，但其口大，几乎伸过眼后，而且吻尖。多生活于热带或暖温带浅海，常进入河口附近的半咸水水域，少数热

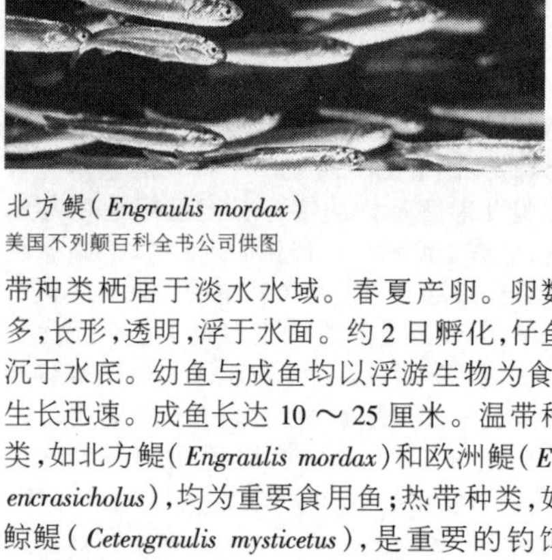

北方鳀（*Engraulis mordax*）
美国不列颠百科全书公司供图

带种类栖居于淡水水域。春夏产卵。卵数多，长形，透明，浮于水面。约2日孵化，仔鱼沉于水底。幼鱼与成鱼均以浮游生物为食，生长迅速。成鱼长达10～25厘米。温带种类，如北方鳀（*Engraulis mordax*）和欧洲鳀（*E. encrasicholus*），均为重要食用鱼；热带种类，如鲸鳀（*Cetengraulis mysticetus*），是重要的钓饵鱼，特别用在金枪鱼渔业。鲚属（*Coilia*）种类臀鳍长，身体后部细尖，在中国干制食用。很多鳀类鱼易受损伤，网或其他硬物触之可致死。

anchovy pear（*Grias cauliflora*） **鳀梨** 玉蕊科常绿乔木。原产于西印度群岛。栽培收取其果。株高约15米。叶矛形，光亮，长达90厘米，簇生似棕榈叶。花黄色，芳香，花径约5厘米。果梨形，亦称泡菜梨，赤褐色，长5～7厘米，可食，含种子1粒。

Anchura 安丘螺 海生腹足动物(螺)的绝灭属。化石仅见于海相白垩纪(1.44亿年前至6 640万年前)地层。由于十分独特并易识别,因此是有用的标准化石。壳的螺环呈球

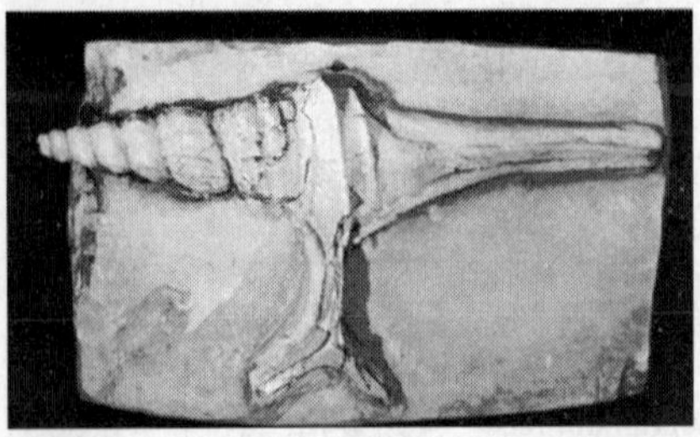

安丘螺

美国不列颠百科全书公司供图

状,并饰以突起的褶皱,螺塔呈尖顶状,体螺环(最后最大的一个螺环)具有显著延伸的外唇。

ancient lights 老窗户采光权 指英国财产法中的建筑物或房屋的所有人用窗户采光的权利。所有人用来采光的窗户如果已经有了20年以上的历史,邻近土地的所有人就不得修建高楼或以其他方式遮蔽该老窗户。英国这一法律规定始于1663年,所根据的理论是,房主用窗户采光经过法定期间后即取得采光权。但这种理论并没有被美国法院普遍接受。

ancient-style poem 古体诗 简称古诗。中国诗中与近体诗相对而言的诗体。南北朝时产生了格律严谨的律诗、绝句等近体诗,便称汉魏以前除楚辞之外的诗体为古体诗。古体诗用韵宽,不受声律束缚,长短也不受限制。这种诗体在唐代近体诗盛行后仍很流行。后人又称这种古体诗为"古风"。

ancients and moderns 古今之争 17世纪席卷法英两国的一场著名的文学大论战。古典派坚持主张希腊和罗马的古典文学是优秀文学作品的唯一楷模,现代派则向古典作家的至高无上权威提出挑战。第一个攻击古典派者来自笛卡儿集团,辩称德马雷所写的一些英雄史诗是以基督教的神话为基础,并非源于古代神话。争论的风暴始于布瓦洛的《诗艺》(1674)的发表,他给古典派下定义,并维护诗歌的古代传统。此后,争论演变成对个人的猛烈攻击。现代派的主要人物是C.佩罗和丰特奈尔。古典派的代表人物是拉封丹和拉布吕耶尔。在英国,这种争论一直持续到18世纪的最初10年。争论的要点不久就模糊不清,形成一场混战。但最后形成了两个论点:文学是否与科学一样,是从古代进步到现代的?如果有进步,那么是直线的、还是周期性的?这些问题都有过严肃、热烈的讨论。

Ancillon, Charles 安齐隆(1659-07-28,法国梅斯~1715-07-05,柏林) 律师、教育家、历史家。他是流亡德国的法国基督教新教难民的领袖,在增进这个集团的知识与教育方面的利益做出了重要贡献。出身于著名新教家庭。曾在马尔堡、日内瓦和巴黎学习法律。他在路易十四的宫廷中为梅斯的胡格诺派教徒(法国新教徒)辩护,要求路易十四世撤销南特敕令,对他们网开一面。1686年在《政治感想》一书中发表反对迫害的观点。他的努力没有成效后移居柏林。勃兰登堡选侯腓特烈三世任命他为法国流亡者的法官。1687年任贵族学院院长。他同德国哲学家G.W.莱布尼茨合作,创建柏林学院。1699年任选侯的史官。有遗著多种。

Ancillon, Johann Peter Friedrich 安齐隆(1767-04-30,普鲁士柏林~1837-04-19,柏林) 普鲁士政治家、外务大臣、历史学家、政治学家,与奥地利政治家梅特涅一起维护1815年欧洲反动的政治解决。曾在日内瓦受教育。1792年在柏林军事学院教授历史。所著《十五世纪后欧洲政治革命考察》(1803~1805)

美国不列颠百科全书公司供图

一书问世后进入柏林学院,成为后来的腓特烈·威廉四世的导师。1832年起任外务大臣,直至去世。在外交部供职期间,他与奥地利和俄国紧密合作,反对自由主义。

Anckarsvärd, Carl Henrik, Greve (Count) **安卡斯瓦德**(1782-04-22,瑞典斯德哥尔摩~1865-01-25,斯德哥尔摩) 1809年发动政变废黜瑞典国王古斯塔夫四世的领袖之一,在19世纪前半叶竭力鼓吹实现自由主义的政治、经济、社会目标。在瑞典议会中虽然代表贵族阶级,却力主实行自由贸易、政府财政公开、议会现代化和兴办群众义务教育。1865年瑞典实现现代议会制度,主要是他的功劳。

Ancón 安孔 巴拿马中部城市。是一个居住和医疗中心。实际为巴拿马市的郊区。以治疗热带病的戈尔加斯医院闻名。研究和发展热带生物学的史密森热带研究学会也设于此。在横贯地峡的铁路线上。人口约10 233(2000)。

Ancona 安科纳 意大利中部马尔凯区安科纳省省会。临亚得里亚海。约建于公元前390年。公元前2世纪被罗马人占领后成为繁荣港口。中世纪时地位重要。1860年归属意大利。第一次世界大战时被奥地利舰队炮轰(1915),第二次世界大战时又受盟军轰炸,破坏严重。战后修复的著名建筑物有大理石图拉真拱门(公元115年)、11～12世纪圣马利亚教堂和12～13世纪圣奇丽亚科大教堂等。有许多精美哥特式建筑。国立马尔凯博

安科纳市的圣奇丽亚科大教堂

美国不列颠百科全书公司供图

物馆藏有考古珍品和美术画廊。有些古迹在20世纪70年代地震中遭破坏。为一大主教的驻地。第二次世界大战后沿港湾建成炼油厂等现代化设施。该市港口地位已下降,但仍为繁忙的市场中心,有海轮定期往返意大利和克罗地亚的亚得里亚海港口。有东部沿岸铁路干线通罗马。工业有造船,机械制造,化工、医药、食品、纺织、家具制造和制砖等。人口:城市区约98 329(2000)。

Ancre, Concino Concini, marquis d' 昂克尔侯爵 参阅**Concini, Concino** 孔奇尼。

Ancud 安库德 智利南部洛斯拉戈斯区奇洛埃省城镇和社区。在奇洛埃岛北岸,隔查考海峡与大陆相望。建于1769年。1937～1974年为奇洛埃省省会。现为港口、游览胜地和为内地服务的商业中心。出产马铃薯、小麦、牲畜和木材,主要输出木材。有公路和轮渡通蒙特港,公路通省会卡斯特罗。人口:镇16 614(1980);城市区约31 919(1987)。

Ancus Marcius 安库斯·马基乌斯(活动时期公元前7世纪) 传统认为是罗马第4代国王(公元前642～前617)。据罗马历史学家(如李维)的记载,在他的时代,部分罗马人到城外的阿芬丁山定居,罗马向台伯河外的雅尼库路姆山扩展,在台伯河口建设了奥斯蒂亚港。但这些只能作为传说,并非信史。

ancylostomiasis 钩口线虫病 参阅**hookworm disease** 钩虫病。

Ancylus stage 楯螺湖期 北欧冰后期的早期阶段,以波罗的海盆的封闭和淡化为特征。楯螺湖期代表性的常见化石是楯螺(*Ancylus*)。该期延续约2 000年,约8 500年前至6 500年前。楯螺湖是巨厚的大陆冰盖从陆上后退、波罗的盆地西南边缘的地壳隆起而形成的。大约在公元前6500年规模最大(比现今的波罗的海大41.4万平方千米),然后在公元前4500年前再次变成与海洋相连的咸水体。当时,由于冰盖迅速融化而上升的海面最终淹没陆地,使波罗的海又成为一个海湾。楯螺湖在规模最大时,覆盖了现今瑞典、芬兰的广大地区。有丰富的化石纪录,包括孢粉资料,为楯螺湖提供了完整的历史。

And Fjord 安斯峡湾 又称安峡湾。挪威语作Andfjorden。挪威海的峡湾,位于挪威西

北部安岛(西)和塞尼亚(东)之间。该峡湾在诺尔兰郡和特罗姆斯郡间被分开,伸入南部岛屿欣岛,南部叫做居尔峡湾。从安岛的安德内斯灯塔处进入挪威海开阔的湾口至欣岛内地尽头,全长90千米。除斯瓦尔巴岛(斯匹次卑尔根)外,欣岛是挪威最大的岛。

Andalusia　安达卢西亚　西班牙的一个自治区和历史地区。范围包括本国最南部的韦尔瓦、加的斯、塞维利亚、马拉加、科尔多瓦、哈恩、格拉纳达和阿尔梅里亚8省,大致相当于古罗马的巴埃蒂卡省。摩尔人于8世纪占领西班牙后,用阿拉伯语称整个伊比利亚半岛为安达卢斯(即安达卢西亚)。到11世纪,安达卢西亚仅指仍然在穆斯林控制之下的地区。11世纪初统一的西班牙穆斯林国家分裂后,安达卢西亚分成许多小王国,它对北非人的文化和艺术有很大影响,北非人反过来重振西班牙的伊斯兰教。14世纪北非人的影响终于被排除。15世纪末整个安达卢西亚并入基督教王国卡斯蒂利亚。现在的安达卢西亚各省成立于1833年。自治区政府建立于1981年,包括行政会议和一院制议会。该区西南濒大西洋,东南濒地中海。地中海沿岸地区是西班牙最兴旺的旅游胜地之一。大部分地区属地中海型气候。人口传统上集中在较大村镇,现日益集中在各省省会。经济不发达,生产值在本国生产总值中占比例很小,而农产品所占比重很大。大庄园在农业中居支配地位。生产传统的地中海作物小麦、葡萄和橄榄。农业机械化在大农场有所加强,但在采用拖拉机、灌溉系统和化肥方面仍落后于国内平均水平。该地区工业发展缓慢,以农产品加工和采矿业为主。制造业不占重要地位。赫雷斯(雪利酒发源地)、涅夫拉、蒙蒂利亚和马拉加出产葡萄酒及白兰地酒。塞维利亚、科尔多瓦和哈恩省加工大量橄榄油。采矿业虽仍重要,但与19世纪末的顶峰时期相比有所下降;现仍生产大量煤、铁、铜和铅。境内虽有丰富煤矿、水电资源和灌溉水源,但仍缺乏能源。服务业随旅游业的发展而扩大,在地中海沿岸和格拉纳达、科尔多瓦、塞维利亚等城市及地中海沿岸修建了许多旅馆。但旅游业的增长并不能与其他经济部门的发展相协调。当地文化兼受欧洲、非洲、大西洋和地中海文化影响。天主教的宗教仪式十分隆重。人口约7 236 459(1998)。

Andalusia　安达卢西亚　美国亚拉巴马州南部城市,卡温顿县县城。邻近科尼卡河。始建于19世纪30年代,名纽赛特。1846年改今名。1899年通铁路后发展迅速。经济以农业和木材业为基础,亦有轻工业。1969年建立州立L.B.华莱士初级学院。附近有科尼卡国家森林。1901年设市。人口8 794(2000)。

andalusite　红柱石　铝硅酸盐矿物(Al_2SiO_5),少量出现于各种变质岩中,特别是在蚀变的沉积物中。大量开采的地点有美国加利福尼亚州的怀特山、内华达州的奥里纳,哈萨克斯坦以及南非的德兰士瓦。作为制造火花塞里用的耐火材料和瓷器及其他制品的原料。未蚀变的红柱石的砾石呈浅绿色或浅红色,产于巴西的米纳斯吉拉斯和斯里兰卡的宝石砾石层里。花岗岩接触面附近的粘板

产自奥地利蒂罗尔的红柱石
美国不列颠百科全书公司供图

岩所特有的红柱石变种——空晶石,形成细长柱状晶体,包裹着对称排列的碳质的楔形体。在横剖面上,衬着浅灰色的底子显出黑十字。这种矿物横剖后经过抛光的制品常被作为小饰物佩带。

Andaman and Nicobar Islands　安达曼-尼科巴群岛　印度的中央直辖区。位于孟加拉湾。面积8 249平方千米。分为南、北两组,中隔宽145千米的十度海峡。首府布莱尔港。北部为安达曼群岛,包括300多个小岛,其中26个岛屿有人居住。主要3岛,即北安达曼岛、中安达曼岛、南安达曼岛几乎相连,总称大安达曼岛。南部为尼科巴群岛,包括12个有人居住和7个无人居住的岛屿,其中最南端的岛屿最大,称大尼科巴岛。此外有中部的格莫尔达岛与楠考里岛,北部的卡尔尼科巴岛。布莱尔港为直辖区行政中心。安达曼-尼科巴群岛位于印缅商道上,自古即为著名要地。18世纪中叶起归属英国,为罪犯流放地。1947年印度独立时划归印度。出口产品有木材、椰子和椰干。人口约356 152(2001)。

Andaman Islands　安达曼群岛　印度安达曼与尼科巴中央直辖区的一岛群,位于孟加拉湾东南部。安达曼群岛是中央直辖区两个主要岛群之一,共有300多个岛屿(其中有居民的26个),陆地面积为6 408平方千米。3个大岛,即北安达曼、中安达曼和南安达曼,位置紧密相邻,总称大安达曼岛。它们南面的小安达曼岛也重要。原始居民中只有现存于南安达曼岛、拉特兰岛及小安达曼岛上的贾拉瓦和昂格人还保留着传统的狩猎与采集的生活方式。安达曼群岛位于印度和缅甸之间的古代贸易路线上,1789年东印度公司海军的孟买海军陆战队中尉A.布莱尔来此访问。群岛上的第一个欧洲人聚落在位于南安达曼岛东海岸的布莱尔港,现为中央直辖区首府。群岛是从北往南平行排列的一系列穹窿形丘陵地带,最高峰萨德尔峰达737米,在北安达曼岛上。平地很少,仅限于少数谷地如比丹普尔和迪格里普尔。诸岛由第三纪砂岩、石灰岩及页岩构成,切割很深。岩石表面覆被着稠密的森林,北安达曼岛北部有大片红树林沼泽。常年河很少,供水不足是个长期存在的问题。以农业为主,作物有谷类、豆子、椰子、槟榔、果类、木薯、辣椒和郁金。也有少量工业。只在南安达曼岛上有公路,一条岛际轮船航线将布莱尔港与北、中、南及小安达曼各岛联结起来。印度大革命家V.D.萨瓦尔迦尔于1911～1937年被监禁在布莱尔港的"分格式监狱"(1979年被宣布为国家纪念馆)。人口约314 084(2001)。

Andaman Sea　安达曼海　印度洋东北部的一部分,面积为798 000平方千米。通过仰光以及勃生、毛淡棉、土瓦、墨吉等港口形成联结缅甸和其他国家的最重要的海上通道,亦是印度和中国之间经马六甲海峡的水上航线的一部分。安达曼海北界缅甸的伊洛瓦底三角洲,东界缅甸半岛、泰国和马来西亚,西面是印度所辖的安达曼群岛和尼科巴群岛,南缘苏门答腊(印度尼西亚的一部分)和马六甲海峡。安达曼海得名于安达曼群岛。安达曼海从北到南长1 200千米,宽645千米,深度超过3 000米的海域不到全部海域的5%,但在安达曼-尼科巴海岭以东的一系列海底谷的深度则超过4 400米。东北部的1/3海域水深不到180米,部分是因伊洛瓦底江在其三角洲地带的泥沙沉积所造成。西部和中部的一半海域水深为900～3 000米。安达曼海的气候和海水受东南亚季风变律的影响和控制,冬季该海域湿度低,海面上很少有降雨或出现径流,因此海水表层含盐度较高;但夏季季风到来时,巨大的径流从缅甸涌入安达曼海,在北部的1/3海域造成显著的表层海水含盐度低现象。安达曼海海水的表层浮游生物不多,海底的海水生物亦很缺乏,但沿马来亚半岛的海水却适宜软体动物生长,在其沿海密集的捕鱼区有250种左右可食鱼类。安达曼海的矿产资源亦很有限,但马来西亚和泰国沿海有锡矿。从古时起,安达曼海上便有商船过往,形成了中国和印度间早期的沿海贸易航线的一部分。从公元8世纪起,安达曼海成了它西岸的印度、斯里兰卡(锡兰)和它东岸的直通、马达班和土瓦这些缅甸海港之间繁荣的贸易往来的海上通道。安达曼海域最大的现代化海港是东南部的槟城(属马来西亚)和北部的仰光(缅甸)。

Andamanese　安达曼人　孟加拉湾安达曼-尼科巴群岛上的土著居民。属于尼格利陀人种,马来西亚的塞芒人和菲律宾的俾格米人也属该种族。安达曼人已经摆脱了部落习惯,接受了现代印度的生活方式,但在较小岛屿上的贾拉瓦人和昂格人等部落中,传统的文化仍然存在。操安达曼语的约有1 000人。直到19世纪中叶,安达曼人由于住地遥远,极端排外,屠杀一切外人,在物质或文化上都没有重大变化。残留的部落现仍不识耕种,仅靠打猎和采集为生。土著武器只有弓箭,用于捕鱼及捕猎野猪。捕捉海龟、儒艮及鱼类时也用网和鱼叉。可制作陶器,可以取自沉船或海上弃物中的铁料制作箭头、刀、斧等物。安达曼人是唯一不知取火方法的民族。

Andamanese language 安达曼语 安达曼群岛土著民族所说的语言。使用这种语言的人数逐渐减少。安达曼语一般分为北、中、南三种方言,以南部方言历史最久。小安达曼岛的方言是安达曼语最南端的一支,与其他方言差别很大。安达曼语语法的主要特征之一是用词缀(特别是前缀)表达词在句子中的功能。这种语言没有数字系统,只有"1"和"1以上"两个数词。尚未弄清安达曼语与哪种语言有系属关系。

Andania mysteries 安达尼亚秘仪 希腊化时期在美塞尼亚的安达尼亚镇为崇拜大地女神得墨忒耳和她的女儿科勒而举行的仪式。撰于公元前92年的一篇长篇铭文详细介绍这种仪式。仪式中包括游行,仪仗中的位次森严。主要仪式之前要给神明献祭。

Andean bear 安第斯熊 参阅 spectacled bear 眼镜熊。

Andean civilization 安第斯文明 16世纪西班牙人到南美洲西部探险并征服此地前,在安第斯山脉地带发展起来的美洲印第安诸文化之总和。安第斯文明与同其地位相当的北部的中美洲文明一起,有在文化发展水平上与古代埃及、中国和美索不达米亚诸文明相对应的新大陆文明。

安第斯文明出现于太平洋沿岸并向内陆延伸至安第斯高地,即现在的秘鲁、厄瓜多尔、玻利维亚西部及智利最北部。安第斯地区,据学术界推定,早在公元前15000年已有人类栖息。这些人食用的最早的主要粮食作物有利马豆和马铃薯;在他们聚为村落不久,也出现了玉米。大量证据说明,公元前3500年低地已有人占居。在此前后亦即所谓前陶器时期,豆类植物、南瓜、辣椒、棉花等已为人类所驯化。捕鱼可提供必需的食品,而到公元前2500年,鱼类已成为太平洋沿岸贫瘠地带居民的主要食物资源。这个时期已有加工复杂的编织品,从而成为后世独特的安第斯艺术形式及其技巧的先例。

大约公元前2000年前,当地引进制陶技术,这标志着下一个纪元,即分别称为初生期及形成前期的开始。此时另一重要技术进步是开发出可用以织造棉织物的综线织机。初生期期间,村落生活及神庙高地建筑自秘鲁中部沿海地区向各地扩展,只有最南部是个例外。玉米的种植自中部沿海向南、北推广,同时花生和木薯亦被作为粮食作物。制陶及建筑风格开始因地区不同而各异。

公元前1000年前后,出现了一种遍及各地的艺术形式的统一,人们称之为查文文化(**Chavín**)风格;此名称源于秘鲁中部一处高地神庙群,可能此风格是由此地向各方辐射传播之故。查文风格说明,在美洲文化早期,秘鲁沿岸一带及内陆高地已成为一个单一的神权政治实体。查文文化的石砌神庙饰以高度复杂而怪诞的各种猫形、人形、蛇形雕刻。与之相关的秘鲁南部海岸的帕拉卡斯文化(**Paracas**)风格,多见于陶器和华丽的刺绣品中。

公元前200年前后,查文文化的影响已趋衰微,而艺术及工艺的各种新风格又在许多地区中心发展起来。这一时期的特点是:秘鲁南部沿海地区的帕拉卡斯彩陶风格演变为纳斯卡文化(**Nazca**)风格。在秘鲁北部海岸出土的莫奇卡人造器物及遗迹,说明当时存在一个具有侵略性的武士国家,它利用灌溉农业,立国于各河谷的可耕地上。雷夸伊文化(**Recuay**)风格在秘鲁北部高地的中间期陶器制作及彩绘方面占有突出位置。当时南部高地的的喀喀湖附近出现了一些较大的城市及祭祀中心,其中以普卡拉及蒂亚瓦纳科尤为著名。

约到600年时,多河谷政权统治势力已自两中心迅速对外扩张,影响另一文化统一体即所谓美洲中期文化。两中心:一在南部高地,另一在秘鲁中部高地的瓦里。考古发掘出土的瓦里帝国各军事据点中有一大批储藏粮食的建筑物的遗存,这表明其征战活动颇与晚期印加帝国相似。有几座大城市在这个时期形成,不过,当瓦里帝国于公元800年前后幅员最广之时,它就是在这个中心解体的,而整个南部地区的城市生活亦随之衰微。

此后是美洲文化中间期的后期(1000～约1400)。这一时期之末,两个组织完善的国家——北方的奇穆人(**Chimú**)所建国家及南方的钦查人国家崛起在这片土地上。但是,到15世纪早期,印加人(**Inca**)自他们设在秘鲁南部高地的首都库斯科四出征讨,很快就把整个安第斯地区缔造成一个单一的帝国。巨大的粮食及织物的仓储建筑,表明一种高度生产力条件下的农业和工业以及这些储备物资所支持的军事机构之庞大。马丘比丘(**Machu Picchu**)的考古遗迹揭示出很多有关印加帝国城市生活的图景。具有讽刺意味的是,印加人构筑的四通八达的道路网,本为便利商贸及行政管理而建,却给16世纪30年代入侵的西班牙人提供了长驱直入帝国心脏的便捷途径。

Andean Geosyncline 安第斯地槽 南美地壳中的长条状凹槽,地槽中有中生代(2.45亿年前至6 640万年前)和新生代(6 640万年前到现在)的地层堆积。晚白垩世(9 750万年前至6 640万年前)的强烈造山作用影响了地槽中较老的地层,并同晚期变形幕结合起来,在地槽西部边缘的盆地中产生了零星分布的海相沉积。沉积总面积足够大,因此地槽的有些部分可以独立命名,例如委内瑞拉-秘鲁地槽。隆起的高原带供给了大量粗粒沉积物,在新生代早期沉积物厚达6 080米。新生代中期,发生了另一造山阶段,并伴有广泛分布的火山活动。新生代晚期断断续续发生的隆起、块状断裂和侵蚀等,在秘鲁、玻利维亚以及别处,造成了一系列广泛隆起的侵蚀面。隆起作用在整个更新世(160万年前至1万年前)晚期继续进行,造成了安第斯山脉现在的面貌。海拔4 600米的地区分布很广,而且许多山峰高达6 000米或更高。

Andean Group 安第斯集团 又称安第斯条约组织。1969年根据《卡塔赫纳条约》而成立的南美组织,以促进成员国之间的工业、农业、社会和贸易合作。最初成员国有:玻利维亚、哥伦比亚、厄瓜多尔、秘鲁和智利,委内瑞拉于1973年加入,智利于1977年退出。集团下设的机构有:领导委员会、安第斯储备基金会、安第斯开发公司,及处理贸易、货币兑换、经济计划、旅游和社会事务的各理事会。该集团最初的许多目标(如建立关税同盟和雄心勃勃的工业发展规划)在1987年批准的《基多议定书》中已作了重大的修改。

Anderlecht 安德莱赫特 比利时中部布拉班特省一行政区。位于布鲁塞尔西南,临沙勒罗瓦—布鲁塞尔运河,为大布鲁塞尔的19个行政区之一。在该地原始森林中的一片自然空地上发现过古罗马人的别墅和法兰克人的公墓遗迹,据信安德莱赫特就是今天布鲁塞尔的原址。现为居住区和工业区,其工业包括纺织、皮革、化工、木材、造纸和玻璃制品。中世纪的遗迹有圣彼得和圣基顿教堂。为纪念荷兰学者D.伊拉斯谟在1521年的来访,他居住过的房屋辟为博物馆。该区有一附属于布鲁塞尔自由大学的医院。人口约89 231(1990)。

Anders, William A(lison) 安德斯(1933-10-17,香港～) 美国航天员,参加1968年12月21～27日"阿波罗8号"飞行,这是第一次载人的绕月飞行。他和F.博尔曼、

美国国家航空和航天局供图

J.洛弗尔在离月面约112千米的轨道上飞行了约20小时,向地球发回电视图片,证实月面上的地标能够用于领航,引导登月舱飞向着陆点。1969年他从国家航空和航天局以及美国空军退役后,任国家航空和航天委员会执行秘书、原子能委员会委员(1973～1974)、核管理委员会委员(1974～1976)、美国驻挪威大使(1976～1977)、通用电气公司核产品部的总经理(1977年起)等职。

Anders, Władysław 安德尔斯(1892-08-11,俄罗斯帝国波兰布沃涅～1970-05-12,英国伦敦) 波兰军官。第一次世界大战时期在俄国军队服役。后参加波兰军队,1919～1920年在苏波战争中与红军作战。第二次世界大战爆发时既反对德国也反对苏联,旋即为苏联所俘。1941年8月苏波协定后获释。他在苏联土地上招募前战俘和流亡者,组成波兰军队,不久即达8万人。但在苏联的控制下,他的军队没有机会从东线去解放波兰。1942年斯大林允许他进军伊朗和伊拉克。他的军队在意大利战役中表现突出,攻占了卡西诺山。在第二次世界大战后,他顽固反共,留居英国,成为流亡波兰人的反共领袖。1946年

波兰的共产党政府剥夺了他的公民权。

Andersen, Hans Christian **安徒生**(1805-04-02,丹麦哥本哈根附近欧登塞～1875-08-04,哥本哈根) 丹麦举世无双的童话大师。其作品闻名全世界。他还写过戏剧、小说、诗

美国不列颠百科全书公司供图

歌、游记和几本自传。其童话故事是世界文学史上最经常被译成各国文字的作品之一。出生在贫民区,经过一番艰苦奋斗,突破了当时僵化的阶级结构而崭露头角。他得到哥本哈根皇家剧院导演 J.科林资助,才上了中学。1828年进入哥本哈根大学。他的小说大多是自传性质的,著名的有《即兴诗人》(1835)、《奥·特》(1836)和《只是个提琴手》(1837)。他还发表了多篇国外游记。他的第一本童话《讲给孩子们听的故事》中有《卖火柴的小女孩》、《小克劳斯和大克劳斯》、《豌豆上的公主》、《小意达的花儿》等篇,于1835年出版。1837年出版了他的童话第一集,1843、1847、1852年又有新的童话集出版。《新童话和故事》(1858～1872)一书对原来体裁有所拓展。这些童话故事集在风格和内容方面开创了新的境界。安徒生在讲故事的方法上是位真正的革新家。他运用口语的词汇和句式打破了文学传统的约束。有些故事表现了对善与美最后必胜的乐观信念(如《白雪皇后》),有些则极度悲观,落入不幸的结局。安徒生无论对儿童或成人均有极大的艺术魅力,其原因之一在于他不怕引入一些为儿童一时所不能理解的感情和思想,但他又始终不脱离儿童的视角与看法。他使讲故事的本领、高超的想象力与民间传说的普遍因素结合起来,写出了一大批能与许多不同文化相沟通的童话故事。使得安徒生一些童话如此引人入胜的另一原因是作者对身遭不幸者以及为群体所摈弃者的认同。在他的那些忧郁伤感气息较浓的故事中贯注着他的自我哀伤的感情。他终其一生把自己看做一个局外人,从来不曾满足于自己已被完全接受。在其最隐秘的个人感情生活中,他备尝痛苦而不能自拔。在1840～1857年间,安徒生的足迹遍及欧洲、小亚细亚和非洲,所得感受记录在他的几本游记作品中。由于他很少毁弃他所写的东西,他的日记和数以千计的书信得以保存至今。

Andersen, Hjallis **安德森**(1923-03-12,挪威勒德于～) Hjalmar Johan Andersen 的别名。挪威速度滑冰运动员,冬季奥林匹克运动会男子速滑1万米冠军,保持世界记录8年。1950～1952年3次获世界、欧洲和挪威冠军。1952年奥斯陆冬奥会5 000米速滑比第二名快11秒,1万米比第二名快25秒。1952年退役,1954年复出,获第4个挪威冠军。挪威政府为表彰安德森,在利勒哈默尔1994年冬奥会速滑赛场竖立了他的雕像。

Andersen, Tryggve **安德生**(1866-09-27,挪威灵萨克～1920-04-10,挪威葛兰) 挪威新浪漫主义运动的小说家。致力于描写官僚与农民文化之间的冲突。曾就读于克里斯蒂安大学,担任过公务员,年轻时醉心于德国浪漫主义作家,特别是 E.T.A.霍夫曼的作品;莱辛则培养了他对文学的兴趣,并对他的风格有影响。他的主要作品《在任法庭顾问的日子里》(1897),是以一个中心人物连缀起来的一些短篇小说集,描绘挪威乡村公务员的生活。另一本长篇小说《时近黄昏》(1900),写中产阶级的狭隘眼界与心态。他还出版过4卷短篇小说。

Andersen's disease **安德森氏病** 又称Ⅳ型糖原贮积症。一种极为罕见的遗传性代谢障碍。因为缺乏为糖原合成所必需的淀粉1,4→1,6-转葡萄糖苷酶,故患者体内有大量的支链淀粉产生,并在机体组织,尤其是肝脏和心肌内聚集。患儿出生时表现并无异常,但其后的生长发育迟缓、肌张力下降、精神淡漠、嗜睡、肝脾肿大等。患者可死于进行性肝功能衰竭,也可在三岁以前死于心功能衰竭或食管静脉出血。肝脏移植被证明是治疗本病的有效方法,移植后的肝脏能产生足够的淀粉1,4→1,6-转葡萄糖苷酶,使患者得到痊愈。与多数酶缺陷性疾病一样,以常染色体隐性遗传的方式遗传。

Anderson **安德森** 美国印第安纳州中东部城市,麦迪逊县县城(1828)。临怀特河一支流。在印第安纳波利斯东北61千米处,位于玉米、小麦产区。建于1823年。1886年当地发现天然气,为工业发展提供了条件,主要工业产品有汽车零件和消防车。1917年上帝会建立安德森学院,当时作为安德森圣经培训学校,设有上帝会总部。市东5千米处有州立芒兹公园,园内有印第安纳州已知最大的美洲印第安人所筑土方工程及数处史前的土墩。1838年、1865年两次设建制。人口:市约60 722;印第安纳波利斯都会统计区约1 410 497(1992)。

Anderson **安德森** 美国南卡罗来纳州西北部城市,安德森县县城(1826)。位于蓝岭山麓。1826年在切罗基印第安人土地上创建。以独立战争英雄安德森命名。1882年设建制。因1898年自塞内卡河长距离输电,人称"电城"。为制造业中心,纺织工业历史悠久。新兴工业有玻璃纤维、金属制品、电气机械和部件。棉花种植曾盛极一时,现已被小麦、大豆和蔬菜栽培所取代。林业和畜牧业亦占重要地位。设有安德森学院(1911,前身为1848年建的女子书院)、克莱姆森大学(1889)。附近的萨凡纳河上建有哈特韦尔大坝和哈特韦尔水库(1962),为城市提供电力,亦为游览地。人口:市约25 514;格林维尔-斯帕坦斯堡-安德森都会统计区约962 441(2000)。

Anderson, Carl David **安德森**(1905-09-03,美国纽约市～1991-01-11,加利福尼亚州圣马力诺) 美国物理学家。因发现正电子(最先发现的反粒子)而和V.F.赫斯共获1936年

美国不列颠百科全书公司供图

诺贝尔物理学奖。1930年安德森在加利福尼亚理工学院(帕萨迪纳)获博士学位,此后一直在该校工作,1976年成为名誉教授。从1927年起,研究X射线光电子(原子与高能光子相互作用射出的电子),1930年开始用加上磁场的云室研究γ射线和宇宙射线。1932年,他在研究宇宙射线相互作用的过程中发现了正电子,一年后用γ辐照产生出正电子。1936年他参与发现μ子,即质量约为电子的207倍的一种基本粒子。

Anderson, Elda Emma **安德森**(1899-10-05,美国威斯康星格林湖～1961-04-17,田纳西橡树岭) 美国物理学家,为健康物理学的发展做出重要贡献。1922年获威斯康星州雷鹏学院理学学士学位;1924年获威斯康星州立大学物理学硕士学位;1941年被威斯康星州立大学授予物理学博士学位。在此期间,她还在艾奥瓦州和威斯康星州的中学里教授物理学和化学。1941～1942年借安息年假期离开密尔沃基-道诺大学,前往普林斯顿州立大学科研和发展研究室供职。1943年成为位于新墨西哥州的洛斯·阿拉莫斯实验室研发原子弹的团队中的一员。1947年重返密尔沃基-道诺大学执教。1949年离开学术界,投身位于田纳西州的橡树岭国家实验室,出任健康物理学教研室首任教务主任。所谓健康物理学主要是研究放射性对人体健康的影响,这在当时显然是一个全新的学科。1950年发表研究成果——《民防放射性保护手册》。1955年健康物理学学会成立,安德森担任包括主席在内的多项重要职务。她还先后出任美国健康物理学委员会(其前身是健康物理学会)的秘书长和主席,该会的目的是要建立行业标准和授予执业资格。1956年她被确诊为白血病,但她依然很活跃。艾尔达·艾玛·安德森奖励基金会每年都要表彰一位在健康物理学领域做出杰出贡献的年轻人。

Anderson, Elizabeth Garrett **安德森**(1836-06-09,英格兰萨福克奥尔德堡～1917-12-17,奥尔德堡) 英国医师。致力于使妇女有权受专业教育,特别是医学教育。1860年她请求到医学院学习,遭到拒绝,便决心自学,向

合格的医生请教，并到伦敦的医院学习。1865年取得药剂师学会颁发的行医执照。1866年被委任为圣玛丽诊疗所的医务助理。后来这个诊疗所改为妇女新医院，她在该院创办了一所女子医学院。1918年该医院以她的姓名命名。1870年获巴黎大学医学博士学位，1908年她成为奥尔德堡市第一任女市长。

Anderson, Helen Eugenie Moore 安德森（1909-05-26，美国艾奥瓦阿代尔～1997-03-31，明尼苏达雷德温）美国外交家，第一位女大使。曾就读于斯蒂芬斯学院、辛普森学院和卡尔顿学院，但未获得学位。1930年与J.P.安德森结婚。曾在纽约学习钢琴两年。后定居雷德温，并成为明尼苏达女投票人联盟领导人和发言人。1944年积极参加民主党活动，是该县民主党领袖。1946年任民主党州执行委员会委员，1948年成为全国委员会委员。因帮助H.S.杜鲁门竞选总统和H.H.汉弗莱竞选参议员有功，1949年被任命为驻丹麦大使，直到1953年。安德森一直十分活跃，1955～1960年任明尼苏达公平就业机会委员会主席，1957～1961年任民主党全国委员会外交政策咨询委员会委员。1962年5月～1964年12月任美国驻保加利亚大使。1965年8月～1968年9月任美国驻联合国托管理事会代表，也是出席联合国大会的候补代表，并自1967年9月起是美国驻联合国代表团高级顾问。后来还担任过多个州政府职务。

Anderson, John Henry 安德森（1814-07-14，苏格兰阿伯丁克雷格迈尔～1874-02-05，英格兰达勒姆达灵顿） 苏格兰魔术师、演员，第一个利用并证明了广告价值的魔术师。1831年首次演出，海报上写着“北方术士安德森教授”。1837年在爱丁堡演出，1838～1839年又在格拉斯哥演出。1840年在伦敦以当地从未见过的精巧魔术装置迷住观众。在美国巡回演出期间（1851～1853），首次表演其著名的“枪技”节目，使人以为他真抓住了某个观众开枪射出的子弹。回英国后，在维多利亚女王御前演出。后在兰心剧院及科文特加登剧院主演情节剧《罗布·罗依》（1855～1856）。1857年，科文特加登剧院戏剧节的3天“大狂欢”以灾祸收场，当时他想减弱煤气灯光以驱散醉酒的狂宴者，结果天花板着火，剧院被烧毁，但这件事使他名气更大。此后，他继续到处演出，表演风格逐渐变得不如过去那么绚丽耀眼。

Anderson, Dame Judith 安德森（1898-02-10，澳大利亚阿德莱德～1992-01-03，美国加利福尼亚圣巴巴拉） 原名Frances Margaret Anderson。澳大利亚出生的舞台剧和电影女演员。1915年17岁时在悉尼首次登台，20岁到纽约市演出。1924年演出《眼镜蛇》在纽约首次取得成功，此后她继续在许多演出中扮演角色，如奥尼尔《奇异的插曲》（1928）中的尼娜·莉兹和《哀悼》（1932）中的莱维尼娅。1936年她给吉尔古德主演的《哈姆雷特》配戏，扮演乔特鲁德，1937年在伦敦和1941年在纽约演出《麦克白》中的麦克白夫人，她还在罗宾逊·杰弗斯上演的《美狄亚》（1947）中担任主角。这些都被看做是她舞台艺术的顶峰。她善于刻画人物的性格，尤擅长于扮演具有强烈戏剧紧张感的角色。安德森还在大约30部影片中扮演角色，擅长于扮演略带邪恶的女性领导人或威严的女人，其中最著名的角色有《蝴蝶梦》（1940）中的丹弗斯夫人、《劳拉》（1944）中的安·特雷德韦尔。其他影片还有《国王的划船旅行》（1941）、《黑暗的边缘》（1943）、《马撒·艾弗斯的奇特爱情》（1946）。1960年伊丽莎白女王二世授予她英帝国女爵士勋位称号。

Anderson, Laurie 安德森（1947-06-05，美国伊利诺伊韦恩～ ） 美国表演艺术家、作曲家和作家。5岁开始学习小提琴，后在芝加哥青年交响乐团演出。1966年搬到纽约。曾就读于巴纳德学院和哥伦比亚大学，在纽约市立大学教过两年艺术史。结合音乐、剧场（舞蹈、哑剧）、电影、科技以及演讲等元素，她利用媒体与大众文化本身所提供的工具，讽刺了媒体与大众文化。她的《啊，超人》（1980）在流行乐坛获得成功。后又录制两张专辑：《大科学》（1982）和《伤心先生》（1984）。20世纪80年代的主要作品是《美国》。其他作品包括《主要圣经故事选》（1993）及一部以《白鲸记》（1999）为本的多媒体作品。

Anderson, Lindsay 安德森（1923-04-17，印度班加罗尔～1994-08-30，法国昂古莱姆附近） 英国评论家、戏剧和电影导演。获牛津大学英语学位，1947年任电影杂志《连续的镜头》首任编辑，该杂志办至1951年。之后，他为《画面与音响》及其他刊物撰稿。1948年开始其导演生涯，为一家工业公司摄制纪录短片，1955年以其纪录短片《星期四的孩子们》获学院奖。1956年首创“自由电影”这个词，用以指由约翰·奥斯本的戏剧《愤怒回顾》（1956）在英国电影界激起的运动。安德森及“自由电影”的其他成员与左翼政界联合，以当代城市工人阶级生活作为题材。安德森第一部正式的故事片是《如此运动生涯》（1963，又译《超级男性》），由英国作家戴维·斯托里根据其小说改编，描写一位粗鲁的矿工成功地当上了职业橄榄球运动员，但他在情场上却是个失败者。这部影片是60年代英国社会现实主义电影的经典之作。安德森接着在皇家艺术剧院和其他剧院导演了几出戏之后，拍摄了他的下一部影片《假如……》（1968）。影片描写了英国公学的3个学生为反对僵化的学校当局和纪律起来造反，策划武装反抗，最后以屠杀家长、老师和其他学生结束。这以后，安德森重返舞台导戏，在皇家艺术剧院导演了斯托里戏剧的首演，这些戏剧有《在庆祝会上》（1969）、《承包人》（1969）、《家》（1970）和《更衣室》（1971）。安德森以后的影片《啊，幸运儿！》（1973）和《不列颠医院》（1982），以其令人难忘的精湛技巧受到评论家们的赞扬。

Anderson, Marian 安德森（1897-02-27，美国宾夕法尼亚费城～1993-04-08，俄勒冈波特兰） 美国歌唱家，当时最优秀的女低音之一。出生于贫困的黑人家庭，6岁时已歌喉出众，参加教堂唱诗班并接受最早的音乐训练。教会筹资供她私人从师学唱。1925年她的老师为她报名参加与纽约爱乐乐团合演的

美国不列颠百科全书公司供图

一场比赛，300名参赛者中她一举夺冠。在这以前她已几次举行巡回音乐会，尽管面临贫困与种族歧视，她已开始扬名。1925～1935年的几次欧洲之行给她带来真正的成功。作为一名演唱者，她阅历更广、更深。1935年回纽约后取得更大的成功。1939年美国革命女儿会（DAR）拒绝安德森在华盛顿（哥伦比亚特区）宪章大厅演唱，舆论为之大哗，罗斯福夫人和其他一些杰出妇女退出DAR。一群市民于1939年4月9日在林肯纪念堂举办音乐会，听众7.5万人。她应邀在白宫演唱，又是第一位在纽约市大都会歌剧院登台演出的黑人歌唱家，1955年在威尔地《假面舞会》中饰演乌尔丽卡。她为造福黑人所做的工作、她的热情洋溢的个性同她的声乐表现力一样，都受到广泛赞扬。作为一位歌唱家，她的突出特点是音域广、音色富丽纯正，能驾驭各种风格。著有自传《我的上帝，这是一个怎样的早晨》（1957）。1965年退隐。曾获得许多荣誉和奖章，包括美国国家艺术奖章（1986）。

Anderson, Mary 安德森（1859-07-28，美国加利福尼亚萨克拉门托～1940-05-29，英国伍斯特百老汇） 美国女演员。由于特出的美貌和成功的宣传而享有盛名。从16岁首次登台演出起，尽管评论家抱怨她缺乏感情，但她的整个艺术生涯一直深受欢迎。扮演的最著名角色有：W.S.吉尔伯特所著《辟格梅连与加拉蒂》中的加拉蒂和他专门为她写的《喜剧与悲剧》中的克拉丽丝，她自己安排的莎士比亚《冬天的故事》中的赫米奥娜和珀迪塔，《麦克白》中的麦克白夫人，T.N.塔尔福德爵士《伊翁》中的伊翁。1889年她因精神崩溃，暂时退休，1890年定居英国。1903年她回到舞台，仍积极从事戏剧活动，直至第一次世界大战之后。曾出版《回忆录》（1896）和《续回忆录》（1936）。

Anderson, Maxie 安德森（1934-09-10，美国俄克拉何马塞尔～1983-06-27，联邦德国巴特布吕克瑙） 美国气球飞行员，与B.阿布鲁佐、L.纽曼完成第一次横越大西洋的气球飞行，并和儿子克里斯坦完成第一次跨越北美洲的不着陆气球飞行。他15岁时取得飞行员证书，后来在新墨西哥州和阿布鲁佐开始热气球飞行。1977年他们决定飞越大西洋以纪念林白飞往巴黎50周年。1958年飞越大

西洋失败的气球飞行员、制造家E.约斯特替他们制造了“双鹰”号氦气球。他们乘该气球于1977年9月9日在马什菲尔德附近升空，9月13日迫降在冰岛附近的海上。1978年滑翔机制造家纽曼参加他们的飞行工作，他应用制造滑翔机的经验制造“双鹰”Ⅱ号，8月11日该气球从缅因州普雷斯克艾尔升空，8月17日在法国的米斯雷附近降落。1980年5月8日安德森和儿子克里斯坦共同乘“基蒂霍克”号氦气球从加利福尼亚州贝克堡升空，12日降落于加拿大的魁北克境内，完成第一次跨越北美洲的不着陆气球飞行。后在气球竞赛中死于飞行事故。

Anderson, Maxwell 安德森(1888-12-15，美国宾夕法尼亚大西洋城～1959-02-28，康涅狄格斯坦福) 美国多产剧作家，以努力普及诗体悲剧而闻名。曾先后在北达科他大学和

美国不列颠百科全书公司供图

斯坦福大学求学。他和L.斯托林斯合作，写出第一次世界大战时期的喜剧《荣誉值几个钱?》(1924)，这是他第一部轰动一时的作品。该作品对第一次世界大战表示了现实主义的讥讽和责难。安德森声望的提高，在于其两部颇有气派的诗体历史剧:《伊丽莎白女王》(1930)、《苏格兰女王玛丽》(1933)和幽默散文讽刺作品《你们这参众两院》(1933)，后者曾获普利策奖，内容是对美国国会中贪污、贿赂现象的抨击。以他自己的时代为背景的诗剧《冬景》(1935)成为他文学生涯的高峰。这一悲剧受到20世纪20年代的萨柯-万泽蒂案件的启示，并以城市贫民窟为背景，描述一个儿子如何为其含冤死去的父亲报仇伸冤。《高山》(1936)是一部诗体浪漫喜剧，表现作者对现代唯利主义的不满。他还和德国流亡作曲家K.韦尔(1900～1950)合作，写了剧本《纽约人的节日》(1938)和《在星球中消失》(1949)等。

Anderson, Philip W(arren) 安德森(1923-12-13，美国印第安纳印第安纳波利斯～) 美国物理学家，因参与发展了先进的电子电路原理而获诺贝尔奖。曾在哈佛大学就读，1949年获博士学位。1949～1984年任职于新泽西州贝尔电话实验室。除了贝尔实验室的工作外，1967～1975年又兼任剑桥大学理论物理学教授，1975年后执教于普林斯顿大学。由于他在固体物理学方面所做的研究工作，人们才得以制造出计算机上使用的廉价的电子开关和存储器，为此他与J.H.范扶累克和N.F.莫脱共获1977年诺贝尔物理学奖。1982年获国家科学奖章。著有《固体的概念》(1963)和《凝聚物质物理学的基本概念》(1984)等。

Anderson, Richard Heron 安德森(1821-10-07，美国南卡罗来纳斯泰茨堡～1879-06-26，南卡罗来纳博福特) 美国南北战争时期的南部邦联将军。1842年毕业于西点军校。他在墨西哥战争中领中尉衔，1848年任中尉，1855年任上尉。翌年参与堪萨斯的冲突。1861年南北战争爆发时，他退出美国陆军，加入南部邦联军任旅长，1862年7月14日晋升少将。除1862年的几个月外，他一直在R.E.李将军指挥的北弗吉尼亚军中服役。在1864年5月的莽原战役中，朗斯特里特负伤后他接任第一兵团司令。在斯波特瑟尔韦尼亚县政府战役开始时晋升为临时中将，后来参加彼得斯堡和里士满的保卫战。南北战争结束后，安德森在南卡罗来纳州任铁路官员。

Anderson, Sherwood 安德森(1876-09-13，美国俄亥俄卡姆登～1941-03-08，巴拿马科隆) 美国作家，对两次世界大战期间的美国文学作品，特别是短篇小说的写作技巧影响很大。著名作家海明威和福克纳都受过他的影响。他的散文文风以日常谈话为基础，师承G.斯泰因的试验性作品。安德森出身贫苦，青少年时当过报童、房屋油漆工人、农业工人和跑道帮工。在俄亥俄斯普林菲尔德一预科学校威滕伯格学院学习一年后，在芝加哥成为广告撰写人，直至1906年返回俄亥俄。此后6年经商并在业余时间写作小说，曾在俄亥俄的伊利里亚当油漆制造商。《俄亥俄州瓦恩斯堡镇》是他的第一部成熟的作品，并使他获得作家的名声。其他小说包括:《数次结婚》(1923)，强调满足性生活的必要;《邪恶的笑声》(1925)，认为“未开化的人”价值高于文明人;《达不到的欲望》(1932)，关于南方纺织工厂劳工的斗争。一般人认为他的最佳作品要算收集在《俄亥俄瓦恩斯堡镇》中的短篇小说《鸡蛋的胜利》(1921)、《马和人》(1923)、《森林中的死亡》(1933)。其他被看重的作品有自传体短篇作品《讲故事者的故事》(1924)、《一个中西部水手的童年》(1926)和他死后出版的《回忆录》(1942)。他的《书信选》出版于1953年。

Anderson, Viv 安德森(1956-07-29，英国诺丁汉～) Vivian Anderson的别名。英格兰职业足球运动员，英格兰国家队第一个黑人队员。身高1.85米，因腿长，作为防守队员能巧妙劫球，人称“蜘蛛”。1974年开始职业足球生涯，在诺丁汉森林队当后卫。善于在地面和空中劫球，支援进攻，1979年和1980年森林队两度夺冠。安德森代表国家队30次出场。在英格兰队踢球10年，后兼任巴恩斯利球队经理(1993～1994)和米德尔斯伯勒球队助理教练(1994～1997)。

Andersonville 安德森维尔 美国佐治亚州中西南部村镇，属萨姆特县。该村以美国内战期间1864年2月至1865年5月设在当地的南部邦联军事监狱而闻名。安德森维尔国家公墓占地84英亩，内有12 912座被俘联邦军人坟墓及1865年以来几千名葬于该地的军人坟墓。1863年夏联邦政府终止了同邦联互换战俘的协约。1863年11月邦联政府选中安德森维尔开始构筑监狱。1864年2月监狱尚未完工战俘已经到达。后虽经扩建，仍拥挤不堪，食品匮乏，水源污染，缺医少药。1864年有1/3战俘死亡。内战期间安德森维尔共囚禁49 485名战俘，其中约13 000人死亡。北部联邦在该监狱问题上大做文章，并对南部邦联战俘进行报复。战后，该监狱长沃兹上尉受军事委员会审判，于1865年11月10日处以绞刑。

Anderssen, Adolf 安德森(1818-07-06，普鲁士布雷斯劳～1879-03-13，布雷斯劳) 国际象棋大师。自第一届现代国际锦标赛(伦敦，1851)获胜至被莫尔菲击败(1858)前一直被认为是世界最强棋手。莫尔菲退休(约1861)后，安德森再度称雄世界，直到1866年败于施泰尼茨为止。曾在布雷斯劳腓特烈学校讲授数学和德语。

Andersson, Dan(iel) 安德松(1888-04-06，瑞典斯卡特洛斯贝尔格特～1920-09-20，斯德哥尔摩) 瑞典诗人及散文家。他是工人阶级文学的早期实践者，少数几个真正受普通人民爱戴的瑞典诗人之一。最早出版的两部作品《烧炭人的故事》(1914)和《看窑工之歌》(1915)，使烧炭工人和他本人都出了名。生前还出版了《黑色谣曲集》(1917)和两本自传性小说——《三个无家可归的人》(1918)及《戴维·拉姆的遗产》(1919)。

Andersson, Johan Gunnar 安特生(1874-07-03，瑞典克尼斯塔～1960-10-29，斯德哥尔摩) 瑞典地质学家和考古学家。1914年来到中国，任矿业顾问，做过考古勘探工作。1921年在河南仰韶村发现精致的彩陶，为中国新石器时代文化提供了第一个证据。一年内在黄河流域发现许多类似遗址，在与西南亚诸文化比较研究后，确定其时间为公元前3000～前1500年。1921年他根据在周口店看到的石英碎片，预言会发现人类化石。6年后，果然在那里发现中国猿人(北京人)的化石。著有《中华远古之文化》(1923)、《黄土的儿女——史前中国之研究》(1934)等。

Andes Mountains 安第斯山脉 南美洲的雄伟山系(属科迪勒拉山系)，世界上最壮观的自然景观之一。从北面的马拉开波湖纵贯南美大陆至南面的火地岛。雄据7国的安第斯山脉，自北而南由6个部分组成:委内瑞拉科迪勒拉、哥伦比亚科迪勒拉、厄瓜多尔安第斯、秘鲁安第斯、中安第斯和巴塔哥尼亚安第斯。委内瑞拉科迪勒拉在奥里诺科盆地和马拉开波湖及加勒比海之间，向西南延伸与哥伦比亚山脉东支(东科迪勒拉)汇合。哥伦比亚科迪勒拉分为3或4条支脉，呈手指状从厄瓜多尔边界向东北方向伸展，构成哥伦比亚的主要地形。厄瓜多尔安第斯是自北至南的高原，在两个很高的火山峰链(西科迪勒拉山和中科迪勒拉山)之间延伸。秘鲁安第斯的科迪勒拉山系沿3条不同的山脉折向东

南。秘鲁安第斯和中安第斯在阿尔蒂普拉诺(属全世界最大的内陆盆地之列)汇合和扩大,此处有世界海拔最高的通航湖泊、110英里长的的的喀喀湖。安第斯山再向南延伸进入阿根廷北方,遍布其西北数省。巴塔哥尼亚安第斯是整个科迪勒拉山系中最为崎岖的地带,从玻利维亚南方至火地岛形成智利和阿根廷之间的边界。南部山脉中的阿空加瓜山为安第斯山最高峰,海拔6 959米。

andesite 安山岩 产于世界大多数火山区的一大类岩石之任一成员。主要作为地表堆积物出现,其次是作为岩墙和小岩塞出现。许多安山岩堆积物并不是正常的熔岩流,而是岩流角砾岩、泥流、凝灰岩以及其他碎屑岩石。例如罗马附近的白榴凝灰岩和德国艾费尔地区的浮石凝灰岩。安山岩一名源于安第斯山,北美和中美的大多数科迪勒拉山(平行山)系都是主要由安山岩组成的。实际上整个环太平洋盆地边缘的火山中都有大量这类岩石。培雷火山、圣文森特的苏弗里耶尔火山、喀拉喀托火山、磐梯火山、富士火山、波波卡特佩特火山、瑙鲁霍伊火山、沙斯塔火山、胡德火山和亚当斯火山等都喷发大量的安山质岩石。安山岩最常指的是细粒的、常为斑状的岩石,其成分大致相当于侵入岩中的闪长岩,主要由中长石和一种或多种铁镁质矿物(如辉石或黑云母)组成。可能出现为量较少的透长石(富含钾的长石)。较大的长石和铁镁质矿物的晶体常常可用肉眼看出来。这些较大的晶体位于较细的基质内,基质一般是结晶质,有时是玻璃质。安山岩类可划分为3个亚类:①含石英的安山岩,即英安岩,有时被当做独立的一类;②普通角闪石和黑云母安山岩;③辉石安山岩。**英安岩(dacite)**含有原生石英,石英可能呈小的圆包或晶体,或只是作为基质中填充间隙的微小颗粒。普通角闪石和黑云母安山岩比较富含长石,通常是呈浅的粉红色、黄色或灰色。辉石安山岩是最常见的安山岩类型,出现的数量可与玄武岩相比,颜色较深、密度较大,多为基性岩。把太平洋边缘安山岩-英安岩-流纹岩组合与太平洋盆地岛屿的橄榄岩-玄武岩-粗面岩组合划分开的地理界线叫做安山岩线。这条界线主要由岩石学来确定。它在太平洋西侧由阿拉斯加经过日本、马里亚纳群岛、帕劳群岛、俾斯麦群岛、斐济群岛和汤加群岛直到新西兰的东边;在太平洋东侧,这条线不太好确定,也许是沿着北美和南美的西海岸。在南太平洋,这条界线的位置尚未确定。

Andhra Pradesh 安得拉邦 印度的一个邦,位于印度次大陆东南部。南邻泰米尔纳德邦,西界卡纳塔克邦,北接马哈拉施特拉邦、中央邦及奥里萨邦,东滨孟加拉湾。本邦名称源于长期居住在本地区的安得拉人,他们有自己的语言泰卢固语。本地区受过许多王朝的统治,其历史可追溯到公元前3世纪,佛教也在此繁荣昌盛过。12～13世纪安得拉邦统治者们扩展了邦的势力,16世纪达于顶峰。17世纪安得拉人落入英国人势力之下,从而在19世纪印度民族主义兴起中起过重要作用。他们以自己的历史和语言成就而自豪,要求独自成立一个邦,现在的安得拉邦组织形式是从1956年开始的。自然地理上安得拉邦分为3大区:①东部一条沿海平原,从孟加拉湾海岸伸入内地山脉;②东高止山脉;③高止山脉以西的一块高原。3至6月为夏季,7至9月为热带雨季,冬季始于10月而终于2月,因此安得拉邦一年有3季。最高温23～28 °C,最低温10～12 °C,高原上夏季较凉、冬季较冷。西南季风产生大部分降水,年降雨量最多的地方1 400毫米,最少的地方仅500毫米,沿海地带降雨量最大。该邦在语言和宗教方面呈现着印度文化形态的特征,将近9/10的人讲泰卢固语,约1/12的人讲乌尔都语,穆斯林基本上讲这种语言,其余的人讲边境地区语言,包括印地、泰米尔、坎纳达、马拉塔和奥里雅语,还有部族语言拉马尼语。

约70%人口从事农业,约占本邦国民收入的一半。约1/3的耕地生产食用谷物,每年产稻米500万吨左右。安得拉邦是印度产稻米的大邦之一,也是全国大部分弗吉尼亚烟草的产地。其他作物有棉花和甘蔗,还有辣椒、高粱、豆类和蓖麻籽。沿海冲积平原中部的哥达瓦里与克里希纳两河三角洲土壤特别肥沃。森林地区出产木材和林产品。安得拉邦矿藏有石棉、云母、锰、重晶石、煤、石灰石和低品位铁矿石,但工业不发达,制造业所占国民收入的份额很小。政府经营的工业有造船、航空工程、电器装配、机床、水泥和制药,私营工业有化工与纺织。作为发展工业的手段,安得拉邦增加了水电与火电的发电容量。哥达瓦里与克里希纳两河三角洲发现了可观的天然气储存。邦内铁路线总长12 700千米以上,有4个大机场,位于海得拉巴(邦首府)、维杰亚瓦达、蒂鲁伯蒂和维沙卡帕特南。

安得拉人在艺术、建筑、音乐、舞蹈和文学领域对印度文化有很大贡献,在邦政府和私人赞助下艺术和文学都很繁荣。库迄普迪舞蹈形式在印度传统舞蹈中是无与伦比的。达罗毗荼语族中4支文学语言之一的泰卢固语在印度各语言中享有盛誉。乡村盛行民间文化,表现在民谣的游唱演出、傀儡戏和讲神话故事,这些形式也频频出现于社会和政治性的传播活动中。海得拉巴与古德伯等城市的广播和电视产生了一种城乡之间文化交流效果,使乡村居民认识了经典文化,城市居民了解了传统民习。安得拉邦的海得拉巴、沃尔代尔、瓦朗加尔、贡土尔、阿嫩德布尔和蒂鲁伯蒂设有大学,附属有几百所学院。一所农业大学设在海得拉巴。各种工业训练机构提供职业培训。面积275 068平方千米。人口约75 727 541(2001)。

andiron 壁炉柴架 用以放置壁炉中烧柴的一副横向平行铁条,是壁炉炉具中最古老的一种,自铁器时代末期即已为人类广泛使用。柴架由短腿支撑,其前部常安装一垂直护板以防木柴自炉内滚出。因其形似狗,故又名"炉犬"。如果想把柴架置于房屋中央的敞口炉床内使用时,常常又在柴架两边各加一护板,不过此种炉床已于14世纪末期逐渐淘汰,用者很少。护板往往铸成人畜形象或饰以精致花纹。有一种无纹饰的柴架,护板铸有棘刺状突出物,可以悬挂烤肉叉之托架,适于厨房之用,称为炙叉架。

Andizhan 安集延 又拼Andižan。乌兹别克斯坦一州。面积4 200平方千米。位于费尔干纳盆地东部。西部为一平原,东部为费尔干纳山麓丘陵和阿赖山脉。主要河流为卡拉河。大费尔干纳、南费尔干纳及大安集延灌溉干渠贯穿境内。属大陆性气候,夏季炎热,冬季寒冷;年降水量约200～300毫米。土地半数以上可灌溉;农业以棉花、葡萄、水果为主,也养蚕。该州为乌兹别克斯坦主要产油区,霍贾阿巴德产天然气。其他工业大都与原棉和其他农产品加工及制造灌溉设备有关。人口密度为乌兹别克斯坦之冠。全州人口中4/5以上为乌兹别克人。主要城市有首府安集延和列宁斯克。人口约1 795 100(1991)。

Andizhan 安集延 乌兹别克斯坦安集延州城市、首府。位于费尔干纳盆地东南部。建于9世纪以前。15世纪为费尔干纳盆地首府和贸易及手工艺品中心。18世纪属浩罕汗国,1876年被俄罗斯夺取。该市为1898年反抗沙皇统治的起义地点。曾毁于1902年大地震。现为公路和铁路枢纽。有工程、机电、纺织、食品加工等工业。设有师范学院、医学院和棉花栽培专科学校,并有乌兹别克歌剧院、木偶剧院和博物馆各一所。人口约298 300(1991)。

Andō Hiroshige(Japanese artist) **安藤广重** 参阅 **Hiroshige** 广重。

Andō Kichijirō(Japanese painter) **安藤吉次郎** 又称安藤胜三郎。参阅 **Shiba Kōkan** 司马江汉。

Andō Shōeki 安藤昌益(活动时期约1750) 日本哲学家。最早研究欧洲思想的日本人之一。18世纪50年代著名的社会思想家。安藤谴责当时德川将军统治下的封建社会。所著《自然真营道》,呼吁废除幕府时代的武士阶层,恢复由国民政府直接治理的土地平均主义的社会。

Ando Tadao 安藤忠雄(1941-09-13,日本大阪～) 日本当代主要的建筑师之一。以极简主义混凝土建筑闻名。在自学成才成为建筑师之前,做过木工的学徒,也做过职业拳击手。20世纪70和80年代在日本修建了一系列小规模民居。在这些早期作品中,他使用了设计细腻精妙的混凝土墙,营造出极简主义外观和冥想式的内部空间。他的作品既有现代主义风格,同时也借鉴了日本建筑空间设计的精神传统。他的作品往往与周围的自然环境相协调。后随着声望的提升,也在日本以外进行了一些建筑设计,重要的作品包括西班牙塞维亚世博会中的日本展区(1992)、巴黎联合国教科文组织冥想空间(1996)、米兰乔治·阿玛妮剧场(2001)以及得克萨斯州的现代艺术博物馆(1997～2003)。

在后期作品中,他抛弃了早年刚硬的几何设计特点,采用了波浪式线条。获得多个国际奖项,包括嘉士德建筑奖(1992)、普利兹克奖(1995)、英国皇家建筑师协会金奖(1997)和美国建筑师学会金奖(2002)。

Andocides 安多喀德斯(约公元前440～前391以后) 雅典演说家和政治家。出身于雅典最著名的家族。公元前415年雅典派兵远征西西里,出发前有人破坏赫耳墨斯神柱,他因涉嫌入狱。破坏事件引起普遍的惊恐,他被诱使举报犯罪者。虽然历史学家修昔底德不能肯定安多喀德斯提供的证据是真的,但它还是被接受了,被他举报的人都被处以死刑。安多喀德斯被流放,公元前403年恢复民主体制时,他因大赦得以返回。公元前400年他又因不敬神而受审,但他因强有力的支持者而被赦免。公元前392年科林斯战争时期,他和3位同僚与斯巴达商谈和约,但雅典拒绝其条款并把使节流放。安多喀德斯虽然是个不成功的政治家,却具有娓娓动听的口才。他的演说有3篇保存下来:《归国演说》、《论秘仪》(他在公元前400年的辩护词)、《论和约》(公元前392)。

Andong 安东 韩国中东部庆尚北道城市。距洛东江河口345千米,是通航河段终点。三国时期(约公元前57年开始)以来,曾多次改名,高丽王朝(935～1392)起,始用现名。在李王朝(1392～1910)结束前一直是当地的行政中心。该地出过许多大学者和政治领袖。传统土产为酒类、麻布和丝绸。人口约116 932(1991)。

Andong(China) 安东 参阅 **Dandong 丹东**。

Andorra 安道尔 全称安道尔公国。欧洲小而独立的双属公国,位于比利牛斯山脉南坡,西、南与西班牙交界,东、北与法国接壤。首都安道尔。

安道尔公国的独立,传统上应归功于查理曼及其子路易一世(虔诚者)。查理曼于公元803年从穆斯林手中将该地区收复。其子则特许该地居民以自由。查理曼之孙查理二世将安道尔封给乌赫尔伯爵,乌赫尔伯爵后又将其转给乌赫尔主教。自13世纪末开始,因(西班牙)乌赫尔主教与(法国)伯爵世袭者之间有归属之争,在长达7个世纪的时期内,安道尔公国同时效忠于两位君主,一位在西班牙,另一位在法国。后来,安道尔改由西班牙乌赫尔主教的代表和法国国家元首的代表共同统治。西班牙和法国的两位大公每年均各得到一份象征性的贡赋。这种封建政体属于欧洲最后的一个,并且一直原封未动地维持到1993年。是年通过宪法,其中大大削减了两大公的权力,并分别建立起政府的行政、立法和司法等部门。

这个双属公国与西班牙北部的加泰罗尼亚地区传统上关系密切。安道尔的官方语言是加泰罗尼亚语。其各种体制都是依照加泰罗尼亚法律设置,而安道尔国内的西班牙移民(或其后裔)中又有很大一部分是加泰罗尼亚人。安道尔人大都信奉天主教,公国是乌赫尔大主教区的一部分。人口中有近2/3居住在城市。

美国不列颠百科全书公司供图

安道尔公国地处崇山峻岭之间,山谷间的众多溪流汇合成瓦利拉河。公国的可耕地仅占国土的约2%。传统经济以牧羊为主,也种植收获少量烟草、裸麦、小麦、橄榄、葡萄和马铃薯。工业仅限于此等产品的加工和小手工业。20世纪50年代以来,因山区景色宜人并可提供出色的冬季运动机会,旅游业已成为安道尔的主要行业之一。由于不征关税和低税、免税,安道尔在20世纪后期也已成为重要的国际零售贸易中心,以其免税进口的消费品吸引着来自整个欧洲的数百万购买者。该国没有国家货币,法国和西班牙的货币均可通用。安道尔公国境内无铁路,但有修筑良好的公路将该国与法国和西班牙连为一体。

在历史上,该公国共同的君主(法国总统和乌赫尔主教)一直在国际社会上代表安道尔,并通过他们的代表共同出任该国政府首脑。由选举产生的总委员会成员管理国内行政事务,其职能既是一个非正式的立法机关,又是一个以总理为首的内阁。由安道尔选民经全民公决批准的1993年宪法,将两大公的大部分权力划归总委员会及其内阁,使其成为一个真正由普选产生的国会。新政府已得到授权可通过征税取得财政收入,一个独立的司法机构业经形成,公民已经获得成立政党和工会的权利。安道尔已能控制其外交政策,现已能加入国际组织。两大公按照宪法仍为国家元首,但仅仅是挂名而已。人口约65 200(1998)。

Andorra-la-Vella 安道尔 安道尔公国首都。位于比利牛斯山南麓,格兰瓦利拉河谷中瓦利拉和北瓦利拉河汇流处附近。长期以来,该地与外界颇为隔绝。20世纪30年代后开始现代化建设。第二次世界大战后旅游业发展,人口增加。20世纪60和70年代,安道尔从一个乡村市镇变为迎合购物者和旅游者需要的繁忙商业中心。因实行免税,现成为从欧洲其他地区和亚洲进口物品的销售中心。附近有冬季运动场。有通西班牙和法国的公路。文化兼受西班牙和法国影响。人口约20 437(1990)。

Andover 安多弗 英格兰汉普行政、历史郡的泰斯特谷地区市镇。位于泰斯特河支流安东河河岸一带白垩山之间,在温切斯特西北约22千米、索尔兹伯里东北27千米。该地区有许多史前的土方工程和古冢。盎格鲁-撒克逊时代的国家咨议院在此开会。安多弗建制最早在1175年。14世纪中,城内有一绵羊集市、一羊毛加工作坊和一个铁贸易市场,还生产羊皮纸及丝织品。现为一大农业区的中心,出产水田芥,有面粉厂、木料场和印刷厂,还制造农业机器设备和塑料制品。安多弗文法学校建于1571年。其北的恩哈姆有一村庄,是第一次世界大战后专为战争中受伤的残废军人建造的。1945年10月,为纪念阿莱曼战役,埃及捐赠巨款扩建该村。1947年10月,该村正式更名为恩哈姆-阿莱曼。这一带有许多陆军与空军机构,其中有皇家空军参谋学院。人口34 647(1991)。

Andover 安多弗 美国马萨诸塞州东北部埃塞克斯县城镇。位于劳伦斯正南,临梅里马克河。1642年始建。1646年设镇。1959年实行市长负责制。1813年兴建纺织业。现为工业及教育中心。毛纺和毛线制品仍为主要产品。亦生产电子元件、胶鞋、帆布鞋和化工产品。该镇有两所著名学府:全国最古老的男子寄宿学校菲利普斯学院(1778)与艾伯特女子学院(1829)。这两所学院已于1973年合并。北安多弗1855年同安多弗分治。人口约31 247(2000)。

Andrada e Silva, José Bonifácio de 安德拉达-席尔瓦(约1763,巴西桑托斯～1838-04-06,巴西尼泰罗伊) 巴西政治家,在巴西被称为"独立创始人",享有国际声望的博物学家、地质学家。学生时代去葡萄牙,后成为科英布拉大学教授和里斯本科学院的常任秘书。1819年回国,投身政治,主张巴西脱离葡萄牙而独立。任摄政王唐·佩德罗(后为皇帝佩德罗一世)的首席顾问。1822年1月任内阁首脑,支持佩德罗争取巴西独立的决心。1822年9月7日佩德罗宣布独立,他成为新帝国的首相。在1823年举行的立宪会议上因反对佩德罗的葡萄牙顾问而被流放至1829年。后重新辅佐佩德罗一世。1831年4月7日佩德罗退位后,他担任佩德罗二世的教师。1833年因参与政治阴谋被捕,从此退出政界。

美国不列颠百科全书公司供图

Andrade, Mário (Raul) de (Morais) 安德拉德(1893-10-09,巴西圣保罗～1945-02-25,圣保罗) 巴西作家,其重要性主要在于提倡一种试图反映巴西口语并具有显著个性特点的散文风格。在圣保罗音乐学院受教育。在巴西现代主义文学运动中地位重要。曾帮助组织1922年2月在圣保罗举行的现代艺术周,在那次集会上朗诵对现代巴西诗坛产生过重大影响的诗篇《迷幻的城市》(1922)。对文化艺术各方面都有广泛的兴趣。从1935年至去世,任圣保罗文化局局长,组织了巴西民间文学和民间音乐的收集工作。他自己写的小说也反映了他对民间文学的关心。《马库奈马》(1928)一书用口语写成,企图重建当前的巴西语言。他的《诗歌全集》(1955)在死后才收集齐全出版。这些诗歌连同评论著作继续对巴西文学艺术产生影响。

Andrade, (José) Oswald de (Sousa)　安德拉德(1890-01-11,巴西圣保罗～1954-10-22,圣保罗)　巴西诗人、剧作家、小说家、革命家,巴西现代主义文艺运动的领袖之一。出身于富裕的贵族家庭。青年时在欧洲各地旅行,开始熟悉法国和意大利先锋派的文学倾向。回国后,与马里奥·德·安德拉德(他们没有亲属关系)参与组织1922年在圣保罗举行的现代艺术周,把现代主义运动介绍给公众。他在其文学宣言《巴西木》(1925)中,特别着眼于现代主义的民族性方面,号召抵制葡萄牙的社会风习和文学技巧,回到他所认为的巴西土著的原始自然表现,强调现代巴西需要重视自己的遗产。为了这个目的,他倡导现代主义的一个分支"生番派",它虽然存在时间不长,但在强调民间文学和土著题材方面是有影响的。1931年参加共产党,1945年退出。因其激进的政治观点,以及经常咄咄逼人地坦率直言,他始终是一个有争议的人物。死后,他的小说,尤其是《若昂·米拉马尔的感伤回忆录》(1924)因其独创性的风格受到赞赏,而不仅因为它在意识形态和历史上具有重要意义。

andradite　钙铁榴石　含钙和铁的石榴子石,由于具有甚至超过金刚石的高色散和高折射率,所以或许是最引人注目的石榴子石。颜色繁多,有些最漂亮的钙铁榴石是浅黄色

产自罗马尼亚巴纳特地区的钙铁榴石
美国不列颠百科全书公司供图

的(称为黄榴石,因它与黄玉相似),还有淡黄绿色或翠绿色的(称为乌拉尔绿宝石或翠榴石)。钛可以广泛地替代铁和硅,如在钛榴石里;也可单纯造成黑色,如在黑榴石里。一般与钙铝榴石一起产于接触变质石灰岩中。关于化学性质和产出详情,参阅**garnet**。

Andrássy, Gyula, Gróf (Count)　安德拉希伯爵(1823-03-03,奥地利帝国匈牙利卡萨[今捷克科希策]～1890-02-18,奥匈帝国伊斯特里亚沃洛斯科[今克罗地亚])　匈牙利首相

美国不列颠百科全书公司供图

和奥匈帝国外交大臣(1871～1879),曾协助建立奥匈帝国的二元政体。作为德意志的坚定支持者,他同德意志帝国首相俾斯麦一道创建了1879年奥德同盟,使之成为奥地利外交政策的基石,直至1918年君主政体最终崩溃。早年参加科苏特·拉约什领导的匈牙利激进改革党。1847年进入匈牙利国会。在1848～1849年反奥地利起义时任营长。匈牙利降服后,他逃亡国外,被缺席审判,用模拟像处以绞刑。1857年获赦回国。1867年任匈牙利首相和国防大臣。他坚决拥护奥匈帝国的二元制度。为防止俄国势力的扩张,又极力靠拢德意志,反对消灭土耳其。在普法战争中,他使奥地利保持中立。1871年出任奥匈帝国外交大臣,任期内使奥匈帝国的国际地位大大加强。

André LE CHAPELAIN　安德烈(神甫)(活动时期12世纪)　拉丁文名的译名为安德烈斯·卡佩拉努斯(Andreas Capellanus)。法国论述典雅爱情艺术的作家。以其3卷本论文《怎样施行崇高之爱而摈弃不光荣的爱》(约1185)闻名于世。据说他曾在香槟的女伯爵玛丽的宫中任经师。在玛丽的要求下写了此书。纪尧姆·德·洛里在《玫瑰传奇》中曾引用过此书。此书收有典雅爱情的全部说法。

André, John　安德烈(1750-05-02,英国伦敦～1780-10-02,美国纽约塔潘)　英国陆军军官。美国独立战争(1775～1783)期间与美国B.阿诺德将军进行谈判,其后以间谍罪被美方处死。安德烈于1774年被派往美国,在纽约市任英军总司令H.克林顿将军的首席情报官。自1779年5月起与已对美国独立感到失望的阿诺德秘密通讯。1780年8月,阿诺德被任命为纽约西点要塞的指挥官,9月21日与安德烈会面时,同意以2万英镑的代价出卖要塞。返回纽约市时,安德烈被3

安德烈自画像
美国不列颠百科全书公司供图

名美国民兵逮捕,他利用阿诺德给他的通行证未能奏效,并在他的一只皮靴内发现有关西点的文件。G.华盛顿将军所指派的一个军官委员会遂以间谍罪判他死刑。阿诺德逃入英军势力范围内后,克林顿将军拒绝以阿诺德交换安德烈,安德烈遂被绞死。

Andrea DA BARBERINO　安德烈亚(约1370,佛罗伦萨附近巴贝里诺-迪瓦尔代尔萨[意大利]～约1432,佛罗伦萨)　意大利民歌手、散文家、史诗故事编纂者。用散文编纂的查理大帝逸闻《法兰克王室》(1491)的素材大都取自早期意大利各种传说,并制造添加了许多动人心魄的情节。他的史诗故事《圭埃林·梅斯基诺》(1473)大部分出自他的创造。他还写有并自己朗诵过传奇故事,如:《阿斯普罗蒙特,纳尔博内西故事》(1873～1882)、《乌戈内故事》以及《圭里诺游地狱记》(1882)等。

Andrea DA FIRENZE　安德烈亚(佛罗伦萨的)(活动时期约1337～1377)　又名安德烈亚

安德烈亚(佛罗伦萨的)绘于圣马利亚新教堂内的壁画,约1365年
美国不列颠百科全书公司供图

(博纳乌蒂的)。意大利佛罗伦萨壁画家。1365年底受托装饰圣马利亚新教堂的牧师会礼堂,显示出卓越的才能。新教堂的西班牙礼拜堂的装饰壁画以及正面彩色玻璃窗的图像据认为也是他画的。受佛罗伦萨画家A. 奥尔卡尼亚的线描式教廷艺术的强烈影响,大多数作品构图平直,表情静止,表现了拜占廷传统。

Andrea del Gobbo　**安德烈亚**　参阅**Solari, Andrea** 索拉里。

Andrea del Sarto　**安德烈亚(裁缝之子)**(1486-07-16,佛罗伦萨～1530-09-28,佛罗伦萨)　原名 Andrea d'Agnolo。意大利画家和制图家,作品构图和技艺均极精湛,对16世纪

安德烈亚绘《圣卡特琳娜的婚姻》(1512～1513)
美国不列颠百科全书公司供图

上半叶佛罗伦萨-罗马派的发展很有影响。在他的许多著名作品中,最突出的是描绘圣施洗约翰生平的系列湿壁画,约1511年开始,1526年完成。

生平　安德烈亚一家大概姓兰弗朗奇,其父是一位裁缝。意大利语裁缝作 sarto,所以他称"德尔萨尔托"(裁缝之子)。有关他的生平,资料很少。他以身材矮小著称,朋友们均称他为安德烈伊诺(矮子安德烈亚)。除两个短暂时期外,他一直在佛罗伦萨工作。在1500年稍后师事画家加尔博。加尔博是15世纪末绘画传统的值得尊敬的代表人物。但是,安德烈亚在浏览了达·芬奇、米开朗琪罗和巴托洛米奥的作品之后,加尔博对他的影响很快就自然消失了。他于1506年左右开始独立作画。1509～1514年和1525年为一新建的至圣圣母领报教堂和女隐修院作湿壁画。1511年或此年左右,迁入教堂附近的一个工作室。在那里有五六年光景吸收大雕刻家J.桑索维诺的经验,有时参加完成桑索维诺接受的任务,这使他日益采取立体结构的风格,最后完全具有这种风格。在这些年间,罗索和蓬托莫是他的学生,可以公正地说,在1513～1514年左右,佛罗伦萨绘画的领导权已经从巴托洛米奥的工作室转到他的工作室了。

1517或1518年,安德烈亚与卢克雷齐娅结婚。女方是一孀妇,据她记述,安德烈亚曾用她当过几年模特儿。她给他带来财产和一份有用的嫁妆。1518年法国国王弗兰西斯一世召请他去枫丹白露,在那里以绘出口的画而名声大震。回国后不久因与梅迪契家族(1512年从流放中返回佛罗伦萨后一直当权)有亲戚关系而得到他一生工作经历中最重要的合同——为佛罗伦萨附近波焦阿卡亚诺山丘的梅迪契别墅作部分装饰。资助人实际上是教皇利奥十世,几乎可以肯定安德烈亚1519～1520年在罗马谒见过他。这一设计本是佛罗伦萨的艺术家们所曾获得的唯一一项拉斐尔在梵蒂冈宫中享有的殊荣,但当1521年12月教皇仙逝时便化为泡影。安德烈亚的湿壁画《歌颂凯撒》现为一残片,汇入以后的装饰规划。

1520年安德烈亚开始在佛罗伦萨自建一所住宅,后来由另外几名画家居住和改造。在他一生中,如果他愿意承担某一工作的话,总是收费很低,或者完全不要报酬。不管是个木匠还是个国王,他都可以为之挥毫。1523～1524年鼠疫流行期间,安德烈亚夫妇去佛罗伦萨以北的穆吉罗溪谷躲避。1527年梅迪契家族再度被放逐之后,安德烈亚为佛罗伦萨的共和政府作画。他的《以撒被献祭》是这一时期所绘,打算送给弗兰西斯一世作为政治礼物。佛罗伦萨被帝国军队和教皇军队围城后,他在鼠疫再度流行时染疾卒于宅内。安葬在至圣圣母领报教堂的墓地。

安德烈亚最杰出的不朽作品是佛罗伦萨加尔默罗会赤脚修道院中描绘圣施洗约翰生平的单灰色系列湿壁画。作品是1511年左右开始的,到1526年才完成,几乎全部是他亲笔所画,因此看起来像是画家大部分生涯的自传。他给妻子卢克雷齐娅所作的肖像(约1513～1514年,马德里普拉多藏;约1522年,柏林国立普鲁士珍贵文物博物馆藏),可以用其他许多幅伪装为圣母的画来补充(例如著名的《鸟身女妖的圣母》。正如乌菲齐美术馆和爱丁堡的国立苏格兰美术馆所藏的他的自画像(均为1528年左右作品)一样,总有几幅搀杂在他1511年以后所作的画里。芝加哥美术学院所藏安德烈亚和卢克雷齐娅的一对损坏严重的圆形肖像,上面有签名(约1530年完成)。

安德烈亚的风格在佛罗伦萨的画家中独树一帜,他在整个创作生涯中都注重颜色和气氛的效果,注重潇洒自如和感情的自然表达。在早期作品如《圣卡特琳娜的婚姻》中,由于追求表现活跃和激情而形成一种飘逸奔放的非理想主义风格,结果对年轻一代画家曾具有极大的吸引力。他在成熟的过程中笔法日益严谨,但并没有扼杀像《圣母怜子图》(约1520)那样热情奔放的后期作品的成就,不过,色调总是温和柔软,从不华丽夺目。在16世纪20年代,由于米开朗琪罗或者罗马艺术界重大事件的影响,他的风格显然更加完善、更加精致,在赤脚修道院湿壁画的最后一幅《施洗约翰的诞生》(1526)中已经接近可以称之为"庄严风格"的样式。安德烈亚自始至终是一位刚正不阿的能工巧匠,具有十足的职业道德,令人钦敬。他有一个特点,就是拒绝把自己的作品付诸雕刻。但是,在没有博得群众注意的地方,即在他的素描中,最生动地显示出了他的真正特色。

评价　自从19世纪发现对他的作品的传统评语"无疵"二字可以用作贬义以来,安德烈亚的名誉还没有得到恢复。他的素描充分证明他唯一的雄心是使每一张图画在构图和技巧方面都比前一张更好。他还是一位伟大的教师。16世纪上半叶佛罗伦萨的重要画家大多是他的学生和追随者,例如R. 菲奥伦蒂诺、蓬托莫、F. 萨尔维亚蒂和G. 瓦萨里。佛罗伦萨的艺术传统主要是通过他的范例一直延续(但是变了形)到文艺复兴的结束,并能够采纳达·芬奇和米开朗琪罗在1500年前后所作的风格革新。

有人认为安德烈亚虽然值得敬重和完美无疵,但是缺乏一种重要的创作激情。这一怀疑论可以追溯到16世纪的传记作家和艺术家瓦萨里的恶意中伤的论述,瓦萨里认为安德烈亚给绘画这一行丢脸。瓦萨里特别抱怨安德烈亚缺乏野心,站在瓦萨里的立场来讲,这种抱怨可能是对的,因为安德烈亚也有过像拉斐尔那样飞黄腾达的大好机会,但是他不曾去利用。

Andrea del Verrocchio (sculptor)　**安德列亚**　参阅 **Verrocchio, Andrea del** 韦罗基奥。

Andrea di Cione　**安德列亚**　参阅 **Orcagna, Andrea** 奥尔卡尼亚。

Andrea Pisano (Italian sculptor)　**安德列亚**　参阅 **Pisano, Andrea** 皮萨诺。

Andreani, Andrea　**安德烈亚尼**(创作时期约1580～约1625,意大利)　意大利版画家,以浓淡套印著称。先后活动于佛罗伦萨、锡耶纳、曼图亚等地。他在1602～1610年之间所作的木版画都是复制其他画家作品,尤其是15世纪主义画家詹博洛尼亚和贝卡富米以及威尼斯早期巴罗克风格画家利戈齐的油画。最著名的复制品有12幅大型木版画《凯撒的凯旋》,以及A. 曼特尼亚的一组油画的复制品,共9幅。

Andreanof　Islands　**安德列亚诺夫群岛**　美国阿拉斯加州西南阿留申群岛一岛群。介于太平洋和白令海之间,东西延伸约430千米。第二次世界大战期间为战略重地。埃达克和谢米亚两岛现有军事设施。

Andreas Capellanus (12th century)　参阅 **André le Chapelain** 安德烈(神甫)。

Andreas-Salomé, Lou　**安德烈亚斯-萨乐美**(1861-02-12,俄罗斯圣彼得堡～1937-02-05,德国格丁根)　德国女作家,因与当时大人物的友谊而为人所铭记。1882年尼采向她求婚,为她所拒绝;后来嫁给东方学家F.C.安德烈亚斯。1897年与比她年轻14岁的诗人R.M.里尔克相识,里尔克爱上了她;她对里尔克的生活产生过重要影响。1911年,参加维也纳的精神分析家团体,成为S.

弗洛伊德的朋友和弟子。除小说以外，她的作品还有《在自己作品中的尼采》(1894)、《赖纳·马里亚·里尔克》(1928)和《我对弗洛伊德的感谢》(1931)。她和里尔克的通信集于1952年出版。

Andreev, Leonid Nikolayevich (Russian novelist) 参阅 **Andreyev, Leonid Nikolayevich安德列耶夫**。

Andreini, Francesco 安德烈尼(1548,皮斯托亚[意大利]～1624-08-20,曼图亚) 意大利即兴喜剧演员。与其妻伊莎贝拉同为杰洛西剧团创建者和明星演员，该剧团是最早、最著名即兴喜剧团体之一。他曾一度当过士兵，被土耳其人俘获并遭他们奴役多年。返回意大利后，加入戏剧演出人兼导演F.斯卡拉的剧团，扮演情夫。曾扮演专门吹牛的西班牙士兵斯帕文托上尉，1607年发表描述这个角色的著作《斯帕文托上尉的勇敢》，其中包括角色的台词和舞台动作。杰洛西剧团不时访问法兰西宫廷，并在全欧旅行演出。1604年其妻去世，他退出舞台，遂导致该剧团解散。

Andreini, Giovambattista 安德烈尼(1579-02-09?,佛罗伦萨[意大利]～1654-06-07或08,西西里雷焦艾米利亚) 意大利即兴喜剧演员，弗朗切斯科和伊莎贝拉·安德烈尼之子。剧本《亚当》的作者，据说该剧本曾为J.弥尔顿的《失乐园》提供了启示。在其双亲创建的杰洛西剧团里开始舞台生涯。约于1601年组成自己的剧团——忠实剧团，并在意大利巡回演出。1613年剧团受M.de梅迪契之邀去巴黎演出，并将《亚当》一剧奉献给她。1618年他返回意大利，1621年再次受她邀请，到巴黎作旅行演出。去世前一直在全欧各地进行演出。其作品包括几部教会戏剧、一些宗教诗歌和几部喜剧。

Andreini, Isabella 安德烈尼(1562,帕多瓦[意大利]～1604-07-10,威尼斯共和国莱昂斯) 本名伊莎贝拉·卡纳利。意大利早期即兴喜剧团体中最著名的剧团杰洛西剧团杰出的主要女演员。1578年剧院经理兼舞台剧作家F.斯卡拉聘请她在剧团里扮演女主角。在那里遇到F.安德烈尼，同年和他结婚。他们一起组成杰洛西剧团，终生在意大利和法国作巡回演出。她是一位美丽、才华横溢的女人，是当时法国和意大利诗人写赞美诗的题材。在一次由她的崇拜者阿尔多布兰迪尼枢机主教举办的"罗马节日"上，她的肖像被戴上桂冠挂在T.塔索和普卢塔克的画像之间。她还是个小小的诗人，写过一出牧歌剧《米尔蒂拉》；去世后，她丈夫和斯卡拉为她出版一本包括歌曲、十四行诗、书信及其他韵文诗的作品集。她的去世促使她的丈夫提早退出舞台，并且给他以写许多哀歌的灵感。她的儿子焦万巴蒂斯塔·安德烈尼也是一位即兴喜剧演员和一位多产作家。

Andreis, Felix de 安德烈(1778-12-13,皮埃蒙特代蒙特[意大利]～1820-10-15,密苏里准州圣路易斯[美国]) 天主教遣使会司铎，是最早到美国西部地区活动的传教士之一。1802年在意大利境内皮亚琴察受神职，1806年调往罗马任神学教授并向贫苦民众布道。1815年美国路易斯安那主教迪布尔访问罗马时，决定吸收他到路易斯安那工作，任命他为临时代理主教，并委托他领导即将赴美的传教士。到美国后，先长期在肯塔基城圣托马斯神学院讲授神学，1817年才到达圣路易斯任代理主教。他兼任两个学院(一招收修士，一招收在俗信徒)的教授和管理人员，并主持在圣路易斯以南130千米巴伦斯城兴建隐修院。

Andreotti, Giulio 安德雷奥蒂(1919-01-14,意大利罗马～　　) 意大利天主教民主党领袖，几度出任意大利总理。其政府的稳定，有赖于共产党的暗中支持。青年时曾在罗马

美国不列颠百科全书公司供图

大学取得法学学位，并任天主教学生联合会主席。1946年6月当选为制宪议会议员，被A.德加斯贝利总理任命为副部长，任职至1953年。1953年G.佩拉与自由党组成中右政府时，他拒不参加，但是次年在A.范范尼的第一届政府中任内政部长。他先后负责过金融(1955～1958)、财政(1958～1959)、国防(1959～1966)和工商(1966～1968)方面的工作。他的第一届政府是1972年试组的一党政府，只延续了4个月。随后的危机在21天后结束，安德雷奥蒂本人与自由党和社会民主党联合组成了第2届政府。他的第3届政府成立于1976年，是在共产党弃权的情况下由众议院和参议院投票选出的一党少数政府。这一次，安德雷奥蒂比大多数意大利总理任职更久，因为似乎别无适当的人可取代他的领导。1991年4月～1992年4月，主持了他的第7届政府。安德雷奥蒂长期活跃于新闻界，是天主教民主党的日报《人民报》的创办人。他是一位有声望的作家，著有《加斯贝利及其时代》(1956)等书。

Andretti, Mario 安德烈蒂(1940-02-28,意大利蒙通纳～　　) 全名Mario Gabriel Andretti。汽车比赛驾驶员，驾驶常规汽车、美国大型汽车和一级方程式汽车。生于意大利，并受过赛车驾驶训练。1955年全家定居美国，1959年成为美国公民。1958年参加常规汽车比赛。1965～1966年和1969年获美国汽车俱乐部锦标赛冠军。1967年获代托纳比奇500英里常规汽车赛冠军。1967年和1970年赢得在锡布灵举行的赛车耐久大奖赛冠军。1969年获印第安纳波利斯500英里赛冠军，创时速252.11千米的纪录。1978年成为获世界一级方程式锦标赛冠军的第一个美国驾驶员。

Andrew I 安德列一世(约1111～1174-06,俄罗斯弗拉基米尔附近的博戈柳博沃) 全名安德列·尤里耶维奇·博戈柳布斯基。罗斯托夫-苏兹达尔公爵(1157)和弗拉基米尔大公(1169)。他提高了俄罗斯东北部的重要性，并对森林地区的建制做出贡献。早年随父征服基辅，1157年其父逝世，罗斯托夫和苏兹达尔两城选举他为公爵。他把公国的首都迁到弗拉基米尔，并鼓励外来人到公国定居。他除了扩张自己的疆土之外，还扩大了他对俄罗斯的其他公国的权力。他在1169年攻占基辅。获大公称号。由于他要求各下级公爵服从他，而且企图削减上层贵族传统上拥有的政治权力，后被廷臣杀死。

Andrew II 安德鲁二世(1175～1235-10-26) Andrew又拼Endre。匈牙利国王(1205～1235在位)，在位时期与贵族和封臣发生争吵并发布《1222年金玺诏书》(**Golden Bull of 1222**)，即所谓的《匈牙利大宪章》。贝洛三世之子，1205年即王位。由于一心开拓领土，军费浩繁，使国家陷人混乱状态。贵族造反杀死王后。4年后安德鲁又率1.5万人东征。失败归来后，贵族们迫使他颁发限制某些皇权的《金玺诏书》。1225年，占领特兰西瓦尼亚部分领土达14年之久的条顿骑士团终于被逐出匈牙利。

Andrew, SAINT 使徒安得烈(传说卒于60或70,阿哈伊亚帕特拉斯[希腊]) 耶稣的十二门徒之一，与圣彼得为兄弟，苏格兰的主保圣人，又是俄罗斯的主保圣人。据马太、马可和路加三福音书记载，彼得和安得烈在捕鱼时受到耶稣召唤，他曾与彼得、雅各和约翰一起询问耶稣世界末日的预兆。《约翰福音》说他是第一个称为使徒的人，并曾是施洗约翰的门徒。早期教会传说他曾在黑海一带传教。4世纪传说安得烈被钉死在十字架上，中世纪又传钉死他的十字架呈X形。苏格兰旗帜即以此为图形。

Andrew OF CAESAREA 安德鲁(该撒利亚的)(活动时期6～7世纪) 该撒利亚主教。著有《启示录》希腊文评注，似为早期宗教著作以后最重要的作品，对《圣经》的希腊文译本颇有影响。他在诠释经文时，宣传当时的基督教历史观。认为《启示录》展示出世间现实的君权神授政治制度。他认为，虽然经文包含三层意义，即史实(字面)意义、比喻(隐喻)意义和神喻(神秘)意义，但是不可把借喻和象征意识理解为纯粹想象，这些"神秘"形式所谈的仍然是现实，不过为人类语言所不能直述而已。安德鲁重视事实，但更加强调经文的神喻或灵意。对于早期基督教作家的《圣经》诠释，他广为搜集以供读者分析选择。这些资料以及引自他自己著作的段落，为目前仅存的珍贵材料。

Andrew OF CARNIOLA 安德鲁(卡尼奥拉的)(?～1484-11-13,瑞士巴塞尔) 天主教大主

教，主张天主教实行公会统治，即公会高于教皇。他出身斯拉夫族，参加意大利境内乌迪内多明我会隐修院。他在德意志皇帝腓特烈三世的支持下，于1476年任斯洛文尼亚境内卡尼奥拉城大主教，但不在任所居住。约1478年到罗马，任腓特烈三世代表驻在教皇西克斯图斯四世宫中。由于谋求枢机主教之职未果，当众抨击教皇，因而受到监禁。赖腓特烈三世干涉获释，前往佛罗伦萨和米兰联合西克斯图斯的敌人。到达巴塞尔后，鼓吹召开会议废黜西克斯图斯，并书写标语，历述教皇罪状，张贴在大教堂门上。1482年西克斯图斯因巴塞尔窝藏被绝罚分子安德鲁而宣布停止巴塞尔圣事，安德鲁被判处终身监禁于巴塞尔，据传自缢于狱中。

Andrew of Crete, Saint　安德烈(克里特的)，圣(约660，叙利亚大马士革～740-07-04)　克里特岛戈提那基督教大主教。原在耶路撒冷隐修，后赴君士坦丁堡任助祭。在拜占廷皇帝腓力比库斯统治时出任戈提那大主教。712年参加君士坦丁堡公会议，在会上附和**基督一志论者(Monothelite)**；713年表示放弃这一立场。他改进拜占廷教会的崇拜仪式，创造卡农曲，这种新的赞美诗体裁包含9首诗节形式的颂歌，各首曲调不同。他的许多赞美诗和卡农曲至今仍在希腊正教教会使用。

Andrew of Lonjumel　安德鲁(隆瑞莫的)(活动时期1238～1253)　Lonjumel又拼Longjumeau或Longumeau。13世纪法国多明我会修士。作为法国路易九世的大使，率领外交使团访问蒙古可汗贵由朝廷，他横贯中亚的往返旅行(1249～1251或1252)的报告虽事实与虚构相混合，却有值得重视的见解。1238年代表法国出使君士坦丁堡。1247年随罗马教皇英诺森四世派遣的使团去亚美尼亚的卡尔斯(今土耳其境内)，回国时向路易转达蒙古可汗贵由的建议：为了征服叙利亚，蒙古人希望与法国联合进攻伊斯兰国家。随后，路易就派他前去同贵由继续谈判。1249年初，他和几名随行人员从塞浦路斯出发，绕过里海的南岸和东岸，经塔什干以北的突厥斯坦，向蒙古中部的喀喇昆仑前进。当他到达贵由宫廷时，贵由已经去世，他被摄政遣回。

Andrew of Wyntoun　参阅**Wyntoun, Andrew of 温唐的安德鲁**。

Andrew, John Albion　安德鲁(1818-05-31，美国缅因温德姆～1867-10-30，波士顿)　美国反对奴隶制的领袖。南北战争时期，作为马萨诸塞州州长，他是北部最富有活力的"战争州长"之一。安德鲁作为一个反对墨西哥战争(1846～1848)的辉格党人开始了政治生涯。1848年参加反对扩展奴隶制的自由土壤运动。1854年，《堪萨斯-内布拉斯加法案》获得通过，这项法案准许堪萨斯和内布拉斯加这两个准州对奴隶制和自由制二者进行选择。于是，他帮助组织马萨诸塞州的共和党。1859年，他为废奴主义者J.布朗竭力辩护，以致被传出席参议院的一个

美国国会图书馆供图

调查委员会。1860年，他率领马萨诸塞州代表团出席在芝加哥举行的共和党全国代表大会。在这次大会上，A.林肯被提名为总统候选人。1861～1866年1月，他任马萨诸塞州州长。

Andrewes, Lancelot　安德鲁斯(1555，伦敦～1626-09-26，伦敦)　神学家，宫廷牧师。在英格兰教会大分裂时期，他力求捍卫和促进安立甘宗教义。曾在剑桥彭布罗克学院学

美国不列颠百科全书公司供图

习，1580年被委任为助祭，1589年起先后在几个教区服务：1605年任奇切斯特主教，1609年调伊利，1619年又调温切斯特。詹姆斯一世和查理一世在位期间，1605～1619年安德鲁斯任王室施赈吏，1619～1626年任宫廷教堂教长。以雄辩和博学闻名。虽然他在剑桥处于强烈的清教派影响之下，但对于加尔文宗和清教派纲领一直持审慎的批判态度。他的主要著作是针对天主教会的，一方面批判纯属天主教的教条，另一方面正面宣传安立甘宗教义。

Andrews, Augustus George (English actor)　**安德鲁斯**　参阅**Arliss, George 阿利斯**。

Andrews, Charles McLean　安德鲁斯(1863-02-22，美国康涅狄格韦瑟斯菲尔德～1943-09-09，康涅狄格纽黑文)　美国教师、历史学家。1910～1931年在耶鲁大学任美国史教授。他的《殖民时期美国史》共4卷，其中第1卷于1935年获普利策奖。他属于"帝国派"，强调美洲殖民地是大英帝国体系的从属部分。还著有《殖民自治，1652～1689》等。

Andrews, Fannie Fern Phillips　安德鲁斯(1867-09-25，加拿大新斯科舍玛格丽特维尔～1950-01-23，美国马萨诸塞萨默维尔)　加拿大出生的美国和平主义者、作家，在国内和国际上坚持不懈地倡导和平。在新斯科舍长大，约1876年迁居美国马萨诸塞州林恩。1884年毕业于塞勒姆师范学校。1890年与E. G. 安德鲁斯结婚，之前一直在林恩执教。1902年毕业于拉德克利夫学院。1905年在波士顿建立学校联系家长的组织，为最早的此类组织之一。1907年成立波士顿家庭与学校协会，出任秘书，1914～1918年间任主席。1908年成立美国学校和平联盟。该联盟在全国各地发展迅速。联盟推出的和平主义文学和研究课程(其中许多材料由她编写)在全国广泛传播。1914年去英国旅行期间协助成立类似的学校和平联盟。1918年美国学校和平联盟改名为美国学校公民品行联盟，安德鲁斯继续担任秘书，直至去世。第一次世界大战使她的注意力转向建立国际维护和平的组织，进行国际问题研究，并出版了《公海自由》(1917)。她支持W.威尔逊总统关于成立国际联盟的计划，并作为美国的代表参加巴黎和会。F.D.罗斯福总统任命她代表美国参加国际教育局分别于1934年和1936年召开的第三届和第五届讨论公共教育的国际会议。1923年因对战后托管体系的研究被拉德克利夫学院授予博士学位。1925年走遍中东各国，直接研究该体系。著有《托管下的圣地》(1931)、《我一生中值得回忆的事件》(1948)。

Andrews, Frank M(axwell)　安德鲁斯(1884-02-03，美国田纳西纳什维尔～1943-05-03，冰岛)　美国军人、空军军官，对轰炸机的发展有突出贡献。1906年毕业于西点军校，

美国陆军部供图

先在骑兵服役，1917年调入新组建的航空勤务队，第一次世界大战结束时已升至中校。1935年被任命为新组建的统帅部航空兵司令。他是战略空中力量的倡导者，奉命研制B-17轰炸机，他的部队是第二次世界大战中强大的陆军航空兵的典范。他先后任加勒比防区航空兵司令及防区司令，系首位担任战区司令的航空兵军官。1941年晋升中将。1943年2月，D.D.艾森豪威尔被任命为北非战区盟军司令，他继艾森豪威尔任欧洲美军司令，3个月之后死于飞行事故。

Andrews, Julie　安德鲁斯(1935-10-01，英格兰萨里泰晤士河畔沃尔顿～　)　原名Julia Elizabeth Wells。英裔美国电影、戏剧和音乐剧明星。12岁那年在伦敦首次登台，演出歌舞喜剧，1954年在纽约百老汇上演的《男朋友》一剧中首次登台。她是百老汇音乐剧的重要明星，出演《窈窕淑女》(1956)剧中的艾莉莎·杜立德和《凤宫劫美录》(1960)剧中的芝内薇儿大获成功。也演出过诸如《欢乐

满人间》(1964年,获奥斯卡奖)、《音乐之声》(1965)、《明星!》(1968)以及《雌雄莫辨》(1982)等电影。1995年重返舞台,协助丈夫B.爱德华兹所导演的《雌雄莫辨》改编剧本。1997年入选戏剧名人堂。

Andrews, Roy Chapman　安德鲁斯(1884-01-26,美国威斯康星伯洛伊特～1960-03-11,加利福尼亚卡梅尔)　美国博物学家、探险家及作家。1906年在伯洛伊特学院毕业后,即

美国不列颠百科全书公司供图

在纽约美国自然历史博物馆任职。1908年到阿拉斯加进行首次考察,并专门研究鲸及其他水生哺乳动物直至1914年。经过他的努力,该博物馆的鲸目动物收藏品在世界上数一数二。1909～1910年作为博物学家随美国考察船"信天翁"号驶往荷属东印度。1911～1912年考察了朝鲜北部。1913年参加了博登的阿拉斯加考察队。担任美国自然历史博物馆亚洲考察组组长时曾率领3个考察队先后赴中国西南地区和西藏以及缅甸(1916～1917);中国北部地区以及外蒙古(1919);并曾两度赴中亚(1921～1922、1925)。第3次考察时获得许多重要的发现,如首次发现恐龙卵、最大的陆生哺乳动物俾路支兽 *Baluchitherium* 的头骨及其他部分、前所未知的大量哺乳动物和爬行动物化石沉积、史前人类的遗迹以及这些地区前所未经发掘的地质层。1935年担任美国自然历史博物馆馆长,1942年辞职后从事写作。安德鲁斯著有《用炮捕鲸及鲸鱼猎影》(1916)、《中国境内野营索踪记》(1918)、《横渡蒙古平原》(1921,与Y.B.安德鲁斯合著)、《古人追踪记》(1926)、《大地的尽头》(1929)、《重新征服中亚细亚》(1933)、《探险这件差使》(1935)、《令人惊异的行星》(1940)、自传体式的《福星高照》(1943)和《探险家的归来》(1947),以及《不单单是冒险》(1954)等。

Andrews, Thomas　安德鲁斯(1813-12-19,爱尔兰贝尔法斯特～1885-11-26,贝尔法斯特)　化学家和物理学家。建立了临界温度和临界压力概念,且证明气体转变为液体状态时,并无任何中断,反之亦然。他还证明了臭氧是氧的一种形式。在英国和巴黎学习后,他获爱丁堡大学医学学位(1835)。1845年,任位于贝尔法斯特的北方学院副院长并帮助筹备将其改组为贝尔法斯特王后学院(1849),1849～1879年任化学教授。

Andreyev, Leonid Nikolayevich　安德列耶夫(1871-08-21,俄罗斯奥廖尔～1919-09-12,芬兰库奥卡拉)　Andreyev又拼Andreev。俄国小说家。他的最佳作品因引起绝望情绪和极端悲观的思想而在俄国文学中占有一席之地。20岁入圣彼得堡大学读书,一度企图自杀。后在莫斯科研读法律,成为律师和报纸的法律记者,并在报刊上发表了他最初的一些短篇小说。曾受到其密友M.高尔基的鼓励。他的小说《从前有过……》受到广泛的注意,并被收入他的第一部短篇小说集(1901)。他在1902年写的两篇短篇小说《深渊》和《雾中》,由于对性作了赤裸裸和放肆的描述,引起了一场风波。他通过发表一系列长短篇小说获得声誉和财富,其中最好的作品,在重大主题和对受苦人的嘲喻性同情方面与托尔斯泰相类似。他的最优秀作品还包括《省长》(1905)和《七个绞刑犯的故事》(1908)。后来由于他的作品变得日益离奇古怪和耸人听闻,他的声誉迅速下降。1905年开始从事戏剧创作,最成功的剧本为寓言剧《人的一生》(1907)和《挨耳光的人》(1916)。第一次世界大战期间,曾任受政府支持的一家报纸编辑,这时他的作品以宣传爱国为主。布尔什维克掌权后,他由于极度敌视革命而迁居芬兰。他的最后一部作品《S.O.S.》(1919)向协约国呼吁拯救俄国。

Andria　安德里亚　意大利东南部普利亚区巴里省城市。位于默尔杰高原东侧,巴列塔正南。11世纪诺曼人来此后首见记载。后成为腓特烈二世喜爱的狩猎地,建有蒙特

安德里亚附近的蒙特堡
美国不列颠百科全书公司供图

堡(1240)。有古罗马遗迹,其中一大教堂内有腓特烈二世第二和第三夫人的陵墓。亦有著名教堂和宫殿。安德里亚位于巴里—福贾铁路线上。以农业为主。产葡萄、油橄榄和杏仁。有酿酒、炼油和纺织工业。人口:城市区约89 762(1990)。

Andrić, Ivo　安德里奇(1892-10-10,波斯尼亚特拉夫尼克附近的多拉茨～1975-03-13,南斯拉夫贝尔格莱德[今在塞尔维亚])　塞尔维亚-克罗地亚长篇和短篇小说家,1961年获诺贝尔文学奖。曾在波兰和奥地利就学。他作为一个散文兼诗歌作家的潜在才能,早就为人们所赏识。1918年出版成名作《Ex Ponto》,这部散文诗思想深邃而抒情,是在第一次世界大战期间被奥匈帝国当局拘留时写的。短篇小说集从1920年起陆续出版。第二次世界大战期间写的3部长篇小说中的2部《特拉夫尼克纪事》(1945)和《德里纳河上的大桥》(1945)是有关波斯尼亚历史的小说。

南斯拉夫驻纽约新闻处供图

虽然他曾在南斯拉夫外交界服务,到过罗马、日内瓦和柏林等地,但是为他提供写作的主题和心理研究的还是他的故乡。以《德里纳河上的大桥》一书获诺贝尔文学奖,评委会认为他在处理素材时具有"史诗般的力量"。

Androcles　安德罗克勒斯　又拼Androclus。罗马奴隶。据说生活于提比略或卡利古拉在位时期。相传他为了逃避主人的迫害,在非洲躲进一个山洞。有一头狮子走进洞内,向他举起一只红肿的爪。他从狮子爪上拔出一根大刺。后来安德罗克勒斯被人捉住,扔到竞技场里与野兽搏斗。那头感恩的狮子认出他来,并不向他攻击,而是开始与他拥抱。从此,他获得了自由。这个故事成为萧伯纳的剧本《安德罗克勒斯和狮子》的主题。

androgen　雄激素　一组主要影响雄性生殖系统生长发育的激素。其中分泌量最多、活性最强的是睾丸产生的**睾丸酮**(**testosterone**),其余的雄激素主要由肾上腺皮质产生,量少,起辅助睾酮的作用。雌性动物血浆中亦含微量的雄激素,可能由卵巢及肾上腺分泌。雄性动物的睾酮由睾丸内曲精细管周围结缔组织中的莱迪希氏细胞产生和分泌。在有季节性繁殖的动物(如候鸟、绵羊等)到繁殖季节时,莱迪希氏细胞便充满睾丸,但在非繁殖季节,莱迪希氏细胞数量大为减少。莱迪希氏细胞分泌雄激素的功能,受垂体分泌的黄体生成素控制。雄激素为雄性生殖系统发育所必需。青春期前即遭阉割的男子,若不予注射睾酮,则不能发育成有功能的成人型生殖器官。给正常男子注射雄激素,可使其生殖器官体积增大,功能增强。性成熟的男子若遭阉割,其生殖器官便萎缩,功能便停止。雄激素可促使精子的形成;对男子身体各器官的影响也是多方面的,可以影响阴毛、胡须和胸毛的生长及秃发的形成,使男人表现得较女子更有进取心,性欲更旺盛。到青春期雄激素使男子的声带变长变厚,声音变得低沉,促进长骨的生长,增加肌纤维的厚度和数量,增加肾的体积、重量和骨组织中蛋白质的含量,刺激红细胞的生成,增加皮肤色素以及促进汗腺和皮脂腺的分泌功能。

Andromache　安德洛玛刻　希腊传说中密细亚的底比王厄厄提翁的女儿,赫克托耳(特洛伊国王普里阿摩斯之子)的妻子。她的全部亲属在希腊战士涅俄普托勒摩斯(皮洛斯)攻占特洛伊时或那之后不久都死掉了。在分俘虏时,她被分给阿喀琉斯的儿子涅俄普托

勒摩斯。她陪同涅俄普托勒摩斯去了伊庇鲁斯并且为他生了三个儿子。涅俄普托勒摩斯在德尔斐被杀，他把安德洛玛刻以及王国留给了赫克托耳的兄弟赫勒诺斯。赫勒诺斯死后，她和她的小儿子佩尔加摩斯回到小亚细亚。佩尔加摩斯在那里建立了一座以他的名字命名的城市。

Andromeda　安德洛墨达　据希腊神话，她是巴勒斯坦（被称为埃塞俄比亚）约帕的国王刻甫斯和王后卡西俄珀的美丽女儿，珀尔修斯的妻子。卡西俄珀由于夸口说安德洛墨达比海中仙女更美，因而触怒仙女（涅瑞伊得）。海神波塞冬应仙女的请求派海怪前去蹂躏刻甫斯的王国。为平息神怒，安德洛墨达作为牺牲被锁到岩石上，任凭海怪吞食。乘飞马珀伽索斯飞过这里的珀尔修斯爱上了她，就向其父刻甫斯提出娶她为妻。刻甫斯表示同意，珀尔修斯于是杀死海怪。在他们的婚筵上安德洛墨达的叔父菲纽斯（她最初曾答应许配给他）试图提出对她的要求。珀尔修斯用墨杜萨的头把他变成石头。安德洛墨达给珀尔修斯生了六男一女。

Andromeda　仙女座　北天的一个星座，中心位于赤经（类似于地球上经度的天球坐标）1时、北赤纬（天赤道以北的角距离）40°附近。星座名称来自希腊传说中的仙女安德洛墨达。它最引人注目的是其中的仙女星系。

Andromeda Galaxy　仙女星系　星表编号为NGC224和M31。是位于仙女座中的巨型旋涡星系，也是除麦哲伦云（地球所在的银河系的伴星系）以外最近的星系。仙女星系是

仙女星系（NGC224，M31）
美国不列颠百科全书公司供图

肉眼可见的几个星系之一，外表像模糊的光斑。它距地球约200万光年，直径约20万光年，外表颇似银河系。早在964年，阿拉伯天文学家苏菲在他的《恒星》一书中就曾提到它。1612年，望远镜发明后不久，德国天文学家S.马里乌斯又重新发现了它，说它状如牛角管中所见的烛光。几个世纪以来，天文学家都认为它是银河系内的一个天体，所以才误称之为仙女星云，把它当成是我们所在的星系内的、类似于其他发光气体物质的旋涡星云。直到20世纪20年代，美国天文学家E.P.哈勃才最终确定仙女星系事实上是银河系之外的分立的星系。

Andronicus　安德罗尼卡　拜占廷皇帝名。按年代分列于后，并各以●为标记。

● **Andronicus I Comnenus　安德罗尼卡一世**（1118，君士坦丁堡～1185-08-12，君士坦丁堡）　拜占廷皇帝（1183～1185），康尼努斯王朝末代君主，曾力图改组政府，但强烈反对西

苏勒德斯金币上的安德罗尼卡一世像（左）
美国不列颠百科全书公司供图

方基督教，导致诺曼人入侵。为曼努埃尔一世皇帝（1143～1180在位）的堂兄弟。曼努埃尔死后，他反对皇太后安条克的玛丽摄政。1182年春率兵进入君士坦丁堡，成为幼帝阿历克赛二世的保护人。不久，他将皇太后玛丽秘密处决。1183年9月，他加冕为同朝皇帝，两个月后将阿历克塞绞死。为使其篡位合法化，这个年已65高龄的安德罗尼卡居然娶阿历克塞的13岁的遗孀为妻。他尽力改善外省居民的生活。他禁止出卖官职，惩办贪官污吏，尤其是遏制大封建贵族和大地主的权力。他取消了曼努埃尔一世的亲西方政策，强调东方教会的独立地位，从而招致西方基督教徒对他的敌视。1183年匈牙利的贝拉三世打着为皇太后玛丽（她是西方人）复仇的旗号侵入帝国。1185年8月西西里岛上的诺曼人侵入希腊，占领了帝国第二大城帖撒罗尼加。当诺曼人入侵的消息传来时，首都爆发了叛乱，安德罗尼卡被暴民杀死。

● **Andronicus II Palaeologus　安德罗尼卡二世**（1260，君士坦丁堡～1332，君士坦丁堡）　拜占廷皇帝（1282～1328在位）。在位期间拜占廷帝国国势衰落，已降为小邦，处于安纳托里亚突厥人与巴尔干的塞尔维亚人的包围之中。迈克尔八世帕里奥洛加斯之子。他是一个知识分子和神学家，而不是一个政治家或军人。他将拜占廷的陆军削减得只剩几千步兵和骑兵，并解散了全部海军，单纯依靠一支热那亚雇佣舰队。由于严重地削弱了拜占廷的实力，在1300年，奥斯曼突厥人几乎完全控制了安纳托利亚。他利用加泰罗尼亚雇佣兵的策略也造成灾难性后果，因为雇佣兵不打突厥人，反而抢掠拜占廷。在威尼斯与热那亚之争中，他错误地援助热那亚一方，因之被优势的威尼斯海军击败，损失惨重。在内政方面，中央集权日趋瓦解，经济困难逐步加剧。但是他却鼓励拜占廷艺术与文化的复兴，并赞助东正教会的独立。其时希腊境内的圣山修道院建筑群臻于极盛。在他与其孙安德罗尼卡三世发生争吵、剥夺孙子的继承权后，1328年他反被废黜，并被关入隐修院。

● **Andronicus III Palaeologus　安德罗尼卡三世**（1296，君士坦丁堡～1341-06-15，君士坦丁堡）　拜占廷帝国皇帝。曾力图挽救帝国之颓势。安德罗尼卡二世之孙。1320年因误杀兄弟，被祖父剥夺了继承权。随后爆发一场内战。他在拜占廷贵族的支持下，特别得到约翰四世·坎塔库泽努斯的资助，1325年迫使安德罗尼卡二世承认他为同朝皇帝，统治色雷斯和马其顿诸行省。1328年5月迫使老皇帝退位，他成为唯一的统治者。他依靠坎塔库泽努斯，改革法院，重建海军。在位期间，东正教隐修院的权势在宗教和政治方面都日益增大。在对外政策上，1334年8月，他承认塞尔维亚对马其顿的宗主权，并将安纳托利亚割让给奥斯曼突厥人。不过，他从热那亚人手中收复了希俄斯、福西亚和莱斯沃斯诸岛，并且恢复了帝国对企图分裂出去的两个希腊城邦伊庇鲁斯和帖撒利亚的控制。

● **Andronicus IV Palaeologus　安德罗尼卡四世**（1348？，君士坦丁堡～1385-06-28）　拜占廷皇帝（1376～1379）。因密谋推翻其父约翰五世而下狱，被剥夺继位权。后在其父的敌人热那亚人帮助下脱逃。1376年8月攻入君士坦丁堡，囚禁其父，次年10月登位。1379年，其父借威尼斯人与突厥人之助得以逃脱而复帝位，条件是承认安德罗尼卡为合法继位人并向苏丹宣誓效忠。但安德罗尼卡先于其父而死。后其子继帝位，为约翰七世。

Andronicus of Rhodes　安德罗尼卡（罗得的）（活动时期公元前1世纪）　希腊哲学家。以其对亚里士多德著作细心的编辑工作和注释工作而闻名。亚里士多德著作代代相传，原文已不复纯正、明确，许多重要论文被加进大量不必要的内容。他研究原著，筛除多余的话，并按照作者原意重新编排。编后写了一篇论文，包含4个主题：对自己的做法作了说明；一篇亚里士多德传记；对真伪问题的探讨；对亚里士多德思想体系的研究。

Andronicus, Lucius Livius　安得罗尼库斯　参阅 **Livius Andronicus, Lucius** 李维乌斯·安得罗尼库斯。

Andropov（Russia）　安德罗波夫　参阅 **Rybinsk** 雷宾斯克。

Andropov, Yury Vladimirovich　安德罗波夫（1914-06-15，俄罗斯纳古茨卡亚～1984-02-09，莫斯科）　1967～1982年苏联克格勃首脑，1982年11月起任共产党中央委员会总书记，成为国家领导人，直至15个月后去世。铁路工人之子，曾任报务员、电影放映员，在伏尔加河上当过船夫。之后进入一所技术学校学习，后又进入彼得罗扎沃茨克大学学习。曾是雅罗斯拉夫地区共青团组织者，1939年加入共产党。他的上司很赏识他的才能，任命他为新成立的卡累利阿-芬兰自治共和国共青团的领导人（1940～1944）。1951年安

德罗波夫被调往莫斯科,这成为他一生的转折点。在那里他被派到党的书记处工作,这被认为是培养有前途的年轻官员的岗位。作为驻匈牙利大使(1954-07～1957-03),他在配合苏联人侵该国方面发挥了重大的作用,接着返回莫斯科,地位在共产党统治集团内迅速上升。1967年成为克格勃首脑,采取高压政策,任职期间以镇压持不同政见者著称。当勃列日涅夫的身体日益衰弱时,他被选进政治局。安德罗波夫开始把自己放在接班人的位置上,为此于1982年辞去克格勃的职务。勃列日涅夫去世后仅仅两天,11月12日共产党中央委员会即选他接替勃列日涅夫。为巩固自己的权力,他于1983年6月16日成为苏联最高苏维埃主席团主席。他于1983年8月突然病倒。他几乎没有做什么工作,职位由他以前的对手K.契尔年科继任。

Ándros 安德罗斯 希腊爱琴群岛基克拉泽斯岛群中最北边的、第二大岛屿。面积380平方千米。多山岭,森林遍布,水源充沛。东海岸安德罗斯市以南有科西翁港,北有帕莱奥卡斯特龙(山),高625米,山上有中世纪城镇和一座威尼斯人的城堡遗迹。西海岸有古都帕拉埃斯奥波利斯遗址。古代居民主要是爱奥尼亚人。公元前7世纪,隶属古代埃维亚的第二大城市埃雷特里亚。公元前490年,臣属波斯。由于向波斯国王薛西斯提供船只,公元前480年遭到雅典舰队袭扰。雅典领袖伯里克利强迫安德罗斯接纳雅典移民,但它在公元前411或410年起义。公元前4世纪,再次加入反斯巴达-提洛同盟。公元前200年,被罗马、帕加马人和罗得人的联合舰队征服,1207～1566年一直处于威尼斯的保护之下。1829年成为希腊的一部分。人口:全岛8 731(1991)。

Andros, Sir Edmund 安德罗斯(1637-12-06,英格兰伦敦～1714-02-24,伦敦) 英国驻北美洲的行政官员,以试图通过强制推行一种超级殖民地体制、即新英格兰自治领来遏制日益壮大的殖民地独立运动未果闻名。幼年为王室侍从。英国内战爆发后,国王虽然流亡,但他仍矢忠不二。因此,1674年他被任命为纽约和新泽西殖民地总督,1678年封爵士。1681年奉召回国。1686年重返美洲,任新英格兰自治领总督,兼管新英格兰所有的殖民地,后来还包括纽约和新泽西。他在波士顿强迫人们信奉圣公会教义,大力推行《航海条例》,要求土地所有者领取新地契,限制城镇集会自由和征收地方税的权利,因而引起美洲殖民地人民的强烈不满。1688年詹姆斯二世逊位的消息传到波士顿后,殖民地人民奋起反抗,他们撤掉安德罗斯的职务,把他监禁起来。安德罗斯回英国受审,不久即被释放。后任弗吉尼亚(1692)、马里兰(1693～1694)和根西岛(1704～1706)总督。

Andros Island 安德罗斯岛 别名大围场,是巴哈马最大的岛屿和地区。位于新普罗维登斯岛东32千米,美国佛罗里达州东南约160千米。南北长约160千米,东西最宽处约72千米。面积6 000平方千米。它虽然有一个清楚的轮廓,却被港湾、湖泊、海峡高度地分割开来,所以它实际上是群岛。沿岸有许多有人居住的小港和沙洲。西海岸外有一个居世界第三的大堡礁。人口不多,只有中等旅游业,人们倾向于散居,主要城镇有尼科尔镇、安德罗斯镇和肯普斯贝,均在东海岸。主要种植水果和蔬菜,辅以一些食品包装加工厂。安德罗斯镇上有一种"安德罗斯亚"蜡染工业。人口约8 155(1990)。

Androscoggin River 安德罗斯科金河 源出美国新罕布什尔州东北部的安贝博格湖,向南流,过缅因州南部注入大西洋。全长280千米,落差379米。新罕布什尔州的柏林和缅因州的拉姆福德两处落差最大。流域地区出产纸浆、纸张等,有渔猎和游船设施。

Andrusovo, Truce of 《安德鲁索沃停战协定》(1667-02-09) 俄国与波兰结束十三年战争(1654～1667)的条约。根据这一协定,乌克兰以第聂伯河为界分为两部分:俄国取得河东部分、基辅城以及斯摩棱斯克和谢韦尔斯克两省。

Andrzejewski, Jerzy 安德热耶夫斯基(1909-08-19,波兰华沙～1983-04-20,华沙) 波兰小说家、短篇小说作家,持不同政见人士。1936年安德热耶夫斯基出版了《必经之路》,1938年出版了《心心相印》。在两种作品中,他试图在天主教的教义中找到解答当代生活的各种问题的途径。在第二次世界大战德军占领波兰期间,他参加了波兰人的秘密抵抗活动。第二次世界大战结束后,他于1945年创作了《夜》,这是一本战时故事集。他还于1946年出版了不但显示他偏爱历史题材,还表明他喜欢讽刺笔法的《温克里德的祝典》。这两种倾向在1948年出版的公认是他最优秀长篇小说的《灰烬与钻石》里显得更为突出。他在该书中展示了第二次世界大战刚刚结束,波兰年轻的民族主义者同理想主义的共产党人发生冲突而陷入的悲惨境地。根据这个故事在1961年拍了一部波兰电影,由作者自己和A.瓦伊达共同执导。开始安德热耶夫斯基支持战后波兰苏维埃控制的政权,参加了波兰共产党,是作家联盟的一位官员,并从1952～1956年在波兰国会中任职。然而他在1956年退党,此后成为社会主义现实主义的主要批评者,并反对文艺为国家服务,抵制官方对创作施加的政治责难。他于20世纪50年代后期和60年代在波兰发表的很多作品中都有对政权的含蓄批评,因而有许多年他的作品被禁止出版。1976年他成为工人保卫委员会的创始人之一,后来此团体发展成民族主义的、反对共产党的团结工会。团结工会1981年被宣布为非法,直到安德热耶夫斯基去世后才得以解禁。

Andújar 安杜哈尔 西班牙南部安达卢西亚地区哈恩省城市。位于哈恩市西北,临瓜达尔基维尔河。公元前206年被罗马占据。1224年并入西班牙。有许多美好的古老宅邸和一座带有13世纪钟楼的哥特式教堂。现有铀矿开采加工,铅、铜矿开采,畜牧和家禽饲养以及制陶业。人口34 946(1981)。

anechoic chamber 消声室 又称自由场室或自由空间室。最大限度地减小声音反射和外部噪声的声学实验室。外部声音是靠建筑物的隔声、通风管道中完备的滤声器以及厚

消声室

贝尔电话实验室供图

实的砖石墙消除的。内室表面用毯状或水平和垂直楔形的诸如玻璃纤维或石棉之类吸声材料覆盖(见插图)。天花板和地面都类似地进行铺垫。地面上铺一层薄钢网供行走用。在这样的房间里,声反射减小到千分之一,从而模拟了自由空间无障碍的声学条件。

Anegada Island 阿内加达岛 英属维尔京群岛中的一个岛屿,位于大西洋和加勒比海之间的小安的列斯群岛岛链的北端,在波多黎各东北约130千米。面积为39平方千米。年降雨量平均为1 275毫米。地形相当平坦。由珊瑚和石灰岩构成,底土极浅,缺少水源。附近有危险的礁石,水下有许多仍然未探明的失事船只。人口200(1991)。

Anegada Passage 阿内加达海峡 西印度群岛中的水道,连接大西洋与加勒比海,宽65千米。从英属维尔京群岛(西部)与背风群岛(东南部)之间穿过。是加勒比海东部最深的海峡,最深处超过2 300米。该海峡和向风海峡都有次表层水流经并注入加勒比海。

Aného 阿内霍 前作Anécho。多哥南部城镇。临几内亚湾,靠近贝宁边境。建于17世纪末,曾为贩奴港口和商业中心。在德属多哥(1885～1887)和法占领(1914～1920)时期均为首府。现为重要文化中心。人口21 000(1988)。

Aneirin 安奈林(活动时期6世纪) 威尔士诗人。根据南纽斯的《不列颠人的历史》

(约写于800)记载,他是6世纪威尔士5位著名诗人之一(其余为:塔里辛、T.塔德·阿温、布威却巴德、希安,作品均不详)。安奈林因唯一的一部作品《哥多丁》而出名,虽然它只是以一本称作《安奈林集》(约1250)的手稿而留存下来,但被认为是现存最早的威尔士作品。诗中大部分语言直截了当,尽管巧妙地运用了明喻和暗喻,并充满头韵和句中韵。这首诗赞颂了与安奈林同时代的英雄们的力量、勇敢和武功。

Aneityum(Vanuatu) 参阅**Anatom**阿纳托姆岛。

anemia 贫血 又作anaemia。血中红细胞的数目、容积或所含血红蛋白(携氧色素)不足的情况。现有接近100种不同类型的贫血,其原因(受累细胞的大小和血红蛋白含量)以及症状各有不同。由病因上讲,贫血可源于下述情况:①慢性或急性失血。②红细胞的破坏过程加速(溶血)。这又由遗传性细胞性缺陷造成,如镰状细胞贫血、遗传性球形红细胞增多症和6-磷酸葡萄糖脱氢酶缺乏症。也可因接触溶血性化学物质(促使血红蛋白由红细胞中释出的物质)引起,如氨苯磺胺、伯氨喹啉和萘(卫生球)等。还可因出现对抗红细胞的抗体,如胎儿幼红细胞增多症。③红细胞生成减少。这可因骨髓障碍造成,如白血病和再生不良性贫血。也可因一种或多种营养素缺乏引起,特别是维生素B_{12}、叶酸和铁的缺乏,因为它们是合成红细胞的必要成分。可因缺乏某些激素引起。还可因红细胞形成过程受某些药物或疾病(特别像慢性感染、癌广泛转移和肾功能衰竭)产生的毒素所抑制。由形态上讲,贫血可归入下面几个类型:①大红细胞性贫血,其特点为红细胞较正常为大(如恶性贫血);②正常红细胞性贫血,其特征为红细胞数目减少但在其他方面大致正常(如消化性溃疡、大多数血友病和紫癜造成的突发失血);③单纯性小红细胞性贫血,其特点为红细胞较正常为小(如见于慢性炎症及肾脏疾病);④小红细胞性低血色素贫血,其特点为红细胞的大小及血红蛋白含量均减少(常见于缺铁性贫血,但亦见于地中海贫血)。贫血的最明显外部表现为皮肤、黏膜及甲床苍白。组织缺氧的症状有脉动性耳鸣、头晕、昏厥和气短。心脏的代偿作用可导致心脏扩大及速脉。贫血的治疗方法很多,决定于诊断。包括对缺乏性贫血提供所缺营养素,查出并排除致病的毒性因子,用药物或其他疗法治疗现有的其他疾病,用各种方法(包括手术,如脾切除术)减少血液的破坏,或借助输血以恢复血容量。参阅**aplastic anemia; equine infectious anemia; pernicious anemia; sickle-cell anemia**。

anemometer 风速计 一种用于测量大气中、风洞中和其他利用气流的场合中空气流速的装置。最广泛用于测量风速的是旋杯式电风速计,由风力驱动旋杯带动的发电机,输出电流使刻有风速数的电表运转。这种装置的适用范围是风速每小时约9～180千米。也可以采用螺旋桨来驱动发电机。另一类型的风动元件是由旋转叶片带动计数器工作,转数由停表记录,然后换算成风速。这种装置特别适于测量低风速。气流会使热物体冷却,而冷却速率由气流的速度决定。这一原

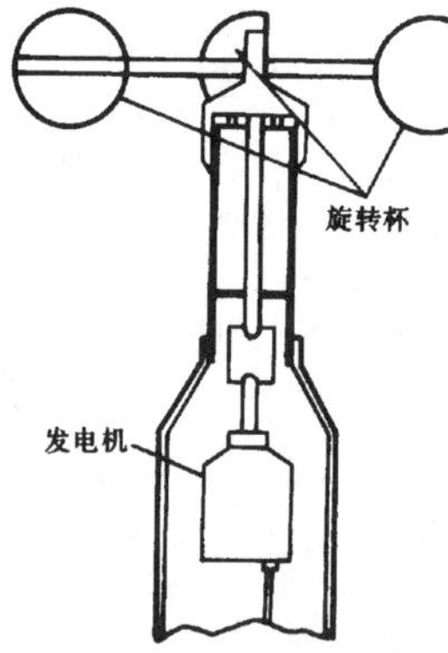

旋杯式电风速计

理被用于热线风速计中。在这种风速计中,有一根电热丝置于气流中。金属丝随流速的增加而冷却,为使其保持恒定温度,需要增加电功率。因此,输入热丝的功率就是空气流速的量度,因而可在金属丝电路中的电表上刻出表示空气流速的刻度。这种装置对于测量低于每小时约8千米的极低的空气流速是很有用的。当气流吹在另一端封闭的管子的开端时,会在管子内部形成压强。这种管子(称为皮托管)内部和周围空气之间的压强差能够测出,并可把这种压强差换算成空气流速。皮托管也可用于测量液体的流速,特别是在流体力学中做水槽试验时。在强稳定气流如风洞和在飞机飞行中,这种风速计最有用,经过改造,还可用于测量超声速气流。另一种压力型风速计是文丘里管,它的两端都是开口的,且两端面的直径大于中部断面的直径。测量管内喉道处的压强,就可确定空气流速。文丘里管在工业中有一定应用。

anemone 银莲花 又作pasqueflower或windflower。毛茛科银莲花属(*Anemone*)约120种多年生植物的通称。俗称风花,因其花似为风所吹开。又因开展银莲花(*A. patens*)、草

五叶银莲花(*A. quinquefolia*)
美国不列颠百科全书公司供图

地银莲花(*A. pratensis*)及白头翁银莲花(*A. pulsatilla*)等象征复活节,银莲花又称复活节花。罂粟状银莲花(罂粟秋牡丹,*A. coronaria*)具块茎,有许多鲜艳的品种,用于花卉贸易。春季开花的有亚平宁银莲花(*A. apennina*)、希腊银莲花(*A. blanda*)和孔雀状银莲花(*A. pavonina*),常用于移植。湖北金莲花(*A. hupehensis*)或称日本银莲花(*A. japonica*),是秋季开花的沿边花坛花卉。有些种因为果实构造不同,而被视为独立的属——白头翁属(*Pulsatilla*)。银莲花广布于世界各地,最常见于北温带的林地和草甸。欧洲的木质银莲花指森林银莲花(*A. nemorosa*),能引起皮肤起疱,以前曾药用,开白花。北美的木质银莲花是指五叶银莲花(*A. quinquefolia*),是雅致的花卉,叶深裂。

anemone fish 海葵鱼 鲈形目雀鲷科双锯鱼属(*Amphiprion*)种类的俗名,约12种印度洋-太平洋鱼类的统称,以其与大型海葵共生而闻名。生活并隐蔽于海葵的触手之间,游

三带双锯鱼(*A. percula*)
美国不列颠百科全书公司供图

进游出,并不为海葵触手上的刺丝胞所伤害,而刺丝胞对其他鱼类则可致命。常见于印澳岛系的一个代表种为三带双锯鱼(*A. percula*),俗名小丑鱼,体鲜橙色,环体有3条蓝白色宽带,长约5厘米左右。

Anencletus, Saint(pope) **阿南克莱图斯,圣** 参阅**Anacletus, Saint**阿纳克莱图斯,圣。

Anerio, Felice 阿内里奥(约1560,罗马～1614-09-26或27,罗马) 当时罗马杰出作曲家之一,1594年接替其师帕莱斯特里纳担任教皇圣堂作曲家。早期作品大多为世俗乐曲,但在担任教廷作曲家后开始悉心创作圣乐。他的风格多以帕莱斯特里纳的风格为蓝本,但后期作品颇具个人特色,包括牧歌、弥撒曲、经文歌和其他圣乐。

anesthesiology 麻醉学 又作anaesthesiology。研究麻醉及其相关事物(如复苏术和疼痛)的医学学科。麻醉学之所以会发展成为一门医学专科,是因为麻醉是有危险的,要用毒性很大的药物*麻醉药*(**anesthetic**)达到止痛的目的,剂量须谨慎掌握。19世纪,手术室由外科医师指挥,麻醉术降为次要角色。但医师们渐渐认识到,必须要有一批训练有素的专职麻醉医师,他们能使以前简直难以想象的手术得以进行,使一些以往认为病情太重无法接受麻醉或手术的患者得以接受手术治疗,从而扩大了外科的领域。20世纪初,愿意从事麻醉学的医师为数很少,但到了20世纪30年代中期

美国麻醉科管理学会成立，授予受过适当训练的医师麻醉师资格，麻醉科得到正式承认。今天，几乎每一所医学院皆专门设立独立的麻醉科或将它作为外科的一个分支。

原先麻醉学仅涉及全身麻醉药的应用，麻醉师的活动范围仅限于手术室中。注入脊髓周围脑脊液的局部麻醉药发明后，手术时用以缓解疼痛的方法更多了。这可能对外科医师施行手术有利，但也剥夺了患者自然呼吸的能力，结果麻醉师成了呼吸循环生理学的专家，也熟悉了用以支持及监视呼吸、循环系统的设备和作用于这些系统的药物。进行的手术越来越复杂，病情更严重的患者包括年龄极小和年龄极大的也都能接受手术。因为手术室中每个具体患者所需的照顾各不相同，手术完成后也不能立即终止，所以复原室、重病监护室及呼吸监护室成为必不可少的，在这些场所麻醉师成为中心人物。

总之，现在麻醉学可定义为涉及（又不仅限于）下列内容的医学学科：①使病人在接受外科、产科手术或其他医疗操作时不感疼痛和心理压力；②在麻醉和手术操作的应激反应状态下，支持患者的生命功能；③处理各种原因的丧失意识的患者；④处理有关缓解疼痛的问题；⑤处理有关心肺复苏术的问题；⑥施行特异性的呼吸疗法；⑦处理各种体液、电解质和新陈代谢的紊乱。因此，生理学、生物化学、药理学和临床医学等知识对麻醉师是绝对不可或缺的。

anesthetic　麻醉药　又作 anaesthetic。能导致局部或全身性的、包括痛觉在内的感觉消失的药物。全身麻醉药可同时导致意识丧失，主要用于外科镇痛。局部麻醉药可阻断神经传导，故可致身体局部的感觉消失。多少世纪以来，人们一直在设法用各种药物来缓解外科手术给病人带来的痛苦。荷马曾经提到过的“忘忧药”可能就是大麻或鸦片。阿拉伯医生用的是鸦片和莨菪。后来，英国水兵在战船上做战伤急救时，都是先用烈性酒把伤员灌醉再动手术。1799 年，英国化学家和发明家 H.戴维发现氧化亚氮（笑气）吸入有麻醉作用，但他的发现对外科的意义并没有引起重视。至 19 世纪 40 年代初，一种类似于“娱乐性药物聚会”已在英、美流行，聚会时将氧化亚氮灌入气囊，大家轮流吸入，享用其催眠效果。后来人们发现乙醚不仅麻醉效果好，而且更便于携带，装在小瓶里就行了。美国的几位牙医和外科医生曾各自独立地在拔牙和一些小手术中用氧化亚氮或乙醚为病人解除手术痛苦。1845 年美国牙医 H.韦尔斯想当众演示他在氧化亚氮麻醉下的拔牙手术，但很遗憾，他未能成功。科学家仍在争论谁第一个做到外科麻醉而应受到赞誉，但是第一位使医学界确信全身麻醉是一项实用技术的人是美国牙科医生威廉·莫顿。1846 年 10 月，他在波士顿马萨诸塞州医院成功地用乙醚麻醉为一例颈部肿瘤患者施行了切除术。另一位美国外科医生 C.朗自 1842 年起就使用过乙醚，但他直到 1849 年才公之于众。莫顿的手术演示以后几周，英国伦敦的大学学院医院的 R.利斯顿又成功地用乙醚麻醉完成了一例截肢手术。1853 年，英国维多利亚女王正式批准麻醉药的合法使用，她的第 8 个孩子利奥波德王子就是在氯仿麻醉下出生的，当时的御医是约翰·斯诺。早期的麻醉药有许多不愉快的副作用（常在恢复期中引起呕吐），而且造成意识丧失和肌肉充分松弛（松弛才便于手术师工作）的剂量和导致呼吸中枢麻痹的剂量所差无几。再加上麻醉设备太简单，只是在玻璃或金属容器中放上浸有乙醚或氯仿的海绵，根本无法控制剂量。氯乙烯和氟烷等现代吸入性麻醉药的安全区范围都很宽，而且是混同氧气和氧化亚氮通过麻醉机使用，这样麻醉师就能准确地控制吸入性麻醉药的成分和剂量。同时当需要时，在病人失去意识后借助设置气管内插管，便可用机械辅助呼吸。通过密闭管道给药还能有效地防止异物（黏液、唾液或呕吐物）的意外吸入。呼吸得到人工维持，于是就可将肌肉完全麻痹，例如使用神经肌肉阻滞药“箭毒”，这样，一些需要肌肉完全松弛的手术如胸腹外科，就可以在浅麻醉下进行。很多时间不长的手术，可用静脉麻醉药硫喷妥钠，或一次性注射，或静脉点滴。为了减轻痛苦，在使用吸入性全身麻醉药之前，也常常先用巴比妥类药物作基础麻醉，打药之后十几秒，病人即可睡去。局部麻醉药的作用机制是阻断神经传导。1884 年，一位维也纳外科医生 C.科勒按照 S.弗洛伊德的建议，用可卡因做局部麻醉进行眼科手术。局部麻醉剂的使用经历了一个从局部使用、皮下注射，到阻断较大的神经干支的发展过程。现代广泛使用着合成的可卡因替代物，但用法未变。下半身进行大手术时也可选择适当的局部麻醉药注射到脊髓同其外膜间的空隙中（脊髓麻醉）。无痛分娩也可硬膜外阻滞，即将药通过细管注入脊髓下端的硬脊膜外腔中，使供应盆腔器官的神经浸泡在麻醉药中。近年来，针刺麻醉引起了人们很大的兴趣，将针刺入皮肤上的特定穴位可以无痛地进行很多大手术，针上也常通以电流。某些研究结果启示，针刺刺激周围神经可触发内啡肽的释放，内啡肽是体内一族抑制痛觉的神经化学物质。

aneuploidy（biology）　**非整倍性**　参阅**ploidy** 倍性。

aneurysm　动脉瘤　血管（通常为动脉）壁的某一部分因病变而向外膨出，形成永久性的局限性扩张。血管壁因疾病或损伤而变得薄弱，并可在血压作用下向外膨出，形成囊状凸起。真性动脉瘤（又称夹层动脉瘤）的典型形态成于动脉中层和外层之间的撕裂，以及因此而出现的动脉壁内血肿形成。假性动脉瘤可成于动脉壁的任何部位，其壁多由纤维结缔组织构成。病因为动脉粥样硬化、动脉栓塞、梅毒、外伤或先天性血管疾病。单个、小的动脉瘤可存在多年而无任何症状。腘动脉瘤因其位于膝关节后面、位置表浅、膨出及其脉动感，故很容易被患者感知。腘动脉瘤极易引起动脉血栓形成，引起下段肢体的动脉供血不足，严重时可致小腿坏疽。手术修复是治疗腘动脉瘤的有效方法。真性动脉瘤的易发部位是主动脉，尤其是降主动脉。主动脉夹层动脉瘤的症状可随病变位置及所累范围的不同而有所差异。如主动脉瘤压迫了气管、支气管，患者就可表现出呼吸道症状，如咳嗽、呼吸困难等。因动脉瘤多呈进行性发展，而且随年龄增长，血管壁也逐渐变得薄弱，故其最大的危险是破裂、大出血。因真性动脉瘤成于动脉的中层劈裂，故患者可有剧痛；动脉瘤破裂可致患者急性出血性休克。脑动脉瘤破裂出血是中风的主要原因之一。发生在较小动脉的动脉瘤的治疗多以结扎为主，然后机体通过侧枝建立新的循环模式。而发生在大动脉的动脉瘤则需将病变动脉切除，然后代之以人造血管。

Anezaki Masaharu　姉崎正治（1873-07-25，日本京都～1949-07-23，热海）　号嘲风，日本学者。在宗教史的各个领域做了开创性工作。毕业于东京帝国大学（今东京大学），后去印度及欧洲进修（1900～1903）。归国后，任东京帝国大学宗教学教授。他以印度宗教，特别是佛教开始自己的学术生涯。他是最早将近代客观的历史的方法用于佛教研究的学者之一。1910 年发表《佛教起源》，对巴利文和汉文佛典进行研究，还开创日本天主教史的研究。1916 年发表《佛教先知日莲》。曾在美国哈佛大学讲学（1913～1915），其讲义经编辑成为《日本宗教史》（1930）。

Anfinsen, Christian B.　安芬森（1916-03-26，美国宾夕法尼亚莫内森～1995-05-14，马里兰兰德尔斯敦）　全名 Christian Boehmer Anfinsen。美国生物化学家，与 S.穆尔和 W.H.斯坦因研究阐明蛋白质分子结构与其生物功能之间的关系而共获 1972 年诺贝尔化学奖。安芬森 1943 年获哈佛大学生物化学博士学位，后任多种研究和教学职务。他于 1950 年成为国家卫生研究院（马里兰州贝塞斯达）的工作人员，并在 1963～1982 年领导国家关节炎、代谢和消化疾病研究所的化学生物实验室。他自 1982 年起任约翰斯·霍普金斯大学生物学教授，直至去世。安芬森在他获诺贝尔奖的研究中查明，核糖核酸酶如何折叠形成特征性三维结构与其功能相适应。著有《进化的分子基础》（1959）。

Ang　翁　高棉语，指有皇族血统的人，通常译作“亲王”或“公主”。有关此类人物的条目，均从本人姓名。比如 Ang Duong 条，参阅 **Duong**。

Ang Thong　红统　又拼 Angtong。又称昂通。泰国中部城镇和府名。府首府红统镇和巴莫均位于湄南河左岸。有公路通大城（阿育他亚）。红统府面积 968 平方千米，出产稻米、玉米和油料作物。人口：城镇 9 520；府 256 706（1980）。

aṅgā　应伽　指佛教经籍早期分类法所列的类别。上座部和大众部采用古老的 9 部分类法。其他部派，特别是大乘，通用 12 部分类法。9 部分类是：①修多罗（契经），即以散文形式所记的佛陀说教；②祇夜（重颂），即混有偈颂的修多罗；③和伽罗那（授记），即讲解或预言；④伽陀（偈颂），即偈体的经文；⑤优陀那(自说)，是释迦牟尼的特别言教，或为散文，或为偈颂；⑥伊帝目多伽(如是我闻)，即以“如是我闻”开端的释迦牟尼言教；⑦阇多伽(本生，参阅 **Jātaka**)，记佛过去世因缘的经文；⑧阿浮陀达磨(未曾有)，记神通及超自然之事；⑨毗佛略(或为“妙析”之意)，此类在巴利文分类法是教义问答。在梵文分类法是“方等部”，包括若干大乘作品。梵文12部分类法在此以外另加尼陀罗(因缘)、阿婆陀那(善行录，参阅 **Apadāna**)和优婆提舍(论议)。后世佛教在以上诸类之外又把阿毗达磨(论藏)列为正典。

Aṅgad　安格德(1504，印度马泰迪瑟赖～1552，哈都尔)　又名莱赫纳或拉希纳。锡克教第二代祖师。他创造旁遮普语的果鲁穆琪字母，锡克教圣书《阿底·格兰特》中多处用这种字体书写。他于1539年任祖师，遂即开办学校，不用古典梵文而用旁遮普语授课。他重视体育，强调身心共同发展，并提倡不分种姓的免费食堂制。

Angara River　安加拉河　俄罗斯中部东南方河流。源出贝加尔湖，为叶尼塞河主要支流。长1 779千米。流域面积104万平方千米。水力资源丰富。已建成的大坝和电站有：伊尔库茨克(1956)、布拉茨克(1964，水库面积5 504平方千米)和乌斯季伊利姆斯克(1977)。20世纪末，在乌斯季伊利姆斯克下游兴建博古恰内大坝和水电站。电力供沿河的伊尔库茨克－切列姆霍沃工业区使用。

俄罗斯伊尔库茨克的安加拉河

美国不列颠百科全书公司供图

angaria　驿运　按波斯阿契美尼德王朝驿邮模式建立的罗马帝国驿邮制度。它可能创始于公元前6世纪的居鲁士大帝，全天候为王室昼夜兼程投递紧急文书。驿马由官吏强制人民提供并饲养。

Angarsk　安加尔斯克　俄罗斯中部东南方伊尔库茨克州城市，有西伯利亚大铁路经过。1948年建。迅速发展为石油炼制和石油化工中心。主要工业产品有合成纤维、化肥、塑料、锅炉和水泥。有电机厂和酿酒厂。从西西伯利亚油田有原油管道通到安加尔斯克炼油厂和石油化工联合企业。人口约268 500(1991)。

angary　非常征用　在国际法中，指交战国有权征用在本国领土管辖范围内的中立国的商船、飞机以及其他交通工具。一般讲来，只有在战时的迫切需要下，才能使用非常征用权，而且应向中立国的产权所有人支付补偿。实际上，行使非常征用权的范围不仅包括陆上和海上交通工具，而且扩大到在交战国管辖范围内的任何种类的中立国财产。第一次和第二次世界大战期间，曾在一些情况下使用非常征用权。例如根据1918年3月20日的公告，美国总统曾征用停泊在美国水域内的荷兰籍商船。英、法、意三国也采取了同样行动。1941年尽管美国形式上仍是中立国，但它曾征用停泊在其领海内的外国船只，其所以征用，是根据法令授予的特别权力。

Ängby Stone　昂比石碑　在瑞典乌普兰发现的11世纪石碑。上面有古代北欧的如尼字母铭文。它是已知最早的乌普兰专业雕刻家阿斯蒙·卡雷逊雕刻的。石碑上刻有马耳他十字架，十字架周围有两条缠绕在一起的蛇。铭文如下：“拉格弗里德立此碑以纪念她和卡蒂尔蒙的儿子比约恩。彼死于弗兰河(在爱沙尼亚)。愿上帝和圣母拯救其灵魂。此碑为阿斯蒙所刻。”在瑞典的弗勒松达的另一石碑上，也发现了这个铭文的复制品。

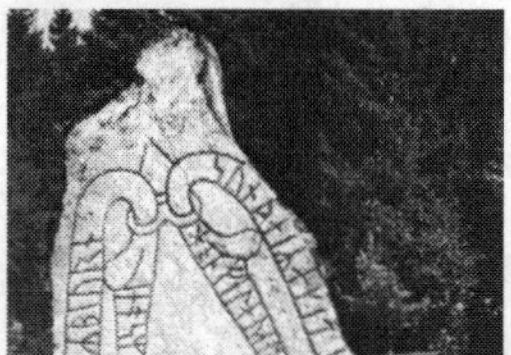

昂比石碑

美国不列颠百科全书公司供图

angel　天使　主要指西方宗教(琐罗亚斯德教、犹太教、基督教和伊斯兰教)中居于神圣境界(即超越宇宙的境界)与世俗境界(时间、空间、因果的境界)之间的一切仁慈的灵体、神力和元质。相当于东方印度教的下凡神和佛教的菩萨。

天使的任务是充当神的使者或仆人以及个人或国家的保护者。西方主要宗教以及其他教门的神学家或哲学家将天使分成不同的等级，通常分为4等、7等或12等，大致以希腊化文化或伊朗占星术的天体论为依据，或者按照东方君主政府的官阶进行划分。在琐罗亚斯德教中，伴随主神阿胡拉·玛兹达的天使分7级：圣灵、善思、正义(天则)、随心、王国、完璧和不朽。

犹太教没有严格划分天使的等级。在《圣经》以后的犹太教中，有7位天使，或称天使长统率天军。按外典《以诺一书》第20章记载，7位天使长分别为乌列、拉斐尔、拉盖尔、米迦勒、撒里尔、加百列(撒拉弗和噻嚼咱)和利米尔，其中有两位(米迦勒与加百列)见于《旧约》，还有两位(拉斐尔与乌列)仅见于《外典》。在拉比文献中，天使分为高低两大类：高级天使有撒拉弗、噻嚼咱及俄珐宁天使，皆见于《旧约》。与《死海古卷》有关的教派认为高级天使包括光明天使、黑暗天使、毁灭天使及神圣天使。

基督教的天使等级系由犹太教传统发展而成。除一般天使、天使长、撒拉弗、噻嚼咱而外，《新约》的保罗书信中还提及5种天使，在崇拜礼仪方面，天主教与东正教均特别重视天使长米迦勒、加百列及拉斐尔。

伊斯兰教承袭犹太教与基督教的传统观念，也发展一套天使的等级，按地位重要程度依次排列为：支撑安拉宝座的4位天使，分别以人、公牛、鹰和狮为象征；颂赞真主的凯鲁比云；4大天使(吉布里勒、米卡伊来、阿兹拉伊来、伊斯拉非来)；以下则为次要天使。由西方主要宗教中演化而来的各种宗教，如德鲁兹派、诺斯替教以及摩尼教往往把流溢说或占星术的观念纳入其关于天使的概念中。

angel dust(drug)　**“天使粉”**　参阅 **PCP 苯环己哌啶**。

Angel Falls　安赫尔瀑布　又称丘伦梅鲁瀑布。在委内瑞拉玻利瓦尔州圭亚那高原，

委内瑞拉玻利瓦尔州境内的安赫尔瀑布

美国不列颠百科全书公司供图

卡罗尼河支流丘伦河上。落差979米，为世界最高瀑布。底宽150米。从平顶高原奥扬特普伊山直落而下，几乎未触及陡崖面。1935年发现。美国探险家J.安赫尔所乘飞机1937年在瀑布附近台地撞毁，故以其姓氏命名。瀑布为密林遮掩，宜从空中赏看。

Angel of Death "死亡天使" 参阅**Mengele, Josef 门格勒**。

Angela Merici, Saint 安耶拉·梅里奇，圣 (1470或1474-03-21，威尼斯共和国代森扎诺［意大利］～1540-01-27，布雷西亚) 天主教最古老的致力于教育工作的乌尔苏拉会的创立者。幼年失去双亲，寄居萨洛其叔父家中，随后入方济各会第三会。20岁返回代森扎诺，聚集一批青年妇女向儿童讲授《教理问答》。1535年在布雷西亚与另外28名女信徒向天主发愿终身守贞，于是乌尔苏拉会宣告成立。1536年她制定会规，要求向青年妇女进行基督教教育，以便振兴家庭从而振兴社会。1537年被选为该会会长。

Angeles 安赫莱斯 菲律宾吕宋岛中部直辖市，坐落在首都马尼拉市以北82千米处的南北向公路干线和铁路干线上。该市设有安赫莱斯大学(建于1962年)、一所罗马天主教神学院和其他几所学院。安赫莱斯曾一度以"美元城"而闻名，其经济得益于设在该城附近的克拉克美国空军基地。这个基地提供了大量的就业、住房和商业经营的机会，使该市得以迅速发展。但由于1991年皮纳图博火山爆发以及随后美国政府决定放弃被火山灰覆盖的空军基地，安赫莱斯市的前景也变得难以预测。1963年设市，人口约236 000(1990)。

Angeles, Victoria de los 安赫莱斯(1923-11-01，西班牙巴塞罗那～2005-01-14/15，巴塞罗那) 原名Victoria Gómez Cima。西班牙女高音歌唱家，以演唱西班牙歌曲和歌剧及其音色甜美、富于魅力而赢得声誉，在欧洲及南北美洲演出备受欢迎。出身音乐家庭，曾在巴塞罗那的李西奥音乐学院学习钢琴与声乐。1945年首次参加歌剧演出，扮演莫扎特《费加罗的婚礼》中的伯爵夫人。1947年获日内瓦国际声乐比赛一等奖后，即在全欧举行音乐会及歌剧演出。1950年在伦敦科文特加登剧院(扮演普契尼《绣花女》中的咪咪)、米兰拉斯卡拉歌剧院(扮演R.施特劳斯《阿里阿德涅在纳克索斯岛上》中的主角)、纽约卡内基音乐厅等地的演唱均获极大成功。翌年首演于大都会歌剧院，扮演古诺《浮士德》中的玛格丽特。安赫莱斯是一个优秀的多才多艺的艺术家，经常进行巡回演出。

angelfish 神仙鱼 一些并非近缘的鲈形目鱼类的统称。家庭水族箱中最普通的神仙鱼属于天使鱼属(*Pterophyllum*)和丽鱼(**cichlid**)一科。体高而薄，背、臀、腹鳍均长。可分为1～3种，各家意见不一：天使鱼(*P. scalare*)、爱氏天使鱼(*P. eimekei*)及高体天使鱼(*P. altum*)。原产于南美洲淡水水域；体长可达15厘米；通常银白色，具垂直的暗色花纹，但也有纯黑或部分黑色的。肉食性，有保护卵及幼体的习性。热带珊瑚礁中的色彩鲜艳的海洋神仙鱼属于刺盖鱼科，有时同相似的蝴蝶鱼一起置于蝴蝶鱼科。体高而侧扁，口小，

一种天使鱼属(*Pterophyllum*)神仙鱼
美国不列颠百科全书公司供图

鳞粗糙，最大的可长达约46厘米。与蝴蝶鱼的区别在于两颊各具一锐刺，以海藻及各种海产无脊椎动物为食。刺盖鱼科产于大西洋及印度洋-太平洋，不足100种。很多种幼体的颜色与成体不同。常见的种有印度洋-太平洋产的黑金二色的黑黄神仙鱼(双色刺尻鱼，*Centropyge bicolor*)，大西洋产的黑黄二色的法国神仙鱼(弓背刺盖鱼，*Pomacanthus paru*

皇帝神仙鱼(*Pomacanthus imperator*)
美国不列颠百科全书公司供图

或*P. arcuatus*)、大西洋产的蓝黄二色的皇后神仙鱼(*Holacanthus ciliaris*)以及印度洋-太平洋产的蓝、黑、黄三色的皇帝神仙鱼(线纹刺盖鱼，*Pomacanthus*［或*Pomacanthodes*］*imperator*)。

angelica 当归属 伞形科(Umbelliferae)的一个大属，为芳香草本植物。欧亚种圆叶

欧亚种圆叶当归(*Angelica archangelica*)
美国不列颠百科全书公司供图

当归(*Angelica archangelica*)的根和果可提炼当归油，用作利口酒调味剂和香水的原料，嫩苗用于制作糖果，根和叶泡水是治疗呼吸器官疾病的传统药物。欧亚种圆叶当归盛产于法罗群岛和冰岛，用作蔬菜。英国种林白芷(*A. sylvestris*)是高大的多年生草本，二回羽状复叶，花白色或紫色，复伞形花序。美国的暗紫色当归(*A. atropurpurea*)俗名为亚历山大当归。

Angelica 安琪利加白葡萄酒 伴甜食用的甜酒。因原产于美国洛杉矶附近而得名，为加利福尼亚最老的一种酒。最初，可能是用18世纪西班牙传教士带到当地的欧洲品种的葡萄酿造的。早期的安琪利加酒味道极佳；从19世纪70年代保存至今一个多世纪的酒仍保持醇美可口。

angelica tree (species *Aralia spinosa*) **多刺楤木** 又作devil's walking stick、Hercules' club或prickly ash。又称应息手杖树、赫丘利斯之杖。五加科灌木或乔木。茎具皮刺，株高可达15

多刺楤木(*Aralia spinosa*)
美国不列颠百科全书公司供图

米。羽状复叶大，常具刺。产于美国自特拉华至印第安纳，南至佛罗里达，西至得克萨斯，生于低地。

Angelico, Fra 安吉利科(约1400，佛罗伦萨共和国维基奥［意大利］～1455-02-18，罗马) Fra意"弟兄"。原名Guido di Pietro，又称Giovanni da Fiesole。意大利画家，15世纪最伟大的画家之一，他的作品在文艺复兴前期佛罗伦萨风格的体系内，体现宁静的宗教心情，反映出古典主义的强烈影响。

圣多米尼克时期 受洗礼时得教名圭多·迪·彼得罗。1417年他以这个名字得到画家的声誉。同年他与晚期哥特式传统的细密画画家B.桑圭尼合伙，此人后来成为他的助手。在1420～1422年间的某个时候，他成为多明我会的修士，定居菲耶索莱的圣多米尼克修道院，取名乔凡尼·达菲耶索莱修士。

安吉利科大概曾经师从哥特式传统最伟大的画家和细密画巨匠L.莫纳科，他的绘画中可以见到莫纳科的影响：笔法清澈细腻，颜色鲜明光亮，使得人物似乎超凡脱俗。在两幅小祭坛画《圣母马利亚》和《圣母领报》中，这些特点是很明显的。他为佛罗伦萨圣三一教堂所作的《把耶稣从十字架上放下》原是莫

安吉利科绘《圣母领报》(1438～1445)
美国不列颠百科全书公司供图

纳科的任务,他在1425年去世之前已经开始动笔。莫纳科将它分成三联,并且画完了建筑物的3个小尖塔。但是,安吉利科使它成为一幅统一的祭坛画,画面有广阔的风景,主要为一五颜六色的丘陵上的城镇。这可能是想象中科尔托纳的再现,安吉利科修士曾经在那里呆过一个时期,而且在那里可以见到他的一些重要作品。背景前面的人物三五成群,轮廓分明。人物的面貌画得极为精细,企图使之与肖像画完全一样。如此处理人物形象表明安吉利科对于早期文艺复兴艺术所特有的形式主义具有深厚的知识。

安吉利科在菲耶索莱的生活中,将当修士的虔诚修炼和当画家的持续活动交织在一起。G.瓦萨里形容他"有如圣者,技艺超群",而在他去世后不久,就由于他道德高尚而被称为"安吉利科"(意"天使般的")。后来,这一称呼变成了他最广为人知的名字,前面往往加"蒙福者"一词。

安吉利科了解而且紧跟当时的艺术新潮流。他用透视手段表现空间,例如在《最后的审判》和《圣母加冕》等大型作品中,人物的形象越往后列越模糊,使人产生空间的感觉。这与他同时代的佛罗伦萨伟大画家马萨乔的作品中的透视法相似。安吉利科的可以肯定年代的最早作品是1433年7月11日,为亚麻布商人行会绘制的巨幅三联画《亚麻布商人祭坛画》。这一祭坛画镶在佛罗伦萨雕刻家L.吉贝尔蒂设计的大理石圣坛中,描绘圣母和圣子面向前方,伟大庄严,他们周围是一些形体较小的温柔天使。此画发展了《圣母马利亚》的主题思想。这里的组像虽然类似14世纪佛罗伦萨的圣像图(即圣母和圣婴在宝座上,头顶有光轮),但结构上的形式主义可以看到马萨乔的影响。他在两扇折叠式遮板上所绘的4位圣徒也采用了同样的结构,使人感到有些牵强附会。安吉利科完成这一作品时又在装饰屏底部加绘了几幅窄条画,包括《东方三博士献礼》和《圣马可殉教》,故事交待得清楚而紧凑,透视极为分明,而在描绘施洗约翰命名的小幅画中,这一技法甚至更加富有成效。

1436年,安吉利科受委托为圣殿十字圣马利亚兄弟会绘制祭坛画,他于同年12月完成。在这幅宁静气氛的《哀悼》中,他所绘的人物围绕着基督的遗体敛心默祷。安吉利科的灵感来自14世纪巨匠焦蒂诺的一幅名画(现藏乌菲齐美术馆),但是他扩充了主题,容纳了更多的人物,布局也更复杂。他把人物安排在悲伤的场景中,一直跨越耶路撒冷长长的城墙,上面笼罩着铅灰色的天空。画中人物有的取材于宗教传说,有的取材于历史人物,这也许是为了强调信仰救世主的历史连续性。

也是在15世纪30年代,安吉利科画了佛罗伦萨文艺复兴时期最富灵感的作品之一《圣母领报》,现存科尔托纳主教管区博物馆。画面为天使将亚当和夏娃逐出伊甸园的图景,但占主要地位的仍然是报喜人和童贞女,她们被描绘在一个文艺复兴式门廊的空间。附饰画很巧妙地分成圣母马利亚的一些故事,用自然主义手法描绘,特别是《圣母往见》一幅为写实性的全景。安吉利科永远紧密遵从现实,甚至在运用细密画技法时也是如此。他偶尔顺从委托作画的人们的趣味,采用中世纪的技法(如金色背景),但是他所描绘的人物仍然具文艺复兴时期的神态,从画面上十分突出地显露出来,表明这位画家的绘画风格日益稳定和协调。安吉利科的《安纳林那祭坛画》也是15世纪30年代的作品,据现在所知,为文艺复兴时期的第一幅《神圣交谈》(即圣家族图)。

在圣马可修道院的年代　安吉利科于1439年进入佛罗伦萨的圣马可修道院。作为壁画家,他的大部分作品是在这里完成的。1436年圣马可修道院从西尔维斯特派修士会转给多明我会,1438年左右开始依照佛罗伦萨建筑师和雕塑家米开罗佐的设计图纸重建礼拜堂和宽敞的修道院。梅迪契家族慷慨解囊资助这一工程。约1438年,老科西莫·德·梅迪契委托安吉利科绘制祭坛,他再次画了《神圣交谈》。当1443年显现节举行奉献教堂仪式的时候,祭坛必须高高耸立俯临祭祀的场所。安吉利科所绘的圣母和圣婴高高地坐在宝座上,两旁的圣徒由近向远逐渐缩小。其中有梅迪契家的两位主保圣人科斯马斯和达密安。这幅作品结尾是浓密的柏、棕榈和松树林,天空深远而沉闷,人物似乎已经舍弃俗世的七情六欲,神情极度安祥。附饰画上绘有梅迪契家两位主保圣人的8个小故事,中间用一幅《圣母怜子》(即圣母马利亚抱住基督的尸体)隔开。不幸的是,这些画如今分散在不同的博物馆。所有场景的故事处理都比他以前的作品有条不紊,简洁明快。后来,他把这种创作手法运用到他的壁画上。

佛罗伦萨圣马可修道院的壁画标志着安吉利科绘画生涯的顶点。他在修道院大礼堂作了巨幅《基督被钉上十字架》,类似14世纪的《道德剧》,强调舍弃俗世的名利和唯有基督拯救灵魂。除了以天空为背景的钉在十字架上的3个人物以外,安吉利科画了几组举行宗教仪式的人物形象,安排得很有节奏,并有一个合唱队,包括殉教者、宗教组织创始人、隐修士、多明我会的保卫者(在这一惹人注目的场景下面绘有他们的系谱图),以及梅迪契家的两位主保圣人。在这一作品的广博之中,安吉利科发展了一种在他的早期祭坛画中仅略见端倪的思想。

他在修道院第一回廊和一些隐修室所作的许多绘画里描绘了对救世主的狂热崇拜。他在一个走廊里作了一幅《圣母领报》和一幅沐浴在灿烂阳光中的《神圣交谈》。在隐修室中,他至少画了20幅描绘修道生活的画,表明将自己奉献给受难的基督。这些狭小空间里的绘画作品很复杂,大概是在大师指导下由多人挥笔而成,其中有他最杰出的弟子B.戈佐利、以细密画出名的学生Z.斯特罗齐以及他最早期的合作者桑圭尼。在东侧前10间隐修室中的画,可以认定为安吉利科修士的亲笔。有3个主题特别值得注意:一是耶稣复活,一是圣母加冕,尤其是一幅色彩柔和、画在素白底面上的《圣母领报》。画上有殉教者圣彼得正在怯生生地面向圣母和天使祈祷,他那着色的衣服与圣母和天使衣服的两种微粉的雅致色调形成对比。由于修士立誓遁世,隐修室是不公开的密室,这就显示出修士画家创造一尘不染的纯洁形象,以鼓舞同辈修士们默思和祈祷的内心喜悦。这些绘画中的形象是一位画家同时又是他们的院长的抒情表现。

罗马时期　1445年底,安吉利科修士应教皇尤金四世之召去罗马,在那里逗留到1450年左右。但是在1447年夏天,他曾负责装饰奥尔维耶托大教堂中的圣布里齐奥小礼拜堂。安吉利科的助手(首先是戈佐利)在这座小礼拜堂里与他密切合作,绘制两幅布满人物的油画,一幅是最高审判者基督在天使们中间,一幅是先知们的合唱队。安吉利科只完成了两幅油画的一部分,50多年以后由西纽雷利续笔完成。

在罗马,安吉利科为圣彼得大教堂的一个小礼拜堂(约1446～1447)、梵蒂冈圣事堂(不早于1447)和教皇尼古拉五世的画室(1449)所作的湿壁画均已被毁。但是,梵蒂冈现仍存有他为尼古拉五世小礼拜堂所作的装饰画。画面是司提反和劳伦斯二圣徒的生平事迹,还有一些福音传道者和其他圣徒的形象,构图有一部分与圣马可修道院祭坛画的附饰画相同。圣司提反和圣劳伦斯的祝圣场面均安排在庄严肃穆的大教堂内部，而圣劳伦斯的施舍场面则以一座神庙为背景。在这一场景中，安吉利科使围绕着助祭圣徒的受穷受苦的人们饱含一种安祥宁静的神情，以灵光净化和照亮他们，让他们同祭坛画上的神圣形象处于一样的地位。同时，这些作品的组织结构以及其中建筑物的处理手法标志着他作为文艺复兴艺术家的发展达到了顶峰。

1450年左右，安吉利科修士回到佛罗伦萨。他在那里仍当修士，并出任菲耶索莱的圣多米尼克修道院院长(1450～约1452-06)。他在这一时期最著名的作品是为佛罗伦萨至圣圣母领报教堂的圣所银柜的门绘制的35幅组画，画面有基督生平事迹和其他主题的场景。这些作品经过全面的重画，很可能是尼古拉五世小礼拜堂那些被毁的图画的翻版。虽然这些作品的真伪问题仍有争论，但《屠杀男婴》、《逃亡埃及》和《圣母进殿》似乎是安吉利科的手笔，因为人物身材修长，欢快自然，而且环境和风景占有很大面积。这种特征是由艺术家在壁画方面的丰富经验而来。但是，在小幅图画中，大多都有一种不连贯和死气沉沉的情况，说明是学生们描绘的，他们的技艺与安吉利科修士那种难以用言语形容的诗情画意相比还有很大差距。他在穆吉罗的兄弟森林修道院所作的晚期祭坛画中仍有一定的宏伟气魄，该画现存佛罗伦萨圣马可修道院博物馆。

在1453或1454年，安吉利科修士再次去罗马，卒于第一次到罗马时下榻的多明我会修道院。被安葬在修道院附近的弥涅尔瓦圣母教堂。

评价　安吉利科修士除了对自己的门徒有影响外，在佛罗伦萨，特别是1440～1450年间，甚至对F.利比那样有造诣的大师都曾产生重大影响。作为一名修士，15世纪以及后来的著作中对他大加称颂，有些著作给他戴上了传奇性的光环。作为一位画家，他早在1438年就受到同时代画家D.韦内齐亚诺的推崇。瓦萨里在《意大利杰出画家、雕塑家和建筑师传》中叙述安吉利科的一节虽然传记资料不确实，但是把安吉利科修士放在文艺复兴的框架内却是正确的。迄18世纪末，瓦萨里的确切评语一直是定论。但到18世纪末，新古典主义时期的作家们运用一种哲学和说教性质的评价标准，把他放在自己的时代以外，甚至归入14世纪，这样一来，他就成了一位过渡时期的艺术家。不过，现代的艺术评论家们几乎一致又把他纳入文艺复兴的范畴。安吉利科修士以古典的尺度体现了一种深厚的宗教感情。

Angell, Sir Norman　安吉尔(1873-12-26，英国林肯郡霍尔比奇～1967-10-07，萨里克罗伊登)　英国经济学家、国际和平活动家、1933年诺贝尔和平奖获得者。在法国、伦敦和日内瓦接受教育后，1890～1898在美国当过牛仔和探矿者，后成为《圣路易斯环球民主报》和《旧金山纪事报》撰稿人。回到欧洲后，继续担任编辑职务，其中担任《加利纳尼信使报》编辑(1899～1903)和《外交问题》编辑(1928～1931)。安吉尔最著名的著作《大幻想》(1910)被译成20多种文字，该书试图论证，通过征服和战争给一个国家带来巨大经济利益并保证使它得到生存空间及市场、贸易和原料的主张是荒谬的。《大幻想，1933》(1933)探讨自第一版出版23年以来的经济发展情况和经济思想。安吉尔是个多产作家，有时一年创作一部以上的书。

Angell, Robert Cooley　安吉尔(1899-04-29，美国密歇根底特律～1984-05-12)　美国社会学家，以研究个人与社会集团的关系著称。这些社会集团包括政府单位、教会、家庭、企业、会社、合作团体以及其他社团。1924年获安阿伯密歇根大学哲学博士学位，留校任教，1935年任社会学教授；1969年任名誉教授；1940～1952年任系主任；1961～1965年任消弭争端研究中心副主任；1966～1971年任中等学校社会学资料中心主任。著述甚多，有《校园》(1928)，此书专门研究美国大学生的学习生活；《在校大学生辅导工作研究》(1930)；《面临经济大萧条的家庭》(1936)；《美国社会的种族融合》(1941)；《美国城市中种族平等的道德风尚》(1951)；《自由社会与道德危机》(1958)；《苏联与美国杰出人物研究》(1963)；《和平在进展中》(1969)及《世界秩序探索》(1979)。

Angelou, Maya　安吉洛(1928-04-04，美国密苏里圣路易斯～　　)　原名玛格丽特·约翰逊。美国黑人女诗人。她的几卷自传探讨了经济、种族和性压迫的主题。她虽然在圣路易斯出生，但大部分童年是在阿肯色州斯坦普斯乡村由外婆照管。8岁时被母亲的男友强奸，经受了很长一段缄默不语的时期。这段早年生活是她的第一部自传《我知道笼中鸟为何歌唱》(1970)描写的中心。后来的几部自传包括《以我的名义集合》(1974)、《一个女人的心》(1981)、《上帝的所有孩子都需要旅游鞋》(1986)。1940年安吉洛与母亲移居旧金山，在该地当舞蹈演员时使用现艺名。她的文学天赋是她早年的一位导师发现并加以培养的。50年代末她来到纽约市，在此得到哈勒姆作家协会的鼓励。60年代期间她在埃及和加纳住过几年。她的诗收入《在我死前给我喝一口冷水就行》(1971)、《我依然站起来》(1978)、《我不会被改变》(1990)这样一些诗集里。这些诗大量采用了她个人的经历，但也采用了不同人物的观点。她还写有一本沉思录《我此行不会一无所获》(1993)和一本儿童读物《我油漆过的房子、我友爱的小鸡和我》(1994)。1981年担任北卡罗来纳州温斯顿-塞勒姆的韦克福里斯特大学美国课题研究的教授。

Angelus FAMILY　安基卢斯家族　12世纪前并不显赫，但其后产生过3个拜占廷皇帝的家族。皇帝阿历克塞一世康尼努斯最小的女儿嫁给费拉德尔斐亚(小亚细亚)的君士坦丁·安基卢斯以后，该家族开始发迹。此后，他们的许多成员成为曼努埃尔一世康尼努斯朝中的显贵，1185年卷入一场推翻安德罗尼卡一世康尼努斯而把伊萨克二世安基卢斯推上皇位的贵族革命。伊萨克与其弟阿历克塞三世为拜占廷诸帝中之最无能者。伊庇鲁斯和色萨利的专制君主都是君士坦丁·安基卢斯和狄奥多拉的直系后裔，在1204年后曾保卫了希腊北部免受西方人侵，其王朝一直延续到1318年。最后一名安基卢斯家族的显贵是1342年任色萨利总督的约翰。

Angelus SILESIUS　安杰勒斯(西里西亚的)(1624-12，西里西亚布雷斯劳[今波兰弗罗茨瓦夫]～1677-07-09，布雷斯劳)　原名谢弗勒尔(Johannes Scheffler)。宗教诗人。著有天主教神秘主义重要著作《嗟嘝啪式的漫游者》。他是信奉基督教信义宗的波兰贵族之子，曾任西里西亚厄尔斯公爵侍从医生。阅读J.伯麦等人的神秘主义著作以及早期教父著作，逐渐信仰天主教，1653年正式加入天主教会。1661年受神职为司铎，在信义宗与天主教的论争中，撰写55篇文章批判信义宗教义。他的第一部诗集《灵修讽喻诗》，于1657年出版，阐述天主教义，用对句体写成。

Angelus, Isaac (Byzantine emperor)　**安基卢斯**　参阅**Isaac II Angelus** *伊萨克二世·安基卢斯*。

Angerman River　翁厄曼河　瑞典语作Ångermanälven。瑞典北部河流，流经西博滕和西诺尔兰两省。源出近挪威边境的拉普兰，蜿蜒向东南流，途经威廉敏娜、奥瑟勒、索莱夫特奥和克拉姆福什，在海讷桑德东北几英里处流入波的尼亚湾。全长450千米。右岸的菲耶尔河和法克斯河是其两大主要支流。高原区的沃伊姆(面积80平方千米)和弗洛(111平方千米)两湖有效地调节了该河的流量。河流多瀑布，建有多处水电站。在32千米长的通航港湾上有木材厂和纸浆厂。

Ångermanland　翁厄曼兰　瑞典东北部的一省。东濒波的尼亚湾。南部和西部与梅德尔帕德省和耶姆特兰省相连。北部与拉普兰省和西博滕省毗邻。其东北一隅分属于西博滕省、耶姆特兰省和西诺尔兰省。它是*诺尔兰*(**Norrland**)地区世代相传的一个省份，有大面积的森林和大河，如法克斯河和翁厄曼河。主要城镇有*海讷桑德*(**Härnösand**)、索莱夫特奥和恩舍尔兹维克。面积为19 800平方千米。人口约154 240(1994)。

Angers　昂热　法国西部卢瓦尔河大区曼恩-卢瓦尔省城市和省会。临曼恩河，原为安茹首府，旧城临河左岸，有三座桥通杜特雷。罗马人统治时称尤利奥马古斯。9世纪开始安茹诸伯爵连续继位，金雀花王朝统治者在此建起一些宏伟建筑，其中以法国圣若望济贫院最引人注目，现辟为考古博物馆。其他古建筑有1230年建带护城河城堡(上有17个40～58米高城楼)、15世纪巴劳尔特宅邸(现为公共图书馆和艺术博物馆)和11世纪教堂(省政府所在地)等。市内中世纪所建的昂代加旺西大学，1875年重建为天主教西方

昂热市及其曼恩河畔的古城堡
美国不列颠百科全书公司供图

学院。传统行业有采石、酿酒、编绳缆等；新兴工业生产电子器件、照相器材和电梯。人口 151 279(1999)。

Angevin DYNASTY **安茹王朝** 参阅 **Plantagenet, House of** 金雀花王室。

Angevin empire 安茹帝国 12世纪后半叶开始，由英王亨利二世及其直系继承人理查一世和约翰统治的帝国，幅员从苏格兰起直到比利牛斯山。因亨利之父为安茹伯爵，所以3位国王皆称安茹国王。亨利在成为英格兰国王前即已拥有其大部在大陆上的领地。1150年通过母亲袭诺曼底公爵，1151年继承父爵成为安茹、曼恩和都兰伯爵，1152年与埃莱亚诺结婚，取得阿基坦公国，以及加斯科涅、普瓦图和奥弗涅。1113年亨利一世征服布列塔尼，1171年亨利二世之子杰弗里袭布列塔尼公爵，因此，布列塔尼最后也并入安茹帝国。虽然这些土地原来都是法国国王分封的采邑，但是集中到一个人手里，对直接统治较小地区的法兰西王国形成严重威胁。1154年亨利成为英格兰国王，直接统治全英格兰和南威尔士，并对北威尔士圭内斯公国拥有宗主权。1171年他吞并爱尔兰，直接控制该岛东隅，并在名义上统治其他部分。1174年苏格兰王狮子威廉一世在遭遇战中被俘，1174～1189年向亨利称臣。亨利想让几个儿子分治他的帝国，这个计划引起多次内讧和战争。

1189年亨利去世时，仅剩下理查和约翰二人。约翰虽于1177年起统治爱尔兰，但臣属理查。理查除爱尔兰以外，拥有其父的所有领地。约翰在位(1199～1216)初期，法王腓力二世奥古斯特夺取了诺曼底、安茹、曼恩和都兰。根据1259年《巴黎条约》，英格兰只保留了吉耶讷公国。1337年该公国被没收，加之英格兰声称拥有法国王位，遂引发百年战争。

Anghiera, Peter Martyr d' 安吉亚拉 参阅 **Peter Martyr d'Anghiera** 彼得(安吉亚拉殉教士)。

Angilbert 昂吉尔贝尔(约740，法兰克王国的亚琛[今在德国]～814-02-18，皮卡第的桑图拉[今在法国]) 法兰克诗人和查理曼宫廷的高级教士。他出身贵族，自幼在亚琛的宫廷学校受教育，拜阿尔昆为师，并同宫廷和皇族过从甚密。800年，他陪同查理曼前往罗马，是查理曼立遗嘱的见证人之一。794年，他被推举为皮卡第地方桑图拉隐修院院长。他所写的拉丁文诗歌表达一个有阅历的人的教养与情趣。有一部可能出自他的手笔的史诗片断描写宫廷生活和查理曼同教皇利奥三世的一次会晤，为此他赢得了阿尔昆给他起的绰号“荷马”。他的短诗显示出诗律的技巧，展现了一幅帝王圈子的画面。

angina pectoris 心绞痛 胸部绞痛。通常见于冠状动脉患病者并因过多劳动引起。是一种深在似被钳夹的疼痛，发生于胸骨后以及心和胃区，有时可放射至左肩并沿左臂内侧下传。疼痛常伴有憋闷窒息的感觉，不过很少有真正的呼吸困难。在急性病例，病人面色变白，脉搏危弱，常有即将死亡的感觉。在有些病例中，疼痛可以很轻，但疼痛的特殊性质仍会引起病人的焦虑。仅仅走路或更费力的活动，一时生气或恐惧或有其他情绪紧张，饱食后运动，或是单纯受到风寒，这些都可引发心绞痛。一个心绞痛发作的病人不得不停止他正在进行的一切活动并休息下来，而三四分钟后疼痛就会和起病时同样快地消退。心绞痛的发作是因为有病的冠状动脉不能向心肌提供足够的富氧血。动脉已因动脉硬化而变得狭窄，所以当心脏回血不足时废物就积累在心肌中，刺激神经末梢，造成心绞痛。随着病人的冠状动脉疾病恶化时，越来越轻的活动就可引起心绞痛。心绞痛罕见于中年以下的人，而男性要比女性多见。休息或使用硝酸甘油及其他扩张血管的药都可缓解心绞痛发作。避免情绪紧张以及从事比较不激烈的活动都可以减少发作的频度。在冠状动脉严重狭窄可能导致心肌梗死的病例中，必须进行手术，或从内部扩张血管，或用从身体其他部分取来未变狭窄的血管取代已病血管。

angiocardiography 心血管造影术 先往静脉内注射造影剂，接着进行连续摄片以观察血液通过心脏和大血管的情况的一种诊断方法。将一根细的塑料导管插入动脉(通常是臂部的动脉)，穿过肩部的血管，经胸部进入主动脉，再进入心腔(参阅 **cardiac catheterization**)。然后经导管注入造影剂。当用X射线示踪摄影时，可看到造影剂易于通过健康部分，但在因病变(如脂肪沉积)使血管管腔变窄或阻塞处，染料就变成涓涓细流或完全不能通过(动脉粥样硬化时的典型表现)。最常使用的有双平面心血管造影术(用每秒10～12幅的速率将X射线大片置于互成直角的两个平面上，以同时摄取两个不同的图像)及心血管荧光电影照相术(用光放大装置将X射线图像增亮数千倍并以每秒多至64幅的速率将其拍成电影。当投影速度为每秒16～20幅时，可以见到不透明的血液缓慢流动的图像)。心血管造影术可用于评价心血管外科患者的情况。这种方法虽然对估价心脏功能很有价值，但也是最危险的诊断手段之一，因为患者常对含碘化合物(包括造影剂)发生强烈反应。参阅 **contrast medium**。

angioedema 血管性水肿 又称血管神经性水肿或巨大荨麻疹。一种变态反应性疾病，表现为皮下巨大、局限性、无痛性肿胀，形似荨麻疹。好发于面部、手、足、生殖器、黏膜等处。发病急骤，可持续数小时至数日。多于接触变应原后引起液体大量积聚而肿胀(水肿)。遗传因素也是病因之一。许多药物及食物均可引起本病。用抗组胺药或肾上腺素即可控制。预后佳。遗传性血管性水肿较少见，病因为免疫系统缺陷，常于青春期后期或青年期发病。其肠道水肿可致疼痛、呕吐、腹泻。喉水肿可窒息致死。用治疗变应性血管性水肿的方法来治疗本病，效果不好。然而，人们已研制出一些治疗本病的药物。

angiography 血管造影术 又称动脉造影术。一种用以检查动脉及静脉的诊断放射学方法。完善于1953年。用常规的放射学技术难以辨识动脉和静脉的形象，因此必须往血管腔内注入一种物质，使血管能与周围组织相区别。所用对比剂为水溶性的含碘物质。在放射照片上含对比剂的结构呈密度大的阴影，与周围组织对比明显。其操作方法是：用针头穿刺腹股沟、腋窝或肘窝的大动脉，导入盘曲的金属丝；撤去针头，将细而柔韧的导管套在金属丝外方，沿金属丝进入动脉；然后撤出金属丝，通过导管注入对比剂。这样，动脉及接受其供血的器官组织便得显影。全身器官均可用血管造影术进行检查。若供应下肢、脑、心的动脉发生病变，则须在进行矫正手术之前进行放射学检查以估计其病变程度。参阅 **angiocardiography**。

angiohemophilia 血管性血友病 参阅 **von Willebrand's disease** 封·维勒布兰德氏病。

angiokeratoma corporis diffusum 弥漫性躯体血管角质瘤 参阅 **Fabry's disease** 法布里氏病。

Angiolieri, Cecco **安焦列里**(约1260,锡耶纳[意大利]~约1312) 意大利诗人,有人称之为意大利第一位滑稽诗大师。他从过军,经常触犯律法,喜爱女人、酗酒和赌博,曾经一度被放逐。他的诗作语言生动,对生活中种种不谐调的事物感觉敏锐。作品被收集在《1～2世纪滑稽与写实的十四行诗集》(1920)及《十四行诗集》(1946)中,后者共150首诗。托马斯·查布所译《英俊文雅的浪子之歌——十四行诗》于1970年问世。

Angiolini, Gasparo **安吉奥利尼**(1731-02-09,佛罗伦萨[意大利]~1803-02-06,米兰) 意大利舞蹈编导和作曲家,将舞蹈、音乐和情节融合于戏剧芭蕾中的创始者之一。1757年任维也纳宫廷歌剧院芭蕾教师,他最初的芭蕾舞剧常依靠手势表达情节。1761年和作曲家C.格鲁克合作,将莫里哀的同名剧本改编成舞剧《唐璜,或皮埃尔的宴会》,其中许多情节是通过舞蹈本身来表现的。1765年根据格鲁克的音乐编了舞剧《塞米拉米斯女王》;1762年为格鲁克原作《奥菲欧和厄里迪斯》中的芭蕾组舞编舞,该剧戏剧情节统一,十分突出舞蹈,因而在歌剧史上占有重要地位。1765年任圣彼得堡帝国剧院芭蕾教师,由自己作曲编了一些舞剧。安吉奥利尼革新的基本目的与格鲁克和F.希尔弗丁的革新的目的类似,并且也可以和他的对手J.G.诺维尔的革新相匹敌。尽管二人有所不同,但都是把芭蕾惯有的不连贯的、缺乏感情的情节和特别卖弄技巧的状况改变为更有表现力的主题,使各种要素都统一在这个主题之中。

angioma **血管瘤** 侵入骨或其他组织的先天性血管团,可造成组织缺失,使骨的硬度减退。血管瘤可发生于全身各骨,并常伴发皮肤和肌肉的血管瘤。多数患者终生无症状。血管瘤发生于椎骨体时可使椎体塌陷,而发生于某些易受压挤的部位时可致大出血。本病一般用照射法治疗,以期使血管组织团内形成血凝块,血块可逐渐钙化。亦可采用手术治疗,但有发生大出血的危险。在英语中,angioma一词又可指淋巴管瘤,故或译为脉管瘤,而hemangioma一词主要指位于皮肤及皮下组织的血管瘤。

angioneurotic edema **血管神经性水肿** 参阅 **angioedema** 血管性水肿。

angiosperm **被子植物** 又称显花植物。现代植物中最大的类群,种类数目(约25万以上)和个体数目都占优势,构成当今地球表面的优势植被。其分类位置尚无定论。早期的分类把被子植物列为种子植物门下的一纲,后提升为被子植物门,最近列为木兰植物门。被子植物为人类提供食物、住所、衣料、药品和花卉。是最重要的食物来源,如禾谷类(特别是稻、小麦和玉米)、甘蔗、马铃薯、块茎蔬菜和果品。被子植物的习性、形态和大小差别很大,从极微小的青浮草到巨大的乔木桉树,大多数直立生长,但也有缠绕、匍匐或靠其他植物的机械支持而生长的。多含叶绿素,自己制造养料,但也有腐生和寄生的。有几个科的植物是肉食的,如茅膏菜属(*Drosera*)植物以昆虫和其他小动物为食物。许多是木本的(乔木和灌木),但多为草本,草本被子植物比木本具有更进化的特征。多异花传粉,少数自花传粉。花粉粒到达柱头后即萌发并产生花粉管,通过花柱向下进入子房腔。花粉管前端有管核和生殖细胞。随着花粉管的发育,生殖细胞分裂成两个雄配子。花粉管一般通珠孔进入胚珠。花粉管进入雌配子体后,顶端破裂,两个雄配子释出,进入雌配子体的细胞质内。其中一个雄配子钻入卵细胞内,与之融合而受精。受精后产生的核子常发育成胚。另一个雄配子同雌配子体的其他两个核(极核)结合(或同两个极核预先融合而成的一个核相结合)形成胚乳核,胚乳核产生胚乳,贮藏营养物质。两个雄配子均参加融合过程,这称为双受精作用,为被子植物所独有。被子植物分两个纲,其种子内胚发育的早期阶段相同,但进一步的发育却以不同方式进行:在双子叶植物,茎原基两侧的侧生子叶均发育,而在单子叶植物仅一个原生子叶得到发育,并向顶端移动。胚的发育过程清楚地表明,被子植物胚的早期均有双子叶阶段,双子叶植物的胚分化为4个主要部分:胚根、胚轴、子叶和胚芽。被子植物的器官与其他维管植物一样,分为营养器官和繁殖器官。木质部有特化的导管,在韧皮部内筛管分子末端相接形成筛管,筛管侧面同伴细胞相接。叶的大小、形状和结构很不一致,叶序有互生、对生或轮生。互生是原始的类型,对生和轮生是在进化过程中衍生形成。全缘、具羽状脉的单叶较为原始。在冬季或旱季脱落的叶由"常绿"叶进化而来。叶表皮具有特化的气孔。花是高度变异和特化的繁殖枝。孢子叶(雄蕊和心皮)藏于花托上,通常由花被(萼片和花瓣)环绕。花托是节间缩短的茎,原始的花花托较长。萼片常为绿色,叶状或苞片状,是特化的叶。花瓣通常与萼片互生,其质地、颜色(除绿色者外)和大小不同于萼片。雄蕊(小孢子叶)总称雄蕊群,每个雄蕊通常由柄状的花丝和带孢子的部分(花药)组成。心皮(大孢子叶)总称为雌蕊群,心皮由包围胚珠的子房、花柱和柱头构成。柱头用以接受花粉粒,生于花柱的顶端。被子植物可能起源于某些裸子植物,与贝尼特氏苏铁目(Bennettiales)有共同的祖先(可能是某些原始的种子蕨)。最早的被子植物可能在山区形成小而半隔离的局部群体,由于遗传漂变和选择,加快了进化的过程。最古老的被子植物化石出现于白垩纪,被子植物至白垩纪中期广泛分布于全世界,并迅速蔓延到南极和北极区域。被子植物分类的根据是比较形态学、孢粉学、胚胎学、细胞学、遗传学、生物化学、血清学和生物地理学的综合资料。被子植物门(木兰植物门)分成木兰纲(双子叶植物纲[Magnoliopsida])和百合纲(单子叶植物纲[Liliopsida])。木兰纲包括木兰亚纲(Magnoliidae,8个目)、金缕梅亚纲(Hamamelidae,11个目)、石竹亚纲(Caryophyllidae,3个目)、五桠果亚纲(Dilleniidae,13个目)、蔷薇亚纲(Rosidae,18个目)、菊亚纲(Asteridae,11个目)。百合纲包括泽泻亚纲(Alismatidae,4个目)、百合亚纲(Liliidae,5个目)、鸭跖草亚纲(Commelinidae,7个目)、棕榈亚纲(Arecidae,4个目)。

Angkor **吴哥** 9～15世纪高棉(柬埔寨)王国的都城,故址在今柬埔寨西北部,现代城镇暹粒以北6千米处。它最闻名的古迹是吴哥窟,这是苏耶跋摩二世王(1113～约1150)在12世纪建造的一组庙宇群和以吴哥通王城著称的由阇耶跋摩七世王在1200年建造的一组庙宇群(参阅 **Southeast Asian arts**)。吴哥城曾是东南亚历史上最大、最繁荣、最文明的王国之一的高棉王朝的皇家中心。从9世纪的最后10年亚索跋摩一世王迁都至吴哥直到13世纪初期,吴哥诸王统治着南起印度支那半岛南端,北至云南,东自越南,西到孟加拉湾的大片土地。在此期间,他们动用了大量人力财力从事大规模建设,以为自己和国都增色。自阇耶跋摩七世王(1181～约1215)以后,王国的国势逐渐衰落,1431年泰族军队攻占并洗劫了吴哥,此后该城便被废弃。在历时300余年的吴哥大规模建设时期,可以看出许多建筑艺术风格方面的变化,所反映的宗教内容则从印度教崇奉的湿婆、毗湿奴诸神到大乘佛教崇奉的观世音菩萨。吴哥是行政和礼拜神君的中心。城市是以从印度传入并适应当地传统的宗教和政治观念

吴哥窟古迹
美国不列颠百科全书公司供图

为基础而设计建造的。从最初给这个城市命名为亚索德哈拉布拉的亚索跋摩一世王时代起,吴哥便是按照传统的印度宇宙论模式,在建筑布局上体现象征性的宇宙结构。城市向东围绕着一座作为中心的小山或金字塔式的庙宇,这是从建筑学方面对该地一座天然小山巴庚山的适应和完善。在这个城市后来的历史上,作为中心的庙宇则完全是建筑学上的创造(即金字塔式庙宇),如阇耶跋摩五世(968～1001)的披梅耶卡寺;乌达耶迭多跋摩二世(1050～1066年在位)的巴普昂寺;以及阇耶跋摩七世建造的作为中心寺的巴荣佛教寺院。此时这个城市已经基本定型,并以吴哥通王城著称。庞大的贮水池、运河、沟渠系统是吴哥最初实行兴办水利和灌溉的最显著特色之一。吴哥的许多大庙宇都反映了印度的宇宙论和神话主题,建造这些庙宇是为了提供礼拜的场

所,使国王和其他王室成员确信通过礼拜能够与湿婆或这个领域中的其他卓越神祇成为一体,从而获得永生。例如,吴哥窟或许是最宏伟而且肯定是所有吴哥庙宇群中最著名的寺院,它就是苏耶跋摩二世王在12世纪作为一座巨大的陵庙而建造的,他的遗体安放其中,通过礼拜毗湿奴神而使他象征性地得到永生。根据中国商务使者周达观的生动记载,13世纪末吴哥仍是一个兴盛的大城市,也是亚洲最宏伟的都城之一。然而,在阇耶跋摩七世王执政时达到顶点的建设狂热显然已经终止,一种以小乘佛教为代表的更有克制性的新宗教倾向正在兴起,而且在帝国西面建立的泰族王国的军队开始侵入高棉心脏地区。到16世纪时,这座城市已被废弃了多年,只留下丛林覆盖的古代庙宇遗迹和一度壮观的贮水池及水渠废墟。在古城灭亡和现代时期开始的4个多世纪中(即从15世纪初期至19世纪末期),人们对吴哥的兴趣主要集中于吴哥窟,这处由小乘佛教僧侣接管并大致保存完好的古迹成为东南亚最重要的朝圣地之一。在此期间许多来到柬埔寨的早期欧洲旅游者对这个"消失"的城市表现出强烈的好奇心,法国殖民地政权建立后(1863),整个吴哥遗址成为热心的学者们关注的焦点。他们最初是独立研究,后来得到政府资助的远东法国学校支持,一批法国考古学家及语言学家开始了一项全面研究计划,逐渐积累了目前掌握的关于吴哥古城历史和揭示并引导其生活的迷人宗教和政治制度方面的知识。考古学家们坚持了一项艰巨的重建计划,使古代庙宇群、贮水池和运河在某种程度上恢复它们原来的宏伟规模。20世纪后半期,柬埔寨出现了政治和军事动乱,吴哥庙宇群也遭到一些战争破坏和盗窃,但主要问题在于被人们忽视。由于缺乏适当管理,许多建筑物已成为草木掩盖和风雨侵蚀的牺牲品。

anglaise (in calligraphy) **英格兰体** 参阅 **copperplate script** 铜板字体。

Angle 盎格鲁人 日耳曼民族的一支,5世纪时与朱特人和撒克逊人一起侵入英格兰。塔西佗(公元1世纪)最早提到盎格鲁人,说他们信奉内都斯神。按照比德在《英格兰人教会史》中的说法,他们在欧洲大陆的故乡是盎格鲁斯一带,传说即石勒苏益格的昂格尔恩地区,即在施莱海湾与弗伦斯堡湾之间。盎格鲁人可能是在入侵不列颠时放弃了故乡,5世纪和6世纪时大批定居在麦西亚、诺森布里亚以及英格兰东部和中部各王国。

anglerfish 垂钓鱼 又称鮟鱇类鱼。鮟鱇目约210种海产鱼类的统称,以能诱捕猎物故俗名垂钓鱼。背鳍最前的鳍棘位在头上,形似钓竿,尖端有一肉质的"钓饵"。垂钓鱼形状奇特,鳃孔小,胸鳍与腹鳍(存在时)呈臂状。多栖于海底。可分为4个类群:蝙蝠鱼(**batfish**)、鮟鱇(**goosefish**)、躄鱼(**frogfish**)及角鮟鱇。角鮟鱇(深海垂钓鱼)组成角鮟鱇亚目的约10个科,与其他鮟鱇目鱼类不同之处为无腹鳍,游泳力虽弱,却到处游动,而不定居于海底;体长可达1.2米,但大部分很小;仅雌鱼具"钓竿",但长短不一;"钓饵"结构简单或复杂,通常均发光;一些种类身体的其他部分也有发光器。角鮟鱇捕食各种鱼类和无脊椎动物,有些可吞食比自身还大的猎物。4个科均因雄鱼比雌鱼小得很多,而且永久寄生于雌体上而闻名。这些种类的雄鱼吸附于雌鱼体上,口与雌鱼的皮肤愈合,血流亦与之完全通连,借此完全赖雌体供给营养。

Anglesey, Isle of 安格尔西岛 威尔士语称Ynys Môn(蒙岛),拉丁语称Mona(莫纳)。英格兰或威尔士最大岛屿。面积676平方千米。隔梅奈海峡与北威尔士本土相望。与霍利岛毗邻,联合组成威尔士奎内斯郡安格尔西岛区(区面积715平方千米)。本岛地形低,从东北至西南有一系列低山脉和峡谷,北部帕雷斯山是本岛的最高点(127米)。以史前遗迹和凯尔特古迹著称。与北威尔士多山地形相比,该岛地势较低、土地肥沃,早期是农业与畜牧业中心,航海与渔业也较发达。本岛很早就与爱尔兰有贸易往来,并位于北方各国与地中海间的一条史前航道上。岛上的巨石坟冢说明早在新石器时代末期与青铜器时代初期就有人居住。不晚于公元前100年,凯尔特人已殖民该岛。西南海岸的阿伯弗劳7～13世纪是圭内斯君王们的首府。先后为爱尔兰人、撒克逊人、斯堪的纳维亚人和诺曼底人所占,最后被爱德华一世征服。在博马里斯建有城堡(1295)。经济仍以农为主。1775～1844年帕雷斯山曾大规模开采铜矿。旅游业发达。兰盖夫尼镇为安格尔西岛区的行政所在地。人口:区约65 400(1998)。

anglesite 铅矾 天然产出的矿物硫酸铅($PbSO_4$)。是一种常见的次生矿物,是铅的次要矿石。它通常由方铅矿氧化而形成,并且常常环绕未蚀变的方铅矿核心成为同心带状块体。白铅矿(碳酸铅)常与铅矾伴生,或在铅矾生成之后形成。其详细的物理特性,参阅 **sulfate mineral**(表)。

Angleterre 英国花边 全称point d'Angleterre。一种线轴编织花边(棒槌花边),在用线、技术和图案方面堪与精美的布鲁塞尔花边相比;但究竟是在英国或布鲁塞尔,还是同时在两地生产,迄今尚有争论。为了鼓励家庭工业,英国和法国都在17世纪60年代制定了禁止需要量大的布鲁塞尔花边进口的法律。商人们为了规避法律,购买布鲁塞尔花边走私运进英、法,当作英国花边出售。

19世纪晚期比利时生产的英国花边
美国不列颠百科全书公司供图

angleworm 钓鱼虫 参阅 **earthworm** 蚯蚓。

Anglia, Middle 参阅 **Middle Anglia** 中英吉利。

Anglican chant 圣公会圣咏 在基督教圣公会中为咏唱散文诗和赞美歌而设计的一种配有和声的简单旋律公式。由一个吟诵音加中间终止式和结束终止式构成,与格列高利圣咏的诗篇调(圣公会圣咏即由它衍生而得)大致相同。J.马尔贝克在其出版的《附谱公祷书》(1550)中将前7个诗篇调用于赞美歌,第8调用于诗篇。1660年英国王政复辟后,唱诗班和管风琴师重新各就各位,人们迫切感到大教堂需要礼拜仪式的合唱配乐,于是素歌的和声配置又一次出现。至17世纪末,英国作曲家开始自行创作旋律,以诗篇调的吟诵音和终止式为框架,但省略素歌的起首句。18世纪的诗篇调旋律(如果用到它的话)放在较高声部中。1833年牛津运动(它提倡重新以罗马天主教仪式为方向)开始后,堂区的教堂开始采用以前只限于大教堂用的合唱礼拜仪式。为了使训练不足的唱诗班能唱得更好,在1837年首次以印刷形式出现将诗篇歌加以标点的方法——亦即以一套标记点明歌词如何配合某一特定圣咏。创建于1888年的"素歌与中世纪音乐协会"重新推动了人们以本国语咏唱格列高利圣咏的兴趣。英国的F.伯吉斯和美国的C.W.道格拉斯对这一运动具有巨大影响。1912年英国诗人R.布里吉斯指出圣咏必须适应唱词而不是相反。他得到牛津的H.艾伦博士的支持,1925年《新版格律诗篇》出版。

Anglican Church of Australia 澳大利亚圣公会 1981年前称Church of England in Australia。澳大利亚基督教会。属于安立甘宗的独立教会。18世纪英格兰移民纷纷设立教会,由这些教会发展而成此会。1788年从英格兰押解到澳大利亚的囚犯是最早的一批定居者,其中有一名牧师随行。1836年澳大利亚总教区成立,由1829年到达澳大利亚的W.G.布劳顿任主教。1959年澳大利亚圣公会章程通过,其中规定,该会采取集中统一的行政制度。1962年该教会获得自治。

Anglican Communion 安立甘宗 在世界各地由源起于英格兰圣公会的许多民族的、独立的和自主的教会所构成的宗教团体。安立甘宗统一效忠于英格兰坎特伯雷大主教,以他为资深主教和名义领袖,并且一致遵奉由16世纪的《公祷书》所确定的教义和惯例。从宗教改革运动时代起,英格兰圣公会随着探险家、商人、殖民地开拓者和传教士传到了已探明世界的遥远地区。殖民地的各教会一般在遵守母会的传统和教义的大原则下在行政上实行自主。可能直到1867年举行第一届兰贝斯会议(**Lambeth Conference**)时各教会和各宗教会议才产生了关于安立甘宗的认同感。兰贝斯会议从一开始起,就形成了安立甘宗的主要凝聚因素。由于信徒多寡不同以及其他因素,各教会之间在基本结构上有所差异,但是某些要素却是普遍的。主教区由主教管理,是整个安立甘宗的基本管理单位。主教区下分堂区或地方教会,各由牧师管理。在不少民族教会中,若干主教区组成教省。在有些民族教会,主教区以下的各堂区组成农村执事区和总执事区。在20世纪,安立甘宗在普世教会运动中发挥了重要作用。1982年,天主教罗马教皇约翰-保罗二世在坎特伯雷会见坎特伯雷大主教R.朗西,讨论两派和解的远景,这是安立甘宗-天主教关系中的一个关键性事件。

Anglican Communion, Chinese Branch of 中华圣公会 基督教安立甘宗在中国成立的教会。1912年由英、美、加拿大安立甘宗在华传教差会协商成立。中华圣公会确认普世圣公宗的"兰柏四纲":《圣经》为信徒得救的唯一标准;《使徒信经》和《尼西亚信经》包含"圣道的纲要";洗礼和圣餐是"必守的圣仪";持守由使徒遗传而来的主教(会督)传授的三品圣职。其总议会设置以各教区主教组成的"主教院"及由每教区圣品、信徒代表组成的"代表院";设立主席主教、常务委员及各委员会处理教务。各主教区设教区议会,有自立教区宪法规例的权力,每个教区又划分若干牧区及堂区。中华人民共和国建立后中华圣公会割断与差会关系,参加基督教三自爱国运动。1980年建立的中国基督教协会成为中国基督教全国性教务组织。

Anglican Evangelical 安立甘福音派 基督教安立甘宗内部强调信仰《圣经》、个人悔改重生和虔修,总的方面重视安立甘宗内部的新教传统而轻天主教传统的人士。这些人士也称为低教会派,因为他们贬低主教制、圣礼和崇拜仪式。"低教会派"一词约在17世纪末使用,早在英格兰国王爱德华六世时代(1537～1553),在安立甘宗内部这种倾向即已明显。通称福音运动的运动在18世纪肇始于英格兰圣公会内部,而它在许多方面与较早的低教会派的态度和16、17世纪的清教派如出一辙。循道宗创始人约翰·卫斯理的追随者后来脱离了圣公会,但是,还有许多同他们信仰相近的人留在圣公会内。他们强调福音主义、社会福利事业和海外传教事业,他们成立了英国圣公会传教会(1799)和圣公会殖民地和大陆协会(1838)。安立甘福音派中有许多名流,其中克拉珀姆教派约在1790～1830年间由英格兰一批富有的知名世俗信徒组成,他们不少人是下院议员,为结束奴隶贸易做出了贡献。在19世纪,安立甘福音派反对强调圣公会中天主教传统的牛津运动。在20世纪,他们受到自由主义和对《圣经》新的科学研究方法的影响。一部分人坚持《圣经》字字都是上帝启示,意义精确,通称保守福音派。更多的人接受新学,称为开明福音派。参阅 **Broad Church**。

Anglican religious community 安立甘宗修会 基督教安立甘宗内部自19世纪起成立的修会。在宗教改革运动以前,英格兰教会内部本来修会甚多,但是16世纪英格兰国王亨利八世同罗马教廷决裂,修会停办。过了将近300年,主要由于牛津运动的领导人物的关怀和鼓励才重新兴办。安立甘宗的第一个修会于1845年创办于伦敦,其后10年间,圣三一会成立于德文波特(1845),圣母会成立于伯克郡旺蒂奇(1848),圣施洗约翰会成立于克卢尔(1851),万圣会成立于赫特福德郡伦敦科尔尼(1851),圣玛格丽特会成立于萨塞克斯郡东格林斯特德(1855)。其后,又有圣名会成立于伍斯特郡莫尔文林克(1865),伯大尼女修会成立于伦敦(1866),圣公会女修会成立于伦敦(1870),显现会成立于特鲁罗(1883)。安立甘宗女修会大都一方面从事教学、护理、协助堂区工作,另一方面祈祷灵修;圣公会修女曾陪同F.南丁格尔到克里米亚救护伤员。圣公会女修会在海外设有分会,海外各大主教区也有另行成立的修会。纽约州皮克斯基尔的圣马利亚会是美国历史最悠久的女修会(1865)。20世纪仍有新修会兴办,但势头已减弱。1865年创办于牛津的圣传福音约翰会是安立甘宗第一个男修会。较大的男修会中有约克郡的主复活会(1892)、诺丁汉郡的圣传教会(1892)和多塞特郡的方济各会。安立甘宗的本笃会于1914年成立于珀肖尔,1929年迁到白金汉郡;该会在美国设有分会。美国圣公会中较大的男修会是纽约州的圣十字架会。到了20世纪末,安立甘宗尚有50多个男女修会,其中有几个设有分会。英格兰的几个修会在海外尚有分会。这些修会一般规模不大。

Anglin, Margaret (Mary) 安格琳(1876-04-03,渥太华～1958-01-07,多伦多) 在她那时最有才华的加拿大女演员之一。对希腊悲剧、莎士比亚戏剧和当代戏剧都演得很好。在纽约市短期学习演技后,1894年首次登台演出C.霍华德的《谢南多亚》。1898年在E.罗斯丹的《西拉诺·德·贝尔热拉克》中扮演罗克珊,获得名角地位。在W.V.穆迪的《分水岭》中取得杰出成就,此剧在纽约市演出长达3年之久(1906～1908)。据她自己估计,曾在80多部戏中扮演角色。最后一次登台是1943年,与一个巡回剧团一起演出L.海尔曼的《守望莱茵河》。

angling 参阅 **fishing 钓鱼**。

Anglo-Afghan Wars 英阿战争 又称阿富汗战争(1839～1842,1878～1880,1919)。这是英国以印度为基地企图控制阿富汗以对抗俄国势力的3次战争。在第一次战争中,英国虽然占领了阿富汗,但是难以长期占领。在第二次战争中,英国虽然得胜,但付出重大牺牲。英国虽未能永久占领阿富汗,但得以控制该国外交。在最后一次战争中,阿富汗取得完全的独立。

Anglo-America 盎格鲁美洲 以英语为同语,风俗习惯传统上与北欧相同的北美洲文化实体。包括美国和加拿大大部分地区(法语加拿大地区除外)。"盎格鲁美洲"一词也指北美大陆上一地理区,以区别于具有深厚西班牙传统的拉丁美洲、西班牙美洲或伊比利亚美洲(中、南美洲)。盎格鲁用以指白种操英语的北美人,以区别于拉丁美洲人后裔。

Anglo-American law 参阅 **common law 普通法**。

Anglo-Boer War 英布战争 参阅 **South African War 南非战争**。

Anglo-Burmese Wars 英缅战争 英国与缅甸的3次战争(1824～1826,1852,1885),结果使缅甸人处于劣势,承认英国在孟加拉湾的霸权。第一次战争由缅甸西部的若开和北部英国控制的吉大港的摩擦所引起。1823年缅军进入孟加拉,英军还击,不战而攻克仰光(1824)。英国希望据守三角洲地区并威逼首都以使缅甸屈服,但因缅甸加强抵抗而失败。1825年英国的印度军向北挺进。在阿瓦城南的遭遇战中,缅甸将军班都拉被杀,部队溃败。1826年2月签订《杨端波条约》,结束第一次英缅战争。1852年7月,英军占领下缅甸几个港口,并向首都挺进。英-印军队占领缅甸中部的柚木森林。新国王曼桐(1853～1878在位)要求英军撤退,英方拒绝,但停止北进;双方陷于僵局,战斗停止。英军占领下缅甸全境,但缅甸朝廷未予承认。锡袍(1878～1885在位)继位后,缅甸大臣会议致函法国总理,建议签订双边协定,直接威胁英国在下缅甸的柚木垄断。此时,大臣会议因孟买缅甸贸易公司少报东吁柚木的采伐量而课以罚款。结果,英军发动进攻。1886年1月1日,英国宣布并吞上缅甸,结束雍笈牙王朝和缅甸的独立。

Anglo-Catholicism 安立甘公教派 英格兰的宗教运动。强调圣公会中的天主教传统而贬低新教的成分。19世纪牛津运动(**Oxford Movement**)兴起于英格兰,安立甘公教派遂应运而生。此派人士除主张发扬教义与礼仪中的天主教成分外,特别在贫民和不参加教会的人们中间进行活动,并提倡改革教会。注重圣公会中的新教传统的安立甘福音派,多次反对安立甘公教派的信仰和礼仪,但后者一直是圣公会中一支重要力量。此派属于高教会派,重视主教制、圣礼和崇拜礼仪。

Anglo-Dutch Wars 英荷战争 又称荷兰战争。17和18世纪英国和荷兰共和国的4次海军冲突。由商业竞争引起的头3次战争,证实了英国海军的威力。由荷兰干涉美国革命而引起的第四次战争,使之丧失了世界强国地位。第一次英荷战争(1652～1654)爆发于英国制订旨在禁止荷兰参与英国海上贸易的《1651年航海法》后的紧张时期。在1652年5月,M.特龙普海军上将指挥的荷兰舰队被击败,这次事件引起英国于7月8日对荷宣战。同年12月,荷兰舰队在邓杰内斯外海战斗中获胜,但英国舰队在翌年大部分重大海战中均获胜。1653年夏,在泰瑟尔岛海面发生的这次战争的最后一次战斗中,荷兰被击败,特龙普战死,双方损失惨重。《威斯敏斯特条约》的签订(1654-04)宣告战争结束。1665年商业竞争再次导致两国的战争(1665～1667年第二次英荷战争)。战争实际上已在上一年开始,英国人已占领了新阿姆斯特丹(纽约)。英国于1665年3月宣战,6月在洛斯托夫特海面战胜荷军。但在第二年的多次战斗中荷兰取胜。英国的盟国明斯特侯国在1665年派军队进入荷兰,但在法国的压力下被迫于1666年退出战争,法国在同年1月站在荷兰一方。英国因1665年鼠疫流行和1666年伦敦大火而困难重重,1667年6月停泊在查塔姆的舰队被荷兰击毁,困难达到顶点,双方于同年7月签署《布雷达条约》结束了这次战争。第三次英荷战争(1672～1674)是1672～1678年欧洲全面战争的一部分。英荷两国再次兵戎相见时(1780～1784年第四次英荷战争)两国结盟已一个世纪。这次战争的起因是荷兰同正在反抗英国的美洲殖民地进行秘密贸易和谈判。1780年12月20日英国宣战,第二年很快占领了荷兰在西、东印度群岛的主要属地,并对荷兰海岸严密封锁。但荷兰共和国后来一直未能集结一支像样的舰队与英国抗衡,因此1784年5月战争结束时,荷兰的国力和威信已降到最低点。

Anglo-Egyptian Condominium 英埃共管 1899～1955年英国和埃及对苏丹东部的联合统治。根据1899年1月19日和7月10日《英埃共管协定》建立,直到1956年1月1日独立自主的苏丹共和国成立为止。依照共管协定,由英国推荐、由埃及赫迪夫任命的一名总督掌握苏丹军政大权。表面上埃及承担管理,但实际上英国人控制苏丹的一切。省督由英国军官包办,政府要职必须由毕业于英国大学和军事学院的人担当。

Anglo-Egyptian Treaty 《英埃条约》(1936-08-26) 英国占领埃及50年之后承认埃及为主权国家的条约。1937年5月在瑞士蒙特勒签订。双方缔结为期20年的军事同盟,即一旦国际上发生紧急状态,英国可在埃及实行军事管制和检查制度;英国留驻苏伊士运河区军队1万名和空军驾驶员400名,直至埃及有能力保护该地区为止;英国保留在亚历山大港的海军基地,最长期限为8年。条约还规定:英国派遣驻埃及大使,以替代原来的高级专员。在过渡时期后,取消**外侨权利**(**Capitulation**),撤销混合法庭,在埃及的外国人要服从埃及的法律。

Anglo-Japanese Alliance 英日同盟(1902～1923) 英国和日本为维护其各自在中国与朝鲜的利益而结成的互助同盟。反对俄国在远东的扩张,是英国和日本直至第一次世界大战结束之后的亚洲政策的基石。日俄战争(1904～1905)期间,英日同盟使俄国的盟邦法国不敢参战助俄。英日同盟于1905年续订,1911年日本吞并朝鲜后再次续订。在第一次世界大战中日本根据英日同盟,加入协约国一方。1921年美、英、法、日四国太平洋条约签订后,英日同盟遂告废除。

Anglo-Norman literature 盎格鲁-诺曼文学 又称Norman-French literature或Anglo-French literature。中世纪英格兰以古法语创作的作品的总称。虽然该方言在忏悔者爱德华时代已为英国宫廷人士采用,但其历史真正始于1066年的"诺曼征服"。在此之后它成为宫廷、法院、教会、学校、大学和议会的日常用语,后来又成为地方政府和商业的日常用语。对于英格兰贵族来说,盎格鲁-诺曼语成为一门后天习得的语言,其使用是具有良好教养的标志,它传入威尔士和爱尔兰,并在有限的范围内在苏格兰使用。现存最早的作品属12世纪初的亨利一世时期,最晚的为15世纪初的亨利四世时期。"百年战争"期间与法国的疏远使英语的使用增加,法语方言的最后堡垒是议会和法律,至今仍存在于两者的少数惯用语中。

从12世纪直至整个14世纪,盎格鲁-诺曼语是仅次于拉丁语在英格兰使用的文学语言。盎格鲁-诺曼文学包括法国文学中大部分常见的体裁,只是着重点稍有不同。武功歌为例外。这种法国史诗体裁在英格兰不是无人知晓,但似乎没有这种形式的原著。相反,盎格鲁-诺曼语作品在欧洲大陆则为人们所熟悉、传抄和仿效。大陆的文学和盎格鲁-诺曼文学之间的一个重要不同之处是,1215年的第4次拉特兰会议导致在英格兰产生了大量为俗人而写的有关教义和祈祷的著作,而在法兰西则没有这种情况,这也许说明为什么英格兰在早期在发展新的文学形式方面常走在欧洲大陆之前。历史作品在诺曼底和大陆其他地方都很流行,虽然"诺曼征服"之后,在文献和编年史中拉丁文取代了英文,但两者的例子在盎格鲁-诺曼语例子仍可见到。修道院请人为本地圣徒作传,而贵族们对想象中的英格兰祖先的传奇故事感兴趣。因此,两国在社会和政治上的差异阻碍了盎格鲁-诺曼文学成为法国文学的单纯仿效。

宗教和训诫作品 12世纪时,最古老的真正的盎格鲁-诺曼散文作品《列王记》在英格兰写成,随即出现了《诗篇》的各种版本。桑森·德·南特伊将所罗门的箴言翻译成韵文,而在13世纪,格雷特姆的罗伯特为一贵族夫人写了《主日福音》。同一世纪还开始出现了一系列动人的盎格鲁-诺曼启示录,尤以其精美的插图著名,这些插图成了法国昂热一组壁毯的样板。盎格鲁-诺曼文学中有许多圣徒传记作品,其中贝内德特的《圣布伦丹航游记》也许是最早的用8音步双韵诗体写成的单纯叙事的法国诗。瓦斯率先描写圣徒标准方式的生活,其后12世纪的盎格鲁-诺曼语作家写了大量传记,其中许多将修道院与它们的主保圣人联系在一起。

最早的法国剧本《亚当的秘密》是用盎格鲁-诺曼语创作的。复活剧《神圣的复活》可能为12世纪的作品,但在13世纪多次被改写。还有一些宗教寓言,最重要的如《爱的城堡》为法国最早的寓言。

1215年的第4次拉特兰会议导致训诫作品的汇编,其中最早和最吸引人的为阿宾登的圣埃德蒙德的《神圣教会之镜》。13～14世纪出现了无数专题论著——忏悔、农业、法律、医学、文法和科学的,以及关于礼貌、狩猎、放鹰和下棋的著作。13世纪末及14、15世纪产生的拼写论著因其对大陆法语及盎格鲁-诺曼语的说明而具有价值。

传奇故事 盎格鲁-诺曼文学传奇故事为数繁多。12世纪时,一个叫托马斯的人写有一描写宫廷爱情的特里斯丹故事,其零星片断残存下来并为戈特夫里德·封·斯特拉斯堡在《特里斯丹和绮瑟》中所采用,同时它还是这个故事的古斯堪的纳维亚语、意大利语和中古英语几种版本的来源。贝罗尔的《特里斯丹》也写于12世纪,很可能在英格兰写成,但为一诺曼人所写;《沃尔德夫》是关于一个假想的东英吉利亚国王及其儿子们的一部杂乱无章的长篇故事,有一些章节非常独出心裁。在12世纪,一些传奇故事用武功歌的形式写成,例如,M·托马斯的《霍恩》与中古英语的《霍恩·蔡尔德与少女里穆尼尔》有关。但另一个托马斯所写的《骑士故事大全》是与其他说法无关的亚历山大传奇故事,为中古英语传奇故事《亚历山大国王》的来源。13世纪时,更具宫廷特色的传奇故事再现于《阿马达斯和伊多英》及《阿米和阿米隆》中。

短诗和韵文故事 玛丽(法兰西的)是最早提及姓名的法国女诗人,著有根据英格兰原始材料写成的寓言和12首8音步双韵诗体叙事短诗(很可能是献给英格兰的亨利二世的)。在修道院的手稿中发现了一些誊抄的韵文故事,很可能是为了模仿。

政治和历史著作 在P.兰托弗特的《编年史》中发现有政治韵文的片断。《编年史》初为一部《布鲁特》——一部完整的不列颠历史的编年史,但后来成为爱德华一世时期史料的来源。多明我会的N.特雷维用散文写了一部欧洲编年史,乔叟据此写出其《法学院学生的故事》。在这些作品之前有G.盖马尔(约1140)的盎格鲁-诺曼语韵文《英格兰史》,是法国文字的最早的编年史。最好的两部传记是写彭布罗克伯爵第一和黑太子爱德华的,是外国人为其英格兰恩主而作。官方文书通常使用盎格鲁-诺曼语,还有刊登非官方的民事法庭案例汇编的《年鉴》,从爱德华一世时期延续至亨利八世时期。14世纪末,英语开始与法语在议会并用。

Anglo-Normandes, Îles(Great Britain) **盎格鲁-诺曼底群岛** 参阅**Channel Islands 海峡群岛**。

Anglo-Saxon 盎格鲁-撒克逊人 公元5世纪起至"诺曼征服"(1066)时止移居并统治英格兰的日尔曼民族。据比德称,他们是5世纪应不列颠人国王沃尔蒂格恩之邀,从北德意志迁居英格兰以帮助不列颠人对抗入侵的皮克特人和爱尔兰人的3支不同的日尔曼民族(盎格鲁人、撒克逊人和朱特人)的后裔。随后他们在今日的英格兰定居,建立了后来的埃塞克斯、苏塞克斯、韦塞克斯(撒克逊人)、东英吉利亚、中英吉利亚、麦西亚、诺森布里亚(盎格鲁人)和肯特(朱特人)等王国。

不同的盎格鲁-撒克逊王国操今日称之为古英语的不同方言。就种族而言,盎格鲁-撒克逊人是日尔曼民族与英格兰原先的凯尔特人和后来的北欧海盗与丹麦人侵者的混血后代。8世纪晚期大陆著作家们开始使用"盎格鲁-撒克逊"一词以区别不列颠的撒克逊人和欧洲大陆撒克逊人,比德把后者称之为"古撒克逊人"。诺曼征服后,此语指"英格兰人"。阿尔弗烈德大王(899卒)常使用"盎格鲁-撒克逊王"的称号,11世纪的国王们亦曾重新使用此名。

Anglo-Saxon art 盎格鲁-撒克逊艺术 约自7世纪至1066年"诺曼征服"英国期间,产生于英国的手抄本装饰画与建筑。大致可分为两个时期,即以9世纪丹麦人入侵英格兰为分野的前后两个时期。9世纪前,手抄本装饰画为英国的主要艺术形式。有两个装饰画派:坎特伯雷画派,影响较小,其作品受罗马传教士的影响,使整个8世纪的装饰画囿于古典传统的样板。诺森布里亚画派,影响较广。英格兰北部的手抄本装饰画发端于7世纪的学术复兴运动,当时在林迪斯芳岛以及诺森布里亚的威尔茅斯和贾罗兴建了一批隐修院,此类机构主要是爱尔兰隐修院制度的一种扩展。爱尔兰修士带来了古代凯尔特曲线形(涡卷形、螺旋形以及双曲线或盾形图式,即所谓"比尔塔"图式)的装饰传统,这一传统跟当地的盎格鲁-撒克逊异教金属制品的抽象装饰(其特征主要为明快的设色和动物形的交织纹样)结合起来。此外,由于受到来自英格兰南部的地中海艺术的影响,人物形态的刻画也已出现。*爱尔兰-撒克逊风格*(**Hiberno-Saxon style**)保留了异教艺术的基本内容,并对欧洲大陆卡洛林王朝艺术产生了极大的影响。丹麦人的入侵对盎格鲁-撒克逊艺术造成灾难性的后果。直到10世纪中叶,它才重有起色;当时,隐修院被修复,对建筑的兴趣重又浓厚起来。许多早期的石砌礼拜堂看来是依靠外国石工建成的,而盎格鲁-撒克逊建筑物则继续深受大陆样式的影响。11世纪时,盎格鲁-撒克逊建筑同大陆建筑,特别是同诺曼法兰西建筑保有牢固的关系,但仍具有某些独特的特征;经常采用木质结构,以方形的东厢(为英国哥特式礼拜堂所恢复)取代普遍流行的半圆形后殿(即祭坛后边半圆形突出部分)。隐修院的复兴促成书籍的大量生产以及10世纪后半期所谓温切斯特手抄本装饰画派的繁荣。新风格以加洛林王朝艺术的古典自然主义为基础,但具有极其独特和异常活泼的风格,尤其突出地体现在刚健有力的、非常富有表现力的线条上。温切斯特风格对法国的手抄本装饰画产生影响,并在1066年的"诺曼征服"后以诺曼艺术的形式理所当然地被英国人所接受。参阅**Winchester school**。

Anglo-Saxon Chronicle 《盎格鲁-撒克逊编年史》 盎格鲁-撒克逊及诺曼时期英格兰各种事件的编年记载,系7种流传下来、相互关联的手稿记录的汇编。为英格兰早期历史的主要资料。该编年史最早是于阿尔弗烈德大王在位时期(871～899)由包括若干通史梗概在内的资料集成,计有比德的《英格兰人教会史》、各种系谱、国王与主教名单、少数北方编年史,可能还有几部西撒克逊早期的编年史。编集者也参考过一套法兰克人9世纪晚期的编年史。在890年之后不久,就有一些手抄本开始流传。这一时期流传的一些手抄本在不同的隐修院中继续增订,因而有时在数个版本中均有相同的记事,有时增加地区性资料,并且局限于一种版本。条目的完整与质量则因时期不同而异。例如,对10世纪中期及克努特统治时期而言,这部编年史的记载相当贫乏。但是对于艾特尔雷德的统治时期,以及对于从爱德华(忏悔者)在位时期起直至1154年的历史记载,则极具有权威性。

编年史有7种手抄本(其中一部已毁于18世纪)和一部残卷流传至今,均以英文字母命名,例如最早的为A本,正式名称为C.C.C.Cant.173,以其存于剑桥大学基督圣体学院而得名,它是老爱德华国王晚期进行的各次战役情况的唯一资料来源。11世纪时移至坎特伯雷的基督教堂保存。几乎完全毁于1731年大火的G本的正式名称为Cotton Otho B xi,因其为不列颠博物馆所藏科顿搜集的手抄本的一部分而得名。B本(称Cott. Tib. A vi)和C本(称Cott. Tib. B i)均为一个已失传的原本的抄本。D本(称Cott. Tib. B iv)和E本包括许多有关北方的资料,被称为"北方修订本"。F本(称Cott. Domit. A viii)为一节略本。残卷H本称Cott. Domit A ix。A本记载主要止于公元975年,B本止于977年,C本止于1066年,D本止于1079年,E本主要止于1121年,F本止于1058年,H本记述1113～1114年的历史。

Anglo-Saxon language 盎格鲁-撒克逊语 参阅**Old English language** *古英语*。

Anglo-Saxon law 盎格鲁-撒克逊法律 指从6世纪直到"诺曼征服"(1066)及其后在英格兰流行的一批法律。它与斯堪的纳维亚的法律以及欧洲大陆所谓蛮族法律是联系在一起的,构成了称之为日耳曼法的法律。盎格鲁-撒克逊法律是用本地语言写成的,因此相对说来,它不像用拉丁文写成的大陆法那样受罗马法的影响。罗马法对盎格鲁-撒克逊法律的影响是间接的,而且主要是通过教会起作用。由于8、9世纪北欧海盗的入侵,盎格鲁-撒克逊法律肯定带有斯堪的纳维亚人的影响。只有在诺曼人征服英格兰以后,体现在法兰克法律中的罗马法才把它的影响传播给英格兰的法律。盎格鲁-撒克逊法律是由三部分构成的:国王所颁布的法律和法令汇编;在像诺曼人制定的《末日裁判书》中对习惯所作的权威性的说明;以及对法律规则和法令的私人编纂。主要的重点是放在刑法上,而不是放在私法上,但有些材料是处理公共行政、公共秩序和宗教事务问题的。在10世纪以前,这些法典通常仅列出赔偿协议清单——即付给受害人或其家属的赔款。但到了10世纪,一个新的刑事制度形成了,它以宣告不受法律保护(宣告罪犯是不受法律保护的人)、没收、体罚及死刑为其基础。这时有关行政和警察职能的法律也日益发展起来。盎格鲁-撒克逊法律制度是建立在平民权利和特权基本对立的基础上的。平民权利是若干已经形成或尚未形成的规则的集合体,它可以作为表达普通人的法律良知或由普通人所构成的社会的法律良知来提出。它起源于部落,但又因部落的地理位置不同而存在着很大的差异。因此,东西撒克逊人、默西安人、诺森布里亚人、丹麦人、威尔士人都有平民权利,而上述这些平民权利的主要分支即使在8～9世纪部落王国消灭以后也还继续存在。形成并应用平民权利的责任在10、11世纪时落在地方郡议会身上,而王国(参阅**witan**)的全国会议只偶尔使用平民权利的概念。关于物的财产(不动产)、继承、契约及赔偿方面的早期法律大部分都是用平民权利来加以规定,法律必须由各地区的人民自身来加以宣布和应用。然而,平民权利会受到特别法令或特许的破坏或更改,而这些特权的基础则是王权。通过这种方式,一种特权式的土地占有关系便形成了。有关亲属继承的规则被对立遗嘱权力的承认和对赠与以及遗嘱的确认所取代;收取罚款的特权也可以授给一些人。经过一段时间,起源于王室授予特权的权利在许多方面便压倒了平民权利,并成为封建制度的开端。在10世纪以前,人们并不把个人的行为看作是他个人意志的表现,而是把它看作是他的亲族集团的行为。人身保护、复仇、发誓、结婚、监护和继承,这一切都由亲族关系法来调整。开始时作为自然联系的纽带,后来变成了执行职责以及迫使不法分子遵守秩序的工具。当这些联系仍感到不够时,其他的集体机构如行会、乡或区就担负起各自的责任。在"诺曼征服"以前这个时期,为了保护个人,有许多规章已经过国王的立法正式制定。例如在财产这个领域内,要求在牲畜交易中有证人在场,这不是为了使买卖有效,而是避免后来再对牲畜提出权利要求的一种保障。有若干命令要求一切在城门外的交易都要有证人在场。另有一些法令则明白禁止在市外进行交易,也是为了对买主的保护。维持治安是盎格鲁-撒克逊法律的重要特点,治安被看作是当权者在一个特定地区内的统治。由于最高权力是国王,反对破坏公共治安的严格法令和规定便逐渐发展起来。

Angmagssalik(Greenland) 参阅**Ammassalik** *昂马克沙利克*。

Ango, Jean 昂戈(约1480,法国迪耶普～1551,迪耶普) 法国船主。继承其父经营进出口业。最多时他拥有70只船。在弗兰西斯一世统治时期曾代表法国从事海洋探险。1524年他装备"多菲内"号。G.韦拉扎诺乘此船探测北美洲东海岸,发现后来的纽约市的所在地。1529年,他同R.帕芒蒂埃乘两艘船抵达苏门答腊沿岸。昂戈还主张掠捕敌方船只。1523年,他的船长J.弗勒里掳获3艘把美洲财宝从墨西哥运往西班牙的船;弗兰西斯一世曾借用他的船进攻西班牙和英国;1530年弗兰西斯授权他袭击葡萄牙船只,以补偿遭受葡萄牙的损害。1549年弗兰西斯一世去世后，他被控失职，曾一度被监禁。

Angol 安戈尔 智利南部阿劳卡尼亚地区马耶科省省会。临雷乌埃河。1862年在旧阿劳坎印第安人据点上建立。所在河谷地区出产水果（特别是苹果和葡萄）、小麦、燕麦和牲畜。市内有磨粉、酿酒、制革和木材加工业。人口：城市区约45 000（1999）。

Angola 安哥拉 全称安哥拉共和国。非洲西南部沿海国家，南北延伸约1 300千米，东西平均约1 100千米。安哥拉最北端的滨海区卡宾达飞地与安哥拉本土之间被刚果（金）境内的狭长走廊隔开，北面与刚果共和国交界。安哥拉本土东、北接刚果（金），东南与赞比亚交界，南与纳米比亚毗邻，西临大西洋。首都罗安达。面积1 246 700平方千米。人口约11 827 000（2005）。

土地 安哥拉可分为3个主要地形区。狭长的海岸平原，北部宽约125英里（200千米）。南部宽约15英里。地势由平原陡升为一系列崎岖的高地，比耶（安哥拉）高原面积最大，约占全国面积的1/10，海拔介于5 000～8 600英尺（1 525～2 625米）之间；比耶高原北面是面积较小、海拔较低的马兰热高地；南面则是威拉高原，地势陡升到海拔约7 700英尺。高原以东为一大片平缓的高原，约占国土面积的2/3，地势逐渐下降到海拔1 650～3 300英尺之间。

高地高原将安哥拉分成3个不同水系：一为东北水系，向北流入刚果河盆地；另一为东南水系，向东流入赞比西河水系并向东南汇入奥卡万戈盆地的内陆水系；最后一个是向西注入大西洋的水系，为安哥拉提供了大部分水电能源。位于罗安达东南宽扎河上的坎班贝水坝建有该国最大的水电站。

安哥拉的降雨量自西南至东北差异悬殊。由于非洲南部沿海许多地区的降雨量受到本格拉冷洋流的消极影响，安格拉西南部沿海沙漠（纳米比亚纳米布沙漠的延伸）的年降雨量很少，而占国土1/3的东北部多数地区则均逾1 000毫米；东北部顶端及卡宾达多达1 780毫米以上。北部雨季（9～5月）长于南方（12～3月），季节温差很小，受地势高低变化的影响也不大。高地区气候凉爽，气温为16 °C，北部的索约为26 °C。

安哥拉全部的土地中有将近40%是森林和林木区，西北部（特别是卡宾达）最为茂密；其他所有地区（西南沙漠区除外）均有一些零散的林地。全国不到10%的土地为可耕地，大部分位于南部和西部。境内大部分地区野生动物很多，但因遭人类猎杀，多种动物濒临绝灭，如非洲象、黑犀牛、大貂羚及安哥拉长颈鹿等。

安哥拉拥有丰富的石油矿藏（约占非洲总储藏量的3%）和天然气资源，亦为金刚石生产大国。其他矿藏有铁矿砂、锰、铜和磷酸盐等。安哥拉是非洲水力资源最丰富的国家之一，林业资源也丰富。因受本格拉冷洋流影响西岸近海有许多渔场。

人民 安哥拉人口主要由讲班图语的民族构成。主要种族集团为讲翁本杜语的奥文本杜人（约占全国人口的2/5）和讲金本杜语

的姆本杜人（约占全国人口的1/4）。其他较大种族集团有刚果人、隆达人、尼亚内卡人、洪贝人、乔奎人和恩甘格拉人。讲科伊桑语的桑人（亦称布什曼人）大部分散居在东南部与世隔绝的偏远地区。葡萄牙语为安哥拉的官方语言，但亦通行各种土语和方言。

传统宗教逐渐让位于基督教和非洲基督教的融合教派。多数基督教徒为天主教徒。

安哥拉的人口出生率和死亡率均属非洲最高之列。有2/5以上的人口不足15岁。罗安达为安哥拉最大城市；其他主要城镇有万博、本格拉和洛比托。1/4以上的人口居住在城市区。

1975年葡萄牙人撤离后，安哥拉的大部分白人居民也随之离境，逾30万葡萄牙侨民返国。此后，持续不停的内战造成人口大规模迁移。都市人口普遍向农村地区流动。

经济 安哥拉经济为混合型，主要以农业、石油开采及其他矿产资源开发为基础。作为一个发展中的非洲国家，其人均国民生产总值在20世纪80～90年代仍处在比较低的水平，这主要是由于内战持续不断所致。在国内生产总值中，采矿业约占3/5，石油和金刚石是两项主要产品。

全国约有3/4的劳动人口从事农业，农业仅占国内生产总值的1/10。粮食作物包括块茎植物（木薯和甘薯）、玉米和豆类（以大豆为主），其余田地大多种植咖啡、棉花、西沙尔麻、棕榈、甘蔗和烟草等经济作物。牲畜主要有牛、山羊、猪和绵羊。林产品有阔叶杨木，大部分用作燃料。独立之前，安哥拉的渔业生产十分发达，内战期间亦未间断，但由于鱼群日趋减少，捕获量大幅度降低。

大型企业多数已经国有化。制造业生产加工食品、水泥、精炼石油、纺织品、钢材等。20世纪80年代，安哥拉开始向苏联、非洲开发银行及其他国际金融机构借款以刺激国内经济发展。出口石油的收入使该国可以暂时平衡预算和进行外贸结算。尽管如此，内战和边境战争的庞大消耗仍阻碍其经济发展，该国的工业规模仍然很小。

安哥拉的预算收入主要来自税收以及各类企业上交国家的利润。开支主要用于国防、政府管理、教育、保健和能源。1976年所有银行均实行国有化。

安哥拉的国内铁路网主要由3条东西走向的铁路构成，但在内战期间运营里程大大缩短。公路网中约有1/8已铺有路面。安哥拉建有一座国际机场（位于罗安达）及若干小型国内机场，国家航空公司为安哥拉航空公司，提供国内和国际的航班服务。主要海港有罗安达、洛比托和纳米比，另有若干较小港口。

安哥拉的出口商品有原油及石油精炼制品、金刚石和液化石油气，主要出口到美国、德国和巴西。进口货物包括原料、运输设备、食品和金属，主要来自葡萄牙、美国、法国和巴西。

政体与社会状况 20世纪90年代初，安哥拉的政治制度处在一个过渡时期。1975年安哥拉获得独立后的头15年中，内战使该国受到严重破坏。内战一方为执政的安哥拉人民解放运动，另一方为反对该党马克思主义方向的争取安哥拉彻底独立全国联盟。在前者统治期间，安哥拉为一党制国家，奉行中央计划经济方针。根据双方于1991年达成的和平协议内容，两党以及其他政党都可以参加1992年举行的全国选举。人民解放运动放弃了对马克思主义的信仰，并执掌安哥拉看守政府直到1992年9月举行选举为止。该党在选举中赢得国民议会中的多数席位。

由于内战和缺乏训练有素的人员，安哥拉的教育事业和医疗保健服务受到破坏。为减少热带传染病及其他常见病，该国开展了大规模预防疾病运动，但营养不良现象仍普遍存在，婴儿死亡率很高。平均预期寿命男性为45岁、女性48岁。政府提供免费教育，但义务教育仅实施到小学儿童。15岁以上的人口中只有40%的人不是文盲。位于罗安达的内图大学创建于1962年。

尽管全国有数家日报，但许多人仍从墙报上获取新闻。安哥拉也建有无线电广播台和电视台。尽管西方的影响日益增强，但安哥拉仍保持着传统的文化表达方式。有丰富的口头文学和木雕、牙雕、泥塑、铜塑工艺品。

历史 现今安哥拉地区的原始居民可能

是讲科伊桑语的猎人和采集者。公元第1个千年期间，大批移居南部非洲讲班图语的移民(可能源于中非)同化了当地居民，并向当地引进和推广了冶铁和谷物种植技术，最后成为南部非洲的主要种族语言集团，到1600年已完全占据现今安哥拉地区。

安哥拉地区最重要的班图王国是刚果，其首都位于姆班扎刚果，葡萄牙人称之为圣萨尔瓦多刚果。该王国为高度中央集权的复杂国家，划分为6个省。刚果王国的南部为姆本杜人的恩东加王国。该王国同系中央集权制，安哥拉亦因其国王的称号 ngola 而得名。

1483年葡萄牙探险者到达安哥拉，使刚果统治家族信奉基督教，还在当地从事贸易和传教活动，后因葡萄牙人日趋卷入贩卖奴隶的活动终于激起刚果人的反抗，葡萄牙人于是消灭了南部的恩东加王国。葡萄牙人在该地区的殖民进展缓慢，但贩卖奴隶的生意却十分红火，到17世纪初从罗安达每年出口的奴隶达5 000～10 000人。

安哥拉与西南非(今纳米比亚)的边界直到1926年边境争端获得解决才告确定。其他边界在19世纪90年代即已确定。境内反对殖民统治的武装活动一直持续到1930年。葡萄牙统治时期，非洲人几乎没有机会发展经济，强迫劳动的现象普遍存在，一切经济发展无不以谋求葡萄牙的利益为宗旨。

20世纪50年代民族主义运动蓬勃展开。主要由罗安达姆本杜人支持的信仰马克思主义的安哥拉人民解放运动，成为争取安哥拉独立的主要力量，但其他基于部落、地域以及意识形态的集团亦有所发展。60和70年代战斗日益激烈，1975年葡萄牙人终于撤离安哥拉。然而，在这之后的安哥拉国内各党派间的斗争又引发内战。人民解放运动在苏联和古巴的帮助下控制了安哥拉的大部分地区，但与争取安哥拉彻底独立全国联盟的战争仍时有发生。联盟是受到西方支持的游击队组织，在国内的主要支持者是奥文本杜人。人民解放运动控制着首都罗安达、沿海地区和产油区，争取彻底独立全国联盟则控制着东部与南部多数地区。战争断断续续地进行了数年；1989年，作为国际社会解决纳米比亚地位争端的努力的一部分，曾帮助人民解放运动的古巴军队开始撤离安哥拉。1991年根据苏美两国的旨意，双方媾和，安哥拉在国际监督下举行多党自由选举。但由于人民解放运动在1992年的选举中表现出雄厚的实力，联盟指责选举有弊而拒绝接受选举结果。同年10月首都爆发了猛烈的战斗，零星冲突持续不断。

Angoni(people)　参阅 **Ngoni** 恩戈尼人。

Angora (city, Turkey)　**安哥拉**　参阅 **Ankara** 安卡拉。

Angora, Battle of(1402)　参阅 **Ankara, Battle of** 安卡拉战役。

Angora goat　**安哥拉山羊**　家山羊品种。古时在小亚细亚安哥拉地区育成。毛柔软如丝，可制马海毛(**mohair**)。18世纪中期已广泛输入欧洲，但不成功，直到一个世纪后安哥拉山羊输入南非，西方的马海毛业乃得到发展。不久安哥拉山羊输入美国，以得克萨

安哥拉山羊
美国不列颠百科全书公司供图

斯州和西南部为中心得到发展。安哥拉山羊比其他国家山羊和绵羊体格略小，公、母都有角，耳长而下垂。其毛弹性甚强，在平滑和光彩方面胜于绵羊毛。

Angostura, Battle of　**安戈斯图拉战役**(1847-02-22～23)　参阅 **Buena Vista, Battle of** 布埃纳维斯塔战役。

Angoulême　**昂古莱姆**　法国西南部普瓦图-夏朗德大区夏朗德省城市和省会。在夏朗德和昂圭尼两河汇合处旁的高台地上。507年克洛维从西哥特人处攫取之。公元9世

昂古莱姆19世纪的市政厅
美国不列颠百科全书公司供图

纪起为昂古莱姆诸伯爵驻地。曾遭受法英“百年战争”和16世纪末宗教战争的破坏。昂古莱姆19世纪的市政厅建在伯爵城堡原址上，但保留其15世纪和13世纪两城楼。旧城墙已被夷平，为宽阔林荫道取代。有各种制造业，大多数分布在四周郊区。生产纸张、毛毡、铁、珠宝首饰、砖和电冰箱等。人口43 171(1999)。

Angoulême DYNASTY　**昂古莱姆王朝**(统治时期1515～1574)　法国瓦卢瓦王朝(**Valois dynasty**)的一个支系。

Angoulême, Charles, duc d' (duke of)　**昂古莱姆公爵**　参阅 **Orléans, Charles, duc d'** 奥尔良公爵。

Angoulême, Charles de Valois, duc d' (duke of)　**昂古莱姆公爵**(1573-04-28，法国法耶～1650-09-24，巴黎)　法国国王查理九世的私生子。以阴谋反对国王亨利四世和后来的战功，特别是1627年指挥对拉罗歇尔的围攻而闻名于世。他曾被封奥弗涅伯爵，并曾任骑兵统领。在亨利四世反对天主教联盟的战役中，昂古莱姆为亨利效劳。但后来他又参加反对国王的一系列阴谋。1604年，他开始参加勾结西班牙的叛国活动。不久以后公开举行叛乱。1605年，昂古莱姆被俘，判处终身监禁。1616年获释，在安克尔元帅麾下服役。1619年封昂古莱姆公爵。枢机主教黎塞留派他在围攻蒙托邦(1621)和拉罗歇尔(1627)时与新教徒作战。1643年枢机主教马萨林任命他指挥在北方的军队。昂古莱姆公爵的《回忆录》于1667年出版。

Angoulême, Diane de France, duchessede Montmorency et　**昂古莱姆女公爵**　参阅 **Diane de France** 迪亚娜(法兰西的)。

Angoulême, Louis-Antoine de Bourbon, duc d'(duke of)　**昂古莱姆公爵**(1775-08-06，法国凡尔赛～1844-06-03，奥地利帝国威尼斯戈里齐亚)　法国最后一个王太子。1814年拿破仑失败后波旁家系复辟活动中的著名人物。1789年革命爆发时随父离开法国，寓居波兰和英国。1814年回国，在波尔多重新升起王家的旗帜。他统率南方罗讷河流域王家

美国不列颠百科全书公司供图

军队，但未能阻止拿破仑返回巴黎。在路易十八第二次复辟后，他效忠路易。1823年指挥法国远征军，镇压西班牙的反波旁王朝的叛乱。1830年父王查理被迫逊位时，他放弃王位继承权，流亡国外。

Angoumois 昂古穆瓦 法国旧省名，大体相当于今夏朗德省，10～12世纪时为昂古莱姆伯爵的领地。长期以来为阿基坦的一部分。1373年法国人从英国人手中收复。17世纪为圣东日和昂古穆瓦联合行政区的一部分。

Angra do Heroísmo 英雄港 葡萄牙英雄港区的首府。位于北大西洋亚速尔群岛的特赛拉岛南部沿海、巴西山山麓。1534年建市。北大西洋公约组织在附近的拉日什建立了空

特塞拉岛上的英雄港市容
美国不列颠百科全书公司供图

军基地，英雄港的地位更显重要。该区由特赛拉、格拉西奥萨以及圣若热诸岛组成，面积共703平方千米。上列诸岛输出乳制品、肉类及其他农产品。当地还有用于制造陶器的高岭土开采业。人口约11 672(1991)。

Angra dos Reis 安格拉-杜斯雷斯 巴西里约热内卢州西南部城市。临大西洋伊利亚格兰德湾。收入来源于港口经营、庞大的捕鱼业和农业区的香蕉种植。由来自巴拉曼萨的铁路线运来蔗糖、咖啡、豆类、钢铁和煤，经此出口。邻近的沃尔塔雷东达及其大型钢铁企业的发展，使安格拉-杜斯雷斯的造船业和港口设施得到很大提高。1981年起由西德援建3个核电站。有里约热内卢一桑托斯公路通过。人口约28 515(1991)。

Angra Mainyu (in Zoroastrianism) **邪神** 参阅 **Ahriman** 阿里曼。

Angra Pequena (Namibia) **安格拉佩克纳** 参阅 **Lüderitz** 吕德里茨。

Angren 安格连 乌兹别克斯坦塔什干州城市。位于阿汉加兰河左岸，在塔什干市以东115千米处，为乌兹别克斯坦采煤工业中心。1946年建为矿工城，包括几个分散的居民点。有大型发电站和大型建材业，还有一家橡胶厂。市内有师范学院和博物馆。人口约133 000(1992)。

Angrezābād (India) **安格雷扎巴德** 参阅 **English Bāzār** 英吉利巴扎尔。

Angry Young Men 愤怒的青年 20世纪50年代英国知识分子中出现的文学新一代。多出身于工人阶级或中产阶级的下层。他们公开鄙视英国传统的门第观念、英国国教以及高人一等的牛津大学和剑桥大学。他们同样强烈地蔑视战后福利国家的单调乏味。这一思潮在J.韦恩的小说《每况愈下》(1953)和K.艾米斯(**Amis, Sir Kingsley**)的小说《幸运儿吉姆》(1954)中表现得十分明显，在J.奥斯本(**Osborne, John**)的《愤怒的回顾》(1956)一剧中体现得更为具体，该剧已成为这一运动的代表作。自从皇家宫廷剧院新闻发布官称26岁的奥斯本为"愤怒的青年"以后，该名称便被引伸用来称呼所有和他类似的同龄人。他们对顽固坚持阶级差异表示愤怒，以自己低下阶级的癖性为荣，憎恶自矜风雅和虚伪。属于这一流派的其他作家有小说家J.布雷恩、A.西利托和剧作家B.科普斯、A.韦斯克尔。与美国的避世运动一样，这一运动的动力在20世纪60年代初耗尽。

angstrom 埃 主要用于测量光波波长的单位，等于10^{-10}米。此单位为纪念19世纪瑞典物理学家A.J.埃斯特朗而命名，符号记作Å。"埃"及其倍数如"微米"、"纳米"，也用于量度分子直径及液膜的厚度等。

Ångström, Anders Jonas 埃斯特朗(1814-08-13，瑞典勒格德～1874-06-21，乌普萨拉) 瑞典物理学家，光谱学奠基者。长度单位埃($Å=10^{-10}$米)就以他的姓氏命名。他最主要

美国不列颠百科全书公司供图

的研究工作，是关于热传导和光谱学方面的。他创造一种测量热导率的方法，从而证明热导率与电导率成正比。1853年他指出，电火花产生两种重叠的光谱，一种来自电极的金属，另一种来自电流通过的气体。根据欧拉的共振理论，他推论出了一条光谱分析的原理，即白炽气体放出的光线与该气体所能吸收的光线具有相同的可折射度。对太阳光谱的研究发现(1862年宣布)太阳的大气中有氢。1868年发表了巨幅的太阳正常光谱图，有长期的权威性。1867年最先研究了北极光的光谱，探查并测量了它的黄绿带的标识亮线，但他错误地推断黄道光里也会看到同样的线。曾就读于乌普萨拉大学，1839年在该校任个体教师(讲师，其报酬直接来自学生的学费)，1858年任物理学系主任。1843年任乌普萨拉天文台观测员。其子K.J.埃斯特朗也是研究光谱学的物理学家，并在乌普萨拉大学任教。

Anguier, François; and Anguier, Michel-André 安圭埃尔兄弟(弗朗索瓦约1604，法国厄～1669-08-09，巴黎；米歇尔-安德烈约1613，厄～1686-07-11，巴黎) 兄弟二人均为法国雕刻家。曾为陵墓、教堂、宫殿及公共纪念碑制作装饰物。初期在法国学习雕刻，约1641年赴罗马，在巴罗克风格雕刻家A.阿尔加迪的作坊学习。1648～1652年间共同为亨利二世墓(在穆兰)作雕饰。弗朗索瓦最具特色的作品是为历史学家J.德图的第二个妻子加斯帕尔德制作的墓葬雕像(现存巴黎罗浮宫)。米歇尔-安德烈曾受命为奥地利皇后安娜作罗浮宫居室的装饰，还与C.勒布朗及A.勒诺特尔合作，为路易十四的大臣N.富凯的别墅维孔宫作雕饰。1667年完成了巴黎格莱斯教堂的装饰，其若干浮雕和高祭台上的大理石群雕耶稣诞生图(1665)现存巴黎圣罗科教堂。1674年他以古典风格完成圣但尼门凯旋门的浮雕。

Anguilla 安圭拉 加勒比海东部岛屿，英国的属地。位于小安的列斯群岛中的背风群岛的最北端。属地包括附近的斯克鲁布、锡尔、多格和松布雷罗岛以及普里克利皮尔珊瑚礁。圣马丁岛位于其南8千米处，圣基茨(圣克里斯托弗)岛位于其东南约100千米处。陆地面积约为91平方千米。首府瓦利位于该岛中心附近。人口约12 446(2002)。

土地 安圭拉是一个由珊瑚礁和石灰岩构成的岛屿，地势较为平坦，岛上覆盖着稀疏的干燥林地，周边为白沙滩。为数众多的海湾和小水湾使海岸线呈犬牙状，该岛呈狭长形(长26千米，宽6千米)，并因此而得名(法语 *anguille*，意为"鳗鱼")。岛上最高点为克罗卡斯山，海拔65米。岛上有一些沃土带，但大部分地区只适于放牧。安圭拉没有河流。几处盐沼的产盐量可供市场销售。属热带气候，常年日照充裕、干燥。年均气温27℃，年降雨量约为900毫米。9月至翌年1月通常为最潮湿的季节，7～10月多飓风，有时会造成灾害。

人民 安圭拉居民多为黑人和穆拉托人，是非洲奴隶的后裔。少数白人居民多为欧洲人的后裔。官方语言为英语。最主要的宗教派别为基督教新教(圣公会教派和美以美教派)。岛上人口的年龄结构非常年轻，15岁以下的人口占1/3以上。出生率与死亡率均属一般。

经济 安圭拉的干燥气候和贫瘠土地使农业无法在经济中起重要作用。主要农作物有豌豆、玉米和甘薯。家畜饲养有绵羊、山羊、猪、牛和家禽。有一国营的牛配种站，一些牲畜供出口。岛上经济在传统上较多地依靠渔业作为收入来源。近海礁滩盛产鱼类和龙虾，为该岛外汇创收的主要来源。龙虾主要出口到附近岛屿和美国。产于安圭拉盐沼的盐，经过自然蒸发而成，除本地消费外还可供出口。安圭拉岛的海洋生物和白沙滩在加

安圭拉的港口与新建公路
美国不列颠百科全书公司供图

勒比海地区均首屈一指，是正在发展中的旅游业的基础。旅游业开始在国民经济中占主导地位。饭店及其他旅游设施的发展在安圭拉的经济计划中亦占重要位置。外汇来源的另一渠道是在国外工作的安圭拉人给国内家人的汇款。

岛上约有一半道路铺有路面。主要海港有罗德贝和布洛英岬角。沃尔布莱克建有机场。

政体与社会状况 安圭拉是根据1982年生效的宪法治理的，在管理内部事务上有相当大的权力。英国君主任命的总督拥有行政权力，行政委员会在总督履行职责时为其提供咨询。该委员会由首席部长、3名其他部长以及2名当然兼任的成员组成。立法机构是议会，其中部分成员由选举产生。

安圭拉人生活贫困，就业状况不稳定。但是，与加勒比海其他岛屿的一般标准比较，其住房条件相当不错。大部分房屋为混凝土结构，设计上相对来说比较宽敞。岛上居民总体上健康状况良好，岛上一家小医院和有限的医疗设施为居民提供医疗服务。政府建有数所小学和一所中学，对5～14岁的少年儿童实行免费义务教育；接受高级培训和高等教育可以到加勒比地区的其他地方。政府拥有并经营一个无线广播电台，现代化的内部电话系统将全岛连为一体。

历史 安圭拉似乎从来没有被加勒比印第安人当作重要据点，哥伦布是否到过该岛亦不得而知。1650年它第一次被来自圣克里斯托弗的英国殖民者开拓为殖民地。从那以后便一直是英国的领地。1688年，该岛受到一批爱尔兰人的进攻。此后，这批爱尔兰人便在该地定居，他们的姓氏在岛上仍然可见。该岛在18世纪两次（1745和1796）遭法国人攻打，但均被击退。殖民化以后，该岛作为背风群岛的一部分归英国人管辖。从1825年起，该岛一直附属于圣克里斯托弗，对此安圭拉一直不满。1875年，安圭拉要求独立，但遭拒绝。1882年，圣克里斯托弗、尼维斯和安圭拉被合成一个统一殖民地。1958～1962年，该岛是西印度群岛联邦的一个组成部分。反对圣克里斯托弗统治的斗争一直持续到20世纪60年代，在1967年达到高潮，当时成立了一个由圣克里斯托弗-尼维斯-安圭拉三方组成的联合邦。安圭拉对此作出的反应是拒绝圣克里斯托弗的警察，建立起自己的政务会，随后宣布独立。谈判失败后，英国人于1969年3月进行干预，派出军队和一位临时地方长官恢复了合法政府。1969年9月，军队撤离，《安圭拉法案》（1971年7月颁布）将该岛置于英国的控制之下。1976年的新宪法规定在英国君主的统治下，该岛享有最大限度的内部自治，并正式将安圭拉保留在联合邦内。1980年12月19日，安圭拉正式脱离圣克里斯托弗和尼维斯，1982年一部新的安圭拉宪法开始生效。

anguilliform 鳗鲡类 鳗鲡目（Anguilliformes）的硬骨鱼类，包括普通的淡水鳗鲡和海鳝，体长，甚至呈蠕虫形。鳗鲡类产量丰富，食用价值很大。鳗类生活在大洋里可能都要经过长期的叶状幼体期，再进行变态到成鱼形的幼鳗期。成体长10厘米（月尾鳗［*Cyema atrum*］）到3.5米（长尾鳝［*Thyrsoidea macrura*］）。可栖于海洋深处。在热带海中种类繁多，体色自褐灰或黑色（深海种类）至彩色丰富并有花斑（热带礁种类）。鳗类的生活史包括：卵；幼体，以浮游方式在海中扩散；幼鳗；成体，会向海洋产卵区洄游。典型的幼鱼体长而侧扁，透明，胶状。具有明显的W形肌节和向前伸的尖锐牙齿。以硅藻和小的甲壳类为食。各种远洋鱼类是它们的敌害。热带鳗类的幼体期可能是4～6个月。但生活在温带的可达一年以上。若遇适宜的海流，幼体便从成鳗产卵区向各处漂泊。长成后很快开始变态。身体变成圆筒形，体重约减轻90%；肛门位置前移到接近身体中间；幼体时的牙齿消失；吻变圆；背鳍起点前移；幼体的黑素细胞消失。有的还失去胸鳍或身体缩短。根据在水族馆里的观察和由浮游生物样品中连续的生长系列得到的推断，某些幼体性质保留到变态后，因而有助于辨识种类。这包括：肌节的数目，背鳍、臀鳍和尾鳍鳍条的发育，肾血管及胆囊的相对位置。变态过程还包含着生理、行为的变化，特别是与成体采取在深海、浅海或淡水中的生活方式有关的变化。变态使叶状幼体转变成的幼鳗能进入显著不同的栖息地。所有鳗类的变态可能都在大洋中完成。鳗鲡属（*Anguilla*）的幼鳗每年一度进入淡水，在欧洲为10月到次年3月，在其他温带区域为春季。鳗类在生长到成熟的数年中主要是肉食性，吃各种浮游动物或底栖的动物。欧洲鳗鲡约10年后成熟，但热带的海生种类可能较早。根据对欧洲鳗鲡生长和成熟过程的仔细研究，其雌、雄性均历经几个阶段：中性期、早成雌性化期和幼雌雄同体期，然后变成雌鱼或雄鱼。其性别主要由环境因素来确定。所有鳗类在成熟时都经过或近或远的距离洄游到产卵场。产卵场一般位于大陆坡或离岸不远的海盆中。多数鳗类在幼体或成体期单独生活，用身体和奇鳍的波状运动缓慢游泳。有的以尖尾和身体的向后运动迅速地挖洞。海鳝类和康吉鳗类栖居于岩缝里。鳗类通常无鳞；无腹鳍；背鳍、尾鳍及臀鳍相连；鳃孔通常减小。化石及成体和幼体的比较解剖学研究，提示鳗类在白垩纪起源于某些与海鲢目有一些相似特征的种类。鳗鲡目的特征为：体长；奇鳍互相连接；无腹鳍；有时具退化的圆鳞；鳔具管；具叶状幼体。分四个亚目。鳗鲡亚目（Anguilloidei）：额骨成对，具上枕骨。线口鳗亚目（Nemichthyoidei）：额骨成对或愈合，上枕骨存或缺；两鼻孔靠近，位在眼前。康吉鳗亚目（Congroidei）：额骨愈合，具上枕骨。合鳃鳗亚目（Synaphobranchoidei）：额骨愈合，具上枕骨，第三下鳃骨向后，幼体具伸缩式眼。

angular harp 角形竖琴 琴颈与共鸣箱或琴腹形成明显角度的乐器，是竖琴的主要变种乐器之一。最早为人所知的角形竖琴图画（约公元前2000）在美索不达米亚发现。特别是在埃及，还有美索不达米亚，这种竖琴竖着弹，持琴时琴颈在下端，用两手手指拨奏。在美索不达米亚有时还把琴横放在演奏者的膝上，琴弦朝向他，演奏者用拨子扫弦，而左手捺住不需要的弦。16世纪的埃及、17世纪的土耳其和19世纪的波斯，仍有中世纪的角形竖琴。这种角形竖琴是琴颈靠近地面，而乐师是跪着演奏。

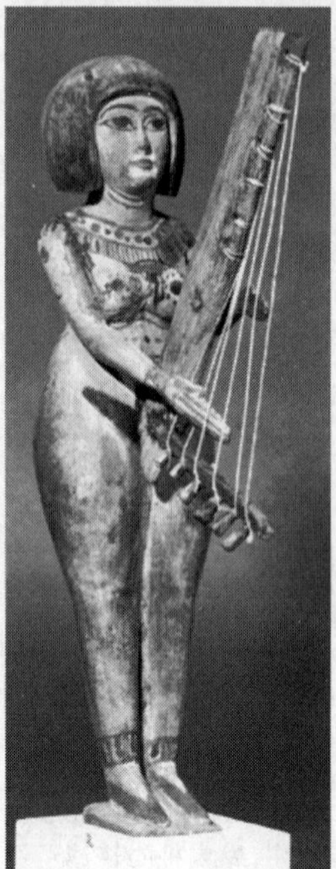

埃及后王朝时期（公元前1085～前525）手持角形竖琴的彩绘木雕像
美国不列颠百科全书公司供图

angular momentum 角动量 描述物体或物系绕轴运动的物理量。该轴既可通过此物体或物系，也可不通过它们。地球由于绕太阳作周年公转，有轨道角动量；又由于每天绕自身的轴转动，有自转角动量。角动量是矢量,要完整描述它就要同时说明它的量值和方向。作轨道运动的物体的角动量等于线动量乘以由转动中心到通过物体重心沿瞬时运动方向所作的直线的垂直距离 r,即 mvr。自转物体的角动量应认为是组成该物体的所有质点的 mvr 的总和。角动量也可描述成转动物体或物系的*转动惯量*(**inertia, moment of**) I 和*角速度*(**angular velocity**) ω 的乘积,即 $I\omega$。角动量矢量的方向为给定物体的转轴方向,以右旋方向为正。角动量的单位为千克·米^2/秒。对于不受外力作用的给定物体或物系,总角动量为恒量,这就是角动量守恒定律。例如,花样滑冰者双臂收回时,会旋转得更快,即角速度 ω 更大,因为双臂收回减小了转动惯量 I,而乘积 $I\omega$ 即滑冰者的角动量却保持不变。角动量的方向和量值都守恒,因此飞机上转动着的回转罗经就不受飞机运动的影响而保持固定的取向。将轨道角动量或自转角动量的概念扩展到亚原子粒子如电子的类似性质,即为*自旋*(**spin**)。参阅 **momentum**。

angular velocity　角速度　物体绕轴转动的时间率,或两物体之间角位移变化的时间率。图中角位移由一个物体上的一根直线与另一个物体上的一根直线之间的角 θ 表示。工程

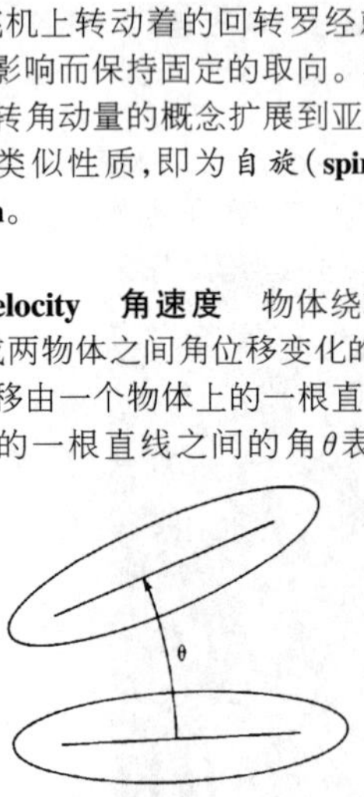

角位移

技术中,角或角位移通常以度数或转数表示,角速度以每分钟的转数(rpm)表示。在数学与物理学中,角通常以弧度表示,角速度以弧度/秒表示。这几种度量以下列转换关系相联系:1 度 $= \pi/180$ 弧度;1rpm 约等于 0.105 弧度/秒。在许多情况下,角速度(通常以希腊字母 ω 作符号)同样可以用*频率*(**frequency**)来表示。选择时取决于所涉及问题具有的特性,因而电工学中,发电机的转速可用转/分表示,发电机发出的交变电流则以它的频率来描述。角加速度是角速度的时间变化率,通常记作 α,用弧度/秒^2 表示。在匀角速度下,$\theta = \omega t$,$\alpha = 0$。如果 α 是均匀的,但不为零,则 $\omega = \alpha t$,$\theta = \frac{1}{2}\alpha t^2$。

Angus　安格斯　前称福弗尔郡。苏格兰东部的政务会辖区和历史郡,东濒北海,南临泰湾。整个政务会辖区位于安格斯历史郡境内,该辖区还包括邓迪市和属于珀斯-金罗斯政务会辖区的库珀安格斯以南的一小块地方。该郡主要城市是邓迪,这个城市形成一个独立的政务会辖区。安格斯被高地边界断层所切断,由东北向西南从埃兹尔穿越到林特雷森。高地地区包括一些被 3 个宽冰蚀(即峡谷)切割成的海拔 600 ～ 900 米的高原,除了在峡谷的高地外,冰蚀没有严重侵蚀高地;冰川在峡谷还形成一些带状冰蚀湖,现被用作水库。高地南部是富饶的斯特拉斯莫尔谷,该地有肥沃的冰川沉积层。锡德洛丘陵群形成斯特拉斯莫尔谷的东南边界,它们的崖岸坡向东南俯视着被冰河冰碛物覆盖的海岸低地。沙丘和冰期后抬升的海滩是岸的边缘。当地气候总体干燥,春天寒冷并常有海雾。夏末秋初时节尤为温暖,日照时间长,农作物晚熟。高地土壤贫瘠,在较平坦地区多泥炭沼。稀薄的、排灌良好的土壤出现在冰水生成和上升海滩沙地,肥沃的河边黏土围绕着蒙特罗斯盆地。除了锡德洛的高沼地山顶和沙砾土壤的一些林地之外,低地主要用于农耕。皮克特人在罗马时期占据安格斯郡。现仍有几座皮克特人的山丘堡垒遗迹。罗马人在公元 1 世纪建立了临时兵营,如今当时的兵营和道路仍然依稀可见。从公元 6 世纪起,皮克特人必须抵御来自海上的条顿和丹麦人侵者,抵御来自陆地诺森布里亚的盎格鲁人的侵略,保卫他们的家园。9 世纪期间安格斯由盖尔人(最初来自爱尔兰)统治,他们逐渐融入当地居民。在 11 世纪安格斯居民击败维京人入侵。12 世纪期间弗莱明移民在安格斯建起羊毛和亚麻制造业,该郡随后进入一个繁荣时期,并持续到 14 世纪初苏格兰独立战争之后。该郡在 17 世纪英国内战中损失较大,邓迪和布里金两城镇被劫掠一空。政务会辖区经济包括农业、工业和服务业三个方面。高地地区主要饲养羊,峡谷主要用于养牛。约有一半土地用于耕种,主要农作物有谷物、甜菜和饲料作物。优质土豆作为商品作物种植,出口到外地。小自耕农地产邓迪和蒙特罗斯的制果酱工业所需的树莓和草莓。在阿布罗思还有小型的捕捞和鱼肉加工业,在阿布罗斯和福弗尔建有纺织厂。为北海石油工业提供商品和服务对安格斯经济来说非常重要。旅游业也很重要,特别是在沿海以及高地和峡谷。安格斯的历史郡首府和行政管理中心是福弗尔。政务会辖区面积 2 184 平方千米;人口 109 840 (1999)。

Angus　安格斯牛　黑色无角肉用牛。多年来称为阿伯丁安格斯牛,起源于苏格兰东北部。祖先品系不详,但似与有时称为英国最老品种的卷毛加洛韦牛亲缘关系密切。19 世纪初,著名育种家 H. 沃森和 W. 麦康比及其他人改良了这个品种,固定了该品种现在的体型。外貌特征是黑色,无角,体躯矮而结实,肉质好,出肉率高。安格斯牛是最高级的肉牛。多年来纯种或杂交的安格斯阉牛在英美主要肉畜展览会中保持很高声誉。1873 年引入美国,以后其影响遍及美国及其他国家。红色安格斯牛品系于 20 世纪末常用于远交和杂交。婆罗门-安格斯牛(Brangus)是婆罗门牛(Brahman)和安格斯牛育成的一个支种,以抗热闻名。

Angus, EARLS OF　安格斯伯爵　苏格兰封爵贵族,主要授予道格拉斯家族。其成员按年代顺序排列,并各以●为标记。

● **Angus, Archibald Douglas, 6th Earl of　安格斯伯爵(第六)**(约 1489～1557-01,苏格兰东洛锡安坦塔伦堡)　苏格兰贵族,詹姆斯五世国王和玛丽女王时期权臣。安格斯伯爵第五阿奇博尔德·道格拉斯(约 1449 ～约 1514)之孙。1514 年与王太后玛格丽特·都铎结婚,引起贵族们的妒忌。次年奥尔巴尼公爵取代玛格丽特成为未成年的詹姆斯五世的摄政和监护人,玛格丽特逃往英格兰。她回国后发现安格斯与一地主女儿发生关系,遂勾结奥尔巴尼反对自己的丈夫,1522 年指控他犯叛逆罪,送往法国。但两年后他在英王亨利八世的支持下回国,1525 年在爱丁堡召开议会,他与其家族掌握最高权力。1528 年詹姆斯五世下令剥夺他的权力。他逃往英格兰。1542 年詹姆斯五世卒,他又回到苏格兰,恢复权力,任南部地方长官。1545 年 2 月 27 日在安克拉姆沼泽击败英格兰人。他毕生将国家利益完全从属于其家族利益。

● **Angus, Archibald Douglas, 8th Earl of, EARL OF MORTON　安格斯伯爵(第八)**(1555 ～ 1588-08-04,苏格兰中洛锡安达尔基斯附近的斯米顿)　詹姆斯六世在位时期的苏格兰叛乱分子并极力鼓吹基督教长老制政体。他的叔父莫顿伯爵任摄政时,他平步青云。1573 年任枢密顾问官和贝里克郡郡长,1574 年任苏格兰南部地方副军事长官,1577 年任西部边境高级官员和法夫郡财务主管官员,1578 年成为王国副军事长官。1581 年莫顿倒台,他亦因支持莫顿而被指控犯有重大叛国罪而逃往伦敦。后来参加马尔伯爵和格拉姆斯地方长官的叛乱而被剥夺一切权利。1584 年 10 月返回苏格兰,恢复领地,并任边境地区高级官员和军事长官。

● **Angus, William Douglas, 10th Earl of　安格斯伯爵(第十)**(约 1552～1611-03-03,法国巴黎)　即 W. 道格拉斯。苏格兰叛乱者、阴谋家。他在出访法国宫廷时期皈依罗马天主教,回国后被剥夺继承权并遭监禁。1591 年继承其父的爵位和领地。1592 年在苏格兰北部任地方长官。1592 年求助英格兰女王伊丽莎白一世阴谋反对大法官约翰·梅特兰,并开始勾结西班牙。事泄后被囚于爱丁堡城堡,不久他逃往北方。1597 年放弃自己的罗马天主教信仰成为长老会教徒,并重新获得领地和爵位。但不久又食言,1608 年被革出长老会教门。1609 年起退隐法国。

Anhalt　安哈尔特　德国历史区域。1863～1918 年为公国,1945 年以前为一邦,后并入萨克森-安哈尔特。1949 ～ 1952 年萨克森-安哈尔特为德意志民主共和国一个州,1952 年后分为若干专区,原安哈尔特地区分别划归马格德堡专区和哈雷专区。1990 年东、西德统一后,萨克森-安哈尔特复建为州,包括原马格德堡专区、原哈雷专区大部分和科特布斯专区小部分。安哈尔特公国的领土分为东、西两大部分和其他 5 个小部分。东部有采尔布斯特、德绍、克滕和贝恩堡;西部以巴伦斯泰特为中心。其余 5 个小部分领土都插在普鲁士的萨克森省的疆域中。构成安哈尔特的易北河上游平原迄 11 世纪为萨克森公国一部分,12 世纪并入勃兰登堡侯爵大熊阿尔贝特一世的领地,1212 年阿尔贝特之孙亨

利将此划为独立地区。1218年亨利被封为诸侯,1252年亨利卒,其三子将安哈尔特瓜分,于是有了阿舍施莱本、贝恩堡和采尔布斯特3个分支。1315年阿舍施莱本一支绝嗣,所余两支在16世纪中分为安哈尔特-德绍和安哈尔特-克滕。但自1603年始,又分为德绍、贝恩堡、采尔布斯特和克滕4个部分。1793年采尔布斯特并入其他3个地区,1806年神圣罗马帝国瓦解时,此3个地区的诸侯自封为公爵。1863年安哈尔特-德绍的利奥波德四世统一了安哈尔特。在宗教改革时期,安哈尔特属于新教派。从17世纪开始安哈尔特置于普鲁士势力的影响之下。18世纪初安哈尔特-德绍的利奥波德一世改组了普鲁士的军队,为其后腓特烈大帝的胜利奠定基础。1807年安哈尔特各公爵加入拿破仑组织的莱茵联盟,并支持拿破仑直至1813年。1815年加入德意志邦联,1828年加入普鲁士组织的关税同盟。1871年安哈尔特成为新建立的德意志帝国一个邦。根据1919年威玛共和国宪法,安哈尔特成为德意志帝国的一个州。

Anhava, Tuomas　安哈瓦(1927-06-05,芬兰赫尔辛基～　　) 师从E.庞德和T.S.艾略特的芬兰现代派诗人和翻译家。他的诗表现出诗人是一个尽善尽美的追求者,对现代派诗歌的美学理论有着浓厚的兴趣。1953年出版的《诗集》,中心主题是从异化和日常的现实生活中寻求某种超脱。1958年出版的《三十六首诗》在技巧上比较复杂,诗中的形象令人想起诗人在同一时期翻译的日本和中国诗歌。尽管安哈瓦并非是声誉卓著的诗人,但他锲而不舍地探索完美的精神,对许多芬兰年轻诗人曾产生巨大影响。

Anheuser-Busch Companies, Inc.　安霍伊塞-布希公司　美国和世界上最大的啤酒生产商,总部在密苏里州圣路易斯。该公司的起源是乔治·施奈德于1852年在圣路易斯开设的一家小啤酒厂。1860年,肥皂制造商埃伯哈德·安霍伊塞收购了这家濒于倒闭的酒厂,次年安霍伊塞的女儿和布希(**Busch, Adolphus**)结婚。布希是啤酒销售商,后成为该厂成功的推动力。为了使该厂啤酒畅销全美国,布希首创使用冷藏铁路车厢和酿造工艺的低热灭菌。1875年,E.安霍伊塞公司的名称改为安霍伊塞-布希啤酒公司,1876年该公司推出了一种称为布德韦苏的淡色新啤酒。1879年,布希成为公司总裁。在1946～1975年小奥古斯特·安霍伊塞·布希担任总裁时期,公司的啤酒生产大大扩展,后来由他的儿子奥古斯特·A.布希第三主持公司业务,直至20世纪后期。由于它的布德韦苏和米克洛布啤酒畅销,该公司已成为世界上最大的啤酒厂家。20世纪70年代,安雷伊塞-布希公司开始多种经营,生产烤制品、快餐和饮料容器,并拥有许多家庭娱乐场所,包括4个海洋世界娱乐公园和位于佛罗里达州坦帕市的布希公园(黑暗大陆),这是一个非洲主题动物园和娱乐公园,还拥有圣路易斯枢机主教职业棒球队。

anhinga (water bird)　参阅 **snakebird 蛇鹈**。

Anhui　安徽　又拼Anhwei。中国东部省份。春秋时部分地区为皖国地,省内西部有皖山(即天柱山),所以简称"皖"。地跨长江和淮河两流域,东连江苏、浙江两省,南接江西,西邻湖北、河南两省,北部一隅与山东接壤。介于北纬29°24′～34°39′,东经114°54′～119°37′。面积140 000平方千米。设17个省辖地级市,44个市辖区,5个县级市,56个县。省会合肥市。

淮河和长江平行地斜贯过境。淮河沿岸及其以北地区为皖北平原,是黄河大平原的一部分,黄泛沉积物深厚。淮河北侧支流众多且长,主要有颍河、涡河、沱河、浍河、濉河,水流平缓。淮河南侧支流有史河、淠河等,它们坡降较大,汛期水流湍急。各河含沙量大,加以历史上黄河曾多次夺淮,淤高了淮河干流河床,淮水在干流两侧潴成许多湖泊,主要有城西湖、城东湖、瓦埠湖等。江、淮之间的皖中山地丘陵是淮阳山地的组成部分,是长江、淮河两水系的分水岭。大别山耸峙于皖西边境,山峰海拔多在1 000米以上,是史河、淠河、丰乐河、杭埠河、皖河的发源地。大别山以东属丘陵岗地,坡缓谷广。巢湖地区原为断陷盆地,现已演替为巢湖平原。巢湖水面积约800平方千米,为中国五大淡水湖之一。长江两岸为皖中平原,是长江中下游平原的一部分。沿江一带也多洼地、湖泊,有龙湖、大官湖、泊湖、菜子湖等。长江水流平缓,且受海潮顶托,泥沙回淤,形成大小沙洲,成为沿江平原的一大特色。长江沿岸平原以南为皖南山地,主要由黄山、九华山、天目山等组成,是江南丘陵的组成部分。山间谷地宽广,青弋江、水阳江、新安江水源充足,并冲积形成了宣城-芜湖盆地和屯溪盆地。黄山主峰莲花峰海拔1 873米,为全省最高点。冬夏季风影响显著,南北气候有明显差异。以淮河为界,北为暖温带半湿润季风气候,南至黄山为北亚热带湿润季风气候,黄山以南则为中亚热带湿润季风气候。1月平均气温-1～4 °C,7月平均气温27～29 °C。无霜期240天,年降水量自北而南为700～1 700毫米。南北植被也有相应的递变。淮北为半旱生落叶阔叶林带,淮河到黄山间为常绿阔叶和落叶阔叶混交林带,黄山以南则为常绿阔叶林带。大别山区和皖南山地自然植被是全省重点林区。煤炭资源广泛分布在淮南、淮北、阜阳间的三角地带,称两淮煤田,储量居华东各省之冠、中国第六位。磁铁矿、黄铜矿储量也很大,主要分布在长江沿岸。其他还有矾、石膏、石棉、石墨、沸石等矿藏。

北部淮河流域毗邻中国文化摇篮的中原地区,开发最早。春秋时,这里有陈、焦、舒、桐、巢等城国,农业已推进到了长江流域。战国分属吴、楚。楚国占据省境西部和中部,并曾以寿春(今寿县)为国都。楚在寿春以南兴建了灌溉工程芍陂,促进了淮南农业的发展。秦以寿春为治所置九江郡,汉初并曾改淮南国。东汉后期传入用牛犁耕之法,农业进一步发展。西晋末年中原人民大量南迁,沿江和江南一带也迅速发展。隋、唐到北宋,农田水利工程又有较大发展。隋代开凿的通济渠,经宿县、灵璧、泗县入淮,沟通了黄河和长江、淮河。以后由于战争频繁、黄河又不时泛滥南侵,淮河流域发展受阻。经济重心逐步南移到长江沿岸和江南,并在那里发展了茶、桑、麻的种植和手工纺织业。清康熙六年(1667),以安庆、徽州二府首字改江南左布政使司名置安徽。鸦片战争后,芜湖被辟为商埠,安庆、大通也被辟为外轮停泊口岸,安徽逐渐成为单纯的农、林、矿产品供应地。1949年以前,全省只有少量设备简陋的采煤、采铜、火电、纺织、食品等工厂。1949年以后,首先大规模地治理了淮河,兴建了佛子岭、梅山、响洪甸、磨子潭等大型水库和其他水利设施,控制了淮河的水患,发展了灌溉事业,振兴了农业。历史上饥馑不断的状况,现在已变成粮食自给而且丰足有余。水稻和小麦是重要的两大作物,小麦集中在皖北平原,水稻集中分布在沿江平原、巢湖流域和皖南河谷平原。棉花、油料作物、麻类、烟叶等都有大面积种植。棉花种植普遍,油菜广布淮河以南各地。烟叶以烤烟为主,是中国重点烤烟产地之一。茶园主要集中于皖南山地和大别山区,祁门红茶、屯溪绿茶、黄山毛峰、六安瓜片等都是上品。家畜饲养较普遍,寒羊是皖北名产,毛肉兼用。皖南和大别山区的桑蚕饲养业较盛。巢湖和长江富渔产,宣州、南陵、泾县、郎溪、广德一带的扬子鳄为国家保护的稀有动物。在农业发展的基础上,重点发展了两淮的煤炭工业、马鞍山的钢铁工业和各主要城市的机械工业。现在,安徽已是中国煤炭、冶金生产的重要省区之一。电力、机械、化工、纺织、造纸等工业也有相当规模。炼铜业集中于铜陵。电力工业现以火力发电为主。两淮煤田建有3座大型电厂,已成为华东最大的火力发电基地。合肥已成为综合性机械制造中心,生产各种重型机械和载重汽车。特种手工艺品以徽墨、徽笔、歙砚、宣纸最负盛名,被誉为"文房四宝"。

安徽是中国东部铁路交通和长江航运的重要环节。全省铁路运营里程达3 080千米(2005),京沪、京九、陇海等铁路干线过境,省内有淮南、宁铜、阜淮、合九、青阜、皖赣等线相辅。全省公路里程达50 000千米(2005),以合肥、六安、蚌埠、阜阳、芜湖等为中心,105、206、104与205国道纵贯南北,312、318国道横穿东西,合宁、界肥、合广、合铜等高速公路已建成通车。内河航道里程2005年为6 504千米,其中1/3可通航机动船只。芜湖、铜陵、马鞍山、安庆为长江航运重要港口。骆岗机场与北京、上海、广州等国内30多个大、中城市和特别行政区通航。拥有中国科学技术大学等35所高等院校、200多个科研机构。黄山、九华山、琅琊山和齐云山等国家重点风景名胜区为驰名中外的风景旅游区。人口64 610 000(2005)。

Anhwei　参阅 **Anhui 安徽**。

anhydride　酐　实际上或在理论上由另一化合物脱水而得到的任何化合物。例如无机酐有从硫酸衍生而来的三氧化硫 SO_3 和从氢氧化钙得来的氧化钙 CaO。由酸脱水而形成的三氧化硫和其他氧化物常称为酸酐;而由碱失水产生的氧化物如氧化钙,则称为碱酐。最重要的有机酐是醋酐$(CH_3CO)_2O$。它在工业上是由两种方法制备的:①乙醛在一种金属醋酸盐存在下被空气氧化;②醋酸与乙炔或乙烯酮反应。其他的有机酐可由羧酸与醋酐、乙烯酮、甲氧基乙炔或醋酸异丙烯酯反应来制备。当酰基卤化物与醋酐或与羧酸及吡啶反应时也生成酐。有机酐用来在有机合成中引入酰基(RCO)。它们与水反应生成羧酸,与醇或酚反应生成酯,与氨和胺反应生成酰胺。醋酐被用来生产醋酸纤维素,后者广泛地用作磁带的片基和用来生产织物纤维。用水杨酸与醋酐共热还能生产药品乙酰基水杨酸(通常称阿斯匹林)。

anhydrite 硬石膏 一种重要的造岩矿物,为无水的硫酸钙($CaSO_4$)。与石膏在化学上的区别是它不含结晶水,在潮湿条件下它可以转变成石膏。硬石膏最经常出现在其与石

产自美国纽约州洛克波特的硬石膏
美国不列颠百科全书公司供图

膏共生的岩盐矿床,如得克萨斯-路易斯安那盐穹的顶盖岩层中。硬石膏在蒸发岩矿床中是最重要的矿物之一;它也产于白云岩和石灰岩中;还作为脉石矿物产于矿脉中。硬石膏用于生产熟石膏和水泥。硬石膏晶体具斜方对称。关于物理特性,参阅 **sulfate mineral**(表)。

Ani 阿尼 土耳其东端古城遗址。坐落在卡尔斯东部,濒临东毗亚美尼亚的阿尔帕恰伊河。公元5世纪,阿尼因位于东西方商道上而开始兴盛,至阿肖特三世(952～977在位)时,发展成一座繁荣的城镇。961年,亚美尼亚的巴格拉提德国王将其都城自卡尔斯迁至阿尼,开创了阿尼的黄金时代。在随后两位巴格拉提德国王统治时期,阿尼更臻完美。这一期间所建众多教堂中的一部分,堪称中世纪建筑的典范。11世纪初,当地人口多达10万,超过了欧洲任何其他城市。当时阿尼的面积和壮观程度可与巴格达、开罗及君士坦丁堡相提并论。13世纪蒙古人侵之前,阿尼一直是亚美尼亚的一座主要城市。1319年发生的一场毁灭性地震使阿尼一蹶不振,城址最终被遗弃。现仅残存寥寥无几的教堂及城墙遗迹,反映出中世纪亚美尼亚工匠高超的建筑水平。附近有土耳其现代村落奥卡克利。

ani 犀鹃 热带美洲产杜鹃科犀鹃属(*Crotophaga*)的三种喙大、有黑色金属光泽的鸟类。成群噪杂地紧挨在一起在地上觅食昆虫,常与牛一起在田里。喙的弧形很大,刀片

犀鹃(*Crotophaga*)
美国不列颠百科全书公司供图

状,尖端钩状;尾长而宽;翅短。羽毛松软,看起来乱蓬蓬的。飞行力弱,发出嘶嘶叫声。成群在树上营造由树枝构成的公用的巢。几只雌鸟在一个巢内共产25枚白垩蓝色的卵(通常10～15枚)共同抱卵和育雏。普通犀鹃(光嘴犀鹃,*C. ani*)分布范围由佛罗里达南部到阿根廷,体长约36厘米,外形很像巨嘴的鹩哥。大犀鹃(*C. major*)常见于南美,尤其是安第斯地区东部的沼泽地。沟嘴犀鹃(*C. sulcirostris*)见于得克萨斯南部至秘鲁西部和巴西北部。上喙有几条深沟。

Aniakchak National Monument and Preserve 阿尼亚查克国家保护区 美国阿拉斯加州西南部的国家保护区和禁猎区,位于阿拉斯加半岛南部海岸。1978年公布为国家保护区,1980年改为此名。面积243 944公顷。是阿留申活火山山脉中一个巨大的破火山口,直径10千米。瑟普赖斯湖水从火山口墙450米的裂口处像瀑布般倾泻而下,形成阿尼亚查克河。

anicca 无常 梵文拼作anitya。佛教教义。谓一切存在物都不是恒常不变。无常、无我与苦难是一切存在物的"三相"。人体从童年、青年、成年到老年,总在不断变化,同样,精神事物也是生而复灭。承认无常,是求证觉悟的第一步。

Anicetus, Saint 阿尼塞图斯,圣(活动时期2世纪;生于叙利亚?卒于罗马) 教皇(约155～约166在位),可能是叙利亚人。他努力抵制瓦伦廷、马西昂两人异端邪说所造成的祸害,防止异端泛滥,特别努力驳斥马西昂派和诺斯替派。他曾受迫害,但不知是否殉教。曾在罗马接见东方教会士麦那主教圣波利卡普(约154或155),商谈如何解决关于复活节日期的争论问题。

aniconism 作像禁戒 指出由于宗教原因而反对用圣像或其他视觉形象描绘活物或宗教人物。这种禁戒特别见之于犹太教、伊斯兰教和拜占廷艺术传统。《圣经》中的第二诫(天主教和基督教信义宗列为第一诫中的一部分)说:"不可为自己雕刻偶像,也不可作什么形象仿佛上天、下地和地底下、水中的百物。"这本是防止偶像崇拜的,后来则对犹太艺术创作产生限制作用,但这种作用因时代而有变动,而且以在雕塑方面最为严格。在伊斯兰教的早期,在非洲柏柏尔王朝统治期间以及埃及和叙利亚的马木路克当权时代,作像是绝对受禁的;而在阿拔斯王朝和大多数什叶派及土耳其王朝统治期间,仅仅禁止公共建筑物立像。在拜占廷帝国的圣像破坏运动争论期间(725～843),为圣人或死者作像受到禁止。

Anielewicz, Mordecai 阿涅莱维奇(1919,波兰维什库夫～1943-05-10,华沙) 又作Mordechai Anilowitz。第二次世界大战期间华沙居住区犹太人武装抗敌运动的英雄和领袖。阿涅莱维奇出生于工人家庭,曾在希伯来大学预科学习。1940年以前到华沙,活跃于青年犹太复国主义者的亲苏团体中。1942年夏末,正当他离开华沙在波兰西部秘密宣传教育思想和政治主张时,德军大肆驱逐和杀害华沙犹太人,致使犹太人居住区人口锐减。他赶回华沙,鼓吹武装反抗。犹太战斗组织成立后,阿涅莱维奇众望所归,发挥领导作用。1943年1月18日,德军进入犹太人居住区,企图押解又一批犹太人前往特雷布林卡死亡营。犹太人战斗组织遂用手枪和手榴弹等武器进行抵抗,巷战4天,德军死约50人,犹太人战斗组织战士除阿涅莱维奇本人外全部牺牲。德军暂时撤退,两月之内施展各种诡计力促犹太人温顺地接受遣送。此时他实际上担任全体犹太人和犹太人战斗组织的总指挥,大力备战,4月19日,德军2 000人在坦克掩护下再次进攻犹太人区。犹太人战斗组织起初尚能阻止德军前进,后来逐渐不支,5月8日德军发现它的地下指挥部,向内施放毒气。其中平民投降,阿涅莱维奇和近百名同志当时牺牲;未牺牲者为避免被纳粹俘获,自杀或相互击杀而死。参阅 **Warsaw Ghetto Uprising**。

Aniello, Tommaso 阿尼埃洛 参阅 **Masaniello** 马萨尼埃洛。

Aniene River 阿涅内河 又称泰韦罗内河。位于意大利中部。是台伯河的主要支流。阿涅内河源出罗马东南面苏比亚科附近的辛布鲁伊尼山脉上的两眼泉水。该河全长

阿涅内河上的诺曼塔诺桥
美国不列颠百科全书公司供图

108千米,流域面积1 474平方千米。该河上游有罗马皇帝尼禄所建的人工湖群和一所别墅遗迹。在罗马时代,沿河曾有新旧两个大沟渠为罗马送水。该河在蒂沃利的一系列瀑

布曾为主要风景区，但由于建立了水电站和输水沟渠，现只剩下一条涓涓细流。沿着阿涅内河流域中部建有罗马—佩斯卡拉铁路和公路。

Aniliidae 筒蛇科 蛇亚目的一科，包括3属10余种无害的洞穴蛇类。具原始特征，如有发育不全的腰带；肛门两侧各有一外爪，有二肺等。筒蛇属（*Anilius*）的种类、假珊瑚蛇产于南美洲。圆柱形筒蛇（*A. scytale*）为本属最习见的种，身上有红、黑色环状斑，体长达75厘米；食其他蛇类和蜥蜴。*Anomalochilus* 属仅产于苏门答腊和马来亚。管筒蛇属（*Cylindrophis*）生活在东南亚的稻田里，色深；以捕食其他蛇类和鳗鲡为生；受惊时将尾卷起，露出鲜红的腹部。

aniline 苯胺 一种有机碱，用于制造染料、药物、炸药、塑料以及显像液和橡胶助剂。苯胺是在1826年由靛蓝分解蒸馏首次制得。它的学名取自含有靛蓝的植物的种名 *Indigofera anil*；化学式$C_6H_5NH_2$。工业上由硝基苯催化加氢或氨与氯苯反应制苯胺。硝基苯的还原也可用铁屑，在酸的水溶液中进行。苯胺是伯芳胺，呈弱碱性，与无机酸反应生成盐。在酸性溶液中，亚硝酸可使苯胺变成重氮盐，它是制备染料和具有工业价值的其他有机化合物的一个中间体。将苯胺与有机酸共热可得酰胺，即酰苯胺，例如，苯胺和乙酸反应得乙酰苯胺。由苯胺及甲醇可制得甲基苯胺和二甲基苯胺。苯胺经催化还原生成环己胺。不同的氧化剂可把苯胺转变成苯醌、偶氮苯、亚硝基苯、对氨基苯酚和吩嗪染料苯胺黑。纯苯胺有剧毒，为油状无色物质，具有令人愉快的气味。

aniline green(dye) **苯胺绿** 参阅**malachite green**孔雀绿。

animal 动物 动物界的多细胞生物，据认为系独立地从单细胞的真核生物进化而来。动物与其他两个多细胞生物界的种类——植物界的植物和真菌界的真菌——在形态上及生理上完全不同。动物与植物间最明显的不同在于动物细胞或无细胞壁，或其细胞壁由含氮物质构成，而植物的细胞壁由一类碳水化合物——纤维素构成。一般说，动物与植物、真菌的区别在于能够自由进行空间移动。能动性影响着生物体如何获得食物（是主动摄取还是被动摄取），如何生长和繁殖，其感觉系统和内部通讯系统如何发展，以及它们的组织和器官如何发育。动物和植物都需要食物，虽然动物和植物能直接吸收水和无机盐，但动物细胞只能吸收以复杂有机物形式存在的碳水化合物和蛋白质食物。事实上，动物的生存有赖于这些有机物质的预先存在，这些有机物质本身又是活质的产物。从这方面考虑，动物实质上是以现存的动、植物生命为依赖的寄生物。一般说，动物这种生物体是不能从无机物或简单有机物合成碳水化合物和蛋白质的，而必须以这些物质的复杂形式作为食物吸收它们。

animal behaviour 动物行为 完整动物机体的任何可观察到的活动。动物为了生存必须不断地进行获取食物、防止脱水（饮水）、回避天敌、保持身体的清洁和生殖后代等项活动。阐明这些行为，能为动物分类提供有价值的材料，研究比较行为，分析趋异、趋同现象的发生，还有助于了解人类的行为。通常根据引起行为的直接原因、行为的进行过程或其功能将行为进行分类。例如，有人把由相似的因素诱导的行为归为一类，有人则依据行为在进化上的相似性将其分类，另外，还有人把虽非同源但功能相同的行为并在一起。就如动物体的结构一样，它们的行为也是既由遗传所决定，又受经验所左右。某些行为是遗传的，极少由于经验而发生改变，另一些行为则随着经验的积累而获得一定的形式，并且得到应用。假如环境条件变化不大，并且适宜于动物的原有行为，那么若行为成为天赋行为，便对生存有利。反之，若环境剧烈改变，则动物常不能以正确的行为进行反应，这不利于生存，所以经验在逐渐改变着动物行为类型。在进化过程中，越来越多的行为逐渐由天赋行为演变为利用经验而改变的行为，这个趋势在哺乳动物中表现得特别明显，尤其在人类中。定型动作模式（FAP）是行为的组成部分之一。该类行为的形式与环境刺激无关，但是环境条件可以起诱导的作用，或者影响反应的完成与否。FAP包括筑巢活动、攻击或逃跑、热调节活动等。某些物种常具有独特的定型动作模式，所以FAP在分类和进化研究上很有意义。另外，动物只能对环境中少数刺激起反应，这是行为的基本特征，每个物种在某一时刻仅对那些与自己有关系的刺激起反应。如成年雌蜱的体表对光线敏感，受光照后蜱的反应是爬上枝头，等待哺乳动物的到来。兽类体上散发丁酸气味，这又诱使蜱落到它身上，蜱对兽类体热的反应是促使其吸血。这里光线、丁酸和温热是使蜱吸血的三个关键刺激，任何物体只要具备这三种条件，即使它不是动物（如充满热水的汽球），蜱也要主动趋向并吸血。引起行为变化的内部变化称为动机。动机一词常指对持续刺激的可逆的短时间反应。在这一类行为中，似乎内部有一个动机，动物为了正确地适应环境刺激而采取行为。例如取食行为决定于饥饿，不管有没有食物，这一行为仍然发生，直到取得食物为止。能诱导动物某特定行为的刺激称为关键刺激。往往事物具多个特征，其中仅仅某个特征方是关键刺激，不同种的动物对不同的刺激反应各异。例如将颜色、花纹、形状、大小和组织不同的鸟卵模型放入鸟巢，发现即使模型的质地与真鸟卵不同，雌鸟仍会孵窝，但若是颜色、形状和大小有变化时，亲鸟即拒绝孵卵。

动物运动的形式一方面由中枢神经系统决定，一方面受先前肌肉收缩引起的反馈机制影响，于是动物的行为随着刺激反应系统的不断进行，形成一系列的行为锁链，一个接一个地发生。例如雌性三刺棘鱼进入雄鱼领域，雄鱼便作"之"字形舞蹈动作，雌鱼以一定姿势作出反应，接着雄鱼诱使雌性跟随它，并将雌鱼领到巢穴入口，雌鱼入巢后，雄鱼撞击雌鱼尾部，雌鱼排卵后离巢，雄鱼排精使卵受精。这些行为是连续的，若一个步骤被中断就不能往前进行。动物的行为与结构一样，以同样的方式进化。人们在育种时会选择性地培育有一定行为的后代，如斗鸡、暹罗斗鱼。多数家养动物也较其野生祖先温顺，能耐拥挤。许多高等脊椎动物通过学习而产生一些适应性行为，如条件反射、习惯化、尝试与错误、潜伏学习及顿悟学习、印随（铭刻）等。习惯化是动物对重复出现的刺激反应逐渐减弱，它的意义在于放弃动物生活中没有意义的反应。条件反射能把无关刺激与一个原来能引起反应的刺激联系起来。有时动物会对不同刺激产生不同应答。有时这些应答并不能使动物从中得到好处，它们即改选另一个，通过一次次不同应答所产生的结果，终于选择一个对刺激有效的应答，这称为尝试与错误。原则学习系动物学会区分不同的刺激。顿悟学习是一类高级的学习行为，它是把许多孤立的经验综合在一起，总结出新的经验，由此决定行动。印随现象通常发生于同种成员间，但有时也发生在不同物种个体间，如鸟和人之间。印随只发生在动物发育过程中某一特定时期。

animal breeding 动物育种 人类控制家养禽畜的繁殖以使其遗传性状适合人类需要的实践活动。人类饲养动物以供日常所需（用作食物、皮毛等）、运动、娱乐及研究。动物品种的改良靠改变遗传特性或环境来实现。遗传性状（如赫里福德牛面部白色）决定于基因的差异。非遗传的差异主要决定于环境，如喂养及管理得不好，动物就发育不良；如环境明显改善，动物的品质迅速改变，但这种改变只有在改善了的环境得以保持时才能继续下去。种群的遗传构成改变得很缓慢，但通常能保持很久。当人们不进行选择育种时，某些改变了的性状又回复原状。

品种的起源 品种起源于一小群分布范围局限的禽畜，它们被认为优于广泛分布的其他同种个体。人们开始将这群禽畜与其他个体隔离开来，以获得数量更多的适合需要的种禽种畜。18世纪末，英国人开始在动物育种中形成纯种概念。品种一经形成并被确认后，人们开始为经选择的动物建立血统簿以保存谱系记录。动物育种者心中先有一个理想动物，它代表着具体的合需要的特性。绵羊一般有肉用和毛用两型，牛有奶牛和肉用牛两种。玩赏动物和珍种动物的育种者要考虑的主要是人们的喜好。

有效的育种计划必须包括对现有品种的测量，以比较它与理想品种间有何差异。牛奶产量估计时，先要测量产奶数量及乳脂含量。

选择和交配系统 建立理想品种的概念及评价方法后，动物育种的下一步就是挑选种禽种畜。有几种选择类型。混合选择是完全按动物个体的优点选择动物以产生第二代，又称表现型选择。系谱选择以个体的祖先有何长处为基础。家族选择主要依据旁系亲属的性状。后裔试验用以评估动物的育种价值，本法以动物的直系后裔的表现为依据。

选好种禽种畜后，下一步是决定它们如何交配。交配系统各异，从近缘个体间的交配(近亲繁育)到品系繁育,到亲缘关系极远的个体间的交配(杂交繁育)。交配系统亦可为选同交配,依据是性状的相似。远系生殖的后代常在精力和生活力方面超出亲代。杂交育种主要用于商业性牲畜的生产,见效快,且经济。骡子是一个杰出的实例:亲缘关系很远的两个种间交配产生杂种。这些杂种多无生育能力。

人工授精技术的发展,使选定的雄体得到广泛的利用。因为这方法与自然交配相比,可使更多的雌体接受同一雄体的精液。这方法在马及乳牛育种方面取得很大的成功。人们不断增加对种群遗传学原理的了解,可以大大提高现代育种方法的效验。参阅 **cat**;**dog**;**horse**。

animal communication　动物通讯　一种动物行为,用以引诱或驱赶群体中其他个体,以建立或保持一定的社会组织,小至一对个体或一个家族,大至灵长类的有严密结构的群体以及复杂的昆虫社会。从动作产生的途径和环境,从接受信号者的反应来看,通讯有以下几种功能:①动物通过表态与其他个体发生联系,并通知对方本身的存在,使行为易于被感受者所接受。②动物通过通讯彼此能互相识别,它们可以选择对自己重要的情报,通常选择本物种成员和某些特定个体所发出的信息。但是居住在同一环境中的不同物种的成员,也注意彼此发出的信号,例如鸣禽发现鹰类出现在它们附近后,即鸣叫报警,这种信号也被该区域中生活的其他种鸟所注意。另外,通讯联系还有助于保持物种之间的生殖隔离。③通讯能减少动物间的格斗和逃亡次数。在出现有关领域和等级序位的争执时,往往一方做出恐吓动作,另一方表示投降,从而避免了格斗的发生。④通讯促成各个个体行为的同步化。为了保证繁殖的进行,各个体必须进入适宜的生理状况,这种状况不仅在配偶间是重要的,而且对某些物种来说,在配偶的集群中也是重要的。⑤动物用某种表态的动作共同监控环境。在营集群生活的动物中,某个体发现天敌时,常发出叫声并开始逃离,于是该群的动物一齐采取行动,逃跑、躲藏或警戒起来。⑥通讯有助于维持个体之间的亲密关系,个体发出准备从事某一活动的信息,这信息又为其他个体所接受。雁的家族在休息时,往往是某一成员先发出叫声,随后整群起飞而去。通讯的功能随物种而异,甚至还发现有些鸣禽即使在同一物种内,生活在不同地区的种群间存在着“方言”的差别。动物用外部感受系统即视、听、味觉等器官来感受信息。脊椎动物是用声音通讯最明显的例子。它们大多能发声,如鸟类的鸣啭等。许多无脊椎动物则由身体各部摩擦而出声。动物可以毫不费力地用两只耳朵判断声音的位置。因为频率高的声音在林中易被阻挡,在开阔地又为风所减弱,因此多数脊椎动物不发出高频率的声音。声音信息的特点是短暂,不易保留。通过视觉传递的信息易于定向,但也易被遮挡。为避免被遮挡,发信号者通常选择一个易被对方看见的地方去做出动作。如选择较高的地方,在无高处可用的草场,有些鸟类便采用飞行动作,使自己飞在植被之上,易于被接受者发现。动作较易持续稍长的时间,但这会妨碍通讯者进行其他行为。因此在进化过程中许多动物形成了一些形态特征,如皮肤、毛或羽上的色泽鲜明的斑、角、盔和冠等,这些特征可标志动物所属的物种、性别、年龄,有时甚至可标志生理状况。

在同一物种间用来进行通讯的化学物质称为外激素。鱼和其他水生动物分泌外激素,并将其释放于水中。蛾将具有性引诱作用的外激素释放于空气中,由风吹送。有时某些昆虫把外激素分泌于自己的体表,供其他个体尝味接受信息,狗则用尿的气味标记领域。不同的外激素其释放速率和引起反应的阈值各不相同。一般起警报作用的外激素消失较快,供识别用的则保存时间较长。蜜蜂在昏暗的蜂巢内垂直面上舞蹈,接受者紧跟通讯者,用其触角一再接触通讯者,通过触觉感受信息。哺乳动物常互相梳理皮毛,这也是通过触觉传递信息。此外,生活在浑浊水域中的一些鱼类能规则地放电,同种的另一些个体能对放电行为发生应答。各种动物所使用的动作数约为 40 个。好群居的鱼、鸟、哺乳动物也只会做 15 ~ 35 种动作。莫伊尼汉指出,动物会做的动作的数目恰恰是它能发挥最大作用的数目。此外动作之间也需要有足够的差别,否则动作过多,感受者接收时易发生错误。动物的通讯行为是在进化过程中发展形成的。动物的某些动作原是为了某种意图,后来被仪式化过程改变了原来的意向,逐渐成为通讯的信号。由于各种动物的感官不同,所以群居昆虫更多地使用化学和触觉信号。对鱼类来说,视觉更为重要;鸟类则更多地采用视觉和听觉信号;哺乳动物的群体虽有一定程度的特化,但从整体来说,在其通讯行为中,几乎应用所有的感觉通道。

animal feed　参阅 **feed** 饲料。

animal interlace　动物交织图饰　书法中丰富多彩而别具风格的装饰花纹,是中世纪初不列颠群岛爱尔兰-撒克逊图书装帧艺术家的作品的一种特色。绘珍禽异兽之形,交错于字里行间,纤巧密集,各尽其致。《凯尔斯书》(约 800)在 1.61 平方厘米的面积里,就有 158 个动物交织图饰;另一部风格上同样成熟的作品是《林迪斯芳福音书》,为了纪念圣·库思伯特,在他于 687 年去世后不久,由诺森伯里亚的艺术家书写并绘画。

animal magnetism　动物磁性　据说可影响人类的一种无形或神秘的力量。德国医师 F.A.梅斯梅尔曾将该词用于治疗病人的催眠术,认为这是一种发自他躯体的神秘力量或无形的流体。广义地说,这种力量渗透宇宙万物,主要来自星体。

animal worship　动物崇拜　对一种动物的崇拜,通常是由于这种动物同某特定的神相联系。动物崇拜一词,西方宗教狂用于贬义,古希腊罗马论辩家则用以抨击那些崇拜以动物形象出现的神明的教派。不过大多数原始宗教中动物崇拜的例子并不是专为崇拜某种动物本身。因为一个神的力量据信是表现在某种适当的动物身上,这种动物被看作是神的显灵或化身(例如,繁衍之神经常被表述为以公牛的形体来显现自己)。狩猎民族普遍对动物所表示的尊敬和各种礼仪,起源于狩猎的宗教习俗,而不是对动物本身的崇拜。另一个同动物崇拜相混淆的现象是图腾崇拜,这里动物或植物种类形成了一个不包含动物崇拜意思的社会分类系统。在宗教的插图和寓言中,动物的象征一直被用于把某种品质与某一动物种类联系在一起(例如,猫头鹰代表智慧,因此,希腊智慧女神雅典娜就时常被描绘成一只猫头鹰)。这种联想因子,并不像那些论辩家所强烈指出的那样,要包含一种更为原始的意味在内,那就是说,一种动物本身先受到崇拜,后来就被理念化为一种人形或抽象品质。在近代研究中,很少使用动物崇拜一词,因为学者们认为此词往往形成一种误导的解释范畴,故弃而不用。

animals, cruelty to　虐待动物　指故意地或任性地对动物施加痛苦、折磨或使其致死,或者有意地或恶意地将动物弃置不顾。世界上大多数国家在不同程度上认为这种做法都是非法的,而在 20 世纪末叶,人们对濒临灭绝的物种的关心进一步推动了反虐待运动。对这种关心的反映是通过了许多法律,但很少执行。公众对有关的执法官员没有施加积极的和强大的压力。反对虐待动物的运动由来已久。毕达哥拉斯教导人们,仁慈地对待一切低于人类的动物乃是一种责任。诗人彼翁用最简洁的话说:“男孩子们开玩笑地用石头扔打青蛙,但青蛙却是当真地死去。”甚至罗马人,即使有圆形剧场上的种种野蛮行为,也有要适当地对待动物的感情;当庞贝大帝组织了特别可憎的对大象的屠杀时,民众起来诅咒他的残忍。如果说阿西西的圣方济各是动物的最伟大的朋友的话,法国哲学家 R.笛卡儿也许是动物的最大敌人。他认为动物没有灵魂,而且在他看来,思想和感觉的过程是灵魂的一部分,因而动物不会感到痛苦。他进一步得出结论说,动物只不过是一些机器。他和他的追随者对于他们所称“机械式的动物”“竟能够真实地表现出痛苦”感到不可思议。这个问题导致长达一个世纪的争论。18 世纪后期,英国法学家 J.边沁用不同的方式谈论这个问题。他写道,“问题不在于它们是否能思索,是否能说话,而在于它们是否会感到痛苦?”也许世界上第一个反虐待动物的法律载在 1641 年马萨诸塞湾殖民地(美国)的法典中,它规定,“任何人不应以任何残酷的手段对待通常喂养来供人类使用的动物。”1809 年,苏格兰的厄斯金勋爵在国会提出一项关于禁止恶意地或任性地虐待马、猪、牛、羊等动物的提案。这个提案在上议院的嘲笑声中通过了,但在下议院被否决。而在 1822 年,“人道主义者”马丁负责使《马丁法令》获得了通过。这项法令适用于大家畜,把狗、猫和鸟类排除在外,但它终究是一个里程碑。在《马丁法令》以前,虐待动物这个罪名必须具有的一个法律要件是恶意对待动物的主人而不是动物本身。《马丁法令》使虐待动物本身成为一种犯罪。两年以后,1824年在英国,出现了世界上第一个动物福利协会,即防止虐待动物协会(根据维多利亚女王的命令,1840年在该会的名称前面冠以"皇家"字样)。法国也不落后。1845年,格拉蒙将军创立了动物保护协会,1850年,他也促使通过了一项与英国法令类似的法令,被称为《格拉蒙法律》。随后仿此而通过法律和建立动物福利协会的其他国家有:爱尔兰、德国、奥地利、比利时和荷兰。在美国,反虐待动物运动的中心人物是林肯总统派驻俄国的公使H.伯格。伯格曾在圣彼得堡看到一个俄国马车夫鞭打一匹马,从那件事以后直到他生命终结,他在从斗牛到动物解剖实验的每个问题上,一直为动物说话。主要由于伯格的努力,美国的第一个反虐待动物协会——美国防止虐待动物协会——于1866年在纽约州获准成立。到20世纪后期,动物福利协会和反对虐待动物的法律几乎出现在世界上的每个国家,从日本的动物福利协会到西班牙的动植物协会等种种团体都是。后者虽然设在容许斗牛的国家,却不仅保护动物,而且保护植物。国际的反对虐待动物协会也发展起来了,其中有世界动物保护联合会,总部设在苏黎世;国际动物保护学会,总部设在伦敦;以及国际动物福利基金会,总部设在美国马萨诸塞州的亚芽斯。20世纪后期还出现了日益增多的关心某些种动物如鲸、海豚、海豹、虎等的专门团体。还有一些团体专门反对使用特别痛苦或残忍的方法捕杀动物。

animals, master of the　兽主　超自然的形象,被视为早期狩猎民族传说中猎物的保护者。此名实际是由研究这些狩猎民族的西方学者创造的。根据某些传说,他是森林的统治者和所有动物的护卫者;其他传说则说他只是一种动物(通常是对部落具有经济或社会意义的大动物)的统治者。因此,欧亚民族中最常见的动物是熊;在苔原地区的驯鹿民族中,是驯鹿;在欧亚和美洲北海岸的民族中,是鲸、海豹或海象;在北美印第安人中,是熊、海狸或北美驯鹿;而在中美和南美的印第安人中,是野猪、美洲虎、鹿或貘。在有些传说中他被描绘成具有人形,经常带有动物的特征或骑着动物。其他传说则把他描述成一只巨大的动物,或能够随意变化成动物的形貌。复杂的风俗体系制约着兽主、猎物与猎人之间的关系。他控制着猎物或它们的灵魂。他只放出一定数量的猎物供人食用。

Animals, the　动物乐队　英格兰东北部的5人乐队。他们强有力的声音,影响了B.迪伦,使得他在1965年开始与演奏电子乐器的乐手合作。1964年乐队发行了第一支单曲。第二支单曲是传统的《旭日之家》,经过重新编曲,在大西洋两岸都成了排行榜上的冠军。乐队后来的热门歌曲形成了一种公式:即带有民谣和布鲁斯风格,咄咄逼人,激发人心的精彩摇滚乐。1966年乐队解散。

animation　动画　动画片制作是使图画、模型或无生物产生栩栩如生的幻觉的一种方法。基本原理是逐格拍摄,动作以每秒24格的速度进行,因此每一格画面与前一格画面的差别是微乎其微的。其工艺基本上是在透明的底版上绘制物体的各个动作,然后依次重叠在固定的背景上,盖住重叠部分的背景。拍摄时要用一种逐格拍摄的摄影机,俯拍已牢固地叠套在背景图上的若干层画面。这些方法在20世纪30年代便已充分发展,以后制作程序日臻完善,近年又发展了利用电子计算机和视频技术进行制作。由于按每秒24格的速度,每分钟便有上千幅画格;无论绘制或使用木偶,均需逐格拍摄,因此动画片一般都是短片。准备拍片时由于每个动作都占用一定时间,因此所绘制的动作必须与对应的画格数相符,角色说唱的口型必须与声音一致。导演精确计时后,由摄影师逐格拍摄,最后由导演和剪辑师把画面、对话、音响或音乐加以合成。动画的出现早于电影本身。早在19世纪30年代就陆续出现了"诡盘"、"幻盘"、"走马盘"等利用"视觉暂留"现象的光学玩具,其原理都是将画有动作的各个连续阶段的图画快速显示出来,造成活动起来的幻觉。电影发明后才有了现代动画片的制作技术。动画电影的历史要从1907年算起,J.S.布莱克顿在美国制作了第一部动画片《幽默的面部表情》;一年后在巴黎,E.科尔开始制作若干动画系列片。1926年德国的L.赖尼格利用古老的影戏技术制成了世界第一部长动画片《阿赫麦德王子历险记》。30年代,W.迪斯尼的动画片以其对声音与色彩的富于想象力的运用、生动可爱的动画人物(多半是拟人化的动物)和富于创造性的噱头而大获成功。他的《三个小猪》(1933)及其乐观主义的主题歌成为"新政"时代的标志。他制作的彩色动画故事片《白雪公主和七个矮人》(1937)中约有47.7万幅画面,翻译成13国语言。他的制片厂继续制作长动画片,如极富独创性的《幻想曲》(1940),并发明了把动画与真人表演结合起来的技术,如在《南方之歌》(1946)中。苏联电影导演A.普图什科在《新格利佛游记》中也成功地把动画和真人结合在同一场景中。奥地利-匈牙利的B.巴斯托奇于1934年拍了政治寓言片《思想》,是用动画表现严肃题材的罕见作品。1954年,英国J.哈拉斯夫妇拍摄了一部根据G.奥威尔的小说《动物农庄》改编的长片。在加拿大,苏格兰籍动画家N.麦克拉伦试验了立体动画(二维图像通过透视显示三维效果)、合成声等技术。20世纪中叶以来南斯拉夫、捷克和波兰等国的动画家借寓言或轶事拍成动画片来表现社会性的内容。捷克的J.特恩卡开创了独特的木偶片。动画片制作也广泛运用于教育和宣传,因为它比其他方式更有感染力。

Animikie Series　阿尼米克统　北美前寒武纪年代地层单元(前寒武纪为39.6亿年前至5.7亿年前)。它是休伦系最上部的统,位于寇柏特统之上,阿尼米克统是根据苏必利尔湖桑德湾区(齐皮瓦语中"桑德"为"阿尼米克")的露头命名的。安大略省、密歇根州北部、威斯康星州北部和明尼苏达州东北部,都有阿尼米克统岩层出露。在阿瑟港地区,它覆于前休伦变质岩层之上,缺失寇柏特统。阿尼米克统从基底砾岩开始,随后是很厚的砂岩、页岩和灰岩的系列。富含铁矿石,并提供许多重要的矿产资源。梅萨比、冈弗林特和库尤纳山脉,在年代上都属阿尼米克世,有丰富的铁燧岩(由赤铁矿、菱铁矿、黄铁矿、磁铁矿等含铁矿物构成)矿藏。在灰岩中常见同心状和细纹理状的被叫做叠层石的藻类构造。阿尼米克统岩层常被岩浆岩体侵入,但没有强烈的褶皱或断裂。

animism　泛灵论　对于涉及并干预人类事务的无数精神存在的信仰。大多数部落或原始人群都有这种信仰。E.B.泰勒爵士在《原始文化》(1871)中第一个对泛灵论的信仰作了认真考察,这一术语由此得以不断流传。泰勒认为泛灵论是最原始状态的宗教。"相信精神存在"是宗教的最低定义。他收集了大量材料,加以系统化,从而得出结论:宗教从关于"灵魂的教义"中蜕变出来。人们本能地对死亡、梦、幻象进行思考而达到一个更广泛的"精灵说",这些精灵最后扩大到包括强而有力的恶魔和神祇。对这些独立于自然物体的精神存在的信仰,发展为包括更加复杂的宗教教义和祭献仪式,以求对强有力的神祇施加影响,并控制重大的自然事件。以后的学者们曾经就神学演进中是否可能有一个"前泛灵论阶段"这一问题进行辩论。法国的社会学家É.涂尔干在《宗教生活的原始形式》(1915)中提出了宗教始于图腾崇拜,作为图腾的动物就是人在最低级的社会中对安全期望的非理性投影。英国和德国的理论家则以实用主义语言来表述宗教的产生,认为人们在粗陋的科学之外发明了超自然的力量——法术来控制自然。卓越的学者J.G.弗雷泽在他的大部头著作《金枝》(1890～1915)中令人信服地发挥了这样的观点:他认为早在宗教出现之前,法术作为一种伪科学已普遍流行;人们由于对人间的法师不抱幻想,又发明了一贯正确的法师,即神。如果全面地、从普遍性来看各宗教,而不把它们局限于某一范畴和某一阶段,我们就会看到教义的开放性是泛灵论的一般特点。不论在什么地方,它都是属于基层的宗教,并非来自上面的一种教条。泛灵论可以和具有固定教会和教规的宗教并行不悖,正如在中国和缅甸那样。在那里不存在有权普遍管理整个超自然世界的最高的神。认为大自然由于各种看不见的精灵而具有生命的泛灵论观点已经过时了。但一直到现在,把主动的感应的力量赋予自然的各种哲学却依然流行。我们研究泛灵论所得的教益也许是:宗教并非如泰勒的某些后辈所说出自"原始的无知"或法术的幻觉,而是出自人们对不能以现世手段获得的美好生活的一种讽刺性意识。

anion　阴离子　带负电荷的原子或原子团。参阅 **ion**。

anise (*Pimpinella anisum*)　茴芹　伞形科茴芹属一年生草本植物,栽培收获其有甘草香味的果实(茴芹籽)。植株高达0.75米,基生叶具长柄,茎生叶叶柄较短。花小,淡黄白色,伞形花序松散。果实近卵圆形,长约3.5

毫米，有5条纵脊。原产埃及和地中海东部地区，栽培于欧洲南部、俄罗斯南部、中东、北非、巴基斯坦、中国、墨西哥、智利、美国。茴芹籽多用于糕点调味，是德国的茴芹面包具

茴芹（*Pimpinella anisum*）
美国不列颠百科全书公司供图

特征性的成分。在地中海地区和亚洲通常用于肉食和蔬菜调味。从史前起即用作草药茶，有镇静作用。精油含量约为2.5%，主要成分是大茴香脑（$C_{10}H_{12}O$），用于艾酒、茴香酒和彼尔诺利口酒调味。八角茴香是木兰科常绿乔木八角（*Illicium verum*）的干果，产于中国东南部至越南。其香味和用途与茴芹相似。干果直径0.25～0.5厘米。其心皮绕中轴呈星状排列。英文名star anise意为星状茴芹。每果爿长约1厘米，含一粒种子。干果爿红褐色，坚硬粗糙；种子光滑，亮褐色。精油含量约3%，主要成分亦是大茴香脑。

Anisian stage　安尼阶　中三叠统两个次一级地层单元中下面的一个阶，代表安尼期（2.40亿年前至2.35亿年前）沉积的、全世界范围内分布的所有岩层。这个阶的名字来源于奥地利阿尔卑斯山大赖夫灵地区安尼苏斯河流域地区，在该区有很厚的岩层系列沉积于海相环境。那里的石灰岩层含有4个菊石生物带（是以软体动物化石之特殊类型为特征的较短时间段），以 *Lenotropites caurus* 带开始，而以 *Frechites chischa* 带终结。安尼阶底界的全球性层型剖面与层型点还没有为国际地层委员会所认可。安尼阶的岩层位于拉丁阶之下，而位于斯帕思阶之上。

anisotropy　各向异性　物理学中指沿不同方向测量同一物体性质时会得到不同的特性值。元素或化合物的固态单晶中，原子、离子或分子排列成规则的点阵，因而最容易观察到各向异性。反之，液体特别是气体中，由于粒子呈无规则分布，因而很少呈各向异性。各向异性最突出的例子表现在方解石晶体的不同晶轴上，光的折射率不同。另一例子是硒的电阻率在一个方向上高而另一方向低。因此当这种材料通以交流电时，电流只沿一个方向传输，因而变成直流电。

anitya（Buddhism）　参阅 **anicca** 无常。

Anius　阿尼乌斯　希腊神话中阿波罗神和狄俄尼索斯神的后裔罗伊欧的儿子。他的母亲怀孕时曾被她父亲放到箱子里投入大海，漂到提洛岛之后生阿尼乌斯。阿尼乌斯后来成为一位预言者和阿波罗神的祭司。他的3个女儿奥伊诺、斯佩尔摩和埃莱斯，即葡萄酒女、谷物种子女和橄榄油女，被狄俄尼索斯分别赋予使这三种作物结实的能耐。希腊人出征特洛伊，埃涅阿斯从特洛伊逃至意大利，都得到她们的供给。

Anjala League　安亚拉同盟（1788～1789）　在俄瑞战争（1788～1790）中由瑞典和芬兰军官组成的一个破坏瑞典作战的阴谋集团。这次战争发生后不久，驻在芬兰安亚拉城的113名军官致函俄国女皇叶卡捷琳娜二世，要求以1743年以前的现状为基础实现和平。虽然叶卡捷琳娜未必能够接受这个条件，但并没有减轻该信的通敌性质。瑞典国王古斯塔夫三世要求军官们否定此信，以便获得赦免。但军官们回答：这次战争是非正义的，因此瑞典人民无意为获取胜利而努力作战；他们否认写信是叛国行为。古斯塔夫三世不为他们的解释所动。在1789年惩处安亚拉集团：一名军官处死，许多军官入狱。

Anjō　安城　日本本州爱知县城市。位于碧海台地中部。19世纪末引进灌溉技术，稻、麦得以一年两造。1891年东京—神户铁路在此建站后发展为城镇。因有长远规划和较早建立农业协作组织，而成为先进的农业社区。出产稻米、小麦、家禽、牛，有“日本小丹麦”之称。1960年后工业发展迅速，纺织、机械和金属加工业地位超过农业。人口约146 770（1992）。

Anjou　安茹　法国西部历史和文化区域，约相当于今曼恩-卢瓦尔省，与原安茹省大致相等。原安茹省还包括拉弗莱什和贡捷堡两地区。在高卢-罗马时代为安德加文西斯邦，后为安茹伯爵领地，1360年起为安茹公国。在加洛林王朝时代，安茹名义上由代表法国国王的伯爵统治。9世纪时屡遭北欧海盗的袭击。

第一代王朝　安热尔热是安茹王朝的创始人。安热尔热之子富尔克一世将诺曼人从本国内赶走，夺取图赖讷的一部分，从而扩大自己的领土。他在942年死后，由富尔克二世继承，在他统治下医治了连年战争的创伤。960年左右，杰费里一世格里塞戈内尔继承富尔克二世，开始实行扩张政策，帮助于格·卡佩攫取法国王位，但于新国王987年登基后不久即死去。杰弗里的继承者富尔克三世内拉（987～1040在位）是王朝中最杰出亦最有权势的人物。他把侵犯国土的四方敌人完全赶出国门之外，并沿着国境线修筑坚固的碉堡。富尔克的儿子杰弗里二世马泰尔（1040～1060）继续推行扩张政策，兼并旺多莫瓦和曼恩的一部分。他死后无嗣，由两个侄子杰弗里三世和富尔克四世共同继承。但不久后两人发生武装冲突，富尔克于1068年击败杰弗里。富尔克四世死于1109年。其子小富尔克五世力图弥补历次战争造成的损失，命其子金雀花王朝的杰弗里娶英国亨利一世之女、亨利五世之遗孀马蒂尔达。由于此项婚姻，金雀花王朝的杰弗里四世更有权对诺曼底和英格兰提出王位要求。1151年他把安茹传给儿子亨利（后为英国的亨利二世），亨利遂成为安茹和曼恩伯爵及诺曼底公爵。亨利娶阿基坦的埃莱亚诺为妻。金雀花王朝的盎格鲁-安茹帝国从此建立，疆域从英格兰一直延伸到比利牛斯山。13世纪初法国的腓力二世从英格兰的约翰手中征服了安茹。根据巴黎条约（1259），安茹归属法国。

第二代王朝　1246年法国的路易九世把安茹作为采邑赐给其弟查理（后来的那不勒斯和西西里国王）。继承查理的是其子查理二世，继承查理二世的是其女婿瓦卢瓦的查理三世。1328年其子成为法国国王，称腓力六世。1328～1351年安茹再次合并于法国。

第三代王朝　1351年法国的约翰二世把安茹伯爵领地传给其子路易。1360年安茹升格为公国，第三代安茹王朝遂由此开始。路易和儿子路易二世都热衷于远离安茹的征伐，而不事防御自己的公国。路易二世死后，遗孀阿拉贡的约朗德极力保护安茹，抵御英国人的侵袭。安茹最后的统治者是勒内一世。他在1480年死后，安茹重归法国，从此，安茹便永远与法兰西王国联系在一起。法国大革命期间，安茹是反革命旺代战争（1793～1796）的中心之一。1790年建立省制。

该区现代以农村占优势，田地多属家庭所有，历史上的大庄园已不见踪影。低地以昂热市为中心，边缘是贫瘠的高地，北部为阿摩里卡丘陵。卢瓦河沿岸的富饶低地区盛产葡萄酒、水果和供应巴黎市场的鲜花。安茹酒通常为白色、果味。索米尔白酒则味淡。在乡村以天主教为主，在绍莱市周边和瑟格雷昂（西北）地区天主教徒较少。新教教区在1850年后才在昂热、索米尔和绍莱地区建立。奥伊语为主要语言，老一辈的农民仍说古法语。

Anjou，DUKES OF　安茹公爵　法国贵族头衔，具皇室血统。按年代顺序分列于后，并各以●为标记。

● Anjou，(Hercule-) François，Duke (duc) d'　安茹公爵（1554-03-18，法国圣日耳曼昂莱～1584-06-10，蒂耶里堡）　又称阿朗松公爵（1566～1576）。法国亨利二世与卡特琳·德·美第奇所生第4子，也是最小的儿子。他

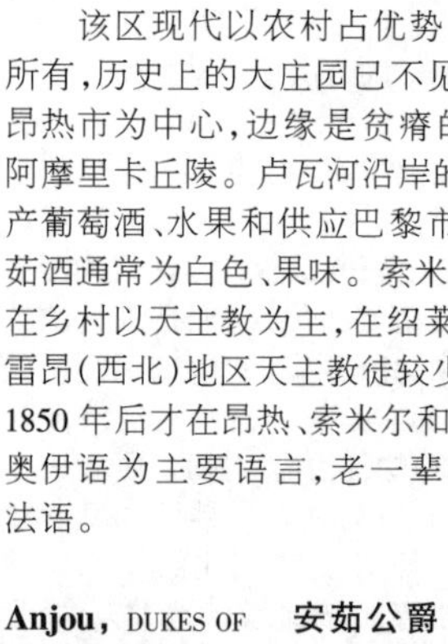

美国不列颠百科全书公司供图

的3个哥哥都是法国国王，即弗兰西斯二世、查理九世和亨利三世。他如不在30岁时夭折，也会成为国王。1566年卡特琳·德·美第奇把阿朗松赐给他。他身材短小，皮肤黝黑，野心勃勃，而且诡计多端。但作为一个所谓"政治家"的天主教温和派的领袖，他通过《博略条约》(1576-05-06)取得一批领地，成为安茹公爵。他还取悦英格兰的伊丽莎白一世，甚至达到议订婚约(1579)，但是，尽管他两次去伦敦求婚(1579,1581～1582)，始终未圆好梦。在荷兰人起义反对西班牙统治时期，他又利用尼德兰的纷乱局势趁火打劫，自封布拉班特公爵和佛兰德伯爵(1581)，但这两个称号始终是空名。安茹公爵1584年去世时，无嗣的亨利三世在位，立他的远房侄新教徒波旁-纳瓦拉的亨利为法国王储，即后来的亨利四世。

• **Anjou, Gaston-Jean-Baptiste, Duke** (duc) **d'　安茹公爵**　参阅 **Orléans, Gaston(-Jean-Baptiste), Duke d'** 奥尔良公爵。

• **Anjou, Philippe I de France, Duke** (duc) **d'　安茹公爵**　参阅 **Orléans, Philippe I de France, Duke d'** 奥尔良公爵(菲利普一世)。

• **Anjou, Philippe, Duke** (duc) **d'　安茹公爵**　参阅 **Philip**(Spain)腓力(西班牙)项下的 **Philip V** 腓力五世。

Anjou, HOUSE OF　安茹王室　参阅 **Plantagenet, house of** 金雀花王室。

Ankang　安康　又拼 An-K'ang。中国陕西省辖地级市。位于省境东南部，秦岭和大巴山之间的汉水谷地。面积23 391平方千米。战国时期置西城县。北周武成二年(560)改

汉江上游安康水电站铁路桥
中国大百科全书出版社供图

吉安县。隋大业三年(607)改金川郡。唐武德元年(618)复名西城县。元废县，仍为金州治所。明万历十一年(1583)改为兴安州。清乾隆四十七年(1782)改为兴安府，并设安康县。1913年废府留县。1949年后先后设分区、专区、地区等至1988年复设市。2000年设地级市，辖1个市辖区、9个县。农业以稻、油菜为主，并产桐油、蚕丝、茶叶、柑橘及400余种中药材，一向为陕南东部农林产品及山货集散地。工业以丝织工业为主，还有粮油加工、造纸、水泥、机械等。安康地理位置历来重要，是全省航运业最发达的城市。木船可上溯任河、岚河、旬河等汉水支流。1978年建成阳平关至安康的铁路，襄渝铁路在此接轨，成为沟通西北、西南和中南的交通枢纽。人口2 950 000(2005)。

Ankara　安卡拉　从前按欧化称呼为安哥拉(Angora)。土耳其首都。地处该国西北部。北距黑海200千米。靠近哈蒂普、因杰苏和库拜克诸河汇合处。虽建城时期不详，但考古学证明自石器时代该地即有居民。公元前2千纪末为弗里吉亚繁荣城镇。公元前334年，安卡拉被亚历山大大帝征服，公元前3世纪该城成为加拉太地区一个部落的首府。公元前25年归属罗马帝国。后作为拜占廷帝国的城市，不断受到波斯和阿拉伯人的攻

安卡拉市的凯末尔陵
美国不列颠百科全书公司供图

击。安卡拉于11世纪被突厥人占领。12世纪处在塞尔柱帝国统治之下。1360年成为奥斯曼帝国之一部。15世纪后数百年间成为东行商路上的贸易中心。第一次世界大战后，土耳其民族主义领导人凯末尔在此建立反对奥斯曼统治和希腊入侵的抵抗运动中心。1923年成为土耳其的首都。安卡拉是土耳其贸易和公路交通中心。横越安纳托利亚的铁路经此。市外有埃森博阿国际机场。市内古建筑反映了当地发展的不同历史阶段。其中包括罗马时代的浴室、儒略柱、罗马-奥古斯都神庙，拜占廷时代的城堡和墓地，塞尔柱时代的阿拉丁清真寺。另外还有许多奥斯曼帝国时期建筑。作为本国第二大工业城市，生产建筑材料、拖拉机、酒、面粉、糖、牛奶、水泥等。服务业和旅游业亦发展迅速。高等教育机构包括安卡拉大学(1946年创建)、哈杰泰佩大学(1206)、中东技术大学(1956)。设有国家剧院、总统交响乐团、国家图书馆、人类史博物馆(展出土耳其历史文物、民俗资料和艺术品)、凯末尔博物馆等。人口约2 984 099(1997)。

Ankara, Battle of　安卡拉战役　(1402-07-20)　Ankara又拼Angora。奥斯曼苏丹巴耶塞特一世的军队与中亚统治者帖木儿的军队之间的武力冲突。结果巴耶塞特匆匆建立的帝国崩溃了。巴耶塞特曾吞并安纳托利亚的土库曼人公国，俨然以安纳托利亚塞尔柱王朝的继承者自居。但帖木儿声称他对这些公国拥有宗主权。双方在安卡拉附近的古布科瓦西会战，奥斯曼军队败北，巴耶塞特被俘，1403年死于狱中。

Ankara, Treaty of　《安卡拉条约》(1921-10-20)　又称《弗朗克兰-布荣条约》。法国政府和土耳其大国民议会之间在安卡拉订立的条约，由法国外交官亨利·弗朗克兰-布荣和土耳其民族主义政府外交部长尤素福·凯末尔签署。法国承认大国民议会在土耳其的统治权。根据此项条约，法国人同意撤出西利西亚；在哈塔伊(亚历山大雷塔)建立"特别政府"；确定土耳其和叙利亚的边界。该条约暴露出法国与继续承认伊斯坦布尔苏丹政府的英国之间的分歧，同时使土耳其民族主义政府军队得以在西方前线同希腊作战，从而支援了土耳其民族主义政府的奋斗目标。

Ankaratra　安卡拉特拉　马达加斯加中部火山区。面积约5 200平方千米。齐亚法札武纳山海拔2 643米，为国内第二高峰。山坡上有安齐拉贝(**Antsirabe**)城，为该地区主要城镇。

ankh　安可　古埃及象形文字，象征生命，系顶部为环状结构的"十"字，即拉丁语中所谓"柄状十字"。这种符号见于古墓碑上，图特安哈门陵墓的许多碑铭上都有这一符号；

古埃及象形文字
"安可"，象征生命

也往往见于由神祇和法老手捧这一符号的雕刻中。"安可"这个符号构成表示健康和幸福等概念的象形文字的一部分。这个符号的原意为"鞋带"，不过也表示一种具有魔力的绳结。这一"十"字也广泛用作科普特基督教堂的象征。

Ankhesenamen　安海塞纳曼(活动时期公元前第2千纪)　原名Ankhesenpaaten。埃及女王(公元前1332～前1322在位)。在她丈夫图特安哈门去世以后，她曾试图在外交上采取一次突然行动。她是阿马尔奈革命后的统治者阿肯那顿与奈费尔提蒂的三女。安海塞纳曼大概在其父在位的第16年时与她父王结婚。虽然这次婚姻主要出于政治考虑，即为了保持阿肯那顿的王位，但后来显然让她生下一女。图特安哈门即位后，安海塞纳曼与他结婚，目的可能是为了巩固自己的地位。当国王名字更改，加上埃及主神阿蒙字样后，安海塞纳曼的名字也作了这样的改动。图特安哈门暴卒后，安海塞纳曼曾进行国际谈判，来加强自己的地位。根据赫梯档案，她曾写密信给赫梯国王，要求国王送她一位王子，她可将王子立为法老，这表明她不愿在埃及找到任何继任人。当时赫梯人刚和埃及军队在叙利亚交过战，所以赫梯国王对此感到惊讶，他怀疑对方有阴谋，曾派使臣去埃及了解女王的真实用心。公元前1321年春，使臣随同埃及专使回到赫梯首都，带来安海塞纳曼的保证和另外的紧急要求。赫梯国王于是派一位王子去埃及，但王子在中途遭拦截并遇害，主谋者可能是想

篡夺王位的埃及军队司令霍伦希布。根据1932年在开罗发现的一枚戒指上的名字分析，安海塞纳曼与前夫图特安哈门的大臣和亲密顾问阿伊结了婚，后来由阿伊继承王位。在修复的图特安哈门石碑上可以看出，霍伦希布王在几年后夺得石碑时，已将安海塞纳曼的雕像完全挖去。

Anking (China) 参阅 **Anqing** 安庆。

ankle 踝关节 人足与腿连接处的滑液关节。此处有7块相连的跗骨，跗骨又与足的跖骨和小腿骨骼构成关节。虽常把这一区域大致称为踝关节，但真正的踝关节由跗骨中的距骨和小腿的腓骨与胫骨连接构成。踝关节的主要运动方式是屈和伸。与其他滑液关节一样，可患滑囊炎和滑膜炎。

anklet 脚镯 套在脚踝处的镯子。人们尤其是东方人佩戴装饰性脚镯已有许多世纪的历史。波斯发现的公元前2千纪末到公元前7世纪的饰物中，就有脚镯。至今印度戴用脚镯仍很普遍，有时饰有珠宝和灌进细小铅粒的空心铃铛。当舞蹈者翩翩起舞时，发出错落有致的窸窣之声。

Ankobra 安科布拉河 西非加纳南部河流，发源于维奥索东北，向南流经190千米注入几内亚湾（大西洋）。主要支流为曼西河和邦萨河。上游河段多急流，但自河口向上80千米可通航。直到托曼托一段有潮水涨落。

Ankole (people) 参阅 **Nkole** 恩科勒人。

ankyloglossia (congenital malformation) **舌系带短缩** 参阅 **tongue-tie** 结舌。

Ankylosaurus 甲龙 北美晚白垩世（9 750万年前至6 640万年前）的披甲食草恐龙。中等大小，身长5米左右。甲龙的后肢比前肢长，表明其虽由两足祖先进化而来，但已回复

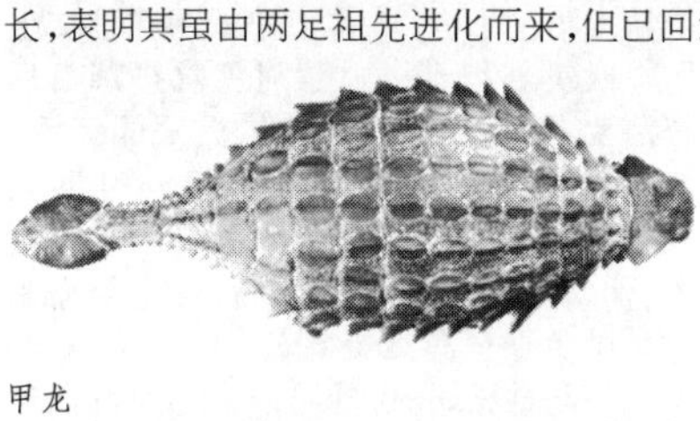

甲龙
美国不列颠百科全书公司供图

到四足姿态。甲龙低而平的后背覆盖着许多骨板，指向身体的各侧面。它的相当长的尾巴末端是一个粗骨节，可作棍棒使用。其近亲稍微改变了骨甲的旋向，但所有这类动物都是可怕的。甲龙的尾巴末端的骨节有些为长尖穗状；另外一些则在肩部出现长而尖的骨穗。

Ann, Cape 安角 地处美国马萨诸塞州东北部埃萨克斯县最东端的海岬，在波士顿东北48千米。为伊普斯威奇湾的屏障。北有安尼斯夸姆港，南有格洛斯特港；由安尼斯夸姆航道6.4千米沟通。安角有古朴的渔村、

安角东海岸景观
美国不列颠百科全书公司供图

游览胜地和艺术家聚居地。格洛斯特和罗克波特为海岬上的主要城镇。东岸外有暗礁，多沉船事故。

Ann, Mother (Shaker leader) 参阅 **Lee, Ann** 李。

Ann Arbor 安阿伯 美国密歇根州东南部城市，沃什特瑙县县城。临休伦河。1824年创建。1833年设村。1851年设市。1839年通铁路后成为农业贸易中心。1837年密歇根大学（1817建于底特律）迁入，促进了城市发展。现为医疗中心和美国中西部航空、航天、核能、化学及冶金研究中心。有滚珠轴承、科学仪器和精密机器制造业。设有沃什特瑙社区学院（1965）和康科迪亚学院（1963）。人口：市约108 817；安阿伯都会统计区（初步）约522 916（1995）。

Anna (mother of Samuel) 参阅 **Hannah** 哈拿。

Anna 安娜（1693-02-07，俄罗斯莫斯科～1740-10-28，圣彼得堡） 全名安娜·伊凡诺夫娜。俄国女皇（1730～1740）。伊凡五世（1682～1696在位）的女儿，彼得大帝（1682～1725在位）的侄女。她于1710年11月11日嫁给库尔兰公爵弗里德里克·威廉。在圣彼得堡结婚后，威廉在去库尔兰途中死去，但迄1730年安娜一直留在库尔兰的首府米陶（哲尔加瓦）。1730年彼得二世死去，俄国实际上的统治机构最高枢密院遂拥立安娜为女皇。安娜接受枢密院的建议和某些"条件"（把国家的实权交给枢密院，并且真正在俄国建立一种受限制的君主政体）之后，安娜于1730年旧历2月动身去莫斯科。但是，当安娜到达莫斯科以后，发现贵族和禁卫军的军官们普遍反对枢密院会议所提出的条件，便撤销最高枢密院，重新建立独裁政治。安娜对政府事务漠不关心，主要依靠她的情夫E.J.比龙和包括俄国外交事务的首脑A.奥斯特曼以及军队的首脑B.米尼赫在内的少数德国顾问来管理国家。当这位女皇在圣

美国不列颠百科全书公司供图

彼得堡宫廷中一味寻欢作乐之际，她的亲信使俄国参与了波兰王位继承战争（1733～1735），让一个亲俄国的国王登上波兰王位，他们还使俄国进行俄土战争（1736～1739）。宫廷开支的增加和战争的庞大耗费，导致对农民课以残酷无情的重税。农民的社会状况每况愈下，与上层阶级获得的利益形成鲜明对比。安娜临死前不久，指定由她的侄女安娜·利奥波尔多芙娜的儿子伊凡为皇位继承人，由比龙担任这位未成年的皇帝的摄政。

Anna 安娜（1718-12-18，梅克伦堡罗斯托克［德国］～1746-03-18，俄罗斯霍尔莫戈雷） 全名安娜·利奥波尔多芙娜。沙皇伊凡六世的摄政（1740～1741）。1739年安娜与神圣罗马

美国不列颠百科全书公司供图

帝国皇帝查理六世的侄子结婚，次年8月生子伊凡。1740年11月伊凡在襁褓中继位，由于先皇指定的摄政E.J.比龙被B.米尼赫为首的执政小集团逮捕，安娜出任摄政。但她不受欢迎，树敌甚多。1741年12月6日，彼得大帝之女叶利札维塔发动宫廷政变，次年囚禁安娜一家，1744年又把他们流放到霍尔莫戈雷。安娜死在流放地。

Anna Comnena 安娜·康内娜（1083-12-01～1148后） 拜占廷女撰史人、皇帝阿历克塞一世康尼努斯的女儿，所著《阿历克塞传》，记述其父生活与治绩，为十字军运动早期的珍贵拜占廷史料。她受过良好教育，研究过文学、哲学、历史、地理等。1097年与尼斯福

鲁斯·布里恩尼乌斯结婚。她曾与其母伊林娜皇后劝谏皇帝废其兄约翰而立其夫为嗣君，未果。1118年约翰二世康尼努斯即帝位，她企图将约翰二世废黜，但其夫不予支持，密谋败露，财产被全部充公。此后她人隐修院，写成《阿历克塞传》。这本著作用希腊文写成，描述拜占廷帝国内部的宗教和文化活动，反映了拜占廷帝国官方的观点，缺点是年代失实和过分地吹捧阿历克塞一世。

Annaba 安纳巴 旧称博纳或波尼。阿尔及利亚安纳巴省省会和地中海港口。在塞布斯河口附近。因地处天然港湾，公元前12世纪为腓尼基人所占，曾是基督教的中心。533年归属拜占廷帝国，697年被阿拉伯人征服。1832年被法国人占领。1848年成为法国管区。市中心的旧城环"8月19日"广场修建，街道狭窄。新城1870年后建成，建筑物集中在"革命大道"两侧，有教堂(1850)、圣奥古斯丁王宫(1881)、主要公用建筑、学校、博物馆和公园等。为铁矿和磷酸盐矿的主要输出地。四周有肥沃的农田(产小麦)、森林和矿场。有钢铁联合企业、铝厂、化肥厂、汽车和铁路机车修配厂。为商港、渔港和班轮停靠港。有铁路、公路和国际机场。人口222 518(1987)。

Annaberg-Buchholz 安娜贝格-布赫霍尔茨 德国中部偏东城镇。高踞于奥雷山上，靠近捷克边界。1949年由安娜贝格(1497年建制)和布赫霍尔茨(1501年建制)两个开采银矿的村庄合并而成。16世纪采矿和冶炼业衰落，1561年开始经营手编花边，连同有关的产品制造便成为主要工业。第二次世界大战后，苏联在此开采铀矿，城镇有了相当发展。经过17、18世纪的火灾后尚存的历史性建筑物有哥特式的圣安妮教堂(1499～1525)和巴罗克式大教堂(1665)。该城镇除采矿与纺织业外，还生产纸板、纸张和电气设备。人口约23 387(2003)。

annabergite 镍华 含水的镍砷酸盐矿，与钴华(**erythrite**)极为类似。

annalist 编年史家 李维(公元前1世纪～公元1世纪)以前的罗马历史学家。李维所著罗马史，自罗马建城之时起，详述其沿革与风习。早期罗马史家们大都取材于历年的祭司实录或曰圣事纪年录。公元前300年以后，圣事纪年录中便载有定期著录的政府高级官员的姓名以及具有宗教祭祀意义的公众大事。早期罗马作家Q.恩尼乌斯(公元前239～前169)所作史诗的标题，就取自圣事纪年录。最早的罗马历史家们，在公元前2世纪初期都使用希腊语写作，著名者有Q.F.皮克托、C.阿利门图斯、P.阿尔比努斯和C.阿西利乌斯等人。继起的史家是M.P.加图(公元前234～前149)，所著《罗马城镇之起源》一书，是第一部用拉丁语写成的罗马史。在加图的影响下，L.C.赫米纳和L.C.P.弗洛杰曾致力于更有系统的罗马史撰述工作，约在公元前123年，P.M.斯凯沃拉刊出《大祭司编年史记》。此书采撷历年圣事纪年录内容，以事系年，记载罗马国家大事，汇为80卷，为以后编年史之楷模。这种编年史记的传统，李维在其罗马史中继续保持，而塔西佗在写作其《编年史》时，亦遵循这个传统。

Annam 安南 法国统治下的越南，指今越南中部地区，殖民时代以前被称为中圻。在官方交往中，越南人从不使用安南(来自汉语，意为"平靖的南方")一词来称谓他们的国家。这一地区在马江与三钳角之间，多为高原。顺化(**Hue**)一直是这一地区的主要文化中心。在山地和高原上，有不同的民族定居。有些民族讲变体的占语，其他民族操孟-高棉语。主要民族是越南人，他们定居在越南中部的狭长而肥沃的海岸平原，种植水稻。最大城市为岘港(**Da Nang**)，最好的停泊地为金兰湾。

Annamese Cordillera 安南山脉 法语作Chaîne Annamitique，越南称长山。印度支那的主要山脉，湄公河与南海水系的分水岭，与海岸并行，大致呈西北-东南走向的缓和弧形，是越南与老挝的分界山岭。山脉绵延不断长约1 100千米，东坡陡峭，迫近狭窄的沿海平原。最高峰玉岭海拔仅2 598米，山脉只有少数几条山口，其中最重要的是越南北方的娇女隘(亦称骄诺山口)，是老挝他曲与越南荣市之间大道的一部分，另外还有穆嘉关(**Mu Gia Pass**)。山脉的地质构造复杂，北段主要由石灰岩、砂岩、花岗岩及片麻岩构成；南段有褶皱结晶岩基底出露，在一些地区它们被玄武岩熔岩流覆盖着，熔岩流形成的高原有老挝南方的波罗芬高原(**Bolovens, Plateau des**)、越南南方的昆嵩与多乐高原。往南去，山脉开始转折、升高，结束于西贡平原。在此之前，于芽庄以西升高到2 300米以上。

Annan, Kofi 安南(1938-04-08，黄金海岸[今在加纳]库马西～　　) 全名Kofi Atta Annan。加纳籍国际文职人员，1997年成为联合国第7任秘书长，2001年连任，2006年底卸任。其父为芳蒂族的世袭酋长，曾任阿散蒂省督。安南先就读于库马西的科技大学，后入明尼苏达州圣保罗的麦卡莱斯特学院，在该学院获得经济学士学位。后继续在日内瓦的国际高级研究院学习。1971～1972年接受麻省理工学院的斯隆奖学金，并获得硕士学位。安南于1962年担任日内瓦世界卫生组织的预算官员，开始了他在联合国的职业生涯。除了曾短期担任加纳的旅游局长(1974～1976)外，他都在联合国任职，并担任过几个行政职务。1993年3月1日，升任负责维和任务的副秘书长。在该职任内，于波斯尼亚-黑塞哥维那的内战期间表现优异，尤其是在将维和任务从联合国部队移交给北大西洋公约组织部队一事上处理得当。由于前任秘书长布特罗斯·加利以其独立冷漠的作风疏远了一些成员国，其中最明显的是美国，因此安南上任后的首要任务便是修复与美国的关系以及改革联合国的官僚体系。

Annandale and Eskdale 安嫩代尔-埃斯克代尔 苏格兰西南部邓弗里斯-加洛韦行政区的一个区。1975年行政区划改组时设立。为原邓弗里斯郡东部。面积1 553平方千米。安嫩河流经境内，向南注入索尔韦湾。山地(高800米)和河谷饲养绵羊；海湾附近的平原种植谷物和块根蔬菜。区首府安嫩。人口约37 130(1993)。

Annapolis 安纳波利斯 美国马里兰州首府和安妮阿伦德尔县县城，美国海军学院(1845)所在地。濒临切萨皮克湾塞文河口，在巴尔的摩东南43千米处。初建于1649年，名普罗维登斯。1694年，地区首府从圣玛丽城迁此，改称现名。安纳波利斯爱国者效法波士顿爱国者于1774年10月19日制造"茶党案"，迫使"佩吉·斯图尔特"号船主烧掉整船已缴税的茶叶。1783年12月23日G.华盛顿在此辞去大陆军总司令之职。与此同时，美国国会在此举行会议(1783-11-26～1784-06-03)。安城在美国独立战争、1812年战争和南北战争中未受创伤，不过南北战争中的大批伤员曾送该地的医院中治疗。现为一入口港和农渔产贸易转运中心。有船厂和小制造业工厂。附近有约翰斯·霍普金斯大学的海洋学实验所。海军学院(院址在旧塞文要塞中)博物馆展有美国海军史文物和大量船舰模型。殖民时期建筑有州议院(1772～1780，美国国会曾在此批准结束独立战争的《巴黎条约》)、旧财政部(1735)、美国圣公会圣安娜教堂(1692)和60多幢独立战争前房屋，其中包括W.帕卡、S.蔡斯和C.卡罗尔3位独立宣言签署人的宅邸。1796年设市。人口35 838(2000)。

Annapolis Academy 安纳波利斯军校 参阅**United States Naval Academy** 美国海军军官学校。

Annapolis Convention 安纳波利斯会议 美国历史上，1786年9月在马里兰州安纳波利斯举行的地区性会议，是推动联邦会议重审不适合的《邦联条例》运动中的一个重要转折点。有5个州的代表参加。代表们认识到：只有修改《邦联条例》，才能有效地解决全国商业问题。于是，他们向所有各州发出举行全国会议的号召。8个月后全国会议在费城举行，起草了现行的联邦宪法。

Annapolis Royal 安纳波利斯罗亚尔 1713年前称罗亚尔港。加拿大新斯科舍省西南部城镇，安纳波利斯县行政中心。在哈利法克斯以西203千米安纳波利斯河口。1605年初建时称罗亚尔港，为探险家S.de尚普兰等人所建，是法国在北美第一个殖民地和加拿大最古老的居民点。1613年为英国人所毁，后又有苏格兰殖民者在此居住，1632年又归属法国人。但不久该镇迁至原址东面10千米处，原址弃置不用。1710年被英国占领，1713年的《乌得勒支条约》规定正式割让给英国，为表示对安妮女王的崇敬，改用现名，成为新斯科舍的首府至1749

年建立哈利法克斯为止。曾为重要伐木、造船和行政中心；现为集镇和游览胜地。产苹果和乳制品，有锯木厂。有安妮堡（1687～1705）和修复的罗亚尔港居民村等古迹。人口633（1991）。

Annapūrna　安纳布尔纳峰　尼泊尔中北部喜马拉雅山地，在喀利根德格河与马逊的河盆地之间。山脊长48千米，包括4个主要山峰，其中两个，即安纳布尔纳第一峰（8 091米）与第二峰（7 937米）分别位于西、东两端。第三峰（7 555米）与第四峰（7 525米）介于其间。安纳布尔纳第一峰是世界最高峰之一。在1950年作为第一个被登山者征服的海拔8 000米以上的山峰而闻名于世。这个荣誉属于M.埃尔佐率领的法国登山队，他和L.拉

从喀利河谷仰望安纳布尔纳峰
美国不列颠百科全书公司供图

什纳尔于6月3日到达顶峰。1955年5月30日H.比勒、H.施泰因梅茨和J.韦伦坎普攀抵安纳布尔纳第四峰顶峰；1960年5月17日J.O.M.罗伯茨率领的远征队的R.H.格兰特与C.J.伯宁顿攀登安纳布尔纳第二峰顶峰。1970年，一个由妇女组成的日本登山队登上了安纳布尔纳第三峰。

annates　首岁所得税　新就任的教会神职人员从其第一年俸禄中抽出向主教或教皇贡纳的赋税。这种赋税从未普遍有效地实行，而且遭到强烈反对。英格兰国王亨利八世根据该国1534年《首岁所得税法令》宣布，英格兰境内教牧人员首岁所得税归英王所有。特伦托会议（1545～1562）后，神职人员俸禄制度改变，首岁所得税即行废除。自教皇本尼狄克十四世（1740～1758在位）时代以来，首岁所得税指神职人员第一年俸禄的一半，在意大利及沿海岛屿，这笔钱被用于修复若干主教区的大教堂。

annatto（*Bixa orellana*）　**胭脂树**　又称山地生红木。新大陆热带胭脂树科（红木科，Bixaceae）唯一的种，乔木。株高达9米。花粉红色，花径5厘米；叶稍卵形，长8～18厘米；蒴果褐色，长5厘米；可生产一种浅红色或浅黄色粉末状染料，用于黄油、乳酪及人

胭脂树（*Bixa orellana*）
美国不列颠百科全书公司供图

造黄油的着色。在热带及亚热带地区广为种植。

Anne　安妮（1665-02-06，伦敦～1714-08-01，伦敦）　英国女王（1702～1714），斯图亚特王室最后一代君王。她希望独立自主地进行统治，但由于才智有限而且长期患病，因而不得不主要依靠她的大臣们；大臣们在西班牙王位继承战争中（1701～1714）领导英国致力于反对法国和西班牙。安妮女王在位期间，辉格党人和托利党人之间的激烈斗争，由于她的王位继承问题悬而未决，因而变得更加激烈。安妮系约克公爵詹姆斯（英王詹姆斯二世，1685～1688在位）的次女。虽然其父是天主教徒，但在叔父英王查理二世的坚持下，她被抚养成为一个新教徒。1683年同丹麦王子乔治结婚，他成为她的忠实恩爱的伴侣。安妮和其幼年时的好友约翰·丘吉尔（后为第一代马尔伯勒公爵）之妻萨拉·詹宁斯·丘吉尔的亲密关系，具有更大的政治影响。美丽、聪颖的萨拉成为安妮的宫廷女侍，不久她就

美国国会图书馆供图

把这位公主置于自己的掌握之中。1688年，当信奉新教的统治者、荷兰联合省的执政者奥伦治的威廉三世推翻詹姆斯二世后，正是萨拉劝说安妮支持威廉。根据《权利法案》（1689），威廉和其妻即安妮之姐玛丽成为英国国王和皇后，而安妮按世系应继承王位。安妮和玛丽二人后来反目，1694年玛丽死后，威廉力求与安妮搞好关系，但在他离开英国期间，却拒绝由安妮摄政。安妮在1683～1700年虽然怀孕18次，但生下来活着的只有5个，其中只有一个男孩活到婴儿期。这个男婴在1700年死去，安妮自己生育继承人的希望便告破灭。因此，她对1701年的《王位继承法》表示默认，该法指定英王詹姆斯一世的孙女汉诺威女选侯索菲娅作为她的继承人。

1702年3月威廉去世后，安妮成为女王。她从一开始就主要对圣公会具有强烈的信仰。她讨厌天主教徒和不信奉国教者，对高教会派的托利党人表示同情。同时，她还极力摆脱政党的控制。她的第一届政府虽然主要是由托利党人组成，但它的两名首脑人物S.戈多尔芬和马尔伯勒公爵却是中间派。1703年以后，虽然马尔伯勒公爵仍然担任英军统帅，但萨拉·丘吉尔（此时已为马尔伯勒公爵夫人）对安妮的影响却很小了。女王、马尔伯勒和辉格党人想要让英国军队在欧洲大陆上作战，而托利党人则认为英国只能在海上与敌人交锋。由于马尔伯勒在大陆上连续取得了重大胜利，于是安妮受到压力，要她准许辉格党人入阁。她固执地予以拒绝，甚至对支持辉格党政客的公爵夫人逐渐表示冷淡。到1707年，安妮对这位公爵夫人的宠信，已为作为托利党领导人物R.哈利（后为第一代牛津伯爵）工具的A.马沙姆夫人所取代。但是，哈利和马沙姆夫人的种种诡计往往使安妮处于非常为难的境地，因此她迫不得已于1708年将哈利撤职并准许最著名的辉格党人进入她的政府。由于战争旷日持久，全国人民起来反对辉格党人。1710年安妮清除辉格党人，指派托利党人组阁。1711年她又将马尔伯勒夫妇一并免职。女王由于年事日高而又体弱多病，王位继承便成为紧要的问题。托利党主要领导人和安妮的被依法排除继承权的信奉天主教的兄弟老王位觊觎者詹姆斯不断进行联系，但安妮最后发病和死亡来得非常突然，因而托利党人为这位觊觎者攫取王位的一切计划均告落空。她最后的一项措施，是将财政大臣的权柄交给了能干的稳健派施鲁斯伯里公爵查尔斯·塔尔博特，以便确保王位由信奉新教者所继承。塔尔博特主持了汉诺威亲王乔治·路易（英王乔治二世，1714～1727在位）的和平接位。

Anne Boleyn　安妮（1507？～1536-05-19，伦敦）　英格兰国王亨利八世第2个妻子，伊丽莎白一世女王之母。围绕着解除亨利八世与其第一个妻子阿拉贡的凯瑟琳的婚姻以及他与安妮结婚而发生的一系列事件，导致他与罗马天主教会的决裂，从而引起英国的宗教改革。安妮是托马斯·博林爵士（后为威尔特

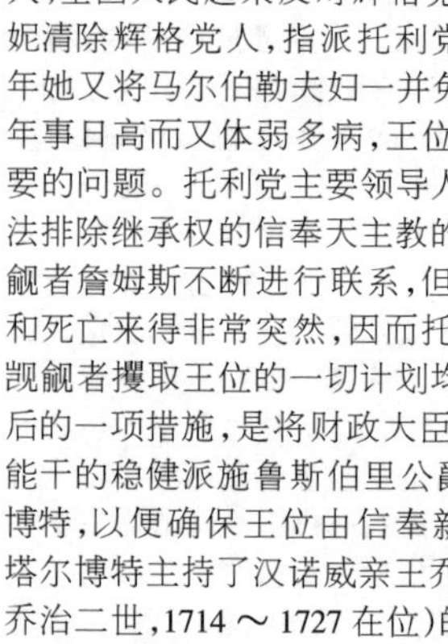

美国不列颠百科全书公司供图

郡和奥尔蒙德伯爵)之女。在法国度过部分童年。1522年回国后住在宫中。她本想与亨利·珀西勋爵结婚,但国王爱上了她。1527年亨利开始准备解除与王后阿拉贡的凯瑟琳的婚姻,目的在于获得一个合法的男嗣,但教皇克雷芒七世在亨利的对手查理五世的压力下连续6年拒不批准。约在1533年1月25日,亨利与安妮秘密结婚。5月23日亨利使坎特伯雷大主教托马斯·克兰默宣布他与凯瑟琳的婚姻完全无效。9月,安妮生一女,即后来的伊丽莎白一世。1536年5月2日,亨利以安妮同几个男人通奸、甚至乱伦与亲兄弟通奸的罪名,将她关入伦敦塔。贵族法庭一致判定她有罪,5月19日将她斩首。但安妮不大可能犯有被指控的罪行,她显然是托马斯·克伦威尔所支持的宫廷派别的牺牲品。

Anne DE PISSELEU　安娜(皮塞勒的)　参阅**Étampes, Anne de Pisseleu, duchesse d'**(duchess of)埃当普公爵夫人。

Anne OF AUSTRIA　安娜(奥地利的)(1601-09-22,西班牙巴利亚多利德～1666-01-20,巴黎)　法国国王路易十三(1610～1643在位)的王后,其子路易十四在位初年的摄政。西班牙

美国不列颠百科全书公司供图

国王腓力三世的长女,1615年11月与路易十三结婚。路易十三一生对她十分冷淡,而首相黎塞留又极力阻止她对丈夫施加任何影响。她和母后玛丽·德·美第奇试图劝说路易罢免黎塞留,没有成功。1635年黎塞留向安娜的兄弟、西班牙国王腓力四世宣战,而她始终同情西班牙。黎塞留派人对她进行监视,1637年查明她曾访问恩惠谷修女院,企图里通腓力。路易十三曾立下遗嘱,意在剥夺她充当幼子路易十四的唯一摄政的权利。1643年5月路易十三死后不久,安娜促使巴黎高等法院宣布这一遗嘱无效。她成为唯一的摄政之后,法国大贵族立即要求恢复他们在黎塞留时代丧失的特权。她决心使自己的儿子继承黎塞留为路易十三所争得的绝对权力,因此拒绝了贵族们的要求,并任用黎塞留最能干的助手马萨林为首相。1651年2月投石党分子逼迫她罢免马萨林,但她竭力分化敌人,平复叛乱,使马萨林于1652年10月重返巴黎。1651年路易十四亲政,她的摄政正式结束。1659年法国终于与西班牙媾和,1660年路易十四与腓力四世之女、安娜的侄女玛丽-泰蕾莎结婚。

Anne OF BEAUJEU　安娜(博热的)　参阅**Anne of France**安娜(法兰西的)。

Anne OF BRITTANY　安娜(布列塔尼的)(1477-01-25,法国南特～1514-01-09,布卢瓦)　法国布列塔尼女公爵,两次成为法国王后,整个一生维护布列塔尼在法兰西王国内的独立地

美国不列颠百科全书公司供图

位。1488年继承父亲的公爵领地。她先与奥地利的马克西米连联姻。法国国王查理八世担心布列塔尼落入外国人手中,就向这一领地发动进攻。她被迫解除与马克西米连的婚姻而嫁给查理(1491)。1498年查理去世,她又嫁给继承王位的路易十二。在此后岁月中,安娜全力治理她的公爵领地,小心谨慎地捍卫其独立自主地位。

Anne OF CLEVES　安妮(克利夫斯的)(1515-09-22～1557-07-16,伦敦)　英格兰国王亨利八世的第4个妻子。亨利与安妮结婚的目的是要与她的哥哥克利夫斯公爵威廉(西德意志新教徒领袖)结成政治同盟,因为他认为两大罗马天主教国家法国和神圣罗马帝国将联合进攻信奉新教的英格兰。1540年1月1日安妮到达英格兰,6日成婚。亨利深感失望,因为她既不美貌,又欠通世故人情,几乎完全不通英语,而且两大天主教强国亦未能结盟。1540年7月9日亨利通过圣公会会议解除这项婚姻。安妮得到大笔补偿费,条件是不许离开英格兰,她住在里士满或布莱钦利直至逝世。

Anne OF DENMARK　安妮(丹麦的)(1574-12-12～1619-03-02)　英格兰国王詹姆斯一世(苏格兰国王詹姆斯六世)的王后。丹麦和挪威国王腓特烈二世之女,1589年与詹姆斯结婚。她信奉路德教派,因此詹姆斯的信奉长老派的苏格兰臣民不喜欢她。詹姆斯将她的

美国不列颠百科全书公司供图

第1个儿子亨利王子(1594～1612)托给第2代马尔伯爵抚养,从而疏远了她。但1603年詹姆斯继承英国王位后,二人和好。她把大部分时间和精力花费在宫廷娱乐方面,不过她的赞助促进了艺术的发展。其次子继詹姆斯为英王,称查理一世(1625～1649在位)。

Anne OF FRANCE　安娜(法兰西的)(1461～1522-11-14,法国尚泰勒)　又称安娜(博热的)。法国国王路易十一世的长女。1483～1491年与丈夫波旁公爵成为实际上的王国摄政。她克服了威胁王国的各种困难,特别是权贵们的骚乱。她将领地发还给敌对的贵族,并于1484年召开三级会议。1491年,她

美国不列颠百科全书公司供图

与其夫不顾奥地利和英格兰的反对,完成了查理八世与布列塔尼的安娜的联姻,事实上使布列塔尼领地归于王室。

Anne and Joachim, SAINTS　安娜和约雅敬,圣(活动时期公元前1世纪,巴勒斯坦)　根据未收进《新旧约全书》的经籍,他们是圣母马利亚的父母。成书于2世纪的《雅各第一福音》和3世纪的《马利亚诞生福音》载,安娜(希伯来语作哈拿)生于犹太伯利恒,嫁给约雅敬。夫妇居住在拿撒勒,家道殷实,信教虔诚,却因未生子女而悲哀。约雅敬因无生育能力而在圣殿蒙羞,乃退居乡间祈祷。安娜因丈夫失踪和自己不孕而忧伤,郑重向上帝许愿,谓如得子女一定奉献出来事奉主。夫妇都在异像中见到天使,天使宣告:安娜必将怀孕而生一最奇妙的孩子。使者报约雅敬归来,安娜前往城门欢迎。他们生了女儿,十分高兴,取名马利亚,孩子3岁时,他们把她带到耶路撒冷,留在那里长大成人。后来相传马利亚出生后约雅敬即故去,安娜得圣灵鼓励而改嫁。

annealing　退火　将金属或合金加热到预定温度,保持一定时间,然后冷却到室温,以提高韧性并降低脆性的方法。中间退火是在金属工件加工过程中间断进行的,用以恢复由于反复锤锻或其他方式加工而丧失的韧性。完全退火是为了使机床工业中使用的锻坯易于加工。退火也用来消除内应力。退火温度随金属和合金以及所要求的性能不同而异,但必须不超过一定范围,以防止晶粒长大。

Annecy　阿讷西　法国东南部罗讷-阿尔卑斯大区上萨瓦省城市和省会。位于日内瓦南面,临阿讷西湖西北岸。10世纪起成为日内

沃斯各伯爵的驻地。1401年起属萨伏依公国。1535年宗教改革期间,主教教座和隐修院机构从日内瓦迁此,阿讷西始重要起来。1728年,16岁的J.-J.卢梭曾在此避难。1860年与萨伏依的其他地方一起成为法国的一部分。旧城城区带拱顶街道与运河相互交错。旅游是当地主要经济项目之一。工业产品有电子设备、糖果和精密仪器等。人口51 143(1990)。

阿讷西旧城内的运河
美国不列颠百科全书公司供图

annelid 环节动物 又作 segmented worm。又称环虫。环节动物门(Annelida)无脊椎动物,特征为有真体腔,有可活动的刚毛,身体被许多横沟分为许多体节。共9 000多种。可分为三个纲:多毛纲(Polychaeta),包括海生环虫;寡毛纲(Olygochaeta),包括蚯蚓;蛭纲(Hirundinea),包括各种蛭类。①多毛类有6 000多种,世界性分布。主要为海生,但已知美国一些江河湖泊中也有少数种类。可分为自由生活的类型和管居或固定穴居的种类(隐居类)。体形大小差异很大,从不足1英寸到20英尺(6米)以上。自由生活的种类,身体由头(口前叶)、分节的躯干和尾(肛节)组成。固定生活的种类,身体包括头(明显或不明显)、鳃(见于大多数种类)、胸和腹,以及尾部。通过鳃或体壁呼吸。多数多毛类的消化系统包括口、食管、肠和肛门。寄生的多毛类罕见,但叶须虫目(Phyllodocida)的鳞虫中共生现象常见。多毛类偶表现攻击性行为,某些种类能发光(此特征与性成熟有关)。多毛类和寡毛类都表现出早期的通过经验学习的能力。多毛类进行有性生殖,但已知少数种类能进行无性生殖。雌雄同体现象罕见。配子体(精子和卵)通常直接排放入水中。受精卵发育为钻石形自由游泳的幼体,称为担轮幼体,幼体逐渐发育,落在适当表面上时已形似成体。多数种类能再生失去的身体部分,尤其是尾部,但 *Ctenodrilus* 属和 *Dodecaceria* 属的种类只能从一个体节再生。②寡毛类约3 250种,通常生活于土壤中,但少数种水栖。体长与多毛类相若。身体由头和躯干构成,躯干呈圆柱形,体节数可达600之多。腹侧生有刚毛。多数种类通过体壁进行呼吸。消化系统包括口、肌肉质的咽、食管、肌肉质的砂囊、很长的肠和肛门。运动方式是:将身体前端伸长,然后用刚毛将伸长了的部分固着,接着收缩身体后端。性成熟后身体前端几个体节体壁的腺体加厚,形成环带。寡毛类多为雌雄同体,但需交配受精,交配时两个个体互抱,头尾朝向相反方向,同时排出精子到对方的受精囊。交配后环带向外分泌黏液,凝固后形成茧管,成熟卵排入其中。虫体向后蠕动,茧管前移,经过受精囊孔时精子注入,使卵受精,受精卵在此卵茧中发育。水生种常能进行无性生殖,虫体断裂,再发育为新个体。一些种可产生自体受精的卵或可进行孤雌生殖。寡毛类的再生现象常见,但低级种类的再生能力强于高级的种类。③蛭类有约300种,通常见于淡水或潮湿的环境。体椭圆形,有34节,身体前后两端均有一个吸盘,后吸盘大于前吸盘。体长可达40厘米。呼吸通过皮肤进行。消化系统包括口(围绕以前吸盘)、食管、嗉囊、肠、直肠和肛门。所有蛭类均以吸血为食,均为雌雄同体,但均进行有性生殖。就如寡毛类一样,卵产于环带分泌的茧管中,幼体也在茧管中发育。未见生物发光和再生现象。移动方式为先用后吸盘固着,环肌收缩,纵肌延伸,然后前吸盘固着,后吸盘放松;如此作蛭形运动。在许多方面环节动物对人类十分重要。多毛类将洋底沉积物翻转,而寡毛类,如陆生蚓(*Lumbricus terrestris*)能疏松土壤。多毛类的血虫(*Glycera dibranchiata*)用作咸水鱼的饵。寡毛纲的管作虫(颤蚓属[*Tubifex*]种类)生长于污水排出管附近,可用作水污染的指示物,也是热带鱼的食物。蚯蚓可用作淡水鱼的饵料,也能在庭园里制造腐殖土。自古以来医学上就用蛭治病,甚至今天,从蛭提取的水蛭素仍用作抗凝药。

Annenberg, Walter H. 安南伯格(1908-03-13,美国威斯康星密尔沃基～2002-10-01,宾夕法尼亚温尼伍德) 全名 Walter Hubert Annenberg。美国出版家、慈善家、艺术品收藏家。1969～1974年任美国驻英大使。沃尔特·安南伯格是东普鲁士穷苦移民摩西·安南伯格(1878～1942)之独子,摩西后成为百万富翁,出版《费城问询报》以及有关赛马的出版物《每日赛马新闻》和《电讯晨报》。1939年摩西因漏税和行贿罪名被起诉。沃尔特亦受到起诉,但对他的指控未能成立。1942年摩西获假释后不久去世,沃尔特继承了负债累累和声名狼藉的三角出版公司。他改弦更张,创办《十七》杂志(1944),获得了数家电视台和广播电台,并出版《电视指南》(1953),成为美国最受欢迎的刊物之一。1988年,安南伯格据称以32亿美元之价出售了他在三角出版公司的股权。安南伯格还以收藏印象派和后印象派绘画以及从事慈善事业而闻名。他捐赠数以百万元计的钱给各种博物馆、图书馆、学校和医院,建立了慈善性的M.L.安南伯格基金会,并同时在宾夕法尼亚大学和南加利福尼亚大学创办了安南伯格通讯学院。

annexation 兼并 指一国正式宣告对原不属于其管辖范围内的某一领土享有主权的正式行为。它与割让不同,割让是通过条约把领土让给或售给他国,而兼并则是单方面的行为,它通过实际的占领而生效,又通过普遍的承认而合法化。兼并往往以征服和军事占领被征服的领土为第一步。征服可以通过武力威胁而得逞,无需采取实际战争行动,例如德国1938年兼并奥地利。军事占领并不直接构成兼并,也不一定导致兼并,例如在第二次世界大战结束后盟国对德国的军事占领,相反,盟国曾发布公告,明确表示没有兼并德国的意图。军事占领一旦构成兼并,兼并国通常都会发表正式声明,述说它对被兼并的领土的主权已经确立,而且将来也要保持下去。他国对兼并可以明确表示承认,也可以予以默认。联合国宪章谴责以非法利用武力为基础的兼并。也可能有无需征服而实行兼并的情况。例如,一国把某一领土变为保护地,其在那里的权力机构足以维持兼并。如1910年日本用发布公告的办法把它的保护国朝鲜转变为殖民地而加以兼并。至于兼并的正式手续,国际法并没有规定;由国内的哪个权力机构决定是宪法范围内的事。1936年意大利兼并埃塞俄比亚是由意大利国王颁布法令实现的。美国1845年兼并得克萨斯和1898年兼并夏威夷则采取国会两院联合决议的办法。参阅 **conquest**。

Annia Galeria Faustina 安尼娅·加莱里亚·福斯蒂纳 参阅 **Faustina, Annia Galeria 福斯蒂纳**。

Anniceris 安尼克里斯(活动时期公元前4和前3世纪) 希腊哲学家。他信奉由亚里斯提卜创立的昔兰尼加学派的思想和它的基本上是快乐主义的观点。他致力于恢复这一学派某些最早的原则。在他生活的时期,昔兰尼加学派正经历着变革。在变革中起作用的两位关键人物则是狄奥多鲁斯和赫格西亚斯。安尼克里斯不同于狄奥多鲁斯之处,在于他相信必须把快乐理解为除感官享受外,还包含更多的东西;而他不同于悲观主义者赫格西亚斯之处,则在于他相信快乐除了具有能减轻痛苦的性质之外,它本身就是善。

annihilation 湮没 物理学中粒子与反粒子碰撞时放出能量而消失的反应。地球上最常见的湮没是电子和正电子碰撞时发生的。放射性衰变中产生的正电子通常与一个电子短时间结合成一个准原子——电子偶素,它由正电子和电子相互围绕旋转而成,直到碰撞而湮没。湮没时有2～3束 γ 射线从碰撞处辐射出来。由湮没产生的能量 E 等于消失的质量 m 乘以真空中的光速 c 的平方,即 $E=mc^2$,因此,湮没是质能相当的实例,是预言这个相当性的狭义相对论的验证。还存在其他一些湮没反应,例如:核子(质子和中子)与反核子(反质子和反中子)的湮没,能量以 π 介子和K介子的形式被带走。物质与反物质的湮没常被某些宇宙学家用来解释类星体的巨大能量以及宇宙的表观膨胀。

Anning 安宁 中国云南省县级市。位于昆明市西南部。螳螂川流贯县境,成昆铁路经过境内。面积1 313平方千米。西汉置连然县。唐武德四年(621)置安宁县。元至元十二年(1275)置安宁州。1913 年复改安宁县。1995 年撤县设市。经济以农业为主,产稻谷、玉米、薯类、烟草、油菜籽。云南省最大的钢铁联合企业昆明钢铁股份有限公司坐落

安宁市名胜曹溪寺
中国大百科全书出版社供图

在市境东南。并有化肥、水泥、农机、造纸等厂。安宁温泉是云南省著名的游览地,环境优美,水源充足(日流量 6 000 吨),清澈见底,有"天下第一汤"之称。还有曹溪寺、珍珠泉等名胜古迹。人口 270 000(2005)。

Anniston 安尼斯顿 美国亚拉巴马州东北部城市,卡尔洪县县城(1899)。在阿巴拉契亚山丘陵地区。1872 年建立时为工业社区。1879 年建制。生产铸铁管、纺织和化工品。市内自然博物馆鸟类标本颇丰。附近麦克利兰堡为妇女军团博物馆所在地。人口:市约 24 276;安尼斯顿都会统计区 112 249(2000)。

Anno, SAINT 安诺,圣(约1010,士瓦本～1075-12-04) 又拼 Hanno。科隆大主教。为神圣罗马帝国国内部的政治角逐中举足轻重的人物。曾在班贝格受教育,任皇帝亨利三世的告解(即认罪)司铎,1056 年由亨利三世任命为大主教。圣安诺一派人使年轻的国王亨利四世脱离王太后阿格尼斯,事成之后圣安诺获得摄政权,但被迫容许权力派人物汉堡-不来梅大主教阿达尔贝特与他并立。1064 年脱离宫廷,1066 年阿达尔贝特失宠,圣安诺权势又有起色。1064 年由于他的活动,曼图亚会议(1064 年 5 月)承认亚历山大二世为教皇而废黜原由德国宫廷任命的敌对教皇洪诺留二世。

anno mundi 创世纪元 简写为 AM,犹太教使用的纪元。自公元 9 世纪起,犹太学者们多以公元前 3762 年至前 3758 年间的不同日期为创世之始,但现在犹太教一般认为正确日期为公元前 3761 年 10 月 7 日。不过作为纪元所据各基点日期并不确定。犹太学者们根据《创世纪》中所载的家谱,推算上帝创造天地的时间,然后加上他们所计算出来的《创世纪》成书以后的时间。这个纪年法当然是不可靠的,但是犹太人使用它以表明自己固守传统。

Annonaceae 番荔枝科 木兰目最大的一个科。有 122 属,1 100 种。有的果实可食,有的可材用,有些为观赏植物。本科包括乔木、灌木和木质藤本,主要分布于热带,少数种可分布至温带。叶和木材通常芳香。单叶,全缘,沿着茎枝成两列互生;花辐射对称,常为两性;多数种 3 枚萼片在基部连合,有 6 枚褐色或黄色的花瓣,雄蕊多数,螺旋排列,雌蕊亦多数,各为 1 室,胚珠多数;果实为浆果。某些种的花直接生在粗枝或茎干上。许多种的树皮、叶和根是重要的民间草药,某些种的果实可食,或是重要的香料资源。本科美丽的观赏植物有垂枝型的桅干树(垂枝长叶暗罗,*Polyalthia longifolia pendula*),产于斯里兰卡。其亮绿色柔软而波状边缘的叶子悬挂在下垂的枝条上,下垂的枝条几乎紧靠高大而挺直的树干,印度常用此叶作为寺院的装饰品。南美的 *Porcelia saffordiana* 常生有重达 18 千克或更重的大果实。热带美洲和西部非洲的鳄鱼番荔枝(平滑番荔枝)是高 12 米的常绿树。叶长 18 厘米,广椭圆形;花芳香,黄色;果浅黄色,光滑而多瘤,长 5～10 厘米,可食但无味;其根可做瓶塞和鱼漂,又可作为嫁接番荔枝属不耐寒种类的砧木。蛋糊番荔枝(网状番荔枝、牛心番荔枝,*A. reticulata*)为小型热带美洲乔木,又称牛心果、牛奶蛋糊果,果实球形,果肉奶白色,稍甜,似牛奶蛋糊味,可食。

annual aster 一年生紫菀 参阅 China aster 翠菊。

annuity 年金 按该词的本意,指根据合同按年支付的退休金额。该术语也用来指每隔一定时间支付一次的定期付款,间隔的时间称为年金周期。年金主要分为两种:固定年金和应急年金。固定年金要依已确定的次数连续支付,计算方法是以设想每逢到期即予支付作为基础。应急年金是指在某种状态的存续期间,每次支付都属于应急性质,例如终身养老金就是这种情况,在某个或某几个特定的人在世时,每次支付都是应急性质的。固定年金的一种特殊情况是永久年金。所谓永久年金,是一种要不断支付下去的年金。永久年金的一个众所周知的例子是英国政府 1751 年开始发行的统一年金公债,因为这种债券没有计息的终止时间,预计它的利息要永远支付下去。用作人寿保险和养老金计划的应急年金以风险分担的原则为基础,支付一定数目的人寿年金额是根据年金开始时年金领受人的预期寿命计算的。实际等于是年金领受人与大量的同龄人一起设立了一笔按死亡统计表计算出来的基金,这笔基金足以给每个人支付大家同意支付的保险金。但是有些人可能比别的人活得长一些,他得到的年金将多于他交纳的基金;有些人却活得短一些,没等到把他交纳的钱全部收回就死了。根据这种风险分担的原则,使投入的年金能够保证得到比之以同样款数投资生息要多得多的付款;缺点是,年金领受人死后没有给他的继承人留下任何东西。

annulment 宣告婚姻无效 指法律上认为一项婚姻无效。宣告婚姻无效就是宣布一项从缔结时起即属无效的婚姻是不合法的。它与解除婚姻不同,解除婚姻是由于某些特殊原因而终止一项合法的婚姻,例如在结婚后一方精神失常。宣告婚姻无效的命令旨在使结婚双方"恢复到结婚以前的状态",但这样做不利于第三者时除外。在世俗法律上,只有政府通过其法庭能够宣布一项婚姻无效;而且一般地说只有婚姻的一方能够要求宣告婚姻无效。基督教会的教会法也有宣布婚姻无效的程序。为了使宣告婚姻无效持有正当理由,必须在婚约上有某些缺点——例如,一方由于年龄、精神失常或先前存在的婚姻而不能结婚。一方经常不在也可以成为宣告婚姻无效的理由。例如在某些地方,如果一方被判长期徒刑,另一方可以获准宣告婚姻无效。一般地说,如果婚姻并不美满,宣告婚姻无效就比较容易。在宣告婚姻无效的诉讼中,必须明确地否定婚姻的合法性。在这类案件中,所谓清白的原则很重要,即是说,要求宣告婚姻无效的人如果想要胜诉的话,他的行为必须是公正的、无可怀疑的。因此,一方如果明知对方不足结婚年龄而仍然与其结婚时,就不能获准宣告婚姻无效。

Annunciation 圣母领报 基督教名词,指天使加百列向童贞女马利亚预告她将因圣灵感孕而生子,并指示婴儿应取名耶稣的故事

R. 康平绘《圣母领报》(约 1428)
美国不列颠百科全书公司供图

(《路加福音》第1章第26～38节)。基督教会规定3月25日为圣母领报节。在早期基督教时代和中世纪的艺术与教堂装饰中,在文艺复兴时期和巴罗克的宗教艺术中,圣母领报故事都占有重要地位。

anoa 西里伯斯水牛 参阅 **buffalo** 水牛。

anode 阳极 电子流出的电极。在电池或其他直流电源中阳极是负端;但在无源负载中阳极是正端。例如电子管中电子从阴极穿过管子流向阳极,而电镀池中负离子淀积在阳极上。参阅 **cathode**。

anodizing 阳极电镀 一种镀覆金属的方法。其目的为:抑止腐蚀、电气绝缘、导热控制、耐磨损、密封、改进涂料黏附力和装饰修整。阳极电镀是在充当电解槽中阳极的某种金属(通常是铝)的表面上从水溶液中电沉积上一层氧化物膜。镀后金属板的性质,如多孔性、耐磨性、颜色和柔韧性等,取决于电解液的类型、浓度、温度以及电流强度、电镀时间、被镀金属的类型。最典型的阳极电镀使用含15%硫酸的电解液,染料可于该氧化过程中加入,以获得彩色的表面。这种铝阳极电镀和染色的方法,广泛应用于礼品、家用器具和建筑装潢。

anointment 涂油礼 一种宗教仪式,指涂油于人的头部或全身,也有涂在物件上的;涂油礼在各宗教历史上十分普遍,但其仪式和所用的油各自不同。涂油礼的意义可以分为3种,这3种意义可以同时存在:①医疗:巫医既是祭司又是医师。宗教和医术的这种结合突出表现在若干宗教仪式中的涂油礼上。②祝圣:在准备战争、受到猛兽威胁、濒临死亡或遭遇不测之时,涂油礼可以使凡人成圣。这种涂油礼不仅施之于人,往往还施之于物。③授予神职:许多宗教以涂油礼授予神职。在古代以色列国和一些基督教国家,君主在加冕时也要经过涂油礼,表示他是由上帝选派实行统治的。

anole 安乐蜥 鬣鳞蜥科安乐蜥属(*Anolis*)大型树蜥,约250种。南、北美洲温暖的地区

绿安乐蜥(*A. carolinensis*)
美国不列颠百科全书公司供图

皆有分布。西印度群岛数量较多。如同**壁虎**(**gecko**)一样,趾宽大,爪尖锐,趾垫上有小钩,有利于攀缘,甚至可在极其光滑的物体表面迅速爬行。体长12～45厘米,可变体色,由棕色或黄色变成几种深浅不同的绿色。雄性颈部常有红色或黄色大皱褶。原产美国南部和加勒比海群岛上的绿安乐蜥(卡罗利纳安乐蜥,*A. carolinensis*)最为人熟悉。这就是动物商店内出售的假"变色龙",其体色常由绿色变成棕色或杂色,但变化能力不及旧大陆的真变色龙。绿安乐蜥体长可达18厘米,具粉红色垂肉(喉扇)。

anomalous water 异常水 又称聚合水。通常是由水蒸气在极细玻璃毛细管或熔凝石英毛细管中冷凝生成的液态水。异常水的各种性质和普通水相差很大,例如前者的蒸汽压较低,冰点较低,密度和黏度较高,热稳定性较高,其红外光谱和拉曼光谱也与普通水不同。1968年一批苏联科学家宣布发现这种物质,几年后许多研究者认为该物质是一种新形式的水,可能是一种聚合物。在20世纪70年代,周密研究的结果确定,异常水是含有离子杂质的普通水。这些离子杂质造成水的性质异常。

anomaly 近点角 天文学名词。有3种不同的近点角,被分别用来描述行星、卫星在轨道上的位置,或双星系中的恒星在绕质量中心运动的轨道上的位置。下面只提行星轨道的情况。对于行星轨道,真近点角 V 是由质量中心(接近太阳中心 S)到行星 P 的连线与到近日点(行星最近太阳的点)B 的连线之间的夹角;平近点角是由太阳到近日点 B 的连线与到一个按行星公转周期在轨道上作匀速运动的点(图上没有表示出来)的连线之间的夹角;偏近点角 E 是椭圆中心 C 到点 P'(通

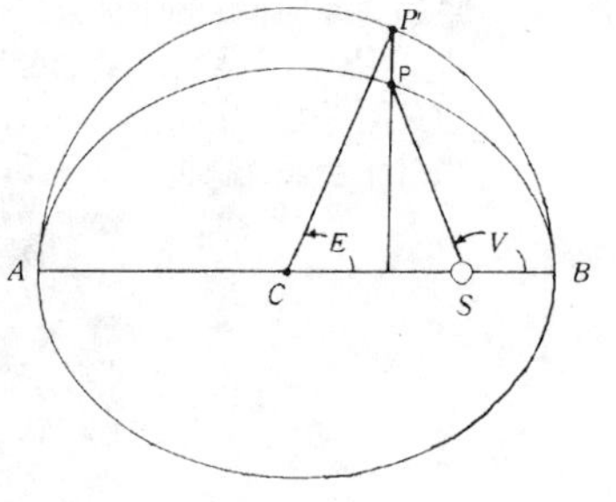

近点角示意图

过行星垂直于椭圆长径 AB 的垂线和直径为 AB 的圆周的交点)的连线与到近日点 B 连线之间的夹角。

anomie 失范 又拼anomy。出现于社会中或个人身上的一种不稳定状态,其原因是由于缺乏目的或理想而造成的社会准则或价值观的崩溃。

这个术语是法国社会学家É.涂尔干在他的自杀研究中提出的。他认为一种类型的自杀(失范型)是由于人们必须依据的行为标准遭破坏而造成的。当一个社会体系处于失范状态时,就不再有人理解或接受共同价值观和共同意向,而新的价值观与新的意向也还没有发展起来。这种社会使其多数成员产生百无聊赖、没有目的以及感情空虚和绝望的心理状态。努力奋斗被认为是无用的,因为对于值得追求的究竟是什么,就没有一个公认的定义。R.K.默顿在美国研究了失范(或无规范)的起因,发现在无法用公认的手段实现其心智、感情等文化需求的目标的人中,这种现象最严重。这些目标对他们会变得非常重要,因而一旦惯常的手段——即为社会标准所许可的手段——失效,就可能使用非法手段。过多强调结果而不择手段,最终会使正常的社会结构产生破裂——即失范。比如,一个社会驱使其成员追求财富而不赋予他们以正当手段去发财时,这种紧张状态就会使许多人违反社会规范。唯一的制约力量是对个人利益的想望和对刑罚的恐惧。这样,社会行为就成为不可预测的了。渎职、犯罪和自杀常常是对失范的反应。虽然涂尔干的失范概念指的是一个社会或社会群体的相对无规范情况,其他作者却用这个概念来指个人的情况。失范在心理学用法中表示这样一种人的心理状态:他对自己前言后语的一致性和义务根本没有标准和概念,他无视一切社会约束。个人可能感到社会领导人对他们的需要漠不关心,感到社会基本上是无法预测而没有秩序的,感到目标无法实现。他可能有一种无聊感,而且确信同事朋友都不是他获得支持的可靠保障。

Anomoean 圣父与圣子不同质派 4世纪持异端**阿里乌主义**(**Arianism**)极端观点的宗教派别。该派创始人埃提乌斯提出,上帝与基督不可能相同,因为"自有"是上帝的本质之一,而基督并不具备这种特性。埃提乌斯的首要信徒(亦即该派的第二代领袖)是优诺米。优诺米死(约394)后不久,该派绝传。

anomy(sociology) 参阅 **anomie** 失范。

Anong language 阿侬语 中国怒族使用的语言之一。属汉藏语系藏缅语族景颇语支。分布在云南省怒江傈僳族自治州福贡县的木古甲一带,使用人口约500。是一个很有特色而又濒临消亡的语言。在缅甸也有少量分布。阿侬语(木古甲)的语音特点是:有单辅音声母45个:其中包括双唇、舌尖中、卷舌、舌根塞音,分清、浊和清送气;舌尖前、卷舌、舌面前塞擦音,也分清、浊和清送气;唇齿、舌尖前、卷舌、舌根擦音和双唇、舌尖中、舌面前、舌根鼻音,各分清浊;边音有卷舌与不卷舌之分;有边擦音、卷舌鼻音、卷舌半元音各1个;复辅音20个:分三类,一类是前置喉塞音加浊塞音、鼻音构成,共10个;一类是塞音、擦音、鼻音与卷舌半元音结合而成,共9个;还有1个三合复辅音。有韵母77个,其中包括单元音韵母10个,复元音韵母16个,带辅音韵尾的韵母47个(由双唇、舌尖中、舌面前、舌根鼻音和喉塞音韵尾构成),还有4个鼻音自成音节的韵母。有4个声调(高平、高降、低降、高升)。词类有名词、代词、数词、量词、动词、形容词、副词、助词、连词、语气词、叹词11类,有十分丰富的黏着形态和屈折形态。名词有人称领属范畴,用不同的前缀表达;动词有人称(第一、第二、第三)、数

(单数、多数)、体(将行体、进行体、已行体、曾行体、完成体)、态(自动态、使动态、互动态)、式(陈述式、命令式、祈求式)、方向(分向心方和离心方2组,每组又分若干方位)等语法范畴。结构助词比较丰富,有限制、施动、受动、工具、时间、处所、从由、比较、连同、定指等10类,语法作用较大。句子主语在前,谓语在后,宾语和状语在主语之后、谓语之前;名词、代词作修饰语在中心词前,形容词、数量词组作修饰语在中心词之后。词汇里有丰富的构词词头,借词主要来源于汉语和傈僳语,也有少量缅甸语和白语借词。

anorexia 厌食 非由饱食引起的持续性食欲缺乏。可起因于精神神经因素(如神经性厌食[anorexia nervosa])、胃肠道阻塞、慢性肾脏病、肝病、食物变态反应及使用某些药物(如苯丙胺)等。休克、疼痛、延髓供氧不足、颅内压增高、口腔感染及牙托装置不良亦可导致厌食、恶心或呕吐。

anorexia nervosa 神经性厌食 因情绪或心理上的原因对食物厌恶并引起身体极度消瘦,主要见于年轻女性。情绪性厌食可表现为对减肥饮食出现过度的神经过敏反应,或完全表现为精神分裂症幻想性厌食。患者体重可下降一半。伴随症状通常有各种消化紊乱,自发性或被动性呕吐及停经。在本症患者中并未发现有器质性病变。与饥饿人不同,神经性厌食患者的气力及日常活动与正常相近。他们对自己的营养不良状况并不特别放在心上,而且也不感觉饥饿。治疗神经性厌食很少是直接性的,常需要病人、医生及精神病医生充分合作。有些治疗并无效果,少数人可因此死亡。

anorthite 钙长石 一种长石矿物,即钙铝硅酸盐($CaAl_2Si_2O_8$),呈白色或浅灰色,性脆,为玻璃状晶体。是主要的造岩矿物,可制造玻璃和陶瓷。产于基性火成岩中,如意大利的特伦蒂诺、瑞典的南曼兰、印度的泰米尔纳德、日本的三宅和美国新泽西州的富兰克林。详细的物理特性参阅 **feldspar**(表)。长石矿物是钠、钾、钙的铝硅酸盐的混合物,属于三元系,该系中的任何矿物可由称为端员的钠铝硅酸盐、钾铝硅酸盐、钙铝硅酸盐3种纯化合物的百分比来划分。钙长石是三元系中含钙的端员,符号是An。钙长石与含钠的端员钠长石形成连续的固溶体系列,在这系列中二者互相混合。这样,在自然界里两种化合物之间存在着连续的化学变化系列中的任一成员叫做斜长石。

anorthoclase 歪长石 与透长石(sanidine)有关的长石矿物连续系列中的任何一员。

anorthosite 斜长岩 大部分由富钙斜长石组成的侵入火成岩。地球上发现的所有斜长岩都由粗粒晶体组成,但采自月球的此岩石标本则是细晶质的。斜长岩的丰度比玄武岩或花岗岩都少得多,但含有斜长岩的杂岩体的规模却往往是巨大的。例如,加拿大东部地面下埋有斜长岩的约15.5万平方千米面积中,单是萨格奈岩体就占这个面积的1/10。同一地区的莫林斜长岩面积达2 600平方千米,阿迪朗达克斜长岩的出露面积大约为3 900平方千米。非洲布什维尔德杂岩体占有面积约5万平方千米;非洲另一个成层的杂岩体津巴布韦大岩墙已经发现有480多千米的长度。虽然这些大岩体一般被认为是深部岩石圈(地球的外壳)的最好实例,但它们出露地区的大部分,往往看来是有底的。它们通常是岩盖(发现于沉积岩层之间,具有平底的低穹窿状侵入岩体)、岩盆(具盆形基底的岩盖)或岩床(其他岩石之间的板状侵入岩体)。加拿大斜长岩被认为是岩盖,阿迪朗达克斜长岩被认为是有底的岩席。萨德伯里岩盆厚度估计为3千米,布什维尔德岩盆厚度估计为5千米。斜长岩脉(沿裂隙分布的平板状陡倾的侵入岩体)很少见,相当于斜长岩的喷出岩还没有发现过。

Anouilh, Jean(-Marie-Lucien-Pierre) 阿努伊(1910-06-23,法国波尔多～1987-10-03,瑞士洛桑) 法国剧坛最具个性的剧作家之一,并赢得国际声誉。其作品充满强烈的个人色彩,常表现出对戏剧的喜爱和对演员、妻子、情妇、评论家、学者、官僚等人的妒忌。最善于运用戏中戏、倒叙、预叙及角色变换的技巧。十几岁时,全家人移居巴黎,他曾在那里研读法律,一度从事广告业。18岁时观看J.季洛杜的戏剧《西格弗里德》后,发现戏剧和诗歌语言的奥妙,决定了自己的前程。曾短时间任名演员兼导演L.儒韦的秘书。他第一次上演的剧目为《白鼬》(1932)。1937年以《没有行李的旅客》一剧取得成功,翌年即创作《野姑娘》一剧。阿努伊既反对自然主义,也屏弃现实主义,而赞成所谓的"风格化演出法",即使诗意和想象返回舞台。在技巧方面,他显示出多才多艺,从对希腊神话的风格化运用,直到写历史新编、芭蕾舞喜剧、现代

美国不列颠百科全书公司供图

性格喜剧。他虽和存在主义者J.-P.萨特不同,不是一位自成体系的思想家,但是也发展了他自己的人生观,专注于人类现实的矛盾,或善恶间的含糊关系。他把自己两部主要剧本集称之为《玫瑰色剧本集》和《黑色剧本集》,其中相似主题的处理手法多少有些轻率。其戏剧的幻想世界,引出了个人为追求幸福须和真理妥协到何种程度的问题。戏中常表现成年男女面临着失去童年无拘无束的世界。1947年《月环》推出后,阿努伊戏剧的情调变得更忧郁。《斗牛士的华尔兹舞》(1952)描写老年夫妇的死亡之舞。《云雀》(1953)描写圣女贞德高尚的冒险过程,像安提戈涅和T.塔尔德(《野姑娘》戏中主角)一样,贞德亦成为阿努伊笔下另一个弃绝世界秩序和陈腐幸福的反叛者。历史剧《上帝的光荣》(1959)表达了友谊在正直心灵与政治力量之间受挤而破碎。50年代阿努伊将政治骚动的新奇事物引进其幻想世界里,作品有《可怜的比多斯》(1956)。60年代他的剧作被视为可与荒诞剧剧作家E.尤内斯库或S.贝克特相媲美。1968年的《面包师夫妇及小伙计》不太受欢迎,但70年代的几出新剧却巩固了其演艺大师的地位。《亲爱的安托万,或失败的爱情》(1969)、《金鱼,或我父亲这位英雄》(1970)、《不要叫醒夫人》(1970)、《歌剧导演》(1972)、《逮捕》(1975)、《电影剧本》(1976)、《亨利四世万岁》(1977)和《裤子》(1978)均为这个时期的作品。阿努伊还写过电影剧本,并将一些英文作品翻译成法文。

Anping 安平 又拼An-P'ing。中国台湾省台南市一区,台南的传统外港。有运河和小铁路与台南市相通。为南台湾最古老的汉人屯垦区,可追溯至16世纪末叶。19世纪末

安平古堡

美国不列颠百科全书公司供图

期,成为繁华的海港,与大陆的福州、厦门及其他港口有密切商业联系。但因港口水浅且泥沙淤积,至20世纪70年代初期已降为渔港。由于邻近高雄港的发展与铁路系统的兴建,使得从台南到高雄或到台湾北部的基隆均极便利,遂导致安平港日趋衰落。区内有安平古堡,为明末荷兰人占据台湾时所建,俗称"红毛城"。南端有亿载金城,系清末巡抚沈葆祯为加强海防而建。人口44 440(1999)。

Anpu(Egyptian god) **安普** 参阅 **Anubis** 安努毕斯。

Anqing 安庆 又拼An-ch'ing, Anking。中国安徽省辖地级市。位于省境西南部,长江下游北岸,邻接大别山区和皖南山区。春秋、战国时为皖国地。秦属九江郡东流县。晋为怀宁县地。南宋嘉定十年(1217)筑安庆城,为安庆建城之始。元为安庆路。明、清为安庆府。1913年废府存怀宁县。1949年析怀宁县城区及近郊设市。1988年,组建新的安庆市。现辖迎江、大观、郊区3区,桐城市及宿松、枞阳、太湖、怀宁、岳西、望江、潜山7县。面积15 317平方千米。历为军事要地。1861年曾国藩从太平军手中攻陷安庆后,因军事需要曾开办兵工厂、面粉厂和谷仓。1867年

辟为外轮停靠口岸，1902年开放通商。由于接近大别山和黄山产茶区，一度成为中国茶市之一。在中国抗日战争前，安庆长期为安徽省会。1945年后省会迁往合肥，安庆仍为安徽西南部物资集散地和文化中心。1949年后兴建机械、农具、纺织、玻璃等工业，并新建现代化的安庆石油化工总厂，为中国石油化工重点企业之一。市郊土壤肥沃，素称鱼米之乡。鲥鱼、蟹、豆瓣酱是著名土特产。对外交通发展迅速。建有安庆港，是长江沿岸重要港口之一。客货轮可通航沿江各地。1995年建成的合九铁路安庆段，结束了其不通铁路的历史。是105、206、318三条国道交汇处。合安高速公路北通合肥，南经新建的安庆长江大桥可达皖南各地，民航班机可达北京、上海、合肥等地。东门外迎江寺内有建于明隆庆四年(1570)的振风塔，塔高72米；北门外有风景秀丽的菱湖公园。安庆是黄梅戏的发祥地，有安徽黄梅戏学校。人口6 060 000(2005)。

Anquetil-Duperron， A(braham)-H(yacinthe)　安基提尔-杜佩隆(1731-12-07，巴黎～1805-01-17，巴黎)　学者和语言学家。据说他是将琐罗亚斯德教经典《波斯古经》译为近代欧洲语言的第一人，他唤起欧洲人研究东方语言及思想的热情。安基提尔先在巴黎大学学习希伯来语，继而又学习波斯语和阿拉伯语。为了搜索琐罗亚斯德教文献而到印度，结果发现并译出将近200份手稿。他还撰有有关东方语言、法律和政体的专论和文章多种。其《波斯古经》法文译本于1771年出版，其他著作还有《东方立法》(1778)、《印度史地研究》(1786)以及《贸易及贸易国家之尊严》(1789)。他的《与欧洲关系密切的印度》出版于1798年，他最后一部重要著作是《永未揭示的秘密》(1804)。

Ansar (Sudanese faction)　**安萨尔**　参阅 **Mahdist 马赫迪派**。

Ansbach　安斯巴赫　前称安斯帕赫。德国南部拜恩州城市。濒临雷察特河，位于纽伦堡西南。在奥诺尔兹巴赫本笃会隐修院(748)四周发展起来。1791年属普鲁士，1806年转属巴伐利亚。英王乔治二世的王后卡罗琳1683年在此出生。保存有12世纪的圣古姆贝尔图斯教堂和一处带园林的侯爵宫。每两年在此举行国际巴赫音乐周。为铁路和公路枢纽，有印刷、金属加工、纺织、塑料、硬纸板和制革等行业。人口约40 708(2003)。

Anschar，Saint (patron saint of Scandinavia)　参阅 **Ansgar，Saint 安斯加尔，圣**。

Anschluss　德奥合并　1938年通过希特勒吞并奥地利而实现的德奥政治合并。与德国联合的问题由奥地利于1919年提出讨论，1919～1933年间，这一直只是一种希望(主要与奥地利社会民主党联合)。希特勒上台后，与德国联合就很少具有吸引力了。1938年2月，希特勒邀请奥总理舒施尼格访德，逼他同意给奥地利纳粹分子以实际上的全部权力。舒施尼格不久推翻了这一协议，并宣布就德奥合并问题举行公民投票。纳粹党人于是恐吓舒施尼格，要他取消公民投票；舒施尼格顺从地辞职并命令奥军不得抵抗德军。奥地利总统米克拉斯拒绝任命奥地利纳粹领袖赛斯-因克瓦特为总理。德国纳粹部长戈林命令赛斯-因克瓦特发电要求德军援助。赛斯-因克瓦特拒不执行，后来一个德国特务在维也纳发了这样的电报。3月12日德军长驱直入奥地利，希特勒于翌日宣布吞并奥地利。4月10日在德军的刺刀下举行公民投票，有99.7%的人赞成与德国合并。

Anselm of Baggio　安塞尔莫(巴吉奥的)　参阅 **Alexander** (Papacy) **亚历山大**(罗马教廷)项下的 **Alexander II 亚历山大二世**。

Anselm of Canterbury，Saint　安塞姆(坎特伯雷的)，圣(1033或1034，伦巴第奥斯塔～1109-04-21，可能于英格兰肯特坎特伯雷)　中世纪占统治地位的经院哲学学派建立者，上

圣安塞姆(中)
美国不列颠百科全书公司供图

帝存在的本体论证明和苦行赎罪理论的创始人。少年时代受过良好的古典教育，1057年离开故乡去法国贝克，进本笃会隐修院，随著名的朗弗朗克院长学习。1060年(或1061)宣誓成为修士，1063年任院长。1078年成为贝克大隐修院院长。英国诺曼王朝征服者威廉是贝克隐修院的施主，将在诺曼底和英国的土地捐献给隐修院。曾3次去英国巡视这些土地，还在英国建造一座小隐修院。威廉二世于1093年3月提名他担任坎特伯雷大主教。1077年安塞姆写出神学论文《独白》，试图以诉诸理性的方法而不是诉诸早期中世纪思想家所支持的权威来证实上帝的存在和属性。主张有超越时间和空间、普遍永存的、能被人理解的绝对规范，这个规范就是上帝，是绝对的、最终的和完整的完善之标准。在一篇《关于上帝存在的谈话》里创立了上帝存在的本体论理论。其论点是：即使傻子的思想里也存在一个至为伟大的神；这样的神必定存在，因为"神"的概念本身就表示了它的存在。这一论证遭到同时代的高尼罗的驳斥。1099年完成《为什么上帝与人同形?》书稿。此书成为赎罪的经典理论。这种理论是以社会的封建结构为基础的。它认为：人对上帝是有罪的。在封建社会，冒犯者(罪犯)对被冒犯者所需付出的补偿要根据被冒犯者的地位而定。因此，对国王的犯罪比对贵族或奴隶的犯罪要付出更多的补偿。人，由于无法对上帝做出补偿，只能趋向死亡。只有基督才能使人与上帝恢复正常关系。依靠基督无限的功德，人才能在创造过程中洗净罪孽。

Anselm of Laon　安塞姆(拉昂的)(11世纪上半叶，拉昂～1117-07-15，拉昂)　神学家，著名的早期经院哲学家。曾在法国的贝克地方从坎特伯雷的圣安塞姆学习。11世纪最后25年中，在巴黎任教学工作，成绩卓著，并同尚波人威廉一道支持唯实论。1110年左右返回拉昂，创立神学和注释学校，颇为著名。1114年左右，彼得·阿伯拉尔曾在该校学习。索尔兹伯里的约翰提到他和他的兄弟鲁道夫时，说他们是"高卢人当中最为杰出的人物"。他曾受柏拉图主义和新柏拉图主义思想的影响。主要著作《行间注释》(为全部拉丁文《圣经》所作的注释)是中世纪重要的权威著作。他为《圣经》所作的注释，有一些被认为是其他作家、特别是圣安塞姆写的。

Anselm of Lucca　安塞尔莫(卢卡的)　参阅 **Alexander** (Papacy) **亚历山大**(罗马教廷)项下的 **Alexander II 亚历山大二世**。

Anselm of Saint Mary　安塞姆(圣玛丽的)(1625，巴黎～1694-01-17，巴黎)　一称安塞姆神父，法语作 Anselme de Sainte-Marie 或 Père Anselme。原名皮埃尔·德吉博尔斯。法国系谱学家和修士。他所写的法国王室和贵族的历史含有详尽和罕见的信息，为极宝贵的资料。1644年参加圣奥古斯丁的赤足隐士会，穷其一生在隐修院中从事系谱学的研究。早期著作有：《荣誉宫》(1663～1668)，记述洛林和萨伏依王室的系谱；《光荣宫》(1664)，记载法国及欧洲许多显贵家族的系谱；《纹章学》

美国不列颠百科全书公司供图

(1675)。他的最重要著作是《法兰西王室、贵族、大臣以及王国国王家族与古老贵族的系谱和编年史》(2卷，1674)。他死后，这部法国贵族的历史由福尔尼领主H.卡耶和另外两位修士继续完成，最完整者为1726～1733年印行的第3版。这是一部有价值的资料，在注释中记载了关于许多原始文件的精确参考资料。

Anselme, Nicolas(French actor)　**安塞尔姆**　参阅 **Baptiste** 巴蒂斯特。

Anser　雁属　雁形目鸭科的一属。参阅 **goose; white-fronted goose; greylag; snow goose**。

anseriform　雁形类　雁形目(Anseriformes)的鸟类,包括鸭、雁、天鹅等水禽(鸭科)和叫鸭(叫鸭科)。鸭科种类身体粗壮,颈中等长度到甚长;喙通常为中等长度,稍扁,尖端加厚为嘴甲;翅形无特征性,但所有种类均能飞,许多种类进行长距离的迁徙。叫鸭的腿长,趾大,趾间仅于基部有蹼;喙更似鸡类而不似鸭类,具明显的向下弯的钩。雁形类与平胸鸟、凤冠雉和鹈一样,均具适于插入的雄性器官。此器官与哺乳动物的阴茎并非同源器官,但在生殖过程中具相同功能。雁形类有此种雄性器官,又能在游泳的过程中交配,故能生活于各种水生生境。有几种鸭科鸟已被驯化。绿头鸭(*Anas platyrhynchos*)至少被驯化了2 000年。哥伦布到达南美洲前美洲麻鸭(*Cairina moschata*))已被驯化。灰雁(*Anser anser*)和天鹅(*A. cygnoides*)是好几个家鹅品种的祖先。野生的鸭科鸟类对早期的人类十分重要,给他们提供肉、羽毛、脂肪和绒羽。在现代世界的某些地方,狩猎野生鸭类是一个重要的消闲活动。鸭科动物有3种主要的取食方式:游水觅食、潜水觅食和啃食草类。钻水鸭类在水面或水面之下觅食,能倒立着取食浅水底部的食物(主要为植物)。潜水鸭类中,淡水种类一般栖于较浅的水域,主要以水生植物的种子、叶子和根为食。海生鸭类栖于较深的海水水域,以鱼类和无脊椎动物为食。鸭科鸟一般有社会性,发育出一系列正式的演示行为和群体内聚信号,例如许多种类用摇头或抬颏动作以协调起飞。在白天天鹅和鸿雁用声音来维持联系。梳理羽毛和将油脂涂于羽衣上是主要的个体行为。大部分鸭科鸟有高度发达的天生的结对和建立联系的炫耀行为,这些行为各种之间不同。各种鸭类通常每个生殖季节换一个配偶,并用鞠躬或摆出各种姿势,如"抬头抬尾"炫耀动作以显示平常看不到的羽衣上的斑纹。在雌雄终生配对的种类,如天鹅和雁类,炫耀动作用以加强雌雄间的联结。例如,雁类有"胜利仪式":雌雄均鸣叫和摇头,此种动作通常在雄体驱逐了敌手之后进行。几乎所有鸭科鸟的生殖活动均在水中进行,此间既安全又安静。占域行为在结对交配过程中起作用。通常由雌体选择筑巢地点和建巢,将够得到的植物性材料都聚拢来作为筑巢材料。通常每日产卵一枚,产卵于早晨进行。卵壳可为白色、绿色或褐色,每窝产卵数平均3～12枚,孵化期22～39日。孵卵几乎总由雌体进行,孵出不久幼雏即对母体产生铭印。铭印指对离自己最近的移动物体产生依恋并随该物体,这是一种本能的应答。幼雏身上覆有绒羽,在24～48小时以内就跟随母体出巢,很快就能游泳。鸭类的幼雏早在5周后即羽毛丰满,然后独立生活。体型较大的种类,其幼雏可能要到5个月方成熟,天鹅和雁类需要在父母的陪伴下进行其第一次迁徙。鸭科鸟类寿命均较长,在豢养条件下鸭可活20年,而天鹅和雁可活30多年。迁徙是许多雁形类的特征,可增加这些种类的生态灵活性。但因其生境在遭受破坏,许多种类面临种群压力。雁形目现存二科。①叫鸭科(Anhimidae),2属,3种。②鸭科(Anatidae),约37属,142种。现存3个亚科:①鹊鹅亚科(Anseranatinae),1属,1种;②雁亚科(Anserinae),分为树鸭族(*Dendrocygnini*)、雁族(*Anserini*)和点斑鸭族(*Stictonettini*);③鸭亚科(Anatinae),分为麻鸭族(*Tadornini*)、船鸭族(*Tachyerini*)、栖鸭族(*Cairinini*)、河鸭族(*Anatini*)、潜鸭族(*Aythyini*)、绒鸭族(*Somateriini*)、秋沙鸭族(*Mergini*)和硬尾鸭族(*Oxyurini*)。

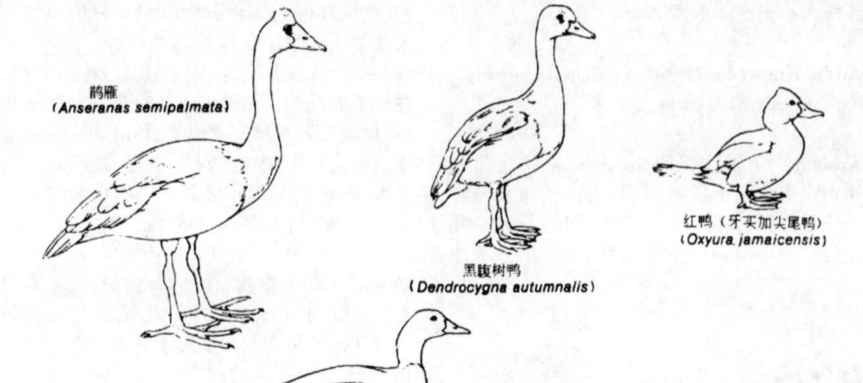

雁形目鸟类的体制

Ansermet, Ernest　安泽尔梅特(1883-11-11,瑞士沃韦～1969-02-20,日内瓦)　指挥家,因其对斯特拉文斯基和20世纪其他作曲家作品的权威解释,以及对现代音乐美学问题的犀利而理智的态度而闻名。曾在洛桑学习,1906～1910年在该地教数学。后又从瑞士出生的作曲家E.布洛赫学作曲,并担任两位杰出指挥F.莫特尔和A.尼基的副手。1914年前后结识斯特拉文斯基,1915年任佳吉列夫俄罗斯芭蕾舞团指挥。1918年建立著名的瑞士法语地区交响乐团,并任指挥直到1967年。经常到欧洲、美国巡回演出,介绍当代作曲家的许多作品。晚年转而反对12音音乐,在所著《人类意识中的音乐基本规律》(1961)一书中即有所表现,但对其他当代音乐仍持支持态度。他的作品有一首交响诗,为波德莱尔的诗配写的歌曲和为德彪西的钢琴曲《古代碑文》的配器。

Ansett Transport Industries Limited　安塞特运输工业股份有限公司　澳大利亚跨行业公司,1936年由R.安塞特所创立,名为安塞特航空控股公司,经营墨尔本与汉密尔顿之间的航运业务。第二次世界大战后,创办州际航运业务和制造业,1946年改称现名。1951年,业务已扩展到旅馆业,还拥有200多辆长途公共汽车,从事客运。1957年该公司购入澳大利亚最大的私营航空公司——澳大利亚全国航空公司,将其改名为安塞特航空公司。此后,又购入澳大利亚和新几内亚的一些地方性航空公司。1963、1964年分别获准在墨尔本和布里斯班设立电视台。由于经营进一步多样化,公司业务又扩大到经营汽车旅馆、旅游业、货运业、工业设备制造、汽车和飞机销售等。总公司现在墨尔本。1979年报业巨子R.默多克控制了公司的大部股权。

Ansgar, Saint　安斯加尔,圣(约801,奥斯特拉西亚科尔比附近～865-02-03,萨克森不来梅)　又拼 Anskar 或 Anschar。中世纪欧洲基督教传教士,第一任汉堡大主教,斯堪的纳维亚的主保圣人。出身贵族,入本笃会隐修院,从823年起在威斯特伐利亚的科尔韦("新科尔比")任教师并传教。奉卡洛林王朝皇帝虔诚者路易一世派遣,陪同丹麦被流放的国王哈拉尔返国并协助他对该国进行基督教化。826年安斯加尔开始在石勒苏益格传教。827年哈拉尔被推翻,传教受挫。829年安斯加尔前往瑞典传教。831年,路易一世将他召回,任命他为科尔韦隐修院院长和新设立的汉堡教区主教。832年他发起组织传教团向斯堪的纳维亚各族人民传教。在他访问罗马期间,教皇格列高利四世立他为大主教兼出使斯堪的纳维亚和斯拉夫各国的教皇使节。845年以后,瑞典和丹麦排斥基督教,恢复异教信仰。847年,东法兰克国王日耳曼人路易立安斯加尔为不来梅主教。851年安斯加尔派遣一名传教士到瑞典,接纳丹麦国王哈里克二世为基督教徒。后来他本人到瑞典(853~854),已经决定信奉基督教的瑞典国王准许传教士活动。安斯加尔曾在瑞典阻挠异教徒叛乱,然后返回不来梅。他去世后不久被教皇圣尼古拉一世宣布为圣徒。

Anshan　安申　又拼Anzan。古代埃兰国城市和地区名,在伊朗西南部,今设拉子以北。在350英亩的城市遗址上发现早期埃兰人书写的文件。约公元前2350年,安申与美索不达米亚的阿卡得王朝为敌。公元前13~前12世纪是安申最辉煌的时期,埃兰的统治者不时侵入巴比伦王国诸城。约公元前675年安申为阿契美尼德波斯人控制,他们在大流士一世(公元前522)之前一直称"安申王"。

Anshan　鞍山　又拼An-shan。中国辽宁省辖地级市,重要的钢铁工业基地。位于省境中部。市区在沈阳西南89千米处。市南郊有形似马鞍的东、西鞍山,故名。辖4个市辖区、1个县、1个自治县,代管1个县级市。面积9 249平方千米,其中市区面积622平方千米。原为通往辽阳的驿站,明洪武十二年(1379)置鞍山驿,并在东、西鞍山间筑城,称

鞍山市的炼钢厂
美国不列颠百科全书公司供图

"鞍山驿堡",是历史上的交通要道。1937年置鞍山市。鞍山冶铁历史悠久。西汉就开始炼铁,唐代是重要的冶铁地,辽代是采冶的极盛时期,鞍山一带设有铁榷,专门管理采冶,曾有"铁州"之称。铁矿资源丰富,主要有东鞍山、大孤山、弓长岭、眼前山、齐大山等矿,其储量占全国的1/5。鞍山钢铁集团公司位于鞍山市西北部,是中国最大的钢铁联合企业之一。其前身是始建于1916年的鞍山制铁所和昭和制钢所。1943年最高生产能力为生铁130万吨,钢84万吨,钢材49万吨。但到1948年时已被严重破坏。20世纪50年代以后,鞍钢进行大规模扩建和技术改造,现有6座大型矿山、4个选矿厂、1个炼铁总厂、3个炼钢厂、13个轧钢厂,炼铁、炼钢能力均超1 000万吨。其他工业有机械、农机、化肥、建材、石油加工、汽车修理、丝绸、纺织等。哈大铁路和哈大公路贯穿市区,沈大高速公路纵贯市境。环市铁路连接城区、近郊、钢厂和各大矿山。东部的千山是风景优美的游览区,南侧有著名的汤岗子温泉。人口:全区3 480 000(2005);市区人口1 460 651(2004)。

Anshar and Kishar　安沙尔和吉沙尔　美索不达米亚神话中一对双生兄妹,分别为阳本与阴本、天涯与地极。他们的父母为阿普苏(地下深渊)和蒂亚玛特(咸水化身),另一说为拉赫木和拉哈木。安沙尔和吉沙尔又生至尊天神安努。参阅 **Anu**。

Anshe Kneset ha-Gedola (religious assembly)　参阅 **Kneset ha-Gedola** 大会堂。

Anshun　安顺　又拼An-shun。中国贵州省辖地级市。位于省中西部,贵昆铁路和滇黔公路从市区穿过。古为晋宁州的驿站。元至正十一年(1351)置安顺州。明万历三十年

安顺市容
中国大百科全书出版社供图

(1602)升安顺州为安顺府。1913年废府,以安顺府直辖地区置安顺县。1958年撤县设市。1962年撤市改县。1966年析安顺县城区复设市。1970年改安顺地区,2000年撤地区,置地级安顺市。辖1个市辖区、2个县、3个自治县。面积9 269平方千米。是多民族聚居地区,有汉、苗、布依、仡佬等民族。终年气候温和,雨量充沛,土壤肥沃,农产富饶,盛产稻谷、小麦、油菜籽、绿茶等。向为滇黔交通要道和黔西物资集散地。1949年前手工业和商业兴盛,是省内著名的大牲畜市场和商贸中心。1949年后新建机械、五金、化工、纺织、蜡染、服装等工业,已成为黔西重要工业城市。矿产资源丰富,有铁、煤、石灰石、氟石、冰洲石、水晶石、硫磺等。有圆通寺、文庙、地藏寺、华严洞等名胜古迹。人口2 550 000(2005)。

Anskar, Saint　参阅 **Ansgar**, Saint 安斯加尔,圣。

Ansky, S.　安斯基(1863,俄罗斯维捷布斯克[今在白俄罗斯]~1920-11-08,华沙)　所罗门·赞维尔·拉波波特的笔名。Ansky又拼An-ski。俄国犹太作家和民间文学家,以戏剧《亡灵》著称。青年时代为犹太启蒙运动和民粹派理论所吸引,一度到贫苦农民中工作,为民粹派刊物撰稿。第一部小说以意第绪语写成,出版于1884年。1892年被迫离开俄国,定居巴黎,一边在工厂做工,一边研究法国民间文学和社会主义理论,任逃亡革命者P.拉夫罗夫的秘书。他还写过一些文章和通俗诗,其中许多是为犹太工人党崩得写的。1905年获准返回圣彼得堡,加入民粹派思想的继承者社会革命党,继续撰写文章、民间故事和关于犹太人生活的短篇小说。1911年,他组织了一次大规模的人种学考察,收集犹太民间文学、乐曲、手稿和书籍,这一实地调查工作为第一次世界大战所中断。在战争期间,他从事救济工作,并写文章论述波兰、加利西亚和布科维纳犹太人社区如何惨遭破坏。他最著名的作品——优秀的意第绪语戏剧《亡灵》(1926)即于此时问世。该剧根据犹太教神秘民间文学材料写成,曾在莫斯科上演,并被广泛翻译。该剧还被谱成配乐戏剧,并被拍成波兰语和希伯来语电影。俄国革命后,他被选入全俄制宪议会,1918年离境赴维尔纽斯。翌年在华沙附近定居,整理自己的文集,筹建犹太人种学会。他的意第绪文作品共15卷,出版于1920~1925年之间。

Anson, Cap　安森(1851-04-11或17,美国艾奥瓦马歇顿~1922-04-14,芝加哥)　美国职业棒球运动员和领队。职业球员生涯27年,46岁仍为正式队员。大部时间打一垒。曾赢得1879、1881、1887和1888年棒球击球冠军。1881年击球率为0.399,而1879和1887年击球率超过0.400。他在美国全国棒球联盟的总击球数为2 995,一说为3 081,击球率为0.329或0.339。他任领队的芝加哥队赢得5次全国棒球联盟冠军。1939年入选美国棒球名人堂。

Anson, George Anson, Baron　安森(1697-04-23,英格兰斯塔福德郡沙格博罗~1762-06-06,赫特福德郡穆尔帕克)　英国海军上将,其历时4年的环球航行成为海军英勇行为之壮举。他对海军的改革提高了英国舰队的作战力,为1756~1763年对法国的七年战争的胜利做出了贡献。1712年进入海军,11年后成为海军上校。1740年9月,安森率领6艘人员不足、装备简陋的舰只出发,越过大西洋,去太平洋截获西班牙的财宝运输船。他在绕过好望角时损失了3艘舰只,但继续前进,去袭击智利沿海的西班牙采矿殖民区。他和水手们历尽千辛万苦,乘仅存的一只船"百人队长号"越过太平洋,在菲律宾附近俘

获一艘西班牙运送财宝的大帆船。他把这批财宝在中国的广州卖掉，获得40万英镑。他所乘的“百人队长号”是进入中国水域的第一艘英国舰只。1744年6月回到英国时，原有

美国不列颠百科全书公司供图

的近2 000名水手已多半死于坏血病。1751～1756年和1757～1762年两度任海军大臣。他的改革包括改编舰队，修正作战条例，建立海军常备陆战队。

Ansongo　昂松戈　马里东南部城镇，临尼日尔河，是锑矿开采业和农产品（谷物、牲畜）交易中心。20世纪70年代末开始勘探铀矿。从昂松戈上溯，尼日尔河约有1 600千米可通航。东部是面积为175万公顷的昂松戈-梅纳卡动物保护区。人口3 483(1976)。

Ansonia　安索尼亚　美国康涅狄格州西南部纽黑文县城市。临诺格塔克河。该地过去为德比镇之一部。1889年设镇。1893年设市。1848年开始制造重型机械。与德比和谢尔顿两市构成该州重要工业区。人口18 554(2000)。

Anspach（Germany）　**安斯帕赫**　参阅**Ansbach 安斯巴赫**。

Anstey，Christopher　安斯蒂(1724-10-31，英国剑桥郡布林克利～1805-08-03，萨默塞特巴斯）　诗人。毕业于伊顿公学和剑桥大学国王学院。1770年起定居巴斯，该城在18世纪

美国不列颠百科全书公司供图

是上流社会的温泉疗养地。他的诗体书信小说《巴斯导游新编》（又名《B-R-D家族回忆录》）是对巴斯生活诸方面的讽刺。该书自1766年问世至1830年曾再版30多次。此诗的魅力主要由于安斯蒂精通诗韵，但诗中的模仿腔调、坦率嘲讽并刻画入微地穿插18世纪读者所熟知的场面，亦足以说明此诗脍炙人口的原因。

ant　蚁　膜翅目蚁科（Formicidae）昆虫，约8 000种。全球分布，但在热带更常见。均为社会性昆虫。2～25毫米长，黄、褐、红或黑色，少数属，如北美的大头蚁属（*Pheidole*），具

蚁（自上至下）：木工蚁（*Camponotus*）；收获蚁（*Pogonomyrmex*）；军蚁（*Eciton*）；矛蚁（*Dorylus*）
美国不列颠百科全书公司供图

金属光泽。典型的蚁头大，触角膝状，腹部细卵圆形，借细腰与胸相连。口器有两对颚：外面一对携带食物以及挖掘用，里面一对咀嚼用。有的种在腹部末端具一极强有力的螯针。其阶级一般有蚁后、雄蚁和工蚁三级。有些种生活在其他种的巢内，其幼虫由寄主的工蚁喂养。如*Wheeleriella santschii*寄生于*Monomorium salomonis*（北非最常见的蚁）巢中。多数蚁类，生活于巢中，蚁巢在地下、石下或地上，由细枝、沙或砾石筑成。北美常见的大型黑色的木工蚁（木工蚁属[*Camponotus*]）生活在旧木材中。某些种生活于树中或杂草空心的茎中。热带非洲的裁缝蚁（织工蚁，*Tetramorium*属）的幼虫吐丝把叶之类材料缝缀成巢。南美的臭蚁属（*Dolichoderus*）把动物粪便粘起来作巢。分布广的法老蚁（*Monomorium pharaonis*）是淡黄色小蚁，生活于人类的居室内，只在温暖地带才在室外筑巢。矛蚁亚科（Dorylinae）的军蚁不筑巢，游荡生活，会毁灭行进路上的动植物。如*Eciton*属的种类见于热带美洲，列队行进，沿路取食昆虫和其他无脊椎动物。当军蚁蚁后周期性产卵时，蚁群休整几天。迁移时带着幼虫。非洲的矛蚁属（*Dorylus*）习性相似。最残暴火蚁（*Solenopsis saevissima*）从南美引入亚拉巴马，20世纪70年代中期遍布美国南部；叮咬甚痛；筑大型丘冢为巢，被视为害虫；有效而经济的防治法正在研究中。蚁的生活史有卵、幼虫、蛹和成虫4个阶段，共8～10周。蚁后终身产卵。工蚁是做工的雌蚁；兵蚁较大，保卫蚁群。每年一定时期，许多种产生有翅的雄蚁和蚁后，飞往空中交配。雄蚁不久死去，受精的蚁后建立新巢。蚁类的食物包括动物和植物。包括蚁属（*Formica*）种类在内的某些种，常取食其他种蚁或同种的卵和幼虫，有些种吃植物分泌的液汁。蜜蚁（木工蚁亚科[Camponotinae]、臭蚁亚科[Dolichoderinae]）吃某些蚜虫分泌的蜜露。这些蚁用触角轻触蚜虫的腹部使之分泌蜜露。某些属（如*Leptothorax*属）吃落在叶面上的蜜露。阿根廷蚁（*Iridomyrmex humilis*）及火蚁亦食蜜露。收获蚁（*Messor*属、*Pogonomyrmex*属）将禾草、种子、浆果收贮巢中。而南美的*Trachymyrmex*属仅食自己在巢中养殖的真菌。得克萨斯切叶蚁（*Atta texana*）是害虫，常剥植物叶为其真菌苗床提供营养。蚁和蜜蜂类的社会性行为在昆虫中是最复杂的。有许多种蚁还能用不同的方法俘虏别种的蚁做它们的奴隶。例如非洲的去头葡萄蚁（*Bothriomyrmex decapitans*）的蚁后故意让香家蚁（*Tapinoma*属）把其拖到巢中，然后咬掉香家蚁蚁后的头，自己开始产卵，这些卵由“被奴役的”香家蚁的工蚁来照管。

ant bear　蚁熊　大食蚁兽和土豚的通称。参阅**anteater；aardvark**。

ant cow（insect）　参阅**aphid 蚜虫**。

anta　壁角柱　建筑中墙壁尽端处的微凸柱子，由加厚墙身或加贴一条线脚构成。前一种做法常用于古希腊和罗马神庙门廊的两侧，起源于古代早期神庙用木柱加固砖石墙体的做法，例如奥林匹亚的赫拉神殿（约公元

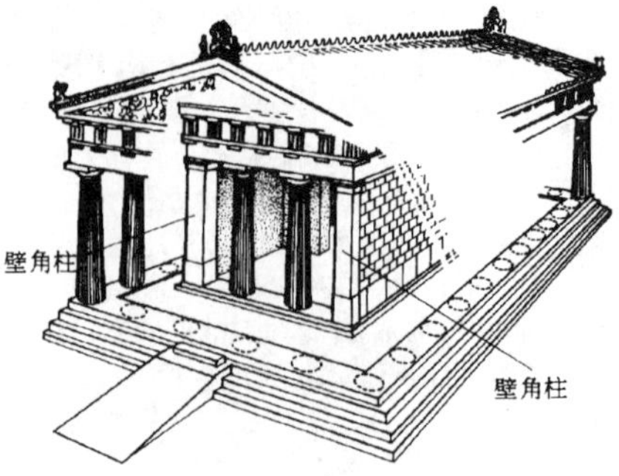

壁角柱

前600),这类壁角柱的柱础和柱头无须与神殿的其他柱子的形式一致。壁角柱通常出现在文艺复兴时期及以后时期风格的建筑中。作为一种装饰,壁角柱被认为是壁柱(**pilaster**)的雏型。壁角柱之间的列柱,例如在埃及马迪纳特哈布的拉美西斯三世神庙,称为"壁角柱式列柱"。

antacid　解酸药　又拼antiacid。一类可中和胃酸,用来治疗因胃酸过多所致疾患的药物,如碳酸氢钠、氢氧化镁、氢氧化铝等。消化不良、胃炎、消化性溃疡等疾病也用解酸药来缓解症状。许多液体解酸药的效力有时可持续3小时。含碱性镁、铝制剂的液体解酸药要比碱性钙盐的效果好,因为后者可有胃酸反弹。解酸药的服药时间以餐后一小时、三小时和睡前服为宜,因为这些是胃酸增加最快的时间。片剂解酸药虽服用方便,但效力不及液态制剂。一汤匙浓缩液体解酸药相当于同量常规解酸药效力的两倍。镁制剂有泻肚作用,而铝制剂则可导致便秘,最好交替使用。如果用甲氰咪胍和呋喃硝胺阻断组胺对胃黏膜壁细胞的作用,也可有效地降低胃酸度。这两种药物不仅效果好,而且没有什么副作用,一般都能耐受,如适当减少剂量,还可长期服用。在消化性溃疡的治疗中,解酸药的作用主要是中和胃酸和胃蛋白酶,控制疼痛,促进溃疡修复。但也不是所有的解酸药都可以放心大胆地吃,很多情况下都要慎用。如碱性钙盐可能就有很多副作用;碳酸氢钠也不能长期服用,尤其是对那些高血压、心脏病患者来说,钠贮留是很危险的事;肾病患者不能摄入过多的镁。多年来,抗胆碱药一直用来延迟胃排空,从而减少胃酸分泌,缓解溃疡的疼痛频率和强度;这种药也需慎用,青光眼、体质虚弱、前列腺肥大、排尿困难者禁忌。

Antae　安迪　又拼Antes。3世纪在俄国南部第聂伯河和德涅斯特河之间居住的东斯拉夫游牧民族的部落联盟。农业和手工业发达。4世纪时与哥特人作战。6世纪初与斯拉夫人共同进攻拜占廷帝国。约560年几乎被阿瓦尔人完全消灭。

Antaeus　安泰俄斯　希腊神话中的利比亚巨人,海神波塞冬和大地女神该亚的儿子。他强迫所有经过利比亚的陌生人同他角力。如果他被摔倒在地,他一接触到他的母亲该亚就能获取新的力量,这样他就不可战胜。赫拉克勒斯在同他角力时察觉到他的力量的源泉,就把他从地上举起,将其扼杀。

antagonism　拮抗作用　在化学治疗中,一种药物对抗、阻止或抵消另一种药物的效应的作用。可能是这些药物的分布、生物转化或排泄发生变化的结果,也可能是由于两种药物均作用于同一个特定细胞组分而引起(受体拮抗作用)。能与受体结合并产生药理效应的药物具有亲和力(故能定位于受体上)和内在活性(故有治疗效能),称为显效药。拮抗作用的实例如下:磺胺药是显效药,能阻碍某些细菌与其生长所必需的对氨基苯甲酸(PABA)相结合;与PABA化学结构相似的物质(如普鲁卡因)亦具有与PABA相似的作用,故能抵消磺胺的作用。有时,可有目的地将拮抗药联合应用,如洋地黄(兴奋药)与奎尼丁(抑制药)联合应用以治疗充血性心力衰竭(生理性拮抗作用)。在另一些情况下,拮抗作用不利于治疗。用阿司匹林或丙磺舒治疗痛风时,单独使用均有效,但两药合用时,阿司匹林却妨碍丙磺舒的作用。

Antaimoro　安泰莫罗人　又拼Antimorona。马尔加什民族,生活在马达加斯加岛东南沿海及近海地区,20世纪晚期约有35万人,操马尔加什语的一种方言。安泰莫罗意为"岸边的人"。从传统上说,他们由5个阿拉伯血统的家族统治,这些家族很可能于16世纪时先后到达该岛。有些安泰莫罗族自称祖源为印度,另一些人自认为土著民族。1895年法国人占领该岛,其政治组织形式即纳入殖民地体系之中。安泰莫罗人聚居在各河流域,村落彼此邻接,分布在绵延起伏的山丘地带。有人则生活在海边狭窄的沼泽地带,以擅长捕鱼闻名。安泰莫罗人的横帆大型独木舟很有名。他们在肥沃的冲积土地上种植稻及其他作物,在距海边较远的地区则以放牧为生。安泰莫罗人信奉伊斯兰教,但受传统信仰的影响甚深。多年以来,他们是仅有的有写作能力的土著,记录了当地的历史与文化。不过,早期著作家留下的阿拉伯文本还有待系统地加以研究、考证。

Antakya(Turkey)　**安塔基亚**　参阅**Antioch** 安条克。

Antalya　安塔利亚　古希腊语作Attalia。土耳其西南部城市和地中海港口。临安塔利亚湾。为建于公元前2世纪的古代海港。中世纪为拜占廷堡垒,也是十字军开往巴勒斯坦的重要兵站。1207年为土耳其塞尔柱人统治者卡伊-胡斯劳攻占,迅即成为该地区最重要的城镇和港口。15世纪末并入奥斯曼帝国。根据1917年意大利、法国和英国关于战后分割奥斯曼帝国的三方协定,1919年意大利占领安塔利亚及其腹地,但1921年7月即为土耳其国民军逐出。安塔利亚具有亚热带温和气候,附近多古迹,是土耳其主要的海滨假日游憩胜地。这座筑有设防围墙的古老城镇,在罗马、拜占廷、塞尔柱等时期几经修葺,现仍屹立在俯瞰港湾的低悬崖上。安塔利亚市的名胜古迹有曾用作灯塔的古塔,塞尔柱宗教学院和清真寺(建于1250)。原拜占廷教堂耶利密纳雷曾改建为塞尔柱清真寺,现为地方考古博物馆。人口约512 086(1997)。

安塔利亚市的耶利密纳雷(中)
美国不列颠百科全书公司供图

antanaclasis　换义　指同一词语取其双义或多义。R.弗罗斯特的诗《雪夜林边停》中的最后两行诗为"And miles to go before I sleep, And miles to go before I sleep"。其中第一个sleep的意思是"睡眠",而第二个sleep则有"死亡"之意 。此为换义一例。

Antanala(people)　**安塔纳拉人**　参阅**Tanala** 塔纳拉人。

Antananarivo　安塔那那利佛　前称塔那那利佛。马达加斯加首都和城镇。建于17世纪,坐落在高山上,山岗上有伊梅里纳国王修建的高耸的宫殿,自此以下是银行、行政大楼,以及商业区。建筑物有法国官邸、英国圣公会及天主教教堂,还有研究所、天文台和国家图书馆。马达加斯加大学建于1961年。工业有烟草、食品加工、皮货制造和服装。广泛利用航空运输。北郊伊瓦图有国际机场。铁路通国家主要港口图阿马西纳和安齐拉贝。人口约1 103 304(1993)。

Antandroy　安坦德罗人　亦称安坦帕特拉纳人。马尔加什民族,居住在马达加斯加岛的最南面,20世纪末约有50万人,操马尔加什语的一种方言。安坦德罗诸酋长自称为印度人后裔,1895年被法国人征服,划分为5个小邦。法国人很快解散这些小邦并把安坦德罗人并入其殖民地。安坦德罗人在其故乡贫瘠地带牧牛,在沿海地区捕鱼,也种植木薯、薯蓣、水稻、黍类、玉米等。许多人还到城市做临时工。

'Antar, Romance of　《安塔拉传奇》　骑士故事,中心人物为黑皮肤的阿拉伯沙漠诗人和勇士安塔拉·本·舍达德,伊斯兰教以前时期的诗歌集《悬诗》的作者之一。虽然这部传奇本身提到的作者是9世纪的语言学家艾斯马伊,但实际上它是8～12世纪由无名氏所作。全书用有韵散文体写成,间有诗歌1万句,分成32卷,每个故事的结尾都令人悬念。叙述安塔拉神话般的童年时代,由于主人公是阿拉伯国王与女黑奴所生，所以被百姓视为私生子，他所进行的冒险活动就是向他的堂妹阿卜莱求婚。《安塔拉传奇》系根据贝都因部族传说演变而成。随着伊斯兰教出现，它采取了一种新的观点，即把安塔拉重新解释为新宗教的先驱。一位波斯大手笔曾参与了《传奇》后半部的撰写工作，这可从作者对波斯历史和波斯宫廷生活的详尽记载中得到证实，并表明安塔拉是在伊朗。

Antarctic Archipelago（Antarctica） **南极群岛** 参阅 **Palmer Archipelago** 帕默群岛。

Antarctic Circle 南极圈 地球南半部66°30′纬线或纬圈。由于地轴倾斜约23°30′，该纬圈以南地区在每年12月22日前后有一天或一天以上太阳不落，在6月21日前后有一天或一天以上太阳不升。“昼”或“夜”的长短向南逐渐加长，即从南极圈的一天增加到南极的6个月。南极位于南极洲冰覆盖的中央高原上。南极洲地域与南极圈相若。南极圈的“昼”或“夜”的长短恰好与北极圈相反。J.库克船长在1773年1月17日首次穿越南极圈。该圈是南寒带与南温带的分界线。

Antarctic Circumpolar Current 南极洲环流 又称西风飘流。从西向东环绕南极洲流动的表面洋流。因受附近陆地、海底地形和盛行风的影响，环流的宽度和流向不规则。由于在不同深度不断与其他水体交换，环流的流动更加复杂。其流量在南纬40°以南据认为至少达每秒2 500万立方米。

Antarctic Ocean 南极海 又称南部海。位于南极洲周围的太平洋、大西洋、印度洋及其附属海域的南部。南极海未被任何陆块中断，德雷克海峡是南极海最狭窄的部分，在南美洲与南极半岛顶端之间，宽度为1 000千米。海底构造包括一个宽度通常小于257千米的大陆架，韦德尔海和罗斯海附近的大陆架宽度最大，达2 570千米。更北的海盆深4 500米，海盆四周隆起，海盆内有明显的深海山脉，还有狭窄的海沟，两侧边缘陡削，例如，位于南桑威奇群岛东侧的南桑威奇海沟。海底地貌特征还包括海底高原，隆起于海盆，水下深度不超过2 000米，为一相当平坦的地区，常覆盖很厚的沉积物。面积最大的高原是坎贝尔高原，或称新西兰高原，隆起于新西兰的东南面，向南延伸至坎贝尔群岛以南。南极洲洋流系统复杂。由南极大陆沿岸冰块降温的水下沉，并沿洋底向北流；同时印度洋、太平洋和大西洋洋面向南流动的较暖的海水取代极区表面下沉的海水；二者的汇合点为南极区辐合带。那里的条件最适于浮游植物的生长，如硅藻和其他单细胞植物。南极海中处于较高级的食物链中最重要的有机体是磷虾。近岸区的海底动物有无柄水螅、珊瑚、多孔动物和苔藓动物。还有像螃蟹一样横行霸道的海蜘蛛和等足目动物，以及多毛纲环节动物、海胆、海星和各种甲壳动物和软体动物。海底有狮子鱼科、长尾鳕科和鳕科鱼类、绵鳚科等。南极圈内稀有的无骨型鱼类有蒲氏黏盲鳗和灰鳐。据调查，南极区辐合带以南有很多深海鱼种，但是有三种深海鱼种（一种横带马鲛和两种发光灯笼鱼）只能在南极圈内找到。

Antarctic Peninsula 南极半岛 又称帕默半岛、格雷厄姆地或奥伊金斯领地。英国、阿根廷、智利3国有争议地区。英国声称其为英属南极洲领地的一部分。半岛构成南极洲向北朝南美洲南端延伸的部分。南北长达1 300千米。多山，为冰所覆盖。最高点杰克逊峰海拔4 191米。北隔布兰斯菲尔德海峡与南设得兰群岛相望。1820年1月30日，海豹猎人W.史密斯和英国皇家海军的E.布兰斯菲尔德航行穿过今布兰斯菲尔德海峡时，看到该半岛。这是人类看到南极洲的最早有记载者之一。很多国家在此半岛或邻近的岛屿上建有南极考察站。

Antarctic Treaty 《南极条约》（1959-12-01）由12个国家签署的协议，规定保持南极洲作为科学研究的非武装区。条约是华盛顿会议的产物，参加会议的有阿根廷、澳大利亚、比利时、英国、智利、法国、日本、新西兰、挪威、南非、美国和苏联的代表。后来，其他国家也加入这个条约。条约既不拒绝也不支持个别国家对南极拥有领土主权的要求，但它禁止一切缔约国在南极建立军事基地、进行军事演习、试验包括原子武器在内的任何武器，或在该地区弃置放射性废渣。条约鼓励南极科学调查的自由以及交换有关南极的科学情报和科学人员。条约要求成员国无限期承担义务，30年后可以修订其规定。1991年签署了关于1959年条约的议定书。协议禁止在50年内勘探矿物和石油，并包括保护南极环境的条例。

Antarctica 南极洲 世界第5大洲，是围绕南极的大陆。整个大陆几乎全部被平均约2 000米厚的大片冰盖所覆盖。南极大陆分为东、西两部分。东南极洲面积较大，地势较高，大部分为冰雪覆盖的高原；西南极洲面积较小，是一组与冰层相连并被冰雪覆盖的多山群岛。南极洲面积约1 420万平方千米，是在科学研究方面进行广泛国际合作的重要区域。环抱南极洲的南极海由印度洋、大西洋和太平洋南端洋面汇流而成。

土地 除南极半岛向南美洲南端延伸，以及罗斯海和威德尔海两大海湾之外，南极洲的大部分都位于南极圈内。太平洋和大西洋最南端的两大深海湾（罗斯海和威德尔海）使该洲略呈梨形，将其分成大小不等的两部分。南极洲的较大部分因位于东经，称东南极洲，亦称大南极洲；较小部分位于西经，称西南极洲，亦称小南极洲。南极洲横贯山地绵亘3 000千米，处于东西南极洲之间。南极洲平均海拔约7 000～8 000英尺，为世界上最高的大陆。但若除去山上覆盖的冰层，其平均高度可能只大约有1 500英尺。森蒂纳尔山脉的文森山高16 864英尺，是南极大陆最高点。

覆盖南极大陆的冰原体积达3 000万立方千米，约占世界冰川冰量的90%。有些如比尔德莫尔、尼姆罗德和里迪等冰川的冰，汇成大冰河从南极洲横贯山地的一些缺口处冲流而下，注入罗斯冰棚。少数从极地冰流出的河水，如麦凯、戴维和普里斯特利冰川，使冰山崩解并流注罗斯海中。冰原高度的普遍降低导致某些原有的外流冰川水流减少并自其谷地中消失，产生壮观的“干谷”，如麦克默多湾附近的泰勒、赖特及维多利亚谷地。冰切火山散布于南极半岛的埃尔斯沃思地的西部和玛丽·伯德地以及斯科舍岛弧。

罗斯海和威德尔海的深海湾有许多部分被冰棚或漂浮在海上的冰原所覆盖。这些冰棚（罗斯冰棚、龙尼冰棚和菲尔希纳冰棚）以及其他陆缘冰棚约占南极冰区的10%。沿南极海岸，冰棚、冰川及冰原将崩解的冰块源源不断地送入大海。

南极洲是目前观测的最寒冷的大陆，冬季最低气温据1983年7月21日在内陆高地冰原的“东方站”观测为-89.2 °C；在近海面为-60°C。最冷月份的平均气温沿海为-20～-30°C，内陆为-40～-70 °C。极地高原的最冷时期一般是在8月，太阳回归之前。仲夏时节南极半岛气温可达15 °C，其他地方这时则要低很多度，沿海地区平均为0 °C，内陆为-20～-35 °C。沿海地区，特别是东南极洲大多狂风肆虐。南极洲以冰的形式储存的水资源虽然潜力巨大，但仍可谓世界上最大的荒漠之一，因极地高原年均降水量仅为50毫米；但沿海地带则约10倍于此。冬季，南极洲四周海面的冰冻区比南极大陆面积要大2倍多。

南极洲的寒漠气候仅适合少数耐寒植物生长，这些植物能在漫长的全黑或近于全黑的冬季环境中存活。南极大陆的植物包括地衣、苔藓、地钱、霉菌、酵母菌、其他真菌、淡水藻类和细菌。由于没有陆生哺乳动物猎食，加之附近海域中的丰富食物，南极洲沿海成为巨大的海鸟群栖息地。约有45种鸟类生活在南极区辐合带以南，但仅有帝企鹅、南极洲海燕和南极贼鸥3种海鸟在南极大陆繁衍。企鹅中又仅有阿得利企鹅和帝企鹅两种在南极大陆分布较广。南极水域有大量的磷虾，是各种鲸、鱼和鸟类赖以生存的基础。南极的鲈是主要的海底栖生物。南极哺乳类动物皆在海洋中生长，包括海象、海豹、海豚和鲸。鲸类有杀人鲸、抹香鲸及稀有的瓶状鼻鲸。

南极洲有多种其他南部大陆均有的金属矿藏，包括锑、铬、铜、金、铅、钼、锡、锌及铀矿。东南极洲的查尔斯王子山附近发现有大量铁矿。但所有矿藏均不具备经济开采价值。南极的煤矿很早即为人所知。南极洲横贯山地的矿层为世界最大煤田之一，有半无烟煤、无烟煤，甚至还有天然焦炭。从20世纪50年代后期便开始有小型旅游团到此，游客每年乘船来到科学考察站及企鹅栖息地。70年代中期开始有飞越南极大陆的旅游航班。

历史 俄罗斯探险家F.G.von别林斯高晋、英国人E.布朗斯费尔德和美国人N.帕默均称于1820年首先发现南极大陆。从这一时期到1900年前后主要是对南极海及次南极海，尤其是斯科舍海岭一带进行勘察。美、英等多国的海豹捕猎船使南部的海豹几

近绝灭。许多捕猎海豹者亦捕鲸，随着海豹捕猎业的衰落，这种利润较低的捕鲸业在第一次世界大战后达到巅峰。这一时期的地理及科学探险主要包括以下几次：1819～1821年别林斯高晋率俄罗斯船队环南极洲航行；1819～1820年布朗斯费尔德率领英国探险队勘探南极半岛一部分；1837～1840年迪蒙·迪尔维尔率领法国探险队发现阿黛利地并宣布该地为法国所有；C.威尔克斯率领美国海军探险队于1838～1842年勘探东南极洲沿岸大部分地区；J.C.罗斯在1839～1843年率领英国探险队发现罗斯海，罗斯冰棚及维多利亚地海岸。

20世纪的头20年为南极探险的"英雄主义时期"。1899年C.E.博赫格雷温克领导的一个科学小组在阿代尔角扎营是首次有计划的南极大陆越冬考察。R.F.斯科特率领的英国南极"发现"探险队（1901～1904）和E.H.沙克尔顿率领的英国南极"尼姆罗德"探险队（1907～1909，以罗斯岛为基地）均使用雪橇深入到内陆区。1909年T.W.E.戴维和D.莫森从罗伊德角乘雪橇到达维多利亚地的高冰原的南磁极。挪威人R.阿蒙森于1911年12月14日到达地理南极；一个月后，即1912年1月17日斯科特率队亦到此地，但其全体成员皆在归途中丧生。在两次世界大战期间，飞机开始被用于南极探险。美国海军军官R.E.伯德于1929年11月29日首次飞越南极。美国人L.埃尔斯沃思和加拿大人H.霍利克-凯尼恩于1935年首次飞越南极大陆。

20世纪前半叶是南极洲历史上的殖民时期，1908～1942年，先后有7个国家宣布对南极大陆的一角拥有主权；许多其他国家虽然对南极进行勘察，但未正式提出领土主张。到50年代中期，智利、阿根廷、英国、澳大利亚和法国均在南极设立科学考察站。1957～1958年的国际地球物理年间，共有12个国家在南极地区设立了50余处越冬站，以进行合作科学研究。1961年《南极条约》（**Antarctic Treaty**）开始生效，规定南极为自由的、非政治性的科学考察地区。此后，南极地区国际合作科研项目在数量上有所增长，在质量上有所提高。1984年中国建立了在南极的第一个考察站。

Antares　心宿二　即天蝎座α。红色半规则变星，目视星等约0.9等，黄道星座天蝎座中最亮的恒星，也是已知体积最大的恒星之一，直径约为太阳的几百倍，光度为太阳的几千倍。它有一颗目视星等为5等的蓝伴星。心宿二距地球约400光年。Antares一词似乎源于希腊文，意为"阿瑞斯的匹敌"（即火星的匹敌），可能由于这颗星的颜色和亮度而得名。

antbird　蚁鸟　雀形目蚁鸫科（Formicariidae）美洲热带鸟类，约50余属，220种。与近缘的灶鸟科种类一样形式多种多样。体中或小型，长9.5～37厘米；羽衣蓬松黄褐色（两性通常不同）；翅短圆；喙各异，通常厚实，末端钩状，有时有凹口；腿强健，前面数趾的基部部分愈合。巢多为杯形。鸣声洪亮但不悦耳，听起来像回声二重唱。食昆虫，有些种类习惯跟随蚂蚁行进的队伍。除上述少数几个共性外，蚁鸟可分为许多特征并不很清晰的类群，具有将其比拟为其他鸟类的俗名：蚁鵖

横斑蚁伯劳（*Thamnophilus doliatus*）
美国不列颠百科全书公司供图

鹩、蚁八色鸫、蚁伯劳、蚁绿鹃，或径称为鸫（thrush）。另一些蚁鸟俗称裸眼鸟、火眼鸟或丛鸟。食蚊鸟属（*Conopophaga*）有8或9种，地栖；腿稍长，尾短；以前把该属与蚁鹨属（*Corythopis*）共同另立一科：食蚊鸟科。但现在越来越多的权威将食蚊鸟属归入蚁鸫科，而将蚁鹨属归入霸鹟科。

anteater　食蚁兽　食蚁兽科4种无齿、吃昆虫的兽类的统称，与犰狳科和树獭科一起组成贫齿目。栖息于从墨西哥到阿根廷北部和乌拉圭的热带稀树草原和森林。毛厚，尾

小食蚁兽（*Tamandua tetradactyla*）
美国不列颠百科全书公司供图

长，颅骨狭长，吻呈管形。口小，舌长且蠕虫状。唾液腺大，分泌黏性的唾液。单独或成对生活，主要以蚁类和白蚁为食。用长而锐利弯曲的前爪扒开蚁穴，把长而黏的舌伸进蚁穴舐食蚁类。大食蚁兽（*Myrmecophaga tridactyla*）亦称蚁熊，是最大的一种食蚁兽；全身灰色，两肩处有斜行的白边黑纹，连同长而蓬松的尾在内，总长约1.8米，体重达25千克；主要为昼行性，但在栖息地区则多在夜间活动；以一种曳步的方式行走，由前肢的膝关节来承受重量。受攻击时也能飞奔，被逼迫时用爪抓撕以进行争斗。妊娠期约190天，一胎一仔。小食蚁兽属（*Tamandua*）和两趾食蚁兽（倭食蚁兽，*Cyclopes didactylus*）则树栖；多在夜间活动；尾均能卷缠抓握，可用来攀缘。小食蚁兽属仅一种或分为两个不同的种，多为棕褐色，围绕肩部和身体的背心状被毛浅黑色，一些个体全为棕褐色或浅黑色；体长约1.2米（包括尾长）；毛较短，吻亦较短。两趾食蚁兽是该科中最小和研究最少的一种；全长约37厘米，其中一半是尾长；被浅黄色柔软如丝的细毛，每个前足有两个带爪的趾（大食蚁兽和小食蚁兽各有四趾）。不属于食蚁兽科但通称为食蚁兽的动物有土豚（好望角食蚁兽）、穿山甲（有鳞食蚁兽）、袋貂（带纹食蚁兽）和针鼹（有刺食蚁兽）。

Antelami, Benedetto　安泰拉米（约1150，可能于伦巴第[意大利]～约1230，帕尔马）　意大利建筑师和雕刻家。以帕尔马大教堂宏伟洗礼堂（1270年建成）的雕刻闻名。其最后的作品是维切利圣安德烈教堂的装饰和（至少部分）建设式样，其建筑风格是托斯卡纳罗马式与哥特式的成功结合（如飞拱、圆花窗和用肋材支撑的拱顶），这种独特风格为他赢得了长期荣誉。

antelope　羚类　偶蹄目牛科多种草食兽类的统称，也包括绵羊、山羊和牛。叉角羚科的北美的叉角羚（**pronghorn**）有时亦称antelope。因此，antelope一词并无确切的动物学定义。羚类为偶蹄，体细长优美，行动敏捷，栖于平原。多分布于非洲，其余（除北美叉角羚外）分布于欧亚大陆。非洲的侏儒岛羚（**royal antelope**）肩高25厘米，非洲巨大的大角斑羚（**eland**）肩高175厘米。雄兽具独特的往后弯曲的角，雌兽有时亦有角。羚类角的形状不一，有的短而尖利，如小羚羊（**duiker**），属于小羚羊属（*Cephalophus*）和普通小羚羊属（*Sylvicapra*）；有的螺旋状盘扭，如捻角羚（**kudu**），属于林羚属（*Tragelaphus*）；有的长而呈竖琴状，如黑斑羚（**impala**），属于黑斑羚属（*Aepyceros*）。阿拉伯大羚羊（参阅**oryx**）、貂羚（**sable antelope**）等几乎已经绝迹。

antenna　天线　无线电、电视及雷达系统中的一个部件，用以导入和送出无线电波。天线通常是金属的，具有各种不同的型式；无线电和电视广播用的天线像桅杆，而用以接收卫星信号和由远距离的天体发出的无线电波则用庞大的抛物面反射器。最早的天线是德国物理学家H.赫兹设计的。该天线是以两片扁平四方的金属片构成。其后他又加装了圆柱形的反射器以增进接收效果。在19世纪80年代晚期，他进行了里程碑性质的重要实验，用以证实英国数学-物理学家J.C.麦克斯韦提出的，可见光可能是以连续波的形式穿过空间的一大批电磁波中之一例。意大利物理学家、无线电报主要发明者G.马可尼为发送和接收无线电波制作了各样的天线，他还发现高天线对发射低频信号是重要的。为适应各种用途而发展出不同型式的天线，可以专为发射或接收而设计，亦可有双重用

途。一般而言,一架发射天线必须比一架接收天线能够传送更多的电能。一架天线也可为特定频率段而设计。如在美国,调幅(AM)广播是用535～1 605千赫的频率;此时波长有数百米长,因此天线的大小并不重要。反之,调频(FM)电台使用88～108兆赫的频率。此时的波长约3米长,所以发射及接收的天线都必须较精确的调整以适应此种电磁波。天线可由单独一根金属线或金属杆构成各种形状(双极形、回线形、螺旋形),或是更精密的元件排列(直线、平面或可用电子操纵的种种排列方式)。反射器和镜面式天线利用抛物面的碟型接收器收集并聚焦电磁波,如同反射式望远镜收集光线的方式一样;方向式天线可以直接对准广播源并用于寻找方向。20世纪20年代建造了功率较强的天线,它是由许多单元排列成有规律的天线阵。30年代随波导的发展又用金属制成喇叭式天线,可以传播频率极高的无线电信号。在早期的无线电实验中,天线大小及形状往往取决于使用电磁波的频率。直到发展出电子振动器后,天线的发展才有突破性进展,因为它可决定发射或接收的频率,致天线的形状不再由频率决定,而依发射和接收的需要而定。

Antenor　安特诺尔(活动时期约公元前540～前500)　古风时期晚期雅典雕刻家。安特诺尔为雅典人民大会场雕刻了诛戮暴君者哈莫狄奥斯和阿里斯托吉顿的最早一组雕像,并为雅典卫城雕刻了少女自由立像(现存雅典卫城博物馆)。他的诛戮暴君者雕像约作于公元前510年之后,公元前480年,这些雕像都被运往苏萨(古波斯王夏宫所在地)。少女立像约为公元前530～前520年间的作品,用大理石制作,比真人还大,留有着色的痕迹,是古风时期晚期残存佳作之一。

Antequera　安特克拉　西班牙安达卢西亚地区马拉加省城市。位于马拉加市西北,托尔卡尔山山麓。史前即有人居住。曾先后为罗马人和摩尔人据有。1410年被西班牙征服,后为教区和世俗领地中心。保存有16世纪教堂。经济以农业为主。生产橄榄、谷类、肥料、糖、冰淇淋、圣诞蜡烛、羊毛毯和棉织品等。人口35 171(1981)。

Antequera, El de(Spanish: He of Antequera)　**安特克拉的费迪南德**　参阅 **Ferdinand**(Spain: Aragon)费迪南(西班牙:阿拉贡)项下的 **Ferdinand I** 费迪南德一世。

Anterus, Saint　安特鲁斯,圣(?,希腊～236-01-03,罗马)　教皇(235～236在位)。在位仅数周。当选时,圣蓬提安(安特鲁斯继其位为教皇)被判处在撒丁矿内服苦役。即位后不久就被起诉并判处死刑。据《教皇书》载,其殉教的原因是他命人编集殉教者行传归入教会档案。

Antes(Slavic nomads)　参阅 **Antae** 安迪。

Antheil, George　安太尔(1900-07-08,美国新泽西特伦顿～1959-02-12,纽约市)　美国作曲家,以其在20世纪20年代的超现代作品而闻名。曾在纽约师从E.布洛赫。1922年赴欧洲举行钢琴独奏音乐会。在巴黎先锋派的文学和艺术界声名显著。最有名的作品是《机械芭蕾舞》,其中使用自动钢琴、汽车喇叭、电铃及飞机螺旋桨的音响,在巴黎(1926)、纽约(1927)引起非难。但1954年重新上演时又被认为是相当温和之作。1936年迁居好莱坞后,谱写许多电影音乐,其中有《东京老乔》(1949)、《百老汇的天使》(1940)等。约在1939年以后,安太尔放弃了先锋派风格,代之以古典派、浪漫派和印象派的混合体。其他作品有6首交响曲,芭蕾舞音乐《世界之都》(1953),室内乐及歌剧《横渡大西洋》(1930)、《海伦退隐》(1934)和《愿望》(1955)等。另著有自传《音乐的坏孩子》(1945)。

anthelmintic　驱蠕虫药　用于治疗蠕虫感染的药物。常指驱除肠虫的药物,这类药物很少能直接杀死寄生虫。没有一种驱蠕虫药驱虫效果完全,对宿主无毒性或对所有蠕虫均有同等效力。第二次世界大战前使用的人用驱蠕虫药在战后多被疗效更好、毒性更小的药物所替代。驱蠕虫药可用以增加畜牧业生产。潮霉素是一种抗生素,常作为饲料的添加剂,用以驱除猪的蛔虫、结节线虫及鞭虫,家禽的鸡蛔虫及异刺线虫。一般说,肠道蠕虫感染比身体其他部位蠕虫感染易于治疗。因为药物不必杀死肠道蠕虫,同时药物口服后亦不需要吸收,所以用药的安全范围通常比其他部位的蠕虫感染要宽。哌嗪于1950年左右始用于临床,此后不久即用于兽医,能使人及禽畜肠中的蛔虫及蛲虫麻痹,随粪便排出体外。人蛲虫病以前用哌嗪治疗,今已由作用更强的扑蛲灵替代,但哌嗪仍广泛用于治疗家禽及家畜的蛲虫感染。其他驱蠕虫药有噻唑青胺,用于治疗人和狗的类圆线虫病及鞭虫病;噻苯咪唑主要用于治疗牛、马、绵羊的鞭虫病,亦可治疗人的鞭虫病和类圆线虫病;四咪唑用于欧洲一些国家,与大多数驱蠕虫药不同,对牛、羊及家禽肠线虫的幼虫及成虫阶段的驱除效力几乎相同。四氯乙烯1925年始用于治疗人和狗的钩虫病,至今仍用于治疗人的美洲钩虫病,但十二指肠钩虫病的治疗今用羟萘酸苄酚宁。吩噻嗪于20世纪30年代始用于临床,至今仍用于治疗牛、绵羊的捻转血矛线虫感染。奎纳克林是第二次世界大战早期合成的抗疟药,后为其他抗疟药所替代,现用作驱蠕虫药,常用于驱除人的绦虫,亦可用于治疗狗的绦虫感染。氢溴酸槟榔碱、氯代正丁烷、二硫化碳、硫酸铜、二氯酚、砷酸铅、酞酰戊炔及甲苯等药主要用于禽畜而很少用于人。二月桂酸二丁基锡用于家禽绦虫感染。

anthem　赞美歌　基督教安立甘宗和其他英语民族教会中用英语演唱的礼拜合唱曲。于16世纪中叶在圣公会中发展起来。从音乐形式来看,同天主教的经文歌(**motet**)相似,但后者使用拉丁语。赞美歌最初以无伴奏的作品(称正式赞美歌)为标准。16世纪诗体赞美歌(其中用一个独唱声部,最后发展为独唱组以及合唱)兴起,因而出现了用管风琴或用管乐器、古提琴等乐器伴奏。英国王政复辟(1660)后不久,至少在皇家小教堂演唱赞美歌时是用管弦乐队伴奏的。到18世纪,虽然为了取得某种特殊效果偶尔还用独唱经过句,但正式赞美歌在某些范围内取代了诗体赞美歌。谱写赞美歌的作曲家主要有T.汤姆金斯、H.普赛尔、G.F.韩德尔、S.S.韦斯利和R.V.威廉斯。

anthemion　忍冬饰　辐射形花瓣组成的图案,古希腊人从埃及和亚洲的忍冬或莲花形棕榈叶装饰发展而成。希腊人和罗马人广泛用以装饰建筑的各部分,希腊人最初用以装饰陶器,但不久就用于建筑上。单独的棕叶形式用于柱脚、檐口及石柱顶部的装饰上。用螺线相连的莲花和棕叶饰相互交替的连续图案,主要用在檐口的凸凹曲面线脚上。

公元前5世纪姆奈西克里设计的忍冬饰
美国不列颠百科全书公司供图

Anthemius　安提米乌斯(?～472)　西罗马皇帝(467-04-12～472-07-11)。他是东罗马皇帝马西安的女婿,后来被马西安的继任者利奥一世指定为帝,期望他去进攻北非的汪达尔人。可是,安提米乌斯在意大利不得人心,因为他既是希腊人又是一个哲学家,人们怀疑他要恢复多神教。他对汪达尔人发动的大规模远征也以彻底失败而告终。472年安提米乌斯在罗马受到围攻,兵败后被斩首。

Anthesteria　安塞斯特里昂节　古代雅典人奉祀酒神狄俄尼索斯的节日,在安塞斯特里昂月(相当于今历2～3月)举行3日,以庆祝春天的开始和上一年收获葡萄酿造的葡萄酒酿成。在节日第一天,人们用刚开瓮的新酒向狄俄尼索斯神奠祭。第二天群众狂欢,但城邦当局要在列纳乌姆的狄俄尼索斯圣所举行秘密仪式,届时王后要同狄俄尼索斯举行结婚仪式,民间也纷纷举行婚配。第三天悼念死者。

Anthimus I　安提姆斯一世(活动时期6世纪)　希腊正教君士坦丁堡牧首(535～536在位)。他参加了532年为促使东西方在宗教和政治方面实现统一而在君士坦丁堡举行的讨论会。在会上他公开表示拥护正统派,暗地里却同情基督一性论,与一性论派主要人物书信往来。535年由于同情一性论的皇后狄奥多拉的支持,安提姆斯被任命为君士坦丁堡牧首。536年教皇阿加佩图斯一世访问君士坦丁堡,发现安提姆斯的真实信仰,于是召集会议,撤销他的职务。君士坦丁堡会议对他进行谴责。此后他在狄奥多拉的庇护下隐修至死。

Anthimus Ⅵ　安提姆斯六世(约1790,爱琴海库塔利岛～1878,今伊斯坦布尔附近坎迪利） 本名约安尼德斯。东正教君士坦丁堡牧首，曾力图继续控制不服管辖的保加利亚正教会，并参与拟就通谕，拒绝天主教会关于联合的建议。他原为修士，约 1840 年当选今土耳其塞尔丘克附近以弗所都主教，后升任君士坦丁堡牧首。3 个时期（1845～1848；1853～1855；1871～1873）在位。

Anthimus VII Tsatsos **安提姆斯七世（察佐斯）**（约1835，可能生于希腊约阿尼纳～1913-12，土耳其哈尔基） 东正教君士坦丁堡牧首（1895～1896 在位）、神学家、演说家，以批判天主教会著称。正如牧首安提姆斯六世一样，他也曾发布通谕，驳斥 1894 年天主教教皇利奥十三世颁布的呼吁正教与天主教合一的通谕。安提姆斯在通谕中除重复东方教会的传统论点外，还抨击 19 世纪天主教新提出的教义，如圣母无原罪始胎和教皇永无谬误。

Anthimus of Iberia **安蒂姆（伊比利亚的）**（？～1716，大概在鲁米利亚） 罗马尼亚语作 Antim Ivireanul。瓦拉几亚（今罗马尼亚一部分）都主教、语言学家、印刷专家和作家，曾翻译和印行《圣经》和祈祷文，撰写伦理学和美学著作，对罗马尼亚语言和文学的发展有巨大贡献。他还被誉为罗马尼亚最早的民族主义领袖之一。原为斯纳戈夫隐修院院长，后被选为兰尼克主教，1708 年为全瓦拉几亚都主教。他出版过大量罗马尼亚文和希腊文书籍，以印刷精美和卷头插图出名。他曾用罗马尼亚文写作两卷《教义》，引用重要历史事实来批评贵族骄奢淫逸的生活。他极力鼓吹民族主义。1716 年奥土战争爆发后，行政长官马夫罗科扎托斯下令把他押解到君士坦丁堡。他在途中被害。

anthocorid bug（insect） 参阅 **flower bug** 花蝽。

anthomyiid fly 花蝇 双翅目花蝇科常见昆虫。形似家蝇。重要种类如夏厕蝇（小家蝇、黄腹厕蝇，*Fannia canicularis*）和瘤胫厕蝇（灰腹厕蝇，*F. scalaris*），在污物中繁殖，传播疾病，常见于家中。有些种类的幼虫吃植物，是害虫；许多幼虫腐食性，生活在排泄物或腐败物中；有些幼虫水生。加拿大和美国北部的甘蓝种蝇（*Hylemya brassicae*）的幼虫危害甘蓝、花椰菜、花茎甘蓝、芜菁、萝卜的地下部分，是重要害虫。往土壤中施用杀虫剂是最好的防制方法。北美的洋葱种蝇（*H. antiqua*）幼虫食洋葱的地下鳞茎及茎；成虫灰色，多刚毛，长约 6～7 毫米，翅大。豆黛种蝇（*H. cilicrura*）幼虫食谷类和豆类的种子，使其不能发芽或长成的植株衰弱。生活史短，一年 3～5 代。延迟播种可防其为害。藜泉蝇（*Pegomyia hyoscyomi*）在甜菜叶上造成斑点和内部通道，是害虫。

Anthoniszoon, Jeroen 安托尼松 参阅 **Bosch, Hiëronymus** 博斯。

Anthony Melissa **安东尼（蜜蜂）**（活动时期 11 世纪） 拜占廷修士、著作家。将《圣经》以及早期基督教著作和世俗著作中的教理名言汇编成册，促进希腊正教中的禁欲修善风尚。其主要著作的标题在希腊文中意为蜜蜂，故得此绰号。《蜜蜂》系根据东正教灵修名著《经文参证》和《诸家选集》编写的选集。

Anthony of Bourbon **安东尼（波旁的）**（1518-04-22～1562-11-17，法国昂德利斯） 纳瓦拉国王，旺多姆公爵。法国国王亨利四世之父。因 1548 年与纳瓦拉国王亨利二世之女联姻而得到纳瓦拉国王的称号。他和他的兄弟孔代亲王参加胡格诺派在昂布瓦斯策划的阴谋。后改信天主教。1560 年任中将，在指挥军队围攻鲁昂时重伤致死。

Anthony of Egypt, Saint **安东尼（埃及的），圣**（约251，埃及中埃及明亚附近科马～约 356-01-17?，红海附近代尔马里） 基督教隐士、早期修士。据传他创立集体隐修制度，拟订隐修纪律。圣安东尼 20 岁开始禁欲修行，从 286 年前后到 305 年隐居于尼罗河畔的皮斯皮尔（今戴尔梅蒙）山中，据说此时他力胜魔鬼，抵制多次引诱。其后重返社会，在附近地区教诲众隐士，把他们组织起来。313 年米兰敕令颁布，基督教不再受迫害，圣安东尼迁到尼罗河与红海之间的东部旷野某山上，创立代尔马里安东尼隐修院，该院今仍完好无缺。圣安东尼在该地接见来访者，时或越过沙漠到皮斯皮尔。他曾两次冒险前往亚历山大，第二次约在 350 年，目的是要向公众驳斥阿里乌派（该派认为圣子与圣父不同体）。

Anthony of Kiev **安东尼（基辅的）**（？，乌克兰～1073，基辅） 确立希腊正教隐修原则从而开创俄罗斯的隐修活动的创始人。约于 1028 年在希腊隐修，返回基辅后在别列斯托夫山下穴居。声誉广传，门徒日益增多，达到 15 人时不得不兴建教堂和膳所，此时他辞去领导职务，迁往另一窟。基辅大公伊兹雅斯拉夫将别列斯托夫山赠给众隐修士。安东尼制定洞穴隐修院戒律，这套戒律是后世俄罗斯隐修制度的基础。1054 年基辅大公智者雅罗斯拉夫一世死后，基辅政局混乱。伊兹雅斯拉夫大公怀疑安东尼与他人勾结反对他，以致在安东尼晚年两人关系紧张。

Anthony of Novgorod **安东尼（诺夫哥罗德的）**（活动时期13世纪） 俄罗斯修士，诺夫哥罗德大主教（1211～约 1231 在位）。他善于与西方进行政治和商业交涉，著有有关君士坦丁堡文化、建筑方面最早的历史和希腊正教简明礼仪书。安东尼于 1200 年左右访问君士坦丁堡，著《朝圣者之书》，对 12 世纪末的君士坦丁堡情况，提供仅有的资料。

Anthony of Padua, Saint **安东尼（帕多瓦的），圣**（1195，里斯本～1231-06-13，维罗纳阿尔切拉） 葡萄牙天主教方济各会修士、教义师和贫民的主保圣人。1220 年加入方济各会，先后在波伦亚、蒙彼利埃、图卢兹、沃莱山等地讲授神学，在法国南部及意大利备受欢迎。在前往意大利境内帕多瓦的途中，因患水肿病死。圣安东尼是圣方济各的追随者中最著名者，据说能行神迹。帕多瓦和葡萄牙奉他为主保圣人。在艺术作品中，圣安东尼怀抱一书、一颗心、一条火舌、一朵百合花或婴儿耶稣。

Anthony of Tagrit **安东尼（塔格里特的）**（活动时期 9 世纪） 叙利亚正统派神学家、作家，为发展叙利亚的文学和诗歌做出极大贡献。出身于叙利亚拉塔基亚附近的塔格里特，属于被称为雅各派的东叙利亚教会。该教会于 6 世纪脱离君士坦丁堡东正教牧首的管辖。安东尼同情基督一性论派的观点（参阅 **Monophysite**）。安东尼亦为著名的演说家，他约在 825 年著有一篇论述修辞学的论文，该文至今仍为同类文字中唯一保有古叙利亚语风貌的文章。受阿拉伯诗人的影响，他首先在古叙利亚语诗歌中使用韵脚。他还写了一篇有关圣礼神学的论文《涂油礼》。

Anthony, Katharine (Susan) 安东尼（1877-11-27，美国阿肯色罗斯维尔～1965-11-20，纽约市） 美国女传记作家，以著有《兰姆传》（1945）闻名。这是一部有争议的研究兰姆和他姐姐玛丽的著作。她的大部分作品以研究美国女名人的生平为题材。其中有：《玛格丽特·富勒，一本心理传记》（1920）、《叶卡捷琳娜女皇》（1925）、《路易莎·梅·奥尔科特》（1938）、《多利·麦迪逊，她的生平与时代》（1949）、《S. B.安东尼：她的个人历史与时代》（1954）。她的《兰姆传》（副题为"维多利亚以前时期英国的一个故事"）激怒了读者。她在书中推论，从 C.兰姆和他姐姐玛丽的生活与文学合作中可以看出兰姆家族内部的乱伦情感。与她此前所写的传记一样，批评家对《兰姆传》的反应不一，他们许多人不喜欢她对传记的非学术态度和不懂装懂地滥用心理分析理论。

Anthony, Michael 安东尼（1932-02-10，特立尼达和多巴哥马亚罗～ ） 西印度群岛作家，著有长短篇小说以及描述家乡特立尼达国内生活的游记。20 世纪 50 年代中期离开特立尼达前往英国居住。为路透社工作，并开始其写作生涯。第一部长篇小说《比赛来临》（1963）讲述一个刻苦训练的自行车运动员利昂的故事。用第一人称写的《那年在圣费尔南多》（1965；1970 年修订再版）描写男孩弗朗西斯离开马亚罗去圣费尔南多市做仆人的过程。另一部用第一人称写的小说《河边青春岁月》（1967）详述男孩谢利的成长过程。短篇小说集有《安东尼老少故事集》（1967）、《板球的道路》（1973）、《桑德拉大街》（1973）、《民间故事和传说》（1976）和《酋长的狂欢节》（1993）。他还编写了《特立尼达和多巴哥历史词典》（1997）。

Anthony, Susan B(rownell) 安东尼（1820-02-15，美国马萨诸塞亚当斯～1906-03-13，纽约罗切斯特） 美国女权运动先驱，全美女权运动联合会会长（1892～1900）。她的工作为赋予妇女选举权的宪法《第 19 号修正案》（1920）铺平了道路。安东尼幼年的故乡，独立和道德激情的气氛非常浓厚，她的父亲 D. 安东尼是一名教友派废奴主义者兼棉织品制

美国不列颠百科全书公司供图

造商,在当地很有名望。苏珊·安东尼自幼聪慧,3岁就学习读和写;1826年,她们全家由马萨诸塞州迁往纽约州巴滕斯维尔,其父在那里创办一所学校,苏珊·安东尼也就读于该校,这所学校后来发展成费城附近一所寄宿学校。1846～1849年,安东尼在纽约州北部的一所女子学校担任教师,后来她定居于纽约州罗切斯特附近自己的家中,开始她的第一次公开的禁酒运动。她深感妇女在当时蔚为风气的禁酒运动中不能充分发挥作用,便与他人共同创办纽约州妇女禁酒协会,成为最早的协会之一。自1852年开始,她协同友人E.C.斯坦顿和A.布卢默一起投入女权运动,在一段时间,她们穿着衬衣和宽松长裤组成的所谓“布卢默”式服装,以示对妇女服装种种限制的抗议。1854年后积极从事反对奴隶制运动。从1856年开始到内战爆发(1861)是美国反奴隶制协会的代言人。后来她和斯坦顿合作,在1868～1870年间,出版了纽约州的自由主义周刊《革命》,同时为要求妇女同工同酬,又共同创办了纽约女工联合会。1872年为要求妇女也取得宪法第14次和第15次修正案所赋予黑人男子同样的公民权利和政治权利,安东尼领导一群妇女到罗切斯特投票站试行投票,因而于两周后被捕,在等候受审期间她参加了极其引人注意的演说旅行,1873年3月又设法在城市选举中投票。此后她受审并被定罪为违反选举法,但成功地拒付罚金。此后通过全国妇女选举权协会(1869～1890)和全美女权运动联合会(1890～1906)以及到全国及西部诸准州演讲,争取通过一项有关妇女选举权的联邦宪法修正案。她与E.C.斯坦顿及M.J.盖奇合著《妇女参政史》4卷,于1881～1902年刊行。安东尼于1888年组织国际妇女理事会,1904年组织国际女权运动联盟。由于安东尼在争取女权方面的贡献,在伦敦(1899)和柏林(1904)的大会上,受到来自世界各国听众的赞扬。

Anthony, William Arnold　安东尼(1835-11-17,美国罗得岛考文垂～1908-05-29,纽约市)物理学家,美国电工学教育的先驱。曾就读于布朗大学(罗得岛普罗维登斯)和耶鲁大学。后来在俄亥俄耶洛斯普林斯市安蒂奥克学院(1865～1869)、埃姆斯市艾奥瓦州立大学(1869～1872)、纽约州伊萨卡市康奈尔大学及纽约市库珀学院(1894～1908)教物理学和化学。在康奈尔期间,他发起设立并发展了美国最早采用的一种电工学课程(1883),他还设计并制造了一些改进的直流发电机,包括一台用于第一个地下配电系统的直流发电机以及用于美国第一个室外照明系统的直流发电机。他还对研制充气电灯做出过贡献。

Anthony Lagoon　安东尼拉贡　澳大利亚北部地方中东部居民点。位于巴克利台地。有一常年水塘(1878年发现),曾为从西澳大利亚至昆士兰的赶牛道上的一个重要饮水站。现在运牛卡车经此可通往奥尔罗伊当斯、布鲁内特当斯和巴克利公路。有机场。人口不足200(1981)。

anthophyllite　直闪石　一种闪石矿物,是镁和铁的硅酸盐。产于蚀变岩石中,例如挪威的孔斯贝格、格陵兰的南部和宾夕法尼亚的结晶片岩中。直闪石常由超基性岩石受到区域变质作用而形成。其纤维抗张强度低,故直闪石石棉不像青石棉或石棉状铁闪石那样重要,更不能与纤蛇纹石相比。

Anthophyta(botany)　参阅**Magnoliophyta**木兰植物门。

anthracene　蒽　三环芳香烃,存在于煤焦油中。是生产染料的原料,还用于闪烁计数管中。粗蒽是从煤焦油高沸馏分中结晶出来的,可用重结晶和升华法精制。蒽经过氧化可得染料和颜料生产的一个中间体**蒽醌**(**anthraquinone**)。纯蒽为无色单斜片晶,带有蓝色的荧光。

anthracite　无烟煤　又名硬煤,变质程度最高的煤。含固定碳比任何煤都高(约90%～98%),挥发分最低(小于8%),热值最高,因此是最有价值的煤,但储量最小。在美国发现的煤炭中无烟煤不到2%,绝大部分已知矿床在美国东部。无烟煤黑而亮,有近于金属的光泽,甚至可以磨光用作饰物,它硬而脆,碎裂时形成有贝壳状断口的棱角状碎片,接触无污痕。虽然不易点燃,但燃烧时带有浅蓝色火焰,只需稍加照料即可维持燃烧。特别适于家用,装卸时煤尘少,而且燃烧缓慢,烟也比较少。有时与**烟煤**(**bituminous coal**)混合用于工厂和其他建筑的取暖以减少烟尘,但因价格较高,单独为此目的使用较少。

anthracnose　炭疽病　一种植物疾病,发生于温暖潮湿地区,侵染多种草本和木本植物,由某些具分生孢子盘的真菌(通常是刺盘孢属[*Colletotrichum*]或盘长孢属[*Gloeosporium*])所致。症状是叶、茎、果或花中出现各种颜色的凹陷斑。斑点常扩展而导致萎蔫、萎凋或组织死亡。20世纪70年代末期,在北美鉴定出一种炭疽病的新类型——梾木炭疽病。与其他炭疽病类型不同,此类型在凉爽的气候条件下十分多见,梾木炭疽病最先在北美西北部太平洋地区出现,然后迅速扩散到美国东部,最后导致山区自然生长的梾木成片死亡。直到1991年该类型的病原体——毁灭性座盘孢(*Discula destructiva*),才得到描述。防治炭疽病的方法是除去病部、采用无病种子及抗病品种、应用杀真菌剂及防治将致病真菌在植株间传播的昆虫和螨虫。

anthracosis　炭肺　又称黑肺或黑肺病。一种由于多年反复吸入煤尘而引起的肺尘埃沉着病。通常发生于煤矿工人。肺部因有煤尘积聚而呈蓝黑色大理石样花纹,故俗名黑肺病。16世纪德国矿物学家G.阿格里科拉首先描述了矿工的黑肺病,现该病已被广泛承认为独立的疾病。在美国炭肺为最多见的职业病。在某些地区,工作30年以上的矿工中炭肺发病率高于50%。本病在开采无烟煤的矿工中最为多见,但亦见于开采烟煤或石墨的矿工。本病起病缓慢,症状于接触煤尘10～20年后方发生,病情显与吸入煤尘的总量有关。但症状是否单纯由煤尘本身引起则尚不清楚,因煤尘中常含硅,亦可产生相似的症状。有证据表明吸烟可加重病情。炭肺无并发症时可无症状,而随着病情的发展常伴发肺气肿或慢性支气管炎,并可能影响劳动能力。结核病在炭肺患者中亦较常见。

anthraquinone　蒽醌　又称9,10-蒽醌。蒽的最重要的醌衍生物,是一大类染料和颜料的母体。工业上由蒽氧化或将苯与邻苯二酸酐缩合,再脱水而制得。茜素和其他许多植

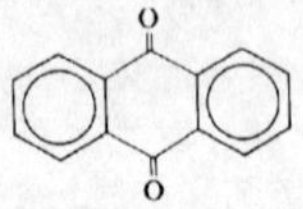

物颜料具有与蒽醌相似的化学结构。蒽醌可转变成茜素和多种合成染料,包括一大类瓮染料。蒽醌不易被氧化,但易被还原成多种产物。在碱性溶液中,连二亚硫酸钠可把蒽醌还原为蒽氢醌。蒽氢醌的碱金属盐是水溶性的,蒽醌类化合物就是基于这一化学反应被用作瓮染料。

anthraquinone dye　蒽醌染料　具有蒽醌分子结构的有机染料的总称。按这类染料施用于各种纤维的最好方法再分为小类。蒽醌酸性染料含磺酸基,使其溶于水,可直接染毛、丝,对这些纤维不借助媒染剂即具有一种亲合性。蒽醌分散染料不含酸性染料中那种促溶基团,但借助肥皂或其他使染料悬浮在染液中的试剂,而被尼龙或醋酸纤维等疏水纤维所吸附。在一些媒染染料中,蒽醌结构含有一些与棉、毛、丝等纤维结合的羟基,但纤维要预先用铝、铁、锡或铬等金属氧化物浸渍。蒽醌瓮染料的价值在于颜色鲜艳,耐光、耐洗,不溶于水,但用还原剂(通常为亚硫酸氢钠)处理就成为可溶性的。溶于水的瓮染料还原物或其无色形式被纤维吸附后,再使其返回为不溶于水的染料。

anthrax　炭疽　又称脾瘟、恶性脓疱或恶性炭疽。是炭疽杆菌引起的急性、特异性、传染性和发热性疾病。这种细菌形成有高度抵抗力的芽孢,能在土壤或其他物体上保存毒力多年。本病主要是草食动物的病,当人触摸到患病动物的毛、皮、骨或尸体后,也会感染。炭疽是最早有记载的动物疾病。炭疽病原是

1863年法国生物学家加西米尔-约瑟夫达文和1876年德国细菌学家柯霍分离出细菌的纯培养后而得以明确证实的。炭疽也是第一个被发现能用菌苗有效预防的传染病，这是1881年由L.巴斯德发现的。这些发现导致细菌学和免疫学的兴起和发展。几乎所有动物都对炭疽易感：牛、绵羊、山羊、马和骡最易感染。常由于在受污染的草场上放牧而得病。家养的猪、狗、猫和圈养的野生动物常因采食污染的食物而爆发本病。炭疽可呈过急性、急性或亚急性型(内脏型炭疽)，或呈慢性型、局部型(表在型炭疽)。急性型表现兴奋和体温升高，随之沉郁，痉挛，呼吸或心脏机能紊乱，发抖，摇摆，惊厥以致死亡。常从天然孔流出血样排出物，身体各处可出现水肿(浆液)性肿胀。过急性和急性型常于一或两天内以死亡告终。亚急性型可延至三、五天或更长时间死亡，或是几天后痊愈。慢性型主要发生于猪和狗，特征是咽喉部显著肿胀，呼吸困难，口腔排出带血色泡沫样液体。患病动物常因窒息而死。预防性接种广泛采用。发生后应采取严格隔离措施，焚烧尸体，控制蚊蝇，创造良好的卫生条件，这些都是控制疾病的基本措施。人发生炭疽是由于皮肤、肺或肠道感染，最常发生的类型是以痈的形式在皮肤上发生原发性局部感染。这常是由于触及炭疽感染的材料引起的，最常见的病变是手、臂或颈部发生小疙瘩，迅即发展成有黑色坏死中心(恶性脓疱)的大水疱，若转为全身化，则可随即发生致死性败血症。肺型炭疽主要侵害肺和胸膜，这是由于在处理羊毛的地区吸入了炭疽芽孢所致。这种病型的病程发展很快，常造成死亡。肠型炭疽有时因采食污染的肉类而发生。其特点是肠道的急性炎症、呕吐和严重下痢。常因使用污染了芽孢的刷子或衣服而使人传染。应用抗炭疽血清、砷制剂和抗生素可获得显著的疗效。操作可能被污染的原料之前要先消毒，穿工作服，带口罩，并需创造良好的卫生设施。对于死于此病的动物尸体不要剥皮或解剖。

Anthropoidea 类人猿亚目 灵长目的一个亚目，包括狨科(Callitrichidae，狨[**marmoset**])、卷尾猴科(**Cebidae**，新大陆猴)、猴科(**Cercopithecidae**，旧大陆猴)、长臂猿科(**Hylobatidae**，长臂猿[**gibbon**]和合趾猿[**siamang**])、猩猩科(**Pongidae**，大猩猩[**gorilla**]、黑猩猩[**chimpanzee**]及猩猩[**orangutan**])、人科动物(**Hominid**，人及化石人类)，以及化石类群副猿科(Parapithecidae)。

anthropological linguistics 人类语言学 研究语言和文化间的关系，通常指对无文字记载的语言的研究。在美国，由于人类学家研究美洲印第安诸语言和文化的结果，使人类学和语言学间的密切关系得到发展。这一学科的早期学者以为他们曾发现所谓印第安人诸居民集团在语言、思维和文化之间的重要关系。语言与文化有联系的问题迄今仍有争议，现在许多学者都认为上述关系并不像当初所料想的那样密切。当前，人类学家利用语言学方法主要对亲属关系体系、植物分类和颜色术语等这样一些领域进行分析，但许多人仍在从事以语言描写工作为中心的实地调查课题。

anthropology 人类学 研究人类的学科，主要研究人类体质特征、进化历史、人种分类、历史上及现今分布状况、居群关系和文化史。人类学的任务是对世界各不同民族的情况作出自然主义的描述和解释。现代人类学有两个主要分支：一是文化人类学，全面探讨人类文化；二是体质人类学，研究古代及现代的人类体质特征。参阅 **cultural anthropology**；**physical anthropology**。

anthropometry 人体测量学 对人体测量数据进行系统地收集与分类比较的学科。人体测量学始创于19世纪，当时对人类的生物学进化及文化进化的早期研究，引起人们系统地描述现存的和已绝灭的人类种群的兴趣。现在这门学科已成为体质人类学的主要研究方法之一。19世纪晚期，人体测量数据往往被社会科学家们主观地加以应用，试图支持那些把生物学上的人种同文化和智能发展水平联系起来的说法。意大利精神病学家兼社会学家隆布罗索为寻求所谓犯罪类型，曾使用人体测量方法对监狱犯人进行检查和分类。最简单的人体测量内容包括：头颅的长与宽之比，即所谓“头骨指数”；鼻的长宽之比；上臂和下臂的比例，等等。这些数据可以用人们所熟悉的器物如米尺、测径器、卷尺等来测得。只要选好可靠的测量点，亦即人体上的所谓“陆标”，同时把测量方法标准化，所得结果可以非常精确。通过这类调查方法所得大量数据，在19世纪和20世纪初期，被一些体质人类学者们用来描述不同的种族的、民族的、乃至国民的各种群体的特征，即以他们所独有的或是具有典型性的体质和外貌为基础的特征。20世纪，应用人体测量学来研究人种类型的方法被一些更为先进的测定人种差别的技术所代替。不过，人体测量学仍不失为一种有价值的方法，在古人类学即根据化石遗存研究人类起源及进化的一门学科中起了重要作用。头骨测量学是用来测量头盖骨及面部结构的一种技术，也是19世纪发展起来的。到20世纪70和80年代，由于发现的人类化石及前人类化石，其年代要大大早于以前发现的遗存，这门学科亦随之显示出新的重要性。人类学家们根据史前头盖骨及面骨的测量学研究所得，可以找出人类因适应增大的脑容量而产生的头颅大小和形状上的渐进变化。这样，头骨测量学和其他人体测量学技术的应用，导致了对各种流行学说的一项重要的再评估，即在人类发展过程中，直立姿势的形成是与脑的增大同时出现的。人体测量学除了在学术研究领域的各项功能之外，还具有商用价值。企业中的研究人员应用人体测量数据来设计服装，尤其是军服的设计，也可用来规划诸如汽车座位、飞机驾驶员座舱和太空囊等。

anthropomorphism 拟人化 将人类具有形体或其他特点的属性加之于任何非人的物体。在宗教学上，此词用于描绘神灵具有与人相似的形体，或具有思想、意志或情感的特性，而这些特性都是人类体验的特性的继续。任何提及神有人类的躯体或者人体的一部分，如“上帝的手”、“上帝的眼睛”、“上帝的嘴”，即是拟人化。涉及类似人的心理状态的提法，如“上帝的旨意”、“上帝的心思”、“上帝的怜悯”乃至“上帝的爱”，也被认为是拟人化。英文此词从文字上解释是“如人的形体”，源出于希腊文 *anthrōpos*(人)和 *morphē*(形)。古代希腊和罗马人的做法或许是宗教拟人化中最著名的，他们的神几乎与人毫无二致，所不同者仅仅是他们的永生，他们有居住处所，他们有战胜大自然的奇能。色诺芬尼(公元前6～前5世纪)曾抨击荷马与赫西奥德的拟人化，指责他们把人间一切可耻的丑事：盗窃、奸淫、诈骗，都堆在众神身上。柏拉图也批驳传统荷马神话的粗浅的拟人化，同时根据色诺芬尼的思想，断定上帝只有一个，而这个上帝不是人所能理解的。古典的希伯来先知书，如《阿摩司书》和《以赛亚书》，猛烈抨击当时希伯来人的放肆无度的拟人化做法，例如，这些先知都要求人们记住，上帝在实行道德审判时，并不像人类一样对不同部落有所厚薄。但是，这些先知也并未完全弃绝拟人化，他们信口使用经过精细加工的拟人象征标志，用以表明，他们心目中的上帝是有位格的。“传道书”的作者进一步批判拟人化，他的上帝观接近于一种不具位格的宇宙力量，与希伯来传统中的有位格的上帝迥然不同。应当指出，《旧约》中的许多拟人化段落固然具有直接的字面意义，但是，仅仅是作为诗歌性的暗谕者却更多。例如，在作者的意图上，早期的陈述“主与摩西面对面说话，好像人与朋友说话一般”(《出埃及记》第33章第11节)与诗人对上帝提出的有意识的诗歌问题“你掩面不顾我要到几时呢”(《诗篇》第13篇第1节)之间，是有差异的。许多思想家曾经认为，有可能从有神论(对上帝存在的信仰)中清除一切拟人化成分，另有许多人却认为，拟人化对于有神论的知识和语言说来都是必不可少的，因为这些方面不免受人类自身体验的规范。从人类体验中作出类比，用人间事物解释非人间的实在，这是不变的惯例。这个问题提出了一些哲学问题：有神论、唯心论或任何其他形式的知识，以人类经验为解释或理解现实的明显模型究竟是否站得住？

anthropophagy 参阅 **cannibalism** 食人俗。

anthroposophy 灵智学 相信人类智能可以达到灵界的一种哲学。提出这种哲学的奥地利哲学家、科学家和艺术家斯坦纳(**Steiner, Rudolf**)称之为“精神科学”。他认为存在着灵界，纯粹思维可以理解灵界，但是只有人的内在灵智才能充分认识灵界。斯坦纳认为提高悟性能够重新理解灵界，因此他试图培养不依靠感觉的灵性感知力。为此他在1912年成立灵智学会，现其总部设在瑞士多尔纳赫。

Anthurium 花烛属 天南星科一个美洲热带草本植物属，约600种。许多种为观叶植物。少数种由于花鲜艳，花期长而为花农广泛种植。佛焰花序，上生无数两性小花，外有一艳丽革质的佛焰苞。安德烈花烛（红鹳花，*A. andraeanum*）茎高60厘米。佛焰苞橙红色，心形，长5～8厘米。其杂交种佛焰苞有白色、粉红色、橙红色、红色至深红色。舍尔策氏花烛（红鹳花烛、猪尾草，*A. scherzeranum*）植株较矮，佛焰苞猩红色，花序橙红色，花朵排列较稀疏。其一变种佛焰苞长13厘米，另一变种的红色佛焰苞上带有白色斑点。本属植物需温暖气候和较高的湿度，所以通常种植于温室。

Anti-Atlas 小阿特拉斯山 又作Lesser Atlas。摩洛哥山脉。在北非的阿特拉斯中央山脉以南，与之平行。平均高度1 500米，有的山峰逾1 800米。与大阿特拉山脉有锡尔沃火山（3 304米）相连。

Anti-Comintern Pact 《反共产国际协定》 最初为德日协定（1936-11-25），后为德意日三国协定（1937-11-06），表面反对共产国际，实际矛头主要指向苏联。上述协定均由希特勒首倡，当时他公开抨击布尔什维主义，并对日本在侵华战争之初取得胜利感到兴趣。日本则为1936年8月签订的《中苏互不侵犯条约》及随之出现的苏联对中国出售战斗机等军火所激怒。为了宣传目的，希特勒和墨索里尼想要把自己打扮成反对苏联共产主义威胁的西方价值观的捍卫者。《苏德互不侵犯条约》签订之后，感到愤慨的日本于1939年8月23日宣布退出《反共产国际协定》，但后来加入《德、意、日三国条约》（1940-09-27）。

Anti-Fascist Council for the National Liberation of Yugoslavia 南斯拉夫反法西斯民族解放委员会 塞尔维亚-克罗地亚语缩写作AVNOJ。第二次世界大战期间南斯拉夫共产党建立的庞大组织，用以协调J.B.铁托游击队的军事行动和地方"解放委员会"的行政活动。该委员会于1942年11月26～27日在波斯尼亚的比哈奇首次召集会议。与会的非共产党人同意宣布成立民族解放运动。该运动号召南斯拉夫国内各族人民参加斗争，从轴心国的占领下解放祖国。这一广泛的号召使游击队赢得了民众的支持。1943年11月29～30日在亚伊策举行的第2次会议上，委员会承担起更大的立法和行政职能，并选举了中央民族解放委员会。该委员会实际上成为临时政府。会上宣布铁托为南斯拉夫元帅，并通过了战后将王国改组为由6个平等的共和国组成联邦的计划。解放后，于1945年8月7～10日在贝尔格莱德召开第3次会议后，将权力移交给共产党控制的立宪议会。1945年11月议会开会，为新生的南斯拉夫联邦人民共和国起草了苏式宪法。

Anti-Federalists 反联邦党 美国建国初期成立的松散的政治联盟。参加者有P.亨利等有名望的政治家。反联邦党反对根据1787年美国宪法成立的中央集权政府，但未获成功。然而由于他们的努力，美国制订了宪法的第一次修正案——《人权法案》。至1791年，反联邦党成为杰斐逊共和党（后为民主共和党，最后为民主党）的核心。

Anti-Lebanon Mountains 前黎巴嫩山脉 阿拉伯人称东黎巴嫩山脉。沿叙利亚-黎巴嫩边界延伸，东北-西南走向，与黎巴嫩山脉平行，两山脉之间隔有贝卡谷地。平均海拔2 000米，有数座山峰高2 400米以上。因坡陡和有石灰岩洞穴，加之土层薄瘠，人烟稀少，经济上仅适于牧业。

Anti-Masonic Movement 反共济运动 美国历史上反对共济会秘密结社的运动。反共济党是美国最早的第三政党，首创召开全国性候选人提名大会，首创向选民公布党纲的做法。它始于1826年。由一名据说是违背誓言并准备揭露共济会秘密的共济会员（瓦工W.摩根）的神秘失踪（传说死于共济会之手）而引发。1831年该党在巴尔的摩举行全国代表大会，提名W.沃特为总统候选人，并公布党的纲领，指责共济会的秘密性、排他性和不民主性。在1832年大选中，沃特仅在佛蒙特州获胜。从此，反共济党开始衰落。

Anti-Saloon League 反沙龙联盟 20世纪初美国游说禁酒的主要组织。1893年在俄亥俄州建立，1895年成为全国性组织。它要求各级政府通过立法手续禁止酿造和销售酒类。1919年通过宪法《第十八条（禁酒修正案）》后，它大力推行禁酒法律。1933年废除修正案后，它在美国政治中即不起作用。1950年，它与其他团体合并组成全国禁酒联盟。

anti-Semitism 排犹主义 对犹太人作为一个宗教或种族群体的敌意或歧视。"排犹主义"一词是德国鼓动家马尔于1879年新创的，意指当时中欧的排犹运动。在巴勒斯坦以外，任何犹太人居住的地方都不同程度存在着排犹主义。在古希腊、罗马时代，排犹主义的主要基础是宗教的分歧。例如，在希腊化时代，犹太人的社会与世隔离并拒绝承认其他国家人民崇拜的神，特别在公元前1世纪至公元1世纪，激起异教徒的忿恨。同样，犹太人拒绝参与对皇帝的崇拜，在罗马帝国被认为是缺少爱国心。基督教传播后，大多数犹太人继续拒绝信奉这种宗教。因此，到4世纪时，基督教徒常常将犹太人视为把基督钉上十字架的人，视为异族人，他们因不承认基督和基督教而丧失了家园，注定要永久迁徙。基督教会在罗马帝国占支配地位后，教会的领袖授意罗马皇帝制订许多法律，旨在使犹太人与基督教信徒隔离，并且当犹太人行将威胁基督教的优势时剥夺了犹太人的宗教权利。

中世纪时，在欧洲许多地方，犹太人没有公民身分和权利，不能在政府和军队任职，不能加入行会和同业。关于犹太人节日谋杀的谣言，或血的诽谤——即所谓在逾越节把信基督教的儿童当作牺牲品以取血做无酵饼的说法，始于12世纪。这个传说不时在东欧和波兰流行，到20世纪30年代被纳粹作为排犹宣传的一部分。12世纪排犹主义的另一种手段是强迫犹太人佩戴黄色标志，也成了纳粹排犹的一部分。将城镇中的犹太人隔离在犹太人区的做法，在欧洲许多地方也始于中世纪，并延续到19世纪和20世纪初叶（参阅 **ghetto**）。

中世纪后期，欧洲商业兴旺，一些犹太人因贸易、金融和放债而著名，犹太人的经济和文化成就往往引起民众的嫉妒。经济上的忿恨，连同传统的宗教偏执，促使几个国家或地区强行驱逐犹太人，其中包括英国（1290）、法国（14世纪）、德国（14世纪50年代）、葡萄牙（1496）、普罗旺斯（1512）和教皇国（1569）。在西班牙，宗教法庭的加紧迫害终于在1492年强行驱逐大批早已定居的犹太人，只有已皈依基督教的犹太人被允许留下来。这些大规模驱逐的结果是犹太人的生活中心从西欧和德国移至土耳其，后来又移至波兰和俄国。

中世纪末期，犹太人在欧洲的地位没有发生重大变化，反宗教改革恢复了反犹太的立法，加强了信仰天主教国家里的犹太人区隔离制度。犹太人有时仍遭到大屠杀，如在17世纪中叶，信东正教的乌克兰人与信天主教的波兰人多次交战期间受到的残杀可与中世纪十字军对犹太人最残酷的大屠杀相比。对犹太人的周期性迫害一直继续到18世纪后期启蒙运动和法国大革命给欧洲带来新的宗教自由。那时，犹太人开始在法国和其他西欧国家获得公民权利。犹太人同化之后取得了较大的经济和文化成就，却又一次激起忿恨和敌意。

19世纪民族主义席卷欧洲社会，排犹主义与其说具有宗教性质，不如说具有种族性质。同种族的各国人强烈谴责他们中间存在的"异己"的犹太分子。伪科学理论宣称犹太人比所谓雅利安种族低下，使排犹主义得到新的重视和广泛支持，特别在一些可以将现存社会或政治上的不满归罪于犹太人的国家里。19世纪后期，在德国和奥地利，排犹主义成为有组织的运动，并有着自己的政党。

自从对波兰的最后瓜分（18世纪90年代）使大批犹太人归俄国统治后，俄帝国已将犹太人限制在西部地区，叫做"定居区"（参阅 **pale**）。1881年在俄国栅栏区爆发广泛的反犹骚乱或集体迫害之后，俄帝国颁布的《1882年五月法》没收了犹太人在乡间拥有的土地，只许他们在定居区内的城镇居住。这些措施严重削弱了许多犹太人在乡间经商和作为工匠的活动，促使几百万犹太人在此后40年移居美国。另一结果是一次稍小的犹太人向西欧国家迁移，而那里的排犹主义鼓吹者则利用排外情绪大肆加以反对（参阅 **pogrom**）。在法国，德雷福斯事件成了排犹主义的焦点。1894年一位身居要职的陆军军官、犹太人德雷福斯被诬告犯有叛国罪。他的辩护受到法国军方和极端排犹的法国报界的阻挠，其后的论战破坏了法国政治生活的内聚力。

20世纪第一个10年，除俄国以外，是排犹形势较缓和的时期。在俄国的基什尼奥夫（今摩尔多瓦的基希纳乌），1903年和1905年发生了严重的集体迫害。俄国的秘密警察公布了伪造的"犹太人贤士议定书"，作为犹太人阴谋统治世界的假想蓝图，它为后来几代排犹鼓吹者提供了宣传资料。第一次世界大战造成的广泛经济和政治混乱显然加剧了战后欧洲的排犹主义。再者,1917年11月俄国革命的许多犹太布尔什维克领袖使排犹分子偏信的"犹太布尔什维主义"的威胁有了新的焦点。在战后的德国,排犹分子与主张复仇的民族主义者联合起来,企图将德国的战败归咎于犹太人。在东欧,两次世界大战之间的时期,排犹主义在波兰、匈牙利和罗马尼亚盛行。

1933～1945年,在希特勒领导下,排犹主义暴力甚嚣尘上,不仅在德国本国达到了可怕的程度,而且激发了别国的排犹运动。排犹主义在法国由"戴风帽的人"、在匈牙利由"箭十字"、在英国由英国法西斯分子联盟、在美国由德美同盟会和"银衬衫"组织广为散播。纳粹排犹主义的新特点是它跨越了阶级障碍。雅利安种族优越论同时引起了普通老百姓和经济大亨及世袭名流的共鸣。在德国,排犹主义成了正式的国策——在学校中讲授,在"科学"杂志上和研究机构中竭力推销,并且通过一个庞大而效率很高的组织进行国际宣传。1941年清除欧洲犹太人成了纳粹党的正式政策。据估计,第二次世界大战期间,有600万犹太人被消灭在诸如奥斯维辛、海乌姆诺、贝乌热茨、马伊达内克和特雷布林卡等死亡集中营里。

1945年纳粹失败后,排犹主义在西欧和美国衰退了,但苏联及中东事态的发展,使它在这些地区有了新的含义。苏联领袖斯大林在1953年去世,他未能掀起一场对犹太人的迫害,但那时以后排犹的歧视始终是苏联社会的一个特征。

历经许多个世纪,伊斯兰教社会容忍了犹太人,但是要他们缴特别税,穿可资识别的衣服,住在特别地区。因此,犹太人在穆斯林社会里得到与其他非穆斯林信徒差不多的待遇。但是,大批犹太人在20世纪移居巴勒斯坦以及以色列国的成立(1948)在阿拉伯世界引起了新的敌视浪潮。由于阿拉伯人是闪米特人,他们对以色列国的敌意首先是政治的(或反犹太复国主义的)和宗教的,而不是种族的。然而,不论什么名目,其结果是中东各穆斯林国家都采取了许多反犹太的措施。于是,在以色列建国后几十年中,这些国家的犹太人大都移居以色列。

Anti-Suffragist, The　《反扩大参政权者》　美国期刊,发行于1908～1912年,其支持者的观点是反对给予妇女选举权,因为他们认为这是违反自然的。1908年7月纽约州反对妇女参政权协会出版了第一期《反扩大参政权者》刊物。该季刊反映出支持反扩大妇女参政权运动者的观点,此运动在19世纪90年代开始于马萨诸塞州和纽约州,最终在大约其他的20个州也占有一席之地。大多数反扩大参政权者属于中产阶级、保守派人士和新教的妇女,他们赞成女人从生理上命中注定就是为了生育孩子和当家庭妇女,而男人则要当律师和领导者的观念。简言之,反扩大参政权者认为妇女寻求政治权利就是违反自然法则。担任《反扩大参政权者》编辑的是纽约州反对妇女参政权协会的执委会主席W.W.克兰内尔夫人,该刊物的使命是提出反对妇女参政的论据,为那些不寻求参政的妇女提供一个表达观点的论坛。《反扩大参政权者》为读者提供有关妇女参政在其他州失败的报道,还登载一些经仔细挑选的例证,按照该杂志的观点,在这些例证里西部各州的解放妇女没能利用她们的选举权来改善社会。1911年全国反对妇女参政权协会成立,该全国性组织应该出版自己的刊物的提议,致使《反扩大参政权者》于1912年4月主动停刊。

antiacid　参阅 **antacid** 解酸药。

antiaircraft gun　高射炮　从地面或甲板上射击的抵御空袭的火炮。早在1910年飞机首次成为一种有效的武器时,高射武器就开始发展了。第一次世界大战中,就把口径约为90毫米的野战炮装在使之能接近垂直射击的支架上,改装成用于防空的炮,但是瞄准手段不够好。两次世界大战之间的几十年中,测距仪、探照灯、定时引信和瞄准机械装置都有了巨大的发展。第二次世界大战中,出现了速射自动高射炮,雷达用于跟踪目标,小型无线电近炸引信在弹头接近目标时使之起爆。英、美军队广泛使用瑞典博福斯公司最先生产的40毫米高射炮来对付俯冲轰炸机和低空强击机,它能将0.9千克重的炮弹以120发/分的射速射至3.2千米高。苏联高射炮的口径主要是37毫米。对付高空飞行的轰炸机的重型高炮的口径达到120毫米。高射炮中效果最好的是德国88毫米的高射炮,它的缩略语 flak 成为防空火力的通用语。1953年,美国陆军装备了"天空扫荡者"高射炮,这是一种75毫米口径、射速为45发/分的自动高炮,瞄准和射击由自身的雷达-计算机系统控制。随着50和60年代间装备地对空导弹,诸如此类的重型高炮便退役了,不过口径为20～40毫米的雷达制导的自动高炮仍然能有效地防御低空飞行的飞机和直升机。

antiarch　胴甲鱼　又称反弓鱼。盾皮鱼纲(已经绝灭的主要生活于淡水的有颌鱼类)胴甲鱼目的动物。盛产于泥盆纪中期和后期(3.87亿年前～3.6亿年前)。代表属为沟鳞鱼属(*Bothriolepis*)和兵鱼属(*Pterichthys*)。体小;颌弱;两眼相距甚近,位于头顶;体前部覆以盾甲,从肩部伸出被甲和分节的附肢。沟鳞鱼属体后部裸露,而兵鱼属后部被有鳞片。胴甲鱼类可能为底栖,以小动物及植物为食,用胸附肢拖着身体到处活动。体内有成对侧囊,这意味着肺的出现比过去认为的要早。

Antibes　昂蒂布　法国普罗旺斯山-蓝岸大区滨海阿尔卑斯省港口城镇。位于加鲁普半岛东侧,隔昂热湾与尼斯相对。原为福西亚人所建的希腊商埠,后成为罗马城镇。1384～1608年为统治沿海的格里马尔迪家族的采邑。格里马尔迪城堡现为博物馆,展有毕加索的作品。他于1946年在此作画。城内考古博物馆陈列有当地古代文物。松树、梧桐树和沙滩成为昂蒂布城镇的一个组成部分,还包括豪华的昂蒂布角旅游胜地。鲜花的生产及温室养花与旅游同为重要经济项目。人口72 412(1999)。

昂蒂布港口的旧城与城墙

美国不列颠百科全书公司供图

antibiotic　抗生素　活生物(通常是微生物)产生的可以伤害其他微生物的化学物质。虽然土壤中的细菌和真菌总在释放抗生素,但它之引起世界注意还是在1941年开始使用青霉素之后。自此它使人畜细菌感染的治疗焕然改观。1928年,A.弗莱明注意到培养基上的细菌菌落受到沾染的特异青霉的抑制。10年之后,E.钱恩、弗洛里以及他人分离出其有效成分青霉素,并且证明它对多种严重细菌感染均有效。50年代末,科学家们又在青霉素分子的核心上添加了种种化学基团,制造出半合成青霉素。于是我们现在就有一系列的青霉素,可治疗由葡萄球菌、链球菌、肺炎球菌、淋球菌以及梅毒螺旋体造成的疾病。引人注意的是结核杆菌不受青霉素影响,但后发现结核菌对链霉素高度敏感,这是1943年从灰色链霉菌分离出的抗生素。除对结核菌有效外,它还可对许多其他细菌如伤寒菌有效。另外两个早期发现的抗生素是短杆菌肽和短杆菌酪肽,都是杆菌属细菌制造的。1939年迪博发现这两种抗生素,发现它们对表面感染有效,但毒性大不宜内用。另外较晚分离出的抗生素有头孢霉素。它们同青霉素近缘,是由一种霉菌冠头孢菌产生的。还有一类首先于60年代研制成的合成抗菌药称喹诺酮,它们可阻断脱氧核糖核酸的复制(这是细菌繁殖的一个关键步骤),可用于治疗泌尿道感染、感染性腹泻,以及其他各种感染如骨感染等。许多种细菌和少量真菌感染可用抗生素治疗，但抗生素治不了病毒感染。使用抗生素的原则是要保证：患者得到的确是靶细菌对之敏感的抗生素；药物要达到有效浓度(但不可引起副作用)；使用时间要充足，以保证感染能彻底清除。抗生素的作用范围不同，有的高度特异性，其他的如四环素类则可对抗多种不同细菌。对于混合感染和在没有时间进行敏感试验的情形下，这后一类抗生素特别有用。有些半合成青霉素和喹诺酮类可以口服，但大多数抗生素必须肌肉注射。由极早时期起就影响抗生素疗效的一个问题就是细菌可以产生抗药性。一种抗生素可以杀死病人身上几乎一切致病菌，但总有少数细菌在遗传上便不易受药物的影响，因此便可能存活下来。这些菌可继续繁殖，或通过基因交换过程将抗药性传给其他细菌。较敏感的竞争者被药物淘汰或数目减少，这些抗药菌就增生。其结局是造成用平素有效的抗生素一种或甚至几种都治不好的人体感染。杂乱而不准确的用药助长这种细菌抗药性的传播。

antibody　抗体　又称*免疫球蛋白*(**immunoglobulin**)。机体为应答抗原刺激，由B淋巴细胞产生的一类具有免疫作用的球蛋白分子。基于结构互补，B细胞表面的受体可以选择性地和某种抗原表面的决定基分子结合。结合了抗原的B细胞迅速增殖为细胞克隆，并大量产生能特异性地与该种抗原结合的抗体分子。这一抗体生成过程一般要持续几天，但这一过程所产生的抗体却能存在数月甚至终生。

抗体和抗原结合后形成抗原-抗体复合物(又称免疫复合物)，从而阻断了抗原对人体的有害作用。如果某抗体结合的抗原是一种毒素，那这种毒素就会因免疫复合物改变了它原来的化学成分而失去毒性，这种抗体也就有了它的另一个名字抗毒素。如果某抗体结合的抗原是微生物，那这种免疫复合物本身虽然不构成对抗原微生物的直接杀伤，但它却能减少抗原微生物的活动性，使其不能穿过人体细胞；通过抗体激活补体系统(一类血浆中的蛋白酶系统)来杀灭抗原微生物。补体反应杀灭细菌有二种机制，一是通过酶反应将细菌溶解；二是趋化性机制，吸引各种吞噬细胞和白细胞，将抗原微生物清除干净。

抗体分子基本上就是B细胞表面的受体分子。抗体分子由平行排列的两对多肽链(四链单位)构成，分子结构呈Y字形。Y的两臂末段是抗原结合位点，其结构体现了和不同抗原决定基的结合特性。B细胞受体上的抗原结合位点和抗原微生物的决定基是一对一的关系。所以，作为结构复制品，抗体分子上的抗原结合位点和这种微生物的抗原决定基也是一对一的关系，只是抗体的数量大大地增加了。这种一对一的关系就是病毒感染的免疫特异性的根本原因。人体有无数个B淋巴细胞，也就有无数种受体，能产生无数种抗体，可同时免疫好多种病源微生物和毒素。从氨基酸排列稳定性的角度来看，抗体分子可分为二部分。一部分就是前面提到过的抗原结合位点，因其氨基酸排列的变异极大，故又名易变区(V区)；另一部分的氨基酸排列顺序相当稳定，故名恒定区(C区)。

人们按C区的免疫化学特性将抗体分为IgG、IgM、IgA、IgD和IgE五类。不同种类的抗体在生物活性上表现出差异，如IgG主要存在于血液和组织液中，最为常见；而IgA仅见于呼吸道和消化道的黏膜。为防止被毒蛇咬伤的人或破伤风患者出现速发性中毒反应，都要给病人注射抗血清(抗毒素)，向他提供即时的、被动的免疫功能。这种抗血清实际上就是从致敏动物或患者身上取出的血清。

1975年研制成功的单克隆抗体是免疫技术在临床实用方面发展的一个里程碑。此前，科学家们虽然能刺激B细胞产生特异性抗体，但却无法把B细胞株放在培养箱里培养。他们也知道从多发性骨髓瘤分离出的B细胞可以培养成活并传代，但却不能选定它产生的抗体类型。后来，科学家们把致敏B细胞有明确抗体产物的正常大鼠做成多发性骨髓瘤的动物模型，然后分离出它的B细胞培养，就是所谓"杂交瘤"，能无限制地产生人们所需要的抗体。用杂交瘤生产单克隆抗体的方法，以其产量高、特异性强而在医学实践中有着广阔的应用前景。例如，把用放射性同位素标记的某种肿瘤的单克隆抗体注射到体内(实际上这是一种示踪剂)，人们从体外放置的放射线计数器中就可以知道这些失踪剂都到了什么地方，也就知道了那些已知的肿瘤单克隆抗体和肿瘤细胞抗原是在什么部位结合的。如果把这种技术用于肿瘤治疗，那就是所谓抗体制导的"导弹"技术。因为单克隆抗体和抗原之间有一对一的特异性，病变周围的正常组织决不会受到波及。参阅 **antigen; autoantibody**。

anticholinesterase　抗胆碱酯酶药　防止神经递质乙酰胆碱被神经系统中胆碱酯酶破坏的药物。乙酰胆碱的作用是传递副交感神经系统中的神经冲动。副交感神经属于自律神经系统，主要含胆碱能纤维，能诱发分泌，使平滑肌收缩和扩张血管。抗胆碱酯酶药阻止乙酰胆碱的破坏，使这种神经递质在作用部位积聚达到高浓度，刺激副交感神经系统，使心率减慢、血压降低、分泌增加和平滑肌收缩。毒扁豆碱和新斯的明是主要的抗胆碱酯酶药。这些药物只有几方面的临床应用，主要用于加强胃肠道收缩(治疗消化道梗阻)，加强一般性的肌肉收缩(治疗重症肌无力)，以及缩瞳(治疗青光眼)。但其他抗胆碱酯酶药却广泛用作毒药，大剂量下它们使副交感神经系统不停地兴奋而发挥毒效，对硫磷和马拉硫磷是高效农业杀虫剂，而塔朋和索曼则为神经毒气，用于化学战以造成敌人恶心、呕吐、抽搐和死亡。

Antichrist　敌基督　基督教名词，指基督的主要敌人。犹太教的末世论受到伊朗和巴比伦关于末日上帝与魔鬼斗争的神话的影响。该教关于这种争斗的观点见于马可比时代初期(约公元前168)撰写的《旧约·但以理书》。作为敌基督的原型的历史人物是迫害犹太人的叙利亚国王安条克四世伊庇芬尼，他的形象长期影响后世关于敌基督的观念。犹太教和基督教启示文学也把罗马帝国皇帝尼禄(？～68)看作敌基督。基督教关于敌基督的见解见于《帖撒罗尼迦后书》第二章。该处指出，敌基督诱惑世人，行异能奇迹，意在使世人尊他为神；这个"不法的人"将获得信任，特别是犹太人的信任，因为犹太人尚未领受真理。在中世纪，敌基督这一观念成为历史和政治的重要因素，特别是在动乱时代。12世纪末意大利神秘主义者约阿基姆(菲奥雷的)预言，第三圣灵时代将于1260年开始，他的门徒就以信奉基督教的神圣罗马帝国皇帝腓特烈二世为敌基督。后来又有人说教皇卜尼法斯八世和约翰二十二世为敌基督。教皇、皇帝互指对手为敌基督，成为一时之风。人们一直注意敌基督到来的时间和预兆，诸如灾异、刀兵、瘟疫、饥荒等等。在14、15两世纪，传教者提出敌基督将要到来的警告，要求世人悔改。在宗教改革时期，路德等改革家并没有指某个教皇为敌基督，但指教皇制本身为敌基督。宗教改革以后，敌基督之说渐寝。天命神学和千禧年前派神学仍讲敌基督将于世界末日出现。

anticlericalism　反教权主义　天主教名词，指因为神职人员实际上或被控干预政治事务和社会事务，因为神职人员的教义主张，因为神职人员的特权或财产，或者因为其他缘故而反对神职人员。此词自12、13世纪即已在欧洲使用，但它在更为晚近的历史上与法国革命及其后果相联系。反教权主义主要有3种形式：第1种形式形成于18世纪，其依据是反对封建主义所确立的神职人员特权，往往是贪污腐化的特权。第2种形式与自由主义的兴起有关，自由主义指责神职人员屈从君主或者以颟顸态度对待科学思想。第3种形式由某些极权主义制度所支持，认为神职人员始终与"种族"、"民族"、"国家"或其他某种设想的意识形态为敌。

法国　在18世纪，伏尔泰和百科全书派等怀疑论者在国王的言论审查制度和神职人员对国王发挥影响的情势下郁郁不满。这种反教权主义达到顶点时，法国革命派攻击天主教会，废除其特权，没收其财产。1801年，拿破仑·波拿巴结束革命，与教廷签订政教协定，"确认"天主教会为受法国国家支持而听命于国家的宗教机构。这种制度有所修改，经君主、共和和波拿巴政权几个时代，延续一个世纪之久。但是，1871年第三共和国成立，神职人员与反教权主义者之间的旧时冲突随即加剧。1871～1879年的斗争形势是，保王-教士各派与共和-反教权各派互相反对。甘必大提出口号："教权主义是敌人"。共和派胜利之后实行了许多反教权主义的立法。耶稣会被取缔(1880)；费里任总理期间颁行一系列法律(1881～1882)，规定免费世俗教育、结婚必须履行民政手续，允许离婚。后来，布朗热力图取得独裁权力，于是发生了第2次冲突，结果共和反教权派胜利。第3次冲突发生在德雷福斯事件期间(1894～1906)，这时组成了反教权主义的共和派集团，它网罗了代表院中全部共和主义派别，决心将保王派、军方人物和神职人员排除于公共生活之外。结社法(1901)取缔法国绝大多数修会并没收其财产；分离法(1905)使教会

与国家分离。

意大利　反教权主义思想和做法从法国蔓延到各地，拉丁系其他国家也以不同方式予以采用。在意大利，反教权主义与民族主义、自由主义融为一体。教皇庇护九世力争保持他作为教皇国统治者的世俗权力，反对意大利统一。当加富尔作为统一的意大利之设计师出现在政坛时，他促使皮埃蒙特议会通过一系列反教权法律，取消教会法庭的民事裁判权，取缔许多隐修院。加富尔提出的“自由国家内的自由教会”这一口号，为意大利的反教权主义自由派所采纳。意大利统一之后，神职人员与反教权主义者的斗争继续进行。当罗马定为首都时，教皇的世俗权力即宣告终结。在种种反教权立法的规定下，隐修院数量减少，大学中的神学教育机构撤销，世俗婚姻合法化，然而，并没有颁行离婚法，也没有禁止在学校进行宗教教育。根据保障法，教皇享有履行宗教职能的充分权力。但是，教皇庇护九世并未承认意大利政府，并于1874年禁止天主教徒参与政治活动。这一禁令到1919年才解除。1922年墨索里尼上台执政，一时反教权主义加剧，因为法西斯主义者主张由国家控制一切。教廷继续反对政府限制宗教自由，但是并未发生严重的冲突。1929年《拉特兰条约》签字，它确立教皇为领土狭小的梵蒂冈城国的统治者，解决了在教皇世俗权力问题上的纠纷。

西班牙　拿破仑的入侵(1808)触发了西班牙的反教权主义运动。1812年的宪法撤销了异端裁判所，限制修会的数量，但是确立天主教为国教。1814年国王费迪南德七世复位，这项宪法作废。反教权派反应激烈，自那时起到1939年，右派与左派的斗争在西班牙较之在拉丁欧洲其他任何地方都更体现为神职人员与反教权主义之间的斗争。1870年之后斗争尤其激烈。在作为反天主教势力传统中心的巴塞罗那，形成了一批强大的工团主义和无政府主义集团。西班牙第一共和国(1873)颁行了一批反教权主义法律，1875年君主制复辟，这些法律废止。1909年发生反教权主义骚乱，暴乱分子放火焚毁教堂，攻击神职人员。政府为了平息民愤，限制修会数量，并对修会所办工业企业征税。人民婚嫁一律按世俗礼仪。在1931年革命中成立的第二共和国，其政府为反教权的政府，颁行的立法与法国立法相似。但政府却无力制止暴乱分子对教堂和隐修院的攻击，许多神职人员和修女惨遭杀害。天主教徒乃聚集力量进行反抗。以佛朗哥将军为首的反革命人士向共和国宣战，建立长枪党独裁政权，它废止或搁置了各项反教权法律，但是教会与国家的冲突并未停止，即使到1975年佛朗哥死后，仍在继续。

拉丁美洲　自从拉丁美洲脱离西班牙和葡萄牙独立以来，这个地区各国反教权主义倾向大不相同。例如，哥伦比亚执行反教权立法30多年(1849～1884)，但随即将“完全的自由以及不受民政权力约束的完全独立”交还天主教会(1888)。另一方面，在委内瑞拉，古斯曼·布兰科的政府(1870～1888)实际上摧毁了天主教会的组织，甚至企图使神职人员结婚成为合法。一部分限制日后有所宽松，但是总的说来反教权主义仍占主导地位。自1924至1938年，在墨西哥掀起了反教权风潮，一面进行社会改革，一面实行镇压性的反教权立法。其后几十年间，反教权立法依然刊在法规汇编之中，但是天主教会的神职人员逐渐获得了更多的工作自由。

德国　反教权主义在德国早已有之，但是，在法兰西革命时期传来的思想却从理性上加强了它。主张建立“世俗国家”的自由化思想，主要在德意志南部地区大为得势，在1848年的一系列革命事件中发挥了作用。同样，马克思社会主义的兴起，使得劳动民众中很大一部分人投入反教权主义阵营，但是，莱茵河流域地区人口众多，其中的天主教徒大都拥护宪政，同情某些自由主义原则。他们的政治纲领导致成立中央党，也包括对各少数宗教集团的权利的保护。1871年德国统一，其后不久首相俾斯麦吸收自由主义纲领中部分内容，发动“文化斗争”，即对天主教会进行一系列攻击。他颁行反教权主义立法：限制修会数量，取缔耶稣会，允许世俗婚配，凡不配合此项运动的神职人员将被逐出教区，抗拒者受到制裁，有些主教被废黜。这些反教权主义立法大都于19世纪80年代废止，但耶稣会一直到1917年才被解禁。

anticlimax　高潮突降　指从有重大意义的精彩内容突然转入平淡或荒谬内容的修辞方法。A.蒲柏在《夺发记》中就大量使用此法。例如：您，伟大的安娜，三个王国服从您的统治，您有时听取忠告，您有时喝点茶。

anticoagulant　抗凝血药　加至血液中可以防止其凝结的药物。抗凝血药抑制正常存在于血液中的各种凝血因子的合成及其发挥功能。这些药物常用于防止动静脉中形成血栓。抗凝血药一般有两个类型。一型是肝素(**heparin**)，这是一种黏多糖，它可以促进抗凝血酶Ⅲ的活性，而抗凝血酶Ⅲ也是一种血浆蛋白质，它可以使凝血酶灭活。另外一型为维生素K拮抗剂，这型抗凝血药同肝素的主要区别是它们的作用时间长。其中应用最广的是华法林。维生素K拮抗剂干扰维生素K在肝中的代谢。因为维生素K是合成多种凝血因子过程中的一个重要因子，所以维生素K的代谢受干扰就会产生出结构有缺陷并在血中缺乏活性的凝血因子。抗凝血治疗的一个主要副作用是出血。抗凝血药还在采血和储血时使用。

Anticona(Peru)　**安蒂科纳**　参阅**Ticlio**蒂克利奥。

anticorona　对华　参阅**Brocken bow**布罗肯宝光环。

Anticosti Island　安蒂科斯蒂岛　加拿大魁北克省东南部北岸区的岛屿，位于圣劳伦斯河河口，圣劳伦斯湾内，岛长217千米，最宽处48千米，面积7 941平方千米。安蒂科斯蒂岛的北面沿岸丘陵高达191米，对航运构成危险，其上森林繁茂，多云杉、枞树和松树。该岛1534年为法国航海家雅克·卡蒂埃所发现，被命名为阿桑普申岛，从17世纪起改称安蒂科斯蒂岛，印第安语为“猎熊之地”。1680年该岛赐与探险家路易·若利埃，1763年法国将该岛割让给英国，与纽芬兰合并。1774年划入魁北克省。英国人多次欲在此设居民点不果，1895年出让给法国巧克力制造商，1926年法商又将其出让给一家加拿大造纸公司。岛上第一个永久性居民点是拜圣克莱尔湾的梅尼埃港，是木材港口、现时岛上唯一的居民点。人口264(1991)。

anticyclone　反气旋　发生在赤道带以外区域的大范围风系，在北半球围绕高压中心按顺时针方向吹，在南半球按逆时针方向吹。风向与气旋(**cyclone**)的风向相反。

antidepressant　抗抑郁药　在精神病科用于缓解抑郁的药物。这类药通常属于下面3种化学类型：三环化合物(因为其分子结构中有3个环)，单胺氧化酶(MAO)抑制剂和血清素(5羟色胺)再摄取抑制剂。抗抑郁药自20世纪50年代晚期应用于临床，现广泛用于控制重抑郁症。由化学机理上讲，抑郁似乎是由于脑中的单胺神经递质血清素和去甲肾上腺素的数量减少或活性降低所致。所有抗抑郁药之取得疗效都是通过抑制机体对这些神经递质的再摄取或灭活作用，这就使这些递质能以积存在局部并使它们和神经细胞上的受体接触时间更久。这些变化似乎有助于提高情绪和缓解抑郁。三环类抗抑郁药抑制脑中去甲肾上腺素和血清素的灭活。三环类包括丙咪嗪、阿米替林、去甲丙咪嗪、去甲替林，以及一些其他化合物。这些药物对于抑郁症病人中的大部分(超过70%)可缓解其症状。三环类和单胺氧化酶抑制剂一样，其抗抑郁作用可能要2～4周才能显示出来。可能的副作用包括口干、视力模糊、便秘、头晕和排尿困难。有些病人还出现过脑和心脏毒性症状。单胺氧化酶抑制剂——异唑肼、苯乙肼和环苯丙胺，一般情况下只在三环药物疗效不满意时才使用，因为这些药的副作用难以预测，且人们对其复杂的交互作用现仍不大了解。单胺氧化酶抑制剂的药效似乎是通过干扰单胺氧化酶发挥作用，而后者在神经细胞中负责分解去甲肾上腺素、血清素和多巴胺。20世纪80年代，一种称血清素再摄入抑制剂的新型抗抑郁药显示极高疗效。氟苯氧丙胺似乎只干扰脑中血清素的再摄取过程，使这个神经递质得以在局部积存。氟苯氧丙胺常可缓解三环类和单胺氧化酶抑制剂不能奏效的抑郁症病例，它的副作用既少也不那么严重。因此到20世纪末，氟苯氧丙胺已经成为使用最广的抗抑郁药了。

antideuteron　反氘核　由一个反质子和一个反中子组成的复合反粒子，于1965年在纽约州长岛布鲁克黑文国家实验室的30吉电子伏(GeV)同步加速器中首次产生。它具有1单位负电荷，2单位原子质量，可看作氢同位素氘的反原子核。

Antietam, Battle of　安蒂特姆战役(1862-09-17)　又称夏普斯堡战役。美国南北战争中的一次决定性战役，因安蒂特姆河而得名。北军在第二次布尔溪战役中失败后不久，南军的R.E.李将军就挥师挺进马里兰州，企图攻占东南面的联邦国会大厦。北军经过整编

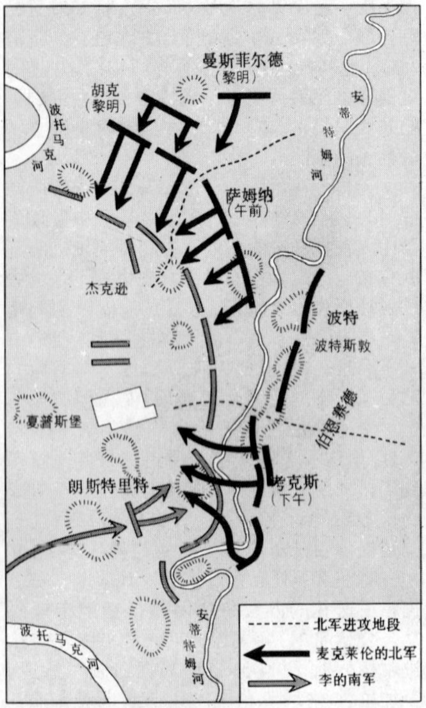

安蒂特姆战役（1862-09-17）
美国不列颠百科全书公司供图

以后，在G.B.麦克莱伦将军率领下，于1862年9月17日在安蒂特姆截击李的军队。在这场鏖战中，南军伤亡9 000至1万人，北军伤亡约1.2万人。

antiferromagnetism　反铁磁性　氧化锰之类固体材料的一种磁性。温度较低时，在整块的氧化锰材料中起着微小磁铁作用的相邻离子（锰离子 Mn^{2+} ）会自发地反向排列。因此，材料外部几乎完全不显磁性。在反铁磁材料（包括某些金属和合金）以及一些离子固体里，由同向排列的磁原子或离子所体现的磁性，被反向排列的那些磁原子或离子所抵消。这种自发的反平行原子磁体对的排列被热运动所破坏，而且当达到一定温度（奈耳温度）以上时，反铁磁材料的特性就被顺磁性所替代。有些反铁磁性材料的奈耳温度是室温，或比室温高几百度，但一般来说，这一温度比较低，如氧化锰的奈耳温度是122K（－150℃）。在外加磁场里，反铁磁性固体材料随着温度变化而表现出各种特殊性状。在很低的温度下，原子磁体的反平行排列保持不变，材料对外磁场没有反应。在较高温度下，有些原子离开原来的排列，沿外磁场取向。在奈耳温度时，这种排列和由此产生的弱磁性达到最大值。超过这一温度后，热扰动逐渐使原子不能随磁场排列，所以，当温度增加时，材料里由原子排列而产生的弱磁性会不断减弱。

antigen　抗原　进入机体后能和淋巴细胞结合的各种异物大分子。淋巴细胞是白细胞的一种类型，不同种类的白细胞以不同的方式执行其“机体卫士”的职能。能诱发机体免疫反应的抗原称为免疫原。机体免疫反应大致有两种形式，一是通过刺激B淋巴细胞产生抗体，一是通过激活T淋巴细胞直接参与攻击和杀灭抗原。实际上，所有的异物大分子都可以成为抗原，如细菌、病毒、原虫、蠕虫、食物、蛇毒、蛋白、血清成分、红细胞及各种生物（包括人类在内）的其他细胞和组织中的蛋白质。多糖及类脂质与蛋白质结合后也是抗原物质。抗原表面有一种名为抗原决定基的分子成分，能以结构互补的形式和B淋巴细胞表面的受体分子结合。结合了抗原的淋巴细胞便迅速形成细胞克隆，并触发针对这种抗原的体液和（或）细胞免疫反应。前者是指免疫复合物能刺激B淋巴细胞大量产生抗体；后者是指激活T杀伤淋巴细胞，使其直接参与攻击和杀灭抗原的免疫过程。应答抗原刺激所产生的抗体数量取决于抗原的种类、数量、进入机体的途径及宿主的个体特性。参阅 **antibody**；**lymphocyte**。

Antigone　安提戈涅　希腊传说中俄狄浦斯和他的母亲伊俄卡斯忒由于不知情而乱伦所生的女儿。她的父亲察觉到伊俄卡斯忒就是自己的母亲，他在无意中杀死的人就是自己的父亲后，就弄瞎了自己的眼睛。她和她的姐妹伊斯墨涅给俄狄浦斯带路，陪他从底比斯开始流放，直到他在雅典附近死去。回到底比斯后，她们想使她们的兄弟们——正在保卫这座城市和王位的厄忒俄克勒斯同正在攻打底比斯的波吕尼刻斯——和解。但二人都负伤身死，结果他们的舅父克瑞翁成为国王。为厄忒俄克勒斯举行了一次隆重的葬礼之后，他下令不许移动波吕尼刻斯的尸体，让它暴露在光天化日之下，声称他是一个叛徒。安提戈涅出于对兄弟的爱，并认为这一命令是不公道的，偷偷地掩埋了波吕尼刻斯。为此克瑞翁下令把她处死，她被囚在一个墓穴里，在那里自缢身死。她所爱的人海蒙（克瑞翁的儿子）也自杀。（以上系根据索福克勒斯的《安提戈涅》的剧情，但根据欧里庇得斯的作品，安提戈涅逃跑了，同海蒙过着幸福的生活。）

Antigonid DYNASTY　**安提柯王朝**　古马其顿的统治家族（公元前306～前168）。安提柯一世之子德米特里一世赶走了雅典的卡山得统治者德米特里（法莱隆）并征服了塞浦路斯岛，从而使其父能控制爱琴海、地中海东部和巴比伦尼亚以外的整个中东。公元前306年这些地区的军队集合起来宣布安提柯一世为国王。德米特里继承安提柯一世的王位。其子安提柯二世由于驱逐了加拉提亚的入侵者而巩固了马其顿王国。约公元前240年安提柯二世死时，他已为马其顿建起一个可靠而持久的政府。其子德米特里二世（公元前239～前229在位）立即卷入对希腊的亚该亚同盟和埃托利亚同盟的战争，直到死去。马其顿被削弱了，且德米特里的继承者腓力五世又是一个孩子。局势变得很不稳定，结果腓力的监护人自立为王，称安提柯三世。他攻入希腊，在塞拉西亚打败斯巴达国王克莱奥梅尼三世（公元前222），重新把各同盟联合起来且自立为希腊联盟的盟主。他死时（公元前221），国内已恢复稳定，马其顿在希腊重新有了一个更为强大的地位。腓力五世统治下的马其顿首先同罗马发生了冲突（公元前215）。公元前197年，腓力五世在库诺斯克法莱战败，缔结的和约规定他的统治只限于马其顿。瓦解的希腊联盟由先前的马其顿各地区的一系列同盟所取代。特别是过去的均势被破坏，罗马成了地中海东部的决定性力量。腓力的继承者佩尔修斯（公元前179～前168在位）被承认为捍卫希腊自由以反抗罗马的斗士。但是佩尔修斯未能充分调动他的全部力量，从而导致他在马其顿的彼得那败绩（公元前168），这也便意味着王朝的结束。

Antigonish　安蒂戈尼什　加拿大新斯科舍省东北部城镇，安蒂戈尼什县行政中心。位于乔治斯湾一小港安蒂戈尼什湾顶端，新格拉斯哥东面50千米处。1762年法国人最早在此定居，1785年后始有英国军人和苏格兰高地人到来。原名多切斯特。安蒂戈尼什为印第安米克马克族语，意为“断枝”或“鱼河”。现主要为住宅区。出口木材、农产品和鱼。附近开采石膏和石灰石。为天主教主教管区所在地。1875年建成圣尼尼安大教堂。有圣伯纳德山学院（1883）和圣方济各·沙勿略大学（1853）。每年7月中旬举行高地运动会。1888年设建制。人口4 924（1991）。

Antigonus I MONOPHTHALMUS（One Eyed）　**安提柯一世（独眼的）**（公元前382～前301，小亚细亚弗里吉亚伊普苏斯）　绰号独眼安提柯。亚历山大大帝麾下的将领，马其顿安提柯王朝（公元前306～前168）的建立者。杰出的战略家和战斗领袖，也是一位培植同雅典及其他希腊城邦的友谊的精明领袖。

公元前333年，亚历山大任命安提柯为弗里吉亚总督。亚历山大死后，他受命于马其顿帝国摄政佩尔狄卡斯，担任潘菲利亚和吕基亚总督。随后他同马其顿总督安提帕特、埃及总督托勒密、色雷斯总督利西马科斯和克拉特罗斯（他们都是亚历山大的将领）联手反对佩尔狄卡斯。佩尔狄卡斯被杀后，安提帕特成为帝国的执政。公元前321年，安提帕特任命安提柯为驻亚细亚的军队总司令并派他去攻打佩尔狄卡斯的追随者卡帕多西亚总督欧迈尼斯。安提柯打败了欧迈尼斯，但未能攻下诺拉山地要塞。波利佩孔继安提帕特担任摄政后，安提柯于公元前319年同卡山得（安提帕特之子）、托勒密、利西马科斯和欧迈尼斯联合起来反对波利佩孔。当他的对手欧迈尼斯投向波利佩孔时，他在巴比伦尼亚总督塞琉古和米底总督佩松的帮助下在加比埃奈打败了欧迈尼斯。随后，他打算消灭所有可能的对手，便处决了欧迈尼斯和佩松，塞琉古则设法逃往埃及。

安提柯完全控制了小亚细亚，但托勒密、利西马科斯、卡山得和塞琉古在第一次联盟战争（公元前315～前311）中却联合起来反对他，意在挫败他重建亚历山大帝国的计划。安提柯占领了叙利亚并宣布自己为摄政。为了赢得希腊各城邦的支持（他们对征服者的抵抗是组成一个希腊化王国的主要绊脚石），他宣布，所有希腊人都应当是自由的、自治

的、没有驻军看守的。安提柯在他的驻在希腊的军官帮助下,把卡山得的马其顿占领军赶了出去,并把爱琴海的岛城组成一个岛民同盟,作为入侵希腊的准备。他的同盟者罗得岛城向他提供了必需的舰队。

正当他忙于征服卡里亚时,他的儿子德米特里在加扎被托勒密和塞琉古打败(公元前312)。塞琉古回到他先前的行省巴比伦尼亚。鉴于来自东方的这一新的威胁,安提柯决定同所有的敌人(塞琉古除外)讲和。所有的狄亚多科伊(亚历山大的继承者)都确认了现存的边界和希腊城邦的自由。安提柯不再是摄政,而只是负责整个亚细亚事务的称为斯特拉特戈斯的军官,他统治叙利亚以及从赫勒斯滂到幼发拉底河的地区。

随着托勒密进攻西利西亚,便爆发了反对安提柯的第二次联盟战争(公元前310～前301)。前307年在希腊,安提柯的儿子德米特里赶走了卡山得的雅典长官法莱雷奥的德米特里,恢复了雅典的宪法。感恩的雅典人把安提柯和德米特里尊崇为救世神灵。前306年,德米特里在塞浦路斯的萨拉米斯附近打败托勒密的舰队,并征服了这个岛。这次胜利使安提柯控制了爱琴海、地中海东部以及除巴比伦尼亚以外的整个近东。集会的军队宣布他为国王,而他的友人则给他戴上王冠。他又任命德米特里为国王和共治者并把王冠送给德米特里。这在希腊化王国里成了一个传统仪式。公元前305年,安提柯进攻埃及失败后,托勒密也自封为国王。卡山得、利西马科斯和塞琉古也起而效尤。于是亚历山大的帝国便正式地分裂成5个国家。前305年,安提柯派德米特里去征服罗得岛,但在一年不成功的围攻之后,他同这个岛缔和结盟,保证了罗得岛的自治以及在他同托勒密的斗争中的中立地位。这一让步是必要的,因为此时,卡山得进攻阿提卡并围攻雅典。德米特里把他赶出中部希腊,而雅典人又给予他雅典娜女神神殿的一项新的宗教荣誉,即辛那俄斯(“拥有同一座神殿的”)的称号。

公元前303年,他占领了伯罗奔尼撒的科林斯、西锡安和阿尔戈斯,并且亚该亚、伊利斯以及几乎整个阿卡迪亚都站到了他的一边。前302年,安提柯和德米特里取得了他们最大的成功,恢复了马其顿的腓力二世曾在前337年建立的泛希腊同盟。所有希腊各邦的使节——斯巴达、麦西尼亚和色萨利除外——都选安提柯和德米特里为新的同盟的保护者。这将是延续到后代国王们的“永恒的”条约。每一成员国为同盟军提供一部分军队,同盟军的统帅是国王或他们的代表。同盟将要保证希腊的全面和平,但它首要的任务是帮助安提柯对卡山得作战。

权力如日中天的安提柯要求卡山得无条件投降。他要占有其王朝故土马其顿,并且对亚历山大过去的帝国树立自己的统治。但是,其他的狄亚多科伊以卡山得的命运为前车之鉴,于是联合起来向这位贪婪的老人发动进攻。塞琉古从巴比伦尼亚进攻小亚细亚;托勒密进攻叙利亚;利西马科斯进入小亚细亚的西部。弗里吉亚的摄政者多奇姆斯与吕基亚的斯特拉特戈斯(军官)菲尼克斯都离开了安提柯。而安提柯则召回了德米特里,然后离开他的首府安提戈涅亚(公元前306年建立)并越过了托罗斯山脉。正在等待塞琉古的利西马科斯不想接战。安提柯派出一支队伍进入巴比伦尼亚以分割敌人的兵力,但是没有成功。公元前301年利西马科斯和塞琉古的联军在弗里吉亚的伊普苏斯同安提柯和德米特里的队伍展开了战斗。德米特里把敌人的骑兵追击得太远,从而犯了错误,结果80高龄的安提柯吃了败仗,丧了性命。

安提柯曾是一位杰出的战略家,常胜将军。他赏识希腊文化。他建立了几座城市,特别在小亚细亚,他把一些小的社团结合成单一的巨大中心,例如列别多斯和特奥斯。一些希腊艺术家使他的宫廷增添了光彩。阿佩莱斯还画了他的侧身像。

Antigonus II Gonatas　安提柯二世(约公元前319～前239)　公元前276年继位的马其顿国王,他恢复了他的王国的影响力,并确立了对希腊的霸主地位。

安提柯二世是德米特里一世之子,安提柯一世之孙。当其父德米特里在马其顿和小亚细亚忙于对色雷斯的利西马科斯、埃及的托勒密一世、伊庇鲁斯的皮洛士以及塞琉古一世作战时,安提柯作为他的摄政致力于维护马其顿于公元前287年在希腊取得的霸主地位。公元前285年,德米特里被塞琉古生俘。两年后其父去世时,安提柯本人僭取了这个有争议的头衔。不过直到公元前276年他才认为是他统治的开始。虽然安提柯在希腊的基地不多,但当塞琉古被杀时(公元前281),他便提出了对马其顿的要求。塞琉古的继承人安条克一世对此提出异议。安提柯参加保卫希腊以对抗入侵的凯尔特人的战斗(公元前279)。翌年,他同安条克缔结和约。安条克放弃了对马其顿的要求。此后,安提柯一直保持同塞琉古家族的友好关系。公元前277年他渡过赫勒斯滂,并且在利西马基亚附近打败了凯尔特人。他于公元前276年被马其顿人承认为国王。但是,公元前274年皮洛士把安提柯赶出了上马其顿和色萨利。前272年皮洛士阵亡于阿尔戈斯后,安提柯才确保了对马其顿的控制。他这时又是色萨利同盟的首领并且同相邻的伊利里亚和色雷斯也保持着良好关系。通过把马其顿的占领军部署在科林斯各城市、埃维亚的哈尔基斯以及色萨利的德米特里亚斯,他巩固了自己在希腊的地位。

此外,他还支持伯罗奔尼撒各城市的亲马其顿派,并且支持西锡安、阿尔戈斯、伊利斯和迈加洛波利斯的僭主取得政权。为了通过控制海峡和来自南俄地区的谷物供应而使希腊处于完全依附地位,马其顿只需把爱琴海控制在自己手中。为了避开这一危险,斯巴达的国王阿柔斯和雅典城,在埃及的托勒密二世的敦促下,宣布发动一场解放希腊的战争(公元前267～前261年的克里摩尼地安战争)。尽管埃及舰队封锁了萨罗尼克湾,安提柯却在科林斯附近打败了斯巴达国王(公元前265),然后又包围了雅典。公元前263～前262年,该城投降。雅典的官吏为安提柯所任命的人所取代,雅典只不过成了马其顿的一个省级城市。

在克列摩尼地安战争之后,安提柯立刻与塞琉古家族的安条克二世联合起来反对共同的敌人托勒密二世,保证了安提柯对爱琴海和岛民同盟的控制权的根源。他在科斯的海上胜利是属于这次战争(公元前255)还是克列摩尼地安战争,我们无法确定。公元前255年他同托勒密缔结了一项和约,并且通过他异母兄弟英俊者德米特里和昔兰尼的贝勒奈西联姻,他在相邻的埃及国内也确立了马其顿的影响。

但是他在希腊的地位却被一些挫折所动摇。公元前253年,安提柯的侄子和摄政亚历山大在托勒密的帮助下在科林斯发动叛乱并宣布自己是独立的君主。安提柯于是失去了科林斯和哈尔基斯,这正是他借以控制南部希腊的两处基地。由于埃托利亚人已经占领了温泉关,所以他去雅典和伯罗奔尼撒的路又被切断。亚历山大死后,安提柯把亚历山大的遗孀尼凯亚嫁给自己的儿子德米特里,由于这一策略,他在公元前244年重新得到了科林斯。但此时,亚该亚同盟正在变成一个危险的对手。公元前251年以来,这一同盟处于西锡安的阿拉托斯的领导之下,并且一直在接受托勒密二世的财政援助。安提柯想用送礼的办法争取阿拉托斯但未能成功。公元前243年阿拉托斯未经宣战便突然进攻科林斯,并且迫使马其顿占领军撤退。麦加拉、特洛埃津和埃皮达鲁斯也叛离了安提柯。他并不试图重新取得这些领土,而和埃托利亚同盟结成联盟,联盟想攻入伯罗奔尼撒未获成功。尽管如此,由于约公元前244年在安德罗斯打败了埃及舰队,安提柯得以维持爱琴海上的霸主地位。在经历了无休止的战争之后,安提柯于80岁时去世。

就个人而论,安提柯不是那种自命不凡的人物。领袖崇拜在其他希腊化国家是常见的现象,但在马其顿却不流行。他选择朋友不取决于出身,而取决于他们个人的才能。他从哲学的角度设想他的君主统治应严格遵守作为一名领袖的义务。安提柯曾是斯多葛派的奠基人芝诺的学生,他说服雅典人为芝诺举行隆重的葬礼。

Antigonus III Doson　安提柯三世(约公元前263～约前221)　马其顿国王(自公元前227年起),他打败了斯巴达的克莱奥梅尼,从而结束了这个城市的长期独立。他的姓的意义可能是“将要给予但从不真正做到的人”。安提柯一世的后人,德米特里二世(安提柯二世的异母兄弟)和拉里萨的奥林匹娅斯之子。德米特里二世去世时(公元前229),安提柯成了德米特里二世儿子腓力的监护人。两年后,安提柯娶了德米特里的遗孀弗西娅并僭取了王位。他的第一项军事任务便是保证马其顿的边界不受蛮族的侵犯。随后他便卷入了希腊事务,表现了出色的治国本领。他支持阿拉托斯和亚该亚同盟以反对斯巴达国王克莱奥梅尼和埃托利亚人。经过几年的战争,克莱奥梅尼被打败(公元前222),安提柯占领了斯巴达。但是不久便不得不返回马其顿以应付伊利里亚人的入侵并把他们打败。波利比奥斯把安提柯说成是一位明智而且有节制的统治者。他的继子腓力五世继承了他的王位。

antigorite 叶蛇纹石 矿物名。为蛇纹石(serpentine)的一种同质异象变体。

Antigua and Barbuda 安提瓜和巴布达 位于加勒比海东部小安的列斯群岛的岛国,由安提瓜、巴布达和无人居住的雷东达3个岛屿组成。面积442平方千米。原为英国殖民地,自1967年,与英国保持着一种自由联盟的地位,1981年取得完全独立。首都圣约翰,位于安提瓜岛。该国近邻有西北方的安圭拉岛,西边的圣基茨-尼维斯岛和西南方的蒙塞拉特岛。安提瓜岛东北岸是大西洋。人口约79 000(1990)。

土地 最大岛屿是安提瓜岛,总面积为280平方千米。岛上无森林、高山和河流,易遭受旱灾。岛上大部分地区地势低洼,起伏不平,底部为石灰岩,但地形向西多为火山岩构造,逐渐升高,至博吉峰达405米。海湾与岬角纠结的海岸线边缘尽是礁石及沙洲。船只停泊地有深水港圣约翰和浅水港帕勒姆及英吉利。安提瓜的年均气温约为27 ℃。各个月份之间的温差不大,年均降雨量约为1 000毫米,与小安的列斯群岛其他岛屿相比,相对稀少。安提瓜及该国其他岛屿均位于西印度洋季节性飓风带内。

巴布达岛,原称杜尔西纳,位于安提瓜岛以北40千米处,面积161平方千米。该岛为珊瑚礁岛,地势平坦林木繁茂,东北角的林赛山高44米。巴布达岛有多种野生动物栖居,包括野鸭、珠鸡、千鸟、鸽子、野鹿和野猪。岛上唯一居住地科德灵顿位于该岛西部的一个潟湖畔。

雷东达岛荒无人烟,面积1.3平方千米,垂直高度305米,位于安提瓜本岛西南40千米处。岛上有磷酸盐矿。

人民 安提瓜和巴布达的人口大部分是非洲黑奴的后裔,其祖先原系殖民时代被带到这里的甘蔗种植园工作的奴隶。现在大部分居民从事旅游业和农业。人口主要聚集在安提瓜岛的圣约翰和巴布达岛的科德灵顿。岛上居民讲英语,大多信奉基督教,圣公会教派为主要教派。平均预期寿命72岁。

经济 自70年代末,安提瓜和巴布达的经济一直平稳而缓慢地增长。国民生产总值的增长速度高于人口增长速度,作为一个加勒比海国家,其人均国民生产总值已相当高。旅游业为经济的支柱产业,若将相关的服务业也包括在内,旅游业约占国民生产总值的60%。

自20世纪50年代起,农业在国民生产总值中的比例急剧下降,到80年代末期,已不足5%。与此同时,农业工人数量也下降到大约2 100人,相当以前从事农业的人数的1/4。1972年制糖业的衰败对农业造成重大打击。80年代初期曾试图重新种植甘蔗和恢复制糖厂,但由于财政问题,1985年制糖业再次倒闭。海岛棉为传统作物,水果、蔬菜及牲畜亦有生产。政府建立捕捞及鱼产品(包括龙虾)加工公司后,渔业生产日趋繁荣。

安提瓜和巴布达的制造业仍处于发展阶段。大部分工业与农产品加工有关,主要生产的产品包括食品、服装及纺织品、混凝土空心砖、油漆、光学镜片、木材和纸制品。电子元器件经组装后出口。进口包括矿物燃料、机械及运输设备、食品、牲畜和化学产品。安提瓜和巴布达的主要贸易伙伴有美国、加勒比海共同体和共同市场成员国以及英国。

岛上运输主要依靠汽车,几乎50%的道路铺有路面。国际航班起降的主要机场是安提瓜岛的伯德机场。主要港口为圣约翰深水港。

政体与社会状况 安提瓜和巴布达是英联邦的独立成员。1981年的宪法规定设两院制议会政府。众议院议员每5年选举一次,参议院议员由代表英国君主作为国家首脑的总督任命。挑选参议员时,总督向总理以及少数党领袖进行咨询。

岛上居民享有两种由政府提供的福利计划,一为医疗计划,该计划支付大部分医疗费和住院费用;另一为社会保障计划,为老年人提供养老金及其他福利。地下水供应由于采用海水蒸馏法而不断增多。

居民从5岁开始接受义务教育,连续11年。国内还设有一所师范学院及一所职业技术学校。识字率较高,估计约占总人口的90%。

广播和电视由政府机构控制。该国有数种报刊,均为私人所有。

安提瓜的旅游景点包括五光十色的公共市场、现为议会所在地的旧法院(建于1748～1750)和圣约翰大教堂(建于1847),这些地方均在圣约翰。一年一度的仲夏嘉年华会,规模仅次于在特立尼达举办的嘉年华会,内容有歌唱比赛、游行及其他庆祝活动。

历史 哥伦布于1493年到达安提瓜,并以西班牙塞维利亚的安提瓜圣马利亚教堂的名字为之命名。从1632年开始该岛成为英国拓居者的殖民地,他们从非洲运来黑奴,先是在大庄园里种植烟草,后又改种甘蔗。巴布达于1678年成为英国人的殖民地。从1685年该岛便一直被科德灵顿家族占有,19世纪末才重归英国王室所有,当时该岛已成为安提瓜的属地。虽然最初打算在巴布达建立一个奴隶繁衍地,但该计划始终未能实现。相反,岛上奴隶却成为自力更生的水手、猎人和渔民,共同拥有巴布达岛上的土地。1834年,安提瓜的奴隶获得解放。从1871年,安提瓜(还有巴布达)在行政上成为英国背风群岛殖民地的一部分,直到1956年该殖民地脱离英联邦。

1958年安提瓜加入西印度群岛联邦。1962年该联邦解体之后,安提瓜于1967年参加了英国的自由联盟,这种关系使安提瓜在所有国内事务上享有完全自治的权利。1981年安提瓜和巴布达脱离英国获得完全独立。

Antigua Guatemala 旧危地马拉 危地马拉西南部城市。海拔1 533米。曾为墨西哥城和利马之间最重要的西班牙殖民政府所在地。1527年建立,原称危地马拉的圣地亚哥-德洛斯卡瓦耶罗斯。后毁于火山喷发。1542年在旧城附近建造新都,名圣地亚哥,为政治、经济、文化中心,人口约6万。1773年圣地亚哥又被地震摧毁。后在24千米外又建新危地马拉(今危地马拉市),因此,圣地亚哥称为旧危地马拉。现主要因保存有殖民地时期大建筑物遗迹而成为西班牙殖民史博物馆,并以此闻名。在中央广场及其附近,旧殖民地首府的几座建筑物仍在使用。市内多宗教建筑物遗址和重建的私人住宅。1979年该城被列入联合国教科文组织世界遗产名录。有几家现代化旅馆坐落于风景优美的幽静环

旧危地马拉市的拉梅尔塞教堂
美国不列颠百科全书公司供图

境中。在高耸的火山山麓,山光壮丽,气候宜人,为旅游和居住胜地。该市的圣周节为全国最著名的节日之一。与危地马拉市有公路相连。人口:城市区约19 700(2002)。

antihero 反英雄 又称非正统派的主角。戏剧或故事中无英雄气质的主角。这类角色始见于古希腊戏剧,各国文学作品中都有,例如《唐吉诃德》、《汤姆·琼斯》中的两位主人公。在现代,战后被"愤怒的青年"定义的反英雄包括J.布雷恩《金屋泪》中的兰普顿和A.西利托《星期六晚上和星期天早晨》中的A.西顿。

antihistamine 抗组织胺药 一类能选择性地对抗由肥大细胞分泌的组织胺(histamine)药理作用的合成药物。在诸如应激、炎症、变态反应等情况下,抗组织胺药能通过和组织胺争夺二种组织受体来消除组织胺引发的各种机体反应。虽然早期开发的抗组织胺药都是H_1受体拮抗剂,但它却能对抗组织胺的几乎所有的药理作用,唯一的例外是对胃腺分泌的作用。抗组织胺药的发展最早可以追溯到1937年,以乙胺衍生物为多,苯胺类化合物的抗组织胺作用虽强,但毒性太大,不能实用。从1942年第一种现代抗组织胺药苯苄胺(苯胺衍生物)问世至今,已有一百多种抗组织胺药投入临床实用,它们的药理作用越来越强、越来越特异、副作用也越来越小。因为变态反应和过敏性休克的各种症状的产生机制都和组织胺有关,故抗组织胺药就被广泛地用于控制这类疾病,如枯草热、过敏性鼻炎等。它不仅能有效地缓解黏膜刺激症和卡它症状,而且对荨麻疹、水肿、搔痒等也有效。抗组织胺药并不是治疗普通感冒和哮喘的理想药物;但因其强力的止吐作用,常用于治疗晕动病和止吐。服用过量可出现副作用,其严重程度取决于病人的身体状态和用药种类。成人的常见副作用有嗜睡;婴儿常见有中枢兴奋、烦躁、失眠等。抗组织胺药的其他副作用还有消化道刺激症、头痛、视力模糊、口干等。如果服药3日无效,即应停药。口服给药,经消化道吸收,大部分在肝脏被单胺氧化酶灭活。70年代发展起来的甲氰咪胍是H_2受体拮抗剂,其作用是抑制组织胺诱导的胃酸的分泌,现已广泛用于消化性溃疡的治疗。

antiknock rating 抗爆值 参阅 **octane number** 辛烷值。

Antilles 安的列斯群岛 除巴哈马群岛外的西印度群岛(**West Indies**)中的全部岛群。分为两部分:大安的列斯群岛(**Greater Antilles**),包括古巴岛、西班牙岛、牙买加岛和波多黎各岛;以及包括所有其余岛屿的小安的列斯群岛。"安的列斯"一词可追溯到欧洲人发现新大陆以前,指欧洲以西大西洋对岸的半神话式的土地。哥伦布发现西印度群岛后,西班牙语中"安的列斯"一词通常指新大陆。在某些欧洲语言中,常用"安的列斯海"替代加勒比海。

Antilles Current 安的列斯洋流 大西洋北赤道洋流的分支,是北大西洋中顺时针洋流系统的一个组成部分。沿大安的列斯群岛北侧向西北流,与佛罗里达洋流汇合。而后者则发源于墨西哥湾,穿过佛罗里达海峡,构成墨西哥湾流的初始部分。

Antilochus 安提罗科斯 希腊传说中皮洛斯国王涅斯托耳的儿子,海伦的求婚者之一。海伦的被诱拐触发了特洛伊战争。安提罗科斯曾陪同父亲出征,任皮洛斯人的代理统帅,功勋卓著。涅斯托耳受到门农(埃塞俄比亚人的国王)的攻击时,安提罗科斯为了救父被门农所杀,这样就应了神谕的话,即要他"提防一个埃塞俄比亚人"。按照较晚的说法,他和他的友人阿喀琉斯一道被赫克托耳或帕里斯(均为特洛伊国王普里阿摩斯的儿子)杀死在图姆布莱的阿波罗的神殿内。

Antim IVIREANUL 参阅 **Anthimus of Iberia** 安蒂姆(伊比利亚的)。

antimacassar 罩布 椅子背或沙发顶部和垫子上为防油污而罩的布。此词来自Macassar一词,是19世纪普遍使用的一种头油。罩布原为白色的硬挺钩针织物,后来改用绣花毛料或丝绸等柔软有色的织物。20世纪大多已废弃不用。

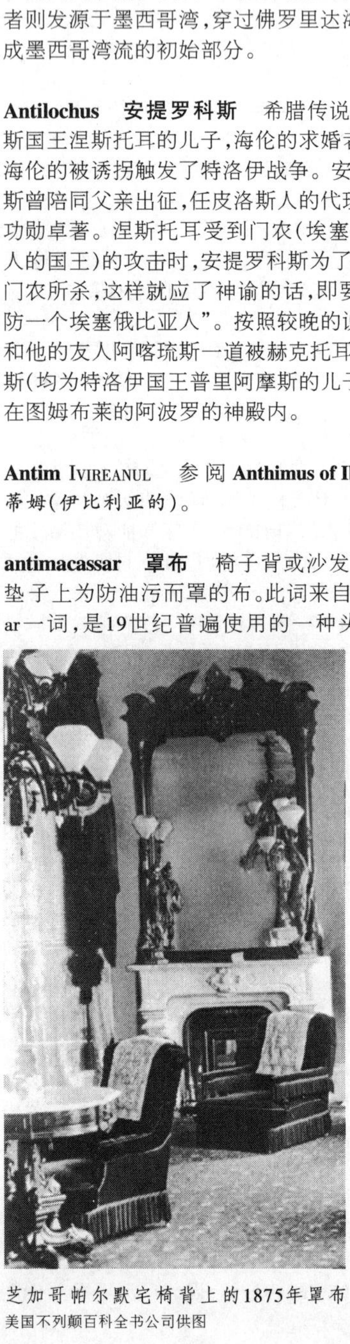
芝加哥帕尔默宅椅背上的1875年罩布
美国不列颠百科全书公司供图

Antimachus OF COLOPHON **安提马科斯(科洛丰的)**(活动时期约公元前410) 希腊诗人和学者。写过一首冗长的叙事诗,题为《底比斯》,叙述七将进攻底比斯(又译忒拜)的故事。他的作品在古代受到极大赞赏,他的学究式风格使他成为博学的亚历山大派叙事诗人的典范。哈德良皇帝认为安提马科斯高于荷马,这一评价使他免于被埋没。他的作品主要保存在后世作家的引文之中,人们引用他的作品来解释难懂的语词和不常见的神话细节。

antimatter 反物质 由这样的原子组成的物质:构成这些原子的基本粒子具有与寻常物质中的电子、质子或中子相同的质量和等量而反号的电荷。这些基本粒子被称为正电子(e^+)、反质子($\bar{p}$)和反中子($\bar{n}$),或总称反粒子。物质和反物质不可能在近程内共存达1秒钟的一个微小分数,因为它们要伴随着大量能量的释放而彼此湮没。有人曾提出:一些遥远的星系可能全部是由反物质组成的。

反物质的概念首次出现于对正、负电荷之间的对偶性的分析中。P.A.M.狄拉克对电子能态的研究导致预测并最终在实验室产生出这样一种粒子:它在各个方面都与电子相同,只是所带电荷是正的而不是负的。在寻常物质中找不到这种称为正电子(e^+)的粒子。寻常物质中正电子的概率寿命非常短。除非正电子是在极快地运动,否则它将受相反电荷之间的引力而向电子靠近。正电子与电子之间碰撞使二者同时消失,它们的质量按爱因斯坦关系式 $E = mc^2$ 转化为能量,式中的 c 为光速。这一过程被称为湮没,其总能量以电磁辐射的高能量子或 γ 射线的形式发射出来。它的逆反应 $\gamma \rightarrow e^+ + e^-$ 在适当的条件下也可以实现,称为电子-正电子产生。后一种过程常被用来在实验室内产生正电子。

反物质与寻常物质的电学性质是相反的;例如反质子($\bar{p}$)具有负电荷,反中子($\bar{n}$)电学上虽为中性,其磁矩却与中子的磁矩反号。

电子和正电子的狄拉克理论预测,由于库仑引力的作用,电子与正电子将结合成原子,正如电子与质子形成氢原子一样。e^+e^- 结合系统被称为电子偶素(**positronium**),已经观测到它湮没为 γ 射线。其寿命在 10^{-7} 秒或 10^{-10} 秒的量级,视两个粒子的取向而定。这些寿命值符合狄拉克理论的计算结果。

质子和中子都可用狄拉克方程描述。用质子轰击质子可以产生反质子。如果有足够的能量,也即入射质子至少有 5.6GeV(5.6×10^9 电子伏)的动能,就会按公式 $E = mc^2$ 出现一些质量与质子相同的额外粒子。在加利福尼亚大学伯克利高能质子同步稳相加速器中,先后产生出了反质子(1955)和反中子(1956)。

到发现反质子的时候,已发现许多新的亚原子粒子;现已知道,所有这些粒子都有相应的反粒子。于是就有正负 μ 子、正负 π 介子、K 介子和反 K 介子,以及一长串各种重子和反重子。这些新发现的粒子,大部分的寿命都短得来不及与电子结合。一个例外是曾经观测到正 μ 子与电子一起可形成 μ 子素原子。

1995 年,欧洲粒子物理学实验室(欧洲核研究组织)的物理学家创造出第一种反原子,它是寻常原子的反物质对应物。他们创造出来的是最简单的反原子——反氢,由一个正电子以反质子为核绕轨道运行而组成,是通过向氙气射流中发射反质子而得到的。一些反质子与氙核中的质子碰撞,产生出一些电子和正电子偶。然后,有少数这样产生出来的正电子与反质子结合而产生反氢。所产生的每一个反原子只能存在约一亿分之四秒,随后即与寻常物质接触而被湮没。

人们已作过许多尝试去探讨反物质在宇宙学问题中的重要性。有关物质和反物质的理论和实验知识对于了解宇宙的产生和构成是有关系的。显然,任何恒星都不可能是一个物质和反物质的密集混合体,否则它会立即比超新星更剧烈地在瞬间爆炸。星际气体乃至星系际气体也同样不可能是这种混合体,人造卫星实验迄今并未探测到这种混合体存在的证据。如果物质和反物质原是一起产生的,那么,目前对宇宙演化的了解尚不能解释为何二者不相混合。

尽管如此,也不能完全排除宇宙中存在大量反物质的可能性,而且有些宇宙来源的强烈辐射也许就应归于物质和反物质的相互渗透。但可证明,银河系中反物质总的相对量必定小于千万分之一。

发现了反质子之后,立即发生了这样一个问题:反物质是受寻常物质的万有引力还是万有斥力?这个问题极其重要,因为二者之间的万有斥力与广义相对论不符。根据 $\bar{K}_1^0$ 和 $\bar{K}_2^0$ 之间干涉现象的观测结果,M.L.古德得出结论为:物质对反物质的引力相互作用与物质对物质的引力相互作用是相同的。

antimer(chemistry) 参阅 **enantiomorph** 对映体。

Antimerina(people) **安提梅里纳人** 参阅 **Merina** 梅里纳人。

antimetabolite 抗代谢物 对于活细胞利用或合成其所需物质过程中的基本化学变化具有特异拮抗作用的物质。这类变化过程包括多个由酶催化的反应,其中任何一个反应均可被某个结构上与底物相似的抗代谢物所阻断;抗代谢物与酶结合,从而阻止酶与其底物相互作用。由活机体(如真菌)所产生的抗代谢物称为抗生素(**antibiotic**)。为了发现对癌等疾病可能有效的新的抗代谢物,已经合成了许多化合物。

antimicrobial agent 抗微生物因子 任何用以毁灭微生物或防止微生物增生的化学物质或物理因子。

具有抗微生物效能的物理和化学因子

酸类	碱类	醛类	芳香族油类
盐酸	氢氧化钙	乙醛	樟脑油
硝酸	氢氧化钠	甲醛	薄荷油
硫酸	氢氧化钾	甘油醛	松油
磷酸	磷酸三钠	醋醛	肉桂油
醋酸	硼酸钠	甲氧苯醛	桉叶油
硼酸	碳酸钠	异戊醛	
苯甲酸			
水杨酸			

染料	磺胺药	抗生素	醇类
吖啶	氨苯磺胺	青霉素	甲醇
煌绿	磺胺噻唑	链霉素	乙醇
龙胆紫	磺胺吡啶	氯霉素	丙醇
孔雀绿	磺胺胍	多黏菌素	异丙醇
	磺胺嘧啶	新霉素	苯甲醇
	磺胺甲基嘧啶	土霉素	戊醇
	琥珀酰磺胺噻唑	短杆菌素	

还原剂	煤焦油衍生物	表面活性剂
一氧化碳	酚(石炭酸)	阴离子化合物(肥皂、合成肥皂、磺酸盐)
氢	甲酚	阳离子化合物(四级铵盐类)
硫代硫酸钠	苯氧二羟铋	非离子化合物(烷化芳香基多醚醇、多乙烯氧化物的山梨聚糖衍生物)
巯基乙酸钠	二碘酚	
	对硝基酚	

金属(盐类)	物理因子	氧化剂
铝、钴、	热	氟、氯、氧、
铜、铁、	辐射	溴、碘、臭氧、
汞、银、	消毒过滤	高氯酸、高锰酸钠、
锌		溴酸钠、过氧化钠

防腐剂与杀菌剂 防腐剂与杀菌剂可直接或以气体、蒸气的形式施用于生物体及无生命物体上,通常用于医院、饮食业和一般家庭。防腐剂一词字面上指能防止腐败或预防脓毒症,通常指用于动物(包括人)、植物的活组织上,以消灭或抑制感染性微生物生长繁殖(低浓度时可抑制微生物生长,高浓度时则具杀灭作用)的因子。长期与身体外部组织(如皮肤)接触而能抑制微生物生长的物质(如油膏、软膏、敷料),即可视为防腐剂。另一方面,在允许使用的浓度下,与身体黏膜等内部组织作极短时间接触,而能毁灭微生物的物质(如漱口药、灌洗液、含漱剂),亦可视为防腐剂。无菌法一词指防止微生物进入某特定物品的过程,例如外科无菌法是指防致病细菌进入动物(包括人类)的伤口。

杀菌剂(消毒剂)能消灭有害的微生物,亦可使病毒与原生动物失去活动力,但对具厚壁,通常处于休眠状态的细菌或真菌孢子却无效果。消毒的正式定义是指直接使用化学或物理方法杀死病原物。*消毒药*(**disinfectant**)通常是指能消灭无生命物体(如外科器械、地板、墙壁等)表面的微生物的物质。

许多防腐剂和杀菌剂只能特异性地消灭某些种类的微生物,而对其他微生物无效。理想的物质能杀灭所有微生物,且在高浓度状况下使用亦无任何毒性残留,但迄今尚未研制成。

灭菌 指能消灭所有生命形态的物理或化学方法,尤其用于消灭微生物、孢子以及病毒。精确的定义是使用适当的化学因子或热力消灭所有微生物。热力灭菌包括用 120 °C 或温度更高的高压蒸气处理至少 15 分钟,或在 160 ～ 180 °C的条件下干热处理 3 小时。接受灭菌处理的物体本身必须能经得住这些处理而不会遭到有害的影响。

卫生处理 卫生处理剂通常是一种化学物质,可使微生物的数量降低到法定的安全水平,多用于乳品业、食品加工业、饮食业及其他未知有特异性病原微生物存在,又无需杀灭所有微生物的地方,以控制其设备及用具中的细菌水平。

化学保存剂、抗生素以及其他抗微生物物质 保存剂通常是化学物质,添加于某些食品或药品中以防止因微生物生长而可能造成的腐败或疾病。预防剂也是用以预防感染和疾病的物质。*抗生素*(**antibiotic**)通常用以治疗已存在于人类或动物体内的传染性疾病,但亦已用作皮肤或黏膜表面的防腐剂。预防接种(vaccination)是注射数量不足以致病的病原微生物于动物(包括人)体,以刺激抗体之产生,达到防止疾病的目的。

无菌过滤法通常可将对热敏感的溶液中形体较大的微生物(如细菌、真菌及其孢子)除去,但这种物理消毒法不能有效地除去较小的传染性微生物(如病毒及立克次氏体)。四级铵表面活性杀菌剂对大多数细菌有效,但对细菌孢子、结核杆菌及某些病毒无效。通常用 X 射线治疗皮肤真菌感染,而很少用难以限制作用范围的放射性同位素。磺胺药和抗生素均为化学治疗制剂,用以治疗正在进展的感染性疾病。化学药品,甚至同一类抗微生物药内的化学药品,其特异性常难确定;可能其中一种药物的抗菌谱广于其他药物。

作用方式 有些抗微生物药直接作用于微生物细胞使其溶解;表面活性因子可能并不溶解微生物,而是能穿透细胞,使之释出氨基酸、细胞核物质,以及其他重要的化学成分。有些药品穿透微生物的细胞壁,使基本的细胞膜运输系统失活,以致细胞无法取得生存与繁殖必需的营养物质。另一些因子使细胞内某些重要物质凝固从而杀灭微生物。少数因子可扰乱细胞的新陈代谢,使细胞不能再同化营养素而饥饿死亡。部分抗微生物药品的作用可用普通的光学显微镜观察,但大多化学制剂对致病微生物(如病毒、立克次氏体、菌质体)的作用,必须用电子显微镜或通过其他更复杂的技术才能观察研究。

antimonide 锑化物 由一种或几种金属与锑(Sb)的化合物所组成的一类少见的矿物。金属的配位都是八面体或四面体。在八面体中,每个金属离子在由六个负电荷的锑离子组成的八面体中占有一个位置,在四面体中,金属离子则被由四个按四面体排列的负电荷的相邻离子所包围。八面体配位的晶体结构与硫化物矿物中的方铅矿的结构相同,四面体配位的晶体结构则相当于硫化物类中的另一矿物辉银矿的结构。

常见的两种锑化物是锑银矿(Ag_3Sb)和锑钯矿(Pd_5Sb_2)。锑银矿显示出明显的斜方对称性,是一种重要的银矿,出现在与侵入岩伴生的热液成因矿床中,在加拿大安大略省的科博尔特和澳大利亚新南威尔士的布洛肯希尔都有相当数量的发现。锑钯矿也呈现三方对称,是一种主要的钯矿物,出现在镍铁矿床里,与自然铂、磁黄铁矿和黄铜矿共生,已在南非的布什维尔德杂岩,西澳大利亚的坎博尔达和俄罗斯的诺里尔斯克发现。其他锑化物有方锑金矿($AuSb_2$)和红锑镍矿(NiSb)。所有锑化物都具有金属光泽,不透明,比重大,硬度中到低。

antimony 锑(Sb) 周期表Ⅴa族氮族金属元素。有多种同素异形体(分子或晶体中因相同原子排列方式不同而形成物理性质完全不同的物质,如金刚石和石墨)。锑为明亮的

辉锑矿,获得锑的主要矿物
美国不列颠百科全书公司供图

银白色金属，具有硬而脆的晶体结构。在自然界，主要以灰色硫化物辉锑矿(Sb_2S_3)形式存在。由辉锑矿制取锑的方法之一是将矿石焙烧，生成氧化物Sb_2O_4，然后与碳一起加热，使氧化物还原为锑。另一方法是将辉锑矿石与铁屑在炉中熔化，铁与硫化合形成熔融硫化铁液层，较重的液态锑沉降在炉底，并由炉底卸出。锑是热和电的不良导体，在干燥空气中锑不失光泽，但在潮湿空气中会缓慢转化为氧化物。锑在空气中加热会燃烧，呈明亮的蓝色火焰并放出三氧化物Sb_2O_3白烟。锑的三氧化物既溶于酸又溶于碱。纯锑虽无重要用途，但当在化学上或物理上与其他物质结合时，便成为非常有用的金属。锑在凝固时体积膨胀(只有水和锑有这种罕见的性质)，因而锑是铸造用合金和铅字合金的特别宝贵的成分，合金膨胀能使金属充满铸模细小缝隙。另外，由铅和少量锡构成的铅字合金加入锑后，可提高铅字的硬度和清晰度。在其他金属特别是铅中加入少量锑，也会使其强度和硬度显著提高，铅锑合金用于汽车蓄电池极板、子弹头和通讯电缆的外皮。锑与锡、铅和铜构成耐磨的巴比特合金，用于机器轴承部件。锑的化合物有很多用途：其硫化物用于弹药和摩擦火柴，三氧化二锑和三氯化锑用于耐火织物。油漆和塑料中加入的三氧化二锑，起颜料和阻燃剂的作用。锑的一些其他化合物用作油漆颜料。吐酒石(锑的有机盐)用于纺织业，以利某些染料与织物结合，还用于医药中，作为祛痰剂和催吐剂。锑的原子序数为51。原子量为121.75。其熔点630.5 °C。沸点为1 380 °C。密度6.691克/厘米^3 (20 °C)。氧化态 -3、+3、+5。电子组态2,8,18,18,5或$1s^22s^22p^63s^23p^63d^{10}4s^24p^64d^{10}5s^25p^3$。

antimony poisoning 锑中毒 因食入或吸入某些锑化合物而引起的人体组织和功能损害。表现与砷中毒类似。可因饮用含有氧化锑的酸性果汁而引起。这些氧化锑是由于劣等搪瓷容器的釉质分解而混入果汁中的。亦可由反复应用含锑药物(如酒石酸锑钾)所致。从事与锑接触的职业不一定会发生严重的职业性中毒。锑、砷中毒的机制主要是锑、砷与酶结合，妨碍细胞的新陈代谢。

Antimorona (people) 参阅**Antaimoro**安泰莫罗人。

antimycotic 抗真菌剂 参阅**fungicide**杀真菌剂。

Antin, Mary 安廷(1881，俄国波洛茨克～1949-05-15，美国纽约萨芬) 美国女作家。著有自传性的《上帝许给的地方》和其他关于在美国的移民生活的作品。1894年移居美国。1901～1904年，在哥伦比亚大学师范学院和纽约巴纳德学院学习。第一部著作《从波洛茨克到波士顿》是用意第绪语写的(1899年译成英文出版)，叙述她来到美国的这次航行。《上帝许给的地方》(1912)，原以连载形式在《大西洋月刊》上发表，获得广泛的赞扬，描述了欧洲犹太人的经历，以及与其在美国生活的对照。此书出版后，她以讲演者的身分环游美国。她关于移民的第三部著作《敲我们大门的人们》于1914年出版。

antineutrino 反中微子 一种亚原子粒子，与中微子(**neutrino**)对应的反粒子。

antineutron 反中子 普通中子的反粒子。1956年在美国加利福尼亚大学(伯克利)第一次得到。让一束反质子在物质中穿过，当束中的反质子所带的负电荷与邻近的质子所带的正电荷交换之后，就会同时出现中子与反中子。反中子很快就被中子或质子湮没。

antinomianism 反律法论 基督教神学名词，谓基督徒既蒙上帝救恩即无须遵从摩西律法的学说。反律法派根本否定摩西律法具有法律约束性，他们认为人的行善是由于圣灵在人内心起作用。反律法论的思想在早期教会中已有表现，但是，这种学说正式形成乃是在宗教改革运动所引起的有关律法和福音的争论进行期间。一般认为其创始人是路德的合作者阿格里科拉。

antinomy 二律背反 哲学上两个原理或结论之间真实的或表面的矛盾，双方似乎同样都可以证明是合理的。二律背反几为悖论之同义语。批判哲学创始人伊曼纽尔·康德为了表明纯粹理性不适用于形而上学领域，在详细阐述他的学说——纯粹理性在企图掌握无限的东西时会产生矛盾——时，运用了二律背反一词。他对于宇宙有一个开端并且其范围是有限的这一命题(正题)及相反的命题(反题)都提出了所谓的证明。他还为其他三个命题提供了正反两方面的论证：①一切复合物都由单一部分构成；②并非一切现象都有充足的"自然"原因(即宇宙中存在着自由)；③无论在宇宙之中，或是在宇宙之外，存在着一种必然的实体或曰本体。康德以前两组二律背反推断出空间和时间通过精神构成构架。他的"哥白尼式的革命"是指事物应以认识者为中心，而不是认识者应以事物为中心。他通过指出现象(为感官所认识或体验的事物)和本体(**noumenon**)的区别解决了二律背反。康德坚持认为，我们永远也不能认识物自体，因为我们永远不能超出现象。在20世纪，出现了更为具体的解决二律背反的建议。

Antinoöpolis 安蒂诺波利斯 今称谢赫阿巴德。古代埃及的罗马城市，在尼罗河东岸，今明亚省会以南37千米处。罗马皇帝哈德良宠爱的安蒂诺乌斯于130年在此附近淹死，哈德良为纪念他而于当年10月30日建立此城。通向红海的哈德良大道即始于此。据该处发掘出的莎草纸文献揭示，该城地位与诺克拉提斯相同。居民为希腊人，但可娶埃及女人为妻。城市至少存在到8世纪。

Antinoüs 安蒂诺乌斯(约110，比提尼亚比提尼乌姆～130，埃及贝萨附近) 罗马皇帝哈德良宠爱的娈童。曾陪同哈德良周游整个地中海世界。在去埃及后，溺死于尼罗河。哈德良在帝国各地为他立祠，并在他溺死的地点附近建起一座城市，取名安蒂诺波利斯。现存许多把他描绘为年轻貌美象征的雕像、玉刻和铸币。

antinovel 反小说 又称新小说(法语为nouveau roman)。20世纪中叶的先锋派小说，标志着彻底背离传统小说的常规。反小说家从下列前提出发：在小说中一切都已完成——整个社会已被全面描绘，人的心理已被细密地探讨。因此，他们力求探索出写小说的新路子。他们努力克服一些文学描写习惯，并向读者的期望提出挑战。为此，他们有意识地破坏传统文学所期望的东西，完全避免表达作者的个性、爱好或准则。他们唾弃传统的特征、娱乐、戏剧性进展，以及揭示特征或下一步情节的对话等因素。萨特在为萨罗特的《无名氏的画像》(1948)写引言时首次使用该词。它通常与20世纪50年代和60年代的法语词nouveau roman(新小说)相联系，但是其他作家的作品，如德国小说家约翰松的《对雅各布的种种揣测》(1959)也模糊地揭示了同样的特点，对事件的随便安排以及含意的不确定性。

Antioch 安条克 一译安提阿。弗里吉亚古城，在今土耳其伊斯帕尔塔省亚尔瓦奇附近。塞琉古一世(约公元前358～前281)建立。公元前189年由罗马人辟为自由市。约公元前25年被罗马人直接控制，此后不久，奥古斯都皇帝便把它划为殖民地。于是，它成为南加拉提亚的政治军事中心。在罗马皇帝克劳狄一世(公元41～54在位)时代，圣保罗以此为传教活动中心。安条克古城中的遗址有经过切割的巨石，可能为弗里吉亚人神庙的柱基。

Antioch 安条克 土耳其语作Antakya(安塔基亚)。古代叙利亚人口稠密的城市，现为土耳其南部哈塔伊省主要城市(1939起)。位于奥龙特斯河口附近。公元前300年希腊人建立，直至公元前64年为塞琉西王

安条克古建筑物(约公元5世纪)中的拼花地板，图案四角代表一年四季，其他为神话故事
普林斯顿大学艺术和考古系供图

国中心。后被罗马人当作叙利亚省首府。为最早的基督教中心之一。4、5世纪橄榄油生产给当地带来繁荣。6世纪发展蚕丝业。6世纪接连受灾(火灾和地震)。637年并入阿拉伯哈里发王国。969年复被拜占廷占据作为边境要塞。1084年归属塞尔柱突厥帝国。1098年被十字军攻占,1268年被马木路克夺取。1517年起隶属奥斯曼帝国直至第一次世界大战。现代安条克经济以附近地区农业(小麦、棉花、稻米、橄榄、蔬菜、水果和葡萄等)为基础。市内有肥皂厂、橄榄油厂、轧棉厂和其他农产品加工厂。亦生产丝织品、靴鞋和小刀。该地曾有重要的考古发现。人口137 200(1994)。

Antioch 安条克 第一次十字军时期欧洲基督教徒于1098年在从穆斯林手中夺取的土地上建立的以安条克城为中心的公国。它作为欧洲在东方的据点存在了大约两个世纪。安条克的领土包括坚固设防的、绝大部分是基督教徒的安条克城(拉丁东方主要的商业中心),以及北至西利西亚、东至埃德萨和阿勒颇的边界和南至叙利亚中部的地区。第一位公爵博希蒙德一世(1098～1111在位)以及摄政者坦克雷德(1104～1112)和罗杰(安条克公爵,1112～1119年摄政)扩大了公国的领土。但是,穆斯林挫败了他们企图征服阿勒颇的计划。安条克公爵们常战死疆场,子嗣多年幼难以进行统治,纷争频繁,常由大封主耶路撒冷王出面恢复秩序。安条克公国虽然政局很不稳定,而且遭到穆斯林的攻击,但经济上却很繁荣。由于贸易对基督徒和对穆斯林都是必需的,因而双方尽管宗教各异,却能达成维护贸易往来的协议。从东方来的大篷车上装载着香料、染料、丝绸和瓷器,然后用船运往欧洲市场。附近的果园和橄榄园生产出口的甜柠檬和橄榄油,来自黎巴嫩森林的木材售给埃及人以交换精细的布匹。1187年博希蒙德三世(1163～1201在位)求得已征服耶路撒冷王国大部的穆斯林领袖萨拉丁(1169～1193在位)对公国的承诺。博希蒙德去世后,围绕继承权之战使安条克瓦解,给穆斯林集结军队提供了时机。到1268年,安条克领土已大为缩小,安条克城本身在埃及和叙利亚的马木路克苏丹拜巴尔斯一世(1260～1277)的军队进攻下投降。

Antioch, Council of 安提阿会议(341) 基督教会的会议。在安提阿(安条克,今土耳其东南部安塔基亚)举行。有东罗马帝国皇帝君士坦提乌斯二世和大约100名东派教会主教出席。会议提出四种用以取代《尼西亚信经》的草案,都在一定程度上偏离正统教义,抵制或删略《尼西亚信经》中关于基督与圣父同体的词句。

Antioch, Orthodox Church of 安提阿正教会 参阅 **Greek Orthodox Patriarchate of Antioch and All the East 希腊正教安提阿与全东方牧首区**。

Antioch, School of 安提阿学院 叙利亚基督教神学机构,据传创立于公元200年前后。该学院注重从经文字面意义进行解释,强调基督人性的完备,反对主张从寓意解释经文(隐喻解经法)并突出基督的神性的**亚历山大学院(Alexandria, School of)**。安提阿学院在4～6世纪甚为活跃,培养出一批卓越的神学家。

Antioch University 安蒂奥克大学 美国俄亥俄州耶洛斯普林斯的一所私立男女同校高等学府。建于1852年,原名安蒂奥克学院。以其实验课程和工读制著称。H. 曼是该校第一任院长,从1852年至1859年去世前一直任该职。该校从建校时起即实行男女同校,不分宗教派别,并给黑人以同等的教育机会,但它真正的改革始于1921年。当时的院长A.E. 摩根进行了被称为高等教育的第一次进步尝试,企图把"文科大学教育、职业培训和终身训练"这三者结合起来。该校要求学生在时间安排上,将学习传统课程同全日制工作交替进行,从而取得"实际社会中的实际生活"经验。安蒂奥克大学在美国许多州和其他国家实施合作和工作经验项目,并且在英国和德国设有开展这项工作的中心。该校在美国一些城市开设分校,开设文科课程;还有几个专科中心,其中包括在华盛顿(哥伦比亚特区)的法学院,在新罕布什尔州基恩市的新英格兰研究生院(一所培训教师的学校)。1978年,安蒂奥克学院强化了自己的所有教学项目,并采用安蒂奥克大学之名。

Antiochene rite 安提阿式礼仪 叙利亚基督一性论派教会(雅各派)、印度喀拉拉邦马拉巴派基督教会(雅各派)以及叙利亚公教会、马龙派教会和印度喀拉拉邦马兰卡公教会等三个东仪天主教会所采用的礼仪和教规。这种礼仪有时称为西叙利亚礼仪,以区别于迦勒底(东叙利亚)礼仪。安提阿式礼仪源起于安提阿牧首区,日后的拜占廷式礼仪和亚历山大式礼仪都以它为基础。

Antiochus 安条克 叙利亚塞琉西王国诸国王之名。兹按其年代先后分列于后,并各以●为标记。

● **Antiochus I Soter 安条克一世**(公元前324～前262或261) 叙利亚塞琉西王国国王(公元前292～前281统治王国东部,公元前281～前261统治整个王国),面对强大的外部压力,他巩固了国家并促进城镇的建设。塞琉西王国缔造者塞琉古一世之子。当游牧民入侵王国东部时即位(公元前292)。他修复入侵者破坏的建筑物,重建了3座城市,并为发展东方贸易,派遣地理学家勘察里海周围地区。公元前281年,其父被杀后,他继承了整个王国,但立即面临叙利亚境内的叛乱、安纳托利亚北部的独立运动以及马其顿王安提柯二世发动的战争。公元前279年高卢人入侵希腊,他与安提柯签订互不侵犯条约。翌年2万名高卢人涌入小亚细亚,开始骚扰塞琉西王国。公元前275年,安条克利用印度大象打败高卢人,使爱奥尼亚各城邦免遭高卢人的蹂躏。因此,这些城邦称他为"救星"。当高卢人入侵希腊时,他鼓励希腊人迁入他的王国,并在小亚细亚兴建许多新的城市,以与高卢人抗衡。他在伊朗兴修了另一些城市,以防安息人威胁王国的东陲。在巴比伦,他重建了古老的埃萨吉拉寺。公元前279年埃及托勒密二世发动进攻,侵占小亚细亚西南部的米利都;公元前276年又侵入叙利亚北部,安条克奋起抵抗,把敌人赶出国门。但托勒密与阿尔西诺伊二世结婚之后,又对塞琉西人开战,约公元前273～前272年攫取腓尼基和小亚细亚的沿海地区。公元前266～前261年间,安条克与帕加马王国作战,公元前262年战败,又丧失一些领土。不久死去,由安条克二世继位。

● **Antiochus II Theos 安条克二世**(约公元前287～前246) 统治中东的塞琉西国王。公元前261年继承其父安条克一世之位,大部分在位期间,与埃及交战。他为报父仇、雪旧耻,对托勒密发动第2次叙利亚战争(公元前259～前255),结果夺回安纳托利亚大部分土地,包括米利都城、以弗所城和腓尼基的沿海地区。收复米利都之后,他推翻统治该城的暴君,市民们对他敬之如神,故冠以"神明"的称号。不知什么原因,他在公元前253年左右废黜正宫莱奥迪西,而与托勒密的女儿贝勒奈斯结婚。公元前246年他死去时,两个王后展开一场内战。王位由其子塞琉古二世承袭。另一子在安纳托利亚西部自立为王。

● **Antiochus III 安条克三世**(公元前242～前187,伊朗苏萨附近) 希腊化时期叙利亚帝国的塞琉西国王(公元前223～前187)。他重建王国的东陲,并缩小王国省区范围,重

美国不列颠百科全书公司供图

建王国的行政管理。还通过嫁女联姻,改善与邻国的关系。塞琉古二世之子。继其兄塞琉古三世为国王。他任命赫米亚斯为首席大臣,阿凯夫斯为小亚细亚总督,莫伦为东方行省米底总督,他的兄弟亚历山大为东方行省波西斯总督。翌年莫伦反叛,安条克听从赫米亚斯的意见,中止与埃及争夺叙利亚南部的战役,挥师讨伐莫伦。公元前220年在底格里斯河对岸打败叛军,同时征服米底的西北部阿特罗帕特尼地区。同年阿凯夫斯在小亚细亚自立为王,但因所部哗变,未能进攻安条克。从此,安条克放手进行所谓第4次叙利亚战争(公元前219～前216),并夺取东地中海的重要港口皮埃里亚的塞琉西亚、提尔和托勒密。公元前218年,他占领了科埃莱叙利亚(黎巴嫩)、巴勒斯坦和腓尼基。公元前217年安条克率6.8万人与埃及法老托勒

密四世的7.5万兵在叙利亚南端的拉菲阿交战。他虽然打垮埃及军队的左翼，但中军方阵却被埃及方阵突破。随后签订和约，他被迫放弃除皮埃里亚的塞琉西亚以外所有征服的领土。叙利亚战争结束后，他再次进攻叛逆阿凯夫斯。由于与帕加马国王阿塔罗斯一世结盟，公元前213年终于将阿凯夫斯生擒、处死。在平定小亚细亚以后，他开始发动著名的东进战役(公元前212～前205)，所向披靡，一直打到印度。公元前212年，他将妹妹安条尼丝嫁给亚美尼亚国王薛西斯，使后者称臣纳贡。公元前209年他占领安息国王阿萨息斯三世的都城赫卡通皮洛斯，翌年又打败大夏国王欧西德莫斯。公元前206年他的大军翻越兴都库什山，到达喀布尔峡谷。托勒密四世死后，安条克与马其顿的君主腓力五世订立秘约，瓜分托勒密帝国除埃及以外的领地：安条克获得叙利亚南部、吕基亚、西利西亚和塞浦路斯，腓力获得小亚细亚西部和基克拉泽斯群岛。安条克率兵入侵科埃莱叙利亚。公元前200年在约旦河源附近的帕尼翁，打败托勒密王朝的大将斯科帕斯，占领巴勒斯坦。在第二次马其顿战争(公元前200～前196)中，腓力被罗马人击败。安条克不但不肯出兵援助腓力，反而在腓力拖住罗马军队的时候加紧进攻埃及。公元前195年缔结和约，安条克永远占有叙利亚南部，并获得埃及在小亚细亚的领土。他将女儿克娄巴特拉嫁给托勒密五世，使埃及实际上成为塞琉西王朝的保护国。安条克于公元前198年占领帕加马王国的部分领土，公元前197年占领小亚细亚的希腊城邦，公元前196年渡过赫勒斯滂海峡进入色雷斯，宣布公元前281年塞琉古一世所拥有的土地全部归他所有。这样一来，他就与罗马发生了边境冲突。罗马数度派遣使节要求安条克退出欧洲，并给予所有小亚细亚的自治村社以自由。但是，如果满足这些要求，就无异于割让塞琉西帝国的西部土地，安条克当然不能接受。公元前192年秋，他率兵1.05万在德米特里亚斯登陆，占领了埃维亚。然而，他在希腊中部找不到任何支持和援助。公元前191年罗马大军切断他与色雷斯援军的联系，并包抄他在温泉关隘口的阵地。他突围而出，到达埃维亚的哈尔基斯。他从这里经海路去以弗所，但舰队遭到罗马、罗得和帕加马海军的联合进攻，全部覆灭。他在锡皮卢斯山附近的马格内西亚战役中被罗马军队彻底打败，被迫接受《阿帕梅亚条约》，放弃托罗斯山脉以西的欧洲和小亚细亚的全部领土，支付1.5万塔连特的赔款，交出象队和舰队，并提交包括其子安条克四世在内的人质。这时，他所统治的领土仅限于叙利亚、美索不达米亚和伊朗西部。后在苏萨附近的巴力神殿被人刺杀身亡。

● **Antiochus Ⅳ** Epiphanes (God Manifest) **安条克四世**(约公元前215～前164，伊朗塔巴耶)　希腊化时期叙利亚帝国的塞琉西王国国王(公元前175～前164)，以鼓励希腊的文化和制度而闻名。公元前190～前189年父王安条克三世为罗马人所败，他作为人质于公元前189～前175年被软禁于罗马。其兄塞琉古四世用自己的儿子德米特里将他换回。塞琉古四世被篡位者希利奥多鲁斯杀害以后，他将希利奥多鲁斯赶走。在叙利亚政局不稳的时候，埃及国王托勒密六世对安条克三世所征服的科埃莱叙利亚、巴勒斯坦、腓尼基等地提出主权要求。叙利亚和埃及双方均向罗马求援，但罗马元老院拒绝偏袒任何一方。安条克四世先发制人，抢在埃及人进占巴勒斯坦之前侵入埃及。他打败埃及军队，占领了培琉喜阿姆。公元前169年，他夺取了除首都亚历山大以外的全部埃及领土，并作为外甥托勒密六世的保护人治理埃及。后由于巴勒斯坦发生变乱，他才撤回叙利亚，但在培琉喜阿姆构筑一个强固的要塞，牢牢握住出入埃及的咽喉。托勒密六世再次请求罗马援助。这时，安条克的舰队占领了塞浦路斯岛。公元前168年，安条克率大军再次侵入埃及，占领了下埃及地区，在亚历山大城下扎营。可是，罗马人打败马其顿军队之后，剥夺了安条克一系列的胜利果实。罗马使节盖乌斯·波皮利乌斯·拉埃纳斯在亚历山大城郊向安条克递交最后通牒，要安条克立即撤离埃及和塞浦路斯。安条克大惊，要求给予考虑的时间。这时，波皮利乌斯用手杖在地面上绕着安条克划了一个圈子，要安条克在走出这个圈子之前作出明确的答复。安条克在公开羞辱下气馁，答应照办。安条克力争埃及提出主权要求的叙利亚南部地区，总算保全了王国的领土完整。他建立和发展希腊式的城市，努力加强自己的王国。他由于实行希腊化政策而与犹太人发生冲突。自他在位以来，犹太人在高级祭司统治下享有广泛的自治权。公元前167年他从埃及回来的时候，强行占领了耶路撒冷，迫使该城希腊化。耶路撒冷丧失了特权，由叙利亚士兵长期驻防。安条克禁止崇拜雅赫维，违者以死论处。他下令在犹太教圣殿中建起宙斯的祭坛。犹太人不堪忍受这种亵渎，就在犹大·马加比的领导下展开游击战争，多次打败安条克任命的镇压起义的将领。马加比于公元前164年底捣毁宙斯的祭坛，重建犹太教的圣殿。这时，安条克在波斯的塔巴耶病故。

● **Antiochus Ⅶ** Sidetes **安条克七世**(约公元前159～前129)　叙利亚塞琉西王国国王(公元前139或138～前129)。塞琉西国王德米特里一世之子，德米特里二世之弟。在希腊群岛度过青年时代。公元前141年，德米特里二世同安息人作战被俘，王后克娄巴特拉·塞阿摄政。当时有一个叫作特里丰的人起来篡位。公元前139年安条克七世回国，与克娄巴特拉·塞阿结婚，把特里丰赶走。公元前138年安条克向犹太人发出最后通牒，要求承认他的霸主地位，但遭到犹太人的拒绝。他兴兵讨伐，但被打败。公元前135或前134年他亲自攻打并夺占了耶路撒冷，拆毁耶路撒冷的城墙，任命海尔卡努斯为祭司，允许宗教自治。他取得巴勒斯坦以后，就开始收复祖先所占有的东部领土。由于希腊化各城邦的支援，他把安息人赶出了美索不达米亚。安息人可能为了挑起塞琉西王国内战，释放了他的哥哥德米特里二世。公元前129年初，安息人突然袭击塞琉西王国的冬季营地，杀死安条克。

● **Antiochus** Hierax **安条克**(活动时期约公元前263～前226)　塞琉西国王塞琉古二世之弟。当其兄在埃及作战时，他宣布安纳托利亚独立，企图夺取王位。兄弟两人均为安条克二世前妻之子。在第3次叙利亚战争(公元前246～前241)初期管辖安纳托利亚，后来以勤王为名率兵进驻叙利亚。这时，塞琉古与埃及媾和，挥师直捣安纳托利亚，于是就开始了"兄弟战争"(公元前239～前236)。安条克联合加拉西亚人和另外两个与塞琉西王国一向敌对的国家，于公元前236年在安卡拉一役把哥哥的军队打得落花流水。可是，他与加拉西亚人结盟却触怒了帕加马(另一希腊化国家)国王，在公元前236～前228年的战争中，帕加马国王把他逐出安纳托利亚。他回到叙利亚后，企图起事未成，公元前227年被放逐到色雷斯，实际上过囚犯的生活。翌年越狱逃走，到山中筹建军队，但被加拉西亚人杀死。

Antiochus of Ascalon　**安条克(阿什凯隆的)**(约公元前120～前68)　希腊哲学家。继拉里萨的斐洛之后成为学园主持人。他为柏拉图主义指引出新的方向。所创立的哲学体系以3个哲学学派为基础：柏拉图主义、逍遥学派和斯多葛主义。斯多葛派思想在其学说中最为重要。反对曾对柏拉图主义的趋向有过重大影响的两个怀疑论者阿凯西劳斯和卡涅阿德斯，并为一个更加积极的发展方向开拓了局面。

Antiope　**安提俄珀**　希腊传说中双生子安菲翁和西苏斯的母亲，他们的父亲则是宙斯神。据一种说法，她的美貌使宙斯为之动心，他就化作半人半羊怪物将她强行占有。她怀孕以后，为了逃避父亲的威胁而出走，并和西锡安国王埃波佩乌斯结婚。后来她被找回并被她的叔父吕科斯囚禁。从西锡安返回途中或从狱中逃出后，安提俄珀生安菲翁和西苏斯。他们都由牧人抚养长大。后来她同两子团圆；他们认出自己的母亲后，就杀死吕科斯和他的妻子狄耳刻。由于狄耳刻被害，她一直虔诚崇拜的狄俄尼索斯就使她变成疯子。她终日在希腊各地游荡，直到她的病被治好，并在帕尔纳索斯山上同蒂索雷亚的福科斯结婚。安提俄珀又是战神阿瑞斯同一个好战的妇女种族亚马孙人的王后所生女儿的名字。希腊英雄忒修斯拐跑了她作自己的妻子。

Antioquia　**安蒂奥基亚**　哥伦比亚西北部省份。位于安第斯山脉西部及中部的科迪勒拉山脉北端。西北临加勒比海，东临马格达莱纳河。面积62 870平方千米，被考卡河深谷分为两部分。省会麦德林。安蒂奥基亚在殖民地时代经济以矿业为基础，至今仍生产哥伦比亚几乎全部的金和银，还蕴藏大量石棉矿和铜矿，并是全国最大的咖啡产地。农产品有豆类、甘蔗、大蕉、稻谷、香蕉和非洲棕榈等。该地不仅依靠农业和养牛，也是哥伦比亚工业化最发达的地区之一。全省为国内主要纺织工业区，省会麦德林周围尤为发达。

安蒂奥基亚省的大牧牛场
美国不列颠百科全书公司供图

麦德林亦为重要交通中心和全省文化、学术机构所在地。人口约 5 243 906(1997)。

antioxidant 抗氧化剂 加入某些食品、天然和合成橡胶、汽油及其他物质中,能在室温下抑制这些物质与空气中氧结合的自动氧化过程的各种化合物的总称。抑制自动氧化能减缓食物酸败、橡胶失去弹性、汽油中生成胶质等变质。最常用的抗氧化剂是芳香胺、苯酚和氨基苯酚等有机化合物。已发现自动氧化为链式反应,由一系列反复循环的连续步骤构成,每一步都再生出所谓链载体的中间产物。只要链载体继续存在,这种反应就能继续进行下去。自动氧化的链载体是游离基,即含有未成对电子的电中性分子碎片。链可以被热激发的分子、游离基、金属催化剂或光引发。抗氧化剂与链载体反应,使链式氧化反应终止。与大批量生产有很大关系的自动氧化实例是导致脂肪、油类和脂肪性食物的腐败,而腐败是由于脂肪分子与氧反应,降解为挥发性的醛、酮和酸的混合物引起的。自动氧化反应可以由光引发或由起催化作用的痕量金属引发。应用有机抗氧化剂,如常用的维生素 E、棓酸丙酯、丁基化羟基甲苯(BHT)或丁基化羟基苯甲醚(BHA),可以减缓酸败的发展。这些化合物通过给出氢原子而同链载体反应。大多数国家对于用于食物中的抗氧化剂都有严格的管理和控制。对于抗氧化剂的品种和数量都有特殊的限制。

antiparticle 反粒子 一种亚原子粒子,与普通物质粒子的质量相同,但电荷或磁矩相反。例如,正电子是负电子的反粒子,反中子的净电荷为零,有自旋,和普通中子相像,但它的磁极性则与同样自旋的中子相反。中微子无质量又不带电荷,它以光速前进,从后面看它以逆时针方向自旋。反中微子则以顺时针方向自旋。粒子与它的反粒子相互作用,通过湮没释放能量。

antipasto 开胃菜 意大利烹饪中的第一道菜或开胃食品(**appetizer**)。家庭里用腌肉或熏肉、香肠、橄榄、咸鳀鱼、沙丁鱼、新鲜的或是腌渍的蔬菜及贝类烹制,并用胡椒和奶酪调味。在餐馆里,除此以外尚有精心调制的菜肴如海味沙拉、蘑菇碎块、蛋黄酱燉小牛肉以及类似的食品。

Antipater 安提帕特(约公元前397～前319) 马其顿将军、摄政者(公元前 334～前323)和马其顿帝国摄政者(公元前 321～前319),他的去世标识着帝国中央集权统治的结束。腓力二世去世时(公元前336),他是马其顿的主要人物之一,他力保马其顿的王位传给腓力的儿子。亚历山大大帝出发征服亚细亚时(公元前 334),曾指派安提帕特以欧罗巴将军的头衔任马其顿摄政者。安提帕特的主要任务是守住北方边界以防敌对部族的入侵并维护希腊城邦之间的秩序。他与科林斯同盟合作以统治希腊,但由于他支持寡头政府而不得人心。亚历山大死后,新摄政者佩尔狄卡斯立刻于公元前 323 年在巴比伦设置马其顿帝国的行省,由安提帕特管理马其顿和希腊;尽管作为前任摄政者,他的地位在同佩尔狄卡斯的关系上,并没有明确的说明。后来安提帕特站到了反对佩尔狄卡斯的马其顿将领安提柯、塞琉古和托勒密的方面。佩尔狄卡斯死后,安提帕特于公元前 321 年,成了马其顿帝国两位国王——弱智的腓力三世和婴儿亚历山大四世——的摄政者。

Antipater 安提帕特(?～公元前43) 巴勒斯坦希罗德(希律)王朝创始人。由于向罗马人效劳,在犹太成为有权势的人物。公元前 47 年凯撒任命他为犹太太守。4 年后为政敌所杀。罗马人立其子为犹太国王,称希律大帝一世。

Antipater 安提帕特(?～公元前4) 希律大帝之子。曾为争夺犹太王位施展阴谋,公元前 7 或 6 年将其异母弟兄阿里斯托布卢斯和亚历山大处死。翌年因阴谋反对父王受审,在父王死前 5 天被处决。

Antiphanes 安提法奈斯(活动时期公元前 4 世纪初,雅典) 与亚历克西斯同为雅典中期喜剧作家的主要代表人物。中期喜剧继承了阿里斯托芬的旧喜剧,以模仿的讽刺作品和文学及哲学评论取代谩骂。现仅存其作品的片段,然而,他写的 134 部剧本至今却都有剧名留传。

Antiphon 安梯丰(活动时期约公元前 480～前 411,雅典) 演说家、政治家,雅典著名的以雄辩为职业的先驱者。他是个撰写讲稿的人,即为别人在法庭上进行辩护时发表的讲话的撰稿者,这一工作在雅典和斯巴达之间的伯罗奔尼撒战争结束后,在雅典盛行控告和反控告的情况下,是特别有用的。作为政治家,安梯丰是"四百人会议"进行反民主改革的鼓吹者,该会议于公元前 411 年成立,是一个寡头政治组织,企图在伯罗奔尼撒战争中夺取雅典政权。"四百人会议"垮台之后,安梯丰在一篇演说词中为自己辩护,修昔底德誉之为自古以来最伟大的求生辩护词。不过,强辩无济于事,他终以叛逆被处死。安梯丰遗留作品 15 篇,其中 3 篇——《关于谋杀希罗底斯案》、《关于歌舞艺人》以及《斥继母》——均系法庭辩护词。其余 12 篇,分为 3 组,每组 4 篇,是为四部曲,作为教授门徒时练习之用。四部曲中每篇包括有关谋杀案件的控诉词及辩护词各一篇。他的语言高雅,论理清晰明确,绝少人身攻讦之词,而此种弊端恰为后世多数雄辩家之通病。

antiphon 交替圣歌 在罗马天主教仪礼音乐中诵读诗篇之前和之后咏唱的圣咏旋律和经文,原先由交替的唱诗班咏唱。交替式诗篇咏唱系早期基督教会(主要为叙利亚教会)从希伯来礼拜仪式中采用而得,于 4 世纪时由圣安布罗斯引入西方。两个唱诗班均唱诗篇的经文,或者一个唱诗班唱诗篇中的诗句(以字母 V 表示),而另一唱诗班则在两段诗篇之间交替地唱一段短小的迭句;这迭句称为"交替句"(以字母 A 表示)。结果形成 $AV_1AV_2 \cdots A$ 的曲式。交替圣歌的唱词通常适用于该宗教节日或该段诗篇的内容。圣经《新约》或《旧约》中的赞美歌亦可以这种方式咏唱。现在交替圣歌主要用于天主教会每天的祈祷时刻。弥撒曲中的《进台经》、《奉献诵》和《圣餐经》原先都是由"交替句"和诗篇诗句组成的;至中世纪晚期,《奉献诵》和《圣餐经》中不再采用诗篇诗句,而只保留了一个交替句。《进台经》缩短为一段诗篇诗句和一个交替句(AVA)。从音乐上来看,现存的几千首交替圣歌可归纳为少数结构简单的旋律类型。旧的交替式演唱法最终被摒弃,交替圣歌现经常由一人独唱(或多人唱)和唱诗班以启应方式咏唱。

Antipodes Islands 安蒂波迪斯群岛 南太平洋新西兰外围的群岛,位于南岛东南 560 千米处。由一个中央岛(8 千米 × 5 千米)和几个小岛组成。陆地总面积 62 平方千米。中央有加洛韦山,高 402 米。一度是大批海豹栖息的场所,由于无控制地狩猎,海豹数剧减。岛上没有居民。

Antipolo 安蒂波洛 菲律宾中吕宋城市。位于马尼拉以东 19 千米,在马德雷山麓。1578 年创建。1632 年该市附近安放著名的航行平安圣母像。因该圣母像多次平安航行在墨西哥与菲律宾之间,成为西班牙大帆船的保护神而驰名。每年 5 月吸引大批朝圣者。政府投资在该市附近兴建新宅。通往奎松市的公路于 20 世纪 80 年代初完工。人口 470 866(2000)。

antipope 敌对教皇 又译伪教皇。在天主教会内,指反对合法选出的罗马主教并力图攫取教皇宝座而在一定程度上得逞的人。这种抽象化的定义必然失之空泛,不符各个实例的复杂情况。由于史料不全、不公,几位敌对教皇的当选情况,暧昧难明,而有时即使是同时代之人也无从断定哪位是真教皇。因此,不可能提出绝对确切的敌对教皇名单。在历史上,出现敌对教皇的原因不一而足,现举几例如下:①教义上的分歧。3 世纪,神格唯一论(在三位一体论方面的一种异端)蔓延,遂使罗马的一位司铎希波里图斯试图取代教皇加里斯都一世。后来,在罗马皇帝马克西米努斯迫害基督教期间,希波里图斯与教皇蓬提安和解,殉教而死(235)。②原教皇被逐。信仰阿里乌主义的皇帝君士坦提乌斯二世因为教皇利贝里乌斯坚持正统教义而将他驱逐(355),强令罗马神职人员接受总助祭

敌对教皇表

希波里图斯(217,218～235)	卜尼法斯七世(974,984～985)	维克托(四世)(1138)
诺瓦替安(251)	约翰十六世(或十七世)(997～998)	维克托(四世)(1159～1164)
菲利克斯(二世)(355～358)	格列高利(六世)(1012)	帕斯加尔(三世)(1164～1168)
乌尔西努斯(366～367)	本尼狄克十世(1058～1059)	加里斯都(三世)(1168～1178)
攸拉利乌斯(418～419)	洪诺留(二世)(1061～1072)	英诺森(三世)(1179～1180)
劳伦蒂乌斯(498,501～约505或507)	克雷芒(三世)(1080～1100)	尼古拉(五世)(1328～1330)
狄奥斯科鲁斯(530)	狄奥多里克(1100～1102)	克雷芒(七世)(1378～1394)
狄奥多尔(687)	艾伯特(或阿莱里克)(1102)	本尼狄克(十三世)(1394～1423)
帕斯加尔(687)	西尔维斯特(四世)(1105～1111)	亚历山大(五世)(1409～1410)
君士坦丁(二世)(767～768)	格列高利(八世)(1118～1121)	约翰(二十三世)(1410～1415)
腓力(768)	切莱斯廷(二世)(1124)	克雷芒(八世)(1423～1429)
约翰(844)	阿纳克莱图斯(二世)(1130～1138)	菲利克斯(五世)(1439～1449)
阿纳斯塔修斯(855)		
克里斯托弗(903～904)		

菲利克斯为教皇,称菲利克斯二世。最后,利贝里乌斯获准返回,菲利克斯退休直至去世。③在世俗权力裁断下出现重复选举。418年,总助祭攸拉利乌斯由拥护他的一派人选为教皇,受到帝国长官和拜占廷帝国政府的支持。但是,其他神职人员选出司铎卜尼法斯,是为卜尼法斯一世,他终于获得皇帝的正式承认。④重复选举导致产生第三位候选人。7世纪,帕斯加尔和狄奥多尔互争教皇之位,各不相让。最后,教会内部主张和缓的一派为塞尔吉乌斯一世取得了教皇之位。与此相似,14世纪教皇官邸被迁往法兰西境内阿维尼翁,引起1378年开始的西方教会大分裂,罗马教廷(被认为正统)和阿维尼翁教廷(被认为敌对)并立,最后又出现了比萨会议树立的第三个教廷。1417年11月11日教皇马丁五世当选,终于实现了统一。⑤教皇选举立法的变更。1059年教皇尼古拉二世公布新的教皇选举程序。原来德意志皇帝在教皇选举中发挥主导作用,罗马贵族也发挥影响,新程序剥夺了皇帝的这种机会,限制了罗马贵族的影响。结果,选出了敌对教皇洪诺留二世与正统教皇亚历山大二世对立,亚历山大二世最终获得皇帝的承认。

antiproton　反质子　一种亚原子粒子,质量与质子相同,但带负电且磁矩的方向相反。它是质子的反粒子。1955年F. 塞格雷和O. 张伯伦等人在伯克利加利福尼亚大学用从质子同步加速器射出的高能质子轰击铜靶产生反质子;二人因此获得1959年诺贝尔物理学奖。20世纪30年代初就有人预言反质子的存在,但实际发现反质子要等到高能粒子加速器达到60亿电子伏能量的高度才行。一个反质子与一个质子碰撞就会互相湮没;但是贴近掠过时就可能交换电荷而产生反中子-中子对。

antipyrine　安替比林　现已罕用的镇痛药,是最古老的合成止痛退热药。有轻度麻醉作用。1887年应用于临床。安替比林比阿司匹林作用时间长(一剂可止痛24小时),而且对于大多数人只有极少副作用。但有少数人对安替比林高度过敏,本药可使他们发生严重皮疹、头晕、震颤、循环衰竭,甚至昏迷和死亡。现有时仍然与苯佐卡因合用作为缓解耳痛的局部用药。自从发现其不良副作用后,本药的应用已大为减少。

antique　文物　具有美学价值、历史价值和经济价值的古代遗物。过去,该词只指古希腊罗马的文化遗存;后来逐渐指历代和各地的装饰艺术,不论是宫廷的、资产阶级的还是农民的,均属这一范畴。为了关税的目的,法律对于文物有各种规定。1930年美国关税条例规定,凡1830年以前制作的艺术品免收税金。在国际上,一般把这一年定为"文物"的年代下限。1952年由联合国教育、科学及文化组织发起,17个国家签署佛罗伦萨协定,一致认为"对于有关教育、科学和文化方面的资料,应撤除国际间的障碍,以畅其流通"。后来,各参加国为了履行协定而制定了有关文物的法律。如美国在1966年通过新的关税条例,准许"自免税进口报单提出之日算起,凡一百年以前所制作的文物"概予免税进口。其他参加国也都实行了类似的法令。按照一般惯例,文物现指一百年以上的具有历史价值和艺术价值的物品。文物收藏几乎是与历史记载同时开始,起初是保护神庙的珍品。英国于1857年创立现名维多利亚和艾伯特的博物馆;1863年在维也纳建立大型的公立文物收藏馆;1882年巴黎成立装饰艺术博物馆;1897年纽约市的库珀艺术和建筑联合学院也创办装饰艺术博物馆。在20世纪,收藏文物成为群众所喜爱的一项活动。

Antiquities of the Jews, The　《犹太古事记》　犹太人史籍,为投降罗马的犹太叛将约瑟夫斯在公元93年前后用希腊文写成,叙事起于远古,止于公元66年的反罗马起事。其作品并不总能为人们当作完全可信的东西加以接受。

Antirent War　抗租斗争(1839～1846)　美国纽约州北部的佃农因不满采邑特权制度而发生的骚动。该制度由荷兰人首创,当时在世袭大庄园中普遍流行。农民除交租外,必须向地主提供一定的劳务;在出售租地权时,必须按售价的1/10至1/3向地主缴纳转让金。1839年农民起来反抗这种不公正的制度。他们拒绝纳租。1846年新的州宪法废除土地使用权租借制后,骚乱才算平息。

antiseptic　防腐剂　能够杀灭或能抑制致病微生物的生长的制剂。参阅 **antimicrobial agent**。

antiserum　抗血清　含有能抵抗感染性微生物或中和毒性物质的特异性抗体的血清。是动物(如马、羊、牛和兔)及人感染、中毒或预防接种后引起应答而产生的。抗血清可用于其他个体以传递对特异性感染的免疫力或治疗有毒动物的叮咬。从动物制备的抗血清最为常用。但对动物血清过敏者则需用人体抗血清。参阅 **antibody; antitoxin; immunization; vaccine**。

Antisthenes　安提西尼(约公元前445～约前365)　雅典的希腊哲学家,苏格拉底的学生。犬儒哲学学派创始人(人们也常把该学派创始人说成是西诺佩的第欧根尼)。他出生于

美国不列颠百科全书公司供图

富有之家,其哲学思想根源来自社会内部存在的矛盾与不平。他力求奠定一种思想基础,作为通向一种较为幸福的、较为富有思想内容的生活方式之指导原则。认为幸福由德行决定,而德行可通过教育培养。在教导人们如何成为有德行的人时,他将客体区分为两类:①身外之物,包括个人财产、声色之娱,及其他给人以享乐之物;②内在之物,如真理和灵魂的知识。他主张个人如欲从身外之物取乐时,必须极力克制。鼓励学生在心灵寻求其内在的财富时要承受身体上和心灵上的痛苦。为了使其教授法更加生动,他便仿照海格立斯神话所说之方式,站在思想和信仰讲台上,对社会上的蠢事和不平"咆哮"。哲学上的犬儒学派在他去世后长期存在。

antistrophe　返回诗节　希腊颂歌中传统的三段结构中的第二诗节,在第一诗节之后、第三诗节之前。在吟唱第一诗节时合唱队在舞台上从右向左移动,在唱第二诗节时合唱队从左向右回舞。

antitank weapon　反坦克武器　打击坦克的火炮、导弹和地雷等。第一次世界大战中,由于坦克问世,人们便研制出许多种可以击穿坦克较薄装甲的弹丸。地雷和普通火炮也曾有效地用于反坦克。第二次世界大战初,出现了发射专用弹药的反坦克火炮系列,口径大多为37毫米。大战期间,反坦克武器的口径不断加大,弹药类型逐渐增多——包括研制出顶部为高硬度合金的弹头、经改进可提高初速的发射药和大威力炸药。空心装药破甲弹成效尤为显著,它在命中目标瞬间立即爆炸,并将爆炸能量聚向前方,从而提高了

侵彻力。同时，各种反坦克火箭及发射装置也相继出现，美国的"巴祖卡"反坦克火箭筒及其他国家的类似武器最负盛名。这些都是由单兵携带的轻型近距离火箭发射器。战后反坦克武器技术继续沿不同方向发展。最重要的是出现了一系列电子制导的导弹，或采用波束制导系统或采用有线制导系统。至20世纪70年代初，在射击精度、射程、多用性等方面均已达到高水平。1973年10月"赎罪日战争"中，阿拉伯人使用苏制反坦克武器有效地抵御了以色列坦克，似已开创了在地面战争中防御占优势的新时代。在此期间，反坦克炮也迅速发展，发射药、炸药、弹丸和炮管设计均进一步改善，其炮管由线膛改为滑膛，以便既可发射炮弹也可发射导弹。

antithesis　对照　源于希腊语antitheton，意为"相反"。修辞学上辞格之一。是把截然不同的对立物或有极大差异的概念放在一起，对照鲜明而具有持续感染力。例如谚语"艺术长存，光阴易逝"。对照的分句、词组或句子，长短要大致相等，邻接的语法结构要保持平衡。例如，林肯在"葛底斯堡演说"中说："我们在这里说过什么世人不会注意，也不会长期记住，但英雄们的行动却永远不会被人们遗忘。"在诗歌中，对照的效果常常是一种悲剧性的反语的效果。

antitoxin　抗毒素　在细菌毒素刺激下体内产生的一种可中和毒素的抗体。患过细菌性疾患的人，体内常产生特异性抗毒素，使人具有对疾病复发的免疫力。临床上应用抗毒素以治疗人类的传染病，所用抗毒素系用小剂量毒素反复注射动物（通常是马）而制成。动物接受多次注射，直至血内出现高浓度的抗毒素。由此制成的含高浓度抗毒素的制剂称为抗血清。最早的抗毒素是1890年为E.贝林及北里柴三郎所发现的白喉抗毒素。E.贝林因此获1901年诺贝尔生理学或医学奖。今天，抗毒素用于治疗肉毒中毒、白喉、痢疾、气性坏疽及破伤风。蛇毒注射后产生的抗毒素或含该抗毒素的血清称为抗蛇毒素。参阅**antiserum**。

antitrade wind　反信风　南北纬30°之间，2～12千米高度上吹向极地和东方的稳定风。位于向西吹的信风之上并向极地方向下降，并入中纬度西风带中。南北纬30°～35°的副热带高压带的生成，部分起因于反信风向地面的下沉。参阅**atmospheric circulation**。

antitrust law　反托拉斯法　指限制那些被认为是不公平或垄断性的工商业活动的任何法案。美国具有利用各种法律以维护企业间竞争的长期不变的政策，最著名的是1890年的《谢尔曼反托拉斯法》。该法宣布："凡限制贸易或商业的合同、合并……或暗中策划"都是非法的。1914年《克莱顿反托拉斯法》（1936年由《罗宾逊-帕特曼法》作了修正），禁止在消费者之间利用价格或其他手法进行歧视；也禁止公司合并或一公司吞并另一公司，以免严重削弱彼此间的竞争。在欧洲，反托拉斯立法于第二次世界大战后得到广泛重视，反对限制竞争的条文已载入一些国家法律和国际协定之中。

Antium（Italy）　**昂蒂乌姆**　参阅**Anzio**安齐奥。

Antler orogeny　安特勒造山幕　晚泥盆世和密西西比纪时期（大约3.5亿年前至3.4亿年前）影响科迪勒拉地槽长条形地带的造山事件。这个地带从加利福尼亚和内华达两州边界向北延伸，穿过内华达州中部进入爱达荷州。安特勒造山带这个名词和以前的曼哈顿地背斜都是用来表示该幕所造成的变形岩层。该幕证据有：①这个地带东西两侧有分布范围广泛的密西西比纪和早宾夕法尼亚世粗粒碎屑沉积；②早密西西比世显著向东运动的逆冲断层——罗伯茨山逆冲断层的发育。

antlerite　块铜矾　一种铜的硫酸盐矿物，化学式$Cu_3(SO_4)(OH)_4$。产于铜矿床的氧化带中，特别是在干旱地区。在美国亚利桑那州的比斯比、阿拉斯加州的肯尼科特、墨西哥

产自墨西哥奇瓦瓦普尔托德戈麦斯的块铜矾
美国不列颠百科全书公司供图

的科阿韦拉的莫哈达山脉和智利的丘基卡马塔，块铜矾是铜的主要矿石矿物。块铜矾的物理特性，参阅**sulfate mineral**（表）。

antlike flower beetle　蚁形甲　鞘翅目蚁形甲科昆虫，约1 000种。常见于花、叶、垃圾、枯木附近。外形似蚁，贪食，长2～12毫米。有的见于瓦砾中或岩石、木材下。

antlion　蚁狮　脉翅目蚁蛉科昆虫的幼虫。头大，方形，有镰刀状大颚；前胸形成一可动的颈；腹部卵形，沙灰色，有鬃毛。居沙地，筑漏斗形凹坑（2.5～5厘米深，口部2.5～7.5

蚁狮
美国不列颠百科全书公司供图

厘米宽），用腹部为犁，用头部承受掘松的颗粒并将其抛出坑外。然后自己埋在坑底，仅露上颚在外，小昆虫走到坑边滑入坑底便被其捕食。吸食猎物躯体的内容物后把空壳扔到坑外。有的种类（如斑翅蚁蛉[*Dendroleon obsoletus*]）幼虫不筑坑，而是从隐蔽处捕食路过的小虫。蚁蛉幼虫成熟后，用沙土和丝作球状茧而化蛹。成虫触角短棒形，翅窄而脆弱，翅脉密，一般有褐色或黑色斑纹，飞行力弱。成虫不取食，所以幼虫须贮备足够食物以维持成体的生命。已知65种蚁蛉（*Myrmeleon formicarius*）最为人熟知，广布于北美、欧洲各地（但英国无蚁蛉），成虫于夏末羽化。在美国，蚁狮常被称为傻瓜虫（doodlebug）。

Antofagasta　安托法加斯塔　智利北部一个区。在极干旱地带。东与玻利维亚、阿根廷接壤，西濒太平洋。面积125 981平方千米，为智利第二大区。人口约90%住在城市区，主要在安托法加斯塔（**Antofagasta**）（区首府）、托科皮亚、卡拉马和丘基卡马塔等城镇。下设托科皮亚、安托法加斯塔和埃尔洛阿三省。1866年在塔马鲁加尔草原发现了硝石后，人口一度猛增。本区铜产量占全国总量的50%以上。其他重要矿产有硼砂、硫磺和碘。公路、铁路长度居全国之首。人口约341 203（1982）。

Antofagasta　安托法加斯塔　智利安托法加斯塔区首府和安托法加斯塔省省会，太平洋港口。濒临莫雷诺湾。随1866年开发硝石和1870年发现银矿而发展起来。现经济

安托法加斯塔市圣马丁广场上的大教堂
美国不列颠百科全书公司供图

活动以为矿区服务和出口铜、硫磺为主。有铸造、精炼、矿石加工和硫酸厂，还有食品和饮料加工、鱼肉生产等工业。有一个拖网渔船船坞。作为智利北部最大城市，设有北方大学（1956）。地处泛美公路线中心。通铁路。建有国际机场。人口约183 365（1982）。

Antoine, André　安托万（1858-01-31，法国利摩日～1943-10-19，普利甘）　法国演员，剧院经理，评论家和电影导演，自然主义戏剧的先驱及巴黎自由剧院创办人。他对发展现代电影中的现实主义做出的贡献到了20世纪后半叶才开始受到人们的赞赏。他自学成才。曾在巴黎煤气公司任职员并从事业余表演。1887年创办自由剧院，以作为当时自然主义戏剧家剧作的橱窗。起初，此举受到冷遇，但很快被普遍接受，而且他的演出得到私人捐赠形式的资助。自由剧院在其全盛时期（1887～1893）向法国观众介绍了白里欧、易

卜生、霍普特曼、斯特林堡等人的剧作，对法国现代戏剧影响很大，世界各地剧院也纷纷起而仿效，其中有柏林自由剧院和伦敦的独立剧院。由于失去资助，1896 年剧院被迫关闭。曾短期担任奥德翁剧院合作导演。一年之后，他创办安托万剧院，上演了一批与原先相似的剧目。1906 年任奥德翁剧院的唯一导演；8 年后辞去此职，从事戏剧评论工作并成为极有创新精神的电影导演（1914 ～ 1924）。他导演的电影有《科西嘉弟兄》（1915）、《来自塞格利埃的小姐》（1920）和《阿尔勒女人》（1921）等。

Antoku　安德天皇（1178-12-22，日本京都～1185-04-25，坛浦长门）　日本第 81 代天皇。1180 年 2 岁时由平家拥上皇位。因年幼，实权落入其外祖父著名武将平清盛之手。翌年源义仲率兵将平家赶出京都，平家携他西逃。4 年后源氏在坛浦海战中消灭平家，他与其从人跳海而死。他投水时有一随身宝剑，为大和皇室神器，据传是第一代天皇从天上带到人间的。

Antonelli, Giacomo　安东内利（1806-04-02，教皇国索尼诺～1876-11-06，梵蒂冈城）　教皇庇护九世的枢机主教和国务卿。他虽然从未取得司铎的圣职，1847 年由庇护九世任命为枢机主教。1848 年教皇国开始实施民主宪政，由安东内利担任首相。同年，他的内阁及继任内阁相继垮台，罗马的革命声浪高涨，导致教皇国首相罗西伯爵被刺。安东内利大胆地与庇护九世站在一起，并筹划教皇逃往加埃塔，在该地，安东内利成为代理国务卿。1850 年教皇返回罗马，安东内利正式被任命为国务卿，其后终生任此职务。安东内利总管教皇国内的一切行政事务，直到教皇国被废止（1870）为止，同时负责教皇与其他政府间的外交关系，直至 1876 年。他认为一方面教皇的宗教权威与世俗权威无法区分，另一方面又不可能要求教皇顺从世俗议会，所以他尽量避免进一步将宪政体制引入教皇国。在外交方面，安东内利是一个机会主义者，在意大利统一运动日盛之际，他知道，唯有博取拿破仑三世的法国政府的好感才能维护教皇对意大利中部的世俗权力。1850 年起法国在罗马驻有守备部队，因此安东内利反对 1860 年成立教廷军队。皮埃蒙特部队进入罗马（1870）后，他要求该部队进驻梵蒂冈四周维持秩序，并解散教廷军队。安东内利忠心耿耿为教皇服务，但他死时教皇并不哀痛，因为不断有传闻说他生活糜烂，在任时大肆聚敛私财。

Antonello da Messina　安托内洛（约1430，西西里墨西拿～约 1479-02-19，墨西拿）　意大利画家。大概是他把油画和佛兰德斯的绘画技法引进 15 世纪中期的威尼斯艺术。其不用线与影而用色彩塑造形体的实践经验，对后来威尼斯绘画发展有很大影响。人们对他早期的事迹知之不详，但可以肯定他曾在当时的世界艺术中心那不勒斯学画。研究过普罗旺斯和佛兰德斯画家的作品，特别是受到 J. 凡·爱克作品的影响。最早的知名作品是《基督受难》（约 1455，罗马尼亚锡比乌博物馆）与《书房中的圣耶利米》（约 1460，伦敦国立美术馆）。1457 ～ 1474 年回墨西拿，这一时期主要作品是绘制教堂订购的一些老式祭

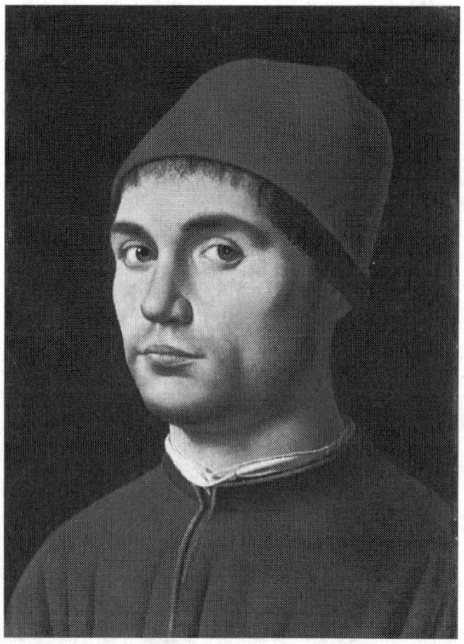

安托内洛绘《男子肖像》（约 1472）
美国不列颠百科全书公司供图

坛画，但《萨尔瓦托·蒙迪》（1465，伦敦国家画廊）一画力求表现人的私情，画风大胆而朴实，显示了他精于描绘人体和再现人的性格的才能。其最成熟的作品是《圣塞巴斯蒂安》（约 1476，德国德累斯顿美术馆）。

Antonescu, Ion　安东内斯库（1882-06-15，罗马尼亚皮泰什蒂～1946-06-01，日拉瓦附近）　罗马尼亚将军、政治家，第二次世界大战期间成为亲德政府的独裁者。第一次世界大战后任驻巴黎和伦敦大使馆武官。1934 年任总参谋长。1937 年任国防大臣。1940 年 9 月出任首相，实行法西斯专政，公开投入轴心国怀抱。1941 年对苏联宣战。1944 年 8 月米哈伊国王发动政变，推翻他的政权。后由罗马尼亚的人民法庭审判，作为战犯处决。

Antonina　安东尼娜　巴西东南部巴拉那州东部港口，位于巴拉那瓜湾湾口处。输出木材、茶叶、香蕉和铁矿石。建有以附近的磁铁矿为原料的炼铁厂。其他工业有稻米加工、镶木板制造、糖厂、面粉厂和绳索及肥皂厂。人口约 11 950（1980）。

Antonine　安东尼王朝　指罗马皇帝安东尼·庇护（138 ～ 161 在位）及其养子马可·奥勒利乌斯（161 ～ 180 在位）。"安东尼王朝"通常还包括韦鲁斯（161 ～ 169 在位），庇护的另一养子，与奥勒利乌斯共为皇帝；康茂德（176 ～ 192 在位），奥勒利乌斯之子，先与奥勒利乌斯共为皇帝，后来成为唯一的统治者。安东尼王朝时期（138 ～ 180）是和平、繁荣的伟大时期之一，此时帝国各处洋溢着民族和解、国家一统的气氛。参阅 **Five Good Emperors**。

Antonine Wall　安东尼墙　罗马人在不列颠修筑的边墙。在罗马皇帝安东尼·庇护的命令下，公元 142 年由驻不列颠总督乌尔比库斯监造。墙在克莱德河和福斯湾之间横贯苏格兰，长 58.5 千米，宽 4.5 米，高约 3 米。墙前有 12 米宽、4 米深的濠沟，墙后有一条军路。沿线有 19 个碉堡，相隔各 3 千米。它的兴建使罗马不列颠的北界扩至苏格兰。北方之乱（155 ～ 158）时期，罗马人暂时中止驻守。196 年后驻军撤至哈德良墙。现残迹仍在。

Antoninus, Saint　安东尼努斯，圣（1389-03-01，佛罗伦萨～1459-05-02，佛罗伦萨）　原名皮埃罗齐。基督教佛罗伦萨大主教，近代道德神学和基督教社会伦理学创始人之一。1405 年在佛罗伦萨加入多明我会。1446 年任大主教。热心慈善事业，在 1448 年鼠疫流行期间和 1453 年地震中不辞劳苦救济灾民，深为人民所爱戴。

Antoninus Pius　安东尼·庇护（86-09-19，拉丁姆拉努维乌姆～161-03-07，伊特鲁里亚洛里乌姆）　罗马皇帝（138 ～ 161），性格温和，富有才干，是"五圣主"中的第四个。原籍高

美国不列颠百科全书公司供图

卢，父亲和祖父都担任过执政官。他在 120 年任执政官。后来受哈德良皇帝委派，协助处理意大利的司法行政事务。约 134 年出任亚细亚行省总督，后成为皇帝的顾问。138 年被哈德良收为义子，指定为皇位继承人。即位后曾经平定不列颠罗马占领区的叛乱，142 年在**哈德良长城**（**Hadrian's Wall**）以北另筑一道横贯苏格兰南部长达 58 千米的安东尼墙。后来又平定了毛里塔尼亚、日耳曼、达契亚、埃及等地的叛乱。在他统治下，整个帝国一片升平景象。但他去世后，帝国受到外族入侵，继之出现严重的内乱。

António, prior of Crato　安东尼奥（1531，里斯本～1595-08-26，巴黎）　葡萄牙教士和争夺王位者，以失败告终。他是国王约翰三世之弟、贝雅公爵路易的私生子，曾担任圣约翰教团首领，1555 年任克拉图修道院副院长。曾随国王塞巴斯蒂昂前往北非，1578 年在三王之战中被俘，塞巴斯蒂昂阵亡。他回国后要求王位，但为塞巴斯蒂昂的继承人亨利所

拒绝。亨利死(1580-01)后,经政府会议同意,于是年6月被立为国王,称安东尼奥一世。然而,前来争夺王位的西班牙的腓力二世在里斯本郊外把他打败。腓力取得葡萄牙王位,称腓力一世,他到巴黎去寻求庇护。在法国的支援下,他于1582和1583年两次向亚速尔群岛派出舰队,但都被西班牙击败。此后他去英国,求得伊丽莎白一世的援助。1589年英国舰队在里斯本附近登陆,但遭到惨重的失败。安东尼奥贫病交加,返回巴黎,在那里进一步筹划远征,直至去世。

António, Mário 安东尼奥(1934-04-05,安哥拉马克拉杜宗布～) 学者,短篇小说家、诗人。他的著作有时着重表现安哥拉文化,有时着重表现葡萄牙文化。早年主要写个人爱情和社会抗议,后期诗中常对情绪、地方和经历作冗长的描绘。在罗安达上小学和中学,在首都当了11年公务员,1963年移居里斯本,1979年去美国访问和讲学。他著文说,葡萄牙殖民主义在安哥拉造成了一种混合文化,欧洲和非洲的观点、价值观念和见解遂为白人、黑人和黑白混血儿所共有。他是个多产作家,常为安哥拉和葡萄牙的报刊杂志撰文。主要诗集有《爱》(1960)、《诗歌100首》(1963)、《欧洲的面貌》(1968)等。到80年代中期,他已用葡萄牙文创作了20部作品,其中有诗歌、故事集、关于19～20世纪安哥拉文化和文学的短论以及翻译作品等。

Antonio, Nicolás 安托尼奥(1617-07-28或31,西班牙塞维利亚～1684-04-13,马德里) 西班牙文学史家。他的《西班牙书目》分两部分出版(《新星》1672;《旧事》1696)。前一部分是1500年以后伊比利亚半岛和西班牙殖民地作家的内容广泛的书目;后一部分是从奥古斯都统治时期至1500年伊比利亚半岛的一部文学史。

Antonioni, Michelangelo 安东尼奥尼(1912-09-29,意大利斐拉拉～) 著名的意大利电影导演、摄影师兼制片人,以其摒弃"现实的"叙事,而注重性格刻画以及含义隐晦的隐喻风格而著称。他的主要影片有《女朋友们》(1955)、《奇遇》(1959)、《蚀》(1962)和《放大》(1966)。出生于富裕家庭,接受传统教育,沉默寡言,老成持重。在大学时,就爱好电影,常为报纸写影评。1939年从影,曾从事电影评论并为一些影片编写剧本。30岁时去法国协助导演M.卡尔内摄制《夜间来客》。1943年独立导演第一部短纪录片《波河上的人们》,中途因意大利战败一度中断,1947年继续完成后又拍了几部纪录片。1950年摄成第一部故事片《一个爱情的故事》,他的才能立刻受到人们的重视。此后摄制一连串成功的影片。1955年的《女朋友们》奠定了他在电影界的地位;1959年《奇遇》使他蜚声国际。1964年摄成第一部彩色影片《红色沙漠》,1966年拍成第一部英语影片《放大》,1970年完成第一部美国影片《扎布里斯基角》。他的声誉在《奇遇》与《蚀》的时期达到顶峰。他影片中的人物是一些无力做出有意义的行动的、无法互相沟通的、陷于自己梦幻中的人,而由外部世界反映出他们从不表达的感情、他们彼此间的疏离和与周围生活的疏离。他的影片都不是围绕传统的情节或人物的分析来结构,更多是以视觉形象作为他的表现的

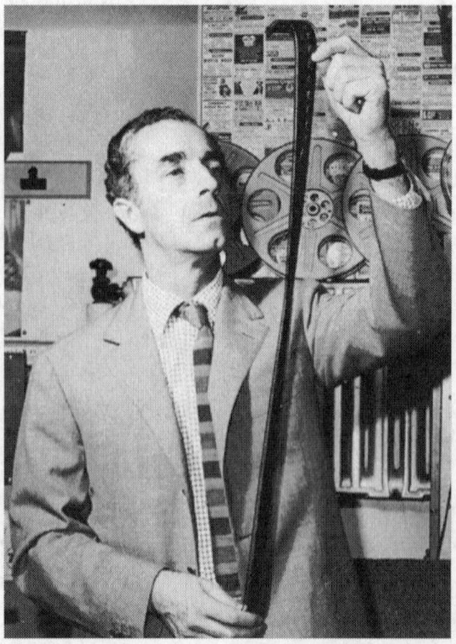

美国不列颠百科全书公司供图

载体,尤其善于表现现代工业化社会景观的独特的美。他后来的影片如《中国》(1972)、《职业——记者》(1974)、《奥伯瓦尔德的秘密》(1980),没有引起早期影片那样重大的反响,但他在电影史上的位置和对20世纪审美观念发展的贡献依然是不可替代的。

antonomasia 换称 指以某个特定的词或短语来代替某人姓名的修辞方法。例如用"埃文郡的诗人"来指莎士比亚。在小说中则指给角色取一个说明其主要特征的名字的手法。例如给外科大夫取名为 Sawbones,其中 saw 一词的意思是"锯",而 bones 的意思则是"骨头"。

Antony, Mark 安东尼(约公元前82或81～前30-08,亚历山大) 又拼 Mark Anthony,拉丁语拼作 Marcus Antonius。尤里乌斯·凯撒时代的罗马将军,后为三执政之一(公元前43～前30),在摧毁罗马共和国的内战末期与埃及女王克娄巴特拉一道被屋大维打败。少年时代放荡不羁。公元前57～前54年任骑兵指挥官,转战于犹太和埃及等地,表现突出。此后成为凯撒的参佐,随凯撒征服高卢的中部和北部。公元前51年任度支官,职位虽然不高,但在元老院有一席之地。任满后,他当选为在政治上颇有势力的占卜官。公元前49年,亦即庞培与凯撒开始内战的那一年,安东尼出任保民官。他在元老院中支持凯撒,后来参加意大利战役。庞培撤出意大利半岛之后,凯撒任命他镇守意大利。在法萨卢斯决战中,他指挥凯撒的左翼部队。战争结束后,他以骑兵总监的头衔成为意大利的摄政。由于胡作非为,凯撒将他免职。公元前44年任执政官。凯撒遇刺后,他运用各种手段控制事态发展,煽动人民反对行刺凯撒的凶手马库斯·布鲁图和卡修斯。不久,安东尼成为山外高卢中部和北部地区以及山南高卢(意大利北部)的总督,任期5年。他的权力和在人民中间的威望直线上升。这时,凯撒的养子屋大维逐渐成为他的竞争对手。公元前43年4月在穆蒂纳(今摩德纳),屋大维联合布鲁图以及两个当过执政官的人共同击败安东尼,迫使他撤退到山外高卢的南部地区。然而,他在这里却受到一批军事领袖的欢迎,其中包括继他之后担任凯撒骑兵司令的马库斯·埃米利乌斯·李必达。11月上旬,屋大维在博洛尼亚与安东尼和李必达会晤,3人正式缔结为期5年的独裁同盟,即"后三头"执政。3个执政分治罗马帝国,安东尼主管东方各行省。他首先在塔尔苏斯城召见埃及女王克娄巴特拉,成为她的情夫。他们一起到亚历山大过冬(公元前41～前40)。公元前40年初,安东尼听说他的兄弟卢西乌斯·安东尼起来反对屋大维,引起佩鲁西亚战争。他立即去意大利,在布林迪西不仅与屋大维重归于好,而且与屋大维的妹妹屋大维娅结婚。他与屋大维娅同去雅典,受到群众热烈的欢迎。公元前32年,三头政治正式结束。不过,在罗马的两名执政官仍然

美国不列颠百科全书公司供图

支持安东尼。他们从罗马来到安东尼的总部,随行的还有一大批(可能超过200人)元老院的议员。在安东尼与屋大维娅正式离婚以后,屋大维随即向安东尼宣战。安东尼先后在以弗所、雅典和帕特拉斯设立指挥部,将主力舰队集结于安布拉基亚湾(希腊湾),另有一些海军分舰队占领希腊西海岸的各个据点。然而,屋大维的统帅阿格里帕从意大利横渡爱奥尼亚海成功,公元前31年9月2日在安布拉基亚湾外的亚克兴角附近进行最后决战。安东尼失败后,夺路逃到埃及。他到达埃及不久,由于看出抵抗无望,于公元前30年8月自尽。

Antony Khrapovitsky 安东尼·赫拉波维茨基(1863-03-17,俄罗斯诺夫哥罗德～1936-08-10,南斯拉夫斯雷姆斯基卡尔洛夫齐) 俄罗斯正教基辅都主教。他善于批判天主教皇和进行神学、政治争论,主张专门从伦理学观点解释基督教教义。俄国革命爆发后,安东尼参加1917～1918年的全俄正教会议并被提名为俄罗斯牧首3名候选人之一。乌克兰宣布脱离沙皇管辖后,安东尼因曾设法阻止乌克兰自治而被放逐到乌克兰西南部的布恰奇。布尔什维克占领乌克兰后,他逃往南斯拉夫境内斯雷姆斯基卡尔洛夫齐,1920年,在

流亡中就任俄罗斯正教会首脑。

antpipit 蚁鹨 蚁鹨属(*Corythopis*)两种南美鸟类的统称。大小、形状和体色像鹨。英语中 antpipit 一词有时指食蚊鸟属(*Conopophaga*)的种类,以前把蚁鹨属和食蚊鸟属合并在食蚊鸟科(蚁鹨科)内。现在通常把蚁鹨属放在雀形目**霸鹟科**(**Tyrannidae**)内。

Antratsyt 安特拉齐特 乌克兰东部卢甘斯克州城市。1938年设建制,为煤矿城镇和顿涅茨煤田工业中心之一。人口约73 000(1991)。

Antrim 安特里姆 1973年前为北爱尔兰东北部一郡。北滨大西洋,东部为北海峡和爱尔兰海。南为贝尔法斯特湾和拉根河,西为内伊湖和巴恩河。面积3046平方千米。

安特里姆郡境内安特里姆山景色
Shostal 供图

首府巴利米纳。该郡东北部为安特里姆山,是一有沼泽与泥炭地的古老玄武岩高原。玄武岩地形在北部海岸形成峭壁,有的发育有垂直的六边形石柱。玄武岩溶塌后形成了不列颠岛上最大的内陆湖——内伊湖。著名山峰有:特罗斯坦峰(1 817英尺)、诺克莱德峰(1 695英尺)等;迪维斯峰(1 574英尺)是贝尔法斯特丘陵的最高峰。1973年北爱尔兰行政机构重组后,该郡被分为莫伊尔、巴利马尼、巴利米纳、拉恩、安特里姆、卡里克弗格斯、纽敦阿比和贝尔法斯特等区,以及科尔雷恩、利斯本、卡斯尔雷和克雷加文等区的一部分。

Antrim 安特里姆 北爱尔兰原安特里姆郡城镇、首府和区(1973年设立)。城镇位于内伊湖东北角的六英里湖的溪谷内。1798年英军在此镇压了长老会的起义。镇北有10世纪的爱尔兰圆塔(高98英尺,直径17英尺)。建于17世纪的城堡是该镇早期重要战略地位的明证。该镇是繁荣的贸易中心,道路交会点,也曾是重要的麻纱中心。安特里姆区北界巴利米纳区,东接纽敦阿比,南邻贝尔法斯特和利斯本,由克拉姆林、兰德尔斯敦、图梅布里奇、坦普尔帕特里克和帕克盖特等村落和安特里姆镇所环绕。该区以农业、尤其畜牧业为主,20世纪70年代建立了重要的合成纤维企业。贝尔法斯特通往兰德尔斯敦的国道穿越本区。贝尔法斯特国际机场距安特里姆镇11千米。

Antrim, Randal MacDonnell, Marquess and 2nd Earl of 安特里姆侯爵和伯爵(第二)(1609-06-09～1682-02-03,爱尔兰安特里姆巴利马加里) 即R.麦克唐奈尔。英国内战时期天主教保王派重要人物,后转而反对查理一世国王并为奥利弗·克伦威尔所用。爱尔兰族长索利·博伊·麦克唐奈尔之孙。1639年主教战争爆发后,他计划对苏格兰的阿盖尔发动进攻未果。以后多次策划阴谋帮助国王反对国会,亦均未得逞。1643年5月被国会军俘虏,关押数月后逃走,1644或1645年1月26日被封为侯爵。1648年因未得到爱尔兰总督的职位,愤而投靠克伦威尔。曾参加国会军对罗斯和卡洛的包围战。1660年王政复辟,他被关入伦敦塔,1663年在王太后的影响下被赦免。

Antropología, Museo Nacional de(Mexico City) 参阅**National Museum of Anthropology 国立人类学博物馆**。

Antsirabe 安齐拉贝 马达加斯加中部城镇。位于全国第二高峰齐亚法扎武纳山坡上。海拔1 200米。有温泉,1923年建疗养地。铁路通首都塔那那利佛。供应本地区水果、乳制品、猪和家禽。工业有纺织、卷烟和食品加工业。人口约48 000(1982)。

Antsiranana 安齐拉纳纳 前称迭戈苏亚雷斯。马达加斯加北端城镇。城市位于一个海湾南端的海角上,原为法国海军基地。工业以造船和修船为主,并有肥皂、食盐、化学

安齐拉纳纳的海湾与港口
美国不列颠百科全书公司供图

制品和食品加工业。1977年设马达加斯加大学地区分校。西南10.5千米的阿纳马基亚机场有国际航线。南面有察拉塔纳纳山,其中有全国最高峰马鲁穆库特鲁峰(海拔2 876米)。居民集中于东西海岸低地,沿岸有公路。农作物有水稻、木薯、甘薯、花生和甘蔗,东南部广泛种植香草。人口约73 491(2001)。

Antwerp 安特卫普 佛兰芒语作Antwerpen,法语作Anvers。比利时北部一省,与荷兰北部边境接壤。面积2 867平方千米。境内有斯海尔德河、代勒河、内特河和鲁珀尔河。安特卫普省原为昔日布拉班特公国的一部分,1795年法国占领后成为法国的德内特省的一部分。现在的边界是1815年确定的,其后略有变更。该省分为3个区:安特卫普、梅赫伦和蒂伦豪特。省会安特卫普。北部和中部大都属坎彭兰高原地区。多沙丘,有金雀花属、石南属植物的地区和贫瘠的牧场,另有大片针叶林。城镇和村庄周围的土地经过改良后,用以种植燕麦、马铃薯、蔬菜和牧牛饲料。全省大部工业集中在安特卫普四周的港口地区,有炼油、石化、船舶修造、汽车装配、钢铁和有色金属冶炼等。在坎彭兰地区,由于开凿了沟通安特卫普与列日的阿尔伯特运河(1930～1939),促进了锌、铜和核能工业的发展。须德坎彭开发区是工业发展长期规划的一部分。坎彭兰地区有4条铁路线。该省南部和西部为丘陵地区。土壤虽然多沙,但比较肥沃,宜经营商品菜园,种植甜菜和办牛奶场。荷兰境内的一小块飞地巴勒海托赫(又名巴勒迪克)由安特卫普省管辖,荷兰部分叫巴勒纳绍。省内主要城市有安特卫普、梅赫伦、利尔、赫伦塔尔斯和莫尔(比利时核能研究中心所在地)。坎彭兰地区和环绕安特卫普的绿化带有许多中世纪城堡。该地区众多寺院中最著名的在通厄洛,1133年建的普雷蒙特雷隐修院的现代外观表明它在17世纪经过重建。卡尔姆托特自然保护区(1968;810公顷)保留了乡间自然风貌,并有一鸟类禁猎区。人口约1 643 972(2000)。

Antwerp 安特卫普 安特卫普(佛兰芒语作Antwerpen)为比利时王国第二大城市。安特卫普省省会。濒临斯海尔德河,距北海约55英里(88千米)。斯海尔德河同默兹河、莱茵河一道形成了西欧最大港湾。安特卫普是一个属于世界最大的综合海港的主要部分。安特卫普的港湾设施特别在第二次世界大战后有了发展。多年来,这种发展只发生在斯海尔德河右岸,但在20世纪70和80年代,河的左岸也有很大发展,表明安特卫普的港口设施最终将从河的两岸一直延伸至下游约13英里处的荷兰边境。由于安特卫普位于比利时流行荷兰语(佛兰芒语)部分。它发挥了佛兰芒人非正式首都的作用。安特卫普居民一般说认真地对待这一任务,理解他们城市过去与现在的巨大重要性。

自然地理与人文地理

景观 城市位置 安特卫普位于大体上南北流向的斯海尔德河右岸一片辽阔平坦

安特卫普的圣母大教堂，前为 P.P. 鲁本斯塑像
美国不列颠百科全书公司供图

的冲积平原。然而，1923 年以来，城市地域也包含该河左岸地区。1929 和 1958 年，安特卫普以北右岸村庄被合并，将城市延伸至荷兰边界。1983 年，进一步合并环绕原城的自治市区，大大增加了安特卫普的区域和人口。同合并开始前的 7 平方英里相比，目前安特卫普总面积为 75 平方英里(195 平方千米)。这片地区只有一部分是全部新建的。合并和扩大过程继续下去，许多边远村庄已失去它们的农业性质，而且由于从城市向外移居的结果，它们的人口已经增长。

城市布局 直到 1859 年，安特卫普被 16 世纪筑有碉堡的城墙围绕，19 世纪后半叶，城墙变为宽阔街道，因为一个更大的半圆形城堡已经建成。这个较晚的包围地带在第二次世界大战后被另一个环形道路系统取代。这些道路与国内和国际公路网连接。几个隧道将城市右岸与左岸连接。第二次世界大战以来，左岸在住房和工业方面有了巨大发展。然而，城市中心仍在右岸。它从中央火车站向西沿着基瑟莱河与米尔河形成的活跃动脉延伸至旧城内，然后到达斯海尔德河右岸的阶丘。

旧城位于曾由 16 世纪城堡形成的弧形圈内，许多街道狭窄曲折，建筑陈旧。这一区内有圣母大教堂，始建于 14 世纪，19 和 20 世纪修复。它是全国最精致的哥特式建筑之一。19 世纪的城区，街道较宽，主要是直角，延伸至旧城外，与 1983 年合并的一些郊区扩大部分融为一体。1/3 的右岸地区伸展至 19 世纪城堡以外，现代建筑林立，成为特色。

但是，安特卫普最大部分是基本上非居住区的北部综合海港区。城市合并的大部河畔农业村庄已经消失，以便提供条件扩大码头、工业厂房、铁路车场这些稍微荒凉的区域。6 个船闸使这个右岸综合区同随潮汐涨落的斯海尔德河衔接。第一个船闸卡滕代克于 1860 年开放；最新的长达 500 米的贝伦德雷赫特船闸于 1988 年开放后，成为世界最大船闸。左岸港口和工业设施通过卡洛船闸与斯海尔德河沟通。

城市特性 安特卫普的独特风韵来自它个性的各个不同方面的联合和紧密关系：对贸易的热烈追求与对思想生活和艺术的永恒兴趣共存；对过去的崇敬和感情与要充分参与现在和未来的热切希望并列；一方面，它理解自己是一个真正的欧洲和世界的城市，从而具有开放性和广泛的好奇，另一方面，它有传统和特别风格的意识，因而给予这个城市生活一种近乎粗犷的魅力。在它的中心，一种生气勃勃的社会活动在街道上和无数的咖啡馆里进行着。斯海尔德河是安特卫普的真正核心和灵魂。它不但是安特卫普充满活力的经济生活的存在原因，而且是它的本体意识和安特卫普居民们对其城市表示的深情——在许多文艺作品中体现出来——赖以存在的根源。

人民 安特卫普居民一般讲当地荷兰语的布拉班特——安特卫普方言。然而，像在荷兰讲荷兰语一样，有教养的比利时人中间流行荷兰语，并在学校中讲授，而且在经济生活中日占优势。虽然法语在商业和工业范围内仍广泛使用，但作为表达工具正在失势。这并不意味着讲荷兰语的安特卫普居民不谙法语或其他语言，这个城市的国际性质意味着许多居民乐于了解外国语言。

住在安特卫普的大部分外国人是荷兰人，其次是摩洛哥人、西班牙人、法国人和德国人，也有少数英国人、美国人和以色列人。与其他外国人不同，摩洛哥人和西班牙人集团大部是非技术工人。他们是在第二次世界大战后缺乏劳动力时期移民到比利时的。于是发生了相关的社会紧张关系，尤其是住房方面的歧视。

安特卫普盛行的宗教是罗马天主教。此外，有各种基督教新教教会的小型集团以及一个具有不同倾向的人数可观的犹太集团(到了 19 世纪，安特卫普已有了许多犹太居民，但是，许多犹太人死于第二次世界大战时期的德国集中营中)。大量而且数目日益增长的人口是不信教的。人口：城市约 446 500 (2000)；都会区约 1 100 000(1987)。

经济 **工业与商业** 安特卫普的经济生活与它作为海港的存在密切关联。这种情况与该城的有利位置及港口设备和功能是分不开的。16 世纪，该城发展了重要的制糖业。经部分加工的甘蔗用船输入，精炼后重新输出。20 世纪 20 和 30 年代兴办第一批炼油厂，不久汽车装配厂随之建立。第二次世界大战后，工业突飞猛进地扩大。60 年代，较大的炼油厂，紧接着还有石油化学工业以及化学厂都建立起来。而汽车工业则在更大规模上获得重建。

其他重要产品包括摄影和电子设备以及安特卫普享誉世界的雕琢钻石。根据传说，第一粒钻石是 1476 年在安特卫普雕琢的。16 世纪以来，在毗邻中央车站的所谓钻石区，钻石雕琢加工公司十分兴旺，安特卫普成为国际钻石工业中心。

为安特卫普综合海港和工业活动服务的有许多贸易机构、代理商、进出口公司、金融机构、保险公司，以及铁路和公路运输业。

运输 一个密集的铁路和公路网为安特卫普庞大的港口与工业联合体服务。该城是比利时和前往国际目的地的铁路与公路中心。安特卫普与欧洲庞大的内河航道网结成一体。德尔讷机场在客、货空中运输中很重要。在地方一级，城市公共运输包括公共汽车和电车网，一些电车已改变为地铁。

行政与社会状况 **政府** 如同所有比利时市政府一样，安特卫普由一个选举产生的市参议会实行统治，而市参议会又选出一个市政官委员会，由国王根据市参议会推荐任命的市长领导。市长一般是选举产生的市参议会的成员，但也并非强制性的。每个市政官管理一个专门部门，但决策和决议由整个委员会作出。在市政官委员会下面，设一名市镇秘书。他是主要官员，各种行政服务须向他汇报。安特卫普也是安特卫普省政府所在地。省政府由国王任命的省长领导。此外，还有 4 年选举一次的省参议会；省参议员在省内有与市政官相同的任务。省书记是市镇秘书的对等人物。第三种公共服务是公共救济委员会，委员会成员由市参议会任命，任期 6 年。

保健与教育 公共救济委员会负责老人和孤儿的公共保健与照顾，管理一系列机构，其中有几家大医院。与这些官方机构一道还有一些独立的大部属罗马天主教的机构。这种双重性也表现在教育方面。除了由市政府(小部分由国家)管理各级不同学校(例如幼儿园、小学与中学、技术学校)以外，还有一个独立的基本上为罗马天主教的网络。在大学一级，情况也是如此：1965 年，既建立一个官方(国家)的，也有一个独立(耶稣会)的大学。国立高级研究院暨皇家美术学院(1663 年)和皇家佛兰芒音乐学院(1898)则给予高级艺术训练。

文化生活 由于安特卫普长期受学术与艺术的熏陶,引人瞩目的是代表它过去文化的最重要人物中,有两人在这个现代城市中还可感受到他们的存在,因为他们的住宅和画室被作为博物馆保存下来了:他们是16世纪人文主义印刷商普朗坦(普朗坦-莫尔托斯博物馆)和17世纪画家鲁本斯(鲁本斯故居)。鲁本斯的创作可以在皇家美术博物馆、圣母大教堂以及如安葬画家的圣雅各大教堂等其他安特卫普教堂中看到。鲁本斯将意大利的特征和对佛兰德艺术传统的依恋结合起来,创造了一种具有高度个人色彩的风格。他的学生和同事包括3位17世纪安特卫普人约尔丹斯、范戴克和斯尼德斯:他们的作品可以在皇家博物馆看到,馆中藏有15～20世纪的大量绘画。

其他一些博物馆设在历史建筑中,如中世纪的河畔城堡斯滕就是国家海洋博物馆馆址;16世纪的屠宰场和酿酒厂都藏有历史艺术品和人工制品;少女救贫院是16世纪时为贫穷年轻女子设立的慈善基金会,文艺复兴时期艺术品和家具在此展示。其他小型博物馆是19世纪贵族家族建造的,如迈耶范登伯格博物馆藏有雕刻品、家具和绘画,特别是勃鲁盖尔(克)著名的绘画:《疯狂的梅格》。关于民间创作和人种史的各博物馆位于距斯海尔德河不远处。关于现代艺术,有当代艺术博物馆,设在港口旧码头区一个20世纪20年代装饰派艺术地下室内,和设在1911年建造的前仓库里的省摄影博物馆靠近。在米德尔海姆露天雕塑博物馆里,永久性收藏品在一个位于旧城以南的公园树丛和草地上展出,每隔一年举行一次专门展览,陈列当代年轻雕塑家作品。安特卫普建筑包括哥特式直到后现代主义式的建筑。

该市表演艺术以皇家佛兰芒歌剧院和皇家荷兰剧院为代表。众多传统和现代的戏剧与音乐表演在安特卫普纪念性机构中举行,如在鲁本斯故居的庭院。该城的动物园是欧洲最古老、最现代化的动物园之一。

历史

早期拓居与发展 斯海尔德河右岸的出土文物证明公元2和3世纪的高卢-罗马时期,安特卫普现址或许已有人居住。在4和5世纪欧亚人大规模迁徙后,这个地区被法兰克人,可能是弗里西亚人占领并使之日耳曼化,他们根据日耳曼语前缀"反对"(anda)和来源于动词"投掷"(werpen)的名词,使安特卫普获得了现名,意指一个建筑物——可能是安特卫普9世纪设防城堡斯滕的前身——它是为了防御某件事或某个人而建造的。

关于该城名称,有一个更饶有风趣的说法:它涉及凶恶巨人德鲁翁·安蒂冈努斯的故事。他砍掉拒绝向他纳贡的船夫们的手。罗马士兵布拉博向他挑战,进行搏斗,砍去他的一只手,将它投入距离今天斯滕城堡不远的河中,结束了巨大的勒索,使该城因而得名,意指"投掷一只手"。安特卫普的城市盾徽是一个设防城堡,左右各有一只手的图案。在大市场中的16世纪市政厅前,布拉博喷泉(1887)描述了这个传奇故事。

该城可能从两个核心发展而成:南面核心称夏内洛斯-卡洛埃斯-卡洛,北面核心后来在斯滕附近发展起来,终于比前者更为重要。基督教于7世纪传入。9世纪,这个地区成为神圣罗马帝国的一个边境省。1124年,宗教中心从夏内洛斯迁往北面核心。在几个世纪过程中,安特卫普在最初作为边境省地址的城堡周围,发展成某种程度的同心半圆形城市。

安特卫普位于斯海尔德河右岸纵深地带,比较深入内陆,因此注定成为一个贸易和航运中心。13世纪时,情况已经完全如此,在该世纪末和14世纪初,已成为郡首脑的布拉班特公爵们授予英格兰人、威尼斯人和热那亚人贸易自由权。安特卫普与比利时的卢万和布鲁塞尔,荷兰的布瓦迪克已成为诸公国的首府。14世纪最初25年中,安特卫普市集开始兴旺。这些市集以及附近的贝亨奥普佐姆(现位于荷兰境内)的市集成为安特卫普中世纪经济发展的基础。

从15～19世纪 安特卫普15世纪继承了佛兰德的布吕赫的地位,后者直到当时一直是西欧的贸易中心。15世纪末,几乎所有低地国家都在勃艮第和哈布斯堡王朝下统一起来。外国商人将其住所从旧佛兰芒城镇迁至安特卫普,这足以证明安特卫普的优越经济地位超过了布吕赫。它迅速成为西欧首要贸易中心,从殖民地贸易的开创获益,同时受到葡萄牙和西班牙人的伟大发现的刺激。将近16世纪中叶,人口总数近10万,而在14世纪末,该城只有约2万人。广泛的都市化计划取得进展,以安置日益增长的人口。他们以从事商业、运输和工业谋生。

港口经历了它最初的向北扩展。新工业包括酿酒厂、麦芽作坊和漂白作坊。随同已建成的(英格兰)布、罩毯和丝绸厂的精加工制造,又有炼糖厂、钻石工业,使安特卫普成为西欧最大工业中心之一。安特卫普也是一个金融中心:它的证券交易所(1531年开创)是历史较短的伦敦和阿姆斯特丹交易所的榜样,成为发生引人注目的重大事件的场所。哈布斯堡、都铎和瓦卢瓦君主们的金融代理人和银行家们,与安特卫普、英格兰、法兰西、葡萄牙、意大利、西班牙和日耳曼的商人们共同发挥他们的作用。安特卫普也成为一个巨大的文化中心:它的画派在15世纪末崛起;该城的印刷厂享誉欧洲;人文主义开始蓬勃发展。

西班牙、葡萄牙等国的衰败和宗教纠纷及其带来的战争(安特卫普16世纪初成为基督教新教活动中心)导致一个衰落局面。安特卫普卷入荷兰的反叛,1585年,被西班牙国王总督帕尔马公爵法尔内塞占领。同西班牙的这场搏斗的后果是严重的:从1585至1589年,人口从8万减至4.2万。斯海尔德河这个出海口遭荷兰人封闭。他们坚持反对西班牙国王腓力二世的立场。资金和企业从安特卫普迁出,主要移往北方。阿姆斯特丹在17世纪的重要经济地位部分归功于安特卫普移民及其金融支持。在较小程度上,汉堡、美因河畔法兰克福和其他商业城市的情况亦复如此。

然而,安特卫普并没有降至无足轻重的地位。它仍是西班牙所属(后来,在18世纪,奥地利所属)荷兰的充满活力的经济中心。安特卫普成为一个较前更著名的艺术中心:这是鲁本斯、范戴克、约尔丹斯和其他重要艺术家的时代。法国大革命、拿破仑时期以及接踵而至的比利时与荷兰的暂时联合(1815～1830)扭转了18世纪商业方面的全面衰退。随着斯海尔德河再次自由通航(1792年由法兰西予以恢复),安特卫普作为一个海港具有的吸引力再次变得明显。人口增长,城市开始扩展并变得现代化。

现代化城市 从19世纪下半叶起,安特卫普海港的发展只由于两次世界大战和随之而来的德国占领而被中断,甚至20世纪30年代经济萧条并未影响港口运输与设施的扩大。紧接着1944年的解放,安特卫普几乎未受损坏的港口为正对纳粹德国进行最后一击的盟军提供给养,虽然德国导弹的轰炸摧毁了这座城市。第二次世界大战以来,安特卫普及其郊区和海港在商业、工业、海运方面的繁荣的刺激下迅速发展。港口设施、公路、内河航运全都获得扩展和改善。然而,有些扩展造成了生态环境问题。经过一些调查,已做了某种程度的处理。

Antwerp Mannerists　安特卫普风格画家 1520年前后主要在安特卫普(也包括在佛兰芒其他城镇)作画的一批佚名画家,其作品外貌相似。他们力图把哥特式风格和文艺复兴时代的风格结合在一起,把迥异的佛兰芒传统和意大利传统杂糅于同一构图。题材主要是"博士来拜"和"耶稣诞生"。一般都画成夜景,人物拥挤,光线闪烁,明暗处理往往不合理。"博士来拜"的场面尤为流行,最喜欢用的格局是以古建筑废墟来陪衬衣着考究的三位博士,以此展示戏剧性冲突。

安特卫普风格画家J.德比尔绘《博士来拜》(约1520)

美国不列颠百科全书公司供图

Antwerp Zoo　安特卫普动物园 欧洲保存动物数量最大和种类最多的动物园。动物总数超过6 000只,包括约300只爬行动物和

1 700尾鱼(代表1 160种)。展出的哺乳动物中,特别值得重视的是稀有的麋鹿和白犀。该园最值得称道之处在于为展览爬行动物而创造出一套特殊的展览技术,即利用一道寒障(冷冻区)而不是用铁栅或玻璃窗来限制动物的活动。1843年首次开放,占地10公顷,位于安特卫普城中心,由安特卫普皇家动物学会管理。在20世纪20年代,该园因成功地繁殖了新发现的獾伽狓和刚果孔雀而声誉大振。1936年该园在普兰肯戴尔获得36公顷土地,在此建立了一个繁殖站,以繁殖濒危种,如邦戈羚和印度犀之类。

antyeṣṭi　丧礼　特指印度教的丧礼,其内容因死者所属种姓和教派而异。一般是将尸体火化,把骨灰投入圣河。人临终,家属和祭司都要来到身边,念经咒和经文,准备陪葬物。尸体尽快运到火化场(通常是河边)。最后火化仪式由死者长子和祭官执行。其后10天内居丧的直系亲属必须遵守一定的禁忌。他们举行礼仪,使亡魂在转生来世的途中有所依附。礼仪的内容包括陈设奶、水和饭团。然后选定日期,把遗骨埋葬或投入河中。为死者举行的祖灵祭(**śrāddha**)由遗族在特定的日期继续举行。

Anu　安努　阿卡德语。美索不达米亚地区所祀奉的太空之神,与比勒、埃阿合称联立三神。安努同许多太空神祇一样,尽管理论上是至高无上之天神,但实际上在美索不达米亚神话、颂神词乃至祭祀仪式中并非重要角色。安努为众神之父,亦为群魔之祖,此外还是万王之神和历律之主;其画像为头戴有角之头饰,象征力量。苏美尔人有个与安努相当的神名安(An),安可追溯至苏美尔最古阶段,至少为公元前3000年。安的形象被拟想为一只硕大公牛。安努的圣城为乌鲁克,位于南部牧区;安努的公牛形象说明他最初属于牧人神话里的众神之一。在阿卡德神话中,安努还有一名配偶,名安图姆,不过她常与伊什塔尔混为一谈,伊什塔尔为司掌爱情之女神。

Anu, Chao　昭阿努(1767～1829-01,暹罗曼谷[泰国])　老挝万象王国国王,曾争取老挝中部和南部脱离暹罗独立未成。早年与暹罗人并肩与缅甸人作战,他的军事才能和英勇果敢博得暹罗人的尊敬和信任,1804年宗主国暹罗立他为万象国王。即位初期,他加强内部管理,兴修公共工程和扩建首都。他努力与邻国越南修好,每3年进贡一次。到1819年,他已控制老挝的中部和南部,到处修筑堡垒。他请求老挝北部的琅勃拉邦王国在他与暹罗发生冲突时保持中立。1825年去曼谷参加暹罗国王拉玛三世的葬礼。回万象后发动反暹罗的叛乱,他率兵进军曼谷,但暹罗人在反击时占领了万象。到1828年,叛乱被镇压下去。他逃入森林,但被暹罗的第2次远征军捉获,押回曼谷,放在铁笼里供人观看,并被折磨致死。随着昭阿努发动的叛乱被平息,万象的独立亦告结束。

Anuak　阿努亚克人　又拼Anywak。操卢奥语族北支语言的河畔尼洛特人。约有1/4的人数住在苏丹东南部,其余均在埃塞俄比亚。据信他们系几世纪以前从非洲大湖区以东迁来的。在苏丹境内的居住在尼罗河畔的热带稀树草原高地,因年年洪水泛滥,有雨季村庄和旱季村庄之分;在埃塞俄比亚境内的住在多树草原地区及埃塞俄比亚-苏丹交界处高地的溪河沿岸。东阿努亚克人(即埃塞俄比亚阿努亚克人)有较多的旱地,村落之间的联系较为密切,同实行村落自治的西阿努亚克人相比,则有更广泛的政治组织。东阿努亚克人和大多数尼洛特民族不同,不养牛而从事渔猎园艺及饲养一些绵羊和山羊。19世纪及20世纪初,阿努亚克人与其邻部努埃尔人作战并反抗殖民占领。1955～1972年间,他们参加内战,目的是为南部苏丹人建立一个独立的黑人国家。阿努亚克人的氏族是父系制的。同一家系的成员住在同一村落内,但每个村落(200～2 000人不等)却居住着几个互无血缘关系的氏族。东阿努亚克人传统上有过王室氏族和国王,而西阿努亚克的头人曾经是自治的。大部分阿努亚克人实行一夫一妻制。

Anubis　安努毕斯　又称安普。古埃及宗教所崇奉的死者之神,其像豺头而人身,专司葬礼和照管死者。据说他首先用香料处理俄赛里斯的尸体,从而被誉为以香料处理尸体

绘于第19王朝礼葬瓮上的安努毕斯(左)
美国不列颠百科全书公司供图

之法的发明者。后来,希腊-罗马世界认为此神即是希腊神祇赫耳墨斯,两神融合而成复合神赫耳马努毕斯。

anumāna　比量　梵语,意为"据另一物加以衡量或推论"使人们能够得到精确认识的5种知识手段("量")中的第2种。在印度的逻辑学派(正理)中,推论占中心地位。这一学派拟定出一种具有论据形式而不是一个公式的三段论法,分成5个阶段:①命题("宗"),②依据("因"),③说明("喻"),④应用("合"),⑤结论("结")。错误的依据会使三段论法受到损害,这就叫做"似是而非的理由"("谬误")。不能成立的理由有如下几种:简单的错误、矛盾、同义反复、理由的证据不足与不合时宜。参阅 **pramāṇa**。

Anura　无尾目　又作Salientia。两栖纲的一目。约3 900种,无尾,包括蛙(**frog**)及蟾蜍(**toad**)。

Anuradhapura　阿努拉德普勒　斯里兰卡中北部城市,在阿鲁维河畔。老城部分是该国倾毁的古城中最为著名者,现已保存作为考古园地,近郊有钟形舍利子塔以及庙宇、雕

阿努拉德普勒市的钟形舍利子塔
美国不列颠百科全书公司供图

像、宫殿和一个古代饮用水池等古建筑废墟。该市有一棵菩提树,据说是菩提伽耶的菩提树的分支,于公元前245年培植,是世界上有记载的现存最古老之树。该城建于公元前5世纪,公元4～11世纪时为斯里兰卡僧伽罗人首都。后因外族入侵而放弃,逐渐为丛林所淹没。19世纪被重新发现后,成为佛教圣地。为了保存古都遗址,今城在20世纪中期曾有过一次大迁移。现为北部主要公路交叉点之一,并位于铁路线上。锡兰考古总局设在该城。人口约37 000(1990)。

Anurādhapura, kingdom of　阿努拉德普勒王国　斯里兰卡(锡兰)以阿努拉德普勒为都城的僧伽罗人国家,存在期间约公元前3世纪～公元10世纪初。公元前2世纪南印度人开始入侵,在以后几世纪中,这种骚扰有增无已。南印度人曾在公元前2世纪、公元5世纪和公元10世纪后半叶几度控制该国。此外,各僧伽罗族经常发生内讧,他们都想建立自己的王朝。最主要的王朝是维阇耶王朝(公元前3世纪～公元1世纪)和兰巴建纳王朝(公元1～4世纪以及7～10世纪)。在王国存在的1 000多年中,文化极为发达,特别是艺术和建筑。因位于锡兰北部干旱地区,发展了出色的复杂灌溉系统。

anus　肛门　脊椎动物及许多无脊椎动物的消化道末端开口。人类肛门由肛管及肛口组成,行使排粪功能。肛管周围多血管,可发生扩张、破裂(痔[**hemorrhoid**])。痔可有疼痛、出血,如果曲张的痔静脉凸出肛门,即为外痔。参阅 **anal canal; rectum**。

Anvarī　昂瓦里(约1126,突厥斯坦阿比瓦德[今土库曼斯坦]～约1169,呼罗珊巴尔赫[今在阿富汗])　波斯文学中最伟大的颂诗作者之一。作品技巧纯熟,知识渊博,带有强烈的讽刺意味。他不仅是波斯和阿拉伯文学的诗人,还在几何学、天文学、占星术等领域有很高的造诣。为多产作家,擅长颂诗和抒情诗。在他的诗集中有632页是颂诗、情诗、四行诗、短诗和两行诗。生平鲜为人知,早年曾为塞尔柱王朝桑贾尔苏丹的宫廷诗人,后期创作辛辣的讽刺作品,尖锐抨击社会制度

的各个方面。最长的一首诗是挽歌，哀悼呼罗珊于1153年遭入侵的乌古思部落人的破坏。他不把诗歌看作是最崇高的技艺，对宫廷诗人的生涯也不屑一提。他满怀忿懑和语含讥讽地指出，接受恩施是文人取得足够财富的唯一手段。为此，他始终做宫廷诗人直至晚年，最后与世隔绝，在安谧中度过了一生。

anvil 铁砧 用手锤锻打金属成形时，放置金属的铁块。铁匠用铁砧通常用熟铁制成，有时也用铸铁。铁砧具有光滑并经淬火的工作表面。一端突出呈鸟嘴或角状锥体，用于

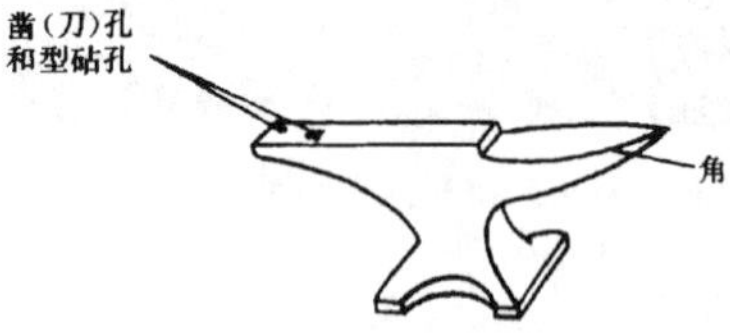

锻工用的铁砧

锤锻曲线形金属件。有时另一突出端为矩形断面。使用的工具(如切刀、錾子)可刃口向上放入砧座表面方形孔中。使用机动锤时，铁砧支承在放置于牢固的砖木或混凝土基础上的重型台座上。

Anville, Jean-Baptiste Bourguignon d' 唐维尔(1697-07-11，巴黎～1782-01-28，巴黎) 法国地理学家，地图绘制家，对地图绘制标准作了极大改进。唐维尔早年就继续了由G.德利尔开始的法兰西地图学改革，但他也是一位颇负盛誉的古典派学者。他的很多专著和地图作品都涉及到古代和中古时期的地理学。他显示出对他选择和运用过去权威的材料和测量距离的详尽知识的非凡的判断力，他在有可能的地方就调整自己的测量适应于天文学测定的位置。他的第一张重要地图是根据耶稣会的测绘制作的中国地图，此图于1735年首先发行，后又于1737年以《中国新地图集》出版。他所绘制的意大利地图(1743)，修正了以前地图中的许多错误。其他重要的地图是非洲(1749)、亚洲(1751)、印度(1752)和世界两半球的地图(1761)。唐维尔从当时的非洲地图中，消除了很多关于非洲腹地的因袭传统的、很大程度上虚构的描绘，他的表述一直到19世纪对非洲进行大考察时，都还是站得住脚的。他的《通用地图集》于1743年首次出版，后经多次修订。1773年，唐维尔被任命为法国首席地理学家。

anxiety 焦虑 一种莫名其妙的忧虑、恐惧。焦虑有别于真正的恐惧，因为后者源于某种明确的和实际的危险刺激，而前者则源于某些明显无威胁的情境或个体无法意识到的主观的或内心情绪的冲突。某些焦虑在日常生活中常可见到并不足为怪。但是如果表现出持续、强烈、长期或多次反复，并与实际的生活压力完全不相符的焦虑，就应考虑其为情绪障碍的信号了。如果这种焦虑不合情理地为某种特定环境或某种客体所触发，那就可诊断为恐怖症(**phobia**)；那种没有特定原因和关注对象的弥散性或持续性的焦虑，被称为盲目性焦虑。焦虑的原因诸多，弗洛伊德认为：当一个人察觉到他认为足以危及或干扰其正常生活的各种经历、感觉或瞬时冲动并进行压抑时焦虑就成了这个人内心情绪矛盾冲突的外在表现。还有一种说法认为：焦虑源于个体自我或自尊心所受的伤害，例如性关系不合谐或工作不顺心等。行为主义心理学家把焦虑看成是个体对实际生活中的威胁性情境的习惯性不良反应，焦虑的产生逐渐与有关情境联系在一起，使得这种情境成为焦虑的触发器。当个体不能很好地控制焦虑时就可能发展成为焦虑障碍，即以持续的或阶段性的焦虑，或弥漫的无原因的恐惧为特征的神经症的一种类型。紧张常常表现为失眠、脾气暴躁、喜怒无常、心悸、怕死或精神烦燥。如果一个人大量的精力都用来对付焦虑，人就会感到疲惫不堪。焦虑的急性发作表现为恶心、腹泻、尿频、憋闷、瞳孔扩大、出汗和呼吸频率加快等。某些躯体疾病或正常情况下人在紧张或恐惧时也会出现类似症状，但只有在缺乏器质性病变或在正常人都很容易应付的情境中出现的类似症状才会被认为是神经性的症状。其他与焦虑相关的障碍还有疑病症、癔症、强迫症、恐怖症和精神分裂症等。

Anyang 安养 韩国西北部京畿道城市。在汉城西南31千米处。1973年设市，成为汉城最大的工业卫星城。有酿造、纺织、陶瓷、造纸、制砖等工业和韩国最大的电影制片厂。古迹有念佛庵和定潮寺，均建于9世纪。人口约480 668(1990)。

Anyang 安阳 又拼An-yang。中国河南省辖地级市，著名古都。位于省最北部。西依太行山与山西省相邻，北邻漳河与河北省接壤，安阳河从市区北部东流。辖4个市辖区、4个

安阳殷墟
中国大百科全书出版社供图

县，代管1个县级市县。面积7 355平方千米，其中市区面积247平方千米。商称相，商王河亶甲居此。后商王盘庚又从奄(今山东曲阜)迁都到殷(今安阳)，历时273年，使商殷得到复兴。秦昭襄王五十年(公元前257)以安阳为邑名，因地处淇水之北，安寿山之南，故名。秦始置安阳县。商王盘庚在此建都后，魏、北齐也先后建都于此。北周大象二年(580)为相州治所。金明昌三年(1192)升相州为彰德府。1913年废府留县。1949年析安阳县设市。1949～1952年属平原省，此后属河南省。安阳盛产棉花，并产小麦、玉米、谷子、水稻等。是山西、河北、山东、河南四省相邻区域物资集散地。1958年在西郊兴建安阳钢铁厂，现为河南省最大钢铁基地。纺织工业有较好的基础，形成以钢铁和纺织工业为主，并有医药、机械、化工、卷烟等工业的新兴工业城市。京广铁路纵贯市境，并设支线通往李珍矿区。京珠高速公路、107国道纵贯南北。文物古迹丰富，有老城旧址(小屯)殷墟、文峰塔、昼锦堂书碑、高阁寺、袁林等。20世纪初，安阳甲骨文的发现和殷墟的发掘，向世界展示了中国古代灿烂文化，也是研究中国古代史的珍贵史料。人口5 380 000(2005)。

Anyi 阿尼人 又称阿格尼人，住在科特迪瓦东部的热带雨林和加纳。语言属尼日尔-刚果语系克瓦语支。约在18世纪中叶，大多数阿尼人被阿散蒂人赶出加纳，向西迁移。阿尼人分散居住。实行轮作耕种，种植粮食作物、经济作物、薯蓣、木薯、大蕉、咖啡和可可。根据传统，阿尼人组成一些分成四个社会等级的小邦：有君主及王族、村庄头人、自由民和过去的奴隶及其后裔。村庄的头人选自拥有世袭礼仪器物的家族。继嗣一直按母系相传，但夫妇住在男家附近。虽然接受了大量欧洲物质文明，但社会结构的传统因素仍在起作用。

Anyte 阿妮特(活动时期公元前3世纪初，阿卡迪亚的泰耶阿) 希腊伯罗奔尼撒女诗人。在古代很受尊敬。在墨勒阿格编选的著名选集《花环》(公元1世纪初)中，"阿妮特的百合花"是被编入"诗人的花环"之中的最早的诗篇。阿妮特的名望历久不衰。在奥古斯都(公元前27～公元14)统治时期写作的帖撒罗尼迦的安提帕特称她为"女荷马"，并将她列为9个女抒情诗人之一。现存24首归于她名下的短诗中，有20首可以认为是她的真品。她的奉献短诗中，诗句近似同时代的忒奥克里托斯和莱奥尼达斯。她为泉水和水中仙子吟咏的诗章，反映了希腊人对常见于希腊诗选之中的幽静景色的感受。她为各种不同的动物撰写墓铭，但这也许只是文学作品，而没有实用价值。她在自己的诗作里根本不涉及自己，且从来不以爱情为题材。她对自然的爱和对动物的兴趣使她成为希腊化时期早期的代表作家。

Anywak (people) 参阅 **Anuak 阿努亚克人**。

Anza - Borrego Desert State Park 安萨-博雷戈沙漠州立公园 美国加利福尼亚州南部沙漠旅游地区，位于圣迭戈以东、棕榈泉以南、索尔顿海以西。位于科罗拉多沙漠，面积2 420平方千米，是美国本土48州最大的州级公园。建于1933年，管理处设在博瑞哥斯普林斯。公园地形多样化，包括干涸的湖床，崎岖地和山脉。公园2/3的面积是荒原，到处都生长着仙人掌、丝兰、墨西哥刺木。崎岖地化石丰富。旅游资源包括加利福尼亚扇叶葵林和大量在冬日开放的野花。鹿、狐、鬣蜥、响尾蛇、走鹃、鹰和濒危动物加

拿大盘羊生活在公园中。公园中有160千米的供游人行走和骑马的小路。

ANZAC 澳新军团 Australian and New Zealand Army Corps的缩写。第一次世界大战期间屡建奇功的澳大利亚和新西兰联合部队。在1915年为从土耳其手中夺取达达尼尔海峡而进行的加利波利半岛战役中以英勇奋战著称。1916年军团的步兵开往法国，骑兵前去中东。1917年因澳新两国分编军队，该军团宣告解散。在澳新两国，该军团在加利波利登陆的日子4月25日成为表达民族感情的主要纪念日。

ANZAC Day 澳新军团日 澳大利亚和新西兰的节日(4月25日)，以纪念第一次世界大战期间澳新军团于1915年在加利波利半岛登陆。1920年澳大利亚和新西兰两国把澳新军团日设为法定节日，以纪念曾在达达尼尔战役战斗过的军人。后该节日的内涵又进一步扩大，成为缅怀所有在第一次世界大战、第二次世界大战、越南战争和朝鲜战争中阵亡和服役军人的纪念日。这是一个公共假日，节日当天要举行宗教仪式和游行活动以及有退伍军人参加的各种庆典活动。库克群岛、汤加群岛和萨摩亚群岛也庆祝该节日。

Anzalī, Bandar-e 恩泽利港 旧称巴列维港或巴列维。伊朗北部的主要港口和休养地，临里海，有公路通马赞达兰、阿塞拜疆和德黑兰。居民有俄罗斯人、亚美尼亚人、高加

恩泽利港的码头

美国不列颠百科全书公司供图

索人和土库曼人。该城建于19世纪初。1920年被俄国人占领，1921年撤兵。港口在两个砂质半岛的航道旁，东面的加济恩半岛有一机场。航道的深度很不规则。入口处有两条防波堤，航道须疏浚。港口设备主要在东面。有一小码头、石油库和渔业站。第二次世界大战期间，港口实现了现代化。由于美国对苏联的租借方案，运输量大为增多。人口98 544(1996)。

Anzan (ancient city, Iran) 参阅 **Anshan** 安申。

Anzengruber, Ludwig 安岑格鲁贝(1839-11-29，维也纳～1889-12-10，维也纳) 奥地利剧作家和小说家，以描写农民生活的现实主义剧本著称。先是做演员，后发表反教士剧本《基希费尔德的牧师》(1870)，获得成功。除情调忧郁的《发伪誓的农夫》(1872)以外，

美国不列颠百科全书公司供图

他的剧本大多是欢乐畅快、妙语连篇的喜剧，情节都发生在小城镇市民当中；其中包括《划十字的人》(1872)、《良心谴责》(1874)和《双重自杀》(1876)。写过一个问题剧本《第四诫》(1878)，以及长篇小说《瑕疵》(1877)、《施特恩施泰因农庄》(1884)和其他描绘乡村生活的故事。

Anzhero-Sudzhensk 安热罗-苏真斯克 俄罗斯克麦罗沃州城市。位于库兹涅茨克煤田北缘。在大西伯利亚铁路线上。20世纪初开始采煤。1928年安热尔卡镇与苏真卡镇合并之后发展迅速。1931年建市。除采煤外，还生产药品、采矿机械和窗玻璃。设有化学、药学研究所及师范学院。人口约101 000(1997)。

Anziku, Kingdom of 安齐库王国 又称特克王国或蒂奥王国。刚果(扎伊尔)河北岸马莱博湖附近地区的历史上的非洲国家。特克人早期即居住在这一地区的高原上。何时成立王国不详。但到1600年，它已成为刚果河南的刚果王国的强大对手。它控制着内陆贸易，特别是奴隶贸易。传统工艺逐渐被换取奴隶的来自欧洲的产品所取代。1880年国王伊卢同法国殖民主义者P.S.de布拉柴签订条约，安齐库成为法国的保护国。1891年又变成法属(中)刚果。历史上的安齐库王国的领土在今刚果人民共和国中部。

Anzilotti, Dionisio 安齐洛蒂(1867-02-20，意大利佩夏～1950-08-23，佩夏) 意大利法学家，是所谓国际法实证学派(主张严格区分国际关系中的法律、政治和道德方面的一种法律哲学)的主要创始人之一。1906年他成为《国际法评论》的共同创刊人，任巴勒莫大学、博洛尼亚大学和罗马大学的法学教授(1911～1937)。1921年被任命为海牙国际常设法院的法官，1928～1930年他主持该法院的工作。

Anzio 安齐奥 拉丁语作Antium(昂蒂乌姆)。意大利拉齐奥区罗马省城镇。位于伸入第勒尼安海的半岛上。曾为沃尔西人要塞。公元前338年被古罗马征服后成为四季游览地，建有许多豪华的罗马别墅。罗马第一个皇帝奥古斯都在此被称颂为"祖国之父"。皇帝卡利古拉和尼禄均出生于此。在沃尔西时代为商业中心。公元59年尼禄在此建港口，后被毁，直至1698年教皇英诺森七世在旧港口东建一新港。1860年归属意大利。第二次世界大战期间，在此曾有激战。1944年1月22日盟军在此登陆，登陆部队超过36 000人和3 000辆机动车，在离罗马60千米处建立了立足点。4个月激战中，盟军伤亡人数近25 000人，轴心国军队伤亡近30 000人。现有港口、剧院等大量罗马古迹。尼禄别墅内藏有许多艺术珍品，包括著名的希腊阿波罗观景楼雕像。有铁路支线通达罗马—那不勒斯铁路干线。海滨游览地有长沙滩及游艇和渔港。主要从事渔业。有鱼类冷冻加工厂、肥皂和清洁剂制造厂。人口：城市区约36 952(2001)。

Anzoátegui 安索阿德吉 委内瑞拉东北部州。北临加勒比海，东接莫纳加斯州，南濒奥里诺科河，西连瓜里科州。面积43 300平方千米。首府巴塞罗纳，为内韦里河上牛和咖啡的航运中心。养牛业历来很发达。农业仅限于高原谷地。出产石油，产量约占全国总量的1/10。所产天然气管道外运。纳里夸尔产煤。巴塞罗纳-关塔-拉克鲁斯港工业联合体的制造业为本地区的主要工业。境内公路广布。人口1 077 435(1997)。

ANZUS Pact 《澳新美安全条约》 正式名称为《太平洋安全条约》。由澳大利亚、新西兰和美国于1951年9月1日在美国加利福尼亚州圣弗朗西斯科(旧金山)签订。其目的是：在遭到外来侵略时互相提供援助，并以和平方法解决3国间争端。1952年生效。3国国名之首字母组成该条约及由此产生的组织的简称。美国向澳大利亚提出签订该条约，作为对日本有可能重新武装的补偿。根据该条约的条款，3国保持协商关系，并努力确保3国在太平洋地区的集体安全。80年代中期，新西兰制定了一项反对核武器的政策，其中规定，禁止有核武器装备的船只，包括美国海军的核军舰，进入新西兰港口。美国的反应是于1986年正式中止对新西兰承担的条约义务，并减少两国的军事联系。3国虽然还是条约的正式成员国，但是实际上从那时起条约已不再起作用。

Aoba 奥巴岛 又拼Oba。太平洋西南部瓦努阿图的一个火山岛。面积399平方千米。最高峰海拔1 400米，上有火山湖，最晚的一次活动在1870年。出口椰干。东岸良港洛洛瓦伊是美拉尼西亚教会总部所在地，岛上有医院及简易机场。人口5 853(1989)。

Aod (Old Testament hero) 参阅**Ehud**以笏。

Aomen 参阅 **Macau** 澳门。

Aomori 青森县 日本本州岛最北端的县。东濒太平洋，北临津轻海峡，西望日本海。津轻与下北两半岛环抱陆奥湾。该县面积9 619平方千米。农业经济比较薄弱，因冬季漫长、寒冷而多雪，水利条件差。西部出产稻米，有日本最大的苹果种植业；东部限于旱粮和马铃薯。从前的军马饲养业早已让位于肉牛和

奶酪业。多数大型制造业集中在县东南的八户。主要渔港八户和青森是远近海洋渔业中心。人口约1 475 728(2000)。

Aomori 青森市 日本青森县首府。滨青森湾。日本最重要交通中心之一,当本州岛北部铁路终点,和北海道的函馆有津轻海峡火车轮渡联系。东北公路、青函海底隧道方便了北海道与本州岛之间的交通。冬天风力强劲,使青森市人工港需要广大的防浪设施。青森是木材和水产特别是沿海贸易的港口。人口约297 859(2000)。

Aorangi 奥伦吉 新西兰南岛中央东部地方行政区,以坎特伯雷平原南部为中心,从克赖斯特彻奇(基督堂市、教堂城)市南面的拉凯阿河伸展到怀塔基河。行政区东临太平洋,往西去包括南阿尔卑斯山脉东坡,面积19 910平方千米。奥伦吉是毛利人对库克峰的称呼,该山是新西兰最高的山。奥伦吉行政区最先有欧洲移民定居是19世纪中叶,而后迅速发展为小麦种植中心。绵羊先在高地上放牧,然后赶到平原里催肥,以供应海外市场。沿海低地从事混作农业。蒂马鲁有座人工港,它和阿什伯顿两城都是主要人口中心。河流中捕捞鲑鱼,哈特山是出名的滑雪胜地。人口约 80 600(1987)。

Aornos, Siege of 奥尔诺斯包围战(公元前327) 亚历山大大帝侵入亚洲时的一次战斗。在这次战斗中,他攻克了阻碍他去印度的一道几乎坚不可摧的天然屏障。奥尔诺斯显然是今天的比尔萨赖,是今天巴基斯坦境内印度河以西几英里和布纳河以北的一个悬崖峭壁。由于不能强攻,亚历山大就占据对面的山头,对印度军营以弩炮相威胁。印度人退却时被俘获,许多人遭到屠戮。

aorta 主动脉 脊椎动物和某些无脊椎动物体内,由心脏向一切器官及体内其他结构输送血液的管道。左心室向主动脉开口的部分有个具有3个瓣的瓣膜,它可阻止血从主动脉中倒流入心。主动脉由心脏出来的部分为升主动脉,然后转向左,由心脏上方跨越过去(主动脉弓),最后下行成为降主动脉。由升主动脉分支出左和右冠状动脉,向心肌供血。由主动脉弓有3条主要动脉分支出来,它们又继续分支,向头、颈、上肢及身体上部供应氧和血。降主动脉沿躯干后部的中心线经过心脏、肺及食管,穿过横膈上的孔,进入腹腔。主动脉在胸腔内下行时分出几个分支供应①心包(即包绕心脏的囊状结构),②肺脏的结缔组织,③由气管输气入肺的支气管,④食管,⑤部分横膈,⑥胸壁。主动脉在腹腔内也有几个分支,组成广泛的网络供血给胃、肝、胰、脾、大小肠、肾、生殖腺以及其他器官。在第4腰椎水平,大致与股骨头平齐的位置,主动脉分为左右髂总动脉,这是供应腿部的主要血管。

aorta, coarctation of the 主动脉缩窄 先天性症征:主动脉的局部缩窄。主动脉是由心脏输血到体循环的主要血管,主动脉管的部分阻塞引起一种特征性的杂音,并造成上肢异常高的高血压。左心室(心脏左下部的腔室)通常扩大。腹部、盆腔及下肢的血流减少。主动脉的肋间分支也扩大并造成肋骨缘出现典型切迹。治疗靠手术,方法因患者年龄而异。在幼儿先结扎供应左臂的血管,将其分开,用作修补缩窄区的瓣。在儿童和青年人则在去除缩窄段之后再将两游离端缝合。年长者,或用涤纶管取代缩窄处,或不动缩窄段而用涤纶管跨过缩窄段作为分流通道,成为一种永久性的血流旁路。手术对年轻人最有效,病人过50岁便很少手术。

aortic arch syndrome 主动脉弓综合征 主动脉弓始于左心室主动脉口,是主动脉的起始段,即富氧血的体循环起点,位于心脏上方。主动脉弓上有通向头、颈、上肢和部分躯干体壁的动脉分支。所谓主动脉弓综合征就是一组可导致这些重要动脉分支堵塞的病变的总称。病因多为动脉粥样硬化,最常见于中年以后。其中一种罕见的类型称为高安氏病或非特异性动脉炎,无脉病(pulseless disease),罹病者主要是东方妇女。本综合征的血管阻塞是进行性的,可使颅脑循环减少而导致失明和偏瘫。死亡原因多为心肌或脑损害。治疗包括旁路移植术。主动脉弓的先天性异常包括动脉导管未闭(必须手术闭合)及主动脉缩窄(可使左心室负荷加重)。

aortic insufficiency 主动脉瓣关闭不全 主动脉开口处瓣膜的功能障碍。结果使已经泵出的动脉血又从主动脉返流回左心室。这种异常可产生特征性的心杂音。患者于轻度体力活动后即感呼吸困难,卧床休息时亦可出现阵发性的呼吸困难。充血性心力衰竭也可发生。病因为先天性瓣膜缺陷、风湿性心脏病或梅毒。内科治疗为控制充血性心力衰竭、防止风湿性心脏病复发及细菌性心内膜炎发生。外科治疗为用人造瓣膜或生物瓣膜置换病瓣。

aortic stenosis 主动脉狭窄 左心室与主动脉之间通道的狭窄,最常见于主动脉开口处的瓣膜上,亦可发生于紧靠主动脉瓣上方或下方的部位(瓣上或瓣下狭窄)。发生于20岁以下患者的主动脉狭窄多属先天性,发生于中年者多属风湿性,发生于老年者其病因为随年龄增大而瓣膜发生退行性变。本病男性多见。主动脉狭窄有特征性的心杂音。患者于活动后可昏厥,亦可出现心绞痛。狭窄可导致充血性心力衰竭。内科处理在于治疗心绞痛及心力衰竭,预防细菌性心内膜炎。外科治疗包括瓣膜的修整成形或换瓣手术。

Aosta 奥斯塔 意大利西北部瓦莱达奥斯塔区首府。在比蒂耶河和多拉巴尔泰阿河汇合处。原为萨拉西人要塞。公元前24年为古罗马城镇。5世纪开始为主教管辖区。现有古罗马城墙和两个城门、纪念奥古斯都的凯旋门、剧院和竞技场等遗迹。该市长方形街区为典型古罗马城市布局。较晚期的古迹有圣奥索大教堂。现为商业中心。有冶金工

奥斯塔市的古罗马剧场遗迹
美国不列颠百科全书公司供图

业。人口:城市区约34 644(2001)。

aoudad (*Ammotragus lervia*) **鬣羊** 又作Barbary sheep。又称柏柏里绵羊。非洲北部的偶蹄目牛科动物。非洲唯一的野生绵羊。肩高约102厘米。喉部和前身生有柔软的长

鬣羊(*Ammotragus lervia*)
美国不列颠百科全书公司供图

毛。角半圆形,先向外,再向后,然后向里直盘到颈部上方。长毛和弯角在雄体身上最明显。栖息在干旱的山区或丘陵地带,以小家族群活动。可不饮水而生活5天左右。受到威胁时,站着不动,黄褐色的毛与周围的岩石混为一体,从而隐蔽自己。

Aouelloul Crater 奥威罗坑口 位于毛里塔尼亚欣盖提西南45千米处的一巨大坑口,一般认为是由陨石撞击造成的。此坑口于1951年从空中发现,直径250米,深10米。在该地区已发现大量熔凝硅玻璃,但在该坑口却仅寻获一块小的陨石碎片。

Aozou 奥祖 乍得北部提贝斯提高地城镇和军事据点。乍得1960年独立后,该城镇及周围地区多次发生军事冲突。当地特达穆斯林牧民反抗乍得首都恩贾梅纳(当时称拉密堡)的统治。1965年前为法军基地。1965年后政府长期驻军。1968年特达人袭击并杀死大多数驻军。4年后为利比亚军队长期占领。20世纪70年代发现周围地区可能有富铀矿后更引起各方关注。

Apa Tani 阿帕塔尼人 印度东北端多山的阿鲁纳恰尔邦(前印度东北边界行政区,中

国政府不予承认)部落民族。操汉藏语系藏缅语族语言,20世纪70年代人数约1.31万。与该地区其他民族不同,阿帕塔尼人习惯于种植水稻。家庭由夫妻及未婚子女构成。社会由氏族构成,氏族分为统治阶级与平民阶级。氏族代表组成村社议事会。阿帕塔尼人信仰万物有灵。

Apabhramśa language　阿帕布罗萨语　反映中古印度-雅利安语晚期特点的一种文学语言,主要是诗歌语言,其时期恰在现代印度-雅利安语(约12世纪)之前。阿帕布罗萨语文学作品包括耆那教的主要著作。虽为文学语言,阿帕布罗萨语也显示出在口语方言方面有其发展过程。在初期,阿帕布罗萨这个术语是指一种被认为讹舛的用法,这包括中古印度-雅利安语的用法在内,因为阿帕布罗萨在梵文中的含义是"偏离正规的语言"。有些学者把阿帕布罗萨语列为一种普拉克里特诸语言(**Prākrit language**)。包括格律家鲁德罗陀(约公元800)在内的各方面的专家,认为这种语言的方言歧异明显。

Apache　阿帕切人　北美西北部印第安人,以劫掠农民为其特点。其领袖人物有:科奇西、曼加斯·科洛拉达斯、杰罗尼莫、维克托里奥等,在19世纪下半期均为本地有名人物。其统治范围跨越现今美国亚利桑那州的中东部及东南部、科罗拉多州东南部、新墨西哥州西南部及东部、得克萨斯州西部以及墨西哥奇瓦瓦州及索诺拉州北部。这种分布状况还是较为晚近的。他们(以及纳瓦霍人)的祖先明显地来自北方,因为阿帕切诸语言与通行于加拿大的阿塔巴斯卡诸语言遥相联系。一些阿帕切民族据说是在15世纪之前来到北美西南地区的;但迟至1700年,平原阿帕切农民还生活在堪萨斯州的迪斯莫尔河沿岸。这些阿帕切人及其他平原阿帕切人在引进马匹之后,曾被科曼奇人和犹他人逼迫迁往南方和西方。在文化上可分为:东阿帕切人,包括梅斯卡莱罗人、吉卡里拉人、奇里卡瓦人、利潘人、基奥瓦阿帕切人;西阿帕切人,包括西贝奎人、明布雷诺人、科约特罗人,还有北方及南方通托人或莫戈隆阿帕切人。东、西阿帕切人的共同特征是:没有集中的部落组织,但基奥瓦人(**Kiowa**)则为例外。每个群组为一自治单位,由各个较小的占有一定土地的地方居民集团联合而成,兼为主要的政治、战斗和劫掠单位。地方居民集团最强有力的头人都是非正式领袖,几个群组也可在一个领袖之下联合起来。领袖地位通常并非世袭的。生活以狩猎和采集野生植物为主,部分依赖农业,部分来自劫掠;但这种成分的比例则因部落不同而大异。吉卡里拉人(**Jicarilla**)大面积耕种,种植玉米及其他蔬菜,但也部分采取了平原印第安人的习惯,以捕野牛为补助。得克萨斯州的利潘人可能原是吉卡里拉人的一个群组,大部分放弃农业,因而流动性比吉卡里拉人更大。梅斯卡莱罗人(**Mescalero**)曾受平原印第安人的影响,但其主食却是暗绿龙舌兰(由此而有其部落名称)。奇里卡瓦人(**Chiricahua**)可能是格朗德河以西阿帕切人中流动性最大而最富于侵略性和喜好寻衅的部落,经常从德拉贡山脉诸据点对墨西哥北部、亚利桑那及新墨西哥等地进行劫掠。西阿帕切人似乎较东阿帕切人更为安于种植,虽也伙同各个尤马部落进行劫掠活动,但重视农业生产。虽然阿帕切战争是最为残酷的边地战争的一部分,但阿帕切人却力图与西班牙人、墨西哥人修好,后来也和美国人修好。早在17世纪时,阿帕切人就袭击、劫掠西班牙传教团体,而且还可能是1680年普埃布洛起义(参阅 **Pueblo Indians**)的唆使者之一。1858年,美国人与奇里卡瓦阿帕切人在德拉贡山的阿帕切隘口举行会谈,订立和约,延续至1861年,不过这年科奇西就准备战争了。这就是阿帕切与纳瓦霍诸战争之始,美国军队与西南印第安人之间战争连年,达1/4世纪之久。阿帕切战争于1886年结束,杰罗尼莫及其残部投降。奇里卡瓦人被逐出西部地区,连续在佛罗里达、亚拉巴马以及俄克拉何马的西尔堡等地作为战俘被囚禁,历经27载。1913年,他们获准或在俄克拉何马领取份地维生,或去新墨西哥的梅斯卡莱罗居留地居住。约有1/3的人们领取了土地,另外的2/3则被送往居留地。20世纪后期全部居民约为1.1万人。

杰罗尼莫(右)和他的三个武士
美国不列颠百科全书公司供图

Apadāna　《阿婆陀那》　巴利文佛教圣人故事集。巴利文经藏中最晚近部分《小部》作品之一。是诗偈集,记547名比丘和40名比丘尼的前世今生的事迹,以佛陀的口气叙述。

Apaiang(Kiribati)　参阅 **Abaiang Atoll** 阿拜昂环礁。

Apalachee　阿巴拉契人　已灭绝的北美印第安部落。操穆斯科格语,居住在佛罗里达州西北部阿巴拉契湾以北奥西拉河与阿巴拉契科拉河之间。16世纪西班牙探险家潘菲洛·德·纳瓦埃斯于1528年、埃尔南多·德索托于1539年分别率领探险队到达过阿巴拉契地区。该部落按母系血统分为若干氏族,酋长一职由氏族内一家系世袭。阿巴拉契人务农,种植玉米、南瓜及经营橘林。以尚武闻名。约于1600年被最后征服并通过西班牙方济各会传道皈依基督教。此后继续繁荣。1655年约有6 000～8 000阿巴拉契人占领8座城镇,各有一方济各会布道团。18世纪初,北面的克里克人(**Creek**)受英国人煽动,对阿巴拉契人居住区发动多次进攻。1703年进攻达到高潮,数百名英国人联合数千名克里克人大败阿巴拉契人与西班牙人的联合队伍,阿巴拉契人几遭毁灭。有1 400人被迫移住卡罗来纳,在该地有的人与克里克人混居,而佛罗里达部落的残余部分则逃往莫比尔和路易斯安那寻求法国人的保护。

Apalachee Bay　阿巴拉契湾　美国佛罗里达州西北部墨西哥湾凹进去的部分,位于塔拉哈西以南40千米(25英里)。有奥克洛克尼、圣马克和奥西拉河注入。沿湾沼泽地带为圣马克斯国家野生动物保护区。1528年,西班牙军官潘菲洛·德·纳瓦埃斯在此湾建造了5条船,他放弃在佛罗里达寻找财富的梦想而前往墨西哥。该湾得名于印第安阿巴拉契部落。

Apalachicola　阿巴拉契科拉　美国佛罗里达州西北部城市,富兰克林县县城(1832)。临阿巴拉契科拉湾(有桥相连),位于阿巴拉契科拉河河口,塔拉哈西西南105千米(65英里),为大西洋沿海水道必经地。约建于1820年,当时名西点特(1831年重新命名阿巴拉契科拉,希奇蒂印第安语意为"在另一边的人们")。1830年起为重要的棉花转运港,至南北战争由于封锁而停止。19世纪40年代阿巴拉契科拉的J.W.戈里发明了一种制冷设备,可使黄热病人的房间保持凉爽(州历史纪念馆内存有纪念物)。现为重要渔业(牡蛎、虾)中心,也输出木材和船舶用品;有鱼罐头厂。奥德三一教堂(1839)是有爱奥尼亚柱子的著名历史文物建筑,其木制部件由纽约装船运来。附近有圣乔治岛(有桥相通)和阿巴拉契科拉国家森林。1827年设镇;1838年设市。人口2 334(2000)。

Apamama(Kiribati)　参阅 **Abemama Atoll** 阿贝马马环礁。

Apamea Cibotus　阿帕梅亚(西博土斯的)　希腊化时期弗里吉亚的城市,部分为今土耳其迪纳尔市。公元前3世纪由安条克一世创建,它代替了古代的切兰纳,而在塞琉西帝国东西方贸易的大道上占有主要地位。公元前2世纪时阿帕梅亚归罗马统治,成为意大利和犹太客商的中心。3世纪时逐渐衰落。1070年被突厥人侵占,最后毁于大地震。

Apanás, Lake　阿帕纳斯湖　尼加拉瓜北部水库。在希诺特加市正北筑坝拦截图马河水而成。面积51平方千米。向全国最大的阿斯图里亚斯水电站供水,该水电站向人口稠密的尼加拉瓜太平洋沿岸供电。

apapane(*Himatione sanguinea*)　**白臀蜜鸟**　夏威夷产的雀形目管舌鸟科鸣禽。常见于较大的岛屿。吸蜜为生,尤喜马六甲蒲桃花蜜。

白臀蜜鸟(*Himatione sanguinea*)
美国不列颠百科全书公司供图

体长约13厘米,红色,翅和尾色深,臀部白色。喙短,稍曲。主要生活在高地森林中。

Apapocuva 阿帕波库瓦人 又称南迪瓦人。操瓜拉尼语的南美印第安人,住在巴西东南部马托格罗索省、巴拉那省和圣保罗省分散的小村落中。20世纪后期可能已不到500人。过去刀耕火种,以玉米、苦木薯、甜木薯、豆类、块根植物和其他蔬菜为主,采集野菜和其他林产品作补充。每个村落都有一个名义上的头人,多由巫师充任。1879年整村人跟随巫师向东迁徙,寻找"乐土",认为"乐土"即在大西洋彼岸。1910年,另一部分人力图用狂舞的办法减轻体重以期飞越大西洋而到达"乐土"。目前阿帕波库瓦人广泛分布在巴西东南部,这是数百年来因宗教原因多次远迁的结果。

Aparanta(India) **厄伯伦德** 参阅**Konkan** 贡根。

Aparicio, Luis 阿帕里西奥(1934-04-29,委内瑞拉马拉开波~) 别名Little Looie。委内瑞拉职业棒球运动员,防守好,跑垒快,耐力持久。在2 581场比赛中任游击手。1953年在雀鹰队替父亲当游击手。1954年加入芝加哥白袜队,1956年当选美国棒球联合会年度新手,是获此奖项的第一个拉美裔运动员。他和二垒手N.福克斯结成双杀对子,使白袜队得以打进世界职业棒球锦标赛。1963年转会巴尔的摩黄鹂队,1966年该队获世界职业棒球锦标赛冠军。1968年回白袜队,1970年加入波士顿红袜队,1973赛季后退役。他在全明星队出场15次。作为游击手助杀8 016次,双杀1 553次,并在进攻中善于偷垒。1984年入选全国棒球名人堂。

Aparni(Parthian tribe) **阿帕勒人** 参阅**Parni** 帕勒人。

Aparri 阿帕里 菲律宾吕宋东北部城镇。位于菲律宾海的巴布延海峡,靠近卡加延河河口。为吕宋东北地区与各岛之间联系的港口。由D.蒂罗纳上校率领的反西班牙起义军1898年在此登陆,1901年在美国治理下恢复文官政府。1941年12月至1945年6月为日本军队占领。主要出口稻米、玉米、椰干、木料和鱼类。地方工业有捕鱼、养牛、制作鱼酱等。居民以伊洛干诺人和伊瓦纳格人为主。人口:城市区59 046(2000)。

apartheid 种族隔离政策 阿非利堪斯语意为"分离"。支配南非少数白人与多数非白人关系的政策。这一政策支持种族隔离及对非白人在政治上和经济上实行歧视。自20世纪60年代以来常被称为"分别发展"的种族隔离政策之得以实施,乃基于1950年的人口登记法,该法将所有南非人区分为班图人(所有非洲黑人)、有色人种(混合种族的人)和白人。后来又增加了第4类——亚洲人(印度人和巴基斯坦人)。得到法律认可的种族隔离,1948年前在南非已广泛实行,不过在这一年取得政权的国民党将此政策又加以扩充,并定名为种族隔离政策。1950年的群体区域法为每一种族在市区建立了居住和商业的区段,其他种族的人不准在这些区段内居住、经营商业或拥有土地。实际上这项法律与通称为土地法的其他两项法律(1954、1955)共同完成了由1913和1936年通过的类似土地法所开始的整个进程。结果南非土地有80%以上归少数白人。为了推行种族隔离,防止黑人侵犯白人的地区,政府加强了现行的"通行法"(非白人进入禁制区时须携带许可证)。其他一些法律禁止种族之间的大部分社交接触,准许公共设施分隔开来,建立分别的教育标准,每个种族只限于从事一定种类的职业,限制非白人成立工会,并不准非白人(通过白人代表)参加国家政府。根据1951年的班图权力法,政府重新为非洲黑人建立了部落组织,1959年的促进班图自治法创设了10个非洲人家园。1970年的班图家园公民权法使每一个南非黑人,不论其实际住所在何处,均成为一个家园的公民,这样就将黑人排除于南非国家之外。有4个家园获准独立,成为共和国,其余则均称为黑人邦国,具有不同程度的自治权。但所有这些,在政治上和经济上仍从属于南非。然而,南非经济对非白人劳动力的依赖,使政府难以实现这一分别发展的政策。虽然政府有力量压制几乎所有对其政策的批评,但在南非内部却总有一些人反对种族隔离政策。得到一些白人支持的非洲黑人团体举行游行示威和罢工,发生过多起暴力抗议和破坏的事件。强制非洲黑人学生使用阿非利堪斯语的努力导致了1976年的索韦托暴乱。某些白人政治家主张放松一些次要的限制,将其称之为"小规模的种族隔离政策",或主张建立种族平等。种族隔离政策也遭到国际社会的谴责。南非于1961年被迫退出英联邦,当时其他成员国显然已不能接受它的种族政策。1985年英、美两国对南非施行了选择性的经济制裁。迫于这些和其他压力,南非政府于1986年废除了"通行法",然而黑人仍被禁止在指定的白人区居住,警察也有着广泛的紧急行动权。不过在颇具根本性的政策转变中,南非政府总统德克勒克于1990～1991年间废止了为种族隔离政策提供法律依据的大多数社会立法,包括人口登记法。然而一贯的种族隔离在南非社会仍属根深蒂固,并且事实上还在继续。该国的多数黑人在国家一级仍然没有选举权,他们的公民权还有待于一部新的或实质上重新修订的宪法。

apartment house 公寓式住宅 包括多个居住单元的建筑,其中大部分供家庭使用,有时也包括商店和其他非居住性的房屋。居住单元可以有多种组合方式和不同的规格、家

法国马赛市科比西埃设计的公寓式住宅楼
美国不列颠百科全书公司供图

具、设备,提供多种类型的居住条件以满足不同类型家庭和个人的需要。集体住宅和公寓建筑已存在数百年。在罗马帝国时期的一些大城市里,由于城市拥挤,除最富裕者的住宅外,个人住房已为*贫民住房*(**insula**)所代替。一般为4层,偶尔也有6、7、8层的建筑。中世纪欧洲的另一类型公寓,是将一座大宅邸的局部空间分隔成若干小间供仆人或侍从居住。与上述由宅邸内部分隔成的"公寓"不同,18世纪在巴黎及欧洲其他大城市中,首先出现世人今日所熟悉的公寓,即是供中产阶级住户租用的高层住宅。19世纪中叶,欧洲及美国城镇中兴建了大量廉价住宅供工人居住,这些房屋往往质量极为低劣、设计不良、不合卫生、居住拥挤。19世纪30年代,在纽约市首先建造的典型的经济公寓,是由俗称的车厢住宅组成,因为其中狭长的房间前后相接排成一列,状如货车车厢。1918年以前欧洲或美洲建造的公寓住宅,设计时很少考虑居住舒适和建筑美观的要求。但19世纪后半叶在一些欧洲城市里,尤其在巴黎和维也纳,上层中产阶级和富裕阶层的公寓式住宅设计大有进展。20世纪初期,开始出现现代化的大型公寓建筑,其中设有电梯、集中供暖及住户共用的设备。供富裕住户使用的公寓,开始提供其他的生活便利条件,如休闲时需用的设施、送货及洗衣服务、共用的餐厅及花园等。随着城市日益拥挤和地价高涨,独家居住的单立式住宅越来越难以实行,这就使多层公寓住宅继续不断地大量发展。许多由政府资助修建的公共住宅,尤其城市中老人、工人或穷人的住宅,都采用公寓住房的形式。第二次世界大战以后,由于各国不断城市化,公寓住房的需求继续上升。多层或高层公寓建筑已成为各地城市天际轮廓线的固定景色,而在建筑密度稍低的城区中,二三层的无电梯公寓,仍受到人们的欢迎。占用公寓住房以前最常用的办法是租赁。但是到20世纪时,更普遍的方式是许多住户共同拥有在同一基地上建造的住房单元。这种住房拥有方式可采用合作住房或房产私有共管的办法。合作住房是住户共同拥有楼房的产

权；这种办法在欧洲某些地区常可见到，比美国普遍得多。在私有共管的住房中，公寓楼或多户住宅中的居住单元产权，属于个人。私有共管住房之所以在美国及其他国家日益受人欢迎，主要是因为其中住户与合作住房的拥有者不同，他们在财政上并不相互牵涉，能够单独地将其私有房产进行抵押。

apathy　情感淡漠　斯多葛哲学所说的从激情中完全解脱的一种状态。大体说来激情是指激动和热情，尤其是指悲痛、恐惧、欲念和欢乐。该学说也许可远溯至犬儒学派（公元前4世纪后半叶）。不过，明确主张根绝激情的是基提翁人芝诺（公元前4～前3世纪）。早期斯多葛派完全否定激情。而伊壁鸠鲁派认为正当的快乐是评判一切行为的唯一标准。亚里士多德主张中庸之道，反对任何极端表现。攻击斯多葛学派的人认为他们或是对人世毫无感觉，或是愚蠢。后来的斯多葛学派也进行答辩，其中一些人将激情分为好的和坏的两种。中期斯多葛主义的帕奈提奥斯也拒绝情感冷漠的观点而重新引用亚里士多德的中庸之道，并论证说，世界上某些好的事物本身就值得追求。公元前1世纪的罗马哲学家塞内加也这样认为。

apatite　磷灰石　磷酸盐矿物系列中的矿物，是世界上磷的主要来源。为呈现各种颜色的玻璃状晶体、块体或结核。如果不是由于磷灰石过软（莫氏硬度5，而大多数宝石硬度为7～9），它会成为一种通用的宝石。多数被发现的磷灰石都很纯净，只是性脆，而难以切割和抛光。黄绿磷灰石是一种纯净的、呈芦笋绿色的变种，蓝磷灰石是一种纯净的蓝色变种。磷灰石系列包括氟磷灰石（商业上最重要的矿物）、氯磷灰石、羟磷灰石和碳磷灰石。这些矿物全是钙的磷酸盐，相互间所不同的只是在化学成分上，氟磷灰石含有氟，氯磷灰石含有氯，羟磷灰石含有羟基，而碳磷灰石则有碳酸根。氟、氯、羟基和碳酸根可互相取代，因而在自然界中大多数磷灰石是这几种化合物的混合物。氯磷灰石和碳磷灰石比较稀有。磷灰石是在结构上相近的矿物族中的一个成员，其组成可以表示为$A_5(BO_4)_3X$，式中A代表一种金属，通常是钙或铅；B是磷、钒或砷；X是氯、氟或羟基。这一族的矿物包括3个系列：磷灰石系列、磷氯铅矿系列和砷灰石系列（介于其他两者之间）。

Apatosaurus　谬龙属　旧称雷龙属（Brontosaurus）。巨大的草食恐龙的一属。是地球上出现过的最大的陆上动物之一。见于北美及欧洲晚侏罗世地层（1.63亿年前至1.44亿年前）。具4条粗壮如柱的腿。谬龙化石于一个多世纪前发现以来，其头部大小、形状、特征如何一直有争论，部分原因可能是化石资料不完全，而化石从发掘地点运出过程中可能弄乱。1978年以前谬龙模型的头部粗钝，鼻端微向上翘，牙齿匙状。但这以后，科学家认为其头部是细长的，牙齿长而尖锐。谬龙及与之相近种类的四肢能否支持如此巨大的身躯在陆上活动，它们是否被迫接受水生生境，这些都是讨论很多的问题。现在认为谬

雷龙，（上）约1879年科学界误认为其鼻吻端粗钝，（下）1978年认为其头部细长
美国不列颠百科全书公司供图

龙主要为陆生动物。它们骨骼的特征并不表明它们生活于水中，实验表明它们的骨骼完全能支持它们庞大的体重。连体重达80吨的庞大的腕龙属（*Brachiosaurus*）种类，也可能大部分时间栖于陆上，小部分时间栖于水中。

Apaturia　阿帕图里亚节　古希腊宗教节日，爱奥尼亚地区城市大都每年举行此节日活动。在雅典，这一节日在皮亚诺普昂月（10～11月）举行，为期3天，届时阿提卡地区各宗族集会讨论宗族事务。最重要的大概是第3天（库列奥提斯），届时自上次节日以来诞生的孩子由父亲或监护人领来行宣誓礼，登记姓名。

Apatzingán　阿帕钦甘　墨西哥中西部米却肯州中西部城市。临阿帕钦甘河。在州首府莫雷利亚西南283千米处。1814年宣告墨西哥独立的大会在此通过阿帕钦甘宪法。位于本州人口稀少的南部和人口稠密的中部之间。气候炎热半干旱，为富庶的农牧业区，出产玉米、豆、芝麻、稻米、棉花、水果等。人口92 000（2000）。

apavarga（Indian philosophy）　参阅 **moksha** 解脱。

Ape（pseudonym）　**阿佩**　参阅 **Pellegrini, Carlo** 佩莱格里尼。

ape　类人猿　长臂猿科（长臂猿、合趾猿）和猩猩科（黑猩猩、小黑猩猩、猩猩、大猩猩）的无尾、人形灵长类动物。与猴类不同之处为完全无尾、有阑尾，脑更复杂。类人猿一般借摇荡（臂行）的方式移动，也往往直立而行。栖息于非洲和东南亚热带森林中。长臂猿（**gibbon**）、合趾猿（**siamang**）和猩猩（**orangutan**）是树栖动物，大猩猩（**gorilla**）、黑猩猩（**chimpanzee**）和小黑猩猩（**bonobo**）也在地面活动一段时间或大部分时间。类人猿的进化史包括许多已绝灭的类型，其中许多是以残存的遗骸而为人所知。已知最早的化石见于埃及渐新世（始于约3 660万年前）沉积层，包括 *Aeolopithecus*（可能为长臂猿的祖先）和埃及古猿（*Aegyptopithecus*，可能为巨类人猿的祖先）。以后的沉积层出现了似长臂猿的 *Pliopithecus* 和 *Limnopithecus*，以及似巨类人猿的槲猿属（*Dryopithecus*，包括 *Proconsul*）的化石。类人猿智力甚高，在亲缘上比其他现存灵长类动物更接近人类。大猩猩、黑猩猩、小黑猩猩及猩猩体型相对较大更像人，故称为大类人猿。而长臂猿、合趾猿称为小类人猿。英语中ape一词亦泛指某些大型无尾猴类如西里伯斯黑猴（**Celebes black ape**）。

Apeldoorn　阿珀尔多伦　荷兰中东部海尔德兰省城市。位于费吕沃山以东苏伦森林边上。以多花园著称，有住宅区和工业区。制造纸品、药品、化工品和制冷机器。市内有多座疗养院，北郊有1686年兴建的威廉三世王宫。该市为公路和铁路交叉点，并有运河与兹沃勒相连接。人口约155 779（2003）。

apella　公民议会　古代斯巴达的国民大会，相当于其他希腊国家的公民大会。每月的会议可能只限30岁以上的正式公民参加。最初由国王主持会议，后来则由执政官主持。公民议会无权提出议案，只审议执政官或元老会议交来的问题。只有国王、元老、执政官，也许还有其他高级官吏能进行辩论。表决是用叫喊的方式。对外政策，包括条约、战争与和平问题，还有王位继承问题都属议会的审议范围。公民议会还可任命军事指挥官，遴选元老和执政官，并就法律修改建议进行表决。

Apelles　阿佩莱斯（活动时期公元前4世纪）　希腊化时代早期画家，作品虽无真迹存世，但一直被认为是古代绘画大师。爱奥尼亚人，曾就学于希腊南部西锡安著名的多里安画派并在画家潘菲洛斯手下工作。作品兼有多里安人的精确和爱奥尼亚人的典雅。曾给马其顿的腓力二世及其子亚历山大大帝充当宫廷画师。据说非常重视素描，善于运用优美的线条；并改进了瓶绘技法，使用一种黑色釉料来保护画面并使颜色柔和。

Apellicon of Teos　**阿佩利孔**（？～约公元前84）　富有的希腊图书收藏家，后成为雅典公民。他曾购得亚里士多德和泰奥弗拉斯托斯的藏书。这些藏书虽然已遭损坏，但很可能从里面找出一些亚里士多德文章的手抄本。据传说，阿佩利孔曾把它们校勘出版，并做了补充。他死后，当苏拉占领雅典时，把这些书带回了罗马。安德罗尼卡的著名版本就是以阿佩利孔的刊印本为基础的。

Apennine Range　亚平宁山脉　意大利半岛的主干山脉，对意大利的人文地理有重要影响。西北从濒海的阿尔卑斯山脉附近的卡迪波纳山口起，成弧形向南延伸至西西里岛以西的埃加迪群岛。全长1 400千米，宽40～200千米。科尔诺山海拔2 912米，为最高点。亚平宁山脉为阿尔卑斯山系中较年轻的山脉，地质上与北非阿特拉斯山脉沿岸山脉有联系，地理上与阿尔卑斯山有显著区别。海拔较低，冰川很少，海洋对谷地和裸露山坡影响较大。因地质上年轻，多岩石，有砂岩、页岩、绿岩和黏土岩。该山脉崎岖陡峭。地震频繁，尤其山脉中、南段及西西里岛，原因是构造沉降、沿众多断层的运动和火山活动。

Apepi(Egyptian god) **阿佩皮** 参阅**Apopis** 阿波皮。

Apert's syndrome (congenital malformation) **阿佩尔综合征** 参阅 **acrocephalosyndactyly** 尖头并指(趾)畸形。

aperture 孔径 在光学中,能穿过光学系统的光束的最大直径。孔径的尺寸受到夹持光学组件的架座的大小或置于光束中的光阑大小的限制。架座或光阑上的孔穴限制着孔径的尺寸,称为孔径阑。所以孔径阑确定着通过光学系统的光量,从而也决定像的照度。与孔径阑有密切关系的是它的像,称为光学系统的入射光瞳。在物点处的入射光瞳直径的张角称为角孔径,它可作为光学仪器聚光本领的量度。参阅 **pupil**;**relative aperture**。

Aphanomyces 丝囊霉属 卵菌纲水霉目(Saprolegniales)的一个寄生真菌属。能连续产生两个无性游动孢子。初生游动孢子由孢子囊产生,但不久即休止,成为休止细胞。休止细胞再产生次生游动孢子。后者可侵染易感的寄主植物。性接合后形成一厚壁的孢子,称为卵孢子。豌豆根腐丝囊霉(*A. euteiches*)可致豌豆根腐病。

aphasia 失语 又称言语困难。因大脑损害引起的言语功能障碍。症状与受损脑组织的部位及程度有关。例如某失语患者虽能活动嘴的各部,也能发出声音,并能听懂别人的话,但可能完全没有自发性言语。而另一失语患者能说词 hopper,但不会说词 hop。"失语"一词的应用范围又可扩大到一组与之有关的障碍。失写(书写困难)患者的说话、阅读及画图能力完全正常,但文字书写功能可完全或部分地丧失。感知性失语称为失认,患者的视力可能很好,却不能辨识所见的物体,虽然可以通过触、听或嗅来加以辨认。阅读困难(失读,诵读困难)是视觉性失认的一种特殊类型。患者在其他方面完全正常,理解力亦高。嗅觉、触觉及味觉性失认亦有报道。各种失语在心理学及精神病学上都有重要意义,因为它们说明了脑内功能上独立的各部分间存在着相互作用,"精神活动"的统一性即以此为基础。脑中一个部位受损可不影响其他部分的功能。而对记忆来说似乎没有这样一种统一的功能,因为可能出现这种情况:视觉记忆缺失,而听觉、嗅觉、触觉等等记忆功能完全正常。

Aphek 阿费克 迦南王城,在今以色列佩塔提克瓦(Petaḥ Tiqwa)城附近。它被约书亚征服后(《约书亚记》第 12 章 18 节),成为士师时期非利士人的要塞。后来到公元前 1 世纪时,希律大帝在该处建城。

aphid 蚜虫 又作 plant louse、greenfly 或 ant cow。同翅目昆虫,体小而软,大小如针头。腹部有管状突起(腹管),吸食植物汁液,为植物的大害虫。不仅阻碍植物生长、形成虫瘿、传布病毒病,而且造成花、叶、芽畸形。生活史复杂,无翅的雌虫(干母)在夏季营孤雌生殖,卵胎生,产幼蚜。植株上的蚜虫过密时,有的长出两对大型膜质翅,寻找新宿主。夏末出现雌蚜和雄蚜,交配后,雌蚜产卵,以卵越冬。温暖地区可无卵期。蚜虫有蜡腺分泌

蔷薇长管蚜(*Macrosiphum rosae*)
美国不列颠百科全书公司供图

物,所以汗多蚜虫外表像白羊毛球。可用农药或天敌(瓢虫、蚜狮、草蛉等)预防控制。蚁保护蚜虫免受气候和天敌的危害,把蚜虫从枯萎植物转移到健康植物上,并轻拍蚜虫以得到蜜露(蚜虫分泌的甜味液体)。常见的蚜虫种类如下:①苹蚜(*Aphis pomi*)成体黄绿色,头、足黑色;卵黑色,产在唯一的宿主——苹果树上越冬。一种烟霉菌靠它的蜜露生长。②菜蚜(*Brevicoryne brassicae*)形小、灰绿色,有粉状蜡质覆盖物。在北美常见,群居在卷心菜、花椰菜、抱子甘蓝、萝卜等的叶背面。在北方以黑色的卵越冬,在南方无有性期。可用药粉或喷雾剂控制。③石原氏球蚜(*Chermes cooleyi*)在云杉小枝端上形成长 7 厘米的圆锥形虫瘿,虫瘿于盛夏时破开,成虫迁到道格拉斯冷杉上产卵。其生活史既可在云杉上完成,亦可在道格拉斯冷杉上完成。撒农药、在成虫钻出前除虫瘿和分开栽两种树可预防控制。④玉米根蚜(*Anuraphis maidiradicis*)的生存依靠玉米地的蚁。卵在冬季由蚁贮藏在巢中,春天蚁把卵搬到草根上,然后转到玉米根上。为玉米的大害,可使之停止生长、变黄和枯萎,也为害其他作物。⑤云杉瘿球蚜(*Chermes abietis*)形成凤梨形虫瘿,1 ~ 2.5 厘米长,由许多室组成,每室约含 12 个若虫,盛夏时破开,释出成蚜,侵袭同一株或另一株云杉。新瘿绿色,具红或紫色条纹,老瘿褐色。受感染树枝常死亡。不同植株敏感程度各异,最好的防治法为喷药。⑥麦二岔蚜(*Toxoptera graminum*)是小麦、燕麦及其他小型谷物的大害之一。于植株上,密集成黄色斑片状,可毁掉整片庄稼。成虫淡绿色,背有深绿条纹延向腹侧。每只雌蚜每代产 50 ~ 60 只幼蚜,每年 20 代。可用寄生天敌及杀虫药防治。⑦桃蚜(*Myzus persicae*)亦称菠菜蚜,成虫浅黄绿色,背有 3 条深色线纹。生活史有两个宿主,夏季雌虫营孤雌生殖。秋季产雌蚜和雄蚜。为大害虫,传播多种植物花叶病。⑧棉蚜(*Aphis gossypii*)绿至黑色。在暖和地区终年产生幼虫,在凉爽地区产卵。为害甜瓜、棉花、黄瓜等 10 余种作物。常以寄生天敌和掠食性天敌防治。⑨豆长管蚜(*Macrosiphum pisi*)浅绿色,致死豌豆,传播黄豆花叶病。在车轴草和苜蓿上越冬,春季迁移到豌豆上。每只雌蚜产 50 ~ 100 只幼蚜,每年 7 ~ 20 代。可喷杀虫药及调节气候防治。⑩马铃薯长管蚜(*Macrosiphum euphorbiae*)在蔷薇科植物上产黑色的卵,孵出的幼蚜粉红色及绿色相间,吃芽和叶。早春迁到夏季宿主(马铃薯)上。每 2 ~ 3 周一代。为番茄和马铃薯的花叶病毒病媒介。取食叶,致死蔓枝和花。⑪蔷薇长管蚜(*Macrosiphum rosae*)形大,绿色,有黑色附肢及粉红色斑。只生于栽培蔷薇上。天敌为瓢虫和蚜狮。⑫蔷薇圆尾蚜(*Anuraphis roseus*)是苹果的重要害虫,使果实变形(蚜苹果),使叶卷曲(可保护蚜虫不被农药喷及)。生活史中包括一种替换宿主车前草,秋天返回苹果树上产卵。也为害梨、山楂、花楸等。防治方法为喷药及用其天敌:食蚜蝇、瓢虫、草蛉、寄生蜂。⑬苹绵蚜(*Eriosoma lanigerum*)生活在根部,可使苹果树矮小或死亡。幼虫体被白色棉花样物。防治用寄生天敌。参阅 **grape phylloxera**。

aphorism 警句 以简练、难忘的词句精辟地表述学说、原理或任何被普遍接受的真理的一种方式。特别应用于那些新近发展了它们自己的原理或方法论的学科,例如艺术、农业、医学、法学和政治。希波克拉底的《警句》一书首先使用了这一名词,书中对疾病的症候与诊断以及治疗术与药物均作了详细的陈述。作为全书的一种引言,第一个警句是:"生命短促,学问久长,时机之来也猝而危,经验何可恃,决断费踌躇。勿满于备医应需,护病周道,适于所期。"中世纪一部众所周知的警句集是由名医 J.德·梅迪塔诺约于 1066 年以拉丁诗句阐述的,书中列举了萨莱诺医学派的箴言。另一部亦以拉丁文阐述的医学警句集由荷兰人 H.布尔哈沃于 1709 年在莱顿出版,书中对当时流行的医学知识作了精练的概述,引起攻读医学史的学生们极大的兴趣。警句这一名词渐用于表述其他领域的原理,最终用于表述任何视为真理之物,现已用为箴言的同义语。

Aphraates 阿弗拉阿蒂斯(活动时期4世纪) 古叙利亚语作 Afrahat。叙利亚禁欲主义者,已知波斯境内叙利亚教会最早的教义书籍著作家。在反基督教的波斯国王沙普尔二世(309 ~ 379)统治期间,改信基督教,成为修士,其地点可能在今伊拉克境内摩苏尔附近的圣马太隐修院。后来可能当过主教,就职时取名雅各。阿弗拉阿蒂斯有"波斯贤士"之称;在 336 ~ 345 年间编集叙利亚经文诠注,供修士阅读,现存 23 篇。他的著作含有原始圣经传统和神学传统,尚未受到 325 年尼西亚会议前后由三位一体论和基督论论争所引起的神学争论和名词争论的影响。

aphrodisiac 催欲 一切能挑起性欲冲动意识的刺激形式。可分成两类:生理心理性催欲和药物性催欲。前者指的是因各种视、听、触、嗅觉刺激引起的性心理感受;而后者则是指因酒足饭饱、服用春药、其他药物或制剂引起的性欲躁动。虽然几千年来,春药一类的东西在文学作品和公众兴趣中始终魅力不减,但除了为治疗男性阳萎而进行的少量药理和激素实验外,几乎没有什么人对这个问

题进行过认真的研究。绝大部分关于这个问题的专著不过是罗列了许多缺乏科学依据的传统观念或民间传说而已。人们一直以为有些食物有催欲作用,像鱼、某些蔬菜和调味品等等,但时至今日,谁也不能从这些食物中找到能催欲的东西。看来,所谓"色情食物"纯属无稽之谈。"色情食品"说法的起源,大概是原始信念中的所谓"牛鞭治阳萎"一类的概念,后来又推而广之:凡是外形像"牛鞭"的东西,就全成了"治阳萎"的色情食品,而像人参、犀牛角粉等就都成了春药。除了酒精和大麻一类药物可通过解除精神抑制来刺激性欲冲动之外,被现代医学证实确有催欲作用的药品并不多,主要有斑蝥素和育亨宾碱,其催欲机制是随排尿过程刺激泌尿道。斑蝥素实际上就是芫菁(**blister beetle**)干粉,是传统的雄性家畜配种时用的发情剂。接触此药可致人的皮肤起水泡,内服时,重可致命。育亨宾碱是从育亨宾树(柯楠属,*Corynanthe yohimbe*)的树皮中提炼出来的一种结晶状生物碱。虽然在中部非洲,几个世纪以来,人们一直把育亨宾树皮当春药用,但大部分学者仍然认为其催欲作用纯属暗示性;因为他们认为,内服大量育亨宾树皮引起的所谓"真性刺激",实际上是一种食物中毒。

Aphrodisias　阿弗罗狄西亚　小亚细亚西南部卡里亚地区古城。在安纳托利亚(今土耳其)境内,位于迈安德河(今门德雷斯河)以南的一块台地上。这里的爱奥尼亚建筑形式的阿佛洛狄忒女神庙、大型露天体育场以及浴池的遗址展露在地面为时已久。1961年以后又发掘出许多建筑物的遗址,计有一座剧场、一个演奏厅、一所大会堂、一个市场、一些房屋和浴池、一座纪念牌坊和一处朝觐罗马皇帝的礼拜中心。该城颇受凯撒的青睐,奥古斯都大帝赋予该城高度自治权和免税待遇,宣布"在亚细亚所有城市中,只有这一座被选定为直属于我的城市"。在罗马帝国中,该城以其雕刻师及其雕刻品著称,还因城东约1英里处的出产大量优质白色和蓝灰色大理石的采石场而闻名。古城位于水利充足的农业富饶之地,经济繁荣。

Aphrodite　阿佛洛狄忒　古希腊性爱与美貌之女神,相当于罗马的维纳斯。由于希腊语的aphros一词有"泡沫"的意思,所以传说她是从乌拉诺斯(天空)的被割下的生殖器被他儿子克洛诺斯投入海中产生的白色泡沫中出生的。事实上,她广泛地被崇祀为海与航海女神;她也被奉祀为战争女神(特别在斯巴达、第比斯、塞浦路斯等地)。最初她是一位爱与丰产女神,偶尔还主持婚姻。虽然妓女把她认作自己的保护神,但对她的公开的祭祀一般说来却是严肃的,甚至是严格的。许多学者认为对她的崇祀是从东方传入希腊的,她的许多特点不能不认为是属于闪族的。荷马称她为"塞浦路斯的"(那个岛主要以对她的崇奉而知名),但在荷马时期她已被希腊化。据荷马的说法,她是宙斯和狄俄涅(宙斯在多多纳的妻子)的女儿。在《奥德赛》里,她同跛足的锻冶之神赫菲斯托斯的婚姻不相称,但后来她却同英俊的战神阿瑞斯厮混在一起(她同阿瑞斯生了哈耳摩尼亚)。在她的凡人情人中,最重要的是特洛伊的牧人安喀塞斯,同他生了埃涅阿斯;还有美少年阿多尼斯(最初是闪族的一个自然神,是伊什塔尔-

阿佛洛狄忒和厄洛斯,刻绘于公元前4世纪的青铜镜上
美国不列颠百科全书公司供图

阿斯塔特的配偶),他在打猎时被一只野猪咬伤而死,妇女们在阿多尼亚节都哀悼他。阿多尼斯的崇祀带有冥界的特点,并且阿佛洛狄忒同德尔斐的死者也有联系。阿佛洛狄忒崇祀的主要中心是塞浦路斯的帕福斯和阿马苏斯以及基西拉岛。基西拉岛是米诺斯的殖民地,这里对她的崇祀可能从史前时代便开始了。在希腊大陆上,对她的主要崇祀中心是科林斯。她同厄洛斯、美惠三女神以及时序女神(季节)的密切关系突出了她作为丰产的促成者的作用。她普遍地作为世界的生成要素(盖尼特里克斯)而受到崇拜。她的别名乌拉尼亚(住在上天的)和潘德摩斯(全民的)被哲学家柏拉图错误地认为指智能方面的和一般的爱情。但我们无宁应当认为,乌拉尼亚的头衔是用于东方的某些神的,而潘德摩斯指的则是她在城邦之内的地位。在她的象征里有鸽子、石榴、天鹅和桃金娘。早期希腊艺术把阿佛洛狄忒表现为一位东方的裸体女神或同所有其他女神相类似的立像或坐像。阿佛洛狄忒在公元前5世纪的那些伟大雕刻家的手中第一次有了她个人的形象。在阿佛洛狄忒的所有雕像之中最著名的也许要算是普拉克西特利斯为尼多斯人所雕的那一座了;后来它就成了这样一些希腊化时期的杰作,诸如米洛的维纳斯的典范。

Aphrodite Terra　阿佛洛狄忒台地　金星表面两块洲际规模的高原台地中较大的一个。位于金星赤道带,从东经60°延展到东经150°,比伊什塔尔台地大一倍。地表面积和地球的南美洲相当。台地明显高出金星平均半径1～5千米。它有两块宽广地段,均为镶嵌型板块构造。在台地的最东端含有一个由裂谷和其他构造组成的复合体。迄今仍不清楚形成阿佛洛狄特台地的地质过程,或许其中有因地幔运动引起的地表增厚。

Aphthartodocetism　基督肉身不朽论　6世纪基督教异端学说。它把基督一性论发展到新的极端。基督肉身不朽论由哈利卡纳苏斯主教朱利安提出,他认为,基督的肉体是神性的,自然不能朽坏,也不能损伤,基督受苦和死亡,都是出于自甘情愿。另一位基督一性论者安提阿牧首塞维鲁反对朱利安,他说,假如说基督的肉体不是人性的,则救恩教义将毫无意义。拜占廷皇帝查士丁尼一世于564年发表谕旨,公布这一新的基督肉身不朽论观点,但未及强迫东方教会予以承认即于次年死去。

aphthous stomatitis　口疮性口炎　参阅canker sore 口腔溃疡。

Apia(Kiribati)　**阿皮亚**　参阅 **Abaiang Atoll** 阿拜昂环礁。

Apia　阿皮亚　萨摩亚首都和港市。位于南太平洋的乌波卢岛北岸。经济以椰干、香蕉、可可和咖啡出口为主。大宗货物包括芋头等块根作物,运往美属萨摩亚群岛。英国

阿皮亚市的R.L.斯蒂文森故居
美国不列颠百科全书公司供图

著名作家R.L.斯蒂文森的故居现为国家元首府。南郊的瓦埃阿山为斯蒂文森墓所在地。穆林乌半岛建有阿皮亚天文台、议会厅和广播电台。第二次世界大战时曾驻有美国海军陆战队。人口38 386(2001)。

Apiaceae　伞形科　又作Umbelliferae。山茱萸目的一科。300～400属。分布广泛,生境多样,主要分布于北温带。多为芳香草本植物。叶互生,羽状分裂,基部具鞘。花小,

海刺芹(*Eryngium maritimum*)
美国不列颠百科全书公司供图

聚生成典型的伞形花序,常为两性花,萼片、花瓣各5枚,花柱基部有增大的花盘。果具棱,成熟时常裂为两半。不少种有毒,如芹

叶钩吻(*Conium maculatum*)、斑点毒芹(*Cicuta maculata*)和愚人欧芹(毒欧芹,*Aethusa cynapium*)。有些种广泛用作蔬菜,如皱叶欧芹(*Petroselinum crispum*)、胡萝卜(*Daucus carota*)、芹菜(*Apium graveolens*)、欧洲防风(*Pastinaca sativa*)和茴香(*Foeniculum vulgare*)。用作草药和调味的有茴芹(*Pimpinella anisum*)、莳萝(*Anethum graveolens*)、芫荽(*Coriandrum sativum*)、葛缕子(贳蒿,*Carum carvi*)和欧莳萝(*Cuminum cyminum*)。有些种长期用作民间药物,如胶氨芹(*Dorema ammoniacum*)及羊角芹(*Aegopodium podagraria*)。有栽培观赏价值的如大星芹(*Astrantia*)、蓝饰带花(*Trachymene caerulea*)、海刺芹(*Eryngium maritimum*)等。

apicomplexan　顶复虫　又作 sporozoan。又称孢子虫。顶复虫门(Apicomplexa,或称为孢子虫门[Sporozoa])原生动物。均为寄生性,无伸缩泡与伪足。生活在几乎各种动物(包括其他顶复虫)的体腔内或细胞内。有些属有致病性:疟原虫属(*Plasmodium*)可致疟,艾默氏虫属(*Eimeria*)和等孢虫属(*Isospora*)可致球虫病。顶复虫吸取宿主摄入的食物(腐物营养)或吸取宿主的细胞质和体液。呼吸和排泄通过细胞膜的渗透来完成。生活史中有性世代与无性世代交替。有性生殖可能紧跟在孢子形成之前;无性生殖为二分裂或多次分裂(裂配生殖)。

Apion, Ptolemy　参阅 **Ptolemy Apion** 托勒密(阿皮翁)。

Apis　阿匹斯　埃及语作 Hap(哈普)、Hep(赫普)或 Hapi(哈匹)。古埃及宗教所崇奉的公牛,崇拜中心在孟菲斯。阿匹斯原是尼罗河神哈匹的化身,起初大概是专司繁衍牲畜

阿匹斯,绘于约公元前700年的木棺棺底
美国不列颠百科全书公司供图

的丰产神,后来与孟菲斯的主神卜塔发生联系,又与俄赛里斯相结合而称为巫赛尔-哈匹,同时还与司掌死者和阴间的神索卡里斯相结合。阿匹斯与太阳崇拜相结合,称为阿匹斯-阿图姆,其形象为一公牛,两角之间夹太阳张翼之徽。

Apizaco　阿皮萨科　墨西哥中东部特拉斯卡拉州中部城市。海拔 2 400 米。在东马德雷山脉阿皮萨科谷地。商业、制造业中心和交通枢纽。盛产玉米、豆、大麦和小麦。有制革、酿酒、纺织、铁路修配等工厂。墨西哥城—韦拉克鲁斯铁路经过这里。通公路。有一个机场。人口 21 189(1970)。

aplastic anemia　再生障碍性贫血　又称骨髓衰竭性贫血。骨髓不能产生足够数量的血细胞的一种疾病。可为全血细胞减少或一至数种类型的血细胞减少。可为先天性(范可尼氏综合征)或获得性(如接触苯、氯霉素等化学物质或电离辐射后),半数病例为特发性。本病可发生于任何年龄,但以 15～30 岁最常见。起病可以突然,迅速恶化,短期死亡;但多为隐袭发病,呈慢性经过,可持续数年。初期症状为乏力和疲劳,继之气短、头痛、发热和心悸,检查常见苍白和黏膜、皮肤及其他器官出血。若白细胞(特别是中性粒细胞)缺乏,则抵抗感染的能力明显减低,死亡原因主要为感染。若血小板明显减少则常见严重出血。现代根治方法是骨髓移植。骨髓移植的关键是一位配型合适的供体。其他的治疗包括防止接触已查明的致病因素、支持疗法(补充液体、葡萄糖和蛋白质,一般经静脉给与)和输血。曾用肾上腺皮质激素或雄激素刺激骨髓生长,某些病例有效。偶见自发性恢复。

aplite　细晶岩　又拼 haplite。指成分简单的一种侵入岩,如仅由碱性长石、白云母和石英组成的花岗岩之类。从更严格的意义上说,指均匀细粒的(粒径小于 2 毫米)、浅色的、具有特殊粒状结构的侵入岩。与成分类似而晶粒较粗的伟晶岩不同,细晶岩呈小型岩体产出,很少含有由不同矿物组成的带。伟晶岩和细晶岩常常一同产出,互相切割或在彼此范围内形成透镜体,并且被认为是在同一时间内由相似的岩浆(熔融物质)形成的,但细晶岩岩浆含矿化剂和挥发物较少。参阅 **pegmatite**。

Apo, Mount　阿波火山　棉兰老岛中南部的活火山。在达沃市以西 32 千米处;海拔 2 954米,为菲律宾最高点。是中科迪勒拉山的一部分,覆盖着高大的热带硬木森林;两座附属山峰的高度与之所差无几。1936 年开辟的阿波火山国家公园占地 80 864 公顷。是食猴鹰的栖居地,有多个山峰和山谷。有马拉西塔瀑布、锡布劳湖、基辛特温泉等名胜。

Apocalypse of John　参阅 **Revelation to John**《启示录》。

apocalyptic literature　启示文学　公元前 200～公元 200 年间主要流行于犹太教与基督教内部的文学体裁。为了给予遭受迫害或文化剧变之压力的教团以希望,启示文学著作用信徒易于理解的隐谕,指出上帝要突然干预历史,护祐他的忠实的选民,届时要发生普世灾变,如撒旦暂时统治世界、异常天象、大迫害、战争、饥馑和瘟疫等。《旧约·但以理书》和《新约·启示录》是启示文学的代表作。《旧约》成书后、《新约》成书前所出现的某些著作也含有启示文学的主题。在现代,启示文学复兴常出现在科幻作品中。

apocalypticism　启示论　强调上帝突然介入人类历史,大施作为,审判万民,拯救信徒,信徒与上帝一同统治新天新地的种种启示内容的末世论学说。启示论源起于琐罗亚斯德教,在犹太教、基督教与伊斯兰教教义中发展得更加完善。参阅 **eschatology**。

Apocrita　细腰亚目　膜翅目的一个亚目,另一为广腰亚目。本亚目包括茧蜂、姬蜂、小蜂、瘿蜂、胡蜂、泥蜂、蚁和蜜蜂、几乎全部寄生的膜翅目昆虫以及其他少数种类。细腰亚目包括膜翅目中演化最高级的种类,共数千种,遍布全世界。幼虫蛴螬状,营静止生活,有的寄生于其他昆虫体,有的居于巢内由成虫喂食,或吃植物。本类的鉴别特征是成虫腹部的基部收缩。成虫主要吃植物,但有的寄生或重寄生(即取食寄生在其他昆虫体上的昆虫)。尽管有些种类(如广肩小蜂科)为害作物,但大多数种类对人有益。如**蜂(bee)**总科的种类为各类重要经济植物授粉;蜜蜂属(*Apis*)的**蜜蜂(honeybee)**酿蜜;有许多寄生在害虫体上,如**姬蜂(ichneumon)**、**小蜂(chalcid)**、金小蜂、环腹瘿蜂、**旗腹姬蜂(ensign wasp)**和肿腿蜂。

apocrypha　外典　不列入正典《圣经》的经籍。犹太教和基督教所称外典大致分为几类:狭义外典指非出自神授但可资研究之用的经籍;伪经即托名著作,是假托某一圣经人物之名而成的作品;次经是仅仅被某一教派列入正典而非所有教派都承认的著作。在地中海地区通用希腊语的时代,多数居民难以理解用希伯来文写成的《旧约全书》亦即希伯来《圣经》。因此,一些犹太学者根据各种希伯来文原本以及阿拉米文片断译成希腊文《旧约全书》,通称《七十子希腊文本圣经》。《新约》外典全部是伪经,有使徒言行、耶稣言行及使徒书信等,也有几种启示著作和智慧书。除狭义的外典之外,《新约》中还有一些文献和片断属于次经,即后成典之经。诺斯替教和孟他努派等异端曾刊行大批《新约》外典。圣热罗姆翻译成通俗拉丁文本《圣经·旧约》,他所根据的主要版本就是七十子本。他当时已怀疑其中有些内容的真实性,但是仍把大多数外典收进,他也是第一位使用“外典”一词的人。1546 年 4 月 8 日,特伦托会议宣布通俗拉丁文本绝大部分内容为正典,删去的只有《马加比传》第 3、4 卷;《玛拿西祷言》;《诗篇》第 151 篇;《以斯拉记一》和《以斯拉记二》。东派教会正典收进旧约中的次经《多比传》、《犹滴传》、《所罗门智训》和《便西拉智训》,其他的则一律不收。

唯有天主教会承认为正典的(除一两卷外),其他外典文献有《巴录书》(一位先知)和《耶利米书信》(常常是《巴录书》的第 6 章);《马加比传》(第 1、2 卷);《但以理书》中的几段故事,即《三童歌》、《苏撒拿传》和《彼勒与大龙》;以及《以斯帖记》中很大一部分材料。

旧约伪经数量甚多，其中记事有关自亚当至撒迦利亚等圣经人物，最著名的有《以赛亚升天记》；《摩西升天记》；《亚当夏娃传》；《以诺一书》、《以诺二书》；《禧年书》；《阿里斯提亚斯书信》和《十二列祖见证》。

Apocynaceae　夹竹桃科　龙胆目的一科。150余属，约1 000种。乔木、灌木、木质藤本或草本植物。主要分布于世界热带及亚热带地区。植株含乳状液，常有毒。叶缘光滑；花

软枝黄蝉（*Allamanda cathartica*）
美国不列颠百科全书公司供图

丛生，稀单生；果通常为膏葖果，成熟后裂开，少数为浆果状或肉质；种子有翅或簇生。该科的庭园观赏植物有蔓长春花属（*Vinca*）、夹竹桃属（*Nerium*）、黄花夹竹桃属（*Thevetia*）、鸡蛋花属（*Plumeria*）、假虎刺属（*Carissa*）及山辣

小长春花（*V. minor*）
美国不列颠百科全书公司供图

椒（*Tabernaemontana coronaria*）。络石属（*Trachelospermum*）几个种，尤其是茉莉络石（星茉莉、邦联茉莉，*T. jasminoides*）、曼德维尔藤属（*Mandevilla*）和黄蝉花属（*Allamanda*），是美观的木质藤本。罗布麻属（*Apocynum*）和水甘草属（*Amsonia*）有时也栽培观赏。*Adenium* 属和 *Pachypodium* 属原产非洲，为肉质植物，叶互生，茎形奇特。黑斑羚木（*Adenium multiflorum*）为观赏灌木，花星形，块茎大。箭毒提自多种夹竹桃科植物。萝芙木属（**Rauwolfia**）和羊角拗属（**Strophanthus**）植物含有毒生物碱，可供药用。

apodiform　雨燕类　雨燕目（Apodiformes）鸟类，包括雨燕及蜂鸟。共同特征是擅长空中运动；均善飞，翅上均有某些与其他大多数鸟类不同的变化。蜂鸟属于蜂鸟亚目（Trochili），该亚目仅一科：蜂鸟科（Trochilidae），320种。雨燕属于雨燕亚目（Apodi），该亚目分为2科：雨燕科（Apodidae），包括真雨燕；凤头雨燕科（Hemiprocnidae），包括树雨燕（凤头雨燕）。

蜂鸟仅原产于西半球，多数种类见于南美西北部热带地区。有几个种，包括北美的红玉喉北蜂鸟（*Archilochus colubris*），已适应于温带。有一个种，棕煌蜂鸟（*Selasphorus rufus*）甚至分布到阿拉斯加。树雨燕分布范围有限，栖息地从印度经过东南亚直到东印度群岛。真雨燕是本目中分布最广的种类，在新旧大陆所有存在大量会飞昆虫的地区均能见到。

蜂鸟科的种类外形极为相似。古巴的海伦吸蜜蜂鸟（*Mellisuga helenae*）是已知最小的鸟，体长仅6.4厘米。本科最大的种类是巨蜂鸟（*Patagona gigas*），体长20.3厘米。蜂鸟科种类间的差别在于喙的形状和大小以及饰羽的颜色。有的种类的喙极短，如髯蜂鸟（*Oxypogon guerinii*），而剑喙蜂鸟（*Ensifera ensifera*）的喙比身体其他部分还长。蜂鸟的喙多直，但也可能向下弯，如镰喙蜂鸟属（*Eutoxeres*）喙向上弯的种类较少。蜂鸟喙的形状与各种类所喜采蜜的花形状相适应。腿及足均小，仅适于攀枝，不适于步行。多数蜂鸟均具特征性的有虹彩光泽的鲜艳羽衣，尤其在喉部。蜂鸟的尾多短而简单，但少数种类，如非凡刮刀尾蜂鸟（*Loddigesia mirabilis*）的尾长而华丽。

雨燕不同种类之间躯体大小的差异大于蜂鸟。旧大陆的楼燕属（*Apus*）种类，体重为重5.7克的倭雨燕（*Collocalia troglodytes*）的30倍。变化最多的结构是尾部。刺尾雨燕，包括美洲的烟囱刺尾雨燕（*Chaetura pelagica*），尾羽的羽轴突出于羽片之外呈尖刺状。其他雨燕的尾为方形，略呈叉形，或为深叉形（燕尾形）。真雨燕的足软弱到不能攀抓枝条，故真雨燕休息时用其尖锐的爪攀在垂直的表面上。树雨燕的足较大，较强壮，因此树雨燕经常栖于树上。其喙短而较弱，口大，适应于捕食飞行中的昆虫。

雨燕分布于有飞虫的生境。飞低到水体表面时将喙浸入水中饮水。蜂鸟已高度特化，基本上靠花蜜为生，仅分布于有开花植物的地方。这就解释了为什么绝大多数种类分布于一年到头都有不同植物在开花的无季节之分的热带地区。采食时蜂鸟在花的上方翱翔，几乎停在一处不动，伸出一条管状的长舌吸食花蜜。除翱翔时能停在一点不动外，蜂鸟又能倒退着飞行，偶尔能背朝下腹部朝天飞行。许多种类也食一些昆虫和蜘蛛，用喙来捕食这些动物。

蜂鸟和雨燕均能进入“蛰伏”状态，此时代谢率降低，体温下降。这样蜂鸟过夜时便可避免耗尽体内的能量储备，以便在觉醒时，能维持其极高的新陈代谢率。如果长时期内飞虫数量不足，进入蛰伏状态可使雨燕存活下去。

雨燕的求偶表演和交配完全在空中进行。树雨燕的巢通常为简单的杯状，筑于树枝上。棕榈雨燕（*Cypsiurus parvus*）将巢用唾液腺分泌的黏性物质粘于棕榈树叶背面，有些种类还将卵粘在巢内，以免有风时卵被抛出巢外。爪哇金丝燕（燕窝雨燕，*Collocalia fuciphaga*）的巢几乎全由唾液腺分泌物构成；是东方著名的燕窝汤的原料。每窝产1～6枚白色卵，北方种类的产卵数较大。印度的屋雨燕（小白腰雨燕，*Apus affinus*）是每年有两个繁殖季节的少数鸟类之一；1月份和5月末至6月各繁殖一次。雌雄雨燕均负责孵卵。成鸟捕捉大量小昆虫时，赤裸裸的幼雏被留在巢中得不到照顾的时间长于多数其他鸟类；但雨燕的幼雏在孵出的数周内基本上是冷血的。

蜂鸟与雨燕不同，通常为多配偶。某些种类无领域行为，但另一些种类会激烈地捍卫其营巢地或取食地点。蜂鸟通常具进攻性，会利用灵活的飞行技巧驱赶鹰类和其他大型掠食动物。蜂鸟多数的求偶表演在空中进行，但色彩暗淡的隐士蜂鸟（隐士蜂鸟属［*Phaethornis*］）以鸣唱为主要的求偶表演方

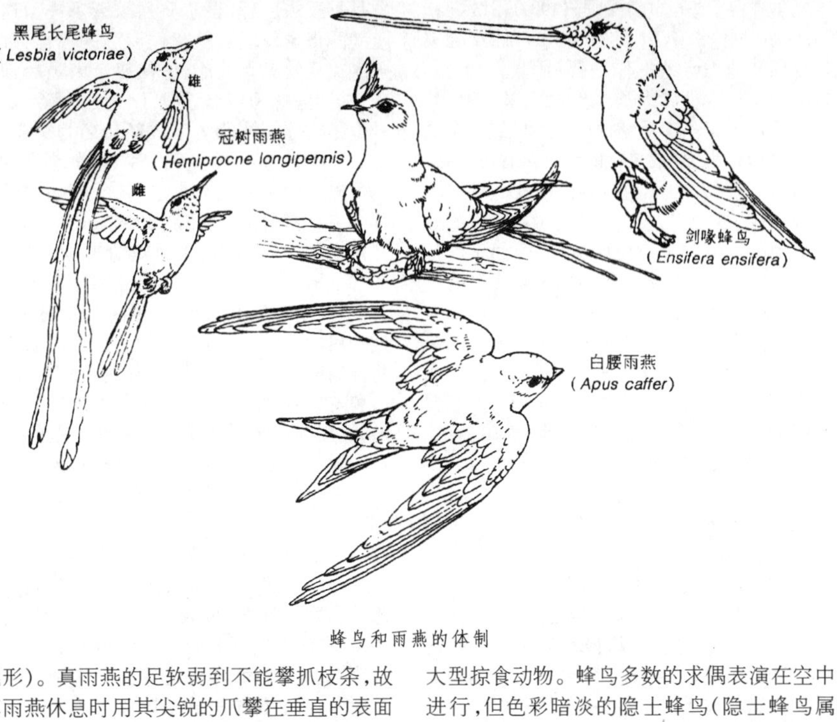

蜂鸟和雨燕的体制

式。某些种类有求偶场，雄性个体来此共同进行求偶表演。蜂鸟的巢位于树枝上，由植物纤维、地衣、树皮碎片、蜘蛛网等构成。每窝产2枚白色卵，孵卵及育雏由雌鸟单独承担。亲鸟将喙伸入幼雏口内深处，将食物吐出哺喂。

Apollinaire，Guillaume　阿波里耐(1880-08-26，罗马？～1918-11-09，巴黎)　威廉·阿波里耐·德科斯特罗维茨基的笔名。法国诗人。在其短促的一生中，参与了20世纪初法国文艺领域中风靡一时的所有先锋派运动，并把诗歌引向未曾探索过的途径。他是波兰女移民和意大利军官之子，对于自己的出身讳莫如深。20岁时来到巴黎，过着放荡不羁的生活。1901年在德国度过数月，对他产生了深刻影响，激发了他从事诗歌创作的热情。他被莱茵兰所迷，后来在诗歌里又再现其森林和传说之美。曾追求一位英国少女，但未能如愿，写出著名诗篇《失恋之歌》。回到巴黎

美国不列颠百科全书公司供图

后，成为著名作家，经常出入文人聚会的咖啡馆，与年轻画家M.弗拉曼克、A.德兰、R.杜飞和毕加索等结交为友。向同时代人推崇H.卢梭的绘画和非洲的雕塑。与毕加索一起专心致志于为文学和绘画方面的立体派美学下定义。1913年出版《立体派绘画》。第一本文学作品《堕落的魔法师》(1909)用散文诗写成，叙述一个魔法师和一个水中仙女的离奇对话。他的诗歌杰作是《醇酒集》(1913)。1914年第一次世界大战爆发后从军，任步兵少尉。1916年头部受伤退伍，回到巴黎，发表象征性短篇小说《被杀害的诗人》(1916)和一本新诗集《美好的文字》(1918)，贯串诗集的是战争描述和他在一次新的恋爱事件中的感受。他因在战争中负伤而体弱，死于流行性感冒。剧本《蒂雷西亚的乳房》在他去世前一年(1917)上演，他称之为超现实主义，这是首次使用这个名词。他在诗歌中进行大胆的技巧实验。他的《美好的文字》利用巧妙的排版效果，既是图案，又是诗歌。他运用语言的特殊组合，创造出令人惊讶的效果，因此，可被称为是超现实主义的前驱。

Apollinaris THE YOUNGER　阿波利那里斯(约310～约390)　基督教老底嘉(今在土耳其境内)主教，在基督神人二性问题上，他提出称为阿波利那里斯主义的异端理论。起初，罗马皇帝尤里安禁止基督教徒讲授古典著作，但阿波利那里斯同父亲合作，用荷马和品达的诗歌体转述圣经《旧约》，用柏拉图对话体转述《新约》。他在反对阿里乌派时提出基督没有人的理性灵魂(参阅**Arius**)。根据他所持有的种种观点，教会判处他绝罚(开除教籍)。后来解除绝罚，346年再受绝罚，但老底嘉教会仍选他为主教(约361)。

Apollinopolis(Egypt)　**阿波利诺波利斯**
参阅**Idfū**伊德富。

Apollo　阿波罗　又称Phoebus(福玻斯)。希腊宗教中具有多种职能和意义的神，在一切希腊神当中被崇奉得最广泛，也最有影响。虽然他原来的性质不清楚，但从荷马时起，他已是神圣远方之神，他可以从远处送来东西或进行威胁；他使人们认识到自己的罪恶，并为他们洗刷罪恶；他主管宗教法和城邦法；他通过预言和神谕，向人传达有关未来的指示和他父亲宙斯的意旨。甚至诸神都惧怕他，只有他的父亲和母亲勒托才经受得住他的出现。他的具有象征性的弓概括了距离、死亡、恐怖和敬畏的含义。他的性格中较温和的一面表现于他的另一个象征，即里拉琴。它宣布通过音乐、诗歌和舞蹈同奥林波斯山(诸神的住所)相交流的喜悦。在下层人民中间，他又是谷物与畜群之神，最初是对付野兽和疾病的神圣堡垒。他的头衔阿勒克西卡科斯(避邪者)就说明这一点。他的名字福玻斯是“光明”或“纯净”之意，所以人们通常认为他同太阳有联系。他还有诺米奥斯(牧人)的头衔。据说由于他杀死了为宙斯制造武器的库克罗普斯们，被罚作弗雷国王阿德墨托斯的下贱的马夫和牧人。他还有吕刻俄斯的名字，这也许是因为他保护了羊群不受狼的侵犯；由于牧人用音乐来消磨时间，所以学者们认为这才是阿波罗最初的作用。虽然阿波罗在所有的神当中是最能代表希腊的，但显然他是起源于国外的，他或是来自希腊以北的某个地方，或是来自亚细亚。传说他与阿耳忒弥斯为同胞，一起诞生在提洛岛上。阿波罗从那里去皮托(德尔斐)，杀死了守卫这块土地的母龙皮同。他化作海豚的模样，跳上一艘克里特岛人的船，迫使船上人员为他服务，这样他就为自己设立了一处神示所。皮托于是按照海豚的名字重新命名为德尔斐。而克里特地方对德尔斐的阿波罗的崇拜便超越了先前由大地神(该亚)在那里创立的崇拜。在远古时期(公元前8～前6世纪)德尔斐神示的声名一直传播到安纳托利亚的吕底亚并且取得了泛希腊的地位。传达神谕的是当地一个50多岁的女人，通称皮提亚；她在他的启示下，在正殿传达神谕。然后由祭司将神谕编成诗句并加以解释。希腊大陆、提洛和安纳托利亚还有另一些阿波罗的神示所，这里的神示所是同类神示所中最重要的。在为阿波罗举行的希腊节日当中，最奇妙的是8年一次的德尔斐的斯提普提里昂节(花冠节)了，节日期间一个男孩子重新表演杀死皮同的故事并暂时被流放到滕比河谷。虽然他有许多爱情事件，但大多是不幸的：达佛涅想尽力摆脱他，但被他变成月桂树——他的圣树；科洛尼斯(阿斯克勒庇俄斯的母亲)在证明自己不贞时，被他的孪生兄弟阿耳忒弥斯射死；特洛伊国王普里阿摩斯的女儿卡桑德拉因拒绝他的求爱，被罚讲出真实但无人

阿波罗·贝尔维德尔，根据公元前4世纪的希腊原作而塑的罗马仿制品
美国不列颠百科全书公司供图

相信的预言。阿波罗很早就被引入意大利，但最初也和在希腊一样，同医疗和预言有关。由于亚克兴战役(公元前31)是在他的一座神殿附近进行的，所以他受到奥古斯都皇帝的高度尊重。在艺术作品中，他被表现为一位裸体或穿袍子的无须少年，手里常常拿着一张弓或一把里拉琴。

Apollo program　“阿波罗”计划　美国国家航空和航天局在20世纪60～70年代完成的登月计划。该计划于1961年5月宣布，但经过长时间的深入研究后，才选定在月球上着陆并返回的技术。最后的方案是采用月球轨道交会法，用强大的运载工具(“土星”V号)把50吨重的航天器送入月球轨道。建造了几种登月运载工具(主要是大型火箭)和航天器。“阿波罗”航天器本身装有较小的火箭发动机，当它接近月球时，能使航天器减速进

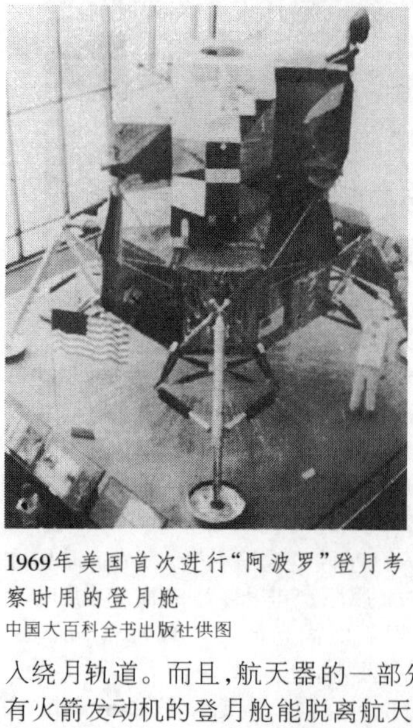

1969年美国首次进行“阿波罗”登月考察时用的登月舱
中国大百科全书出版社供图

入绕月轨道。而且，航天器的一部分——装有火箭发动机的登月舱能脱离航天器，载着宇航员登上月球，并返回绕月轨道与“阿波罗”航天器接合。第一次载人“阿波罗”飞行，因发生了悲惨的事故而推迟，由于在一次发射演习时，航天器突然着火，3名宇航员遇难。在几次不载人的绕地球轨道飞行之后，

于 1968 年 10 月 11 日“阿波罗”7 号载着 3 名宇航员绕地球飞行了 163 圈。“阿波罗”8 号迈出了载人月球探测的第一步，它从绕地球轨道进入绕月球轨道，在完成绕月飞行后安全返回地球。“阿波罗”9 号在绕地球轨道上进行了长时间的飞行，对登月舱进行检验。“阿波罗”10 号则飞入绕月球轨道，然后登月舱下降到距月面 15 千米以内，以检验其性能。1969 年 7 月“阿波罗”11 号在月球上着陆，使逐步推进的“阿波罗”登月计划达到高潮，N.阿姆斯特朗成为人类第一次踏上月球的宇航员。1970 年 4 月发射的“阿波罗”13 号，因氧气瓶爆炸发生事故，但仍然安全地回到了地球。其余的“阿波罗”飞行对月面进行了广泛的考察，收集了大量的月球岩石标本，并把许多仪器安装在月球上进行科学研究，如太阳风实验和月震测量等。“阿波罗”计划的最后一次飞行——“阿波罗”17 号是在 1972 年 12 月进行的。

Apollo Theatre 阿波罗剧院 非洲裔美国人流行音乐的重要演出场所。1913 年建于纽约哈勒姆西区 125 街 253 号。剧院位于哈勒姆主要商业街道，其位置反映出它在哈勒姆文化中的重要作用。20 世纪 30 和 40 年代，B.罗宾逊、B.霍利戴、B.史密斯、E.沃特斯、D.埃林顿等乐手在此表演，而 E.费兹杰罗、S.沃恩、J.布朗等明星是从周三业余之夜被挖掘出来的。60 年代阿波罗剧院推出至上合唱团及 S.汪德、M.盖伊等灵歌乐手。1977 年剧院改为电影院，但并不成功。一年后关闭。1981 年剧院被多位投资人购买，1983 年成为地标性建筑，1985 年以表演场地的形式重新开放。

Apollodorus 阿波罗多罗斯（活动时期公元前 5 世纪） 雅典画家。据传首先在画上表现明暗与色彩，世称“阴影画家”。普林尼说他是“真实表现人物的第一位画家”。他的作品无一留存，根据古代文献记载，有《奥德修斯》、《祭司在祷告》和《埃阿斯遭受雷击》等。

Apollodorus of Athens 阿波罗多罗斯（雅典的）（活动时期公元前 140） 希腊著名学者，以所著《希腊编年史》闻名。曾从师于阿里斯塔科斯，约公元前 146 年离开亚历山大城前往帕加马，最后定居雅典。《希腊编年史》用希腊喜剧通用的抑扬格三音步诗体写成，纪事时期从特洛伊城陷落（公元前 1184）至公元前 144 年，后又续至公元前 119 年。他的其他著作有：专题论文《诸神论》；一篇有关荷马诗作中船只名录的文章，斯特拉博在他的《舆地志》中曾加以引用；还有一些评论文章和有关语法的文章。一部概述希腊神话的书《神话全书》以他的名字传世，实际上并非出自他之手。

Apollodorus of Damascus 阿波洛多鲁斯（大马士革的）（活动时期 2 世纪早期） 希腊工程师和建筑师。他原先为罗马皇帝图拉真（98 ～ 117 年在位）效力。后被哈德良皇帝放逐，约于 130 年被处死。最著名设计为罗马图拉真广场和图拉真圆柱。

Apollonian 阿波罗精神 与太阳神阿波罗相关。F.尼采曾在《悲剧从音乐精神中诞生》一书中使用该词来描述希腊悲剧中两个相对立的倾向或成分之一。根据尼采的说法，阿波罗精神的属性是理性、修养、和谐和克制。这些正好与狄俄尼索斯精神的无节制、无理性、无纪律和放纵的情欲等特点相反。将太阳神阿波罗神的特点与酒神狄俄尼索斯神的特点相结合，便产生了悲剧的故事。对话代表阿波罗精神，而赞美酒神的合唱颂歌则代表狄俄尼索斯精神。

Apollonius Dyscolus 亚浦隆尼（活动时期 2 世纪） 又译阿波罗尼奥斯。希腊语法家，被誉为系统语法研究的奠基人，曾在罗马皇帝哈德良和安东尼·庇护统治时期的亚历山大城度过一生。拉丁语法学家普里西安称之为“语法家之王”并以其著作为自己著作的依据。现存亚浦隆尼 4 部著作是：《论句法》一书和《论代词》、《论连词》及《论副词》3 篇短文。

Apollonius of Perga 阿波罗尼奥斯（佩尔吉的）（公元前约262，安纳托利亚高原潘菲利亚地区佩尔吉～前约 190，亚历山大） 古希腊数学家，当时以“大几何学家”闻名，其专著《圆锥曲线》是古代科学巨著之一。其他著作大都失传，但其标题和内容提示却通过后人特别是帕普斯（活跃于约 320）而流传下来。年轻时他在亚历山大学习（据帕普斯说，就学于欧几里得的学生），嗣后即在那里的大学执教。他曾访问小亚细亚西部希腊王朝的首府帕加马，当时该地有一所大学和图书馆，其规模不亚于亚历山大大学。他在帕加马会见了欧德摩斯和阿塔罗斯，并写出了《圆锥曲线》（第 1 版）。从他提及欧几里得（活跃于公元前约 295）、科农（活跃于公元前约 250）和尼科泰莱斯（活跃于公元前约 250）的情形来看，他在《圆锥曲线》中充分利用了前人的工作。该书第 1 ～ 4 篇系统叙述了圆锥曲线的基本原理，其中大部分先前已为欧几里得、老阿里斯塔俄斯（活跃于公元前约 320）和梅内克缪斯（活跃于公元前约 350）所建立，但第 3 篇中的一些定理和第 4 篇的大部分是新内容，引进了抛物线（齐曲线）、椭圆（亏曲线）和双曲线（盈曲线）这 3 个名词。第 5 ～ 7 篇显然是独创性的。第 5 篇中，他的天才表现臻于顶点，其中他把法线看作从给定的点引向曲线的最短和最长的直线（不依赖于相切性质）；还讨论了从特定的点出发能作多少条法线，用作图法求出了它们同曲线的交点；作出了确定任一点处曲率中心的命题，由此就能立即导致圆锥曲线的渐屈线的笛卡儿方程。《圆锥曲线》的前 4 篇是保存下来的希腊手稿，后 3 篇则是阿拉伯文译本，第 8 篇已失传。尚未散失的其他著作仅有阿拉伯文译本《比例截割》。帕普斯提到了他还有另外 5 部著作，其中一部名为《论切触》，书中含有下述一般问题：给定 3 个几何图形（可以是点或直线或圆），求作一个圆，使与它们都相切（称为阿波罗尼奥斯问题），其中最困难的是给定 3 个圆的情形。古代学者还提到了他的其他著作，如《论点火镜》，书中证明了投射到球面镜的平行光线并不像早先相信的那样集中反射到球心，还讨论了抛物镜的焦点性质。根据欧托西乌斯的说法，在他的著作《快速投球法》中，计算了 π 的近似值，比阿基米德的 $3\frac{1}{7}$ 和 $3\frac{10}{71}$ 更好。他的《论无序有理数》扩展了最初由欧多克索斯提出并在欧几里得《几何原本》第 10 篇中出现过的无理数理论。从托勒密的《天文学大成》的参考文献得知，为解释行星的运动，阿波罗尼奥斯引进了偏心圆运动和本轮运动系统，其中最令人感兴趣的是他确定行星在轨道上停下来并开始逆行的那些点的方法。

Apollonius of Rhodes 阿波罗尼奥斯（罗得岛的）（公元前约295～？） 古希腊诗人、语法学家，《阿尔戈船英雄记》的作者。卡利马科斯的门生；在亚历山大朗诵《阿尔戈船英

美国不列颠百科全书公司供图

雄记》失败，遂隐居罗得岛。但《阿尔戈船英雄记》在罗得岛很受欢迎。后返回亚历山大并被任命为图书馆馆长。《阿尔戈船英雄记》史诗主要叙述有关阿尔戈船英雄航海的事迹，共 4 卷，阿波罗尼奥斯改写了荷马的语言，使之适合传奇史诗的需要，取得巨大成功。他在叙述美狄亚对伊阿宋的爱情时，显示了他具有早期希腊文学中所没有的富有同情的分析能力。阿波罗尼奥斯对旧情节所作的新处理，启发性的直喻，以及对大自然的出色描写，常能紧紧抓住读者。作为语法学家，他以写过一部“反泽诺多托斯”的作品和对几位希腊诗人的注解而著名。

Apollonius of Tralles 阿波罗尼奥斯（特拉莱斯的）（活动时期公元前 2 世纪） 来自小亚细亚卡里亚的希腊雕刻家。以其与兄弟托里斯科斯合作的大理石群雕《法尔内塞的牛》著称。作品表现底比斯（锡韦）的两个建立者西苏斯和安菲翁把他们的继母黛尔丝捆缚在野牛角上，以惩罚她对他们的母亲安提俄珀的折磨。

Apollonius of Tyana 阿波罗尼奥斯（提亚纳的）（活动时期1世纪，卡帕多西亚提亚纳） 属新毕达哥拉斯学派。罗马帝国时期成为神话式英雄。皇后尤莉娅·多姆纳曾指示作家菲洛斯特拉托为之作传。人们推测其动机是想用以抵制基督教对罗马文化的影响。传记描写的人物，其性情和能力很像基督，并称阿波罗尼奥斯曾创造某些奇迹。人们认为传记大部分系虚构。但罗马帝国许多异教徒则相信此书内容真实，它激发了他们中间许多人

的宗教感情。他们修建神殿和其他纪念物表示尊崇阿波罗尼奥斯。

Apollonius OF TYRE **阿波罗尼乌斯(提尔的)** 一位不知名作家所著中世纪拉丁传奇中的主要人物,据云可能源自已佚的希腊作品。故事在欧洲文学中广泛流传,久享盛誉,几乎欧洲各语种均有其译文。故事述说阿波罗尼乌斯与其妻女的分离,以及经过多次旅行终于与其以为业已亡故的妻女重聚的经历。据信作为该故事的依据的希腊原著可能是3世纪时所作。6世纪后半叶一位基督教诗人和主教维南提乌斯·福蒂纳图斯首次提到了它的拉丁文本。许多拉丁文的手抄本保存下来(最早的可回溯到9或10世纪),这一点证明它在中世纪是广为流行的。莎士比亚(虽然改变了他的主人公的名字)把这个故事用为他的《佩里克利斯》的基础。

Apollonius THE ATHENIAN **阿波罗尼奥斯(雅典人)**(活动时期公元前1世纪) 古希腊雕刻家。因现存梵蒂冈的大理石像《观景殿的躯干》以及现存罗马国家博物馆的青铜雕

《拳击家》
美国不列颠百科全书公司供图

像《拳击家》上的署名而名垂后世。这些雕像曾被认为是公元前1世纪的原作,现已确定为公元前1世纪制作的,公元前2世纪原作的优秀仿制品。虽铭文仍注明为公元前1世纪,但雕刻风格与公元前2世纪的佩加蒙祭坛相近。由此可见,阿波罗尼奥斯是当时最有才能的临摹家之一。

apologetics 辨惑学 基督教名词,指从理性方面为基督教教义辩护,一般认为是神学的一个分支。在新教,辨惑学有别于为某一特定宗派的信仰辩护的论辩神学。天主教用此词时指为天主教教义总体辩护的神学,也就是说,辨惑学即基础神学。辨惑学一向从正面为基督教辩护而从反面驳斥敌对的信仰,一方面巩固信徒信仰以防疑惑动摇,另一方面为不信者信教扫除理性上的障碍。辨惑学要抵制两种偏向:一是教条主义,即不认真对待非基督教的反对论点;二是对不信者的论点作过多的让步而使辩护软弱无力。神学界很少人认为辨惑学能对基督教教义提出无可辩驳的证据;许多辨惑学家认为,坚持寻求这种证据,就是为了纯理性的缘故牺牲教义中的超自然成分。有些神学家认为,对于以信仰为基础的宗教,辨惑学究竟有多大价值值得怀疑。

Apologist 护教士 主要活跃于2世纪的基督教著述家。他们为维护基督教义而批判希腊罗马文化。护教士的著作许多是写给罗马皇帝的,很可能是呈交有权决定是否收阅的文书官员,因此有些著作内容简单扼要。针对2世纪流行的反基督教论调为基督教辩护,特别驳斥所谓基督教标新立异、不敬神明、崇拜仪式有伤风化等说法。护教著作主要是为驳斥敌对者的指责而进行论辩,因此未能全面阐明基督教义。

apology 论辩文 自传体形式,以辩护为框架来论述作者个人的信仰和观点。早期典范有公元前4世纪柏拉图的《论辩篇》,这是一部富于哲理性的对话,其中论及对苏格拉底的审问,苏格拉底以简述自己的经历和道德态度,来回答起诉人的控告。这种论辩通常是自我辩白。蒙田的《为雷蒙德·塞朋德辩护》(1580)是西方文学著名的论辩文之一,他借15世纪一个西班牙人为信仰进行辩护,表述了自己怀疑理性无用的见解。

Apology of the Augsburg Confession 《奥格斯堡信纲辩》 基督教信义宗的信仰声明之一。由宗教改革家梅兰希顿于1531年执笔写成,为奥格斯堡信纲进行辩护并进一步阐明其内容。其初稿匆匆写成,1530年9月在奥格斯堡会议上呈交神圣罗马帝国皇帝查理五世。梅兰希顿返回维滕贝格后,将此文重写并加以充实,使之更加明确而详尽。拉丁文本于1531年4或5月完成,乔纳斯的德文译本于当年秋出版。路德和其他人不久即发现此文很好地阐明了信义宗的信仰。此文在许多集会与会议上都曾宣读。1580年的《协议书》将此文收入,《协议书》是信义宗标准教义论文集。

apomixis 无融合生殖 由特殊生殖组织发生的无受精生殖。包括动物的孤雌生殖(新个体由未受精的卵发育而成)及某些植物的无配子生殖(生殖组织为孢子体或配子体)。无融合生殖可使有利于个体生存的性状长久保持,但不具有双亲遗传的长期进化优势。

aponeurosis 腱膜 扁片状或丝带状的腱样组织结构,用以将肌肉连结于起、止点上。由致密结缔组织组成。在结构上与腱和韧带相似。

apophyllite 鱼眼石 钾、钙的氟化物硅酸盐矿物,在结构上与铝硅酸盐的沸石族有关。含水量高,与沸石相似,但化学成分中不含铝,化学式近似为 $Ca_4KFSi_8O_{20}\cdot 8H_2O$。鱼眼石在许多方面更像云母。最常见的是呈玻璃光泽的白色到浅灰色的晶体,与沸石矿物共生于玄武岩、花岗岩、片麻岩中。在意大利的特伦蒂诺,北爱尔兰的贝尔法斯特,法罗群岛,南非的金伯利和墨西哥的瓜纳华托等地均有蕴藏。

Apopis 阿波皮 又称阿佩皮或瑞瑞克。古代埃及宗教中制造混乱的恶魔。其像如蛇,与太阳神瑞为敌,代表有秩序的宇宙以外的万物。蛇一般象征神性和王权,但阿波皮却象征罪恶。

Apopis I 阿波皮一世 埃及最后一代喜克索人的国王(约公元前1585～约前1542在位)。初曾控制埃及大部,后在底比斯历代法老不断打击下被赶回其都城附近。杰巴赖恩出土的石片上刻有阿波皮的名字,名字周围有许多太阳神瑞的日盘,证明阿波皮曾统治上埃及。他在位期间还有大量纸莎草纸精确文献抄本。有一个关于阿波皮一世与底比斯国王塞格嫩拉的故事说明底比斯人曾是喜克索统治者的臣属。埃及人和喜克索人曾一度和平共处,底比斯人当时在喜克索人统治的尼罗河三角洲放牧牛群。阿波皮一世和塞格嫩拉发生口角,可能因而爆发一场战争。塞格嫩拉木乃伊头部有严重伤痕。塞格嫩拉的继位者卡莫斯将一座中埃及城镇宣布为其北部前沿。底比斯出土的两件碑记说明他将这场战争继续下去,并将喜克索人赶到孟菲斯(开罗附近)一带。一支底比斯舰队也曾驶过阿波皮一世的三角洲都城阿瓦里斯。阿波皮一世要求其南方盟友库施王公在后方攻击底比斯人。但其信使被截获,计划被卡莫斯挫败。这次袭击之后不久,喜克索人被最终驱逐之前,阿波皮一世去世。与后来埃及人的宣传相反,他崇奉太阳神瑞,而且在中埃及和下埃及有许多合作者。

apoplexy (medicine) 参阅**stroke 中风**。

apoptosis 编程性细胞死亡 又作programmed cell death。又称脱噬现象。一种生物学现象,允许细胞受到适当触发因素刺激时能自行毁灭的机制。编程性细胞死亡的诱发原因多种多样,如身体不再需要该细胞,或该细胞已变成对机体健康的威胁。在胚胎发育过程中以及维持成熟机体的日常活动的过程中编程性细胞死亡都是必不可少的。不该抑制时编程性细胞死亡受到抑制,不该启动时编程性细胞死亡受到启动,都会导致许多疾病过程,包括癌症。20世纪早期的胚胎生物学家已经熟悉编程性细胞死亡过程,他们观察到在胚胎发育过程中需要牺牲一些体内细胞机体才能发育到其最终的形态。但直至1972年J.F.R.克尔、A.H.怀利和A.柯里等研究人员才认识到此机制更广泛的意义。他们根据希腊文 apoptosis(脱落)一词创造出“脱噬现象”这一术语,以描述细胞自然的适时的死亡。编程性细胞死亡与坏死不同,坏死是损伤导致的另一种细胞死亡形式。编程性细胞死亡是正常的生理过程,用以抵消细胞的增殖。这是一种遗传上早已编程的事件,可由许多内部或外部的刺激启动。细胞中自杀途径内的基因为某个信号所激活,这些基因编码着破坏细胞结构的蛋白质和遗传物质的蛋白质。脱噬的细胞发生许多形态学的变

化，如这些细胞会开始皱缩起来并与其他细胞分离，其表面出现气泡状的结构，细胞核内的染色质凝聚起来等。于是该细胞或被其他细胞所吞噬，或破碎成小片为清扫细胞所吞食。事实上，所有组织的细胞都可能通过编程性的细胞死亡而被牺牲，以利于机体的生存和发展。例如，子宫壁的细胞在月经周期便经受着编程的死亡过程。

有许多现象都可以干扰细胞死亡途径的调节，导致细胞过多或过少地死亡，从而引起多种疾病。例如，如果能引起编程性细胞死亡的基因（如肿瘤阻抑基因 P^{53}）发生突变，于是藏有该基因的细胞遇到必须死亡的信号时不能作出应答，结果该细胞便不受控制地增殖下去，形成恶性肿瘤。另一些情况下，病毒会干扰编程性细胞死亡的调节，导致健康细胞的死亡。

aposematic mechanism　警戒机制　或称警告机制。危险的或有毒的生物借以对潜在的掠食者宣扬其危险性的种种生物学手段。掠食者认识该危险的生物体不是好吃的，因此不再攻击之。警戒机制是随保护系统演化而来的，它对受保护生物的好处是使之不冒受伤害的风险，否则即或能有效地击退掠食者的进攻，它也很易受到伤害。最常见的警戒机制是有关生物具有鲜明的色信，例如许多黄蜂的黑色和黄色，瓢虫的红色等。其他生物如北美的响尾蛇也有采用听觉警戒机制的。

aposiopesis　顿绝　源于希腊语，意为“转为沉默”。说话人故意不把一句话讲完。话语顿绝或急止常常表示无言的盛怒或气愤，有时还带有不太明显的威胁。例如：“好吧，我会……”这要听话的人自己去领会整句话的意思。在古代希腊的修辞学中，顿绝法有时是变换主题或离开主题前的一种停顿。

apostasy　叛教　基督教传统名词，指曾宣布信奉基督教并领受洗礼的人公开全面否定基督教义。叛教与异端不同，异端指一般信守基督教义而否认其中个别教义。最早信奉基督教的几代罗马皇帝决定，叛教分子除受教会法制裁外，还要受世俗法处罚。4、5 世纪一些神学家认为，叛教罪与奸淫和谋杀一样严重。20 世纪天主教教会法仍规定，符合叛教罪定义的放弃信仰的行为，应由教皇处以绝罚。擅自放弃隐修生活和神职，亦称叛教。

Apostle　使徒　基督教名词，指耶稣基督挑选的十二位使徒，有时也指其他人。在《马可福音》第 3 章、《马太福音》第 10 章、《路加福音》第 6 章三处，十二使徒之名略有歧异，他们是彼得、西庇太的儿子雅各和约翰、安得烈、腓力、巴多罗买、马太、多马、亚勒腓的儿子雅各、达太（或雅各的儿子犹大）、奋锐党西门和加略人犹大。其中三人——彼得、雅各和约翰构成核心，只有他们目睹使睚鲁的女儿复活，彰显圣容，在客西马尼园祈祷的事件。十二这个数字似乎有重要意义。一些学者认为，这是指以色列人的十二支派。犹大叛卖耶稣而死，他的空缺立即由新选出的马提亚充任。保罗经常自称使徒，他所根据的理由显然是曾面见基督并亲领命令。然而，在某些早期基督教著述者作品中，将一些《新约》时期以后的人也称做使徒。此外高级行政官员或教会官员也有称使徒者。

Apostle Islands National Lakeshore　阿波斯特尔群岛国家湖滨区　在美国威斯康星州西北部。位于苏必利尔湖西南端。建于 1970 年，由 20 个岛屿和邻近的贝菲尔德半岛上 18 千米（11 英里）长的带状地组成，面积 28 074 公顷（69 372 英亩）。岛上有高耸的砂岩峭壁，大多数高 3 ～ 9 米（10 ～ 30 英尺），最高达 18 米（60 英尺），有波浪冲成的拱顶和大洞穴。

Apostle of the North　北方使徒　参阅 **Gilpin, Bernard** 吉尔平。

apostle spoon　使徒汤匙　进餐时个人使用的汤匙，匙柄顶端饰以使徒、圣徒或耶稣基督的小型人像。从至少是 15 世纪中到 17 世纪末期制造的英国银制实物来看，有时是由十

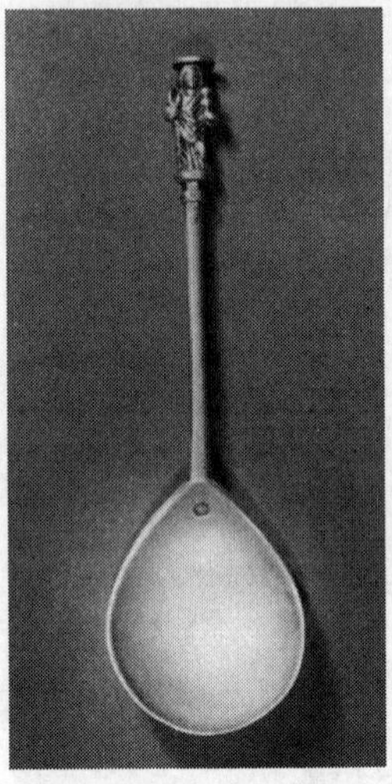

1504 年的使徒汤匙
美国不列颠百科全书公司供图

二使徒和基督像组成的 13 件套。16 ～ 17 世纪使徒汤匙似乎已普遍成为受洗礼时送的礼物。20 世纪制造的镀银使徒汤匙是在喝咖啡时使用。

Apostles' Creed　《使徒信经》　又作 Apostolicum。天主教以及基督教安立甘宗和其他若干教会所采用的信仰声明。东正教未予正式承认。据传它是由十二使徒所制订，实际上是从早期教理问答即洗礼信经演变而来。今本《使徒信经》与 3、4 世纪罗马教会所用的洗礼信经相似，6、7 世纪定型于法兰克西南部。公认的《使徒信经》全文如下：我（我们）信创造天地无所不能的神圣父。我（我们）信神独生子我主耶稣基督。我（我们）信耶稣是童贞女马利亚被圣灵感动怀孕而生。我（我们）信耶稣在本丢·彼拉多手下受难，被钉十字架而死，葬于坟墓，到第三日从死里复活升天。我（我们）信耶稣升天后，坐在无所不能的神右边。我（我们）信耶稣将来降临审判活人死人。我（我们）信圣灵。我（我们）信教会。我（我们）信圣徒相通。我（我们）信赦罪的恩。我（我们）信身体将来复活。我（我们）信永生。阿门。

Apostolic　使徒派　拉丁语作 Apostolicus。中世纪基督教的某些派别，他们主张照字面意义遵守早期教会关于节制和安贫的纪律。最早的使徒派（又称节制派）于 3 世纪出现于小亚细亚。12 世纪通称使徒派的异端巡游传教士在法兰西、佛兰德及莱茵兰地区成立许多团体，他们谴责嫁娶、食肉、婴儿洗礼，抨击教会，否认神职人员权威。1260 年前后没有受过多少教育的劳动者塞迦莱利在意大利境内帕尔马创立教派，号称使徒弟兄会。1290 年教皇尼古拉四世发表通谕谴责该派。1294 年该派 4 名信徒受火刑而死，1300 年塞迦莱利本人被焚死。1307 年该派最后一位领导人多尔钦诺也被判处火刑，该派受到致命打击。使徒派的许多教义在宗教改革运动中为再洗礼派所吸收。

Apostolic Constitutions　《使徒法典》　现存卷帙最大的早期基督教教会法规集。相传为使徒所制订，由罗马的克雷芒授予教会。现代学者多认为该书是公元 380 年左右在叙利亚写成，编者很可能是阿里乌派信徒。该书共 8 卷，前 6 卷为《使徒教义》改编本，约公元 250 年写成于叙利亚。第 7 卷包括《十二使徒遗训》的释义和犹太人祈祷、礼拜礼文集。第 8 卷前两章似乎根据罗马的希波里图斯所著《论圣灵恩果》（已失传）写成，第 3 ～ 22 章显然是以希波里图斯的《使徒传统》（旧称《埃及礼仪》）为依据。第 8 卷共收法规 85 条，还有《圣经》各篇的目录，未收《启示录》，另增《使徒法典》和克雷芒的两封书信。

apostolic delegate　宗座代表　梵蒂冈的使节。这种使节并无外交人员身分，无权与行政当局交涉。宗座代表负责与未曾同教廷建立外交关系的国家的神职人员联系，但不得干涉当地主教执行权力。宗座代表在教廷与地区教会之间就教会情况互通声气。

Apostolic Father　使徒后期教父　1 世纪末 2 世纪初一批希腊基督教著作家，其中有些已佚名。他们的著作是了解继使徒之后两三代期间基督教会情况的重要资料。使徒后期教父的著作并非都具有同等神学价值，但总的说来，它们较之除《新约》以外的各种基督教著作都更有史学价值。它们是《新约》与 2 世纪末充分发展的基督教之间的桥梁。

Apostolic Overcoming Holy Church of God　真神必胜使徒圣教会　美国基督教五旬节宗黑人教会，1919 年由菲利普斯主教创建于亚拉巴马州莫比尔市，原名真神必胜埃塞俄比亚圣教会，1927 年改今名。菲利普斯对关于圣洁的教义发生怀疑后，遂脱离原所在美以美会而另创此教会。此教会总部设在莫比尔。

apostolic succession　使徒统绪　基督教教义，谓主教（会督、监督）的职权是从耶稣基督

的使徒一脉相传而来。根据这种教义,主教秉承使徒的特别权力,包括接纳教会成员、任命司铎、按立其他主教以及统辖本教区神职人员和教会成员。这种教义的来源不详,对《新约》中有关记载也没有一致的解释。有人认为,对于有效的传教事业体制说来,使徒统绪必不可少。他们说:基督为了推行他的工作,必须建立这种体制,而基督将他的工作委托给众使徒(《马太福音》28:19～20)。又有人认为,建立有效的传教事业体制,并不需要使徒统绪和教会行政制度。他们说,《新约》中对此并无明确指示。天主教、东正教、老公会、瑞典信义会和其他一些教会承认使徒统绪,但又不见得互相承认对方的神职合法。天主教通常承认东正教的神职,但不承认安立甘宗的神职。安立甘宗不仅承认新教其他会派的教牧人员合法,同时与不承认使徒统绪的会派保持密切关系。

Apostolicum 参阅 **Apostles' Creed** 使徒信经。

apostome 偏口虫 偏口目原生动物。偏口目为一小目,约50种。许多种寄生于海生甲壳动物。生活史复杂。九列虫属(*Foettingeria*)分裂繁殖,分裂后形成的未成熟的幼体能游泳,称游泳子,附着在甲壳动物身上,形成包囊,并在其中发育成长。若有胞口,则常伴腺体玫瓣。纤毛疏稀,螺旋形排成数行。

apothecaries' weight 英制药衡 欧洲计量药品所用的传统衡制,基本单位是格令、斯克鲁普尔(20格令)、打兰(3斯克鲁普尔)、盎司(8打兰)和磅(12盎司)。药衡格令等于金衡和常衡格令,代表1/5 760金衡和药衡磅和1/7 000常衡磅。1药衡磅约等于0.82常衡磅(0.37千克)。1858年以前,英、美两国都以英制药衡为法定衡制。1858年,根据医药法案,英国采用常衡制配制药品。英制药衡迄今在美国仍普遍采用。不过,近年来美国已采用公制药衡配药。

apotheosis 神化 意谓上升到神的地位。这个词(源自希腊语)是一个多神论概念,它承认某些人可以逾越神与人之间的界线。古希腊宗教特别倾向于信奉英雄和半神。甚至在亚历山大大帝的远征使希腊生活同东方的传统产生接触之前,历史人物死后受到崇拜,或把活人崇拜为真神的事情就时有发生。古代的君主政体常常利用神人或半神人的多神论概念来维持王朝统治。罗马人一直到共和国完结,只接受一种官方的神化,如把基林努斯神同罗慕路斯等同起来。但是,奥古斯都皇帝却尊尤利乌斯·凯撒为神,后者遂成为新一类真神中的第一位代表。该传统一直沿袭下来,并发展到把皇室的贵妇,甚至皇帝的宠臣崇祀为神。皇帝生前受到的崇拜(但不是对他的保护神的崇拜)一般只限于各行省。甚至在基督教被正式接受之后,皇帝死后的神化(权在元老院)也没有立即停止。神化皇帝仪式中最重要的一部分是放出一只雄鹰,人们认为它会把皇帝的灵魂带上天。

apotropaic eye 避邪眼图案 绘在陶瓷制品上的一只或多只眼睛,作为驱赶灾祸的象征。在公元前6世纪希腊的酒杯上最为常见,常用黑色描画,称为"眼睛杯"。杯子上夸张地画着的大眼睛,被认为可以阻止邪祟随酒一同进入口中。

约公元前520年的避邪眼图案
美国不列颠百科全书公司供图

Appalachian Highlands 阿巴拉契亚高原区 美国东部岭谷、蓝岭(**Blue Ridge**)、皮德蒙特(**Piedmont**)以及阿巴拉契亚高原等地区的总称。

Appalachian Mountains 阿巴拉契亚山脉 北美洲东部巨大山系。从加拿大纽芬兰省起,绵亘于美国东部,向南至亚拉巴马州中部止,全长近3 200千米。在东部沿海地带和大陆内部广袤的低地之间形成一天然屏障,因而对大陆的殖民及开发起至关重要作用。整个山系分为北、中和南阿巴拉契亚山三个区域。北部区域包括魁北克省的希克肖克山和圣母山脉、纽芬兰省的长岭、缅因州的卡塔丁山、新罕布什尔州的怀特山以及佛蒙特州的格林山,格林山延伸至马萨诸塞州、康涅狄格州和纽约州东部称为伯克希尔山。中部区域有纽约州的卡茨基尔山、宾夕法尼亚州南部蓝岭山的起点和起自纽约州延伸至宾夕法尼亚州西部、马里兰州西部和俄亥俄州东部的阿勒格尼山脉。南部区域有阿勒格尼山脉在西弗吉尼亚州和弗吉尼亚州的山段;蓝岭山在弗吉尼亚州、北卡罗来纳州西部、南卡罗来纳州和佐治亚州部分地区的山段;弗吉尼亚州、田纳西州和北卡罗来纳州境内的尤内卡山以及从肯塔基东部延伸至亚拉巴马州北部的坎伯兰山脉。海拔最高处有北部的怀特山和南部的北卡罗来纳的布莱克山和海拔1 800米以上的大雾山。整个山系最高峰米切尔峰海拔2 037米。阿巴拉契亚山系的突出特点是其中的阿巴拉契亚大山谷,它包括加拿大境内的圣劳伦斯河谷及美国境内的基塔廷尼、坎伯兰、谢南多厄和田纳西等河谷。从弗吉尼亚州的谢南多厄河谷至大雾山国家公园,有755千米非商业性机动车路,阿巴拉契亚小道长3 400千米,是风景如画的山间小路。

阿巴拉契亚山脉是地球上最古老的山脉之一,岩质大多是结晶岩和古生代的沉积岩。整个阿巴拉契亚山系都有纵横交错的泉水、小溪、瀑布与河流,尤以南部为多。大体上说,弗吉尼亚州纽河东北阿巴拉契亚山脉的主要河流都流入大西洋,纽河西南诸河注入俄亥俄河谷地。山系南部生长有全世界最大片的阔叶落叶树森林,间有针叶树林;北部主要为针叶树和北方硬木树的混合林。大雾山西坡年降雨量达2 286毫米之多,使当地生长世界最高最粗壮的树木。该地区主要行业有木材与纸浆、煤、铁矿、盐、花岗石和大理石开采,但这些行业对环境有损害。早期已有木材和煤矿开采业,但山区直到20世纪初才开始开发,尤其是南部山区因地势险峻,筑路困难,开发更差,所以南部高地山民创造出一种民间文化,以精美的手工艺品、民谣和民间传说为特色。阿巴拉契亚山区既有天然美丽景色和优秀的地区文化,亦有滥用其经济资源和环境受到破坏等当代问题。

Appalachian National Scenic Trail 阿巴拉契亚小道 美国阿巴拉契亚山区远足者往来的山间小路。从缅因州卡塔丁山向西南延伸至佐治亚州的斯普林吉山,经过14个州、8个国家森林和2个国家公园,全长3 400千米。沿途有旅行者宿营地。20世纪20～30年代由远足爱好者所建,是1968年美国国会所建全国小道系统两个基本路段之一。

Appalachian orogenic belt 阿巴拉契亚造山带 地壳中一长条形地槽,沿北美洲东部边缘,从美国南部亚拉巴马州向北方的加拿大纽芬兰绵延3 000千米以上。关于造山作用的地槽学说就是首先在阿巴拉契亚山脉中,由J.达纳和J.霍耳在19世纪晚期创立的;而现代形成了一种板块构造学说。按此学说最早的阿巴拉契亚沉积物是在寒武纪开始(5.7亿年前)的前后不久,在正张开的古大西洋(亚皮特斯海)的海滨上堆积的。这个古大洋板块的俯冲导致其自身的消减以及不同的大陆块和岛弧的碰撞。这些碰撞引起3次造山运动:①中奥陶世(约4.6亿年前)的塔康造山运动;②早泥盆世至晚泥盆世(3.9亿年前至3.7亿年前)的阿卡迪亚造山运动;③晚石炭世至二叠纪(3.0亿年前至2.5亿年前)的阿勒格尼造山运动。这几次造山运动的效果向东递减穿过本造山带,表明此带是靠岛弧和大陆碎块顺序向东添加到北美洲大陆边缘上而形成的。阿巴拉契亚造山带继续向东延伸,在欧洲西部呈加里东造山带和海西造山带。阿勒格尼造山运动导致在二叠纪(2.86亿年前至2.45亿年前)时形成了超级大陆(盘古大陆)。地球物理学的地震研究表明，构成了岭谷地区、蓝岭山脉以及皮德蒙特地区的阿巴拉契亚山脉的南段，属于一块已经在原先的大陆边缘上向西逆掩过了260千米的、厚约6～15千米的大陆板块。

Appalachian Regional Commission 阿巴拉契亚区域委员会 美国联邦和州政府共管的机构。1965年为促进阿巴拉契亚地区的发展由国会通过成立。该地区位于阿巴拉契亚山脉，自纽约州南部延伸至密西西比州北部，面积518 000平方千米，包括西弗吉尼亚全部和亚拉巴马、佐治亚、肯塔基、马里兰、密西西比、纽约、北卡罗来纳、俄亥俄、宾夕法尼亚、南卡罗来纳、田纳西和弗吉尼亚等12个州的部分地方。其经济历来以煤和木材为基础，也有制造业。40%以上的人口为农民，贫困率较高。委员会的工作由13个州的州长和总统提名、参议院批准的联邦代表共同监督管理。除直接的经济活动外，还致力于教育、卫生和基础设施等方面，并且为职工培训、公路扩展和给排水设施提供资金，促进工业和贸易的发展，特别是旅游业。有时也对该地区1/4的贫困县直接给予帮助。

Appaloosa 阿帕卢萨马 美国常见的马品种。据说在北美的内兹佩尔塞印第安人领地由野马培育而成，而这些野马又是西班牙探险者带来的西班牙马的后裔。因爱达荷州及

阿帕卢萨马
美国不列颠百科全书公司供图

华盛顿州的帕卢斯河而得名。本品种呈习见的数种毛色，并有几种特有的色型；可为纯色，仅于臀部有一白斑，上有与体毛同色的多数小圆点；或全身散布小白点；亦可为白色，上缀色点。体高152～160厘米，体重450～500千克。体轻而强健，可供多种用途。阿帕卢萨马俱乐部于1938年组成。

appanage 封地 主要指大革命以前法国王室分封王族子女的土地。13～16世纪王室封地相当普遍。14世纪以后，除少数特殊情形外，妇女不再接受封地，而代之以年金。17世纪，随着君主绝对权力的增长，封地不复成为重大问题。法国大革命初期(1790)，封地变为年金或地租，后被完全取消。1810年又根据1790年的规定予以恢复。封地制度最后于1832年被废除。

appeal 上诉 诉请上级法院复审下级法院的判决，或者请求法院复审行政机关的命令。各种法系至少在形式上都规定了某种上诉程序。上诉的概念要求设立一种审判等级体制，尽管一个法院也可以重审自己的判决。典型的审判等级体制包括：①具有有限管辖权或专门管辖权的初审法院，通常称为治安法院、治安法官简易庭、小额索赔法院、市法院、警察法院；②具有一般管辖权的审判法院，通常称为地区法院、巡回法院或高级法院；③具有上诉管辖权的法院，它可能是审判体系中的终审级最高法院。有些国家在初审法院与终审级上诉法院之间设有中间一级的上诉法院，称之为上诉法院。在审判等级体制中，每一个法院通常只受它直接上级法院的复审。但是，往往由于问题非常重要和紧迫，可以省略中间一步，由最高级的上诉法院直接复审初审法院的判决。有些国家则根据案件和司法问题的性质，由不同的法院来充当最高级的上诉法院。在法国，最高法院只审理有关法律解释问题的上诉案件，而由上诉法院复审对事实有争议的上诉案件。另一方面，最高行政法院则审理来自独立的行政法院系统中有关事实和法律解释问题的上诉案件。凡是有必要处理的宪法问题，则由既具有立法又具有司法职能的宪法委员会来处理。在德国，联邦最高法院主要负责法律的统一解释，另有一个独立的联邦宪法法院来处理宪法问题。上诉法院复审对法律问题和事实问题存在争议的民事上诉案件；而在刑事方面，则仅复审对适用法律有争议的刑事案件。美国最高法院审理有关事实问题、法律解释和涉宪问题的上诉案件，但是除了对“公共利益”有重大影响的案件外，只能上诉到联邦巡回上诉法院。在英国，对事实问题的上诉，在某些情况下与有关法律问题的上诉，分别由不同的法院受理。有些案件禁止向上议院(最终审级上诉法院)上诉。日本的最高法院则是有关事实和法律问题以及有关是否违宪问题的最终审级上诉法院。无论从事实问题或法律问题来说，只有法院所作出的裁决或判决对其不利的一方当事人才有资格诉请上诉法院复审。局外人和胜诉的当事人不得要求上一级法院对下一级法院的判决复审。但是，在集体诉讼中，经准许参与诉讼的或者是由别人代理的非诉讼当事人一般与原当事人有同样的上诉权。只有很少的地区，才允许对陪审团作出的无罪裁断提起上诉。审判法院的裁决和判决，从上诉的意义上说，可分为终局判决和中间裁决两类。终局判决是结束诉讼的判决，剩下的只是判决的执行。但有时在审理过程中，只需要法院解决若干次要问题或部分而非全部的争讼问题，这种判决称为中间判决。尽管各国都允许对终局判决提起上诉，但是允许对中间判决提起上诉的则为数极少。上诉基本上有两种作用：首要的作用是，向诉讼当事人保证，这一特定的争议是一直依法公正解决的；第二个作用是，宣示审判体系范围内约束下级法院的判决规则，以确保处理上的一致性和某种程度的确定性，以及指导因诉讼的发生而必须遵守这些规则的人。

Appeal, Court of 上诉法院 在英格兰和威尔士，指仅次于上议院的最高级法院，是刑事案件和民事案件的终审上诉法院。上诉法院分为两庭：民事上诉庭和刑事上诉庭。民事上诉庭受理来自高等法院和郡法院的上诉案件。它的法官当中有4位被认为是当然成员：大法官(高等法院大法官庭庭长)、高等法院首席法官(主持高等法院王座庭)、高等法院家事庭庭长以及档案长。还有14名一般成员，称为上诉法官。刑事上诉庭由一位庭长(或者是高等法院首席法官，或者是一位上诉法官)和其他作为“普通”成员审理案件的高等法院法官组成。上诉可能来自下一级的高等法院，或来自刑事法院。可以从法律的观点针对判决或定罪提出上诉。有时，在审判法官或上诉法院的准许下，也可以提出事实问题，或者，事实和法律二者兼有的问题可被准许作为上诉的基础。上诉法院可以维持下级法院的判决，也可以撤销判决，或者改变所判之刑(但新判的刑不得重于原判的刑)。尽管上诉法院很少下令重审，但是为了维护正义，它可以下令重审。上诉法院也可以作为总检察长的一个咨询机构。如果上议院拒绝受理不服上诉法院的判决而提出的上诉，该判决就成了终审判决。

Appel, Karel 阿佩尔(1921-04-25，荷兰阿姆斯特丹～2006-05-03，瑞士苏黎世) 荷兰画家，北欧表现主义眼镜蛇画派创始人之一。其半抽象作品感情激越，色彩强烈。同时也是著名的雕刻家和平面艺术家。曾在阿姆斯特丹皇家美术学院学习(1940～1943)，1948年参与创办荷兰的眼镜蛇画派先驱“反射”小组。1950年移居巴黎，60年代定居纽约，后在意大利和瑞士居住。由于对风格派运动的枯燥、呆板产生了某种反感，眼镜蛇画派艺术家受到多种有力的影响，包括民间艺术、儿童绘画和让·迪比费的“原始艺术”。阿佩尔的风格具有独特个性，色彩厚重，笔触奔放，喜画一种刺目的、收缩式的图形。1957年第一次访问美国，为几个著名的爵士音乐家作了肖像，包括迈尔斯、戴维斯和迪兹·吉莱斯皮。其公共场所作品有巴黎联合国教科文组织大厦的壁画；用木料和金属制作的象征性雕塑与粗放的绘画共同体现了富有想象力的表现主义特征。

appendicitis 阑尾炎 阑尾的炎症。参阅**appendix**。

appendicularian 尾海鞘 参阅**larvacean 幼形虫**。

appendix 阑尾 一退化解剖结构的名称。学名全称 vermiform appendix，意为蚓状附件。阑尾是从盲肠(升结肠起始段的一个袋状结构，回肠的内容物首先排入盲肠)向外凸出的一条肌性中空盲管，管腔狭窄，一端开口于盲肠，另一端游离，游离端封闭。阑尾虽是消化器官，但却没有执行任何消化功能。人们普遍认为阑尾是生物进化中将要逐渐消失的器官。虽然阑尾仅见于人类和类人猿，但袋熊、灵猫、啮齿类动物和少数更低等的动物也都有一个阑尾样的结构。阑尾长8～10厘米(3～4英寸)，外径不足1.3厘米(0.5英寸)。

阑尾开口狭窄，封闭端管腔内径最大。阑尾平滑肌的作用是将阑尾腔里的黏液或盲肠异物排出阑尾腔。阑尾开口堵塞可致阑尾炎，堵塞物以粪石最为常见，其次是因阑尾黏膜水肿。这是一个连续的过程：阑尾堵塞，内容

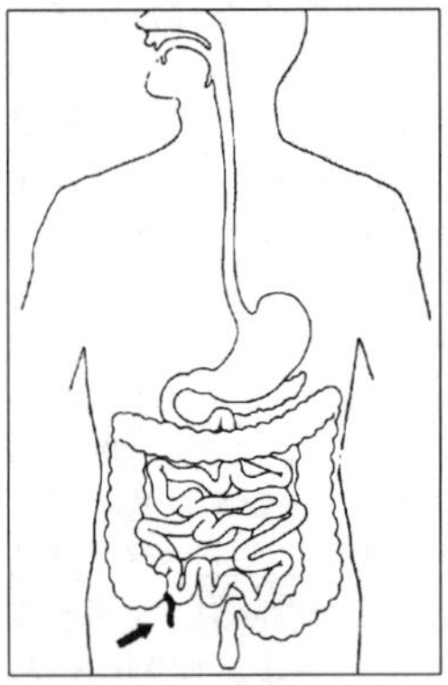

阑尾

物贮留，阑尾扩张、组织肿胀，压迫血管，致动脉供血不足和严重静脉瘀血，在这种恶劣环境下，肠道细菌开始大量繁殖并引发炎症。阑尾组织坏死成于循环障碍和炎症病变。坏死的阑尾组织会因不能承受腔内不断增加的压力而破裂（阑尾穿孔），阑尾内容物就会流入腹腔，导致**腹膜炎**（**peritonitis**）。不过，因有脂肪性网膜包裹作用，阑尾炎穿孔引起的腹膜炎大都是局限性的。腹痛是阑尾炎最常见和最显著的症状。典型的阑尾炎腹痛开始时是在脐周或上腹部，阵发性，而且并不剧烈。数小时至24小时后，腹痛转移到右下腹，持续性。腹痛常伴有恶心、呕吐。单纯急性阑尾炎常有发热，但大多为轻度。白细胞计数也仅为轻度升高，多在1万～2万之间，很多腹腔脏器的急性炎症都有类似现象。如果阑尾没有异位，右下腹的典型的阑尾炎痛点位于脐和右髂前上棘之间连线的右1/3处。但实际上，异位阑尾并不少见，疼痛点也就随之异位。因此而误诊的情况也不少见。不过总的说来，阑尾炎的诊断一般并不困难。治疗是作阑尾切除术。此手术不复杂，局部麻醉下一般仅需要半个多小时，只要不感染，术后也没有什么合并症。典型的急性阑尾炎虽不难诊断，但也有必须留诊观察（最多24小时）的情况。有的是因为症状不典型，有的则在留观时发生阑尾穿孔、腹膜炎，因此，医生应密切注意观察留观病人病情变化。

Appendix on the Papacy（1537） **《关于教皇体制的附件》** 参阅 **Treatise on the Power and Primacy of the Pope**《**论教皇的权力与至高地位**》。

Appenzell 阿彭策尔 瑞士东北部州名，由两个自治的半州构成，在今圣加仑州界内。1071年首见记载。1411年置于瑞士联邦的“保护”之下。1513年成为一个州。由于宗教信仰上的差别，这个州在1597年分成两个独立的半州：内罗得阿彭策尔州（天主教徒占优势）和外罗得阿彭策尔州（新教徒占优势）。

Appenzell 阿彭策尔 瑞士东北部内罗得阿彭策尔半州首府，位于锡特河谷，圣加仑之南。原为阿彭策尔地区传统的首府。在1597年分州以后成为内罗得半州首府。著名的建筑物有：一座晚期哥特式教堂，市政厅（1561～1563），一座16世纪的城堡（现为历史博物馆）和两座嘉布遣隐修院。该地每年两次重要活动是圣体节游行和露天州议会（实际上是全体有关公民参加的立法会议，表明了几乎是独一无二的“纯粹民主”）。畜牧业、刺绣业、纺织业和家具制造业是主要的经济活动。居民讲德语，信天主教。人口5 447（2000）。

Appenzell Ausser-Rhoden 外罗得阿彭策尔 瑞士东北部半州。包括前阿彭策尔州的北部和西部地区，面积243平方千米。因宗教原因在1597年与内罗得阿彭策尔半州分离。首府**黑里绍**（**Herisau**）。生产棉织品、薄纱织物和刺绣品等。居民讲德语，主要信奉基督教新教。人口约63 100（2000）。

Appenzell Inner-Rhoden 内罗得阿彭策尔 瑞士东北部的半州。由前阿彭策尔州的南部地区组成，在森蒂斯峰北麓。面积172平方千米。因宗教原因于1597年与外罗得阿彭策尔半州分开。首府**阿彭策尔**（**Appenzell**）城。该州多山，有养牛和乳品业。手工刺绣也重要。居民讲德语，几乎全部信奉天主教。人口约14 995（2003）。

Appert, Nicolas(-François) 阿佩尔（约1750，法国马恩河畔沙隆～1841-06-03，巴黎附近马西） 法国厨师、糖果制造商和制酒商。发明了以密封容器保藏食物的方法。

美国不列颠百科全书公司供图

1795年开始长达14年的试验，用软木塞紧玻璃容器，用铁丝加固后蜡封，并置容器于沸水中长短不等的时间，以此法保藏羹汤、水果、蔬菜、果汁、乳制品、果酱、胶冻食品和糖浆。1810年，发表论文《长年保藏各种动植物物质的技术》，得奖金1.2万法郎。他用此款在马西建立了第一个商业罐头厂——“阿佩尔厂”，该厂从1812年经营至1933年。他还研制成汤粉片，创造了一种无酸明胶提取法，并改进了压力锅。

appetizer 开胃食品 刺激食欲或缓和因饮用饮料、酒而引起饥饿的食物。西餐中头道开胃饮料，特别是开胃酒习惯上同开胃食品一起进餐，据称前者特有的“干状态”是刺激食欲的。典型的开胃食品有冷盘，即少量的浓调味菜肴，各种夹菜肴吐司，小片面包，饼干，及有浇盖的油煎小面包块等。斯堪的纳维亚地区、西班牙、希腊、埃及和俄罗斯的食谱中都有选料精细、制作考究的开胃菜，食用时，按习惯喝相应的酒，如伏特加、雪利酒等。很多食谱都开列了冷拼盘，其中以意大利的一种开胃菜最有名，用橄榄、果仁、奶酪、香肠、辣椒、鱼、生蔬菜和蛋拼制。开胃食品具有刺激作用，能促使就餐者欣赏味道很浓的食物，多吃显得油腻的食品。

Apphus 参阅 **Maccabeus, Jonathan 马加比**。

Appia, Adolphe 阿皮亚（1862-09-01，日内瓦～1928-02-29，瑞士尼翁） 瑞士舞台设计师。其有关舞台灯光的艺术理论为20世纪戏剧演出中的新现实主义和新的创造力开辟了道路。他早期学习音乐，26岁起在德累斯顿和维也纳研究戏剧。1891年提出戏剧演出的革命性理论。4年之后出版《瓦格纳剧目的演出》一书（1895），这是一本有关瓦格纳18个歌剧演出的舞台和灯光设计的集子，它阐述了舞台灯光的作用并详细列举了运用其理论的实际建议。后在《音乐与上演》（1899）一书中建立了他的理论体系：①应以立体布景取代平淡、死板的平面绘景，以作为展现活生生的演员们活动的适当背景；②灯光要使演员和舞台布景成为统一的艺术整体，以唤起观众的热烈反响；③五彩活动灯光的表现价值在于它是音乐的视觉补充；④灯光要使演员和主要活动区域突出。他在《有生命力的艺术品》（1921）一书中进一步发展了他的理论。他曾在德、法、意和瑞士等国设计舞台装置，还为米兰的拉斯卡拉歌剧院和瑞士巴塞尔的歌剧院设计过舞台布景。1968年W.福尔巴赫曾为他写过一本传记，名为《阿道夫·阿皮亚——现代戏剧的预言家》。

Appiah, Kwame Anthony 阿皮亚（1954-05-08，英国伦敦～ ） 全名Kwame Anthony Akroma-Ampim Kusi Appiah。英国出生的美国哲学家、小说家和非洲问题及美洲黑人问题研究学者。最为人熟知的是他对政治哲学、道德心理学和文化哲学的贡献。父亲J.阿皮亚是加纳出生的律师，母亲是英国政治家S.克里普斯爵士之女。1982年在剑桥大学克莱尔学院获哲学博士学位。先后在耶鲁大学（1981～1986）、康奈尔大学（1986～1989）、杜克大学（1990～1991）和哈佛大学（1999～2002）教哲学、非洲问题研究和美洲黑人问题研究等课程。2002年加入普林斯顿大学大学人类价值观研究中心。早期著作关注语言哲学。《我父亲之家：文化哲学中的非洲》（1992）一书转而注意政治和文化等问题。《色彩意识：种族的政治道德》（1996；与A.格特曼合著）证明生物学的种族概念是存在问题的。在《特性的道德标准》（2005）一书中他思考群体特性是如何对个人自由既做出贡献又进行抑制的。

Appian of Alexandria 阿庇安（亚历山大的）（活动时期2世纪） 记述罗马征服活动（从共和时期到公元2世纪）的希腊历史学家。曾在亚历山大城任公职，在该城目睹了公元116年的犹太人起义。取得罗马公民资

格后,去罗马行律师业,年老时任地方财政官。他曾写有自传,已不存世,著有希腊文《罗马史》24卷,按罗马人统治的各民族(及其统治者)编写,现在完整保留下来的有叙述西班牙、迦太基、伊利里亚、叙利亚、汉尼拔、米特拉达梯以及格拉古兄弟以后的罗马内战史的各卷。其他各卷的摘录残存于拜占廷帝国的文献汇编和另外一些地方。阿庇安写作使用的已非古典希腊文。他本人并非有才能的历史学家,但由于他转引早期史料,而保存了许多珍贵资料。他第一部关于内战的书叙述从T.格拉古(公元前133任护民官)到苏拉(公元前78卒)的时期,是重要的史料来源。

Appian Way　阿庇亚大道　第一条从罗马至坎帕尼亚和通至意大利南部最著名的古罗马道路(参阅 **Roman road system**)。公元前312年由监察官A.克劳狄兴工建筑,第一段长212千米,从罗马沿东南偏南的方向修到坎帕尼亚区的古卡普阿。约公元前244年又向东南延伸370千米,至亚得里亚海岸位于意大利的"靴跟"部的布伦迪休姆(布林迪西)。从罗马向南至第勒尼安海岸的泰拉奇纳,阿庇亚大道几乎呈直线,然后向内陆折向东南至卡普阿;从卡普阿向东至贝内文蒂乌姆(贝内文托),再向东南至他林敦(塔兰托)港,最后向东不远至终点布伦迪休姆。阿庇亚大道因贺拉斯和斯塔提乌斯的著作而著称于世,他们称它为"远距离道路中的皇后"。作为通往海港和意大利东南部并由此通向希腊和东地中海的主要大道,对于当时由领有执政官衔的监护人统治的罗马帝国具有重要意义。路面平均宽6米,略呈拱形,以利排水。路基为大石块,中间用灰浆黏合;上面用多角形熔岩块巧妙地拼接在一起,构成良好的路面,经过若干世纪的使用,证明特别耐用。在罗马城外几英里内道路的一侧是引人注目的纪念碑,沿整个道路设有里程碑或刻有铭文的其他石碑。

apple　苹果　蔷薇科苹果属(*Malus*)植物的果实。该属约25种。苹果树是栽培最广泛的果树。苹果是梨果的一种,由子房和子房外围的组织发育而成。苹果树多为异花授粉,有2%～4%的花坐果较为理想。虽然成熟苹果的大小、形状、颜色和酸度因品种和环境条件的不同而差异很大,但通常圆形,直径50～100毫米,带红色或黄色。苹果品种数以千计,分为酒用品种、烹调品种、尼食品种3大类。3类品种的颜色、大小、香味、光滑度(可能还有脆性、风味)等特点均有差别。不少品种含糖较高,中等酸度,丹宁含量很低。苹果除生食外,烹食方法也很多,常用作点心馅。苹果馅烤饼可能是最早的美国式甜尾食。炸苹果常与香肠、猪排等菜肴同食,尤其在欧洲是如此。该属原产于两半球温带。最早期的欧洲人已食用苹果,并对之进行了改良和选育,一些品种见于2 000多年前,在向美洲殖民前,欧洲已知品种达数百个。以后随着移民浪潮涌遍北美,实生苗苹果品种也到处传播。传教士、行商等流动人员在苹果的传播中起了主要作用,有些人成了当地的传奇人物;其中最突出的是"苹果佬"(即J.查普曼),他在俄亥俄及印第安纳种植苹果,并以此为业。印第安人和设陷阱捕兽者可能也传播了苹果。苹果树需要一定时期的休眠期,在冬季明显的地区(一般在南、北纬30°～

苹果(*Malus*)
美国不列颠百科全书公司供图

60°之间)生长良好。再向北由于冬季太冷以及生长季短,栽培受限。种植苹果需选择排水良好的土壤,肥力不足时需施肥。起伏不平的小丘顶部或山坡最适于种苹果,在这种地形下,于霜冻的春夜,较冷较重的空气会向下流入山谷,否则苹果花及嫩果会被冻坏。以选定品种作为接穗,砧木通常为约18个月的耐寒苗圃实生苗,嫁接后1～2年移植果园。6～8年后方有相当的产量;在此以前,管理工作多限于除草除虫,也要修剪整枝(尤其是最初5年),以使主枝分布合理,也不让长出较弱的会在果实的重压下折断的分枝。对成年果树须严格按规定喷洒农药以预防制止害虫,这样做可能亦可延缓其春季旺长,疏幼果及减少秋季落果。晚夏成熟的品种一般不宜贮藏。晚秋成熟的品种精心保管可贮藏达一年之久。在温度略高于苹果的冰点的条件下可将其保存较长时间。亦可将苹果置于惰性气体或成分受控制的空气中贮藏。世界苹果年产量约3 200万吨。美国所产的苹果通常有一半鲜食,约1/5用以制醋、果汁、果冻、苹果泥等;约1/6做成罐装苹果、苹果沙司及用作馅饼原料。在欧洲,很大部分苹果用制苹果酒和白兰地。用制苹果酒的苹果占世界产量的1/4。最大的苹果生产国是美国、中国、法国、意大利及土耳其。最大的苹果出口国是法国、意大利、匈牙利、阿根廷、智利、南非及美国。苹果富含碳水化合物和维生素A、C,所含纤维量亦多。

Apple Computer, Inc.　苹果计算机公司　美国个人计算机、计算机外部设备和计算机软件制造商。它是第一家成功的个人计算机公司,也是图形用户界面的普及者。总部设在加利福尼亚库珀蒂诺。苹果计算机公司源自S.G.沃兹尼亚克的一个终身梦想:制造自己的计算机。1975年出现了第一台商业上成功的微型电脑Altair 8800,它以套件的形式出现,使用了新近发明的微处理机芯片。1976年惠普公司(沃兹尼亚克在那里当工程实习生)对他的设计表示不感兴趣。当时26岁的沃兹尼亚克与高中同学,21岁的S.P.乔布斯,一起将生产作业搬到了乔布斯家的车库里,于是诞生了硅谷车库起家的公司神话。他俩给公司取名为"苹果"。他们的第一种机型是一块简单的工作电路板,但在乔布斯的坚持下,1977年的模型是一台独立的机器,有专门订制的塑料机壳,与其他早期机器令人生畏的钢铁箱子很不一样。这种苹果二号机型还提供彩色显示等特点,使得沃兹尼亚克的创造成为普受欢迎的第一种微型电脑。虽然乔布斯在商业场上还只是个鲁莽的新手,外表还带着过去的嬉皮风格,但他懂得要让公司发展起来就必须有专业的管理和充足的资金。他采取了相应的措施,苹果公司立即取得了成功,特别是在1978年沃兹尼亚克发明了一种低成本的硬盘驱动器后,信息的储存和检索变得又快又可靠。苹果二号就成了大批业余程序设计者所选择的计算机。最著名的是1979年两个波士顿人D.布里克林和B.弗兰克斯顿发明了第一套个人计算机上用的电子表格程序VisiCalc,创造了后来称作"杀手级应用软件"的东西,即一种非常有用的软件程序,能带动硬件销售。在VisiCalc为苹果二号打开了小企业和消费者市场的同时,另一个重要的早期市场是初等教育机构。苹果公司不惜一面大幅度优惠,一面直接捐赠(加上早期不存在竞争对手),从而在教育机构中确立了龙头地位,使它的平台占有小学软件市场的优势地位一直持续到20世纪90年代。苹果公司的利润和规模以历史性的速度增长:到1980年公司的净利超过1亿美元,雇员超过1 000人。然而,苹果计算机公司很快就面对来自计算机行业领军厂家——国际商用机器公司(IBM)的竞争。IBM 1981年推出它自己的个人计算机系列IBM PC,打破了它只使用公司专有的硬件和软件的传统,而用现成的零部件来制造机器,包括英特尔的微处理机,并使用微软公司的DOS(磁盘操作系统)。由于其他制造商也可使用IBM所用的同样零部件,也能得到微软的DOS许可,所以新软件开发商可以让他们的软件安装在广阔的IBM PC兼容机市场。不久这套新系统就有了它自己的"杀手级应用软件"Lotus 1-2-3电子表格,它在企业界立即赢得一批客户,而这个市场正是苹果二号未能打进的。苹果计算机公司为夺回主导权推出一种使用起来容易得多而且先进的新一代计算机。该公司把施乐公司图形用户界面的理念应用到两种新计算机中:1983年推出的莉萨计算机和1984年推出的更便宜的麦金塔什计算机。尽管媒体的反应是欣喜若狂,刚开始时麦金塔什的销售情况低于预期值。评论界注意到麦金塔什计算机的不足。1985年9月该公司首席执行官J.斯卡利辞退了乔布斯(沃兹尼亚克已经在1985年2月离开公司去当老师)。在斯卡利的领导下,苹果计算机公司稳步地改善了机器。然而,在初期挽救了麦金塔什计算机的是1985年苹果计算机公司推出的一种激光打印机,还有亚尔都斯公司的PageMaker,是麦金塔什计算机的第一个杀手级应用软件。这两项发明引发了一场桌面排版革命。图形艺术和出版业很快就成为麦金塔什计算机最重要的独家市场。另一项发明是软件数据库,叫作HyperCard。自1987年起,该公司把该软件免费装入每台麦金塔什计算机中。由B.阿特金森编写的这个程序使用了超文本链接技术,这个想法预示了构成万维网基础的超文本标记语言。这是苹果计算机公司的黄金时代，年收入近100亿美元，一年能售出100多万台计算机。不过利润掩盖了市场占有率正在下降的事实，尽管公司产品具有技术上的优势。另外，微软推出了它自己的图形操作系统视窗。苹果计算机公司在后来几年一直对微软起诉，试图阻止微软抄袭其操作系统，但都告败。出人意料的是，1991年苹果计算机公司和IBM宣布结盟。除了与摩托罗拉公司签订一项技术协议来开发下一代RISC（精简指令集计算）芯片（称作PowerPC）外，还共同成立了两家新的软件公司——塔利根特公司和卡雷达实验室公司来开发操作系统软件。然而，苹果计算机公司和IBM发生分歧，最终苹果计算机公司撤资。斯卡利对“牛顿”个人数字助理（PDA）产品的销售情况过于乐观。这个产品对手写字体的辨识能力很差，而且又分散了公司的工程设计和财务资源。另外，公司对它的软件部门克拉里斯公司（Claris Corporation）的政策摇摆不定。1993年M.斯平德勒取代了斯卡利。他最显著的成就是成功地将Mac OS搬上PowerPC微处理机，并开始从公司的专用标准中转变出来。由于各种问题1996年初斯平德勒被G.F.阿米利奥取代。公司削减营运成本，重新建立质量控制，但财务状况已经到了危急的地步。公司内部长期以来没有能力自行开发，于是1996年12月收购了NeXT软件公司。这是乔布斯在1985年离开苹果计算机公司后组成的公司。当公司在全世界的市场占有率跌落到3%左右时，1997年公司董事会出人意料地作出决定：聘任乔布斯。乔布斯开始让公司恢复元气，最有名的是全新设计的一体化iMac的上市。很快iMac成为当时的畅销Mac机，将苹果计算机公司在美国市场上的占有率从1997年12月的最低纪录2.6%提高到1998年8月的13.5%，而且在1998年苹果计算机公司有了1995年以来第一个赢利的财政年度。

apple moss（*Bartramia pomiformis*） **苹果藓** 真藓目珠藓属（该属100余种，北美产10种以上）植物。因孢蒴苹果状，故名。广布北半球，在多岩石的潮湿林地形成宽而深的垫丛。通常直立，拟茎体高约6厘米，两分叉，下部具锈色毡状毛。拟叶体上半部边缘具齿。

Applebee, Constance M.K. **阿普尔比**（1873-06-04，英国埃塞克斯郡奇格韦尔～1981-01-26，汉普郡伯利） 别名the Apple。英国女运动员。年幼体弱，为增进健康而学体育，毕业于英国体育学院。1901年参加哈佛大学夏季课程时示范英国流行的女子曲棍球，从而将该运动介绍到美国。同班同学瓦瑟学院体育教练V.巴林坦请她到该校教这项运动，很快推广到其他女子学院和公立大学。两人参与成立美洲曲棍球协会，主导这项运动20年。1904年起还在布林莫尔大学当体育教练25年，经常往返于英美之间。1922年参与成立美国曲棍球协会。编辑出版《女运动员》杂志10年。94岁退休。

Appleseed, Johnny **苹果佬** 参阅**Chapman, John 查普曼**。

Appleton **阿普尔顿** 美国威斯康星州中东部城市，奥塔加米县县城（1851）。濒福克斯河。在格林贝西南48千米处。有劳伦斯学院（1847年由A.A.劳伦斯设立，现为大学），且水力资源丰富。1857年设市。早期经济以磨坊为主。1882年建成美国第一座水电站。现主要生产纸张和造纸机。设有造纸化工学院（1929，纸浆及造纸技术方面藏书颇丰）和福克斯谷技术学院（1967）。人口：市70 087；阿普尔顿-奥什科什-尼纳都会统计区358 365（2000）。

Appleton, Sir Edward Victor **阿普顿**（1892-09-06，英国约克郡布雷福德～1965-04-21，爱丁堡） 英国物理学家，因发现电离层的阿普顿层，获1947年诺贝尔物理学奖。该电离层是用无线电波通信时的可靠反射器。而其他几种电离层在反射无线电波方面则有偶然性，同温度、时间都有关系。阿普顿曾在剑桥圣约翰学院就读，从1920年起在卡文迪什实验室工作，直到1924年任伦敦大学国王学院惠斯通物理学教授。在该校因研究电磁波的传播和电离层的特性而获得国际声誉。他指出波长足够短的电波，在穿透电离层的下层时会被其上层（现在叫作阿普顿层或F_2层）所反射。这一发现使远距离无线电通信成为可能，也促进了雷达的发展。1936年他回到剑桥，任杰克逊自然哲学教授。1939年任政府科学和工业研究大臣。第二次世界大战时从事雷达和原子弹的研究。1941年阿普顿被封为爵士，1949年任爱丁堡大学副校长及校长。

Appleton layer **阿普顿层** 电离层中F区（**F region**）的上层（称F_2）。

application lace **缀饰花边** 法语作point appliqué。这种花边的每一个基本花纹系单个编织，然后（用机器或手工）连缀到网状衬地上。它与沿着图案实心部分编织网络和将

1880年产于布鲁塞尔的缀饰花边
美国不列颠百科全书公司供图

整个花边作为整体编织而不必再连接的方法不同。19世纪主要产于布鲁塞尔和英国的霍尼顿。

applied psychology **应用心理学** 心理学分支，研究如何将科学心理学的发现和方法应用于解决人类行为的实际问题。要对应用心理学下一个更确切的定义是不可能的，因为应用心理学的研究范围甚广，从实验室的实验到具特定用途的现场研究，直到为心理障碍患者提供服务。心理学在19世纪后期成为独立的学科，这导致后来的应用心理学的发展。F.高尔顿于1883年发表《人类能力研究》，预示了对个体心理差异的测量。1896年L.威特默在费城宾夕法尼亚大学建立诊所，这成为临床心理学的先驱。A.比奈和T.西蒙在巴黎的学校中开展智力测验工作。小组测验、法律问题、工业生产效率、动机、少年犯罪等，也是应用心理学的一些早期课题。宾夕法尼亚州匹兹堡卡内基理工学院于1915年建立了应用心理学系。1917年《应用心理学杂志》创刊。同年H.L.霍林斯沃思及A.T.波芬伯格合著的第一本应用心理学教科书出版。两次世界大战促进了职业测验、教学方法、对态度和信念的评价、在精神压力下的工作能力、宣传和心理战、康复以及心理咨询等方面的工作。第二次世界大战后，应用心理学的许多倾向因太空时代的需要而有所加强。教育心理学家致力于早期识别和发现天赋高的人才，因为当时已认识到受过训练的天才是一项重要的国家资源。这些工作与咨询心理学家的工作有联系，因为他们帮助人们明确和达到个人在教育上、职业上，以及其他方面的目的。对人力资源的最佳利用的关注增加了工业和人事心理学在商业和工业机构中的重要性。航空工业和各种宇航机构和组织，对工程心理学的迅速发展起了重要的作用；由于机械和工程系统日渐复杂，有必要去研究人机关系。由于社会关心精神疾患的治疗和预防，临床心理学的绝对增长率是应用心理学各分科中最高的。心理学家还研究了自动化的应用。在发展中国家，心理学家还协助解决迅速工业化和人才规划等问题。应用心理学的范围，随着新类型问题的出现而不断地扩大，其他应用心理学的分支包括消费者心理学、学校心理学和社区心理学。对心理变量如个性、才能的测量和评估的心理测量学是应用心理学的重要组成部分。参阅**clinical psychology；counseling；educational psychology；industrial psychology**。

appliqué **嵌花** 先在底布上分层放上织物碎片，然后在适当的地方用手或机器将未加工边缘缝到里面或用装饰性缝缀遮盖的缝纫技术。“嵌花”一词来自法语appliquer，有“把……放在上”之意，它时常被用于装饰被服或家庭的床单和桌布。和拼缝一样，它是一种制作或装饰拼布的方法。18世纪的美国，拼布通常与片状拼缝的嵌花图形结合在一起。拼布制作者们从昂贵的进口印花棉布上裁剪出印好的图形——通常是花和鸟，但有时也有动物——并通过波斯刺绣的方法将它们嵌入普通的平纹细布中。这项深受喜爱的技术直到将近19世纪中期时才被《巴尔的摩拼布图册》中的精美嵌花图案以及其他嵌花样式取代。和拼缝一样，嵌花设计的灵感通常来自日常生活，特别是来自花园。它们也反映了当时的政治和哲学观点。19世纪时嵌花设计的尺寸常常很大；做一个完整的拼布至少需要四块样板。在20世纪特别是在30年代经济大萧条时期，产生了一批特有的嵌花设计，像“太阳帽女孩苏”和“德累斯顿盘”这样的设计，它们经常用刺绣来装饰和用受欢迎的彩色蜡笔画来表现。嵌花作为装饰横幅、衣物和展示幅的技术，在全世界广泛使用。

appoggiatura 倚音 音乐术语，指临时取代主要音，然后，在一般情况下按级进解决到主要音的、时值可长可短的装饰音。在文艺复兴时期和巴罗克早期，倚音的长度适中，平均为主要音的1/3，更多的属于旋律装饰而不是和声装饰。及至巴赫时代（1685～1750），倚音分成两种，即短倚音和长倚音。前者从主要音借用很短的时值，因此对和声的影响不大；后者要占用主要音时值的一半或更长，因此从实质上影响和声，造成不协和音，它接着在主要音上解决到协和音。因为它的目的主要是表情上的，17和18世纪音乐中的典型倚音发生在拍子上，而不是在拍子之前；它"倚靠"着主要音，这正是"倚音"这一术语的由来。倚音的最常见的符号是用一个小音符来标明装饰音的准确音高，但时值只是相对的，取决于音乐的前后关系及约定俗成的习惯。19世纪倾向于用正规音符而不是用小音符来记写长倚音，这预示将逐步取消大多数包括传统上在符杆上加斜线的短倚音在内的装饰音。实际上后者往往与碎音混淆，这是一种不协和的装饰音，与主要音同时奏出，但很快就中止。此外，19世纪惯用的装饰音，包括倚音在内，愈来愈多地在拍子之前演奏。要使人们重新欣赏和了解19世纪以前倚音在风格上的意义，还得在表演实践的历史中经过几代人的努力探索。

Appomattox Court House 阿波马托克斯县府 美国南北战争中，1865年4月9日南方邦联军向北方联邦军投降的地点。在与联邦军骑兵的一次交战后，北弗吉尼亚的邦联军被包围在距林奇堡以东25英里的弗吉尼亚州阿波马托克斯县的所在地阿波马托克斯。在东北3英里处的原县府，R.E.李将军向U.S.格兰特将军投降，从而宣告内战实际结束。1892年县治迁往阿波马托克斯新城后，该址实际已荒废。1940年被定为国家历史纪念地，包括实际签降处麦克莱恩家的住宅等历史建筑均已恢复1865年原状。1954年，整个968英亩地区被辟为历史公园。

Apponyi, Albert, Gróf 阿波尼（1846-05-29，维也纳～1933-02-07，日内瓦） 匈牙利政治家。其政治哲学集他的保守传统的社会背景与匈牙利民族主义于一体。出身于一古老的名门，系1846～1848年曾任首相的进步保守党领袖G.阿波尼伯爵之子。他于1872年进入匈牙利国会，除短暂离开外，任议员直至

美国不列颠百科全书公司供图

1918年。从19世纪80年代末起成为"联合反对派"领袖，该反对派包括所有反对1867年奥匈协议的党派。1906～1910年任联合政府教育大臣，实行学校课程改革，以其马扎尔化倾向而为非马扎尔人所强烈不满。联合政府倒台后，作为独立党成员重新成为反对派。1914年F.科苏特死后，他成为该党主席。1917～1918年再度任教育大臣。第一次世界大战后，阿波尼重返国会，曾率匈牙利代表团出席巴黎和会，并数次任匈牙利驻国际联盟代表。1933年逝世前任匈牙利出席裁军会议代表。

apport 摄调 神秘学名词，指用法术使物件突然神秘地来到。通常摄调一物件需要通过另一物体转移。摄调物件多半在降神会上表演，受摄调之物既可能是生物也可能是无生物。摄调活人有时称为转送。据招魂论解释，摄调是先抽去物件的形体然后再重新赋予形体。摄调之事多有所闻，但不少已证明为伪造。

apprenticeship 学徒训练 根据一种规定有师徒关系、训练年限和条件的合法契约进行的技艺、职业或手艺训练。

早期的历史 从很早的时候起，在埃及和巴比伦，组织手工艺技术训练是为了使手工艺人保持一定的数量。公元前18世纪巴比伦的汉穆拉比法典规定，工匠必须将其手艺传授给年轻人。在有些古代社会里，例如罗马，很多手工艺工人是奴隶，但在罗马帝国后期，手工艺人开始组成社团，以维持本行业的规范。

到13世纪时，西欧重新出现了类似的作法，即产生了手工业行会，行会监督生产质量和生产方法并调整一个城镇中每个职业集团的雇用条件。行会由工匠师傅控制，入会者必须经历一段学徒训练时期，这段时期通常是7年。这种制度适合于家庭工业。师傅在他自己的住所里操作，他的助手们既在那里工作，又在那里居住。这样就产生了一种人为的家庭关系，以师徒合同取代亲属关系。

然而，随着时光的消逝，政府不得不对行会的排他性进行干预。这些行会由最富的成员把持，经常滥用其特权，在各城镇中垄断其行业，采用收取巨额会费的办法，阻止会外的人入会，而招收的学徒只限于会员的子弟和富邻的子弟。英国政府试图通过1563年的关于手工艺人的法令规定学徒的条件，以禁止这些不良的陈规陋习，而保证给工农业生产以充足的劳动力。根据该项法令，任何人非经学徒不得从事一门手艺，而从事什么职业则由学徒的父母决定。该法令还规定了已学徒期满的工匠与学徒的人数比例，有三个学徒的师傅至少要有一个学徒期满的工匠。要求地方治安官执行该法令，该法令还授权地方官规定工资的数额。

进行个别训练的概念在中世纪时扩展到了手工艺行会以外。大学在授予硕士学位上采用了同样的原则，教会则坚持新入会者必须经过一段见习期。在医术方面，行会制度适用于外科医生，他们也干理发师的工作，并被认为是一种手艺人，威信不及内科医生。律师也要经过一段见习期，即要密切配合律师行业的一位师傅工作。这种做法在英格兰一直坚持下来，有些关于职员的规定要求学生向事务律师或出庭律师学习，但在美国和大多数欧洲国家，获得法学学位现在是通往律师行业的主要途径。

工业革命的到来 工业革命改变了人们对待学徒训练的态度。机器所需要的是不熟练劳动，这种劳动毋须经过正规的训练，那些有能力的雇工转向需要半熟练劳动的工作。然而，工匠仍然是工业社会的一个主要特征，他们建造机器，维持机器运转，并保持那些仍然依靠个人技术的行业，因而学徒训练继续存在，而且，实际上有一种新的发展加强了这种训练的地位。

工会直接关心维护质量标准并控制新成员的吸收，以保护熟练工人。随着工厂制度代替了家庭手工业，一种新的学徒训练发展起来了，雇主是工厂的老板，在他施以训练之后，学徒就成为工厂工人。

在法国，很早就有关于反对自由进入各种行业的做法。1803年重新制定了关于学徒训练的法律，1851年又大力加强了这方面的法律。在拿破仑战争时期开始重建的普鲁士，学徒训练是工业训练的一个重要特点。在英格兰，手工业中仍然维持学徒训练，甚至扩展到类似的领域。例如，在教育上，有各种关于实习教师的计划，这实际上是一种学徒训练，与此类似的一种制度是对年轻的农场主进行见习训练。

在美国，学徒训练存在于殖民地时期。17世纪从英格兰引入契约学徒。本杰明·富兰克林曾在印刷业中为其兄长的学徒。但学徒训练不像在欧洲那样重要，因为移民中熟练工人占的比例很高。

大规模机器生产的发展增加了对半熟练工人的需要，由于日益增长的劳动分工，他们的技术就只限于一种特定的专业。他们当中更富进取心的人谋求通过自愿的学习提高他们的工作能力和发展的可能性。为了满足这一需要，技工学校便应运而生。例如1823年乔治·伯克贝克在伦敦建立的这样一所学校，该校至今仍然存在，其现代化的形式是伯克贝克学院。1859年在纽约市成立了库珀科学技术促进会。1880年法国开始在全国推行技术教育。

对办事员的工作培训与正规的教育机构更密切地联系在一起。在19世纪后期，建立了夜校培训学生准备担任书记员、出纳员和记账员。但是，除了由于打字机的发明和速记的广泛应用而使之成为必要的秘书学校以外，对雇用人员进行办公室工作的培训，是比较近期的发展。

新技术还要求有更高的对理论的理解和技能，这是大学不能提供的。满足这一要求的最早的尝试是由法国大革命激起的，尽管人们通常把它同拿破仑联系在一起。这就是1794年建立的综合工科学校，它很快成为一个巨大的科学和技术机构。它是法国特有的许多专业学校中的第一所。每一种专业都有它的学校。例如，矿业学校、公路和桥梁学校以及国立农业学校。在比较近期建立的学校

中,有航空学校和国立管理学校。进入每一所学校都要通过一次全国范围的入学考试,这种考试要求有专门的准备。

现代的学徒训练 学徒训练在欧洲自中世纪以来延续了很长时期。但到20世纪早期,工业上的装配线流水作业法只需要不熟练或半熟练性质的重复工作,使得长期的学徒训练失去吸引力。这导致许多国家试图有计划地组织劳动市场,以帮助青少年和不熟练与半熟练的工人找到合适的职业。

尽管事实是机械化越来越多地增加了不需要正规训练的工作的数目,但在手工业中仍然需要学徒训练。第一次世界大战以后出现了一种新型的雇佣方式。传统的学徒制仍然保存,以训练熟练的技术工人。还有一种为半熟练工种培养工人的普遍做法,即让新工人通过与别人一同工作来学习技能。有些行业实行一种提升制度,劳动者和不熟练工人在给熟练工人当过助手后,可被允许担任熟练工作。这种训练计划再加上学生学徒制,可使新工人学到工作技能,并有希望在本行业中取得一个负责职位。学生学徒制则给参加者提供大学教育或技术教育的经历,以便有资格被任命为职员。

工会出现了,它和中世纪的行会一样,坚持维护以严格的学徒制来限制参加熟练工作这一原则,但也给半熟练工人逐渐走上熟练工作岗位的机会。手工业工会本身开始起了变化。从20世纪20年代起,这些工会开始接受未作过学徒的工人为会员。学徒与工匠的比例不再成为问题。

第二次世界大战后,形势有所改变。各国的情况差别很大。也许最剧烈的变化发生在西德,它的优势在于实际上有一个新的开端。在那里,区分了需要学徒的技术行业、需要见习生的半熟练技术行业和雇佣工匠的手工行业。各行业组成当地的行业公会,各手工业组成手工业公会。学徒的合同在主管的公会登记。学徒保存一本工作手册,公会的官员们随时进行检查,每隔1个月或3个月有定期的考试。准许辍学的最低年龄为14岁,但在18岁以前必须在职业学校参加业余学习,包括在工作时间内的学习。学徒可以有准备地参加辍学考试,其结果有时是要受3年的培训。

在法国,职业训练受教育部技术与职业教育处监督指导。现有24个由雇主、政府和工会代表参加的全国性的专业咨询委员会,并且自1930年以来,政府已建立了许多工艺学院,这些学院训练了大约1/3的技术工人,其中1/3左右是女工。还有一些工厂学校,例如著名的雷诺工厂学校。学徒训练可以通过同私人雇主签订合同进行,或者在正常的离校年龄16岁以后再入学(称为补充学习),或者去一个手工行业学徒。常常有一种合格考试;对学院或学校的学生的考试由技术与职业教育处监督,对学徒的考试则由当地的手工业公会监督。

在英国,根据1948年颁布的就业和训练法案建立了中央青年就业执行委员会,并导致建议在每个行业中成立一个全国联合学徒和培训委员会。在这些问题上通常是保守的印刷行业通过客观地测试是否适合和是否有能力来进行选拔。摩托车和汽车修理行业制定了一个学徒训练计划,其中规定要进行最终的合格考试,要通过这个考试才能获得在全国有效的工匠证明。邮政工程处在训练它的电话和电报技术人员方面从不采取传统的学徒训练方式,而是对新人员进行为期3年的训练,受训练者的年龄在16～20岁之间,前2年接受全面的训练,后1年接受几个专门领域之一的训练。但与过去相比变化最大的是工程工业中的基准制度。这种制度提供1年的关于各种技能的训练,然后进行特定的专门技能的训练。有关于操作的测试和适当的进一步的教育。让学徒们尽可能快地达到合格标准,传统的5年学徒期消失了。由于有些小公司不愿意录用学徒和给他们提供在职学习的时间,大公司就最好地利用了学徒训练。

在美国,学徒训练的情况比欧洲的要灵活一些。学徒的最低年龄是16岁,但在许多行业中要求有高中毕业文凭,从而使实际的学徒年龄为18岁。最高的年龄限制通常是24岁,在有些行业中更高。学徒的期限从2年至5年不等,但通常是3年或4年,而且大部分训练是在技术学校或职业学校进行。1937年,美国劳工部成立了学徒训练局,而全国学徒和培训理事会也为各个行业制定了学徒训练计划。学徒训练通常以每1 000个学时作为一个阶段,每个阶段相当于6个月,其中至少有144个学时是有关课堂教育的。受训练者在通过及格考试后从一个阶段升入另一阶段。每个阶段都增加工资,工资为工匠工资的60%～90%。学徒们可以同地方学徒训练委员会签订工作合同,从而实际上是同一个行业而不是同一个雇主签订合同。这种做法在建筑行业中特别成功。

在日本,学徒训练和雇员训练往往带有个人的色彩,这在其他工业国家里是少见的。日本关于学徒训练的概念与其他地方的不同是因为日本的雇主与雇员之间的关系不同。受雇于一个日本公司似乎成为一种终生的关系。社会责任要求雇主给雇员提供工作机会,并要求雇员在同一个雇主手下担任他可能被指派的任何工作直至去世或退休。因此,学徒训练似乎是倾向于为某个特定的公司雇佣,雇员在其中要度过整个的劳动生涯,尽管他的具体工作可能不时改变。因此,在其他工业国家普遍存在的学徒训练与某个特定的行业之间的紧密的关系,在日本是不存在的。

apprenticeship novel 学徒小说 传记式小说,集中描绘一个人的青年时代以及进入成年时所受的社会与道德教育。这类小说源于歌德的《威廉·迈斯特的学习时代》(1795～1796),并成为德国文学的一种传统小说形式,称为教育小说。英国学徒小说的典范是狄更斯的《大卫·科波菲尔》(1850)。美国有T.沃尔夫的《向家乡看吧,安琪儿》(1929)。参阅 **Bildungsroman**; **Künstlerroman**。

approximant 近似音 语音学术语,又称无擦通音。发音时使声道中某一发音器官接近于另一发音器官而不产生可以听见的摩擦声音(参阅 **fricative**)。近似音包括半元音,如yes(是)中的y音,或war(战争)中的w音。

Apra Harbor 阿普拉港 又作Port Apra。西太平洋马里亚纳群岛中的关岛西岸的港口。位于阿加尼亚之西,是岛上最佳停泊地和美国海军基地。有730米长的深水码头,为密克罗尼西亚诸岛的转运点。港口南有奥罗特半岛,北有布拉斯岛和一些暗礁屏障。1944年7月21日盟军在此登陆,攻克该岛。1969年开辟装卸集装箱的商港。人口5 633(1980)。

apraxia 失用 由大脑损害引起的功能障碍:丧失了进行实用或复杂动作的能力,而运动功能和智力仍保持完整。运动性失用可累及一侧上肢,患者不能进行精细动作。例如尽管肌力正常,但不会用钥匙去开锁。观念性失用表现为极端的心不在焉,失去照定式安排动作的能力。不能把动作完整地组织起来,即使把部分动作组织起来了,也不能按计划执行到底。部分动作可能完成,但也不是按预定的程序。例如患者可能划一根火柴去点燃篝火,但仍手持火柴直至烧痛手指。观念性失用多由大脑皮质的弥散性损害或毒血症引起。观念-运动性失用因联络束阻断所引起。此时,观念作用和运动功能之间不能协调。例如,患者可能抱怨他的手不管用了,但却马上用手来拍打蚊子。他不能在命令下完成某些动作(如吹口哨或握拳),但能无意识地那样做。观念-运动性失用的皮质损害部位通常在环曲回(一侧或双侧)。结构性失用表现为不能将各个单个成分准确地组合成一个有意义的整体,例如不会堆积木或复制图案。病变部位绝大部分在右侧大脑半球。

Aprey faience 阿普雷彩陶 法国阿普雷的男爵雅克·拉勒芒·德维奥的工厂生产的锡釉陶器。该厂建于1744年,设于他在第戎附近阿普雷地区的庄园中。早期制品厚重且颇

18世纪下半叶的阿普雷彩陶盘
美国不列颠百科全书公司供图

粗糙,宗法鲁昂陶瓷的青花款式,或呈洛可可式样并饰以中国艺术风格的青白花鸟纹。约在1772～1781年间,彩绘家雅克·雅里和安托万·梅吉以绚烂而风格奇特的花鸟纹饰以及画在洛可可涡旋纹上的缩微风景等图案,为工厂赢得了声誉。阿普雷彩陶的生产延续到19世纪中叶,但是没有创新,而只是用工厂自己的模子复制早期的品类而已。

apricot(*Prunus armeniaca*) **杏** 蔷薇科乔木。普遍栽培于世界温带地区。鲜果可生食,也可制成果酱、罐头、杏干等。树大,树冠开展。叶阔心形,深绿色,直立着生于小枝上。花单生或两朵同生于短枝的节上,盛开时白色,自花授粉。短枝每节上生一个或两个果实,果圆形或长圆形,稍扁,形状似桃,但少毛或无毛。果肉艳黄或橙黄色。果核表面平滑,略似李核,但较宽而扁平,多有翅边。有的品种核仁甜,有的则有毒。杏原产中国,遍植于中亚、东南亚及南欧和北非的部分地区。18世纪被西班牙教士带入加利福尼亚南部。1879年,美国果树学会列举的在美国种植的品种有11个。杏树以桃或杏为砧木芽接繁殖,桃、李、杏三种果树间嫁接容易成

杏(*Prunus armeniaca*)
美国不列颠百科全书公司供图

活。杏树喜轻松土而非黏重土,在排水良好的壤质土上生长良好。多数品种耐寒能力与桃相近,但开花较早,易被晚霜冻死。杏树耐旱,寿命也很长,在良好条件下可达100多年。杏产量以西班牙为最多,其次是伊朗、叙利亚、美国、法国、意大利。杏富含维生素A和天然糖分,杏干是铁的良好来源。

Apries **阿普里斯**(?～公元前567) 又拼Ouaphris。希伯来语作Hophra。埃及语作Haaibra Wahibra。埃及第26王朝第4代国王(公元前589～前570在位),继承其父萨姆提克二世的王位。他没有帮助犹大国王抵抗巴比伦,但在耶路撒冷陷落后,他接纳了许多犹太难民。由于他在利比亚进攻昔兰尼失败,埃及军队哗变,推举将领雅赫摩斯为国王(公元前570)。阿普里斯被囚后越狱,后来被杀害。

April **四月** 格雷果里历(**Gregorian calendar**)的第4个月份。参阅**month**。

April Fools' Day **愚人节** 又作All Fools' Day。4月1日称做愚人节,是因为根据习俗在这一天可以对别人玩弄恶作剧。这种风俗在某些国家已经持续数百年,其起源不详。它与其他节日,如古罗马的嬉乐节(3月25日)和印度的欢悦节(到3月31日为止)有相似之处。其时间的选择,似与"春分"(3月21日)有关,其时,天气突然变化,似乎是大自然在愚弄人类。愚人节这天,人人都可有借口去捉弄他人。在法国,被愚弄者称为"四月鱼",但其起源不详。四月间布谷鸟啼遍山川,此鸟在苏格兰为蠢材的象征,故以此称呼被愚弄者。愚人节的风俗由英国人带到美国。儿童及成人一直喜欢愚人节,开玩笑的方式,有时颇为复杂,有时就较简单。

April Laws (Hungarian Revolution of 1848) **《四月法》** 参阅**March Laws**(1848年匈牙利革命)《三月法》。

April Theses **《四月提纲》** 列宁1917年提出的号召苏维埃夺取政权的纲领。这一纲领发表于4月,对7月暴动和10月布尔什维克的政变起了指导作用。在二月革命期间,两个根本不同的政治机构——临时政府和彼得格勒工兵代表苏维埃取代了沙俄政府。在苏维埃中占支配地位的社会党人认为二月革命是资产阶级性质,应该让资产阶级掌权。因此他们屈从临时政府,同意苏维埃与之合作。但列宁则认为苏维埃和临时政府是两个不同社会阶级的机构,两个机构不能长期共存。他在这个理论的基础上提出自己的纲领,要求布尔什维克停止支持临时政府,号召立即退出第一次世界大战和将土地分给农民。布尔什维克党必须组织工兵农和加强苏维埃的力量,以便能够从临时政府手中最后夺权。提纲还主张把银行收归国有,苏维埃对产品的制作和分配实行监督。列宁最初向部分社会民主党人和布尔什维克委员会提出这一纲领,但均遭拒绝。《真理报》刊登它时还特别指出这是列宁个人的思想。然而数周后,党的第七次全俄代表会议(5月7～12日举行)同意把《四月提纲》作为党的纲领,同时提出"全部政权归苏维埃"的口号。尽管某些布尔什维克仍持保留态度,但提纲中的主张深受彼得格勒工人和士兵的拥护,他们在7月曾试图迫使苏维埃夺取政权,没有成功。同年10月布尔什维克党终于开始实现这一纲领,从临时政府手里夺取了政权。

April Twelfth Incident **"四一二"政变** (1927) 中国国民革命军总司令蒋介石在上海发动的政变。1927年春,北伐战争向长江下游推进,工农群众运动蓬勃发展。3月21日上海工人举行武装暴动,占领上海,成立临时政府。蒋介石于26日赶到上海,与租界当局、上海商业联合会代表等密议发动政变。租界当局在蒋介石保证不以武力改变租界现状后答应提供援助。4月2日在上海的8名国民党中央监察委员通过"请查办共产党"案。11日晚上海青帮头目黄金荣、杜月笙雇用流氓袭击工人纠察队,将上海总工会委员长汪寿华骗去杀害。4月12日蒋介石以清党为名发动武装事变。大批青红帮分子袭击工人纠察队,国民党军周凤岐部随即强行收缴纠察队枪械,打死打伤纠察队员300余人。13日上海工人总罢工,并集会游行以示抗议。游行队伍在宝山路、南市车站等处又遭国民党军射击,死100余人,伤无数。临时政府、市党部、妇联、学联均被封闭。3天中杀害群众300余人,拘捕500余人,5 000余人失踪。4月18日蒋介石即在南京成立国民政府。

apse **后堂** 世俗或宗教建筑尾部的半圆形或多角形凹室。最早见于古罗马建筑中,常作为神殿中放置神像的地方,起着大型壁龛的作用。它也曾用于古代公共浴室中,作为

拉韦纳市圣维塔莱教堂的后堂,526～547年建
美国不列颠百科全书公司供图

设置温泉浴池的地方。早期基督教时代(约4～8世纪),带有圆顶的后堂成为教堂不可缺少的部分。从君士坦丁一世起,它一直位于教堂的西端(如老圣彼得教堂),6～7世纪之间,罗马教会模仿拜占廷教会的做法,把后堂改在教堂东端。后堂是教堂中四壁装饰最华丽的部分,墙面贴大理石,拱顶用镶嵌细工画装饰。7世纪初,由于宗教仪式的变化,在侧堂或耳堂的尽端也加建了后堂。此外牧师席从后堂移到唱诗班席,把原设在牧师席和教堂主体部分之间的圣坛移到后堂里。文艺复兴时期,圣坛常靠在后墙前。17世纪时多在中堂里讲道,而在圣坛前作弥撒。罗马风格式时期后堂的形式也有变化,虽然在意大利建筑中,后堂还保持着简单的形式,但在意大利以外,尤其在法国,在主体结构上增加了*后堂回廊*(**ambulatory**)和小礼拜堂,形成复杂的半环形后堂。20世纪中,后堂仍然是基督教建筑中的一个标准组成部分。参阅**church**。

apse **拱点** 又拼apsis。天文学名词,指在椭圆轨道上距吸引中心最近的点或最远的点。两点的连线称为拱线,即轨道长轴。其中,距焦点近的一点称为近心点或近拱点;距焦点远的一点称为远心点或远拱点。若中心为太阳,通常就称近日点和远日点。若中心为地球,则称近地点和远地点。若中心为其他天体则用另外的名称,例如在恒星的情况,称为近星点和远星点;而对于绕木星的卫星,则称为近木点和远木点。

Apsheron Peninsula **阿普歇伦半岛** 又拼Abšeron。阿塞拜疆一半岛。向里海延伸60

千米，最宽处 30 千米。为高加索山脉向东延伸部分，地势略有起伏，部分地区为峡谷所分割。多盐湖和潮淹地。属半沙漠气候。但因受海的影响略有改善。有羽状草等抗旱型植被。葡萄园和茶园形成地方特色。以含油地层闻名，采油作业区伸入里海。

apteran　无翅虫　参阅**dipluran**双尾虫。

apterygote　无翅类　昆虫纲无翅亚纲(Apterygota)动物，约 4 400 种，与有翅亚纲(Pterygota)动物不同。根据这种分类系统，无翅亚纲包括四类原始昆虫：原尾目、弹尾目、双尾目和缨尾目。典型的无翅类昆虫无翅而有六足。从前把具有 6 足看作是真正昆虫的鉴别特征，但现在有些昆虫学家把原尾类、弹尾类和双尾类从演化的主干中分出来，列为与昆虫纲并列的纲。这样一来，无翅类昆虫只包括缨尾目、石蛃目(与缨尾目近缘)和已绝灭的单尾目(这 3 类是昆虫的祖先)。无翅类身体多分为头、胸、腹三部分。单尾目胸腹未分开。胸 3 节，各有足一对。口器在分类上十分重要，原尾纲、弹尾纲、双尾纲为内颚式口器，单尾目、缨尾目及石蛃目为外颚式口器。原尾纲、弹尾纲及石蛃目躯干有气管及气门，缨尾目的气管系统似有翅昆虫。无翅类胸部 3 对足形态相似。无变态或增节变态(原尾类)。有的终生蜕皮。将无翅类分为三纲与昆虫纲并列的分类系统如下：

原尾纲(Protura)　共 12 种，俗称蚖。1 目：原尾目(Protura)。(1)古蚖亚目(Eosentomoidea)。1 科：古蚖科(Eosentomidae)。(2)无管亚目(Acerentomoidea)。分始蚖科(Protentomidae)及无管蚖科(Acerentomidae)。内颚式

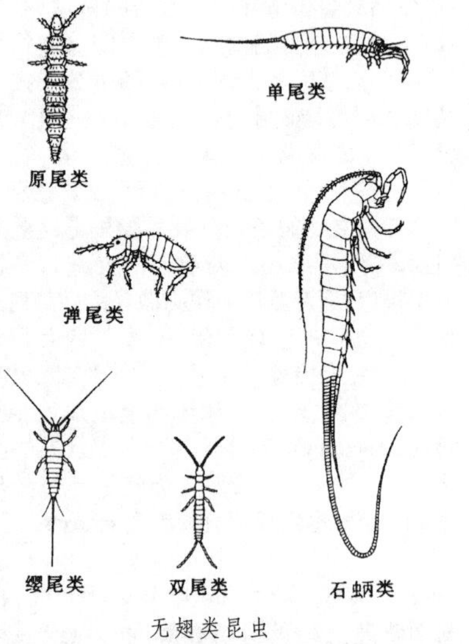

无翅类昆虫

(前口式)口器。生活在世界各地的泥土和落叶层中。体长在 2 毫米以下，细长，白色。无触角和眼。第一对足长，伸于头上，能替代触角的功能；不用于移动。腹有 3 对附肢。刚毛稀疏，无鳞片；有的行皮肤呼吸，有增节变态，经 3 次蜕皮腹节才从 9 节增到 12 节；无尾须。

弹尾纲(Collembola)　3 500 种，内颚式(前口式或下口式)口器。俗称跳虫。1 目：弹尾目(Collembola)。身长多在 3 毫米以下，有的达 10 毫米。分布世界各地(包括南极)，除生活在土壤和落叶层外，还见于有水处、洞穴、冰原和雪地，以及昆虫和其他动物的巢穴。体长形或球形；有刚毛或鳞片。触角 1 对，分 4～6 节；头各侧有 0～8 个单眼。触角与眼间有 1 对角后器。腹部包括尾节在内最多 6 节，第 1 腹节腹面有一条末端分叉的腹管，能分泌黏液。第 3 腹节有握弹器一对。第 4 腹节有跳跃器(叉状器，用以弹跳)，均为附肢的变形。无尾须。有的行皮肤呼吸。雌虫产卵可多达 800 个。以土壤中真菌为食。一生可蜕皮达 50 次。(1)节腹亚目(Arthropleona)。①跳虫派(Poduromorpha)。分棘跳虫科(Onychiuridae)、球角跳虫科(Hypogastruridae)、长颚跳虫科(Neanuridae)及跳虫科(Poduridae)。②长角跳虫派(Entomobryomorpha)。分滨跳虫科(Actaletidae)、异跳虫科(Isotomidae)、拟鳞跳虫科(Oncopoduridae)、地跳虫科(Tomoceridae)、原长角跳虫科(Protentomobryidae)及长角跳虫科(Entomobryidae)。(2)愈腹亚目(Symphypleona)。①短角圆跳虫科(Neelidae)。②圆跳虫科(Sminthuridae)。

双尾纲(Diplura)　400 科。俗称长尾虫、钳尾虫或虮。内颚式口器。1 目：双尾目(Diplura)。体长一般不到 10 毫米，但有的达 50 毫米。生活在世界各地土壤、落叶层和腐木中，已知有 400 多种；触角多节；无眼；腹部 11 节(包括尾节在内，或无尾节)；有成对的腹刺突；第 11 腹节有成对尾须，尾须长，线状，具多节或短，呈钳状；有刚毛，鳞片罕见；取食植物质或真菌，有一类吃小型无脊椎动物。分为双尾科(Campodeidae)、原铗尾科(Projapygidae)及铗尾科(Japygidae)。

昆虫纲(Insecta)　外颚式口器。本纲的无翅类属无翅亚目(Apterygota)。(1)单尾目(Monura)。已绝灭，仅知 2 种化石。长约 11 毫米。复眼大。胸腹部分界不明显，共 14 节，前 3 节各有一对足；腹部 11 节，有 3 对腹棘突，为变形的附肢；尾节有一条长尾丝；无尾须；(2)石蛃目(Microcoryphia)。复眼大，单眼 3 个。腹部 11 节；尾节有一长的中尾丝，行走时用以支持身体。尾须成为两根侧尾丝。胸足有脚基突起。腹 11 节，有腹部刺突。有刚毛和鳞片。亦能用身体及尾丝弹跳。分为：① Triassomachilidae 科。已绝灭。②石蛃科(Machilidae)。③光角蛃科(Meinertellidae)。(3)缨尾目(Thysanura)。俗称衣鱼。下口式口器。复眼小或无，躯干节扁平。腹部 11 节。尾节有一长的中尾丝；尾须长或短；腹部 11 节，有腹刺突。一生可有 40 多个龄期，蜕皮 12 次后即成熟。有些衣鱼寿命达 7 年。分为：①衣鱼科(Lepismatidae)。②土鱼科(Nicoletiidae)。这两科昆虫多数体长 5～20 毫米，已知共 350 多种。在落叶层中常见，有的居于蚁或白蚁巢内。取食腐败或干的植物质。生活于人类居室的衣鱼食动植物遗体、纸和人造丝等。

无翅类多生活于潮湿的地面土壤及落叶层中。主要营有性生殖，但也有孤雌生殖。雄虫产出精包，被雌虫取得，贮藏到受精时使用。原尾虫雌雄生殖孔周围都有形状奇特的外生殖器。跳虫无外生殖器，但生殖孔及其周围区域外观不同。双尾虫无外生殖器或外生殖器退化。衣鱼和石蛃的外生殖器与有翅亚纲昆虫相似，但雄虫的阴茎仅产精滴而不是交接器官；而且由于成虫(雌虫)纳精囊内的精子随每次蜕皮而丢失，所以每个成虫期雌雄之间放置和收取精滴的行为要重新进行。无翅类昆虫化石极少。最早的弹尾目化石见于苏格兰中泥盆统地层。

Aptian Stage　阿普特阶　下白垩统的(自下而上)6 个主要地层单元中之第 5 个，代表世界范围内分布的阿普特期(1.19 亿年前至 1.13 亿年前)沉积的所有岩层。对于阿普特阶之底来说，还没有为国际地层委员会所认可的全球性层型剖面和层型点(GSSP)。这个阶的名称，来源于法国东南部沃克吕兹省的阿普特镇，该镇周围的地区可以作为这个时期沉积岩层的典型地区。在英格兰，阿普特阶被下绿砂岩建造的一部分所取代。在北欧的其他地方，它由厚的希尔斯黏土的一部分组成，而在美国，它包括达科他砂岩。头足动物菊石类 *Prodeshayesites* 的首次出现标志着英格兰、德国、法国阿普特阶的底。钙质超微化石 *Nannoconus bucheri* 和 *N. wassalli* 生物带以及浮游有孔虫 *Globigerinelloides algerianus* 和 *G. blowi* 也被认为是对这个阶岩层具有鉴定特征意义的。阿普特阶的岩层覆盖在巴列姆阶之上，而为阿尔布阶覆盖。

aptitude test　能力倾向测验　用以确定和衡量人的潜在能力特征的一种测验。能力倾向可以预计个体通过训练可以获得某些特殊技艺的能力。测验的主要依据是：人们在各方面的能力彼此不同，这些差异和他们未来的成就有一定的关系。综合(或多项)能力倾向测验与智力测验有相似之处，都测量人的多种能力，如语言理解、一般推理、数学运算、知觉速度、机械知识等；这两种测验的区别是：前者提供了一套综合的分数指标，而后者只提供一个智商(IQ)指标。能力倾向测验现已广泛应用于教育和职业咨询中，也已用以测量人们对某些专业(如法律、医学)的潜力和从事某种专职(体力或脑力劳动)的能力。

aptronym　寓意名　指适合人物性格某方面的名字。例如 J. 班扬在《天路历程》中为一位爱饶舌的先生取名为托克蒂夫(Mr. Talktive, talkative 即为"饶舌"之意)，为一位老于世故的先生取名为沃尔德利维兹曼(Mr. Worldly Wiseman, worldly wiseman 即为"老于世故之人"之意)。据说此词为美国报纸专栏作家 F. D. 亚当斯所创。现极少使用。

Apu-Punchau (Inca religion)　**阿普-旁绍**　参阅 **Inti** 印蒂。

Apuleius, Lucius　阿普列乌斯(约124，努米底亚马道罗斯[今阿尔及利亚姆道鲁什附近]～170 以后)　柏拉图派哲学家、修辞学家及作家。因著《金驴》一书而知名。这部散文叙事作品在他死后很久仍有影响。作者将其作品称为《变形记》，记述一个被魔法变成驴的青年之经历。他曾在迦太基和雅典受教育，后在地中海地区游历，并对当时各种宗教入教仪式感兴趣(包括与对埃及女神伊希斯

的崇拜有关的仪式)。他多才多艺,并且熟悉拉丁和希腊作家的作品,曾在罗马教修辞学,后返回非洲同富孀埃米利娅·普登蒂拉结婚。被她的家庭控告,说他施行魔法以得到她的爱情。为此,他写了一篇辩护词,成为其传记的主要资料。他在《金驴》一书中引用了帕特雷的卢基奥斯《变形记》(已佚)中的材料。某些人引用后一书时指出:它又是现存的同样题材的一部希腊小作品《卢基奥斯或驴子》(一般认为是希腊修辞学家卢奇安所作)的原始材料。小说虽属虚构,但它包括一些肯定是自传性质的细节,而且它的主人公被认为是作者的部分画像。书中对古代宗教秘密仪式的描述特别有价值。卢基奥斯在伊希斯(司生育与繁殖的女神)的帮助下从动物变回为人以及他被接受为其祭司,这说明阿普列乌斯本人就参加过这一教门。人们认为从此书可以看到古代风习。书中之《丘比特和普绪喀》的故事常被后世作家模仿。卢基奥斯的某些经历重新出现在薄伽丘的《十日谈》、塞万提斯的《堂吉诃德》和勒萨日的《吉尔·布拉斯》里。在他的其他文学作品中,《佛罗里达》和《金驴》一样,义风是矫揉造作的。他还写过有关柏拉图的三卷书(第3卷已佚):《论柏拉图及其学说》和《论苏格拉底的神》(此书阐述柏拉图有关魔鬼、以及介于神和人之间的善良的精灵的概念)。其《论世界》是由一篇被错误地归到亚里士多德名下的论文改写而成。

Apulia (Italy) **阿普利亚** 参阅 **Puglia** 普利亚。

Apure **阿普雷** 委内瑞拉西南部州。北与塔奇拉、巴里纳斯和瓜里科州相连;东接玻利瓦尔州和临奥里诺科河;南和西与哥伦比亚接壤。面积76 500平方千米。经济以畜牧业为主。地处亚诺斯平原;排水情况不好,经常洪水泛滥。旱季时稀树草原的草无法食用,牛群需赶往南方潮湿地区。州首府圣费尔南多在阿普雷河畔,有大型肉类加工企业,向加拉加斯等大城市空运鲜牛肉。有几条旱季公路伸向州腹地。1969年后该州成为一个政府-地区发展公司的一部分。人口约376 220(1995)。

Apure River **阿普雷河** 委内瑞拉西部河流,是奥里诺科河主要可通航的支流。发源于梅里达山,向东北和东流820千米,穿委内瑞拉最重要牧业区亚诺斯平原的中部。主要支流包括从北流入的波图格萨河和瓜里科河。雨季(5～11月)可行小汽轮。1957年后,连接阿普雷河畔圣费尔南多和卡拉沃索及人口稠密的北方地区的公路大大缓和了河上的交通。

Apurímac **阿普里马克** 秘鲁南部省份。在安第斯山区。面积20 550平方千米。大部地区海拔较高。阿普里马克河及其支流在其中纵横交错,形成很深的峡谷。居民主要为自给自足的农牧民。主要物产为羊毛、玉米、小麦和马铃薯。较低地区种植甘蔗、水果。矿业已开采金、铜、铅和盐矿。省会阿班凯(**Abancay**)位于居住区中心,在海拔2 100米和2 400米之间的山间盆地中。人口约381 997(1993)。

Apurímac River **阿普里马克河** 秘鲁南部河流,亚马孙河源流之一。源出秘鲁阿雷基帕省潘帕瓦希峰(高约5 000米)的冰川融水,西北穿越安第斯山脉,降至海拔260米处与乌鲁班巴河汇合称乌卡亚利河。流程700千米,大部为峡谷,水势湍急,多瀑布急流。自源头至曼塔罗河口,称阿普里马克河;流至佩雷内,称埃内河;再下流至乌鲁班巴,称坦博河。

Apuseni Mountains **阿普塞尼山脉** 罗马尼亚西北部的巨大山脉,位于穆列什河以北,为西喀尔巴阡山的支脉。该山脉虽不算高(最高海拔仅为1 848米),但兀立于周围低洼地区之间,显然为一均衡而气势雄伟的群体。群体的中央为最高点比霍尔山(**Bihor Massif**);从此辐射出6条较低的山峦。群山浑圆的顶峰与深邃的河谷形成鲜明的对比;广阔的石灰岩地层,有些已被侵蚀成壮丽的景观。牧场和居民点散落在山间;南部的梅塔利费里山有圆锥形火山顶,并蕴藏有丰富的金属矿。

Aq Qoyunlu (Turkmen tribal federation) 参阅 **Ak Koyunlu** 白羊王朝。

Āqā Khān 参阅 **Aga Khan** 阿迦汗。

Āqā Mīrak **阿迦·米拉克**(活动时期16世纪) Āqā又拼Āghā。波斯画家,长于肖像画和色彩运用,风格华丽。伊斯兰教先知穆罕默德的后裔,伊斯法罕人。主要在萨非王朝

阿迦·米拉克绘《法里杜恩试子图》(约1527～1528)
美国不列颠百科全书公司供图

首都大不里士作画,与主管皇室藏书的知名波斯画家贝赫扎德相识。曾在宫廷与16世纪大不里士最杰出的画家苏丹·穆罕默德共事。还曾当过沙·古利(波斯画家,后成为奥斯曼苏丹苏莱曼宫廷中的重要人物)的老师。

Āqā Rezā **阿加·礼萨** 参阅 **Rezā** 礼萨。

Aqaba, Gulf of **亚喀巴湾** 红海东北部海湾。在沙特阿拉伯与埃及西奈半岛之间。宽19～27千米,长160千米。湾口狭窄,湾内有岛屿、珊瑚礁和突发性暴风,故航行困难。

亚喀巴湾海滩
美国不列颠百科全书公司供图

为东非大裂谷的一部分,湾顶端为埃及、以色列、约旦和沙特阿拉伯的边界。约旦和以色列在此建有亚喀巴和埃拉特港,作为通向红海和印度洋的出口。

ʿAqabah, al- **亚喀巴** 又拼Aqaba或Akaba。约旦最西南部的港口城镇。濒红海的亚喀巴湾。位于约旦与以色列临海湾交界处的东边,是约旦的唯一出海口,因其附近有淡水井,几千年前即有居民。所罗门王的海港和以旬迦别的铸造厂即在附近。罗马统治时期为起自叙利亚的贸易路线的南端。拜占廷统治时期,于公元4世纪初成为主教驻地。630～631年被穆罕默德征服,成为埃及穆斯林赴麦加朝觐的重要中途站。12世纪被十字军占领,1183年复归穆斯林。奥斯曼统治时期衰落,至20世纪初仅为一小村庄。1869年苏伊士运河通航和1908年汉志铁路通车后,过此朝觐者大为减少。第一次世界大战中为土耳其筑防前哨站,曾遭英、法海军炮击。1917年7月被劳伦斯率领的阿拉伯非正规军占领。战后其归属有争议。1925年英国将其置于外约旦当局管辖下。1946年约旦独立后成为约旦与沙特阿拉伯之间争议地区。1965年两国达成协议,将原属约旦的内地沙漠地区划给沙特阿拉伯,沙特则正式承认亚喀巴归属约旦。港口在第二次世界大战中经英国人改建,约旦独立后迅速现代化,1961年开放深水港。现在是叙利亚、黎巴嫩通向红海和印度洋的唯一出口。输出散装磷酸盐,输入工业品。1975年苏伊士运河重新开放和80年代的伊朗-伊拉克战争使该港业务增加。人口约64 300(1993)。

Aqhat Epic **阿迦特叙事诗** 古代西闪米特人的传说。意在解释每夏干旱(东地中海沿岸地区)的原因。据此传说,哈兰那米特人的圣君丹奈尔无嗣,多次向厄勒神献祭求子,蒙厄勒眷顾,得生一子,命名为阿迦特。丹奈尔款待神工科塔尔,科塔尔将神弓赠给阿迦特,以为回报。神弓原是为女神安娜特所制,安娜特得知神弓落入凡人之手后大怒。安娜特为了重获神弓而多方引诱阿迦特,甚至以身为饵,都为阿迦特所拒绝。于是她设计杀害他,诱使他与他人一同行猎,自己化为猎鹰,把忠仆雅特潘放在袋中投到阿迦特身边。雅特潘杀阿迦特,夺走神弓,但不慎将神弓失落于大海之中。这种杀人流血之事的后果,

是世上发生奇怪的饥荒,阿迦特的父亲和姊妹方知亲人被害,决心报仇。因传说文本至此中断,结果不得而知。看来传说是意在为解释干燥的夏月中大地没有收成的原因而编造的季节神话。文本其余部分所说的可能是大地如何由于阿迦特的复活或由于丹奈尔成为一个新家庭的父亲而重新变成沃土。

ʿāqil　阿吉勒　伊斯兰教法用语,指智力健全的人。这样的人应对自己的行为负法律责任,如有违背宗教戒律的行为应受惩处。关于达到阿吉勒的年龄,没有统一的规定,但一般认为是13～15岁。

Aqmola　阿克莫拉　1998年5月6日已更名为阿斯塔纳。1961年前称阿克莫林斯克(Akmolinsk,哈萨克语意为"白墓"),1961～1992年称切利诺格勒(Tselinograd,俄语意为"处女地城市"),1991年12月16日哈萨克斯坦宣布独立后,又将切利诺格勒改称为阿克莫拉。哈萨克斯坦中北部城市,1997年12月10日起取代阿拉木图正式成为哈萨克斯坦新首都。濒临伊希姆河,位于横贯哈萨克斯坦铁路和南西伯利亚铁路的交叉点。1824年始建时为俄国军事前哨,1868年成为行政中心,1939年成为切利诺格勒州的首府时人口达33 000人。由于50年代中期苏联开垦处女地运动的发展和1960～1965年成为哈萨克斯坦北部5州合并的边疆区的首府,大大增强了其重要性,建起了各种研究所和高等院校(师范、农业、医学、工程、建筑等)。居民大多从事运输业,尤其是铁路运输,也生产各种农业机械。人口约280 200(1995)。

ʿAqqād, ʿAbbās Maḥmūd al-　阿卡德(1889-06-28,埃及阿斯旺～1964-03-12,开罗)　埃及记者、诗人、文学评论家、多产作家和20世纪阿拉伯诗歌和评论的革新者。生于小康之家,正规学校教育中断后,靠阅读进行自学。一生大部分时间依靠写作为生。他是一个直言不讳的政治评论家,因反对政府的言论而于1930～1931年被囚数月。他的文学作品包括诗歌,一部根据自身恋爱经过写的长篇小说《萨拉》(1938),以及对古典和现代阿拉伯作家的评论。他的随笔明显受19世纪英国采用这一形式的作家,特别是T.卡莱尔的影响。他对宗教和政治作过许多研究,作品包括关于《古兰经》哲学思想的专论,政治和社会哲学论文,以及一些穆斯林领袖的传记。

Aqtöbe　阿克托别　前称Aktyubinsk,哈萨克斯坦阿克纠宾斯克州首府。濒临伊列克河。1869年建起小俄罗斯城堡。1878年始有俄国农民拓居。1891年成为县首府。1932年成为州首府。第二次世界大战期间建起铁合金厂,冶炼穆戈贾尔山的镍和铬矿石。现为重要工业中心,生产铬化合物、X射线仪器和农业机械。设有货场和面粉厂。文化设施有师范学院、医学院、剧院、博物馆和天文馆等。人口约253 100(1999)。

aqua ammonia　氨水　参阅**ammonium hydroxide**氢氧化铵。

aqua regia　王水　浓硝酸和浓盐酸的混合液,其体积比通常为1:3。因能溶解金和其他贵金属,被炼金术士定名为王水。王水和其他类似混合液在分析过程中用于溶解某些铁矿石、磷酸盐岩石、矿渣、镍铬合金、锑和硒,以及不易溶解的汞、砷、钴和铅的硫化物。

aquaculture　水产养殖　又称鱼类养殖或海水养殖。渔业的一个分支,大致与农业相对应,其内容为养殖鱼类、贝类和栽培某些水生植物以补充自然供应的不足。世界各地都在受控条件下饲养鱼类。鱼类可围养在泥池、水泥池中,养在悬吊于大海中的笼具、网箱内,或放养在筑有围堤的沿海水域中。在这样的围拦场所里,鱼类能获得充足的饵料,并能避免种种天敌的侵害。绝大多数的水产养殖部门,其经营目的为向市场提供水产品,而若干政府机构则从事河湖养鱼以供游钓之用,另外,金鱼及其他家庭水箱观赏鱼类也是鱼类养殖业的对象。水产养殖也为商业性捕鱼和游钓捕鱼供应饵料鱼。政府经营海洋水产养殖的目的是恢复湖、海中的水产资源。把幼鱼在受控环境中养殖,俟其足够成熟后放养于大海中。世界上大部分地区都养殖鲤鱼、鳟鱼、牡蛎、扇贝与贻贝。美国与欧洲正在试验养殖海螯虾。许多国家都从事水产养殖,养殖各种食用鱼类。

aquaculture(plants)　参阅**hydroponics**溶液栽培。

aquamarine　海蓝宝石　淡蓝绿色的绿柱石(**beryl**)变种,像宝石一样珍贵。是绿柱石宝石中最常见的变种,产于伟晶岩中,形成比祖母绿更大、更透明得多的晶体(采自巴西的一个完全透明的晶体,重110千克)。它也可产于云母片岩中。产于巴西(主要来源)、俄罗斯的乌拉尔、马达加斯加、斯里兰卡、印度以及美国的缅因州、新罕布什尔州、康涅狄格州、北卡罗来纳州和科罗拉多州。热处理有时可改善许多绿柱石宝石的颜色。

aquarelle　透明水彩画法　用透明而非浓浊的水彩颜料绘画的技法。这种画法虽早为古埃及人所知,但直到18与19世纪才流行,特别为法国和英国的风景画家所采用。参阅**watercolour**。

aquarium　水族馆　指贮养水生生物的处所,主要供展览或作科学研究的设施。公立或私办的对公众开放的水族馆都具有博物馆的性质,也是一种教育机构;也可供娱乐(如有些海洋水族馆训练海豚、鲸做种种表演);也是科学研究的机构。世界上第一个对外开放的水族馆于1853年出现在英国摄政公园,以后,柏林、那不勒斯、巴黎相继出现水族馆,到1928年全世界共有公立或营业性的水族馆45所,但这以后发展速度减慢,直至第二次世界大战后,才办起少数大型的水族馆。现在世界上许多重要城市都设有这种机构。以科学研究为目的的水族馆如那不勒斯水族馆、摩纳哥海洋研究所的水族馆、英格兰普利茅思海洋生物站的普利茅斯水族馆及加利福尼亚拉霍亚的斯克里普斯海洋研究所的水族馆。

1938年出现第一个大型海洋水族馆——佛罗里达的海洋地。大型海洋水族馆使用巨型水箱,其中各种鱼类也不像其他水族馆那样分隔开。饲养水生生物的容器不能使用塑料和胶黏剂以免毒害水生生物。最安全的材料是玻璃,聚乙烯、聚丙烯、有机玻璃和玻璃钢通常也是无害的。但不能使用金属,金属在水中,特别是海水中易腐蚀生锈;不锈钢毒性很低,可用作淡水饲养的容器。钢筋混凝土是建造大型水箱或水池的理想材料。磨光平板玻璃或有机玻璃是大水柜常用的透光材料。用大水柜或水池饲养水生生物需要过滤器、空气泵、灯光、电子恒温控制的内沉式加热器或降水温装置。在水柜里养一些水生植物(如藻类),则可在光照条件下使植物吸收二氧化碳,排出氧气。现代水族馆饲养和展出的动物包括哺乳类、鸟类、爬行类、两栖类、鱼类和无脊椎动物,因此,管理上有共同点,又有特点。水必须清净,水中的气体必须与大气平衡,保证水中有充分的氧气。所用淡水可用自来水,不过要用炭或化学剂除去其中的氯。所用海水为天然海水或人工海水。供水方法分开放式、封闭式和半封闭式三种。开放式供水系统中,水从水箱流过后即予弃去,水质清洁且与自然环境接近,但费用较高;封闭式供水系统中的水反复环流,一般每月换水1%～10%,在水中铺上木炭有助于吸收过量的氮,撒入碳酸盐可减轻酸度;半封闭式供水系统似封闭系统,但与水源之间有固定的联系,定时添加新水以除去溶解的废物,费用低于开放式供水。饲养哺乳类和鸟类的淡水池要求较高的过滤率以除去数量甚多的粪便。呼吸空气的动物对水质要求稍低。含2%氯化钠的人造海水即可饲鲸及海豚。海豹及海狮可养在淡水中,但眼病发病率会增加。饲料越接近动物在自然界摄取的食物,效果越好。新鲜、晒干或冰冻的卤虫(*Artemia*)都是合适的饲料。水生动物一得疾病很难治疗,因此预防十分重要。要注意水质和饲料,要提供适当的生境,水箱或水池内饲养的物种要恰当。引入新的个体应先行检疫。寄生原生动物可使鱼类(尤其是海鱼)患白点病,至今尚无特效办法,可在水中撒放少量硫酸铜为预防措施。甲醛和杀虫剂可用以消灭鱼体表的寄生虫。紫外线消毒可以防止水箱中疾病蔓延。抗生素只在某些疾病时使用,因为经常使用不但会产生抗药性,同时要杀死有益的硝化细菌。大型水族馆需要有许多专门人才,如工程师、会计师、生物学家和训练动物的人员、专司教育的人员等。这些人才往往不是事先经过训练,而是在长期的工作实践中掌握经验。英文aquarium一词又指放养水生生物的容器(水族缸、水族箱、水族槽)。

Aquarius　宝瓶座　拉丁语。又称宝瓶宫。在天文学上,位于摩羯座和双鱼座之间的一个黄道星座,在赤经(类似于地球上经度的天球坐标)23时、南赤纬(天赤道以南的角距离)10°附近。星座中最亮的恒星只达3等,因此,宝瓶座没有引人注目的特征。在占星术中，宝瓶宫是黄道十二宫的第十一宫，被看作是主宰1月20日至2月18日前后的命宫。宝瓶座的形象是一人从水罐里倒出一条水流，这可能是因为在古代时，宝瓶座从东方升

意大利约1475年《祈祷书》中的宝瓶座插图画
美国不列颠百科全书公司供图

起同中东地区洪水泛滥的季节和雨季巧合之故。在想象中的“大年”图中——地球在25 000多年的岁月中依次通过黄道带的每一宫并受其影响——据说地球于19世纪初进入宝瓶座年代。

aquatic locomotion　水中行动　动物靠游泳或接触基底（水底或其他表面）而穿过水体的行进方式。游泳见于从原生动物到鲸的各类动物中。动物为了有效地游泳就要控制浮性，还要有推进系统以对抗水流的阻力。许多无脊椎动物（尤其是软体动物）通过喷水推进身体；另一些则依赖身体软组织的波形运动。但是采用最广的机制是某种压水的手段（例如桨），这可能是波浪形运动（如蛇形鱼类），用前肢（龟、鳖、企鹅）或后肢（蛙、许多潜水鸟），或用四肢（熊和大多数其他陆生兽类）。高度进化的游泳动物，例如鲸和硬骨鱼类，则把推力集中在尾上，四肢退化，在快速游泳的时候四肢合拢，紧贴躯体。接触基底的运动见于很多动物类群，主要是无脊椎动物和某些鱼类。在湍急的水中，动物通常具有一个或更多的吸盘以附着在基底上。在较安静的水中，动物通常在水底走动，例如虾。

aquatint　飞尘腐蚀法　又译凹版腐蚀法。蚀刻法的一种，为制版者所广泛应用以达到色调丰富的效果。完成的版画常类似水彩画或水墨画。此法系使酸液透过一层松香或砂糖侵蚀铜板表面而成。酸液只在松香或砂糖颗粒之间的缝隙处腐蚀金属板面。除去颗粒并印上花纹后，铜板上留下均匀分布的凹斑，形成不同色调的板面。将铜板的不同部分暴露在浓度不同的酸液中，经过不同的时间便可获得各种色调。蚀刻的线条或镌刻的线条常与飞尘腐蚀法一同使用，以使形象更加鲜明。1768年，法国版画家J.-B.勒普兰斯发现松香颗粒能令人获得满意的结果，飞尘腐蚀法始告成功。到18世纪后期，已成为印制版画最流行的方法，在插图画家中尤为盛行。西班牙画家F.de戈雅被认为是飞尘腐蚀法的大师，他的大多数版画都采用此法。戈雅

F.de戈雅于1799年用飞尘腐蚀法印制的版画
美国不列颠百科全书公司供图

去世后，这种方法几乎被人遗忘，直到E.德加（1834～1917）和C.毕沙罗（1830～1903）再度试用。加砂糖的方法被忽视了一个世纪，到20世纪才重又被艺术家们采用。当代许多版画家亦采用加压的塑料喷雾以代替松香制版。

aquavit　利口酒　又拼aquavite或akvavit。又名snaps。香料型高酒度蒸馏酒。无色透明或呈浅黄色，味淡，酒精含量42%～45%（容量）。用马铃薯或谷物醪发酵蒸馏，再添加各种香料（如葛缕子，枯茗子，柑橘皮，小豆蔻，大、小茴香等）一同蒸馏，经木炭过滤，一般不经陈酿即装瓶。这种饮料产于斯堪的纳维亚国家，原用葡萄酒蒸馏，后来瑞典士兵用谷物制取，到18世纪马铃薯成为主要原料。瑞典和挪威的利口酒呈麦秆色，甜而香。瑞典产量最大，约有20余个品牌。挪威产品酒精含量较低，装橡木桶内，使酒味芳醇，运往澳大利亚，名为赤道利口酒。芬兰产利口酒带有肉桂香味。丹麦产品无色透明，有葛缕子香味，名牌奥尔堡酒以丹麦日德兰半岛一个小镇命名，丹麦出口的酒类仅此一种。在斯堪的纳维亚各国和德国北部，利口酒通常经冷冻后用小酒杯单独饮用，并常用开胃食品或三明治佐酒。

Aquaviva, Claudio　阿奎维瓦（1543-09-14，那不勒斯王国阿特里～1615-01-31，罗马）Aquaviva又拼Acquaviva。天主教耶稣会第五任和年龄最小的总会长，被许多人认为是该修道会最卓越的领袖。阿特里公爵的幼子，1567年加入耶稣会。结束学习后不久即被任命为耶稣会那不勒斯分会会长，接着任罗马分会会长，1581年被选为总会长。在耶稣会第五次全体会议（1593～1594）上，某些西班牙籍会士要求修改该会章程，以便西班牙地区享受特殊优惠，阿奎维瓦挫败了他们的企图。在他的统治下，耶稣会获得迅速发展，会员由约5 000人增至13 000多人，分会从21个增至32个，学院的数目达到372所。他的实用的立法加强了耶稣会，并使其众多的国外传教团和学院变得更有效率。他鼓励耶稣会的神学家和作者们进行更深入的调研和发表有关成果。他组织对耶稣会历史的第一次学术性编撰。选他担任总会长的第四次全体会议委托他为耶稣会学校起草实用的教育法典。该教育法典的定本（1599）统一了全世界耶稣会会士的教学工作，但仍允许为适应当地需要而作出一定的修改。他的这一工作成果对内加强了耶稣会，并对其对外关系进行指导。

aqueduct　高架渠　输水用的人工渠道。狭义指引导水流穿越洞穴或山谷的高架构筑物。在现代工程中，此词指一整套的管道、明沟、暗渠及其高架支承结构，用以将水从水源地输送至主要配水地点。

罗马人虽被视为古代最卓越的高架渠建造者，但古代的波斯、印度、埃及以及其他中东国家，在罗马人之前几百年，就已使用输水道。这些输水系统利用修建在山坡上的许多暗渠，把山上流下来的水输送至平原上，进行农田灌溉。亚述人于公元前691年左右曾用石灰石修建高架渠，将淡水输往首都尼尼微城，其形状近似罗马典型的高架渠。修建该渠道时用去了约200万块大石块，渠高30英尺（10米），横越山谷的长度为900英尺。然而，罗马人为其帝国首都精心建设的供水系统，更是一项重大的工程成就。他们在长达500年的时期内（公元前312～公元226）修建了11条高架渠，把水从57英里（92千米）以外的地方，输送到罗马。上述高架渠中有一些至今仍在使用。罗马的输水道系统实际上仅有一部分建于横跨谷地的高架拱上（在约260英里总长度中，占有30英里），其余则为地下管网，这些管网绝大部分为石料和赤陶土制成的水管，但也有一些是用木料、皮革、铅和青铜制作的。水完全依靠自身重力流入城市，通常积聚在城内一系列的配水池中。一般不把水贮存起来，多余的水就用来冲洗下水道。罗马城闻名的喷泉即是以此种方式供水的。罗马人的高架渠曾遍及帝国各地，他们所建的石拱，如今仍矗立在希腊、意大利、法国、西班牙、北非和小亚细亚等地。随着4、5世纪帝国中央政权的解体，供水系统也毁坏殆尽。中世纪的绝大部分时期，高架渠在西欧已废弃不用，人们重又从水井及当地河流中汲取用水。到14世纪，寺院四周又建起了一些小型供水系统；人口较多的布鲁日（4万人），修建了一个大蓄水池，利用轮子驱动的带有勺斗的铁链，把水抽吸到地下水管中，输送至公共用水地点。

从文艺复兴时期起，公共供水系统方面的主要进步是水泵及水管材料的革新。16世纪晚期，伦敦有一个供水系统，利用装在伦敦桥下的5套水轮泵，为城市输水；而巴黎则在纳夫桥下设有每分钟能输水120加仑（454升）的同样装置。以上两座城市在下一世纪中不得不到很远的地方去取水。于是英国一家私营公司修建了一条从查德威尔河至伦敦的高架渠，水渠长约38英里，由200余座木制小桥组成。法国人则利用水泵

及高架渠,把从马尔利河中取得的水,输送过一条山脊,通往塞纳河上空高约525英尺的高架渠。

18、19世纪的主要革新项目之一,是蒸汽泵的发明和加压系统的改进。加压水泵优点之一是可以随地形高低铺设输水管;而早期依靠水自然流动的输水管必须使管渠具有一定的坡度。加压设施还需要开发更好的水管材料。带有金属箍的外包沥青保护层的木制水管产品,1855年在美国获得专利,这种水管能承受172磅/英寸^2(12千克/厘米^2)的水压。然而,为时不久,木制水管被铸铁管淘汰,后又被钢管所取代。20世纪初,建造大型虹吸管(利用虹吸作用产生的压力,从位于高处的水库中吸水)时,钢筋混凝土已成为更受欢迎的建筑材料。

现代的高架渠虽无罗马人所建石拱的那种宏伟气派,但在长度及输水量方面,却远非前者可比。为了给日益扩大的城区及农田灌溉供水,已经有好几百英里长的现代高架渠系统建成使用。纽约市的饮用水来自3套高架渠系统,能从120英里远的水源地,每日输送18亿加仑的水。加利福尼亚州的高架渠系统的规模居世界首位,其中有一项从1960年就已开始修建的重要工程,建成后可把水从该州北部地区往南输送600英里,直达墨西哥边境,并计划每年供水约13 782.5亿加仑(52亿多立方米)。

Aquem-os-Montes (Portugal) **阿克姆-乌斯-蒙德什** 参阅 **Minho** 米尼奥。

Aquen, Jerome van **阿肯** 参阅 **Bosch, Hiëronymus** 博斯。

aqueous humour **水样液** 又称房水。眼球前房和后房内的澄清的碱性液体。成分与血浆相似,但蛋白质及葡萄糖含量较低,而乳酸和抗坏血酸含量较高。血液从虹膜背面和睫状体的表面滤过而生成水样液,水样液穿过前房角的多孔组织流入环形的施莱姆氏管,进而回归静脉。当水样液的引流发生障碍时,眼内压即上升,引起青光眼。

Aquidneck Island (Rhode Island, U.S.) **阿奎德内克岛** 参阅 **Rhode Island** 罗得岛。

aquifer **含水层** 在水文学上,指含水的并能释放出可观水量的岩层。岩层内有充满水的孔隙,当它们相连时,水就在岩石中流动。含水层也叫含水透镜体或含水带。承压含水层被极少透水或不透水的岩层封闭或覆盖。真正的承压含水层可能很少,因为试验表明,隔水层虽然不易让水通过,但随着时间的推移,它会通过缓慢渗漏而从主含水层输送过来大量的水作为补充水量。地下水含水层,当它的上表面(潜水面)通过透水物质而与大气圈相通时,据认为是非封闭性的。与承压含水层相反,非承压含水层系的潜水面没有上覆不透水层把它和大气圈分隔开。

Aquifoliaceae **冬青科** 卫矛目的一科。广布于全世界,含两属,约400种乔木和灌木,以冬青属(*Ilex*)最有名(参阅 **holly**)。波利尼西亚和澳大利亚有4种拜伦氏木属(*Byronia*)植物。山冬青中仅美洲山冬青(*Nemopanthus mucronatus*)一种原产于北美洲的东北部。冬青科与卫矛目其他科的区别是花无分泌蜜腺的花盘。

Aquila **阿奎拉**(活动时期2世纪) 学者,约于公元140年完成《旧约全书》逐字翻译的希腊文译本。据圣埃皮法尼乌斯(约315～403)在其著作中所保留下来的基督教传说,阿奎拉是罗马皇帝哈德良的亲属,奉命重建耶路撒冷。他改奉基督教,但因从事异教占星术受到谴责,又改宗犹太教。阿奎拉的译本现仅存片断,主要见于奥利金所编《六文本合参》和开罗犹太教堂藏书室手稿。阿奎拉的严格的译本之所以重要,是因为它展现了圣经的希伯来语原本,并展示出阿奎拉时期有关希伯来的学术研究概况。

Aquila, L' (Italy) 参阅 **L'Aquila** 拉奎拉。

Aquileia **阿奎莱亚** 原罗马帝国城市,天主教会大主教管辖区。现为意大利东北部弗留利-威尼斯朱利亚区乌迪内省的一个村庄。公元前181年为古罗马殖民地。4世纪为威

意大利阿奎莱亚的特奥多里亚那大教堂
Shostal 供图

尼斯和伊斯特里亚行政区首府。伦巴第人征服威尼斯后,作为政治和经济中心的阿奎莱亚失去其重要地位。5世纪成为大主教管辖区。1419～1420年威尼斯征服弗留利前,该城为一封建公国。从15世纪起,主教一直是威尼斯人。1751年教皇本尼狄克14世罢黜该城主教,代之以建立乌迪内和戈里齐亚大主教区,由罗马教皇直接管辖。人口:城市区约3 451 (1990)。

Aquino **阿奎诺** 拉丁语作Aquinum。意大利中南部古代城镇,位于今拉齐奥区弗罗西诺内省内,在弗罗西诺内市东南。古城的遗址在今阿奎诺镇附近,当时由于地处罗马大道旁,曾一度繁荣。到6世纪中叶为哥特国王托提拉所毁,此城废弃,居民迁往土壤肥沃的现今地段。在封建势力角逐时期,阿塞拉伯爵里卡多是当地风云人物。里卡多是圣托马斯·阿奎那的叔父。阿奎诺的古罗马遗迹有寺庙、竞技场各一座,另有一座凯旋门,据认为是为迎接罗马将军、三头执政之一的安东尼而建。阿奎诺现当罗马至那不勒斯铁路线上,以农业为主。当地硫铁矿泉亦颇著名。人口:城市区约5 396 (1990)。

Aquino, Benigno Simeon, Jr. **阿基诺** (1932-11-27,菲律宾打拉～1983-08-21,马尼拉) 菲律宾在F.E.马科斯总统施行军事管制法时期(1972～1981)的主要反对党领袖。1983年他被暗杀,激起群众反对马科斯政府,并将其遗孀科拉松·阿基诺推上政治最前线。其祖父为菲律宾将军,父亲为著名政治家和地主。早年当记者,1955年当选为康塞普西翁市长,1959年为打拉省副省长,1961年为省长。1967年为菲律宾参议员,1968年任自由党领袖。其间因与全国最大的地主和制造商之一的女儿结婚(1955)而致富。公开计划于1973年竞选总统,因1972年马科斯总统颁布军事管制法而被阻挠,此后8年被囚狱中,1977年11月被判死刑。1980年马科斯予以减刑并批准他赴美国做心脏手术。与家人一起留居美国3年,获哈佛大学和麻省理工学院科研助学金。在菲律宾废除军事管制法两年后,回国准备参加得到允许的竞选活动。当他在马尼拉机场步出机舱时,在保安人员在场的情况下,头部被枪击身亡。

Aquino, Corazon **阿基诺(夫人)** (1933-01-25,菲律宾马尼拉～) 母家姓科胡昂科(Cojuangco),别名柯丽·阿基诺(Cory Aquino)。菲律宾政治领袖(自1983年起)及总统(1986～1992)。在F.马科斯的长期独裁统治之后她又恢复了该国的民主制度。科拉松·科胡昂科出身于马尼拉以北打拉省一富有和具有政治影响力的豪门大族。1954年自纽约市的圣文森特山学院毕业,于1955年放弃进修而嫁给当时极有发展潜力的年轻政治家贝尼尼奥·西梅翁·阿基诺。在其夫尔后的政治生涯中,科拉松始终退处幕后,居家抚养其5个子女。她的丈夫是一位著名的反对党领袖,被马科斯关入狱中长达8年(1972～1980)。1980年科拉松陪伴丈夫流亡美国。贝尼尼奥于1983年8月回到菲律宾时遭暗杀。这一事件激起民众对马科斯政府的强烈反对。1986年2月马科斯突然宣布举行总统大选,科拉松·阿基诺成为联合的反对派的总统候选人。虽然官方宣称她在选举中败给马科斯,阿基诺及其支持者对选举结果置疑,指控对方在选举中普遍舞弊。菲律宾军方高级将领旋即公开拒绝马科斯继续统治,并宣布阿基诺为菲律宾的合法总统。1986年2月25日,阿基诺与马科斯均在其支持者拥护下就任总统,但当日马科斯便逃离菲律宾。1986年3月她颁布临时宪法,继而任命一个委员会编撰新宪法,最后形成的文件恢复了马科斯于1973年取缔的两院制国会,在1987年2月的民众投票中以压倒多数获得认可。阿基诺举行了新的国会选举,并打破了马科斯的支持者所把持的经济垄断,使国内经济稳步增长了几年。但是她没有进行根本的经济和社会改革,面临不断的对经济不平等和政治腐败的强烈抗议,民众支持率逐步下降。这些问题因共产党叛乱分子和军方之间的持久战争更加恶化,而军方对阿基诺夫人的忠诚又不可靠。面对大规模的贫困,她的经济政策因混乱和摇摆不定而受到批评。她下台后总统职位由其前任国防部长F.拉莫斯继任。

Aquitaine 阿基坦 法国大区,范围包括法国西南部的多尔多涅、吉伦特、朗德、洛特-加龙和大西洋岸比利牛斯等省,大致相当历史上阿基坦地区西半部。首府波尔多。

在凯撒对高卢的记述中,"阿基塔尼亚"原是从比利牛斯山脉延伸至加龙河的大片区域。罗马皇帝奥古斯都(公元前27～公元14在位)定之为罗马行政区,其边界再往北伸展至卢瓦尔河,往东直抵中央高原。5世纪时为西哥特人的一个省,6世纪时由法兰克人统治。8世纪经过长期抵抗,最后臣服查理曼,他将此作为一个王国赐给他的儿子路易(日后的路易一世皇帝)。在路易的儿子丕平一世、孙子丕平二世统治下,阿基坦始终是一个王国,主要城市有图卢兹、利摩日和普瓦捷。7世纪时有一些人开始使用阿基坦公爵的称号,9世纪末,奥弗涅伯爵虔诚者威廉一世也采用这一称号。10～11世纪期间,普瓦蒂埃伯爵家族保有阿基坦,并使加斯科涅和图卢兹并入公爵领地。1137年,末代公爵威廉十世(即普瓦蒂埃的威廉八世)死后无嗣,其女埃莱亚诺与路易七世结婚,于是阿基坦归属法兰西王国。后路易与埃莱亚诺离婚。1152年埃莱亚诺又与安茹伯爵金雀花王朝的亨利结婚。两年后,亨利登英国王位,称亨利二世。于是,阿基坦就传到亨利手中。他在阿基坦镇压一次叛乱之后,便把它交给儿子狮心王理查(后为英格兰的理查一世)。狮心王理查大半生都在阿基坦讨伐叛变的臣属。1199年理查去世后,阿基坦复归埃莱亚诺。5年后埃莱亚诺去世,阿基坦归于英国。在百年战争末期,阿基坦与*加斯科涅*(Gascony)和*吉耶讷*(Guyenne)一样,均归属法国。

阿基坦区南部为比利牛斯山区,山区以北为低地区。大部地区海拔在1 600英尺以下,最高点南奥索峰高达9 465英尺(2 885米)。除洛特-加龙省和多尔多涅省南部外,年降水量超过800毫米。为海洋性气候。该区城市人口不断增加,小城镇则趋于衰退。16世纪末引进玉米,现为主要谷类作物。广泛种植葡萄。19世纪末引进经济作物,有烟草、苹果、梨、桃、扁豆、豌豆等。分布有大片森林。除波尔多外,工业不占重要地位。全区面积41 309平方千米。人口2 908 359(1999)。

AR-15 (rifle) 参阅 **M16 rifle** *M16型步枪*。

Ara 阿拉 又拼Arrah。印度东北部比哈尔邦城市,铁路与公路重要联结点。为农产品贸易地,并兴办榨油业。马加德大学附属几座学院的所在地。阿拉的"小房子"是1857年印度兵变时英国人抵御孔瓦尔·辛格的据守点。阿拉于1865年设市。人口约156 871(1991)。

Ara Pacis 和平祭坛 又称奥古斯都和平祭坛。由罗马战神广场围墙中的云石祭坛构成的神龛。罗马皇帝奥古斯都修建,公元前9年1月30日举行落成典礼。墙垣及祭坛上的雕刻描绘了神龛落成典礼情况以及罗马传说中的故事和花卉图案,这些均被认为是罗马艺术的最佳之作。

Arab 阿拉伯人 以*阿拉伯语*(Arabic language)为民族语言的民族。在伊斯兰教和阿拉伯语广为传播以前,"阿拉伯人"系指阿拉伯半岛上以游牧为生的闪米特居民。近代则包括从非洲大西洋海岸的毛里塔尼亚到伊朗西南部操阿拉伯语的诸民族,其范围包括北非马格里布全部、埃及、苏丹、阿拉伯半岛以及叙利亚和伊拉克。民族的多种多样群体,使体型特征不易确定。大部分讲阿拉伯语的人属高加索地理人种的地中海体型,但是由于同非洲的尼格罗人和亚洲的蒙古人混血而有各类不同的地区变异。阿拉伯半岛上的早期阿拉伯人,主要是在荒漠上放牧绵羊、山羊和骆驼的游牧民族。定居的阿拉伯人则在绿洲上种枣椰和谷物。绿洲也成为商队们从阿拉伯南部和非洲之角向文明的北方运送香料、象牙和黄金的贸易中心。迄今沙漠游牧部落与市民及农民之间在阿拉伯世界仍然区别明显。7世纪初,伊斯兰教兴起于阿拉伯半岛中西部,成为团结沙漠游牧部落——贝都因人——与绿洲城镇居民的宗教力量。一个世纪之内,伊斯兰教广泛传播于目前大部分阿拉伯语世界,此外,还传入中亚和伊比利亚半岛。阿拉伯语作为《古兰经》语言,因伊斯兰教势力兴起,广泛通行于中东及北非大部分地区。其他阿拉伯文化的要素,包括对游牧生活的赞美,便同许多当地文化传统结合在一起。然而20世纪的阿拉伯人并非全是穆斯林;在阿拉伯世界讲阿拉伯语的本地人中约有5%是基督教徒、德鲁兹派伊斯兰教徒、犹太教徒和泛灵论者。20世纪中,阿拉伯世界的传统价值观念受到都市化、工业化、非部落化和西方影响等方面的压力而有所改变。约有40%的穆斯林阿拉伯人住在都市和城镇。家庭及部落之纽带逐渐被打破,男女获得更多受教育及参加工作的机会,而新兴的由技术人员、专业人员、官吏、企业主等所构成的中产阶级因追求城市经济目标而得势。都市阿拉伯人多半趋向于按职业或国籍而不按部落区分。大部分阿拉伯人继续生活在狭小而孤立的农村中当农民,在这里传统价值与传统行业仍然盛行。农民仍尊重游牧民的生活方式,并宣称他们与沙漠中那些过去和现在的大部落有血缘关系。然而,由于石油工业发展而促成的民族主义和生活方式的改变,游牧生活发生了根本性的变化。现在过着沙漠放牧生活,即传统的阿拉伯文化的典型生活的游牧民只占现代阿拉伯人口的5%。其余牧民中,许多人已放弃全部放牧,改为全部或部分饲养。那些放弃游牧生活的人则乡居务农,或受雇于石油公司,或在城镇寻求其他工作。

Arab Bank for Economic Development in Africa 非洲经济发展阿拉伯银行 根据1973年11月在阿尔及尔召开的阿拉伯国家联盟最高级会议的决定,为筹措发展项目资金而成立的银行。1975年开始营业,向非洲国家提供技术援助。凡阿拉伯联盟成员国以外的非洲统一组织成员国,都是合格的受援国。除吉布提、索马里和也门外,其他阿拉伯联盟成员国都是该银行的参加国(1979～1989年埃及的成员国资格被暂时中止)。银行有双重的目的:向国际收支逆差大的非洲国家提供援助和通过投资保证来激励阿拉伯国家在非洲的投资。总部设在苏丹喀土穆。

Arab Economic Unity, Council of 阿拉伯经济统一理事会 1957年6月阿拉伯国家联盟阿拉伯经济委员会通过决议而建立的组织。经济统一理事会于1964年举行第一次会议。成员国有:埃及、伊拉克、约旦、科威特、利比亚、毛里塔尼亚、巴勒斯坦解放组织、索马里、苏丹、叙利亚、阿拉伯联合酋长国和也门。其中心任务是通过建立经济与社会发展的机构谋求实现区域性的经济一体化。伊拉克、约旦、利比亚、毛里塔尼亚和叙利亚还在理事会内签订了一个协定,建立了阿拉伯共同市场,促进资本、商品和人员的国际交流。

Arab Fund for Economic and Social Development 阿拉伯经济和社会发展基金会 1968年5月成立,1972年开始工作。旨在促进阿拉伯国家经济和社会的发展,为20个阿拉伯成员国和巴勒斯坦解放组织服务。基金会通过开发工程项目、促进投资和提供技术援助,鼓励公私资本为发展阿拉伯各国经济进行投资;它以优惠的条件向各国政府和公私机构提供贷款,以帮助兴建对阿拉伯人特别有利的工程项目。此外,它还在各经济领域中提供援助和技术知识。

Arab-Israeli wars 阿以战争 以色列和阿拉伯各国的主要军事冲突,其中最重大的几次发生在1948～1949、1956、1967、1973和1982年。

第一次战争是在1948年5月14日以色列国宣布成立之后立即爆发的。埃及、外约旦、伊拉克、叙利亚和黎巴嫩等阿拉伯联军占领未分给犹太人的巴勒斯坦南部和东部地区,接着攻占耶路撒冷旧城的犹太人居民小区。以色列人则控制经耶胡达山(又称朱迪亚山)至耶路撒冷的主要道路,并成功地击退了阿拉伯人的进攻。至1949年初,以色列人已占领除加沙地带以外、直至前埃及-巴勒斯坦边境的整个内盖夫地区。1949年2～7月,以色列与各阿拉伯国家分别签订停战协定后,根据谈判开始时的控制线,划定了临时边界。

富有强烈民族主义感情的埃及总统纳赛尔掌权后,局势又告紧张。1956年10月,纳赛尔没收欧洲人所有的苏伊士运河而引起国际性危机,以色列借机侵入西奈半岛,以摧毁设在那里的敌对的阿拉伯人基地。以色列军在5天内攻占了加沙、拉法和阿里什,俘虏数以千计的阿拉伯军人,并占领了苏伊士运河以东的西奈半岛大部分地区。此时,以色列人已有可能打开通过亚喀巴湾的海上通道,对埃及构成更大威胁。12月,英法联合干涉后,联合国紧急部队进驻该地区,以色列军队于1957年3月撤出。

阿拉伯和以色列军第三次冲突发生在1967年6月5～10日,后来称之为六日战争。1967年初,叙利亚对以色列村庄的轰炸加剧。以色列空军击落叙利亚6架米格飞机作为报复,纳赛尔于是动员其驻西奈边境附近部队。六日战争中,以色列摧毁了埃及的空军,确立了它的空中优势。这次战争使阿拉伯人失去了耶路撒冷旧城、西奈半岛及加沙地带、约旦河以西的约旦领土(即西岸)和叙以边界的戈兰高地。

六日战争之后的零星战斗,到1973年又发展成为全面战争。10月6日,即犹太人的斋戒日,埃及越过苏伊士运河,叙利亚则在戈兰高地,向以色列发动进攻(因此称斋月战争)。阿拉伯军显示出比以往几次战争更大的进攻能力和战斗力,以色列军伤亡惨重。但以色列军依然攻入叙利亚领土,并渡过苏伊士运河,包围了埃及第3军团,在运河西岸集结。11月,以色列和埃及签订停火协定,而后又于1974年1月18日签订和平协定。协定规定,以色列撤至西奈半岛米特拉和吉迪山口以西地区,埃及则削减其驻运河东岸部队的规模。两国部队之间驻有联合国维持和平部队。1975年9月4日双方签订的另一协定对该协定作了补充。1974年5月31日,以色列和叙利亚签订停火协定,协定也规定两国部队之间建立由联合国管理的缓冲地带并交换战俘。1979年3月26日,以色列和埃及签订和平条约,正式结束两国之间已存在30年的战争状态。这项和平条约人称戴维营协定。根据协定规定,以色列将西奈半岛全部归还埃及,作为交换,埃及承认以色列的生存权。随后,两国建立正常外交关系。

1982年6月5日,以色列从西奈全部撤出后不到6星期,以色列人与巴勒斯坦人之间日益加剧的紧张局势导致以色列出动喷气式飞机轰炸贝鲁特和设有许多巴勒斯坦解放组织据点的黎巴嫩南部地区。至6月14日,以色列地面部队已侵入贝鲁特郊区,包围了该城,但以色列政府同意停止进攻并开始与巴解组织谈判。在屡经延误和以色列对贝鲁特西区大规模炮击之后,巴解组织在多国部队监督下撤出贝鲁特。最后,以色列部队亦从贝鲁特西区撤出,至1985年6月,以色列军已全部撤出黎巴嫩。

然而,对抗并未结束。1987年12月9日,居住在被以色列占领的加沙地带和运河西岸及耶路撒冷的巴勒斯坦阿拉伯人中发生骚乱。几年来,巴勒斯坦人的示威和骚乱持续不断地发生,呈现出大规模人民起义的性质,直接反对以色列在被占领土上继续实行行政拘留、宵禁和关闭大、中学校。以色列采取种种手段企图平息事态,均告失败。

Arab League 阿拉伯国家联盟 又作League of Arab States。阿拉伯语拉丁字母转写作al-Jāmiʿa al-ʿArabīyah或al-Jāmiʿa ad-Duwal al-ʿArabīyah。1945年3月22日在开罗成立的中东阿拉伯国家区域组织。创始成员国为埃及、叙利亚、黎巴嫩、伊拉克、外约旦(今约旦)、沙特阿拉伯和也门。其他成员国为利比亚(1953),苏丹(1956),突尼斯和摩洛哥(1958),科威特(1961),阿尔及利亚(1962),巴林、阿曼、卡塔尔和阿拉伯联合酋长国(1971),毛里塔尼亚(1973),索马里(1974),巴勒斯坦解放组织(1976)和吉布提(1977)。(当也门于1967～1990年分为两国时,两个政府各有其代表。)每个成员国在阿盟理事会都拥有一票,而所作出的决定只对投赞成票的国家具有约束力。联盟于1945年成立时,目的是为了加强与协调成员国的政治、文化、经济和社会规划及调解成员国之间或成员国与第3方之间的纠纷。1950年4月13日联合防御与经济合作协定的签订,又使各签约国承担了协调军事防御措施的义务。联盟初期,注意力主要集中于各项经济、文化与社会规划。1959年联盟召开了第一届阿拉伯石油会议,1964年成立了阿拉伯国家联盟教育、文化与科学组织。同年,尽管约旦反对,还是接纳了巴解组织,作为全体巴勒斯坦人的代表。在第3任秘书长(1972～1979)里亚德的领导下,阿盟加强了政治活动。然而联盟却因内部政治问题,尤其是有关以色列与巴勒斯坦问题上的意见分歧而遭到削弱。在埃及于1979年3月26日与以色列签订和平条约之后,阿盟的其他成员国决定中止埃及的成员国资格,并将联盟总部由开罗迁至突尼斯。埃及于1989年重新成为阿盟成员,联盟总部又于1990年迁回开罗。1990年伊拉克对科威特的入侵,以及随后应沙特阿拉伯将伊拉克逐出科威特的要求,西方国家,主要是美国的卷入,造成了阿盟中的深刻裂痕。沙特阿拉伯、埃及、叙利亚、摩洛哥、卡塔尔、巴林、科威特、阿拉伯联合酋长国、黎巴嫩、吉布提和索马里赞同外国军队入驻沙特阿拉伯。除最后的3国外,这些国家都或多或少地在军事上卷入了这场战争。

Arab Legion 阿拉伯军团 英国保护国外约旦的警察部队,1921年由英军中校F.G.皮克建立,用来维护外约旦部落的秩序,保护外约旦村民不受贝都因人的侵扰。1939年J.B.格拉布少校任军团司令,将其训练成阿拉伯世界战斗力最强的一支武装力量。1948年巴勒斯坦战争结束时,阿拉伯军团有6 000人,是能够保住巴勒斯坦领土的唯一的阿拉伯军队。约旦独立之后,阿拉伯军团仍由格拉布指挥,但由于民族主义情绪高涨,1953年掌权的侯赛因国王不得不于1956年将格拉布免职。军团遂完全阿拉伯化,由国王私人副官阿里·阿布·纳瓦尔指挥。同年,国王军团与约旦国民警卫队合并,组成约旦军队。

Arab Monetary Fund 阿拉伯货币基金组织 阿拉伯国家联盟21个成员国所建立的经济合作组织。1976年4月各国达成协议,1977年2月协议生效。其目的为:发展阿拉伯资本市场,解决各成员国国际收支不平衡的困难,支援各成员国的外汇汇率。每次年会中,理事会制订贸易一体化和自由化的各项政策。具体说来,基金组织要提供增强借贷能力的担保,要向金融机构提供技术援助,要提供短期和中期贷款。总部设在阿拉伯联合酋长国阿布扎比。

Arab Petroleum Exporting Countries, Organization of(OAPEC) 阿拉伯石油输出国组织 1968年1月阿拉伯国家为加强在石油工业方面的国际经济合作而创建的组织。主席每年由成员国轮流担任,每年举行4次会议。成员国有:阿尔及利亚、巴林、伊拉克、科威特、利比亚、卡塔尔、沙特阿拉伯、叙利亚和阿拉伯联合酋长国(1979年埃及的会员国资格被中止,1987年突尼斯停止成为成员国)。该组织的总部设在科威特。该组织力图实现四项基本目标:密切各国间的关系;决定维护成员国利益的办法;共同努力以便在获利的条件下出售石油;在成员国中创造适合工业投资的条件。该组织的秘书处下设7个主管部门:行政与财政、法律、经济、情报与公共关系、石油工程项目、图书与档案,以及勘探与生产。成员国联合兴办的企业重点经营原油、天然气和石油产品的运输,使阿拉伯国家在运输业以及船只和石化工厂的建造方面增强了实力。

Arab Socialist Renaissance Party 阿拉伯复兴社会党 参阅Baʿth Party复兴党。

arabesque 阿拉伯装饰风格 又译阿拉伯花饰。以各种植物和抽象曲线互相盘绕构成基本图案为特征的装饰风格。阿拉伯花饰由在小亚细亚工作的希腊化时期手工艺人的作

伊朗伊斯法罕18世纪初叶马达里沙学院饰有阿拉伯花饰的圆顶
美国不列颠百科全书公司供图

品演变而来,其图案最初有高度写实的飞禽。穆斯林的艺人大约在公元1000年修改了这种图案,使之高度形式化;出于宗教原因,已不再有禽鸟、野兽或人的形象。在欧洲,从文艺复兴直到19世纪初,阿拉伯花饰被用于装饰华丽手稿、墙壁、家具、金属制品和陶器。通常这些图案由树枝和树叶交织或弯曲成卷轴形,或从这类自然结构中抽象出来的华美线条组成。人物形象在西方的阿拉伯花饰图案中常是整体不可缺少的一部分。到15世纪中期,出现了阿拉伯花饰的石制品,16世纪,梵蒂冈的敞廊或凉廊出现了装饰有阿拉伯花饰的绘画。意大利北方以及后来西班牙的精致的银制品,也都采用了这种主题的花纹。文艺复兴时期的阿拉伯花饰保留中线对称、细节自由和修饰多样化的古典传统,富于想象力或幻想的场面中内容广泛,如人、兽、鸟、鱼以及花卉,而且通常有藤、带或类似的

交织图案。由于巴罗克式建筑的出现,阿拉伯花饰的装饰失去了吸引力。当古罗马的阿拉伯花饰图案在18世纪中期被发现后,法国又兴起了对这种图案的热情,产生了不少杰作。晚期的浮雕和绘画中出现了最美丽的阿拉伯花饰。但在大革命后的督政府和帝国装饰中这种样式又逐渐消失。

arabesque 阿拉伯式花饰 在由互相交织的线条形成的精细图案中出现花卉、水果、有时还有动物轮廓的装饰风格叫做阿拉伯装饰风格。人们由此类推,将文学中经过精心雕琢词句而产生的复杂表达模式称作阿拉伯花饰。这些阿拉伯式的装饰图案有时会让人联想起荒诞的人,因而产生该词的另一层含义:指神奇的故事或神鬼的故事。N.果戈理为一本小说取名《花饰》(1835),就是用了该词的这层含义。E. A. 坡将他的一些短篇小说编入《荒诞故事与神鬼故事集》时也是用该词的这层含义,但比果戈理晚了5年。

ʿArabestān(Iran) **阿拉贝斯坦** 参阅**Khūzestān**胡齐斯坦。

Arabi(Egyptian nationalist) 参阅**ʿUrābī Pasha**尤拉比帕夏。

ʿArabī, Ibn al- (Muslim mystic-philosopher) 参阅**Ibn al-ʿArabī**伊本·阿拉比。

Arabia 阿拉伯半岛 位于亚洲西南部,包括一些近海岛屿在内的半岛地区。西和西南临红海,南濒亚丁湾,南和东南临阿拉伯海,东北濒阿曼湾和波斯湾(或称阿拉伯湾),北面为伊拉克、约旦及亚喀巴湾。面积约259万平方千米。

从政区上看,阿拉伯半岛包括7个主权国家的领土:沙特阿拉伯王国(最大的政区)、也门共和国、阿曼苏丹国,以及波斯湾国家阿拉伯联合酋长国、卡塔尔、巴林和科威特。另有一面积很小的无主权中立地区,由沙特阿拉伯和科威特共有。半岛人口约32 138 000(1990)。

土地 阿拉伯半岛为盆状高原,其临海的三面皆有山脉隔开。高原由红海沿岸山脉向东北方的第四面(毗邻波斯湾的东部低地)缓降。半岛西部红海沿岸山脉和对岸山脉的地质特征相同,二者原曾相连,大约5 000万年前因东非断层系的地质活动出现红海而分开。这一地质活动仍明显地表现在破坏性地震的发生率上。绵亘于南面的山脉坡度也向内朝着地质活动稳定的阿拉伯地盾中心缓慢倾斜。地盾的上层为典型的阿拉伯景观——宽阔的黑色熔岩地和死火山。高原内部的特征为连片沙漠区,从西北的内夫得沙漠一直到南方的鲁卜哈利沙漠(空旷之地)。东北波斯湾沿岸则是砂质海岸低地。

山区地势都不特别高,半岛最高处为也门的哈杜尔舒艾卜峰,海拔3 760米。半岛三面的狭长平原位于海洋与高原之间,大部分为已开垦的土地(多数在也门和沙特阿拉伯境内),3 000年来与亚洲其余地方以及非洲通商的城市也大多位于海岸平原上。

除受印度洋季风影响的东部少数地区和最西部的海岸地区受益于山脉屏障所带来的雨水外,山壁使半岛大部分地区十分干旱,年降雨量通常不到100毫米。也门南部年降雨量可达500～1 000毫米,为最适宜的居住地。其他地区夏季气温太高(可达54 °C),春秋气候虽较宜人,但通常仍过于干旱而无法大量耕种。半岛有季节风,如来自西北北的夏马风以及偶尔来自东南的考斯风。地质调查获得的证据表明,在过去,甚至在较为晚近的时代,半岛远比现在更适宜于人类居住。那些干涸河床和季节性河道曾经终年有溪流。

在阿拉伯的沙漠和高地的许多地方,盐沼灌木是唯一的天然植被。而在得到较好灌溉的也门和阿西尔地区则生长着类似仙人掌的大戟属植物、桉属植物、醉鱼草属灌木、芦荟以及其他各种植物,但因放牧过度以及开辟梯田用于农耕,天然植被面积已缩减为无价值的小块土地。除枣椰树外,阿拉伯半岛罕见其他树木;枣椰树几乎可在任何地方种植,多少世纪以来一直是半岛地区经济的主要产品。其他一些树木,诸如刺槐、柽柳和含羞草属植物,是用作使沙丘保持稳定的防风林。种植的苜蓿可作为饲料。其他作物有棉花、小麦和粟等。

动物有狼、鬣狗、狐、蜜獾和獴等哺乳动物,分布广泛,但数量不多。鸟类较多,但很多是候鸟,有鹰、隼、猎鹰(长期以来供作消遣和狩猎之用)、猫头鹰和火烈鸟等。野生动物保护状况面临危险,许多种动物由于捕杀实际上已绝灭。周围海域,尤其在红海的暗礁区,生长着大量的各种海洋生物。

半岛仅有的重要矿产资源是石油和天然气,其石油蕴藏量几乎占全世界蕴藏量的一半,多数分布在波斯湾沿岸和近海一带,而石油开采又导致伴生硫磺的开采。与石油在一起的还有大量天然气。石膏和大理石亦有开采。该地区其他矿物资源有铜、磷酸盐、金、银、铁矿石和重晶石。

人民 阿拉伯半岛上的人口多数为阿拉伯人种,其地理分布一般取决于降雨量和可耕地:高原的中央居民区——内志——有利雅得市以及许多较小的农业集镇;类似的还有灌溉良好的西南高地阿西尔地区;因石油工业而人口日增的波斯湾沿岸地区;以及也门高地,这是半岛上人口最稠密的地区之一。此外还有人口比较稀少的土著贝都因人社区。阿拉伯半岛诸国中沙特阿拉伯的人口最多,其次是也门。

据估计,阿拉伯半岛上的人口年增长率是世界人口增长率最高的地区之一。阿拉伯半岛各地的出生率都比较高,但死亡率却大不相同。大部分地区的人口非常年轻,许多地区几乎有45%的人口不满15岁。大部分人讲阿拉伯语,但也有许多地区方言。逊尼派穆斯林居多数,阿拉伯人认为自己继承了曾将伊斯兰教一直传到西班牙和中国的穆斯林改宗的伟大传统。今天,每年有200万朝圣者前往伊斯兰教伟大的历史中心地——麦加。

半岛的大部分地区,城市人口占2/3以上。阿曼和也门的城市人口只占10%～25%,主要是因为他们具有生活在农业小镇的传统。多数国家都有几个主要城市。政府制定地区和城市发展的规划一般是基于建立新的城市中心(以便提供较好的服务设施),而不是基于改善现有农村人口的环境。

经济 虽然阿拉伯半岛各国的多数企业由王室或国家计划管理部门严密控制,但各国的经济仍属自由企业性质。半岛7个国家的国民生产总值大部分来自石油开采与提炼。各国间人均国民生产总值分配极不平均,也门属世界最低之列,而阿拉伯联合酋长国则是世界人均国民生产总值最高的国家之一。只有也门的农业生产占国内生产总值的7%以上。各国制造业的产值约占各国国内生产总值的12%,但在沙特阿拉伯和阿曼,这个比例却低很多。服务业产值约占各国国内生产总值的一半。

农业用地通常约占陆地总面积的1%。尽管如此,阿拉伯半岛的总人口中仍有略少于1/3的人在从事农业;也门和沙特阿拉伯的农业劳动力远比其他几国为多。该地区食品生产不能自给,虽然多达30%的农田得到地下水的灌溉,但还是十分依赖风调雨顺的天气。作物有谷物(在气候允许的地方),瓜类和水果(在得到较好浇溉的沃洲)、芳香植物、香料、咖啡和阿拉伯茶(在也门的梯田)。主要牲畜有牛、驴和骆驼(也门和沙特阿拉伯)以及绵羊和山羊(几乎无处不在,这很可能是历史上阿拉伯半岛植被退化的主要原因)。虽然大多数沿海城市都有一支小型捕鱼船队,但是渔业的经济意义不大。

该地区的大多数国家发展计划已为发展制造业进行了大量投资,这是在为20世纪末作准备,因为届时石油储备将枯竭,而这些国家迅速增长的人口需要得到各种工作,以获得石油不再能提供的收入。然而,现在主要的工业还是石油加工业。建筑部门非常活跃,修建基础设施、新城市、输油管道以及为建立自立的经济所需要的其他设施,政府希望自立的经济将取代靠石油发横财的局面。服务部门以向石油工业提供金融服务和技术服务为主。

阿拉伯半岛的传统经济因石油收入而作大幅调整,与也门等国家的现代化有直接关系的主要是劳工问题。尤其在较小的石油生产国,一个主要的问题是在1970年后被工作和致富机会吸引到阿拉伯半岛来的数百万外籍工人。这些工人及其家属给现有的服务设施造成过度的负担,并将在经济繁荣过后形成潜在的社会和政治问题。

石油工业的繁荣在很大程度上促使阿拉伯半岛银行业——私人银行、商业银行及开发银行——在80年代初期快速成长。阿拉伯半岛各国间的经济与政治关系,由阿拉伯国家联盟、阿拉伯石油输出国组织、阿拉伯经济和社会发展基金会及阿拉伯货币基金组织进行协调。

除了波斯湾沿岸、沙特阿拉伯中心地带、阿西尔地区、以及半岛与邻国相连的主要沿海商业路线外,半岛内部水陆运输的发展极差。除波斯湾地区外,极少有连接一国与另一国的公路。达曼港与利雅得之间有铁路相连,长580千米。空中运输,尤其是60年代以来，已取代了不能满足需要的公路系统。海湾航空公司、科威特航空公司和沙特航空公司(拥有机场网络，尤其在沙特阿拉伯)几乎能运输任何设备。

虽然半岛各国人民具有悠久的航海传统，但在20世纪后期，只有沙特阿拉伯、科威特、阿拉伯联合酋长国还保留有相当大的商业船队，主要是油轮。然而港口和港湾却很多，在波斯湾有着跻身世界的最大和技术上最现代化的港口，能停靠排水量50万吨以上的超大型油轮。除了科威特在海湾战争(1991)期间油井受损或被毁外，其他国家庞大的输送石油、天然气和其他石油产品的管网，把这些产品从油田和炼油厂输送到波斯湾各港口，再从那里运往世界各地。

在国际贸易方面，半岛各国的石油出口均占首位。虽然在70年代和80年代初为进口量的巨大增加可以并无困难地提供资金，但到1982年，由于世界经济衰退、国际市场石油供应过剩，以及原油价下跌，普遍造成石油收入减少，外汇和偿付发生问题，遂更为强调石油生产部门之外的工业发展。主要进口产品包括：机器和设备，特别是建筑设备；运输设备，特别是卡车；成套设备，例如一切齐全即可投入使用的工厂；纺织品、服装以及食品。出口产品的主要客户是西欧和北美的工业化国家。进口产品的主要供应国是美国、日本和德国。

政体与社会状况 阿拉伯半岛各国的政体形式各异，有也门共和国那种松散的共和制，也有巴林与科威特那种不完全的君主立宪制(直到70年代中期)，其余国家则属更不受约束的君主制。宪政体制不是该地区的传统，并未得到很好的发展。阿拉伯半岛的各国政府均未采用政党作为公开讨论的形式。半岛各国都认为不宜于允许公开发表相反的观点。半岛大部分地区都以传统的回教法律，即沙里亚伊斯兰法，作为民事与刑事制裁的基础；沙里亚法由当地的卡迪(即法官)实施。仅科威特采用现代法典。阿拉伯半岛的国家多倾向于不结盟或倾向西方。有些国家过去是英国的附属国或保护国，它们在军事顾问、军事训练及军需等方面仍依赖英国；美国也是主要供应国。

20世纪70年代初之前该地区的国家十分贫困，生活水平不能令人满意。自70年代开始，石油财富滚滚而来，各国才有财力修建众多新的社会基础设施。到80年代初，科威特等最发达的阿拉伯国家的预期寿命上升至70岁，但半岛上大部分欠发达地区的预期寿命仍不到50岁。婴儿死亡率和营养水准的状况也大体如此。医务人员很难培养和招收；大部分现代化医疗服务只在几个最大的城市才有。健康方面的主要问题与饮用水的供应和改进(尽管半岛地区日益广泛使用淡化的海水正使这个问题有所缓和)以及污水处理有关；也与传病媒介(携带传染性疾病的昆虫或动物)的控制有关。农村地区的主要疾病包括疟疾、沙眼、胃肠炎和流行性感冒；城市中的汽车事故、心血管疾病、恶性肿瘤(癌症)和精神病也日趋严重。在70年代，由于石油财富的注入，以及由于石油工业的发展建立了一支建筑技术熟练的劳动大军，住房问题有了改善，但仍不能满足人口日益增长的需要。在许多旧城市中，新住宅的建设速度如此之快，传统的住房已很难见到。

教育被半岛各国公认为是发展之本，但传统上的性别隔离原则意味着妇女的入学率远低于男子。在最不发达的地区识字率仍很低(也门最低)；在较大的石油出口国，识字率略高，如沙特阿拉伯(约达60%)；而在较小的石油生产国，识字率已超过70%，这些国家的城市扫盲计划为许多人提供了识字的机会。高等教育通常在该地区之外方能获得，但本地区也建有高等职业学校和师范学院，特别是在70年代，以便在发展的框架内维护其传统的宗教及文化准则。社会保障计划没有更发达地区那样完善，虽然沙特阿拉伯、科威特和巴林已有这种计划，但直到80年代初，大部分人口仍不能被包括在内。

沙漠文化 阿拉伯游牧部族的伟大时代是在伊斯兰教降临之前，跨越公元6世纪至7世纪初期。因为有些部族是有意放弃定居，追求沙漠中自由自在的生活，所以游牧部族深信自己比定居的部族更优越。那些定居下来的部族因仍与沙漠接触，也易于接受这种信念，并采纳许多游牧人部族的价值观。在这一时期，游牧部族的观点一直控制着阿拉伯半岛。人们相信沙漠上的各部族都是由一个共同祖先的后裔组成的。伊斯兰时代初期是按父系认定亲属关系的。在伊斯兰时代之前，有些部族主要遵奉母系亲属关系，实行一妻多夫制。伊斯兰教选择父系血统并由宗教禁规加以保证；一个女人一次只能有一个丈夫，而一个男人可以有4个合法妻子和几个奴妾。

半岛上的居民不都是游牧人。这片土地上的大部分地区都有绿洲，可发展亚热带农业；西海岸附近几处绿洲还生长热带植物。最为人所熟知的绿洲是耶斯里卜绿洲，从穆罕默德时代起便称之为"麦地那"。似乎是由信奉犹太教的部落或民族在此以及半岛各地首先从事农耕。除了宗教不同外，他们与其阿拉伯邻居难以区分。各部落和氏族都有要塞和城堡，遇到袭击时便可躲入其中。平时他们住在自己的土地上。在穆罕默德到来之后，这片绿洲才有集中成片的住房。此外，有的绿洲只赡养阿拉伯部落的一部分人，其余的人则从事游牧。在没有绿洲农业的若干小型居民点中，麦加最为重要。现代的麦加稍有一些农业，但在6世纪时似乎根本没有农业。此地最早的居民很可能是管理并侍奉圣堂的一个家族。该圣堂后来被称作克尔白(天房)，周围有一庇护猎区，去圣堂朝拜的那几个月被指定为神圣不可侵犯的月份。在圣地中和在朝圣期间，流血的世仇争斗必须暂时中止。敌对部族的成员在此相遇也平安无事，因而使麦加逐渐发展成为一个贸易中心。到公元600年，麦加商人完全控制了从也门到加沙和大马士革的贸易路线；另一条路线将麦加与波斯湾的顶端相连。

物质上的贫困导致游牧民以说书和诗歌作为艺术表达的主要形式。说书的技艺现已失传，但伊斯兰时代以前的许多优秀诗作却保存下来。其标准格式是40～100行，或更长的赞美诗(颂诗)，每行的复杂格律相同，韵也相同。最著名的诗出自一部名叫《悬诗》的诗集。在许多其他保存下来的诗作中也有个别诗人的诗集。虽然这种赞美诗据说始自公元6世纪上半叶，但据推测其尝试阶段可能更早，因已知的最早的赞美诗已十分成熟、质量很高，主题的顺序一般也很规范。诗的开始部分是一种哀歌体的序诗，定下沉思的基调。诗的核心部分夸耀诗人所在的部落，包括夸耀诗人自己，同时以讥讽的口气揭露敌对部落的耻辱，或者是对一位守护神的颂扬。在演绎这些固定题材时，显露出诗人的艺术，也许其本身便反映出诗人试图在沙漠生活这狭小的范围内行使其崇高的职责。作为一种主要艺术形式，诗歌有着很高的社会价值，它颂扬所在的部落以及该部落对沙漠游牧民族最高价值的坚持。在某些方面诗人可比作现代的记者，当时的人们非常害怕一位有造诣的诗人的讽刺。

历史 虽然阿拉伯半岛上的考古工作尚处于幼稚时期，但已有证据显示该地区为旧石器时代猎人的家园。在波斯湾发现的文物证实，早在公元前第3个千年期，阿拉伯人即与苏美尔文化有联系。

阿拉伯半岛的南部在伊斯兰教之前曾是半岛上几个大王国的所在地。地处西南角的迈因、赛伯伊(圣经作"示巴")、卡塔班、哈德拉毛等国，均因从事乳香及香料等有利可图的贸易而富庶繁荣。赛伯伊人曾在马里卜建造水坝及良好的灌溉系统。赛伯伊王国于公元前100年被希木叶尔人征服，他们统治着南阿拉伯半岛，直至公元525年被基督教的阿比西尼亚人所征服。在南阿拉伯半岛，骆驼约于公元前400年被驯化，北方文明世界对乳香和没药的需求也越来越大，这些都促使了南部(也门和阿曼)的繁荣。公元前330年，半岛的南部高地已有道路网连通。在北方，纳巴泰人控制着沿红海海岸北上通向埃及和叙利亚的贸易路线。

从种族上说，阿拉伯半岛的人和其故土在半岛以外各地的各不同部族都有渊源。半岛内陆重要的部落有处于红海附近汉志北部的萨穆德人和住在德丹城内及周围地带的里亚奈特人。不住在半岛上的阿拉伯各民族在早期曾影响和控制过半岛的很多地方。住在半岛周边的纳巴泰人和巴尔米拉人将其权力扩展到阿拉伯半岛北部和中部地区，他们的贸易路线就经过这些地方。公元273年，巴尔米拉王朝衰亡，权力转移到外约旦的莱赫米王朝，他们首先采用阿拉伯语为官方语言。528年，阿拉伯半岛的北部地区转归加萨尼王朝管辖，他们信基督教，讲古叙利亚语。622年，先知穆罕默德逃往麦地那，这标志着伊斯兰时代的开始。在一代人的时间里，整个阿拉伯半岛都已皈依伊斯兰教，但穆罕默德继承者之间的斗争导致伍麦叶哈里发的建立，定都大马士革。伊斯兰政治中心从此再也没有回到阿拉伯半岛，此后便是数个小王国在半岛建立，部落之间发生战争，以及非阿拉伯的伊斯兰国家的入侵。

16世纪时，奥斯曼帝国企图控制整个阿拉伯半岛，但只在半岛南部有过短暂停留，并未深入到内陆和波斯湾地区。波斯人试图占领巴林(17～18世纪)，葡萄牙人试图占领阿曼(16～17世纪),但都被土著领袖击退。当沙特家族在瓦哈比教派的影响下在阿拉伯半岛中部地区扩张势力之际,英国则在波斯湾各地建立起保护国:马斯喀特(后称阿曼,1798)、波斯湾附近地区诸国(后称阿拉伯联合酋长国)与巴林(1820)、亚丁(1839)、科威特(1899),最后是沙特阿拉伯本国(1915)。后来成为也门(萨那)的那块领土从未归英国人保护,于1934年获得独立。沙特于1927年获得独立。在半岛其余地区,也门(亚丁)于1967年获得独立,阿曼于1970年独立。英军从阿拉伯半岛撤离后,巴林、卡塔尔和阿拉伯联合酋长国(由阿布扎比、迪拜、阿治曼、沙迦、乌姆盖万、哈伊马角和富查伊拉组成)于1971年获得独立。萨那的也门和亚丁的也门于1990年实现统一。

Arabia　阿拉比亚　罗马的一个行省。105年罗马皇帝图拉真吞并纳巴泰王国之后,与毗连的杰拉萨和费拉德尔菲亚二城合并为阿拉比亚。版图西起西奈半岛的西海岸,今叙利亚和黎巴嫩的交界处,北至大马士革以南,东至红海以东的埃格拉。2世纪时阿拉比亚的经济十分繁荣。最北的波斯特拉成为行省首府和军团驻地;旧王都佩特拉为宗教中心。3世纪末罗马皇帝戴克里先将阿拉比亚分成南北二省,分别以佩特拉和波茨拉为首都。632～636年,阿拉伯人征服后,繁荣的城市衰落。

Arabia Felix　肥沃的阿拉比亚　古代地理中,指阿拉比亚西南部和南部较富饶的地区(今阿西尔和也门)。它与荒芜的阿拉比亚中部和北部的沙漠地区以及西北部多石的阿拉比亚形成鲜明的对比。希腊人和罗马人所以采用这一名称,是因为那里气候宜人,农产丰富,出产香料。罗马皇帝奥古斯都(公元前27～公元14在位)曾派加卢斯率领远征队前去考察,带回很多资料和产物。参阅 **Saba'** 。

Arabian Basin　阿拉伯海盆　阿拉伯海南部的海底盆地。南有卡尔斯伯格海岭,东南有马尔代夫群岛,东北为印度和巴基斯坦,北为伊朗,西为阿拉伯半岛。该海盆的最大深度为5 875米。卡尔斯伯格海岭将其与南面和西面更深的索马里海盆隔开。阿拉伯海盆和索马里海盆之间的海槛深度约3 000米。海盆底部覆盖着大量印度河的沉积物,其厚度往南递减。

Arabian Desert(Egypt)　**阿拉伯沙漠**　参阅 **Eastern Desert** 东部沙漠。

Arabian Desert　阿拉伯沙漠　亚洲西南部几乎占据整个阿拉伯半岛的广大沙漠地区。面积约2 330 000平方千米。北接叙利亚沙漠;东临波斯湾、阿曼湾和阿拉伯海;南抵阿拉伯海和亚丁湾;西濒红海。大部分在沙特阿拉伯境内,并延展到约旦、伊拉克、科威特、卡塔尔、阿拉伯联合酋长国、阿曼和也门。沙漠分为两个主要地区:西部为古阿拉伯台地(即非洲-阿拉伯地盾),由火成岩和变质岩构成;东部是年代较近的沉积岩,从地盾边缘向波斯湾盆地缓降。西北、西南和东南角为多山的高地;台地与南方和西方海滨之间为陡峭的悬崖和峡谷。北方和东方向地势平缓的内地高原和广阔的平原与干草原缓降。内地的许多较低高地均经风蚀而成不毛之地。阿拉伯沙漠至少有1/3为沙砾覆盖,形成沙丘或沙岭,在地势较低地区则为一层薄沙。两片最大的沙漠是西北部的内夫得沙漠和东南部的鲁卜哈利沙漠。两者之间是图韦格山两侧的两条几乎平行的连贯沙丘弧带。一年两次的夏马风以平均每小时50千米的风速自北或西北猛吹30～50天,携带大量沙尘,改变着沙丘的形状。夏季酷热,日间温度高达54°C。内地干热,但尚能忍受,而滨海地区和一些高原在夏季则蒙受高湿度之苦。年降雨量0～500毫米,平均不足100毫米。沙漠中的大部分排水渠不是干涸,就是间歇地只在下大雨时才有水流。两个常年有水的水系是东北部的底格里斯-幼发拉底水系,和也门哈德拉毛地区南部的哈杰尔河。植物都已在结构上适应了干旱与盐碱。更新世(约160万年前至1万年前)早期即有人居住。贝都因人以游牧为主,冬天雨季进入沙漠,夏天旱季返回耕地。许多绿洲中出产枣椰子供人畜食用,枣椰树用于建筑。绿洲中亦有多种水果、谷物、蔬菜,如稻米、紫花苜蓿、散沫花、柑橘、甜瓜、洋葱、番茄、大麦和小麦;在较高地区还有桃、葡萄和仙人球。阿拉伯人自7世纪即为穆斯林,直到1936年发现石油以前,大部分人未受西方文化的影响。沙漠中过去只有驼队通行,现在已有公路网,4/5的地区通汽车。

Arabian Gulf(Asia)　**阿拉伯湾**　参阅 **Persian Gulf** 波斯湾。

Arabian horse　阿拉伯马　最早的改良马品种。因快速、力强、体形美、聪明、温驯而受人珍爱。关于阿拉伯马的传说历史悠久,但不知其详。公元7世纪前已在阿拉伯世界培育成。大部分现代轻型马的优良品质均可溯源到阿拉伯马。阿拉伯马身材较小而坚实。头小,眼突出,鼻孔宽大,肩隆明显,背短。通常只有23节脊椎骨(其他品种多为24节)。腿强,蹄小。体毛、尾毛、鬃毛纤细,带丝绸光泽。毛色多样,以灰色为主。体高约152厘米,体重360～450千克。最著名的种马场在沙特阿拉伯的内志。但现在许多地方也育成许多优良的阿拉伯马品种。

阿拉伯马
美国不列颠百科全书公司供图

Arabian Nights' Entertainment, The 《天方夜谭》　参阅 **Thousand and One Nights, The** 《一千零一夜》。

Arabian Sea　阿拉伯海　印度洋西北部水域。位于一条连接印度南端科摩林角和索马里东海岸哈丰角半岛的假想线以北。东接印度,北界巴基斯坦和伊朗,西沿阿拉伯半岛和非洲之角。向北由阿曼湾经过霍尔木兹海峡连接波斯湾,向西由亚丁湾通过曼德海峡进入红海。面积3 862 000平方千米。沿海国家有印度、伊朗、巴基斯坦,阿曼、也门和索马里。海中有索科特拉岛、库里亚穆里亚群岛和拉克沙群岛。主要港口有孟买(印度)、卡拉奇(巴基斯坦)和亚丁(也门)。印度河是流入该海的最大河流。以频繁地震活动为特征的卡尔斯伯格海岭,把阿拉伯海分隔成阿拉伯海盆和索马里海盆。该海平均深度2 734米,最大深度5 803米。海水中含有大量无机营养物质,使阿拉伯半岛东南沿海鱼类繁殖迅速。主要鱼类有金枪鱼、沙丁鱼、长吻鱼、刺鲅、翻车鱼和鲨鱼等。捕鱼事业大有发展前途。阿拉伯海位于信风地区,许多世纪以来为欧洲与印度间的重要海上通道。

Arabic alphabet　阿拉伯字母系统　世界上使用范围最广的第二种字母文字体系,仅次于拉丁字母。阿拉伯字母原为书写阿拉伯语而创制,并因伊斯兰教之传播而传入东半球大部地区,从而为诸如波斯语、土耳其语、西班牙语和斯瓦希里语等差别很大的语言所采用。虽然阿拉伯字母可能是在4世纪由纳巴泰字母直接衍生而来,但它的原始形式和早期历史仍不清楚。有些学者认为,现存最早的阿拉伯字母书写样品是328年纳巴泰皇室一件随葬品上的铭文。另一些学者则认为,这段铭文显示出阿拉伯字母的某些特征,但主要地还是阿拉米字母的风格,因之,现存最早的阿拉伯字母样品是一段希腊语、古叙利亚语、阿拉伯语3种文字对照的铭刻,其时间可溯自512年。阿拉伯字母系统有28个字母,全系辅音,书写时自右向左。其中22个字母是闪米特字母,亦即阿拉伯字母的祖先,它们在阿拉伯字母系统中的书写形式稍有改变;其余6个字母则用来表示使用闪米特字母书写的各语言中所没有的语音。阿拉伯字母的书写形式,各依其在单词中所处位置(词首、词中或词尾)而有所不同。字母单独书写时,则以第4种形式表现出来。字母alif、waw和ya分别表示喉塞音、w音和y音,是用来代表长元音a、u和i的。8世纪产生了一套附加符号,有时用以表示短元音以及某些语法上独特的词尾变化,以区别于那些不加符号的尾音。现在通行两种阿拉伯字体。一种名为库法体,字体浑厚、庄重,系7世纪末在美索不达米亚名城库法(库费)发展起来的。这种字体主要用于金、石铭刻,有时也用于《古兰经》的手抄本。不过,这一优美而庄重的字体除了用于一些草体不合宜的场合之外,已很少使用。另一种是纳斯基体,系草体字母，很适合在纸莎草纸或一般纸上书写，而且这种字体是现代阿拉伯文字的直系祖先。它早期源于麦加和麦地那，现存多种变体，字形复杂而富于装饰性。

Arabic language 阿拉伯语 通行于北非、阿拉伯半岛大部地区和中东部分地带的中南闪米特语（参阅 **Hamito-Semitic languages**）。阿拉伯语是《古兰经》的语言和一切穆斯林的宗教语言，它的文学语言通常叫做古典阿拉伯语，基本上是《古兰经》中的语言，对整个阿拉伯世界都是统一的，只是为了适用于现代而作些必需的变动。通俗阿拉伯语有许多口语方言，有些难于相互理解，可分为阿拉伯、伊拉克、叙利亚、埃及和北非等主要方言群，除阿尔及利亚方言外，其他方言都受文学语言很强烈的影响。阿拉伯语语音体系和英语以及其他欧洲语言有很大不同，它有许多带区别性特征的颚辅音（喉音和小舌音）和一系列软颚化辅音（发音时伴有喉头收缩，舌背上升）。有 3 个短元音和 3 个长元音（*a*，*i*，*u*；*ā*，*ī*，*ū*）。每个词常以单辅音开始，接着是一个元音，长元音后面罕用一个以上的单辅音，辅音丛都只包括两个辅音。阿拉伯语最充分地表现出典型的闪米特单词结构的发展情况。单个阿拉伯语词由两部分组成：①词根，常由 3 个辅音构成，表示基本词汇意义；②模式，由元音构成并赋予该词以语法意义。如词根 *ktb* 若与-*i*-*ā* 相结合，就成 *kitāb*（"书籍"），同样的词根若与-*ā*-*i* 相结合就变成 *kātib*（"写字的人"，"录事"）。阿拉伯语还使用作为主语标志、代词、介词和定冠词的前缀和后缀。动词按规则变化，有两种时态：完成时用加后缀的办法构成，表示过去；未完成时则用前缀构成，有时也具有表示数和性的后缀，表示现在和将来。此外，还有命令式、主动分词和被动分词及动名词形式。动词有 3 个人称、3 个数（单数、双数、复数）和两个性的变化。古典阿拉伯语没有双数形式和第一人称的性的区分；现代方言中已失去全部双数形式。古典阿拉伯语还有被动语态形式。古典阿拉伯语的名词变格体系有 3 个格（主格、属格和宾格），现代方言中名词已不再变格。代词既作为后缀又作为独立词使用。随着阿拉伯世界文教事业的发展，古典阿拉伯语对口语方言的影响有所增长。

Arabic language, South 参阅 **South Arabic language 南阿拉伯语**。

Arabic literary renaissance 阿拉伯文学复兴 指由于同西方接触和对伟大的古典文学重新产生兴趣而立意创造现代阿拉伯文学的 19 世纪运动。在拿破仑入侵埃及（1798），以及随后在那里建立自治的和倾向西方思想的王朝之后，许多叙利亚和黎巴嫩作家都挑选埃及这一较为自由的环境作为复兴的中心。在第一次世界大战后奥斯曼帝国解体和第二次世界大战后独立运动兴起的影响下，复兴运动遍及其他阿拉伯国家。阿拉伯文学的新文学体裁——小说和戏剧，主要是在 19 世纪有阿拉伯文译本的那些欧洲文学作品的影响下，才得到较大的发展。其他体裁也从西方范本中受益不浅，但其根源仍为古典阿拉伯文学，如短篇小说、新体诗、小品文。

Arabic literature 阿拉伯文学 阿拉伯人或非阿拉伯人用阿拉伯文撰写的文学作品。在 622 年伊斯兰教出现之后的阿拉伯文学的黄金时代里，阿拉伯语作家，包括波斯人、伊朗人、印度人、西班牙穆斯林、埃及人、叙利亚人以及其他许多混合血统的人，他们都对阿拉伯文学做出了杰出的贡献。阿拉伯文学分为两个主要时期。古典时期始于 6 世纪初或更早，源于北方沙漠地带游牧的阿拉伯人以口头传说方式流传的谚语和诗歌，7 世纪和 8 世纪始有文字记载。尽管阿拉伯人在穆斯林世界的领导作用从 11 世纪开始下降，但古典阿拉伯文学却一直延续到 16 世纪。在古典时期中，主要区分为 6 世纪和 7 世纪初伊斯兰教出现之前的文学和伊斯兰教兴起并传播开之后的文学。伊斯兰时期的文学，除在其后期伊斯兰神秘主义影响了阿拉伯诗歌外，并不是宗教文学。在波斯和土耳其文学中也可见到这种影响，在伊斯兰时期它们与阿拉伯文学交织在一起（印度文学亦如此）。在 16、17 世纪，大多数讲阿拉伯语的国家被征服，阿拉伯文学实际上已消亡。现代时期始于 19 世纪叙利亚、埃及、黎巴嫩和伊拉克的文艺复兴，其动力部分来自与西方的接触，部分来自对伟大的古典文学重新产生的兴趣。它一方面开始于埃及（继法国在那里的短暂统治[1798～1801]之后是埃及总督和帕夏穆罕默德·阿里所建立的自治王朝）；另一方面，开始于叙利亚和黎巴嫩，那里的基督教会——尤其是马龙派教会——自 16 世纪起便与欧洲有联系。埃及较为自由的环境导致许多叙利亚和黎巴嫩的作家移居那里，埃及因而成为文艺复兴的中心。后来，特别是在第一次世界大战后奥斯曼帝国解体的影响下，以及第二次世界大战后纷纷独立，它遂扩展到其他阿拉伯国家。这些发展由于阿拉伯文出版物的出现和教育的普及与现代化而得到加强。

Aracaju 阿拉卡茹 巴西东北部塞尔希培州首府和港市，临孔廷吉巴河。始建于 1855 年。是地区工商业中心，可加工皮革、香蕉、木薯、豆类、芒果、腰果、食盐、棉花和蔗糖。化工业发达。郊区开采石灰石。20 世纪 70 年代末开始小规模钻探近海石油。有航空、海运和公路通往萨尔瓦多、马塞约和累西腓。1967年创建联邦塞尔希培大学。人口约 461 534（2000）。

aracari 阿拉萨里雀 即翼舌鵎鵼。几种巨嘴鸟的统称。参阅 **toucan**。

Araçatuba 阿拉萨图巴 巴西圣保罗州西部城市，靠近铁特河。建于 1908 年，1917 年建城镇。1921 年与佩纳波利斯分开，定为市政府所在地。为农业区（产棉花、咖啡、稻米、玉米和豆类）服务，可加工棉花和食品，并生产鞣酸、陶瓷、鞋和其他物品。货物由公路运往圣保罗市和州内其他城市。有一机场。人口约 164 449（2000）。

Arachne 阿拉喀涅 希腊语："蜘蛛"。希腊神话中吕底亚的科洛丰人伊德蒙的女儿。为一织工，技艺超群，敢向雅典娜女神挑战。女神织了一幅挂毯，上面绣有庄严的诸神群像，而阿拉喀涅却织出了他们的爱情事件。雅典娜对阿拉喀涅的完美技艺大为恼怒，把织物撕成碎片，阿拉喀涅在绝望中自缢。女神出于怜悯松开绳子，绳子变成了蜘蛛网，而阿拉喀涅本人则被变成了蜘蛛。由此在动物学中蜘蛛所属的那一纲称作为蛛形纲（Arachnida）。

arachnid 蛛形动物 蜘蛛纲（Arachnida）的节肢动物，陆生，主要为肉食性。一般分 11 目：蜘蛛目（Araneae）、蝎目（Scorpiones）、伪蝎目（Pseudoscorpiones）、避日目（Solifugae）、有鞭蝎目（Uropygi）、裂盾目（Schizomida）、须脚目（Palpigradi）、无鞭蝎目（Amblypygi）、节腹目（Ricinulei）、盲蛛目（Opiliones）和蜱螨目（Acarina）。分布全球，从沙漠到热带雨林均有。除蜱螨外，体分为头胸部和腹部。头胸部有 6 对附肢。第 1 对螯肢有的有钳，可撕碎食物。蜘蛛的螯肢有毒囊，螯牙中空，用以注射毒汁。第 2 对是触肢，在不同目中变异很大。例如蝎的触肢既可当触角，又能夹食，但多数雄蜘蛛的触肢是生殖器官。其余 4 对附肢是步足。有的蛛形类的腹部内有书肺用以呼吸，有的用气管呼吸。少数种类这两类呼吸器都有。大多数自由生活，但许多种蜱和螨寄生，还是人和动物病的传播者。有些毒蜘蛛和毒蝎对人有危险；但多数蛛形动物对人无害，并因捕食害虫而有益。

arachnodactyly 蜘蛛脚样指（趾） 参阅 **Marfan's syndrome 马尔方氏综合征**。

'Arad 阿拉德 以色列南部城镇，在内盖夫地区东北。阿拉德一名曾见于埃及凯尔奈克阿蒙神庙埃及第二十二王朝第一个国王示撒一世（约公元前945～前924在位）庆功碑

阿拉德镇的阿以战争死难者纪念碑
Shostal 供图

的碑文中，《圣经》中亦有记载。古城遗址在东北约 9 千米的泰勒阿拉得可见。1921 年曾有一些英国军队中的犹太老兵企图在此定居，但因缺乏淡水而未果。今城依靠亚尔孔-内盖夫管道支线供水，也是国内第一个有煤气管道的城镇。当地矿产资源丰富。除死海矿藏外，还有城南 16 千米的采法磷酸盐矿及死海公路东南 5 千米的罗什佐哈尔大天然气田。化工和纺织业为主要工业。人口约 24 500（2002）。

Arad 阿拉德 罗马尼亚西部一县。西邻匈牙利,面积7 652平方千米。穆列什河和白克里什河向西流经县境。西喀尔巴阡山,包括泽兰德山和科德鲁-英马山,位于该县东部。居民点分布在低地和山间谷地。农业以种植谷物、饲养牲畜、栽培葡萄和果树为主,其他农作物有翘摇(豆科植物)、苜蓿和洋葱。有采石场,可生产筑路碎石、花岗石和石灰石。阿拉德市自1919年起即为县城;它原为新石器时代的居民点,后几经易手,为罗马人、鞑靼人、土耳其人和匈牙利人所占据。其他古老的城镇有:希里亚、佩奇卡、利波瓦和瑟沃尔欣。县内有公路和铁路贯通;在古罗马大道的基础上沿穆列什河筑有一条公路和一条铁路。阿拉德城附近有一国内机场。人口约461 730(2002)。

Arad 阿拉德 罗马尼亚西部城市,为阿拉德县首府。位于穆列什河下游,靠近匈牙利边境。居民现多为马扎尔人。原为新石器时代的小居民点,罗马时代成为穆列什河南岸的军事前哨。1552～1685年(除短暂间隔外)归土耳其管属,1685年由奥地利控制。在1848～1849年匈牙利人叛乱期间,阿拉德于1849年7月1日被匈牙利人占领,并在叛乱后期成为他们的司令部。在俄国的援助下叛乱被镇压下去后,13位匈牙利将领——"阿拉德烈士"——在此于1849年10月6日被处决。第一次世界大战后归属罗马尼亚。现为铁路枢纽和工商业中心。工业制品有机床、铁路车辆和纺织品;谷类加工、酿酒和木材加工也很重要。市内有国家剧院、管弦乐队和设有图书馆和博物馆的文化中心。人口约172 824(2002)。

ʻArafāt, Yāsir 阿拉法特(1929-08-24,埃及开罗?～2004-11-11,法国巴黎) 巴勒斯坦解放组织(简称巴解组织)主席(1969～2004),法塔赫(巴解组织中最大的团体)领导人。1993年领导巴解组织与以色列政府达成一项和平协议。1994年与以色列的拉宾和佩雷斯共同获得诺贝尔和平奖。阿拉法特是一位富裕商人的7个儿女之一,商人的妻子与耶路撒冷反犹太复国主义的大穆夫提(伊斯兰教法典说明官)阿明·侯赛尼(卒于1974年)有亲戚关系。阿拉法特在开罗大学学习,毕业后为土木工程师。在埃及时,他先后参加了穆斯林兄弟会和巴勒斯坦学生联合会,1952～1956年任巴勒斯坦学生联合会主席。他也曾在埃及陆军部队服役,并在1956年参加苏伊士战役。苏伊士战役后,阿拉法特到科威特,作为一名工程师在政府工作,并开设了自己的承包公司。在那里时,他是法塔赫的共同创始人之一,法塔赫后来成为巴解组织主要的军事组成部分。他在担任巴解组织主席后,1971年成为巴勒斯坦革命武装力量总司令,两年后又成为巴解组织的政治部主任。其后,他越来越致力于谋求政治解决,而不是采用对抗和恐怖主义来对付以色列。1974年11月,阿拉法特成为第一个非政府组织——巴解组织——的代表在联合国大会全体会议上发表讲话。他正式访问了许多苏联集团国家,但是由于在政治上承认巴解组织这个问题的敏感性,他与西方各领导人的联系大多是非正式性的。1982年成为巴解组织内部受叙利亚支持的各派以及叙利亚的批评目标。这种批评在以色列入侵黎巴嫩后升级,迫使阿拉法特1982年8月底放弃在贝鲁特的总部,在突尼斯建立新的总部,1987年他转移到伊拉克巴格达。由于巴解组织队伍分裂的弥合,阿拉法特得以重新加强其领导地位。1989年4月2日,阿拉法特在巴勒斯坦全国委员会中央委员会(巴解组织的领导机构)上当选为假设的巴勒斯坦国的总统。1993年阿拉法特又向和平迈进了一步,他作为巴解组织的首脑,正式承认了以色列的生存权利并促进以色列和巴解组织达成协议,该协议计划在5年内逐步实现巴勒斯坦人在约旦河西岸和加沙地带的自治。1994年阿拉法特开始领导在加沙地带和西岸部分地区的巴勒斯坦自治。1996年中期巴以关系由于B.内塔亚胡(他主张放慢该地区的自治)当选以色列总理而变得紧张起来。阿拉法特和内塔亚胡之间不断增加的不信任导致了19个月的谈判僵局。1998年美国总统克林顿介入,在马里兰的怀米尔斯为两位领导人安排了一次峰会。会后达成的怀伊备忘录详细说明了以色列和巴勒斯坦为完成和平进程所要采取的步骤。阿拉法特保证与内塔亚胡的继任者E.巴拉克一起继续和平进程。在2000年由克林顿促成的戴维营谈判中,阿拉法特拒绝接受巴拉克提出的建立一个独立的巴勒斯坦国的建议,理由是该提议没有给与巴勒斯坦对东耶路撒冷的完全控制权,或者,按照他的观点,是没有充分保证巴勒斯坦难民返回家园的权利。阿拉法特的决定受到巴勒斯坦人的广泛支持,巴拉克在2001年被A.沙龙击败,后者2000年9月硬闯耶路撒冷的圣殿山曾经引发巴勒斯坦人的骚乱。2001年以色列多次发生自杀式袭击之后,沙龙指责阿拉法特在背后唆使。阿拉法特被以色列围困在拉姆安拉的官邸中。2004年10月阿拉法特患病被送往巴黎治疗,同年11月病逝。

Arafura Sea 阿拉弗拉海 西太平洋的浅海部分,位于澳大利亚北岸、卡奔塔利亚湾和新几内亚南岸之间,面积65万平方千米。西连帝汶海,西北接班达海和塞兰海,东部经托雷斯海峡沟通珊瑚海。阿拉弗拉海大部海域之下为阿拉弗拉大陆架,这是更广阔的莎湖大陆架的一部分。阿拉弗拉海一般水浅,深度为50～80米,在西缘变深,其上珊瑚生长层厚达610米。阿拉弗拉大陆架地面平缓起伏,这是因为在冰期之后海水上升遭到淹没之前,属干旱气候地区。北边的阿鲁群岛是由局部抬升形成的,它与阿鲁海槽接界。阿鲁海槽是一条弯曲的海沟,最大深度达3 658米。这个海槽是一个凹地链的一部分,处在塞兰海、阿拉弗拉海、帝汶海的下面,向西延伸成为印度洋中的爪哇海沟。在南纬8°以北,表面海流不明显。在南纬8°以南,海流在冬季向西流,而在夏季则方向不定。托雷斯海峡是一条有名的危险航道,而阿拉弗拉海则有许多未经测绘和标明的浅滩,是航行中的险处。阿鲁群岛周围受到保护的清洁的水中出产珍珠,产量虽不高,但持续稳产。

Aragats, Mount 阿拉加茨山 又拼Gora Aragac。在亚美尼亚境内,埃里温西北和亚拉腊平原北部,为亚美尼亚和小高加索山脉最高点(4 090米),呈环形,由熔岩和凝灰岩构成。近期地质时期形成的一个火山锥覆盖于古老岩石的顶部。火山口已成为冰川深斗。山顶附近有草甸,山坡长有旱生植物。南坡有亚美尼亚中世纪要塞遗迹。

Aragh(Vanuatu) **阿拉** 参阅**Pentecôte 彭特科特**。

Arago, (Dominique-) François (-Jean) 阿拉戈(1786-02-26,法国鲁西永埃斯塔热勒～1853-10-02,巴黎) 法国物理学家,发现非磁性导体旋转产生磁性的原理,设计一项实验,证明光的波动说。还与他人合作研究发现光偏振定律。他先在佩皮尼昂就读,后人巴黎综合工科学校学习,23岁在该学校接替G.蒙日的解析几何学讲座职务。随后任巴黎天文台台长和科学院常任秘书。在法国政治中是积极的共和主义者,曾在1848年革命后成立的临时政府中任陆海军部长,并进行了许多改革。1820年,精心研究丹麦H.C.奥斯特的著作,指出电流通过铜螺线圈时能吸引铁屑,像磁石一样,电流一停,铁屑就掉下。1824年证实一个旋转的铜盘,能使悬在盘的上面的磁针旋转。后由M.法拉第证明这是电磁感应现象。他支持A.-J.菲涅耳的光的波动说,反对P.-S.拉普拉斯、J.-B.毕奥和S.-D.泊松所主张的微粒说。按照波动说,光从较稀的介质进到较密的介质时,应当减速;按照微粒说,应当加速。1838年,他设想了比较光在空气中与在水或玻璃中的速度的实验,并作了说明,但需要复杂的准备,直到1850年他失明时,还没有就绪。在他逝世前,A.-H.-L.斐索和L.傅科利用他的方法并在细节上作了改进,证实了光在较密介质中的减速。在天文学方面,他在他的学生U.-J.-J.勒威耶和英国天文学家J.C.亚当斯就谁先发现海王星以及对该行星命名的争论中所起的作用最为著名。他1845年提出,由于勒威耶研究了天王星运动的不规则性(已经证明是由海王星引起的),主张新发现的行星应用勒威耶的名字命名。

Aragon 阿拉贡地区 西班牙的自治区与历史地区。范围包括本国东北部韦斯卡、萨拉戈萨和特鲁埃尔三省,1981年建为自治区。大致相当于历史上阿拉贡王国。12世纪阿拉贡王国属于阿拉贡君主,他并拥有加泰罗尼亚、巴伦西亚和法国及海外的地中海领土。1140年阿拉贡与加泰罗尼亚联合,主要有利于加泰隆人,使其能专注于商业和海运扩展。了解到防御卡斯蒂利亚的财政和军事负担大部分落在阿拉贡内地居民身上后,15世纪阿拉贡贵族宁愿与卡斯蒂利亚联合以抵消加泰隆人的重商主义势力。1479年这两个王国合并,但阿拉贡仍保留自治的议会和行政机构,直到18世纪初期其宪法规定的特权被菲利普五世废除为止。旧的阿拉贡王国作为一个行政单位存在至1833年,这一年它被分成为现行的三个省。阿拉贡地区境内有中比利牛斯和伊比利亚山区。埃布罗河流经大部分地区。除中比利牛斯山区外,年降水量低,很少超过300毫米,且分布不均。山区以外属地中海型气候。人口趋于集中在埃布罗河谷地灌溉区。有一半人口居住在萨拉戈萨市;其他城镇自1900年以来人口很少或几无增长。大部分耕地为旱地,种植小麦、橄榄和葡萄等作物。灌溉区农业发达,出产饲料、棉花、甜菜和水果,产量占阿拉贡农产总产量一半以上。工业主要集中在较大城市萨拉戈萨。有榨糖、金属制造业,生产电气设备、机械、工业车辆和汽车。褐煤产量约占西班牙总产量的一半,其中3/4用于发电。能源主要来自埃布罗河及其支流的水力发电站。1864年始有铁路。现与马德里、巴塞罗那、潘普洛纳、毕尔巴鄂和巴伦西亚等主要工业中心通公路、铁路。本区特鲁埃尔、穆埃尔、卡拉塔尤和比利亚费利切生产以摩尔式花纹图案为特色的瓦和陶瓷器。人口约1 183 234(1998)。

Aragon, Louis　阿拉贡(1897-10-03,巴黎～1982-12-24,巴黎)　法国诗人、小说家、小品文作家、政治活动家和共产主义的发言人。通过超现实主义诗人勃勒东的介绍,参加达达主义等先锋派运动,和苏波、勃勒东一起创办超现实主义刊物《文学》(1919)。早期诗作有《欢乐之火》(1920)和《永久的运动》(1925),后来又写了小说《巴黎的乡人》(1926)。1927年,他因探求意识形态而靠拢共产党。此后,对共产党的文学和艺术表现开始产生重大影响,终于与共产党紧密结合。1928年结识E.特丽奥莱(诗人马雅可夫斯基的妻子的姐妹,生于俄国),她成为他的妻子和灵感的源泉。1933年,他因政治信念不同而与超现实主义决裂。长篇小说《现实世界》(4卷,1933～1944),以历史的观点描写了无产阶级走向社会革命的阶级斗争。他继续用传统的社会主义现实主义手法写了另一部长篇小说《共产党员们》(6卷,1949～1951),描写1939～1940年间共产党严峻的历史。其后3部长篇小说《受难周》(1958)、《处死》(1965)和《白朗茹或遗忘》(1967)是掩饰起来的自传,穿插着为共产党事业所作的声辩。它们反映了当时新的小说技巧。《断肠集》(1941)和《法兰西的晓角》(1945)等诗,表现了他的热烈的爱国主义。《爱丽莎的眼睛》(1942)等诗歌唱了他对妻子的爱,并从妻子的脸看到法兰西的脸。1953～1972年成为共产党文艺周刊《法兰西文艺报》的主编。71岁时仍斗志昂扬,参加了1968年学生在巴黎大街上的示威游行。1981年成为法兰西荣誉团的一员。

aragonite　文石　又称霰石。一种分布广泛的矿物,是碳酸钙($CaCO_3$)在高压下的稳定形态。其与方解石区别之处是,硬度较高,比重较大。文石总是出现在地表附近于低温下形成的堆积物中,如在洞穴中作为钟乳石,在金属矿物的氧化带中(铅取代钙),在蛇纹岩和其他基性岩石中,在沉积物中和铁矿床中。文石是珍珠中常见的矿物。它同方解石和球霰石是同质异形体(化学式相同而晶体结构不同),而且,随着地质年代的进展,甚至在正常条件下也很可能转化成方解石。文石是许多海洋无脊椎动物的贝壳和甲壳中的重要成分。这些动物能够从水体中分泌文石,而这些水体在正常情况下理应只能产生方解石;这些动物是通过现在还不太了解的各种生理机制分泌文石的。

Aragua　阿拉瓜　委内瑞拉北部州,北临加勒比海,东邻联邦区和米兰达,南连瓜连科,西接卡拉沃沃。面积7 014平方千米,主要由山间盆地隔开的两座安第斯山脉构成,盆地

阿拉瓜谷地中的甘蔗种植园
美国不列颠百科全书公司供图

内有巴伦西亚湖。整个北部的一半为亨利·皮蒂尔国家公园(占地9万公顷),植物资源异常丰富和多样。当地属热带气候,内地多雨水,沿海干旱。农作物有甘蔗、马铃薯、豆类、咖啡、棉花、玉米、稻米和烟草。养牛业发达,但因一些牧场改为农田,牛群数目减少。该州位于国内传统上最重要的政治、工业、城市和人口地区。工业发展显著,特别是在首府马拉凯(**Maracay**)及其周围地区。有很好的硬面公路网。人口约1 335 303(1995)。

Araguaia River　阿拉瓜亚河　葡萄牙语作Rio Araguaia。巴西中部河流。源出马托格罗索州的上阿拉瓜亚城附近的巴西利亚高地,向东北北流2 627千米,在阿拉瓜亚河畔圣若昂汇入托坎廷斯河。上游是马托格罗索州(西面)同戈亚斯州和南托坎廷斯州(东面)之间的边界。中游分成两条水道,通向巴纳纳尔岛两侧,岛长320千米左右,岛上有阿拉瓜亚国家公园。西侧为主支流,多瀑布和险滩;东侧较小的支流可通航小船。阿拉瓜亚河下游是帕拉州(西面)和北托坎廷斯州(东面)之间的边界。虽然阿拉瓜亚河吸收了巴西内地大部分地区的水,但是因瀑布太多,运输能力很小。20世纪后期河上建有水电站发电。阿拉瓜亚河上游周围地区有许多未开发的矿产,包括铀、铜、钴、锌和金刚石。

Araguari　阿拉瓜里　巴西米纳斯吉拉斯州西部城市。临巴拉那伊巴河支流若当河。海拔930米。1888年建市。主要收入来自郊区饲养的大量牛群,郊区并种植稻米、玉米、豆类和木薯。通铁路和公路。有一机场。人口约92 748(2000)。

arahant (Buddhism)　参阅**arhat**阿罗汉。

Arai Hakuseki　新井白石(1657-03-24,日本江户[今东京]～1725-06-29,江户)　日本政治家和学者。18世纪初期德川幕府的一个主要谋士。没落武士家庭出身,经过刻苦自学,1682年起在大臣堀田正俊手下工作。两年后成为德川家宣的儒臣。1709年家宣继将军位,他是幕府政策的主要制订者。德川政府国务日弛,僵化的官僚政治阻碍着工作效率。他力图使国家的法律更切合实际;并改革货币,建立严格的预算和会计制度。为防止国家的金银外流,他进一步加紧了对外贸易的控制。1712年家宣死去后,他在德川家继时代继续任职,直到1716年德川吉宗当政,才迫使他辞职。晚年主要从事写作。共有著作160多种,几乎涉及人类知识的各个领域。新井白石是研究日本地理、哲学和法制的先驱,也是日本最伟大的历史学家之一。最有名的著作有《读史余论》、《古史通》和自传《折薪记》。

Arakan　若开　缅甸南部沿海地理区。为孟加拉湾东海岸之狭长地带,北起吉大港山区(在孟加拉)边缘的纳夫河河口湾,南至古亚河,南北长约640千米,最宽处约145千米。若开山脉形成东部边界,与缅甸南部其他地区隔开。沿海有几处较大岛屿,包括切杜巴岛和兰里岛。主要河流为纳夫河河口湾与梅宇河、加拉丹河、莱谬河。若开地区一般为丘陵,仅开垦1/10。居民多集中在三角洲地带,主要农作物为水稻。其他作物有水果、辣椒、茅草和烟草。山坡植被因轮垦(刀耕火种)而被大面积破坏并为无用之竹丛所取代。主要城市在沿海,有实兑,山多威,皎漂和洞鸽。长期以来只有海路可通,现已有航空和公路与其他地区相连。一条全天候公路由洞鸽经过若开山脉山口通往伊洛瓦底江畔之卑谬。

Arakan Mountain Range　若开山脉　缅甸语作Arakan Yoma。缅甸西部山弧,介于若开海岸与伊洛瓦底江流域之间。山弧自内格雷斯角(缅甸)向北延伸至曼尼普尔(印度),长约950千米,包括那加、钦、卢夏和帕特凯诸丘陵。山脉本身长约400千米,最高点维多利亚峰(3 094米)。山脉将若开海岸与缅甸其他部分隔开,历史上一直是缅甸与印度次大陆之间的屏障。作为一道气候屏障,它阻挡西南季风,使缅甸中部地区降水减少。若开山脉有一条从安村通往额贝和敏巫的大道和一条从洞鸽到伊洛瓦底江畔卑谬的全天候公路贯通。

Arakanese　若开人　缅甸土著种族之一,聚居于缅甸南部若开沿海地区,信仰小乘佛教,有他们自己的方言和风俗。居住于沿海的若开人,与居住在缅甸中部的本族,为若开山脉所分隔。他们的历史可追溯到公元前2666年,经过世代相传的227位君主,自称他们的国土曾一度跨越缅甸北疆,到达中国及孟加拉境内。虽史书无法证实他们的说法,但若开人最神圣的佛祖像,即"世尊"像(现安置于曼德勒),据说是在蒲甘王国(1044～1287)开国之前1 000多年建造的。一个独立的若开王国,很可能早在公元4世纪已建立。蒙古人、勃固人和葡萄牙人曾先后侵占若开,

缅甸征服若开时，将世尊像迁至曼德勒，并于1785年吞并若开，使之成为缅甸王国的一部分。1826年的颜达博条约，又将若开作为一个省割让给英国。1948年若开与缅甸其他地区一起，均脱离英国获得独立。参阅 **Mrohaung, Arakanese Kingdom of**。

Arakcheyev, Aleksey Andreyevich, Graf (Count) **阿拉克切耶夫** (1769-10-04[旧历09-23]，俄罗斯诺夫哥罗德省～1834-05-03[旧历04-21]，诺夫哥罗德省格鲁济诺) 俄国军官和政治家，伯爵，亚历山大一世在位

美国不列颠百科全书公司供图

(1801～1825)的最后10年主管俄国内政，故称阿拉克切耶夫时期。小地主之子，曾习炮兵与工程，1787年任俄军炮兵军官。后成为皇储保罗的密友和顾问。1796年保罗登基后，任命他改组俄军。但他严厉的纪律措施引起军官团的敌视，1798年被免职。亚历山大一世即位后，他复出于1803年，任炮兵总监，1808年任陆军大臣。在1808～1809年俄国对瑞典的战争中，他亲自率兵跨过冰冻的芬兰湾进攻奥兰群岛，迫使瑞典把芬兰割给俄国。他对亚历山大开明的行政和宪法改革总的持反对态度，当1810年亚历山大建立顾问性的国务会议时，他辞去陆军大臣职务。后接受担任该会议军事部门领导人的职务。作为亚历山大最信任的军事顾问之一，在拿破仑于1812年入侵期间，他管理帝国的一切军事通讯和调度。后来当亚历山大一世倾注于外交事务时，1815年他被委之以监督部长会议对国内事务的处理。以后10年，他操纵俄国的内政，推行其官僚职能，以残酷无情的手段提高效率。他虽基本上是个保守主义者，但参与解放波罗的海各省的农奴(1816～1819)，并制定逐步解放俄国全部农奴的计划(1818)。在尼古拉一世于1825年继承亚历山大后，他于1826年4月辞去一切职务，从此引退。

Araki Sadao 荒木贞夫(1877-05-26，日本东京～1966-11-02，十津川) 日本陆军大将、政治家、极端民族主义的"皇道派"首脑。陆军士官学校毕业。1904年参加日俄战争。1918年随日军开往西伯利亚。1927年晋升中将。1936年2月26日日本有一群青年军官发动政变，杀害了首相犬养毅和几名内阁成员。虽然他与政变集团没有关系，但被解除职务，编入预备役。1938年近卫文麿任命他为文部大臣，以平衡增长的"统制派"势力。他大力鼓吹极端民族主义和军国主义。第二次世界大战期间，他一直在政府中任职。战后，国际军事法庭定他为甲级战犯，判处无期徒刑。1955年6月因病获释。

Araks River (Asia Minor) 参阅 **Aras River 阿拉斯河**。

Aral Sea 咸海 又拼Aralskoye More。哈萨克斯坦(北)和乌兹别克斯坦(南)之间的大咸水湖。按1960年测量，海拔53米，南北最长435千米，东西290千米，面积6.8万平方千米，平均深度16米，在西海岸外最深处达69米。海中散布着1 000多个小岛。北岸地势高低不均，海岸线曲折，有许多大小海湾。东海岸的北部是巨大的锡尔河三角洲，南海岸也有同样大的阿姆河三角洲，西海岸是乌斯秋尔特高原。咸海是在更新世初期(约160万年前)形成，当时地壳下沉，地面水汇潴。更新世后期(约14万年前至1万年前)，阿姆河的河水注入咸海。咸海的气候属沙漠大陆型。7月平均水温为23～25 °C，11月和12月结冰，此时平均温度为-0.7 °C。年降水量100毫米。海水的蒸发量与流入量大致相同，但从长时间来看，水平面有逐步下降的趋势。约从1960年开始，由于阿姆河与锡尔河用于农业灌溉，咸海水面骤降，至80年代末，水量减少一半以上，深度亦仅及以前的一半稍多一点。盐分及矿物含量大增，已使湖水不适于饮用，原来丰富的鱼产不复存在。1989年，咸海已分为两个部分，即南部的"大海"和北部的"小海"，其含盐量均为50年代的3倍。至1992年，两部分的总面积已减至大约3.38万平方千米，平均海平面下降约15米。但已计划在咸海东面和南面地区减少用水多的农业，以使阿姆河及锡尔河的河水更多地流入咸海，从而保持其水面稳定。

Arales 天南星目 单子叶植物的一目，包括天南星科(Araceae)及浮萍科(Lemnaceae)两科。草本、攀缘灌木、沼生植物或浮水植物，绝大多数生于热带。天南星目、棕榈目及环花目(巴拿马草目)可能与百合目有共同的祖先。天南星科有许多是观赏植物(包括观叶植物)。浮萍科包含最小的显花植物。本目的种陆生、水生或附生。有些为草本，无茎，叶箭形，自根状茎生出，数量不多。有的靠气根附生于树干或其他支撑物上；叶大，有时多裂，互生，叶柄基部具几乎无色的暂时性鞘；佛焰花序，花数极少至多数，花形极小至小型，花序外为色彩鲜艳的佛焰苞所包围。花序通常散发出恶臭，用以吸引蝇类，蝇类进入花序，即被阻留一段时间，逃出时带走花粉。果为色泽鲜艳的浆果，有时为数众多，在花序上成簇；少数种果实干燥、革质，成熟时开裂，释出种子。植株的汁液含草酸钙结晶，食之则舌、咽发麻。

天南星科约115属，2 000种，主要原产于热带和亚热带，少数温带种分布广泛，尤其在潮湿的生境。天南星科有许多为人熟知的野生植物、温室植物及观叶植物。最大的属为花烛属(*Anthurium*，600种)、喜林芋属(*Philodendron*，275种)、天南星属(*Arisaema*，150种，据信借陆生螺类传粉)、千年健属(*Homalomena*，140种)、崖角藤属(*Rhaphidophora*，100

(上)东方臭菘(*Symplocarpus foetidas*)；(中上)一种五彩芋属(*Caladium*)植物；(中下)一种花烛属(*Anthurium*)植物；(下)喜悦花叶万年青(*D. amoena*)

美国不列颠百科全书公司供图

种)、魔芋属(*Amorphophallus*,100种,有些种的花序长达1米)、石柑子属(*Pothos*,75种)及海芋属(*Alocasia*,70种)。喜林芋属和龟背竹属(*Monstera*)藤状,有绿色的大叶,栽培供观赏。芋(*Colocasia esculenta*)变异甚多,其球茎可食。马蹄莲(*Zantedeschia aethiopica*)和水芋(*Calla palustris*)为观赏植物。花叶万年青属(*Dieffenbachia*)是常见的室内观叶植物,咀嚼其茎可致咽喉发炎肿胀。三叶天南星(*Arisaema triphyllum*)是有名的林地植物。金棒花(水生奥伦特斯草,*Orontiumaquaticum*)偶种植在池塘或温室水池中观赏其鲜艳的黄色佛焰

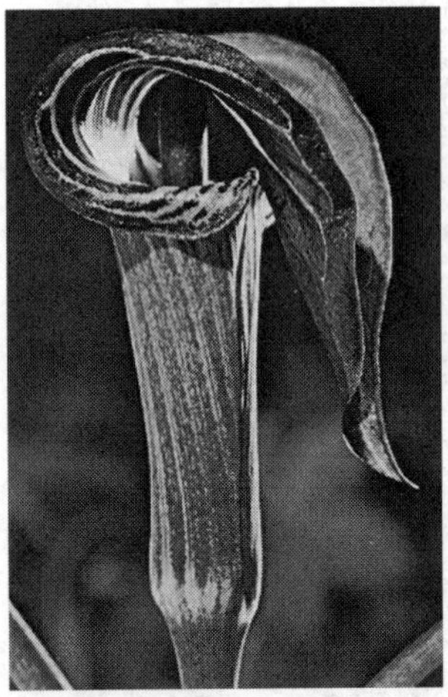

三叶天南星(*Arisaema triphyllum*)
美国不列颠百科全书公司供图

花序。水莴苣(水甘蓝、大藻,*Pistia stratiotes*)是一种可食的漂浮观赏植物。魔芋属有几种花序巨大,且气味难闻,可栽培观赏。菖蒲(*Acorus calamus*)含有芳香的挥发油,常用于制药和调味。东方臭菘(*Symplocarpus foetidus*)是一种著名的具恶臭的沼泽植物。斑叶疆南星(*Arum maculatum*)是分布北达欧洲的几种天南星科植物之一。*Spathiphyllum* 属的有些种可作室内盆栽植物。五彩芋属(*Caladium*)是美丽的观叶植物,许多品种叶大,色鲜艳。

浮萍科含6属,30种,植物体微小,浮水,遍布于热带和温带地区。浮萍属(*Lemna*)和无根萍属(*Wolffia*)是已知最小的显花植物,叶状,扁平,有根或无根,直径仅数毫米,有些品种为水族馆和池塘观赏植物,或为水禽及鱼的食物。这类植物花少见,无萼片或花瓣,雄花具1～2雄蕊,雌花仅含1雌蕊。主要靠基部分裂繁殖。

Araliaceae 五加科 山茱萸目的一科,约700种,集中分布于东南亚和热带美洲。多为灌木或乔木,也有相当数量的攀缘植物和少数草本。大型复叶,通常互生。花器5基数,伞形花序。浆果,稀为核果。有些种具有重要经济价值。常春藤(常春藤属[*Hedera*])是栽培观赏植物和家庭花卉。通脱木(*Tetrapanax papyriferum*)为宣纸的原料。有些种可供材用,特别是乔木状树参(*Dendropanax arboreum*)和美洲五加属(*Didymopanax*)的一些种。野菝葜(裸茎楤木,*Aralia nudicaulis*)的根芳香,常用以代菝葜。人参(*Panax ginseng*)在中国长期用治多种疾病,其近缘种原产美洲的西洋参(*P. quinquefolium*)在美国作兴奋药。

野菝葜(*Aralia nudicaulis*)
美国不列颠百科全书公司供图

蓖麻叶五加(蓖麻楤木,*Acanthopanax ricinifolius*)在日本常用于建筑和制造家具。

Aram, Eugene 艾拉姆(约1704-09,英格兰约克郡拉姆斯吉尔～1759-08-06,约克郡约克) 著名英国学者和杀人犯。T. 胡德写的一首歌谣体诗作中以及布尔沃-利顿的小说《尤金·艾拉姆》(1832)中传奇式地描述了他的犯罪经过。1745年,他在纳尔斯伯勒任校长,他的密友D. 克拉克从一批商人那里获得大量货物后突然失踪。艾拉姆因之被怀疑与此次诈骗交易有关,他住所的花园被搜查,那批货物中的一部分就在那里。但因证据不足,无法定罪,便被释放。此后数年他在英格兰各地旅行,在一些学校里充当传达员,最后在诺福克郡林恩定居。他旅行时,收集大量材料,计划编纂一部英语、拉丁语、希腊语、希伯来语和凯尔特语对照词典。他无疑是一位有创见的语言学家,认识到当时学术界尚未接受的有关历史语言学的一些论点,如:凯尔特语与欧洲其他语言有亲属关系以及拉丁语并非源于希腊语等。但他注定不能作为新语文学的先驱流芳后世。1758年2月,在纳尔斯伯勒挖出一具残骸,有人怀疑可能是克拉克的遗骨。艾拉姆的妻子曾经暗示他的丈夫和另一人豪斯曼了解克拉克失踪的秘密。豪斯曼立即被拘捕,在面对骸骨经过一番抵赖后承认,当艾拉姆和另一名叫特里的人谋杀克拉克时,他在现场。但对特里的下落,一无所知。他还供出了掩埋克拉克尸体的地方。有关方面挖出一具骨架后,艾拉姆随即被捕并被解送到约克受审。他在狱中供认因当时发现克拉克和他的妻子关系暧昧,故予杀害。后被枪决。

Aramaean 阿拉米人 操北闪米特语(阿拉米语)部落联盟成员之一,公元前11～前8世纪在阿拉姆(叙利亚北部广大地区)居住。同一时期,联盟中的一些部落占领了美索不达米亚的大片地区。在《旧约全书》中,阿拉米人据说是希伯来人的近族,约自公元前16世纪起生活在叙利亚北部哈兰附近。在亚述的记载中,阿拉米人常被说成是劫掠者。阿拉米人在亚述提革拉·帕拉萨一世(公元前1115～前1077在位)的铭文中首见记载。到公元前11世纪末,他们曾在卡尔基米什以下的幼发拉底河两岸建起比特-阿迪尼国,占据安纳托利亚和叙利亚北部地区,以及包括大马士革在内的前黎巴嫩山地区。约公元前1030年佐巴国王哈达德泽领导南阿拉米人同盟,并联合安莫尼特人、埃多姆人和美索不达米亚的阿拉米人进攻以色列,但被大卫王击败。在东方,阿拉米人的部落扩展到巴比伦尼亚,在那里,一名阿拉米僭主加冕为巴比伦王,取名阿达德·阿帕尔·伊丁。到公元前9世纪,由巴比伦到地中海沿岸全部地区都落入阿拉米诸部落之手,这些部落统称为卡尔杜人,即《圣经》所载迦勒底人。几乎陷入包围之中的亚述发动进攻,于公元前853年其王撒缦以色三世在甲加与哈马特人、阿拉姆人、腓尼基人及以色列人的联军作战。这一战役虽非决定性的,但使撒缦以色得以在公元前838年占领幼发拉底河中游各部落的土地。以色列与大马士革时有战争。亚述王提革拉·帕拉萨三世于公元前740年夺取了阿拉米人在叙利亚北部的重镇阿尔帕德;公元前734年灭撒马利亚;公元前732年灭大马士革。公元前720年,亚述王萨尔贡二世消灭哈马特人,西阿拉米诸王国全部灭亡。底格里斯河下游的阿拉米人保持独立的时间较长。公元前626年,迦勒底将军那波勃来萨自立为巴比伦国王,并与米底人及西徐亚人联合,灭掉亚述。在新巴比伦帝国或迦勒底帝国中,迦勒底人、阿拉米人和巴比伦人已经融为一体,不易区分。阿拉米人信奉的主神是哈达德,或名拉曼(《旧约》称为临门);主要女神是阿塔迦蒂斯(又名阿塔尔阿蒂)。

Aramaic alphabet 阿拉米字母 公元前1千纪后半期的中东主要的文字体系。从北闪米特文字派生而来的阿拉米字母,在公元前10～前9世纪获得发展。亚述人于公元前9～前8世纪征服阿拉米人国家后,它便广为流行。阿拉米语及其文字曾作为共同语广泛通用于中东。在希腊、印度、阿拉伯半岛北部和埃及,都发现阿拉米文字的文献和碑铭。其中最古的碑铭约可溯至公元前850年。阿拉米字母表包括22个字母,全部表示辅音,从右到左书写。方体希伯来文字和现代希伯来文字,纳巴泰文字和现代阿拉伯文字,帕尔米拉字母和古叙利亚文字以及几百种曾在叙利亚以东的亚洲地区使用过的文字体系,都源于阿拉米字母。阿拉米字母还对格鲁吉亚文字、亚美尼亚文字和格拉哥里文字的发展产生影响。

Aramaic language 阿拉米语 闪米特语言中的中北部或西北部语支语言,原是古代中东阿拉米人所讲的语言。阿拉米语与希伯来语、古叙利亚语及腓尼基语关系最近,其书写所用字母由腓尼基字母演变而来。阿拉米语被认为最早是在大约公元前11世纪末为阿拉米人所使用。到公元前8世纪时,亚述人曾采用它作为第二语言。亚述人大批驱逐异族以及巴比伦商人使用阿拉米语作为交易中的共同语言,都有助于这种语言的推广,因此,到公元前7～前6世纪时,阿拉米语便取代阿卡德语而成为中东地区的共同语言。后来阿拉米语成为波斯阿契美尼德王朝(公元前559～前330)的官方语言,不过在亚历山大大帝征服中东各地后,希腊语便在原先的波斯帝国境内取代阿拉米语而成为官方语言。但是,阿拉米诸方言却一直使用到罗马

时代,特别是在巴勒斯坦和叙利亚两地。早在公元前6世纪时,阿拉米语即已取代希伯来语而成为犹太人的语言。《旧约》中的某些部分,即《但以理书》和《以斯拉记》,都是用阿拉米语书写的,就像巴比伦塔木德经和耶路撒冷塔木德经用阿拉米语书写一样。在犹太人中间,阿拉米语为平民所习用,而希伯来语则一直是宗教语言和政府语言而为上层阶级所沿用。据信耶稣和十二使徒都曾使用阿拉米语布道,后来用阿拉米语翻译或解释的《旧约》篇章,即所谓"塔古姆",曾一度广为流传。阿拉米语一直广泛使用,约在650年前后才被阿拉伯语所取代。在公元初期的几个世纪中,阿拉米语分成东、西两种变体。西阿拉米语诸方言包括:纳巴泰语,原先通行于阿拉伯部分地区;巴尔米拉语,通行于大马士革东北的巴尔米拉;基督教巴勒斯坦方言;南巴勒斯坦(犹太)阿拉米方言。西阿拉米语仍在黎巴嫩少数村庄通行。东阿拉米语包括古叙利亚语、曼达语、东部新亚述语及巴比伦塔木德经阿拉米语。这些语言中最重要的是古叙利亚语,它是3～7世纪大量文献所使用的语言。曼达语曾是以下美索不达米亚为中心的诺斯替教派所使用的方言。东阿拉米语现仍在中东少数雅各派和聂斯托利派基督教小教团中通行。参阅 **Syriac language**。

aramina (plant) 参阅 **urena** 梵天花。

Aran Islands 阿伦群岛 爱尔兰语作 Oileáin Árainn。爱尔兰西海岸戈尔韦海湾口的3个石灰岩岛屿——伊尼什莫尔、伊尼什曼和伊尼希埃尔。总面积47平方千米。行

阿伦群岛伊尼什曼岛海滩
美国不列颠百科全书公司供图

政上属戈尔韦郡。这些岛屿一般很荒凉,悬崖峭壁面对大西洋。伊尼什莫尔岛最大,其基尔罗南港可泊轮船,其他两岛只能停靠原始的柳条艇。岛民操爱尔兰语,在严酷的自然条件下耕种和捕鱼。地层的构造为石炭纪水平纹石灰岩,无天然表土。居民在用海草、沙和农家肥料造成的土壤里种植燕麦和马铃薯。另一主要经济活动是饲养牲畜。也从事某些捕鱼活动以供食用。J.M. 辛格从岛民生活的各个方面汲取素材,创作了戏剧《骑马下海的人》(1904)和观感作品《阿伦群岛》(1907)。1934年R. 福拉赫蒂拍摄的记录片《阿伦人》描写的也是岛上的生活。岛上有给人以深刻印象的史前和早期基督教徒的山寨,以及其他遗迹。作家L. 奥弗莱厄蒂出生在伊尼什莫尔岛的戈特纳加普。人口1 322(1991)。

Aranda 阿兰达人 又拼 Arunta。原来居住在澳大利亚中部芬克河上游及其支流地区(约6.5万平方千米)的土著部落。可分为5个亚族,由其各自所用方言可以区别。阿兰达人与其他土著居民一样,在与白人接触的头70年中,他们的人口急剧下降,但到20世纪末有稳定的迹象,甚至有所增长。1982年,北部区赫曼斯堡的阿兰达人获得终身享有的土地所有权。

Aranda, Pedro Pablo Abarca de Bolea, conde de (count of) **阿兰达伯爵**(1718-12-18,西班牙谢塔莫～1798-01-09,埃皮拉) 西班牙将军和大臣,国王查理三世(1759～1788)时代最杰出的改革家之一。阿拉贡贵族出身,曾参加陆军,成为炮兵司令。七年战争期间采用普鲁士军事操练制度,1762年对葡萄牙作战时,他担任司令官。1764年任巴伦西亚军区司令。1766年马德里发生暴乱后,查理三世派他担任卡斯蒂利亚委员会主席。他在1767年制定法令,将耶稣会会士从西班牙和西属美洲驱逐出去。他抱有强烈的王权至上主义的观点,但他的独裁的性格使他步履维艰。1773年被免职,出任驻法国大使。他在法国呆到1787年,接受"法国的思想",成为伏尔泰的崇拜者。1792年11月查理四世将他免职,他重返司令部。法国处死国王以后,他因反对向法国开战的政策而被排斥出皇家会议,并被流放到哈恩。1795年查理准许他在阿拉贡的庄园退隐。

Araneida (arachnid order) **蜘蛛目** 参阅 **spider** 蜘蛛。

Arango, Doroteo 阿朗戈 参阅 **Villa, Pancho** 比利亚。

Aranha, José Pereira da Graça 阿拉尼亚 参阅 **Graça Aranha, José Pereira da** 格拉萨·阿拉尼亚。

Aranjuez 阿兰胡埃斯 西班牙中部马德里省城镇,位于塔古斯河南岸,塔古斯河与哈拉马河汇合处附近。罗马时代始有人居住。1387～1409年为圣地亚哥骑士团总部驻地。17世纪成为王室夏宫和狩猎驻留地。现通铁路干线,为盛产芦笋、草莓并饲养马群的富庶农区服务。工业包括化工、金属加工、纺织和水果加工业。人口38 680(1998)。

Aransas National Wildlife Refuge 阿兰萨斯国家野生动物禁猎区 美国得克萨斯州南部的野生动物禁猎区。位于休斯敦西南约225千米一个开阔的半岛上,半岛在圣安东尼奥湾和圣查尔斯湾之间,俯瞰着马塔戈达岛和墨西哥湾。占地22 189公顷,大部分是高地,但也有大量的池塘、湖、盐沼和空旷草地。主要是仅存的北美高鸣鹤(**whooping crane**)冬季栖息之地,同时也吸引了大量的水禽和其他鸟类。种类随季节而变化,最多者为雁、鸭、鹈鹕、鹭、白鹭、鸥、沙丘鹤以及各种滨鸟。鹿、西貒、浣熊、火鸡和其他动物也很多。禁猎区有些部分向外开放以便参观者观察研究。禁猎区是于1937年12月31日根据总统行政命令建立的。

Arany, János 阿兰尼(1817-03-02,匈牙利瑙吉萨伦塔～1882-10-22,布达佩斯) 匈牙利最伟大的叙事诗人。生于一贫如洗的农家,在德布勒森上学,旋辍学短期加入一群流

美国不列颠百科全书公司供图

浪艺人的行列。由于1847年出版了他的通俗民间叙事诗《多尔第》,使他真正登上了匈牙利文坛。这是一部群众喜闻乐见的优秀文学作品。裴多菲曾为之写诗祝贺,从此开始了他们毕生的友谊。1848年参加匈牙利革命。1858年被选为匈牙利科学院院士。曾主编期刊《文学评论》;1870年被选为科学院秘书长。其主要叙事诗是三部曲《多尔第》(1847)、《多尔第的爱情》(1848～1849)和《多尔第的晚年》(1854),取材于16世纪的一首叙事诗。他曾着手写另一部关于匈奴人的三部曲,但只完成第一部《布达王之死》(1864)。由于裴多菲的阵亡,以及对匈牙利民族和自身的失望,阿兰尼19世纪50年代的早期诗歌抑郁寡欢。去世前的佳作《秋圃红花》反映了他壮志未酬和惆怅孤独的心情。

Āraṇyakas 《森林书》 公元前700年左右成书的印度教经籍。是在《梵书》(对《吠陀经》的诠释)的基础上进一步演变而成的。所不同的是,《森林书》介绍少数人才能参加的秘密仪式,包含较多的哲学思辨。仅供经过入法礼的人(隐居森林而不参加祭典的隐士或在森林中受业于导师的人)使用。

Arányi, Jelly d' 奥兰妮(1895-05-30,匈牙利布达佩斯～1966-03-30,意大利佛罗伦萨) 女小提琴家,以演奏现代音乐著称。巴尔托克的两首小提琴与钢琴奏鸣曲是为她而作的;拉威尔为小提琴和乐队而作的《茨冈》和沃恩·威廉斯的《小提琴协奏曲》都是题献给她的。奥兰妮是著名小提琴家约阿希姆的侄孙女,1909年在维也纳首次登台,1913年定居伦敦。演奏浪漫派时期作品,极受尊崇;风格热情奔放,激动人心。常与钢琴家赫斯夫人联合举行音乐会,与其姐法奇里

(1888～1962)合作演奏巴赫的二重协奏曲亦颇有名。

Arao　荒尾　日本九州熊本县城市，面对有明湾。原为一穷村，20世纪初开发三池煤矿和修通铁路后得到发展。1940年建立兵工厂。第二次世界大战后，工厂、煤矿关闭。现为大牟田市北郊住宅区。人口57 389(1995)。

Arapaho　阿拉帕霍人　北美平原印第安民族。属阿尔冈昆语系。19世纪时住在普拉特河及阿肯色河沿岸。早期传说表明他们曾在东边林地建有村落，从事农作。后来西迁。1830年后，分成南北两支，南支定居于阿肯色河地区；残余部落另分成2或3个分支。阿拉帕霍人过游牧生活，居住圆锥帐篷，靠捕野牛为生。他们与曼丹人和阿里卡拉人以及北美西南部的西班牙居民区进行贸易。笃信宗教，每日活动及日常事物都有象征意义。主要崇拜物是一支藏于圣袋的扁平烟斗。他们与其他平原印第安人一样，跳太阳舞。社会组织有：按年龄组成的军事会社、男巫医会社及其他团体。早期的阿拉帕霍人与肖肖尼人、犹他人及波尼人连年战争。根据1867年的《梅迪辛洛奇条约》，南部阿拉帕霍人与切延人被分配到俄克拉何马州的一处居留地；此部阿拉帕霍人与肖肖尼人被安置在怀俄明州一处居留地。20世纪末，约有2 000阿拉帕霍人居住在怀俄明州居留地，另有3 000多人与切延人混居在俄克拉何马州。

arapaima (fish)　参阅**pirarucu**巨骨舌鱼。

ʿArʿar　阿尔阿尔　沙特阿拉伯北部城镇，海拔565米。20世纪50年代初，由半游牧民族的居民点发展起来。经济以农牧业为主，出产苜蓿、椰枣、水果、蔬菜。设有工业学院、医院和机场。

Araraquara　阿拉拉夸拉　巴西圣保罗州中部高原城市，海拔646米，在雅卡雷-瓜苏河支流畔。1817年建市，1832年为市政府所在地。可加工来自腹地的甘蔗和咖啡，亦产纺织品、酒类和家具。有铁路、公路和航空通往西南250千米处的州首府圣保罗市，并有公路通往圣保罗州和米纳斯吉拉斯州其他城市。人口约173 569(2000)。

Ararat　阿拉拉特　澳大利亚维多利亚州西南部城市，位于比利牛斯山脉北侧，邻近霍普金斯河。当地于1854年发现黄金，1857年出现淘金热。1934年设镇，1950年设市。现为附近农牧区的商业中心。有纺织、木材加工和轻型机械等工业和铁路机修厂。与阿德莱德、墨尔本、波特兰和瓦南布尔通铁路。亦为比利牛斯和西部公路的交会点。人口约7 622(1991)。

Ararat, Mount　亚拉腊山　土耳其语称阿勒山(Ağrı Dağı)。土耳其东端的死火山山地，俯瞰土耳其、伊朗和亚美尼亚交界处。北面和东面是海拔约3 300英尺(1 000米)的阿拉斯河的冲积平原，西南面为海拔约5 000英尺的平川。西面的山口将此山与另一火山山岭隔开。亚拉腊山有两个山峰，相距约7英里。大亚拉腊山(大阿勒山)海拔16 854英尺，是土耳其最高峰。小亚拉腊山(小阿勒山)光秃陡峭，山体呈锥形，海拔12 782英尺。大、小两山都由火山喷发形成，但都没有火山口痕迹，而侧面都有完整火山锥和裂隙。大亚拉腊山高出周围平原14 000英尺，锥形山峰上积雪覆盖，雄伟壮丽。雪线随季节变化，北坡靠近山巅有唯一真正的冰川。海拔5 000～11 500英尺山地生长着优良牧草和桧属植物，宜于畜牧，当地居民库尔德人在此牧羊。大亚拉腊山大部分无树木，小亚拉腊山有少量白桦树丛。山区虽多积雪，却有缺水之虞。亚拉腊山是传说中诺亚方舟在洪水渐退时停过的那座山。亚美尼亚人把自己当做洪水泛滥后世界上出现的第一人种，视该山为圣山。波斯神话中说它是人类的摇篮。据当地传说，耸立在阿拉斯平原上的亚拉腊山坡有一村庄，是诺亚建造祭坛和开辟第一个葡萄园的地方。据说圣雅各曾几次试图攀登亚拉腊山顶寻找方舟未果。亚美尼亚人在村子上面的山中修有一座纪念圣雅各的隐修院。村子内圣雅各隐修院和附近圣詹姆斯小礼拜堂均毁于1840年地震和雪崩。当地传说认为方舟仍在山顶，但上帝宣称无人能够见到。1829年9月德国人约翰·雅各布·冯·帕罗特首次创纪录攀登。此后又有几个探险者登上亚拉腊山，其中有人声称见到方舟遗迹。

从多乌巴亚泽特平原远眺亚拉腊山
美国不列颠百科全书公司供图

arartree (*Tetraclinis articulata*)　**阿拉尔树**　又作alerce或evergreen timber conifer。又称节状四斜木、常绿材柏。柏科四斜木属(*Tetraclinis*)唯一的一种，见于西班牙东南部，马耳他和北非的干热地区。金字塔状常绿乔木，高12～15米，木材棕色或红棕色，芳香，长期用于制作家具。该树还产生大量芳香树脂——红香树脂。

Aras River　阿拉斯河　Aras俄语拉丁字母转写作Araks。亚洲河流，发源于土耳其亚美尼亚的宾格尔山区埃尔祖鲁姆之南，向东流形成约441千米的国际边界。河北为亚美尼亚，河南为土耳其和伊朗。在伊朗的焦勒法下游流入宽阔的河谷，经过穆甘草原，汇入阿塞拜疆的库拉河。全长1 072千米。水流湍急，不利航运。主要支流有注入塞凡湖的拉兹丹河和流经伊朗阿塞拜疆的加雷河。阿尔塔克萨塔在河中的一个岛上，为公元前180年至公元50年的亚美尼亚首府。有人认为阿拉斯河谷即传说中的伊甸园。

Arason, Jón　阿拉松(1484，冰岛埃亚峡湾～1550-11-07，斯考尔霍特)　冰岛诗人，最后一任冰岛天主教主教，作为一位民族英雄和宗教圣杰而为人纪念。1522年任冰岛北部侯拉尔教区主教。因反对丹麦国王克里斯蒂安三世强迫冰岛臣民改奉路德教而被逮捕，后同两子一起被斩首。他写有出色的宗教诗和讽刺诗，为冰岛引进第一台印刷机。他的生平成为后世冰岛作家的小说和戏剧题材。

ārātrika (religious rite)　参阅**ārtī**摇灯礼。

Aratus　阿拉托斯(活动时期约公元前315～约前245，马其顿)　西利西亚索里地方的希腊诗人。因其有关天文学的诗《物象》而为后人铭记。他住在马其顿国王安提柯二世贡那特和叙利亚国王安条克一世的宫廷里。《物象》是一首六音步说教诗，是他仅存的一部完整作品。该诗第1行至第757行是将尼多斯的欧多克索斯(约公元前390～约前340)所著的论天文学的散文作品改成诗歌，第758行至第1 154行论及天气符号，与伪泰奥弗拉斯托斯的《天气符号》非常相似。这首诗立即不胫而走，许多人为它作注，其中最主要的是至今还保存着的喜帕恰斯(约公元前150)的注释。在形式上，《物象》属于亚历山大诗派，但作者的斯多葛派哲学增添了强烈的严肃性。它在罗马人中享有很高声誉。西塞罗、凯撒·格马尼库斯和阿维努斯都译过它。开头对宙斯的祈祷词中的一个诗句由于被圣保罗引用而出名(《使徒行传》第17章第28节)。

Aratus OF SICYON　**亚拉图(西锡安的)**(公元前271～前213)　希腊化时代的希腊政治家、高明的外交家和游击战士，多年来是亚该亚同盟的精神领袖。公元前251年西锡安解放后，他在那里建立了民主政治，使其加入亚该亚同盟。作为该同盟的将军(公元前245年后，通常他每隔一年担任该同盟的将军)，他占领阿克罗科林斯(公元前243)，在珀勒涅打败埃托利亚人(公元前241)，并在伯罗奔尼撒推行民主政治。公元前239年起，西锡安以埃托利亚为盟邦，不断进攻雅典和阿尔戈斯。亚拉图使迈加洛波利斯(公元前235)和阿尔戈斯(公元前229)加入同盟，并帮助雅典摆脱马其顿的统治(公元前229)。但是，由于斯巴达作对，这些成果受到很大威胁。亚拉图的同盟两度被克莱奥梅尼三世统治下的斯巴达人打败之后，公元前224年得到马其顿王安提柯·杜孙(公元前227～前221在位)的及时支援，才免于崩溃。公元前222年亚该亚人和马其顿人联军击败斯巴达王克莱奥梅尼,使其逊位。公元前 221 年马其顿王腓力五世即位,亚拉图依靠希腊同盟的援助来反抗埃托利亚的侵略。公元前 217 年,亚拉图开始抵制腓力的反罗马政策和他对麦西尼的干涉。一般认为亚拉图是被腓力杀害的,但这位希腊领袖大概死于肺结核。他的回忆录曾是波利比奥斯的《历史》的一个重要资料来源,但现已失传。

Arauca 阿劳卡 哥伦比亚东北部州,位于奥里诺科河流域,北和委内瑞拉接壤,南临卡萨纳雷河和梅塔河。1955 年建州。面积 23 848 平方千米。除西部地形急剧隆起成为安第斯山系东科迪勒拉山脉以外,其余地方均为平原。奥里诺科河的几条支流流经全境,全年中只有部分时间可航行。养牛业是最重要的经济活动。农产品包括玉米、可可、甘蔗和稻米。毛皮、皮革、橡胶和树脂经水路运往委内瑞拉。州首府阿劳卡镇有公路通往委内瑞拉的圣克里斯托瓦尔。人口:州约 96 972(1992)。

Arauca River 阿劳卡河 奥里诺科河西支流,流经委内瑞拉和哥伦比亚。源出委内瑞拉和哥伦比亚边境附近的安第斯山脉东科迪勒拉山。东流约 800 千米,形成委、哥界河。与阿普雷河和梅塔河平行东流,于委内瑞拉圣费尔南多东南约 100 千米处注入奥里诺科河。周围为大平原,地势低平,4 ~ 11 月雨季期间,河水洪泛,淹灌大片土地。极少支流。至哥伦比亚边境埃尔安帕罗可通航小船,但很少利用。

Araucanía 阿劳卡尼亚 智利南部一个区。在比奥比奥河和托尔滕河之间,东连阿根廷,西濒太平洋,面积 31 760 平方千米。境内有沿海山脉、肥沃的中央河谷和安第斯

阿劳卡尼亚境内的比亚里卡湖
美国不列颠百科全书公司供图

山脉。当地原居民为阿劳坎人,或称印第安人中的马普切人。19 世纪 50 年代起智利和欧洲人到此定居。英皮里尔河和托尔滕河横贯本区南部,可部分通航。风景地包括山区、火山、森林、湖泊和温泉等。但旅游经济重要性仍在农业(小麦)、畜牧和伐木业之下。森林资源极富。泛美公路和南-北铁路干线贯穿本区并经过首府特木科。人口约 774 959 (1992)。

Araucanian 阿劳坎人 智利中部河谷和盆地肥沃地区的南美印第安人群体,其住区北起科金博河谷,南至雷朗卡维湾。西班牙人到达智利时,智利中部的大部分地区居住着分散的阿劳坎农民。他们种植玉米、豆类、南瓜、马铃薯及其他蔬菜,也从事渔猎,并饲养豚鼠以取得肉食。骆马既是役畜,又是精美毛织物的原料来源,织品用以与北方的印加人进行交易。他们的金工及制陶业也很有名。在哥伦布到达之前,阿劳坎人政治或文化上的统一性仅限于乡村一级;但西班牙人则按地理将其划分为三个群体:北部是皮昆切人,中部河谷地带是马普切人,南部是维利切人。大约 1536 年,西班牙人第一次遇到的阿劳坎部落就是皮昆切人,这个部落对入侵的西班牙人几乎未曾抵抗。17 世纪末,皮昆切人即被融入西班牙社会,成为农业人口;最南部的维利切人与皮昆切人一样,也成为智利的农村居民。中部河谷地带的**马普切人**(**Mapuche**)人口众多,反对异族统治,面对西班牙势力的威胁,组成广泛的村级以上的联盟,采用骑兵战术,在称之为阿劳坎战争的一系列战斗中,成功地抗拒了西班牙人及智利人的控制,时间达 350 年之久。当 1541 年瓦尔迪维亚的远征军占据智利中部并建起圣地亚哥城时,遭到马普切人的强烈反抗。1550 年,瓦尔迪维亚向南推进,在比奥比奥河口构筑康赛普西翁城,但在 1553 年他与其所部即被劳塔罗率领的马普切人击溃。后来劳塔罗战死,西班牙人才得到喘息的机会。另一名马普切首长考波利坎继续抗击西班牙人,1558 年被俘后遭到杀害。此后马普切人即被逐往比奥比奥河以南的森林地带。智利人战败南部残余的马普切人之后,把马普切人安置到更南面的居留地。20 世纪 80 年代居留地被撤销,数十万马普切人生活在智利原居留地上现属私有的小块土地上,以及智利与阿根廷的城镇中。现在,"阿劳坎人"这一名称几乎成了"马普切人"的同义语。

Araucaria 南洋杉属 南洋杉科的一个松状针叶植物属。树型美观,常绿;枝条轮生;叶坚挺,扁平,末端尖。分布于巴西和智利、菲尼克斯群岛及澳大利亚。属名来自智利南部一地名——阿劳科(Arauco),该属植物最早于此处发现。**猴谜树**(**monkey puzzle tree**)即智利南洋杉(智利松,*Araucaria araucana*),因不易攀登而得名;18 世纪末引入欧洲,在该处广泛栽种;在智利的山脉中株高可达 50 米;球果宽 20 ~ 22 厘米,长 17 ~ 19 厘米;木材坚硬耐用。猴谜树与本属其他种栽于美国太平洋沿岸,有些亦栽于佛罗里达南部。株型与几乎所有其他球果植物均不同,故被人们珍爱。**诺福克岛松**(**Norfolk Island pine**)即高大南洋松(*A. excelsa*),原产于诺福克岛及新喀里多尼亚,幼树阶段用作室内植物,枝条对称,分层排列,十分美观,在美国很少栽于室外。在美国常种植的有:**莫顿湾松**(**Moreton Bay pine**,即坎宁安氏南洋杉[*A. cunninghamii*])、**本亚松**(**bunya pine**,即披针叶南洋杉、比德维尔氏南洋杉[*A. bidwillii*])及**巴拉那松**(**Paraná pine**,即狭叶南洋杉[*A. angustifolia*])。

Arausio, Battle of 阿劳西奥战役(公元前 105-10-06) 罗马军队在阿劳西奥(今法国南部奥朗日)附近与日耳曼人展开的战斗。罗马总督凯皮奥所率的军队遭到惨败。虽然日耳曼人并未乘胜进军意大利,但这场灾难及募集新军需要致使出现马略的多执政官制及其军事改革。

ʿArava, Ha- (Palestine) 参阅 **Al-ʿArabah, Wadi 阿拉伯谷地**。

Arāvalli Range 阿拉瓦利岭 印度北部山系,东北向延伸 560 千米,穿过拉贾斯坦邦。孤立的多岩石支脉一直伸展到德里以南。山系宽 10 ~ 100 千米,山峰与山脊海拔 300 ~ 900 米。山系分为两部。桑珀尔-锡罗希山脉为其中较高较宽部分,阿布山上的古鲁西卡尔峰海拔 1 722 米,为全山系最高峰;桑巴尔至凯德里部分包括 3 个断续出现的山脊。富自然资源(包括矿产)。为伯纳斯、卢尼、萨基与萨伯尔默蒂等河发源地。虽然南部有茂密森林,但总体上赤裸不毛,人烟稀少。

Āravīḍu DYNASTY 阿拉维杜王朝 印度南部维查耶那加尔帝国的第 4 个、也是最后一个王朝。创始人蒂鲁马拉。其兄罗摩罗耶为前朝最后一个统治者的摄政,在 1565 年达利戈达战役中阵亡。其后,比贾布尔、艾哈迈德讷格尔和戈尔孔达各穆斯林邦的联合势力的破坏对该王朝形成致命的打击。蒂鲁马拉于 1570 年称帝,定都贝努贡达。但由于穆斯林国家的侵扰、家族的内讧和南部印度教酋长的叛乱,到 17 世纪前半期,帝国逐渐解体。

Arawa 阿拉瓦 巴布亚新几内亚城镇。在布干维尔岛东南海岸。为其西南 26 千米潘古纳的布干维尔铜矿公司职工的住宅区,1975 年巴布亚新几内独立后,阿拉瓦成为北所罗门省省会。1997 年该省更名为布干维尔省,省会迁往布卡。1988 年布干维尔分离主义者进行起义,引发大规模暴力冲突,特别是在阿拉瓦和基埃塔两地。经过几年的冲突,2001 年双方在阿拉瓦签署和平协议,2005 年建立布干维尔自治区。人口约 14 900(最新估计)。

Arawak 阿拉瓦克人 大安的列斯群岛和南美的美洲印第安人,操阿拉瓦克语群诸语言。安的列斯群岛阿拉瓦克人或名泰诺人,为刀耕火种的农民,种植木薯和玉米。他们居住乡村,有的乡村人口可达 3 000 之众。他们分成等级,对神权制的酋长极为尊重。宗教信仰以万物有灵和祖灵为中心,神灵和祖灵各有等级,级秩类似酋长之排列。在西班牙人抵达前不久被加勒比人逐出小安的列斯群岛。南美阿拉瓦克人居住在亚马孙盆地的北部和西部,谋生手段及社会结构与热带森林诸部落相同。他们是定居的农民,兼营渔、

猎;居住在很小的自治村落中,没有等级组织。在极西边的安第斯山麓也有阿拉瓦克人,但这些坎帕阿拉瓦克人至今未受安第斯文化的影响。

Arawakan languages 阿拉瓦克诸语言 南美印第安诸语群中通行最广的语言。西班牙征服南美前,阿拉瓦克诸语言通行于一些不相邻接的地区,从现在的古巴和巴哈马往南到现在的大查科和巴西南部兴古河源头,从亚马孙河口到安第斯山脉东麓。在巴西还有很多社区居民仍操阿拉瓦克语,在秘鲁、哥伦比亚、委内瑞拉、圭亚那、法属圭亚那以及苏里南还有另一些操阿拉瓦克语的居民集团。泰诺语(现已消亡的阿拉瓦克语)曾是安的列斯群岛主要语言,也是欧洲人最初听到的印第安语。重要的阿拉瓦克口语有哥伦比亚的瓜希罗语、秘鲁的坎帕语和马奇根加语,以及玻利维亚的莫霍语和鲍雷语。

arawana (species *Osteoglossum bicirrhosum*) **双须骨舌鱼** 骨舌鱼目骨舌鱼科原产南美热带地区的淡水鱼。长不超过60厘米,为极佳垂钓鱼种,肉质鲜美。鳞片大;背鳍与臀鳍成延长的缕状,几与尾鳍相连;口角上扬至眼上方,两条长触须向前延伸。据信是口育鱼,雌鱼将卵含于口中,直到幼鱼孵出为止。

arbaʿ kanfot 四角巾 又称小披巾。犹太教徒穿着的衣服。犹太教徒本来都着披巾,四角巾可能是在受迫害期间设计出来用以代替比较触目的披巾。披巾和四角巾四个角都有穗子,但披巾一般覆盖头部、颈部和两肩,而四角巾则留有领口,露出头部,因而可以衬在外衣之内。正统犹太教男教徒(包括儿童)白天必须着四角巾(《旧约·民数记》15章37～41节),以提醒人们记住上帝的戒律。

Arbeau, Thoinot 阿尔博(1519或1520-03-17,法国第戎～1595,朗格勒) 原名Jehan Tabourot。法国舞蹈理论家和舞蹈史学家。他的《舞蹈术》(1588)对16世纪和更早期的舞蹈形式作了详尽的、一个个舞步的描述。1530年被任命为司铎,1574年成为朗格勒本堂司铎会成员。他的研究工作得到耶稣会的鼓励,因为耶稣会认为舞蹈具有重要的教育意义。《舞蹈术》以作者与一个学生对话的形式写成。书中对帕凡、加伏特和阿勒曼德等舞蹈不仅作出确切的描述,而且经常配有插图,并与它们的音乐曲式直接联系在一起。这本书还概述了若干原则,形成许多世纪以后古典芭蕾5个基本脚位的基础。除了有大量技巧性资料以外,它也是一部关于当时的社会风俗和举止行为的颇为有趣的记载。

ARBED SA 阿尔贝德钢铁公司 法文全名为 Aciéries Réunies de Burbach-Eich-Dudelange。卢森堡的钢铁公司,为该国最大的工业联合企业。1911年由3家钢铁企业联合组成,此后它已在欧洲和南美洲建立附属机构。通过其子公司和联号,它从事各个环节的钢铁生产和加工,从煤炭和铁矿的采掘到极其专门化的钢产品——包括整个系列的轧钢产品及某些制成品(特别是钢丝)的制造。1980年该公司与美国伯利恒钢铁公司组织合资企业,生产伯利恒享有专利权的"加尔瓦卢姆"薄钢板,在欧洲和其他国家销售。

Arbela (Iraq) 参阅 **Irbīl** 埃尔比勒。

Arbela, Battle of 阿贝拉战役(公元前331-10-01) 参阅**Gaugamela, Battle of**高加梅拉战役。

Arbenz (Guzmán), Jacobo 阿本斯(古斯曼)(1913-09-14,危地马拉克萨尔特南戈～1971-01-27,墨西哥墨西哥城) 危地马拉军人、政治家,1951～1954年任总统。他实行

美洲国家组织供图

的民族主义的经济和社会改革疏远了保守的土地所有者和军队中的保守分子以及美国政府,从而导致他被推翻。其父是一位瑞士药剂师,后移居危地马拉。阿本斯曾在危地马拉军事学院学习。1944年他和一批左派军官推翻了危地马拉独裁者豪尔赫·乌维科。1949年他在阿雷瓦洛政府中任陆军部长。1951年3月他在军队和左派政党(包括危地马拉共产党)支持下继任总统。他把农业改革作为政府的中心任务。这使他和国内最大的土地占有者美国联合果品公司发生冲突。他想把该公司闲置土地没收,还坚持该公司与其他大土地拥有者应多交税。随着改革的深入,美国政府在国务卿杜勒斯的提醒下,日益感到恐慌,担心将使美国香蕉业大批投资和美国银行给予危地马拉政府的贷款受到威胁。于是针对阿本斯发动宣传战,指责他是共产党的朋友(共产党无疑是支持阿本斯的)。在洪都拉斯与萨尔瓦多活动的美国中央情报局协助组织了一批流亡在外的反革命军队,以阿马斯上校为首,发动叛乱。入侵叛军的声势受到夸大的宣传,使危地马拉首都惶惶不安,危地马拉军队也拒绝为阿本斯作战,阿本斯不得不在1954年6月27日辞去总统职务,并流亡国外。阿马斯不久出任总统,他改变了前10年间推行的大部分改革措施,并对外国投资者慷慨让步。1957年阿本斯移居乌拉圭,后转古巴,最后到墨西哥。

Arber, Agnes 阿尔伯(1879-02-23,伦敦～1960-03-22,英格兰剑桥郡剑桥) 母家姓Robertson。英国植物学家,以植物比较解剖学研究(尤其是单子叶植物方面)而闻名。曾就读于伦敦大学(理学学士,1899;理学博士,1905)和剑桥大学(文学硕士)。1909年与她在剑桥大学的老师古生物学家E.A.N.阿尔伯结婚。1946年成为第一位被接纳为皇家学会会员的女植物学家。阿尔伯的第一部著作是《草药志的起源与演变》(1912)。书中对1470～1670年间出版的草药志作了论述。她在比较解剖学方面的著作包括《水生植物:水生被子植物的研究》(1920)、《单子叶植物:形态学研究》(1925)及《禾本科:谷物、竹类及禾草的研究》(1934)。她的后期著作反映了她对哲学的兴趣,如《植物形态的自然哲学》(1950)、《心和眼:对生物学家观点的研究》(1954)及《多数与单数》(1957)。

Arber, Edward 阿尔伯(1836-12-04,英国伦敦～1912-11-23,伦敦) 英国学者。曾编印伊丽莎白时代和王政复辟时期的作品,廉价发行,使一般学生能进行深入的研究。《英国古籍重刊集》(30卷,1868～1871)的第一部是弥尔顿的《论出版自由》,定价6便士。此后还刊印《英国文库》(8卷,1877～1896)和《英国古今名著集成》(16卷,1878～1884)。

Arber, Werner 阿尔伯(1929-06-03,瑞士格雷尼兴～) 瑞士微生物学家。1978年与D.内森斯及H.O.史密斯共获诺贝尔生理学或医学奖。他们发现了限制性内切酶,并将其用于分子遗传学研究。阿尔伯曾在苏黎世瑞士联邦理工学院、日内瓦大学及南加利福尼亚大学学习,1960～1970年在日内瓦大学任职,后任巴塞尔大学教授。50年代末60年代初他与同事在S.卢里亚的研究的基础上,进一步研究噬菌体在寄主体内发生的可遗传的突变,发现细菌体内存在可改变噬菌体DNA结构的限制性内切酶。

Arbil (Iraq) 参阅**Irbīl**埃尔比勒。

arbitrage 套利 在一个市场买进外汇、黄金、证券或商品而几乎同时又在另一市场售出,以便从两个市场的差价中获取利润的商业交易。由于市场力量的作用,套利的机会可能一再出现。套利通常有助于消除市场间的价格差异。在不发达国家中,在国内不同乡村买卖商品也能构成套利。在高度发达的国家内,此词一般是用来指涉及外汇汇率、短期利率、金价和证券价格的国际交易。即期外汇市场的外汇套利可能涉及两个或两个以上的外汇中心。例如,假定A国的金镑在纽约的汇价是2金镑换1美元,而B国的法郎为5法郎换1美元。按理说,A国的金镑汇价应当是2金镑换5法郎。但由于某种原因,B国的银行却以4法郎换2金镑。一个手头有10万美元的纽约经纪人这时可能做三笔交易:①在纽约买进50万法郎利用电汇转入他在B国的账户;②指示他在B国的代理用50万法郎按4法郎对2金镑的现时汇率买进25万A国金镑,电汇到他在A国的账户中;③在纽约按2金镑对1美元的价格卖出25万金镑,共得12.5万美元,即获得利润2.5万美元。外汇经纪人可继续这样做直到纽约的法郎需求猛增,以致提高法郎价格并

消除这种利润为止。各国短期利率有差异时便出现利息套利的机会。黄金套利和证券套利基本上与国内市场的商品套利相似，只是在前两种套利中，汇率大小至关重要，因为资金必须汇到国外以供交易，或者交易结束时收益必须汇回国内。由于20世纪80年代公司合并和接收的增多，兴起了一种名为风险套利的股票投机。其所根据的事实是：当某人（公司袭击者）试图合并或收购一公司时，他总是出比当时市价高出30%或40%的价格购买该公司的股票；该目标公司的股票价格通常要上涨到接近那一旦接收企图已公开宣布时开放市场上所报出的价格。风险套利者总是试图在事前证明哪家公司被预定为接收的对象；他们就在股权收购之前购进该公司的大宗股票，而且在合并或接收完成之后抛出那些股票，由此获取大量利润。风险在于合并或接收企图不会成功时，股票价格总要再次回跌，引起套利者大量损失。

arbitration 仲裁 在通常的法庭程序以外将一项争议付托一个由双方同意的第三者作出有约束力的决定，即“裁决”，以作为解决争议的一种法律手段。仲裁最经常被用于商事争端，但也用于解决工会与资方的纠纷，而且，在外交途径不足以解决问题时，也可以用于解决国际争端。仲裁者可以是一个人，也可以是一个通常由三人组成的仲裁庭。

商事仲裁 在中世纪欧洲的交易会和市场上以及地中海的海上贸易中，已经使用仲裁解决商业争议。此后各国立法确认了当事人之间仲裁协议的效力，商事仲裁的运用遂日益发展。1889年英国首先制定了《仲裁法》，大多数独立后的英联邦国家也采纳了类似的仲裁法规。美国于1955年通过《统一仲裁法》，规定了当事人之间的仲裁协议对现有的和未来的争议的司法效力。现代欧洲和亚洲各国仲裁法通行的概念是：确认仲裁协议是不可撤销的；如果当事人违反仲裁协议将争议向法院起诉，则法院不予受理；仲裁的裁决有法律上的执行效力。

仲裁与法院诉讼相比其优点是：解决争议较为迅速；由于仲裁员对特定行业的习俗惯例具有专业知识，可以省去一些查证的麻烦和费用；又由于仲裁的程序和结果可以不公开，有助于保全当事人的商业声誉。缺点是很难给仲裁规定指导方针，因而其结果不像法庭判决那样可以预料。

仲裁程序中重要的是对仲裁员的选定，因为仲裁员的能力和是否公正是仲裁结果的决定性因素。一般的作法是，争议双方各选定一名仲裁员，这两名仲裁员再推选一名首席仲裁员，组成仲裁庭。有些国家的商会或同业公会等组织备有自己的仲裁员名单，当事人可以从中自行选定，也可以委托这些组织代为选定。当事人不能在仲裁协议中预先排除就仲裁裁决向法院上诉的权利，但法院的审查一般只限于仲裁程序中的问题（例如仲裁员未允许当事人充分申辩之类），而不涉及认定的事实和适用的法律。裁决只要不违反公共秩序，均可得到法院的认可和执行。

不同国家当事人之间的国际商事仲裁，其程序和一国国内的商事仲裁基本上是相同的。但有一个困难问题是在一国作出的仲裁裁决在另一国执行的问题。就此于1958年在纽约召开的联合国国际商事仲裁会议上通过了《承认和执行外国仲裁裁决的公约》，公约的缔约国均承担了承认和执行外国仲裁裁决的义务。

劳资仲裁 将工会和资方之间的争议付托一个第三者作出最后解决的办法。这通常是在其他办法都已用尽时的最后步骤，其目的是为了解决或防止罢工。劳资仲裁可分为两种，即权利仲裁和利益仲裁。权利仲裁一般是由工会代表受雇人根据劳资合同中的仲裁规定提出的。这主要是美国的作法，在其他国家这是属于法院的职权。利益仲裁是当劳资双方在谈判新的合同条件不能达成协议时的解决方法。它正在成为诸如交通运输和医药服务之类的涉及重大的公共利益的工业和服务事业中较常用的方法。

国际仲裁 所谓国际仲裁是指两个主权国家之间的争端未能通过外交磋商或调停解决时，根据双方同意将其提交一个没有利害关系的第三方，来作出对双方都有约束力的决定。这种仲裁的历史，可以追溯到古希腊城邦之间争端的仲裁。在18世纪和19世纪，美国和英国都曾根据两国间订立的条约将争端交付仲裁解决。1899年海牙会议通过的和平解决国际争端公约，为国际仲裁奠定了长远的基础。根据公约建立了海牙常设仲裁法院。自1960年起海牙仲裁法院也开始受理国家与他国的个人或公司之间的争议案件，因此现代的所谓国际仲裁，还应包括这种性质的争议在内。

有几个重要的多边条约对利用仲裁和平解决国际争端作了规定。《联合国宪章》中也提到仲裁是解决国家之间争端的适当方式。1955年联合国国际法委员会向联合国大会提出了一项《仲裁程序公约》，经大会于1958年向会员国推荐。但这只是一个示范性的规则，非经会员国在有关国际协定中接受采用，它并不具有约束力。

Arbogast 阿波加斯特（?～394-09-08） 罗马帝国蛮族将领。曾扶植一个罗马人为帝，首开由军人立傀儡皇帝的风气。他可能是法兰克人，在西罗马帝国军队中升到骑兵统领的高位。380年皇帝格拉提安命他协助东罗马统治者狄奥多西对付色雷斯的哥特人，此后他便在狄奥多西属下服役。388年狄奥多西在意大利击败篡位者马格努斯·马克西穆斯以后，阿波加斯特为西罗马皇帝瓦伦提尼安二世从马克西穆斯的儿子弗拉维·维克托手中收复了高卢。次年，他又迫使曾经在384年入侵高卢的法兰克人领袖马科默和森奈与他签订和约。到391年，他已在高卢独揽大权。392年5月15日瓦伦提尼安试图解除阿波加斯特之职，未果，卒于维也纳（今法国维埃纳），人们猜疑为阿波加斯特所害。他立即宣布拥立修辞学教师尤金尼乌斯为西罗马皇帝，并着手恢复罗马往昔的多神教。393～394年冬，他发起反对莱茵河畔的法兰克人的运动。翌年5月，狄奥多西率军镇压。经过两天会战，狄奥多西获胜。尤金尼乌斯被斩首，阿波加斯特自杀。

arbor 凉棚 园林中供人们躲避外界视线以及局部避雨和遮荫之处。常指园林中任何材料构成的简朴的小建筑。英格兰的德比郡墨尔本庄园的园林中的凉棚，是用熟铁制的。

美国新罕布什尔州朴次茅斯市莫弗特-拉德公园内的凉棚
美国不列颠百科全书公司供图

有些凉棚是用卵石或砖石建造的。更确切一些，凉棚是在木材或金属轻便构架上覆以交错的树枝和藤蔓构成的。由于凉棚不经久，现存的旧式凉棚甚少，最早不超过20世纪初。

arboriculture 树木栽培 以遮阴和美化为目的而进行的乔木、灌木和其他木本植物的种植。包括繁殖、移植、整枝、施肥、喷药、牵索和撑柱、整治腔洞、鉴定植物、诊断和治疗植株的伤病、规划植株格局以供观赏等。树木栽培与农业、造林业不同，前者关心的是单株植株生长良好，而农、林业主要关心的是植物群体的生长。树木栽培的基本原理和目的有悠久的历史。古埃及人用泥团移植树木，并发明把新栽树木周围的土修成浅碟形以保持水分的技术。这两种方法沿用至今。约公元前300年，希腊哲学家泰奥弗拉斯托斯著《植物研究》一书，书中讨论了树木移植和树伤处理。维吉尔的《农事诗》记述了罗马人关于树木栽培的知识。英国园艺学家J.伊夫林在其《森林志，兼论材用树之繁殖》(1664)中论述了植物的修剪、虫害防治、伤害治疗和移栽。栽培树木可用播种、嫁接、压条或插条繁殖。种子繁殖一般是播种在商业或家庭苗圃中，小心照料数年，直到幼苗适合移植。覆土压条法是把母株的下部分枝弯到地面，覆以湿润肥土。一至数年后生根，切下枝条移栽。空中压条法是在分枝上纵切一个深口，用泥土、苔藓等材料包扎伤口，外面套上剖开的下面有支撑的瓦盆或结实的圆锥状纸袋以保持湿润，待发根后切下枝条移栽。茎上不易发根的树可采用根插条繁殖。像杨、柳等易生根发芽的树种通常用茎插条繁殖。落叶树种宜在休眠季节插条，最好从当年生长的顶生枝上切取15～25厘米长、有2至多个芽的切条，在移栽前捆成束埋在湿润的沙和苔藓中，让其形成愈伤组织，再植入准备好的苗床中。可用促进生长的化学药品或生长激素促进其发根。处理大块树皮撕落的树伤时，修掉伤口周围受伤的树皮直到健全的组织，并修整伤口上下端，使伤口呈一两头尖的椭圆形，用敷料覆盖伤处，以防腐木真菌侵入。新栽的树要用索牵住或用柱子支撑，直至根扎稳，这样做也可减少树被风吹倒的危险；过分长而重的树枝也用柱子支撑，以防枝叉劈裂，此法亦可促使已劈裂的树叉愈合。真菌可引起树干空洞，此时，可用防腐敷料处理树洞内部，让洞敞开，洞底开一个排水沟；或先去掉腐木，然后用水泥或其他材料填塞。参阅 **graft；pruning；transplant**。

arborvitae 崖柏 柏科崖柏属（*Thuja*）6种常绿针叶树的统称，原产北美和东亚，可供观赏及生产用材和树脂。与罗汉柏（**false arborvitae**）近缘。崖柏为乔木或灌木，常成金字塔状，具薄的鳞片状外树皮和纤维状内树皮，水平或上升分枝，形成特有的扁平、浪花状小枝系，每小枝有4行细小的鳞片状叶。幼叶较长，呈针状，某些种可与成熟叶并存。雌雄球花同株异枝，着生于枝端；雄球花圆形，淡红或淡黄色，雌球花很小，绿色或带紫色。成熟球果单生，卵形或长圆形、长8～16毫米，有4～6对（或3对，多至10对）薄而易弯的鳞片，顶端成厚脊或突起。侧柏（东方崖柏或中国崖柏，*T. orientalis*）原产亚洲，为受欢迎的观赏树种，具优美对称的树冠，高约10米。因为它具直立的枝条、垂直排列的扇状小枝系和具6～8枚顶端钩状的球果鳞片而被一些专家划为侧柏属（*Biota*）。崖柏木材淡黄色或淡红棕色，质地轻软而耐用，芳香且易加工。巨柏（**giant arborvitae**，*T. plicata*）是最重要的用材树种，金钟柏（**American arborvitae**，*T. occidentalis*）的木材亦常用。

arbovirus 节肢介体病毒 *ar*thropod-*bo*rne *virus* 的缩拼词。一组在节肢动物（主要是蚊及蜱）体内发育的病毒，对节肢动物并不造成危害，但通过叮咬传递给脊椎动物后即可引起黄热病（**yellow fever**）、马脑炎（**equine encephalitis**）、登革热（**dengue**）、跳跃病（**louping ill**）等。病毒颗粒球状，直径30～100纳米，外覆一层脂膜，内含核糖核酸。本组的各种病毒之间差异甚大，其中有一些在深入研究之后又分别划归不同的科，如披盖病毒已划归披盖病毒科（Togaviridae），弹状病毒已划归弹状病毒科（Rhabdoviridae）。

Arbroath 阿布罗斯 敷准自治市、北海渔港和度假胜地。苏格兰的安格斯政务会辖区和历史郡。市内的阿布罗斯隐修院为苏格兰国王威廉一世于1178年所建，也是其陵寝所在地。罗伯特一世布鲁斯在班诺克本打败英国（1314）后，在该教堂通过《阿布罗斯宣言》（1320），宣布苏格兰独立。宣言由苏格兰议会起草，送交法国阿维尼翁的教皇。该市的主要工业有机械、纺织和旅游。人口23 474（1991）。

Arbuckle, Fatty 阿巴克尔（胖子）（1887-03-24，美国堪萨斯史密斯森特～1933-06-30，纽约市） Roscoe Conkling Arbuckle 的别名。早期无声电影喜剧明星，臭名昭著的杀人案审讯中的主要人物。作为歌舞杂耍和巡回游艺团的熟练演员，于1908年成为塞利格影片公司的临时演员，演出了许多单本喜剧片。虽体重320磅，却是个敏捷灵活的喜剧演员，在麦克·森纳特电影制片厂很快上升至明星地位。在一段时间里，曾是森纳特启斯东公司的一员，与康克林、卓别麟和其他无声电影明星一起演出。1917年，阿巴克尔成立了他自己的演出公司。但正当他的声誉达到顶峰之际，他的事业却终止了。他被指控强奸一位女明星，这位女明星因遭到所谓的突然袭击导致发生并发症而死亡。阿巴克尔最后被宣判未犯杀人罪，但新闻界对此作出否定的宣传，迫使他不得不引退，他的影片也被禁映。在朋友们的帮助下，他以古德里奇的假名重新回到电影界任导演。

Arbus, Diane 阿尔巴斯（1923-03-14，纽约市～1971-07-26，纽约市） 母家姓 Nemerov。美国摄影家，以引人注目的、异常的、古怪的、畸形的人物肖像闻名。富商之女，诗人兼评论家H.内梅罗夫之妹。18岁时放弃大学学业，与在其父所开皮毛和妇女服装店中工作的艾伦·阿尔巴斯结婚（1969年离婚），两人共同从事时装摄影至1957年。50年代中期，她在指导教师摩德尔的影响下，开始经常拍摄人物百态以及城市及其周围各种事件的照片。1960年她在《老爷》杂志上发表第一篇摄影报道，把高级生活与贫穷作了有力的对比。此后她以自由摄影和教授摄影术为业，直到自杀身亡。她后期的震撼人心的作品包括有两个形式上的因素：一是采用正方版式，除具有其他效果外，她强调主题重于照片构图；二是使用闪光灯，以产生戏剧性和超现实主义的效果。她本人显然熟悉其摄影作品中的特殊主题（包括裸体运动者、杂耍的畸形人和男扮女装或女扮男装者），因而使那些影像引起观赏者的同情和共鸣，每一幅都引起强烈的反响。她的摄影作品集于1972年出版。

Arbuthnot, John 阿巴思诺特（1667-04，苏格兰金卡丁因弗伯维～1735-02-27，伦敦） 苏格兰数学家、医生，偶尔写作。因系斯威夫特、蒲柏和盖依等人的密友并参与创办这些

美国不列颠百科全书公司供图

人的著名的涂鸦社而为人们所铭记。该社宗旨在于讥讽劣等文艺和冒牌学问。1696年在圣安德鲁斯大学获医学学位，1704年成为皇家学会会员，1705年起为安妮女王的御医，直至女王逝世。发表过数理方面的著作，但主要靠他的情趣横溢和讽刺作品而赢得声誉。讽刺作品最重要的有两类，一是政治寓言，暗指英、法、西、荷等国所制造的有关《乌得勒支条约》（1713）的政治骗局，1712年起先后出版5本小册子，1727年合成一书，题为《约翰牛传》，从而确立并普及了后来在漫画和文学中永久象征英国的这一角色。另一类是《马蒂纳斯·斯克里布利勒斯回忆录》，讽刺迂腐之士卖弄学问，1713～1714年间涂鸦社成员合写，但以阿巴思诺特所写最多，1741年初次发表在蒲柏文集里。他对文学声誉看得十分淡薄，任凭许多妙言隽语和讽刺之词由更出名的作家朋友拿去发挥，变成他们所有，他也毫不在乎。

Arbutus 浆果鹃属 杜鹃花科的一属。约14种，阔叶常绿灌木或乔木。花白色或粉红色，花穗疏散，着生枝顶；果为浆果，红色或橙色；种子数多；叶互生，有柄。原产欧洲南部

莓实浆果鹃（*A. unedo*）

美国不列颠百科全书公司供图

和北美西部。其中孟席斯氏浆果鹃（*A. menziesii*）及莓实浆果鹃（*A. unedo*）两种栽培供观赏。孟席斯氏浆果鹃分布北美西部，株高达23米；叶片长圆形，长5～15厘米，深绿色，有光泽，叶背灰绿色；花白色，花穗金字塔形，长7～23厘米；老树皮脱落后露出红色或肉桂色的新树皮。莓实浆果鹃原产欧洲西南部，已引种到北美洲西部的温暖地区。其树高3～9米，树干单棵或多棵；叶片有光泽，椭圆或长圆形，长约9厘米；枝上有黏质及毛；花白色或粉红色，花穗下垂；果可食，但味淡，大小及颜色均似草莓。攀缘浆果鹃则属于 *Epigaea* 属。

Arc de Triomphe 凯旋门 全称Arc de Triomphe de L'étoile（星形广场凯旋门）。世界上最大的凯旋门，也是法国巴黎最著名的纪念碑之一。位于戴高乐广场（前星形广场）的中心，此广场是香榭丽舍大街的西端。凯旋门高50米，宽45米。由拿破仑·波拿巴授意而由J.-F.-T.沙尔格林设计的。始建于1806年，到1836年才完成。凯旋门上纪念拿破仑的军事战役胜利的装饰性浮雕是F.吕德、J.-P.科尔托和A.埃泰克斯制作的。凯旋门的下面是法国无名战士墓。

arc, electric 参阅**electric arc 电弧**。

arc furnace 电弧炉 电炉（**electric furnace**）的一种。其热量由被加热材料（通常为金属）上面的碳质电极间的电弧产生。

arc lamp 弧光灯 在两个导体的间隙中使电弧连续发光的灯具，光由导体（通常是碳棒）的加热端和电弧本身发出。弧光灯用作需要高亮度的电灯如探照灯、大型电影放映机和泛光灯中。弧光灯通常只限于指那种在可消耗的碳电极间存在空气间隙的电灯，而荧光灯和

其他放电灯具则由充气管内的电弧发光。有些紫外灯也取弧光的型式。H.戴维于1807年制作了第一具弧光灯,他用2 000个电池组成电池组,在两个炭棒之间产生了100毫米长的电弧。到19世纪70年代末期制造出适宜的发电机后,弧光灯才开始得到实际应用。由俄国工程师P.雅勃洛奇科夫发明的一种称为雅勃洛奇科夫烛的弧光灯,从1878年开始在巴黎和欧洲其他城市用作路灯。

arc welding 电弧焊 采用持续发光的放电(电弧)为热源,以熔化填充金属(焊条)和被焊接金属。参阅 **welding**。

arcade 连拱廊 又称连拱券。在建筑中指由柱或墩支承的一系列连续的拱,或指连续的拱与实心墙之间的过道,也指一排商店门前的带顶走道。当连拱支承上部的墙、屋顶

连拱廊
美国国会图书馆供图

或檐部时,由于拱与拱之间有相互的横向推力,因而能承受很大的荷载并可延伸很长。古代的高架渠是连拱的早期应用。后来罗马人依法建造大型墙面:3层连拱的大斗兽场,每层有80个拱洞,是早期最佳实例之一。带有壁柱或附墙圆柱并支承檐部的支墩称为罗马式连拱。罗马帝国晚期改由一排圆柱支承连拱,成为后来罗马式和哥特式建筑的标准形式,并在文艺复兴时期广泛使用,例如布鲁内莱斯基设计的佛罗伦萨的育婴院。拜占廷的连拱廊,常在拱与柱头之间加一垫块,称为拱基垫块,在东方广泛运用。哥特式教堂中,连拱纯作装饰用,将中堂侧墙划分为底层的连拱廊、其上的楼廊和顶部高窗3个部分,并作为立面上雕像的框子(如亚眠大教堂,效果极佳)。这种形式在巴罗克建筑中用得稍为少一些,而整个19世纪它在欧洲和美洲的建筑中依旧是重要的组成部分。自古罗马以来,人行道常作成连拱廊的形式。中世纪的隐修院中常用连拱廊,大多数清真寺中也都有带连拱廊的庭院。文艺复兴时期的城市中,例如意大利的博洛尼亚,商店和其他建筑前也设连拱廊。东方的市场常由带连拱廊的成排商店组成。现代的封闭式或半封闭式的购物中心带顶的走道,虽然形式不同,也沿用这个名称,特别是在美国。

Arcadelt, Jacob 阿卡德尔特(约1500,列日主教管辖区列日[今在比利时]? ~ 1568-10-14,法国巴黎?) 作曲家,对建立牧歌音乐形式有所贡献。曾先后在罗马教皇圣堂任歌手和唱诗班指挥(1539 ~ 1549),后来在法国度过一段时间,又回到意大利。1555年开始供职于吉斯公爵府,1557年成为法国皇家圣咏团成员。主要因所作约120首尚松和200余首意大利牧歌闻名。他和同时代的两位作曲家C.费斯塔和P.韦尔代洛一起确立了一代牧歌作曲家的风格。偏爱四声部作品,所作世俗音乐深受意大利通俗歌曲体裁弗罗托拉的简朴朗诵和优美的高声部旋律的影响。其风格质朴澄澈,对帕莱斯特里纳和C.德·罗雷均有影响。他还出版了约20首经文歌和3首弥撒曲。

Arcadia 阿卡迪亚 现代希腊语作 Arkadhía。古希腊伯罗奔尼撒半岛中部山区。阿卡迪亚人与世隔绝,过着牧歌式的生活,因此古希腊和古罗马的田园诗和文艺复兴时期的文学作品将其描绘成世外桃源。该地区的范围与今天的阿卡迪亚州并不完全一致,后者的面积为4 419平方千米,向东一直伸展到阿尔戈利斯湾,州首府特里波利斯。阿卡迪亚高原有一些海拔500 ~ 1 000米的盆地,北界埃里曼索斯山脉和基利尼山脉,众多支脉将高原分隔成不同部分。东部是群山环抱的一系列平原,农业排灌只能依靠地下水渠。西部高原地势比较开阔,有一些孤山,阿尔菲奥斯河及其支流绕流其间。支流之一的拉宗河上建有拦河水坝、水库和水电站。降雨量不稳定。有一些葡萄园,但不种橄榄树。到处有栎林,但东部较干燥,且少植被。在古代,阿卡迪亚北界阿哈伊亚,南接麦西尼亚和拉科尼亚,东邻阿尔戈利斯,西毗埃利斯。四面均不靠海。由于它与希腊大陆的其他部分隔绝,多里安人入侵希腊时(公元前1100 ~前1000年)没有被占领。该地区保留下来的方言与定居在塞浦路斯的希腊人所讲的方言(阿哈迪亚-塞浦路斯方言)仍很相似。到公元前550年,泰耶阿、曼提尼亚和较小的阿卡迪亚城镇都已被迫与斯巴达结盟。这些城镇互相不和,因此不能团结一致反抗斯巴达政权。公元前370年阿卡迪亚建立联盟,设首府于迈加洛波利斯。联盟把阿卡迪亚人团结在一起长达几十年,但多数阿卡迪亚人在伯罗奔尼撒战争(公元前431 ~前404年)期间仍然忠于斯巴达。后来,内讧使阿卡迪亚联盟陷于瘫痪。罗马时代阿卡迪亚衰败。1821 ~1829年希腊独立战争期间,阿卡迪亚成为战场。人口:阿卡迪亚州105 309(1991)。

Arcadia 阿卡迪亚 美国加利福尼亚州洛杉矶县城市。在圣加布里埃尔山麓。1888年始建。名称取自古希腊一地区,象征美丽的田园风光。1903年设市。早期为农业中心,后为住宅社区。与洛杉矶通高速公路后发展迅速。有洛杉矶植物园和圣阿尼塔赛车场。人口53 054(2000)。

arcádia 阿卡迪亚诗社 18世纪葡萄牙文学社团的统称,主张通过重新运用古典主义振兴本国诗歌。其所仿效者为1690年在罗马建立的、作为意大利文学趣味主宰者的阿卡迪亚学院。1756年,西尔瓦等人成立葡萄牙阿卡迪亚诗社,其首要目标就是排除贡戈拉主义(一种充满巴罗克的造作)以及所有西班牙的影响。西尔瓦嘲讽地模仿英雄风格所创作的诗歌《洒圣水器》(1768)灵感源于法国诗人N.布瓦洛的嘲讽史诗《诗艺》(1674),是一部生动的讽刺作品。最著名的阿卡迪亚诗人加尔绍是颇有造诣的拉丁古典诗人贺拉斯的崇拜者。基塔的田园牧歌般的诗句标志着向本国两个世纪以前的传统的复归。真实与苦难在更为著名的《迪尔塞乌的马丽莉娅》(1792)一书中表现出来,这部以田园为背景的爱情抒情诗是由贡萨加以迪尔塞阿乌为笔名创作的。1790年,一个新葡萄牙阿卡迪亚诗社成立,其中两位最著名的成员是相互对立的诗人博卡热和马塞多。前者因一些著名的十四行诗而受到纪念,后者以其对史诗形式的尝试而著称。西尔瓦于1776年作为法官被派往巴西,在那里他促进了巴西人对阿卡迪亚运动的兴趣,产生了所谓的由史诗诗人和新古典主义诗人组成的米纳斯流派,其中包括加马和杜朗。

Arcadia, Academy of 阿卡迪亚学院 意大利语作 Accademia dell'Arcadia。意大利文学院。1690年成立于罗马,旨在反对17世纪主宰意大利诗坛的以马里诺命名的诗派马里诺主义。其成员探求一种更加自然、单纯的诗风,以古典文学特别是希腊、罗马的牧歌为楷模。阿卡迪亚学院是在瑞典女王克里斯蒂娜的鼓励下成立的。她退位后,在罗马聚集了一个文学圈子。1689年克里斯蒂娜去世后,她的朋友们创办了这个学院,使他们的聚会能长期不断举行,并消灭低级趣味,使之永远不流行。他们以古希腊一个牧区阿卡迪亚为学院命名,还为自己取了希腊名字。阿卡迪亚学院的创建者有古典文学家和评论家格拉维纳、克雷欣贝尼、札皮、圭迪和弗鲁戈尼等人。虽然阿卡迪亚派诗作大多比较苍白无力、模仿他人,但在17、18世纪该学院有两个杰出的作家:罗利,特别擅长短歌;梅塔斯塔齐奥,意大利文学中最伟大的抒情诗人和歌词作者之一。基亚布雷拉曾对诗的韵律形式作过试验,他也是阿卡迪亚派诗人。该派诗人还有加布里埃尔·罗塞蒂(英国诗人但丁·加布里埃尔和克里斯蒂娜·罗塞蒂之父)和教皇利奥十三世。后者是一位颇有造诣的诗人,曾写诗纪念学院的200周年。阿卡迪亚学院对意大利诗歌的简化有过重大的影响,并促成在意大利建立许多阿卡迪亚的群体,这些群体谋求恢复田园生活,而不具有特定的文学目的。18世纪意大利喜剧的改革者戈尔多尼在开始他的艺术生涯以前是比萨的这种群体的成员。1925年学院改建为学术和历史研究机构,更名为意大利文学院。

Arcadius 阿卡狄乌斯(约377~408) 东罗马皇帝。先与其父狄奥多西一世同朝执政(383 ~ 395),395年起成为唯一的统治者。402年他指定儿子狄奥多西二世为同朝皇帝。他软弱无能,政事悉由大臣处理。在位期间,帝国不断遭到哥特人的侵袭。

Arcaro, Eddie 阿卡罗(1916-02-19,美国俄亥俄辛辛那提~ 1997-11-14,佛罗里达迈阿密) 美国骑手,是先后骑过5匹肯塔基大赛

冠军马和2匹美国三王冠赛冠军马的第一名骑手。骑英国良种马31年(1931～1961),参加比赛4 779次,赢得549次有奖比赛,共获3 000多万美元。胜肯塔基大赛5次、普里克内斯有奖赛6次、贝尔蒙特大奖赛6次。退出赛马运动后任体育比赛电视解说员。

Arcellinida 表壳虫目 原生动物的一目,旧称有壳虫目,该目成员通称*有壳虫*(**testacean**)。

Arcesilaus 阿凯西劳斯(公元前316或315,埃奥利斯皮塔涅[今在土耳其]～约前241) 继克拉特斯任希腊学园园长的哲学家,介绍了来自苏格拉底或来自皮朗与提蒙的怀疑主义。拒绝承认或否认确实掌握知识的可能性。主张一种怀疑的"暂缓判断"。斯多葛派攻击他,认为这样做将使人软弱无力,并破坏了哲学的目标。他们认为哲学的目的就是使人快乐和精力充沛。阿凯西劳斯的答复是:一个有智慧的人只需要知道他的行动是"合理的"。

arch 拱 建筑和土木工程中的一种结构部件,用以跨越洞口并承受其上部的载荷。拱顶即由拱发展而成。古代工匠很早就用小块砖石砌筑跨在大洞口上的圆拱,由于拱背的

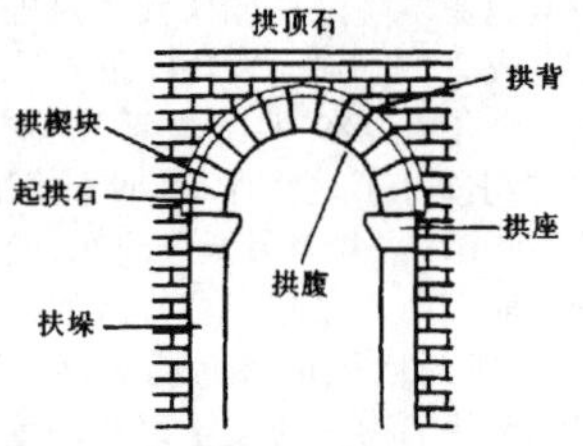

圆拱的结构

圆周比拱腹的圆周长,砌筑拱券的砖、块或石块须砍削成楔形,以便相互紧密挤压,均匀地传递载荷。中央的一块称为拱顶石,拱从支座上开始升起的点称为起拱点。拱受上面的载荷而形成一种斜向的推力,如果没有扶垛支撑,拱就会坍落。搁在两根独立柱子上的过梁,不能任意用拱代替,除非柱子很粗,足以承受斜向推力,并将推力传递至柱子的基础。古埃及人和古希腊人已知用拱,但很少用在宏伟的建筑上。古罗马人在桥梁、高架渠和大型建筑中使用半圆拱,在大多数情况下,他们砌拱时不用灰浆,而仅依靠精确切割的石块的相互楔合。古代马雅人举行礼仪的建筑中,采用具有特点的突拱。中世纪工匠们发展了尖拱,成为哥特式建筑的基本组成部分。中世纪晚期出现了弧形拱,这种拱和椭圆拱在桥梁工程中有重大价值,因为可以使一系列拱相互支撑,将横向推力传递到两端的桥台上。现代用钢、混凝土或层积材做拱,刚性强而重量轻,因而支座受到的水平推力小,有时还可在拱顶之间加铰链以减小这种推力。

Arch, Joseph 阿奇(1826-11-10,英国沃里克郡巴福德～1919-02-12,巴福德) 英国农业劳工组织者和领袖。生于两代农工的家庭。19世纪70年代初英国南部和中部地区农业劳工抗议低工资和恶劣的生活条件时,他运用他最初作为卫理公会传教士时所学为之工作,颇有成效。1872年建立全国农业劳工联合会,任主席,直至1896年该组织解散。1874年后联合会会员人数开始下降,他的注意力转向政治。1885年出任议会议员(1885～1886),以后又数度任议员(1892～1900)。1889～1892年并任职于沃里克郡议会。他使用政治手腕为农业工人争取权利。他在通过1884～1885年改革法为农业工人获得选举权中起了重要作用。

archaebacterium 古细菌 又拼archaeobacterium。一组细菌的通称。同真细菌在某些形态、生理及遗传特征上有所不同。但古细菌和真细菌也有共同之处,因此某些学者认为两者在早期进化史中曾有共同祖先。古细菌水生或陆生,形态多歧,包括球状、杆状和螺旋状等。古细菌的细胞壁中缺乏胞壁质(具脂键的脂类,这是真细菌的特征之一)。相反,它们却有具醚键的脂类以及其他一些不同的细胞壁成分。古细菌在核糖体核糖核酸的结构上也和真细菌不同,遗传测试上就利用核糖体核糖核酸的差异来判断不同种之间遗传近缘关系的远近程度。古细菌利用了多种机制繁殖,包括二分分裂、复分裂、芽生和断裂等方式。古细菌可在一些极端情况下存活,包括极热和高盐环境。在代谢要求上,古细菌可为好氧、厌氧或兼性厌氧。某些古细菌,如嗜盐菌,要求高盐环境。其他如甲烷菌,则以甲烷为最终产物,还有另外一些则需要硫作为代谢原料。最后这一类群是古细菌中最喜热的,可在高于45～50 ℃的温度下存活。

archaeocyathid 古杯类 已绝灭的海洋生物门(古杯动物门),其亲缘关系不明。其化石见于早、中寒武世(5.70亿年前至5.23亿年前)海相石灰岩,代表一种假想的动物建造的钙质结构,但对该动物本身尚知之甚少。曾认为可能是某类钙藻。其构架为圆锥状或管状,表面上类似角珊瑚。骨骼由薄的内、外壁组成,壁由纵间隔板支撑着,整个结构是多孔的。壁的形状和结构、孔的数目和排列以及整体形状的变异明显,这些区别已用于鉴定不同的古杯类,但其实际意义不详。古杯类极似钙质海绵。可能像海绵那样进食——通过汲取水,从中分离食物,然后排出被过滤的水。古杯类生长在浅海海底,并形成大礁状块体。其礁体遍布世界,在澳大利亚(正如大堡礁现在所占据的同样地区)、南极洲、西班牙、撒丁、西伯利亚、纽芬兰、魁北克、拉布拉多、纽约及加利福尼亚均有发现。早、中寒武世的古杯类动物可能担当着后来真正珊瑚的角色,并且像珊瑚那样,栖居在温暖的浅海环境中。

archaeological time scale 考古年代表 人类史前的时代划分。最初由丹麦考古学家C.J.汤姆森(1788～1865)提出,分为*石器时代*(**Stone Age**)、*青铜器时代*(**Bronze Age**)和*铁器时代*(**Iron Age**)。自那时以来,这个表的早期部分已经作了更细的划分。参阅 **Paleolithic Period**; **Mesolithic Period**; **Neolithic Period**。

archaeology 考古学 又拼archeology。一门研究过去人类生活和活动的遗存实物的科学。这些遗物包括很早以前的骨器、石器到当代被埋藏或遗弃的人工制品。考古学调查是关于史前、古代和已灭绝的文化的知识的主要来源。考古学调查研究的资料包括人类制造或使用过的每件物品:工具、器皿、武器、装饰品、建筑物、拓居地、墓碑和铭文,这些人工制品的通用词是"制造物"。考古学家的首要任务是对所研究的器物进行描述、分类和分析。但主要目的是将遗存实物放在历史背景中进行研究,补充从文字记载的史料中可能了解到的史实,从而增加对人类过去的全面了解。严格说来,考古学并不涉及对古代人类骨骼的分析和阐述——无论是否已成为化石。这类研究属于人类学家或古生物学家的事;考古学家通常也不准备解读或阐释古代民族的文字——这是碑铭研究家和语文学家的专业。考古学家的主要活动包括初步的现场工作(即对遗址的发现和记录,并对遗存实物进行发掘、分类、确定年代和阐释)。从其意图的这一点来说,发掘可分为有计划发掘、抢救性发掘或偶然性发掘。大部分重要的发掘要在慎重计划后进行,尽管许多重要遗址是在建筑工程的准备过程中被发现和发掘的。无论属于何种情况,一切发掘方式都需要高度的技巧,在使被埋藏的实物出土时必须极端小心,而且要以文字和图画详细记录找到的遗存物品。对遗存实物的分析涉及许多方面,包括精确的描述和根据其形状及用途加以分类,确定它们由什么材料制造,当时的环境及其文化背景,测定其相对或绝对年代,并进行历史性的解释。多年以来,测定年代依据历史记录(例如古典考古学)、地层学(对地球地层的相对年代学研究)和树木年代学(分析树轮)。然而,自1948年起,利用放射性碳素测定年代的技术,已经可以测定远达4万年之久的古物的绝对年代,随后的技术发展又把这个时间限度延伸得更远。

Archaeopteris 古羊齿属 植物的一个化石属。初认为是原生蕨目(Protopteridales)的早期树蕨,但目前一般暂归于视为种子蕨和针叶树二者祖先的过渡蕨类。多见于晚泥盆世(3.74亿年前至3.60亿年前)。科达氏木目的美木属(*Callixylon*)有茎的碎片化石存世,其形态甚似古羊齿属,故有人认为美木属的种类应归入古羊齿属。

Archaeopteryx 始祖鸟 已知最早的鸟类化石属。在侏罗纪晚期(晚侏罗世为1.63亿年前至1.44亿年前)兴旺。著名的化石标本

始祖鸟(*Archaeopteryx*)骨骼
美国不列颠百科全书公司供图

发现于德国巴伐利亚州索伦霍芬石灰岩组，是极细粒状的侏罗纪石灰岩，形成于热带浅海环境(可能是珊瑚的潟湖)。这里富灰质软泥缓慢堆积，使化石得以极好地保存下来。几个化石骨骼有清楚的羽毛印痕。标本的大小介于蓝色樫鸟与大型雏鸡之间。始祖鸟与兽足类(小的两足恐龙)在许多骨骼特征上相同，像鸟的头骨拥有膨大的脑壳、大眼窝、明显的嘴；然而颌有发育完善的牙齿，与现代的鸟不同。头由细长、可能很灵活的脖子平衡着，脊柱特征简单。有发育完善的长尾，类似较小恐龙的尾巴，但其两侧各有一排羽毛。后肢末端有3个爪，很像鸟的后肢。始祖鸟有发育完好的翼，翼的羽毛结构和排列很像现代鸟类，这表明它会飞翔。但是，与飞翔有关的骨骼构造发育不完全，所以，推测始祖鸟可能是一个不熟练的飞行者。虽然始祖鸟几乎被一致公认为鸟，但一些专家仍把它看作是带羽毛的恐龙，因为它具有与兽足类骨骼相似的解剖学特征。

Archaic culture 太古文化 美国东北部任何古代林地文化，其时间约自公元前8000年至前1000年。这些文化的变体在西部和北部地区持续至很晚时期。人们以猎取小型猎物、捕鱼及采集为生。其工具特色是：打制的大而宽的投掷尖状器、石碾和石磨、骨器及骨制饰物；约公元前5000年时，他们已经有了磨制石器，如：石斧、石碗、标枪投掷器上的石坠等。约公元前5千纪至前2千纪年，在大湖区北部出现过与此有关的古铜文化，使用红铜制作的工具及武器。

Archaic period 古风时期 在历史学和考古学中，指一种文化的最初阶段。艺术史研究家们常用这一术语表示公元前650～前480年的希腊艺术发展时期。在古风时期，希腊艺术较少风格化而较为自然。瓶绘由几何图形演化为人物图像，往往描绘史诗的故事。雕刻不像以前生硬，具有一定风格；脸部呈现"古风式微笑"，身体则越来越注意比例和解剖学。在建筑中，多利斯柱式和爱奥尼亚柱式的发展也反映出对真实人体比例的追求。

Archaic smile 古风式微笑 在古风时期(公元前650～前480)，主要指公元前575～前550年间希腊雕像脸部所独有的微笑。其涵义还不清楚，有人认为，这样的微笑反映了理想的健康情绪与幸福生活。也有人认为，古风雕刻特征的形成是由于使嘴巴弯曲起来存在着技术上的困难。

古风式微笑，约公元前575～前550年的希腊雕像
美国不列颠百科全书公司供图

archangel 天使长 西方各大宗教，特别是犹太教、基督教和伊斯兰教以及诺斯替教等融合宗教教义里各级天使中的最高级天使。参阅 **angel**。

Archangel(city, Russia) 参阅**Arkhangelsk阿尔汉格尔斯克**。

archbishop 大主教 基督教会职称，即除担任本教区主教外，通常兼管辖区内其他主教区，但不享受更高品位的主教。大主教一职是由都主教演变而来，都主教管辖辖区内若干主教区。在西方教会，7世纪以前很少听说大主教一职。直至加洛林王朝的各代皇帝恢复各都主教召集辖区会议之权，大主教职称才普遍使用。欧洲中世纪时大主教权力甚大，1545～1563年的特伦托会议决定削减这种权力。在天主教会，大主教有时仅为一种荣誉称号，授予不兼任都主教的主教。在东正教会和其他若干东方教会，大主教一衔较之西方更为多见，但与都主教职权关系较少。东正教会内有品位介乎主教与都主教之间的自治大主教一职。欧洲大陆的基督教(新教)很少有大主教一职。英国圣公会教务分由坎特伯雷大主教和约克大主教分管。参阅 **metropolitan**。

archdeacon 大助祭 基督教会职称。最初指主教座堂中诸助祭之长；在中世纪是主教区的重要神长；在现代天主教会则为荣誉称号。大助祭原由主教任命，其职责为传教、监督各助祭和发放赈济，后来逐渐成为主教的首席助手。10～13世纪，西方教会中大助祭多为受祝圣的司铎担任，权力甚大，不亚于主教，在管区内行使主教之权，唯不能授神职。14、15世纪大助祭权力锐减。特伦托会议将其大部分权力剥夺。东方教会的情况大致与此相似，今日大助祭(大辅祭)主要是荣誉称号。在安立甘宗教会，大助祭(会吏总)受主教委托行使行政管辖权。

archduke 大公爵 哈布斯堡王室专用的一个称号。奥地利公爵鲁道夫四世首先称巴拉丁大公，希望使奥地利的公爵获得与神圣罗马帝国选侯同样的地位。但是查理四世皇帝拒绝承认这一称号。直至1453年，腓特烈三世皇帝才承认鲁道夫的特权，并把奥地利大公的称号授予鲁道夫的儿子马克西米连及其继承人。

Archean eon 太古宙 前寒武纪(38亿年前至5.7亿年前)两分的前期。始于约38亿年前地壳的形成，延续至约25亿年前元古宙的开端，元古宙是前寒武纪的后期。最早最原始的生命形态细菌和蓝绿藻起源于约35亿年前的太古宙中期。太古宙变质火成岩在各大洲均有发现。

arched harp 弓形竖琴 琴颈伸张同琴身形成弓形曲线的乐器。是竖琴的主要类型之一，也是最古老的竖琴。大约公元前3000年，在苏美尔和埃及就有关于弓形竖琴的记载，两地区都采取竖立式弹奏的竖琴，由跪着的乐人用两手手指拨奏。在苏美尔亦有横式弓形竖琴，即横放在膝上，琴弦向着演奏者，用拨子扫拨弦线发声，左手按住不需要的弦。弓形竖琴从苏美尔和后来的美索不达米亚文化中消失后，仍继续在埃及流传。在古代，弓形竖琴向南传到非洲(在那里至今还有人演奏，如乌干达的恩南加琴)，也向东经印度传到东南亚(现以缅甸竖琴桑高琴形式传世)。它在古代中亚占重要地位。

正在演奏弓形竖琴的乌干达乐师
美国不列颠百科全书公司供图

archegonium 颈卵器 蕨类和苔藓植物的雌性生殖器官。苏铁属和松柏类等裸子植物也有颈卵器。颈卵器呈长颈瓶状，由一层或多层细胞的颈部和膨大的基部(盛卵子的腹)组成。颈卵器成熟时卵子以上的颈沟细胞消失，于是形成一条精子进入的通道。

Archelaus 阿基劳斯(？～公元前399) 马其顿国王(公元前413～前399)。虽然他以非法手段取得权力，但他却是一位能干而仁慈的统治者。他是国王佩尔狄卡斯二世(公元前450～前413在位)和一名女奴的儿子。他在谋杀了叔父、堂兄弟、异母兄弟等合法继承人之后，夺取王位。随后，他通过巩固城防、铺设道路、改组军队以加强马其顿的力量。为了在民众中传播希腊文化的精华，他把许多知名的艺术家，如悲剧作家欧里庇得斯，邀请到他的新都培拉。他还在马其顿的狄乌姆举行希腊式的赛会。在他的统治下，马其顿的经济由于发展贸易和采用波斯币制而得到加强。他同其他国家的关系一般说来是相安无事的。公元前420年，在色萨利的拉里萨，他帮助建立了一个亲马其顿的寡头政权。他在狩猎时被一名宠臣暗杀身亡。

Archelaus 阿基劳斯(？～公元17) 全名阿基劳斯·西西纳斯。卡帕多西亚的末代国王(公元前36～约公元14)，罗马共和国晚期和帝国初期的藩王。他的王位是马可·安东尼授予的。公元前31年安东尼在亚克兴角被击败后，他与屋大维缔结和约，保住了自己的王国。公元前 20 年，他将西利西亚-特拉基亚、东利考尼亚和小亚美尼亚并入自己的版图。他又通过联姻，间接控制本都王国的大部分。公元 14 年提比略继帝位，阿基劳斯被召往罗马，在元老院受到指控，随即被废黜，不久去世。公元 17 年，卡帕多西亚成为罗马的一个行省。

Archelon 帝龟 绝灭的巨海龟。化石见于北美的晚白垩世（9 750 万年前至 6 640 万年前）地层。帝龟靠其坚固的骨甲保护，长达 3.5 米左右。前脚发展成强有力的结构，能在水中有力地推动巨大的躯体。

archeology 参阅**archaeology考古学**。

Archer, Frederick Scott 阿切尔（1813，英国赫特福德郡毕晓普斯斯托福德～1857-05-02，伦敦） 英国第一个能反复印制照片的实用摄影法的发明人。曾从事人像雕塑。为了帮助他的这项工作，开始试验塔尔博特的卡罗式照相法。1851 年他发明了湿柯啰啶照相法，用这种方法可以拍摄出影纹清晰的玻璃底片，然后用来印制正像照片。因为底片曝光后，必须在柯啰啶干燥前显影，所以在户外摄影就需要一个帐篷暗房和手提冲洗箱。但是，由于这个新方法产生的效果很好，因而在摄影界里流行了约 30 年。阿切尔还和另一个摄影家合作，发明了玻璃干版法，一种成本低廉的拍摄人像的方法。他将全部资金用于摄影研究，最后在贫困中死去。

Archer, Thomas 阿切尔（约1668～1743-05-23，伦敦） 英国建筑师。生于沃里克郡一乡绅家庭，在牛津大学三一学院攻读，后赴国外四年。曾为王室作过几项设计。他设计的房屋具有极为奢华的巴罗克风格，其标志为大量的涡卷曲线、大尺度和粗壮的细部。其作品借鉴了 17 世纪意大利建筑师 G.L.贝尔尼尼和 F.博罗米尼的风格，虽然其独创性不及同时代的某些建筑师，但他仍是一位重要的建筑师，他所作设计大多完成于 1705～1715 年：德比郡查茨沃思住宅的北立面（1705），牛津郡海索普厅（约 1705），贝德福德郡雷斯特公园中的亭子（1711），萨里的罗汉

阿切尔设计的圣约翰教堂
美国不列颠百科全书公司供图

普顿住宅（1712），伯明翰的圣菲利普教堂（1710），德特福德的圣保罗教堂（1712），威斯敏斯特的圣约翰教堂（1714）等。1711 年他被聘为建筑 50 座新教堂的专员，完成了上述最后两项设计。

Archer, William 阿切尔（1856-09-23，苏格兰珀斯郡珀斯～1924-12-27，伦敦） 戏剧评论家，在他的翻译作品中将易卜生介绍给英国公众。在爱丁堡攻读法律时，即为《爱丁堡晚报》撰写文章，由此开始记者生涯。1879 年起，先后任《伦敦费加罗报》、《世界报》、《民族报》、《论坛报》，以及《曼彻斯特卫报》戏剧评论员。因翻译易卜生的《社会支柱》（1880）而一举成名。以后，又相继发表译本：《玩偶之家》（1889），《易卜生散文戏剧集》（5 卷，1890～1891），《彼尔·英特》（1892），《建筑师》（1893），以及《易卜生全集》（12 卷，1906～1912）。这些作品在当时具有巨大影响，至今仍流传甚广。他的剧作有 4 部是在死后出版的。《绿色女神》（1921）是一部非常成功的作品，曾多次再版。

archer fish 射水鱼 印度洋-太平洋地区鲈形目射水鱼科 5 种鱼的统称，以能从口中射出水滴，射猎水面悬垂植物上的昆虫而闻名。昆虫落水后，被射水鱼所食。射水鱼体

普通射水鱼（*Toxotes jaculator*）
美国不列颠百科全书公司供图

长，侧扁而高，背鳍以前通常扁平。头尖，口大。背鳍与臀鳍均后位。体有黑色斑点或有黑色垂直带，视种类而异。既能生活于咸水，也能生活于淡水，通常游息于近表层。最闻名的种类之一是普通射水鱼（*Toxotes jaculator* 或 *T. jaculatrix*），可长达约 18 厘米。

archery 射箭运动 用弓射箭射中无生命的箭靶或进行狩猎的一项体育运动。

历史 从史前时代起，除澳大利亚外，弓在全世界就成为战争和狩猎的主要兵器。在古埃及和古希腊人中间，射箭是军事活动，同时也是一种娱乐消遣。在古希腊史诗中就有关于奥德修斯在射箭比赛中取胜从而获得珀涅罗珀同意与他结婚的故事。然而，总的情况是，射箭运动是随着军事用途的减少而兴起的。

随着弓作为一种兵器被火器所取代，它

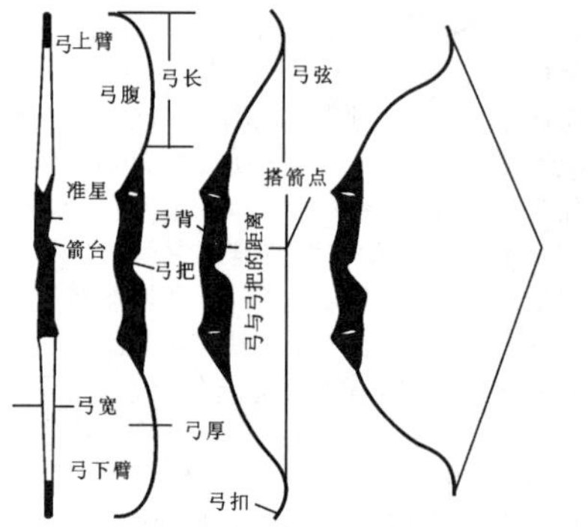

现代弓

在人们日常生活中被广泛使用，于是在英格兰和苏格兰酝酿产生这项体育运动。同时火器取代弓的过程是漫长的。虽然主要靠弓取得辉煌军事胜利是百年战争（1357～1453）的事，但是直到 1588 年西班牙无敌舰队进攻英格兰时，一个郡所征兵员仍有 1/3 是弓箭手，2/3 是带枪的士兵；一直到 16 世纪行将结束时，作为兵器的弓才被完全废除。从 13 世纪起的一段时间内，英格兰的君主要确保有足够的弓箭供人练习，而且这种练习是带有强制性的。其他体育运动如滚木球、高尔夫球和足球则不时地被禁止以免影响射箭练习。多数英格兰君主本人就是弓射手。这一情况断断续续地一直延续到 19 世纪维多利亚女王时期。

阿谢姆于 1545 年撰写的《射箭术》是关于射箭的第一本英文书籍，他在写给亨利八世的题献中把射箭作为一种消遣和运动加以推荐。

早期的英国社团 1537 年亨利八世向圣乔治兄弟会（即荣誉炮兵连）授予特权，其成员使用长弓、弩弓和手枪，它的练习场地于 1603 年和 1663 年得到加固和修复，即伦敦芬斯伯利训练场。在场上，射手们竖起许多箭靶来进行流动比赛，射完一个靶子再射下一个，其目的如同高尔夫球那样，用最少的箭绕场射中所有的靶子。从 1628 年的绘图看，场上共设 164 个靶子，而到 1737 年已减少到 21 个，但设置了一些靶垛供打靶练习用。

当弓不再作为兵器使用之后，芬斯伯利弓箭手们开始活跃起来，他们每年举行比赛，直到约 1761 年为止。1780 年成立射箭爱好者协会，最后一批芬斯伯利弓箭手加入了该协会。1787 年威尔士王子，即后来的乔治四世成为协会的赞助人，由此建立了皇家射箭爱好者协会。他的活动包括确立 91 米（100 码）、73 米（80 码）和 55 米（60 码）的“王子射程”。直到今天，英国男子锦标赛的约克轮赛还用这 3 个射程分别射 6 打（72 支）箭、4 打（48 支）箭和 2 打（24 支）箭。对射中目标的记分方法称做王子计算法。在此之前，于 1676 年成立了由皇后在苏格兰的警卫人员组成的皇家弓箭手连。1841 年成立了联合王国射箭管理机构——全国大射箭协会。

19 世纪中叶，英国向加拿大和澳大利亚输出射箭运动，但这些地方的射箭运动在 1930 年后才真正得到发展。

北美 弓是印第安人进行战争和狩猎的主要兵器，但是欧洲殖民者带来了火器，印第安人很快就采用火器进行狩猎和作战。第一

个射箭组织是成立于1828年的费拉德尔菲亚弓箭手联合会,该组织在1859年前一直十分活跃,后来在1932年重整旗鼓。最初,制作弓箭的材料均从英国进口,那里的射箭运动是中上层人士喜爱的消遣活动。19世纪70年代涌现出许多射箭俱乐部,其中有8个于1879年组成了美国的全国射箭协会,同年举行了首届比赛。汤普森的《射箭的魔法》一书(1878出版,1879再版)大大地促进了用弓箭进行狩猎和多位多靶射箭比赛的复兴。美国制造的弓箭开始取代英国产品。1939年美国全国多位多靶射箭协会成立,以促进狩猎、流动射箭和多位多靶射箭活动。

国际射箭运动　1900～1920年(1912除外),奥林匹克运动会设男子射箭项目,1904年和1908年设女子射箭项目。此后中断了一个时期,直到1972年奥运会又恢复了男、女射箭项目,以后一直延续下去。早先,那些使用固定碟靶和飞行碟靶的射箭运动是属于英美传统以外的东西。在巴黎举行的1900年奥运会上,唯一讲英语的优胜者是参加猎场射箭的澳大利亚人。在圣路易斯举行的1904年奥运会上,所有参赛的射箭选手都来自美国,进行美式英国项目的比赛。在伦敦举行的1908年奥运会上,英国人在英式项目中取胜,但对非英国人作了一点安抚,设立了一个所谓"大陆式"项目,由法国人获胜。在安特卫普举行的1920年奥运会上,比赛项目是欧洲式的,获胜者也是欧洲人。

这样,当管理射箭运动的国际组织——国际射箭联合会(FITA,以下简称国际箭联)在1931年成立时,参加的都是些欧洲国家,也就不足为奇了。这些国家是比利时、法国、波兰和瑞典(英国于1932年、美国于1933年参加)。国际箭联的比赛(包括1972年以后的奥运会)采用米制射程,1957～1985年采用国际箭联的双轮赛制。1985年为了把射箭作为观赏性体育项目加以改进,采用了一种名叫双轮全能的新的赛制(参阅 **FITA round**)。从1933年起,国际箭联除了第二次世界大战期间以外,每两年举行一次世界锦标赛。

新弓　大约在1930年以前,射箭作为一个体育项目的历史一直是使用长弓的历史。传统的做法是用整块水松木材制弓,这有它的缺陷,因为水松易受温度和湿度变化的影响,需要在不使用弓时松开弓弦。使用长弓是一门艺术。取代长弓的是用塑料薄片和玻璃纤维合成板制成的弓,这种弓受温度和湿度变化影响较小。技术水平相同的射箭手用新弓取得的成绩平均要比用长弓高30%～40%。

新弓比长弓射得远。新弓的射程在850码以上,而长弓只能达到300码左右。新弓的效率(指满弓所含的能量有百分之几在撒放瞬间转移到箭上)比长弓高一倍,用新弓射出的箭的速度达65米/秒,而长弓仅为46米/秒。从设计看,现代的合成弓与土耳其弓相似。

同样,箭杆也改用铝合金或玻璃纤维管制成,尾翼则用塑料片代替羽毛。箭头是用钢制的,弓弦是用尼龙丝做的。

设施　现代打靶用的弓的长度按弓箭手的身高而各异,通常约为5英尺6英寸长(原先长弓的长度与弓箭手的高度相同)。同样,箭的长度也从22～30英寸不等。长弓的箭原来叫做"布码杆",一布码后来成为英国法定的一码(比一米略短些)。弓的拉力(把弓拉满所需的力量)男子为14～23公斤不等,女子为9～18公斤。射手通常把箭放进挂在腰间的箭筒内,用手套或指套来保护拉弓弦的手指。在执弓臂的前臂内侧戴上护臂以防撒放时被弓弦抽打。

户外射箭场地最理想的布局是在南北向平坦的草坪上,射箭时面朝北。有些比赛却是在室内进行的。箭靶通常是用草绳紧紧盘成的垫子,厚度约为4英寸,直径约为4英尺,上面覆盖着一层画有同心圆计分环的帆布(英式靶有5个环,国际箭联靶有10个环)。从圆心向外各环的分值,按英(美)制为9、7、5、1分,按国际箭联制为10、9、8、7、6、5、4、3、2、1。箭靶的大小因射程不同而异。

随着射箭运动越来越普及,附加装备成了常见的东西。如装在弓上的稳定器(插在弓背上的长杆)、箭扭曲飞行抵消器(加重的短杆)、衡重杆以及无透镜瞄准具(用来瞄准的器件)。准许带上这些器件的比赛称做自由式比赛;不带附件的比赛称光弓比赛。

比赛　射准比赛中的一轮是指在规定的距离射出特定数目的箭,射完之后计算总分。轮的种类很多,主要有美国式、赫里福德式、全国式和约克式。在国际射箭联合会赛中,每轮射程男子为90米、70米、50米和30米,女子为70米、60米、50米和30米。以前国际箭联的标准轮要求男、女射手都在每一射程射36支箭。自20世纪30年代以来,国际箭联的规定成为最普遍采用的赛制。

其他形式的射箭运动　地面靶射箭(**clout shooting**)起源于16世纪后期或更早的时候,它主要是英国的运动。16世纪末在英格兰流行射远比赛(**flight shooting**),到了18世纪末,许多土耳其人用合成弓进行射远比赛。

鹦鹉靶射箭主要是欧洲的运动,起源于16世纪末期。原先是把系在一根柱子顶上的活鹦鹉作为箭靶,近代的鹦鹉靶射箭改在一根柱子顶上挂一个圆筒形框架,上面系着雄鸡、母鸡和小鸡。射手从柱子下垂直地向上射靶。

关于世界锦标赛,包括个人和团体赛,参阅 **Sporting Record**: Archery;并参阅 **Olympic Games**。

Arches National Park　阿切斯国家公园　具有石塔、石窗和石拱门的沙漠地域。在美国犹他州东部,英阿布的正北方,滨科罗拉多河。荒漠上的红色灰岩受到侵蚀,形成各种奇特景物,有石塔、石窗、石拱门、石炉和魔域花园等。1929年设国家保护区,1971年设国家公园,面积298平方千米。有野生动物数种,萨尔特河谷夏季野花争艳。

archetype　原始模型　在文学评论中,指一种原始的形象、性格或者模式在文学与思想中一再出现,从而成为一种普遍的概念或境界。文学批评家们从心理学家C.容的著作中采用这个名词,容系统地阐述了一种称为"集体无意识"的理论。在容看来,人类的各种各样的经验都通过遗传密码传递给后代。这些先于逻辑思维产生的原始形象、模式和境界,在读者和作者心中唤起惊人地相似的感觉。

Archidamus　阿希达穆斯　又拼 Archidamos。欧里庞提德世系的5个斯巴达国王之名。按年代顺序分列于后,并各以●为标记。

● **Archidamus Ⅰ　阿希达穆斯一世**(活动时期公元前7世纪)　欧里庞提德世系的斯巴达第12代国王。阿纳克西达姆斯之子。他的统治从第2次麦西尼亚战争结束(约公元前660)后不久开始,至斯巴达与泰耶阿之间的长期战争(泰耶阿战争)爆发时为止。据地理学家鲍萨尼阿斯的描述,他在位时期太平无事。

● **Archidamus Ⅱ　阿希达穆斯二世**(?～公元前427)　斯巴达国王(约公元前469年起)。作为欧里庞提德家族(斯巴达两个王族之一)的成员,继承其祖父莱奥提基德斯的王位。约公元前464年一次严重地震之后,当麦西尼亚的农奴起来反对斯巴达主人的时候,阿希达穆斯组织了保卫斯巴达的行动。此后30年中,斯巴达军队所有已知的作战行动都是由另一个王族(阿吉亚达伊家族)的成员指挥的,没有有关阿希达穆斯的活动记录。直到公元前432年,据历史学家修昔底德的记述(《伯罗奔尼撒战争史》,431～404),才知道国王曾试图阻止同雅典的战争,但未能成功。公元前431、430和428年,阿希达穆斯3次率领斯巴达的军队侵入阿提卡,并在公元前429年进攻普拉蒂亚。这场战争的前10年通称阿希达穆斯战争。他的两个儿子亚基斯二世和阿格西劳斯二世也都成为斯巴达的统治者。

● **Archidamus Ⅲ　阿希达穆斯三世**(?～公元前338,卡拉布里亚曼杜里亚)　斯巴达国王(公元前360～前338在位)。他继承其父阿格西劳斯二世的王位。公元前371年斯巴达军在留克特拉被第比斯人打败后,他曾率兵前往救应。后来,在伯罗奔尼撒的大混战中,他任司令官。公元前367年他战胜阿卡迪亚人,而在364年又在克隆努斯被阿卡迪亚人打败。公元前362年在斯巴达反对第比斯的司令官伊巴密浓达的保卫战中,他显示出极大的英勇气概。当国王以后,在公元前355～前346年的神圣战争中,他支持福基斯人去打第比斯。他曾率领一支雇佣军帮助他林敦(现意大利塔兰托)打卢卡尼亚人,但在曼杜里亚附近,他和他的大部分军队同归于尽。

● **Archidamus Ⅳ　阿希达穆斯四世**(活动时期公元前3世纪)　斯巴达国王,欧达米达斯一世之子,阿希达穆斯三世之孙。他的继位和逝世时间不详。公元前294年,他在曼提尼亚战役中被马其顿的德米特里一世击败,只因德米特里一世由于竞争对手利西马科斯和托勒密二世的威胁行动而回师，斯巴达才算得救。

● **Archidamus V　阿希达穆斯五世**（活动时期公元前3世纪）　欧里庞提德世系的斯巴达第27代国王，欧达米达斯二世之子，阿希达穆斯四世之孙。公元前241年其兄亚基斯四世被谋杀后，他逃往麦西尼亚。公元前227年，克莱奥梅尼三世因无人帮助治理将他召回，但他回国后不久即遇刺身亡。历史学家波利比奥斯指责克莱奥梅尼是谋杀者；但普卢塔克可能是正确的，他说这是杀害亚基斯的那些人干的勾当，他们害怕弟报兄仇。

archil（dye）　参阅**orchil 苔色素**。

Archilochus　阿尔基洛科斯（公元前675？，帕罗斯[希腊]～公元前635?）　希腊诗人和士兵，最早的挽歌对句诗和个人抒情诗作家，其著作留传下来甚多。阿尔基洛科斯是一个贵族的私生子。如果他不是在求婚时被一个叫妞布勒的女子拒绝，也许改变不了他的社会地位。可能正是由于这次拒绝，阿尔基洛科斯去了萨索斯，在那里他成了一名雇佣兵，后来他又在色雷斯和其他地方当兵，当兵的同时也写诗。值得注意的是，他同在他之前的作家不同，认为战争并无光荣可言。在后来的一首诗里，他谈到了自己为逃命而丢弃盾牌的不光荣的行为。他说："没关系，我总是会找到另一个盾牌的。"传说他死于萨索斯人和纳克索斯人的一次战斗中。阿尔基洛科斯是第一位有作品留传下来的希腊作家，他写挽歌对句诗和各种抑扬格和扬抑格诗句。现存的诗作残片表明他是运用希腊语言的能手。他也是第一位将个人经历和情感作为诗歌主题的欧洲作家。他的有所控制却又表现出个人声音的诗作表明同其他保存下来的古希腊诗歌有显著不同，后者通常是形式化的和夸张的。他特别出名的是他的那些尖锐讥讽和咒骂妞布勒和她父亲的诗句。他受到后世诗人特别是贺拉斯的高度赞扬。

Archimedes　阿基米德（公元前290至前280?，西西里叙拉古～前212或前211，叙拉古）　古希腊最著名的数学家和发明家，约公元前290～前280年生于西西里岛的主要城邦叙拉古（又译锡拉库萨）。他一生中，早年大概有很多时间在埃及度过，但大部分时间还是住在叙拉古。他同叙拉古国王希伦二世有密切交往。阿基米德的著作都是以他同当时一些主要数学家的通信形式发表的。这些数学家中有亚历山大的学者科农（萨摩斯的）和厄拉多塞等。公元前213年阿基米德在保卫叙拉古城，反对罗马人围攻的战斗中起了重要作用。他制造了很多有效的战争器械，把罗马人攻占叙拉古城的时间推迟很久。但叙拉古最终还是在公元前212年秋或公元前211年春被罗马将军马塞卢斯所攻占。而阿基米德也在对陷城的洗劫中被杀。

流传下来的关于阿基米德生平的资料远比古代任何一位科学家更详细，但大多是些奇闻轶事，反映出他的机械天才给民众的想像留下了深刻印象。他发明了阿基米德螺旋泵（一种提水的装置），据说还制造了两个"球"，被马塞卢斯带回罗马，其中一个是星球仪，另一个是演示太阳、月球、行星运动的机

贝特曼档案馆供图

械装置（其细节已不为人知）。关于他在水中秤重来确定希伦王王冠金银成分的故事可能是真实的，但是他从浴池中跳出来光着身子跑到大街上大喊大叫"尤里卡"（我找到了）等的描述则可能是民众添枝加叶的渲染。还有一些同样不足凭信的故事说，他用一组巨大的反射镜去焚毁围攻叙拉古的罗马船只；他说："给我一个立足点，我就可以搬动地球"；罗马士兵杀死他是因为他拒绝离开在沙地上画的数学图形。所有这些故事都是民众反映他对反射光学（研究光由平面镜或曲面镜反射的光学分支）、机械学和纯粹数学的兴趣。

据传记作家普卢塔克说，阿基米德对他的那些超越同时代人的实际发明并不很看重，所以他没有把这些东西写成书。虽然除了论文《论球的制造》外，阿基米德的全部著作都是理论性的，但他对机械学的兴趣还是深深地影响到他的数学思想。他不仅写了理论力学和流体静力学方面的著作，而且他的论文《关于力学定理的方法》表明，他已经利用力学的推理作为发现新的数学定理的启发式手段。

著作　阿基米德尚存的著作（希腊文的）共有9部。在《论球和圆柱》（2卷）中的主要结果是任何球面的面积等于其大圆面积的4倍（用现代的记法即 $S=4\pi r^2$）以及球的体积等于球内切其外的圆柱的体积的三分之二（立即可得出体积公式 $V=\frac{4}{3}\pi r^3$）。阿基米德对这后一发现非常得意，甚至留下指示要在他的墓碑上做一个内切于圆柱的球的标志。西塞罗在阿基米德死后150年找到了这长满了草木的坟墓。

《圆的测定》是较简短的著作。书中指出圆周率 π（圆周与直径之比）在 $3\frac{1}{7}$ 和 $3\frac{10}{71}$ 之间。阿基米德发明的解决这个问题的方法（让圆的内接和外切正多边形的边数增加）被后来所有要确定 π 的数学家们所仿效，直至17世纪晚期发展出级数展开方法为止。这部书还包括求3和一些更大数的平方根的精确近似值（表示为整数的比）。

《论劈锥曲面体与球体》涉及如何确定由圆锥曲线（圆、椭圆、抛物线或双曲线）绕其轴旋转形成的主体的部分体积。用现代术语来说，它们都是一些积分问题。《论螺线》发展了阿基米德螺线的切线的许多性质。所谓阿基米德螺线是沿其本身绕一定点匀速旋转的直线作匀速运动的点的轨迹。

《论平面板的平衡或平面的重心》（2卷）主要讨论如何确定各种平面直线图形和圆锥曲线弓形的重心。上卷大意是建立"杠杆定律"（平衡力至支点的距离与其大小成反比）。阿基米德被称为是理论力学的创始人多半也是这本书打下的基础。但这本书很多内容肯定不是权威性的，而是包含了一些不合适的、后来补充或重写的东西。杠杆定律的基本原理以及重心的概念似乎很可能在阿基米德以前就已经由学者们在数学的基础上建立起来。他的贡献更确切地说是把这些概念推广到圆锥曲线上。

《抛物线面积的求法》先用力学方法（如在下述《方法》一书中），后用传统的几何学方法证明：任何抛物线弓形的面积是与弓形有同底同高的三角形面积的 $\frac{4}{3}$ 倍。这又是一个积分问题。

《沙粒的计算》是一篇短文，是为外行人写的一些"机智的妙语"。它是给希伦的儿子革隆讲的话，但却包含一些深刻的原始数学思想。它的目的是通过如何表示一个大数（一个能填满整个宇宙的沙粒数）来补救希腊记数制的不足。阿基米德所做的实际上就是创造一个以100 000 000为基底的位-值记数制。这显然是完全独创的思想，因为他没有当时巴比伦人的以60为基底的位-值记数制的知识。这本书还很有趣，因为它是现存最详细地记述了阿利斯塔克的日心体系的书，还因为它包含了阿基米德用来确定由仪器观测的太阳视直径的精巧步骤的记述。

《关于力学定理的方法》，简称《方法》（The Method），描述了数学中发现的过程。它是唯一从古代幸存下来的著作，也是任何历史时期讨论这一主题的少数几本著作之一。阿基米德在书中详细叙述了他如何利用"力学"方法得到某些关键性的发现，包括抛物线弓形的面积、球的表面积和体积。这一方法先将两个图形（一个以直线为界，另一个以曲线为界）的每一个都分成无限多个但数目相等的、无限小的细长条，然后在想像的天平上互相对比地"秤"每一对相应的细条，再把它们相加，求出两个完整图形之比。阿基米德强调指出，这些步骤作为启发式的方法虽然有用，但是并不能构成严格的证明。

《论浮体》（2卷）只有一部分希腊文本残存下来，其余的是从希腊文翻译的中世纪拉丁文本。它是已知的最早的流体静力学著作，阿基米德被公认为是这一学科的创始人。这本书的要旨是按各种固体的形状和比重的变化确定其浮于流体中的位置。上卷中建立

各种一般原理,特别是现在被称作阿基米德原理的命题7:比流体密度大的固体浸在此流体中时减轻的重量等于它排开流体的重量。下卷是关于力的数学巡视,它在古代是无可匹敌的,从那时以来也很少有可与之相比的。在书中,阿基米德按几何的和流体静力学的变化确定了旋转正抛物体浮在比重较大的流体中的稳定位置。

从后来作者的引证中可知,阿基米德还写了许多其他的书,但没有留传下来。特别有趣的是关于反射光学的论文,其中讨论了折射现象以及其他一些事物,如13种半正则(阿基米德)多面体(可内接于球内的由不同正多边形围成的多面体)和保存于希腊的机智短诗中的"家畜问题"(一个有8个未知数的不定分析问题)。此外,还留传下一些被认为是阿基米德著作的阿拉伯文译本,但它们没有能整理成现代的形式,尽管它们也可能包含"阿基米德"元素。这些著作包括圆内接正七边形、引理集(引理是证明定理时假定是正确的命题)、"论动人的圆"等书,它们都和初等平面几何学有关。

阿基米德的数学证明和描述一方面展示他思想上的巨大勇气和创造力,另一方面也表现出他的极端严格作风,达到同时代几何学的最高标准。《方法》表明他已经通过力学推理得到计算球的表面积和体积的公式,这种力学推理已经包含了无穷小思想。他在实际证明《论球和圆柱》中的结果时,只用了过渡到极限的严格方法(为公元前4世纪欧多克索斯所发明)。阿基米德所精通的这些方法在他所有论述求积问题的高等几何学著作中都是一些标准的步骤。它们数学上的严谨同17世纪积分学最早的实践者的所谓"证明"恰成强烈的对比,当时无穷小被再次引进数学。然而,阿基米德的结果比起他们的毫不逊色。摆脱传统思想同样也表现在算术领域的《沙粒的计算》中,它显示了对记数制本质的理解已达到古代和中世纪空前未有的水平。

阿基米德也是古代杰出的天文学家:他对二至点(冬至、夏至)的观测被古代最重要的天文学家喜帕恰斯所引用。虽然《沙粒的计算》已表现出他对天文学的强烈兴趣和实际观测才能,但关于他在这方面的活动人们知之甚少。但是,有一组数据被流传下来,据称是阿基米德测量各个天体同地球的距离时得出的。已经证明,这些数据不是建立在天文观测的基础上,而是建立在毕达哥拉斯的理论基础上,这个理论将行星之间的空间间隔同音程联系起来。虽然从这位有实际经验的天文学家的著作中发现这些形而上学的思索有些令人惊奇,但还是有很多理由可以相信,它们确实是属于阿基米德的。

他的影响 虽然阿基米德的成就是伟大而且有独创性的,但他的数学在古代的影响还是很小的。他的那些可以简单表示的结果(例如计算球的表面积和体积的公式)已成为数学中平凡的东西;他为π建立的一个上界$\frac{22}{7}$在古代和中世纪都被采用作为π的通常近似值。但就我们所知,他的数学工作在古代一点也没有得到继承和发扬,尽管他在《方法》一书中表达希望:他的出版物将能使其他人作出新的发现。直至他的一些数学论文在8世纪或9世纪被翻译成阿拉伯文以前,都没有人试图推广他的成果,特别是确定旋转体的体积。中世纪初期阿拉伯数学家所做的一些值得称道的工作都是从研究阿基米德的工作中得到启发的。

但是阿基米德的工作对后世的数学家产生最大影响,已是16世纪和17世纪的事了,那时正印制从希腊文衍生出来的一些课本,后来1554年在巴塞尔直接印制希腊文课本《初版》。许多阿基米德著作的拉丁文译本是1558年由F.科曼地诺完成的,他对于传播这些知识起了很大作用。这些知识在当时第一流的数学家和物理学家(包括J.开普勒和伽利略)的著作中得到反映。阿基米德著作的D.里沃版和包括古代评注的全集的拉丁文译本对17世纪一些最杰出的数学家,尤其是R.笛卡儿和P.de费马,产生了巨大影响。如果没有被重新发现的古代数学家的背景,则欧洲从1550至1650年的数学发展就不可思议,而在古代数学家中阿基米德是最高权威。不幸的是,《方法》一书仍不为阿拉伯数学家和文艺复兴时期数学家所知(它是在19世纪后期才被重新发现的),否则他们就能实现阿基米德的希望,即这本书将会证明对他的继承者在发现定理时有用。

Archimedes' principle 阿基米德原理 关于浮力的物理定律。由希腊数学家和发明家阿基米德于公元前3世纪发现。定律指出:任何完全或部分浸入静止流体(气体或液体)中的物体,受到一个向上的作用力或浮力,大小等于被物体所排开流体的重量。排开的流体的体积等于完全浸没在流体中的物体的体积;而对于部分浸没在液体中的物体,则等于液面下那一部分的物体体积。作用于浮在液体或气体中物体的浮力等于物体的重量,并且浮力与重力的方向相反,物体既不上升,也不下沉。一只船下水,要下沉到直至它所排开的水的重量正好等于船的自身重量为止。装载货物的船,船体更深地下沉,排开更多的水,因而浮力继续保持与船及货物的重量平衡。如果物体重量小于排开流体的重量,则物体将上升。如水下的木块向水面浮起;充氦气球在空气中上升。如果物体比排开的流体重,则物体被放开时,一定下沉。事实上对某些精确称量必须校正周围空气浮力所引起的误差。浮力是由流体压强随深度增加而增加引起的。所以物体浸没愈深,受到的压力也愈大。而且浮力的方向总是朝上,或与重力的方向相反。浮力是物体受到的流体压强的所有作用的净效应。

Archimedes screw 阿基米德螺旋泵 一种提升水的机器,据说是公元前3世纪希腊科学家阿基米德为了将水从大船的船舱中排出而发明的。其中一种形式是一根圆管,里面有螺旋。圆管与水平倾斜约45°,下端浸入水中,旋转时使水在管内升高。其他形式则是在固定的筒体内装旋转的螺杆或在轴上绕螺旋形管。现代螺旋泵在几个倾斜的明槽中都装有螺杆,是废水处理厂抽运污水的有效设备。明槽和设计的螺杆可使碎物残渣通过而不致堵塞。

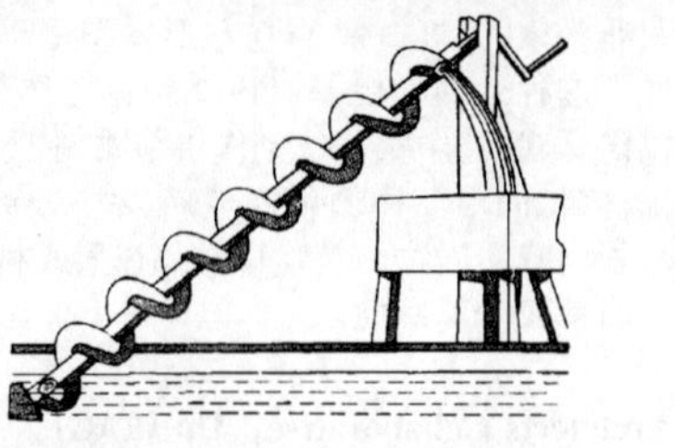
希腊阿基米德发明的螺旋泵

archinephric duct 原肾管 参阅Wolffian duct沃尔夫氏管。

archinephros 原肾 脊椎动物最原始的肾,见于盲鳗和某些蚓螈的幼体及高等动物胚胎中。两条原肾管(沃尔夫氏管)在体腔与背壁之间延伸,直通体外。一系列原肾小管(每个体节一对)连接体腔与沃尔夫氏管。小管向体腔开口处称肾孔,具有纤毛,并有一个血管球。脊椎动物成体肾的3种类型,均由胚胎时期原肾发育而来。前部发育为前肾,中部发育为中肾,后部发育为后肾。

archipallium 旧皮质 大脑皮质的一部分。在两栖类的大脑表面即可见到,对于人类和其他哺乳动物,旧皮质为新皮质所掩盖,旧皮质演化而成的部分构成侧脑室的上壁及侧壁。嗅脑的皮质均属旧皮质。

archipelagic apron 群岛崖坡 环绕古代或近代岛群形成扇形斜坡的火山岩层,在太平洋中部和南部最常见。这种崖坡一般具有1°~2°的坡度,越靠近海滨坡度越小,崖坡上部可能被深海水道切割成锯齿状。虽然有些崖坡高低不平,但一般较为平坦,因为最近1万年期间有薄薄的一层现代沉积物把火山地形都掩盖了。浊流在从崖坡上搬运岩屑方面可能起着重要作用,因而使之更加平坦。群岛崖坡出现在马克萨斯、马绍尔、夏威夷、萨摩亚和吉尔伯特等这样一些群岛的周围。这些崖坡似乎就是地球物理学者称之为第二层的岩层在地形上的表现,即以4~6千米/秒的速度传递地震波的一层岩石。这个第二层的厚度在火山群岛附近加大,形成了群岛崖坡。这种厚层的形成,似乎是由于流动性很大的熔岩从火山群岛底部附近裂隙中源源涌出引起的。

Archipenko, Alexander 阿尔西品科(1887-05-30,俄罗斯帝国乌克兰基辅~1964-02-25,美国纽约) 美籍乌克兰裔雕刻家及画家,创造了以"空洞"和"实体"的形式组合表现人体的新风格。早年在俄国学习,1908年入巴黎美术学院学习,积极参加立体派运动。曾先后任教于柏林(1921~1923)、纽约(1923~1964),其间仅短期在芝加哥与新包豪斯建筑学派有联系(1937~1939)。其抽象形象具有一种原始的活力和有节奏的运动。其《步行的女人》(1912)脸部和躯干刺了若干孔,腿部线条不向外凸出,反而凹入。这种形式上的开放改革了现代雕刻。其《拳击比赛》(1913)

用非具象的、机械般的立方形体和蛋形体表现了这种运动的粗暴。1912年在名作《梅德拉诺马戏团》中第一次创作拼贴雕刻，不用传统材料，而用多种颜色的玻璃、木头、金属来刻画马戏团人物。其晚期作品在形式和构思方面都较少革命性。

Architects Collaborative, The（TAC） **建筑师协作事务所** 以设计学校建筑为特长的建筑师组织。1946年由W.格罗皮厄斯创建于美国马萨诸塞州剑桥。最早的成员有N.弗莱彻、J.哈克尼斯、S.哈克尼斯、R.麦克米伦、L.麦克米伦和B.汤普森。由该事务所同仁协作配合设计的作品有：哈佛大学研究生中心（1949～1950）、雅典美国大使馆（1956）、马萨诸塞州安多弗菲利普斯学校的艺术和通信中心及埃文斯科学大楼（均建于1959）、巴格达大学（1960年设计获得同意）。格罗皮厄斯积极参加建筑师协作事务所工作，直至1969年逝世。

architecture **建筑学** 关于设计建筑物的艺术和技术，用以满足人类实用和表现的需要。其重点在于建筑物的设计，与建筑物的营造技术不同。建筑物与其他构筑物的区别是：①符合人们的一般使用要求并适应人们的特殊活动要求；②构造坚固耐久；③通过形式传达经验感受和思想情操。建筑物必须具备这些条件，其中第2项是普遍要求，而1、3两项的相对重要性则因房屋的社会功能不同而有所不同。

建筑类型 *居住建筑* 基本要求比较简单：提供食宿或工作场所，有光线，避风雨。包括：①“乡土”建筑。源自古代或史前的居住建筑形式，在许多地方沿用至今。②“权势”建筑。社会上少数握有权力的成员利用社会资源建造的特殊类型的居住建筑，如住宅、府邸、别墅、花园、游乐胜地等。③公寓建筑。晚近以来在许多不同文化不同社会中建造的各种集体住宅：或用以均等生活标准，或用以控制劳动力，或供同类阶层使用。

宗教建筑 在建筑历史中，宗教建筑的地位较任何其他类型更为重要，是最富表现力、最有永久性和最有影响的建筑。①庙宇或教堂。尽管宗教不同，均以信徒能在内作礼拜仪式为建筑的共同目的。寺院建筑除宗教功能外，尚需满足居住、生产、学习等项功能。②圣祠及纪念建筑。为纪念神灵、圣徒、圣地或宗教创始人而建，在建筑史上对后代的影响较小。③陵墓。表现人与身后关系的建筑，有时为纯粹象征性的而适于用雕塑来处理，不一定属于建筑范畴。

政府建筑 无一定的基本形式，但由于不同政治体系的意识形态以及各种传统的统治机构所要求的表现功能不同而具有鲜明的特色。

文娱建筑 由于人类生理的原因，各种文娱建筑的形式在历史上最少变动，仅要求便于观众欣赏、对活动人员提供适宜场所即可。①剧场。源自古希腊祭神的临时场地，后发展为利用自然坡地修建的露天建筑。17世纪歌剧、戏剧和芭蕾舞的发展赋予剧场建筑以新形式。②礼堂。较剧场容量大且不设舞台机械装置的场所。③体育设施。源自古罗马的运动场地、跑道和公共游泳池，除结构外迄今仍很少变化。④博物馆和图书馆。也源于古代建筑，但作为真正的公共建筑始自19世纪。

福利及教育建筑 公共福利事业包括教育、卫生、公安及公用事业。古代和中世纪初期很少专门的公共福利建筑。中世纪后期建筑了至今尚有影响的大学校舍。医院原附属于教会，自文艺复兴时期始成为独立的建筑类型。19世纪以来各种专门的福利及教育建筑类型日益增多。

工商业建筑 主要包括贸易、交通、通信、制造、动力等方面的建筑。产业革命以来建筑类型和建筑技术都发生了巨大的变化，但总的来说设计可分为两类：第一类以考虑机器设备的大小和运行为主，第二类以人的活动为主。后者（如银行）比较注重表现作用，前者的实用功能要求往往排除了表现功能，以致大多数现代工厂建筑已不属于建筑学的范畴。

建筑设计 建筑设计往往在建筑地点、建筑类型及建筑造价三者决定之后进行。因此，建筑设计是对于环境、用途和经济上的条件与要求加以运筹调整和具体化的过程。这种过程不但有其实用价值，而且有其精神价值，因为为任何一种社会活动所创造的空间布置将影响到人们在其中活动的方式。

环境设计 自然环境有其有利和不利的因素，设计过程中须扬长避短，考虑寒暑、日光、空气、湿度等的影响并预见潜在的危害，如火灾、地震、洪水、疾病等。①朝向。建筑物的朝向以及内部空间布置是控制阳光、风雨影响的一种方法。周围环境（树木、地形、水域及其他建筑等）也和朝向密切相关。②建筑形式。适当的设计可以制约和减轻自然条件的影响，如挑檐遮阳防雨、屋顶排泄雨雪、墙壁隔热保温、窗户采光通风等。③建筑色彩。可决定吸收和反射日光的程度，同时也有其美学上的表现作用。④材料和技术。选择时应同时考虑其本身防御自然条件的能力以及对人的利害关系，设计中须权衡其优缺点。⑤室内控制。室内空间的大小、形状、不同空间连接方法，以及地面、墙面、天花板、家具等所用材料的颜色、质地均可以控制室内的温度、光线、音响等。现在采暖、隔热、调节空气、照明和音响效果等措施已成为建筑设计中的重要内容。

使用功能设计 环境设计是要满足人们感觉（视觉、触觉、听觉）和反应上的舒适，而使用功能设计则是为人们行动和休息的便利。因此①应根据不同的功能要求将空间分区。②在不同功能分区之间和室内室外之间安排适当的行动空间，供水平与垂直交通之用，路线应当简捷、目标明显、设备方便。③应对人体的尺度、体力和活动方式加以研究分析，以决定层高、门窗、踏步等的尺寸，尽量采用便利人们活动的设施。

经济核算 建筑的费用主要用于土地、材料和人工。土地有限时，建筑只能向高层发展。建筑材料的选择受到造价的限制时，建筑设计的各个方面都会受到影响。人工的昂贵要求构造的简化和标准化。设计中不仅要对三者分别核算而且应综合考虑其比例关系以取得最佳方案。

建筑技术 在此仅指由特定材料构成建筑物时所采用的方法。技术的进步取决于两方面的因素：其一在经济上，探求以最少的材料和劳力建成最大限度坚固和耐久的建筑物；其二在表现上，力求创造含义深长而隽永的形式。

建筑材料 ①石料。优点是耐久，适于雕刻处理，具有朴实端庄的自然形态。但开采、运输和錾凿困难，抗拉力差，因此不宜用作过梁和楼板。②砖。有抗火与抗风化的性能，生产、运输、砌筑都较方便，规格应便于晾干、焙烧和砌筑。砖的形状和砌合技术在历史上有较大的变化。③木材。较其他天然材料易于采伐、运输和加工，但缺点是易遭火灾和虫害。木材在锯开后或长期暴露下其抗拉和抗压强度不受破坏。但因含有水分，强度不够均匀，因此需仔细选择并进行干燥处理。④钢铁。钢铁结构的采用是自古以来建筑上最重要的革新。钢的强度均匀，富有弹性，易于加工。钢构件可轧制成各种型材，常用的有钢板、角钢、工字钢、槽钢等。钢构件的接合可以铆接或焊接。焊接更省工省料，使钢结构形成一个刚性的连续整体，这是建筑技术上的一个根本性变革。⑤混凝土。混凝土是水泥、砂石和水的混合物，通过化学作用三者迅速凝结成一种防水、防火、抗压力强（抗拉力差）类似石料的制品。成为传统材料的经济代用品，同时具有连续性（不用接头）和易于与其他材料结合的优点。20世纪中混凝土结构的3项发展对建筑产生了深远的影响：首先混凝土薄壳结构能以少量的钢筋混凝土建成庞大的拱顶和穹顶；其次钢筋混凝土预制构件可提高质量、缩短工期、降低造价、减少胀缩；最后，预应力混凝土构件与非预应力的同样构件相比，能承受更大的荷载。

建筑方法 ①墙。分为承重墙和非承重墙两种，前者承受楼板和屋顶的重量，后者至多承受自重。在钢框架和混凝土框架结构中，外墙只起屏蔽作用，称为幕墙，可用任何耐久而抗风雨的材料制成。②梁柱。梁柱体系是荷载与支承关系的最简单的例子，在历史上一直是建筑设计的基础。许多现代结构均以梁柱体系为基础，但在整个刚性框架中其应力分布不同于原来梁与柱的二元性的概念。而无梁楼板结构则进一步发展了柱与楼板的整体性。③拱。拱的发明解决了两个问题：宽大的洞口可以用小而轻、便于运输和施工的砌块（砖或石）砌成，拱向上隆起以抵抗本来趋向于使过梁向下弯的荷载而将荷载传至支座。拱上的荷载和拱的应力合成一种斜向的推力，因此拱石能像过梁那样放在两根单独的立柱上。古罗马时广泛使用拱，哥特式建筑中拱的形式和用途有所发展。20世纪用钢材、混凝土或层积材建造的拱，改变了原始拱的概念和力学作用，其组成部件与楔形砌块完全不同。④拱顶。最原始的筒形拱顶只不过是一个覆盖三度空间的深拱。以后发展为古罗马的交叉拱顶，中世纪的带肋拱顶和飞扶垛，19世纪的铁骨架拱顶，直至现代的钢筋混凝土薄壳拱顶。⑤穹顶。也由拱演变而来，其最简单的形式可认为是一系列

同心的连续的拱。拜占廷建筑中用墩子代替墙,又采用穹隅解决了方形平面向半球形穹顶过渡的问题。20世纪的网格球形穹顶是由若干三角形面或多角形面组成的球形体,其应力分布在结构本身内,可由轻质的墙支承,并是唯一可以直接建在地面上的完整结构。⑥桁架。历史上最常见的屋顶是由若干三角形框架组成的桁架屋顶。桁架的原理根据几何学法则(即"三角形是不会变形的唯一形体,除非改变其边长")而来。因此由坚实构件构成而在角上固定的三角形框架不会因自重或外力(如风力)而变形。在力的平衡下,桁架只对墙产生向下的压力,因而墙可以不必加厚或加扶垛。⑦框架结构。不依靠墙或楼板抵抗变形的独立刚性结构。木材、钢材和钢筋混凝土等抗拉和抗压能力都很强的材料均适用于框架结构。

建筑表现 建筑中的表现即性质与意义的表达。建筑物的功能与技术通过表现而转化为艺术,表现的种类因不同时代不同地点的文化特征而异,形成明显的表现方式或语言,称为风格。表现的组成部分为内容与形式。

内容 建筑物的功能及其技术的表达。①功能的象征。不同的建筑类型、不同的使用要求、使用者的不同传统和习惯,除了在布置上有所区别外,也在表现上有所区别。当建筑形式成为表达内容的媒介时(如在平面、立面和装饰上),它们是象征性的。人们由于联想和某些普遍的经验,可以自觉或不自觉地领会这种象征的含义。建筑平面上的象征几乎总是限于宗教范围,到了19世纪才逐渐消逝。建筑立面上最常用的象征形式是穹顶、塔楼、楼梯、门廊和柱廊。建筑装饰是最容易辨认内容的介体,通过建筑构件(如柱式)或通过形象艺术(如雕塑、绘画、镶嵌细工、彩色玻璃等)来表达意义。现代建筑趋向于抽象化而不采用传统的象征手法。②技术的表现。即表达材料和方法在构造上的意义。材料的特点可以通过表面处理来表现,它的使用方法可以通过建筑部件的尺度和连接方法来表现。有时用直率地暴露结构来表示其构造方法,但在许多建筑风格中建筑构件往往设计成具有表现意义而并非结构上需要的形式以表达其结构功能。现代建筑中,技术的表现已被看作一种艺术,一种创造性的表现方法。

形式 形式的基本组成部分为空间和体量。将它们组织成有规律的形式的过程称为建筑构图,而赋予它们以表现能力的主要手段则为尺度、光线、质地和色彩。①空间与体量。空间这个非物质的要素是建筑师在无限的自然环境中用物质包围起来的有限的人工环境。人们在建筑的空间中通过视觉感受到空间的性质,并在连续的运动中获得不同的感受。大多数现代建筑在较为自由的空间序列组织上强调行动性,因为现代技术可以免除过去的厚墙和支柱而减少压抑感。空间的感受不仅限于建筑内部。通过艺术手段,可使人们在室外也得到空间的感受。城市广场、街道,甚至花园,都能创造出同室内空间相媲美的各种表现效果。建筑物占据着自然界的空间,它像雕塑一样,以其在空间中的体量给人以感受。体量的美学也以人们的心理作用为依据。20世纪的艺术评论家S.吉第翁强调在行动中体会现代建筑,认为建筑是四维的,时间维与空间维同样重要。②构图。即将各个局部组成整体的过程,包括各个因素的概念、各因素之间的相互关系,以及它们和整体之间的关系。③尺度。建筑物的局部与整体间的比例关系必须与人体的尺度相和谐,由此产生了称为尺度的三边比例关系。④光线。在建筑中有其实用功能,又是一种有力的表现媒介,能赋予呆板的建筑体量以大自然的生气。建筑师应掌握其性质作有意识的灵活运用。⑤质地。在建筑中有双重作用:一方面表现材料的某些性质,另一方面在光线作用下产生一定的感染力。⑥色彩。建筑材料的选择主要根据结构性能,其色彩往往不能满足表现的需要,因此常在其表面添加其他材料,如颜料或贴面层。但色彩是建筑中最不持久的组成部分。材料受到风雨侵蚀和玷污后,其色彩会发生变化,而建筑物表面涂层或贴面的色彩,也很容易改变。色彩所产生的联想(例如黄与红被视为"欢快鲜艳"的色彩,黑与深蓝则具有"阴暗"的含意),与材料及形式无关,色彩能给建筑师提供其他手段所无法获得的表现效果。反光强烈的明亮色彩,似乎在向观众靠近,而吸收光线的深暗色彩,似乎在向后退缩。建筑物上的不同色彩,就能加强或减弱建筑形式向外凸出或向内缩进的效果。⑦环境。建筑和其他大多数艺术不同,不能离开其特定环境而构思。建筑设计问题超越了建筑本身的空间与体量的组合而包括着整个形式与自然环境和建筑环境的关系。不仅如此,建筑师的历史重任总是力求不懈地改造环境本身。

装饰 建筑装饰基本上可分为三种范畴:①模仿性装饰,其形式具有某种一定含义或象征意义;②附加装饰,为增加结构的美观而外加的装饰;③有机装饰,与建筑的功能或材料有关的装饰。

建筑理论 建筑理论是判断建筑或建筑方案优劣的依据,而这种判断是建筑创作过程中的一个必不可少的部分。建筑设计只能由设计者在思想上不懈地探索创造并通过想象与理智之间的辨证法来实现。关于建筑理论有两种相互排斥的见解:一种认为建筑的基本原理是艺术的一般基本原理在某种特殊艺术上的应用;另一种认为建筑的基本原理是一种单独的体系,虽然和其他艺术的理论有许多共同特点,但在属性上是有区别的。后者在16世纪中叶以后流传很广。现代以功能为主的建筑理论,主要来源于德国学者提倡的实用艺术的概念,其中有三点和建筑理论有关:①任何建筑如果不能恰当地满足功能要求就不能认为是美的;②如果一座建筑满足了功能要求,它就因这一事实本身而是美的;③既然任何人工制品都和它的功能有关,一切人工制品,包括建筑,都属于实用艺术。以上第三点具有广泛的影响。20世纪德国包豪斯的教学方法,认为只要学生有能力设计一件东西,就会有能力设计任何东西,按该学校创办人建筑师格罗皮厄斯的说法:"对于任何一种设计,无论是椅子、建筑、整个城市或区域规划,其途径应该是基本相同的。"一般认为完整的建筑理论不外乎维特鲁威提出的三个拉丁词:"适用、坚固、美观",即结构坚固,空间布置恰当,外形美观。一般认为只有当建筑的结构形式和外观与其结构体系相符时才具有"真实"的美。阿尔贝蒂曾对建筑美作了较细致的分析,将维特鲁威所谓"美观"分列为"美"与"装饰",前者指和谐的比例,而后者仅为"辅助的华采"。但20世纪以来,装饰不再被认为是无足轻重的华采而是建筑整体中遍及各处的艺术组成部分。

architrave 额枋 古典建筑中檐部(水平构件)的最下部分,紧接住顶。参阅 **entablature**。

archives 档案馆 又作 records(或 record) office。分类保存档案的地方,这些档案由政府机关、半官方机构、社会事业和商业部门在处理其事务时所形成或收受,并由其或其继承者所保存。archives 一词,亦指全部档案资料而言。此词源于法语,在大多数欧洲大陆国家及南北美洲,这一词形或其同源词被广泛使用。records(或 record) office 则用于联合王国及英联邦某些国家。

北京紫禁城东南的皇史宬,保存明清两代皇帝实录、圣训、玉牒的档案库

中国大百科全书出版社供图

虽然档案馆的建立和在某种意义上的档

案管理可追溯到古代，但是就人们今天所理解的档案馆和档案管理，是从法国革命时期开始的。随着1789年国家档案馆及1796年行省档案馆的建立，第一次有了统一的档案管理机构，包括现存档案的保存机构和编制案卷的机构；其次是默认国家对其文书遗产负责保管；第三是建起档案对公众开放的原则。

各国之间的做法和原则有所不同，但就一般而言，都有一个中央档案馆，如条件许可，再设省级档案馆。法国各省级档案馆不仅收藏了有关当地的近代档案，也藏有大革命前的许多卷宗。荷兰设有国家档案馆及各省档案馆。第二次世界大战后两德分立，联邦德国在科希伦茨、民主德国在波茨坦各设一国家级档案馆；但几个联邦州也建有自己的档案收藏馆所。意大利没有单独设置的国家级中央档案馆，但有许多重要档案储存设施，统一隶属于内政部，这些保存设施反映出该国早先的分裂状态。美国的国家档案馆创办于1934年，保管着中央政府的已办事项存档案卷；1950年的《联邦档案馆法》授权总务管理局将全国划分成几个地区，每一地区设立一"中型"档案馆。根据联邦政府制度，美国每一个州都独立地设有自己的档案机构。在加拿大，情况与此相似，渥太华设联邦档案馆，几个省都有本省的档案馆。澳大利亚档案馆总部设于堪培拉，在各州首府以及达尔文和汤斯维尔两个港市设有分馆；各州也有自己的档案馆，通常隶属于各州的图书馆。

1838年的《英国公共档案法》将全部分散收藏的案卷集中起来，由一名主事官负责管理。因此，英国成为集中保存档案资料的突出典范，而如上所述，更为普遍的做法则是分散管理制，档案分别由最初的建档地区掌管。新西兰的国家档案馆同样采取集中管理办法，印度和巴基斯坦亦然。日本没有统一的国家级档案馆，所有卷宗仍由政府各部自行保存。

联合国和一些国际组织都有档案馆。1948年，在联合国教科文组织赞助下，专业档案保管人员在巴黎开会，成立国际档案理事会。一切专业档案保管人员，以及各中央档案馆理事会或管理部门的代表、全国性档案学会或国际地区性档案学会的代表和所有档案机构的代表，均可获得会员资格。

档案管理学至少必须面对3个中心问题：①确定从原始机构清理的档案类型；②清理的时间；③清理的方式。做法虽有不同，但清理工作通常在档案从原始机构转移之前进行。有些国家，特别是那些历史悠久的国家，一直禁止对某一特定时间之前的卷宗进行清理或销毁。20世纪的档案工作者还必须处理新类型的档案，如胶片档案、电影档案、录音档案以及计算机储存的档案。使用缩微本或缩微胶卷为案卷（其合法地位通常须由特别法规来确定）是制作档案复本的一种实用手段，这可用以防止战争破坏；防止正常变质或损坏；可用于国际资料交换；为学者借阅档案提供方便；用来降低修理、装订和保存的费用；可作为用附属资料补充档案主体的一种方法；以及作为出版物的一种形式。各国的做法和信念不同。由于社会史、经济史和文化史的概念已有所发展，由于工业化在国内国际事务中发挥了日益明显的作用，以及由于民主化扩大到全世界，人们越来越意识到商业档案、公共机构档案和个人的（并非必须是杰出人物的）文件的意义。德国是首先意识到商业档案价值的国家，紧接着是比利时、瑞士和荷兰；法国、英国、丹麦和美国则要晚些，而且程度不同，性质各异。

archivolt 拱门缘饰 沿拱口边缘表面延伸的装饰线脚。尤指中世纪和文艺复兴时期建

英国诺丁汉12世纪中叶索思韦尔大教堂中堂内的拱门缘饰

美国不列颠百科全书公司供图

筑中拱门常用的雕刻性装饰，如沙特尔大教堂（1140～1150）西立面上的拱门缘饰。

archlute 大诗琴 16世纪的大型低音诗琴，有附加的一组低音弦，可发出低沉的声音，演奏管弦乐队的通奏低音声部。这组低音弦可按个人爱好调音，它们通常从最低的主弦开始，向下调成音阶。它有3种主要变体乐器：基塔隆琴（chitarrone）、双颈诗琴（theorbo）和法国诗琴。17和18世纪的天使诗琴也属这一类，但它是按全音阶的音律定弦，无品。

archon 执政官 希腊语原意为"领导人"、"统治者"。古代希腊许多城邦的首席行政官，一人或数人。在国王（巴西列斯）被贵族所取代的古代，这一官职占据显要的地位。公元前682年起，雅典年年公布执政官名单。到公元前7世纪中叶，行政权便掌握在9个执政官手中，由他们分担过去由国王一人独揽的宗教、军事和司法职责。正职执政官是主要的民政和司法官员，可能兼任五百人会议和公民大会主席，并且是名年执政官，以他的名字命名在职年份。其次是督军，在战争中担任统帅，在涉及外国人的诉讼案件中担任法官。第三是维系王室的司祭官，是首席宗教官员，并在贵族会议作为审理杀人案件的法庭时主持贵族会议。最后还有6名民事法官，处理琐细的司法问题。执政官有极大的潜在权力，所以他们受到许多的制约。在就职以前，先由五百人会议和法庭对他们的出身、健康、事亲和军事活动等方面进行考查；任期结束时又对他们在职期间的操行、特别是财务方面的操行进行考核。执政官原先只能由贵族出身的人担任，而且是终身职。最后任期减为10年，又减为1年，任期结束不再当选，但可以成为贵族会议的终身议员。约公元前594年，梭伦规定财产最多和次多的两个阶级均可当选执政官，从而打破贵族的垄断。根据克利斯提尼宪法（公元前508～约前487），执政官直接由公民大会选出；后来则由500名事先选出的候选人抽签产生。直到公元前457年，执政官的职务仍限于财产最多和次多的两个阶级担任。后来扩大到第三个有产阶级也有资格当选；最后第四个阶级虽在理论上仍不合格，但事实上也已被允许当选。到公元前5世纪，执政官权力大减。督军已把军队指挥权交给了10个部落的军队指挥官将军；这10名将军也在行政方面代替了执政官。执政官于是降为初审法官。到公元前5世纪中叶，执政官不再进行审判，而只实行预审，然后将案件交付陪审团；他主持听审，但无权在法律事务上指挥陪审团。在德尔斐、布拉底、弗西斯和东西两洛克里均有执政官。公元前5世纪时，受雅典影响，执政官制度广泛传布于爱琴海诸岛，希腊化时期又传到了安纳托利亚。

Archon 阿尔康 诺斯替教义中统治世界的诸力中的一种，与物质世界共为低于至高神的巨匠造物主所创造。诺斯替教是信奉物质为恶而精神为善的二元宗教，鼓吹人必须彻悟而把握诺斯才能得救。认为物质世界罪大恶极，是谬误的产物，因此也就以阿尔康为邪恶势力。其数为7，对应于七大行星，或为12，对应于黄道十二宫。

archosaur 初龙 初龙亚纲的高等爬行动物，种类多，包括所有槽齿类、翼龙类、恐龙类、鸟类的祖先及至今尚存的一个目——鳄目动物。早期的初龙于三叠纪（2.45亿年前至2.08亿年前）将开始时出现。可能起源于早期的双孔亚纲动物，并与原龙类、喙龙类和三棱龙类归为一个大类群——初龙形类。这大类群的所有种类均以踝部特化著称，这有助于采取自立的姿势。大部分初龙后肢长，前肢短。几乎所有种类在眼上方的颅骨上有两对开孔（颞窗），颌肌附着于此；眼前方的吻部又有一个大型开口（眶前窗），功能未明。早期的爬行类，牙齿排列于一个浅槽内，而初龙类与同，其牙齿排列于牙槽中。初龙属（*Archosaurus*）是从化石记录中认识到的最早的初龙类，于晚二叠世（2.58亿年前至2.45亿年前）开始出现，其化石在俄罗斯发现。

Archytas OF TARENTUM 阿契塔（活动时期公元前400～前350，大希腊他林敦［今意大利塔兰托］） 古希腊科学家、哲学家、毕达哥拉斯学派中的主要数学家，曾被称为数学力学的奠基人。柏拉图是他的挚友，并引用他的数学著作。有证据表明，欧几里得在其《几何原本》第8篇中，借用了他的成果。他在公

众事务中也颇有影响，曾任当地军队总司令7年之久。他是毕达哥拉斯第二代信徒中的一员。毕达哥拉斯强调数在解释一切现象中的特殊意义，他则力图把经验观察同毕达哥拉斯理论联系起来。他通过构造一个三维模型来求解倍立方问题。由此引出的结论涉及连比 $a:b=b:c=c:d$，他把它用于音乐中的和声。这样，除了过去已知的半音阶和全音阶的音程外，他还能辨别出等音阶的音程。他作为科学家和数学家的声望主要基于在几何学、声学和音乐理论中的成就，而不在于他用毕达哥拉斯关于数的理论对人们之间的关系和社会性质所作的理想主义的解释。

Arcila(Morocco)　参阅 **Asilah** 艾西拉。

Arcimboldo, Giuseppe　阿奇姆博多（约1527，米兰［意大利］～1593，米兰）　意大利风格主义画家，他将水果、蔬菜、动物、书籍及其他物品安排成奇特的构图，以此把人物肖

阿奇姆博多绘《夏》(1563)
美国不列颠百科全书公司供图

像画得惟妙惟肖。这种双重形象受到20世纪S.达里等超现实主义画家的极力推崇。作品寓意深远，图像双关诙谐，并富有机趣，颇得时人赏识，但后来却失去爱好者。其奇特的想象力集中表现在肖像画《夏》与《冬》（维也纳艺术史博物馆）中。

Arciniegas, Germán　阿尔西涅加斯（1900-12-06，哥伦比亚波哥大～　　）　哥伦比亚历史学家、论说文作家、外交家和政治家，在国内长期从事新闻工作和公共事务，强有力地影响20世纪哥伦比亚文化的发展。曾为好几种报纸和杂志撰稿，1928年在波哥大创办评论性杂志《大学》，1939年任《时代报》编辑。两度任教育部长（1941～1942，1945～1946）。曾在美国几所大学执教。十分关心向外界介绍拉丁美洲的历史和当代文化，出版了许多著作，阐述拉丁美洲文化和历史各方面的情况，表现出他的独到见解和渊博的知识。他的《加勒比海传》(1945)和《七彩大陆》(1965)等著作，向国际读者介绍了他所描述的拉丁美洲全景。50年代转入外交界，1959年被任命为哥伦比亚驻意大利大使，后任驻以色列、委内瑞拉和梵蒂冈大使。

Arcos de la Frontera　阿尔科斯-德拉弗龙特拉　西班牙南部安达卢西亚自治区加的斯省城市。坐落在三面环瓜达莱特河的高岩之上。先后为罗马人和摩尔人占据。1264年由卡斯蒂利亚国王阿方索十世收复。中世纪时处于西班牙基督教和伊斯兰教地区分界线上。现为农业中心，生产软木和茅草制品。市内多摩尔式建筑。人口约26 908(1991)。

Arcot　阿尔果德　印度东南部泰米尔纳德邦东北部城市，傍巴拉尔河。地处巴拉尔河谷与科罗曼德尔海岸交会处，为马德拉斯至班加罗尔的交通要冲。历史上多次在此发生战争。人口：城市约45 193；都会区约114 884(1991)。

Arctic　北极区　地球的极北区域，以北极为中心，并以植被、气候等具有显著极地属性为特征。不像南极大陆那样周围被海水环抱，北极区主要由一片几乎完全被几个大陆所包围的大洋盆地构成。北极区包括加拿大、阿拉斯加、俄罗斯、挪威、大西洋和斯瓦尔巴群岛等地的北部，以及冰岛、格陵兰和白令海的大部分。北极区与北极圈所包括的范围并不相符。北极圈是沿北纬约66°30′划的线，表示这一地区的南界，区内每年至少有一段时期出现极昼或极夜现象。各大陆上树木分布的最北线可能是表示北极区南界的一条更实用的线，但并不存在一条全世界统一的界线。

土地　包围北冰洋的北极区陆地一般平坦而低洼。格陵兰与加拿大北极区东部有明显的高地，其山脉与高原在很广的范围内海拔逾2 000米；格陵兰冰盖大部分超过海拔2 500米。俄罗斯的勒拿河三角洲和西伯利亚东北部半岛上有不完全连续的高地，而阿拉斯加则有一条较窄但更高的山脉带，其中麦金利（迪纳利）山高达6 194米。

加拿大-格陵兰地盾、波罗的海地盾和安加拉地盾三处为北极区主要地质结构。地盾岩石一般都覆盖有平缓的古生代沉积岩，边缘镶有古生代和以后的沉积岩造山带，其中有俄罗斯乌拉尔和新地岛的褶皱山脉。地盾区富含铁、镍、铜、锌等矿产资源，其边缘上的沉积岩则含有煤和石油资源。早年在阿拉斯加北部褶皱序列中发现石油，接着把勘查工作沿极区加拿大和格陵兰北部的褶皱构造一线向东推进到巴伦支海和斯瓦尔巴群岛的相应构造里。与西伯利亚西部沉积岩伴生的丰富的石油、天然气资源在世界上具有非常重要的意义。地震火山活动带位于阿拉斯加南部的科迪勒拉山脉。世界最大河流中的3条，鄂毕河、叶尼塞河与勒拿河，向北穿过俄罗斯北极区流入北极海。北极区河流的主要特征为其流量极具季节性。夏季排水量一般较小，但受暴雨影响极大，因为永久冻土和稀少的植被几乎不截留雨水。夏季水温可高达19 °C，热侵蚀导致河岸决堤。流域完全处于北极区的河流，如阿拉斯加的科尔维尔河，冬季几乎干涸。有些发源于低纬度的河流，如鄂毕河、马更些河，则全年均保持一定流量。

北极区3/5以上的陆地表面为无冰区，冰蚀极限则随地方条件而变化。无冰区大部分属温和的大陆性气候，冬季漫长、寒冷，而且相当暗，尽管还远不是绝对的黑暗。因太阳相对于地面的角度太低，冬季的长度和暗度愈向北极愈甚。雪层呈斑片状，很薄，春季和初夏时，地面由于融雪太多，变成沼泽状态。沿海地区冬季较暖，夏季较凉。北冰洋上空夏季气温接近0 °C，而周围陆地则比较暖，常超过15 °C，例如西伯利亚东北部。北极区的地形一般有利于大西洋方面的冬季暖空气向北流动。由于北冰洋海水存在于相对薄的冰层下面，北极与周边陆地相比一直比较温暖。降水量很小，大部分地区干旱。内地年降水量一般不足130毫米，而沿海地区每年可达260毫米。这种降水量的差异，在北美洲北极区比在俄罗斯北极区内更为突出。由于通常无树木的陆地和海上相对平滑的冰面对风无阻力，因此龙卷风和暴风雪常见。除格陵兰冰盖外，大陆上的冰川都限于加拿大北极区的东部高地，以及欧亚大陆西北部的海岛和半岛上。冰川的一般特点是：在一片平坦陆地上广泛聚集起冰层，并把大致呈辐射状外流的冰附加在该地区上。格陵兰冰川面积约170万平方千米，为北半球最大的冰川。它处在一碟形洼地内，中心处冰的底面在海平面以下300多米。冰岛有5大冰川，其中最大的是瓦特纳冰川，面积7 800平方千米。占有扶手椅状凹地的冰斗冰川见于西伯利亚东北部和阿拉斯加的布鲁克斯山脉中。现在北美与欧亚大陆的冰盖都在退缩之中。格陵兰冰盖的继续存在主要是由于其低陷的中心基本上由陆地包裹，因而受到保护，没有被海水侵蚀。

紧紧环绕北极区冰川的广大地区以永久冻土的存在为特征。永久冻土中的温度恒低于0 °C。在北美洲，林木线以北的大部分北极区都位于一个连续的永久冻土带内。在俄罗斯北极区内，永久冻土在林木线以北和乌拉尔山脉以东是连续的。靠近各大陆的北海岸，永久冻土的深度达到450～600米，其体积的近4/5为冰。

北极区可分为2大植被区：亚北极的绕极北方森林区及苔原区。两区以林木线为界。所有北极区植物必须能适应低温、夏季连续日照、冬季连续黑暗、土壤贫脊且有时流动、地层永久冰冻和低湿度的强风等恶劣环境。具有代表性的植物种类数量很少且生长经常受阻。亚欧大陆的森林主要有落叶松、松和枞。北美则长有白云杉、黑云杉，落叶松也时有发现。近林木线的开花植物有蓝花豆、野生藏红花、北极芙蓉红和虎耳草。

苔原区有成片的植被及几种植物群。主要为夹杂少数几种开花植物的苔藓地衣类石南苔原。较湿润的丛生草苔原区可发现苔和草。矮灌木、柳、桦、桧生长在较温暖的石南苔原区。

北极区的动物分布受植被与气候两方面的影响，愈往北愈稀少。北美大陆和亚洲大陆有北美驯鹿出没，北极区苔原的大部分地区有麝牛。众多的雁类栖息于格陵兰东部。肉食类有北极狼、北极狐与雪枭。因缺少不冻的冬眠处，北极区没有爬虫类。

人民 虽然加入北极区考察的国家很多，但只有俄罗斯人、挪威人、瑞典人和芬兰人在区内定居，其中尤以俄罗斯人为数最多。该区是世界上人口最稀少的地区之一，居住方式也各式各样。在俄罗斯北极区的几座城市中，人口已超过10万，而在格陵兰和斯瓦尔巴群岛的城镇中，人口还不到1万。主要的土著居民有欧洲的拉普人、俄罗斯西部的涅涅茨人、北美洲的因纽特人和爱斯基摩人、冰岛的北欧高加索人、格陵兰人（在血统上同属因纽特人）和俄罗斯东部的雅库特人、通古斯人、尤卡吉尔人、楚克奇人等。20世纪30年代以来已有不少外来移民，到20世纪后期，移民（主要来自经济比较发达的国家，并不断受到本国的支持）人数已为土著人的7倍。

经济 北极区不适宜种植庄稼一直是对该地区经济发展的最大制约，但差不多所有土著居民，几乎全部依靠海洋资源，都能自给自足。然而从世界其他地区进入北极区进行经济开发的浪潮，正在逐渐改变北极区的经济面貌。来自北美洲、欧洲、俄罗斯和日本的许多公司在北极区开采石油和其他矿产。北极区的沿海地带可捕捉海豹，内陆地区可获取毛皮。

各国政府的北极区开发计划差异很大。苏联体系曾立足长远规划，为进行大规模开发，数十年来投入大量资金；北美体系着眼于短期经济开发，基础设施建设只根据经济的需要来制定；丹麦则有意识地不让世界其他地区插手格陵兰，为此减少了经济开发活动，以便使自己能够进行巨大的基础设施建设。北极区经济上和战略上的勘探是与交通线紧密联系在一起的，这些通往内陆的交通线从人口较多的沿海通向有一种或几种资源可被开发的地区。

北极区的特点是劳动力和运输成本昂贵以及资本投入巨大。由于大多为临时工人，定居点很难建立。建设北极区与其他大陆相连的交通干线对今后长期的发展至关重要。北极区的土著居民很少参与开发工作，许多人并且丧失了对他们的传统生活方式至关重要的土地和资源。

行政与社会状况 俄罗斯北极区目前是该区内最大的国家单位，由俄罗斯进行管理；阿拉斯加北极区由美国管理；加拿大北极区由加拿大管理。由斯瓦尔巴群岛和挪威北方大陆构成的挪威北极区属君主立宪制的挪威。冰岛是议会制民主国家，由当选总统作为国家元首。格陵兰是丹麦王国的一个自治区。

虽然保健设施在这种地区很难有保证，但各国居民的健康水平都很高。20世纪80年代初，北美大陆的卫生部门对一度肆虐的结核病进行了根治。因气候严寒，营养摄入量极高；北极区内的人均食物供给量，在冰岛是联合国推荐的需要量的110%，而在俄罗斯部分则高达158%。北极区内居民的平均预期寿命在格陵兰为62岁，挪威为75岁。

声称对北极区某些部分拥有主权的那些国家的文化模式和标准的侵犯，势必破坏该区域内各土著民族的传统文化。现代的北极区居民点形式多种多样，既有孤立的科学考察站，又有颇具规模的采矿城镇和设有学校和教堂的地方行政中心。

历史 北极区最早的居民大概是古西伯利亚人，他们在大约公元前5000年生活在西伯利亚东北部未受冰川作用的低地上。其后有两次狩猎-采集期文化高潮，第一次约出现在公元前2000年，源于西伯利亚，迅速传播到加拿大北极区及格陵兰北部。第二次高潮大约出现在公元10年，源于白令海峡，沿加拿大海峡扩展至格陵兰。这种大规模的迁徙大概是由于环境的改变和猎物的吸引。狩猎和采集终于逐渐被农耕所取代。在某些地区，饲养驯鹿仍采取游牧生活方式，驯鹿饲养人员在夏季跟随驯鹿进入苔原，冬季再撤回到森林。

最早进入北极区的是俄罗斯人，1733年一支考察队被派往俄国东北部地区考察，那里的工作持续了10多年。规模较小的几次考察主要是在滨海地带进行地理探测。到19世纪后半叶，北极区的大部分海岸线都已测绘成图。1879年G.W.德朗为寻找西伯利亚以北有可能存在的新陆地而开始探险，结果因航船被浮冰撞沉而告终。1893～1896年，挪威探险家F.南森从新西伯利亚群岛成功地航行到达斯匹次卑尔根群岛。1937年苏联人驾驶一架装有滑雪板的飞机在北极区冰面着陆，并建立起一个科学考察站。

第二次世界大战（1939～1945）结束后的数年中，在北极建立了一些气象和科学观测站，进行长期观测，积累了大量数据。1958年美国核动力潜艇“鹦鹉螺”号与“鳐鱼”号在北极区冰帽底下潜航过。1978年苏联核动力破冰船“西伯利亚”号还打通了一条越过西伯利亚北部海岸的南线海路。

Arctic Circle 北极圈 大致在北纬66°30′处环绕地球的纬圈。由于地轴大致倾斜成23°30′，在北极圈上每年有一天或一天以上太阳不落（约在6月21日）或太阳不出（约为12月21日）。由此往北，极昼或极夜逐渐递增，至北极增大到6个月。在南半球与北极圈相对应的是南极圈。在南极圈上，任何日期的白天或黑夜的长短情况与北极圈上正好相反。

Arctic fox（species *Alopex lagopus*） **北极狐** 又作 white fox 或 polar fox。又称白狐。犬科动物，分布遍及北极，常栖于近海冻原和山地。耳短而圆，吻短，蹠有毛，以适应气候。体长约50～60厘米，尾长30厘米，体重约3～8千克。毛色分为“白色”型或“蓝色”型。白色型个体夏季为浅灰褐色，冬季为白色；蓝色型（皮货贸易中称为蓝狐）夏季为浅灰色，冬季为蓝灰色。穴居，全天活动。杂食性。常跟随北极熊，食其剩下的猎物。每年繁殖一次，一窝多至14只幼狐。妊娠期约52天，4～6月间产仔，幼仔黑色。

正在变为夏季色的“白色”型北极狐

美国不列颠百科全书公司供图

Arctic Ocean 北冰洋 地球上最小的洋。大致以北极为中心，四周为北美大陆、欧亚大陆和格陵兰。面积12 257 000平方千米。平均水深988米，最深处5 502米。中央有一条罗蒙诺索夫海岭，把北冰洋分为欧亚海盆与美亚海盆。欧亚海盆被一条南森海岭分为南森海盆和弗拉姆海盆。美亚海盆被阿尔法海岭分为马卡罗夫海盆和加拿大海盆。欧亚海盆是由海底自大陆边缘底下沿南森海岭轴心伸展而成。美亚海盆的来源较不明确，但很可能是因北冰洋-阿拉斯加陆界板块在白垩纪旋转离开北美板块而打开。洋底沉积物表明4 000万年前北冰洋至少有一部分是相当温暖的。有几个因素使北冰洋的物理、化学和生物过程与邻近的北大西洋和太平洋大有出入。冰积减少了海洋与大气的能量交换，其系数接近100，并减少了海洋生物光合过程所必需的阳光透射。北冰洋又有极多边缘浅海，约占其面积的36%，但仅容纳2%的水量。介于斯瓦尔巴群岛和格陵兰之间的弗拉姆海峡是沟通北冰洋的主要通道。流入大西洋的冷水流对大洋的平均温度和世界气候均有影响。北冰洋海水可分成三层：表层200米，因降雨、冰冻、解冻等原因温度变幅较大，高低相差4°C；中层900米，有大西洋流入的较暖海水，温度逐渐降至1°C以下；底层海水温度更低，含盐量与中层相同。在楚科奇海则有水温较高、含盐量较大的太平洋水流入。海冰的出现在北纬60°与75°之间带有季节性；75°以上则具有相对永久性。

Arctolepis 窄鳞鱼 早泥盆世（4.08亿年前至3.87亿年前）鱼形动物的绝灭属，被认为是节颈鱼类的早期原始的成员。有硬骨质的头部及胸甲，但胸区后部不披甲，躯体逐渐变细，形成一条尖尾，尾鳍仅发育于尾之下边

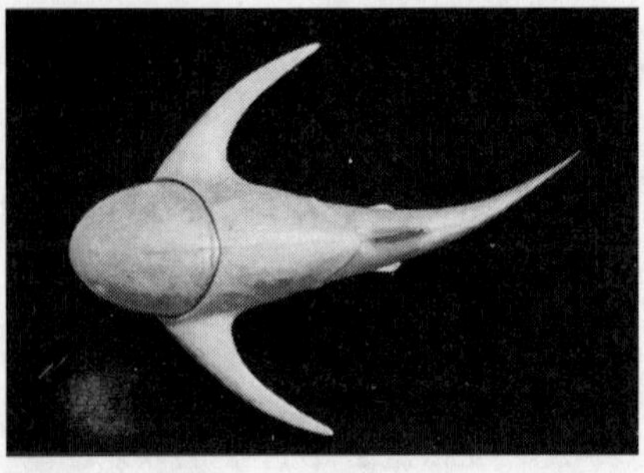

早泥盆世窄鳞鱼(*Arctolepis*)
美国不列颠百科全书公司供图

缘。体小,身长不到30厘米,但具有非常发达的胸刺,胸刺可能有助于游泳。

Arcturus 大角 即牧夫座α,夜空中5颗最亮的恒星之一,也是北天牧夫座中最亮的恒星,目视星等为0.00等。它是一颗橙色巨星,距地球约40光年。它同大熊座尾巴几乎成一直线,因而它的名字来自希腊文"熊的看护者"一词。

Arculf 阿尔库勒夫(活动时期7世纪末,德意志) 基督教主教,伊斯兰教兴起后唯一赴中东地区旅行考察的重要西方基督教人士。他很可能属于某隐修院,但另说他是阿基坦境内佩里格城主教。约680年他自巴勒斯坦参拜圣地归来,遇风暴飘流到苏格兰,着陆于赫布里底群岛中的艾欧纳岛。他向接待他的隐修院院长圣阿达姆南叙述一路见闻。后圣阿达姆南写成《圣地》一书,记述阿尔库勒夫的经历。此书受到英国国教副主教比德的重视,他在《英格兰人基督教会史》中简要介绍其内容。比德还写了一篇单独的更为详细的摘要,该摘要在中世纪一直是赴东方圣地的通俗指南。阿尔库勒夫所到之处有犹太、撒玛利亚和加利利等圣地,还有大马士革和推罗(提尔),以及尼罗河和火山岛屿埃奥利群岛。

Ard Mhacha (Northern Ireland) 参阅 **Armagh 阿马**。

Arda River 阿尔达河 希腊语作Árdhas(阿尔扎斯河)。保加利亚河流。源出罗多彼山脉中部斯莫梁镇附近,东流经克尔贾利和伊瓦伊洛夫格勒、再经希腊境内37千米后进入土耳其,至埃迪尔内西侧汇入马里查河,全长290千米。保境内河段有3座水电灌溉站。阿尔达河流域盛产烟草。

Ardaban (Persian statesman) 参阅 **Artabanus 阿尔达班**。

Ardabīl 阿尔达比勒 土耳其语作Erdebil。伊朗西北部城镇,距里海61千米。位于海拔1 400米的空旷平原上,在萨巴兰山(4 811米)正东。1220年蒙古征服者将城镇毁灭,直到萨非王朝始又兴起。在萨非王朝时期逐渐形成圣地,图书很多,一度是伊朗藏书最多的地方。1827年俄国人洗劫了该地,劫掠许多财宝。该城一度经里海与俄国通商,但生意萧条。工业有水泥厂、地毯和毛毯工场。当地温泉遍布。居民说土耳其方言阿扎尔语。人口311 022(1991)。

Ardabīl Carpet 阿尔达比勒地毯 为两块波斯地毯,是最著名的波斯早期古典工艺品中的两件。大的一块10.4米长,5.3米宽,两者均为丝经、栽绒。这两块地毯在萨非王朝塔赫马斯普一世在位期间(1524～1576)于1539～1540年完成,最初铺于伊朗阿塞拜疆省阿尔达比勒的清真寺内。图案丰富多彩,精致有序,大地靛蓝,上面布满雅致而细腻的花饰和浅黄色奎心,尽头是带有杏吊的16个塔尖。两块地毯上均织有以下字样:"世界上只有在您的大门内我才能得到庇护;我的头颅只有在此处的柱廊里方能受到保护;圣地奴隶卡尚的马克苏德作于946年(即公元1539～1540)。"这两块地毯在19世纪后期遭到损坏,遂用小的一块的几部分来修补大的一块。前者藏洛杉矶县立艺术博物馆,后者藏伦敦维多利亚和艾伯特博物馆。

Ardagh Chalice 阿达圣餐杯 大双耳银杯,用金、镀金青铜和珐琅装饰,为爱尔兰基督教会最有名的金属工艺品之一。于1868年在爱尔兰利默里克郡阿达的马铃薯地里发

约720年的阿达圣餐杯
美国不列颠百科全书公司供图

现,同时发现的还有一只小青铜杯和四枚胸针。杯体外表上刻有一些使徒的拉丁文名字。铭刻的字母和著名的《林迪斯芳福音书》上的某些大写首字母很相似,而后者制作年代可能为710～720年。因此,可以推测该杯的制作年代在8世纪前半叶。迄今还不能确证其制作的工场。但此杯的金银丝装饰与闻名于世的塔拉胸针的装饰有共同之处。另一著名的爱尔兰基督教会金属工艺品莫伊洛腰带圣物匣(Moylough belt-reliquary)也有相似的装饰。此杯很可能是爱尔兰早年某教堂珍宝的一部分,教堂废置后被秘密隐藏。现存都柏林爱尔兰国家博物馆。

Ardashīr 阿尔达希尔 古波斯语作Artakhshathra。古波斯萨珊帝国国王之名。按年代顺序分列于后,并各以●为标记。

● Ardashīr I 阿尔达希尔一世(活动时期3世纪中叶) 古代波斯萨珊帝国的创建者(224～241在位)。他是萨珊之子或后裔巴巴克之子。208年为波西斯国王,定都古尔(今菲鲁扎巴德)。然后,他向伊朗西部扩张,攻克伊斯法罕、克尔曼、埃利迈斯和梅塞纳。224年与安息军队交战,取得决定性的胜利。不久进入安息首都泰西封,加冕为"伊朗的王中之王"。他和儿子沙普尔一世一起建立萨珊帝国,并定瑣罗亚斯德教为国教。他的业

公元3世纪钱币上的阿尔达希尔一世像
美国不列颠百科全书公司供图

绩表明,他虽残酷无情,但是个伟大的军事家、有才能的国王,修建或重修了许多城池,并开凿运河,架设桥梁。有几块大石雕歌颂了他的统治。

● Ardashīr II 阿尔达希尔二世(活动时期4世纪末) 古代波斯萨珊帝国的国王(379～383在位)。当其兄沙普尔二世在位时,他是阿迪亚贝纳(现伊拉克东北部的一个地区)的国王,在那里参与对基督教徒的大屠杀。沙普尔死后,他被贵族拥立为王,可能这时年事已高,他试图维护自己的权威,但失败。不久被废黜。

Ardea 阿尔代亚 古代卢都利人的城镇,现为意大利拉齐奥区一村庄,在罗马城南37千米,是古代祭祀达那厄神和朱诺神的重要中心。公元前8世纪初为一早期铁器时代居民点,后发展成为最重要的拉丁城市之一,公元前6世纪和前5世纪为拉丁同盟成员。前444年与罗马人订约,据李维记载,罗马人在那里开拓殖民地,作为反对沃尔西人的一道屏障。从前4世纪起开始衰落,至前1世纪在马略和苏拉的统治下,由于疟疾和战争而衰落加剧。人口18 074(1993)。

Ardèche 阿尔代什 法国南部罗讷-阿尔卑斯大区省份,1790年从朗格多克的维瓦赖区划出成立。位于中央高原塞文山脉边缘,全境为高原地区,面积5 523平方千米,有急流冲蚀形成的深谷。东以罗讷河为界。阿尔代什山谷以北的夸龙火山丘向东南朝罗讷河谷突出,西部沃莱火山高原的梅藏克山海拔1 754米。阿列河上游构成西部边界地区。罗讷河附近遮阴的山谷较温暖,但高地的冬季严寒。较低谷地种植果树、葡萄和橄榄,一些草场得到灌溉以收打多茬牧草。谷底种植谷物、马铃薯和饲料。在2 500英尺高度处产栗子。山坡种桑,有水动力丝织业。更高的夏季草坡可放养牛羊。沿罗讷河谷建有大型水泥厂。有小矿床和温泉,但经济价值不大。省会普里瓦。其他主要城镇有拉让蒂耶尔、图尔农和阿诺奈等。阿诺奈是这个人口稀少地区内的最大城镇。人口约282 432(1994)。

Arden, Elizabeth 雅顿(1884-12-31,加拿大安大略伍德布里奇～1966-10-18,美国纽约州

纽约） 原名 Florence Nightingale Graham。加拿大出生的美国女商人。她成功开发出系列化妆品并建有美容院连锁店。曾短期接受过护士培训，当过秘书并从事过各种其他工作。大约1908年从加拿大迁至纽约。1910年与伊丽莎白·哈伯德合伙在纽约第五大道开了一家美容院，投资约1 000美元。后来双方散伙，她决定继续以伊丽莎白·雅顿的企业名称经营。1914年雇请多名化学师生产一种松软的面膏和一种收敛剂，这是最终有大约300个产品的化妆品系列的首批产品。在化妆品和美容辅助物仍被许多人认为与“下流女人”相关的年代，她率先做起美容辅助物的广告，强调使用她的产品可以达到“淑女般”的气质。1915年她开始在世界各地营销，把产品批发给药店和百货公司。在她去世时，世界各地已有100多家伊丽莎白·雅顿美容院，提供美发、整容、健身、蒸气浴、按摩、修指甲、修脚及许多其他奢侈服务。

Arden, John 阿登（1930-10-26，英国约克郡巴恩斯利～2012-03-28，爱尔兰戈尔韦） 20世纪中叶涌现出来的英国主要剧作家之一。他的剧本以大胆的戏剧形式将诗句和歌曲与通俗的语言融为一体，剧情冲突激烈，但故意悬而不决。他在工业城市巴恩斯利长大，曾在剑桥大学和爱丁堡艺术学院学习建筑。在校期间，同学们曾上演他描写修筑铁路的喜剧《全部塌落》。1955～1957年任助理建筑师，继续创作剧本。第一部正式演出的是广播剧《人的生命》（1956），写一艘由疯子驾驶的船颠覆的故事。剧本《像猪一样生活》（1958）和《陆军中士马斯格雷夫的舞蹈》（1959）等都引起很多争议。1957年与女演员兼剧作家达西结婚，两人合写舞台小品、即兴剧，以及以亚瑟王为主要人物的芭蕾舞剧《大王岛》（1972）。1960年在伦敦演出讽刺喜剧《幸福院》。《假自由》（1965）是为纪念英国大宪章发布750周年而作，指出这个文件并没使人民得到自由。

Ardennes 阿登 森林高原，古代阿登森林的一部分。包括比利时的卢森堡、那慕尔、列日三省的大部分，卢森堡大公国一部分以及法国的阿登省。东北—西南走向，面积达1

比利时森林覆盖的阿登山区
美国不列颠百科全书公司供图

万平方千米以上。地质史复杂。阿登在狭意上指这一地区的南半部分，这部分高1 150～1 640英尺（350～500米），由砂岩、石英岩、页岩和石灰岩构成，其圆顶山峰上有许多浅坑形成的泥沼，是许多河流的发源地；虽一半的面积为森林覆盖，但土壤贫瘠，只生长石南属植物。北半部地势较低，高度655～985英尺，大部为牧场，饲养牛、羊、猪。山谷种植燕麦、裸麦、马铃薯和苜蓿。多采石场，但采矿业和制造业薄弱。虽然位于人口稠密的巴黎—布鲁塞尔—科隆三角地带中央，阿登地区却是欧洲人口密度最小的地区之一。有斯帕矿泉疗养地。人烟稀少的森林为中欧人提供了缓解都市压力的休憩场所。旅游业日益发展。在第一次和第二次世界大战中，阿登地区是1914、1918和1944年（楔入战役［**Bulge, Battle of the**］）激战的战场。

Ardennes 阿登 法国东北部香槟-阿登大区省份。与比利时交界。面积5 219平方千米。范围包括阿登高原西南边缘及其附近默兹河和埃纳河河谷低地，两地有运河连接。埃纳河河谷及两侧白垩土地带已充分耕作，出产谷物和甜菜。在阿戈讷和阿登山区有茂密森林。自法国革命起，这一地区屡次成为交战地，包括1794年战役、普法战争（拿破仑三世于1870年在色当投降）、第一次世界大战的阿登战役、1918年美德阿戈讷激战、1940年德军在色当附近突破和1944年12月德军在法国的最后攻势（楔入战役［**Bulge, Battle of the**］）等。默兹河畔的色当和埃纳河畔的勒泰勒均有很早建立的毛纺厂。沙勒维尔-梅济耶尔（省会）有木工厂和铁厂。绍兹自1967年起建有核电站。上诉法院设在南锡，教育由兰斯管理。人口302 338（1982）。

Ardennes, Battle of the（1944～1945） **阿登战役** 参阅 **Bulge, Battle of the** 楔入战役。

Ardhanārīśvara 半女自在天 印度教所崇奉的男女合一神，由湿婆和他的配偶雪山神女合成。印度和东南亚许多优美的半女自在天之像的右侧即男性一侧有表示湿婆的传

朱罗王朝时期的半女自在天石雕像
美国不列颠百科全书公司供图

统装饰，半侧头发束成发辫多条，前额显出第三只眼睛的一半，腰围虎皮，以蛇为饰物。左侧即女性的一侧发髻光洁，前额有半点吉祥痣，眼圈乌黑，单乳丰满，绸袍束带，戴单只脚镯，脚涂红色。

Árdhas（Europe） **阿尔扎斯河** 参阅 **Arda River** 阿尔达河。

Ardmore 阿德莫尔 美国俄克拉何马州南部城市（1898年设建制），卡特县县城（1907），在雷德河北，近特克索马人工湖和得克萨斯州界。圣菲铁路通车后于1887年在奇克索印地安人地区创建，渐发展成为农牧区商业中心，1905年在附近发现石油后迅速发展。经济以炼油、制造业、畜牧业、旅游业及商品批发为主。设有卡特县奇克索印第安女子学院（前身为卫理公会的哈格罗夫学院）。附近有州立默里湖公园和奇克索国家游览区。人口23 711（2000）。

Ards 阿兹 爱尔兰语作An Aird。北爱尔兰的一个区，原在唐郡境内，1973年设区，面积361平方千米。它从基林奇村南向北沿斯特兰福德湖西岸延伸至纽敦纳兹城镇，包括斯特兰福德湖以东的半岛地区。它的西部是气候干燥、地势起伏的低地，半岛多冰碛鼓丘。区内有大面积的农田（种植马铃薯和大麦）和牧场。17世纪初由苏格兰人开拓的纽敦纳兹为区政府所在地和纺织业、金属制造业、机械制造业中心。半岛东北端的多纳哈迪是著名游览城镇，斯特兰福德湖畔有一些鸟类保护区。区内公路在纽敦纳兹与国家公路连接，向西通往贝尔法斯特。人口约64 026（1991）。

Arduino, Giovanni 阿尔杜伊诺（1714-10-16，威尼斯共和国威尼托卡普里诺-韦罗内塞［意大利］～1795-03-21，威尼斯） 意大利地质学之父。通过把地壳分为原始纪、第二纪、第三纪、第四纪4个主要的地层，建立了地层年代学基础。早年即对采矿感兴趣，是意大利北部著名的采矿专家。1769年任威尼斯共和国工、农业总监。他在弟弟、帕多瓦大学的植物学家彼得罗（1728～1805）的偶而帮助下，管理过土地开垦、牲畜饲养和改良农业设备等事业，也为该共和国研究过采矿、冶金学和化学。18世纪70年代初，他确定4种性质不同的主要地层是由多个含有化石的次一级地层所构成。也认识到化石层的重要性，并率先利用化石和化学方法测定岩石的形成年代。

are 公亩 丈量面积的公制基本单位，等于100平方米。其倍数为公顷（**hectare**），现已成为土地丈量的常用基本单位。

area, culture 参阅 **culture area** 文化区域。

areca nut 参阅 **betel** 槟榔。

Arecales 棕榈目 显花植物的一目，只含棕榈科（Palmae）一科，约2 800种。其种类称棕榈（**palm**）。

Arecibo 阿雷西沃 波多黎各北部市镇。位于阿雷西沃河口小水湾边。是波多黎各自由联邦最古老的自治市之一。由西班牙国王于1537年批准，1556年开始殖民。1616年被

特许成为市镇。作为美国官方的输入港,有全国最大的朗姆酒厂,并生产农业机械、服装、纸张、塑料和体育用品。有铁路与圣胡安连接。市镇内有波多黎各大学的地区分院。镇南设有世界上功率最大的雷达-射电天文望远镜之一。人口:市镇 49 545(1990)。

Arecibo Observatory　阿雷西沃天文台　波多黎各的阿雷西沃城南 16 千米处的天文台,内装有世界上最大的单镜射电望远镜。该仪器建于 20 世纪 60 年代初,为一直径 300 米的球面反射镜,面上覆以穿孔的铝板,将入射的射电波聚焦在置于反射镜面之上约 168 米处的一个活动天线上。天线结构能沿任何方向运动,从而能跟踪不同天区的天体。天文台还有另一个直径 30 米的附属望远镜,作为射电干涉仪,并有一供研究地球大气用的高功率传输设备。阿雷西沃天文台已绘制了金星表面细节的雷达测绘图,并取得了有关金星自转的精确资料。天文台还对射电天文作出了贡献,例如检测脉冲星内的中子星物质。

Arecibo River　阿雷西沃河　在波多黎各中西部。源出海拔 1 204 米的中科迪勒拉山脉,向北东北流约 65 千米,穿过咖啡种植区,再向下流经北部沿岸平原,在阿雷西沃港正东注入大西洋。在科迪勒拉山北麓河上筑有多斯博卡斯水电站和水库系统(1943),与该河上游支流更大的考尼亚斯水电站和水库系统彼此连接。

Arecidae　槟榔亚纲　草本单子叶植物的一个亚纲,灌木状、藤本或乔木状。本亚纲含 4 目——槟榔目(棕榈目)、巴拿马草目、露兜树目及天南星目,共 5 科,约 5 600 种。大部分种类见于槟榔目,该目仅 1 科——槟榔科(棕榈科)。本亚纲的花小,排列成紧密的花序,其形态常似佛焰花序,包以佛焰苞。花被常小,排列成两系列,各由 2～3 片瓣状被片组成。雄蕊是花中最有特色的部分。叶生于植株基部或聚生于茎顶。

arena　表演场　圆形剧场(**amphitheatre**)的中央区域。

Arena Chapel　阿雷那小教堂　又称斯克罗维尼小教堂(1305 年 3 月 25 日举行奉献礼)。14 世纪初由 E.斯克罗维尼在意大利帕多瓦建造的小教堂。其中壁画系佛罗伦萨派画家乔托所作。一幅《最后的审判》占据整个西墙。教堂的其余部分画有三层壁画:描绘圣约阿希姆和圣安娜的故事,圣母领报的故事和基督的生活和受难的故事,以圣灵降临节结束。在这三组壁画的下面是第四组,这是一组关于善与恶的拟人化的单色壁画。这些壁画完成于 1309 年或更早些,一般注明的日期为 1305～1306 年左右。

arena stage　圆形舞台　参阅**theatre-in-the-round** 圆形剧场。

Arend-Roland, Comet　阿仑德-罗兰彗星　以其反常的第二彗尾著称的彗星。该彗尾投射方向不是背离太阳而是指向太阳。它是 S.阿仑德和 P.罗兰于 1956 年 11 月 8～9 日夜间在比利时发现的。1957 年 4 月 20 日,这颗彗星过近日点。由于在过近日点前几个月就已发现了这颗彗星,所以能对它作较长时间的观测。反常彗尾出现于 4 月末的几夜里,方向逐夜改变,看起来有如一枚刺向太阳的尖钉。这只是一种透视效果:从彗星出来的碎片在彗星前面沿轨道散布成扇状,从侧面看去就会成为这种样子。

Arendal　阿伦达尔　挪威南部东阿格德尔郡首府和港口。其良港在特罗默湾,有近海岛屿屏蔽。自 14 世纪以来即为挪威良港。在轮船时代之前,该港即拥有挪威最大的船队。16 世纪由于木材出口而繁荣。除锯木业外,主要工业还有金属加工和制造、电器、食品和烟草业。家禽孵化业在当地很重要。是挪威沿海最重要的海运中心之一,又是奥斯陆-克里斯蒂安桑铁路支线的终点。有汽车轮渡通过斯卡格拉克海峡连结丹麦的希茨海尔斯。4 层楼市政厅是挪威最大的木建筑之一。俯瞰港口的古代炮台,在 1814 年瑞典迫使丹麦割让挪威的战争中曾被使用过。人口:城市区约 38 233(1992)。

Arendt, Hannah　阿伦特(1906-10-14,德国汉诺威～1975-12-04,美国纽约州纽约)　德国出生的美国政治学家和哲学家,以其关于犹太事务的批判性著作及对极权主义的研究著称。曾就读于马尔堡大学、弗赖堡大学和海德堡大学,1928 年在海德堡大学获哲学博士学位。1933 年纳粹在德国上台,她流亡巴黎,从事社会工作。1940 年与哲学教授布吕歇尔结婚。次年,再次逃离纳粹统治。在纽约,她曾任犹太人关系研究会研究主任(1944～1946)、《硕肯丛书》主编(1946～1948)。1949～1952 年任犹太文化复兴协会执行主任,该会力图抢救被纳粹散失的犹太人著作。1951 年成为美国公民。阿伦特在其重要著作《极权主义的起源》(1951)中,将极权主义的发展与 19 世纪的排犹主义和帝国主义相联系,视其为传统的民族-国家解体的结果。她认为,极权主义政权一味追求原始政治权力,不考虑物质条件或功利,致使社会结构完全改变,从而使当代政治几乎不可预测。这部著作奠定了她作为一位大政治思想家的地位。1963～1967 年曾在芝加哥大学,后来又在纽约市社会研究新学院执教。阿伦特根据她关于 1961 年艾希曼审判的报道写成《艾希曼在耶路撒冷》(1963)。在这本引起争议的书中,她将该纳粹战犯描绘成只不过是一个野心勃勃的官僚。阿伦特的其他著作包括《人类状况》(1958)、《过去与未来之间》(1961)、《论革命》(1963)、《黑暗时代的人》(1968)、《论暴力》(1970)和《共和国的危机》(1972)等。

Arenig Series　阿雷尼格统　又称 Arenigin Series,是组成奥陶系的(自下而上)6 个地层单元中的第 2 个,代表在阿雷尼格期(4.88 亿年前至 4.78 亿年前)沉积的、在全世界范围内分布的所有岩层。这个统的名字来自北威尔士圭内斯郡的阿雷尼格山,这里成为大不列颠岛上这个时期形成的岩层之典型地区。属于这个统的威尔士地区岩层厚度约 1 200 米,然而可惜的是它们的化石并不丰富。一个可能替代它的全球性层型剖面发现于纽芬兰岛西部,但是,全球性层型剖面及层型点(GSSP)尚未正式为国际地层委员会所提出。笔石动物种 *Tetragraptus approximatus* 化石带的底被广泛认为与不列颠的阿雷尼格统之底最接近。这个层位也相当于牙形类 *Paroistodus proteus* 化石带的底。阿雷尼格统为兰维恩统所覆盖。

arenite　砂屑岩　由砂级颗粒(直径0.06～2 毫米)组成的、不考虑物质成分的任何沉积岩。这类岩石的正式命名是以成分、粒径和形成方式为依据的,例如,砂岩、长石砂岩、石英岩、杂砂岩和亚杂砂岩。

Arensky, Anton (Stepanovich)　阿伦斯基(1861-07-12,俄罗斯诺夫哥诺德～1906-02-25,俄罗斯帝国芬兰泰里约基)　俄国作曲家,以室内乐和歌曲著称。作曲虽师承里姆

美国不列颠百科全书公司供图

斯基-柯萨科夫,但其创作风格更接近柴可夫斯基。乐曲多表现抒情与哀悼情绪。所写 3 部歌剧只第一部《伏尔加河上之梦》(1891,莫斯科)获得成功。《D 小调钢琴三重奏》与《A 小调弦乐四重奏》为其最佳作品。钢琴作品超过 100 首,其中包括由两架钢琴演奏的 4 首组曲。除在莫斯科担任指挥外,还曾任教于莫斯科音乐学院(1882～1895),并在圣彼得堡帝国小教堂任总监(1895～1901)。

Areopagus　阿雷奥帕古斯　古雅典最早的贵族会议。因会址在卫城西北一座不高的小山阿雷奥帕古斯("阿瑞斯"山)而得名。阿雷奥帕古斯会议最初可能是国王的一个咨询机构。在上古时代,它行使一般的、不明确的权力,直至约公元前 621 年德拉古法典颁布。会议成员为终身制,只有曾担任过执政官的人才能出任,而执政官的职务只能由"世袭贵族"担任。在梭伦(公元前 594 年执政官)统治期间,会议的构成和权力有了实质上的改变,执政官一职向所有具有一定财产资格的人开放,并成立了一个与之对立的 400 人立法会议。尽管如此,阿雷奥帕古斯依然是"法律的保卫者"(也许仍拥有立法上的否决权);根据"弹劾"法,它审理关于违宪行为的诉讼。作为在司祭执政官主持下的法庭,它并判决谋杀案件。从公元前 6 世纪中叶起的约 200 年间,阿雷奥帕古斯的威望起伏不定。在庇

西特拉图家族的专制统治时期(公元前546～前510),他们将其追随者们充当执政官,因此在他们垮台后留下的阿雷奥帕古斯充斥着他们所指定的人,为此得不到人们的尊敬。在波斯入侵期间,由于阿雷奥帕古斯采取了爱国立场,它的声誉重又恢复。公元前462年,改革者厄菲阿尔特剥夺了阿雷奥帕古斯实际上所有的权力,只给它留下关于杀人案件的审判权。从公元前4世纪中叶起,它的声望再次恢复;而在罗马统治希腊时期,它再次执行行政、宗教和教育等重要职责。

Arequipa　阿雷基帕　秘鲁南部省份(1822年成立)。西南滨太平洋。沿海地区干旱,但能得到灌溉,溪流从部分是火山高地的山区断断续续地流经这一地区。海岸作物有棉花、水稻、甘蔗和油橄榄。高地产玉米、马铃薯和谷物,并是重要的牧区,主要牧羊。出口大量羊驼毛。采矿业在经济上也很重要,主要的矿产品有金、银、铜、铅等。马塔拉尼和莫延多为主要海港;省会**阿雷基帕(Arequipa)**城位于山上。在西南部,有铁路将莫延多经过省会与库斯科省和普诺省连接。泛美公路经本省进入智利。面积63 345平方千米。人口约1 072 958(2000)。

Arequipa　阿雷基帕　秘鲁南部城市和阿雷基帕省省会。矗立在奇利河谷上,海拔2 300多米。印加帝国时为库斯科通向海岸道路上的重镇。根据西班牙征服者皮萨罗在这一地区建立根据地的命令,于1540年重建,其最初的名字是“我们的诰封美丽山谷的

阿雷基帕市的大教堂
美国不列颠百科全书公司供图

夫人”。位于山顶积雪、海拔5 822米的米斯蒂火山山麓。其他几座山顶积雪的大山增加了它的美丽景色,通常伴随着火山的活动而发生的地震数次毁坏了这座城市;20世纪60年代发生一次强烈地震。空气干燥,气候宜人,年降雨量约100毫米,年平均温度14 ℃。四周土地肥沃,生产主要是谷物的各种作物和牧草。为全国羊毛加工中心,并拥有多种工业。它是秘鲁南部商业、政治、军事中心。通飞机、铁路和公路,交通十分便利。是秘鲁最美丽的城市之一,有许多用当地白色火山岩建造的建筑物。作为大主教管辖区的中心,它有一座大教堂(1612)和几座建于西班牙殖民时期的教堂。这里还有国立圣奥古斯丁大学(1828)和圣马利亚天主教大学(1961)。它并是著名的旅游中心,有浴场和温泉,附近有印加遗迹。人口约710 103(1998)。

Arequipa, Volcán de(Peru)　参阅**Misti Volcano 米斯蒂火山**。

Ares　阿瑞斯　希腊宗教中的战神,或更确切地说,战争的神灵。他同罗马神话中与他对等的神**马尔斯(Mars)**不同,他并不很受欢迎,在希腊对他的崇拜也并不广泛。他代表

古典雕像阿瑞斯
美国不列颠百科全书公司供图

野蛮的战争和屠杀的令人厌恶的方面。至少从荷马时代起,(荷马说他是主神宙斯及其妻赫拉的儿子),他已是奥林波斯山诸神之一,但同他在一起的神,甚至他的父母,都不喜欢他。尽管如此,在战斗中陪伴他的,有他的姊妹厄里斯(争吵女神)和他同阿佛洛狄忒生的两个儿子福博斯和得伊摩斯(惊恐和溃散)。崇拜阿瑞斯主要在希腊北部,虽然没有同主要诸神的那些常见的社会的、道德的和神学的联系,但对他的崇拜有许多有趣的地方特点。至少在早期的斯巴达,人们用战俘当作牺牲向他祭献。在斯巴达,人们把他当作厄倪阿利俄斯在夜里用狗——被认为是冥界的神,因此是一种不同寻常的牺牲——作为供品向他祭献。在拉科尼亚的盖隆色莱为他举行节日期间,不许任何妇女进入圣林,但是在泰耶阿,妇女特别向他献祭,他被崇奉为吉那伊科索伊那斯(妇女的款待者)。在雅典阿雷奥帕古斯山(阿瑞斯山)下,有他的一座神殿。有关阿瑞斯形象的神话涉及面并不广泛。从很早的时候起,人们就把他同阿佛洛狄忒联系在一起。其实阿佛洛狄忒在斯巴达当地就是一位战争女神,这显然是她的性格中早期的一个方面。她偶尔又是阿瑞斯的正式妻子,两人生了得伊摩斯、福博斯和哈尔摩尼亚。他又同凯克洛普斯的女儿阿革劳罗斯生了阿尔奇佩。他至少是赫拉克勒斯的两个对手——色雷斯的库克诺斯和狄俄墨得斯——的父亲。在花瓶上,他通常被画成典型的武士。在帕台农神庙的壁缘上有一组奥林波斯山诸神的群像,其中一位穿着非戎装外袍的神大概就是阿瑞斯。帕加马祭坛宽大的饰带上也有他的像。

Aretaeus OF CAPPADOCIA　**阿雷提乌斯(卡帕多西亚的)**(活动时期2世纪)　出生于卡帕多西亚的希腊医师。在罗马和亚历山大行医,复兴了希波克拉底学说,在敏锐的观察和医德方面被认为仅次于这位“医学之父”。原则上他坚信精气论,认为四种体液(血、痰、黄胆汁及黑胆汁)的不平衡扰乱了精气,表现为脉搏的异常。但在实践中他博取众家之长,采取折衷主义态度。阿雷提乌斯死后完全被世人忘却,直到1554年他用爱奥尼亚方言写的两份手稿《论急性和慢性病的原因和征象》(4卷)及《论急性和慢性病的治疗》(4卷)被发现。这些著作不仅对胸膜炎、白喉、破伤风、肺炎、哮喘和癫痫作了典范的描述,而且说明正是他第一个分清脊髓性瘫痪和大脑性瘫痪。他用希腊字 siphon(虹吸)给糖尿病定了名,表明患者烦渴及多尿,并对糖尿病作了最早的明确描述。

arête　刃脊　在地质学上,指对向的冰斗之间的锯齿状山脊。具有因反复的冻融作用(冰川侵蚀作用;参阅 **cirque**)而从下部切开的无支撑岩石的垮塌形成的陡峭侧坡。两个对向的冰川在刃脊汇合而侵蚀出低平的坳口。刃脊可上升形成高高的三角形山峰或角峰(如马特峰),是由3条或更多的冰川互相侵蚀而成。

Arethusa　阿瑞托萨　希腊神话中一个居于山林水泽的仙女,伊利斯的一处泉水和锡拉库萨附近奥尔蒂贾岛上的一处泉水,均因她而得名。河神阿尔斐奥斯爱上了阿耳忒弥

约公元前413年银币上的阿瑞托萨像
纽约市立公共图书馆供图

斯的随从阿瑞托萨;阿瑞托萨逃到奥尔蒂贾岛,在那里她被变成一处泉水。但是阿尔斐奥斯到海下面去,把他的水和泉水沟通到一起。据奥维德的《变形记》,河神看到正在阿尔菲奥斯河沐浴的阿瑞托萨后,就化作人形追逐她。阿耳忒弥斯把她化作一股清泉流入地下,然后在奥尔蒂贾涌出。根据传说的更早的说法,河神爱慕的对象是阿耳忒弥斯而不是阿瑞托萨,她把泥涂在脸上,使他认不出来,从而得以逃脱。这个故事也许是来源于这样一个事实,即埃利斯和奥尔蒂贾两地都崇奉阿耳忒弥斯·阿尔斐阿亚,并且阿尔斐奥斯的上游是从地下流过的。

Aretino, Leonardo　阿雷蒂诺　参阅**Bruni, Leonardo 布鲁尼**。

Aretino, Pietro　阿雷蒂诺(1492-04-20,佛罗伦萨共和国阿雷佐[意大利]～1556-10-21,威尼斯)　意大利诗人、散文家、剧作家,因敢于用傲慢的文字攻击权贵而受到当时全欧洲赞

美国不列颠百科全书公司供图

扬。他的火一般的书信和对话有着传记性和时事性价值。他本是阿雷佐地方一个鞋匠之子,后来却冒充是某贵族的私生子,并以故乡城市的名字作为姓氏,其真名不详。年轻时来到佩鲁贾,从事过绘画。1517年移居罗马,在那里写下多篇辛辣刻薄的讽刺文章,支持朱利奥竞选教皇的活动。1527年来到威尼斯,终其一生过着豪华而放荡的生活。在威尼斯与画家提香结为挚友。他替这位画家出售过许多绘画给法国国王弗兰西斯一世,提香也曾为他作画,画中阿雷蒂诺所佩戴的大金链便是法王所赠。著作甚丰,其中最具特点的是对权贵们的冷嘲热讽,常常达到敲诈勒索的程度。他依靠王公贵族们害怕他的讽刺而赠与的礼物致富。他的6卷书信集(1537～1557出版)显示出他的力量和愤世嫉俗,并对他自诩为"王公的鞭子"提出充分的理由。他的《讨论》一书(1534～1536)描述罗马妓女们互相揭露该城许多达官显宦如何道德败坏,在《对话第1集》和其他对话里,他继续审视罗马人的淫荡和腐败。他的5部喜剧对下层阶级的生活作出入木三分的描述。在1525～1544年撰写的5部喜剧中,最著名的是《妓女》(1534出版,1537首演),对罗马教皇统治下的下层阶级的生活全貌作出生动有趣的描绘。阿雷蒂诺还写了一部悲剧(1546出版),一些人认为这是16世纪最佳的意大利悲剧。

Arevaci　阿雷瓦西人　凯尔特伊比利亚人部落,由公元前6世纪伊比利亚人和凯尔特移民混合而成。住在今西班牙努曼提亚和乌克萨马附近。善骑术、作战和金工。所穿衣着由染色布料缝制而成。在凯尔特伊比利亚战争(公元前153～前133)中,阿雷瓦西和贝利部落奋起抗击罗马人。公元前137年,2万罗马军队在努曼提亚向4 000～8 000凯尔特伊比利亚人投降。公元前133年,罗马军队围攻并摧毁了努曼提亚,部落的抵抗告终。

Arévalo (Bermejo), Juan José　阿雷瓦洛(贝尔梅霍)(1904-09-10,危地马拉塔克西斯科～1990-10-06,危地马拉城)　危地马拉总统(1945～1951在位)。他对外推行民族主义的外交政策,对内鼓励劳工运动,实行广泛的社会改革。曾在危地马拉大学和阿根廷拉普拉塔大学(1928～1934)学习,获拉普拉塔大学博士学位。1936年任职于危地马拉教育部,后返回阿根廷,在学术界担任各种职务。在1944年10月20日政变推翻乌维科军事独裁后举行的选举中,当选为总统。在这次选举中,有组织的工人在危地马拉历史上第一次发挥了重要作用。他获得了85%的选票。他的政策对城市与农业的工人以及该国的印第安人有利。在他执政时期,建立了社会保险制度,制订了劳工法,开始实行一系列重要的教育、卫生和筑路计划。他准许言论自由和新闻自由,并根据自己的民族主义政策,重新与英国讨论伯利兹的争端。1951年被任命为无任所大使。在职期间,他拒绝承认索摩查的尼加拉瓜、佛朗哥的西班牙和特鲁希略的多米尼加共和国。1963年佩拉尔塔上校夺取政权后,他未能再竞选总统。所著畅销书《鲨鱼和沙丁鱼》(1961)谴责美国对拉丁美洲的统治。1970～1972年任驻法国大使。

Arévalo Martínez, Rafael　阿雷瓦洛·马丁内斯(1884-07-25,危地马拉克萨尔特南戈～1975)　危地马拉长篇和短篇小说家,他的作品被认为是通用西班牙语的美洲地区现代小说最重要的先驱之一。曾任危地马拉国立图书馆馆长。他开创一种叫做"动物心理小说"的新形式,其中最著名的一篇《像马一样的男人》(1914),写的是人的人性和兽性之间的冲突。他曾试图不采用现实主义手法来探索社会问题和人性问题,后来成为所谓魔幻现实主义小说的首要作家之一。这种形式最终导致产生荒诞小说。他的最著名的小说是:《在奥罗兰迪亚平静的办公室里》(1938)、《在马哈拉恰斯人的国度里》(1938)和《伊潘达之行》(1939)。《深度》(1947)是他的一本自传体小说。

Arezzo　阿雷佐　意大利城市,是意大利中北部托斯卡纳区阿雷佐省省会。地处肥沃平原上,靠近佛罗伦萨东南部的基亚纳河和阿尔诺河汇流处。古时为埃特鲁斯坎人重要城市。古罗马人称之为阿雷廷,以生产阿雷廷

阿雷佐市的圣多明我教堂
美国不列颠百科全书公司供图

陶瓷器皿著称。第二次世界大战期间城市遭到严重破坏。有许多古老的教堂,包括一座始于1286年、1914年最后完成的大教堂;罗马式的皮耶韦圣马利亚教堂、圣多明我教堂(始于1275,内有契马布埃的大型祭坛壁画)、文艺复兴时期的赐福的圣马利亚教堂以及圣方济各教堂。有许多14世纪的宫殿和房屋。古罗马竞技场遗址收藏有各种阿雷廷花瓶,埃特鲁斯坎博物馆和美术馆内也收藏有艺术珍品。阿雷佐是众多艺术家、作家、画家、建筑师的诞生地。为公路交通枢纽,经济以农业为主,还兴办有铁路建材商店、服装厂和制鞋厂等;输出金器和网织品。人口:城市约91 681(1987)。

Arfersiorfik Fjord　阿赫费肖赫菲克湾　在格陵兰西部,从戴维斯海峡向东延伸至内陆冰帽,长152千米,最宽处24千米。有几道冰川侵入它的各个支湾。湾口北岸有居民点尼亚科纳舒克,是1883年A.E.诺登舍尔德探险队的出发地。

Arfon　阿丰　威尔士西北部圭内斯郡的一个区。1974年设立。面积409平方千米。自阿伯村北沿爱尔兰海的梅奈海峡向南延伸至兰德罗格村南,东至斯诺登山脉。斯诺登山(海拔1 085米)为英格兰及威尔士境内最高峰,位于区东南边境。圭内斯郡首府卡那封位于梅奈海峡沿岸班戈镇南面,英王爱德华一世于1283年在该地建筑巨大城堡,以显示英国的力量,并用作征服威尔士的基地。原木结构城堡在一次起义中被烧毁,后用石料重建,它挡住了1403、1404年欧文·格伦道尔率领的威尔士军队对其进行的多次攻击,至今仍是不列颠最著名的城堡之一,1911与1969年曾是皇家授职仪式的地点。阿丰区是游客进入安格尔西岛和斯诺登国家公园的必经之地。兰贝里斯镇位于兰贝里斯隘口入口处的两个湖泊之间,是斯诺登国家公园的旅游中心。迪诺威克有石板开采场和贝塞斯达采石场。随着机制房瓦的引进,石板工业经历了急剧的衰退过程,此后兴办起一些轻工业。班戈镇既是区政府所在地,又是该地区的文化中心,设有北威尔士大学学院(1884)、若干教派的神学院和威尔士古代文物博物馆。阿丰区有公路贯通,自切斯特经班戈通往安格尔西岛的霍利黑德的铁路把都柏林与伦敦用火车轮渡联接起来。人口约53 700(1986)。

Arfons, Art　阿方斯(1926-02-03,美国俄亥俄阿克伦～　　)　美国赛车运动员,3次高速汽车越野赛世界纪录保持者。他原是俄亥俄州阿克伦市的汽车机械师,60年代初,他所设计的"绿怪"式汽车,装有原供飞机使用的J-79型喷气发动机。在犹他州邦维尔盐滩驾驶此种汽车,1964年10月5日和27日时速先后高达698.34千米和863.56千米,1965年11月7日达到927.64千米。

arfvedsonite　亚铁钠闪石　又称钠铁闪石。一种闪石矿物,为富含铁的钠硅酸盐。锂和镁置换晶体结构中的铁,便形成镁铝钠闪石。这两种矿物的特征是在碱性火成岩和它们的伟晶岩中以深绿色晶体产出。

argali(*Ovis ammon*)　盘羊　最大的现存野生羊类。栖息在中亚东部的高原地带。肩高1.3米,体重140千克以上。雄体具大角,帕米尔盘羊(马可波罗绵羊)雄体的大角尤为硕

大,长度可达1.8米以上。

Argall, Sir Samuel　阿尔盖尔(约1572,英格兰格洛斯特郡布里斯托尔～约1626)　英国水手、冒险家,曾在北美反对法国人而保护英国殖民者。1609年受雇于伦敦弗吉尼亚公司,奉命去寻找一条通往弗吉尼亚的较短航线和捕鲟。1610年任弗吉尼亚舰队司令,奉命把法国人从詹姆斯一世赐给英国人的全部土地上赶走。1613年溯波托马克河而上,为英国殖民者寻找粮食。他劫持印第安人波瓦坦族公主波卡洪塔斯作为人质,换回7名英国俘虏。后沿海岸冒险北上,在圣索沃尔发现一个新的法国移民地。他捣毁这个村落,并将几名法国俘虏和财物一并解回詹姆斯敦。弗吉尼亚公司理事会随即派他去破坏北纬46°以南的全部法国移民点。1614年他夺取了罗亚尔港(今新斯科舍的安纳波利斯罗亚尔)。1616年他被选为弗吉尼亚副总督。在1616～1619年总督离任时,由他统治这一殖民地。在1620年远征阿尔及尔的战争中,他充任一艘有24门大炮的商船的船长。1622年成为新英格兰议会议员,封爵士。1625年作为王室军事委员会委员,他率领有28艘战船的舰队对加的斯发动进攻,但遭到失败。翌年去世。

Argand burner　阿尔甘灯　1784年由瑞士人A.阿尔甘在英国获专利的第一盏结构科学的油灯。这是数千年来在灯具上的一个根本革新,它的原理适用于以后的煤气灯。它的构造是在两层同轴的金属管之间安装一管状灯心,空气从内管提供的通道进入中心,这样就使管状火焰在内外表面都能燃烧。玻璃罩改善了通风,使油的燃烧更加完全;一盏阿尔甘灯比先前同样大的灯要亮10倍,火焰也更干净,但耗油较多。

Argand diagram　阿尔甘图　复数的图示,由瑞士数学家J.R.阿尔甘于1806年左右所创。复数的表达形式为 $a+bi$,式中 a 和 b 均为实数,i为 -1 的平方根。图中以一轴表示纯虚数(只由 bi 项构成);以另一轴表示实数(只由 a 项构成)。如此处理,任何复数均可在图上表示为一点。

Argead DYNASTY　阿吉德王朝　古代马其顿的统治家族(约公元前700～约前311);在他们的领导下创建了马其顿王国并逐步控制了整个希腊。约从公元前700年起,王朝的创建者佩尔狄卡斯一世率领自称为马其顿人的一个民族从哈利阿克蒙(今阿利阿克蒙)河畔的故土东迁。定都埃盖(埃泽萨)。到阿敏塔斯一世统治时期(公元前6世纪),马其顿的势力已向东越过阿克休斯(阿克西奥斯)河,征服了相邻的色雷斯各部族。其继承者亚历山大一世(公元前492以前～约前450在位)又把国界向东推进到斯特里门(斯特鲁玛)河。他取绰号"斐列列涅",说明他努力争取希腊人的同情。他散布这样的传说:阿吉德家族是阿尔戈斯的特美尼德家族的后人,这样便取得了参加奥林匹克赛会的权利。亚历山大的儿子佩尔狄卡斯二世(约公元前450～约前413在位)不顾众多兄弟的反对而维护了自己的继承权利。他把哈尔基季基的希腊城邦结成一个以奥林索斯城为中心的同盟。其子阿基劳斯(约公元前413～前399在位)采取一种高度亲希腊的政策,把希腊艺术家请到他的新都培拉。他修筑道路和要塞,改良武器装备并鼓励城市生活以加强马其顿的力量。公元前399年他被暗杀身亡,随之而来的是7年的谋杀与混乱。亚历山大一世的曾孙阿敏塔斯三世在公元前393或392年即位。虽然他在位期间依然充满了混乱与阴谋,但他却成功地统一了马其顿。他死于公元前370或369年,留下3个合法的儿子,其中前2人即亚历山大二世和佩尔狄卡斯三世,在位只有短暂的时期。公元前359年其第3子腓力二世以佩尔狄卡斯的婴儿继承人的名义僭取了统治权,恢复了秩序之后自立为国王(公元前359～前336在位)。他使马其顿上升到全希腊的霸主地位。腓力的儿子亚历山大三世即亚历山大大帝(公元前336～前323在位)推翻了阿契美尼德帝国,把马其顿的武力一直扩展到尼罗河与印度河。亚历山大三世在巴比伦去世后,他的将领们便把他的帝国分割了。其异母兄弟腓力三世阿里达俄斯及其子亚历山大四世只不过是名义上的效忠对象,约公元前311年帝国的实权已落入他人之手。

Argelander, Friedrich Wilhelm August　阿格兰德(1799-03-22,东普鲁士梅梅尔～1875-02-17,波恩)　德国天文学家。他使变星研究成为天文学一个独立分支,并以所编的大

美国不列颠百科全书公司供图

型星表而著称。该星表共编入324 188颗恒星的位置和星等。他求学于普鲁士柯尼斯堡大学,是F.W.贝塞尔的学生,后来成为他事业的继承人。1823年任芬兰奥布(图尔库)天文台台长,1832年任赫尔辛基天文台台长。1837年,发表第一篇关于太阳在空间中运动的重要研究报告。同年被任命为波恩新天文台台长。1844年他开始研究变星。他最伟大的成就是出版《波恩星表》(1859～1862),星表共编入从北天极到天赤道以南2°的恒星。该星表是25年劳动的成果,它包含直到9等左右的全部恒星。1950年重新发行了这部巨著。他还创立了天文学会,目标是把各天文台联合起来共同开展他的工作。

Argens, Jean-Baptiste de Boyer, marquis d'　阿尔让侯爵(1703-06-27,法国普罗旺斯艾克斯～1771-01-12,土伦)　即J.-B.de布瓦耶。法国作家。曾帮助传播启蒙运动的怀疑论思

美国不列颠百科全书公司供图

想,为普通读者撰写哲学、宗教和历史方面的论战性作品。他的文章简化了培尔、丰特奈尔和伏尔泰等哲学家的非正统的经验主义论断,被伏尔泰认为同盟者。出生于信奉天主教的贵族家庭,青年时过着浪荡生活。曾参军,后逃到西班牙;一度想自杀。在腓特烈大帝宫廷任侍从25年,写有书信18卷,即《哲学通信》。作为自由思想家,他凭借经验得来的道理和个人的伦理观,对专横的宗教和经院哲学发起挑战。《犹太人信札》(1738)、《奥秘信札》(1741)和《中国人信札》(1739～1740)等均摹仿孟德斯鸠《波斯人信札》。

Argenson, René-Louis de Voyer de Paulmy, marquis d'　阿尔让松侯爵(1694-10-18,巴黎～1757-01-26,巴黎)　即R.-L.de瓦耶·德·波尔米。法国路易十五时代的外交大臣。1720～1724年任埃诺总督。1744年任外交大臣。为恢复法国在欧洲的霸权,他试图实行不切实际的国际仲裁制度,但未取得成功。由于路易十五有自己的秘密外交以及宫廷阴谋,他以反对西班牙、奥地利和俄国为目标的

美国不列颠百科全书公司供图

计划落了空。1747年被迫辞职,尽其余生从事文学工作。1859～1867年出版的《日志与回忆录》是研究路易十五时期的文学与政治历史的重要材料。

Argenta　阿真塔　意大利东北部艾米利亚-罗马涅区费拉拉省城镇。位于费拉拉市东南部,濒临雷诺河。有中世纪和文艺复兴时代的古建筑和一著名画廊。该城镇在第二次世界大战中被德军放水淹没。现为农业中心。人口:城市区24 232(1981)。

argentaffin cell 嗜银细胞 消化道黏膜的一种细胞成分，细胞呈圆形或卵圆形，因其胞浆内含有嗜银染色的神经内分泌颗粒而得名。嗜银细胞在整个消化道都有分布，但比较集中地散布于小肠和阑尾黏膜和利贝昆氏腺(一种管状肠腺)中。据信，嗜银细胞分泌的5-羟色胺在肠壁内弥散，通过刺激支配胃肠道平滑肌的神经元，致其蠕动性收缩。肠蠕动是食物通过消化道的动力。

Argentan lace 阿让唐花边 法语作point d'Argentan。17世纪路易十四的大臣柯尔贝尔创办花边工业以来在法国阿让唐制作的花边，其特点是花边的网状衬地有大六角形孔，

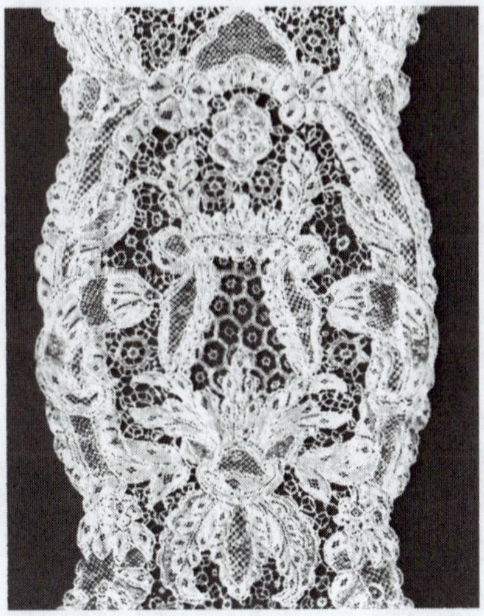

法国18世纪中叶的阿让唐花边
美国不列颠百科全书公司供图

孔的六边用扣眼锁针法编织。花卉图形与阿朗松花边相仿，但看起来比阿朗松花边更厚实。法国大革命后阿让唐花边业衰落，19世纪70年代曾一度振兴。

Argenteau, Florimund Mercy d' 阿让托 参阅 **Mercy d'Argenteau, Florimund, Graf 梅西·达让托**。

Argentera (France - Italy) 阿真泰拉 参阅 **Maddalena Pass 马达莱纳山口**。

Argenteuil 阿让特伊 法国巴黎大区瓦勒德瓦兹省城镇。位于巴黎西北，塞纳河北岸。镇名意为"银"，源出高卢人开掘银矿。城镇在一座7世纪建成的修道院遗址周围发展起来。当地原有葡萄园和龙须菜圃几乎完全被重工业(机械、炼铝、航空)和郊区住宅建筑所取代。人口93 961(1999)。

Argentia 阿真舍 加拿大纽芬兰省东南部村庄，位于普拉森舍镇正北阿瓦朗半岛西岸，临普拉森舍湾。原为鲱鱼和鲑鱼渔港，名小普拉森舍，后在附近发现银矿，更现名(拉丁语argentum，意为"银")。1941年成为美国向英国租借的第一个军事基地后，多数居民迁往附近的弗雷什沃特。1941年8月罗斯福和丘吉尔在近海停泊的军舰上签署有关尊重各国自主权的大西洋宪章。为沿海航运终点站。有公路和铁路通东北偏东131千米的圣约翰斯。人口121(1991)。

Argentière, L' (France-Italy) 阿让蒂耶尔 参阅 **Maddalena Pass 马达莱纳山口**。

Argentina 阿根廷 全称阿根廷共和国。占有南美洲南部的大部分地区，南北长约3 800千米，东西最宽处约1 423千米。西、南接智利，北连玻利维亚和巴拉圭，东北和东与巴西、乌拉圭毗邻，东南濒大西洋(海岸线长约4 725千米)，西和西南与智利接壤处以安第斯山脉为界。首都布宜诺斯艾利斯。面积2 780 400平方千米。人口约38 592 000(2005)。

土地 阿根廷至少可分为4个区域：东北平原、潘帕斯草原、巴塔哥尼亚高原和安第斯山区。①东北亚热带平原被巴拉那河分割为东部的美索不达米亚地区以及西部和北部的南美大查科地区的阿根廷部分。该国的许多林区位于东北平原，包括一些美索不达米亚雨林。②潘帕斯草原位于巴拉那河西部和南部，并延伸至北面拉普拉塔河与南面科罗拉多河之间的大西洋海岸；这里以前是居民稀少地区，现已成为世界上最丰饶的农业区，也是该国人口最稠密的区域，约占阿根廷总人口的2/3以上。③巴塔哥尼亚高原大部为荒芜的半沙漠地区，位于科罗拉多河之南，包括该国南部大片地区，现为放牧羊群的广袤地区。该国大部分煤、石油和天然气储藏均在巴塔哥尼亚高原南部诸省，其唯一已开发的铁矿在该地区的北部。④纵贯阿根廷全部西面边境的安第斯高地有一些世界上最崎岖的山岳地带，包括该国最高峰阿空加瓜山(6 959米)。1944年在安第斯山区的圣胡安省(地质上的活动区)，一次强烈地震使5 000余人丧生。类似的一次地震发生在1977年。

阿根廷的水系以注入拉普拉塔河的诸河流为主，其流域面积总计近518万平方千米。该流域约有2/3在阿根廷境内，其余在巴西、巴拉圭、玻利维亚和乌拉圭。注入拉普拉塔河的有巴拉那河、乌拉圭河及皮科马约河。

东北平原属潮湿的亚热带气候，夏季温暖、炎热，冬季凉爽。在其西面和南面，安第斯高地与北巴塔哥尼亚的气候颇为干燥，类似大陆草原气候。南方的内陆低地为沙漠和半沙漠气候，安第斯山脉则为温和的副极地气候。潘帕斯草原的气候，东部潮湿，西部干燥。该国南部及西南部雨量稀少(只有安第斯山某些部分雨量丰沛)，但在美索不达米亚雨林年降雨量可达2 000毫米或更多。

人民 在1516年西班牙人首先来到之

美国不列颠百科全书公司供图

后的数个世纪中，阿根廷当地的印第安居民人数大为减少，至19世纪该地区人口已主要为西班牙人。19世纪80年代大量南欧移民开始到达，在潘帕斯草原上的农场及养牛场工作。1860～1940年来到阿根廷的350万移民中，近3/4为意大利人或西班牙人；德国人、法国人及英国人仅占很少部分。在此时期人口中心从北部和西部最终转移到潘帕斯草原地区和滨海地区，集中于首都布宜诺斯艾利斯及其周围。西班牙语为官方语言，但巴斯克语、西西里语、威尔士语、乌克兰语等许多外国语和方言也在一些地方流行。居民大多信奉天主教(国教)，也有一些基督教新教徒。该国人口密度为每平方千米12人。有4/5以上人口居住在城市。阿根廷的人口年增长率相当低。作为一个拉丁美洲国家，其人口出生率和死亡率也很低。男性平均预期寿命67岁，女性74岁。

经济 阿根廷为发达的自由市场经济，主要以制造业和农业为基础。人均国民生产总值在20世纪70和80年代出现负实际增长，主要是由于政治不稳定和严重的通货膨胀所致，但仍为拉美地区国民生产总值最高的国家之一。国民生产总值有1/5来自制造业。农业、林业、狩猎、渔业、贸易和交通运输业占较小部分。

阿根廷是拉丁美洲最大的食品与其他农产品出口国。小麦为主要经济作物，主要种植在潘帕斯草原。此外还大量种植玉米、大豆、高粱、葵花籽和亚麻(均供榨油用)、水果(苹果、柑橘、葡萄)、甘蔗、蔬菜和瓜类。该国大片的牧场使其成为世界上生产与出口牛肉、牛皮、羊毛最多的国家。

阿根廷有广阔的森林，但伐木业主要限于西北高地和生长在美索不达米亚的松树及阔叶树。著名的阿根廷林产品为红破斧木丹宁。该国海岸线为南美地区最长的海岸线之一，但鱼的捕获量远低于智利、秘鲁或巴西。

除石油和天然气外，阿根廷其他可利用的矿产储量不多，且分布零散。铁、铀、铅、锌、银等矿藏已被开采，黏土、石灰石、花岗岩和大理石等材料主要供应建筑业。阿根廷的工业能源丰富，石油矿床遍布全国，而且主要河流均为水力发电的重要资源。全国发电量的50%来自热电厂，36%来自水电厂，14%产自核电厂。该国有拉丁美洲最发达的核电工业。

阿根廷的肉类加工业比任何拉丁美洲国家都更加发达。早在20世纪初期牛肉加工即已成为工业化的先声，但近几十年来该国力图摆脱对肉类加工、磨面、精制糖及其他食品加工工业的依赖。政府在40年代开始的工业多样化进程中发挥了极大的作用，但至90年代则又致力于使效率低的国营企业私有化。该国制造业现已颇具多样性，主要产品有精炼石油产品、水泥、粗钢、生铁、钢管、葡萄酒、啤酒、香烟、精制糖、牛皮、木浆、纸张、刨花胶合板、炉具、汽车、摩托车、缝纫机、冰箱、洗衣机、铁路客车和船舶。建筑业主要集中于能源(水力发电及核电)和工业项目。

在70和80年代，经济周期性地受到失控的通货膨胀危害。军人政府采取了降低通货膨胀率的强烈改革措施，但1982年的福克兰(马尔维纳斯)战争再次导致通货膨胀率急剧上升。严厉的金融措施(例如1985年的奥斯特拉尔计划)只能暂时减少通货膨胀。

来自社会保障税(占总数的1/4)、货物税、综合营业税、出口税、进口税、所得税和财政税的预算收入一直不敷支出。财政支出主要用于社会保障与福利(占总数的1/3)、经济服务、偿还债务、国防及一般公共服务。

运输体系有发展良好的铁路系统和公路网，约1/4的公路铺有路面。有7个主要海港。在巴拉那河、拉普拉塔河、巴拉圭河和乌拉圭河有长约1.1万千米的内河航道。有一支较小的商船队。还有10个国际机场和许多具有永久性跑道的机场。

阿根廷的出口值约为进口值的2倍。出口商品主要为谷物，新鲜水果和蔬菜，石油和石油产品，牲畜饲料，活牲畜，肉类和肉制品，钢铁制品以及皮革和皮革制品。该国产品主要销往美国、荷兰、巴西和日本。主要进口商品有机械与运输设备，工业化学制品，石油和石油产品，铸铁和钢材以及塑料制品。进口品主要来自美国、巴西、德国和日本。

政体与社会状况 阿根廷为一个按照1853年宪法治理的联邦共和国。该宪法已修改多次，以迁就军政府和独裁政治。其中一个军政府从1976～1983年一直统治着阿根廷，此后该国又恢复文官民主统治。行政权赋予总统。总统和副总统均由选举产生，任期6年，不得连任，但可参加另一次非连续任期内的总统竞选。议会为两院制立法机关，参议院由各省和联邦首府各选举2名代表组成，任期9年。众议院由按人口比例分配的代表组成，任期4年。最高司法机构为最高法院，其法官由总统任命，终身任职。

社会福利制度包括退休金、残疾和鳏寡津贴、家庭补助和健康保险等。该国许多卫生指标，例如医生在人口中的比例，均十分良好。不过，该国的婴儿死亡率较高。阿根廷城市住房严重短缺，主要由于农村地区移民大量涌入所致。

该国的教育从学前至大学均实行免费。6～14岁未成年人须接受义务小学教育。布宜诺斯艾利斯大学为国内高等教育中最著名学府。新闻业在拉丁美洲居规模最大和设备最先进之列，一些日报，如《新闻报》和《民族报》(均在布宜诺斯艾利斯出版)，在国际上受到高度重视。该国半数以上的无线电广播电台和电视台为私营。国家电台为主要的国营无线电台。尽管新闻自由得到保证，但新闻媒体仍不时受到军人及其他独裁主义政权管制。

文化生活 阿根廷不同民族的传统依然根深蒂固，在集市、节庆和地区性民间创作中表现尤为突出。首都布宜诺斯艾利斯为最重要的文化中心，有约100座美术馆和许多剧院、博物馆及音乐厅。该市最著名文化机构之一是科隆剧院，这是一个有阿根廷和国外著名艺术家演出的大型漂亮的歌剧院。

历史 有关在阿根廷建立殖民地以前的历史不详。在南部的土著印第安人大多以游牧、渔猎为生，但在曾遭印加帝国入侵的西北部地区他们则以农业为主。印加人曾修建过一条向南通到今门多萨城的大道。

最早到达阿根廷的欧洲人是西班牙人，但他们在阿根廷定居的过程过分缓慢。布宜诺斯艾利斯建于1536年，一年后因遭印第安人攻击和缺乏淡水而被舍弃。后来在阿根廷定居的西班牙人则是来自西班牙在南美洲其他地方诸如智利、秘鲁和巴拉圭(亚松森)的殖民地，而且普遍与印第安人通婚。在这些社区中，以印第安人的劳力和西班牙人输入的马、牛、羊以及当地的玉米、马铃薯等产品为基础，逐渐发展成为一个简单而具有活力的社会。

1776年以前，阿根廷是秘鲁总督辖区的一部分；1776年后成为新建立的拉普拉塔总督辖区的一部分，设布宜诺斯艾利斯为首府。这种新地位和由此导致的向欧洲理性与社会观念的开放，使布宜诺斯艾利斯在南美的西班牙殖民地中一直处于领导地位。

1816年在图库曼举行的国会宣布拉普拉塔联合省脱离西班牙独立。1829年罗萨斯确立了其在布宜诺斯艾利斯省的地位，到1835年他已控制全国。1852年其独裁政府垮台。1853年在圣菲举行制宪会议并通过新宪法。布宜诺斯艾利斯省最初拒绝参加联邦，但在被其他各省军队击败后，于1860年加入联邦。在外国资本和技术的援助下，该国随后建成铁路；采用带刺铁丝网、良种牛羊和肉类冷藏技术也被介绍到国内。该国成为向欧洲大规模出口畜牧产品的国家。随着商业的发展，政府收入亦有所增加。政府把这部分收入用于帮助大量涌来的外来移民和建立公共教育体系。

1880年开始了以大牧场主为核心的保守寡头政治统治时期；1916年后被一系列温和的民主选举政府取代，但1930年的军事政变实际上结束了文官统治。随后是动乱的10年，20世纪40年代初期胡安·庇隆作为平民党领袖崛起，1946年当选总统。他推行的鼓励迅速发展工业和政府干预经济的政策，连同一些旨在增加工人社会福利的改革，导致一连串的经济与社会问题。1955年庇隆被军方驱逐出国。此后20年出现了失控的通货膨胀、罢工，高失业率和频繁的政府更迭。

1973年庇隆从放逐中回国，再次当选总统，1974年逝世，由其第三任夫人继任。1976年庇隆夫人被军官们罢黜。在持续的经济困难、政治不稳定和政治极端分子的恐怖活动日益加剧中，一个军人集团夺取了政权，并从1976年统治到1983年。1982年4月，阿根廷军队攻占有主权争议长达一个多世纪的福克兰(马尔维纳斯)群岛。同年6月当英国军队夺回该群岛时，军政府不光彩地下台，并允许在1983年举行普选。R.阿方辛当选总统后，开始一项纠正军政府各项弊端的计划，这些弊端包括70年代末和80年代初因被军方怀疑参与颠覆活动而至少有1万人惨遭杀害的事件。阿方辛还试图降低该国每年的高通货膨胀率和减少巨额外债，但未成功。1989年庇隆派候选人梅内姆当选总统，1994年宪法重新修订，允许总统连任两届，梅内姆于1995年再度当选。当选不久即面对经济下滑和政府腐败的指控。对外方面，阿根廷和智利确定了两国南部的边界线，从1998年起还改善了与英国的关系。在1999年的总统选举中F.德拉鲁阿领导的一个联盟击败了庇隆主义者。21世纪初阿根廷继续面对经济的不稳定。2001年12月国家局面失控,德拉鲁阿下台。现任总统为内斯托尔·基什内尔。

Argentina, La 阿根廷娜(1890-09-04,布宜诺斯艾利斯~1936-07-18,法国巴约纳) Antonia Mercé y Luque的别名。舞蹈演员和西班牙舞蹈新古典主义风格创始者,致力于使

美国不列颠百科全书公司供图

西班牙舞蹈具有表演艺术的地位。父母是西班牙血统的职业舞蹈家,她向他们学习芭蕾。11岁就担任马德里歌剧院的首席舞蹈演员,但14岁辞职去学习西班牙民族舞蹈。她的演出风格多年没有为剧场演出所接受,所以她的表演主要只限于酒吧间和音乐厅。第一次世界大战后,在巴黎"红磨坊"等地演出舞蹈,大受欢迎。她的第一次成功的独舞演出会是1927年在巴黎香榭丽舍剧院举行的,从那时起直至逝世为止,一直在欧洲、美洲和东方各国举办独舞演出会,被誉为当代最佳西班牙舞蹈家。她对《爱情魔法师》(M.de法里雅作曲),尤其是其中的《祭神火舞》和《恐怖舞》的处理,是她的最著名的创作之一。她在编舞中吸收而不是照搬传统西班牙舞蹈,发挥了西班牙舞蹈的创造潜力。虽然她最后组成了一个小型舞蹈团,但在人们的记忆中她主要还是一个独舞专家。她的技巧,特别是响板技巧极为出色。

argentine 水珍鱼 水珍鱼科外表像胡瓜的小型鱼类的统称,见于大西洋及太平洋深海。此科通常置于鲑形目。仰鼻水珍鱼(*Argentina silus*)体银白色,长约45厘米,生活于水下约145~545米深处,有时为渔人所获。胡瓜鱼(胡瓜鱼科)以前曾被列为水珍鱼科的一部分。

Argentine Basin 阿根廷海盆 阿根廷东面大西洋的海底盆地。其西部和西南边缘最深处,被称为阿根廷深海平原,最深达6 212米。盆地北临里奥格兰德海隆,东靠中大西洋海脊,南是福克兰海隆,西面为南美大陆架。

Argentine Museum of Natural Sciences 阿根廷自然科学博物馆 位于布宜诺斯艾利斯,1823年创立。内设动物、植物和地质三部分。拥有200万件展品和一个藏书50余万册的图书馆。知识领域包括考古学、植物学、生态学、昆虫学、水生生物学、矿物学、古生物学和动物学。

argentite 辉银矿 一种银的硫化物(Ag_2S)矿物,是最重要的银矿石。在挪威的孔斯贝格、斯洛伐克的克雷姆尼察、墨西哥的萨卡特卡斯以及美国内华达州的康斯托克等硫化物矿床中,都富含辉银矿并含其他银矿物。像某些银和铜的硫化物、硒化物及碲化物一样,在高温下形成等轴晶体,但当冷却时,晶体由等轴结构转化为非等轴结构,而外形不变。例如:辉银矿的X射线图谱与螺硫银矿的X射线图谱一样;螺硫银矿是辉银矿的斜方晶系的变体(在91 ℃以下稳定)。这表明尽管辉银矿具有等轴的外形,但它由斜方晶体的薄片组成,这种薄片形成于全部晶形已定型之后。关于详细的物理性质,参阅**sulfide mineral**(表)。

Argeş 阿尔杰什 罗马尼亚南部一县。面积6 801平方千米。居民点散布在特兰南瓦尼亚山脉(南喀尔巴阡山脉)和外喀尔巴阡山脉之山间谷地中。阿尔杰什河、科特梅亚纳河和泰莱奥尔曼河向东流经县境。封建时代属瓦拉几亚公国。农业以葡萄和果树栽培及牲畜饲养为主。县城皮特什蒂(**Piteşti**)为炼油中心。县城及其他城镇的制成品,有机械、纺织品和纸张。米赫埃什蒂以北产煤和褐煤。维德拉鲁湖上有一座高165米、长307米的水电站拦河大坝。纳马埃什蒂有一16世纪的砂岩教堂兼修道院,还有诗人乔治·托珀斯恰努(1886~1937)故居。托波洛韦尼镇有生产传统服装和木雕的工艺品合作社。米赫埃什蒂有植物园、林业试验站和狍保护区。阿尔贝什蒂附近有古代石灰石采石场,已被指定为自然保护区。从县城到肯普隆格的道路原为古罗马-达契亚大道。境内铁路和公路大多与河道平行。人口约680 600(1992)。

Argeş River 阿尔杰什河 罗马尼亚南部河流,源出南喀尔巴阡山脉的弗格拉什山摩尔多韦亚努峰和内戈伊峰南面。向南流经库尔泰亚-德阿尔杰什和皮泰什蒂然后折向东南穿过多瑙平原,在奥尔泰尼察附近注入多瑙河。主要支流有沃尔桑河、多阿姆娜河和特尔古河。全长327千米,流域面积12 550平方千米。

Arghūn 阿鲁浑(约1258~1291-03-10,伊朗阿伦巴格察) 伊朗第四代蒙古族伊儿汗(1284~1291)。他是伟大的合赞(**Ghāzān, Maḥmūd**)的父亲。伊儿汗阿八哈(1265~1282在位)之子。其父死后,阿鲁浑亲王成为汗位的候选人,但被迫把汗位让给更有力的竞争对手——叔父帖古迭儿。此后,他指责帖古迭儿一派毒死他的父亲,反对帖古迭儿改信伊斯兰教。1284年初领导一次叛乱。几经挫折之后,他终于推翻帖古迭儿,将其处死(1284-08-10)。次日阿鲁浑正式登基。他虔信佛教,废除了前朝君主所实行的伊斯兰教政策。1289年阿鲁浑起用反伊斯兰教的犹太人赛义德·道拉担任财政大臣和他的整个帝国的首相。当时穆斯林占人口的大半,很可能对一个佛教徒和一个犹太人的统治不满,但是阿鲁浑和赛义德·道拉在施政时公正无私,依法办事,因而使国家恢复了秩序和繁荣。阿鲁浑渴望重新开展反埃及马木路克人的战争,1285年致函教皇霍诺留四世,1287年遣使谒见教皇尼古拉四世、英王爱德华一世和法王腓力四世等领导人,以求与基督教西方世界结盟。然而,这些外交活动,除了互致信函之外,没有取得任何结果,战端亦未重启。阿鲁浑对科学和对炼金术等伪科学感兴趣。1290年冬,反对赛义德·道拉及阿鲁浑的其他宠臣的各派在他发烧卧床行将去世之际起兵,将他那些宠臣杀死 。他本人死后,他兄弟(1291~1295)、表兄弟(1295)和儿子(1295~1304)先后继承王位。

arginine 精氨酸 可通过水解许多普通的蛋白质而得到的一种氨基酸,在与核酸结合的蛋白质(鱼精蛋白和组蛋白)中特别丰富。1895年首次自动物角中分离到。精氨酸在哺乳动物的尿素合成(哺乳动物排氮的主要方式)中起重要作用。精氨酸是成年哺乳动物的几种非必需氨基酸之一,这些动物能从谷氨酸中合成精氨酸而勿需自饮食中获取。

Argirocastro(Albania) **阿尔吉罗卡斯特罗** 参阅 **Gjirokastër** 吉诺卡斯特。

Argolís 阿尔戈利斯 希腊南部伯罗奔尼撒东北部一州。为萨罗尼克湾与阿尔戈利斯湾之间伸入爱琴海狭窄多山的半岛。北接科林斯州,西为阿卡迪亚山脉。面积2 214平方千米。多山。新石器时代即有人定居。高地为石灰岩高原,平地为冲积平原。平地土质肥沃,但干旱,需灌溉。种植蔬菜、橄榄、柑橘、葡萄。阿尔戈利斯海湾在古代是希腊与克里特及埃及进行贸易和交流思想的通路。沿海产树脂。有牧羊业,主要为了挤奶用于生产乳酪。该州为考古学宝库和旅游业中心,多名胜古迹。纳夫普利亚为该州重镇,是港口城市和海滨胜地,19世纪希腊独立后曾为最早的首都。人口约97 250(1991)。

Argolis, Gulf of 阿尔戈利斯湾 希腊米尔托翁海的一个深水海湾。在伯罗奔尼撒半

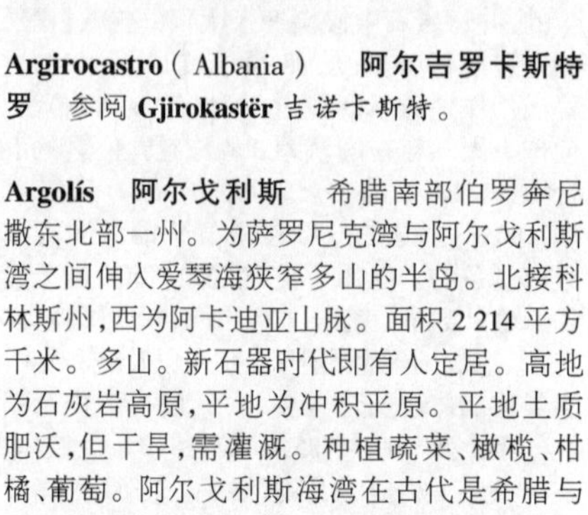

阿尔戈利斯湾

美国不列颠百科全书公司供图

岛以东,爱琴海西部。由阿尔戈利斯半岛分隔萨罗尼科斯湾而成。长约 50 千米,宽 30 千米。东海岸外有数座小岛,著名的有普西利岛和普拉蒂亚岛。在湾头有其主要港口纳夫普利翁和伊纳科斯河河口。湾头正北是古城阿尔戈斯(**Árgos**),为青铜器时代早期以来迈锡尼及多里安文明的中心。斯派采岛扼守海湾入口,是雅典居民的避暑胜地。

argon　氩(Ar)　化学元素,周期表0族中的一种稀有气体。地球上丰度最大、工业上最常用的一种惰性气体。无色、无臭、无味。1894 年,英国科学家 J.W.S.瑞利勋爵和 W.拉姆齐从空气中分离出氩。H.卡文迪什在研究空气中的氮时(燃烧过的空气),于 1785 年曾推断说空气中可能存在一种惰性组分,含量不超过 1/120。他的研究被遗忘了,直到 100 多年后,当瑞利发现从空气中除去氧所制得的氮,总比从氨等化学物质得到的氮密度大 0.5% 左右时,才为人们记起。从空气中除去氧和氮后,所剩余的较重气体,就是在地球上发现的第一种稀有气体。由于它的化学惰性,被命名为氩(1868 年用光谱方法已检测出太阳中的氦)。按重量计,氩占空气的 1.3%。按体积计,则占空气的 0.94%,并发现岩石中也吸留着一些氩气。地球上的大部分氩是地球形成时产生的,是由于含钾矿物中的稀有天然放射性同位素钾 40 衰变而产生的,并从岩石中慢慢逸入大气(这个过程现在还在进行着)。从钾 40 衰变成氩 40 的过程已用作地球年龄测定(钾氩年龄测定)法。地球上天然存在的氩为 3 种稳定同位素的混合物:氩 36(0.34%)、氩 38(0.06%)和氩 40(99.60%)。氩是以液态空气分馏法大规模分离制备的。氩用于充气的电灯泡、电子管和盖格计数器。在铝和不锈钢等金属弧焊,在钛、锆和铀等金属生产、加工以及硅和锗等半导体晶体生长过程中,广泛使用氩作为惰性气氛。氩气在 -185.8 ℃凝结成无色液体,在 -189.4 ℃成为固态结晶。在温度高于 -122.3℃时,加压不能使氩气液化,在此温度至少需要 48 大气压才能使其液化。在 12℃,100 体积水中,可溶解 3.94 体积氩气。氩气通过低压放电显现粉红色,通过高压放电则显钢蓝色。氩最外(价)电子层有 8 个电子,因此氩原子极其稳定,化学上显惰性。氩原子互相间不能结合,也没观察到氩与任何其他元素原子化合。氩原子能机械地包封于其他物质分子间的笼形空穴中,如在冰或有机化合物氢醌晶体中(称为氩的笼形包合物)。氩原子序数 18。原子量 39.948。熔点 -189.2℃。沸点 -185.7 ℃。密度(0 ℃,1 大气压)1.784 克/升。化合价 0。电子组态 2,8,8 或 $1s^2 2s^2 2p^6 3s^2 3p^6$。

Argonaut　阿尔戈英雄　希腊传说中同伊阿宋(**Jason**)一道乘快船阿尔戈号去取金羊毛的 50 位英雄中的任何一位。伊阿宋的叔父珀利阿斯篡夺了理应属于伊阿宋的父亲埃宋在色萨利的伊俄耳科斯王位。不过珀利阿斯应允将王位交还给伊阿宋,只要后者能从科尔基斯将金羊毛取回。根据传说,伊阿宋的叔父阿塔玛斯同第一个妻子云神涅斐勒生子弗里克修斯、生女赫勒;他的第二个妻子伊诺憎恨涅斐勒生的孩子,教唆阿塔玛斯把弗里克修斯当作牺牲奉献,作为缓和饥馑的唯一手段。但在祭献之前,涅斐勒的影子向弗

L.科斯塔绘《阿尔戈英雄》(细部)
美国不列颠百科全书公司供图

里克修斯显现,给他们带来一只长着金毛的公羊,他和他的妹妹就试图骑着这头金毛羊逃过海去。赫勒从金毛羊身上掉了下来,淹死在海峡,后来海峡就因她而被命名为赫勒斯滂。弗里克修斯安全抵达彼岸,在前往黑海另一边的科尔基斯时,他把羊当作牺牲奉献,金毛则挂在阿瑞斯的圣林里,由一条不眠的龙看守。伊阿宋接受了寻找金羊毛任务,请希腊最高贵的英雄都参加这次出征。根据最初的说法,船员包括伊阿宋本族(米尼安人)的主要成员,后来其他比较著名的英雄也加入这一行列,包括卡斯托耳和波吕丢刻斯。阿尔戈英雄们最先到达只由妇女占据的利姆诺斯,在那里停留了数月。然后他们来到赫勒斯滂,从那里又到达多利奥尼斯人的国土,受到国王库齐库斯的热情款待。他们离开后,又被一场暴风吹回原地,并受到不承认他们的多利奥尼斯人进攻。在随后发生的战斗中伊阿宋杀死库齐库斯。阿尔戈英雄到达贝布里凯斯人的国土时,国王阿米科斯向他们挑战,进行拳斗。波吕丢刻斯接受挑战并把他打死。进入黑海时,他们遇到双目失明的老国王菲纽斯,他的食物经常受到半人半鸟怪的糟蹋。菲纽斯被波瑞阿斯长着翅膀的儿子们解救后,就告诉他们去科尔基斯的道路,以及如何穿越西姆普列加戴斯岩,又称库阿涅埃岩(这两块悬岩的底部可以移动,无论什么想从中穿过都要被挤得粉碎)。伊阿宋遵照他的指点,先放出一只鸽子。鸽子在岩石中间被挤得稀烂,但阿尔戈船却趁岩石重新分开时溜了过去。从那时起两块岩石就固定下来,再也合不到一处。阿尔戈英雄们历尽艰辛,终于到达科尔基斯。但国王埃厄忒斯要求伊阿宋先用喷火的牛犁阿瑞斯的土地,再把龙牙种到地里,才肯给他金羊毛。后来,从地里跳出全副武装的武士。埃厄忒斯的女儿女巫美狄亚爱上了伊阿宋,给他一种防火的油膏,并告诉他向新生出来的武士抛掷石头,使他们自相残杀,全部死亡。这些任务完成后,埃厄忒斯仍拒不交出金羊毛。但美狄亚又使龙熟睡,伊阿宋于是取得金羊毛,并和美狄亚一起逃走。回家的路程也有各种各样的说法,阿尔戈号最后到达约尔科斯并被放到科林斯地峡上献给波塞冬的圣林里。阿尔戈英雄出征的故事至少早在荷马时期便已为人们所知,奥德修斯的流浪可能部分地是以这一出征为依据的。在古代,人们把这一出征视为历史事实,是向希腊商业和殖民开放黑海过程中的一个事件。

Argonaut　"舡鱼"号　第一艘能在公海里远航的潜艇,1897 年由美国工程师和海军建筑师 S.莱克建造。设计的目的是运送潜水员而不是为了击沉敌船。装有能在海底行驶的轮子,还有一个带闸门的气密室,当室内气压与外面水压相等时,闸门可以打开。1898

"舡鱼"号
美国不列颠百科全书公司供图

年"舡鱼"号从弗吉尼亚州的诺福克穿过大风暴航行到纽约,证明这种潜艇结构具有良好的适航性。

Argonne　阿戈讷　法国东部山林区。约长 65 千米,宽 15 千米,构成香槟和洛林之间的天然分界。全区海拔一般不超过 200 米。有艾尔河和埃纳河水系河流冲蚀成的众多深谷,交通不便,但战略地位重要。1792 年法军曾在瓦尔米击退普鲁士军,1918 年美军在同地击溃德军。

Argonne National Laboratory　阿尔贡国家实验室　美国能源部所属的实验室,位于伊利诺伊州阿尔贡市,由芝加哥大学和阿尔贡大学协会管理。该室于 1946 年建立,旨在进行原子的基本研究以及和平利用核能。现在从事广泛的科学和工程课题的研究,包括高温超导体、高级计算机以及癌症的起因和治疗。阿尔贡实验室有几种重要的研究设备,最新近的一个设备是高级光子源(APS)——设计产生高能强 X 射线束的 7 吉电子伏同步加速器。另一个设备(ATLAS)是使用铀以前并包含铀的重离子束的超导直线加速器。强脉冲中子源为原子结构的研究提供大功率的中子源。

Argos 阿尔戈斯 希腊阿尔戈利斯州城市。在伯罗奔尼撒半岛东北，阿尔戈利斯湾湾头正北方。阿尔戈斯的意思显然是农业平原，古希腊有好几个地区采用这一名字。历史上的阿尔戈利斯在伯罗奔尼撒半岛最东部。今天的阿尔戈斯距卡斯特罗山（古代的拉里萨）下的阿尔戈利斯湾约6.5千米。这里自青铜器时代早期起就可能有人居住，在迈锡尼时代（约公元前1300～前1200）便很有名。今天的阿尔戈斯大部分是在古城的遗址上建起的，为科林斯—纳夫普利翁铁路线上的小集镇。约公元前1100～前1000年，阿尔戈斯很可能是多里安人在伯罗奔尼撒半岛上的活动基地。自那时候起，阿尔戈斯成为阿尔戈利斯地区第一大城邦，在国王菲敦（公元前7世纪）的统治下，于斯巴达政权兴起前，它是整个伯罗奔尼撒半岛第一大城邦。公元前669年阿尔戈斯人在希西埃打败斯巴达人。然而，公元前550年，后来又于公元前494年，斯巴达打败了阿尔戈斯。阿尔戈斯未参加希波战争。由于斯巴达势力不断增长，阿尔戈斯于公元前461年与雅典结盟，公元前420年伯罗奔尼撒战争期间再次与雅典结盟。但公元前418年雅典同盟失败和阿尔戈斯发生寡头政治革命之后，阿尔戈斯城邦转而与斯巴达结盟。科林斯战争开始后，阿尔戈斯在全联邦范围内与科林斯联合（公元前392年），与斯巴达之间又动干戈。不久，阿尔戈斯人动摇了对科林斯的忠诚。公元前379年第比斯人反抗斯巴达统治时，民主人士在阿尔戈斯执政，阿尔戈斯参加了第比斯人战败斯巴达人的留克特拉战役（公元前371）和曼提尼亚战役（公元前362）。第比斯政权的衰落导致斯巴达人再次发动侵略，迫使阿尔戈斯人向马其顿的腓力二世求救。腓力二世收复并交还给他们阿尔戈利斯湾西岸原有的锡努里亚省。在经历多次侵扰，尤其是马其顿人的侵略之后，阿尔戈斯于公元前229年加入亚该亚同盟，除公元前225年和前196年斯巴达人两次占领的短暂时期以外，它一直是该同盟的积极成员。罗马的征服和公元前146年科林斯的覆灭提高了阿尔戈斯的地位，使它成为亚该亚同盟的中心。267年和305年，哥德人曾短期占领阿尔戈斯，但该城还是在拜占廷时代繁荣起来。第四次十字军远征之后，亚该亚法兰克公国建立（1204），首府是纳夫普利亚，阿尔戈斯从此衰落。1397年土耳其攻占阿尔戈斯，1500年土耳其再次攻占阿尔戈斯，并屠杀当地居民，把他们赶出家园，让阿尔巴尼亚人迁入该城。1821～1829年希腊独立战争期间，最初的自由希腊国会于1821和1829年在此召开。1854年考古发掘工作在今阿尔戈斯城东北开始进行，集中发掘迈锡尼废墟附近坐落在埃维亚山石嘴上的遗址。1892和1895年雅典的美国古典研究学院开始在阿尔戈斯赫拉神殿进行发掘。早在多里安人入侵（约公元前1100～前1000）之前很久，赫拉神殿就一直是崇拜天后赫拉的中心和阿尔戈利斯的天然圣所。多里安人入侵之后，大约公元前7世纪末，在赫拉神殿原址修建了一座巨大的神庙。然而，残存的只有石灰石平台和部分支承立柱的铺地或三级台座。希腊地理学家鲍萨尼阿斯记述该神庙是公元前423年由于祭司们的疏忽而被火所焚毁。另一座更加雄伟的神庙为阿尔戈斯建筑师欧波利摩斯设计，用石灰石和多立斯式石柱建成，庙的两侧是引人注目的柱廊。第二次世界大战前后，雅典的法兰西学院在阿尔戈斯进行了多次发掘，出土了阿波罗神庙的残存部分。在庙台下面，研究人员发现了另外一座庙的遗址和一个很可能是该城的会议大厅的遗址，还有城市澡堂，一座罗马时期的英雄祭祠和一处古希腊中期（约公元前2000～前1600）到罗马晚期的墓地。古典时期前期，阿尔戈斯著名雕塑家阿格拉达斯和他的学生波利克利托斯等人制成了赫拉神庙中巨大的由黄金和象牙雕成的赫拉神像，现已失传，但从该时期阿尔戈斯的某些硬币上尚可看出赫拉头部的形象。今天，阿尔戈斯是一个繁荣的农业和商业中心，周围平原生产蔬菜和水果，为食品加工业提供原料。人口约21 901（1991）。

Argostólion 阿戈斯托利翁 希腊爱奥尼亚群岛上最大一州凯法利尼亚州首府和海港。希腊正教一个主教区所在地。1757年由威尼斯人于前首府毁于地震后建立。地处一个大海湾的东部叉口，为船只避风良港。出产橄榄油、酒、无核葡萄干和各种蔬菜。该港和其东海岸的姊妹港萨米全毁于1953年地震，后又重建。人口6 815（1991）。

Argovie (Switzerland) **阿尔戈维** 参阅 **Aargau 阿尔高**。

Arguedas, Alcides 阿格达斯（1879-07-15，玻利维亚拉巴斯～1946-05-08，丘卢马尼）玻利维亚小说家、新闻工作者、社会学家、历史学家和外交官。他在作品中探讨印第安人的悲惨处境，满怀同情地描绘他们的风俗习惯，记录了使他们受剥削和衰微的社会的和经济的势力。著名社会学论著有《病态的民族》（1909）和《玻利维亚通史》（1922）。所写有关印第安人的小说最为闻名，其中尤以《青铜的种族》（1919）为最，以史诗的笔法描写一群玻利维亚印第安人的迁移，最后被白人消灭的故事。他对印第安问题的探讨，预示着20世纪30和40年代拉丁美洲印第安主义小说的兴起。他是玻利维亚自由党的领导人，曾担任驻外使节和农业部长。

Arguedas, José María 阿格达斯（1911-01-18，秘鲁安达韦拉斯～1969-11-28，利马）秘鲁小说家、人种学者。父亲是一位白人法官，母亲是印第安人。从小随父旅行，学习克丘亚人的语言和音乐，懂得他们的风俗习惯，同时还熟悉了西班牙文化。曾就读于利马的圣马科斯大学。从1959年起在圣马科斯大学教授秘鲁地区文化，后任国立历史博物馆馆长。《水》（1935）是他的一本小集子，包括3篇故事，描写白人社会的非正义暴力和动乱，以及遭受剥削但又十分驯服的印第安人的平静安定生活。《血的节日》（1941）细腻地描写了象征印第安人与白种人之间社会斗争的原始斗牛仪式。阿格达斯的杰作是小说《深沉的河流》（1958）。这是一部自传体小说，作者在这部书中重申了他以前论述过的主题。《第六位》（1961）基于他1937～1938年遭囚禁的事实写成。未完成的小说《山上的狐狸和山下的狐狸》（1971），描写一个人希望破灭后对生活失望的痛苦。阿格达斯后在一间废弃的教室中自杀身亡。

Arguello, Alexis 阿圭略（1952-04-19，尼加拉瓜马那瓜～2009-07-01，马那瓜） 尼加拉瓜职业拳击运动员。1968年成为拳击手，1974年到巴拿马参加世界拳击协会的最轻量级比赛，失败。但同年后期，在第13回合击倒R.奥利瓦雷斯夺冠。在最轻量级4次卫冕后升入次轻量级，1978年第13回合击倒A.埃斯卡莱拉，获世界拳击联合会该级别的冠军。1979年索摩查家族被推翻，桑地诺主义者当权，夺取了他的财产和银行存款，阿圭略迁往美国，曾短期回到尼加拉瓜在反政府一方作战。在美国继续拳击生涯，次轻量级8次卫冕，升入轻量级，1981年在第15回合击败J.瓦特，获轻量级冠军。4次卫冕后，冲击次轻中量级，未果。多次失败后，1985年退休。在一生88次比赛中胜80次（64次击倒）。1992年入选国际拳击名人堂。

Arguin Island 阿尔金岛 毛里塔尼亚的沿海岛屿。在大西洋海湾（阿尔金湾）布朗角东南80千米。岛长6千米，宽4千米。阿尔金岛于1960年并入新独立的毛里塔尼亚。由于土地贫瘠和缺少锚地，该岛不宜定居。岛的沿岸浅滩是重要渔场。该岛以产海龟和阿拉伯胶著称。

argument 论证 逻辑中，证明一个结论的推理，有时表示这结论可以从前提推演出。错误的论证在逻辑中称为**谬误（fallacy）**。在数学中，论证是函数中的一个变量，常以符号形式置于函数符号后面的括弧中。

Argun River (China) 参阅 **Ergun He 额尔古纳河**。

Argungu 阿尔贡古 尼日利亚索科托州城镇和世袭酋长国名。该镇临索科托河，为花生和烟草集散中心，亦为当地物产（稻米、小米、高粱、鱼、棉花、牛、羊）销售市场。每年2月镇民庆祝捕鱼联欢凯比节。镇内坎塔博物馆珍藏16世纪艺术品。镇东北56千米有凯比王国16～17世纪都城苏拉梅的遗址。镇内有公立学校（1919）、坎塔学院（1970）、保健站和医疗中心。多数穆斯林为克巴瓦人，亦有富拉尼、阿雷瓦和天加人。酋长从世袭的莱卡瓦家族成员中挑选。人口：城镇约26 268（最新估计）。

Argus Panoptes **阿耳戈斯** 希腊传说中的人物。对他的说法不一，一说他是伊那科斯、阿革诺耳或阿瑞斯托耳的儿子；一说他是一位土著英雄。他的别名潘诺普特斯（意思是"看到一切的"）源出自他头部或全身上的100只眼睛。赫拉女神命他看守变成母牛的伊娥（赫拉的女司祭），但是他被赫耳墨斯所杀。赫拉把他的眼睛转移到孔雀的尾巴上。

这个阿耳戈斯常被人们同尼俄柏的使阿尔戈斯城得名的儿子混同起来。

Argyll 阿盖尔 又作 Argyllshire。盖尔语作 Earraghaidheal（"盖尔的沿海地区"）。原为苏格兰西部的一个郡。1975 年重新划分行政区域时，大部划入**斯特拉斯克莱德（Strathclyde）**地区的**阿盖尔－比特区（Argyll and Bute）**。2 世纪时，来自爱尔兰（当时称作斯科舍）的苏格兰人（即凯尔特人）入侵阿盖尔。最早的凯尔特居民点建于 3 世纪。得胜的首领里阿达占领了后来称之为中阿盖尔的地区。这片称为达尔里阿达的地区出现了一批又一批的凯尔特爱尔兰新移民。在一些野心勃勃的当权者的统治下，达尔里阿达渐渐发展为一个独立王国，一直保有自己的主权。843 年，达尔里阿达国王肯尼思一世麦卡尔平将达尔里阿达人与苏格兰中部的皮克特人联合在一起，建立了一个新的联合王国，最终形成后来的苏格兰。后来受古代挪威人控制，直到 1266 年阿盖尔并入苏格兰王国。不过在这之前，阿盖尔和西部群岛已由凯尔特－挪威人混血家族的半独立首领统治。1164 年，他们中间有一个名萨默莱德的首领在反对苏格兰国王的远征中于伦弗鲁附近被杀，他是西部群岛真正的第一位领主。此后群岛的领主权力由他的后代掌握直到 1493 年，群岛的最后一位领主约翰·麦克唐纳被国王詹姆斯四世剥夺了大片领地。洛乔，即现在的洛哈维的坎贝尔家族，在麦克唐纳家族的废墟上兴起，他们的首领成了阿盖尔伯爵，9 位坎贝尔伯爵在苏格兰历史上，以及后来 11 位阿盖尔公爵在大不列颠历史上的联合显赫地位，可能是任何其他英国贵族门第都赶不上的。在詹姆斯党人的第二次起义（1745）中，绝大多数阿盖尔人都反对斯图亚特王位觊觎者，为汉诺威的乔治二世而战。起义失败后，政治和经济方面出现了重大变化。1747 年废除世袭的管辖权，昔日，高地的贵族和首领一直是统治佃户和臣民的小国王，而今，对于主人来说，佃户交付租金比过去友好的忠诚更为重要。过去广大佃农租耕的小块土地而今变成了养羊的大牧场，成千上万的小佃农被迫背井离乡。在宗教史上，公元 6 世纪，圣科伦巴和其他凯尔特爱尔兰传教士从艾欧纳来到达尔里阿达王国各地传布福音。在 1560 年苏格兰第一次基督教改革中，对苏格兰影响最大的新教徒阿盖尔伯爵（第五）发挥了重要作用。在其后的主教制与长老制的斗争中，长老制取胜。如今，长老制仍然是阿盖尔地区最普遍的教会管理制。

Argyll, EARLS, MARQUESSES, AND DUKES OF 阿盖尔伯爵、侯爵和公爵 苏格兰封爵贵族，属洛乔的坎贝尔和马莫尔的坎贝尔家族。其成员按年代顺序排列于后，并各以●为标记。

● Argyll, Archibald Campbell, 5th Earl of 阿盖尔伯爵（第五）（约1532～1573-09-12） 苏格兰新教徒，苏格兰女王玛丽的支持者。1558 年继承父爵。曾追随约翰·诺克斯，并在宗教贵族反对摄政洛林的玛丽（女王之母）的战争中支持詹姆斯·斯图尔特。1561 年玛丽·斯图亚特返回苏格兰后，他又支持她。1568 年玛丽逃离洛赫利文城堡，数日后逃往英格兰。在这数日中，他曾指挥过玛丽的军队。1572 年成为苏格兰大法官。

● Argyll, Archibald Campbell, 1st Marquess and 8th Earl of 阿盖尔侯爵（第一）和伯爵（第八）（1607?～1661-05-27，苏格兰爱丁堡） 英国内战时期苏格兰反保王派领袖，曾

美国不列颠百科全书公司供图

领导他的国家短暂地摆脱英格兰的政教统治。1626 年步入政界任枢密官。但因主张在苏格兰废除主教统治和签署民族圣约以保卫苏格兰长老制，反对强制推行圣公会仪式而失去国王的宠信。1638 年继承其父的伯爵爵位。1641 年封侯爵。此后他与长老派掌握的英格兰议会结成联盟，1644 年他的军队为议会派占领英格兰北部。1645 年 9 月在菲利普霍战役中击溃保王派将军蒙特罗斯。1648 年在爱丁堡建立新政府，与议会派司令克伦威尔结盟。但是，克伦威尔一派对查理一世的处决（1649）令苏格兰人产生恐惧，废除了联盟。阿盖尔于绝望中只好同意圣约派邀请查理一世之子来苏格兰，加冕为查理二世。1651 年 9 月查理二世战败，阿盖尔向克伦威尔投降。克伦威尔死后，1660 年查理二世最终当权，立即下令逮捕阿盖尔，次年在爱丁堡将他斩首。

● Argyll, Archibald Campbell, 9 th Earl of 阿盖尔伯爵（第九）（1629-02-26，苏格兰中洛锡安达尔基斯～1685-06-30，爱丁堡） 苏格兰新教领袖，因反对英国国王、罗马天主教徒詹姆斯二世而被处死。早年在国外求学，1649 年回苏格兰。在共和国时期，他因拒绝放弃效忠斯图亚特王室而于 1657 年入狱，1661 年又由于批评查理二世的政府再次坐牢。1663 年获释，袭其父伯爵爵位与土地。因坚信新教并深受地域观念影响，对约克公爵詹姆斯（后为詹姆斯二世）产生怀疑。1680 年詹姆斯任苏格兰地方长官，1681 年阿盖尔被莫须有地以叛国罪名判处死刑。他逃往荷兰，参加拥立蒙茅思公爵的阴谋。1685 年率兵进攻苏格兰，败绩。6 月 18 日被俘，30 日被斩首于爱丁堡。

● Argyll, Archibald Campbell, 10th Earl and 1st Duke of 阿盖尔伯爵（第十）和公爵（第一）（1651?～1703-09-25，英格兰诺森伯兰郡泰恩河畔纽卡斯尔附近的切尔顿豪斯） 1688 年革命中苏格兰人领袖之一。第 9 代阿盖尔伯爵的长子。最初由于他未能争取撤销对他父亲剥夺公民权利的判决，他前往海牙投靠奥伦治的威廉，积极推动 1688 年革命。革命以后，1690 年英国国会通过一项法案，恢复他的称号和财产。1696 年他被任命为财政大臣。1701 年被封为阿盖尔公爵。

● Argyll, John Campbell, 2nd Duke of 阿盖尔公爵（第二）（1678-10-10，英格兰萨里彼得舍姆～1743-10-04，彼得舍姆） 苏格兰与英格兰联合的支持者，1715 年詹姆斯党人叛乱中英军的司令。第 1 代阿盖尔公爵之子。曾积极推动英格兰和苏格兰的联合。1705 年成为英格兰贵族，封格林尼治伯爵和查塔姆男爵。曾参加西班牙王位继承战争，1709 年在马尔普拉凯战役中立功。1711 年任驻西班牙英军总司令。乔治一世在位初期在宫廷中颇为受宠。1715 年詹姆斯党人起事期间，他作为不列颠北部军总司令，平定了苏格兰的暴乱。1719 年封格林尼治公爵。1736 年成为陆军元帅。1740 年因发表猛烈抨击政府的演说被撤职。

● Argyll, Archibald Campbell, 3rd Duke of 阿盖尔公爵（第三）（1682-06，英格兰萨里彼得舍姆哈姆豪斯～1761-04-15，伦敦） 第 2 代阿盖尔公爵的兄弟，汉诺威时代早期的杰出政治家。他一度在马尔伯勒公爵领导的陆军中服役，1705 年任苏格兰财务主管，次年担任谈判苏格兰与英格兰联合的特派代表之一。由于封艾莱伯爵，他成为苏格兰的贵族并当选为参加英国第 1 届议会的 16 名苏格兰贵族之一。1711 年任枢密官，1733 年任苏格兰掌玺大臣。他通过在辉格部族中招募苏格兰高地联队而在福布斯（卡洛登的）领导的加强苏格兰效忠汉诺威王室的运动中起了重要作用。1743 年继其兄为阿盖尔公爵，重建因弗雷里城堡，创立英国最有价值的私人图书馆之一。

Argyll and Bute 阿盖尔－比特区 苏格兰西部政务会辖区，从格兰扁山脉西南延伸到大西洋和北海峡水域，有许多被深水狭长海湾分割的犬牙交错的半岛。内陆地区有许多淡水湖。该地包括内赫布里底群岛的许多岛屿，著名的有马尔岛、艾莱岛和朱拉岛。政务会辖区包括阿盖尔历史郡的大部分地方、比特历史郡的比特岛和因奇马诺克岛。该地区属于潮湿、深切割的西北高地，河流短小湍急，向西注入大西洋。地形构造呈明显的东北－西南走向。山脉高度从 300 米到 900 米不等，一直受冰川和河流侵蚀，形成壮观的景色。冰川作用雕刻出许多冰坑，形成湖泊和狭长海湾，并在低地留下粗冰碛和泥砾形成了沉积层。半岛和狭长海湾犬牙交错的复杂海岸线是由于后冰期浸没造成的。沿岸的阿盖尔－比特区气候凉爽湿润，而内陆环境则更加潮湿和寒冷。农耕，包括养羊和养牛，对当地经济依然重要。耕地不足 5%，主要种植燕麦和饲料草。北方多小农场，在许多地方，特别是坎贝尔敦、威廉堡和艾莱岛威士忌酿造非常重要。森林委员会的地产覆盖大片地区。工业包括利用当地木材生产刨花板、纸浆、坑木和围桩。一度很重要的鲱鱼产量已经下降，

在一定程度上为百鲑所取代。阿盖尔-比特区包括建在长湖的芬纳特油港，几个水电发电站。旅游业对当地经济至关重要。海伦斯伯格位于东南方的克莱德河入海口，是格拉斯哥的居民近郊住宅区和度假胜地。洛赫吉尔普黑德是当地的行政管理中心。面积8 055平方千米。人口89 730(1999)。

argyrodite 硫银锗矿 暗色的硫盐矿物，比重大，是银和锗的硫化物(Ag_8GeS_6)。元素锗就是在这种矿物中发现的(1886)。这是一种相当罕见的矿物，在欧洲的德国和美洲的玻利维亚的硫化物矿脉中发现过。它与硫银锡矿形成固溶体系列，在硫银锡矿的结晶结构中，锡取代了锗。这种系列的矿物属于等轴晶系。关于详细物理性质，参阅 **sulfosalt** 含硫盐类(表)。

arhat 阿罗汉 巴利语作arahant。佛教用语，指已悟得万物真实性质而证得涅槃的完美人物。上座部认为，阿罗汉已解脱欲的束缚，不再转世。阿罗汉境界是佛教徒谋求的正当目标。大乘佛教反对以阿罗汉为理想，认为菩萨(**bodhisattva**)才是更高的完美目标，因为菩萨虽已能成佛，但为了他人的好处留在生死轮回之中。在中国、朝鲜和日本寺院的墙壁上，常常绘有16尊阿罗汉，后来增加为18甚至500尊。16阿罗汉是佛陀的亲近弟子。

Århus 奥胡斯州 丹麦日德兰半岛东部的州。面积4 561平方千米，1970年由原奥胡斯州、兰讷斯州及斯坎讷堡州的一部分合并建立。位于沿日德兰半岛东海岸，在玛丽艾厄和霍森斯两峡湾之间。州北部以久斯兰半岛为主，半岛上有许多城堡和庄园，其中有罗森霍尔姆城堡(罗森克兰茨贵族的住宅)和加梅尔庄园，后者为一17世纪早期的庄园主寓所，现已改造成为日德兰庄园博物馆。州西南境内，在锡尔克堡和斯坎讷堡之间有锡尔克堡湖区和天山。州内大部分是肥沃的低地，形成繁荣的农业区。人口约628 725(1997)。

Århus 奥胡斯 又拼Aarhus。丹麦日德兰半岛东部奥胡斯州城市和州首府。位于奥胡斯湾畔，有广阔的港湾。其起源不详，但在现已湮灭的奥胡斯河流出口处附近发现过北欧海盗居留的踪迹。现存最古老的关于该市的文件(1441)提到一更早的起源。奥胡斯于948年成为一主教管区，在欧洲中世纪时曾一度繁荣，当时设有多所宗教机构，但在宗教改革运动后衰败。从19世纪起，工业化、丹麦铁道系统的延伸以及海港的扩建，促进了奥胡斯的发展，现已成为日德兰半岛的最大城市，丹麦的第二大城市。奥胡斯是一座繁忙的港口，并为日德兰半岛的工商业中心。奥胡斯的制造业包括各种金属产品、化学产品、机器、啤酒和烟草制品，还有造船设备。在奥胡斯的老城部分可以看到许多古老的建筑物。中世纪的遗迹有圣母教堂底下的11世纪圣尼古拉墓穴，还有供奉圣克雷芒的13世纪的奥胡斯大教堂，其塔楼高95米，是丹麦最长的教堂(93米)，按火焰式哥特风格建成。市政厅(1938～1942)及大学大楼(1933～1946)是现代丹麦建筑的典型。奥胡斯艺术博物馆(1858)有北欧古字碑展出，而

奥胡斯露天博物馆“古城”外景
美国不列颠百科全书公司供图

登甘姆勒拜(丹麦语“古城”)则是一丹麦古城镇的独特的露天博物馆(1909)。北欧海盗博物馆有北欧海盗的工艺展品。除奥胡斯大学(1928年开办)外，城内还有几所专科学院及一所音乐学院。人口约261 437(1990)。

Ari Thorgilsson the Learned 阿里·索吉尔松(博学者)(约1067～1148-11-09) 冰岛人首领、祭司、历史学家。他的《冰岛人史》是用本国语言写的第一部冰岛历史，写成于1133年前。据信《定居记》原始文本有一大部分也是出自他的手笔，它为很多12世纪“冰岛人”或家族萨迦提供了史料。

Ari, ha- “狮子” 参阅 **Luria, Isaac ben Solomon** 卢里亚。

aria 咏叹调 由乐器伴奏的独唱歌曲，是歌剧中的重要组成部分；但也广泛地出现在康塔塔和清唱剧中。这一术语于16世纪发源于意大利，1602年G.卡契尼出版由通奏低音伴奏(大多为大提琴和拨弦键琴)的独唱歌曲集《新音乐》后开始通用。1602年以后在意大利出版的大多数严肃的分节歌均称“咏叹调”，1607年在C.蒙特威尔地的《奥菲欧》中首次用于歌剧。某些作曲家为改变每一诗节都用同样的音乐，在反复、不断进行的低音部上方给曲调加以变奏。通俗的或轻飘的咏叹调常名之为坎佐内塔或小咏叹调。约1620年后，咏叹调几乎总是三拍子的(如3/4)，又常因歌词的需要而写得较长，并用新的曲式。17世纪中叶，返始咏叹调已成为其主要形式，即唱完插入的第二段(B)的曲调和歌词后，又反复开头部分(A)的曲调和歌词，形成ABA的结构。中间的B段常用二拍子(如2/4)，两端的A段用三拍子(如3/4)。在17世纪末、18世纪初，返始咏叹调特别在意大利歌剧和康塔塔中，成为极其流行的音乐形式。中间B段通常比较简练，采用关系调，并在情绪和速度上形成对比。歌剧的情节通过宣叙调而向前推动，咏叹调在情节上是静止的，可让个别角色对刚刚发生的事进行反思，然后他们也许就下场。咏叹调因其情绪的不同可分为抒情咏叹调、炫技咏叹调、朗诵咏叹调等。作曲家应使这些咏叹调谨慎地分布在整部歌剧之中，尽管F.韩德尔和A.斯卡拉蒂这样的作曲家并不严格地遵循这一传统手法。当时最受赞扬的一些歌唱家以辉煌即兴的装饰音将A段反复加以装饰，在高潮时成为无伴奏的华彩段。返始咏叹调也是康塔塔和清唱剧中的重要组成部分。到18世纪末返始咏叹调遭到强烈反对而急剧衰落。哲学家J.-J.卢梭和作曲家C.W.格鲁克等有影响的人物反对采用返始咏叹调形式，认为它的花腔过多，在B段的对比性情绪之后重新回到A段情绪，不符合剧情发展，而且歌词重复段会导致荒唐效果。大约1770年后咏叹调继续在歌剧中占重要地位，但有很多变化，曲式也比较灵活，其范围包括简单的分节歌直到复杂的戏剧场景。咏叹调在意大利歌剧中一直延用到威尔地的《阿伊达》(1871)，比用在德国歌剧中的时间要长。瓦格纳在歌剧改革方面，用一种连续的音乐结构来代替不相连的歌剧唱段，因此，他仅在特殊场合才用咏叹调，例如《名歌手》中的《得奖歌》。20世纪，在一些未受瓦格纳影响或对他怀有敌意的作曲家的歌剧中又大量出现了咏叹调，如I.斯特拉文斯基的《浪子的历程》和本杰明·布里顿的歌剧。咏叹调也偶尔用于歌曲性的器乐曲，如斯特拉文斯基《小提琴协奏曲》中的两个中间乐章。

Ariadne 阿里阿德涅 据希腊神话，她是帕西淮和克里特的国王弥诺斯的女儿。她爱上了雅典的英雄忒修斯，并且用一条线或晶莹夺目的宝石帮助他在他杀死了半公牛半人的妖怪弥诺陶洛斯(妖怪是弥诺斯放在迷宫里的)之后逃出了迷宫。从这里开始说法便各有不同了：一说她被忒修斯遗弃后自缢身死；一说忒修斯把她带往纳克索斯岛并且让她死在那里或是同狄俄尼索斯这位酒神结婚；一说她是在塞浦路斯分娩时死去的。古希腊诗人和艺术家喜欢把阿里阿德涅描绘成在纳克索斯的岸上睡着，而狄俄尼索斯则带

古典浮雕——阿里阿德涅、酒神狄俄尼索斯及森林神萨梯

美国不列颠百科全书公司供图

着爱恋和羡慕的神情注视着她。后来欧洲的艺术家、作家和作曲家都用过阿里阿德涅的故事作为题材，其中就有施特劳斯的歌剧《纳克索斯的阿里阿德涅》(1912)。

Arianism　阿里乌主义　基督教的一种异端。最初由4世纪亚历山大教会长老阿里乌提出，谓基督是受造者，并没有真正的神性。325年的尼西亚会议谴责阿里乌和阿里乌主义，公布《尼西亚信经》，宣称圣子与圣父同体，从而指明圣子完全是圣父，具有完全的神性。但是，实际上这只是长期争论的开始。325～337年即皇帝君士坦丁去世之时，原在尼西亚会议后被流放的阿里乌派主要人物一部分得以返回原教会复职。337～350年间，同情正统派的君士坦斯为西罗马皇帝，同情阿里乌派的君士坦提乌斯二世为东罗马皇帝。350年君士坦提乌斯成为全帝国唯一君主。在他的统治下，正统尼西亚派遭受沉重打击。极端阿里乌派分子于是宣传圣子与圣父不同体的说法。这一极端的观点却又引起主张圣子与圣父本体相类的温和派学说。君士坦提乌斯于361年去世后，在西方居于多数的正统派地位加强。在东方，由于东罗马皇帝瓦林斯迫害阿里乌派，又由于大巴西勒、尼斯的格列高利和纳西盎的格列高利的宣传教诲，使东方大多数的本体相类派意识到自己与尼西亚派基本立场一致。当皇帝格拉提安(367～383在位)和狄奥多西一世(379～395在位)支持正统信仰时，阿里乌主义即土崩瓦解。381年君士坦丁堡第二次会议宣布取缔阿里乌主义，承认《尼西亚信经》。阿里乌主义在罗马帝国范围内虽然日暮途穷，但它在一些日耳曼部族中却持续到7世纪末。现代的一位论派实际上就是阿里乌派。耶和华见证会的基督论也是一种阿里乌主义。

Arianism, Semi-　参阅 **Semi-Arianism** 半阿里乌主义。

Ariano Irpino　阿里亚诺-伊尔皮诺　意大利南部坎帕尼亚区阿韦利诺省城镇。位于贝内文托东面亚平宁山的一个山丘上，土地肥沃，但经常受地震之灾。有诺曼底式城堡和一座16世纪大教堂。附近仍可见洞穴居住处。当地生产水泥、陶器和纺织品。附近有石膏矿。人口：城市区约23 312(1988)。

Ariaramnes　阿里亚拉姆尼斯(活动时期公元前7世纪末)　又拼Ariyaramna。波斯阿契美尼德王朝初期的国王(约公元前640～约前615在位)，统治今伊朗西南部的法尔斯地区。后被米底人征服，他和继位的儿子都向米底(在今伊朗西北部)称臣纳贡。已发现他在位时期用楔形文字书写的铭文，不但追叙了阿里亚拉姆尼斯的王家谱系，而且首次提到波斯最高的神——玛兹达教的善之神。

Arias (Madrid), Arnulfo　阿里亚斯(1901-08-15，巴拿马佩诺诺梅～1988-08-10，美国佛罗里达迈阿密)　巴拿马总统，3次任职(1940-06～1941-10，1949-11～1951-05，1968-10-01～12)，3次被废黜。巴拿马总统阿尔莫迪奥·阿里亚斯(1932～1936)之弟。曾就学于美国芝加哥大学和哈佛医学院。20世纪30年代曾任农业和公共工程部部长。在第一次任总统期间，强迫外国商人将其公司转让给巴拿马，剥夺西印度群岛黑人的公民权力。第二次世界大战期间同情轴心国，反对美国建立防御设施的要求。政变(或许得到美国的支持)后被废黜，流亡至1945年。在第二次的独裁和腐败的执政期间，他修改宪法，解散国民议会和最高法院，后被警察废黜。1964年参加竞选总统失败。1968年当选总统，任职11天后被军队废黜。1984年竞选总统失败。

Arias Dávila, Pedro　阿里亚斯·达维拉(1440?，卡斯蒂利亚塞哥维亚[西班牙]～1531-03-06，新西班牙莱昂[今在尼加拉瓜])　又名佩特拉里亚斯·达维拉。西班牙军人和殖民统治者，曾率领第一支西班牙远征军到新大陆建立永久殖民地。年轻时入伍。在15世纪90年代对格拉纳达摩尔人的战争和1508～1511年的北非战争中表现突出。1513年被任命为新大陆西班牙占领地驻军司令，次年率舰船19艘前往新大陆。曾在巴拿马(1514)和尼加拉瓜(1522)建立殖民地，担任巴拿马总督(1514～1526)和尼加拉瓜总督(1527～1531)，创建了巴拿马城(1519)。曾派出远征军征服今哥斯达黎加和尼加拉瓜(1516)以及印加帝国(今秘鲁；1524)。他被认为是年迈而德才不足的司令。1519年探险家巴尔沃亚(**Balboa, Vasco Núñez de**)受审并被处决一事与他有关。

Arias de Saavedra, Hernando　阿里亚斯·德萨维德拉(1561?，亚松森[今在巴拉圭]～1634，圣菲[今在阿根廷])　西班牙美洲探险家、军人，南美洲拉普拉塔河西班牙殖民地代理总督(1591～1593)、总督(1602～1609，1614～1618)。他以保护印第安人，维持政教之间的密切联系，鼓励建立耶稣会和方济各会而闻名。为政清廉，打击走私，但影响经济发展。他曾建科连特斯城(今在阿根廷)并参与开发布宜诺斯艾利斯、圣菲及亚松森等城市。在他第2任总督期间，拉普拉塔地区一分为二，各设总督，分别驻在布宜诺斯艾利斯和亚松森。

Arias Sánchez, Oscar　阿里亚斯·桑切斯(1941-09-13，哥斯达黎加埃雷迪亚～　)哥斯达黎加政治家、官员、总统(1986～1990，2006～　)，1987年因倡议中美洲和平计划获诺贝尔和平奖。出生于最富有的咖啡种植园主家庭。在哥斯达黎加大学学习经济学，后获英国埃塞克斯大学博士学位。20世纪60年代开始为温和的社会党——民族解放党(PLN)——工作，1972年出任何塞·菲格雷斯·费雷尔总统政府的计划部长，直至1977年。1979年当选为民族解放党总书记。1986年在大选中获胜，当选为总统。任职后采取了应付哥斯达黎加沉重的外债负担和其他经济问题的措施，而其主要的关心则在于力求恢复因冲突而动乱不安的中美洲国家的和平与政治稳定。在严厉谴责邻国尼加拉瓜桑地诺政府的同时，他禁止尼加拉瓜反政府游击队在哥斯达黎加的国土上进行军事活动。1987年2月，倡议中美洲国家地区和平计划，该计划规定政府与叛军之间的停火日期，确保大赦政治犯，并制订这些国家举行自由和民主选举的时间表。1987年8月，他与危地马拉、萨尔瓦多、洪都拉斯和尼加拉瓜的领导人签署了这一计划。1998年用诺贝尔奖金创办阿里亚斯和平和人类进步基金会，为促进世界和平与平等做出贡献。还活跃于各种全球非政府组织。2006年再度当选总统，承诺在教育和住房方面投资，并与美国签署《中美洲自由贸易协定》。

Aribau, Buenaventura Carles　阿里包(1798-11-04，西班牙巴塞罗那～1862-09-17，巴塞罗那)　西班牙经济学家和文学家。曾在马德里从事银行工作(1830～1841)，后任王室金

美国不列颠百科全书公司供图

库主管和财政秘书。作品深受爱国主义的激励，显示出早期浪漫主义者关心历史的特点。他曾担任浪漫主义运动最重要的两本期刊《欧罗巴人》和《蒸气》的编辑，后者反映出深受英国小说家W.司各特的中世纪主义的影响。用加泰罗尼亚语写成的《献给祖国的颂歌》是他的成名作，标志着19世纪西班牙加泰罗尼亚语文学的复兴，这首诗为地区主义的感情辩护，企图把当代的文化潮流与地方传统相结合。

Ariböx (Mongol ruler)　参阅 **Arigböge** 阿里不哥。

Arica　阿里卡　智利塔拉帕卡区阿里卡省的省会。在太平洋岸埃尔莫罗岬角，南面围以沙丘。靠近秘鲁边境，为智利最北部海港。

1879年前属秘鲁。1883年划归智利。智利合法所有权问题直至1929年才最后解决。阿里卡现为自由港以及秘鲁、北部智利的商业中心。该市有鱼加工厂和汽车装配厂。阿里卡是通向玻利维亚奥鲁罗的输油管线的终点。阿萨帕和尤塔河谷为农产品提供灌溉用水，出口橄榄和柑橘。有海港、国际机场；铁路可通秘鲁的塔克纳和玻利维亚的拉巴斯。又有泛美公路通过，因而是交通枢纽，亦是玻利维亚人的海滨风景胜地。人口约126 700(1985)。

阿里卡港口

美国不列颠百科全书公司供图

aridisol　旱成土　荒漠和其他较干旱地区的主要土壤类型。在土壤系统分类的10个土纲中分布最广，几乎占世界土壤总面积的1/6。旱成土着生的植被远比湿润地区少，因而有机质含量低。在旱成土发育中，风起主要作用，风吹走细粒，留下聚集的砾石，或形成戈壁滩。旱成土形成的区域很少有水分可供可溶盐淋溶，或使黏土矿物移动。大多数旱成土均在一定深度呈现钙积层(碳酸钙层)，系由少量的水使表层物下渗淀积而成。旱成土虽不适于耕种，但在灌溉地区(如美国西部谷地)则是高产土壤。但是由于对不具备充分渗透性的旱成土的过度灌溉，将会造成表面盐渍化的后果。

Ariège　阿列日　法国南部米迪比利牛斯大区一省。与安道尔和西班牙交界。面积4 890平方千米。该省境内有比利牛斯山最宽和最高部分，许多山峰高度超过9 000英尺(2 700米)，山口超过6 000英尺，一年之中有几个月遭雪封。富瓦镇控制着从阿列日进入群山和皮莫朗山口的通路；这个山口久为通至西班牙的重要路线。古时富瓦伯爵领地现为该省的核心，同时也包括朗格多克和加斯科涅。该省向西延伸至加龙河的源流萨拉河。阿列日的高山区盛行畜牧业。森林面积因种植业广泛侵占已十分有限。较低谷地种植谷物、扁豆、马铃薯和落叶树、水果。北部低地种植小麦和玉米。该省高品位铁矿已采尽，铅、锌矿仍在开发中。塔拉斯孔开采石膏、硬石膏，吕兹纳克产滑石。水力发电为萨巴尔的炼铝提供动力。阿列日的旅游业不断发展。勒马斯-达济勒和尼欧两地的洞穴中多旧石器时代遗迹。省内的主要城镇有富瓦(省会)、帕米耶和圣日龙。帕米耶为主教驻地。而上诉法院和教育总部在省外的图卢兹。人口约135 000(1985)。

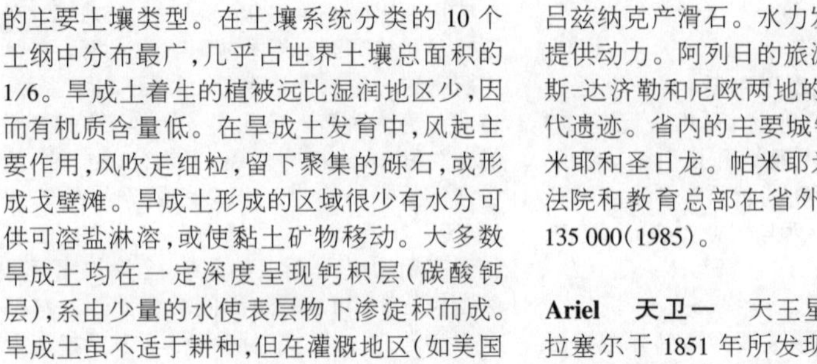

阿列日的皮莫朗山口

美国不列颠百科全书公司供图

Ariel　天卫一　天王星的一颗卫星。为W.拉塞尔于1851年所发现，俄国O.斯特鲁维在4年前也可能已看到过它。它在距天王星中心191 020千米处绕天王星旋转，周期为2.52天，天卫一的估算直径1 330千米，质量约为天王星的1.8×10^{-5}。它的主要成分是水冰，或许还混杂有小量的冻结甲烷和岩石。美国"旅行者2号"探测器于1986年拍摄的照片表明，天卫一表面交叉遍布悬崖和类似长谷的地貌结构。其中一些还部分地填布可能是地质构造过程所产生的物质。还有几处，从深谷中散布冰态物质，像地球上的冰川水流那样穿过宽阔的平原。

Ariel　"羚羊"号　美、英联合计划的第一颗国际合作地球卫星，于1962年4月26日发射。卫星重14.5千克，由美国国家航空航天局负责设计、制造、遥测和发射；英国负责科学实验和仪器的设计。实验项目有电子密度、温度和正离子成分的测量，太阳紫外辐射莱曼-α线强度和宇宙线的测量。

Aries　白羊座　又称白羊宫。在双鱼座和金牛座之间的一个黄道星座，位于赤经(类似于地球上经度的天球坐标)3时、北赤纬(天赤道以北的角距离)20°附近。白羊座没有很亮的星。春分点是天赤道和太阳周年视运动路线的交点之一，是计量赤经和黄经的起点。它从前位于白羊座中，但由于岁差的存在，现已移到双鱼座。在占星术中，白羊宫是黄道十二宫中的第一宫，被看做是主宰3月21日至4月19日前后的命宫。白羊宫的形象是一只公羊。在埃及传说中，它是阿蒙神的化身。在希腊神话中，它则是一只金毛公羊，阿塔玛斯国王的儿子弗里克修斯伏在它的背上，平安地从色萨利逃亡到科尔基斯。弗里克修斯把这只羊献给宙斯。宙斯便把它放到天上成为一个星座。公羊的金毛是由阿尔戈英雄的首领伊阿宋为它披挂上身的。

意大利约1475年《祈祷书》中的白羊座插图画

美国不列颠百科全书公司供图

'Ārif, 'Abd al-Salām　阿里夫(1921，伊拉克巴格达～1966-04-13奈什沃附近)　伊拉克军官和政治家，伊拉克总统(1963～1966)。布商之子，1939年毕业于军校。1958年随同卡西姆将军推翻哈希姆王朝费萨尔二世。卡西姆出任总统，任命阿里夫为副总理兼内政部长。1958年12月被控企图谋杀卡西姆，判处死刑；1961年宽赦释放。1963年和复兴党推翻卡西姆，担任总统。9个月后，被他弟弟拉赫曼领导的军队推翻。1963年11月18日东山再起，宣布成立革命委员会。作为热诚的阿拉伯民族主义者，他以大部分精力致力于阿拉伯世界的统一和伊拉克国内各派系之间的和平。1964年初与北部的库尔德民族主义者达成停火，但年末重又开火。他希望建立一个听命于他的文官政府，1965 年 9 月邀请著名政治家巴扎兹组建新政府。1966 年 4 月因直升机失事去世。

Arigböge　阿里不哥（？～1266）　又拼 Ariböx。蒙古领袖忽必烈的兄弟，也是对基督教最为友善的蒙古大汗。原为蒙古本部的司令官。1259 年大汗蒙哥逝世，他自立为蒙古大汗。但忽必烈回蒙古后也用此称号。于是，两人发生一系列的战斗。1264 年阿里不哥终于败北，忽必烈将他下狱囚死。

Arikara　阿里卡拉人　美洲平原印第安人。操卡多语。居住在密苏里河沿岸，其范围在南达科他州夏延河与北达科他州伯特霍尔德堡之间。操卡多语的诸部落的文化，来

阿里卡拉人——"熊胖子"
美国不列颠百科全书公司供图

源于密西西比河下游的史前筑堤人社会。在文化上与波尼人互有关联，后与波尼人分开，逐渐北移，成为操卡多语的最北部部落。阿里卡拉人在平原部落中以善于种植谷物著称，以谷物与其他部落交换肉类和长袍。另种植豆类、南瓜、烟草及向日葵。妇女种田，男人猎捕鹿、麋及一些水牛。村落聚居是半固定性的，住房为泥抹房舍。村落各项活动均受祭司所掌握的一个圣包所控制。这项职务和首领地位成为少数主要家族的世袭特权。次要的职位则与有组织的军事、舞蹈和医疗团体有关。与平原诸部落一样，在部落性的太阳舞仪式上实行自我鞭笞。阿里卡拉人成为来往于密西西比河航道上的白人商旅之障碍；1823 年与商旅之间的战争导致美国军队首次攻打平原诸部落。19 世纪 60 年代，在伯特霍尔德堡划有他们的居留地。到 1885 年前后，阿里卡拉人已在分散的家庭农场上定居耕作。20 世纪 50 年代，由于建筑加里森水坝及在威利斯顿盆地发现石油，迫使他们再度迁徙。

aril　假种皮　某些种子外覆盖的一层特殊结构。常由珠柄发育而成，多为肉质，色彩鲜艳，能吸引动物取食，以便于随其粪便排出得以传播。见于紫杉、肉豆蔻等木本植物，蓖麻、竹芋科植物和酢浆草属（*Oxalis*）植物。蓖麻的假种皮为海绵状，发芽期间能吸收水分。肉豆蔻的假种皮可用以调味。

Ariminum, Council of　阿里米尼会议（359）　又称里米尼会议。4 世纪涉及阿里乌主义的一系列基督教教义会议之一。由亲阿里乌派的皇帝君士坦提乌斯二世在阿里米尼（今意大利里米尼）召开。西罗马帝国约 400 位主教出席这次会议，而东派主教则同时在塞琉西亚（今土耳其境内锡利夫凯）开会。在阿里米尼参加会议的大多数主教属于正统派，认同尼西亚会议的信仰，但与会少数阿里乌派中有人运用圆滑手段，使反映正统观点的多数派决议遭到皇帝否决。坚持正统教义但没有中途退出会议的各主教被迫放弃本来观点，附签在尼斯拟订的阿里乌派信纲。不久教皇利贝里乌斯驳斥这项信纲，并宣布阿里米尼会议非法。

Arinnitti　阿林尼蒂　古代赫梯人所崇奉的太阳女神。她是赫梯帝国与君主的守护神。此神的配偶塔鲁是司掌天气之神，地位低于此神，可见此神兴起于母系氏族社会时代。

Arinos River　阿里努斯河　巴西中西部河流。源出阿拉波雷山，先向西流，再折向北-西北，流经马托格罗索高原与塔帕若斯河的主源流茹鲁埃纳河汇合。

Ariobarzanes　阿里奥巴尔赞（？～约公元前 360）　波斯弗里吉亚省长（约公元前 387 年起）。贵族出身。亲雅典和斯巴达。公元前约 366 年领导安纳托利亚西部各省长举行反波斯国王阿尔塔薛西斯二世的起义，但未成功。

Arion　阿里昂　希腊莱斯博斯岛美图姆那的半传奇性诗人和乐师。据说他创作了庆祝酒神节时唱的赞美歌；这就是说，他赋予这种歌以文学的形式。除了一个与他的生平有关的故事外，他没有任何作品保存下来。在完成到西西里和大希腊的一次成功的巡回演出之后，阿里昂乘船返航。他携带的财富引起了水手们的歹念，他们决心谋财害命。阿里昂请求唱一支歌，作为给他的最后一次恩惠。水手们表示同意，于是诗人站在甲板上在竖琴伴奏下唱了一支挽歌，然后投入海中；但他并未淹死，而是由一只被音乐陶醉了的海豚奇迹般地救起。这样，他先于他的船到达了科林斯。他的友人、科林斯的僭主佩里安德罗斯设法了解到事情的真相。他把水手召集起来，向他们询问诗人的下落。在他们确说他还在后面的时候，阿里昂本人突然出现在他们面前。水手们只得招认，并受到惩罚。阿里昂的竖琴和海豚则变成了天琴星座和海豚星座。

Ariosto, Ludovico　阿里奥斯托（1474-09-08，摩德纳公国，雷焦艾米利亚［意大利］～1553-07-06，费拉拉）　以所作史诗《疯狂的

美国不列颠百科全书公司供图

罗兰》（1516）闻名的意大利诗人；一般把这一长诗看做意大利文艺复兴时期的文学倾向和心态的最出色的表现。10 岁时，全家从雷焦艾米利亚迁至费拉拉，因此他始终认为自己是费拉拉人。早岁即显示了诗才，但不得不从父命攻读法律。1494 年后转而研习文学至 1499 年。次年父亲逝世，他只得放弃自己的志愿，致力于供养他的 4 个弟弟和 5 个妹妹。1503 年，他开始在红衣主教伊波利特·德埃斯特手下任职，曾追随主教出征威尼斯，也曾出使罗马等地。阿里奥斯托师法罗马诗人提希卢斯和贺拉斯，用拉丁文写过一些诗，这些诗技巧虽不纯熟，但感情率真。从大约 1505 年起，开始写作《疯狂的罗兰》，写成后历经多次修改增补，终其一生始定。第一版于 1516 年在威尼斯出版。第二版（费拉拉，1521 年）在语言和风格方面有受本博影响的迹象。在第三版中这一影响尤为明显。《疯狂的罗兰》是 15 世纪意大利诗人博亚尔多所作史诗《热恋的罗兰》自成一格的续篇，主人公为罗兰，诗中许多故事从中世纪和文艺复兴早期的史诗、传奇和英雄诗中的情节演化而成。由于作者高超的技巧，行文的简练，全诗的情节虽然围绕三个中心展开，却能融合无间。这三个中心是：罗兰对安杰丽嘉的单相思和终于因之发疯；查理曼大帝领导的基督徒同阿格拉曼特领导的穆斯林在巴黎附近的大战；以及鲁杰罗和布拉达曼泰的恋爱。第一中心最为重要，特别是在全诗的第一部分；第二中心代表全诗的史诗背景；第三中心只是陪衬。串联全诗使之成为浑然一体的因素乃是作者本身的性情，他赋予所有他笔下的人物以他自己卓然不群的精神境界。诗中抒写的情感主要是男女之爱，而冲淡它的是作者的讽嘲态度与艺术上的超然笔致。全书于 1516 年出版后，立即在欧洲各地大受欢迎，对文艺复兴时期的文艺发生极大影响。在 1517 ～ 1525 年间，他创作了 7 首讽刺诗，总题为《讽刺诗》，以贺拉斯的讽刺诗为范本，第一首强调作者自尊自重，不随人俯仰；第二首批评教会的腐败；第三首劝人莫生非分的野心；第四首议论婚姻；第五第六两首写的是由于其主人只顾自己使作者远离家庭的处境；第七首是写给本博的，诉说自己年青时未能完成文艺学业的悲苦心情。阿里奥斯托写过 5 本喜剧，它们属于最早摹仿拉丁文喜剧、用本国语言写成的作品，开以后很长时期欧洲喜剧的风气之先。作者于迟暮之年为了不致影响

他按教规应享受的某些利益秘密结婚，隐居费拉拉，以侍弄他的小小花园和修改《疯狂的罗兰》自娱。长诗第三版共46篇，于1532年问世。又有人称《五篇》的附录一卷于1545年作者死后出版。

Arisaema　天南星属　天南星科的一属，约190种无地上茎、有根茎的草本植物。主要原产于旧大陆，北美也有几种著名的野生种。在种于遮阴的野生植物园的耐寒种中，有两种尤其为人熟知。一种是印度芜菁（三叶天南星，*A. triphyllum*），原产北美东部，通常具2叶，叶长约25厘米，3深裂，柄长60厘米；佛焰苞浅绿至紫色，管状，长10～18厘米，佛焰花序绿或紫色，棒状，上生有单性小花；有些变种的佛焰苞具白色至青铜色斑纹，色彩鲜艳；叶的形状和大小亦各异。另一种是绿龙天南星（龙根天南星，*A. dracontium*），叶长25厘米以上，柄长90厘米；佛焰苞浅绿色，长8厘米，有一直立的盔冠，佛焰花序高出佛焰苞，长度为其数倍。两种植物的根状茎都有辛辣气味，印度芜菁的根状茎可烹制一种印度食品。红色浆果对人有毒，但许多野生动物能食。罕见的眼镜蛇天南星（美丽天南星，*A. speciosum*）分布于尼泊尔和印度锡金，佛焰苞略下垂，佛焰花序有一细长线状的延伸部分。产于马来半岛的篦状天南星（*A. fimbriatum*）具有一缨状的佛焰花序。

ʿArīsh，Al-　阿里什　埃及地中海沿岸西奈半岛东北部城镇和最大居民区。北西奈省省会。1967～1979年被以色列侵占。1979年归还埃及。古称里诺科鲁拉，公元前2世纪已见记载。在欧洲中世纪时繁荣昌盛，为穆斯林贸易中心。20世纪初，有人建议把阿里什及其附近地区作为犹太复国主义者的拓殖区，该方案被埃及的英国行政长官克罗默伯爵否决（1902）。1906年划定从地中海到亚喀巴湾的埃及和奥斯曼之间边界时，阿里什归入埃及。当地经济以农业（枣椰树、蓖麻籽）、渔业和捕捉鹌鹑为主。有一小型蓖麻油厂。20世纪80年代初利用城南煤矿为燃料建设火电厂。又是埃及和以色列之间陆路运输的物资转运点。1980年开办旅游设施。有公路通往苏伊士运河区和以色列。有一机场。人口约67 638（1986）。

Arishima Takeo　有岛武郎（1878-03-04，日本东京～1923-06-09，轻井泽）　日本小说家，在日本以"悲天悯人"的人道理想主义而知名。有岛是一个有才能的贵族家族的长子；他的弟弟有岛生马是画家，里见惇是小说家。他曾去学习院读书，在那里被选为皇太子的砚友。后去札幌农业学校（现在的北海道大学）就读，该校在19世纪末以现代思想的中心而知名。在那里他开始感受到下层阶级的苦难。有岛从童年时期便学习英语，1896年毕业后去美国，在哈佛大学攻读3年。回到日本后，在札幌和京都教书。1910年他与两个弟弟一道，与他们的朋友志贺直哉和武者小路实笃创办杂志《白桦》，其宗旨在于传播青年们所共同有的人道主义的和仁慈的理想。有岛从内心深处对于他作为一个富有的贵族的地位所固有的社会矛盾感到极大的不安，因为这个地位同他的普遍的爱的理想是势不两立的。他的小说《该隐的末裔》（1917）以佃户的悲惨处境为主题，但此书并未引起人们的重视；但不久他的小说《一个女人》（1919，英译版1978）却得到了承认。1922年他发表了《一篇宣言》，表述了一种信念：劳动阶级只能自己救自己，作为一个资产阶级思想家他不能为他们做任何事情。同年，他把自己在北海道的土地和农场分给佃户。次年，他在山间一个隐居处和情妇一道自杀。

Aristaeus　阿里斯塔俄斯　一位广受崇拜的希腊神，但有关他的神话却不大清楚。这个名字源自希腊语 *aristos*，意为"最佳"。据一般通行的说法，他是阿波罗和仙女库瑞涅的儿子，生于利比亚，后去第比斯，在那里接受缪斯女神的教导，学习治病和预言，并成为卡德摩斯的女婿和阿克特翁的父亲。游历很多地方后，他到达色雷斯，最后在那里的海木斯山附近消失。他主要是一位仁慈的神；曾介绍养蜂和种植葡萄及橄榄的技术，是牧人与猎人的保护者。人们常把他同宙斯、阿波罗或狄俄尼索斯等同起来。他被表现为一个牧人打扮的青年人，有时还牵着一只羊。

Ariṣṭanemi　阿利湿塔内米　又名内米纳塔。印度耆那教24代祖师中的第22代。据说他活了8.4万岁以后第23代祖师巴湿伐那陀才出世。他与印度教的黑天大神是堂兄弟。他在举行婚礼的当天，听见为喜筵屠宰牲口之声，立即舍弃世间生活。其画像总是肤色黝黑（天衣派则将他画为蓝色）。其象征物是海螺。他在印度西部提卡提阿瓦的吉尔纳尔丘陵得到解脱，此地现为耆那教的圣地。

Aristarchus of Samos　阿利斯塔克（萨摩斯的）（约公元前310～前230）　古希腊天文学家。认为地球有自转和绕日公转的第一人。斯多噶派的克莱安西斯为此宣称他应被控"渎神"。阿利斯塔克有地动这种先进思想，后人是从阿基米德和普卢塔克那里得知的。他的唯一现存的著作是一篇题为《论日月的大小和距离》的短文。由于观测有误差他用几何学方法求得的值并不准确。阿利斯塔克还求出回归年长度的改进值。月球上有一座环形山以他的名字命名，该环形山的中央峰是月面上的最亮区。

Aristarchus of Samothrace　阿里斯塔科斯（萨莫色雷斯的）（约公元前217～前145，塞浦路斯）　古希腊文献校勘家、语法学家，以对荷马研究的贡献而闻名。定居在亚历山大，是拜占廷的阿里斯托芬的学生。约在公元前153年，成为当地图书馆馆长。后来退居塞浦路斯，创立了一个语言学派，称为阿里斯塔科斯派，先后长期盛行于亚历山大里亚和罗马。西塞罗和贺拉斯认为他是文献校勘的最高权威。其作品可分成3类：①荷马诗集的两个版本，赫西奥德、品达罗斯、阿尔基洛科斯、阿尔凯奥斯、阿那克里翁等作家的诗文集的校订本；②对以上这些诗人以及对埃斯库罗斯、索福克勒斯、阿里斯托芬和希罗多德等人作品的大量注释；③文献校勘方面的小册子，特别是对荷马的种种问题。

Aristeas，Letter of　《阿里斯提亚斯书信》　伪经之一，约公元前2世纪中叶出现于亚历山大城，旨在促进犹太教的事业。当时犹太人的团体在亚历山大的社会中有一定的规模和声望，且严厉的排犹主义还未流行，但犹太人团体内部却发生了冲突。一些犹太人接受希腊的文化与哲学，另一些人则加以拒绝。作者的目的在于改变异教徒对犹太教的歧视并使希腊化的犹太人乐于严守律法。该书作者冒用公元前2世纪一位作家的名字，并且打算对希伯莱五书即《圣经·旧约》前5卷的希腊语译本给予同时代的解释。作者自称是景仰犹太教的异教徒，在托勒密二世（公元前285～前246在位）的亚历山大宫庭中担任高级职务。作者使用流行的希腊化文学惯例和亚历山大宫庭的专用术语，但是他的希腊风格和若干同历史事实不符之处表明他是有意摹仿古人的。他对犹太奴隶生活状况的关心、对巴勒斯坦犹太人的热情描述以及他对犹太饮食教规的解释，都说明他是一个犹太人而不是异教徒。现代学者称这一著作为"书信"，是因为这是阿里斯提亚斯给他的兄弟斐洛克拉特斯的。书中援引的各种资料有：官方档案中有关埃及犹太人的报告，托勒密王朝的法令条文，王室档案或亚历山大图书馆保存的行政记录，有关朝拜耶路撒冷的记述，有关理想王国的论文以及为犹太教律法所作的辩护。直接引用《书信》的第一位作家是犹太历史学家约瑟夫斯（公元1世纪）。一些早期的基督教徒不顾此书为犹太人辩护的特点也使用过此书。

Aristide，Jean-Bertrand　阿里斯蒂德（1953-07-15，海地萨卢港～　　）　海地政治家、天主教撒肋爵会教士，是穷人和被剥夺权利者的代言人，1991、1994～1996年及2001～2004年三度任海地总统。曾就读太子港一所撒肋爵会经营的学校，1966年转到位于海地角的撒肋爵会神学院，开始准备担任教士。1975年首次与贫民及"小教派"密切接触；"小教派"是从解放神学衍生的运动。次年回到太子港，在州立大学学习心理学，1979年获学士学位。20世纪70年代晚期，海地各地反抗J-C.杜瓦利埃暴政的情况愈演愈烈。当时正为一天主教电台筹划节目的阿里斯蒂德，挺身呼吁改革。接下来六年中的大部分时间，他都在国外学习圣经神学，并于1985年获得加拿大魁北克的蒙特利尔大学硕士学位。1985年回到海地，成为太子港的一教区的教士，该教区是反对力量中心。1986年，他逃过这辈子多次暗杀的第一起，并由于政治观点过于激进而被撒肋爵会警告。接下来几年，他不断使教会当权者及军方感到不悦。1988年被撒肋爵会驱逐；1994年他正式申请解除教士职务。1990年赢得海地历史上第一场民主选举，1991年2月7日宣誓就职。就任之后，他推动一项扫盲计划、废除乡村的压迫制度；在他监督之下，海地违反人权的行为大幅减少。但他的改革激怒了军方和精英阶层，1991年9月30日，他在政变中下台，开始流亡生涯；直到1994年10月15日，面临美国入侵威胁的军方才同意让他重掌政权。他重任总统一职，尽管仍极受群众欢迎，却无法找到有效办法解决海地经济问题及社会不公现象。由于宪法规定总统不得连任，他于1996年卸任。1997年，阿里斯蒂德建立新政党"拉瓦拉斯之家"，2000年再次当选总统。虽然反对党抵制选举，同时有数起选举舞弊的指控使国际社会呼吁重新选举，但选举结果仍被正式宣告成立，他于2001年2月宣誓就职。2001年7月一场意欲推翻他的政变失败，但在接下来数年，反对政权的行动激增。2004年2月，数起反政府的抗议示威演变成全面叛乱，他被迫逃离海地。

Aristides　阿里斯提得斯（活动时期2世纪）　雅典哲学家，基督教最早的护教士之一，所著《为基督教教义辩护》是现存此类文献中最古老者之一。人们对他的了解主要来自4世纪该撒利亚史学家优西比乌斯的介绍。阿里斯提得斯的护教文献是写给罗马皇帝哈德良（117～138在位）或安东尼·庇护（138～161在位）的。他用异教哲学的观点首先论述宇宙万物的和谐，并运用斯多葛学派的方法论证宇宙的起源和维持都离不开神，而这位神必然是永恒不变、至善完美、永生不灭、洞察一切的，他是人类之父，是自有永有的神。

Aristides Quintilianus　阿里斯提得斯·昆提利安（创作时期2～3世纪）　希腊作者，作有音乐论文一篇（《乐记》），为现代有关古希腊音乐知识的主要来源之一，论及音阶、节拍和旋律创作、音乐的教育价值，以及音乐通过数学与自然现象之间的联系。拜占廷和阿拉伯学者认为这是一部基础理论作品，现代学者也普遍承认它的重要性。这部作品由M.迈博姆编辑，1652年出版。1882年A.杨编辑出版其校勘版。1937年由R.舍夫克译成德文并加评注出版。

Aristides the Just　阿里斯提得斯（活动时期公元前5世纪）　又拼Aristeides。雅典政治家和将军，后发展成雅典帝国的提洛同盟开创人。早年事迹不详。他在主张抵抗波斯的一派中看来是个显著人物。公元前482年，可能由于反对泰米斯托克里动用白银建造大型舰队的计划，他被放逐。公元前480年被召回。同年，在萨拉米斯岛附近对波斯人的决定性战役中，他表现得特别突出。公元前479年在普拉蒂亚战役中，他指挥雅典军队，把波斯人赶出希腊。公元前478年，他率领30只兵舰参加由保萨尼阿斯率领的斯巴达的舰队，去解放塞浦路斯的希腊城市和占领拜占廷。同年末，希腊的东方盟国纷纷反抗斯巴达的统治，并在提洛通过阿里斯提得斯向雅典表示忠诚。建立以雅典海军力量和人们对阿里斯提得斯的信任为基础的提洛同盟是他一生最大的成就。提洛同盟的部队后来由西门指挥。关于阿里斯提得斯晚年的生涯无可靠记载。有人以为他是一个民主改革家，事实恰恰相反，因为他主要与米太亚得和西门勾结在一起，这些人正是克桑西波斯和厄菲阿尔特等民主派领袖的死敌。

Aristippus　亚里斯提卜（约公元前435，利比亚昔兰尼～前366，雅典）　哲学家、苏格拉底的学生、享乐主义昔兰尼学派奠基人。在苏格拉底的学生中他是第一个为讲授哲学而要求薪资的人。他认为美好的生活建立在一种信仰之上，即在人类的价值中快乐的价值最高，而痛苦的价值最低（应予回避）。还警告他的学生不要给人痛苦，自己也不要受痛苦。和苏格拉底一样，他对实践的伦理学很感兴趣。他相信人应当献身于对快乐的追求和享受，但又认为人们应该进行明智的判断，对于人类的强烈欲望应通过自我克制加以节制。他的座右铭是："我能克制自己，而不受外物迷惑。"他没有任何著作留存。

Aristo（philosopher）　参阅**Ariston of Chios**阿里斯顿（希俄斯的）。

Aristobulus I　阿里斯托布鲁斯一世（？～公元前103）　又称Judas Aristobulus。哈斯莫尼家族（马加比家族）希腊化的犹太国王（公元前104～前103）。海尔卡努斯一世之子。父死后违背其遗嘱而从母亲手中夺得王位，并将弟兄投狱或杀死。据历史学家约瑟夫斯记载，他曾征服黎巴嫩的伊图里安人并迫使其皈依犹太教。他是自己家族中第一个采用国王称号的人。

Aristobulus II　阿里斯托布鲁斯二世（？～公元前49）　哈斯莫尼家族（马加比家族）的末代犹太国王。公元前67年其母死后，他击败竞争对手、他的兄弟海尔卡努斯二世（**John Hyrcanus II**），继承了王位。当海尔卡努斯向纳巴泰人求援时，庞培率罗马军队进行干涉并征服犹太国，使其归罗马人统治（公元前63）。阿里斯托布鲁斯于公元前56年企图恢复权力未果，结果作为俘虏被押送罗马，留在那里直至去世。

aristocracy　贵族政治　少数特权阶级或被认为最具治理资格的少数人的统治。按照柏拉图与亚里士多德的构想，在政治上，贵族政治系指由在道德和才智上高于他人的最优秀的少数人，为了人民的利益而进行的一种统治。这种形式的统治与一人统治（君主制或暴君政治）、多数统治（民主政治）及由自私或有军事野心的少数人统治（寡头政治或金权政治）不同。唯"最优秀的"是一种带有某种主观性的价值判断概念，因而要将贵族政治与寡头或金权政治加以客观区别是有困难的。同时，由于君主制具有其自己的贵族，而民主政治中，人民也选举最优秀者作为他们的统治者，因而这两种政体也都具有贵族政治的成分。由于这些原因，从更客观的意义上说，贵族系指一个分层群体中的上层。因此，政府的高层人士构成这个国家政治上的贵族；教会中最显赫的阶层成为教会的贵族；工业与金融界最富有的大亨是经济领域中的金钱贵族。印度种姓社会中的婆罗门、斯巴达的公民、雅典的世袭贵族、古罗马的贵族以及欧洲中世纪的贵族均为社会贵族或这些群体和社会中的贵族之典型。此外，此类社会贵族大部分在法律与事实上均为世袭贵族。其他贵族则非世袭制，而从人群的不同阶层中产生，诸如天主教的高层人士，实行选举制的共和政治与君主政治的统治贵族，科学与艺术团体的领袖，某些金钱贵族，甚至有些皇帝，例如罗马帝国的皇帝，其中约43%是"突然的发迹者"。不过世袭贵族与非世袭贵族之间的区别也是相对的，即使在种姓等级社会中，一些出身低微的人也可跻身于高的等级，而一些出身高贵者则沦落为低的等级。另一方面，即使是开放的贵族阶层，仍有世袭化的趋向。如美国目前拥有数百万财富的金钱贵族，出身于富贵之家的比例远高于19世纪中期。

Aristogiton　阿里斯托吉顿　参阅**Harmodius and Aristogiton**哈莫狄奥斯和阿里斯托吉顿。

Aristolochiales　马兜铃目　显花植物一目，仅马兜铃科（Aristolochiaceae）一科，共10属近600种。参阅**birthwort**。

Aristomenes　阿里斯托梅尼　公元前8世纪受奴役的麦西尼亚人发动反抗斯巴达人起义中的传说英雄。可能实有其人。其生平传说的成分过多。一般认为，他是公元前650年左右所谓第二次麦西尼亚战争的起义领袖，打过几次胜仗之后，在"大壕"战斗中被阿卡迪亚的国王阿里斯托克拉特斯出卖了。因此，他在埃拉被围困约11年之久。最后，斯巴达人攻克这座要塞，他仅以身免，亡命罗得岛。这个传说也许可以回溯到公元前4世纪的希腊历史学家卡利斯提尼斯那里。公元前3世纪的克里特诗人里阿诺斯写的一部6卷的史诗，记述了公元前490年一次叛乱中的阿里斯托梅尼。在公元前2世纪，历史学家普里恩的米隆则把他同公元前8世纪斯巴达对麦西尼亚的征服联系起来。公元2世纪的希腊地理学家保萨尼阿斯用这些以及其他材料编写了现存的最长的一个记述，即公元前7世纪的一次叛乱的故事，其中带有浪漫色彩的增饰主要取自里阿诺斯。

Ariston of Chios　阿里斯顿（希俄斯的）（活动时期公元前3世纪中叶）　Ariston又拼Aristo。希腊哲学家。曾师事斯多噶哲学学派创始人芝诺。综合斯多噶派和犬儒学派思想，形成其自身信条。认为哲学中唯一具有真正价值的科目是伦理学研究。进而认为伦理学中只有普遍性的和理论性的问题值得讨论，生活中唯一真正的德行是智力得到发展而又保持健旺的一种精神状态。

Aristophanes　阿里斯托芬（约公元前450～约前388）　古希腊最著名的喜剧作家，同时也是其作品保存数量最多的古希腊喜剧家之一。他是"旧喜剧"时期现存的唯一代表。"旧喜剧"是指喜剧演出法的一个阶段，在这个阶段里，合唱队、模拟表演、滑稽模仿在演出中仍然起一定的作用。它们以大胆的幻想、无情的谩骂、肆无忌惮的嘲讽、毫不害臊的放荡式滑稽诙谐和显著的政治批评自由为特征。但是阿里斯托芬属于这个阶段的末期，并且他最后遗存的剧本也毫无合唱曲成分，完全可以被看作是存在不久的"中期喜剧"时期唯一留存下来的范本。在公元前4世纪结束之前"中期喜剧"即为更温和的并且更具现实主义的社会讽刺性的"新喜剧"所取代。

生平与事业 阿里斯托芬的生平后人知之甚少，并且绝大部分的已知事实均来自于他自己剧本的参考材料。他是一位雅典公民，属于古希腊一个名叫潘迪奥尼斯的部族或区域，但其确切的出生地则难以肯定。他或他的父亲菲利普斯在埃伊纳岛上拥有财产，这个事实可能是他的同胞非难他不是在雅典出生的理由。公元前427年开始其戏剧生涯，发表剧本《宴会者》，从遗存的残稿看，这似乎是一部讽刺当时教育和伦理道德的剧本。他一生大约写了40部剧本，多以雅典本身的社会、文学、哲学生活为题材，一部分以伟大的伯罗奔尼撒战争(公元前431～前404年)为主题。这次战争主要是帝国的雅典与保守的斯巴达之间的冲突，故而早已成为雅典政治中的主要问题。阿里斯托芬是那些有点好战的政治家们的天生对头，在他成熟期的多数年代里，这些人一直控制着雅典政府。阿里斯托芬一直活着看到雅典被斯巴达打败之后的恢复重建工作。

戏剧与文学成就 阿里斯托芬的名望经受住了时代的考验。他的剧本在20世纪被翻译成许多种文字并经常上演。这些翻译和演出在不同程度上成功地传达了阿里斯托芬剧本的风韵和情趣，包括其中的双关语、俏皮话和时事讽喻。然而，为什么他的这些喜剧能在写成近2 500年之后依然吸引观众，对此则并不容易说得清楚。他的喜剧在情节结构上常常是十分松散的，充满了奇特的不连贯的片断，并且常常在它们的结尾处蜕变为一系列互不相关的、喧闹的部分。阿里斯托芬的成功之处在于：对话措词巧妙、善意的(偶尔带有恶意的)讥讽、出色的摹仿(尤其是当他嘲笑引起争论的悲剧家欧里庇得斯之时)、独创和引人发笑的荒唐情节、由想象力而产生的奇妙喜剧场面和合唱歌曲的特有魅力(其清新感除希腊语之外也可用其他语言表达出来)。但是，他的喜剧中有许多场面情境放荡直率，至少不适宜青少年观看。

剧作 《巴比伦人》(公元前426年) 这部喜剧现仅留存残稿，曾在大酒神戏剧节上演出，供各城邦代表观看，从理论上说这些城邦是"盟友"，而实际上它们是雅典的附属国。由于《巴比伦人》一剧不仅恶意地攻击了当时雅典当权者政治煽动家克里昂，还把"盟邦"表现成雅典德谟斯(雅典全体选民的化身)的奴仆，阿里斯托芬受到克里昂的指控。虽然详情不得而知，但他似乎是被轻轻地饶过。

《阿卡奈人》(公元前425年) 这是阿里斯托芬11部完整遗存喜剧中的最早一部。《阿卡奈人》直率地攻击战争的愚蠢。它的农民主人公狄开俄波利斯(意为"正直的公民")对伯罗奔尼撒战争感到厌倦，他想为他自己与斯巴达人签订一项私人和约，尽管他遭到一群怨愤而好斗的阿卡奈老烧炭工的反对，这些人组成剧中的歌队。狄开俄波利斯利用他的这项私人和约，与"斯巴达联盟"进行贸易。雅典司令官拉马科斯设法阻止他，但在剧终时拉马科斯由于跌伤而心情沮丧，与此同时狄开俄波利斯却享受着和平、美食和女人。

《骑士》(公元前424年) 这部戏表明阿里斯托芬虽然由于《巴比伦人》一剧而招致指控，但却很少受到影响。《骑士》一剧再次包含了对那同一位煽惑人心的克里昂的猛烈攻击，克里昂被描绘成一个被愚蠢而暴躁的德谟斯所宠爱的奴隶，最后又被一个腊肠贩子阿戈拉克里塔斯取代了他的有权威、有影响的位置，此人甚至比克里昂更加无耻和卑鄙。

《云》(公元前423年) 这出戏攻击"新式的"教育和道德观念，它们是由以诡辩哲学派知名的激进知识分子们所提倡和教授的。剧中的主要攻击对象是雅典重要思想家和教师苏格拉底，他被有意地(并且是不公平地)加上许多标准的诡辩家特征。剧中一个老无赖斯特瑞西阿得斯(即"说大话的人")想要逃避债务，去找苏格拉底讨教。在苏格拉底学院(即"思想所")接受的教导，包括可以使一个错误的论点听上去是正确的，使得斯特瑞西阿得斯的儿子能用诡辩的方式证明儿了打父亲有理。剧本结束时老人气愤之下前去把思想所焚为平地。

《黄蜂》(公元前422年) 这部喜剧通过讽刺老陪审迷菲罗克里昂(即"克里昂之友")这个卑鄙而尖刻的人，暴露出雅典人爱打官司的习性。在《黄蜂》里，菲罗克里昂的儿子布得吕克里昂(即"克里昂之敌")为他父亲在家里安排一次"庭审"。由于要听审的第一个"案件"竟是家犬被指控曾偷吃干酪，菲罗克里昂最后终于治好了他那爱听法庭官司的热情，转而成为一个爱吹牛、爱鼓噪的酒鬼。剧本的主要政治目标是要抨击由菲罗克里昂所滥用的雅典庞大的领津贴的陪审员制度。

《和平》(公元前421年) 这出戏大约在克里昂和布拉西达斯在战场上同归于尽之后7个月左右上演的，这两个人是分别代表雅典和斯巴达战争政策的主要人物，并且的确距离尼西亚斯和平条约批准(公元前421年3月?)前仅几周时间，这项条约使得雅典与斯巴达之间的交战状态在6个担忧的年头里暂时中止下来。在这部戏里，厌战者农夫特里盖厄斯("采葡萄的人")骑上一头怪兽粪甲虫飞往天空去寻找丢失的和平女神，仅仅发现战争之神已将和平女神埋到一个地洞里。在一群农民歌队的帮助下，特里盖厄斯救出和平女神，戏在一片欢庆婚姻和丰产中结束。

《鸟》(公元前414年) 可以把这出戏仅看成是"幻想喜剧"，但也有些学者认为它是一部批评帝国梦的政治讽刺剧，正是那种帝国梦导致雅典人进行倒霉的公元前415年去西西里岛锡拉库萨的远征。帕斯忒泰洛斯(意为可信赖的人)厌恶城市里的诉讼习气，他说服一群鸟与他一起在天上和尘世之间建造一座新的城市，命名为内费洛科吉贾(即原来的"云中鹁鸪国")。城市建造起来之后，帕斯忒泰洛斯和他的鸟同伴却不得不挡开那些讨厌的人类，他们想加入鸟国的新乌托邦之中。他和鸟类最后甚至让奥林匹亚诸神挨饿，迫使他们合作。《鸟》剧是阿里斯托芬最富幻想的剧本，其中的避世情调可能反映出剧作家已经感到雅典即将来临的衰落。

《吕西斯忒拉忒》(公元前411年) 这出喜剧的写作时间是在雅典人远征西西里(公元前413年)遭到灾难性失败之后不久，也是在雅典400人起义之前不久，这次起义使得随时准备与斯巴达人讲和的寡头政治制度建立起来(公元前411年)。此剧描写了雅典城妇女在吕西斯忒拉忒的鼓动下，与希腊所有妇女一起夺取阿克罗波利斯和雅典国库，宣布妇女举行性罢工，直到男人们愿意去寻求和平为止。妇女们拒绝与她们的男人同床直到交战双方议和，此后雅典人和斯巴达人的妻子才与她们的丈夫重新团聚。这出戏是一种集奇特幽默、粗鄙下流、严肃认真和滑稽取笑于一炉的混合体。

《地母节妇女》(公元前411年) 在这出戏里，欧里庇得斯发现，雅典妇女打算在即将来临的地母节节日里讨论如何巧妙地处死他的问题，以报复他在悲剧中对她们持续不断的攻击。欧里庇得斯竭力劝说无男子气的悲剧诗人阿迦同去为他辩解，但遭到拒绝。接着，他又去说服他的内弟姆奈西洛库斯去干这件事。姆奈西洛库斯仔细装扮成一个女人，然后混进集会，但是他的真实性别很快就被识破，并且立即被那些妇女捉住。接着出现三个他试图逃跑但均未成功的场面，这三场戏均包含了对欧里庇得斯悲剧的精彩摹仿。这三次努力失败之后，欧里庇得斯本人亲自到场，答应永远不再诽谤妇女，于是才成功地把他的辩解人救了出来。

《蛙》(公元前405年) 这是一部文学喜剧。在这部戏里，戏剧之神狄奥尼索斯关心雅典当前悲剧创作质量不高，这是由于他心爱的诗人欧里庇得斯新近去世的缘故。狄奥尼索斯把自己乔装打扮成大英雄赫拉克勒斯的样子，想到冥府去把欧里庇得斯带回阳世。通过安排欧里庇得斯与他的杰出前辈埃斯库罗斯之间进行比赛，结果，埃斯库罗斯赢得狄奥尼索斯的欢心，于是他被带回阳世，因为他似乎更能帮助雅典剧坛摆脱困境。

《公民大会妇女》(约公元前392年) 在此剧中，雅典妇女们打扮成男人接管公民大会(雅典的民主会议)，并且对财富、性器和财产实行一种共产主义的制度。这出戏属于阿里斯托芬不太吸引人的作品之一。

《财神》(公元前388年) 这是作者生前上演的最后一个剧本。《财神》有点像一部道德剧作品，没有给作者增加多少名望；当然正如有人提议的那样，这部剧作可以被看作是"中期喜剧"的开端。在《财神》上演后不久，阿里斯托芬就去世了。留下两部剧本《伊俄罗锡康》和《柯卡洛斯》(现均已失传)，由他儿子大约于公元前387年搬上舞台，一般均认为这两部戏可能是一种神话揩模。

Aristophanes of Byzantium 阿里斯托芬(拜占廷的)(约公元前257～前180，亚历山大)希腊文献校勘家、语法学家，早年在亚历山大的主要学者指导下进行研究，公元前195年左右成为该城图书馆馆长。他是荷马诗的校订者，还编校过赫西奥德的《神谱》和阿尔凯奥斯、品达罗斯、欧里庇得斯、阿里斯托芬的作品，或许还编校过阿那克里翁的作品。希腊悲剧和喜剧手稿前面的许多概要都出自他的手笔。他研究希腊喜剧,并因此写成有关雅典名妓和人物类型的专著。他校订和续写了卡利马科斯的《文化界名人及其作品概要》,这是一本纪传体希腊文学史。作为一个词典编辑者,他编辑了古旧词和生僻词、专门术语和谚语的集子。作为语法学家,他创立了一个学派,并写了专论《类似论》,制定了词尾变化等规则。他在编辑抒情诗人和戏剧诗人的作品时介绍了韵律分析和文字校勘中的许多创新方法,为后世学者广泛采用。阿里斯托芬还把柏拉图的对话改编成三人的谈话,并且通常人们认为是他建立了所谓亚历山大典范,这就是把当代人们认为是每种文学体裁中最优秀的典范作品编选到一起。

Aristotelianism 亚里士多德主义

亚里士多德主义的性质及评价

亚里士多德的思想已成为文明的一部分,其范围有多大,无论怎样估计都不为过。首先,若要明白地表达思想、经验和问题,少不了亚里士多德的词汇。有些仍然保留希腊文形态,有些则是拉丁文的对应词,意义更为重要。亚里士多德学派历经沧桑,其影响深深埋藏在下列词汇中:"主词"和"谓词",属于文法和逻辑学;"形式"(赋予形状、改变形状)和"质料",表示事物相关的两个方面,某部分获取另外的本质部分;"能量"是事物内部的积极力量;"潜能"是潜在的,但可以释放出来;"实体"和"本质"、"质量"和"数量"、"偶然"、"关系"、"原因"(以及"因为"的许多意义,它们与四因相对应)、"种"和"属"(一般,特殊)、"个体"、"不可分"(原子的)、等等,所有这些词汇,都印有亚里士多德主义的标记,它们只是部分实例。

除了语言,哲学方法论方面也体现了(或集中或分别)亚里士多德主义的特征,包括:用批判眼光看待各种学说,无论过去的、同代的,还是假设的;提出并讨论理论的难点;从自明原则或普遍真理出发,进行演绎推理;运用三段论式进行证明或说服论证。

认识论或知识论方面,亚里士多德主义包括:所着重探讨的知识,可用自然手段接近,或者,可用理性加以阐述;对自然(包括人、人的行为及组织)的研究,强调经验,运用归纳的、分析的经验主义,从个别的偶然现象出发,发现普遍永久的模式;共相第一,即用普遍术语表达的东西最重要。

形而上学或存在论方面,亚里士多德主义相信:个体占存在领域的首位;可用一系列概念解释实在,诸如十范畴、种一属一个体、质料一形式、潜能一现实、必然一偶然、四种物质元素及其基本性质,还有四因(形式因、质料因、动力因、目的因);灵魂是动植物生命个体的形式,与肉体不可分割;活动是事物的本质;思辨活动高于实践活动。

自然哲学方面,亚里士多德主义表示:对自然目的及组织,应抱乐观主义态度;相信知觉,相信地球中心和天体的永恒,天体由理智的推动者推动,日月星辰都被置于环形运动之中,地球也受到影响;物体轻者上升,自然脱离地面,重者下降,自然落地,速度与重量有关。

美学、伦理学和政治学方面,亚里士多德主义认为:诗是摹仿,仿造现实生活可能发生的事件;悲剧采用戏剧的形式,摹仿严肃的重大活动,透过恐惧和悲悯净化灵魂;美德是中庸之道;人的幸福首先在理性活动,其次是行善;国家是自足的社会,人类获得幸福必须有国家。

亚里士多德主义的历史

亚里士多德传统的延续 从亚里士多德逝世到现在,不断有学派和个人出现,研究亚里士多德的著作,完全或部分地沿袭、阐述他的学说和方法。其间有解释,自然也有误解;毁誉参半;或重新塑造,或任意修改。对亚里士多德的浓厚兴趣,最有说服力是语言,最初是希腊语,随着时间推移,译成拉丁语、叙利亚语、阿拉伯语、希伯来语、意大利语、法语、英语和德语。亚里士多德主义的中心似乎早就走出希腊,古代时便出现在北非和罗马;中世纪,有波斯、西班牙、西西里和不列颠群岛;近代则有德国和北美。

亚里士多德主义的主要线索是希腊一支,持续了两千多年,主要在东地中海沿岸,4～15世纪的不同时期里,分为若干支流,形成(或加强)其他传统。拉丁一支产生于公元4世纪的罗马,6世纪初,可能从雅典获得了新的动力。从那时起,9世纪和12世纪曾两度复兴,第二股强大的亚里士多德主义冲击波来自君士坦丁堡,随之而来的第三股冲击波来自西班牙,经西方阿拉伯学派传播;两股潮流波及到意大利、法国和不列颠群岛。15世纪,希腊对拉丁传统最后的直接影响进入意大利,也是通过君士坦丁堡。

拉丁传统的亚里士多德主义产生不久,雅典和埃及亚历山大城希腊学派的一些亚美尼亚人和叙利亚人,立即将亚里士多德的学说介绍给自己的学派。19世纪,亚美尼亚传统在马德拉斯和威尼斯等地依旧活跃;叙利亚传统从未完全消失,14世纪仍然盛行,在此之前,9～10世纪,阿拉伯传统形成。阿拉伯的亚里士多德主义是叙利亚人、波斯人、土耳其人、犹太人和阿拉伯人的共同成果,他们在自己的国家,也在非洲和西班牙地区,撰写并讲授亚里士多德主义,直至12世纪。1130～1550年,大部分阿拉伯传统以及随后两个世纪产生的犹太传统,都融入拉丁传统。这份源自希腊传统的遗产,几经周折,为其他文化发扬光大,最后通过拉丁传统,由近代西方哲学运动汇集归一。

希腊传统 *早期发展* 亚里士多德死后几十年,亚里士多德的逍遥派或吕刻昂学校,始终坚持真正的亚里士多德主义精神,一直是批判研究的中心——从不教条地接受任何封闭的体系。亚里士多德的直接继承人泰奥弗拉斯托斯,独立发挥了老师的形而上学和心理学,补充了自然(植物学和矿物学)和逻辑(命题理论和假设的三段论)的研究。吕刻昂学校的各类成员,将亚里士多德的思想与其他哲学流派协调起来。亚里士多塞诺斯把亚里士多德学说与毕达哥拉斯学说结合起来;克里托劳斯将亚里士多德关于诸神影响世界的理论与斯多葛的天命理论结合起来;克利尔丘斯则将柏拉图的人类灵魂观点与亚里士多德的结合起来。

吕刻昂学校之外,斯多葛学派某种程度地追随亚里士多德,热衷于形式逻辑、意义理论和范畴(例如实体、质量、关系等)的应用。他们的经验主义、关心自然、自然科学的若干研究,相信人的本质是社会存在等,无一不是亚里士多德主义的。怀疑派也时常运用亚里士多德的论辩形式,证明他们的系统怀疑。即便是伊壁鸠鲁,虽然一直反对亚里士多德的早期神学和心理学,无视他的成熟作品,但是,他的意志理论、友谊概念,以及把追求知识作为人类满足和快乐的最高目标,则与亚里士多德十分接近。

直到公元前1世纪,人们对亚里士多德的"深奥"著作还不太知晓,但他的通俗的、文学的、柏拉图化的著作,却影响了折衷主义者,如帕奈提奥斯及其学生波塞多尼奥斯。由于罗马哲学家、法学家西塞罗的作用,这种影响一直延续到公元4～5世纪。主要趋势是柏拉图与亚里士多德的调和——这个特点在亚里士多德主义的历史中反复出现——也许归之于《论宇宙》的亚里士多德,这篇宇宙论方面的著作写于公元前1世纪,直到公元16世纪,一直为所有不同的传统所宠爱。

公元前1世纪,亚里士多德的"深奥"著作几乎全被发现,经罗得岛的安德罗尼卡和其他学者校订,编成文集。历史学家和哲学家尼古拉利用这个版本,试图阐明亚里士多德的体系。也许,这标志一个新纪元的到来,人们开始用学院式或经院式的方法研究亚里士多德,将其作为众多领域探索真知识的基础。同时,开始评注和讲授单篇著作;系统的哲学研究,主要是介绍他的逻辑学著作,特别是《范畴篇》。这种模式一直持续了17个世纪。纯粹的亚里士多德主义以"深奥"著作为基础,延续到4世纪。最著名的学者亚历山大(阿弗罗狄西亚的),从公元195年开始主持雅典的亚里士多德研究,这项研究由罗马皇帝马可·奥勒利乌斯发起,许多学者对亚里士多德的逻辑学、伦理学、形而上学、自然哲学以及心理学著作,进行了细致而深入的评注,主要对象是专家。这些学者对亚里士多德的解释,影响了几代人。另外一些学者,实际上用更现代的语言重写亚里士多德,可读性很强,其中最伟大的人物,当属公元350年左右君士坦丁堡的教授泰米斯丢斯。

这种新的、学院式的亚里士多德主义,确立了一种哲学的方法论架构,绝大多数有文化修养的人,包括最伟大的古代天文学家托勒玫(又译托勒密)、最杰出的医学科学家盖伦,至少部分接受了这种架构。

与新柏拉图主义的关系 公元3世纪,新柏拉图主义体系的奠基人采用亚里士多德的著作。该学派的主要代表柏罗丁追随亚里士多德,凡可发挥或可赞同之处,统统接受,诸如,他对亚里士多德理智论的态度。柏罗丁的学生波菲利是柏拉图和亚里士多德的最伟大的协调人,为逻辑学写了一篇简短的《导论》。实际上,《导论》只是简单而机械地讨论亚里士多德经常运用的五个概念。即:种(动物是种,苏格拉底归属其下);属(苏格拉底是人);差异(理性把人与归属"动物"的其他成

员区别开来)；属性(据说，会笑是人的一个“属性”，因为一切人且只有人会笑)；偶性(苍白可能是苏格拉底的偶性)。《导论》很快成为《工具篇》(亚里士多德的逻辑学著作集)的组成部分，1 500多年的时间里，各学派都将它看作亚里士多德主义权威，尽管盛名之下，其实难符。从那时到现在，亚里士多德主义与新柏拉图主义不可分割地联系在一起。

新柏拉图主义统治着雅典学派，除逻辑学之外，亚里士多德的著作都要研究，主要作为哲学论辩的基础。论辩中，柏拉图主义的观点通常占上风。一些学者——例如，普罗克洛斯的学生阿摩尼奥斯，公元5世纪中期雅典学派的领导者，本人也精通亚里士多德——发现，亚历山大对亚里士多德的研究更引人入胜，兼容百家。非基督教与基督教共存，彼此合作，将亚里士多德的学说传播到其他学派：阿摩尼奥斯的学生辛普利西乌斯倾向于柏拉图主义，将亚里士多德带回雅典，529年，查士丁尼关闭非基督教学校，因而又带到波斯；医生兼聂斯脱利派牧师塞尔吉乌斯，将其带给叙利亚的基督教各派；亚历山大的斯蒂芬纽将其带到君士坦丁堡。从475～545年，亚历山大学派和雅典学派，广泛整理和搜集亚里士多德的评注，作者包括阿摩尼奥斯那样的学者、辛普利西乌斯那样的科学哲学家，以及菲洛波努斯那样的哲学神学家。参阅 **Platonism**。

5世纪以前，亚里士多德对基督教神学的影响，始终是边缘的、间接的。业已证明，研究亚里士多德的逻辑学，是神学家必不可少的正规训练，亚里士多德《物理学》和《形而上学》的一些概念，被纳入逻辑系统，同样成为合理阐述教义的必备工具。波菲利的五范畴和亚里士多德的十范畴，为伪狄奥尼西奥斯的神秘主义神学所采用，成为希腊、东方乃至拉丁学派基督教沉思的基本内容之一。对上帝的描述以及三人格的区分，技术性日趋复杂，越来越多地运用亚里士多德的术语，如实体、本质、偶性、形式和质料、属和性质、质与量、属性等；不过，它们不是纯粹的亚里士多德主义。亚里士多德主义透过这种方式，当然也透过纯粹的哲学学派，进入圣约翰的最早的希腊经院哲学，圣约翰是8世纪的教会学者。

拜占廷复兴至15世纪　随着9世纪拜占廷学术复兴，研究亚里士多德的兴趣也逐渐复活：重新发现并校订出版了他的那些旧书(现存的最古老手稿是这个时代的)。君士坦丁堡的大主教、复兴的领袖人物佛提乌，在其百科全书式的著作中，编入了亚里士多德的逻辑学基础。11～12世纪，学园在君士坦丁堡重新建立，开展了丰富的学术活动。学园的领导先后是百科全书式的哲学家普塞洛斯、他的学生伊塔卢斯、以弗所的大主教迈克尔、尼西亚大主教尤斯特拉修斯。学园融教学与注释为一体；围绕柏拉图与亚里士多德孰优孰劣展开争论，宗教教派对哲学的攻击，并未削弱这些活动。至于亚里士多德学说的理解和发展，似乎没有更多进展；不过，研究的焦点已不限于逻辑学。实际上，涉及到亚里士多德的全部著作，包括政治学、伦理学和生物学，远比亚历山大学派广泛。此外，也有类似拉丁学派的一些争论；均以亚里士多德文本为基础，探讨共相论和语言的逻辑结构之类的问题。

13～14世纪，盛行通俗化和系统化，一般以百科全书或哲学的形式出现，代表人物是布莱米德斯、帕奇梅雷斯和梅托齐特斯。此时，希腊思想受到拉丁传统的强烈影响，尤其是托马斯·阿奎那的著作，柏拉图和亚里士多德的争论呈现新的形式。卡拉布里亚人巴拉姆的学说体现了亚里士多德主义，极力拥护理性主义；格雷戈拉斯从柏拉图主义的立场出发，对此提出批评。15世纪，希腊成为意大利哲学舞台的一部分，基督教神学的支持者，奋起捍卫亚里士多德的理性主义，反对普莱桑之辈，普莱桑们颇有些赞赏柏拉图主义和异教信仰，要求一种新的、普遍的宗教狂热。这场理智的较量，赢家却是温和派，如贝萨里翁，他是普莱桑最有影响的学生，虽然喜欢柏拉图，但也赞赏亚里士多德，曾翻译《形而上学》，并且收集亚里士多德著作的手稿。后来，他退出希腊教会(即希腊正教)，皈依拉丁教会(所谓罗马天主教)，并成为该教派红衣主教。

早期拉丁传统　在这个领域，拉丁文化与希腊文化的一般交流，呈现种种迹象：西塞罗对亚里士多德的早期作品做出反应；亚里士多德对其他作者产生间接影响；对阿普列乌斯的后亚里士多德逻辑学影响更为显著，阿普列乌斯是柏拉图主义哲学家，公元2世纪红极一时。3世纪和4世纪初，柏罗丁和波菲利的著作在罗马出现，才开始对亚里士多德进行严肃的研究，第一个成果是维克托里用拉丁文改写波菲利的《导论》和亚里士多德的《范畴篇》。4世纪，泰米斯丢斯的学说引起了罗马非基督教学派的注意，当时，进入拉丁文化的亚里士多德著作只有逻辑学。

6世纪初期的波伊提乌是罗马学者和政治家，他试图尽其所能，将希腊学问介绍到拉丁世界，当时所能得到的，也只有亚里士多德的逻辑学著作及其希腊注释的部分节选。他将其译成拉丁文，详细阐述各类评注和稍晚一些的其他逻辑学文本(一定程度上，均以亚里士多德为基础)。他的作用主要是传输，拉丁文著作中用他的名字署名的注释和计划，在一些学者看来，决非他的创作。甚至评注“所能得到的所有亚里士多德著作”，阐明亚里士多德与柏拉图相一致的计划，也不过是传统的路数，至少可追溯到波菲利。至于波伊提乌本人如何评论亚里士多德及其哲学，尚无任何证据。波伊提乌的许多神学著作也是如此：借用亚里士多德的概念构建三位一体神学体系，毫无疑问，都是从类似的希腊著作那儿拿来的。但是后来，人们却过高地评价波伊提乌的首创精神，不恰当地渲染他对逻辑学和神学的贡献。事实很简单：波伊提乌的名字与那些文本联在一起，于是，中世纪的人们便认定，文本的内容亦出自波伊提乌之手。

叙利亚、阿拉伯及犹太传统　语言和民族的认同日趋明显，5～6世纪的宗教运动蓬勃发展，诸如聂斯脱利派(一种异端学说，强调耶稣基督的神性与人性相异，因而认为二者分属两位)和基督一性论派(一种异端学说，断言耶稣基督只有一性)，结果，促使波斯和拜占廷帝国，特别是埃泽萨(今土耳其的乌尔法)和安条克等地，建立起叙利亚语的研究中心。普罗巴和塞尔吉乌斯等人，翻译了逻辑学的基本著作及其注释，开始中心的亚里士多德研究工作。640年左右，阿拉伯人入侵拜占廷和萨珊帝国，经历几代以后，中心愈益重要。最著名的是伟大的金纳斯林学派，其代表人物有塞维鲁，曾撰写著作论述亚里士多德的三段论；埃泽萨的主教雅各，他是神学家、文法学家及翻译家；还有阿拉布斯的主教乔治乌，曾注释《工具篇》。不过，他们的兴趣主要限于逻辑学及其对神学的应用。

9世纪，叙利亚基督徒形成哲学和科学知识阶层，与此同时，阿拔斯王朝的第7个哈里发马蒙，为巴格达新伊斯兰帝国组建阿拉伯学术研究中心。那时，叙利亚学者已经获得并翻译亚里士多德的大部分著作。阿拉伯学者又将它们从叙利亚语，或者直接从希腊语，翻译成阿拉伯语，并增补了许多注释者的文本。侯乃尼及其子伊沙克、阿布、叶海亚，以及其他许多叙利亚人，为阿拉伯的辉煌哲学活动奠定了基础。叙利亚人仍然保持自己的独立文化；大约13世纪，皈依基督教的犹太人巴尔·希伯来还继续使用叙利亚语。巴尔·希伯来也叫格列高利(Gregorius)或艾布尔·法拉吉(Abu al-Faraj)，有“希伯来之子”的美称，是百科全书式的学者、哲学家、神学家。他的《智慧集粹》论述了亚里士多德的著作，并根据希腊和阿拉伯的亚里士多德主义，详尽阐明许多段落。

9世纪，最杰出的阿拉伯亚里士多德学者金迪，用阿拉伯语介绍亚里士多德的主要哲学思想。10世纪，土耳其的穆斯林法拉比进行更专门的研究，他评述逻辑学著作，试图确立哲学与伊斯兰教之间的关系。不过，亚里士多德的思想之所以成为世俗阿拉伯文化的组成部分，主要是通过阿维森纳和阿威罗伊。

早在11世纪，阿维森纳就把亚里士多德哲学，作为自己体系的基础。同时，也深受一组柏罗丁文本的启发，它们已被译成阿拉伯文，题目是“亚里士多德的神学”。经阿维森纳之手，亚里士多德变成了系统而一致的思想家，甚至超出亚里士多德本人的意图；亚里士多德曾经暗示的问题和答案(例如，本质与存在的差异、可能存在和必然存在的关系)，成为阿维森纳著作的特殊标志。

12世纪，西班牙的阿拉伯人阿威罗伊认为，亚里士多德是“自然提供的标尺和楷模，表明人的完美无缺”。在他看来，哲学，尤其亚里士多德的哲学，其本身就是真理，而且教授真理；天启宗教是低级哲学，为的是简单明了。阿威罗伊剖析并重构亚里士多德的著作，不仅染上浓厚的学究气和哲学气，而且增添大量材料，都是从先前的希腊哲学和阿拉伯哲学搜集来的。他阐述一些不太明确的学说，有的时候，甚至比原文更有说服力，不过，他很少把自己的观点强加给亚里士多德，至少要从文本中找到某些证据。按照阿威罗伊的想法，有的学说相当重要：诸如个体灵魂有死；世界永恒；有个统摄全人类的神灵，与个体心灵无关等。亚里士多德的思想为它们提供了一些基础，但并不多。

直到13世纪，才从北非、美索不达米亚和西班牙的阿拉伯文化中，发展出犹太人的亚里士多德主义。这项工作使用阿拉伯语，而且，几乎自始至终都在关心哲学与犹太教之间的关系。以色利是10世纪的新柏拉图主义者，他的《定义之书》和《要素之书》考察并探讨了亚里士多德的许多概念。形式和质料是伊本·盖比鲁勒新柏拉图主义形而上学体系的基础，他就是名扬四海的阿维斯布朗，11世纪的诗人和哲学家。12世纪中期的伊本·达乌德深思熟虑，拟定一项计划，试图将亚里士多德，至少是法拉比和阿维森纳的亚里士多德主义，纳入犹太教的理性和精神生活。迈蒙尼德发现一种方法，把经验知识与启示结合起来，与同时代的西班牙人阿威罗伊形成鲜明对照，也从犹太文化的角度，预示托马斯·阿奎那的基督教折衷主义。他证明上帝存在、承认从永恒出发的创世理论，反映了他的典型方法。13世纪以后，各种哲学著作，尤其是阿威罗伊论亚里士多德的著作，被译成希伯来文；出现大批"对评注进行评注"的希伯来文献（类似阿威罗伊对亚里士多德著作的评注），也出现一些独立的著作，较为著名的作家有列维（本·格尔叔姆），他信奉迈蒙尼德和阿威罗伊。然而不久，以圣经和犹太教法典为基础的正统传统占上风，风靡一时。犹太人的亚里士多德著作和阿威罗伊的希伯来文本，又被译成拉丁文，对16世纪的意大利哲学运动做出贡献。

后期拉丁传统 *拉丁西方发现亚里士多德的著作* 1115年以前，拉丁语的西方只知道亚里士多德的短篇《范畴篇》和《解释篇》，大约从800年开始，这两个短篇开始流行，版本是波伊提乌的。实际上，到1278年，亚里士多德的全部著作，已从希腊文译成拉丁文，其中大部分流传甚广。除了波伊提乌翻译的其他三部逻辑学著作（再现于1115年），所有发现，都是因为君士坦丁堡与其他希腊中心的文化接触，还依赖一些学者的个人天赋。最杰出的当属威尼斯的詹姆斯。1150年之前或左右，他住在君士坦丁堡，先后翻译了《后分析篇》、《物理学》、《论灵魂》、《形而上学》，以及其他一些短篇文本。1200年之前，另一些学者，重新（或者第一次）翻译了亚里士多德的伦理学、自然哲学、逻辑学等方面的著作。1240年左右，格罗斯泰斯特按照更高的语言学标准，修订、完成了《尼可马亥伦理学》的翻译，并首次从希腊文直接翻译《论天》。

约1255年和1278年，佛兰芒的翻译家威廉颇为活跃，他最终完成了亚里士多德拉丁文本的翻译工作；并第一次将《政治学》和《诗学》译成拉丁文，他对动物学著作的翻译完整而可靠。他重新翻译几篇自然哲学著作，修订了一些老译本。大约一半左右的著作，又有人从阿拉伯文翻译成拉丁文，主要是在托莱多，由杰拉德和司各特于1165～1230年完成。除了两三个例外，被译成拉丁文的阿拉伯文本几乎全部译自希腊原文；这种拉丁译本传播范围和影响极其有限。古代评注的翻译工作，对传播亚里士多德学说做出重大贡献；而且，几乎所有评注，都是以希腊文本为根据。

如果说，拉丁世界是透过阿拉伯学者才认识了亚里士多德，那么不过是说：在接触亚里士多德的文本之前，或者在正确理解亚里士多德之前，他的许多学说（有一定歪曲）透过法拉比、阿维森纳和阿尔布马扎等人的著作，传播到拉丁世界。而不是说，中世纪的拉丁世界，将译自阿拉伯文的柏罗丁和普罗克洛斯的文本（《亚里士多德的神学》和《原因之书》）误认为是亚里士多德的，因此，用新柏拉图主义的眼光看待亚里士多德。

9世纪至13世纪中期 对波菲利《导论》的研究，对亚里士多德《范畴篇》和《解释篇》的研究，以及对包含亚里士多德要素的神学文本的研究，自9世纪开始，为诸多领域奠定了逻辑方法论（辩证法）的基础。一旦将辩证法用于三位一体，或者用于圣餐问题，或者泛泛地用于概念和事物的共相与殊相问题，便感受到一种强有力的工具，可用来阐明信仰或与此相反用来危及信仰。中世纪伟大的亚里士多德主义者阿伯拉尔认为，辩证法是分析和发现真理的基本方法。他依据亚里士多德的学说，从语言、精神和客观等方面阐述共相问题。随后，亚里士多德的语言理论和逻辑学有了新发展，一定程度上是因为当时得知亚里士多德的《诡异的驳难》。

12世纪末到13世纪初，亚里士多德的物理学、宇宙学和形而上学，透过阿拉伯的科学和哲学著作以及他本人著作的拉丁文本，引起人们的广泛注意，主要是萨莱诺医科学校的科学家和英国的哲学家。1190年左右，阿尔弗雷德的《论心脏的活动》一文采用了新文本。大约1210～1235年，格罗斯泰斯特为撰写科学和哲学论文，评注了《物理学》和自然哲学的一些片断。大约1245年，培根评注《物理学》和部分《形而上学》。不过，若想从这个时期的学术活动寻找近代经验科学的起源，则是错误的；只有深入古代以及近代的力学、医学和技术，或者研究原始的发明，才能发现它的起源。

新亚里士多德主义的推广在巴黎受阻。非基督教的亚里士多德哲学和阿拉伯哲学的影响，引起了恐惧和怀疑。虽然巴黎的大师们可以自由讲授亚里士多德的逻辑，牛津大学和图卢兹大学亦未对讲授亚里士多德的著作设置任何障碍，但是，13世纪上半叶，巴黎基督教会的权威们，却发布禁令，禁止讲授亚里士多德及其评论者的物理学、形而上学和心理学。禁令的确减缓一些活动，但也加速反弹，引起强烈的好奇心；正是审查著作的命令，导致对它们作更详细的研究。13世纪40年代，讲授亚里士多德的禁令，在巴黎已成一纸空文，培根当时正在评注"危险的"《物理学》和《形而上学》。不久，大约1255年之前，人们所知的亚里士多德的全部哲学著作，均成为巴黎文科硕士课程的必修内容。同时，大阿尔伯图斯——多明我会修士，为捍卫信仰和教义的纯洁而奋斗——宣传亚里士多德的著作，使其融入拉丁世界的哲学和科学文献，成为不可分割的组成部分。大阿尔伯图斯宣称，他的目的是使亚里士多德的全部自然哲学变成"拉丁人明白易懂"的学问。他拥有广博的世俗知识和深邃的智慧，在分析亚里士多德思想时，常常结合其他的资料和解释，主要取自阿拉伯文献，或者来自他的广泛研究和思考。面临被指控"追随亚里士多德反对教会教义"的危险，他声明："我解释亚里士多德，不是赞同"。

托马斯·阿奎那是大阿尔伯图斯的学生，他研究亚里士多德的方法是学院式的。他详细评注了亚里士多德的各类著作，包括《物理学》、《形而上学》、《伦理学》和《政治学》；他对大部分作品逐段分析，探究其中结构；他试图发现作品的组织方式，把握其论证过程；他也小心翼翼地寻找最佳文本，体会真正意义。最重要的是，托马斯·阿奎那的名作《神学大全》大量吸收亚里士多德的思想。他尊重亚里士多德的权威性，相信它的合理性，尽管当时无法明确证明。有时，他的推论超出亚里士多德自己的结论；倘若亚里士多德的论述模糊不清，他便自由发挥，自己解决困难。在这些方面，他常常固执己见，并不将自己的新方法归于亚里士多德，却也不觉得有什么背叛之举。当然也有折衷，例如，他认为，个人灵魂本质上永远是个人肉体的形式，但可与肉体分离，是不朽的；此时已超出亚里士多德。他扩展亚里士多德的论述，几乎达到临界点，不过，倒是没有什么扭曲。超越这个点，阿奎那就不再是基督教的亚里士多德主义者，而是一个信徒，笃信教义；倘若必要，他会脱离亚里士多德，逼近奥古斯丁、新柏拉图主义者或阿森维纳。

13世纪末至15世纪 正当研究亚里士多德文本和阿威罗伊评注之风日趋高涨，伟大哲学家和伟大评注家的地位如日中天，赞美声不绝于耳之时，疑虑也随之增加，有人怀疑阅读亚里士多德是否将导致异教邪说。布拉邦特的西格尔是最著名的阿威罗伊式的亚里士多德主义者。所谓的阿威罗伊主义，实际指一种倾向，即承认真正的或一致的亚里士多德信条，尤其是涉及世界永恒、理性统一、人类能得现世幸福的信条。基督教会谴责这些命题是虚假的、危险的，对坚持此类学说的人予以威胁，凡此种种，都赋予阿威罗伊主义更明确的地位，尽管1270年和1277年，巴黎和牛津责难的许多命题与亚里士多德素无关系，与阿威罗伊亦风马牛不相及。谴责的效果很快显现：将文学院的"哲学"学说与神学院的"真理"学说区分开来。分离越来越严格，产生模糊不清的结果：两种真理共存，哲学范围的融贯真理和天启真理。

不过，世纪之交，但丁的杰出诗作，依然表现阿威罗伊式的亚里士多德和托马斯·阿奎那的亚里士多德，前者主张自然真理是自足的，后者则承认许多信仰真理。但丁像阿威罗伊一样，认为亚里士多德是全部人类知识的化身，即"认识者之师"。但丁信奉亚里士多德主义的显著标志是：将西格尔列入"天堂"，尽管西格尔因宣扬亚里士多德的"异端邪说"而备受谴责。他到《尼可马亥伦理学》寻找道德指南（他甚至说，这本书"向人展示了真正的幸福"），从亚里士多德的科学著作寻找破解自然之谜的钥匙。阿威罗伊的理论将普遍的人类理性与斯多葛式的亚里士多德原理（所有人天生就是城邦公民）结合起来，但丁从中发现帝国的基础，将其认作全人类的唯一政治组织。

14世纪的亚里士多德主义并不比13世纪孱弱。的确,有些学者认为,亚里士多德主义衰败了。然而,这个论断没有考虑先前哲学的非亚里士多德成分,以及新哲学持续接受亚里士多德学说的情况。形式、质料、因果和宇宙观念(事件规则出现,却非必然)为司各脱的体系,提供亚里士多德主义的框架。英国方济各会修士奥康姆坚持唯名论,主张概念论,否定"无用的实体",他的形而上学认为世界由自我包含的个体事物构成,所有这些,都简洁明快(略显极端)地表达了亚里士多德的语言理论、自然的经济性,以及个体居存在之首,共相居理智认识之首的思想。他的科学概念彼此协调的见解,与亚里士多德如出一辙。他说,亚里士多德对灵魂不朽问题没有清晰的提示,同阿奎那和阿威罗伊相比,他在这个问题上更忠实于亚里士多德。14世纪的许多经院哲学流派,诸如托马斯主义、司各脱主义、奥康姆主义等等,都具有共同的亚里士多德基础,只是解释方式各异(参阅西方哲学流派及学说:**scholasticism**;**Christianity**)。

14世纪盛行的阿威罗伊式的亚里士多德主义,与其他思潮有联系(或独立于它们)。意大利的博洛尼亚和帕多瓦医学院是逻辑学和哲学研究中心,颇为活跃。例如,彼得,帕多瓦的医学教授,曾受训于巴黎,他在人类事务领域,将亚里士多德的宇宙论推到决定论的边缘,并用亚里士多德逻辑表明,基督之死仅是表面现象。政治科学一直是崇高的思辨领域,从事本文的分析和注释,现在,却受到从政者的重视,还有一些人,他们想在亚里士多德学说庇护下,发挥人的潜能,追求人的幸福。巴黎的约翰想使法国人自足、自治,不受罗马教皇干预;西格尔的继承人冉丹的让主张,亚里士多德的《政治学》完全是世俗的;马西利乌斯是冉丹的让在巴黎的朋友,他追随亚里士多德,力主政府没有超自然的起源,而是自然地产生于被统治者的需要;同样,牧师应被视为城市行会的成员,不享受任何特权。

以牛津默顿学院为基地的逻辑学家-哲学家集团,即默顿学派(例如,布雷德沃丁和威廉),以及法国的百科全书派、科学家、哲学家(例如,比里当和奥雷姆),也许对亚里士多德学说的细节不感兴趣,他们抱着强烈的批判态度,努力用数学语言表达科学,用数量规定质的变化,确定运动的连续性质以及落体运动的加速度和速度。他们的出发点是亚里士多德的《物理学》及其他文献。他们当中,许多人以类似的(几乎全是数学的)精神,将逻辑学推进逻辑演算、悖论和诡辩的领域,其程度超过奥康姆。因此,可以说,亚里士多德没有被抛弃,反而扩展了。

近代的发展 *文艺复兴到18世纪* 15世纪,各式各样亚里士多德主义汇集意大利。意大利的大学和宗教学派,很早便与巴黎大学建立了联系。14世纪后期,尼科莱蒂从牛津返回帕多瓦,此前,他在英国研究默顿派的新逻辑和物理学,阅读奥康姆激进的唯名论,同时结识了法国的阿威罗伊派;英国人和保罗的著作成为意大利各所大学的教科书,沿用了好几代。世纪末,许多西班牙和意大利的犹太人,传播了更多阿威罗伊的亚里士多德文本,还有犹太人自己研究亚里士多德学说的成就。

宏伟的著作、丰富的语言、完善的说教、激烈的论辩,伴随着大批希腊学者一道涌入西方世界。他们为西方世界所吸引,那里,人文主义者渴望获得古典学问,正教与罗马天主教的领袖展开神学讨论,威尼斯共和国和佛罗伦萨为逃离土耳其统治的人提供了相对的自由。于是,许多手稿带到意大利,由那里的希腊人译成意大利语,他们也为意大利学者讲授希腊语。15世纪末,早期印刷者、出版者和编辑人马努蒂乌斯,几乎编辑印刷了亚里士多德的全部希腊文著作,许多人能够得到。大批希腊学者和拉丁学者,如贝萨里翁、阿吉罗普洛斯、布鲁尼、瓦拉等人,开始重译这些文本;另一些人则翻译先前拉丁世界鲜为人知的评论著作。

随着印刷术的出现(15世纪末),出版了很多拉丁文版的亚里士多德和阿威罗伊的著作,全本的或部分的,老版的或新版的,或来自希腊人,或来自阿拉伯人,或来自犹太人,丰富多彩,层出不穷。在帕多瓦、博洛尼亚、费拉拉和威尼斯等地的大学里,像尼福和韦尔尼亚之类的阿威罗伊主义者,以及蓬波纳齐之类的独立解释者,占据着哲学舞台。蓬波纳齐认为,亚里士多德无论对还是错,必须直接根据他的著作进行研究,而不能根据他的解释者;亚里士多德并未垄断知识,因此,必须指出他的不符事实的错误。

另一些人热衷亚里士多德博大的科学成就,或者说,他们研究他的著作,是为了更清楚地阐明科学方法。正是这种科学精神,使人们对亚里士多德方法论和自然哲学的兴趣,一直延续到现在。17世纪,英国医师哈维发现了血液循环,当时,他正在讲授亚里士多德的动物学,伽利略则撰写科学和逻辑学著作。

亚里士多德主义以潜在的方式,依然盘踞欧洲的大多数学校,继续影响那些最进步的近代哲学家。培根是英国哲学家、科学家和政治家,他的方法论是从亚里士多德主义产生的,基本的形而上学概念亦借自亚里士多德主义,虽然他对当时被学院派扭曲的亚里士多德主义持批判态度。波兰天文学家哥白尼仍然坚持圆周运动无比精确。德国理性主义者、数学家莱布尼兹,不但赞赏亚里士多德的逻辑学,而且根据亚里士多德质料-形式理论,建立"单子"形而上学。法国政治理论家(如博丹)像亚里士多德那样,研究现存的国家机构和自然背景,探讨国家的性质。

文学领域,直到1500年,亚里士多德的《诗论》才为人所知,现在则开始阅读、分析希腊文本和拉丁文本;将它与当时风行的古罗马诗人贺拉斯的见解相比较,一定程度上试图将它们协调起来,在许多人看来,亚里士多德的艺术摹仿自然的主张,胜过强调诗歌创造性的冲突理论。行为、空间、时间一体化的学说——虽然后来的发展,来自对亚里士多德牵强附会的解释——支配着许多悲剧作家的创作(例如意大利的特里希诺,法国的拉辛和高乃依,一定程度上,也包括德国的歌德)。许多文学评论家(包括从锡德尼到阿诺德的英国评论家)接受了这些准则,却很少有诗人(除了弥尔顿)欢迎它们。除体系理论之外,《修辞学》对其他领域影响不大。

数百年的经院哲学就是亚里士多德主义的历史。西欧、中欧和西班牙人占领的美洲,经院哲学继续活动,保证高等教育在亚里士多德主义的构架内进行。经院哲学的主要成就是注释和评论;16世纪"葡萄牙的亚里士多德主义者"丰塞卡和17世纪的作家莫鲁斯(曾在罗马评注亚里士多德,简短而有力),则是值得一书的范例。然而,经院哲学有不同形式,对各种哲学运动颇感兴趣,因而,他们与新哲学的关系,远比与亚里士多德密切。

另一方面,马丁·路德反叛罗马教廷,同时反对经院哲学及其曲解的亚里士多德主义结构,却没有反对亚里士多德。事实上,路德的追随者梅兰希顿重新设置高等教育的必修课,于是,出现一个更真实的、人道主义的亚里士多德,纯粹的哲学巨匠,与神学无关。13世纪初的巴黎,亚里士多德再次受宠,特别是逻辑学和伦理学,形而上学和自然哲学则稍逊色。

16～18世纪反亚里士多德主义的浪潮,很少触动真正的亚里士多德。矛头主要指向经院哲学,似乎它们忠实代表了亚里士多德的哲学。于是,亚里士多德无端受到许多指控:极端的形式主义;不负责任地滥用三段论,里面塞满空洞无物的概念;繁多的伪实体;以及强迫"科学"方法适应那些只有信仰才能证明的事实。另一些批评者则认为,亚里士多德的全部原理都应受到批判,因为它们无法满意地解释位移运动,乃至机械学、动力学、宇宙论和天文学方面的成果。亚里士多德在17世纪衰落,主要是因为缺乏创造,他在公元前4世纪未能创造一种语言,允许用数学公式描述事物或事件(即可知的方面)的形式,也未能根据他的经验哲学,充分强调实验的必要性。

19～20世纪 反亚里士多德主义浪潮主要由历史学和语言学的研究平息下去。德国哲学家特伦德伦堡认为,必须尽可能准确地了解亚里士多德的人格及著作,因为这是任何严肃的哲学不可或缺的历史基础。这类研究在16世纪取得丰硕成果,此后逐渐偃旗息鼓。1791～1793年,布尔对亚里士多德希腊文本重新编校整理,1965年,柏林的亚里士多德档案馆成立,广泛收集一切文献资料,浩如烟海,此后,几乎再没有发现原始的或次等的亚里士多德传统著作。1831～1870年,普鲁士科学院主持出版了亚里士多德文集,这是一个不朽的版本,以后无数的校订本和译本都以它为根据。前几个世纪鉴别和编辑了大量残篇,披露亚里士多德早期鲜为人知的活动。1890年,埃及发现一个古代抄本,其中包含佚失已久的《雅典政制》的绝大部分。欧美的研究机构率先编辑古代和中世纪的评注和翻译,包括希腊文的、拉丁文的、阿拉伯文的以及希伯来文的。历史学、语文学和哲学方面的注释,更详细地探讨亚里士多德作品的内容和背景。他的全部著作相继译成英文、德文、法文;有许多著作还译成欧洲的其他语言,也译成了希伯来文、阿拉伯文和日文,亚里士多德可以为人们广泛接近。思想史家考察了他与柏拉图的关系,他与希腊的

关系，还有他对后世的影响以及他本人的哲学发展。

哲学的亚里士多德主义主要是德国学派，由特伦德伦堡和布伦塔诺建立。特伦德伦堡面对德国唯心主义，重新评价亚里士多德的形而上学；一定程度地影响了美国思想家，诸如阿德勒、莫里斯、杜威等人。亚里士多德的存在论和知识论是布伦塔诺的"描述心理学"和人类经验学说的出发点，对胡塞尔现象学也产生影响。德国境外，唯灵主义哲学家拉韦松-莫利安和亚里士多德著作的编译者罗斯，其形而上学和伦理学，分别受益于亚里士多德。1879年，教皇利奥十三世重新树立托马斯·阿奎那，再度点燃教会学者的热情，愈益关注亚里士多德及其对基督教思想史的影响。现代英语国家的哲学家，依然仰慕亚里士多德(其他哲学传统亦没有完全忽略他)，亚里士多德学会(伦敦)的名称便反映一种看法：完美的哲学必须实践亚里士多德的精神。

Aristotle　亚里士多德(公元前384，希腊哈尔基季基半岛斯塔伊拉～前322，埃维亚岛哈尔基斯)　亚里士多德对西方文化的取向和内容，有深远影响，其他思想家无法与之媲

美国不列颠百科全书公司供图

美。他的哲学和科学体系，一直是中世纪基督教和伊斯兰教经院哲学思想的支柱和媒介：直到17世纪末，西方文化始终是亚里士多德的。甚至经历几个世纪的理性变革以后，亚里士多德的概念和观念，仍然埋藏在西方思想之中。亚里士多德的知识体系博大精深，包含了绝大多数科学和多门艺术。他的工作涉及物理学、化学、生物学、动物学、植物学、心理学、政治学、伦理学、逻辑学、形而上学、历史、文学理论、修辞学等领域。他在两个不相干的领域获得伟大成就：他创立了形式逻辑，设计了完整的体系，即众所周知的亚里士多德三段论，二千多年以来，一直被视为逻辑学集大成者；他也从观察和理论方面，开拓了动物学研究，19世纪以前，无人超越他的工作。即便现在，虽然亚里士多德的动物学已经过时，其他自然科学思想也已落伍，但是，作为一个科学家，无人能与他匹敌。当然，他的重要地位完全是历史性的：同过去的其他科学家一样，他的继承人已不再阅读他。亚里士多德同样是伟大的哲学家。而且，并非一件哲学古董。人们现在认识到，三段论不过是形式逻辑的雕虫小技，但是，尽管如此，当代哲学家仍旧阅读他的伦理学和政治学著作，还有他的形而上学和科学哲学，围绕它们展开争论。亚里士多德的历史地位无与伦比，他的著作在现代哲学争论中仍然举足轻重。

亚里士多德生平　亚里士多德出生于希腊北部小城斯塔伊拉，该城位于马其顿的哈尔基季基半岛。因此，人们也称亚里士多德为"斯塔伊拉的"亚里士多德。他的父亲尼科马科斯是马其顿王阿敏塔斯三世的御医，阿敏塔斯三世是腓力二世之父，亚历山大大帝的祖父。作为医生的儿子，亚里士多德继承了二百多年的科学传统。幼年时代，便接触希腊医学之父希波克拉底的《时疫》一书，上边记载的病史，使他懂得希腊医学和生物学的概念及实践。尼科马科斯医生是阿斯克列皮阿德斯(传说中的医学奠基人和医药之神)学会会员。医学是某些家庭的世袭领地，子承父业，因此，孩提时代的亚里士多德，在家中学习行医的基础知识，日后在生物学研究中显示出这方面的才能。既然是学医，就必须接受各种严格训练：他可能研究过饮食、药品、体育等方面的医疗作用；学会检查血液循环、扎绷带、用夹板固定断肢、脱臼复位，用面粉、酒、油制作敷泥剂。所有这些，都是当时专业医生必须掌握的技巧。现在仍不能肯定，亚里士多德是否真的掌握了这些技巧；不过，我们知道，亚里士多德在自己的吕刻昂学校研究过医学及其历史，后来，他用一种貌似内行的口气说，如果掌握了医学理论，即使没有行医经验，也算受过良好教育。亚里士多德的哲学思想具有浓重的生物学倾向，以及他屡屡流露出对国王和宫廷的强烈厌恶，与他早年接受的医学训练和马其顿宫廷的艰难生活不无关系。

第一时期：雅典学园　亚里士多德幼年时父亲去世，父亲的亲戚普罗色诺斯成为他的监护人。公元前367年，被送到雅典的柏拉图学园，一呆就是20年。亚里士多德的思想发展分三个阶段，这个时期是第一阶段，主要在柏拉图及其同事的影响下形成自己的思想。亚里士多德本人无疑对学园的活动充满热情。据说，他在修辞学上颇下了一番功夫，与学园的对手伊索克拉底派论战时，挥笔疾书，慷慨陈词。公元前348或前347年，柏拉图逝世，他的侄子斯珀西波斯继任。不久，亚里士多德离开雅典。常有人说，这是因为亚里士多德对未能继任心怀不满。不过，这种解释缺乏根据。有证据表明，他所以未能入主学园，皆因他是外邦人，没有入主的合法资格。公元前348年，腓力劫掠希腊城邦奥林索斯，雅典泛起反马其顿情绪，亚里士多德离开雅典，也很可能与此有关。亚里士多德离开雅典的12年表明，与柏拉图学园的成员资格相比，他更重视陪伴他游历的朋友，其中最重要的当属他的学生、同僚、未来吕刻昂学校的继承人泰奥弗拉斯托斯。

第二时期：他的游历　同行者还有一位学园成员，即著名的色诺克拉底，他是个沉默的人，为此常受柏拉图讥讽。柏拉图将他与生性活跃的亚里士多德加以比较："一个需要马刺，另一个则需要笼头……你看，我训练的驴子抵得上一匹马。"不过，在爱琴海小亚细亚的新兴城市阿苏斯建立新学园时，两人的不同性格则显出天作之合。在阿苏斯，富有的希腊军人赫梅厄斯先后从财政和政治两方面，控制了小亚细亚的西北部，成为波斯君主的一个陪臣。他参观雅典学园之后，邀请柏拉图的两个学生建立分校，帮助他把希腊制度和希腊哲学扩展到亚洲大地。亚里士多德来到这个新文化中心。他的《政治学》第7卷前12章，就是这个时期写的。他勾勒了哲学与政治的关系，即城邦的最高目的是确保一些人能够有条件过哲学生活。不过，这种生活只有希腊人才能享受，希腊人高高在上，有资格让非希腊蛮族做奴隶，从事一切卑下的劳动。因此，公民权利和从军资格乃希腊人独享的权利和义务。亚里士多德拥护开明的寡头政治，实际上超出流行的政治思想，在当时情况下肯定希腊人创造的崇高文明应该是一种积极的发展。大约同一个时期，亚里士多德完成了《论国王》这部著作(现已佚失)。书中明确将哲学家的功能与国王的功能区别开来。他修改了(或改善了)柏拉图的名言，指出："……国王不仅没有必要成为哲学家，而且甚至有害。国王应该求教于哲学家。他的政权应该择善而行，经邦济世，不是夸夸其谈。"亚里士多德竭尽全力，以确保哲学家的独立地位。

亚里士多德与他的资助人赫梅厄斯十分要好，娶了他的侄女皮西娅斯为妻。他们有一个女儿，按母亲的名字取名。亚里士多德的《政治学》描述了婚配的理想年龄，丈夫37岁，妻子18岁。亚里士多德结婚时正值37岁，不禁让人推测，皮西娅斯当时18岁。他们自己的婚姻关系，也许反映在进一步的言论中，多少有些隐晦："通常认为，男女一旦成婚，彼此互称夫妻，夫或妻若是通奸，无论何种方式，都是不名誉的。"亚里士多德的遗嘱做出安排："无论把我葬在何方，皮西娅斯也会要求将她的遗体安放在我身边。"可惜，皮西娅斯没活多久；她死后，亚里士多德选择了另一个伴侣赫皮利斯，究竟是情人还是妻子，无法确定。她为亚里士多德生了一个儿子，尼科马科斯(Nicomachus)。她比亚里士多德长寿，他让她过着富足的生活，对她关怀备至，他认为，"她对我一往情深。"

亚里士多德在年轻的阿苏斯学校呆了3年之后，动身前往附近的莱斯沃斯岛，在其都城米蒂利尼定居。他同当地友人泰奥弗拉斯托斯，共同建立一个类似于雅典学园的哲学中心。在那里，兴趣转向生物学，并进行开拓性研究。据说，莱斯沃斯岛中央皮拉的环湖礁是他最喜欢出没的地方。他似乎感到，有一种论点，把生物学作为次要的、乏味的研究，必须驳倒它，才能证明自己对生物学的关注是正确的。他的生物学研究重点是新型的因果关系，即目的论。目的论的因果关系必定与自然目的相关，它与机械的因果关系不同，却仍在无机界运作。亚里士多德认为，自然有机体(植物和动物)均有自然目的，理解了这些目的，才能充分解释其结构和发展。

若承认自然具有某种目的,就要从目的论上证明或接受"终极原因"概念。目的论以及一般理论,对亚里士多德的生物学非常重要;但至少从原则上讲,必须服从观察。亚里士多德坦率地承认,他不知道蜜蜂的繁殖方式,他的《论动物的繁殖》一文写道:"这些事实尚未得到充分证明。若得到证明,荣誉必将归功于观察,而不是理论,理论只有被观察到的事实所确定,它才能享有这份荣誉。"联系动植物生活的研究,亚里士多德考察了灵魂与肉体的关系。柏拉图将灵魂看作一个独立存在的实体,暂时寓居肉体之中,他的小册子《论灵魂》则表明,他已经背离了柏拉图的灵魂概念。他更强调物质存在的积极价值,因而提出,灵魂是一种生命力,本质上与肉体一道构成个人。然而,他也把灵魂定义为肉体的形式,把肉体定义为灵魂的质料,表明在一定程度上认同柏拉图的观念。

公元前343年末或前342年初,亚里士多德大约42岁,应马其顿腓力二世之邀,到首都培拉做他13岁的儿子亚历山大的家庭教师。作为希腊最杰出的知识界人士,亚里士多德的使命是把亚历山大培养成未来的军事统帅。其结果,是让亚历山大统治希腊世界,保卫希腊,抵抗波斯帝国。亚里士多德试图按照希腊史诗,如荷马的《伊利亚特》中的英雄塑造亚历山大,使他像埃阿斯或阿喀琉斯一样英勇无畏,体现希腊文明的最高成就,即哲学精神。他坚信,希腊人高于一切外邦人,故而教导亚历山大统治野蛮人(非希腊人),让他们屈从,禁止与他们在肉体上混合。不过,虽然有这样的忠告,亚历山大后来还是赞成相互通婚;他从波斯贵族中选了一位妻子,迫使他的高级官员(怂恿他的军队)效仿。在其他方面,亚里士多德对亚历山大的影响微不足道。后来,亚里士多德返回雅典,得到马其顿人大量的政治和经济支持,或许,他的生物学研究也得到了资助,但是,有些人认为,亚历山大不大可能为亚里士多德采集波斯和印度的珍奇动物标本,也不可能给他送去;事实上,亚历山大直到公元前328或前327年才侵入印度河流域,离亚里士多德去世不到6年。其实,由于亚里士多德的侄子被处死,二人之间的关系恶化。亚里士多德的侄子卡利斯提尼斯是历史学家,被指控犯叛国罪,然而,他在公元前328年随亚历山大去波斯,只是为了撰写战争编年史。据说,亚历山大甚至企图报复亚里士多德,因为他是死者的亲属。不过,由于忙着入侵印度,故而作罢。显然,在政治意识形态问题上,亚里士多德与亚历山大之间,隔着一条不可逾越的鸿沟。亚历山大的征服,使希腊世界发生重大变化,而亚里士多德对此却一无所知;实际上,他反对亚历山大的帝国政策,因为它削弱了城邦的重要性。另一方面,亚历山大送给他的老师一份礼物:重建亚里士多德的诞生地,即毁于腓力二世之手的斯塔伊拉城。亚里士多德在马其顿宫住了3年,然后回到父亲故土斯塔伊拉(公元前339)。在那里继续与他的哲学学派交往,其中仍有泰奥弗拉斯托斯和柏拉图的其他学生。

第三时期:创建和指导吕刻昂学校 亚里士多德在斯塔伊拉呆到公元前335年,届时已年近五旬,尔后,再度返回雅典。当时,学园的主管斯珀西波斯去世,主管一职空缺,与亚里士多德共同研究生物学的老朋友色诺克拉底入主学园。虽然亚里士多德从未与学园断绝联系,但他仍然于公元前335年,在吕刻昂开办了一所学校与之抗衡。该校设在吕刻昂神庙的体育馆,位于雅典城外的树丛中,以前曾有一段时间,教师们频繁出入此地(柏拉图甚至说它是苏格拉底常去的地方之一),现在,神庙的称号逐渐成为亚里士多德学校的特称。但是,也许直到亚里士多德去世之后,学校为泰奥弗拉斯托斯所领导,才获得丰厚的财产。亚里士多德经常一边散步一边教学,由此得到逍遥派的雅号。这所不拘礼仪的学校始终在亚里士多德领导之下,对他来说非常重要,为了协调学者的工作,他花费12年的时间才使其成为科研教育中心,思索和探究每一门学科,就广泛的科学哲学问题进行演讲。新学校与学园的主要差异是,柏拉图主义的科学兴趣在数学方面,而吕刻昂学校的主要贡献是在生物学和历史方面。

公元前323年,亚历山大大帝逝世,雅典出现了短暂而强烈的反马其顿浪潮。由于亚里士多德与马其顿来往频繁,又是雅典统治者安提帕特的朋友,因而感到自己处于危险之中。为此离开雅典,回到母亲的故乡,埃维亚岛的哈尔基斯。第二年,因胃病而死,享年62或63岁。据说,他离开雅典,是为了使雅典人不致于第二次犯下反对哲学的错误(苏格拉底是第一次的牺牲品)。

人格、品质及哲学 人们透过雕像熟悉的亚里士多德,似乎英俊、优雅。不过。古代略带贬意的传统说法是,亚里士多德长着细长的腿、小眼睛、说话口齿不清。于是,他便用考究的着装弥补这些肉体缺陷。他的斗篷和便鞋质地精良,还佩带戒指。据推测,他很富有,出身大户人家。收藏书籍是他花钱的方式之一。柏拉图对亚里士多德热衷于读书颇有微词,对他的富有不无妒嫉,称他为"读者"。亚里士多德是一个学者,却也不乏激情。有这样一个故事:柏拉图颂读他的《斐多篇》,内容是记叙苏格拉底的最后日子。这篇对话感人、庄严。然而,柏拉图朗诵之际,听众逐渐散去。最后,只剩下亚里士多德一人。杜撰这样的轶事,大概只是为了说明一个事实:柏拉图力陈苏格拉底的灵魂不朽学说,使亚里士多德为之倾倒。不仅在理智上引起兴趣,情感上也激动不已。他的最早著作是在学园时撰写的一部对话(现在已经佚失,只剩残篇),该书在一定程度上探讨来世,而不关心现世。这些掌故,反映了亚里士多德仁厚、慈善的秉性,却很难表现他的妄自尊大,尽管一些学者自以为能从他的著作中识其破绽。亚里士多德的遗嘱保留至今,同样显示了仁厚的性格,他提到自己幸福的家庭生活,对孩子关怀备至,对仆人彬彬有礼。这种个人幸福也反映在《论哲学》一文中。此文也许是他最后一篇文字严谨的著作,大约于公元前348年完成;之后,便将全部精力投入研究、教学和专题论文的写作。《论哲学》虽然仅剩残篇,但对后人影响颇深;也许,没有任何一部著作像它那样,将哲学确立为一门职业。从残留的片断看,亚里士多德规定了哲学家的特殊地位。他把文明史的发展分为五个阶段,哲学的出现是历史发展的顶峰。第一阶段,人们必须生产生活必需品,否则,人类就无法生存。第二阶段,创造艺术,美化生活。第三阶段,为了美好的生活,必须创造政治艺术。第四阶段,需要知识,懂得如何恰当地使用必需品,如何美化生活。只有国泰民安,才能赢得闲暇,从事理性的冒险,开始研究现存事物的物质原因。第五阶段,从自然哲学转向神的哲学,此时,心灵已经超越物质世界,把握事物的形式因和目的因,认识实在的理智方面,捕捉一切变化的目的。

神的哲学注重超世之神。亚里士多德为了发现宇宙的完美秩序,在雅典经历了长期的理智探索。柏拉图将学生的注意力引向数学,亚里士多德却懂得,完美并不限于数学的抽象,可见的宇宙可以看作神的化身。他认为神与其所造的物质世界密切相关,乐观地肯定了现世的价值;同时,也反对柏拉图的灵魂学说,因为按柏拉图的说法,灵魂囚禁于肉体之中,必须努力摆脱物质的束缚。正是这些创举,确立了亚里士多德在思想史中的独特地位。

著作 亚里士多德的著作分两类,一类是自己发表,现已佚失的;另一类是未经本人发表,实际上,根本不打算发表,而经他人搜集并保存下来的。第一类包括:①亚里士多德称之为"通俗易懂的"或大众化的著作,即对话体或其他流行体裁的作品,供一般读者阅读;②他所说的备忘录和搜集的资料,这部分只残存一些片断。一般保存下来的著作叫做"口传的"作品或文稿(逻辑学、方法论、法学),在亚里士多德的学校里使用,文风简洁明快,富有个性。古代后期,亚里士多德的著作尚有数百卷;今天,幸存30部著作,约2 000多张印刷页。三本古代目录罗列的亚里士多德的独立著作达170种以上,参考文献、现存论文目录、早期评论者的大量引文和解释等等,都证实了这个数字。西塞罗的《学园派》说"亚里士多德平和的风格宛若……一条金色的河流",此时此刻,必然提及亚里士多德的通俗对话。现存著作包含许多优雅的散文,但绝大多数都经过删减。

亚里士多德发表、现已佚失的著作 佚失的著作包括诗和书信,也包括柏拉图式的论文和对话。有些学者试图修复这些著作,却面临许多问题。例如,佚失的对话似乎与幸存的著作完全背道而驰。的确,它们似乎超越柏拉图的学说。因此,人们熟知的对话《欧德摩斯》,或《论灵魂》,将灵魂与肉体的关系比作非自然的连接,如同捆牲畜一样把它们缚在一起,无异于第勒安尼海的海盗行径。亚里士多德的现存论文,批判了他的柏拉图主义的朋友,反对他们把灵魂和肉体视为仇敌,所以,公元2世纪后期,著名的亚里士多德注释家亚历山大提出一个问题:他是否表述了"两个真理",一个是"通俗的"真理,适合广大民众的口味;另一个是"玄奥的"真理,为吕刻昂的学生而保留的。目前,学者一致认为,亚里士多德的通俗作品,一般是早期创作的,那时尚未离开柏拉图的学园,展示的也不是他的"大众"思想,而是不成熟的思想。佚失的著作主要有《欧德摩斯》,承袭了柏拉图

《斐多篇》的传统;《论哲学》,一个哲学大纲,其主题后来为《形而上学》所发挥;《劝勉篇》提倡过哲学的生活;还有《论修辞》;《论正义》是《政治学》的雏型;《论理念》批判了柏拉图的理念论。

现存著作 保留下来的亚里士多德著作,均出自他身后的遗稿;其中许多可能是他的讲稿。都是"深奥的"著作,带有浓郁的学院派气息,目的是启发听众。这些手稿如何保留下来,古人有详细记载,颇有浪漫色彩;例如,普卢塔克的《苏拉》第26章,斯特拉波的《地理学》13:54。据文本记载,亚里士多德和泰奥弗拉斯托斯的草稿都留给一位老同事尼留斯,但是,他们的继承人显然对内容不感兴趣,只是为了不被帕加马国王图书馆抢去充公,才把它们藏在塞普塞斯的一个地窖里。很久以后,直到公元前1世纪,他的后代将手稿卖给哲学家阿佩利孔,带回雅典。公元前86年,苏拉征服雅典,将手稿劫到罗马,后来,为文法学家提兰尼翁购买。手稿进一步遭受摧残,先是抄写者,然后是对残损页的修复工作,全凭主观想象,至于系统的安排,则全然不顾实际的年代顺序。这种状况一直持续到安德罗尼卡(吕刻昂的最后一位主管),他将抄本重新编辑,约公元前60年将其发表。但这个传说不太可能,很难想象,吕刻昂徒子徒孙,居然容忍他们奠基者的手稿遭受如此漫不经心的对待。现已获知,公元前2世纪,泰奥弗拉斯托斯死后,人们对"玄奥"作品并非一无所知。安德罗尼卡四处张扬版本的故事,无非是强调它的新奇,不过,安德罗尼卡的版本,的确是亚里士多德著作的第一次出版。现在研究的亚里士多德的文本形式、标题和次序,都是由安德罗尼卡制定的,当时,这位哲学家已经死了3个世纪,后来漫长的评注史,也是从此时开始的。这些事实影响到对亚里士多德的解释。今天看到的亚里士多德著作,实际上不是他编辑的。例如,亚里士多德不是一部题为《形而上学》的著作的作者;确切地说,他写了一系列短文:论哲学史上的因果关系理论、论主要的哲学问题、论某些重要哲学术语的多重意义、论活动和潜能、论存在和本质、论数学哲学、论神,等等。编者把收集的这些有价值的论文,赋予"形而上学"的书名,即物理学之类的读物。因此,亚里士多德的《形而上学》和其他著作,每每缺乏整体性或清晰的思想脉络,时常重复,甚至自相矛盾,也就没什么可奇怪的了。此外,文本使人感到,吕刻昂学校的学生和后来的成员,甚至改变了亚里士多德的论述。亚里士多德大概不想发表这些著作。安德罗尼卡在先前一些编者的协助下,把逻辑和次序加于全部作品,这一举措无疑受亚里士多德的影响,因为他强调逻辑学是一切知识的基础。由于忽略了论文的年代顺序,将不同时期的论文集合在同一标题下,编者才能把他的著作铸成一个整体。亚里士多德本人可能从未用这种方式设想自己的作品。亚里士多德的论文展现一位哲学家的工作。规定要探讨的问题,评估前人的思想,系统论述自己的初步意见,根据困难和反对意见考虑是否修改,复审不同角度的论证,总而言之,孜孜不倦地求索,寻求解决问题的最佳方案。因此,读者看到,亚里士多德的工作不是教条地提出一个学说,而是从难题、矛盾和悖论中,勤勉地阐发一种视角或洞见。也无需为亚里士多德的论文很少出现三段论而惊讶;不过,读者将在其中发现一种结构,亚里士多德称之为"辩证的",即彼此交流赞成和反对意见的对话方式。

亚里士多德思想演变的各种学说 从2世纪后半叶亚历山大的结论开始,便确定了亚里士多德学说的差异:一方面是论文表述的学说(专门作品流传至今),另一方面是通俗的柏拉图式对话(通俗著作,只剩残篇)。近17个世纪以来,正统观念认为,论文是亚里士多德思想的真正来源;19世纪的德国学者罗斯提出,所有佚失的对话都是伪作,因为他们的学说与论文的不一致。其基本设想是,像亚里士多德这样思维严谨而系统的人,理应保持逻辑的一致性,断然不会放弃已经形成的意见。

耶格尔的发展理论及反驳 20世纪前半期,英国学者凯斯提出亚里士多德思想发展理论。德国希腊哲学史家耶格尔在其著作《亚里士多德形而上学起源研究》(1912)以及后期著作《亚里士多德:发展史基础》(1923)当中,详细阐述了这种理论。他运用历史发生法,宣称亚里士多德大部分佚失著作代表学园时期的思想且直接受柏拉图影响:当时,他涉及灵魂不朽、蔑视物质世界、理念"回忆"说、智慧至尊、禁欲主义,神的存在等问题,柏拉图的痕迹清晰可见。这些对话面向广大听众,文风优雅,令古典作家倾倒。不过根据耶格尔的看法,早在学园时期亚里士多德已经开始偏离柏拉图的立场,反对柏拉图的某些论点,逐渐从柏拉图的唯心主义转向明显的经验主义。批评家对耶格尔的革命理论作出反应,指出这种分析将引起十分复杂的问题,因为正如前边所说,亚里士多德现存作品经历了一个形成过程。安德罗尼卡的编辑,是将不同时期的文本汇集一起,因此,《形而上学》几乎涵盖亚里士多德的一生,《政治学》也是如此。同一篇文章,甚至同一个段落,常常可以分辨不同思想阶段的不同因素:学园期、成熟期、离开雅典后的游历期,以及吕刻昂的经验等。吕刻昂的经验还可以细分:上午,带着得意门徒授课,午后,与雅典的一般听众会面。即便如此,确定论文的年代依然有重大障碍。亚里士多德学术生涯的绝大部分作品用不同方式几经修改很难确定写作时间。况且,耶格尔的一个重要假设十分可疑。他假定,亚里士多德在学园早期,最晚,甚至到第一个雅典期结束(公元前347年)以前,始终与柏拉图一致。这个假设片面武断,不足为凭。人们也可以设想相反的情形:自信的青年亚里士多德向柏拉图提出强劲挑战,但是后来逐渐认识到恩师哲学主张的深远意义,便毫不踌躇地将自己的思想与柏拉图的一个或更多的论题结合起来。通常认为亚里士多德的逻辑学著作《论题篇》是早期作品反映学园时期的讨论,《欧德摩伦理学》则是亚里士多德的第一个伦理学教程,二者都表现出强烈的反柏拉图倾向。倘若涉足亚里士多德的心理学,耶格尔的理论便能自圆其说,1939年,荷兰哲学史家纽因斯证明了这一点。他认为,《欧德摩伦理学》和《劝勉篇》是早期作品,起初亚里士多德是柏拉图主义者,将灵魂描述为独立实体,与肉体保持超自然的关系;接着有一个过渡阶段,将肉体描述为灵魂的工具,灵魂的功能与舵手相类似;后来是《论灵魂》阶段,将灵魂看作自然形体的形式或现实性,更清楚地表明肉体和灵魂是实体的统一。另一些亚里士多德权威则指出,这种直线性思想发展,很少出现在他的作品中。即便心理学著作,依然关注形而上学问题,并不因为生物学阶段的介入而停止,而且一直延续并扩展到吕刻昂实验阶段。这种科学思想和哲学思想同时并举的情况在《形而上学》诸卷尤为明显。

德国学者齐谢是另一个极端,他在《亚里士多德的著作和精神》(1952)一书中断言,亚里士多德的思想一直属于柏拉图派,而所有带逍遥派特色的哲学观点,都属于他的学生和继承人泰奥弗拉斯托斯,亚里士多德现存著作的3/4左右,其真正作者是他。根据这个理论,亚里士多德的思想发展根本没有青年老年之分;只有柏拉图派的亚里士多德和反柏拉图的经验主义者泰奥弗拉斯托斯。尚未发现有人响应这种怪论。相反,瑞典学者杜林于1966年提出,亚里士多德从未真正赞同柏拉图的先验理念论,一生只对经验的考察和形而上学的沉思感兴趣。杜林像齐谢一样,认为根本无需设想亚里士多德思想的基本变化和发展。

近年对亚里士多德思想发展的分析和系统化 研究亚里士多德的学者大都承认,亚里士多德思想演变的看法有一定根据,但是要确定年代以及变化的程度则存在一系列的困难。完全可以赞同耶格尔的看法,主张亚里士多德的早期学园时代承认柏拉图的理念论,后来又反对这种理论。不过,至于后来他摆脱柏拉图的影响,放弃诸如灵魂不朽或最终用神命名终极存在的宗教哲学思想则是另一个问题。随后阶段,越来越注意感觉材料,但是并不足以证明出现了一个经验主义的亚里士多德必然反对唯心主义的柏拉图。诚然,亚里士多德后来批评理念论不充分、有矛盾,但是他依然承认要说明事物的存在,必须借助形而上学思想,获得先验的、非物质的、现存的理智概念。因此,现代评论家一致认为,亚里士多德虽然日益赞赏经验知识和物质运动,但并未完全抛弃柏拉图的唯心主义。相反,除了生物学和物理学之类的经验性著作,他始终坚持知觉与思想,事物偶然性与事物本质之间,存在着重大差异。

仅从编者和抄者的介入出发,或从亚里士多德思想的不同阶段寻找原因,都不足以说明他的著作何以强调不同的思想,何以存在如此巨大的差异和矛盾。显然,他的所有文章都试图将自己的观点与以前的全部思想史联系起来。他在阐发自己思想发展的同时,往往陈述各种不同的观点,分析其可能性。他经常有意地采用怀疑方法;也就是说,提出必须面对的种种困难,却不给予直接的或确定的答案。面临柏拉图留下的一大堆问题,亚里士多德真诚地追求自己的理想,即修正和完善遗留给他的理智传统。为了这个目的,他常常采取彼此平行且大相径庭的研究途径。他的方法是探索性的，用它可在肥沃的土地自由耕作。只是稍后的时期，他才将自己的成果视为一种成功。亚里士多德的哲学，不是简单地从假设推导结果。而是从怀疑和问题开始，循序渐进，反复尝试，最后找到解决办法。充满乐观精神的亚里士多德，希望自己的最终成果是可靠的知识整体，经过系统组织和推演证明。但是，他的研究方法不是演绎的，精致完美的体系依然是理想，并没有完成。

亚里士多德著作梗概　*逻辑学著作*　“逻辑学”一词不是亚里士多德发明的，可追溯到学园的色诺克拉底。不过，亚里士多德赋予语言（逻各斯）和交谈规则以广泛的意义；他强调语言是人类独有的，并将人定义为理性动物，在希腊文中，理性动物也意味着拥有语言、言说或词语的动物。亚里士多德认为，语言的目的是表达灵魂的情感和经验，因此语词是思想及其他精神现象的符号。

亚里士多德的逻辑著作汇编成集，总名为《工具篇》。后来的注释者选用这个标题是根据公认的逍遥派传统，将逻辑学视为哲学研究的工具。亚里士多德认为，逻辑学不属于科学分类，而是研究各门知识的前奏。亚里士多德本人给逻辑学取名为“分析学”。不过，亚里士多德的作品，只是狭义地使用“逻辑”一词；例如《论题篇》1∶14。有迹象表明亚里士多德逝世不久，逻辑学就开始用作辩证法或分析学的等价物。《工具篇》包括如下文章：《范畴篇》、《解释篇》、《前分析篇》、《后分析篇》、《论题篇》以及《诡异的驳难》。文集的顺序按体系编排，不是按年代。实际上原来的年代很难确定，显然亚里士多德或其他编者，后来插进了某些内容补充前面的论文。写作顺序可能这样排列：《范畴篇》、《论题篇》、《诡异的驳难》比《解释篇》早，《解释篇》又比《前分析篇》和《后分析篇》早。《前分析篇》论述模态逻辑的章节，或许是最后完成的，是亚里士多德对《工具篇》的补充。除《工具篇》外，《形而上学》第4卷，也可看作是逻辑学著作，确实讨论了思维的某些普遍原则（不矛盾律，排中律等）。《范畴篇》区分了两种表达方式，一种体现命题的整体联系，另一种则没有；也就是说，区分了复合陈述与简单项，前者能将主谓词联系起来。命题的整体联系可上溯柏拉图，但是探讨简单的表达方式则是亚里士多德的创造。他认为，简单表达既不真也不假，可用以下范畴表达事物：实体、数量、性质、关系、位置、时间、地点、状态、动作以及承受。尚不清楚这种分类主要是本体论的（涉及实在的本性）还是语言的，也就是说，究竟讨论实在事物还是讨论语言或表达。实际上自亚里士多德以后提出的所有其他范畴体系，都同样具有模棱两可的特征。亚里士多德后来把范畴纳入实在理论，用它们批判柏拉图的理念论。在他看来，柏拉图将实体范畴与其他范畴混为一谈，例如，他将实体的存在或者具体存在归于美或智慧之类的性质。《范畴篇》的第5章，把实体范畴分为“第一实体”和“第二实体”。第一实体指特殊的人、特殊的马、特殊的石头等；第二实体指统摄个体的种和属。亚里士多德将种和属看作派生的实体。然而，在《形而上学》里，属和形式是第一实体。可以肯定，亚里士多德的观点不十分明确，所以，一些学者认为，《形而上学》回到了更多柏拉图味道的本体论概念。《解释篇》一开始，扼要地讨论了句子的简单成分，诸如“名词”和“动词”；随即考察各种各样的完整句子，以及句子之间的逻辑关系（反对、矛盾、蕴含）。该书第一次论述了“模态”句子（“……是可能的”；“……是必然的”）；对“未来偶然事件的”的讨论也颇为著名。（如果明天肯定会发生海战，那么，何以认为它是偶然事件？如果已经确定其真，海战不就是必然的？亚里士多德的回答是：有关未来的某类句子，既不真也不假。）

《论题篇》像是一部手册，供论战的人使用。绝大部分是探讨如何寻找论据，证实或否定已知的命题；它阐释了一般的逻辑规律。

《诡异的驳难》揭露种种貌似真实，实则虚妄的推理形式。虚妄论证的实例是“用未经证明的假设论证”或“循环论证”（例如，这种“证明”：因为灵魂是不朽的，所以，死后灵魂继续存在。）；还有“后件虚妄”或用虚妄的后件为前件辩护（例如，如果人是酒鬼，他就会一贫如洗；彼得一贫如洗，所以他是酒鬼）；“不切题结论的虚妄”，论辩者没有证明争论的事实，而把注意力集中于其他无关的事实。

《前分析篇》的主要成就是阐发了逻辑体系，即现在众所周知的三段论。三段论是一种论证方式，由三个命题组成（两个前提，一个结论）。下面是一个典型的、有效的三段式：所有希腊人都是人，所有人都会死，……所有希腊人都会死。两个前提或是肯定的，或是否定的，都包含两项（主词和谓词）和一个量项（“所有”、“有些”、“没有”）。此外，命题或是“直言的”，或是“必然的”，或是“盖然的”，它们表示：某物是什么，或必然是什么，或可能是什么。“所有人必然是理性的”是必然命题或肯定命题；数量上是全称的（“所有”）；主词是“人”，谓词是“是理性的”。《前分析篇》以惊人的严谨和精细，考察了三段式的各种可能形式。

《后分析篇》试图将逻辑理论用于科学和认识论的目的。他探讨科学知识的正常结构，强调每门科学必须依赖一系列的第一原理或公理，它们必然为真，可直接认识。从公理推演出来的真理（或定理）构成科学，公理使它们具有必然性，对它们做出说明。亚里士多德希望一切科学推理，均由必然的三段式构成。因此，《后分析篇》的第2卷，致力于“定义”理论，亚里士多德认为，一切科学最重要的公理，就是为主题做出准确的定义。例如，在几何公理中，有三角形的定义——说明三角形是什么，或三角形的本质是什么。

自然哲学著作　亚里士多德的《物理学》探讨一般的自然物体，或一切有形体的东西；其他物理学著作，如《论天》或《气象学》等，则探讨特殊物体。《物理学》第1章，讨论自然物体内在的构成要素，称之为“质料”和“形式”；即，变中之不变的基质和决定变化的特征。第2章主要讨论物理学家研究的不同原因，刚才提到了质料因和形式因，还有目的因和动力因，即事物生成的目的和动力。第3章至7章讨论运动及其概念，包括空间、位置、时间、以及它们的量值和连续性。第8章的主题是第一推动者。第一推动者本身不是自然物，却是一切自然物体运动的原因；对它的必然属性（如不动、永恒）也进行了考察。亚里士多德的物理学著作，无论有什么优缺点，无论清晰还是晦暗，都假定物理学与形而上学（“第一哲学”或者存在之存在的科学）之间的差异确凿无疑。亚里士多德的全部科学基础是自然的连续阶梯概念：从无机物直到生物的和心理的现象，但是存在的等级并非一直通到神，也不能将一切功能统统归于某些物质器官。亚里士多德科学的基础是多重分类系统，不是相互排斥、独立存在的种和属的简单构架。现存的变化事物有不同原因，致使自然科学拥有不同主题。《论天》将《物理学》讨论的一般原理用于整个宇宙（《论天》断言，世界空间上是有限的，时间上是永恒的）；《论生灭》和《气象学》则将其用于无生命界。《论生灭》泛泛地探讨亚里士多德体系的四“元素”（土、气、火、水）及其相互关系；亚里士多德格外关注元素的变化问题，一种元素可以变化，并成为另一种元素。从现代观点看，《气象学》是论题杂记——天文学（如彗星）、几何学（如河流）、化学（如燃烧）、气象（如彩虹）。除了物理学的一般原理和元素论之外，亚里士多德还依赖另一个假设：地球不断放出“发散物”，有的潮湿，有的干燥（蒸汽和烟雾），他试图根据发散物的运作，解释各种现象。

《物理学》的原理，同样明显地体现在亚里士多德的生物学和动物学著作中。《动物志》（希腊原名译作《动物研究》更贴切）最庞大，主要描述不同动物种类。其中一些描述（甲壳类动物的描述）尤以细腻、精确而著称。一些学者认为，《动物志》不过是堆积原始素材的仓库，虽然通过科学考察搜集而来，却未加整理和归类。另一些学者则认为，亚里士多德很重视生物分类，把动物世界分为种与属。真理恐怕在两种见解之间。既没有成熟的亚里士多德分类，也没有属与种的确定体系。不过，《动物志》并非无序的大杂烩，它的主题是精心安排的，其中大有讲究。无论如何，《动物的结构》和《动物的生殖》主要是科学的和解释的，虽然也提供大量的经验材料。亚里士多德研究了各种动物器官及其“结构”的性质和功能；不仅要描述、列举它们，也想根据不同动物品种之间的相似，尤其根据动物身体和行为的功能，“解释”它们。亚里士多德的目的论解释在这里最为明显，他说：“自然并非白费力气”，严格说来，他并不主张，动物的一切特征都可用功能来解释（例如，眼睛的颜色是偶然的），但是，这种解释有说服力，是优秀科学的标志。《动物的生殖》专门考察繁殖和生长问题。雌雄双亲对胚胎产生何种影响？什么性征遗传下来？谁遗传的？如何遗传？胚胎如何生长发育？更重要的是，它们如何获取不同的官能构造灵魂？亚里士多德这部最成熟的科学著作，最清晰地展示其方法的优与劣：一般情况下，他谨慎、细致、精确；阐发理论的解释，又不让理论损害观察；试图开创一门真正的科学事业；另一方面，他的知识以及获取新知识的方法，有明显的局限性，至少一些理论概念是粗糙的、不充分的。生物学著作还包括两个短篇，讨论动物的运动，题目分别为《动物的运动》和《动物的行进》，亚里士多德试图将刻板的机械说明与心理学讨论结合起来，前者主要根据身体生理学和媒介的性质解释动物的运动，后者则从精神前提（知觉、思想、欲望）出发解释动物的行为。这种尝试不很成功。

心理学著作 《论灵魂》透过感觉和理智生活，探讨主动原则与被动连续体的关系，即形式与质料的关系。亚里士多德首先考察生命的概念和条件，然后，将人类生命中质料和形式（肉体和灵魂）的功能，与生命的一切生物现象和心理现象联系起来。关于灵魂的性质问题，他既反对柏拉图的先验论，也反对苏格拉底以前的唯物主义理论。灵魂作为机体的形式，由一系列有序的机能组成；按等级排列，为营养、知觉和理性。营养机能为一切生命所共有，主司生长和滋养；知觉机能为一切动物所共有，主司视、听、嗅及运动；理智机能为人类所独有。亚里士多德详细论述了知觉样式（除了五种感官及其对象之外，还假定一种"共感"，将五种感觉统一起来），艰难地阐述了思想（将"主动"理智与"被动"理智区分开来）。该书还讨论了动物的运动及其先决条件——想象和欲望。

《自然小品》是中世纪的书名，一本讨论自然功能的短文集，通过一系列短论，为《论灵魂》作补充。主要研究感官和可感物、记忆和回忆、睡眠和清醒、梦兆、长寿和夭折、青年和老年、生和灭、呼吸作用等。

形而上学著作 形而上学的研究（连同三段论及不同前提）是亚里士多德的创造，其功能和内容，既非信仰，亦非某些主题的统一意见。《形而上学》阐发了一种学说，有时称为"智慧"，有时称这"第一哲学"，有时甚至称作"神学"。其任务是描述实在的最普遍、最抽象的特征，以及普遍有效的原则。亚里士多德有一段著名（令人误解）论述，将形而上学的对象描写为"作为存在的存在"。意思是说，存在物之为存在的一切，都是形而上学的研究对象，形而上学研究一切存在物必须满足的一般条件。《形而上学》的第 1 卷，预备性地讨论了因果解释问题。他考察前人的各种解释形式，发现自己的"四因"说揭示了他们一直追求的真理。此番论述，是苏格拉底以前的哲学乃至柏拉图哲学的主要资料来源。第 2 卷简明地讨论了科学原理。第 3 卷提出许多形而上学难题。初步讨论这些难题：其中绝大部分（不是全部），在《形而上学》后几卷详细阐述。第 4 卷阐释亚里士多德的"第一哲学"概念，即对存在条件的一般研究，包括矛盾律（"不能既是 P 又是非 P"）和排中律（"或者 P，或者非 P"）。第 5 卷有时称作亚里士多德的哲学辞典，致力于解释一些模糊的哲学术语；亚里士多德对大约 40 个关键词的用法，进行分析和甄别。第 6 卷返回第 4 卷讨论的问题。第 7 卷至第 9 卷是一个整体。这几卷是亚里士多德最晦涩的作品，根本无法概括。提出的问题是：什么是实体？世界，即独立存在、可认识、可定义的万事万物，其基本成分是什么？亚里士多德的讨论相当曲折。涉及质料和形式、实体和本质、变化和发生、现实和潜能等观念。亚里士多德的结论似乎是，实体在某种意义上是形式。并不是柏拉图式的抽象理念，而是具体的特殊形式。它们是用这类短语称谓的事物："这个人"、"那匹马"、或"这棵橡树"。第 10 卷是独立论文，论"一"，即讨论整体、连续、同一以及相关概念。第 11 卷简单概括了《物理学》和《形而上学》前几部分，通常认为是伪作。第 12 卷阐述亚里士多德的"神学"。他问道，必须设定多少原因才能解释世界，最终获得神的概念，或不动的第一推动者概念。不过，亚里士多德的神，不是对现世感兴趣的人格神。而是纯理智的，对现世的盛衰漠不关心（不动的推动者概念蕴含此义）。另外，第一推动者不是暂时意义的。它不是世界的创造者，而是一切运动的源泉，实际上，亚里士多德认为，世界根本不是创造，而是从来就有的。就此而言，第一推动者是世界万物的终极原因。最后，第 13 卷和第 14 卷长篇讨论数学对象的性质，绝大部分内容是批判柏拉图的。

伦理学和政治学著作 亚里士多德强调，理论科学与实用科学有截然不同的目的，实用科学不同于理论科学，其目的是操作事物，而不是思考、定义或认识事物。因此，《尼可马亥伦理学》开篇，便说明实用科学之所以不如理论科学精确，是因为其主题不仅涉及可明确定义的具体事物，还包含可得亦可失的习俗和技艺、社团和制度，它们的变化影响着政治活动的实施和道德目的实践。生物学或心理学的定义无论多么精确，由于环境因素、教育背景、家庭影响、经济状况、社会阶层、生活方式、甚至闲暇交往的不同，作为道德主体和公民的人，都会随之发生变化。

亚里士多德把伦理学与政治学联系起来，试图证明由于道德问题影响个人，所以它们彼此不可分割，与政治方面的问题也密切相关。因此，《尼可马亥伦理学》和《政治学》只是角度不同，研究范围是相同的，二者相互补充。他根据个人的潜能探讨道德问题，但是，实现这些潜能的能力，则依赖政治环境。因此，《尼可马亥伦理学》的第 1 卷第 1 章，一开始就把道德研究引入政治哲学的广阔领域，第 10 卷结尾，从幸福生活和沉思生活的考察，转向一种敏捷的陈述，将法律归结为道德问题，完成了从伦理学到政治学的过渡。

亚里士多德的伦理学研究是目的论的；也就是说，他讨论道德，不是根据道德的绝对性，而是根据什么有益于人类之善。于是，他考察各种各样的善，最后将最高的善与幸福统一起来。他详细考察了幸福概念，将幸福定义为符合德性的灵魂活动。亚里士多德区分了道德美德和理性美德，分别由灵魂的非理性力量和理性力量所决定。不过德性不是与生俱来的，而是逐步获得的，随着时间的推移而逐渐发展。例如，儿童开始说真话，仅仅是遵从父母的教诲，不知道其间的道德真谛；最后，诚实的习惯成为道德秉性的积淀。亚里士多德还区分了美德与邪恶，美德定义为"中庸"，或中间状态，极端过分和极端不足都是邪恶；例如，勇气介于怯懦和鲁莽之间。亚里士多德定义了人的最大幸福，以此结束他的讨论。幸福是符合道德的行为，因此，最大幸福应该符合人的最高美德。这就是将人与其他动物区分开来的活动：理性活动或符合理性的活动。所以，理想的幸福在于理性的沉思生活。另一方面，亚里士多德承认，政治生活（符合道德美德的活动）也能带来幸福，虽然是"较低级的幸福"。

《政治学》讨论人类的活动和交往问题，主要涉及以幸福生活为核心的公共生活目的。但是，选择政治目的，需要详细考察适当的标准，用于不同人及其境况。亚里士多德提出，人"天然"是一种政治动物，并以此为前提，阐发国家理论，区分不同的制度，讨论适应不同特殊环境、特点以及公民状况的最好国家。他还探讨了政治动乱和革命的性质及原因。《政治学》最后两卷（描述理想国家，未完成）主要讨论教育问题。

艺术和修辞学著作 亚里士多德根据目的因分析修辞，修辞的目的是说服。它像辩证法一样，不是科学，因而没有特定的主题、单一的方法，以及严格的原则。它是一种能力，可在一定场合运用得体的说服方法。在亚里士多德看来，演说者可以采用三种方式：自身品格的说服力，激发听众的期待感，证明或明确的证明。

亚里士多德的《诗学》分析诗，仔细剥离诗的特性。他把诗与历史相比较，指出，诗比历史更有哲学味，因而具有更大的内在价值。差异不在形式（用韵文书写的历史也是历史）而在这一事实：历史学家讨论的是个别（即特殊事件和特殊个人）。诗则创造典型和情境，虽然只是摹仿自然，但与一般颇为相似；也就是说，诗描述可能之物，仿佛它们既可能又必然。亚里士多德把诗与雄辩术加以类比，同时考虑二者的道德、政治和教育影响。在现存著作中，亚里士多德分析的唯一诗体是悲剧，他根据形式，而不是目的，将悲剧定义为摹仿，既非说服亦非激发。因此，第 6 章有关悲剧的著名定义指出：悲剧是用戏剧形式，摹仿重大的严肃行为，从而达到净化情感的目的。亚里士多德用这种定义作基础讨论诗歌，并根据悲剧六要素的特性和相互关系，考察诗的艺术；六要素包括：情节、角色、思想（摹仿对象）、朗诵技巧、旋律（摹仿手法）和表演（摹仿方式）。《诗学》的最后四章，细腻地将悲剧与类似的诗，特别是史诗加以比较，从而回到更一般的价值问题和目的因问题。

解读亚里士多德 歌德把亚里士多德哲学比作金字塔，从广阔的地基拔地而起，规则地上升到相当的高度。由于亚里士多德哲学的每部分都有助于理解其他部分，因此与绝大多数哲学家的著作相比，初读亚里士多德的著作根本不可能准确、充分地理解它们，若要发现基本概念与方法论的联系必须反复阅读。面对构成煌煌巨著的众多素材，读者最好从与自己相关的重要问题入手。亚里士多德本人常常重申，研究者首先集中于感觉经验从熟悉的事物开始，然后考察事物的基本概念，努力使知识系统化，制定特殊科学的原则。的确，他经常把研究和发现的过程与证明的过程区分开来。

可以通过两个途径认识亚里士多德的思想：①亚里士多德学说的流风余韵构成西方文化语言，或渗入西方思想传统，或伴随西方科学史。②详细研究他的著作。亚里士多德学术研究的发现和论述，如果换一种形式（依然是西方思想和信仰的一部分),很容易为西方文化传统的人所理解。因此,第一次阅读亚里士多德似乎可以不按传统的编排顺序,采用颠倒的顺序,先考察他的结论和分析,然后再研究原理。例如,亚里士多德关于诗学和修辞的论述,无论分析方式还是体系构成远比现代作家的论述更复杂、更艰涩;不过,与物理学和形而上学相比,这个领域还是比较接近现代的思想。同样,他的道德理论和政治理论随着历史的发展得到许多甄别和说明,现代读者无需过多的批评便可决定取舍。

读者一旦牢固地把握亚里士多德的分析方法,并能深入地体会它,就可以理解《工具篇》的逻辑学著作,亦可理解《物理学》对空间、时间和运动的说明。进一步可以探讨《形而上学》和《论灵魂》的复杂思想,随后可以根据更深刻的洞察力、更敏锐的分辨力以及更有力的论证,再次涉入伦理学和文学理论的研究,对先前得出的结论重新加以考察。一个研究者若能从自己的原则出发,探讨亚里士多德的结论,用亚里士多德的文本阐明自己的经验,那么,亚里士多德的价值就不仅仅是表述一种哲学,而且有助于心灵的陶冶。这个任务,在亚里士多德看来,应是所有人为之献身的,他的哲学对此做出的贡献,无与伦比。

Aristoxenus 亚里士多塞诺斯(活动时期公元前4世纪末) 希腊逍遥学派哲学家。古典世界第一位音乐理论权威。生于意大利南部的他林敦(现塔兰托),曾在雅典师事亚里士多德和泰奥弗拉斯托斯。对音乐和伦理学均喜爱,著作甚多,但大部分都失传。除音乐论文外,所著毕达哥拉斯、阿尔库塔斯、苏格拉底和柏拉图等人的传记以及对古毕达哥拉斯伦理学的重述都只有些片断保存下来。他认为灵魂之于躯体犹如合声之于一件乐器的各声部。这一理论似乎来自早期毕达哥拉斯学说。在音乐理论方面,他认为音阶中的音符不应当用数学比率判断,而应当用耳朵判断。他的音乐论著只有《和声学原理》和《韵律原理》中的部分内容还留存至今。其他著作的片断则由F.威尔利编订,收入他的《亚里士多德学派;正文和注解》(1945)的第2卷,卷名《亚里士多塞诺斯》。

Arita ware 有田瓷器 参阅**Imari ware** *伊万里瓷器*。

Aritan Stage 有田阶 日本白垩系的主要年代地层单元。位于高知阶之上、下宫古阶之下。与白垩纪最下部的世界性标准地层尼欧可木阶的上部相对应。以特殊的头足类菊石为特征。

arithmetic 算术 数学的一个分支,研究数的性质及其运算,内容包括数论的初等方面、测量的方法以及数值的计算。arithemetic源自希腊文arithmos,即"数"。

整数 确定一个有限集合里的元素个数的手续称为计数,计数所得到的数目(1,2,3,…,n,…)称为自然数(有些数学家把0也包括在自然数中)。把分别含n_1个和n_2个元素的集合S_1和S_2的元素放在一起形成一个新的集合S_3,则S_3包含$n_1+n_2=n_3$个元素,数n_3称为n_1与n_2的和,形成和的运算称为加法,用符号"+"表示。相同加数的和,例如$5+5+5$是一个确定的数,简记作5×3,数5称为被乘数,表示相同加数的数目的3称为乘数,其结果5×3称为积,符号"×"表示乘法。当用字母a、b表示数时,则$a\times b$常写作$a\cdot b$或ab。自然数的加法和乘法适合五条基本规律:加法交换律,$a+b=b+a$;加法结合律,$a+(b+c)=(a+b)+c$;乘法交换律,$ab=ba$;乘法结合律,$a(bc)=(ab)c$;乘法对于加法的分配律,$(a+b)c=ac+bc$。减法是加法的逆运算,两个数a和b的差$a-b$被定义为方程$b+x=a$的解,如果限制在自然数范围内,则两个自然数的差不总是存在的,如果存在,则可证明它是唯一的。自然数(包括0)能够被扩充到包括$1+x=0$的解(即数-1)以及形如$(-1)\times n$的所有乘积,其中n是自然数。这样扩充了的数集称为整数,其中与自然数(不含0)等同的称为正整数,而新引进来的称为负整数。k个相同因子a的乘积$a\times a\times\cdots\times a$记作$a^k$,数$k$称为指数,$a$称为方幂$a^k$的底。由定义可得指数的基本法则:$a^m\cdot a^n=a^{m+n}$,$(a^m)^n=a^{mn}$,$a^mb^m=(ab)^m$;由此又可推出:$a^m\div a^n=a^{m-n}(m>n)$。如果三个正整数$a$、$b$、$c$满足关系式$ab=c$,则称$a$和$b$是$c$的因数,或$a$整除$c$(记作$a|c$),并且$b$整除$c$;数$c$称为$a$的倍数,也是$b$的倍数。任给一组正整数$a_1,a_2,\cdots,a_k$,如果存在一个能整除其中每一个的最大整数$d$,则称$d$为$a_1,a_2,\cdots,a_k$的最大公因数。如果$d=1$,就说这些数是互素的。也存在一个最小的正整数$m$是这组数中每一个的倍数,称$m$为它们的最小公倍数。如果$a$和$b$是两个正整数且$a>b$,则存在两个整数$q$和$r$使得$a=bq+r(a\leqslant r<b)$,这称为除法算式,称$q$为部分商(当$r=0$时称为商),称$r$为余数。有一个求$q$和$r$的有效方法,即所谓的长除法。

有理数 两个整数相除,其结果(商或分数)包含了一种新的类型的数,即有理数。由于施行除法运算,自然数的范围被扩大了,变得比整数丰富得多。分数单位$1/d$由性质$d\times(1/d)=1$所定义。数$a\times(1/d)$被记作a/d,称为分数,可以看成是a除以d所得的商,d称为分母(它确定分数的单位),a称为分子(它指出被取出的分数单位的数目)。分数的分子、分母同乘以一个整数k不改变分数的值,因此每个分数能被写成两个互素的整数的商,这种形式的分数称为最简分数。从分数的定义得出:具有相同分母的两个分数相加只需将分子相加,分母不变。具有不同分母的两个分数相加时首先求出它们的分母的最小公倍数(称为这两个分数的最低公分母),使得它们的分母化成相同。两个分数的乘积是一个分数,其分子(分母)是这两个分数的分子(分母)的乘积。两个分数的商等于被除数与颠倒的除数(即分子分母互换位置)的乘积。整数和分数组成有理数,正整数的五条基本规律和指数法则都能应用到有理数。以10为分母的分数可以写成十进小数,例如$576/10=57.6$。小数的加减法与整数的加减法类似,但要特别注意小数点要对齐;小数的乘法与整数乘法类似,但要注意乘积的小数点位置的确定;小数的除法要先把除数和被除数扩大同一适当倍数,使得除数变成整数,然后用与整数的长除法类似的方法相除,也要注意商的小数点位置的确定。

无理数 毕达哥拉斯学派指出:给了一条直线段a和一条单位线段u,不一定总能找到一个分数单位使得a和u都是它的倍数。例如等腰直角三角形的直角边若是单位u,则据毕达哥拉斯定理,它的斜边长的平方是2,但是不存在任何有理数,它的平方会等于2。欧多克索斯建立了扩充有理数的必要技巧,他的贡献见于欧几里得的《原本》中。这个问题后来直到19世纪德国数学分析发展的近代时期才获得新的发展。习惯上,在直觉的基础上,承认对于每一条直线段和每个单位长度都存在一个数(称为正实数)表示这条线段的长,但是这些数不一定是有理数。把不能写成分数(即不能表成两个整数的商)的数称为无理数。每一个无理数能被有理数任意逼近,即如果a是无理数,ε是无论多么小的正有理数,则总可以找到两个正有理数a和b,它们之间的距离小于ε,使得a在它们之间。无理数的严密发展超出了算术的范围。无理数的使用大大地增加了算术的范围和用处。例如,如果n是任一自然数,a是任一正实数,则存在唯一的正实数$\sqrt[n]{a}$,称为a的n次方根,它的n次幂是a。求方根的运算称为开方。从有理数经过有限次加法、乘法、除法和开方所得到的数称为一个根式。根式有如下初等性质:

$$\sqrt[n]{a}(\sqrt[n]{b})=\sqrt[n]{ab},\ \sqrt[n]{\sqrt[m]{a}}=\sqrt[mn]{a},\ (\sqrt[m]{a})^k=\sqrt[m]{a^k},$$
$$\sqrt[mn]{a^{kn}}=\sqrt[m]{a^k},\ \sqrt[n]{\frac{a}{b}}=\frac{\sqrt[n]{a}}{\sqrt[n]{b}}$$

根式的理论由于引入负指数幂和分数指数幂能够大大化简:$a^0=1$,$a^{-n}=1/a^n$,$a^{p/q}=\sqrt[q]{a^p}\ (a\neq0)$。容易证明:指数法则和有理数的性质一起与根式的初等性质是等价的,例如

$$\sqrt[n]{a}(\sqrt[n]{b})=a^{1/n}b^{1/n}=(ab)^{1/n}=\sqrt[n]{ab}$$
$$\sqrt[m]{a^k}=a^{k/m}=a^{kn/mn}=\sqrt[mn]{a^{kn}}$$

求平方根的方法基于关系式$(a+b)^2=a^2+(2a+b)b$,在每一步,如果已经求得的平方根的一部分是a,则要找的剩下部分是b。例如求$\sqrt{1578.42}$,设$(a+b)^2=1578.42$,$a=30$,则$2ab+b^2=678.42$,为了确定$<b$的最大整数n,需要找出满足式子$(2a+n)n\leqslant678.42$的最大整数n(即9),试验除数是$2a+n=69$;在下一步$a=39$,$2ab+b^2=57.42$,仿此下去,可求得$\sqrt{1578.42}\approx39.72$。类似的方法可以求立方根,它基于关系式$(a+b)^3-a^3=(3a^2+3ab+b^2)b$。求三次以上的方根比较简便的方法是利用对数。

有许多无理数是以有理数为系数的多项式方程的根,但是还有另外许多无理数(例如π、e)并不是这样,它们被称为超越数。全体有理数和无理数组成实数,形成最基本的数系之一。

arithmetic function 算术函数 定义为整数并依赖于整数本身性质的数学函数。它与代数函数或分析中的函数不同之处在于,后者是依赖于对数进行的代数运算或极限运算。算术函数的例子包括以下的函数(它们

算术函数 $f(n)$ 等于能整除 n 的素数的数目

n	$f(n)$
1	0
2	1
3	1
4	1
5	1
6	2
7	1
8	1
9	1
10	2
11	1
12	2

同以下每一个整数 n 有关):①n 的因子的数目;②n 可以表示成一个指定整数的和或积的方法的数目;③能整除 n(包括 n 自身)的素数(**prime**)的数目。算术函数在数论、组合分析、计算机、概率论和数学分析中都有应用。在数学分析中它们作为幂级数的系数出现。

Arius 阿里乌(约250,利比亚～336,君士坦丁堡[今土耳其伊斯坦布尔]) 埃及亚历山大基督教司铎。在神学问题上倡导阿里乌主义(**Arianism**),认为基督是受造的、有限的,这种理论被早期教会宣布为异端。原在亚历山大一带提倡苦行修身,一方面宣讲新柏拉图主义,强调上帝绝对独一至善,另一方面对《新约》进行词义上的纯理性考证,提出他的论断,吸引大批追随者。约 323 年他写成诗歌体著作《宴会》,配合为劳动者和旅行者写作的大量歌偈,宣传他的理论。325 年尼西亚会议提出基督与上帝同样具有神性的信经,阿里乌拒绝签名,因而被宣布为异端分子,处以绝罚。阿里乌正当同教会商谈和解期间,猝死于君士坦丁堡街头。

Arius(river, Afghanistan) 参阅 **Harīrūd** 哈里河。

ariya-puggala 圣者 梵语作 arya-pudgala。上座部佛教用语,指已证得四种圣果之一的人。第一类圣者"入流",再生不超过七次即证得涅槃。第二类圣者"一还",再生人人世一次即证得涅槃。第三类圣者"不还",死后不再生人世而生人天界。但"不还"尚不能称为涅槃。上座部佛教的最高圣果是"阿罗汉",即已证得最后绝对解脱,不再生入人世或天界的人。

'āriyah 无代价借约 伊斯兰教法名词,指关于将物品借给某人在规定时期内使用而到期根据规定收回的契约。这种契约不适用于金钱借贷。根据法律,借用者用毕须将原物归还,如有损坏应负责补偿。根据无代价借约,穆斯林借物人可以允许债权人在一定的时期内使用自己的房屋、土地等财物以抵偿债款而保留对这些财物的全部所有权。

Ariyaramna(king of Persia) 参阅 **Ariaramnes** 阿里亚拉姆尼斯。

Arizona 亚利桑那 亚利桑那是一块充满矛盾的土地。虽然它以长有各种仙人掌和牧豆树的炎热的、低海拔的沙漠而广为人知,但该州大半土地在海拔 1 200 米以上,并拥有世界上最大一片常绿黄松树。众所周知,亚利桑那有一片片无水沙漠,但由于建有许多大型人工湖,它的湖岸线和船只的人均占有量在美国各州中几乎处于首位。像大峡谷和巨石谷这些蔚为奇观的地形已经成为该地区陡峭崎岖的国际象征;然而亚利桑那的环境却是如此脆弱,以至它在许多方面受到比纽约或洛杉矶更为严重的污染威胁。

亚利桑那 1912 年 2 月 14 日建州,为美国本土 48 个州中加入联邦的最后一个州。它位于美国本土的西南部,北接犹他州,东界新墨西哥州,南与墨西哥的索诺拉州毗连,西隔科罗拉多河与加利福尼亚州及内华达州的一部分相望。首府菲尼克斯(又译凤凰城)位于该州的南部。该州的名称取自 Arizonac,由帕帕戈印第安人的两个意为"旱春之地"的词衍生而成。

虽然亚利桑那的面积有 114 000 平方英里(295 260 平方千米),为美国第六大州,但根据人口学者对城市人口所作的统计,该州的居民人数则相对较少。19 世纪 60 年代以后,亚利桑那的经济便向工业和技术方面发展,远早于该州的农业经济,这个事实与该州作为原始社会以及那种过去的、与土地息息相关的纯朴性的最后庇护所的浪漫名声是不相符的。

自然地理和人文地理

土地 板块构造(巨大的、相对较薄的一部分地壳的移动)和水流侵蚀在很大程度上形成了亚利桑那的壮观地形。特别是太平洋板块和北美洲板块的碰撞,产生了主要的地壳构造力量,使地壳隆起,出现褶皱并拉长亚利桑那的地壳,形成山脉、盆地和高原。经过若干世纪,河流及其支流将其表面冲刷成独特的地貌。

地形 地方当局在亚利桑那两大自然地理区,即科罗拉多高原和盆地及山脉区,增加了一个过渡地带(或称中央高地)。亚利桑那东北部 2/5 的地区属景色优美的科罗拉多高原。亚利桑那的这些台地不像与犹他州毗连部分那样崎岖,主要由被阶梯状崖壁分断的平原构成。虽然这些台地被称作平顶山和高原,但却不像人们平常所讲的那样崎岖和难以进入。在这个被证明为易于穿越的地区,举世无双的科罗拉多大峡谷却是一个主要的例外。高原上是森林覆盖的火山,其中圣弗朗西斯科山的汉弗莱峰(12 633 英尺[3 851 米])和怀特山的鲍尔迪峰(11 590 英尺)是该州最高点。

科罗拉多高原南部 200 多英里(320 多千米)的边界,是一系列巨大的崖壁,统称莫戈永边缘。边缘的西、南两面,有些小溪沿着窄小的峡谷或宽阔的山谷,向南流经过渡地带,进入盆地和山脉区。靠近高原的过渡地带主要是一些互不相连的高原、崎岖的山峰及孤立起伏的高地,这些地方由于地势险恶,到 19 世纪后期才有人涉足该地的大部分地区。

南部和西部的盆地和山脉区是该州的第三部分,居住着该州的大多数人口,但没有使亚利桑那州闻名于世的大峡谷和平顶山,基本上是些广漠无垠的盆地或缓坡谷地。孤零零的山峰就像一个个岛屿坐落在荒芜的平原上。

与一般的沙漠相反,沙丘约占该州面积的 1%,极少见到多石的沙漠表层。河流泛滥平原的新土地为农业提供了更为适宜的土壤。

水系 实际上整个亚利桑那都位于科罗拉多河排水系统之内。希拉河及其主要支流盐河和韦尔德河目前是科罗拉多河流经亚利桑那州的主要支流。

盐河流入菲尼克斯西南的希拉河,怀特河、布莱克河和韦尔德河是盐河最主要的几条没有枯水期的支流。在偶尔发生破坏性的洪水期间,泛滥的河水顺流而下,冲过盐河上的许多水坝。希拉河发源于新墨西哥州西部的那部分莫戈永边缘,包括另一较小的莫戈永边缘支流圣弗朗西斯科河。亚利桑那南部的两条间歇河,圣克鲁斯河和圣佩德罗河,向北流入希拉河;而另外两条间歇河,阿瓜弗里亚河和哈西扬帕河,则从亚利桑那中部往南流入希拉河。除个别情形外,水坝和灌溉系统使希拉河的大部分河床缺水。

小科罗拉多河(从莫戈永边缘背风坡一边流出,并自东南向西北注入大峡谷和科罗

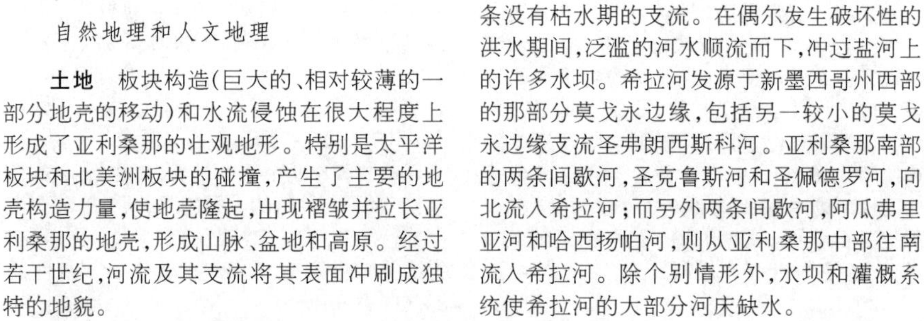

亚利桑那州科科尼诺国家森林奥克里克峡谷风光

美国不列颠百科全书公司供图

亚利桑那州的大峡谷国家保护区

美国不列颠百科全书公司供图

拉多河)从其广大流域流出的水量很小。由于莫戈永边缘背风坡的雨量小,小科罗拉多河通常只有一些细流,而且还常常断流。其他几条小的间歇河流,例如比尔·威廉斯河,流经广阔干旱的亚利桑那西部地区。

气候 亚利桑那的一半为半干旱地区,1/3为干旱地区,其余则为湿润地区。盆地和山脉区为丁旱和半干旱的亚热带气候,吸引了许多冬天的旅游者和新居民。由于日照充足,菲尼克斯1月份的平均最高温度为18°C。在盆地和山脉区,大部分地区冬季有时出现轻微的霜冻,在极度干旱的春季及中度干旱的秋季间或也降小量的雨。菲尼克斯7月份的日平均最高温度为41 °C,夜间平均温度则降至26 °C。

来自墨西哥湾的湿润空气出现在7月份,带来了两个多月无规律的有时还很猛烈的雷阵雨,当地人称之为"夏季季风"。菲尼克斯和图森两城7月的雨量大约为1英寸(25毫米)。冬季降雨来自太平洋。

科罗拉多高原的冬季有时凉爽有时寒冷,属半干旱气候。平均1英里的海拔高度和极地气团的直接影响,使得1月的平均最高温度和最低温度相差极大,温斯洛为8 °C和-7 °C。费拉格斯塔夫的全年温度一般为17 °C,比菲尼克斯凉爽。大部分地区的年降雨量为10～15英寸,其中莫戈永边缘和怀特山的降雨量在全州最多,达25英寸。

由于地形复杂多样,过渡地带的气候条件在一些小区之间也有较大差异。尽管亚利桑那给人以沙漠之州的形象,该州仍有1/6地区是湿润的,大部分位于过渡地带和毗连的科罗拉多高原高耸的南部边沿地区。

动植物 就其地形和气候的多样性而言,该州的植物也有相似的多样性是不足为怪的。亚利桑那州10%为森林覆盖,25%为木本群落区,25%为草地,40%属沙漠灌丛区。海拔6 000～7 000英尺以上为美国黄松森林带,在最高地区长有花旗松及其他冷杉、云杉和大白杨。该州北半部4 500～7 500英尺主要为矮松和桧,常绿栎树和灌木丛则生长在中部山区4 000～6 000英尺的地方。科罗拉多高原的1/3地区为平原草地所覆盖,盆地的较高地区则被索诺兰草地或沙漠草地覆盖。牧豆树在南方许多过去的草原上已能见到。仙人掌遍布全州,生长在海拔2 000英尺以下的种类繁多。在图森至菲尼克斯地区的丘陵地带,生长着索诺兰沙漠特有的巨大的萨瓜罗掌,只有盆地和山脉区西北部引人注目的约书亚树群可与之媲美。全州最低的地区为灌木丛所覆盖:科罗拉多高原长有大灌木蒿和滨藜,盆地和山脉区长有墨西哥三齿拉瑞阿。

由于有代表落基山、大平原和墨西哥的各种生态群体的动物,该州的动物更是多种多样。重要的较大型动物有黑熊、鹿、沙漠大角羊、羚及美洲赤鹿或驼鹿。热带的长鼻浣熊是一种很像浣熊的哺乳动物,生存范围向北扩大到亚利桑那。标枪西貒即西貒(野猪),是南部人们喜爱的狩猎对象。在数种猫科动物中,红猫和美洲狮是亚利桑那最具代表性的动物。郊狼、北美臭鼬、豪猪很多,棉尾兔、杰克兔和几种狐狸也随处可见。该州南部边界恰恰位于一个大批候鸟飞行的固定路线上,各种鸟类极多,吸引着成千上万的观鸟者。可捕杀的鸟类有吐绶鸡、各种鹑类和鸽类。当地的鱼类包括亚利桑那鳟和科罗拉多褶唇鱼。毒性动物有响尾蛇、蝎子和希拉毒蜥。

住区模式 尽管亚利桑那具有一派浪漫景象,随处可见景色如画的被遗弃城镇的遗迹和采矿营,孤零零的农场,印第安人保留地,以及农村风味的棉花和柑橘种植园,但该州绝大多数居民都集中于城市住区。亚利桑那州一半以上人口居住在15个县中的一个县——菲尼克斯所在的马里科帕县。15个县中的6个县居住着全州85%以上的人口。只有少数人住在农场和牧场。

大多数城镇的人口密度很低。在亚利桑那南部的旧居住区还可以见到砖坯建筑物,而费拉格斯塔夫和普雷斯科特的住房则是维多利亚式的,反映出这里首批居民的传统和爱好。在19世纪60～70年代,亚利桑那北部的这两个城市居住着新英格兰人。

菲尼克斯是该州最初的商贸中心。它居中的位置,大面积的农业经济,以及富有吸引力的休假期和舒适的退休环境,使该城成为美国西南部最大的发展最快的城市区。图森则较为古老,面积也较小,是通往墨西哥的门户。它同索诺拉和墨西哥其他北部各州均保持着良好的商业和医疗联系。自20世纪70年代起,该市人口增长率已同菲尼克斯相当。

人民 亚利桑那没有自己的特别值得遵循的文化传统。相反,该州一直是文化的先锋,像来自波士顿、纽约、华盛顿、旧金山及洛杉矶这些多元化城市的不同情趣、时尚、语言、宗教信仰、政治倾向和生活方式,在这里都得到了反映。

除了当地印第安人一些极小的分散群体外,整个亚利桑那的中部和北部地区直到19世纪后半叶才有人居住。西班牙对该州的大部分占领多为临时性的,他们只是停留在图森以南的圣克鲁斯谷地,断断续续地建些传教活动场所、军营和牧场。事实上,1859年以后该地区已基本上不存在西班牙占领的痕迹。

到了20世纪,亚利桑那的拉丁美洲裔居民才大量增加。今天大多数具有西班牙文化传统的亚利桑那州居民是墨西哥人或是1900年后来到这儿的墨西哥人后裔。在亚利桑那州的墨西哥人与讲英语的白人之间的关系一度紧张,但在总体上,这两个种族集团之间有着和睦的历史,这在其他靠近国境的各州还是不多见的。有的社区辟有墨西哥人居住区(这些同一种族人的聚集区往往极端贫困),大多数墨西哥裔美国人则与其他种族的人混居,并全面参与亚利桑那州的商业、政治和社会生活。他们与讲英语的白人通婚是件平常的事。虽然墨西哥的食物、建筑风格、家庭装饰、服饰、社会习俗以及音乐已经溶人亚利桑那州的生活方式,但大多数人只是在表面上受墨西哥文化的影响。如果有区别的话,那就是墨西哥裔美国人已经为美国的主流文化所吸引。

印第安人的存在,现在在美国哪个州都不再是引人注目的了。自西班牙征服者的出现到20世纪,虽然亚利桑那的印第安人被征服,受到残酷的剥削和虐待(其他地方的印第安人也是如此),但完全被消灭和永远被驱逐并未发生过。亚利桑那州是印第安人数量最多的3个州之一,其在总人口中的比例也是最高的。印第安人分属15个部族,居住在17个保留地内。保留地的面积不等,通托-阿帕切族保留地仅有85英亩(34公顷),纳瓦霍族保留地则多达1 500万英亩(近3/5在亚利桑那州境内)。纳瓦霍族在亚利桑那州的人数超过9.2万人,他们坚定地推行该部族土地和人民的发展计划,部族政府对纳瓦霍族在社会和经济生活中的许多方面担负完全的责任。在其他遗存下来的部族中,较著名的有传奇般的阿帕切族和了解甚多的霍皮族。不太为人所知的有居住在大峡谷底部的哈瓦苏派族以及瓦拉派族、雅瓦派族、帕帕戈族(托赫诺-奥哈姆族)和皮马族。

亚利桑那州的黑人约占全州总人口的4%。虽然居住区大部分还是分开的,但在20世纪40年代初亚利桑那就自行取消了该州学校中的种族隔离制度。该州人口5 130 632(2000)。

经济 第二次世界大战前,亚利桑那州的经济重点是初级产品生产,主要包括采矿、伐木、养牛和农业。从40年代末起,重点转移到制造业和服务业,其经济变得更能代表美国不断增长的富裕和技术。

资源 金属矿藏如铜、锌以及少量的银和金,一直是该州经济收入的来源。煤来自该州东北部印第安人保留地的布莱克-梅萨地区。自从火力发电站为美国西南部供应了大量电力后,煤炭生产就变得十分重要了。

东北部地区也生产少量石油。

自19世纪80年代以来,亚利桑那北部地区大面积的黄松为该州的伐木和纸浆业提供了可靠的保证。肥沃的冲积土,特别是在尤马、皮纳尔、皮马和马里科帕等县,对大规模农业生产获得丰收起了重要作用。自19世纪末期起,全世界的人都认识到该州的气候和景色也是它最宝贵的资源。

由科罗拉多隆起及其莫戈永边缘的崖壁造成的自然地理走廊,使亚利桑那的灌溉工程以及该州大部分的水电建设(包括罗斯福、胡佛和格伦峡谷等水坝)得以实现。总共11座水坝控制着莫戈永边缘的流量。它们具有贮水和分水功能,对洪水实行调控,并向湖中贮水。这个水文学上的格局成了亚利桑那州在20世纪遇到的许多政治和法律麻烦的根源,包括为流入亚利桑那州境内的水的使用权,同加利福尼亚州进行的多年诉讼。州内现有水资源也是一个重大问题,因为大部分地下水均已耗尽,尤其是在菲尼克斯和图森的周围地区,而现在又没有新的地表水源。这两个城市发现它们必须向远处地区购买水权。

农业和饲养业 良好的土壤、充足的灌溉水以及很长的生长季节使亚利桑那州能够生产棉花、苜蓿及多种谷物、蔬菜、水果和坚果。多年来,柑橘种植一直是亚利桑那州经济的一个重要组成部分并仍在不断地扩大。近年来葡萄酒生产商又尝试用不同品种的葡萄酿造葡萄酒并取得成功。畜产品包括牛肉、乳制品、家禽和蛋类。亚利桑那州农场的平均面积大于其他各州,农业用水几乎占该州宝贵水资源的90%。

工业 1880～1950年间,铜的生产一直是亚利桑那州最重要的工业。从那时起,制造业便开始蓬勃发展,并成为该州最重要的基础工业,其中主要有电子、通信、航空和铝制品。虽然这种发展产生了国家最具活力、最富裕的经济之一,但该州的许多边沿县,尤其是那些有大量美国印第安人居住的地区,依然是全美国最贫困的地区。

旅游和退休 城市和工业的发展严重地污染了亚利桑那的主要地区,如今这里已不再是昔日寻求洁净空气的病人所向往的地带。但是,这里的气候、风景和悠闲的生活方式,每年仍然吸引着数百万旅游者。该州现已成为一个受欢迎的退休中心。尤其是在沙漠低地一带。大型的"老年人"社区,如菲尼克斯附近的太阳城、图森附近的绿谷还在继续发展。

行政和社会状况 **政府** 进步运动在1910年制宪会议期间颇有影响。亚利桑那州的宪法就反映了该运动的理想。它规定大多数公民通过创制权和复决权,参预立法和罢免包括法官在内的所有当选官员。1968年州政府进行改组,加强了州长的权力并提高了行政系统的效率。州长的任期为4年。州务卿在州长职务空缺时接任该职,为该州竞选选出的第二个最高行政职务。其他行政部门官员有州司法部长、州财政部长、州公共教育总监、州矿业督察以及负责监督公共服务企业的公司委员会(由3名委员组成)。

立法机关由60位议员的众议院和30位议员的参议院组成,每年举行会议。菲尼克斯和图森两地人口的大量增加,以及伴随而来的席位重新分配,使马里科帕和皮马这两个已经城市化的县在两院中占有近3/4的席位。

1960年的宪法修正案将司法部门改组成最高法院、上诉法院、高级法院,以及地方法院和其他法院;不设特别法庭。最高法院和上诉法院的法官由州长根据一个委员会提供的候选人名单任命。其他法官由任命或选举产生。

作为州代理机构的15个县是地方政府的基本行政单位。州法律规定居民不足3 000人的地区设镇政府,而城市应有更大的社区。大都会中心在机构和运作上则享有更多的自由。

自20世纪50年代以来,亚利桑那州已从传统的由民主党一党统治转变为两党制。可是,政治的原动力反映出马里科帕县和该州其他地区之间的冲突远大于任何政党的分歧。共和党的实力主要集中于菲尼克斯地区,但该党也得到乡村保守的"杂色的"(即"名声不佳的")民主党人的支持。民主党各派继续得到费拉格斯塔夫、图森、一些矿业社区,以及传统上属民主党的墨西哥裔美国人和黑人的支持。

教育 公共教育尽了很大努力以应付由于人口高速增长而导致的学生人数的增加。8～16岁的儿童必须人校学习,或从8年级毕业。小学、中学以及乡村学校由县和州的教育总监和任命的州教育委员会协助管理。

亚利桑那州的高等教育同多数西部各州一样,主要为大型公立学校。亚利桑那校务委员会负责位于图森的亚利桑那大学(建于1885)、位于坦佩的亚利桑那州立大学(1885)和位于费拉格斯塔夫的北亚利桑那大学(1899)。州的社区学院校长理事会负责监督9个县的社区学院区,这些学院区共有30多个社区学院、专科学校及职业技术培训中心。该州私立学院很少。

保健与福利 亚利桑那州的医疗保健部与一些委任的理事会、委员会和分支机构共同为社会提供急救和健康检查服务,其中包括一些公共保健中心和医院。都市区的和私人医疗机构十分出色,但乡村地区和保留地的居民接受的医疗服务就比较差。尽管亚利桑那州对病人和老年人颇有吸引力,但其医院和护理中心的人均占有量在全国并不算多。亚利桑那大学医学院和大学附属的护理中心正在努力工作,准备培养出更多的医务人员。

1981年州议会设立了有争议的亚利桑那州保健费控制制度管理局,以替代联邦的医疗补助方案。这个制度包括一项保险费计划,是专为穷人或负担不起足够的医疗费用的人设计的。同时,该制度还想将医院和其他费用包括在内。亚利桑那州是美国唯一没有参加医疗补助方案的州,但它却为自己的制度接受了若干联邦基金。

州议会对公共福利所采取的新方法,是与限制该项方案实施的财政约束结合在一起的。经济保障部门主要是通过县的机构将各种有关儿童、老年人、盲人和残疾人的援助计划付诸实施。

文化生活 亚利桑那州虽然在传统上是印第安文化的民间工艺美术的中心,但却没有可与邻近的新墨西哥州相比的画家圈和作家圈。然而随着人口的增加,人们对绘画、工艺、戏剧、音乐和出版物的兴趣也有所增长。建筑和刻印艺术特别受到西南部主题的影响。但是,该州本地人的趣味和爱好却丝毫没有得到反映,因为大部分有关该地区的艺术和文学的构思和形象化描述都是由外州人和移民(如作家格雷、法尔日、奥斯汀及艾比)来实现的。20世纪只有少数在当地出生的作家,如诺布耳和威尔伯-克鲁斯,写出了表现该地区真实的艰苦生活的画卷。

以部族传统为依据创作的当代印第安文化的工艺美术品受到世界各国的称赞。特别是霍皮族和纳瓦霍族的画家、银匠与珠宝匠、织工、编篮工和陶工制作了大量颇受欢迎、价格昂贵的作品。

虽然斯科茨代尔、图森、塞登纳和图巴克都有艺术家聚居地,但没有一个城市可称之为艺术的中心。费拉格斯塔夫是一批受人尊重的摄影家的居住地。菲尼克斯的美术馆经常有绘画展出。位于图森亚利桑那大学校园内的亚利桑那州立博物馆、菲尼克斯的赫尔德博物馆以及费拉格斯塔夫的北亚利桑那博物馆均展出考古发掘出来的印第安人传统的工艺美术品。交响乐、戏剧、芭蕾舞和歌剧在菲尼克斯和图森都吸引着一大批听众和观众。

建筑比任何其他艺术形式更能体现出西南部的地方传统与现代国际潮流之间的关系。在亚利桑那可以见到F.L.赖特设计的几个出色实例,其中包括他位于西塔里辛的家;P.索勒里设计的未来城市阿尔科山蒂。在众多西班牙风格的建筑物中,赫尔德博物馆最为引人注目。诺加利斯公共图书馆则综合体现了西南部的西班牙风格和当代风格。在整个亚利桑那州最经常出现在照片上的建筑物大概是位于图森附近由方济各会于1797年建造的圣·沙勿略修道院(通称"沙漠白鸽")。

该州主要的图书出版公司——亚利桑那大学出版社出版发行了多种学术性和普及性书籍,大多涉及西南部地区的问题焦点。该州最著名的出版物《亚利桑那面面观》向全世界的读者介绍了亚利桑那州各个不同的侧面。

人们在闲暇之余可从事各类体育活动和消遣性的文娱活动。各种沙漠和森林地带以及众多的人工湖全年都吸引着成千上万的打猎和钓鱼爱好者、野营者、远足者、勘探爱好者和历史学家。亚利桑那州比其他各州有更多的国家公园和保护区,其中最著名的国家公园有大峡谷和石化林,著名国家保护区有奇里卡瓦、蒙提祖马堡和萨瓜罗。位于图森的亚利桑那-索诺兰沙漠博物馆作为一个逼真展现索诺兰沙漠自然界的活的博物馆,引起全世界的关注。骑马牧者竞技在所有城市和较大的印第安人保留地再现了美国过去西部地区的精神。

历史

早期殖民地 **史前人类** 虽然该地区

的自然条件似乎不适于居住和生存,甚至对此还是排斥性的,但在亚利桑那却仍可找到若干人类居住的最古老纪录。物质文明的废墟证明,人类很可能在25 000年前就在此居住过。在这段史前的大部分时期,人类居住在洞穴中,以猎取动物为生,这些动物种类如今大多数早已绝灭。学者们相信,位于现今该州东南部的人类所创造的科奇斯文明,始于1万多年前,并延续到公元前500年或更晚。

在过去2千年间,亚利桑那州境内发展的史前社会是组织严密和先进的。许多印第安人居住在被称为普埃布洛(西班牙语意为"镇"或"村")的坚固的石屋村中。为对该时期进行考古研究,亚利桑那已成为新大陆最集中发掘的几个地区之一。这些远比它们祖先有名的史前文化包括霍霍坎文化、阿纳萨齐文化、莫戈隆文化、西纳瓜文化及帕塔扬文化。游牧的阿帕切和纳瓦霍印第安人于16世纪来到该地区。

西班牙时期 有关该地区的欧洲探险者和定居者的文字记载,是16世纪第2个25年间在墨西哥的几位西班牙人所写,他们描述了关于埃尔多拉多和7个黄金城的传说。1539年,方济各会教士尼萨来到亚利桑那寻找财富和印第安人,使他们皈依基督教。当发现印第安人怀有敌意后,尼萨便返回墨西哥。一年后,科罗拉多率领一支庞大的装备良好的探险队前往亚利桑那,试图宣布今日美国西南部这块地方为西班牙所有。科罗拉多探险队的人员游历了大峡谷和霍皮人的村落。1583年霍皮印第安人引导西班牙探险家埃斯佩霍来到今日的杰罗姆地区。当发现这里没有他寻找的金子,而只有铜和其他一些非贵重金属矿时,他感到十分失望。1675年,几位方济各会修士在霍皮人的村子居住下来,但5年后,霍皮人起来造反,将西班牙人逐出。18世纪初,天主教会的教士在亚利桑那南部的上圣克鲁斯谷地建造了几处教堂。这一时期,另有一些西班牙人也在此定居。在18世纪后期,传教士们访问了亚利桑那北部的不同地区,包括霍皮人的村落,但并未认真进行传教活动。

1821年墨西哥革命成功,摆脱了西班牙的统治,新政府下令在亚利桑那的传教团停止活动。1848年亚利桑那作为新墨西哥州的一部分割让给美国。1853年加兹登购地时,墨西哥将亚利桑那最南端的地区卖给美国,只有少数位于墨西哥边界旁分散而孤立的墨西哥裔美国人的农场留存下来。

现代亚利桑那 在墨西哥战争(1846～1848)以前,只有少数美国人——探险家、士兵、猎人、牧羊人到过亚利桑那。1851年,美国陆军工兵部队派出几支探险队进入亚利桑那,为修建一条通往加利福尼亚的篷车路寻找合适的路线。美国政府为保护旅行者、矿工和其他移居者不受印第安人袭击,开始在主要地点建立兵营。1883年工人们建成了穿越亚利桑那北部的艾奇逊—托皮卡—圣菲铁路,从而将密苏里州的圣路易斯同加利福尼亚连接起来。同年,南太平洋铁路公司完成了从路易斯安那州的新奥尔良,经由图森和尤马到洛杉矶的铁路铺设工作。

冶铜时代 1950年以前,铜的生产一直是亚利桑那最主要的工业,最早的开采是1854年在亚利桑那州境内的阿霍。科罗拉多河两岸的普兰耐特铜矿大约也在同一时期开采。到1876年,亚利桑那东部的克利夫顿-莫伦西地区进行了两次大规模采矿活动。位于亚利桑那中部的格洛布和杰罗姆两地的铜矿也发展很快。最丰富的铜矿带是1877年在亚利桑那东南部靠近墨西哥边界的比斯比发现的。到1880年,由于国内和国际的电机工程的进步以及必要的资本投入到位,使得对铜的需求出现了前所未有的猛烈增长。亚利桑那着手满足快速增长的铜市场的需求;现该州开采和生产的铜仍占全国产量的一半以上。

商品农业 在19世纪70年代,少数领有土地的移民,其中包括一些来自犹他州的摩门教移民,试图沿亚利桑那的少数河流地区发展农业经济。干旱、洪水以及需要大量投资表明,商品农业要在该州取得成功必须实行大规模的、高度组织化和高技术水平的经营。为做到这点,亚利桑那中部的农业生产者实施了大规模的蓄水和控制洪水的工程,其中包括费用昂贵的拦水坝和大面积的灌溉系统。完成于1911年的盐河工程向菲尼克斯地区的农民送水,从此该地区成为亚利桑那州的农业中心地带。但是,缺水仍继续折磨着该州,在同加利福尼亚州经过冗长而艰苦的斗争后,1963年美国最高法院裁定,亚利桑那州有权每年从科罗拉多河提取280万英亩-英尺的灌溉水以及希拉河的全部流量。经过长久和激烈的辩论,1968年美国国会批准了亚利桑那中部计划,这是一个大规模的提水和灌溉系统,可将科罗拉多河水引进菲尼克斯和图森地区。

自19世纪60年代到第二次世界大战,牧场的牛群一直是亚利桑那州的主要收入来源,当时大型的饲养场十分引人注目。可是这类场地现在已经开始消失,如今亚利桑那州牧场的牛只占全国食用牛肉的很小部分。

人口增长 自1912年亚利桑那建州以后,它立即吹嘘自己是"5C"(英文中分别代表铜、牛、棉花、柑橘和气候)地区。从全国各地来此寻求健康的人发现,亚利桑那州的清新、洁净、干燥的空气能使各种呼吸系统疾病得到缓解,而且为大批移民和旅游者向该州继续注入资金打下了良好基础。19世纪20年代期间,汽车旅馆、游乐牧场、度假胜地蓬勃发展,接纳着日益增多的游客、疗养者和退休人员。由于当地气候条件以及远离国家海岸线,第二次世界大战期间亚利桑那州成为几所航空学校和美国政府的军事基地所在地。战后,来自其他州,特别是中西部各州的移民蜂拥而至,使菲尼克斯成为美国发展最快的城市之一。一个颇具说服力的论点是,没有任何其他东西能比制冷和空调设备的开发和利用更能使亚利桑那州具有吸引力和适于居住。

许多人把该州看作是一个富于浪漫情调的世外桃源,到处是高贵的印第安人、英勇的牛仔以及一种墨西哥的"明日"气氛。但是,亚利桑那州从未摆脱掉一个城市和工业社会所带来的折磨。假如没有如此巨大的技术进步,如铁路、铜厂、原子反应堆、汽车、制冷设备、计算机和水电涡轮机,今天几乎没有人会在该州居住。

虽然许多新来者都期望这里是实现其个人抱负的理想之地,但是,该州的离婚率和犯罪率却始终居全国最高之列。亚利桑那州正尝试在一块干旱的土地上建立一个现代的社会,同时又尽可能多地保护在人口增长和发展过程中极易遭破坏的美丽的自然风光和所期望的生活质量。毫无疑问,亚利桑那的主要问题是该州对人口增长的承受能达到何种限度,同时又使该州最具吸引力的那些特色不被破坏。

Arjun 阿尔琼(1563,印度旁遮普戈因德瓦尔～1606-05-30,莫卧儿帝国旁遮普拉合尔[今在巴基斯坦]) 锡克教第5代祖师。他编成该教经典《阿底·格兰特》,建成阿姆利则金寺。他在阿姆利则发展商业。祖师兼管圣俗两界,自他开始。他继续执行前几代祖师所倡导的社会改革。莫卧儿帝国皇帝贾汉季迫害锡克教。阿尔琼被解到贾汉季面前,贾汉季要求他交付20万卢比罚款,并删除《阿底·格兰特》中抵触伏擅多或伊斯兰教的部分。阿尔琼拒绝这种要求,受酷刑而死。

Arjuna 阿周那 印度史诗《摩诃婆罗多》中的主人公般度族五兄弟之一。阿周那临阵犹豫不决,他的友人和驭手大神黑天晓之以责任即做人之道的大义。这些以黑天和阿周那的对话为形式的诗歌,被称为《薄伽梵歌》,系印度最著名的宗教典籍。参阅 **Mahābhārata**。

ark 藏经柜 希伯来语作aron ha-qodesh。犹太教会堂中的设备,装饰华丽,内藏供公共崇拜使用的摩西律法经卷。藏经柜象征古代耶路撒冷圣殿中的至圣所,是整个会堂中最神圣的地方,会众都面向它祈祷。藏经柜安置在高台上,有台阶可通,其放置方向因地而异,以使它在会众看来与耶路撒冷在同一方向。

Ark of the Covenant 约柜 犹太教和基督教用语,指在《圣经》时代存放刻有上帝授与摩西十诫的两块石板的装饰华丽的镀金木柜。在以色列人漂泊旷野期间时,约柜由利未人抬运。以色列人占领迦南后,约柜安放在示罗。大卫王把它迁到耶路撒冷,最后所罗门王把它安置在圣殿内。约柜最后下落不明。

ark shell 蚶 蚶科海产软体动物。壳船形,具长而直的铰合线,有许多联锁的小齿。壳外通常覆以有时带茸毛的厚角质层。许多种类的外套膜缘有数列单眼。蚶约有200种,大部分见于热带海中,温带海中极少。运动缓慢或固着生活。蚶属(*Arca*)和须蚶属(*Barbatia*)等种类用足丝附着在石缝和珊瑚缝中。另一些种(尤其是*Anadara*属)浅埋在泥沙中,有些种如西非的老蚶(*A. senilis*)和东南亚的泥蚶(*A. granosa*),自史前时期即为人食用。

Arkadelphia 阿卡德尔菲亚 美国阿肯色州中南部城市，克拉克县县城(1842)。临沃希托河。约1811年设居民点，名布莱克利镇。1838年改现名。1857年设市。经济以农业和轻工业为主。由卡多河德格雷坝站提供电力。市内有州立亨德森大学(1890)和沃希托浸礼会大学(1886)。人口10 014(1990)。

Arkadhía (Greece) 参阅 **Arcadia** 阿卡迪亚。

Arkān al-Islām 参阅**Islām, Pillars of** 五功。

Arkansas 阿肯色 自从1836年阿肯色成为美国第25州以来，其人民一直保持着惊人的稳定性，现今大多数居民仍为在该州出生的本地人。州内文化对比鲜明突出，在西部和北部，长期与外界隔绝的山区人民勉强维持着自己的生活；而东部和南部人民则创造出一个典型的南部环境，棉花种植和收入分成制长期以来一直是这里经济生活中的主导方式。位于这两大区域之间的是首府和该州城区和经济中心小石城。小石城的位置及其日渐增强的国际性特征就是阿肯色州逐渐发展的一致和城市化象征。

阿肯色人关心本州比较贫穷和落后的状态。按照人均收入和其他经济指标，阿肯色虽仍属于水平最低的州之一，但近年来其整体经济发展已超过全国平均速度，人口也一反长期下降趋势而有所增加。为促进这些趋势的增长和继续使州内公民平等分享教育、经济和社会机会的进程，该州已制订出若干项计划。

阿肯色州的沃希托国家森林风光
美国不列颠百科全书公司供图

阿肯色面积137 754平方千米，居美国各州的第27位；除路易斯安那和夏威夷外，它是密西西比河以西最小的州。该州北接密苏里州，东邻田纳西州和密西西比州，南与路易斯安那州交界，西南与得克萨斯州接壤，西与俄克拉何马州毗邻。阿肯色北部和西部有高耸的欧扎克和沃希托山脉，窗花格般的河流纵横于肥沃原野中。该州几乎所有的河流都从西北流向东南，通过阿肯色河和红河注入该州东部界河——密西西比河。州名原为早期的法国探险者用以指夸保族印第安人及其在沿岸定居的那条河。它或许是伊利诺伊语“下游”人(指夸保人)的读音。

自然地理和人文地理

土地 *地形* 从该州西南角到东北隅划一条线，可大致区分位于西北部的高地和位于东南部的低地。高地又被阿肯色河谷分割为南边的沃希托地区和北边的欧扎克高原。低地包括东边的密西西比冲积平原和西南端的墨西哥湾沿岸平原西部。高地被沃希托和欧扎克国家森林的茂密的松林和落叶林所覆盖。

纵贯在欧扎克高原之上的，有宽广、平顶的山脊和溪流湍急且陡峭险峻的山谷。南端的波士顿山脉更加崎岖，一些山峰是南部海拔的最高点。北部土地肥沃，产多种农作物。阿肯色河流域的马加津山高839米，为全州最高点。西部蕴藏有丰富的煤和天然气。在沃希托地区有几座山峰高达762米。群山已被侵蚀，露出断层岩石；山脊皆向东和西延伸。著名的温泉国家公园就位于该地区。

墨西哥湾沿岸平原西部有平缓的丘陵，适于放牧和耕作。这一地区大部分为松林和白栎林，丰富的森林资源支持着伐木业。在斯麦柯佛和埃尔多拉多地区，石油和天然气矿藏已被开发。密西西比冲积平原过去大多是广阔无垠的沼泽地，现在排水良好，可防洪排涝，为该州最富饶和最肥沃的农田。水稻和大豆已代替棉花成为主要作物。穿过平原中心向南北两方延伸的是一长串狭窄的山丘，即克罗利山脊。

气候 一般是冬季温和，夏季炎热。在小石城，1月份正常的高、低温度为11 °C和 -2°C，7月份为34 °C和22 °C。正常降雨量1 250毫米，终年分布大致均衡，夏季比其他季节干燥。

动植物 阿肯色各地的土壤和海拔高度差异甚大，生长的植物品种很多。树木有200余种，其中最重要的有松树、栎树、山核桃树、槭树、桉树、桦、柏和榆。在森林地带，春、秋二季是姹紫嫣红，长有山茱萸、开花的果树、紫荆以及不可胜数的野花。

阿肯色位于密西西比候鸟飞行路线上；候水鸟和约300种留鸟吸引着许多狩猎者来到阿肯色东部的稻田和水库。比较充足的猎物有鹿、鹌鹑、负鼠、火鸡、松鼠、野兔等。丘陵地带常有红猫和狼出没。州内湖泊和溪流有丰富的鱼类，如莓鲈、巴司鱼、石首鱼、鲶鱼、牛鱼、崖鳝、鲑鱼等。

住区模式 欧扎克地区和沃希托地区的居民过去住在农村，与外界隔绝，这养成他们的独立精神和对陌生人的不信任感。为弥补农产品的不足，狩猎和捕鱼对当地农民是必不可少的补充。由于高地不适合种植园经济，从前没有奴隶进入这一地区。最西部地区也因过去与印第安准州没有合法的边界，移民拓居长期受到阻碍。现在这一地区大多仍为林木所覆盖，位于沃希托和欧扎克国家森林之中。

在阿肯色东部，种植园经济给社会造成两极分化，在分益佃农(交谷租田种的人)和佃户与经理和地主之间形成一条不可逾越的鸿沟。小农场主和小企业主构成了另一阶级。分益佃农过着仅够维持生存的贫困生活。他们虽有缺乏经济资源和教育的障碍，但通过南方佃农联合会的帮助却仍取得出色的成绩。该联合会是佃农们于20世纪30年代在阿肯色东部组成，对F.D.罗斯福及后任历届总统的全国农业政策都产生过影响。

该州的经济在早些时候就有明显变化，而第二次世界大战以来变化速度更为迅速。欧扎克地区已不再与世隔绝。良好的公路网为旅游者到该地区欣赏自然风光和各种娱乐活动带来便利。大量的“老人休养村”吸引着全国的观光客和购房者。现在虽有小型工厂在利用当地的气候和充足的劳力，但旅游业仍然是当地经济的支柱。

阿肯色东部的农业机械化和用水稻和大豆替代传统的棉花种植，虽没有消灭农村的贫穷，却使分益佃农不再存在。随着农业机械化步伐的加快，租地耕种的农户流向美国北部和东部城市的速度也加快了。现在农业生产正逐渐由公司进行经营。然而，阿肯色东部现在仍比山区更具有南方的特征。分益佃农的棚屋已消失，许多农村人口已离开该州或迁移到邻近城镇，从事非农业的工作。阿肯色州的黑人大多居住在东部和中部，其中许多人仍像他们的祖先那样在田地里耕耘。

小石城为阿肯色河的主要港口，位于沃希托山脉最东边的山麓。该市有许多制造厂和一个商业中心，现已在市区完成或承担若干城区改造项目，如步行林荫道的建设、历史建筑物的装修、会议设施的扩建等。该州西部边境的史密斯堡是阿肯色河沿岸第二个最大城市；该市是阿肯色州工业化程度最高的城市之一，也是地区性的商业和服务中心。派恩布拉夫位于小石城下游约80千米处，其经济主要依靠周围地区的农业。与得克萨斯州得克萨斯城相毗邻的特克萨卡纳是重要的地区铁路枢纽。

人民 南北战争之前，阿肯色的人口大多来自肯塔基和田纳西，他们是殖民地时代初期自弗吉尼亚和南、北卡罗来纳向西迁徙的苏格兰人、苏格兰-爱尔兰人和英格兰人的一部分。1860年黑人人口约为110 000，占总人口的25%；到20世纪后期居住在阿肯色的黑人有350 000，占总人口的比例有下降趋势。该州东部几个县的黑人就占了黑人总数的一半以上。该州人口最集中的地方包括：东部肥沃的冲积平原、河谷流域和西北部高原。

最大的宗教派别有：浸礼会、联合卫理会、长老会、基督会和罗马天主教会。宗教环境是一种保守的基要主义，阿肯色被认为是圣经地带的一部分。阿肯色人许多具有特色的见解都产生自基要主义。含酒精饮料的销售要由当地主管部门决定；许多县和市禁止卖酒，或仅允许在私人俱乐部和大城市中的某些商场销售。1944年州宪法的工作权利修正案（该案禁止强迫参加工会）是由基督徒协会提出的。位于瑟西的哈丁学院是一年一度自由论坛的会场；自由论坛提倡宗教的基要主义、极端的爱国主义和自由企业的资本主义三者的混合。该州人口2 673 400(2000)。

经济 棉花已不再是阿肯色州的主要产品，该州也不再以农业为基础。工业化和城市化是阿肯色州现代经济进程中的重要因素。工会在交通运输、公用事业、建筑和重工业等部门都颇有影响力，但该州大部分工人所在的企业并无工会组织。在政治和经济的决策方面，劳工不及资方的影响力大。

为增加财政收入，私营部门和公营机构的领导层之间已开展合作，以促进经济的发展。全面修改该州税务结构和改进税收方法的进程正在稳步开展。该州力图通过增加就业机会和最大限度地开发人力资源来提高人均收入，并由此创造更多的财政收入。

资源 阿肯色南部的油田出产天然气和溴化盐。在阿肯色河流域已探明有优质无烟煤、天然气。阿肯色的铝制品业大量减少了其铝土矿的采掘，并关闭若干粉碎厂。在火力发电站中试验使用褐煤，为大规模商业性开发阿肯色南部丰富的褐煤矿藏提供了可能性。马格尼特小海湾位于温泉城附近，其中一个小溪谷就有40种以上不同的矿藏，最为重要的是重晶石和钛。利用均密石英岩制成的阿肯色油石是世界上最精细的油石之一。在阿肯色西南部的默弗里斯伯勒附近有一个美国唯一的金刚石矿，现仅作为旅游景点对观光客开放。阿肯色几乎有一半土地被森林覆盖，林中有大片的松树和白栎。

美国陆军工程团和一些私营公司修建的拦河坝，现在建有水电站。两个核电厂已在达达尼尔附近落成，几座火力发电站也已完工。

农业与工业 到20世纪60年代，棉花种植仍为农业收入的主要来源。此后，稻米和家禽已占主导地位；现在该州是全国稻米和家禽的主要产区。其他重要作物有大豆和谷物。阿肯色东部大片的稻田已开始被用作发展养渔业。农场已走上扩大规模、减少数量的全国发展趋势。

制造业大多是消费品的生产。主要行业有食品加工、服装、家具、电力和非电力机械、电子设备等。

运输 几条主要铁路干线承担着州内以及该州通向美国中部各大城市的货运业务。国内各航空公司可提供从州内几个机场到全国各地的航空服务。从阿肯色出发，利用州际高速公路驱车2日，可与全国一半以上的人口交往。汽车燃油税专用于公路和街道维修保养。由于基金充足，一些主要线路正被改建为4车道高速公路。

用于航运和控制洪水的麦克勒兰-克尔阿肯色河航运系统，是美国陆军工程团承建的最大民用工程项目。该系统可与全国一半以上可通航的内陆水道相连，年运输吨位已超过估计数，对阿肯色州工业的显著增长起了很大作用。

行政与社会状况 *政府* 1874年通过的阿肯色州宪法迄今已修改70余次。当选州长的任期为4年，有召开议会特别会议和否决议案的权力，虽然各项否决都可由众参两院各以简单多数宣布为无效。参议院有议员35名，任期4年；众议院有议员100名，任期2年。司法部门的最高法院，由选举产生的7名法官组成，任期8年；此外还有上诉法院、巡回与衡平地方法院。各县建立的市法院对全县行使司法权。

全州共有75个县，选举产生的官员包括县法官（主要行政长官）、书记官、司库、行政司法官兼税务官、检察官和验尸官。各县选举出的治安官组成治安官法庭，此法庭可充当法官的咨询机构并行使某些立法功能。该州有许多地方改建区和学校区。虽然一些合并后的城市采用城市-经理式的政体，但是传统的市长-政务会形式仍是最为普遍的。

阿肯色是民主党占支配地位的州。自重建时期以来，虽然共和党人已颇有实力，但仍少共和党州长或国会议员当选。除非候选人在预选中获得多数票，否则将举行第二次选举。1965年人头税已被长期选民登记所代替。

教育 公立学校受州教育局和地区学校委员会领导。专门学校有聋哑学校和盲人学校。该州的弱智儿童教育设施和精神病治疗设施受到全国的好评。该州多数地区设有职业技术学校。此外，私立学校大多与教会有关，可提供从幼儿园到中学的教育。

阿肯色大学本校设在费耶特维尔，在小石城、派恩布拉夫和蒙蒂塞洛设有分校。卫生科学、技术和社会学的研究生院都位于小石城。其他是几所州办的大学和两年制学院，其中有些是农业和机械学校及师范学校发展起来的。另外，还有几所私立和教会的高等院校。

保健和福利 过去在该地区猖獗一时的疟疾病、陪拉格病和蛲虫病，通过州和地方卫生当局的广泛努力，现已绝迹。州卫生部门和人员服务部门，执行着许多由联邦政府提供基金的项目。最近数十年间年轻人大量外流，已使卫生和福利计划情况恶化，在日益衰落的农村地区尤其如此。福利救济金位于全国最低州之列。温和的气候和诱人的景色已促使人们在欧扎克地区建立起一些老人休养村。

阿肯色州工人的收入属全美国工资水平最低者之列，生活费用大致与美国中南部相同。黑人的生活尽管有所改善，但显然仍处于较低的经济和社会水平。

文化生活 阿肯色东部人民的语言和习俗表现出典型的美国南方的特征。阿肯色中部也反映出美国南方的传统，但人们的言谈举止已受全国其他地区迁入者的影响。在沃希托和欧扎克农村地区还极其完整地保留着一种未曾改变的文化。

艺术方面有小石城及其他城市中心的半专业化的管弦乐队、合唱队、芭蕾舞团、戏剧团和歌剧团，这些艺术团体均表现出色。高等院校也从事艺术的培训和演出。每年夏季在欧扎克地区举行一次四州歌剧研讨会。阿肯色州最宝贵的贡献是欧扎克的民间艺术。现在芒廷维尤正计划修建一个大型民间艺术中心，该中心建成后可为当地和来访的音乐、舞蹈表演者提供一个舞台，保存陶瓷、首饰、木雕、钩针编织地毯和编筐的传统工艺，并开展有关当地民间艺术的教学。其他民间文化还包括农村地区的福音歌曲演唱。黑人圣歌和灵歌早已在阿肯色盛行，然后才流传到全国。

阿肯色大学藏有精美的有关考古和历史的人工制品。科学与历史博物馆位于小石城旧联邦武器库内，主要收藏殖民地时期的玻璃器皿。阿肯色艺术中心及其装饰艺术分馆，位于一所修复的南北战争前的大厦内，在当地颇具影响。历史遗址包括法属路易斯安那的第一个欧洲移民定居点阿肯色站、南北战争时期南部邦联的州政府华盛顿以及位于小石城的修复后的准州议会大厦和老州议会大厦。

阿肯色州对吸引外州度假人颇为尽力，这些人每年可为阿肯色的经济增加数百万美元的收入。州和国家有关部门在湖泊和溪流中放养鱼苗，供游人垂钓；州的禁猎区和森林资源保护区的设立为狩猎季节提供了充足的猎物。阿肯色最大的自成一体的名胜是温泉国家公园，这里一年四季均可提供户外娱乐活动和豪华的旅馆。布法罗国家河、布兰查德溶洞和尤里卡斯普林斯（以艺术社区和维多利亚时期的建筑而著称),每年都要接待成千上万的观光客。除这些国家公园外,还有许多州立公园为游客提供各式各样的娱乐活动。

小石城有密西西比河以西历史最悠久的报纸《阿肯色报》(1819 创刊);同《阿肯色民主党人报》一样,该报也在全州范围内发行。各大无线电广播和电视网都在阿肯色中部设有地区分支机构。该州有许多商业性的广播电台。阿肯色的教育电视网可覆盖州内大部分地区,城区还有一个有线电视台。

历史

探险和移民 阿肯色的早期居民为住在悬崖峭壁上的印第安人,他们的农业和狩猎文化在大约公元 500 年繁荣一时。以后,筑墩文化的兴起在密西西比河沿岸留下许多坟墓墩和其他遗迹。

16 和 17 世纪,西班牙和法国探险家的足迹踏遍整个密西西比河沿岸地区,1686 年法国人亨利·德通提在阿肯色河下游建立阿肯色站。这是现今阿肯色州境内的第一个白人永久性定居点,当时它是一个皮毛交易中心和为往返于墨西哥湾和大湖区之间旅行者服务的小站。

1803 年美国签订路易斯安那购地协议之后,阿肯色分别属于路易斯安那准州(至 1812)和密苏里准州(至 1819)。1819 年阿肯色从密苏里分离出来,成为一个准州。阿肯色的北部州界(北纬 36°30′)是 1820 年密苏里妥协案中的分界线,后来成为划分美国西部蓄奴州和自由州的界线。

州的地位与南北战争 1836 年阿肯色成为美国一州时,夸保族、奥萨格族、卡多族、切罗基族和乔克托族印第安人的全部土地所有权均被美国国会撤销,这些部落被迫迁移到西边的印第安准州,即后来的俄克拉何马。19 世纪后期之前,沿该州西部边界曾断断续续发生暴力活动;到 19 世纪后期,由于印第安准州出现白人定居点,边境紧张气氛才得以消失。

阿肯色虽为蓄奴州,但在南卡罗来纳州退出联邦后 5 个月,即 1861 年 5 月之前,并未退出联邦。阿肯色仅在南部邦联占领萨姆特要塞和林肯总统号召参加志愿军之后才采取这一行动。在阿肯色北部倾向联邦的情绪十分强烈,约有 6 000 阿肯色州人参加了联邦军队。但该州为南部邦联而战的约有 58 000 人。1863 年联邦军队占据小石城;随后 10 年间,该州成为分离主义的拥护者和强加于民的共和党政府之间立法斗争的战场。1868 年阿肯色被重新接纳加入联邦,但内部斗争激烈,几近于公开的战争。1874 年该州重归民主党控制,直至 1966 年共和党人洛克菲勒当选为州长。

南北战争对阿肯色的主要长期影响,同对其他大多数前南部邦联诸州一样,是交谷租田种制度、新的棘手的种族问题、一党(民主党)制和普遍的贫困。由于 1885 年拒付债券债务(包括近 1 400 万美元的利息),阿肯色州的信用急骤下降,使该州经济发展受到严重影响。

最近数十年 第二次世界大战之前,阿肯色州经济发展缓慢,仍以农业经济为主,并受到单一经济作物——棉花的羁绊。由于连年干旱,许多农户被迫外出四处打工,使 20 世纪 30 年代的经济萧条更加严重。第二次世界大战期间,与国防有关的经济活动和战后的农业机械化,极大地改变了该州的经济和社会模式。许多妇女参加了工作,城市化的步伐加快,农田租赁减少,少数民族被授予公民权。1957 年州民兵组织奉命阻止小石城一所中学废除种族隔离的活动,造成骚乱,联邦军队遂进入小石城,这次对峙引起全世界对阿肯色州的关注。嗣后,私人企业在商品零售、家禽饲养、计算机软件、金融经纪业等方面成立了许多家全国著名的、总部设在该州的大公司。

Arkansas City 阿肯色城 美国堪萨斯州南部考利县城市。在阿肯色和沃尔纳特两河汇合处附近。建于 1870 年,几易其名,1872 年设市时改现名。为 1893 年向印第安准州切罗基地区(现俄克拉何马州)拓居的出发点。市南 3 千米有切罗基地区生活博物馆。1914 年附近发现石油。现为一转运中心和铁路枢纽。主要工业有炼油、制瓦、肉类加工、磨面和食品加工。设有考利县社区学院(1922)。附近有州立考利渔湖。人口 11 963 (2000)。

Arkansas Post 阿肯色站 美国阿肯色州东南部阿肯色县有历史意义的村庄。临阿肯色河。1686 年建为要塞,为密西西比河下游河谷最早的白人殖民点。曾为法国、西班牙总督驻地、重要贸易点。J.劳的“密西西比泡沫”(充满投机倒把和政治阴谋的一项发展计划)吸引了一批居民(1717),1720 年泡沫幻灭,居民撤离。随着路易斯安那购地的实施,该村成为阿肯色准州首府。南北战争后衰落。1960 年辟为国家纪念地。村东有怀特河国家野生动物保护区。

Arkansas River 阿肯色河 美国密西西比河的大支流。源出科罗拉多州中部近莱德维尔落基山脉的萨沃奇岭。大致向东南偏东流,经堪萨斯、俄克拉何马和阿肯色州,在阿

莱德维尔附近的阿肯色河段

Shostal 供图

肯色州的阿肯色市东北 64 千米处汇入密西西比河,全长 2 350 千米。总落差 3 475 米,流域面积 417 000 平方千米。该河从莱德维尔向东南流约 160 千米至科罗拉多州的卡嫩城,下落 2 060 米。它流经卡嫩城附近的山区,通过狭窄的罗亚尔峡谷切入有 300 余米高的花岗岩峭壁。普加托阿河在约翰·马丁水库(1948)上游靠近科罗拉多州拉斯阿尼马斯处汇入阿肯色河。在卡嫩城和堪萨斯州大本德之间的阿肯色河道又宽又浅,蜿蜒通过一个干旱地区,提供了大量的灌溉。上游的大雨有时会形成洪水。该河流从大本德流向东南通过一个较为潮湿地区,河面宽在 0.8 千米以上,河床亦较深。有几条主要支流在俄克拉何马境内注入,它们是:索尔特福克、锡马龙、弗迪格里斯、格兰德和加拿大河。阿肯色河航行系统始于俄克拉何马州的马斯科吉东北 8 千米处,即弗迪格里斯河口,然后进入阿肯色河,并通过该河到达密西西比河。阿肯色河流域建有许多水利工程,包括建在俄克拉何马州麦卡莱斯特附近加拿大河上的尤福拉多用水库。沿河主要城市有科罗拉多州的普韦布洛、堪萨斯州的威奇托、俄克拉何马州的塔尔萨以及阿肯色州的史密斯堡和小石城等。据说,1541 年有西班牙探险家科罗纳多曾在堪萨斯州道奇城附近渡过阿肯色河。美国探险家派克则于 1806 年穿过河的上游。

Arkansas River Navigation System 阿肯色河航行系统 由弗狄格里斯河和阿肯色河的部分河道修缮而成。它从俄克拉何马州东北部卡托萨(靠近塔尔萨)向东南延伸 439 英里(767 千米)到达阿肯色市北 25 英里的密西西比河。这项工程于 1946 年经国会批准,到 1971 年 1 月完成,能控制阿肯色河的定期泛滥,并提供一条可航行的水道,以便常年运输该流域的物资——农产品、木材、石油和煤。河宽 250 英尺(75 米)、深 9 英尺,沿河有 17 道水坝和船闸,蕴藏巨大的水力发电能源。

Arkell, Anthony John 阿克尔(1898-07-29,英国肯特欣克斯希尔～1980-02-26,埃塞克斯切姆斯福德) 英国历史学家和埃及学家,杰出的殖民地官员,既对历史有强烈兴趣,又对现代非洲各民族抱有人道主义关怀。早年在皇家航空队和皇家空军服役。1920 年到苏丹政治管理处工作,致力于废除苏丹和埃塞俄比亚之间的奴隶贸易,并为被释放的奴隶建立村庄。1938 年被任命为研究考古学和人类学的特派员,进行几次发掘,揭开前人不知的苏丹史前历史。1948 年回国,任伦敦大学弗林德斯·皮特里埃及古代文物馆馆长和埃及学教授。著有《苏丹史》(1955)。

Arkell, William Joscelyn 阿克尔(1904-06-09,英国威尔特郡海沃思～1958-04-18,剑桥郡剑桥) 英国古生物学家,研究侏罗纪化石的权威。在剑桥大学三一学院任教。他的工作包括对侏罗纪菊石的分类以及对侏罗纪环境的解释。著有《世界侏罗纪地质》(1956),此书推动了各个地质的“系”和纪都适用的地层分类法的进一步发展。

Arkhangelsk 阿尔汉格尔斯克 俄罗斯一州。位于俄罗斯欧洲地区北部沿海地带,从奥涅加湾到尤戈尔半岛。面积 58.74 平方千米。首府阿尔汉格尔斯克市。辖涅涅茨自治区(在东部)和索洛韦茨岛、新地岛和法兰士

约瑟夫地群岛等岛屿。北部为苔原，南部覆盖茂密的泰加林(云杉、松、白桦)。经济以木材加工为主。沿海及沿河地带有渔业。涅涅茨人饲养驯鹿。人口约1 577 200(1991)。

Arkhangelsk　阿尔汉格尔斯克　又作Archangel。俄罗斯阿尔汉格尔斯克州城市、首府。距白海50千米。临北德维纳河，连同郊区沿河延展约16千米。建于1584年。为沙

阿尔汉格尔斯克市的船坞
美国不列颠百科全书公司供图

俄同英国及其他国家通商的第一个港口。17世纪城市繁荣。自1703年彼得大帝兴建圣彼得堡后，地位下降。1898年由于通往莫斯科的铁路竣工，其重要性有所恢复。现为俄罗斯最大的木材出口港。有大型木材加工、纸浆和造纸业、船舶修造业。为捕鱼基地及北海航线西部终点。设有流行病研究所、林业研究所及师范学院。人口约428 200(1991)。

Arklow　阿克洛　爱尔兰东南威克洛郡的港口、海滨胜地和市郊区。在中世纪后期，原是英国一个要塞，现有一座13世纪的多明我会男隐修院遗址和巴特勒城堡的残垣。制造小船、陶器和肥料。人口8 557(1996)。

Arkona　阿尔科纳神殿　西斯拉夫人供奉战神斯万特维特的城堡式神殿。位于波罗的海的吕根岛，建于9～10世纪。1168年信奉基督教的丹麦人袭击、攻占该岛，将此神殿摧毁。据12世纪丹麦史学家萨克索叙述，该神殿为精美的木结构建筑，建于木栅围绕的庭院中，木栅雕饰华丽，绘有各种宗教徽号。主殿用圆木建成，有红色屋顶。圣所供战神斯万特维特像，大于真人，四头四颈分别朝向四方，令人生畏。1921年考古学家在遗址上进行发掘，证实该神殿的存在。经过1969～1970年数次发掘，在更深的层次发现10或9世纪的圣所的遗存。

arkose　长石砂岩　据推测是没有明显分解作用的花岗岩崩解形成的粗粒砂岩(由粒径为0.06～2毫米的被胶结颗粒组成的沉积岩)。主要由石英、长石和少量的云母组成，分选程度中等、磨损轻微并由方解石或少见的氧化铁及二氧化硅松散胶结。与正常石英砂岩(沉积石英岩)的区别在于长石的含量高(占砂粒25%以上)，与杂砂岩的区别在于颜色浅。亚长石砂岩的长石含量是砂粒的5%～25%，这是由于更广泛的风化和非岩浆源岩石的加入使长石含量减少。由于缺乏层理，长石砂岩从表面看类似花岗岩，它易于被描述为“再造花岗岩”或“花岗砂岩”。它与由其所形成的花岗岩相似，呈粉红色或灰色。长石砂岩在地质上的重要意义有过很多争论。正常情况下，在原岩风化期间，几乎所有长石都被分解转变为黏土矿物；反之，在极端干燥和低温的情况下可以防止或大大地减弱长石的分解。所以，人们推测长石砂岩是由花岗岩体在干旱或冰川气候下受到侵蚀而形成。但是现在已经知道，如果上升、侵蚀和沉积的速度极快，长石是可以不受破坏而与石英砂一起被搬运和沉积的。在这种条件下，不管气候如何，风化作用不完全，来自这种岩体的砂子都富含长石质。因此，可以说长石砂岩是极端气候条件和高峻地形的一种指示物。多数古老的长石砂岩沉积看来都是高峻地形的产物。

Arkwright, Sir Richard　阿克赖特(1732-12-23，英国兰开夏普雷斯顿～1792-08-03，德比郡克罗姆福德)　纺织工业家和发明家。他在生产中采用动力驱动的机器和工厂生产

美国国会图书馆供图

系统，其意义也许比他的发明本身更为重要。1764年开始制造纺纱机，1769年获得专利。他用水力纺纱机生产出适合作经纱的棉纱；用J.哈格里夫斯大约在1767年发明的纺纱机生产的棉纱，只适合作纬纱，强度不及阿克赖特棉纱。他与人合伙在诺丁汉和克罗姆福德开办工厂。几年之内，他经营的工厂从梳棉到纺纱的全部纺织工序都用机器操作。尽管撤销了他在1775年的全部专利权，但他仍雄踞纺织工业的主导地位。他在制造纺织机时可能借鉴过别人的构想并取得成功。到1782年他拥有20万英镑的资本，雇用工人5 000人。1786年被封为爵士。

Arlberg　阿尔贝格　雷蒂亚山脉北端山口(1 793米)和隧道。在奥地利西部。山口为多瑙河和莱茵河水系分水岭。当地为著名冬季运动场地。在朗根和圣安东间有10.2千米长的电气铁路隧道(1880～1884年建成)和一条14千米长的公路隧道(1979年开通)。

Arlecchino　参阅**Harlequin**哈乐根。

Arlen, Harold　阿伦(1905-02-15，美国纽约布法罗～1986-04-23，纽约州纽约)　美国作曲家，乐曲改编者，钢琴家及声乐家。曾为好莱坞电影及百老汇音乐剧创作流行歌曲，诸如《晚间布鲁斯》、《风雨无阻》、《暴风雨天气》等。从1929年直至50年代末作品最多。父为犹太唱诗班乐长及钢琴家，阿伦自幼音乐才华突出，十几岁便辍学而组织一个管乐队，从此主要以演奏和改编乐曲谋生，直到24岁。此后才悉心作曲，1929年以《高兴起来》一曲开始了与抒情诗人T.凯勒的成功合作；20年代末至30年代中两人合作写了许多歌曲，包括《在魔鬼与深蓝的大海之间》、《弦上春秋》等都是哈勒姆科登俱乐部的流行节目。为百老汇所写音乐剧有《你说对了》(1931)、《生活从8点40分开始》(1934)等。为好莱坞写有电影歌曲《让我们相恋》、《跨上彩虹》(E.Y.哈伯格词)等，后一歌曲获1939年奥斯卡奖。阿伦还与I.格什温合作，为电影《村姑》谱写音乐(1954)。作为声乐家曾与L.赖斯曼和C.波特一起录制唱片。一生为电影与戏剧团体所作贡献受到广泛尊崇。

Arlen, Michael　阿伦(1895-11-16，保加利亚鲁斯奇克～1956-06-23，美国纽约州纽约)　英国作家。他的小说勾画出第一次世界大战以后伦敦上流社会表面欢天喜地而实际牢骚满腹的图景。长篇小说《绿帽》(1924)出版后，几乎使他在一夜之间成为英美两国的知名人物。亚美尼亚商人家庭出身，其父为躲避土耳其人的迫害逃往英国。他在英国长大，1922年入英国籍，开始写作生涯。1928年与亚塔兰大·梅尔卡蒂伯爵夫人结婚，此后主要住在法国南部。以后的作品再也没有取得像《绿帽》那样的成功。1945年去纽约前写有电影脚本《天体》(1944)和小说《人的致命性》(1933)、《荷兰飞人》(1939)。

Arles　阿尔勒　法国东南部普罗旺斯山-蓝岸大区罗讷河口省城市。在马赛西北，卡马尔格平原罗讷河与其三角洲分隔处。利古里亚人统治时期即已重要。曾为西罗马帝国主

阿尔勒市的古罗马竞技场
美国不列颠百科全书公司供图

要城市。6世纪时属西哥特人，公元730年被穆斯林入侵者占领。10世纪成为勃艮第王国都城，后成为阿尔勒王国。12世纪成为独

立体,1239年并入普罗旺斯。当地公元前1世纪所建的罗马竞技场现仍用于斗牛和演剧,可容纳2万观众。其他名胜有7世纪建的圣特罗菲姆教堂。从挖掘出的一座罗马戏院中拯救出许多美术品,包括现存罗浮宫的《阿尔勒的维纳斯神像》。阿尔勒又是凡高作画多产年代的住地。罗马统治时代曾为海军基地,现仍为河港,主要停靠油轮。工业有化工、金属制造、造纸,但经济主要靠旅游业和农业。人口52 058(1990)。

Arles, Council of　阿莱斯会议(314)　西罗马帝国首次基督教主教代表会议。314年8月由皇帝君士坦丁一世在高卢南部阿尔勒召开,旨在解决北非多纳图斯派问题。会议再次谴责多纳图斯派,但该派不承认会议的决议,转向君士坦丁申诉。

Arletty　阿列蒂(1898-05-15,法国巴黎附近库尔伯瓦～1992-07-24,巴黎)　本名阿列蒂-莱奥妮·巴蒂亚。法国女演员,以其在影片中对人物性格的刻画而享有国际声誉。阿列蒂曾在工厂做工,当过秘书、画家的模特儿和歌舞队队员。1920年加入卡皮西讷剧院。并在巴黎其他剧院参加演出轻歌剧和喜剧。她参加演出的第一部影片是《叼回东西的狗》(1930),其后多年在一些影片中饰演次要角色。后来导演M.卡尔内在影片《北方旅馆》(1938)中挑选她扮演一个渴望过上好日子的妓女,使她一举成为明星。她在卡尔内的《太阳升起》(1939)和《夜间来客》(1942)中饰演的类似角色使她蜚声国际。但她所饰演的最有名的电影角色是《天堂的孩子们》(1945)中的名妓嘉兰斯,该片也是由卡尔内执导的。由于通敌,阿列蒂于第二次世界大战结束时曾被短期监禁(她拒绝与德国电影制作人合作,但爱上了一个德国人)。直到1949年她才重又拍摄影片《刺客的肖像》。同年在威廉斯的《欲望号街车》第一次在法国舞台上演时饰演布兰奇。翌年,她又成功地主演了舞台剧《帝国的回顾》。尔后12年,阿列蒂继续在舞台剧和电影中演出,最著名的是在根据萨特同名剧《此路不通》改编的电影(1954)中饰演伊尼斯,以及在她为外国影片公司拍摄的少数影片之一《最漫长的一天》(1962)中饰演一个小角色。1963年在双目几乎失明情况下,她仍重返舞台,在科克托的《神圣的怪人》(1966)中饰演主角,并在布里亚利的影片《关闭的百叶窗》(1972)中饰演一个贵妇。1971年出版自传《辩护》。

Arlington　阿灵顿　美国马萨诸塞州东部米德尔塞克斯县城镇。地处波士顿市西北。该镇包括东阿灵顿和阿灵顿海茨两村。1630年初建时为剑桥市一部分,当时命名为梅诺托米(印第安语"急流"之意)。1807年设镇。早期经济依靠蔬菜生产、运冰和纺织梳理机制造业。1846年通铁路后成为波士顿市郊住宅区。阿灵顿现有纺织机械、电子设备和制箱业。该镇的贾森罗素宅邸即为1775年4月19日美英激战中12名美军民兵牺牲之地。他们葬于镇内一位论派教堂墓地。人口42 389(2000)。

Arlington　阿灵顿　美国得克萨斯州北部塔伦特县城市。在沃思堡(西)和达拉斯(东)之间。1843年设居民点。1876年为铁路员工所营建,为一工商业中心。1950年后汽车工业、航空和宇航工业迅速发展,人口激增。市内有阿灵顿得克萨斯大学(1895)和阿灵顿浸礼会学院(1939)。有大型游乐园和阿灵顿体育场。1920年设市。人口:市332 969;沃思堡-阿灵顿主要都会统计区1 702 625(2000)。

Arlington　阿灵顿　美国弗吉尼亚州北部一县,隔波托马克河与华盛顿(哥伦比亚特区)相望,有5座桥梁与之相通。南与亚历山德里亚市毗邻。阿灵顿初建时为亚历山德里亚县,1789年受联邦政府管辖,为哥伦比亚特区一部分,后于1846年归还弗吉尼亚,1920年改现名。从原来若干小村发展成为华盛顿大都市的一部分。为美国最小县份之一,面积只有62平方千米,其中20%属联邦政府所有,现为阿灵顿国家公墓、华盛顿国家飞机场、迈尔要塞、五角大楼(国防部)以及其他政府办公大楼所占用。该县已成为一个住宅区和商业区,矗立着摩天大楼。有些轻工业品,如电气元件、科学仪器、机械设备等。有数所著名公寓大楼。设有弗吉尼亚玛丽蒙特女子学院(1950,天主教)。人口174 603(1994)。

Arlington, Henry Bennet, 1st earl of　阿林顿伯爵(第一)(1618,英格兰萨福克小萨克沙姆～1685-07-28,萨福克尤斯顿)　即H.贝内特。英王查理二世的国务大臣(1662～1674),"卡巴尔"内阁的首要成员。他掌握英国外交12年,并在下院中创立"宫廷党"(后成为托利党),从而促进政党制度在英国的发展。1667年大法官克拉伦登伯爵倒台后,他实际上成为首席大臣。1663年封男爵,1672年封伯爵。1668年他使英国与荷兰共和国、瑞典结成新教三国联盟。作为国王的心腹,

美国不列颠百科全书公司供图

他与查理的亲法和亲罗马天主教的政策有关(体现为1670年签订的英法《多佛尔条约》),支持法王路易十四对荷兰作战,但据认为他又接受荷兰的贿赂,于1673年缔结英荷和约。1674年他被指控贪污、"有失职守"和助长罗马天主教,因而辞去国务大臣之职,改任比较安稳并有利可图的宫廷大臣。

Arlington Heights　阿灵顿高地　美国伊利诺伊州东北部库克县村落。位于芝加哥市中心西北50千米处。位于芝加哥市中心西北50千米处。1836年设居民点。1887年设村。现为芝加哥西北郊住宅区,亦有轻工业。村西为阿灵顿公园竞赛场和展览中心。村内有修复的历史建筑。人口76 031(2000)。

Arlington National Cemetery　阿灵顿国家公墓　美国国家公墓。在美国弗吉尼亚州阿灵顿县,临波托马克河,位于华盛顿(哥伦比亚特区)正对面。占地200公顷以上,呈半圆形。正中央是1802年在华盛顿养子地产上仿照雅典忒修斯神庙建筑的殿堂。由8根白色巨柱支撑的门廊在河对岸即清晰可见。此殿现为R.E.李纪念堂。内战期间曾为北军占领,1864年成为军事公墓。经多年诉讼,美最高法院裁定政府为非法进入私有土地。其法定继承人于1883年将此地以15万美元卖归国有。安葬在这里的有美国某些军事将领和杰出人物,以及历次战争中牺牲的一些官兵。还有一座无名战士墓,纪念各次战争中的牺牲者。附近的悼念会场是一座无顶的大理石建筑,围绕着一个天然盆状场地,其风格仿照雅典的狄奥尼索斯剧场和法国奥朗日的罗马剧场。据统计,在墓地安葬的死者已超过163 000人。附近有美国海军陆战队伊沃吉马岛(即硫黄岛)战役纪念碑。

Arliss, George　阿利斯(1868-04-10,伦敦～1946-02-05,伦敦)　原名奥古斯特·乔治·安德鲁斯。英国电影和舞台剧演员。以常在电影中塑造众多的历史人物著称。1887年开始

美国不列颠百科全书公司供图

其表演生涯,直到1900～1901年戏剧季节里,在伦敦同坎贝尔夫人合作演出时,才首次取得真正成功。1911年在《迪斯累里》中扮演同名角色。1920年转拍电影时,已具有主要演员的地位。所拍影片有:《绿色女神》(1930)、《亚历山大·哈密尔顿》(1931)、《罗斯柴尔德之家》(1934)和《红衣主教黎塞留》(1935)等。他因在影片中扮演迪斯累里一角而获1929～1930年奥斯卡最佳男演员奖。写过几部剧本和自传:《回溯布卢姆斯伯里年代》(1927)和《十年影坛生涯》(1940)。

Arlon　阿尔隆　佛兰芒语作Aarlen。比利时东南部卢森堡省省会。位于阿登高原南端,临近瑟穆瓦河与卢森堡边界。原为罗马奥罗劳努姆,是比利时最老的居住区。地处特里尔至兰斯的道路上。4世纪时建城堡,10世纪成为一伯爵府地。理查一世(狮心王,亦称阿尔隆侯爵)1190年由此地开始了第三次十字军东征。比利时独立后,阿尔隆成

为卢森堡省省会。现为重要家畜和农业市场以及布鲁塞尔—那慕尔—卢森堡国际铁路边境车站。有一些制造业。其部分人口受雇在边境那边的卢森堡及法国钢铁工厂工作。16、17、18世纪的战争摧毁了阿尔隆的大部分历史遗迹。现存的主要古代遗迹有罗马塔(1670年被法国人拆毁的4世纪古堡的一部)和17世纪的圣多纳图斯教堂。阿尔隆考古博物馆中藏有罗马陵墓的浮雕。人口:城市区约22 201(1983)。

Arlt, Roberto 阿尔特(1900-04-02,阿根廷布宜诺斯艾利斯～1942-07-26,布宜诺斯艾利斯) 阿根廷小说家、剧作家、新闻记者,阿根廷文学中荒诞小说的先驱。作为德国移民的第一代后裔,他深感阿根廷社会的排外性。主要作品有小说《狂暴玩偶》(1926)、《七个疯子》(1929)、《喷火器》(1931)和《妖术的爱》(1932),书中描写的世界往往是古怪和梦魇般的,充满了反抗社会的愤怒和近乎疯狂的人物。他的小品《布宜诺斯艾利斯人的蚀刻画》(1950)和《布宜诺斯艾利斯人的新蚀刻画》(1960),是对布宜诺斯艾利斯人物的描绘,表现出他具有敏锐的心理洞察力和尖锐讽刺的才能。剧作以《三万万》(1932)和《残忍的萨维里奥》(1936)最为著名。阿尔特小说全集出版于1963年。

arm 臂 直立的脊椎动物(尤其是人和其他灵长类)的前肢或上肢。有时也指肩到肘之间的部分。树栖臂行的灵长类的臂通常较长。人和其他灵长类的上臂有一根长骨——肱骨;前臂有两根较细的骨——尺骨和桡骨;手部有多数腕骨、掌骨;指部有指骨。臂的主要伸肌是从肱骨到尺骨的三头肌,屈肌是二头肌,其作用是使臂在肘处弯曲。尺骨、桡骨上覆以许多小肌肉,用以使手和指向各个方向活动。胸肌用以降臂,但四足动物的胸肌可使前肢向后运动。英语中arm一词亦指无脊椎动物的附肢或运动器官,如海星的腕、章鱼的触手和腕足纲动物的腕足。

Armada 无敌舰队 又作Spanish Armada或Invincible Armada;西班牙语作Armada Española或Armada Invencible。1588年西班牙国王腓力二世为会同西班牙陆军从佛兰德(今在比利时)入侵英国而派遣的庞大舰队。英国为抵御该舰队而采取的行动导致了首次完全由重型火炮进行的海战,而西班牙企图的破灭使英国和尼德兰免遭西班牙帝国的吞并。

腓力二世长期以来一直试图在英国恢复罗马天主教,英国针对西班牙的贸易和殖民地采取的海盗行动进一步激怒了西班牙。1585年的《楠萨奇条约》中英国支持荷兰人反抗西班牙的统治,加上1585到1586年弗朗西斯·德雷克爵士在加勒比海对西班牙商船进行的破坏性袭击,终于使腓力二世确信必须直接入侵英国。他决定以尼德兰的西班牙总督帕尔马公爵麾下的3万名能征善战的部队为入侵的主力部队,并从西班牙派遣大量海军部队击败或遏制英国舰队,以便为帕尔马的部队从佛兰德跨越多佛尔海峡前往英国东南部扫清道路。

经过近2年的准备以及数度推迟,1588年5月,无敌舰队从里斯本启航,指挥官为梅迪纳-西多尼亚公爵,他接替是年2月故去的西班牙最杰出的海军上将圣克鲁斯侯爵为司令。梅迪纳-西多尼亚是一位经验丰富的行政官员,行动果断,能力出众,但较为缺乏海战经验。西班牙舰队有130艘舰船、约8 000名水手和可能多达1.9万名步兵。其中约有40艘战舰,其余大部分是运输船和轻型船只。西班牙人自信,虽然他们的舰船速度不及英国舰船,重型火炮也不如英舰,但他们指望如果英舰投入交战,能迫使英国人进行甲板战斗,此后西班牙步兵的优势将起决定性作用。

英国舰队统帅为查尔斯·霍华德男爵,虽然他同梅迪纳-西多尼亚一样都并非是经验丰富的海军将领,但却也是位精明强干的领导。他的副手为弗朗西斯·德雷克爵士。英国舰队一度有近200艘舰船,但是随后在英吉利海峡进行的大部分交战中,其数量不足100艘,规模最大时也不过与西班牙舰队数量大致相同。一级战舰的数量不到40艘,但英国舰船不受运输任务的拖累,即使是最小的船也能快速航行,并有与其大小相适应的良好武器。英国舰队主要依靠火炮,几乎不装载步兵,但却有比西班牙舰只数量多、威力大的火炮。依靠这些安装在快速灵活的舰船上的火炮,英国舰队决定远离西班牙舰队,从远距离轰击它们。

狂风迫使无敌舰队折返西班牙北部的拉科鲁尼亚港进行整修,7月才最后重新出征。7月29日(旧历7月19日),英国人首次在康沃尔郡的利泽德角外发现无敌舰队,当时英国舰队主力位于普利茅斯,正处于下风方向,但是经过一番机动,英舰队到达敌侧的上风方向(即处于无敌舰队的西面,因为那里盛行西风),从而掌握了战术主动权。在3次遭遇战中(7月31日即旧历7月21日于普利茅斯外海;8月2日即旧历7月23日于波特兰岬外海;8月4日即旧历7月25日于怀特岛外海),英国舰队在远距离上袭扰了西班牙舰队,轻而易举地瓦解了敌诱其近战的企图,但未能给西班牙舰队编队造成重大破坏。

8月6日(旧历7月27日),无敌舰队到达多佛尔海峡并在法国加莱外海上一个暴露地点抛锚。英国舰队也抛锚,仍位于上风方向(即处于无敌舰队西侧),并得到一直守卫在狭窄海域的一支分舰队的增援。帕尔马公爵在佛兰德当天得知关于无敌舰队前进的第一个确切消息,他立即命令其部队登上准备入侵的舰船。但是由于登船过程需要6天时间,无敌舰队却无安全的港口停靠以便等待,而这些入侵的小型船只通过海岸浅水海域时受到游弋于此的荷兰和英国战舰的拦截,但又没有任何护航手段。西班牙战略中这一缺陷后来被证明是灾难性的。

8月7日至8日(旧历7月28日至29日)午夜,英国舰队在上风方向放出8艘纵火船,冲入西班牙舰队,迫使西班牙舰船斩断或松开缆绳(从而弃锚),向深海驶去以免着火,因此,西班牙舰队的队形被完全打乱。8日拂晓,英国舰队在格拉沃利讷外海上向队形凌乱的西班牙舰队发起进攻,结果导致一场决定性的海战。英国舰队此时接近至有效射程内,西舰大部分用小型武器还击。西班牙军舰的重炮尚未安装好,炮手也没有受过在战斗中进行再装填的训练,他们舰船损失和人员伤亡十分严重,无法实施有效的反击。3艘西班牙军舰在岸边被击沉或搁浅,其他舰船严重损坏。同时英国舰队也因缺乏弹药被迫退出战斗,在无敌舰队后面保持一定距离。到8月9日(旧历7月30日),西盛行风使西班牙舰队驶向泽兰海岸浅滩区。但是快到浅滩区时风向改变了,形成一条安全航道供西班牙舰队向北行驶。西风和英国舰队都使无敌舰队无法与帕尔马会合,舰队被迫绕过苏格兰北端返回西班牙。当无敌舰队通过福斯湾时,英国舰队返航进行补给,因而未再发生战斗。但是在北大西洋的秋季强烈风中返航回家的漫长航程对许多西班牙舰船来说是一场灾难。由于战损、恶劣的天气、缺乏食物和淡水以及导航错误,一些舰船在公海上沉没了,另一些驶向爱尔兰西海岸而遇难。只有60艘舰船返回了西班牙,其中大部分损坏严重以至于无法修复,可能有1.5万人死亡。英国人因为疾病损失了数百人,或许有数千人,但在战斗中的损失和人员伤亡微不足道。

无敌舰队的失败使英国免遭入侵,也使荷兰共和国免受灭亡之灾,也使当时最强大的欧洲大国威风扫地。从战术上讲,无敌舰队的行动作为风帆船的第一次重大海上炮战具有重要的历史意义,此后,装备火炮的风帆战舰统治海上达2个半世纪之久。

armadillo 犰狳 贫齿目犰狳科哺乳动物的统称,与树獭和食蚁兽有亲缘关系。分布于热带和亚热带地区,主要在南美洲。多栖息于开阔地区,有些栖息于森林。有9

九带犰狳(*D. novemcinctus*)
美国不列颠百科全书公司供图

属20种。三带犰狳属(*Tolypeutes*)、六带犰狳属(*Euphractus*)和九带犰狳属(*Dasypus*)均根据甲胄状原骨质板中可活动的条带的数目而命名。九带犰狳(*D. novemcinctus*)是唯一分布到美国的种,在该处分布至得克萨斯北部。南美犰狳(*Zaedyus pichi*)产于阿根廷巴塔戈尼亚地区。犰狳身躯粗壮,腿短,爪弯曲而有力,身披粉红色到褐色的保护性覆盖物——甲胄。甲胄由坚固的圆盾形甲板组成,甲板由能活动的横向带状物分隔。甲胄覆盖大部分体表,包括头,也常包括尾。九带犰狳有稀疏的毛;粉红色仙犰狳(*Chlamyphorus truncatus*)腹部和两胁有浓密柔软的白毛。犰狳的体型大小不一,粉红色仙犰狳全长约16厘米;巨犰狳(*Priodontes giganteus*)约1.5米。犰狳独栖,或成对、成小群栖息,栖于地穴。主要夜间活动,以白蚁和其他昆虫、植物、小动物和某些腐肉为食。挖掘有力,亦善游泳,能吸足空气,使身体浮于水面。胆小,遭到威胁时即退回地穴;若在开阔地受到攻击就缩回四肢,让甲胄着地;有时也逃跑、挖地洞,或用爪扑向进攻者。三带犰狳能缩成一团。粉红色仙犰狳和伯迈斯特氏犰狳(*Burmeisteria retusa*)在后腿上生有竖立的甲板,粉红色仙犰狳用以阻塞地洞的入口(伯迈斯特氏犰狳可能亦如此)。每产1～12仔,幼仔外形完全相同,由同一受精卵发育而成。犰狳的妊娠期尚未明,但知多毛犰狳(*Chaetophractus villosus*)为65天,九带犰狳为4个月(它不包括从卵受精到受精卵植入子宫壁这段期间的几个月)。

armadillo lizard (species *Cordylus cataphractus*) **犰狳蜥** 绳蜥科动物,产于南美洲,体长约25厘米。面临危险时将尾含于口中,缩成球状,以头部和尾部的骨质鳞片和棘刺保护其体,至危险解除时才松开。

Armageddon 哈米吉多顿 《圣经·新约》中提到的由鬼魔率领的地上诸王在世界历史结束之时与上帝的众军作战之处(希伯来语或许叫做"美吉多山")。哈米吉多顿在《圣经》的《启示录》只出现一次(即第16章第16节)。巴勒斯坦城市美吉多可能用来象征这样一场战斗,因为它在巴勒斯坦历史上一向是战略要地。从滨海的沙伦平原到埃斯德赖隆平原,要穿过切断卡尔迈勒山(迦密山)的一个山口,美吉多正扼山口的咽喉,控制着从埃及和巴勒斯坦滨海平原到加利利、叙利亚和美索不达米亚的大道。美吉多曾是多次战争的战场,《启示录》或许在暗示,哈米吉多顿即美吉多要塞所在的"山"或其背后的"山峦",象征着上帝的天军将来击败鬼魔所指挥的邪恶势力的最后战场。《圣经》其他段落则暗示,这场战斗将在耶路撒冷进行。

Armagh 阿马 北爱尔兰1973年前旧郡。其周围边界有:内伊湖(北)、原蒂龙郡(西北)、旧唐郡(东)及爱尔兰共和国(南与西)。在史前时期及有史初期,阿马是阿尔斯特的一个重要居民区。在纪元初年,位于纳文堡旧址上的埃梅恩-姆海查要塞是阿尔斯特王国的中心,此王国的疆界西面和南面直至香农河和博因河。一座古边界土堤名黑猪堤亦筑于这个时期。4世纪中,阿尔斯特王国衰落后,埃梅恩-姆海查失去其重要性,阿德-姆海查即今阿马郡首府阿马成为政治中心。5世纪时,圣巴特里克以此地为其都市主教教区,于是阿马的地位比过去更为重要。其后此地区为盎格鲁-诺曼人和入侵的丹麦人(841)所蹂躏,但这些入侵者从未在此地设置永久性的居民点。直到17世纪,英国人才在该郡有重要影响。1586年此地区设为郡,17世纪初,包括在阿尔斯特开拓计划之内。当时主要是从英格兰来的新教教徒土地拥有者在此郡开拓定居。阿马在18世纪繁荣起来,现存许多大型纪念性建筑物和其他建筑物可作证明。1973年,北爱尔兰重新划分行政区域,阿马郡分别划入阿马地区和克雷加文、纽里、莫恩三个地区。

Armagh 阿马 爱尔兰语作Ard Mhacha。城市、地区首府和地区(设于1973年),在北爱尔兰原阿马郡。现代阿马市是在建于阿德-姆海查的山上堡垒周围发展而成的,4世纪间开始成为重要的地点。5世纪中,圣巴特里克在山上堡垒的原址上建筑他在爱尔兰最重要的教堂。这个旧址在中世纪成为主教教区所在地。16世纪,阿马被英国新教军队占领,其后开设一些教育机构,如一所皇家学校(1627)、一座图书馆和一座天文台(1765)。18世纪神职人员和贵族阶层的奢华反映在城内许多乔治王朝时代风格的大型纪念性建筑物和其他建筑物中。现代阿马是爱尔兰教会(英国圣公会)和罗马天主教会的主教教区,亦是地区的贸易中心,有纺织品、化工品、光学器械制造业和食品加工业。阿马地区面积676平方千米,位于内伊湖之南,西北为邓甘嫩地区,东北为克雷加文地区,东面为班布里奇地区,东南为纽里和莫恩地区,爱尔兰共和国在其西南。阿马地区南部是崎岖不平的山地,北面以平缓的坡度逐渐下降到较肥沃的低地。阿马地区的北部是爱尔兰岛上盛产水果的地方,里奇希尔村和洛赫高尔村是苹果和草莓的集市中心。轻工业中心除阿马市之外有基迪、劳雷尔韦尔和坦德雷吉。该地区原有重要的亚麻纺织厂现已关闭或改生产合成纤维。阿马地区的南部和与爱尔兰共和国边界邻近的地带在20世纪后期继续是酝酿宗派械斗的温床。人口:市12 700(1981);地区约50 700(1987)。

Armagnac 阿马尼亚克 法国西南部历史上的著名地区,现属热尔省。地区内丘陵高达300米山坡广植葡萄,或产著名的阿马尼亚克白兰地酒。在墨洛温和加洛林王朝时代,阿马尼亚克为加斯科涅公国的一部分。从12世纪起,阿马尼亚克作为法国国王控制地区(图卢兹)和英国国王控制地区(吉耶讷)之间的缓冲地带,战略地位日益重要。在百年战争期间(1337～1453),根据《加来条约》(1360),英国取得对阿马尼亚克的宗主权。1368年让一世伯爵对英国的统治提出控诉,因而法国的查理五世便有了重新开战的借口。由于领地的重要地位,再加上加斯科涅雇佣兵的效劳,使贝尔纳七世伯爵在15世纪初法国的国内冲突中起过重大作用。又由于奥尔良公爵路易(疯国王查理六世的兄弟)被勃艮第公爵无畏的约翰谋杀(1407),形成了反对勃艮第人的阿马尼亚克党。更由于贝尔纳的女儿嫁给奥尔良公爵路易的儿子,贝尔纳便成为奥尔良党的首领。从1413年起,他们控制了疯国王。贝尔纳被任命为陆军统领和财政总监。1418年以后,新国王查理七世取得领导权,与勃艮第公爵勇士查理取得和解,阿马尼亚克人的权势迅速衰落。1473年,一支国王军队侵入阿马尼亚克,占据其首府莱克图尔,让五世伯爵被杀。在亨利四世统治下,阿马尼亚克永久归属法国王室(1607)。17～18世纪阿马尼亚克成为吉耶讷-加斯科涅大区下辖的一个行政区。

Armah, Ayi Kwei 阿尔马赫(1939,黄金海岸塔科拉迪[今加纳]～) 加纳小说家。其作品大多揭露当代非洲贪污腐化以及利欲薰心的现实。他在1959年赴美国以前在当地教会学校、随后在阿奇莫塔学院求学,后在美国格罗顿学校学完中学课程,最后在哈佛大学获学士学位。此后他在巴黎、坦桑尼亚、莱索托、塞内加尔和美国等地当脚本撰写人、翻译家和英语教员。他在其第一部小说《最美丽的人儿尚未出生》(1968)中对一个新独立的非洲国家中出现的贪婪和政治腐败表达了他的深切忧虑。在第二部小说《片断》(1970)中,写一个加纳青年在旅居美国后回到本国,看到周围尽是西方引发的唯利是图之风和道德败坏,感到幻灭。《为什么我们如此有幸?》(1971)仍以归国后感到的幻灭为主题,但范围有所扩大。在《两千个季节》(1973)中,他借用非洲挽歌和颂歌中的语言,追溯了非洲的过去,把它写成在被阿拉伯和欧洲掠夺者毁坏以前,非洲曾达到了某种富于浪漫气息的完美境界。阿尔马赫的全部作品看来都在关注他的祖国加纳存在着的外表与实际、精神与物质、过去与现在之间的越来越大的道义上与精神上的鸿沟。

Armalite rifle 阿玛莱特步枪 美国制造商阿玛莱特公司设计的轻型小口径步枪。最早的阿玛莱特型枪是AR-10型7.62毫米的气动式步枪,枪长102.9厘米,重4千克,该枪虽试验失败,但为以后设计相似并获得巨大成功的著名AR-15步枪(美国陆军编号为M-16)铺平了道路。斯特灵武器公司的英国制造厂生产了一种斯特灵-阿玛莱特AR-18步枪,该枪外形和使用均与AR-15步枪相同,而且,经过精心重新设计,易于不发达国家用普通设备生产,尽管实际上并未作出这类安排。

Armani, Giorgio 阿曼尼(1934-07-11,意大利皮亚琴察～) 意大利时装设计师。货运经理之子,曾打算当医生,后放弃医学学业而改学时装设计。1957年开始在米兰的拉瑞那斯申泰百货公司当采购员,工作7年后开始钻研时装设计,在时装设计师N.切鲁蒂的工作室学艺。1975年在朋友和合伙人S.加莱奥蒂的帮助下,阿曼尼成功推出自己的男女成衣品牌。1980～1981年创立美国乔治亚·阿曼尼、恩坡里欧·阿曼尼等时装店,1989年在伦敦开店。多年来不断为公司增添新产品,包括香水、服饰、牛仔系列、低价位的运动服以及一些纯手工制作的女式服装。2000～2001年纽约市的古根海姆博物馆为阿曼尼举办了一场重要的作品回顾展。

Armant (town, Egypt) **艾尔曼特** 参阅 **Hermonthis** 赫尔门斯。

armatole 阿马托 希腊语为armatolos(复数armatoloi)。奥斯曼帝国统治时期在阿马托利克斯地区为当局服兵役或当警察的希腊人。这种警察组织起源于拜占廷时代,阿马托里斯莫斯(armatolismos)是当时的一种封建制度,凡服兵役或当警察者可得到土地所有权。当奥斯曼土耳其人在15世纪征服希腊时,他们和当地的阿马托订约,让阿马托继续担任警察职务。其他栖身山区的希腊人成为非官方的、自封的阿马托,人称克列福特(klepht 源出希腊语 kleptes,意为“绿林好汉”)。这些人有时在不愿继续当“绿林好汉”时,也可能被土耳其当局承认为阿马托。阿马托和克列福特这两个名词也就没有什么区别了。这两种人在希腊独立战争(1812～1832)中都曾起过重要作用。

Armatrading, Joan　阿尔马特雷丁(1950-12-09,圣基茨巴斯特尔～　　)　歌唱家兼歌曲作家。是第一个因演唱自己作品而产生影响的英国黑人妇女。20世纪70年代即被评论界推崇,她得到歌迷爱戴,直至21世纪,尤其是在英国。幼年时即随家人从西印度群岛迁至英国伯明翰。年轻时学过钢琴和吉他。1976年因同名专辑获得乐评界的好评,进入英国音乐排行榜前20名,其中有一支单曲进入前10名。她的音乐融合了民谣、雷盖、爵士与摇滚。以后的专辑销量虽然有所下降,但仍受评论界宠爱,特别是美国和英国的广大忠实听众,对她的喜爱始终不减,并对以后的创作歌手产生了重要影响。2001年被授以英帝国勋章。

armature　支架　雕塑中用的支架,是泥塑物体的内部结构,用可塑材料制成,大小须适应支撑泥塑物体的需要。凡具有防潮性能、能够支撑住潮湿的黏土或油泥之类的硬质材

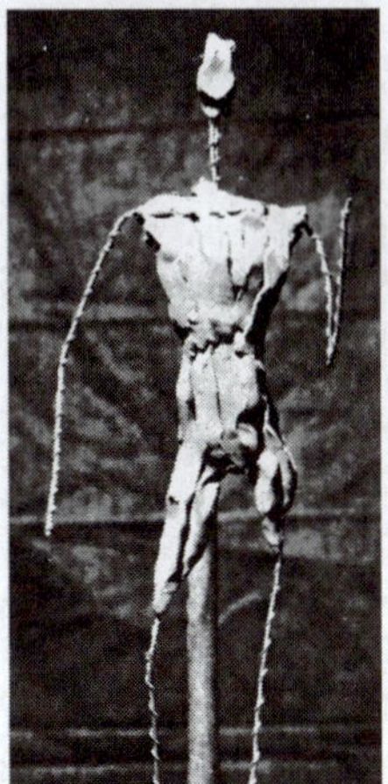

雕塑《站立的男子》
美国不列颠百科全书公司供图

料,都可用以制作支架。黏土与油泥要堆在支架上并围绕支架进行塑造。等身头像或其他部位的支架,一般是把几块木头钉在一起,再用一根粗铅管或是一根白铁管固定在作为基础的垫板上。大型雕塑的支架更为复杂,由铅管、铁杆或铁管以及木材制成。早在文艺复兴时代,大型雕塑就已运用支架。

Armavir　阿尔马维尔　俄罗斯西南部克拉斯诺达尔边疆区城市。位于库班河左岸。1839年始建。1914年成为城镇。为罗斯托夫至巴库的铁路枢纽,有铁路支线通黑海沿岸的图阿普谢港。交通方便,周围农产丰富,食品加工业发达。肉类加工联合企业是俄罗斯最大的同类企业之一。亦有机械制造及木材加工业。附近开采天然气。人口约178 300(1991)。

Armco Inc.　阿姆科公司　美国公司,1899年12月2日创立,原名美国轧钢公司,1948年改名阿姆科钢铁公司。1978年取现名。总公司设在俄亥俄州米德尔顿。原制造薄钢铁板,现业务范围扩大为:①轧制钢材,包括开采铁矿、煤矿、天然气、石油及其他燃料等原料供应工业;②金属产品加工;③生产金属、塑料工业设备和材料,还提供有关的工程、建筑劳务和经营销售业务。产品和劳务大部分来自美国国内,但相当大的销售额来自国外的子公司。

Armenia　亚美尼亚　全称亚美尼亚共和国。外高加索国家,原为苏联的一个加盟共和国,西南亚一个历史地区的继承者。历史上的亚美尼亚边界变动很大,但古代亚美尼亚的范围则扩展到今土耳其东北部地区和亚美尼亚共和国的整个地区。亚美尼亚是3个外高加索国家(格鲁吉亚、阿塞拜疆、亚美尼亚)中最小的一个。土耳其亚美尼亚与亚美尼亚共和国不同,它没有国名,该地区只有亚美尼亚人中的一小部分。亚美尼亚人绝大部分居于亚美尼亚共和国内。亚美尼亚共和国北面和东面与格鲁吉亚及阿塞拜疆接壤,西面与土耳其交界,南面与伊朗为邻,首都埃里温。面积29 800平方千米。人口约2 983 000(2005)。

自然地理和人文地理　亚美尼亚共和国为一多山国家,平均海拔1 800米,北部有起伏连绵的小高加索山脉,中东部有塞凡湖(面积1 300平方千米)。该国属干燥的大陆性气候。较低的半沙漠地带生长抗旱植物,如红松、芦荟、犬蔷薇和忍冬属植物;大片草原地带则长满草类;山坡处荆棘丛生,松林密布;高处草地在夏季为良好的牧场。东北部的森林大部为山毛榉。亚美尼亚的平原和山麓相当温暖,可种植无花果、石榴、桃和葡萄。较高地带可种植烟草、谷物和水果,而2 400米以下地区均可种植谷类作物、马铃薯和饲草。

亚美尼亚人占该国人口总数的90%以上。阿塞拜疆人、库尔德人、俄罗斯人、乌克兰人数量很少,此外还有一些其他民族的人。

亚美尼亚现已变得越来越城市化和高度工业化,但农业在该国经济中仍占重要地位。亚美尼亚已由其从前的农产品、铜和白兰地供应者的地位转变成化学品、有色金属、机械、精密仪器、纺织品、服装、皮靴鞋、葡萄酒和罐头食品的生产者。现在仍有很大一部分人口从事农业。酿酒葡萄是最重要的作物。该国也有果园作物、马铃薯及其他蔬菜、棉花、甜菜和牲畜(绵羊和牛)。

多山地形造成交通困难,但亚美尼亚建有铁路和密集的公路网。山间河川的水电潜能在20世纪下半叶苏联统治时期曾是该国工业化的主要因素。

亚美尼亚总统由普选直接选出。总统任命部长会议(内阁)及其首脑(担任总理)。立法权属于成员由选举产生的最高会议。7～17岁未成年人须接受免费义务教育。埃里温大学(1919)是高等学府之一。

美国不列颠百科全书公司供图

亚美尼亚的书面文学始于公元5世纪。萨亚特-诺瓦(卒于1795)的情歌至今流传。现代亚美尼亚作曲家A.哈恰图良的作品闻名世界,而亚美尼亚出生的艺术家A.高尔基的绘画亦颇有名气。亚美尼亚的文化机构有国立歌剧及芭蕾舞学术剧院、一些戏院、交响乐团和埃里温电影制片厂。地毯编织及其他传统工艺也很兴盛。

历史　亚美尼亚在古代曾一度强大,足以与罗马帝国相抗衡,但其后来的历史则主要是为争取独立而进行的多次斗争及许多外国势力对该地区的统治。

亚美尼亚文化的根基于公元前6世纪建立在乌拉尔图的废墟之上。乌拉尔图是一个古国,在巴比伦和米底征服其强大的盟国亚述时,乌拉尔图遭到西徐亚人和辛梅里安人的蹂躏。乌拉尔图文化的踪迹,尤其是农业方面的一些革新,可能在亚美尼亚人(自称是海克人)进入该地区时尚存。这些新居民很快即被米底帝国吸收。米底帝国于公元前550年成为波斯阿契美尼德帝国的一省。地方政府由数位村镇官员管理,他们向波斯国王纳贡。公元前331年,亚美尼亚被亚历山大大帝征服,公元前301年成为塞琉西帝国的一部分。

塞琉西于公元前190～前189年被罗马征服,亚美尼亚被划为大亚美尼亚和索菲恩两个行省,直至亚美尼亚国王提格兰二世(大帝)在位时(公元前95～前55年)始再次统一。在提格兰二世治下,亚美尼亚国势鼎盛。邻近的阿尔巴尼亚、阿塞拜疆、叙利亚和安息的一部分均在其治下。在一短时期内亚美尼亚成为罗马东方最强大的国家。然而到了公元前66年,提格兰被迫割让领土并与罗马结盟,此后亚美尼亚即成为罗马与安息-波斯对抗的焦点,直至公元3世纪。

圣格列高利(启发者)通过使阿萨息斯王朝的国王梯里达底三世皈依基督教而使亚美尼亚永远与波斯和东方分离。基督教于公元300年成为亚美尼亚的国教。约在390年前

后，该国又分裂为拜占廷亚美尼亚（不久成为拜占廷帝国的一部分）和波斯亚美尼亚（仍属波斯）。随着波斯势力的衰落，亚美尼亚全部被纳入拜占廷的势力范围。653 年，亚美尼亚处于阿拉伯人的统治之下，但仍能保持实际上的自治。

公元 11 世纪，亚美尼亚先是被一度复兴的拜占廷帝国吞并，继而遭到塞尔柱突厥族的入侵。11 世纪后期该国大部处于土耳其人的统治之下。13 世纪时，亚美尼亚大部已成为格鲁吉亚的一部分，受到蒙古人的蹂躏。在被塞尔柱人征服后迁往西利西亚的亚美尼亚移民，创立了称为小亚美尼亚的国家，在十字军东征时期与西方结成紧密同盟，并吸收了许多法兰克文化。13 世纪中，小亚美尼亚的统治者曾借助蒙古军队击退埃及马木路克从叙利亚的入境。但小亚美尼亚的都城于 1375 年陷落，亚美尼亚国家的独立遂即告终。

自 16 世纪初起，亚美尼亚又一次成为两个敌对国家争夺的目标，这一次是奥斯曼帝国和伊朗，这一状态一直延续至 18 世纪末，当中仅有一个短暂的独立时期。在此期间，该国成为东方与欧洲贸易的纽带。

19 世纪初俄罗斯向高加索的挺进刺激了亚美尼亚文化的复兴，并开始引起外国对在奥斯曼土耳其帝国统治下亚美尼亚人境遇的关注。在 1877 ～ 1878 年的俄土战争及《圣斯特凡诺条约》之后，这一事实发展成为“亚美尼亚问题”。但寻求改革的努力只是招来接连发生的土耳其与俄罗斯对亚美尼亚民众的屠杀。第一次世界大战期间，奥斯曼政府于 1915 年下令将约 175 万亚美尼亚人遣送至叙利亚和美索不达米亚。有约 60 万人在途中死于沙漠之中。参阅 **Armenian massacres**。

1916 年俄罗斯征服亚美尼亚后，亚美尼亚与格鲁吉亚和阿塞拜疆结成了一个外高加索联盟。但未出数月，联盟即告解散。又经过一系列政治动乱，包括 1920 年短时出现的独立的亚美尼亚共和国，终于导致三国重新联合成为外高加索苏维埃联邦社会主义共和国，于 1922 年并入苏联。1936 年，新的苏联宪法赋予亚美尼亚在苏维埃社会主义共和国联盟中以共和国地位。80 年代末至 90 年代初，苏维埃亚美尼亚经历了因纳戈尔诺-卡拉巴赫政治地位争端而引发的种族骚乱。该地区属于山地，虽然大部分人口为亚美尼亚人，却归邻近的阿塞拜疆苏维埃社会主义共和国治理。1988 年 12 月 7 日亚美尼亚西北部毁于大地震，列宁纳坎（今库迈里）和斯皮塔克均被夷为平地，死亡 25 000 人。亚美尼亚于 1990 年 8 月 23 日宣布独立，脱离了正在崩溃中的苏联。20 世纪 90 年代中叶有数千名亚美尼亚人被杀害。1989 年实行的封锁对经济破坏极大，造成生存条件严重恶化，导致几十万亚美尼亚人出走国外。尽管在 21 世纪经济有了好转，许多亚美尼亚人仍然留在国外，对于纳戈尔诺-卡拉巴赫飞地的冲突也没有一个最终的解决方法。彼得罗相于 1996 年再次当选总统，1997 年任命自称纳卡共和国前领导人的科恰良为总理。两人在对阿塞拜疆的谈判中产生分歧，导致彼得罗相于 1998 年下台，科恰良当选总统。科恰良当政后与西方的联系更加紧密（亚美尼亚于 2001 年加入欧洲理事会），2003 年连任总统。

Armenia 亚美尼亚城 哥伦比亚中西部金迪奥省省会。位于中科迪勒拉山西侧，介埃斯佩霍河和金迪奥河之间，海拔 1 483 米处。该市位于巴里奥斯港至波帕扬的铁路线上，并且是经伊瓦格东南 50 千米至波哥大的公路交通的转运点。以古代王国名称命名的亚美尼亚于 1889 年由 J.M.奥坎波和 A.埃雷拉建立。在市场出售的有咖啡、玉米、豆类、甘蔗、丝绸和大蕉，有一些轻工制造业。附近有煤储藏。有金迪奥大学（1962）。人口 220 303（1995）。

Armenia Minor 参阅 **Little Armenia** 小亚美尼亚。

Armenian 亚美尼亚人 原住亚美尼亚地区文化悠久的民族。该地包括今土耳其东北部和亚美尼亚共和国。现在土耳其亚美尼亚人已近乎绝迹，但有300万人住在亚美尼亚

亚美尼亚妇女与儿童
美国不列颠百科全书公司供图

共和国，还有大批亚美尼亚人住在阿塞拜疆、格鲁吉亚、高加索的其他地区及中东地区。有很多人移居欧、美。亚美尼亚人是一支印度-欧罗巴人的后裔。古希腊历史学家希罗多德及欧多克索斯（罗得岛）曾记载亚美尼亚人与由色雷斯进入小亚细亚的弗里吉亚人以及弗里吉亚王国所统治的操弗里吉亚语的诸部落为同一族源。亚美尼亚语属印欧语系，但语音语法与高加索语有些共同点。亚美尼亚人传统上是一性论派基督教徒，属于亚美尼亚使徒（正）教会。亚美尼亚人最初基本上是务农的。从 1930 年至 1990 年工业发展迅猛。到 20 世纪末，共和国 2/3 的人口亦即约 9/10 的亚美尼亚人已成为城市居民。古代亚美尼亚人文化高度发达，形式丰富，尤以建筑、绘画、雕刻等最为明显。最有成就的艺术活动时期到 14 世纪末达到顶点。此后亚美尼亚文学继续发展，19 世纪时，在土耳其人及俄罗斯人统治下出现再度繁荣。亚美尼亚人不断增长的民族主义引起土耳其人的屠杀和俄罗斯人的掠夺。1915 年，土耳其人决定将其全部（约有 175 万人）亚美尼亚人驱逐到叙利亚和美索不达米亚，约有 60 万人在途中死亡或遭屠杀。约有 1/3 逃脱，很多人后来在前苏联、欧洲、美洲定居。

Armenian alphabet 亚美尼亚字母 公元 5 世纪为书写亚美尼亚语而制成的文字，沿用至今。可能由自波斯语的钵罗钵字母，并受某些希腊字母影响。根据当地传说，亚美尼亚字母表是由圣梅斯罗布创制，并由亚美尼亚使徒教会主教圣萨哈克和希腊人鲁凡诺斯助其完成的。圣萨哈克创立一所翻译学校并将圣经译成新亚美尼亚文。现存最古的亚美尼亚语文献可追溯至公元 9 ～ 10 世纪。亚美尼亚文字有 38 个字母——31 个辅音字母和 7 个元音字母。能充分满足亚美尼亚语的需要，虽然亚美尼亚字母很可能是依照钵罗钵字母的模式形成的，而钵罗钵字母又是广泛通行的阿拉米字母的“后裔”，但其元音字母和从左到右的书写方向，显然曾受希腊字母的影响。作为稳定亚美尼亚语而使之定型化的工具，它继续是亚美尼亚民族和教会统一的重要因素。

Armenian Apostolic Church 亚美尼亚使徒教会 亚美尼亚的民族东正教教会。据传使亚美尼亚皈依基督教的是使徒巴多罗买和使徒达太，故名使徒教会。约公元 300 年基督教成为亚美尼亚的国教。在 506 年的德温会议上，亚美尼亚教会拒绝 451 年卡尔西顿会议规定的基督一身兼有神人二性的教义，因而成为基督一性派。7 世纪初格鲁吉亚教会脱离亚美尼亚教会而同希腊正教会重新联合，但亚美尼亚教会仍与科普特教会和叙利亚雅各派教会在教义上保持一致。驻埃奇米阿津的卡托利科斯被公认为全亚美尼亚使徒教会的首脑，驻锡斯的卡托利科斯在教义上应接受前者的领导，但在教务行政上自主。双方之间的关系往往由于政治局势变化而紧张。最高卡托利科斯既然驻在亚美尼亚境内，亚美尼亚民族主义派则转而拥护驻安提利亚斯的卡托利科斯。因此北美洲的亚美尼亚后裔中间也分成两派。亚美尼亚教会的君士坦丁牧首和耶路撒冷牧首设立时期较晚，它们都承认埃奇米阿津教会的领导地位。亚美尼亚使徒教会除坚持基督一性论以外，其他教义都与东正教相同，还保持着亚美尼亚的传统礼仪，很多人认为它是亚美尼亚民族特色的护卫者。

Armenian Catholic Church 亚美尼亚公教会 东仪天主教的一个派别。亚美尼亚人约在公元 300 年接受基督教，是第一个全民奉教的民族。在 451 年卡尔西顿会议约 50 年后，亚美尼亚人驳斥这次会议关于基督论的决议，另立亚美尼亚使徒（正）教会。但是早在 12 世纪，在逃避穆斯林压迫而成立西里西亚王国的亚美尼亚人中间，就有信奉天主教者。西里西亚王国亡于 1375 年，但是日后亚美尼亚公教会的基础已由亚美尼亚众修士奠定。1740 年早已归奉天主教的亚美尼亚阿勒颇主教阿尔兹维安当选西里西亚境内西斯牧首，具有浓厚多明我会色彩的亚美尼亚公教会宣告成立。亚美尼亚公教会西里西亚牧首现驻贝鲁特。亚美尼亚公教会的首脑称亚美尼亚公教会牧首兼西里西亚卡多利柯斯，一贯以彼得为称号。该会礼拜仍用古典亚美尼亚语。

Armenian chant 亚美尼亚圣咏 亚美尼亚使徒教会的声乐曲和为其提供歌词的宗教诗文。亚美尼亚于公元 300 年前后接受基督

教为国教。具有特色的亚美尼亚礼拜仪式是在多种因素影响下建立起来的。将近4世纪末，亚美尼亚教会宣告脱离小亚细亚卡帕多西亚的凯撒雷亚大主教而独立。约401年，伟大的亚美尼亚学者圣梅斯罗布（马什托茨）创造了亚美尼亚字母表，并对叙利亚和希腊的宗教文献进行了很多重要的翻译。新字母表的问世促进了文学作品的繁荣，其中一个重要而突出的部分是宗教诗歌。12世纪时，仁慈的主教内塞斯四世享有改革圣咏曲的名声。据称他简化了宗教诗的文本和圣咏的旋律，使之同亚美尼亚的民间音乐风格接近。内塞斯还写了许多"沙拉坎"（赞美诗）。约在1820年，来自伊斯坦布尔的亚美尼亚人B.H.利蒙德扬根据当时希腊教会的记谱法改革（能更精确地标示音高）而建议将音乐记谱进一步改革，使之趋向现代化。在现代的演唱中，亚美尼亚圣咏由复杂的旋律和变化多端的节奏构成，旋律中有很多音程是欧洲音乐中所没有的。设在威尼斯的圣拉扎罗亚美尼亚天主教隐修院（创建于1717年）是重要的亚美尼亚音乐研究中心。

Armenian Highland　亚美尼亚高原　横跨土耳其、亚美尼亚和伊朗的山地，面积约40万平方千米。它占据了亚美尼亚全境、格鲁吉亚与阿塞拜疆部分地区。平均高度1 500～2 000米，有几座山峰超过4 000米。该高原是地中海阿尔卑斯褶皱火山带的一部分。亚热带大陆性气候。铬、金、铁等矿藏丰富。

Armenian language　亚美尼亚语　亚美尼亚语是印欧诸语言西部语群的一个独立分支，是土耳其和亚美尼亚共和国及前苏联各地的亚美尼亚人的本族语言。亚美尼亚移民和难民将其语言带到小亚细亚、中东并从此带到欧洲各国（特别是罗马尼亚、波兰和法国）和美洲。约公元前2千纪下半叶，来自北部巴尔干的入侵者占领凡湖沿岸地带，把亚美尼亚语带到外高加索山区。到公元前7世纪亚美尼亚语取代了当地土语。公元4世纪初，亚美尼亚语才有了书面语。相传主教圣梅斯罗布约在公元401年制成38个字母，全世界亚美尼亚人沿用至今。5世纪的"格拉巴尔"语，是亚美尼亚文化鼎盛时期的书面语，据说以凡湖边上塔朗方言为基础形成的。5～8世纪的文学语言是统一的。至9世纪，方言分歧显著。格拉巴尔语的中古亚美尼亚语变体最著名者是12～13世纪的西里西亚亚美尼亚王国宫廷语言。各种不同程度讹舛的格拉巴尔语，继续作为文学语言，一直沿用到19世纪中叶。19世纪中，亚美尼亚民族主义者力图使民族主义宣传更接近群众，民族主义复兴导致出现了接近于口语的新文学语言，以两种变体著称。东亚美尼亚语现系亚美尼亚官方语言，以阿拉拉特谷地和埃里温方言为基础。西亚美尼亚语以伊斯坦布尔方言为基础。现代亚美尼亚语两种方言书写形式的差异很小，可以相互理解。可是，有许多方言差异很大，以致说话者不能相互理解。19世纪亚美尼亚语曾被认为是一种伊朗方言，但后来的研究证明它是印欧语言的独立分支。亚美尼亚语发音特点与印欧原始语不同，特别是，塞音已重新组合，亚美尼亚语中部方言有三组有区别的塞音，边缘地区减为两组。亚美尼亚语诸方言中 *r* 音有强颤动及弱颤动之分，古亚美尼亚语 *l* 音有中性及软腭化两种变体。所有方言及两种文学语言名词变格复杂，古亚美尼亚语动词体系的变化特征是以外加词或迂说法表达形式来代替简单现在时形式。外加词是一组包括各种助动词在内的词形，被用来代替那种能够通过词形变化以表示时态或其他特征的单个的词。诸方言的划分就是按照不同的外加词类型来确定的。古亚美尼亚语和现代亚美尼亚语动词时态均分为现在时，不定过去时及迂说法完成时。在古典亚美尼亚语里仍然使用的旧主语成分，在现代亚美尼亚语里已经消失。要表达未来时态时，古亚美尼亚语使用主语形式；现代亚美尼亚语则使用外加词表达形式，一如英语的未来时态"I shall go"（我将走）和"He will work"（他将工作）。现代亚美尼亚语的其他特征是动词被动式很重要以及出现了区别动词不同形式的否定性词形变化，就像英语"I read"（我读）和"I don't read"（我不读）这类例子中所表达的含意那样。古亚美尼亚语在许多方面颇似古希腊语，现代亚美尼亚语在类型学上则更接近土耳其语。书面语词汇是纯亚美尼亚的，完全基于格拉巴尔语，只有极少邻近语言的借词。

Armenian literature　亚美尼亚文学　用亚美尼亚语创作的作品。有证据表明在公元5世纪亚美尼亚文学出现之前，一种非基督教的口头文学已经存在。但由于早些时候基督教传教士的热心，一小部分才保存下来。亚美尼亚人皈依基督教（约300年）之后的大约1个世纪里，他们不得不使用希腊文或叙利亚文本的《圣经》和其他宗教著作。对于平常百姓而言，这些语言难于理解。为此，圣梅斯罗布（马什托茨）创造了亚美尼亚文字（约401年）。随后天主教徒萨哈克（伊萨克）和圣梅斯罗布建立了一所翻译学校。据说学员被送到埃泽萨和君士坦丁堡寻找重要的叙利亚文及希腊文作品，并把它们译为亚美尼亚文。

5世纪是亚美尼亚文学的黄金时代，那时大多数的文学活动是翻译工作。像埃吉谢和法尔普的加扎的历史原文著作并不缺乏。古典亚美尼亚文学中的名著是叶兹尼克·柯格巴特西写的《对异教的驳斥》。该书驳斥异教，有些资料源于希腊，旨在维护正统的基督教信仰（也因此提供了一些有价值的材料），包括非基督教的亚美尼亚的种种迷信、伊朗的二元论、希腊哲学和马西昂教派异端，其纯粹的古典风格在亚美尼亚文学中绝无仅有。6～8世纪继续有圣约翰·克里索斯托和亚历山大的西里尔等作家的翻译作品。所谓的希腊语言学校过多地盲目地翻译了希腊语语法、伦理和柏拉图、亚里士多德及亚历山德里亚的斐洛的哲学著作。

10～11世纪时，独立的亚美尼亚巴格拉提德王国、瓦斯拍拉甘的阿尔茨鲁尼王国和锡尼格王国相继立国，使亚美尼亚文学、艺术和建筑有了自5世纪以来更自由的发展和繁荣。10世纪有代表性的文学人物是圣格里戈尔·纳列卡齐。他是亚美尼亚的第一位伟大的诗人，以其神秘主义诗歌和赞美诗而闻名，还有同样出名的《名歌注》等散文作品。在他之前有托马斯（托夫马）·阿尔茨鲁尼写的《阿尔茨鲁尼家史》。该书虽然有家族的偏向，却是936年以前亚美尼亚历史情况的主要来源，一位不知名的作家又继续写下了直到1121年的情况。天主教徒约翰第六·德拉斯哈纳克尔齐所著《亚美尼亚史》，是一部记述亚美尼亚同阿拉伯关系的重要作品，作者本人是书中提到的历史事件的重要参与者。10世纪末、11世纪初，乌克台尼斯主教写出《亚美尼亚史》、《格鲁吉亚和亚美尼亚分裂史》。斯特凡斯·阿索吉克写的很有价值的《世界史》也在11世纪初完成。阿里斯塔克斯·拉斯季韦尔齐的《亚美尼亚史》阐明了巴格拉提德王国的衰落（1045）、阿尼的灭亡（1064）和塞尔柱人的胜利，如其说是一部历史，还不如说是一篇散文挽歌。

大亚美尼亚分裂的结果（约1100），使文化中心向南转移到小亚美尼亚或西利西亚，亚美尼亚文学分为东、西两支，两边的作家们都开始既用古典语也用口头语写作。1375年马木鲁克入侵和1385年帖木儿的侵略使文化和文学长期凋蔽。

从17世纪始，种种迹象表明亚美尼亚人开始从前几个世纪的没落中苏醒过来。土耳其和波斯封建君主的行为在大不里士的阿拉奎勒、教会执事扎卡里、埃雷朱亚·切列比·柯米尔居的史书中渐露头角，不过与西方的学者和拉丁著作仍有一些关联。埃里温的奥斯卡恩，1614年出生在伊斯法罕新建的殖民地新焦勒法，他与多米尼加的皮兰代利合作，于1666年在阿姆斯特丹出版了第一本亚美尼亚文《圣经》。13世纪时起，一些民间吟游诗人写出了有想象力的作品，其中的佼佼者是杰出的亚美尼亚诗人纳阿佩特·库恰克（16世纪），他歌唱肉体情爱。还有霍夫纳唐·纳吉哈什（1661～1722）。在随后的一个世纪里，最有名望的是被称为萨亚特·诺瓦的阿鲁琼·萨亚江。

18世纪时亚美尼亚经历了文化和文学的复兴。到19世纪中叶，发展现代亚美尼亚文学的时机已经成熟。但是那时的亚美尼亚语还处在一种混乱状态之中，表现新思想的适当的形式问题引起了争论。无论是在土耳其还是在俄罗斯的亚美尼亚人中间，还是在拥护用古典语言或拥护用现代语言的人们中间，都有争论。后者逐渐地占了优势。结果，东部文学变成一种文学形式，用现代埃里温方言写作。西部文学也用一种类似的现代的伊斯坦布尔方言写作。为了寻求典范和表达他们的思想，亚美尼亚作家开始面向欧洲。西部地区的作家中有阿科普·帕罗尼扬和叶尔万德·奥强，他们是杰出的讽刺小说家。现实主义的短篇小说家是格里戈尔·佐赫拉勃。剧作家的杰出代表是帕罗尼扬，他的喜剧《嫁妆》、《东方的牙科医生》、《巴尔萨泽尔主人》等至今仍广为流传。

小说在西部亚美尼亚文学中最差，但是在俄罗斯的亚美尼亚人中很有地位，成为反映道德、社会和政治愿望的主要形式。"现代亚美尼亚之父”——哈恰图尔·阿博维扬1841年推出了《亚美尼亚的创伤》。最杰出的亚美尼亚小说家是阿科普·梅利克·阿科普扬或拉菲。东部的诗人当中，奥瓦内斯·图曼尼扬写作抒情诗和叙事诗，其代表作是一首短叙事诗《阿奴什》，其中的许多歌谣已经成为通俗歌曲，改编在一部歌剧里。最著名的剧作家是加布里埃尔·孙杜克扬，其喜剧《大吵大闹》、《佩波》、《破裂的家》等描写当代的第比利斯亚美尼亚社会，使用了他们的口头方言。

作为西部亚美尼亚文学中心的伊斯坦布尔（经过20世纪上半叶之初对亚美尼亚人的大屠杀）迅速衰落，使亚美尼亚文学再次陷入低潮，四处漂零的海外亚美尼亚人有的继续在巴黎、贝鲁特、波士顿坚持写作。土耳其的亚美尼亚人逃亡东方，在那里享有一定的自主权。1936年后，民族文学得到支持，但仍受国家控制，直到90年代初苏联解体。

Armenian massacres　亚美尼亚人惨案　奥斯曼帝国苏丹阿卜杜勒哈米德于1894～1896年和青年土耳其党政府于1915年对帝国内亚美尼亚族所进行的残酷迫害。19世纪80年代末，奥斯曼帝国内约有250万信奉基督教的亚美尼亚人。他们在俄国的鼓动下，开展亚美尼亚人地方自治运动。1894年土耳其军队和库尔德人屠杀数以千计的亚美尼亚人，并焚毁他们的村庄。1896年亚美尼亚革命者举行示威，占领了伊斯坦布尔的奥斯曼银行。这一行动又遭到血腥的镇压，穆斯林土耳其人暴徒和政府军队共同杀死5万多名亚美尼亚人。最后一次大屠杀发生在第一次世界大战期间。高加索地区的亚美尼亚人组成志愿军，协助俄国军队对土耳其人作战。1915年初，这些志愿军发动在土耳其境内的亚美尼亚人参加他们的队伍。土耳其政府把境内大约175万亚美尼亚人驱入叙利亚和美索不达米亚。在强迫迁徙过程中，60多万亚美尼亚族人饿死或被军队和警察打死，几十万人被迫逃亡。

Armenian rite　亚美尼亚式礼仪　亚美尼亚使徒（正）教会和东仪天主教亚美尼亚公教会所采用的一套礼仪和教规。这种礼仪是根据安提阿式礼仪和拜占廷式礼仪制定的。采用亚美尼亚式礼仪的教会与采用拜占廷式礼仪的教会不同，一般不用圣像。圣体礼与其他正教会相同，信徒兼领饼与酒。

Armentières　阿尔芒蒂耶尔　法国北部北加来海峡大区北部省城镇。靠近比利时边界，临利斯河。第一次世界大战中被毁，战后全部重建，为清一色红砖建筑。第二次世界大战中遭到轰炸，1940～1944年又被德军占领。公元前57年当地有罗马人在利斯河畔牧牛。中世纪起即以生产亚麻织品闻名，但该行业现在发生了困难。印刷业至为重要，其他工业有印染业、服装、啤酒和机械制造。四周地区农业占主导地位，亚麻原为主要农作物。人口25 273（1999）。

Armfelt, Gustaf Mauritz　阿姆菲尔特（1757-03-31，瑞典王国芬兰图尔库附近的圣梅滕斯［今在芬兰］～1814-08-19，俄罗斯圣彼得堡附近的皇村）　瑞典政治家，外交和军事方面的杰出人物。1781年被任命为瑞典国王古斯塔夫三世的侍从，并被委任与俄国的叶卡捷琳娜二世（1783）和与丹麦政府（1787）进行谈判；1788～1790年瑞俄战争期间，为国王最信赖的和最活跃的顾问之一。1788年当丹麦军队入侵瑞典、威胁哥德堡时，在国王的指挥下，阿姆菲尔特征集组成达纳拉军队。当差不多全体贵族都叛离古斯塔夫时，唯有他仍忠于古斯塔夫；在瓦雷拉和会（1790）上，他是瑞典的全权代表。1792年古斯塔夫三世临终时，把自己的儿子托付给阿姆菲尔特，并使阿姆菲尔特成为摄政会议的一员；但是摄政大公查理（后为查理十三世）为排挤他，派他出任瑞典驻那不勒斯大使。他从那不勒斯致函叶卡捷琳娜二世，要求她举行军事示威，以支持古斯塔夫王族。查理的间谍发现了这一阴谋，阿姆菲尔特只是在那不勒斯女王卡洛琳的援助下才得以逃脱（1794）。当古斯塔夫四世上台后，阿姆菲尔特被任命为瑞典驻维也纳大使（1802），但是由于攻击奥国政府对待拿破仑的态度，两年后被迫去职。1805～1807年他任瑞典驻波美拉尼亚军队总司令，在那里阻止了法国的征服。1811年，他被逐出瑞典，再次到俄国避难，对俄皇亚历山大一世产生很大的影响。在使芬兰大公国成为自治国家的过程中，阿姆菲尔特做出了贡献。他还参加制订俄军反拿破仑的保卫战作战计划。

Armidale　阿米代尔　澳大利亚新南威尔士州东北部城市。位于新英格兰岭侧德梅里克河谷的坡地上。建于1839年。1845年设镇，1885年设市。现为地区的文化中心。有英国圣公会教堂、天主教教堂。设有师范学院和新英格兰大学（1954）。欣顿美术馆藏有许多澳大利亚名画。有铁路通悉尼。另有一机场。人口约22 600（1992）。

Armillaria　蜜环菌属　担子菌纲伞菌目（**Agaricales**）真菌的一属，约40种，广布于北美北部和欧洲，主要见于硬木森林或针叶树混合林中。在适合的环境中蜜环菌可生活数百年，经鉴定有些个体可列入形体最大、寿命最长的生物体之列。蜜环菌属的种类自夏末至秋季形成子实体（蘑菇），各种的子实体外形相似，菌褶沿菌柄向下延伸一段距离，菌伞基部有1或2个菌环。颜色从白色至金色。多数种类生于地面，但少数种类，包括假蜜环菌（蜜环菌，*A. mellea*）则直接生于木上。蜜环菌可从受精的白色孢子萌发。孢子体萌发后形成菌丝，菌丝为分枝的丝状体，由细胞组成，菌丝聚集成索状的长束，称为根状菌索。根状菌索在地下生长，形成范围很大的网络，在土壤中蔓延，从朽木或活树的根上寻找营养。根状菌索分泌能消化食物的酶，消化的食物由菌丝的壁吸收。根状菌索藏于地下，能耐受极高和极低的温度，包括地面上的森林火灾。只要有适宜的森林生长条件，垫状的菌丝体可生长到惊人的大小。1922年在密歇根州上半岛克里斯特尔福尔斯附近的栎树混合林中，发现一个鳞茎蜜环菌（*A. bulbosa*）的菌丝体，呈垫状生长。对采自该地区的一些蘑菇样本进行了遗传学测试，结果证明，所有这些蘑菇均由同一株地下的菌丝体生出，菌丝体蔓延的范围达15公顷以上。估计其总重量为10吨，按已知的生长率计算，其年龄至少有1 500岁。同年晚些时候，在华盛顿州西南部的亚当斯山鉴定了一株*A. ostoyae*；估计其年龄在400～1 000岁之间；其大小达607公顷左右，大大超过密歇根发现的鳞茎蜜环菌株。

armillary sphere　浑仪　古天文仪器，用以表示天球坐标系中的一些大圆。最复杂的浑仪上有地平圈、子午圈、赤道圈、南北回归圈、极圈和黄道圈。浑仪是圈架式的天球仪，圈

T. 布伦德维尔1594年著作中的浑仪插图画
美国不列颠百科全书公司供图

上附有可测量角度的刻度。在17、18世纪，浑仪既有悬挂式的，也有固定在台座或手柄之上的，用以表示托勒玫地心说和哥白尼日心说的区别。最古老的一架具有9个圈的完善浑仪据说是古希腊后期的希腊人于公元140年前后制造的，比较简单的浑仪则早已普遍使用。托勒玫在《天文学大成》中至少提到了3架。据说喜帕恰斯（公元前146～前127）使用过具有4个圈的浑仪。托勒玫所用的仪器用铅垂线保持垂直，其上有刻度圈，窥管通过圆心并沿径向安放。阿拉伯人使用的仪器与此相似，也用通过圆心并沿径向安放的窥管。12世纪摩尔人在西班牙所用的这种仪器，很可能是后世欧洲各种浑仪的原型。

Armilus　阿米鲁斯　犹太教传说中的人物。说他是犹太人的敌人，将要征服耶路撒冷，迫害犹太人，但被上帝或真正的弥赛亚打败。阿米鲁斯的必然失败，象征善必将在救世主年代战胜恶，取得最后胜利。

Arminianism　阿明尼乌主义　基督教神学流派。兴起于17世纪初，以开明观点反对加尔文主义的得救预定论，宣传上帝的威权与人的自由意志互不矛盾。该派因莱顿大学的荷兰归正会神学家阿明尼乌（**Arminius, Jacobus**）得名。荷兰的阿明尼乌主义的具体内容始见于1610年45名牧师呈送荷兰议会的《抗议书》中，其中心思想在于：人类的尊严要求完全的意志自由。荷兰阿明尼乌派在

1618～1619年间的多特会议上受到谴责，并一度受到政治迫害。1630年在法律上获得容认。此后，该派一直对荷兰归正宗的神学发挥开明影响。阿明尼乌主义对循道宗影响甚大。阿明尼乌主义更为自由化的一派以后发展成为美国的上帝一位论派。

Arminius　阿米尼乌斯（公元前18？～公元19）　日耳曼部族首领。公元9年大败罗马人，在条顿堡林山（今德国比勒费尔德东南）歼灭P.Q.瓦鲁斯的3个军团。公元16年

美国不列颠百科全书公司供图

巧妙地顶住了罗马发动的全面进攻，17年与马科曼尼国王马罗博杜斯进行战斗。在取得胜利以后，他被自己人杀死。19世纪晚期，阿米尼乌斯被推崇为日耳曼民族的英雄。

Arminius, Jacobus　阿明尼乌（1560-10-10，荷兰奥德瓦特～1609-10-19，莱顿）　荷兰语作Jacob Harmensen（或Hermansz）。基督教神学家和荷兰归正会牧师。曾在帕多瓦、罗马及日内瓦短期旅居，后返回阿姆斯特丹。1588年受按立为牧师，1603年任莱顿大学神学教授终生。起初相信加尔文的得救预定论，后来逐渐有所怀疑。提出条件选择说，谓上帝伸出救恩的手，凡凭信心响应这种召唤的人必蒙上帝选择。死后由追随他的牧师乌伊滕伯盖尔特（乌得勒支人）执笔写成教义宣言《抗议书》，由阿明尼乌派信徒签署发表。1618～1619年荷兰归正会在多特开会，就此文件中所揭示的阿明尼乌派信仰展开辩论，对之进行驳斥和谴责，该派代表被驱逐，另有许多人遭到迫害。1629年阿明尼乌的著作首次在莱顿出版，1795年荷兰正式承认抗议派兄弟会。阿明尼乌派强调上帝的恩宠，此点对英美两国循道宗教义的发展很有影响。

armistice　停战协定　两个或更多的交战国就停止实际敌对行动而达成的协议。关于停战的条件、范围和时限，一般由缔结协定的交战国来决定。停战协定可以仅限于部分地停止敌对行动（即局部停战）或暂时停止敌对行动（即休战）。签订停战协定的目的有各式各样，例如为了收集阵亡者的尸体。也可以规定全面停战（例如1940年的法国停战协定）。虽然全面停战等于战争的实际结束，但在法律上并不承认这一点。根据国际法，在全面停战后，战争状态依然存在，交战国和中立国的权利和义务也依然存在。因此，除非另有协定，交战双方仍可继续封锁港口和检查中立国船只。但近来的趋势是扩大停战协定的范围，使它具有临时和约的形式和实质（例如1953年7月27日签订的《朝鲜停战协定》）。关于停战的一般规则，是1907年在海牙和平会议上制定的，包括在海牙陆战章程中。根据陆战章程，在无限期的停战中，由于一方的正式通知或严重违反停战协定，交战国可以恢复敌对行为。构成严重违反停战协定的行为包括：蓄意的向前推进，夺取一方的阵线以外的任何据点，以及从处于不利的或劣势的地点撤退军队。第一次世界大战时期，1918年11月11日协约国与德国签订的停战协定，同一般的停战协定有所不同：①在签订停战协定以前，交战国双方进行了商谈，并签订了所谓的初步停战协定；②除军事条款外，还包括政治和经济条款。由于协定中的军事条款使德国实际上无法恢复敌对行为，就排除了在停战中常见的任意恢复敌对行为的可能性。

armlet　臂钏　套在臂部、特别是上臂部的扁平装饰环。通常由金银或其他金属加工制成，有时还镶有宝石。臂钏在古代即已出现，在亚述艺术中，神怪和人都戴臂钏。在东方，特别是在印度，臂钏甚受多数人喜爱。

armoire　大衣橱　大型橱柜。通常可以搬动，内有搁板和挂衣服的空间，有时装有抽屉，并装有两扇门。亦指置于室内嵌格中的

18世纪的法国橡木大衣橱
美国不列颠百科全书公司供图

小橱。16世纪，精致的大衣橱雕有佛兰芒式图案。17世纪几何图案浮雕尤为盛行。

armor　参阅armour盔甲。

armorial ensign　纹章旗　形状及使用目的各不相同的带纹章标记的旗帜。主要的纹章旗有勋旗、三角旗、长标旗、王室旗及舰旗。勋旗原来只限贵族，如勋爵、采邑男爵及小旗爵士使用。勋旗为方形或长方形旗帜，上有个人或家族徽章，原在作战时执于该贵族武士前面，现在欧洲各地凡有佩戴勋章资格的人通常都使用这种旗帜，只有苏格兰例外，勋旗只限于贵族使用。普通爵士使用的纹章旗是小型的三角旗，小旗爵士以下的有佩戴勋章资格的人都可使用。长标旗是一种长条梯形旗，它是骑兵的战旗，作战时由低于爵士等级的战士执握。王室旗比长标旗长一半，是纹章旗中最大者，只能固定悬挂。使用时固定于一处。它表示拥有者在战斗、仪式或比武中的位置。升起王室旗表示君王在王宫、城堡、观礼台或舰船上。另一种纹章旗是舰旗，长条梯形，末端如燕尾。当舰长在船上指挥作战时就升起此旗，它是服现役的战舰的标志，以区别于暂停使用的战舰。

Armorica　阿摩里卡　高卢西北角（今布列塔尼）的拉丁名称。在凯尔特、罗马和法兰克时期，阿摩里卡还包括后来的诺曼底的西部。在凯撒时期，这里有5个主要部落，其中最重要的是维内蒂人。在罗马帝国统治下，它是高卢卢格杜南西斯省的一部分，但从来没有被罗马人彻底同化。在5世纪撒克逊入侵时期，它接受了来自不列颠群岛的许多凯尔特人移民。

Armorican, Massif　阿摩里卡丘陵　法国西部平坦侵蚀高地或准平原，跨菲尼斯泰尔省、阿摩滨海省、莫尔比昂省、伊尔-维莱讷省全境和芒什、奥恩、马耶讷、曼恩-卢瓦尔、大西洋岸卢瓦尔和旺代等省部分地区。面积约65000平方千米。北面为巴黎盆地和塞纳河，南面为卢瓦尔河及其支流低地。奥恩省境内阿瓦卢瓦尔山高417米，为阿摩里卡丘陵最高点。高地有菲尼斯泰尔境内的阿雷山和阿摩滨海省内的阿摩滨海和梅内丘陵。沙托兰盆地占据菲尼斯泰尔省大部分地区，由欧讷河灌溉；伊尔-维莱讷境内以雷恩盆地为主。北部有侵蚀形成的峡谷。海岸线深凹入陆地。内地森林砍伐严重。农业以畜牧为主，盛产牛奶、乳酪、牛肉和猪肉。饲料种植有所扩大。乡村人口外流导致农地合并。沿海人口集中。

Armory Show　军械库展览会　正式名称为国际现代艺术展览会，即绘画和雕塑展览会，1913年2月17日至3月15日在纽约市第69兵团军械库举行。这次展览对美国艺术的发展具有决定性的意义。其组织者"美国画家和雕塑家联合会"原想只选美国艺术家的作品参展，其成员包括全国设计学会和比较进步的"垃圾箱派"和"八人画派"，但由于A.B.戴维斯当选为协会主席，改变了原来的设想。在W.库恩和W.帕奇协助下，戴维斯以1年时间（主要是在欧洲）收集展品，这些展品后来被称为"世界无政府状态的先兆"。展览会在纽约、芝加哥和波士顿流动展出，估计有30万美国人参观了展出的约1600幅作品。其中约1/3为欧洲画家作品。这次展览会几乎就是一部欧洲现代派的历史。从安格尔和德拉克洛瓦的作品开始，展出了印象派、象征派、后印象派、野兽派和立体派的作品。它首次向美国公众揭示了先进的欧洲艺术。这次展览也成为美国许多重要的私人收藏的基础，而大都会艺术博物馆购进塞尚的一件作品，开了美国博物馆购买欧洲现代艺术作品的先河。

armour　盔甲　又拼armor，又称body armour。能够使箭、矛、戟、剑、子弹或其他在战斗中用来袭击戴甲者的武器发生偏转或承受

住其袭击的防护性装备。盔甲不外以下3种主要类型:①用皮革、织物或两者的复合层制成,有时用棉垫或者毡制品加强的盔甲。②用铁圈或钢圈交织编成的锁子甲。③用金属、角质物、木料、柔性物质或某些其他类似

约1590年的英格兰盔甲
美国不列颠百科全书公司供图

的坚固而有抵抗力的材料制成的硬式盔甲。欧洲中世纪武士护身的硬片盔甲就属于第三类。这种盔甲是用许多螺栓松铆接的大钢片或铁片制成的,里层用皮革,使穿戴者有最大的活动余地。据推测,使用盔甲可以追溯至史前,当时原始的战士用兽皮和头盔保护自己。公元前11世纪,中国武士穿戴用5～7层犀牛皮制成的盔甲;公元13世纪蒙古人也用牛皮制造类似中国的盔甲。织物盔甲也有一段漫长的历史,公元前5世纪,希腊重装步兵穿着厚厚的多层亚麻胸甲,19世纪以前的印度北部则穿戴缝制的亚麻胸甲。

锁子甲(chain mail)的优点是柔性相当好,而且比较能耐劈砍(虽然刺杀武器能穿过铆接的锁子,使铁圈分开)。锁子甲形似一件简单的衬衣,整个罗马帝国和其大多数周边国家都使用这种盔甲,14世纪以前,西欧国家都将锁子甲作为主要的盔甲。在欧洲,也将锁子甲带装在硬片盔甲里面,以弥补硬片之间的缝隙。19世纪以前,印度人和波斯人都使用锁甲衣,日本从14世纪开始少量使用锁子甲,日本锁子甲的铁圈以多种方式排列,形成一种比欧洲国家更为敞开的结构。使用的还有锁子甲的袖套、护腿及头罩。

硬片式盔甲在古代希腊人和古罗马人就使用过,约在13世纪在欧洲又重新出现。17世纪以前,硬片式盔甲在欧洲盔甲设计方面一直居统治地位;到17世纪,火器的出现使盔甲一般都过时了。古希腊步兵穿着青铜的硬片式盔甲,它由胸甲(一副保护从颈部到胸部的身体部位的盔甲)、长胫甲(保护膝盖以下腿部的盔甲)和一个深头盔组成。罗马军团的士兵穿着一种用4～7个水平钢箍制成的圆柱形胸甲,前后有开口,用带子将其捆在一起。胸甲扣结在护喉甲胄上,而护喉甲胄的两侧是几个保护肩部的垂直箍。除头盔外,用大片制成的盔甲在中世纪的西欧可能还无人知晓,锁子甲在12世纪和13世纪是身体和四肢的主要防护装具。锁子甲头罩盖住头部和颈部,锁子甲护胫保护腿部。但是锁子甲没有硬片式盔甲那样坚硬的光滑表面,当硬片式盔甲采用灵巧的结构能适应身体的运动时,便取代了锁子甲。所以,14世纪期间,钢片式盔甲取代了锁子甲,最初是在膝盖、肘和胫部局部加上硬片,后来发展到用有活节的硬片做成的全身装具。从约1510年起,出现了全身的德国盔甲,它是一件有活节的金属套装,确确实实把穿戴者从头到胸全部罩住,仅在金属头盔上开一眼槽和一个小孔供呼吸。皇室及贵族的盔甲常常用镀金镂花精心加工并加上精美的装饰。16和17世纪,手持火器的改进迫使盔甲制造者增加盔甲厚度,进而增加了盔甲的重量,为了提高机动性,最终淘汰了大部分硬片式盔甲。17世纪时仍然使用胸甲和头盔,但到18世纪硬片式盔甲就完全消失了,因为它已无法防御当时的大多数火器,而只会妨碍士兵的机动性。不过,作为盔甲的基本部分的**头盔(helmet)**在第一次世界大战中重新出现在战场上,并且后来成为大多数士兵的一种标准装

约1800年的日本盔甲
美国不列颠百科全书公司供图

备。现代盔甲的主要用途是阻止炮弹或榴弹片和子弹的运动,或使之发生偏转。第二次世界大战中制造了一些防弹服,但在战斗中使用却显得过于笨重。现代盔甲将小合金钢片缝进或钉进衣服里,至少保护住胸部和腹部。单独固定而且相互重叠的钢片既使穿者活动相当自如,又能有效地防护。有时用玻璃纤维、碳化硼或多层尼龙纤维取代金属片,这不仅可以提高保护能力,而且也改善了穿着的舒适性。保护身躯的现代盔甲称为防弹背心。

Armour, Philip Danforth 阿穆尔(1832-05-16,美国纽约斯托克布里奇～1901-01-06,伊利诺伊芝加哥) 美国企业家和革新家,他庞大的阿穆尔公司的许多企业,促使芝加哥成为全世界肉类加工中心。最初在加州开矿获

美国不列颠百科全书公司供图

得一些资本,1863年在威斯康星州密尔沃基市与人合伙开设粮食购销与肉类加工企业。美国内战(1861～1865)临近结束时,肉价剧跌,他购进近200万美元猪肉,运往纽约市获利丰厚。他入伙经营其弟兄H.O.阿穆尔在密尔沃基的粮行,并于1868年创办肉类加工厂。在以后10年中他弟兄二人合办之企业集中在芝加哥,1875年P.D.阿穆尔开始领导公司业务。他首创一些屠宰技术,利用下脚料与销售肉类罐头。19世纪80年代引进冷冻法时,他在东部城市开设经销店并开始向欧洲输出肉类产品。晚年利用部分资财(估计有5 000万美元)从事慈善事业。1892年在芝加哥建立阿穆尔理工学院(即后来的伊利诺伊理工学院)。他死后,公司由其子经营。1923年其子退休时,这个公司成为世界上最大的肉类加工企业。

armoured vehicle 装甲车 部分或全部装有可抵御子弹、炮弹或其他射弹的装甲机动车辆。军用装甲车有轮式和履带式(有两条循环式金属链带)两种。**坦克(tank)**是主要的战斗装甲车,其他的军用装甲车有人员装甲输送车、装甲汽车、自行火炮、自行反坦克炮,以及机动式防空系统。这种分类中还包括用于输送贵重物品的民用装甲汽车。人员装甲输送车是继坦克之后使用最广泛的装甲车。这是履带式装甲车,用于输送步兵投入战斗,或是用作步兵能在其上战斗的作战平台而不必下车。第二次世界大战初,人员装甲输送车首次大量出现,当时德军用这种车输送装甲师的步兵分队参加战斗,这些车辆取代了非装甲的卡车,不过当时只是部分装甲的半履带式车辆。第二次世界大战后,许多国家研制了全装甲全履带式输送车。最新型人员输送车的最新型号装备了自动火炮和反坦克导弹。装甲汽车是一种轮式装甲车,通常装备一挺20～90毫米炮和一挺机关枪。第二次世界大战中,特别是在北非战区,装甲汽车首次大量出现。与履带车相比,装甲汽车在泥泞或不平坦地形上进行性能不佳,但在公路或平坦开阔地域运动速度快。

装甲汽车是轻装甲,主要依靠速度来防护,因而是较好的侦察车辆。自行火炮就是一门安装在中型或轻型轮式或履带式车辆上的100毫米或200毫米火炮,车辆的装甲厚度不尽相同。虽然自身生存能力较差,但却是一种有效的反坦克武器。与之相关的车辆是自行反坦克炮,这是一种履带式车辆,基本无装甲防护,而是依靠速度和火力来保护自己。自行反坦克炮通常装备一个反坦克导弹发射装置、一门80～90毫米火炮或一门无后座力炮。将高射炮安装到履带式或轮式车辆上就变为机动式高炮,其军械通常包括自动炮或地空导弹发射架。第一次世界大战后不久即出现了民用装甲汽车。在车体上增加装甲以安全运送钞票、工资表和其他贵重物品,免去易受武装匪徒抢劫之忧。这些车辆基本上就是配有装甲门和射击孔的防弹室,其内部空间可容纳贵重物品和武装押运人员。

Armoury Museum　兵器博物馆　又作 Oruzheinaya Muzey。俄国最古老的博物馆。位于莫斯科,设在大克里姆林宫和宫墙之间。由K.A.索恩设计,建于1844～1851年。原为收藏俄国聚集的各个世纪的珍宝而建立,是一所俄罗斯-拜占廷风格的建筑物。克里姆林大教堂和圣会议宝库的珍宝,于十月革命后也并入该馆。武器和盔甲中包括B.戈东诺夫的盔甲和沙皇米哈伊尔的嵌宝石头盔。俄国的金银器中有一件精美的16世纪的圆金碟,是沙皇伊凡四世作为结婚礼品送给他第二个妻子的。搪瓷器、肖像画和珠宝展品中,有著名的俄国金工P.法贝热的作品,包括驰名的鸡血石蛋。宝座中有沙皇伊凡四世的一个象牙镶嵌宝座和一个波斯国王于1604年赠送戈东诺夫的金宝座。象征俄国皇权的王冠和其他珍品、皇舆、马具和各种历史遗物,也都收藏在这里。

arms, coat of　盾形纹章　12世纪欧洲的纹章。主要用来规定战斗中的身分,但逐渐用来表示家族宗系、收养、联姻、财产所有或职业。现存最早的文献是约1240年英王的一部纹章图册。盾形纹章由一个盾和一个底组成。共分成9个部分,叫做点,便于给纹章图案适当定位。还分为端部和基部,常饰以头盔、斗篷、花环、顶饰、徽章、格言、扶盾兽、花冠或冠饰。盾形纹章左半边,是观察者的右边;盾形纹章右半边,是观察者的左边;整个纹章标示个人成就。最初纹章是自行制定的,后来由皇家颁赠,1484年英王理查三世授命在伦敦创立纹章院。原先盾形纹章是一种穿在外面的紧身短上衣,间或为了遮护做成盔甲;或者代替盔甲做成有衬填的护身穿戴,而用盾形纹章的同样标志来显示身分。正如盾本身加以艺术装饰以记录个人或家庭的精神或历史那样,选择盾形纹章来象征战争中远迁的组织(如学校、行会、教会、兄弟会甚至现代的团体)也是为了反映它们的格言或历史。盾形纹章与纹章学及系谱学密切相关,其设计反映出历史传统,手法是采用固定模式、定位要求、各种符号及不同颜色;颜色通常有黄、白、蓝、绿、红、紫、黑等。参阅 **heraldry**。

arms, roll of　纹章图册　列出某一次战斗或比武大会中参加者的纹章的图册。这种图册不仅有历史价值,而且也是纹章艺术的出色样品。英格兰自13世纪中叶开始由官方编辑纹章图册,这项工作从未中断过。纹章管理机构(如苏格兰的莱昂纹章院)的登录部门仍藏有记载历史上重要的纹章旗和纹章标志的大量图册。

arms control　军备控制　国际上对于武器的研制、试验、部署或使用的限制。与此同时,承认各国军事设施的继续存在是不可避免的。军备控制的内在含义是一般敌对国家之间在军事政策领域中的某种形式的合作。从广义上说,"军备控制"含有与裁军(**disarmament**)的相关概念。全面裁军是销毁一个国家的整个军事能力。与此对照,部分裁军只允许销毁武器的某些型号或等级,或是一般削减(而不是销毁)各个等级的武器。裁军协议通常直接禁止拥有或生产武器,而军备控制协议则是更加间接地为试验、部署或使用武器设置某些限制。军备控制协议证明在20世纪下半叶限制核军备竞赛方面特别有用。同时,到20世纪末,"军备控制"一词可用来表明任何裁军或军备限制协议。

直到1899年第一次海牙会议(参阅 **Hague Convention**),军备控制的可能性才第一次在国际会议上出现。虽然这次会议以及后来的会议均未能限制武装力量的发展,他们还是在有关事宜方面达成了许多协议。第一次世界大战之后,1921～1922年的华盛顿会议(**Washington Conference**)为了制止列强的海军竞赛,使裁军、武器限制和军备控制等协议具体化了。然而,直到60年代新涌现出来的美、苏两个超级大国竞相大规模发展其核武器库之前,并未进一步出现重大军备控制协议。那时双方的洲际导弹足以导致双方同时毁灭的可能性,迫使他们在首先是试验、其次是部署而最后是拥有这些武器方面越来越严肃地作出努力加以限制。第一个此类协议是《禁止核试验条约》(**Nuclear Test-Ban Treaty**,1963),禁止在大气中、外层空间中和水下试验核武器,有效地把核爆炸限制在地下场地。1968年,这两个超级大国又带头签订协议,不向未拥有核武器的国家扩散核武器(参阅 **Non-proliferation of Nuclear Weapons, Treaty on the**)。最具有实际意义的进展是70年代出台的限制战略武器会谈(**Strategic Arms Limitation Talks**)或SALT,着意于限制两国载核弹头的洲际(长射程或战略)弹道导弹的持续增加。快要到戈尔巴乔夫在1985年对苏维埃统治采取自由化政策时,两个超级大国之间的军备控制努力加强了,第一批成果就是1987年签订《中程核武器条约》(**Intermediate-Range Nuclear Forces Treaty**),双方同意销毁各自储存的中程际基导弹。同时,1982年两国开始了一系列新的谈判,目的在于削减而不只是限制双方的核弹头武器库和发射平台(导弹和轰炸机)。这些谈判被称为削减战略武器会谈(**Strategic Arms Reduction Talks**)或START。继1991年苏联解体以后,新的俄罗斯政府通过单方面行动和与美国签订的协议,大力削减其核武力和常规部队。新独立的乌克兰、白俄罗斯、哈萨克斯坦以及其他继承苏联核武器库的国家,都采取旨在最终达到全面核裁军的政策。1992年,美、俄达成战略武器削减谈判第二阶段的非正式协议,将在21世纪初期极大地削减各自的战略核武力。

Armstrong, Edwin H.　阿姆斯特朗(1890-12-18,美国纽约州纽约～1954-01-31或02-01,纽约市)　美国无线电发明家,为许多现代无线电和电子学线路奠定了基础,其中包括再生和超外差线路,以及频率调制(FM)系统。

美国国会图书馆供图

早年生活　阿姆斯特朗出生在一个有教养的虔诚长老会信徒的家庭。其父是一位报刊出版者,母亲任过中学教师。他是一个腼腆的男孩,自幼就对火车、各种发动机以及奇妙的机械装置感兴趣。14岁时,受到有关G.马可尼首次进行无线电越洋通信的鼓舞,决定将来要成为一名发明家。他在家的顶楼里制作了许多无线电装置。无线电在当时只处在原始的火花隙发射机和铁屑检波接收机的阶段,产生的莫尔斯码信号很弱,压紧耳机才能勉强听到。阿姆斯特朗曾努力参与改进装置的工作。中学毕业后,进入哥伦比亚大学工学院学习。当他尚在低年级时,就完成他首次极富生命力的发明。在为了改善无线电接收效果所研究的各种器件中,有一件是L.德福雷斯特在1906年发明的三极管。德福雷斯特是发展无线电报和电视的先驱者。阿姆斯特朗对三极管的工作机制作了异常详尽的量测,并发明了再生或反馈线路。1912年秋季,他突然用此线路将信号放大上千倍,在房间里到处都能听到。他还发现,当放大倍数极高时,此真空管线路不再接收信号,成为产生无线电波的振荡器或原发生器。这种无线电波发生器线路至今仍是一切无线电和电视广播设备的心脏。他和德福雷斯特关于优先发明权的争议持续了14年,经过美国最高法院的两次辩论,虽然德福雷斯特胜诉,但科学界不接受此裁决,无线电工程学会拒绝撤回因发明反馈线路而授予他的金质奖章。阿姆斯特朗后又获得美国科学最高荣誉奖——富兰克林奖章,再次确认他对反馈线路的优先发明权。他年轻时的这个发明开启了电子学的新时代,且对他的生活有深远的影响。他不仅任哥伦比亚大学讲师,还在第一次世界大战中巴黎的美国陆军通信部队实验室工作,在那里发明了超外差线路。这种高选择性线路通过变频能放大接收到的极微弱高频电磁波,现在所有无线电、雷达和电视接收机中,98%都采用这种线路。阿姆斯特朗战后返回母校任知名物理学家和发明家 M. 浦品的助手,后来继任浦品的教授位置。此间他把线路专利都卖给了美国无线电公司(RCA)等几家大公司,得到大量现金和股票。到无线电兴旺的20年代,他已成为百万富翁,但仍继续在大学里任教,并自出研究经费,同浦品一起研究一直未解决的消除无线电受天电干扰的问题。

调频(FM)广播的发明 1933 年,阿姆斯特朗取得4项为解决此重要问题的先进线路的专利。这些线路揭示了由发射机到接收机一套崭新的无线电系统。这种系统不用改变传送声音和音乐的无线电波的振幅或功率,而是在宽的频带内改变或调制波的频率(每秒钟内的波数),如此产生的载波不至于受天电干扰——雷电产生的振幅变化。于是,宽频带调频制为高保真度广播提供了最逼真的切实可行的方法。由于新系统要求从根本上改变发射机和接收机的结构,因此已建成的无线电企业均不愿采用。1939 年,阿姆斯特朗只好自己投资 30 多万美元建造第一个完整的 FM 无线电台以证明其价值。第二次世界大战期间,他又回到军队进行研究,发展并宣传他的系统,一直到战争结束。战后他竭力排斥各种阻碍 FM 发展的规章限制性企图。到 FM 逐渐建立起本身的地位时,他再一次为捍卫自己的发明而陷入一场无休止的专利诉讼。1954 年,他年迈多病,又因调频制的斗争使他濒临倾家荡产的地步,终于走上自杀的道路。

阿姆斯特朗在科学和发明中的地位日益被人们承认。目前调频制已在无线电、电视、微波中继通信以及卫星通信中广泛应用。他身后被国际电信联盟推选为像 A.-M. 安培、A. G. 贝尔、M. 法拉第和 G. 马可尼一样的世界电学领域的伟人。

Armstrong, Henry 阿姆斯特朗 (1912-12-12,美国密西西比哥伦布～1988-10-24,加利福尼亚洛杉矶) 原名 Henry Jackson。美国拳击运动员,是唯一同时保持3项世界冠军

H. 阿姆斯特朗(左)迎战 L. 安伯斯

美国不列颠百科全书公司供图

的职业拳击运动员。1937 年 10 月 29 日用 6 个回合战胜 P. 萨隆,获次轻量级冠军;1938 年 5 月 31 日又从 B. 罗斯手中夺得次中量级冠军;同年 8 月 17 日战胜安伯斯获轻量级冠军。1939 年 8 月 22 日败于安伯斯,失去轻量级冠军。1940 年 10 月 4 日与齐维克比赛,经过 15 个回合失掉次中量级冠军。1945 年退役前共参加过 26 次争夺世界冠军的比赛,从 1931 年到 1945 年共参加过 175 场比赛,其中 97 场击倒对方而获胜。

Armstrong, Henry Edward 阿姆斯特朗 (1848-05-06,英国肯特刘易舍姆[今为伦敦的一部分]～1937-07-13,刘易舍姆) 有机化学家。他对萘的取代反应的研究,对合成染料工业甚有贡献。阿姆斯特朗曾在皇家化学学院学习,在此发明一种测定饮水中有机杂质(污物)的方法,应用于供水的卫生检查,并可用于控制伤寒。1867 年他赴德国莱比锡大学,在 H. 科尔贝指导下学习,并在该校获博士学位。1871 年任伦敦芬斯伯里广场学院(后改名芬斯伯里工学院)化学教授,1879 年受命协助组织伦敦学院城市和行会系的化学和物理学教学。1884 年起,在中央工学院任教,1911 年退休。1876 年当选为皇家学会会员。阿姆斯特朗在化学方面的第一流研究工作,部分涉及萘的取代反应,他关于该问题发表了约 60 篇论文,这些论文及他的合作者的著作,稳固地建立起萘及其衍生物的化学,这些衍生物在染料工业技术上最为重要。他还是有机晶体学的先驱者,在对樟脑及有关萜类化合物化学组成的认识方面甚有贡献,并且提出苯的一个有中心的结构式。

Armstrong, John 阿姆斯特朗 (1758-11-25,宾夕法尼亚卡莱尔[美国]～1843-04-01,纽约雷德胡克) 美国军人、外交家、政治家。曾参加美国独立战争(1775 ～1783)。战后进入政界,短期任参议员,1804 ～1810 年任美驻法公使。1812 年战争开始时为陆军准将。1813 年 2 月～1814 年 9 月,在麦迪逊总统政府中任陆军部长。后因英军占领华盛顿哥伦比亚特区和焚烧国会大厦(1814-08-24)而受到指责,被迫辞职。

Armstrong, Lance 阿姆斯特朗 (1971-09-18,美国得克萨斯普拉诺～) 美国自行车运动员,是唯一7次夺得环法自行车赛冠军的选手(1999 ～2005)。很小便开始接触体育运动,在游泳和自行车两项运动有出色表现。高中毕业前被召入美国自行车协会的青少年国家自行车队,1990 年赢得美国业余组自行车赛冠军。1992 年成为职业运动员,加入摩托罗拉车队,1 年后成为赢得世界公路赛冠军第二年轻的选手。1993 年和 1995 年在环法自行车赛中赢得分站冠军,但 1993 ～1996 年 4 次挑战环法自行车赛,仅有一次完成比赛。1996 年查出患有睾丸癌,而且癌细胞已扩散至肺部和脑部。随后他进行化疗和手术才得以存活下来。1999 年 7 月 25 日成为第二个赢得体坛最具声望的环法自行车赛冠军的美国人,也是第一个为美国自行车队赢得冠军的运动员。阿姆斯特朗为美国邮政自行车队运动员,以 7 分 37 秒的优势赢得为期 22 天,3 630 公里的比赛。除了比赛生涯之外,还投入到让大众认识癌症的相关活动,并创立基金会帮助更多癌症患者。自传《重返艳阳下》于 2000 年出版。

Armstrong, Louis (Daniel) 阿姆斯特朗 (1901-08-04,美国路易斯安那新奥尔良～1971-07-06,纽约州纽约) 爵士乐史上主要的小号演奏家。他是一位得天独厚的乐师,

美国不列颠百科全书公司供图

儿童时代即随铜管乐队在新奥尔良走街串巷,结识了许多爵士乐先驱者。1922 年崭露头角。在他之前,爵士乐主要由单簧管、小号和长号 3 种乐器演奏,个人的才能须从属于合奏的要求。可是,一旦个人的高超技艺达到登峰造极之境,演奏家能够逐步发展出一种能力,可以创造出比任何合奏都更为深邃的独奏时,这种新奥尔良传统便注定要垮台了。阿姆斯特朗凭借他的创造力打破了这种陈规。他在 1925 ～1928 年之间和他的"热五人组"和"热七人组"录制的一系列唱片奠定了独奏大师的突出地位。从和声上看,他永远是一位头脑清醒的思考者;尽管在他的青年时代以后爵士乐有了复杂的发展,他始终立足于使他成名的那种风格。他最重要的贡献之一就是普及了一种即兴演奏的节奏处理方法,即后来所说的爵士乐的摇摆感。他的另一成果是在演唱中应用"斯卡特"唱法,不用歌词,代之无文字含义的音节,用人声仿造乐器即兴演奏的微妙变化。这种"斯卡特"唱法后来被许多爵士乐歌唱家所仿效。30 年代初始,他不仅是爵士音乐家,而且是乐队领队、杂耍演出中吸引观众的独奏者、电影明星和喜剧演员。他的自传有《随那乐曲摇摆吧》(1936)和《我在新奥尔良的生活》(1954)等。

Armstrong, Neil (Alden) 阿姆斯特朗 (1930-08-05,美国俄亥俄沃帕科内塔～2012-08-25,俄亥俄辛辛那提) 美国航天员,第一个踏上月球的人。16 岁生日时成为持有执照的飞行

美国不列颠百科全书公司供图

员,1947 年为海军飞行学员。他在印第安纳州西拉斐特市珀杜大学学习航空工程,1950 年因朝鲜战争爆发而中断学业。朝鲜战争中他曾

被击落1次，曾3次获得空军奖章。1955年成为国家航空咨询委员会（NACA），即后来的国家航空和航天局（NASA）的民用飞机研究飞行员。飞行时间在1 100小时以上，试飞过各种超音速歼击机以及X-15火箭飞机。1962年他同第二组航天员一起参加了航天计划。1966年3月16日，阿姆斯特朗作为“双子座8号”的指挥舱驾驶员与D.R.斯科特一起同“阿金纳”无人驾驶火箭会合，并第一次完成了手控空间对接机动飞行。对接后一台火箭发动机发生故障，他们被迫与“阿金纳”脱离。随后，阿姆斯特朗重新操纵“双子座8号”航天器在太平洋上紧急溅落。1969年7月16日，阿姆斯特朗同小奥尔德林、M.科林斯一起乘“阿波罗11号”飞船飞向月球。4天后于美国东部夏令时（EDT）下午4时18分，由他手控操纵“鹰”号登月舱在宁静海西南边缘附近的平坦地带着陆。7月20日东部夏令时下午10时56分，阿姆斯特朗从“鹰”号登月舱走下来，踏上积满尘土的月球表面，并说：“对一个人来说，这只是小小的一步，但对全人类来说，这却是巨大的飞跃”。阿姆斯特朗和小奥尔德林离开登月舱，用2个多小时的时间设置科学仪器、采集月球表面标本并拍摄了大量照片。7月21日，他们在月球上停留了21小时36分后重新起飞，与科林斯会合，开始了重返地球的航行。7月24日东部夏令时下午12时51分溅落于太平洋。随后，对3名宇航员进行了为期18天的隔离检疫，以防止可能带回月球细菌。在随后的岁月以及对21个国家进行的访问中，他们因为开创人类探索宇宙的新纪元做出了贡献而受到人们的热烈欢迎。1971年，阿姆斯特朗从国家航空和航天局辞职。1971～1979年任俄亥俄州辛辛那提大学航空航天工程教授，1979年后任俄亥俄州莱巴嫩市供应油田设备的卡德韦尔国际有限公司董事长。

Armstrong, Samuel Chapman　阿姆斯特朗（1839-01-30，夏威夷毛伊～1893-05-11，美国弗吉尼亚汉普顿）　美国南北战争时期联邦黑人部队司令官，黑人职业教育学校汉普顿学院的创办人。夏威夷传教士之子。1860年到美国，进入威廉斯学院。南北战争爆发后，任上尉。不久晋升上校，指挥全部由黑人组成的第九团。由于严格训练士兵，所部作战英勇，到战争结束时他已升任准将。他认为有必要让黑人受教育，1867年开始创办汉普顿学院。后来，这个学院成为培训和教育南方黑人的主要中心。

Armstrong (of Cragside), William George Armstrong, Baron　阿姆斯特朗(克拉格赛德的)（1810-11-26，英国诺森伯兰泰恩河畔纽卡斯尔～1900-12-27，诺森伯兰克拉格赛德）又称W.G.阿姆斯特朗爵士（1859～1887）。英国工业家和工程师，发明高压水力机械，并革新枪炮的设计与制造。1847年他将全部时间用于科学试验。在泰恩河畔埃尔斯威克开办水力起重机制造厂。由于水力机械必须依靠干渠或蓄水池提供动力，1850年他发明了液压蓄能器，它包括一个大型装满水的液压缸和活塞，活塞可使液压缸及供水管内的水压升到42千克/厘米²。这样，像起重机、绞盘、转车盘和船坞闸门等机械，几乎可以在任何场地作业。此后他又为英国陆军改进大炮，特别强调后膛装填、膛内来复线和加长炮

美国不列颠百科全书公司供图

弹等的重要性。1843年被选为皇家学会会员。1887年被封为男爵。

army　陆军　为进行战争而武装和训练的，以陆战为主的一支大规模部队，或一国进行陆战的整个军事组织。有史以来，陆军的特性和组织规模历经变化。国家在不同时期的政治社会状况决定陆军的组成。新武器影响到战争的性质和陆军的组织机构。在各个时期，陆军是围绕步兵、骑兵或机械化士兵而组建的。他们由职业军人或业余军人，或由为挣钱、为掳掠而战的雇佣军，或由为正义而战的爱国者所组成。发展陆军必须根据陆军在各个不同时期的构成及其所从事的战争而加以考虑。

Army, British　参阅**British army**英国军队。

Army, United States　参阅**United States Army, The**美国陆军。

Arnaud DANIEL　参阅**Arnaut Daniel**阿尔诺·达尼埃尔。

Arnauld FAMILY　阿尔诺家族　法兰西中等贵族家庭。16世纪由奥弗涅迁居巴黎，与詹森主义以及拥护詹森主义的巴黎波尔罗亚尔女隐修院和田园波尔罗亚尔女隐修院关系密切。詹森主义是天主教内部出现的关于人的自由意志与得救预定问题的异端邪说。这个家族的始祖安托万·阿尔诺（1560～1619）生于巴黎，与其父拉莫特地方的领主同名。他是有辩才的律师，曾在法庭上为巴黎大学辩护，反驳耶稣会。这篇辩护词语锋犀利，号称“阿尔诺家族的原罪”，意指此为耶稣会仇恨该家族的根本原因。他娶都吕伊为妻，有子女20人，其中10人夭折。所存活的10人中有9人都与上述隐修院有联系。1629年其妻入巴黎波尔罗亚尔女隐修院，1641年卒。

Arnauld, Antoine　阿尔诺（1612-02-06～1694-08-08，西班牙属尼德兰布鲁塞尔［今在比利时］）　又称大阿尔诺，法兰西詹森派神学家。詹森派是天主教内部在人的自由意志与得救预定问题上的异端。曾在巴黎大学学习神学，1641年任司铎。在詹森派创始人之一、圣西兰隐修院院长的影响下，他发表《论常领圣体》（1643）一书，在圣体与忏悔问题上为詹森派辩解。同年又出版《耶稣会伦理神学》，发动与耶稣会的长期论争，得沙特尔青年神学家尼科尔作他的助手。1661～1669年，当詹森派遭受大迫害时，阿尔诺带头进行反迫害斗争。1669年，教皇克雷芒九世颁行和平谕令，使阿尔诺获得几年的宁静。1679年，詹森派再次遭受迫害，阿尔诺乃逃往尼德兰，继去比利时。1682年起定居于布鲁塞尔终身。流亡期间工作环境恶劣，但撰述甚多。

Arnauld, Jacqueline-Marie-Angélique　阿尔诺（1591～1661-08-06，巴黎罗亚尔港）别名昂热里修女。法兰西隐修院改革家。曾主持詹森派重要中心巴黎波尔罗亚尔女隐修院，是詹森派著名神学家阿尔诺（大阿尔诺）的六姊妹之一。1608年，在嘉布遣会修士劝化下有新觉悟，立即整顿波尔罗亚尔女隐修院。经过排除包括族人在内的反对，终于获得成功，波尔罗亚尔女隐修院变成极其有利灵修的场所。后来她又整顿另外几所隐修院，特别是莫比松隐修院。1618～1622年接受塞尔斯的圣弗朗西斯的指导。1625～1626年，她把波尔罗亚尔女隐修院迁到巴黎。1635年起，她受到詹森派创始人之一圣西兰隐修院院长的影响。

Arnauld, Jeanne-Catherine-Agnès　阿尔诺（1593～1671）　别名亚尼斯修女。詹森派中心波尔罗亚尔女隐修院院长。1665年制订该隐修院章程。她是著名神学家阿尔诺（大阿尔诺）的六姊妹之一。幼年入隐修院，1630～1636年管理第戎附近塔尔地方的西多会隐修院，后来返回波尔罗亚尔女隐修院，两度被选为院长（1636及1658）。1661～1669年詹森派在法兰西境内受迫害，1664年她被押送到夏约地方一隐修院拘禁。1669年，教皇克雷芒九世颁行和平谕令，迫害暂时停止，才获得平静生活，受到人们尊敬。

Arnauld d'Andilly, Robert　阿尔诺·当迪利　詹森教派著名神学家安托万·阿尔诺（大阿尔诺）之兄长。参阅**Arnauld family**。

Arnaut DANIEL　阿尔诺·达尼埃尔（生于法国里贝拉克?，活动时期1180～1200）　Arnaut又拼Arnaud。法国普罗旺斯语诗人、行吟诗人和一种韵律复杂难懂的诗歌体的大师。这种诗歌体选用的词语多用其音，少用其意。他出身贵族，是极受尊重的行吟诗人，被认为是一种由六节六行诗和结尾的一节三行诗构成的诗体的首创人。他的语言技巧受到彼得拉克的景仰，20世纪则深受E.庞德和T.S.艾略特的仰慕。但是受他的作品影响最深的是但丁。但丁模仿他的写作技巧，并且在《炼狱》中把他作为方言诗人的典范。《神曲》中唯一非意大利语的一节就是阿尔诺的一段用普罗旺斯语说的话。

Arnaut DE MAREUIL　阿尔诺·德·马勒尔（生于法国佩里戈尔贝勒河畔马勒伊，活动时期

1170～1200） 法国佩里戈尔行吟诗人。人们认为是他将爱情书信体诗文和说教短诗介绍给普罗旺斯语诗歌。对于阿尔诺·德·马勒尔的平生知之甚少。早期诗歌都是献给他的女保护人的。他的大部分作品都是缠绵悱恻的爱情诗歌。

Arnd, Johann 参阅**Arndt, Johann**阿恩特。

Arndt, Ernst Moritz 阿恩特（1769-12-26，瑞典吕根岛加尔茨附近舍利茨～1860-01-29，波恩） 德国散文作家、诗人和爱国者，他表现了拿破仑时代德国民族的觉醒。曾在耶拿等地受教育，取得牧师资格。28岁时，放弃教士前程，在欧洲游历18个月。回到德国，目睹莱茵河两岸城堡被毁，满目疮痍，他感时伤事，痛恨法国破坏者，并在《1798～1799年德国、匈牙利、意大利和法国游记》（1801～1803）中描述了他的观感。1800年，定居格赖夫斯瓦尔德，任历史助理讲师。1803年，发表《德意志与欧洲》，宣布了对法国侵略的看法。1806年，任格赖夫斯瓦尔德大学历史教授，发表《时代精神》第一部（1808），号召同胞起来推翻法国的统治和压迫。为逃避拿破仑的打击报复，到瑞典避难，继续写传单、诗歌和歌曲，把爱国主义理想传达给同胞。1809年返回德国。1812年应邀到圣彼得堡，帮助组织对法国的最后斗争。1818年波恩大学成立，就任现代史教授。同年，《时代精神》第四部出版，他批判了德意志各国的反动政策，大胆要求改革，得罪了普鲁士政府，1819年夏被捕。不久被释，但不准教书。1840年恢复工作，次年任波恩大学校长。1848年革命爆发后，出席美因河畔法兰克福的国民议会。参加代表团吁请腓特烈·威廉四世称帝遭拒绝，乃愤而退出政界。他的抒情诗并非全部有感于政事而作，他也并不只是具有沙文主义色彩的人物。《诗集》（1804～1818，全集出版于1860）中有不少是宗教诗，写得很美。其他重要著作还有自传《言行的回忆》（1840），是研究阿恩特生平的最重要的史料，以及《随帝国男爵海因里希·卡尔·冯·施泰因出游》（1858）等。

Arndt, Johann 阿恩特（1555-12-27，安哈尔特埃德里茨～1621-05-11，汉诺威策勒） Arndt又拼Arnd。基督教信义宗神学家，17世纪时其神秘主义的著作在欧洲颇为流行。阿恩特先后就读于黑尔姆施塔特大学、维滕贝格大学、斯特拉斯堡大学和巴塞尔大学。1583年在巴特博恩任牧师，1590年因在教堂中保留画像，并继续在施洗礼时习演驱鬼术而被免职。据说这两件事违背了加尔文教派严守纯洁简朴的原则。阿恩特著作甚多，主要有《四论真正的基督教》（1606～1610），该书被译成欧洲各国的文字，并广泛流行。该书的出版在信义宗中引起激烈争论。他认为，基督徒仅遵奉正统教义是不够的，还必须行义并与上帝交通以求德操清正。

Arne, Thomas (Augustine) 阿恩（1710-03-12，伦敦～1778-03-05，伦敦） 作曲家，主要创作戏剧音乐与歌曲。曾在伊顿公学求学，原学法律，但他通过私下练习而获得小提琴与键盘乐器的高超技艺后，他父亲不再反对他从事音乐生涯。除了曾从后来任意大利歌剧院管弦乐队领队的M.费斯廷上过几次课

美国不列颠百科全书公司供图

以外，阿恩主要靠自学成才。其音乐鉴别力在歌剧院培养形成。第一部歌剧《罗莎蒙德》（1733）系"仿意大利风格"写成，其中一首高难度的咏叹调《升起吧！荣光》曾流行40年之久。后受聘于特鲁里街剧院写作"剧终余兴"曲与戏剧配乐。1738年，因为J.道尔顿根据弥尔顿的假面剧所改编的《科玛斯》写的配乐，而成为英国主要的抒情作曲家。他的明快、轻盈、悦耳的旋律风格在他写的《阿尔弗烈德》（因插曲《统治吧！不列颠》而闻名）与《帕里斯的审判》中明显地表现出来，两剧均于1740年在克里韦顿的威尔士亲王府上演。1740～1741年他为莎士比亚的《皆大欢喜》、《第十二夜》与《威尼斯商人》重新上演所写的歌曲是最成功的早期作品。约于1744年，被特鲁里街剧院和沃克斯霍尔加登剧院聘为作曲家。其后10年，出版了几本歌曲集。1759年，成为牛津音乐博士。两年后清唱剧《朱迪思》上演，接着是歌剧《阿尔塔萨西斯》（1762），直至19世纪初盛行不衰。在生命的最后10年中他曾将加里克为1769年的斯特拉特福莎士比亚节所作颂歌谱成音乐。阿恩的早期旋律风格优雅自然，颇有苏格兰、爱尔兰和意大利韵味。后来的音乐更意大利化、更华丽，至晚年又出现滑稽歌剧风格，预示了沙利文的作品。以《统治吧！不列颠》、《吹吧！冬天的风》与《蜜蜂采蜜处》等优秀旋律与普赛尔一起为英国歌曲遗产增添了财富。

Arneth, Alfred, Ritter von 阿内特（1819-07-10，维也纳～1897-07-30，维也纳） 奥地利历史学家。1841年起在国家档案馆工作，1868年任馆长。1879年任帝国科学院院长。1896年在慕尼黑任巴伐利亚科学院历史委员会主席。刊印过许多奥地利历史资料，包括玛丽亚·泰雷西亚的传记和她与约瑟夫二世的通讯。1893年出版《生平琐记》。1848年，他作为法兰克福议会议员开始了政治生涯。1861年进入奥地利众议院，1869年进入贵族院。他支持自由立宪党。

Arngrímur THE LEARNED (Icelandic folk poet) **阿恩格里米尔** 参阅**Jónsson, Arngrímur**荣松。

Arngrímur Jónsson (Icelandic historian) **阿恩格里米尔·荣松** 参阅**Jónsson, Arngrímur**荣松。

Arnhem 阿纳姆 荷兰东部海尔德兰省省会。位于下莱茵河北岸。1233年盖尔登伯爵奥托二世在此筑垒建镇。1672和1793年两度被法军占领。1944年9月为夺取莱茵河上的桥梁，英、波联合空降部队曾在此作战。城郊有英军阵亡将士纪念碑和墓地。该市现为旅游中心和工业城镇。工业有冶金、造船、纺织、皮革加工、电器和化工品。名胜有市政厅（约1540）、圣沃尔伯吉斯天主教教堂（1422）和15世纪新教大教堂。另有许多博物馆。松斯贝克公园以水族馆和养鱼池闻名。附近有露天博物馆和数处国立公园。人口：市约128 598；都会区约290 746（1983）。

Arnhem Land 阿纳姆地 澳大利亚北部地方东北部一历史地区。从范迪门湾向东南延伸至卡奔塔利亚湾和格鲁特岛，总面积约95 900平方千米，包括位于罗珀河与维多利

阿纳姆地土著的岩洞壁画
美国不列颠百科全书公司供图

亚河之间的热带高原。阿纳姆地现主要指本地区大片土著居民保留地。第二次世界大战后铝钒土和铀矿开采业日益重要。

Árni Magnusson (Icelandic antiquarian) **奥德尼·马格努松** 参阅**Magnusson, Árni**马格努松。

Arnica 山金车属 菊科的一属，近50种，多分布于北美西南部。典型种狭叶山金车（*A. angustifolia*）产于亚洲北极地区和美洲，叶狭，花橘黄色，头状花序直径5～7厘米。最重要的种山金车（*A. montana*）原产欧洲北部和中部高地，多年生，草本，含挥发油，曾用治跌打损伤。

Arniches (y Barrera), Carlos 阿尔尼切斯（-巴雷拉）（1866-10-11，西班牙阿利坎特～1943-04-16，马德里） 20世纪初著名西班牙剧作家。以写"小型剧"著名，如独幕说唱剧（"萨苏埃拉"）以及独幕短剧（"塞内特"）等。这些剧作都是以对马德里下层社会人民的风俗习惯和语言的直接观察为基础写成。

Arnig 阿尔尼格（1244～1306） 原译阿尼哥。尼波罗国（尼泊尔）人。建筑家、雕塑家和工艺家。1260年17岁时应蒙古皇帝忽必烈、国师八思巴之请，率领建筑师80余人到

西藏参加营造黄金塔工作。逾年工成，受到八思巴的赞赏，劝其入京。元代尊崇佛教，喇嘛教盛行；也尊崇道教，各派兼容并蓄。阿尔尼格居中国45年，官光禄大夫、大司徒、领将作院事，先后主持建造了大批佛寺、道观。擅长画、塑及铸金造像，“两京（大都、上都）寺观之像，多出其手”。所制佛像造型独特，人称“梵式”。元世祖去世，他追画遗容，受到重视。他在20岁左右时还修制过从宋朝得到的供针灸用的铜铸人体模型。这是一件医学科学价值很高的作品，因年久缺坏，元世祖下令修补，在群工束手之际，阿尔尼格运思呈技，仿照旧物，制作新像，使“关、鬲脉络皆备”，另制成功。于是“金工叹为天巧，莫不愧服”。20余年后，他参加了大科学家郭守敬创制的天文仪器工作，在器形设计与铸造工艺方面多有贡献。阿尔尼格有6子，其中阿僧哥、阿述腊两人继承父业，在元朝政府供职。元代雕塑家刘元曾从阿尔尼格学习西天梵相。

Arnim, Achim von　阿尔尼姆（1781-01-26，柏林～1831-01-21，勃兰登堡维普斯多夫）　德国民间传说研究者、戏剧家、诗人和故事写作家，他搜集的民间诗歌是对德国浪漫主义

美国不列颠百科全书公司供图

的重大贡献。在海德堡大学读书时，与布伦坦诺合作出版优秀的民间诗集《男童的神奇号角》（书名来源于开卷的第一首诗，写一个年轻人把一个有魔力的号角送给了女皇）。第一卷（1805）是献给歌德的，歌德给予了好评，但有些人因该书缺乏哲学精确性而予以批评。诗集完成于1808年。他的许多剧本、诗和小说已被遗忘，但是，有少数短篇小说——现实主义与幻想的古怪的混合物——却是对德国散文小说的杰出贡献。

Arnim, Bettina von　阿尔尼姆（1785-04-04，美因河畔法兰克福～1859-01-20，柏林）　母家姓布伦坦诺。近代德国杰出女作家之一，她被人们怀念不仅是因为她的书，还因为书

美国不列颠百科全书公司供图

中反映出的人格。她的所有著述不论其表面主题如何，都是自我写照。在德国浪漫派运动中，一些有才华的妇女起了重要作用；她就是一位杰出的浪漫派。不肯因袭常规，倔强任性，但仍然是一个贤妻良母。1811年嫁给A.冯·阿尔尼姆。她多愁善感，热情洋溢，但酷爱个人自由；具有热烈的献身精神，又对自己的个人崇拜几近自恋癖。她天性中的这种矛盾生动地表现在作品之中。3本最著名的作品是她同歌德的通信《歌德与一个孩子的通信集》（1835）、同京德罗德的通信《京德罗德》（1840）以及同兄布伦坦诺的通信《克莱门斯·布伦坦诺的春之花环》（1844）。原信已被整理和改写，结果是记实和虚构的奇特的混合物，但文笔生动活泼，无拘无束。她的母亲在婚前和婚后，都是歌德的朋友，这种友谊招致她丈夫的妒忌，后来便突然中止了。35年以后，她的女儿取而代之。贝蒂娜·阿尔尼姆像崇拜偶像那样崇拜歌德（她最初认识他时，他已57岁），她常常到法兰克福去拜访歌德的母亲，把这位老妇人讲述诗人童年时代的故事记录下来（歌德后来写自传《诗与真》时曾利用她的笔记）。贝蒂娜追求歌德，对歌德体贴入微，直到1811年，同歌德的妻子克里斯蒂安娜发生公开争吵，才使歌德声明同她断绝来往。她把她同情下层人民的政治见解陈述在两本专供普鲁士国王腓特烈·威廉四世御览的书中：《国王的书》（1843）和《同魔鬼谈话》（1852）。贝蒂娜·阿尔尼姆还是有才华的雕刻家和音乐家。这种多才多艺和广泛的兴趣被认为是德国浪漫派精神的特征。

Arnim, Hans Georg von　阿尼姆（1581，勃兰登堡博伊岑堡～1641-04-28，萨克森德累斯顿）　三十年战争中在德意志事务方面著名的军人和政治家。曾在瑞典、波兰、萨克森的

美国不列颠百科全书公司供图

军队中服役，1626年任华伦施坦帝国军队的陆军元帅。他是虔诚的路德教教徒，为抗议《归还教产敕令》（1629）辞去帝国军职。1635年离开萨克森军队以抗议布拉格和约。1637年被瑞典人逮捕，后逃脱，在萨克森军队中复职（1638）。曾策划把法国人和瑞典人从德意志土地上赶走，未竟而亡。

Arnim, Harry (Karl Kurt Eduard), Graf von (count of)　阿尼姆伯爵（1824-10-03，波美拉尼亚莫伊茨尔菲茨～1881-05-19，法国尼斯）　普鲁士外交家，因反对俾斯麦而遭起诉，并导致德意志刑法典增加阿尼姆段落，使未授权而公开官方文件定为刑事犯罪。

美国不列颠百科全书公司供图

1850年进入外交界，曾在罗马（1853～1855）和里斯本（1862）供职，后任普鲁士驻罗马教廷公使（1864）。1871年8月任普鲁士驻法公使，1872年1月升任大使，不久即与俾斯麦发生冲突。由于发生外交文件泄密事件，俾斯麦命令他退职，1874年10月将他逮捕，判处监禁。后被流放。他匿名发表小册子《无中生有》，说他的失宠是由于俾斯麦的嫉妒。后来，他以叛国、侮辱皇帝、诽谤俾斯麦等罪名被缺席判处5年劳役。

Arno, Peter　阿诺（1904-01-08，纽约市～1968-02-22，美国纽约切斯特港）　原名C.A.彼得斯。美国画家，其表现纽约咖啡馆生活的讽刺画奇妙幽默，为《纽约人》期刊增色。他在耶鲁大学学习（1922～1924）时，爱好音乐，并组织过自己的乐队。他还为餐馆绘制过饰屏和镶嵌壁画。后到纽约为新创办的《纽约人》撰稿直到去世。20年代后期，以反映纽约上层社会的漫画成名，到1931年已完成4本漫画集。作品中经常出现好色的俱乐部成员和穿丧服的有钱寡妇。这类内容的画集有《雨中男子》（1944）和《嗞嗞响的餐盘》（1949）。

Arno River　阿尔诺河　拉丁语称阿尔努斯河。意大利中部托斯卡纳区的主要河流。源出法尔泰罗纳山，流入利古里亚海。全长240千米。接纳锡耶韦、佩萨埃尔萨和埃拉等支流。流域面积达8 247平方千米。肥沃的中游河谷称为瓦尔达诺。在其中段有一系列防洪工程（其中有些是著名画家达·芬奇设计的）。

Arnobius THE ELDER　阿诺比乌斯（大）（活动时期4世纪，非洲）　基督教著述家。于300年信奉基督教。罗马皇帝戴克里先在位时期（284～305），他在北非锡卡维内利亚讲授修辞学。由于他曾信仰异教，受到当地主教和其他人的怀疑。为了表白自己，他在303年前后撰写《反对异教徒》七卷。

Arnold OF BRESCIA　阿诺德（布雷西亚的）（约1100，威尼斯共和国布雷西亚～约1155-06，教皇国奇维塔卡斯泰拉纳或蒙特罗通多）

激进派宗教改革家。原是布雷西亚隐修院院长，1137年参加民众起事，反对主教曼佛雷迪的政治措施。他主张整顿神职人员和废除教会的世俗权力，因此1139年被教皇英诺森二世谴责为分裂教会分子。阿诺德被驱逐出意大利后，前往法兰西，在该地支持神学家、哲学家阿伯拉尔。1141年桑斯会议认定两人为异端分子，处以绝罚。阿伯拉尔服罪，阿诺德则公然继续在巴黎讲学，同年被法兰西国王路易七世驱逐出境。1145年阿诺德与教皇尤金三世和解。原来两年以前曾发生元老院复兴事件，罗马市民为了摆脱教廷控制，驱逐教皇英诺森二世和各枢机主教，恢复古代的元老院制，宣布罗马为共和国。此时阿诺德奉尤金派遣赴罗马朝圣以表示悔罪。他一到罗马立刻与起事者联合，再次攻击教皇和各枢机主教。1148年受绝罚。阿诺德要求整顿教会，他这种要求激化了人们反对教皇世俗权力的斗争，使他迅速受到罗马市民的拥护。阿诺德终于被神圣罗马帝国皇帝红胡子腓特烈一世的军队俘获，处以绞刑，然后焚尸，骨灰被投入台伯河中。阿诺德的门徒通称阿诺德派，他们认为精神权力与物质财富互不相容，反对教会拥有世俗权力。1184年该派在威尼斯共和国维罗纳举行的宗教会议上受到谴责。

Arnold, Benedict 阿诺德(1741-01-14，康涅狄格诺维奇～1801-06-14，伦敦) 美国叛国军官，1779年以前一直为美国的革命事业出力。1779年与英国人携手，此后，他的名字在

美国国会图书馆供图

美国成为叛徒的代名词。在马萨诸塞的列克星敦爆发战争时(1775-04)，阿诺德志愿从戎，同年5月参加殖民地人民对英国人固守的纽约泰孔德罗加堡的成功的进攻。同年秋，G.华盛顿将军任命他为夺取魁北克的远征军司令。他率领700人穿过缅因的荒原，并在R.蒙哥马利将军的增援下，向设防完好的魁北克城发起联合进攻。这次进攻(1775-12-31)遭到失败，蒙哥马利阵亡，阿诺德负重伤。阿诺德晋升准将后，在尚普兰湖上建立一支小舰队，对在纽约瓦库岛附近的优势敌人舰队给予重创(1776-10-11)。他胜利归来，成为一个英雄。1777年国会授予5个军人少将衔时，没有授给阿诺德，而授给了比他资历浅的人。阿诺德对这种侮辱十分不满，只因华盛顿亲自劝导，他才没有辞职。两个月后，他在丹伯里(康涅狄格殖民地)打退了英军的进攻，晋升少将，但是并没有恢复他的资深地位，他觉得自己的荣誉受到损害，又打算辞职不干。同年7月，他接受了政府的命令，帮助狙击向上纽约进发的英军。1777年8月，他在斯坦尼克斯堡(今罗姆)打了胜仗。同年秋在萨拉托加战役中指挥几个营进攻，战斗得十分出色，直到负重伤。由于战功，他被恢复了应有的军级。阿诺德由于残废，被调转到费城(1778-06)，他在那里与一些忠于英国的家族交往，过着奢侈的生活，为了弄钱，他破坏州的和军队的某些规章制度，最后被宾夕法尼亚最高执行委员会告发。1779年4月，阿诺德与忠于英国的年轻女子M.西本结婚。5月初，他偷偷向英军总部提建议。一年以后，他向英国人汇报美军进攻加拿大的计划。据他后来坦白，他希望得到对纽约西点的指挥权，为了交出这个兵营，他向英国人索取两万英镑。当他的英国联络人J.安德烈被美国人捉获的时候，他逃到一只英国船上，而让安德烈被当做奸细吊死。安德烈的牺牲使阿诺德为忠于英国的人士所不齿，当他在1781年9月率兵对康涅狄格的新伦敦进行袭击时，他就更加名誉扫地了。1781年末，阿诺德前往英国，闭门不出，郁郁度过余生。

Arnold, Sir Edwin 阿诺德(1832-06-10，英国肯特格雷夫森德～1904-03-24，伦敦) 诗人和学者。以叙事诗《亚洲之光》(1879)闻名，该诗以精美的语言叙述了释迦牟尼的生

美国不列颠百科全书公司供图

平和学说。《世界之光》(1891)以基督教为主题，没有前书那样成功。1873年起担任伦敦《每日电讯报》总编辑。在进入《每日电讯报》之前，他曾担任印度浦那的英国行政管理学院的院长。

Arnold, Harold De Forest 阿诺德(1883-09-03，美国康涅狄格伍德斯托克～1933-07-10，新泽西萨米特) 美国物理学家。他的研究推进了长途电话和无线电通信的发展。曾就读于俄亥俄韦斯理大学；1911年获芝加哥大学博士学位。他在西方电气公司工作期间，研究并设计了一种性能可靠的高真空三极管(热离子管)的制造方法，提供了对于横贯大陆(1914)以及洲际(1915)无线电话所必需的放大器件。他对用于声的再现和电声学的一些新的磁性合金(坡莫合金和坡明伐合金)的发展也做出了贡献。1925年被任命为贝尔电话实验室第一研究指导。

Arnold, Henry Harley 阿诺德(1886-06-25，美国宾夕法尼亚格拉德温～1950-01-15，加利福尼亚索诺马) 美国空军战略家，长期倡导建立与陆海军平等的独立空军。1907年毕业

美国国会图书馆供图

于西点军校，1911年在O.莱特的指导下学习飞行。在陆军航空队任职期间屡屡升迁，1938年任陆军航空队司令。尽管当时美国孤立主义思潮盛行，但他仍然极力主张增加航空兵的拨款及对盟国的军事援助。第二次世界大战中任美国陆军航空兵司令，指挥全球各地的美国陆军航空兵部队，并作为航空兵的代表参加美国参谋长联席会议和盟军参谋长联席会议，对战略轰炸作战产生了重大影响。1944年12月晋升为陆军五星上将，后改为空军上将，系美国空军第一位五星上将。1947年美国国家安全法决定建立独立的空军，阿诺德毕生奋斗的理想得以实现。

Arnold, Mary Augusta 阿诺德 参阅 Ward, Mrs. Humphry 沃德夫人。

Arnold, Matthew 阿诺德(1822-12-24，英国米德尔塞克斯拉尔哈姆～1888-04-15，利物浦) 英国维多利亚时代诗人、文学和社会评论家，尤以对当时的“野蛮人”(贵族)、“市侩”(商业中产阶级)和“平民”的各种情趣和时尚进行权威性抨击而著称；宣扬在《文化与无政府状态》(1869)等著作中所倡导的“文化”。他是拉格比公学知名校长托马斯·阿诺德的长子，就学于拉格比公学和牛津大学贝利奥尔学院。在大学时曾以《克伦威尔》(1843)一诗获纽蒂盖特奖。在牛津肄业期间正值亨利·纽曼在牛津活动之际，因此他的宗教思想虽像他父亲一样具有强烈自由主义倾向，但牛津和纽曼对他的心灵美和文化有着共同的影响。1847年，他任兰斯多恩勋爵的私人秘书，1851年起任督学，直至去世前两年。曾到英国各地视察，并几次由政府派往法、德、荷、

美国不列颠百科全书公司供图

瑞士调查教育状况。他有关美国外学校情况的报告有两份印行成书；对国内学校情况的年度报告引起广泛注意，这些报告均以他特有的优雅散文写成。

使阿诺德在文学史和思想史上享有崇高地位的著作,均系他在公务之余所完成。他的头两部诗集以缩写字母 A 的署名发表,1853 年才以真名发表第一部早期诗作的选集。选集的著名序言阐明了他后来在批评中所坚持的品德的完整、超越个人情感、普遍性和结构的力量以及古典名著对"一个精神痛苦的时代"所具有的典范作用等准则。1858 年发表悲剧《梅罗珀》,1867 年发表《新诗集》,此后未再有多少诗作。但阿诺德的诗作大部分经不起他的这些准则的检验,往往局限于个人感情天地、充满浪漫式的惋惜、悲观厌世而怀旧。作为知名社会人物和诗人,阿诺德虽然乐观愉快,但表面之下却掩盖着他内心生活的这种倾向。尽管如此,他有时也能写出史诗般的《邵莱布和罗斯托》、发人深省的《多佛滩》、壮丽而丰富多彩的《吉普赛学者》和《色希斯》等诗作。1857 年经他的教父和前任约翰·基布尔的遴选,在牛津大学任诗学教授 10 年。他对这一讲座进行了革新,在就职演说《论文学的现代因素》中提出诗需有观察广阔和复杂的生活景象,追求道德和智力的"解放"的精神。他的一些讲稿后出版为评论集,而最有成就是《评荷马史诗的译本》的 3 篇讲稿(1861)和《论凯尔特文学研究》(1867)的讲稿。此后他转而几乎专门从事论文写作。主要见解和著名论述见于《评论一集》(1865)、《评论二集》(1888)和《文化与无政府状态》。他强调评论的作用在于"以公正无私的努力,来研究和宣传世界上所知道和想象的最好的东西,从而使新的、正确的观念形成一种风尚"。他致力于培育一种被唤醒的、知识渊博的精神,不仅用于研究"文学",而且用于研究神学、历史、艺术、科学、社会学和政治学,在每一领域都要"弄清对象的真实面目"。

阿诺德认为英国的文学评论落后于法国和德国,必须了解国外文学并接受欧洲的评论标准。通过他的努力,英国的文学评论扩大了眼界。《评论二集》的第一篇文章《诗的研究》包括他的许多重要思想。他认为在一个信念破碎的时代,诗将替代宗教。我们将愈来愈"转而用诗来阐释我们的生活,来抚慰自己,鼓舞自己"。因此必须懂得如何辨别诗的优劣和真伪,而潜心研究公认的名家的作品。其他文章,除最后两篇(论托尔斯泰和阿米尔)外,均是评论英国诗人如弥尔顿、格雷、济慈、华兹华斯、拜伦、雪莱等人的,力求严肃负责地评价每位诗人的毕生事业及其为现代社会提供的精神食粮的价值。从某种意义上说,《文化与无政府状态》是阿诺德最主要的著作。它进一步抨击了维多利亚时代英国人的自满、庸俗和拜金主义。文化作为"追求至善的学问"是同流行的新民主制度下的缺乏准则和方向感的"无政府状态"格格不入的。文化就是要使"上帝的理智和意志占上风"。阿诺德把英国人分为野蛮人(这些人精神充沛,态度沉静,举止正经,却闭目塞听,不接受各种思想)、市侩(不信奉国教者的大本营,有生气,讲道德,但缺乏"亲切和见识")和平民(仍处于粗野和愚昧中),而市侩是社会中具有最大影响的部分;他们的力量即民族的力量,他们粗野则民族粗野,因此必须教育感化他们。晚年转而写作宗教著作,认为宗教是文化的最高形式,没有宗教,一切世俗教育都会落空。

Arnold, Samuel　阿诺德(1740-08-10,伦敦～ 1802-10-22,伦敦)　作曲家。1786 ～ 1797 年编辑出版了韩德尔的作品全集 36 卷。虽有不足,但仍属出版作曲家全集的最早尝

美国不列颠百科全书公司供图

试。曾受教于皇家礼拜堂,后为科文特加登剧院作曲家。首部作品是《磨坊姑娘》(1765)。后曾任草市皇家剧院音乐总监(1777)、皇家礼拜堂管风琴师兼作曲家(1783)、威斯敏斯特教堂管风琴师(1793)。其作品包括奏鸣曲、交响乐、清唱剧、叙事歌剧、闹剧和哑剧等。他的《教堂音乐》(1790)是一本礼拜仪式乐曲选集,也是对 W. 博伊斯《教堂音乐》一书的重要增补。

Arnold, Thomas　阿诺德(1795-06-13,英国怀特岛东考斯～ 1842-06-12,沃里克郡拉格比)　教育家。曾任拉格比公学校长,对英国公学教育影响极大。为诗人和评论家马休·

美国不列颠百科全书公司供图

阿诺德之父。就学于温切斯特公学及牛津大学基督圣体学院。1815 年被选为牛津大学奥里尔学院的有薪研究生。1819 年按立圣职和婚后,定居米德尔塞克斯拉莱汉,任大学新生导师。1828 年任拉格比公学校长,逐渐将该校办成地位很高的公学。在教学法上他并非革新者,只是致力于将公学办成培养绅士的学校。他比该学校的任何前任校长都更能充分发挥级长的作用,让年龄较大的学生在校内负责监督年龄较小学生的纪律。他的一套办法为英国大多数中等学校所采纳。阿诺德传统通过拉格比公学的师生传播到其他学校。在他逝世后建立的许多学校均以拉格比公学为典范。其著作有:5 卷布道词,一辑裘西狄地斯著作,3 卷罗马史。其传记有:A.P. 斯坦利编写的《阿诺德博士的生平及书信》(2 卷,1844),J. 菲奇的《阿诺德父子,托马斯及马修对英国教育的影响》(1897)。L. 斯特雷奇在《维多利亚时代四名人传》(1918)中有一篇关于阿诺德的短文。

Arnold Arboretum of Harvard University　哈佛大学阿诺德植物园　在波士顿的牙买加平原,是主要的植物研究中心,以收集东方观赏乔木和灌木闻名,占地 107 公顷,于 1872 年建立。它获得并种植 6 000 多种木本植物。到 20 世纪 90 年代末有近 5 000 种得到培育。其中特别重要的是东方樱桃、连翘、丁香花、忍冬、栎、木兰、针叶树、矮常绿树和亚洲树种。标本室藏有 130 多万个参照标本,主要来自东亚和新几内亚。出版《阿诺德植物园杂志》和《阿诺德研究报告》。

Arnoldson, Klas Pontus　阿诺德森(1844-10-27,瑞典哥德堡～ 1916-02-20,斯德哥尔摩)　瑞典政治家,在解决挪威-瑞典联盟的问题方面表现突出,与弗雷德里克·巴耶共同获得 1908 年诺贝尔和平奖。最初当铁路职员,后任站长(1871 ～ 1881)。之后离开铁路,专心致志于政治。1881 年被选为瑞典国会议员。他是个热情而虔诚的和平主义者,支持北欧国家的中立,并于 1883 年协助成立了瑞典和平与调解协会。从 1890 年起,当挪威与瑞典之间的冲突十分紧张时,阿诺德森用他的一切力量,包括他激动人心的演说天才,力图在两国制造舆论,支持和平解决冲突。1905 年他的努力获得成果,两国同意解散联盟。

Arnolfo di Cambio　阿诺尔福(1245?,埃尔萨谷口村[意大利]～ 1301 或 1310,佛罗伦萨)　即阿诺尔福·迪·坎比奥。意大利雕刻家和建筑师,其作品体现了后期哥特式建筑向文艺复兴时期建筑风格的转变。阿诺尔福师从契马布埃学习绘画,向 N. 皮萨诺学习雕刻。1265 ～ 1268 年为皮萨诺的助手,参加锡耶纳大教堂布道坛的制作。1277 年赴罗马,成为西西里国王查理(安茹的)的门客。那时他可能制作了拉特兰圣乔瓦尼教堂的枢机主教安尼巴尔迪纪念像(现已拆掉)和维泰博圣方济各教堂的教皇安德烈五世墓。1281 年在佩鲁贾建造了一座喷泉,这座喷泉上的一些雕像现存翁布里亚国家陈列馆。次年制作了奥尔维耶托圣多米尼科教堂的枢机主教布拉耶(卒于 1282)纪念碑。随后又设计了罗马城外的圣保罗教堂(1285)和特拉斯特维列的圣塞西利亚教堂(1293)的祭坛华盖。1296 年回佛罗伦萨完成他最为重要的任务——设计大教堂(Duomo,在佛罗伦萨教区),并为其正面做若干雕像(今存大教堂博物馆)。他设计的其他建筑有韦基奥宫、圣克罗齐教堂以及巴迪亚教堂(本笃会隐修院)的高坛等。圣克罗齐教堂和大教堂的结构和装饰组成部分和谐、平衡并具有轻快的动感,这显示出阿诺尔福精通 13 世纪后期哥特式建筑的表现形式。他的雕刻作品具有强烈的庄重感,反映出古罗马雕刻对他的影响。

Arnow, Harriette　阿诺(1908-07-07,美国肯塔基布朗斯顿～ 1986-03-22,密歇根安阿伯)　婚前名 Harriette Lousia Simpson。美国女小说

家、社会历史学家和散文家。主要作品有长篇小说《玩偶制造者》(1954),讲述肯塔基州一个山区家庭在第二次世界大战期间北迁底特律的故事。出生于肯塔基农村。有段时间住在托伦特油田附近。发表的第一篇短篇小说《金盏花与骡子》(1934)便是以油田为背景。此前曾先后在贝瑞亚学院和路易斯维尔大学就读,在学校教课,还曾短期担任过一所小学的校长。后迁至俄亥俄州辛辛那提,当过侍者、售货员、打字员,最后成为作家。在肯塔基东部的生活和在那里的教书经历激励她写出长篇小说《山路》(1936)。第二部长篇小说《花间》(去世后于 1999 年出版)描绘肯塔基州一农家如何超越大自然、社会和他们本身的性格所带来的各种苦恼。1938 年与芝加哥记者H.阿诺结婚。婚后生活艰辛。1945 年迁往密歇根州。长篇小说《猎人的号角》于 1949 年出版。1950 年在密歇根州安阿伯郊外购置了一处农场。4 年后出版长篇小说《玩偶制造者》。该书主人公 G.内维尔斯是她笔下那些坚强的、被赋予生命力的妇女中最著名的。1984 年小说拍成电视电影,J.方达出演主角。其他小说还有《锄草人的女儿》(1970)和《肯塔基小径》(1974)。著有两本社会历史方面的书籍《坎伯兰的播种期》(1960)和《坎伯兰的繁荣》(1963),讲述定居在坎伯兰高原的殖民地开拓者的遭遇。

Arnsberg 阿恩斯贝格 德国西部北莱茵-威斯特伐利亚州中东部一行政区。东邻黑森州,西南接莱茵兰-普法尔茨州,西为科隆和杜塞尔多夫两行政区,北为明斯特和代特莫尔德两行政区。为北莱茵-威斯特伐利亚州 5 个行政区中最大者。面积 7 998 平方千米,相当于历史上较大的威斯特伐利亚(**Westphalia**)地区的南部。该区设于 1816 年,以其首府之名命名。黄土覆盖的黑尔韦格高原沿东西方向横亘在该区北部,介于利珀河(在北面)与鲁尔河(在南面)之间;高原原为历史上的通道和早期的居留地带。高度工业化的鲁尔城市综合体和鲁尔烟煤田自杜塞尔多夫行政区向东伸展,横穿黑尔韦格西部到哈姆。阿恩斯贝格区鲁尔城市综合体有多特蒙德(该区最大城市)、波鸿、黑尔讷、哈姆和维滕 5 个城市,人口超过 10 万。这些城市地区人口密度每平方千米通常都超过 3 000 人。多特蒙德是一主要的重型钢铁加工业中心,也是一主要的重型机床制造地,并以其酿酒厂闻名。黑尔韦格东部是以索斯特平原为中心的肥沃农业区,甜菜、蔬菜和水果为其主要农作物。阿恩斯贝格行政区南部 3/4 面积由中莱茵高地最北边的绍尔兰高原组成,北以鲁尔河及其支流默讷河为界,南以锡格河和韦斯特山林为界。高度工业化的锡格河谷中以锡根为主要城市,以生产优质钢铁著称。锡根东北为森林茂密的罗塔尔山脊,在灌木丛生的卡尔阿斯滕山处高为 841 米,形成与黑森之间的天然边界。绍尔兰高原自罗塔尔山脉向北及西北方逐渐降低,并越来越受鲁尔河与莱茵河的支流所切割。深河谷处有许多水坝和水库,可向鲁尔工业区供水。在西北部的前马克县境内,有许多中小城市专门制造机器、五金器具和电器。较低的河谷里有畜牧业及林业;许多处疗养胜地和冬季运动胜地正在发展旅游业,如温特贝格和施马伦贝格。阿恩斯贝格行政区居民大多数为西撒克逊人后裔,操低地德语方言。在绍尔兰的一些地区中也有强烈的法兰克语影响,那里常操莱茵河沿线古法兰克族方言。全区人口 50% 以上为新教徒,约 40% 为天主教徒。农村主要居住格局为分散的农场和露明木架房屋组成的小村庄。高等教育以波鸿、多特蒙德和锡根的大学为中心。人口约 3 634 467(1989)。

Arnsberg 阿恩斯贝格 德国西部北莱茵-威斯特伐利亚州城市。在鲁尔河河弯处,伊瑟隆东。两侧为山林,是游人众多的矿泉疗养地和避暑胜地,被称为绍尔兰的珍珠。11 世纪在韦尔伯爵城堡四周发展起来,1238 年设市。古城堡遗迹和 13 ~ 14 世纪的韦丁豪森隐修院的教堂引人注目。现有造纸、木材加工、金属加工和酿酒等行业。人口约76 985(2003)。

Arnstadt 阿恩施塔特 德国中部图林根州城市。濒格拉河,位于图林根山林北缘,爱尔福特市的西南。704 年首见记载,1266 年设市。1306 ~ 1716 年施瓦茨堡伯爵家族居此,现保存有其官邸和墓地。17 世纪巴赫家族有数人在此供职。1703 ~ 1707 年 J.S.巴赫在当地教堂任风琴师。除以制手套出名外,还有玻璃、木工、机械、制革和铸铁业。市内及附近有许多度假村和疗养院。人口约 30 482(1989)。

Arnulf 阿努尔夫(?~899-12-08) 又称卡林西亚公爵,德语作 Arnulf von Kärnten(克恩滕公爵)。他废黜了舅父、神圣罗马帝国皇帝胖子查理三世,成为德意志的国王,后来还短

9 世纪印章上的阿努尔夫像
美国不列颠百科全书公司供图

时间加冕做过皇帝。阿努尔夫是胖子查理三世的长兄巴伐利亚国王卡洛曼的私生子,他从父亲那里继承了卡林西亚公国,但在卡洛曼去世时被剥夺了对巴伐利亚王国的继承权。阿努尔夫设法维持和巩固了其领地的疆界,虽然他和摩拉维亚的斯瓦托普卢克王国经常处于关系紧张的状态之中。887 年 11 月在法兰克福,东法兰克的权贵们发动了反对无能的胖子查理三世皇帝的起义,后者自 885 年以来一直统治着重新统一的加洛林帝国。阿努尔夫被选为东法兰克人的国王,查理三世没有抗争就主动投降。但是西法兰克、勃艮第和意大利拒绝承认阿努尔夫,各自从自己的贵族中选出了新国王,加洛林帝国从此最后瓦解。阿努尔夫军事行动的根据地仍然是巴伐利亚,但是他在洛锡林治亚(今洛林)维护了他作为德意志皇帝的权威地位,甚至还维持了对其他国王松散的封建权威。他是一位精力旺盛的统治者,就在斯瓦托普卢克于 894 年死后,其宗主国地位还被他的儿子们继续承认。891 年,在布鲁塞尔以北的戴尔河阿努尔夫给北欧海盗以重创,使海盗经常对莱茵河沿岸发动的突然袭击随即于 892 年结束。阿努尔夫还册封其子兹温蒂伯德为洛锡林治亚的国王。意大利国王斯波莱托的居伊曾设法让教皇斯蒂芬五世加冕他为神圣罗马帝国的皇帝。893 年,在新教皇福尔摩苏斯不情愿地给居伊之子兰贝特加冕皇帝之后,他向阿努尔夫寻求帮助来反对居伊。于是阿努尔夫于 894 年侵入意大利,同年晚些时候从意大利退兵。居伊于 894 年死后,教皇福尔摩苏斯再次鼓动阿努尔夫入侵意大利。尽管有恶劣天气和疾病的阻挠,弗留利的贝伦加尔允诺给予支持的希望也落空了,但阿努尔夫还是于 895 年 10 月越过阿尔卑斯山直逼罗马城下。在他攻克罗马以后,教皇福尔摩苏斯宣布废黜兰贝特,并于 896 年 2 月 22 日在圣彼得教堂为阿努尔夫加冕。在罗马城停留了两周之后,阿努尔夫远征南方,去和他在斯波莱托的敌手算帐,但在途中忽然患病,只得退回德意志。兰贝特不顾教皇敕令,仍保持皇帝称号。阿努尔夫生命的最后 3 年是在持续的疾病中度过的,在此期间,摩拉维亚和匈牙利人相继侵犯德意志,洛锡林治亚则处于反对其子兹温蒂伯德统治的起事之中,意大利被丢失,法兰西也摆脱了阿努尔夫的影响。

Arnulf I 阿努夫一世(约900~965-03-27) 佛兰德伯爵(918 ~ 958,962 ~ 965)。博杜安二世之子。918 年父王死后继承领地。在位期间不断和挪威人进行战争,他还积极参加奥托一世皇帝和于格·卡佩在洛林的斗争。958 年把政权交给儿子博杜安三世。其子致力于发展国家的工商业,在根特建立第一批纺织厂、漂洗厂,在伊普尔和布鲁日等地开办一年一度的商品集市。962 年博杜安三世早逝,阿努夫一世重新执政。余年安排孙子小阿努夫二世继位(965 ~ 988)。

Arnulf of Metz, Saint 圣阿努尔夫(梅斯的)(约 580,法兰西南锡附近～ 640-07-18?,勒米尔蒙) 法兰克贵族、梅斯主教,查理曼已知的最早祖先。曾在提奥德贝尔特二世(595 ～612)治下的奥斯特拉西亚宫廷效劳,功绩卓著,但 613 年与丕平一起领导贵族反对布隆希尔德,将她推翻,使法兰克地区重新统一于克洛塔尔二世。大约同年成为梅斯主教。623 年起又与任宫相的丕平同为达戈贝尔特一世的顾问。后退隐(629?)。阿努尔夫之子同丕平的女儿结婚,生下丕平二世,是查理曼的曾祖。

Arnus(Italy) 阿尔努斯河 参阅 **Arno River** 阿尔诺河。

Arochukwu 阿罗丘库 尼日利亚伊莫州城镇。在卡拉巴尔—乌穆阿希亚公路线上。

为18～19世纪统治尼日利亚东南部的伊博族支系阿罗人的聚居区,阿罗人的丘库神的神殿所在地,今是集市中心和阿罗丘库-奥哈菲亚地方政府参议会所在地。有师范学院、中学和医院。

Aroe Eilanden(Indonesia) 参阅 **Aru Islands** 阿鲁群岛。

aromatic compound 芳香族化合物 分子结构中含有一个或多个以两种不同类型共价键联结成的原子平面环的一大类化合物的总称。芳香族一词最初约在1860年用于指从煤焦油分离出来的一种烃,这种烃具有比其他烃类强烈得多的特异气味。化学中,芳香性一词用来表示由这类分子的电子结构所决定的反应性特别低的化学性能。许多芳香族化合物是含有由6个碳原子组成环的苯(**benzene**)的有机化合物。其他则是苯环的一个或多个碳原子被其他元素原子、特别是氮原子所取代的。环中每一原子与相邻两原子分别共用一对电子,集结于两原子间的各个电子对组成σ键。此外,与这种环平行的两个高电子密度区域构成了一种与任何一对原子都无关,而只与整个环有关的π键体系。芳香族化合物的基本特性取决于π键体系的电子数,而不是环中原子的数目或特性。最常见的是π键体系中有6个电子,但也存在任何可用$4n+2$来表示的电子数,式中$n=$ 1、2、3等。

aron(Judaism) 参阅 **ark** 藏经柜。

Aron, Raymond(-Claude-Ferdinand) 阿龙 (1905-03-14,巴黎～1983-10-17,巴黎) 法国社会学家、哲学家和政治评论家,以其对思想体系的正统观念持怀疑态度而知名。1930年在高等师范学校获文学博士学位,1930～1931年在科隆大学教书,1934～1939年任高等师范学校社会文献中心秘书,1935～1939年任圣克卢师范学校教授,1939年任图卢兹大学社会哲学教授。第二次世界大战期间在法国空军中服役,法国被攻占后,在伦敦参加戴高乐将军的自由法国军队,任其机关报《自由法国》的编辑。战后在巴黎大学政治研究学院和国家行政管理学院任教,1955～1968年任巴黎大学文学院社会学教授。1946～1947年为左派刊物《战斗》撰稿,1947年成为《费加罗报》极有影响的专栏作家,担任这一职务达30年。1977年离开《费加罗报》,主办《快报》周刊政治专栏直至去世。早年曾是让-保尔·萨特的亲密同事,但在《知识分子的鸦片》(1955)一书中,批评了萨特和马克思主义者对苏联的无条件支持。他是西方联盟的坚定支持者。在《难以理解的革命》(1968)一书中,抨击其大学同事对1968年法国学生叛乱的支持。反对殖民主义,主张在阿尔及利亚革命之前法国便从阿尔及利亚撤退。他是戴高乐的主要评论者。其他著作有:《历史哲学引论》(1938)、《全面战争的世纪》(1951)、《和平与战争》(1962)、《大辩论:核战略的理论》(1963)、《社会学思想流派概述》(1967)、《帝国主义的共和国:美国和世界(1945～1972)》(1973)和《战争哲学家克劳塞维茨》(1976)。他的回忆录于1983年出版。

Aroostook War 阿鲁斯图克战争(1838～1839) 美英两国就美国缅因州与英属加拿大新不伦瑞克省之间的边界发生的不流血冲突。1783年和约没有明确指出分界线的确切位置。此后英美两国代表几次谈判,未能达成协议,因而请尼德兰国王仲裁。1831年尼德兰国王提出一项解决方案,但引起缅因州公民的强烈不满,美国参议院不得不表示拒绝。与此同时,来自新英格兰的移民和来自加拿大的伐木工人陆续涌入这一有争议的地区。1838～1839年,由于双方官员和缉捕队都在不断逮捕和关押"非法侵入者",从而使冲突白热化。1839年3月,从魁北克调来的英国军队进入阿鲁斯图克的美占区马达沃斯卡。缅因州议会立即议决拨款80万美元,征召1万名志愿兵,在一星期内开往阿鲁斯图克。美国国会也通过征兵5万名和拨款1 000万美元的决议。同时,W.斯科特将军奉命前往缅因州的奥古斯塔举行和谈。1839年3月21日,他与英国谈判代表J.哈维达成休战协议,并决定联合占领这一有争议的地区,直至达成令人满意的协定为止。1842年签订的《韦伯斯特-阿什伯顿条约》(**Webster-Ashburton Treaty**)确定了缅因州与新不伦瑞克省之间的边界线。

Arosa 阿罗萨 瑞士东部格劳宾登州的阿尔卑斯山村,疗养胜地和冬季运动中心。海拔5 689英尺(1 734米)。伸展于多林木的山谷中,有温特和奥伯两个小湖,夏季可钓鱼、游泳及划船。阿罗萨以冬季运动中心而闻名,特别是冰雪赛马。冰上溜石、滑冰和冰球很流行。有缆车通附近的魏斯峰(8 704英尺),铁路货车通赫恩利山(8 200英尺),公路和铁路通库尔。人口约2 850(1990)。

Arouet, François-Marie 阿鲁埃 参阅 **Voltaire** 伏尔泰。

arousal(psychology) **唤醒** 参阅 **activation** 激活。

Arp, Halton Christian 阿普(1927-03-21,纽约市～) 美国天文学家。以反对那种认为类星体红移表示它们位于遥远距离的理论而著称。阿普于1949年在哈佛大学获得学士学位,1953年在加利福尼亚理工学院取得博士学位。随后,他到威尔逊山天文台和帕洛马天文台任职,并从事博士后科研。1955～1957年在印第安纳大学任副研究员,随后,又返回威尔逊山天文台,成为该台的助理天文学家。1969年,阿普荣升为天文学家。当他发现在他1966年出版的《特殊星系图》中有一部分星系似乎位于类星体附近时,他开始对类星体的距离发生怀疑。他试图用照相术证明,红移小的星系和红移大的类星体不仅相距甚近而且有气体物质相连,若类星体远在星系几十亿光年之外就不可能有这种现象。阿普还提出一种学说,即星系核可能爆炸,并以高速抛出类星体而产生红移。

Arp, Jean 阿尔普(1887-09-16,德国斯特拉斯堡[今属法国]～1966-06-07,瑞士巴塞尔) 法国雕刻家、画家和诗人,20世纪前期欧洲艺术界先锋派领袖之一。先在家乡斯特拉斯堡学美术,后在德国魏玛及巴黎朱利昂学院学习。1912年赴慕尼黑,经友人W.康定斯基介绍,和D.B.赖特尔有过短暂联系。1914年回巴黎,结识画家毕加索、德洛内及作家M.雅科布。第一次世界大战期间避难于苏黎世,成为达达主义(**Dada**)创始人之一,其第一批彩色浮雕即在苏黎世创作。战后直到1924年在德国居住(1921年与艺术家S.托伊伯结婚)。1924年与妻子迁居巴黎附近的默东镇。20世纪20年代与超现实主义者有联系。1930年成为"圆形和正方形"小组成员,并创作出第一件作品《撕碎的纸》。1931年参加"抽象-创作"运动。第二次世界大战期间再度居于苏黎世,1943年其妻去世。居留瑞士时创作作品《揉皱的纸》。战后回默东,继续其抽象形式和色彩的试验,并写诗。著有《阿尔普论阿尔普:诗歌、散文及回忆》(1972)和《阿尔普法文著作集》(1974,编者让·马塞尔)。

Arpad 阿尔帕德 又称泰勒里法特。叙利亚西北部古城。常见于《旧约全书》和亚述的文件。公元前9世纪为亚述所控制,公元前754年重新独立,与乌拉尔图的萨尔杜里二世结盟。后被亚述的提革拉·帕拉萨三世打败。公元前720年反抗萨尔贡二世失败后,仍归顺亚述。

Árpád DYNASTY **阿尔帕德王朝** 9世纪末至1301年匈牙利的统治王朝。在他们的统治下,匈牙利国家从一个匈牙利部落联盟转变成中欧东部的强国。王朝是以阿尔帕德(907卒)的名字命名的,889年7个马扎尔部落推选阿尔帕德率领他们从顿河住地向西迁移。马扎尔人越过喀尔巴阡山(约896),定居潘诺尼亚平原(即匈牙利平原),此后半个世纪侵袭邻邦掠夺财物。但是,955年8月10日在莱希费尔德之战中被皇帝奥托一世击败以后,他们的好斗性收敛了一些。阿尔帕德的曾孙盖佐在位期间(972～997),他们与西方建立了热情友好的关系,并承认他们的国王的权力先于他们的酋长们的权力。

斯蒂芬(族称伊斯特万,997～1038在位)对父王的丰功伟绩更加发扬光大,使臣民正式改信西方教会的基督教(1000),占领特兰西瓦尼亚(1003),废弃部落政治结构,改用伯爵领地制,每一领地由国王任命的"伯爵"管辖。另外,斯蒂芬宣布一切非由自由民占据的地区均为国王的财产,为匈牙利君主国未来的财富和势力奠定了基础。尽管斯蒂芬的继承人为争夺王位内讧不已,但是,他们不仅能够抵挡住神圣罗马帝国皇帝吞并匈牙利的努力(尤其是在1063和1074),而且国王拉迪斯拉斯(族称拉斯洛,1077～1095在位)和国王卡尔曼(1095～1116在位)还能够把匈牙利的控制权扩展到克罗地亚。12世纪拜占廷皇帝插手拉迪斯拉斯二世(族称拉斯洛,1162～1163在位)和斯蒂芬四世(1163～1165在位)与他们的侄子斯蒂芬三世

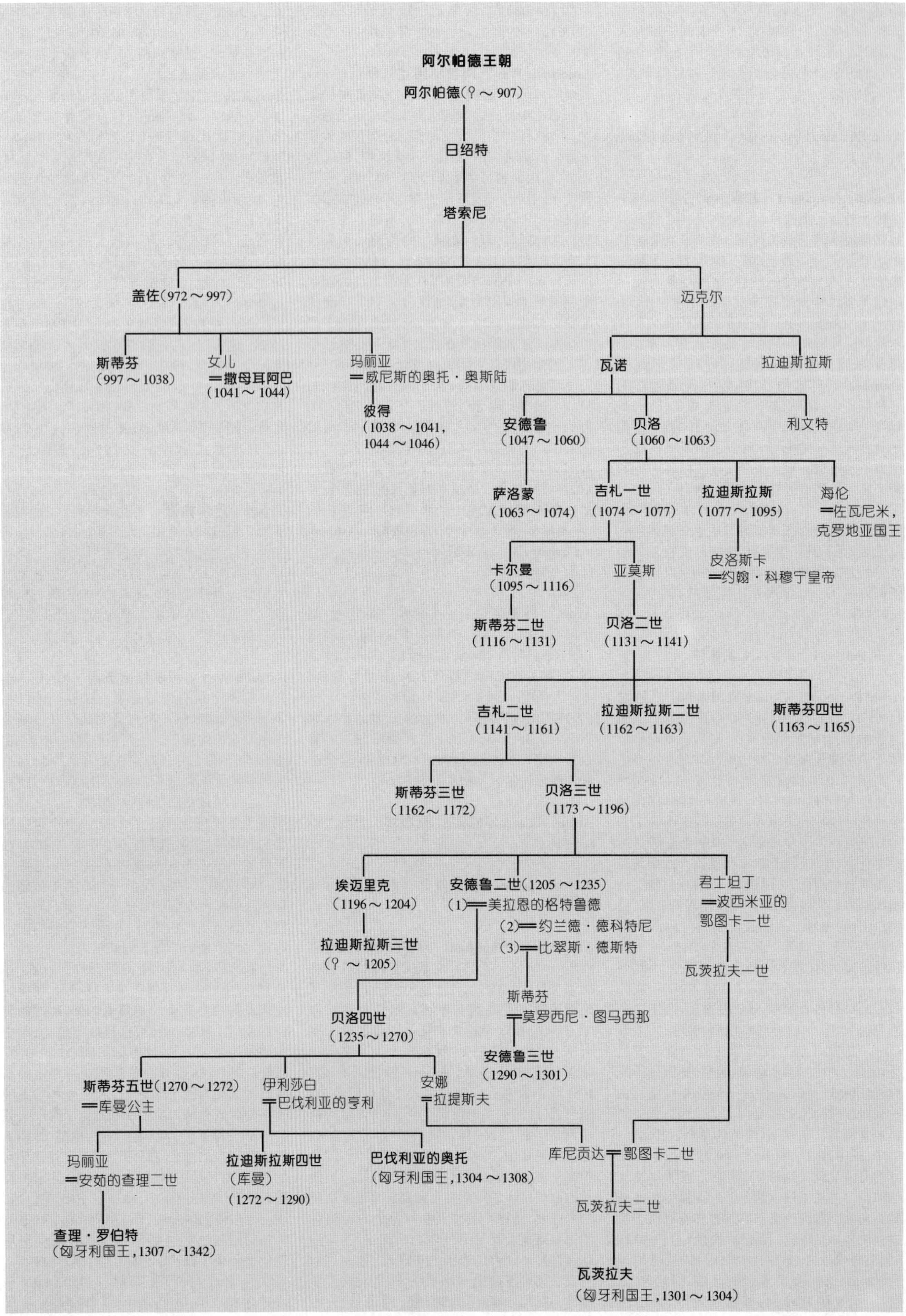
阿尔帕德王朝
阿尔帕德（?～907）
日绍特
塔索尼
盖佐（972～997）
迈克尔
斯蒂芬
（997～1038）
女儿
═撒母耳阿巴
（1041～1044）
玛丽亚
═威尼斯的奥托·奥斯陆
彼得
（1038～1041，
1044～1046）
瓦诺
拉迪斯拉斯
安德鲁
（1047～1060）
贝洛
（1060～1063）
利文特
萨洛蒙
（1063～1074）
吉札一世
（1074～1077）
拉迪斯拉斯
（1077～1095）
海伦
═佐瓦尼米，
克罗地亚国王
卡尔曼
（1095～1116）
亚莫斯
皮洛斯卡
═约翰·科穆宁皇帝
斯蒂芬二世
（1116～1131）
贝洛二世
（1131～1141）
吉札二世
（1141～1161）
拉迪斯拉斯二世
（1162～1163）
斯蒂芬四世
（1163～1165）
斯蒂芬三世
（1162～1172）
贝洛三世
（1173～1196）
埃迈里克
（1196～1204）
安德鲁二世（1205～1235）
（1）═美拉恩的格特鲁德
（2）═约兰德·德科特尼
（3）═比翠斯·德斯特
君士坦丁
═波西米亚的
鄂图卡一世
拉迪斯拉斯三世
（?～1205）
斯蒂芬
═莫罗西尼·图马西那
瓦茨拉夫一世
贝洛四世
（1235～1270）
安德鲁三世
（1290～1301）
斯蒂芬五世（1270～1272）
═库曼公主
伊利莎白
═巴伐利亚的亨利
安娜
═拉提斯夫
玛丽亚
═安茹的查理二世
拉迪斯拉斯四世
（库曼）
（1272～1290）
巴伐利亚的奥托
（匈牙利国王，1304～1308）
库尼贡达═鄂图卡二世
瓦茨拉夫二世
查理·罗伯特
（匈牙利国王，1307～1342）
瓦茨拉夫
（匈牙利国王，1301～1304）

(1162～1172在位)之间争夺王位的斗争,对匈牙利曾有过巨大的影响。但是,斯蒂芬三世的兄弟和继承人贝洛三世(1173～1196在位)重新恢复了匈牙利君主国的独立和威势。

贝洛在位时期,阿尔帕德王朝臻于鼎盛,它从王室土地取得巨大的财富,占领塞尔维亚和加利西亚,使匈牙利变成中欧东部的一个巨大强国。贝洛去世后,这个君主国日趋衰落。埃迈里克(族称伊姆雷,1196～1204在位)和他的兄弟安德鲁二世(族称恩德雷,1205～1235在位)过分慷慨地向他们的支持者赐予土地,从而减少了君主国财富和势力的来源。安德鲁保障贵族的特权(参阅**Golden Bull of 1222**),允许他们控制伯爵领地政府,这进一步削弱了君主国的力量。1241～1242年蒙古人入侵并且蹂躏匈牙利之后,贝洛四世(1235～1270在位)曾经鼓励重新建设,但在这一过程中,他被迫向地方豪绅授予大量的特权和权力,从而减少国王的统治力量。他的儿子斯蒂芬五世(1270～1272在位)与一库曼人的公主结婚,由他们所生的儿了拉迪斯拉斯四世(库曼)继承王位(1272～1290在位)后,王室的威望更加下降。拉迪斯拉斯四世没有婚生后嗣,由安德鲁二世之孙安德鲁三世继承王位(1290～1301在位)。然而,安德鲁三世也未留后嗣即归天,权力已经大大削弱的阿尔帕德王朝遂绝传。此后,匈牙利的王位成为与阿尔帕德王室联姻的几个外国王室争夺的目标。

Arpino　阿尔皮诺　意大利中部拉齐奥区弗罗西诺内省城镇。在弗罗西诺内市正东的两座海拔450米的丘陵上。罗马将领G.马略诞生于此。巨大的石砌城墙为沃尔西人所建,遗迹现仍围绕该城。圣米凯莱和圣安德烈亚等15世纪教堂藏有切萨丽的绘画。经济以农业、毛纺业和彩色大理石采掘业为主。人口:城市区约7 978(1990)。

Arpino, Gerald　阿尔皮诺(1928-01-14,美国纽约斯塔滕岛～2008-10-29,伊利诺伊芝加哥)　全名Gerald Peter Arpino。美国芭蕾舞编导,1956年乔弗里芭蕾舞团成立后,一直是该舞团领导人。1945～1948年阿尔皮诺于美国海岸警卫队服役时,在华盛顿州西雅图市结识舞蹈家罗伯特·乔弗里,遂以业余时间从乔弗里学舞。其后又在纽约市接受培训及演出,随俄罗斯芭蕾舞团作巡回演出,并在百老汇上演的音乐剧中扮演角色。1956年,他协助乔弗里创办乔弗里芭蕾舞团,1961年他初次编导《四人组舞》和《绳索》。经过多年努力,他以所编导的芭舞具有激烈、快节奏和有朝气而著名。他先担任舞团副团长,1988年乔弗里去世后他担任舞团艺术指导。他与舞团董事会因预算和派别问题发生争执,从1990年5月到11月间短期离职;除此以外,他一直担任上述职务。

Arqalyq　阿尔卡雷克　俄语作Arkalyk。哈萨克斯坦中北部城市,在田吉兹湖以西大约120千米处。1956年随图尔盖铝土矿开发始有居民。1965年建市。通过支线铁路与切利诺格勒—托博尔铁路连接。人口约64 900(1991)。

arquebus(weapon)　参阅 **harquebus**火绳枪。

Arrabal, Fernando　阿拉巴尔(1932-08-11,西属摩洛哥梅利利亚～　　)　出生于西班牙的法国荒诞派剧作家、小说家、电影制片人。作品内容多涉及暴力、残酷和色情。阿拉巴尔在西班牙内战中及内战后,目睹各种公私恐怖行为,为了逃避而离开西班牙,移居法国。1958年,出版《戏剧一集》,其中收有《两个刽子手》和《汽车公墓》。剧中人物往往像孩子似地天真,但很少是无邪的,不是妓女、杀人犯、便是拷问者。20世纪60年代后期,他的剧作逐渐注重形式,内容多涉及宗教,属于他所谓的"惊怖剧"。他这个时期的作品有《建筑师与亚述皇帝》(1967)、《他们给鲜花戴上手铐》(1969)。他的第一本小说《巴尔·巴比伦》(1959),叙述的是他儿时在法西斯西班牙恶梦般的经历,1970年改编成电影《死神万岁》。

Arrah(city, India)　参阅 **Ara** 阿拉。

arraignment　提审　在英美法中,指在审判前被告人第一次与法庭见面,他被带到被告席,向他宣读起诉书。被告人通常是承认有罪或申辩无罪。如果他不答辩,即以申辩无罪记录入卷。承认有罪的结果通常是把案件提交审判。有时,法庭准许撤回认罪。在民法系国家里不存在提审,但必须在一定期限内将被告方带至一位调查官面前,调查官必须在规定的期限内向审判法官提出他的调查结论。参阅 **indictment**。

Arraiolos rug　阿拉约卢什地毯　葡萄牙埃武拉以北阿拉约卢什的织锦铺地用品。亚麻布底,人字形或十字花形针脚。早期阿拉约卢什地毯的图案源于波斯,葡萄牙人向波斯人学会了这种工艺;但波斯图案很快就被本国的民间美术图案所取代,颜色大为减少,以后织出的地毯大都尺码小,图案简单,现在仍继续生产。里斯本国家古代艺术博物馆展出这种地毯的精美收藏品。

17世纪的阿拉约卢什地毯
美国不列颠百科全书公司供图

Arran　阿伦岛　苏格兰比特历史郡和北艾尔郡政务会辖区的最大岛屿。在大西洋沿岸的克莱德河口。长约32千米,平均宽度14千米,面积约431平方千米。因其景色优美,千姿百态,有"小苏格兰"之称。北部风光令人神往,其中以戈特山(874米)最为突出。南部地势较平缓,富有乡村特色。14世纪初,罗伯特一世布鲁斯曾在该岛西岸的国王岩洞中避难。因其风景秀丽,交通便利,成为著名度假胜地。有轮船通格拉斯哥西南的阿德罗森。人口4 474(1991)。

Arran, EARLS OF　阿伦伯爵　苏格兰封爵贵族,按年代顺序分列于后,并各以●为标记。

● Arran, James Hamilton, 1st earl of　阿伦伯爵(第一)(1475?～1529-07,苏格兰西洛锡安金尼尔)　苏格兰贵族,第一代汉密尔顿勋爵与苏格兰国王詹姆斯二世之女玛丽所生之子。1503年封伯爵。1513年指挥舰队远征英格兰,但遭到惨败。后他的敌手安格斯伯爵在宫廷当权,他与詹姆斯五世的摄政奥尔巴尼公爵联合。1517～1520年任副摄政。1528年詹姆斯五世摆脱安格斯的控制后,他投靠詹姆斯五世。

● Arran, James Hamilton, 2nd earl of　阿伦伯爵(第二)(约1517～1575-01-22,苏格兰拉纳克郡汉密尔顿)　苏格兰女王玛丽·斯图亚特1542年即位后的假定继承人,并被任命为女王的摄政和导师。他同意了玛丽与法国皇太子的婚姻,1549年封夏特埃罗公爵。苏格兰宗教改革开始后,他于1559年参加贵族基督教改革派,并成为新教派的公认领袖。1565年被流放,1569年返回苏格兰。

● Arran, John Hamilton, earl of　阿伦伯爵　参阅 **Hamilton, John Hamilton, 1st marquess of** 汉密尔顿侯爵(第一)。

● Arran, James Hamilton, 3rd earl of　阿伦伯爵(第三)(1537?～1609-03)　苏格兰贵族。幼时,其父出于野心先后欲让他娶玛丽·斯图亚特和亨利八世之女伊丽莎白(后为伊丽莎白一世)为妻。1554～1559年他在法国指挥苏格兰军队。回国后参加贵族基督教改革派。该派建议他向伊丽莎白求婚。1560年又建议他向玛丽求婚。他于1562年精神失常,在软禁中度过余生。

● Arran, James Stewart, earl of　阿伦伯爵(?～1595,苏格兰拉纳克郡赛明顿附近)　苏格兰贵族。第3代阿伦伯爵的堂兄,1581～1585年曾短期承袭其爵位。1582年基督教贵族夺得权力后,他失去宫廷职务。一年后他又推翻那些贵族。但因专横和傲慢,他很快就垮了台。英格兰女王伊丽莎白一世指控他1585年1月在边境谋杀罗素勋爵,将他监禁。1585年11月逃走。1586年被命令离开苏格兰。1592年返回爱丁堡,在宫廷中恢复地位。由于曾在1581年策划处决摄政莫顿,结果被莫顿的侄子暗杀。

arrangement 改编 在音乐上指将作品改写为适合其他演奏(唱)方式、同时又保持原作一般特点的工作。从早期器乐史来看,声乐作品的改编起了关键性作用。人们将中世纪后期和文艺复兴时期的复调声乐,包括经文歌曲、尚松、弥撒曲的某些部分,改编(写出手指的把位而不是改变音高)为键盘乐器和诗琴演奏作品。巴罗克时期(约1600～1750),人们对改编工作的兴趣降低,这可能是因为器乐重要性的增大和声乐写作意义的降低的原故。19世纪,由于重视钢琴,改编工作又重新流行。李斯特改编过舒伯特歌曲以及瓦格纳乐剧中的一些场景。勃拉姆斯将自己的《海顿主题变奏曲》(原为两架钢琴曲)改编为乐队曲,又将巴赫为小提琴所作《D小调帕蒂塔》中的《恰空舞曲》改编为左手钢琴练习曲。20世纪,勋伯格曾将巴赫、勃拉姆斯的音乐加以精雕细琢的管弦乐改编,实际上已接近于重新创作。长期以来,把歌剧或舞剧总谱缩编成钢琴谱,被证明对演出的准备工作很有价值。记谱方面有问题的早期总谱演出版本常带有高度主观的改编本的一切特征。

Arras 阿拉斯 法国北部北加来海峡大区的加来海峡省省会。原阿图瓦省省会。位于里尔西南,斯卡尔普河畔。最初由高卢-罗马人建立。公元4世纪出现羊毛业。中世纪时

阿拉斯的哥特式市政厅大厦和钟楼
美国不列颠百科全书公司供图

物质和文化十分丰富;"阿拉斯"成为英语词,指挂毯。1482年阿拉斯和约确定了现代法国的北部边界。1659年的比利牛斯条约使阿拉斯终于归法国所有。罗伯斯比尔在此地出生。法国革命和两次世界大战中许多古建筑被毁。市镇以有拱廊和山墙的广场为中心。挂毯制造失传已久。现有冶金、纺织、植物油加工和公共服务等行业。还有一个活跃的农贸集市。人口40 590(1999)。

Arras, Gautier d' 阿拉斯 参阅**Gautier d'Arras** 戈蒂埃(阿拉斯的)。

Arras lace 阿拉斯花边 17世纪以来在法国阿拉斯制作的线轴编织花边(棒槌花边),与里尔制的花边相类似。虽然阿拉斯以其金色花边著称,但最流行的还是花卉图案和与里尔花边相似而更为厚实的优质纯白花边。阿拉斯花边在英王乔治一世加冕时织造。19世纪阿拉斯生产一种较薄的细绒花边,1830年后花边业衰落不振。

arrastra 粗磨机 粗糙的石碾,用来粉碎含金、银或其化合物的矿石。参阅**patio process**。

arrau 南美巨侧颈龟 又称arrau或giant South American river turtle。大而扁平的淡水龟,其颈部不能缩回,但可折向一边藏于壳下。在南美侧颈龟属的几种龟中,南美巨侧颈龟通常指生活在南美洲北部体型最大的亚马孙侧颈龟。这种龟在巴西叫作"亚马孙龟"(tartaruga da Amazonia),背负着90厘米长、60千克重的外壳。这些黑色的河龟口鼻部尖,眼睛大而黑,外壳平滑,四肢强壮而带有鳞片。壳的后部缩短,没有完全覆盖尾巴根部。它们栖息在亚马孙和奥里诺科河流域的淡水河湖中,以树叶、果实、种子、鱼、虾和蟹等为食。在河中央沙岛的固有产卵地上可以捕获母龟。每个母龟挖一个洞,并且产下80～200个卵。幼龟的性别由孵化温度决定。产在植被阴影下(25°C)的蛋可孵化出雄性,而产在空旷沙滩上的蛋由于孵化温度较高(30°C)而成为雌性。因为易于采集,那些将要孵化出雌性的蛋被首先挖走。南美巨侧颈龟和其他颈部向一边折叠的龟同属于爬行类的侧颈龟科(Pelomedusidae)。这些奇异的龟代表着一个可以追溯到1.44亿年前到6 640万年前的白垩纪的古老物种。

Arrau, Claudio 阿劳(1903-02-06,智利奇廉～1991-06-09,奥地利米尔茨楚施拉格)智利出生的美国钢琴家,20世纪最著名演奏家之一。曾在圣地亚哥习艺两年,后赴柏林受业于李斯特的学生M.克劳泽(1912～1918)。1914年在柏林举办的独奏音乐会是他正式演奏生涯的起点,其后10年中在欧洲、南美洲和美国广泛巡回演出。1924～1940年间任教于柏林施特恩音乐学院,1941年定居美国,年逾80岁还经常外出演奏。阿劳集中精力演奏李斯特、勃拉姆斯、肖邦、舒曼、德彪西,特别是贝多芬的音乐。被认为是最朴素的钢琴大师之一,形成一种古典风格,极其注重细节,但无损于感情。

Arrecifos (Caroline Islands) **阿雷西福斯** 参阅**Babelthuap** 巴伯尔图阿普岛。

Arreola, Juan José 阿雷欧拉(1918-09-21,墨西哥古斯曼城～2001-12-03,瓜达拉哈拉)墨西哥短篇小说家和幽默作家,是短文体(如短篇小说、讽刺短诗和随笔)大师。只出版过一部长篇小说《集市》(1963)。短篇小说集《闲谈》(1952)已出若干增订版,并译成英文。8岁辍学,当过记者、教师和编辑。曾在墨西哥和法国学过表演。1945～1946年间曾在法兰西喜剧院当过群众演员。回墨西哥城后,在一家公司做编辑工作。他写作的特点是幽默,特别喜欢挖苦现代科技及其丑陋的副产品。他固执地认定宗教信仰的荒谬,还谴责上帝和人类之间不平等的关系。他最有代表性的作品《扳道工》是人选文选次数最多的作品。一个旅行者在车站等火车,等了好几个月,火车就是不来。他意外地发现火车时刻表、途经城市一览表,甚至连从车厢窗口看到的景色,都是假的。一些缺乏想象力的读者会把这故事理解为对墨西哥铁路系统的批评,而另外一些读者则认为这个故事是以寓言的形式描写整个墨西哥社会。

arrest 逮捕 通常是指为了强迫某人服从法律而将其拘留或羁押。在刑事诉讼过程中,逮捕的目的是保证刑事被告人到庭受审或者防止其继续犯罪。在民事诉讼中,逮捕的目的则是为了保证其出庭应诉。不论是在普通法或大陆法司法制度下,干预人身自由都必须具备一定的前提条件。只有存在确实诉因,表明犯罪已经发生以及被指控的人很可能有罪的情况下,法庭或司法官员才能颁发逮捕证。逮捕证只有由逮捕证上指明的具体的人或若干人送达方为有效。在美国的许多州里,逮捕证可以由警察官员送达,也可以由公民个人送达。数量更多而且实际上也更为重要的是无证逮捕。警察官员可以逮捕一个正在他面前实施或企图实施犯罪的人。警察官员如果有理由相信犯罪已经发生,而且被捕人就是犯罪人时他也可以逮捕该人。在美国,起诉即为逮捕被控告人提供了充分依据,因为大陪审团同意起诉即构成"确实诉因"。法国的预审法官在预审后可以作出逮捕的建议,这一程序和起诉审大体相同。对于在缓刑或假释期间违反缓刑或假释条件的人,即使这种违反并不构成犯罪,也可予以逮捕。如果被告人罪行轻微,多数并不加以逮捕,而仅令其在刑事诉讼中随传随到。不合法的或无效的逮捕可能带来许多重要的法律后果。例如,一般承认,在合法逮捕时对被捕人及其当时的住所"附带"进行的搜查是有效的。但是,如果逮捕是非法的,搜查也就无效,而且搜查所得的物品可能被排除在刑事诉讼程序之外。在某些情况下,非法逮捕甚至可能使被告人的供认在审判中不被采纳。在美国,最高法院在"埃斯科韦多诉伊利诺伊州"案(1964)和"米兰达诉亚利桑那州"案(1966)的判决中要求排除许多类型的证据,如果执行逮捕的官员未能告知嫌疑人享有宪法赋予的不回答任何问题的权利和在被讯问时要求有律师在场的权利(参阅**Miranda v. Arizona**)。在民事诉讼上,批准逮捕是一种辅助性的救济

手段,其目的在于:①将被告人置于法院的管辖之下;②将被告人置于法院的最后程序的控制之下,使之执行法院的命令或判决。现在,民事诉讼中的逮捕,被视为一种很严厉的救济手段。在大多数司法制度下,只有在法律有具体规定的情况下,才能采用这种救济手段,同时要按特定的程序进行。例如,如有正当理由相信经判决确定的债务人企图潜逃、销毁文件、转移财物,或者没有充分理由而不按法院传讯出庭应诉的,即可予以逮捕。在某些特定的民事诉讼中,也可以签发逮捕证,最普通的例子就是当事人精神高度错乱,可能危害其自身或他人时。

Arrest, Heinrich Louis d'　达雷斯特(1822-07-13,普鲁士[德国]柏林～1875-06-14,丹麦哥本哈根)　德国天文学家。当他还是柏林天文台的一名学员时,就建议用最新的星图来核对勒威耶通过计算所指出的天区,从而促进了海王星的发现。这颗行星果于当夜被发现。1851年,他在莱比锡天文台发现了一颗周期彗星,该彗星后来就以他的名字命名。当年,他发表了一本载有当时已知的13个小行星的书,并开始从事星云研究。1875年,他因上述贡献,荣获英国皇家天文学会的金质奖章。

Arrhenius, Svante (August)　阿伦尼乌斯(1859-02-19,瑞典维克～1927-10-02,斯德哥尔摩)　瑞典物理化学家,最著名的贡献是他的电解质理论。他提出:电解质是那些溶于

美国不列颠百科全书公司供图

水能形成导电溶液的物质,这些物质在溶液中,即使在没有电流通过的情况下,也会分离或离解成带电的粒子或离子。1903年获得诺贝尔化学奖。他在乌普萨拉进了大教堂学校,并上了大学,学习物理、数学和化学。为获得博士学位,他转到斯德哥尔摩,在E.埃德伦德的指导下从事电解工作,1883年发表了第一篇论文,1884年5月回到乌普萨拉,为博士论文作答辩,提出了尚不成熟的电离理论。这篇论文受到怀疑,被列入第四等勉强通过。乌普萨拉大学教授委员会对其假设的前提和实验的精确性表示怀疑,他的课题很尴尬地夹在物理与化学之间。但实际上阿伦尼乌斯有统计学的意识和想象力,用所设计的公式去符合他的实验事实,这两点正是那个时代的化学家们所欠缺的。1884年8月德国物理化学家W.奥斯特瓦尔德从里加来到乌普萨拉,阿伦尼乌斯才在乌普萨拉得到一个物理化学讲师的职位,并于1886年从瑞典科学院获得出国奖学金。阿伦尼乌斯1886～1890年与其他杰出的科学家(包括里加的奥斯特瓦尔德、维尔茨堡的F.W.科尔劳施、格拉茨的L.玻尔兹曼和阿姆斯特丹的J.范托夫)一起工作。在此期间,进一步完善了他的理论并逐渐得到了支持。1891年他拒绝了德国吉森的邀请,留在瑞典皇家理工学院任教,1895年成为教授,1896年成为该校的负责人。在国外阿伦尼乌斯的声誉很高,但在国内直到1901年甚至经过激烈的争论才被选入瑞典科学院。1902年荣获英国皇家学会戴维奖章,并于1911年当选为该会的外国会员。1903年当他成为瑞典第一位诺贝尔奖的获得者时,他的同胞们向他道了歉。他热爱祖国,1905年他拒绝了柏林大学的邀请,这是当时化学学术界最有声誉的位置。这时诺贝尔理化学院为他增设了物理化学专业。1911年他访问美国,接受第一枚吉布斯奖章,并在耶鲁大学作了讲演,讲稿在1912年以《溶液理论》出版。阿伦尼乌斯在科学上的兴趣很广,几年后,他的兴趣从溶液理论转向免疫学,成为毒素研究的先驱,接着又进行了地质学和宇宙学的研究。1908年他提出冷星间的碰撞可以形成星云,从星云中可以产生新星和行星,而且此过程可以无限制地进行下去,在光压下细菌推动了宇宙中生命的延续,但他的这些推测在现代宇宙学中并未被引入。

Arrhenius equation　阿伦尼乌斯方程　关于温度影响化学反应速度的一种数学表达式,是用于计算反应速率常数的所有预测性表达式的基础。在阿伦尼乌斯方程中,k 为反应速率常数,A 和 E 是与反应物特性有关的常数,R 为热力学气体常数,T 为绝对温度。方程式通常写成指数函数形式:$k = Ae^{-E/RT}$,它预示着略微提高反应温度可使反应速率常数明显增大。阿伦尼乌斯方程最初是由J.J.胡德根据某些反应的速率常数随温度变化的研究结果提出来的。瑞典化学家S.阿伦尼乌斯指出:这种关系几乎适用于各种反应。他并从热力学平衡常数方程类推出该方程的理论基础。这个方程以阿伦尼乌斯的姓氏而命名。随后根据化学反应的碰撞理论和过渡态理论,说明 E 表示活化能、A 表示原子和分子导致化学反应的碰撞频率。

Arrhenius theory　阿伦尼乌斯理论　1887年瑞典科学家S.阿伦尼乌斯提出的理论。该理论认为凡能在水中离解成离子(带电原子或分子)、且其中之一是氢离子(H^+)的物质为酸,而在水中离解成氢氧根离子(OH^-)的物质为碱。现在知道氢离子不可能在水溶液中单独存在,而是与水分子结合成水合氢离子(H_3O^+),但在习惯上水合氢离子仍被看做氢离子。许多熟知的酸(如硫酸、盐酸、硝酸和醋酸)的酸性和许多熟知的氢氧化物(如氢氧化钠、氢氧化钾和氢氧化钙)的碱性,都被解释为能分别在溶液中生成氢离子及氢氧离子的缘故。还有,根据其在溶液中生成氢离子或氢氧离子的浓度,酸、碱又有强弱之分。酸和碱反应生成盐和水,而水就是氢离子和氢氧离子结合的产物。

arrhythmia, cardiac　参阅 cardiac arrhythmia 心律失常。

Arriaga (y Balzola), Juan Crisóstomo (Jacobo Antonio)　阿里亚加(1806-01-27,西班牙毕尔巴鄂附近～1826-01-17,法国巴黎)　西班牙作曲家,特殊早熟,但英年早逝未能充分发挥其才能。作品兼有海顿、莫扎特的古典传统和罗西尼、舒伯特的浪漫主义风格,手法新颖,技巧多样。所写歌剧《一名幸运的奴隶》(1820年在毕尔巴鄂上演)及八重奏(圆号、弦乐、吉他和钢琴)获得成功后,进入巴黎音乐学院。18岁即任该院助理教授。其他作品有弦乐四重奏3首及交响乐1首。

Arrian　阿利安(比希尼亚尼科美底亚[今土耳其伊兹米特]～约公元180)　希腊历史学家和哲学家,著有一部描述亚历山大大帝武功的《远征记》,前7卷描述亚历山大的战绩,第8卷《印度》记述了印度的风俗习惯和奈阿尔科斯在波斯湾的航行。阿利安显然十分仰慕他的英雄,但他讲的故事主要限于纯军事方面,使人难以了解亚历山大远征的动机或他创建统一的世界的理想。不过这部作品确有一些描述得精彩的片断,例如第2卷对围攻和占领提尔的记述。阿利安的其他作品有《爱比克泰德手册》,这位斯多葛派哲学家是阿利安的老师。在中世纪欧洲,很多人把这部作品当做理解僧侣生活准则的指南。阿利安曾在罗马军队中服役,担任过卡帕多西亚行省总督,哈德良皇帝去世(138)后隐退,从事著述。

Arron, Henck (Alphonsus Eugène)　阿龙(1936-04-25,荷属圭亚那帕拉马里博[今苏里南]～2000-12-04,莱茵河畔阿尔芬)　政治家。1973年出任苏里南总理,1975年苏里南获得独立的领导者。1980年在一场军事政变中被推翻。1963年进入政界前,阿龙曾在荷兰及荷属圭亚那的几家银行工作。该年他以苏里南民族党党员的身分被选入苏里南议会,并于1970年成为该党领袖。他组成的民族党联盟主要成员为克里奥尔人(苏里南非洲人后裔),是一个主张脱离荷兰独立的政党联盟。阿龙的联盟于1973年竞选获胜,由他出任总理。经过与荷兰的两年谈判,他领导国家于1975年实现独立。1977年阿龙再次当选,但他对遏止苏里南独立后经济衰退悲惨局面的种种努力未获成功,而高失业率则是他倒台的主要原因。1980年2月,一群心怀不满的下级军官发动政变,阿龙被捕,于1981年获释,此后即重返银行界工作。

arrow (weapon)　**箭**　参阅 bow and arrow 弓箭。

Arrow, Kenneth J(oseph)　阿罗(1921-08-23,美国纽约州纽约～　)　美国经济学家,因对福利经济学和一般经济均衡理论所做的贡献而闻名。1972年和J.R.希克斯共同获得诺贝尔经济学奖。或许他最令人耳目一新的论题(利用初等数学)是"不可能论"(impossibility theorem)或"阿罗理论"(Arrow's theorem)。他认为:在某些有理性和平等的条件下,要保证社会偏好的排列顺序与个人偏好(当涉及两个以上个人和可取舍的选择时)的排列顺序互相吻合是不可能的。阿罗1951年获哥伦比亚大学博士学位,并先后在芝加哥大学(1948～1949)和斯坦福大学(1949～1968)任教。自1968至1979年,他在哈佛大学任经济学教授,在此他激励了第一流的经济理论家学派的成长。1979年他回到斯坦福大学。他的主要著作有《社会选择和个人价值》(1951)、《承担风险的理论文集》(1971)、《组织的限度》(1974)等。

Arrow Cross Party　箭十字党　匈牙利语作Nyilaskeresztes Párt。匈牙利法西斯组织,第二次世界大战期间于1944年10月至1945年4月曾控制匈牙利政府。它的前身是萨拉希于1935年建立的民族意志党。这个小党几经改组。1939年初又重新改组,并以"箭十字党"的新招牌出现。同年5月大选,箭十字党成为第二大党,在议会中取得约30个席位。第二次世界大战爆发后,匈牙利首相泰莱基镇压该党,逮捕许多党员。德军占领匈牙利后,1944年3月成立斯托尧伊卖国政府。该党又时来运转,不但被新政府承认,而且得到相当多的群众的支持。同年9月,匈牙利摄政霍尔蒂海军上将试图与盟军单独媾和。德军决定由萨拉希掌权,萨拉希出任首相,后为国家元首。次年2月苏军占领布达佩斯,把德军和箭十字党赶出国外。

arrow-poison frog　箭毒蛙　毒蛙科枝毒蛙属(*Dendrobates*)和叶毒蛙属(*Phyllobates*)蛙类,为南美洲和中美洲森林中的小型色泽鲜艳的陆栖蛙。皮肤分泌的一种物质对鸟和小动物有毒,印第安人用之涂于箭头。体色有红、橘黄、黄、绿和粉红诸色。枝毒蛙和叶毒

箭毒蛙(*Dendrobates*)
美国不列颠百科全书公司供图

蛙二属的繁殖行为相似。受精卵粘在雄蛙背上,孵出的蝌蚪仍附在背上,雄蛙将蝌蚪送到溪流中,蝌蚪独自在溪流中生长、发育成蛙。

arrowhead　慈姑　慈姑属(*Sagittaria*)淡水植物,约20种,广布全球。多年生,草本,生长于浅湖、池塘和溪流。叶似箭头,有肉质球茎,可食。花有3枚圆形花瓣。北美最常见的种是宽叶慈姑(*S. latifolia*),叶箭形至禾草状,被广泛引种以扩大禽类食源。禾草叶慈姑(*S. graminea*)遍布北美东部。箭形叶慈姑

慈姑(*Sagittaria*)
美国不列颠百科全书公司供图

(*S. sagittifolia*)分布于欧洲大部分地区,在中国则栽培以食用其球茎。

arrowroot　竹芋　竹芋科(Marantaceae)竹芋属(*Maranta*)几种植物的统称。其根状茎生产的可食淀粉称竹芋粉。主要来源于芦苇状竹芋(*M. arundinacea*),所产之竹芋粉称为

芦苇状竹芋
美国不列颠百科全书公司供图

真竹芋粉或西印度竹芋粉。竹芋为多年生草本植物,可能原产于圭亚那和巴西西部。现广泛种植于西印度群岛、东南亚、澳大利亚和南非。匍匐的根状茎上着生肉质块茎,地上茎多分枝,高约1.5米。枝上叶多,有长而窄的叶鞘,卵圆形叶片大而开展。花少,白色,具短柄。在休眠季节前,块茎淀粉含量最高时收获。把根去皮,加水磨碎,干燥成粉,再洗涤数次即成竹芋粉。竹芋粉几乎全是淀粉,不含维生素,蛋白质含量仅0.2%。可用做汤的增稠剂、调味汁、布丁和尾食点心。加水煮沸成透明、无臭的可口糊状物。竹芋粉质细,与其他淀粉相比可以在较低温度和较短时间的条件下烹调,又易消化,特别适合做不能煮过头的牛奶蛋糊等蛋品,也适宜制作淡味、低盐和低蛋白质的食物。用其他植物所生产的淀粉有时也作竹芋粉的代用品。西印度群岛一种美人蕉属(*Canna*,与竹芋属近缘)植物产生一种颗粒较粗的淀粉,称美人蕉淀粉。姜科姜黄属(*Curcuma*)植物(主要是狭叶姜黄[*C. angustifolia*],原产于印度中部)的一些种产东印度竹芋粉。巴西竹芋粉用木薯(*Manihot esculenta*)制作,是木薯淀粉的来源。箭根薯竹芋粉(奥塔黑特竹芋粉)用羽状浅裂箭根薯即蒟蒻薯(*Tacca pinnatifida*,产于南太平洋岛屿)制作。波特兰竹芋粉用斑叶疆南星(*Arum maculatum*)和其他疆南星属植物制作,一度在英格兰多西特郡波特兰生产,是炎热国家的重要食物淀粉来源。马铃薯粉有时称英国竹芋粉出售,用以充当成本更高的竹芋粉。

Arrowsmith, Aaron　阿罗史密斯(1750-07-14,英国达勒姆温斯顿～1823-04-23,伦敦)英国地理学家和地图制图家,曾根据当时最好的原始资料,镌刻、出版许多精密的地图和

美国不列颠百科全书公司供图

地图集。阿罗史密斯没有受过正规教育,约在1770年到伦敦,任测量员,后以地图制图家和出版家闻名。以出版世界大地图集(1790)获得声誉。第2种世界地图于1794年出版,附解说。其他重要作品有《北美洲地图》(1796)、《太平洋海图》(1798)和《南印度地图集》(1822)。他死后儿子艾伦和塞缪尔继续经营,出版地理手册和很多地图集。1839年以后由侄儿约翰经营,约翰本人也是著名地图制图家,出版《伦敦地图集》(4卷集,1834),为当时的最佳地图集。其后多年连续出版精细详图,收进最新的勘测成果。所出的澳大利亚、北美洲、非洲和印度的地图特别有价值。

arrowworm　箭虫　又作chaetognath。又称毛颚动物。毛颚动物门海生蠕虫样无脊椎动物。体透明、半透明或不透明,形似箭,毛颚动物门现存约7属,尚有一化石属。共50多种,多属箭虫属(*Sagitta*)。箭虫体长3毫米至100多毫米不等,生活于较冷水域的种类通常较热带海洋的种类长。毛颚动物为雌雄同体,体内具雌性及雄性生殖器官。身体分为头、躯干及尾3部分,各部之间隔以横向的壁或膜。体表具数条侧鳍和一条尾鳍。呼吸系统、循环系统及排泄系统发育不完善。

自然史　箭虫为雄性先熟,即体内雄性生殖腺的成熟早于雌性生殖腺。多数箭虫产卵后即死亡,但有些种类可经历几个成熟周期甚至生长周期。可进行异体受精:精囊开口于体表,用于贮存精液,精液从精囊排出,到另一个体的纳精囊(沿雌性生殖腺的管状器官)内。卵在即将产出前或刚产出后,于输卵管与纳精囊共用的一段管子内为精子所授精。在某些属,如真克罗恩氏箭虫属(*Eukrohnia*)可能还包括深锄虫属(*Bathyspadella*)、馋虫属(*Krohnitta*)及异克罗恩氏箭虫属(*He-

terokrohnia),成熟的卵和幼虫包在形成于输卵管开口处的一个囊中。飞龙箭虫属(*Pterosagitta*)的卵产于一包囊中;箭虫属将卵产于周围的水中,每次产一卵,连产数个周期;而锄虫属(*Spadella*)的卵外覆一层黏性的膜,并有一柄用于附着在任何表面上。箭虫贪食,食桡足类、磷虾、幼鱼、水母、其他箭虫、枝角类、端足类、尾海鞘以及各种动物的卵和幼体。箭虫栖于海洋及沿海潟湖中。虽然有些种为世界性分布,但其他种则仅分布于海洋的一定区域。东南亚的海洋中种数最多。上层浮游(栖于离水面200米以内的水域中)的种类,其数量从极地向赤道逐渐增多。与幼体相比,成熟的箭虫栖于更深的洋层中。

形态及功能 箭虫躯体表面覆有一层由细胞构成的表皮(表皮加厚处称为颈)。头部有钩(用以捕捉的弯刺),上覆一罩(或薄皮褶),在箭虫捕捉猎物时皮褶可缩回。头部的肌肉控制钩、齿及口的运动;躯体部的肌肉纵行排列,具数条横带。箭虫借收缩纵行的肌肉及拍动尾部以突进的方式在水中游泳。神经系统由大型的脑神经节与感觉神经(如视神经、冠神经)组成。脑神经通过一对神经索与腹神经节相连结。沿着躯干还有一些神经节和神经。体表散布有多数触觉感受器,为具纤毛的圆形小突起。有证据表明:箭虫的头部及身体前部能再生。再生时眼最先出现,然后是口和钩。眼含有一个具色素的中央细胞,包绕着5簇感光细胞突起(单眼)。感光细胞中有一圆锥形体,其功能为了箭虫游泳时起引导作用或用作共鸣器。在不同的种,该具色素中央细胞可有不同的形态(如星形等)。栖于深海的种无色素。纤毛冠为嗅觉感受器或化学感受器,为毛颚动物门所特有,由一系列成排的纤毛细胞组成,形成一环或长卵圆形,位于颈部或向头及躯干部延伸。消化道始于口,终于肛门,由系膜支持,内壁由腺细胞及吸收细胞构成。中央系膜将躯干及尾部分为二腔。躯干区及尾区充满无色的液体,液体沿体壁向前侧循环,沿身体的中间区向后侧循环。卵巢一对,沿躯干部的体腔壁排列,借系膜附着,内充满成排的未受精的卵。交配后精子贮存于输卵管内的受精囊

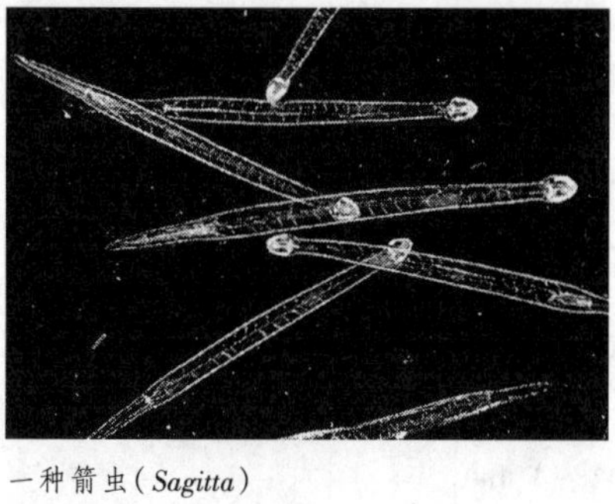

一种箭虫(*Sagitta*)
美国不列颠百科全书公司供图

中。精巢位于尾部体腔内;一条输精管将精巢与开口于体壁的贮精囊相连。卵巢位于躯干部体腔,而精巢位于尾部体腔,两者相互隔离,因此雌雄生殖腺之间并无内部联系。精子在贮精囊内形成精荚,然后排入周围的水中,或者精子进入另一个体的受精囊内,异体受精。

分类 毛颚动物门在动物界是一个孤立的类群,也就是说,比较解剖学研究及胚胎学研究均未能将它与任何其他类群建立联系。箭虫曾被视为蠕虫,人们也曾试图将它与许多动物类群,如异足动物门(Heteropoda)、环节动物门、线形动物门(Nematoda)和节肢动物门等建立联系。在分类学上也曾将毛颚动物门置于环节动物门与线形动物门之间。但箭虫眼的构造表明它在进化上可能与棘皮动物和脊索动物有关系。

arroyo 干谷 又拼coulee。间歇河的干河道,即半干旱地区或沙漠地区干涸的水道,在季节性或异常的暴雨后,才有洪水通过。这种暂时性河流的特点是沟蚀现象,特别是冲蚀、搬运与沉积的速率极高。曾有报告记载,在60年内沉积曾达2米厚,一次洪水所冲蚀的土壤量与此相似。暂时性河流的河床剖面普遍几乎平坦,大部分时间处于干涸状态。干谷名称因地而异,在北非与沙特阿拉伯称wadi或oued,美国西南部称dry wash或arroyo。因大部分流水被干涸的河床吸收,所以越到下游河水越浅;又因干旱与半干旱地区沉积量极高,故泥流极为常见。

得克萨斯州大本德国家公园内的干谷
美国不列颠百科全书公司供图

Arrupe, Pedro 阿鲁普(1907-11-14,西班牙毕尔巴鄂~1991-02-05,意大利罗马) 耶稣会第28任总会长(1965～1983)。阿鲁普在马德里大学学习医学,目睹该市贫困情况,1927年离开学校加入耶稣会。1932年西班牙政府解散耶稣会,阿鲁普遂出国研究宗教,先到欧洲其他国家,后到美国,1936年在美国堪萨斯州圣马利亚神学院被授以圣职。1938年到日本,1943年在日本履行耶稣会的最后发愿入会手续,在日本从事传教事业共27年。1945年,广岛市被原子弹炸毁后,阿鲁普率先带领急救队进入该市;其后任耶稣会日本分会副会长(1954～1958),继而任日本分会会长(1958～1965)。1965年他当选为耶稣会总会长。在他领导耶稣会期间,在会内一部分会士中间兴起自由化思潮,主张允许神职人员结婚、在发展中国家的贫苦人民中间开展社会和政治工作等(即解放神学),他表示支持。在20世纪70年代,这类活动使得耶稣会与罗马教廷发生冲突。罗马教廷认为,温和自由派的阿鲁普在管理耶稣会方面过于宽纵。1983年阿鲁普因健康原因而辞职,成为非终生任职而辞职的第一位耶稣会总会长。

Arruza, Carlos 阿鲁萨(1920-02-17,墨西哥墨西哥城～1966-05-20,墨西哥城) 原名Carlos Ruiz Camino。墨西哥斗牛士。14岁时成为职业斗牛士。1944年阿鲁萨前往西班牙,号称"旋风",挑战马诺莱特在斗牛场上的主导地位。二人比赛看谁获取的牛耳朵最多。1945年在最激动人心的赛季,阿鲁萨总共斗牛108场,杀死232头牛,获得219只牛耳、74条牛尾和20个牛蹄,比马诺莱特多一倍。1953年阿鲁萨退役,在墨西哥城郊外的农场养牛。

Ars, Jean-Baptiste-Marie Vianney, cure d' 阿尔斯司铎 参阅**Vianney, Saint Jean-Baptiste-Marie** 维安尼。

Ars Antiqua 旧艺术 音乐史上指以对位创作技巧日益复杂为特点的13世纪法国音乐,以14世纪*新艺术*(**Ars Nova**)的革新告终。"旧艺术"一词实际上出自"新艺术"理论家,他们对"旧艺术"褒贬不一,但均认为这两种风格有明显不同,主要是因为"新艺术"在节奏上进行了深入的革新。大多数"旧艺术"时期的作品不具作者姓名。然而,其中却出现了三位重要人物:佩罗坦(12世纪末)创作了已知的最早的四声部的音乐;理论家科隆的弗朗科(13世纪中叶)的《有韵律歌曲艺术》将新形成的有韵律体系(这是一种更为精确的节奏记谱体系,是现代记谱法的始祖)加以组织和整理;还有克鲁瓦的皮埃尔(13世纪后半叶),他的作品节奏流畅,开"新艺术"风格之先。"旧艺术"时期产生的最重要的体裁是经文歌,它流行了好几个世纪,其精粹在于它同时演唱一种以上的歌词。

Ars Nova 新艺术 音乐史上指14世纪音乐极为繁荣(尤其在法国)的一个时期。新艺术作为与*旧艺术*(**Ars Antiqua**)相对立的一个术语,原是作曲家维特里在1320年左右所写的一篇论文标题。维特里是"新艺术"的最热心的倡议者,他在论文中说明了这种新音乐节奏记谱特点方面的创新。这些创新在一定程度上已在克鲁瓦的皮埃尔(13世纪后半叶)的音乐中出现过。其特征为把音乐从前一时代的节拍模式(以3拍为主)的束缚中解放出来,并更多地使用时值较小的音符。理论家列日的雅克是这种进步思想的最重要的反对者,他在《音乐的镜子》中赞颂了"旧艺术"时期老一代大师们的优点。新风格作品最早见于《福韦尔的传奇》(约1315),这部记叙性手稿对新、旧艺术时期的作品都有刊载。"新艺术"最重要的作曲家是维特里和作曲家

兼诗人纪尧姆·德·马肖。现存“新艺术”曲目中马肖的作品占有很大比例。以**叙事曲**（诗）(**ballade**)、**双韵短诗**（**virelai**）和**回旋曲**（**rondeau**）为代表的复调世俗音乐在14世纪中明显增多。“新艺术”这个专指14世纪法国音乐的术语被若干作家不加区别地用来指“意大利新艺术”或“14世纪意大利音乐”。这一学派最重要的理论家是马尔凯图斯（帕多瓦的），所作《规范》一文（14世纪初）就这一时期意大利记谱法中某些节奏革新作了扼要说明。14世纪意大利最重要的作曲家有博洛尼亚的雅各布、弗朗切斯科·兰迪尼和翡冷翠的吉拉尔代洛。

Arsaces　阿萨息斯　安息王室的伊朗称号，表明他们是里海草原半游牧帕勒族酋长弗里亚皮特斯之子阿萨息斯的后裔。第一代阿萨息斯一世的在位时间是约公元前250～约前211年。阿萨息斯王朝维持到公元224年，后被阿尔达希尔推翻。在安息帝国时期，阿萨息斯人自称是阿尔塔薛西斯二世的后裔，可能是为了把他们对前阿契美尼德王朝领土的统治合法化。一些有安息王室血统的亚美尼亚国王也都冠以阿萨息斯的称号。

Arsaces II（king）　**阿萨息斯二世**　参阅 **Artabanus I** *阿尔达班一世*。

Arsaces VI　阿萨息斯六世　参阅 **Mithradates**（Parthia）*米特拉达梯（安息）*项下的 **Mithradates I** *米特拉达梯一世*。

Arsacid DYNASTY　**阿萨息斯王朝**（公元前247～公元224）　又称阿尔沙库尼王朝。古代伊朗创建和统治安息帝国的王朝。帕勒部族的成员，原居住在里海东岸，约在亚历山大大帝死（公元前323）后不久进入**安息**（**Parthia**），逐步控制了伊朗和美索不达米亚，公元224年为萨珊王朝推翻。第一代国王为阿萨息斯（约公元前250～约前211在位）。到米特拉达梯一世（公元前171～前138在位）时代，这一王朝征服了整个伊朗高原。最有权势的统治者是米特拉达梯二世（公元前123～前88在位）和弗拉特斯三世（公元前70～前58或57在位）。阿萨息斯人鼓励希腊化城市的发展，控制亚洲与希腊罗马世界之间的所有商路，因而非常富庶。

arsenate mineral　砷酸盐矿物　天然产出的，由砷、氧及各种金属组成的化合物。它们之中大多数很少见，只在很有限的条件下结晶。在矿物学上著名的瑞典中部隆班铁锰矿山，有50多种砷酸盐矿物曾被描述过，许多种是当地特有的。这类化合物产于开口洞穴中，是在中温至低温下由砷酸（H_3AsO_4）与羟锰矿［氢氧化锰 $Mn(OH)_2$］起化学反应生成的。其他地方的砷酸盐往往是砷化物矿石氧化的产物，而且是在低温下沉淀于晚期矿脉和开口洞穴中。只有少数砷酸盐矿物具有经济价值。由于过渡金属（如钴、铜、镍）使某些砷酸盐具有明亮的颜色，可以利用这些矿物来找矿。这种砷酸盐的氧化产物或华，如钴华（明亮的粉红色）和镍华（绿色），是镍和钴的砷化物隐伏矿石的找矿标志。在安大略的萨德伯里和科博尔特两地的许多钴镍矿床就是按这种方式找到的。砷酸盐矿物含有砷酸盐基（AsO_4），其中4个氧原子排列在以砷原子为中心的四面体的4个角顶上。每个砷酸盐四面体的净电荷为-3，它被在四面体外围大的带正电荷的金属离子（如钙、锰或二价铁）所中和。砷酸盐四面体具岛状结构，它不像与其相类似的硅氧四面体那样可以形成链、层、环或架状结构。砷酸盐矿物的晶体结构与磷酸盐矿物、钒酸盐矿物很相似，实际上，许多砷酸盐矿物与磷酸盐、钒酸盐形成固溶体。砷酸盐矿物的一些性质见表。

arsenic　砷（As）　周期表中Ⅴa族氮族化学元素，以灰砷和黄砷两种结晶形态存在。虽然早在公元前4世纪就已知道砷的一些化合物，但该元素直到1649年才被鉴定。砷在自然界分布很广，偶尔能发现游离态砷。砷通常与锑、银等金属矿伴生，或结合成硫化物即雄黄和雌黄，或作为氧化物，或作为许多金属硫化物的一个组分而存在。其中，**毒砂**（**arsenopyrite**）是最丰富的。尽管有某些形态的砷像金属，但最好还是将砷归类为非金属。

砷酸盐矿物

名称 化学式	颜色	光泽	莫氏硬度	比重	习性	断口或解理	折射率	晶系空间群	备注
钴华 $Co_3(AsO_4)_2 \cdot 8H_2O$	深红或桃红（钴华）；浅色到白色，灰色和灰白色或苹果绿（镍华）	弱金刚光泽，有时暗淡或土状光泽	1½～2½	3.0	呈放射状晶群；球形或腰子形结核；土状或粉状块体	一个完全解理面	镍华　钴华 $\alpha=1.622\sim1.629$ $\beta=1.658\sim1.663$ $\gamma=1.687\sim1.701$	单斜 $C\frac{2}{m}$	同镍华生成固溶体系列，在分子结构中镍置换钴
砷铅矿 $Pb_5(AsO_4)_3Cl$	橄榄绿；灰色；黄色；褐色到橙色	从松脂光泽到半金刚光泽	3½～4	7.0	桶形柱；球形、腰子形或葡萄串状块体	凹凸不平或呈贝壳状的断口	$\omega=2.041\sim2.144$ $\varepsilon=2.030\sim2.131$	六方 $C\frac{6_3}{m}$	同磷氯铅矿生成固溶体系列时，磷置换砷；同钒铅矿生成时，钒置换砷；同钙砷铅矿生成时，则钙置换铅。上述置换均发生在分子结构中
毒铁石 $Fe_3(AsO_4)_2(OH)_3 \cdot 5H_2O$	橄榄绿到蜂蜜黄；浅棕黄，褐色	金刚光泽	2½	2.8	透明到半透明，带条纹的立方块	一个较次到好的解理面	$n=1.676\sim1.704$	等轴 $P\bar{4}3m$	弱压电性到热电性
臭葱石 $FeAsO_4 \cdot 2H_2O$	多种颜色，从绿色到浅灰色或猪肝色（臭葱石）；白色到浅灰色（砷铝石）	强玻璃光泽到半金刚和半松脂光泽	3½～4	3.0～3.3	不规则晶体集合体或土状块体（臭葱石），带有外壳的多孔块体（砷铝石）	贝壳状断口	砷铝石　臭葱石 $\alpha=1.622\sim1.784$ $\beta=1.624\sim1.795$ $\gamma=1.642\sim1.814$	斜方 Pcab	同砷铝石生成固溶体系列，在分子结构中铝置换铁
砷灰石 $Ca_5(AsO_4)_3F$	无色；黄白色到灰色；灰绿色	玻璃光泽到半松脂光泽	4～5	3.5～3.8	性脆，透明到半透明，短柱状体	解理面难以辨认	$\omega=1.703\sim1.709$ $\varepsilon=1.695\sim1.701$	六方	同含磷矿物生成接近氟磷灰石的固溶体系列，在分子结构中磷部分地置换砷

灰砷或金属砷比软的黄砷稳定和常见，且性脆，在空气中被氧化而失去光泽，强热时升华，即不经熔化直接气化。反之，砷蒸气遇冷，不经液化直接变为结晶固体。除灰砷和

砷与雄黄和雌黄
美国不列颠百科全书公司供图

黄砷外，还报道有其他砷的同素异形体存在。元素砷的实际用途非常少，其用途之一是制造铅弹，因砷能使铅弹易于成球。砷用于某些合金中以提高其高温强度，还用于生产青铜和烟火。自然界存在的砷都是由其稳定同位素砷75构成。放射性同位素有砷72、砷74和砷76，已用于医疗诊断。砷能呈现从-3到+5范围内的氧化态，因而它能形成各种各样的化合物。其中最重要的商品化合物是氧化物。主要的氧化物有氧化亚砷（As_4O_6）和五氧化二砷（As_2O_5）。氧化亚砷（俗称白砷）通常是作为焙烧铜、铅及某些其他金属矿物时的副产品获得的。也可通过焙烧砷黄铁矿和硫化砷制取。氧化亚砷是制取大多数其他砷化合物的原料，也可用作农药、生产玻璃时的去色剂以及皮革防腐剂。氧化亚砷与氧化剂（例如硝酸）作用可以生成五氧化二砷，五氧化二砷是杀虫剂、除草剂以及金属黏合剂的主要成分。胂（AsH_3）是另一熟悉的砷化合物，它是由砷和氢组成的无色有毒的气体。胂（又称砷化氢）可经金属砷化物水解或在酸性溶液中用金属还原砷化物制取。它已用作半导体的掺杂剂以及军用毒气。在农业上特别重要的砷化合物有砷酸（H_3AsO_4）及酸式砷酸铅（$PbHAsO_4$）、砷酸钙[$Ca_3(AsO_4)_2$]等砷酸盐。它们可分别用于土壤杀菌和控制害虫。砷也可生成大量有机化合物，例如四甲基二胂（$CH_3)_2As—As(CH_3)_2$ 用于制备常用干燥剂二甲胂酸。有一些复杂的有机砷化合物已用于治疗一些疾病，如治疗由微生物造成的阿米巴痢疾等。砷的原子序数33。原子量74.9216。熔点：灰砷（36大气压）814 °C。密度：灰砷5.73克/厘米^3（14 °C），黄砷2.03克/厘米^3（18 °C）。氧化态-3、+3、+5。电子组态2，8，18，5或$1s^22s^22p^63s^23p^63d^{10}4s^24p^3$。

arsenic poisoning　砷中毒　各种砷化合物对人体组织和功能的有害作用。许多种产品要用砷制剂，如杀虫剂、灭鼠剂、除草剂、某些化学治疗药及某些油漆墙纸、陶瓷等。人类砷中毒常因食入或吸入含有氧化砷、乙酰亚砷酸铜、砷酸钙、砷酸铅的杀虫剂所致。中毒发生或出于偶然（多见于儿童），或出于职业性危害（多在喷雾或喷粉杀虫的农业工人之间）。喷过药的水果和蔬菜，若不经洗涤亦可能使食用者中毒。在产业工人中砷也可能引起事故中毒。长期使用福勒氏溶液（亚砷酸钾溶液）和胂凡纳明等药品亦可引起中毒。砷中毒的发生是因砷与某些酶结合，干扰了细胞的新陈代谢。人与人之间对砷中毒的耐受性有很大差别。有些人对砷的耐受性较高，其所耐受的剂量足以使他人致死。中毒可由一次大剂量摄入砷剂造成（急性中毒），亦可由重复的小剂量造成（慢性中毒）。口服摄入砷化物的急性症状有恶心、呕吐、口腔和喉部烧灼感及腹部剧痛；可出现循环性虚脱并于数小时内死亡。人在接触砷以后红细胞的破坏和肾脏的损伤最为明显。慢性中毒较常见的反应是逐渐无力，腹泻或便秘。皮肤色素沉着、脱屑及发生恶性变化，神经麻痹、精神错乱，脂肪组织变性，贫血，指甲出现有特征性的横纹。在化学测定方法发明以前，罪犯常使用无色无味的复方氧化砷作为毒药。确诊砷中毒以从尿、头发、指甲中检出砷化物为依据。急性砷中毒的治疗包括洗胃和及时服用二巯基丙醇。

arsenide　砷化物　由一种或几种金属与砷（As）所构成的一类少见的化合物矿物中的任何一种。金属的配位几乎总是八面体或四面体。在前一种情况下，每个金属离子在八面体内占据一个位置，八面体由6个带相反电荷的砷离子所组成；而在后一种情况下，则每个金属离子被相邻的6个电荷相反的排成四面体的离子所围绕。砷化物的结构很像硫化物（例如方铅矿、闪锌矿和辉银矿），所以经常被归在硫化物矿物一类里（参阅 **sulfide**）。常见的两种砷化物是红砷镍矿（NiAs）和方钴矿（$CoAs_3$）。红砷镍矿是低温热液矿物，具六方对称，通常与镍、钴、银的硫化物共生；另一方面，方钴矿则是中温和高温热液矿物，具立方对称，与毒砂、自然银和自然铋共生。其他砷化物有砷镍矿（$Ni_{11}As_8$）、斜方砷镍矿（$NiAs_2$）、少砷方钴矿[$(Co,Ni)As_{3-x}$]、斜方砷钴矿[$(Co,Fe)As_2$]、斜方砷铁矿（$FeAs_2$）、砷钯矿（Pd_3As）、白砷镍矿（Ni_3As）、砷铁镍矿（Ni_2FeAs_2）、微晶砷铜矿（Cu_6As）、砷铂矿（$PtAs_2$）。所有砷化物都具有金属光泽，不透明，比重大，硬度中到低。从还原到氧化环境的转变，与之相应的砷化物顺序为：砷镍矿、红砷镍矿、斜方砷镍矿、少砷方钴矿、方钴矿、斜方砷钴矿和斜方砷铁矿。

Arsenius THE GREAT　**阿尔塞尼大师**（约354，罗马～约455，埃及塞特沙漠特罗埃）　基督教隐修士。本是罗马贵族，约383年应东罗马帝国皇帝狄奥多西一世聘请，到君士坦丁堡任两皇子教师。11年后，退隐到利比亚旷野中的塞特山。其后不久，为了躲避利比亚马齐希部族的侵扰，迁往埃及古孟菲斯附近的特罗埃，在该地隐修15年。传说在世100余岁。

Arsenius Autorianus　阿尔塞尼乌斯·奥托里安（约1200，君士坦丁堡～1273，土耳其普罗康尼苏斯）　东正教君士坦丁堡牧首。他的免职在拜占廷教会中引起严重分裂。他判处拜占廷皇帝迈克尔八世以绝罚，后于1265年被迈克尔八世免职并放逐到普罗康尼苏斯。因此拜占廷帝国内部形成阿尔塞尼乌斯派与约瑟夫派（拥护在阿尔塞尼乌斯被免职后的第2继任者约瑟夫）对立的局面。阿尔塞尼乌斯派激烈反对迈克尔的亲拉丁政策。

arsenopyrite　毒砂　又作mispickel，又名砷黄铁矿。一种铁的硫砷化物矿物（FeAsS），是最常见的砷的矿石矿物。它常产于高温形成的矿脉中，如在墨西哥的马皮米、美国蒙大拿州的比尤特及瑞典的蒂纳贝格。呈单斜晶系或三斜晶系晶体，具有斜方晶系的外形。从这些晶体的天然外形上，难以用精确的方法确定它们的对称性。钴部分地取代了铁的一族矿物，称为含钴砷黄铁矿。其中 Co∶Fe 的比值介于1∶2至6∶1之间的矿物，称为硫砷钴矿（参阅 **cobaltite**）。风化作用可使这些硫化物类变成砷酸盐类：砷黄铁矿变成臭葱石，硫砷钴矿变成钴华。关于详细的物理特性，参阅 **sulfide mineral**（表）。

Arses　阿尔塞斯（？～公元前336-06）　波斯阿契美尼德王朝的国王（公元前338-11～前336-06）。阿尔塔薛西斯三世的幼子。宦官巴戈阿斯谋杀阿尔塞斯的父亲及所有的哥哥，将阿尔塞斯拥上王位。阿尔塞斯在位日期不长，历史资料很少。当时重大的对外事件是：马其顿国王腓力二世借口阿尔塞斯拒绝代父赔偿损失而入侵小亚细亚。年轻的阿尔塞斯反对巴戈阿斯的暴君式控制，企图将他毒死，结果阿尔塞斯及其所有子女反遭杀害，巴戈阿斯把王位给予一位旁系继承人，即大流士三世。

Arshakan（king of Parthia）　**阿尔沙坎**　参阅 **Sanatruces** 萨纳特鲁斯。

Arshakuni DYNASTY　**阿尔沙库尼王朝**　参阅 **Arsacid dynasty** 阿萨息斯王朝。

arsine　胂　由砷和氢组成的无色剧毒气体（参阅 **arsenic**）。

Arsinoe　阿尔西诺伊　又拼 Arsinoë。埃及托勒密王朝4个王后之名，按年代顺序分列于后，并各以●为标记。

● **Arsinoe Ⅰ　阿尔西诺伊一世**（活动时期公元前3世纪初）　埃及王后，色雷斯国王利西马科斯之女，托勒密二世的第1个妻子，后被抛弃。公元前282年前后与托勒密二世结婚，作为色雷斯和埃及结盟反对叙利亚塞琉古一世的组成部分。3年后，托勒密二世的胞妹阿尔西诺伊二世来到埃及。很可能是在她的挑唆下，阿尔西诺伊一世被指控阴谋行刺国王而流放到上埃及的库普图斯，并在那里度过余生。而阿尔西诺伊二世却与托勒密二世结婚，在库普图斯发现一块石碑，碑文中称她为王后，但阿尔西诺伊一世的名字周围却并未圈以代表埃及王室的椭圆形花饰。

● **Arsinoe II　阿尔西诺伊二世**(约公元前 316～前 270-07)　贝勒奈西与埃及马其顿(托勒密)王朝创立者托勒密一世(救星)的女儿。先是色雷斯王后,后为其兄埃及国王托勒密二世的妻子,她不择手段地利用两个丈夫提高自己的地位,终于在两个王国均掌握大权。公元前 300 年,阿尔西诺伊与色雷斯国王利西马科斯结婚。这位国王将以弗所更名阿尔西诺伊,并赐给她黑海沿岸 3 个城市以及希腊北部城市卡桑德雷亚。她控告前王后所生太子阿加索克利斯阴谋杀害父王,竭力为自己所生 3 个儿子中的长子争得色雷斯王国的王位继承权。当年迈而多疑的国王下令处决阿加索克利斯的时候,太子在小亚细亚的同党帕加马总督求得塞琉西统治者塞琉

公元前 270～前 250 年钱币上的阿尔西诺伊二世像
美国不列颠百科全书公司供图

古一世的援助。于是,色雷斯与中东的塞琉西王国之间就发生了战争。公元前 281 年,利西马科斯战死,阿尔西诺伊逃往卡桑德雷亚。她的同父异母兄托勒密·塞劳努斯在刺杀塞琉古以后,用甜言蜜语勾搭她成婚,但是刚刚进入卡桑德雷亚,他立即将她的两个小儿子处决。阿尔西诺伊逃走,最后奔往亚历山大城(约公元前 279)去找一条好出路。阿尔西诺伊到达埃及不久,可能就是由于她的挑唆,托勒密二世的第 1 个王后就被指控图谋杀害国王而遭流放。此后,阿尔西诺伊便与胞兄结婚(约公元前 277),这在埃及习以为常,而希腊人则认为乱伦可耻。因此,托勒密和阿尔西诺伊的大名都被加上了"兄妹恋"的丑名。阿尔西诺伊在埃及政府中的影响迅速增长。托勒密在埃及与塞琉西王国之间的第 1 次叙利亚战争(公元前 274～前 271)中获胜有她的功劳。托勒密的弟弟阿尔盖乌斯和一个同父异母弟兄被处决了,还是老一套谋反的罪名。阿尔西诺伊分享了托勒密的所有称号,在硬币上有她单独的头像,也有与丈夫的合像,她还有自己的帝位名称。希腊有些城镇以她的名字命名,希腊和埃及的许多地方都供奉她。埃及通常认为在世帝王本身就是神,根据这一习俗,阿尔西诺伊大概生前就被奉祀为神了。公元前 270 年她去世以后,许多地方都设坛膜拜,其中包括托勒密王朝的首都亚历山大城,那里建造一座供奉她的巨大神祠,即阿尔西诺伊庙。托勒密二世在位时期即将结束时,这位国王将曾经在那里进行大量土地开垦工作的、位于开罗西南的法尤姆省更名为阿尔西诺伊省以纪念她。

● **Arsinoe III　阿尔西诺伊三世**(约公元前 235～约前 204)　埃及王后贝勒奈西二世和托勒密三世(施主)的女儿,托勒密四世(爱父者)的妹妹和妻子。在她丈夫荒淫无度的统治下,托勒密王国日趋衰落。这位深得人心的王后无力挽救危局,终于被朝廷大臣们杀

公元前 3 世纪晚期钱币上的阿尔西诺伊三世像
美国不列颠百科全书公司供图

害。公元前 217 年,阿尔西诺伊伴随哥哥前往巴勒斯坦的拉菲阿,据传埃及军队迎战中东塞琉西王国军队获胜之前,她曾鼓舞士气。战事结束后,阿尔西诺伊与托勒密结婚,约公元前 210 年生下未来的托勒密五世(神灵显现者)。此后她退隐深宫,而托勒密那些腐化坠落的男女宠幸既毁掉了国王,也灭亡了政府。虽然阿尔西诺伊显然不赞成宫廷乌七八糟的状态,但是她没有力量施加任何影响。公元前 205 年托勒密四世死去后,他的大臣们害怕阿尔西诺伊进行报复,约 1 年后设法将她谋杀。在年幼的托勒密(五世)登基之前,国王和王后的死讯均未公开发表。阿尔西诺伊曾得一些人心,她被暗杀的消息传出后立即发生暴乱。

● **Arsinoe IV　阿尔西诺伊四世**(约公元前 63～前 41)　马其顿人、埃及国王托勒密十二世最小的女儿,克娄巴特拉七世、托勒密十三世和托勒密十四世的姊妹。在亚历山大战争期间,阿尔西诺伊试图率领当地军队反击与凯撒结盟的克娄巴特拉。公元前 48 年凯撒在亚历山大登陆,俘虏埃及托勒密王族,但她得以逃脱,并参加了阿基拉斯领导的埃及军队。后又下令将阿基拉斯处死。罗马军队击败埃及军队以后,把她押到罗马,在凯撒的凯旋仪式中游街示众。在蒙受这种奇耻大辱之后,她到小亚细亚以弗所避难。克娄巴特拉与罗马三执政之一安东尼结合后,公元前 41 年唆使安东尼处死阿尔西诺伊四世。

Arsinoitherium　埃及重脚兽　已绝灭的一种大型原始有蹄类哺乳动物。化石见于埃及渐新世(3 660 万年前至 2 370 万年前)地层。可能生活在沼泽地区,身长约 3.5 米,体型近似大犀牛,鼻骨上有一对巨大的角,额骨上另有一对较小的角。

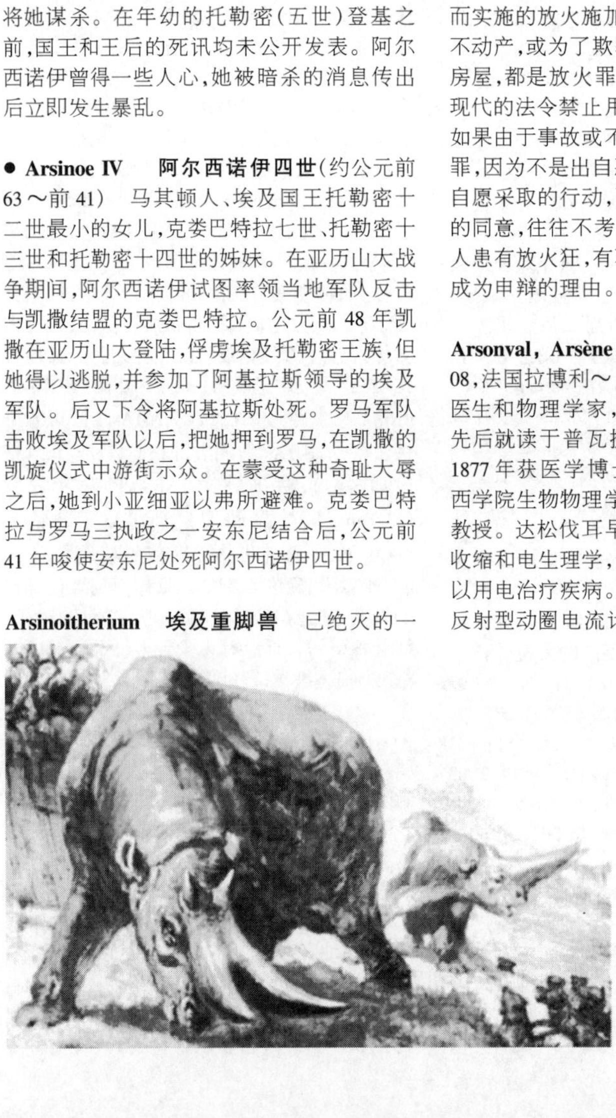

埃及重脚兽
美国不列颠百科全书公司供图

arsis and thesis　强音节和弱音节　分别指诗歌音步中的强音节和弱音节。前者源自希腊语,在希腊语诗歌中指音步中的轻音节或短音节,而后者指音步中的强音节。在拉丁语根据重音定节奏的诗中,这两个词的词义正好相反——前者指音步中的强音节或长音节,而后者指弱音节。现代诗韵中保留的是这两个词在拉丁语中的词义。

Arslantepe(Turkey)　**阿尔斯兰泰佩**　参阅 **Milid** 米利德。

arson　放火　通常由法律定义的未得他人同意而恶意和自动烧毁他人财产的犯罪行为。除英国以外的几乎所有国家里,如果放火引起死亡,即使放火者没有杀人的意图,也是犯了谋杀罪。在大多数司法制度下,近来把放火规定为两个以上的等级,对危及他人生命的放火者施以较重的刑罚。这种放火通常包括烧毁可以居住的处所,如房屋、仓库或工厂,以及车辆、桥梁或树木。德国和美国的有些州还对为了隐藏或销毁另一罪行的证据而实施的放火施加较重的刑罚。烧毁动产或不动产,或为了欺骗保险公司而烧毁自己的房屋,都是放火罪,但刑罚较轻。此外,一些现代的法令禁止用新发明的燃烧器具放火。如果由于事故或不慎引起火灾,不构成放火罪,因为不是出自恶意。但是,只要放火者是自愿采取的行动,而且没有得到财产所有人的同意,往往不考虑其动机如何。如果行为人患有放火狂,有不可抗拒的放火冲动,可以成为申辩的理由。

Arsonval, Arsène d'　达松伐耳(1851-06-08,法国拉博利～1940-12-31,拉博利)　法国医生和物理学家,因对电疗的研究而著称。先后就读于普瓦捷、利摩日及巴黎大学,于 1877 年获医学博士。1882 年就任巴黎法兰西学院生物物理学实验室主任,1894 年成为教授。达松伐耳早期研究过动物产热、肌肉收缩和电生理学,这使他能发明一些装置借以用电治疗疾病。他首先使用了测弱电流的反射型动圈电流计(1882),研制了产生高频

电流的装置以治疗皮肤和黏膜疾病（"达松伐耳疗法"，1890），并证明了人体可以承受强度足以点灯的交流电（1892）。

Arsouf, Battle of（1191） 参阅**Arsūf, Battle of** *艾尔苏夫战役*。

arsphenamine 胂凡纳明 早期使用的含砷化学治疗药。由德国细菌学家P.艾尔利希于1909年发现，并以商品名洒尔佛散提供市场销售。本药在青霉素发现之前是治疗梅毒最有效的药物，此后为多种对人体毒性较小的药物所完全替代。

Arsūf, Battle of 艾尔苏夫战役 又拼Arsouf, Battle of。英王理查一世（狮心王）在第3次十字军期间取得的著名胜利。理查于1191年7月占领阿卡后，向雅法进军，但是由于受到萨拉丁指挥的穆斯林军的袭击而缓慢下来。9月7日，在十字军离开艾尔苏夫之后，穆斯林的袭击更趋激烈，并集中消灭理查的后卫部队医院骑士团。理查下令医院骑士团不要在黄昏以前进行反攻。等黄昏以后，他发动总攻击，打败了萨拉丁的军队，使十字军得以占领雅法。此战役有700名十字军和数千穆斯林阵亡，但穆斯林军并未遭到毁灭性打击。萨拉丁重新集结军队，采取骚扰战术，而十字军恐遭伏击也未予追击。理查终未敢进军耶路撒冷。

art 艺术 用技巧和想象创造可与他人共享的审美对象、环境或经验。艺术一词亦可专指习惯上以所使用的媒介或产品的形式来分类的多种表达方式中的一种，因此我们对绘画、雕刻、电影、舞蹈及其他许多审美表达方式皆称为艺术，而对它们的总体也称为艺术。艺术一词亦可进一步用于特指一种对象、环境或经验作为审美表达的实例，例如我们可以说"那张"画或壁毯是艺术。传统上，艺术分成美术与语言艺术两部分。后者指语言、讲话和推理的表达技巧。美术一词译自法语beaux-arts，偏重于纯审美的目的，简单说，即偏重于美。许多表达形式兼有审美和实用的目的，陶瓷、建筑、金属工艺和广告设计可为例证。这样设想是有益的：从纯审美目的这一端到纯实用目的的另一端是一个连续统一体，各种艺术在其中各占有不同的领域。这种目的的极化也反映在相关的术语"艺术家（artist）"与"工匠（artisan）"中，后者指偏重实用目的的人。不过，决不能把这当做硬性的规定。即使在同一艺术形式中，主旨也可能有很大差别；因而一位陶工或一位织工可能制作一种高度实用的作品，如一只盛色拉的碗或一条毯子，而同时又很美观；另外，他也可能制作除令人欣赏外别无任何目的的作品。另一种传统分类法划分成以下几类：文学（包括诗歌、戏剧、小说等），视觉艺术（绘画、素描、雕刻等），平面艺术（绘画、素描、设计及其他在平面上表达的形式），造型艺术（雕刻、塑造），装饰艺术（搪瓷、家具设计、马赛克等），表演艺术（戏剧、舞蹈、音乐），音乐（指作曲）和建筑（往往包括室内设计）。参阅**Aesthetics**。

art, academy of 美术学院 为视觉艺术建立的学院。15世纪末和16世纪初，意大利各地办过一系列为时暂短、对美术训练作用不大的"学院"，其中最著名的是莱奥纳多·

《皇家艺术学院》（J.佐法尼作画，R.厄勒姆雕刻）
美国不列颠百科全书公司供图

达·芬奇学院（创设于1498年）。第一所真正为讲授而设的美术学院是1562年在画家兼美术史家G.瓦萨里倡仪下，由梅迪契家族的科西莫一世建于佛罗伦萨的设计学院。1593年创于罗马的圣卢卡学院以讲授和展览为重点，是现代美术学院的雏型。1648年创立的法国皇家绘画雕刻学院，是一个自由会社，从1667年起每年举办一次沙龙活动，对教学和展览具有实际垄断权，凡属学院管辖范围内的艺术都要接受硬性规定的一套审美原则。18世纪下半叶，新古典主义兴起，深受该学院的支持。与此同时，众多的美术学院遍设欧美，到1790年已达80多个。1768年建立的伦敦皇家美术学院是最重要的美术学院之一，英王乔治三世和画家J.雷诺兹为第一任院长。对学院权力的第一个重大挑战是浪漫主义的兴起。1874～1886年间印象主义画派独立展出，获得好评。20世纪的美术学院与现代的美术学校一样，成为讲授艺术的重要场所。

art, popular 参阅**popular art** *大众艺术*。

art brut 涩艺术 法国画家J.杜布费20世纪40年代为一种粗糙、不熟练，甚至粗鄙

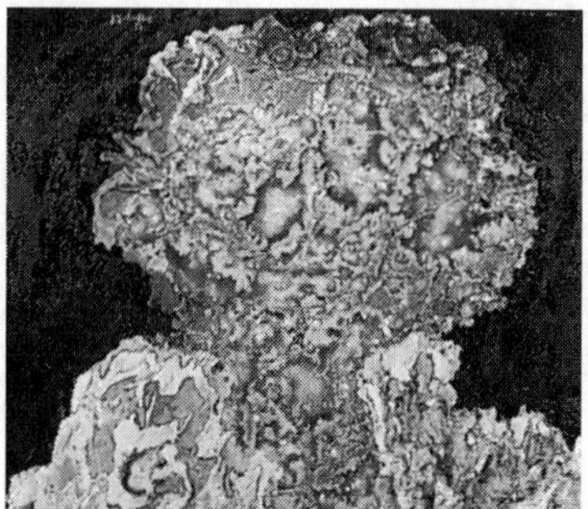

J.杜布费绘*《穿皮大衣的夫人》*（1954）
美国不列颠百科全书公司供图

的艺术所创造的名称。杜布费在研究了瑞士精神病学者H.普林茨霍恩所著《精神病人的艺术》后，一度对此类艺术发生兴趣。杜布费的绘画作品表现出他称之为真正涩艺术的那种真挚和质朴。最早的作品色彩鲜艳明快，线条朴素，显示出对博爱和文明的孩子般天真的想象。后期作品热情质朴，有时是忧郁的，有时是诲淫的，体现了由粗糙随意与精神病患者艺术派生出来的混合形态；这些厚涂浓抹或裁剪拼贴的作品极度详细而又具有很强的表现力，使人感到富有生气和兽性的力量，于激情之外往往还伴有诗意和幽默。

art collection 艺术收藏 私人或者公共机构对艺术品的积累。艺术收藏有悠久的历史，全世界的艺术博物馆大多是由皇室、贵族或富豪的大量私人藏品发展而来。

艺术收藏在最古老的文明时期即已存在。埃及、巴比伦、中国和印度的收藏方式是把大批的珍贵文物和工艺品贮存在寺庙、陵墓、圣所以及帝王的宫殿和金库里。这类收藏往往展示从被征服民族那里夺取的战利品，以提高国王或僧侣阶级的权威和荣耀，而不是按照艺术品本身的价值供人观赏。在西方，希腊人在希腊化时代（公元前4～前1世纪）首先兴起对艺术收藏本身的趣味，他们开始评估过去的艺术风格时代，而并不在意其宗教或世俗的含义。但是，只有罗马崛起以后，才出现了真正的艺术收藏。公元前3世纪末，罗马人在向东部和南部扩张时，劫掠了希腊各城市的艺术品，并将其作为战胜纪念物送回罗马，从而激发了人们对希腊艺术的关注和欣赏兴趣。富有的罗马人收藏希腊的雕刻和绘画，如果原件弄不到手，就托人仿制。为了满足对希腊艺术贪得无厌的需求，兴起了规模巨大的仿制和伪造行业。罗马最重要的收藏家除皇帝尼禄和哈德良外，还有G.威勒斯、卢库卢斯、庞培和J.凯撒。

在中世纪，欧洲人对艺术的兴趣消失了，各隐修院变成贮存文物的主要场所。但是，由于意大利的人文主义者在文艺复兴时期重新发现古典希腊罗马的文化遗产，又引起人们对古代艺术的兴趣，恢复了收藏的热潮。佛罗伦萨的梅迪契家族、曼图亚的贡扎加家族、乌尔比诺的蒙太费尔特罗家族和费拉拉的埃斯特家族除当时大画家所作现代艺术作

品外，还收藏古代的雕刻。在17世纪，效法这些意大利王侯收藏家的有：法国的黎塞留、柯尔贝尔和马萨林3位枢机主教，西班牙的威廉大公、国王费利佩三世和四世，英国的白金汉公爵、阿伦德尔伯爵和查理一世，以及瑞典的女王克里斯蒂娜。1627年进行了有史以来最重要的一次艺术品交易，英国的查理一世用8万英镑收购曼图亚的公爵们积累的艺术宝藏(但这次的收藏品在随后的英国内战中均已散失)。枢机主教柯尔贝尔耗费巨资建造罗浮宫王室艺术珍品陈列馆(1681年开放)。

在18世纪期间，非贵族阶级的收藏家们，如P.克罗扎、H.沃波尔和富格尔银行家族，均有能力收藏珍品。同时，欧洲皇室的大量私人藏品开始供群众参观。一些君主和贵族也开始把他们的所有物捐赠公众。在这方面，第一个著名的典范是梅迪契家族的最后一位大公托斯卡纳女大公M.卢多维卡，1737年去世后将其大量艺术珍品遗赠给托斯卡纳国家。这些珍品现在是佛罗伦萨的乌菲齐美术馆、皮蒂宫和劳伦琴图书馆的最主要收藏物。许多其他的君主和贵族收藏家纷纷仿效卢多维卡。18世纪末和19世纪在整个欧洲开放的所有大型艺术博物馆，莫不以收藏家出让给国家的珍品为基础。从那以后，将私人收藏的艺术品移交给博物馆已经是艺术收藏的一个主要特征。19世纪，实业家开始取代贵族的头等收藏家地位，在这方面，美国人扮演了特别重要的角色。在那些把巨大财富与艺术鉴赏结合起来的美国人中，有J.P.摩根、H.C.弗里克和A.梅隆等。19世纪和20世纪初期，艺术杰作从欧洲流向美国，最后安放进美国各大艺术博物馆。在19和20世纪，其他一些重要的收藏家所依靠的是对艺术品的鉴赏力和机敏，而不是万贯家财。在这类有眼力的人中，19世纪末有法国政府小吏V.萧凯，他是印象派的重要赞助人；20世纪初期有收藏商P.迪朗-吕埃尔、A.沃拉尔和D.-H.卡恩韦勒。在此后的数十年间，艺术收藏的数量和范围继续扩大，从而艺术品的价格不断上涨。

在西方以外的国家中，艺术收藏主要是皇室、贵族和宗教机构的活动领域。例如，中国的某些皇帝积累了大量艺术作品。虽然这些藏品在改朝换代时易于散失甚至毁灭，但乾隆(1735～1796在位)及其他清朝皇帝所收藏的珍品最终形成了中国的艺术博物馆故宫博物院(1949年后分为两处：北京的故宫博物院和台湾的国立故宫博物院)的核心。在日本的封建时代及以后，佛教寺院是库存艺术作品的重要场所，它们收藏的珍宝最后充实了东京国立博物馆及日本其他一些现代的机构。暹逻国王蒙库(1851～1868在位)的皇家私人藏品构成泰国的曼谷国立博物馆的主要内容。中东的统治者们也收藏艺术品，但因帝王死后或改朝换代时易于散失，其藏品鲜为人知。

art conservation and restoration　艺术品保存和修复　对雕刻、油画、素描、建筑等作品及装饰艺术品(家具、玻璃器皿、金属器皿、纺织品、陶瓷等)的修复及保存，以避免因疏忽、蓄意破坏或因年代久远及长期使用对其造成的不可避免的损坏。陶瓷、玻璃和金制品特别经久耐用，但其他材料的人工制品则易受潮湿、腐蚀及环境变化的影响而造成弯曲或裂缝；此外，虫咬、霉菌、霜冻、撕扯及玷污等均可使其受损；年代久远或因制品存放在室外，气候和工业化环境的共同作用亦可能使其受损。

在所有的艺术品中，修复得最经常、最大量的是油画。固定在木制画框上的油画可能需要绷直，因为画框也许已翘曲而使正面(画面)弯曲。这样的画框要在背面加固，或将画面从框上取下转放置到新的画布衬里上。如画布上的绘画已有损坏，要在旧画布的背面贴上一块新画布，这个工序称作换衬里，两张画布用热塑性胶合剂黏合在一起。破裂、剥落或与衬里脱离的画面部分用特制的胶合剂固定在画布上，或选用另一种方法，为整块画布换衬里。画面严重损坏或完全不见的部分可用新画的办法修复，即细心地按原作艺术家采用的技法和色彩特点将画面重新补上。变黑和弄脏的罩光漆用酒精溶剂从画面表面除去；这一费力的工序是修复油画最常用的一种方法。雕刻修复是发展很快的一个活动领域，因为城市或工业区空气中潮湿的污染物会腐蚀和溶解石雕的表面。修复和保存工作首先是清洗石头，然后涂以某些化学品，既能防水又可渗人石头数英寸而使其加固，以防止被进一步腐蚀。家具、彩色玻璃、纺织品和陶瓷器的修复，涉及的方法有调换椅子或桌子丢失或损坏的部件，或调换窗户上丢失的彩色玻璃；黏合破损的壶或其他陶瓷器；将特制的化学药水注入家具的木头使其不受空气、霉菌、昆虫的蛀蚀；以及洗涤贵重的纺织品。建筑物的修复可能涉及用水泥和金属杆加固建筑物的基础或结构部分；修复因水浸或潮湿毁坏的建筑物部位并进行防水处理；加固建筑物的墙或屋顶；以及清洗和保护建筑物的石、砖部分或其他形式的外部装饰。在艺术品的修复上一直存在着争论，其中许多争论源于艺术品修复者企图将被损坏的物品恢复"原状"，而原状无人知晓或不知从何入手。19世纪时，这种争论在建筑物的修复上比其他任何方面都更激烈。在18世纪末和19世纪初，修复建筑物的目的在于求得风格的一致——这种风格通常为哥特式。若有一种以上的中古风格，则由建筑师选择(通常偏爱哥特式)。这种按修复者特别喜爱的时代的风格"修复"建筑物的做法，到19世纪中叶时被视为伪造历史。"保存而非重建"的信条逐渐在欧洲盛行，至1900年这一信条开始通过政府立法推行。20世纪制定的法律及英国保护历史建筑物的全国性托管协会这类基金会的成功，不仅反映出关切日深，而且保护对象的范围亦不断扩大。在美国，全国史迹保护托管协会和国家公园管理局都具有一些相似的职能。

art criticism　艺术批评　指对艺术作品的描述、阐释和评价。艺术批评的任务是鉴定视觉艺术各领域诸如绘画、雕刻、装饰艺术、素描、版画、摄影中的艺术作品的审美价值或质量高低。由于艺术批评家们往往根据某些预先设定的美学价值标准来评定具体的艺术作品，即把美学理论应用于实际，所以艺术批评与美学有密切的联系。艺术批评的活动主要是利用报纸书刊，但也可通过较不明显的

《劫夺留西帕斯的女儿》(油画，P.P.鲁本斯1617年绘)，现藏慕尼黑旧绘画陈列馆
美国不列颠百科全书公司供图

途径，如艺术家的特定赞助、在公立和私立的美术馆，甚至在修复和保管(偶尔在毁坏)那些作品的过程中进行。艺术批评有多种层次，上自用从哲学导出的美学标准进行严格的逻辑式的评定，下至个人的、主观的反应，皆试图把批评家对艺术作品的某些观感传送给读者。19世纪前西方的艺术批评往往是对艺术的道德目标和崇高理想(真、美等)作广泛的、不精确的总结，而不是对个别的艺术作品进行仔细的、严格的查看。但在19世纪出现了商业性的画廊，它们迎合以新兴中产阶级为代表的、日益兴隆的艺术市场，也出现了发行量很大的报纸，艺术批评可以通过它们传播给广大群众。因此，艺术批评家们就开始成为新的购买艺术作品的群众的指路明灯，他们开始把焦点集中到某些艺术家及其作品上，努力确定他们的相对的功劳和价值。到了20世纪，由于视觉艺术含意的原有概念已经崩溃，艺术风格也有许多急剧的变化，某些头脑灵敏的艺术批评家便成了新的艺术运动的斗士。英格兰批评家R.弗赖帮助群众理解后印象主义运动(这个名称是他本人确定的)；美国的批评家C.格林伯格和H.罗森堡为抽象表现主义作了同样的工作。到了20世纪晚期，艺术批评虽分歧复杂，但已经成为一个完全确定的领域，职业艺术批评家比过去任何时候都多，他们在指引并且部分地决定着群众对视觉艺术不断增长的兴趣。

Art Deco　装饰派艺术　又称"现代风格"。起源于20世纪20年代并发展成为30年代的主导风格的装饰艺术和建筑艺术运动。得名于1925年在巴黎举行的装饰艺术和现代工业国际博览会，在这次博览会上第一次展出了这种风格的艺术。装饰派艺术的设计标志着现代主义的开始流行。其显著特点是：轮廓简单明朗，外表呈流线型；图案呈几何形或由具象形式演化而成；所用材料多样，多为贵重材料，除天然原料(如玉、银、象牙、黑曜石、铬和水晶石)外，也采用一些人造物质(如塑

料，特别是酚醛塑料；维他玻璃以及钢筋混凝土）。装饰派艺术虽很少大量生产，但注重机器的现代化程度，注重机器制造品固有的设计特性（如相对简单、光滑、匀称和完全一样的重复）。对装饰派艺术最早发生影响的是新艺术派、包豪斯派、立体主义和谢尔盖·佳吉列夫的俄罗斯芭蕾舞。装饰观念除得自大自然外，还受美洲印第安人、埃及人和早期古典渊源的影响。其典型主题有裸体女人、动物（特别是鹿、羚羊和瞪羚）、簇叶和太阳光，都是以最常见的形式出现。大多数杰出的创作是个人手工生产或重复数量有限的作品。装饰派艺术在第二次世界大战时期已不流行，但从60年代后期开始又重新引起人们的兴趣。

art for art's sake　为艺术而艺术　译自法语 l'art pour l'art，由19世纪早期法国哲学家V.库辛首次使用该说法。它表达了许多作家和艺术家的观点，尤其是那些信奉唯美主义的作家与艺术家。“为艺术而艺术”认为艺术不需要理由，不必为政治、说教或其他目的服务。

art history　艺术史　又称艺术史学。即视觉艺术的历史研究，包括在绘画、雕刻、建筑、装饰艺术、素描、版画、摄影及室内图案等方面，对艺术作品进行鉴定、分类、描述、评价、诠释和理解，并探讨历史发展情况。艺术史的研究有两个重要方面。第一个重要方面包括：①查明某一艺术创作的作者是谁（归属问题）；②对一艺术作品进行鉴定，判断它是否真正为过去一向认为的某艺术家所作；③断定某一作品是在文化发展中或艺术家生涯中哪一时期的产物；④分析在过去历史中一个艺术家对其以后的艺术家们的影响；⑤收集有关艺术家的传记资料和具体作品过去所在的地点（出处来源）。艺术史研究的第二个重要方面是在广大的范围内，从宽阔的历史角度来了解各种艺术传统的风格与形式的发展情况；这项工作主要包括列举和分析过去的各种不同的艺术风格、时期、运动和流派。艺术史还包括图像学（**iconography**），即分析视觉艺术中的符号、主题与题材，特别是基督教艺术中的宗教象征的意义。艺术史这门科学主要依靠学者具有能够作出正确判断的丰富经验、直观的判断力和敏锐的批评能力。此外，还需要对艺术家生活和工作时期的历史情况有广博的知识，深深体会某一艺术家的思维、经验和见解。在艺术史研究中，归属问题起关键作用，因为当一件艺术品能够完全确定（根据署名、当时记录或其他来源）之后，其他性质相同或相近似的作品即可与它归为一类而列入某艺术家名下或某一时期。现代学者就是使用这种方法以及其他方法对艺术作品和传统进行详细的和全面的了解，一直追溯到远古时代。

Art Institute of Chicago　芝加哥美术馆　位于伊利诺伊州芝加哥，收藏有欧美和东方的雕刻、绘画、版画、素描、装饰艺术品，还有摄影以及非洲艺术品和前哥伦布时期的美洲艺术品。1866年建立，当时称芝加哥设计学院，1882年改为现名。还设有美术学院、赖尔森图书馆（艺术）和伯纳姆图书馆（建筑）。古德曼剧院（创立于1925）上演芝加哥剧团的剧目（1977起）；自1930年至1978年由该馆管理的古德曼戏剧学校，于1979年成为德保罗大学的一所学校。

Art Nouveau　新艺术　约1890～1910年间流行全欧洲和美国的装饰艺术风格。以线条长而曲折有致为其装饰特色，大多表现在建筑、室内装饰、首饰、玻璃图案、招贴画和插图

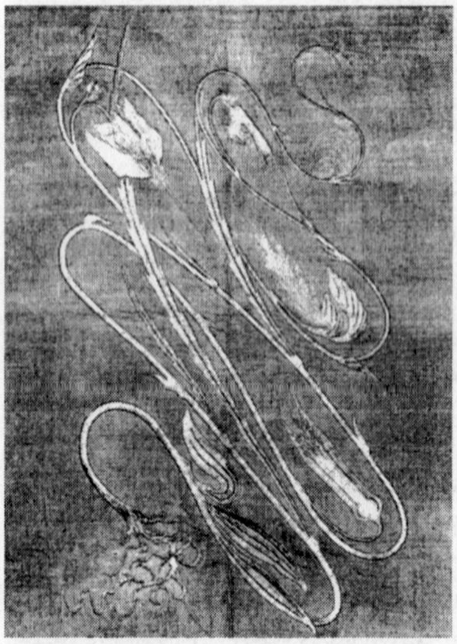

H.奥布里斯特制作的挂毯《鞭子》（1895）
美国不列颠百科全书公司供图

艺术上。力求创立新风格，摆脱19世纪艺术和设计中占统治地位的模仿复古主义。新艺术起于英国，很快遍及整个欧洲大陆。其直接先例是插图画家奥布里·比尔兹利的唯美主义和威廉·莫里斯的“工艺美术运动”。比尔兹利主要依靠经过整理的线条的表现力；而“工艺美术运动”则在实用艺术中确立了一种新风格的地位。在欧洲大陆，新艺术也受到画家高庚和土鲁兹-劳特累克以富有表现力的线条实验的影响。新艺术运动还部分地受到日本版画（浮世绘）式的抽象线条流行趣味的刺激。装饰上的突出特点是经常采用起伏非对称性线条，由花梗、花蕾、葡萄藤、昆虫翅膀以及自然界其他优美的波状形体构成。这些线条有的柔美雅致，有的遒劲有力和富有节奏，有的激荡多变。在版画艺术中，线条使全画的所有成分（形式、结构、空间、色彩）都为线条的装饰效果服务。在建筑和其他造型艺术中，整个立体形式都与有条不紊的有节奏的曲线融为一体，使结构和装饰相吻合。在建筑中，结构与装饰的综合尤为突出。例如材料的自如结合（铁制品、玻璃、陶瓦和瓷砖）便于使建筑物内部取得统一，把内柱与横梁作成枝蔓舒展的茂盛的藤蔓；窗户是既为采光和通风也能让外景能进入建筑物内部的有机整体。这种处理手法与传统建筑的结构清晰和合理性截然相反。具有新艺术风格的艺术家和设计师为数众多。较重要的有苏格兰建筑设计师麦金托什，比利时建筑师费尔德和奥太，法国建筑师H.吉马尔，美国玻璃工艺家L.C.蒂法尼，法国家具铁器设计家马若雷尔，捷克插图画家穆哈，法国玻璃和珠宝设计师拉利克，美国建筑师沙利文和西班牙建筑师和雕塑家高迪。1910年后，新艺术开始衰落。

art restoration　艺术品修复　参阅 **art conservation and restoration**。艺术品保存和修复。

art rock　艺术摇滚　摇滚乐的分支，出现于20世纪60年代晚期，兴于70年代早期至中期。该词有时与“激进摇滚”（progressive rock）同义，但后者最好用来描述“创世纪”、“克林森王”、“平克·弗洛伊德”、“是”等以“知性”专辑取向的英国乐队。而“艺术摇滚”一词最好用来描述那种受“电光乐队”、“温和巨人”、“忧郁布鲁斯”、“普罗卡·哈伦”等英国乐队影响的摇滚乐，或者指融和前卫摇滚与英国民间音乐（如杰思罗·塔尔等乐队）的音乐。所有这些乐队在音乐中经常运用复杂而概念性的手法。L.安德生、D.鲍伊、B.艾诺、“地下天鹅绒”、F.扎帕等英美艺人的实验性摇滚乐也有一些被归入艺术摇滚。1965年披头士乐队开始探索在摇滚乐中组合运用多轨录音、古典式配器法和前卫或实验性的东西。美国实验摇滚作曲家扎帕的乐队“发明之母”随即在1966年推出首张专辑，在以后两年中，“蓬车”、“杰思罗·塔尔”、“忧郁布鲁斯”、“精妙”、“平克·弗洛伊德”、“漂亮东西”、“普罗卡·哈伦”、“软机械”都推出艺术摇滚型的专辑。艺术摇滚的节奏复杂而多变、歌词富有想象力（主题包括社会政治或科幻）、作品统一而广泛（常以“概念专辑”的形式）。摇滚乐队演奏的古典乐器法（包括交响管弦乐队）和仿管弦乐合奏（包括古典曲调的改编）也很盛行。艺术摇滚主要用来聆听和沉思，而不是用来伴舞。尽管70年代晚期和80年代早期分别出现了影响深远的英国艺术摇滚“联合王国”和“海狮”，70年代中期以后的艺术摇滚走向大致由“亚洲”、“波士顿”、“外国人”、“旅行者”、“堪萨斯”、“亚伦·派森实验团”、“皇后”、“斯蒂利·丹”、“冥河”、“超级流浪汉”等英美流行摇滚和硬摇滚乐队以及加拿大“冲击”乐队加以延续。70和80年代“罗克西音乐”、P.加布里埃尔、K.布什等“艺术的”英国流行摇滚艺人以及80、90年代美国重金属乐队“金属”和“梦剧场”也探索过早先与艺术摇滚有关的风格特征。

Árta　阿尔塔　希腊伊庇鲁斯区阿尔塔州首府。位于阿尔塔湾以北，阿拉赫索斯河左岸。今日城市建在安布拉基亚的旧址上。近代历史上作为一个拜占廷的主教管区，曾先后受到诺曼人占领（1083）和希腊伊庇鲁斯诸暴君的统治，1318年落入凯法利尼亚的奥尔西尼家族手中，1449年被土耳其人占领，很快又被威尼斯夺取；在法兰西人短时期的统治后，再次属于土耳其人。在希腊独立战争（1821～1829）中几经战火。1881年土耳其将它割让给希腊。该地是一繁荣的农业城镇，四周是柑橘、柠檬和枸橼的果园。生产羊毛织品、棉花和刺绣。在古代卫城处保留一座拜占廷时期的古城堡，城外有数座13世纪

阿拉赫索斯河上的 17 世纪桥梁
美国不列颠百科全书公司供图

末期至 14 世纪的教堂和 3 座 13 世纪的隐修院。人口:城市 20 004;州 80 044(1981)。

Árta, Gulf of　阿尔塔湾　现代希腊语作 Amvrakikós Kólpos(阿姆夫拉基亚湾)。希腊西海岸深水海湾。北有普雷韦扎半岛,南有亚克兴角,几乎全为陆地环抱,入海需通过狭窄的普雷韦扎海峡。北海岸是卢罗斯河和阿拉赫索斯河三角洲,有沼泽和潟湖。南海岸有宽阔的海湾,岸边交替有多树木或多岩石的岬角。阿姆菲洛希亚城在其东南角。

Artabanus　阿尔达班(?～公元前 465 或 464)　又作 Ardaban。波斯国王薛西斯一世的大臣。公元前 465 年他谋杀了薛西斯及其子。他掌握朝政 7 个月。埃及承认他是国王。后为同谋者出卖,被阿尔塔薛西斯杀死。

Artabanus　阿尔达班　又作 Ardaban。安息国王之名。按年代顺序分列于后,并各以●为标记。

● Artabanus Ⅰ　阿尔达班一世(活动时期公元前 3～前 2 世纪)　又称阿萨息斯二世。位于亚洲西南部的安息国王(公元前 211～前191)。公元前209年叙利亚国王安条克三

公元前 3 世纪晚期至前 2 世纪早期钱币上的阿尔达班一世像
美国不列颠百科全书公司供图

世入侵,占领了安息首都赫卡通皮洛斯和叙林克斯。公元前 206 年以后阿尔达班又把大量土地拱手让给大夏国王。

● Artabanus Ⅲ　阿尔达班三世(活动时期公元 1 世纪)　安息国王(约公元 12～约 38 在位)。原为米底、阿特罗帕特尼的国王。公元 9 或 10 年开始争夺安息,两年后在底格里斯河畔的安息首都泰西封登上王位。在位之初期,与罗马相安无事。尽管国内动乱,他显然是一位强有力的君主,恢复了中央政府的权威。阿尔塔薛西斯三世死(公元 34 或 35)后,他派儿子阿萨息斯去当亚美尼亚国王。但是安息旧国王弗拉特斯的孙子梯里达底三世在罗马大将维特利乌斯的支持下,夺取了阿尔达班的王位。阿尔达班回到希尔卡尼亚。不到一年,他在反罗马帝国集团的怂恿下卷土重来,成为安息的国王。由于群众的不满,他再次逃亡。不久死去。

● Artabanus Ⅴ　阿尔达班五世(活动时期 3 世纪)　位于西南亚的安息帝国末代国王(约 213～224 在位)。约 213 年统治米底诸行省。216 年罗马皇帝卡拉卡拉入侵,蹂躏米底的许多地方,并亵渎安息王室的坟墓(在今伊拉克埃尔比勒)。217 年阿尔达班反攻,打败罗马皇帝的军队。然而此时,统治波西斯省的萨珊王朝的阿尔达希尔开始扩张势力,遍地发生骚乱。阿尔达班在与阿尔达希尔交战中被杀。

Artaud, Antonin　阿尔托(1896-09-04,法国马赛～1948-03-04,塞纳河畔伊夫里)　法国剧作家、诗人、演员和超现实主义运动理论家。企图以他的"残酷戏剧"取代"资产阶级"

美国不列颠百科全书公司供图

的古典戏剧,试验如何将人类的潜意识解放出来,并将人的本质向本人显示。他的父母在一定程度上是地中海东部地区的希腊人,他深受这种背景的影响,尤其对神秘主义着了迷,终身为精神病折磨,数度被送进精神病院。最初,他将超现实主义的诗作《灵薄狱的中心》(1925)和《衡量神经的尺度》(1925)寄给有影响的评论家 J.里维埃尔,由此开始了他们之间的长期通信。在巴黎学表演技术后,首次在吕热-波的达达主义-超现实主义创作剧院登台演出。阿尔托曾因超现实主义派的领袖、诗人勃勒东效忠于共产主义而与该派决裂。他认为该运动的力量在于政治之外,联合另一个有缺点的超现实主义者剧作家 R.维特拉克,开办为时短暂的阿尔弗雷·雅里剧院。他在 A.冈斯的影片《拿破仑》(1927)中饰演马拉,又在 C.德莱厄尔的古典影片《贞德的受难》(1928)中饰一名修士。阿尔托的《残酷戏剧宣言》(1932)和《戏剧及其具有相似作用之物》,提倡念符驱邪,以使演员与观众产生心灵上的沟通;姿态动作、音响效果、异乎寻常的布景、灯光,共同组成一种高于言词的语言,可用来颠倒思想和逻辑,震撼观众,让他们看清世上卑鄙龌龊的真面目。阿尔托本人的创作,影响不及他的理论,多为失败之作。《钦契一家》于 1935 年在巴黎上演,它作为一种实验却过分大胆,不能为时人所接受。但他的见解对热内、尤内斯库、贝克特等人的荒诞派戏剧产生了重大影响。他的其他作品有《墨西哥之游》(1937)、《凡·高,被社会逼得自杀的人》(1947)等。

Artavasdes Ⅱ　阿塔瓦斯德斯二世(活动时期公元前 1 世纪)　亚美尼亚国王(公元前 53～前 34)梯格兰二世大帝之子和继承人。最初为罗马的盟友。但在安息国王奥罗德斯二世入侵亚美尼亚以后,他与安息进行合作,并将妹妹嫁给安息王子。公元前 36 年安东尼率兵攻入亚美尼亚时,他又臣服罗马。公元前 34 年安东尼再次入侵时,把他俘获并带到亚历山大,后为托勒密的王后克娄巴特拉所杀。阿塔瓦斯德斯还是一个有才干的希腊语学者,写过剧本和其他文学作品。

Artaxerxes　阿尔塔薛西斯　古波斯语作 Artakhshathra。波斯阿契美尼德(Achaemenid)王朝国王之名。按年代顺序分列于后,并各以●为标记。

● Artaxerxes Ⅰ　阿尔塔薛西斯一世(?～公元前 425,埃兰苏萨[今在伊朗])　波斯阿契美尼德王朝国王(公元前 465～前 425)。薛西斯一世之幼子。绰号"长手",希腊语名为 Macrocheir。禁卫军司令阿尔达班谋杀薛西斯之后,把他扶上王位。数月后他亲手杀掉阿尔达班。在他的统治时期,曾发生几次叛乱。第一次是他兄弟、大夏总督发动的,而最危险的是埃及的叛乱,后经叙利亚总督长期的斗争(公元前 460～前 454),才恢复阿契美尼德王朝在埃及的统治。

● Artaxerxes Ⅱ　阿尔塔薛西斯二世(活动时期公元前 5 世纪末～前 4 世纪初)　波斯阿契美尼德王朝国王(公元前 404～前 359 或前 358 在位)。大流士二世之子和继承人。希腊语名为 Mnemon(摩涅莫恩)。公元前 404 年失掉埃及,翌年小居鲁士发动叛乱,尽管小居鲁士于公元前 401 年失败被杀,但它使希腊人相信波斯是脆弱的。公元前 400 年斯巴达公开脱离阿契美尼德王朝,此后 5 年中,斯巴达的军队在安纳托利亚不断取得胜利。但是,公元前 394 年斯巴达的海军在尼多斯溃败,这就使阿契美尼德王朝完全控制了爱琴海。希腊联盟(底比斯、雅典、阿尔戈斯和科林斯)继续进行反对斯巴达的战争。但当发现这场战争的唯一受益者是雅典人时,阿尔塔薛西斯二世就决定同斯巴达媾和,公元前 386 年迫使雅典人接受《安塔西达和约》。阿尔塔薛西斯曾两次远征埃及(公元前 385～前 383,公元前 374),均彻底失败。与此同时,安纳托利亚的叛乱不断。当他明显衰落

时，安纳托利亚各地的总督，联合雅典、斯巴达和埃及发动叛乱。对此，他毫无办法。不过叛乱者间相互的猜疑使他最终恢复了对各地的控制。

● **Artaxerxes III 阿尔塔薛西斯三世**（？～公元前 338） 波斯阿契美尼德王朝的国王（公元前 359 或前 358 ～前 338 在位）。阿尔塔薛西斯二世之子和继承人。继位之前名奥库斯。为人残暴成性，为了保全王位，不惜把大部分亲属杀死。他试图征服从公元前 404 年以来独立的埃及，结果失败（公元前 351 年）。此举激发腓尼基城镇和塞浦路斯亲王的反叛。公元前 345 年春他调集大军，挺进腓尼基人的西顿城，然后进军埃及。公元前 343 年在尼罗河三角洲打败法老奈克塔内博二世，并在埃及设置波斯总督。公元前 338 年阿尔塔薛西斯三世及其年长的孩子们均被宦官巴戈阿斯杀死。

Artaxias 阿尔塔夏（活动时期公元前2世纪） 古代亚美尼亚王国的创建者之一（公元前 190 ～前 159 在位）。塞琉西国王安条克三世大帝在马格内西亚战役（公元前 190）中被罗马人击败以后，原亚美尼亚总督阿尔塔夏和扎里亚德雷斯发动叛乱，在罗马人默许下，分别自立为大亚美尼亚国王和索菲恩国王。他们侵占邻近地区，极力扩大自己的领土，因而被认为历史上的亚美尼亚国的创建者。他建都于塞凡湖附近的阿尔斯河畔。

arte mayor 多音节诗体 一种西班牙诗歌形式，每一诗行为 8 音节，后改为 12 音节。通常为每诗节 8 行，尾韵的安排是 *a b b a a c c a* 。始于 13 世纪后期到 14 世纪初，在 15 世纪用于大多数严肃诗歌。

arte menor 少音节诗体 一种西班牙诗歌形式，每一诗行只有 2 ～ 8 个音节，通常只有 1 个重音，最常见的是在倒数第二音节。用于从传统诗歌到流行诗歌等许多不同的诗体中。

Artemidorus 阿特米多鲁斯（活动时期公元前100年，吕底亚以弗所［今在土耳其］） 希腊地理学家。其 11 部著作中系统的地理学观点，多次被希腊地理学家兼历史学家斯特拉博（生于公元前 64 或前 63）引用。这些著作是根据作者在地中海地区的旅行和他人的记载写成，现仅存一些片段。

Artemidorus Daldianus 阿特米多鲁斯（活动时期公元 2 世纪，罗马帝国亚细亚以弗所［今在土耳其］） 占卜家。著有《解梦》，该书主要是辑录前人的著作，有助于后世了解古代的迷信、神话和宗教礼仪。

Artemis 阿耳忒弥斯 希腊宗教中掌管野生动物、狩猎和植物生长的女神，又是贞操和分娩的女神。罗马人把她与狄安娜（**Diana**）混为一体。阿耳忒弥斯是宙斯和勒托的女儿，阿波罗的孪生姐姐。她是乡村老百姓喜爱的女神。她的性格和职能因地而有很大差异，但是很显然，一切形态均出自这位野生自然界的女神，她通常在仙女的陪伴下，在山林水泽地带翩翩起舞。阿耳忒弥斯体现了运动家的理想，因此，在杀死猎物之外又保护它们，特别是幼小者。荷马所以称她为“动物的女主人”，意义即在于此。在希腊时代之前，对阿耳忒弥斯的崇拜大概盛行于克里特或希腊本土。但是，许多地方对她的祭祀保存了往往带有希腊名字的其他一些神的痕迹，这说明希腊人在接受阿耳忒弥斯时，把她同自己的自然神等同起来。虽然奥林匹亚其他主要的神的神话角色是在诗人们的作品中展开的，而阿耳忒弥斯的传说的发展则主要来自膜拜。在伯罗奔尼撒，特别流行把阿耳忒弥

阿耳忒弥斯神庙西侧面复原图
美国不列颠百科全书公司供图

斯当做护树女神来崇敬，每当祭祀时由扮演护树神女的处女跳舞极为普通。在整个伯罗奔尼撒，阿耳忒弥斯具有湖上女主人和湖上夫人之类的别名，由井泉神女陪同视察各种水域和繁茂的野生植物。在半岛的一些部分，祭祀她时的舞蹈粗野而淫荡。在伯罗奔尼撒以外的地方，阿耳忒弥斯最习见的形态是作为动物的女主人。诗人和艺术家们通常描绘她带着一只牡赤鹿或者猎犬，但是各地的膜拜则显示出很大的差异。例如，阿提卡的哈莱-阿拉菲尼德斯举行金牛节，就是膜拜公牛女神阿耳忒弥斯，要用剑割一个男子的

女猎神装扮的阿耳忒弥斯塑像
美国不列颠百科全书公司供图

颈，流几滴血献祭。故事中常讲陪伴阿耳忒弥斯的神女们的风流韵事，有些人推测，这些故事的主人公原是女神本身。然而，荷马以后的诗人们却强调阿耳忒弥斯的贞洁，说她喜爱打猎、跳舞、音乐、荫凉的小树林和光明正大的人的城市。阿耳忒弥斯的愤怒是众所周知的，神话认为野生大自然对人类的敌视就来源于此。不过，希腊的雕刻避免把阿耳忒弥斯的无情愤怒作为主题。实际上，在公元前 4 世纪比较柔和的风气兴起之前，各大雕刻流派并没有把这位女神本身作为常用的题材。

Artemis, Temple of 阿耳忒弥斯神庙 位于以弗所的世界七大奇观之一。公元前 550 年为吕底亚国王克罗伊斯所建，公元前 356 年焚毁，后重建。该庙不仅以规模宏大（约 110 米 × 55 米），而且以富丽堂皇的装饰艺术而著称。公元 262 年哥特人入侵时被毁，后未重建。遗存实物很少（仅不列颠博物馆藏有若干残片，特别是带雕刻的柱子），但考古发掘中发现了克罗伊斯原建神庙和公元前 4 世纪所建神庙，以及更早的 3 个小神庙的遗迹。著名的阿耳忒弥斯神像现存摹本，是一个非希腊式的木乃伊状女神像，身体僵直，双手伸出。原像由金、银、乌木和黑石制成。

Artemisa 阿特米萨 古巴哈瓦那省西部城市。系该地区重要的商业和加工业中心。主要农产品有甘蔗、烟草和菠萝等水果。生产酒类和肥皂，附近有榨糖厂。位于哈瓦那至比那尔德里奥之间的主要公路和铁路干线上。人口约 52 618（1990）。

Artemisia I 阿尔特米西娅一世（活动时期公元前 5 世纪前半叶） 卡里亚的希腊城市哈利卡纳苏斯及其附近科斯岛的女王（约公元前 480），曾臣服波斯国王薛西斯，参加薛西斯对希腊的侵略（公元前 480 ～前 479）。在雅典附近萨拉米斯岛的海面上进行大海战时，尽管她能征善战，指挥 5 艘兵船拚杀，但是波斯舰队遭到了惨败。据希罗多德记载：薛西斯所以不再孤注一掷，决定立即从希腊撤退，就是听从了她的建议。

Artemisia II 阿尔特米西娅二世（？～约公元前 350） 卡里亚（在安纳托利亚西南部）国王摩索拉斯的妹妹和王后。国王死后，她单独主持朝政 3 年。她在首都哈利卡纳苏斯为丈夫修建的摩索拉斯陵墓，为世界七大奇观之一。她以研究植物和医学驰名，植物

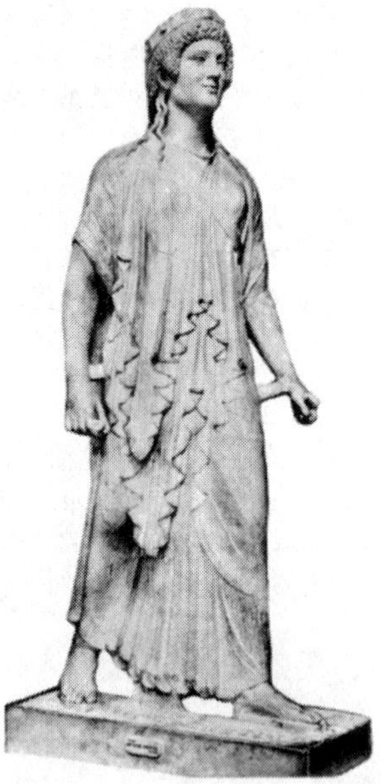

阿尔特米西娅二世雕像
美国不列颠百科全书公司供图

学中的 *Artemisia*(蒿属)一词就是以她的名字命名的。

Artemisium, Battle of　阿提密喜安战役(公元前 480)　希波战争期间,波斯海军在埃维亚岛北岸的阿提密喜安海岬附近大败希腊海军的战役。希腊舰队虽坚持了 3 天,但听到温泉关战事失利消息后,便向南退却。

Artemovsk(Ukraine)　参阅 **Artyomovsk 阿尔乔莫夫斯克**。

arteriosclerosis　动脉硬化　又作 hardening of the arteries。一类慢性血管疾病,病变特点是动脉壁增厚、变硬以及因此而造成的动脉壁弹性下降。动脉硬化中最重要的一种疾病是动脉粥样硬化症,其病变特点是动脉内膜上出现大量大小不等的脂质沉积病灶,学称粥样硬化斑块(简称粥样斑块)。粥样斑块的形成是循环血液中载有胆固醇的脂蛋白在动脉内膜下长期和累积性沉积的结果。动脉内膜下沉积的胆固醇及其引发的一系列组织反应(其中包括异物反应、瘢痕组织增生和钙化等)一起形成粥样斑块,而且粥样斑块的数量和病变范围还在不断地扩大。粥样斑块的直接后果就是使动脉口径变窄(致血流受阻、甚至被完全堵塞)、血管壁弹性降低(致血压升高)、内膜破坏和因此而引发的动脉血栓形成等。冠状动脉是心脏的营养血管,功能地位十分重要,但口径并不大,故发生在冠状动脉的粥样硬化病变可致严重心脏功能障碍。粥样斑块可使冠状动脉管腔变窄,心肌供血不足,致心绞痛;如粥样斑块和(或)因其引发的动脉血栓将一支或几支冠状动脉完全堵塞,则可致范围不等的心肌梗死。冠状动脉硬化的现代治疗技术有冠状动脉搭桥手术和动脉气囊成型术。动脉粥样硬化病变及其致病机制也可发生在向大脑供血的动脉。不过,脑梗死的结果是中风,中风患者的常见症状是意识障碍及其后出现的偏瘫、失语等后遗症。脑动脉粥样硬化的治疗关键在于预防,其中包括积极治疗高血压、降低血液黏稠度、抑制血小板功能、防止血栓形成等。支配四肢的周围动脉硬化可致间歇性跛行和皮肤溃疡形成等。此外,肢体动脉硬化患者的下肢和脚特别容易受到细菌的感染。

arteriovenous fistula　动静脉瘘　动、静脉间的异常的直接通道。病因可为穿通伤、血管病或先天性异常。动静脉直接沟通的结果是动脉压传到瘘的静脉侧,远侧静脉压力升高并产生静脉扩张。主诉为损伤区域内外疼痛、下肢肿胀,并见扩张的静脉。有动静脉瘘时,直接加压于供应该瘘以血液的动脉,可使静脉搏动减弱。通过外科修整手术常可重建正常的血运。

arteritis　动脉炎　动脉的炎症。可见于多种疾病,如梅毒、结核、胰腺疾病、血清病(机体对异体蛋白质的反应)、系统性红斑狼疮(一种变态反应性疾病)等。非全身性疾病或非心血管系统疾病引起的血管炎共有 5 种:血栓闭塞性脉管炎(参阅 **Buerger's disease**)、颞动脉炎(或称颅脑动脉炎)、老年性动脉炎(风湿性多肌痛)、主动脉弓动脉炎(参阅 **aortic arch syndrome**)、**结节性多动脉炎**(**polyarteritis nodosa**)。颞动脉炎实际上是颅脑部动脉炎症的总称,它还有一个源于病变形态的名称为动巨细胞性动脉炎。病因不明,但常常继发于某种感染;发病年龄多在 50 岁以上。最初的症状是头痛,伴有头皮、颜面、颌及眼部的疼痛;患者可因颌部肌肉缺血而出现颌部运动困难;眼肌麻痹可致患者复视;因视网膜和视神经乳头水肿而致失明者约占患者总数的 10%。本病可迁延长至 3 年,亦可在几十天内缓解;最大的预后问题是患者的视力损伤。服用肾上腺皮质类固醇激素可预防视力损伤。老年性动脉炎可能和颞动脉炎有关。最初的症状只是疲劳感和食欲不振,而后迅速出现四肢近心端和颈部肌肉的肌无力和疼痛。本病常可自愈;肾上腺皮质激素可缓解其症状。

artery　动脉　生理学概念。从心脏泵出的血液所流经的血管通道。在主动脉及其体动脉分支内流动的血液富含氧气和营养物质(动脉血);而流经肺动脉的血液则是乏氧血(静脉血),静脉血在肺循环中完成吸收氧气、排出二氧化碳的过程。动脉壁中含有强大的肌肉和弹力组织,用以维持心脏泵出血液时所形成的压力,保证正常的血液循环。所谓脉搏就是在心脏泵动血液所产生压力的作用下,动脉血管的有规律的收缩和舒张运动。从主动脉到毛细血管前小动脉,动脉血管网是一个不断分支的封闭管道结构。流经各级体动脉的血液最后进入组织中的毛细血管网,在这里,动脉血所携带的氧气、养分不断地弥散进入各种组织;同时,组织中的二氧化碳和各种代谢产物也不断地弥散进血液;经此,动脉血变成静脉血,并经由体静脉系统返回心脏。主动脉起自左心室,止于髂总动脉分支,是人体内最大的动脉血管。根据走行方向,人为地将其分为升主动脉(向上部分)、主动脉弓(转弯部分)、降主动脉(沿脊柱下降部分,又分为胸、腹主动脉)三部分。主动脉分支的供血区域分划如下:向头、颈部和上肢供血的干支动脉自主动脉弓发出;向胸腔脏器供血的动脉发自胸主动脉;腹腔脏器和双下肢的动脉干支起自腹主动脉。口径无论大小,动脉壁都有内膜、中膜和外膜三层结构。从内向外,动脉内膜由一层内皮细胞、疏松结缔组织和一层带孔的弹力板(内弹力板)构成;中膜主要由平滑肌和螺旋状排列的弹力纤维构成;动脉外膜主要由强大的胶原纤维构成,是最为坚韧的一层,是动脉能保持扩张状态的主要因素。大动脉和中、小动脉之间在结构上的区别主要表现在前者的中膜和外膜的厚度要比后者大得多。参阅 **cardiovascular system**。

Artesia　阿蒂西亚　美国新墨西哥州东南部埃迪县城市。在佩科斯河附近。1890 年初建时为一驿站。1905 年发现地下自流水盆地后改现名。现为农牧场区(产羊毛、棉花、苜蓿、饲料)的贸易和转运中心。以附近油气田(1923 年发现)为基础建立炼油和石油化工业。钾碱开采亦重要。城内建有美国第一所可防原子辐射及放射性尘埃的地下学校——阿博小学。1905 年建村,1930 年建市。人口约10 692(2000)。

artesian well　自流井　地下水不用泵而在天然压力下流出的人工泉。凡在高于井位的露头接受补给水的缓倾透水岩层(例如砂岩)之上都可以钻挖自流井。水在露头处渗入含水层,而含水层上下的不透水岩层(例如页岩)却不含水。来自水重量的压力(水的静压力)迫使水上升到钻入含水层中的井之表面,保持稳定上升的压力是靠在补给区不断有水渗入透水层来维持的。当上覆不透水层受到节理或断层的破坏时,地下水可能透过不透水层上升到地表,成为自流泉。在某些地区,尤其是在邻近受水山脉的干旱平原,自流井、泉是一种主要的水源。许多自流井系统的大多数自流井现在都装配有抽水机。

Artevelde, Jacob van　阿特威尔德(约1295,佛兰德根特[今在比利时]～1345-07-17,根特)　佛兰德人的领袖,在百年战争(1337～1453)的最初阶段起过领导作用。从 1338 年起他和其他"首领"一起统治根特,他使佛兰德人与英王爱德华三世结盟,反对法国和佛兰德伯爵。他一直占居主要首领的地位,直至 7 年后在一次暴乱中被害为止。职业不详,但他属于富有的资产阶级。在根特及其周围地区拥有土地。曾两次结婚,第二次与出身根特名门的卡特琳·德科斯特结为伉俪。他开始从政已是中年。据说在 1325 年根特反对佛兰德伯爵路易一世的斗争中,他是路易的支持者。但由于 14 世纪 30 年代英法关系恶化,伯爵和佛兰德各城镇的关系出现紧张。路易作为法王腓力六世的藩臣,与法国站在一起;而各城镇,虽受到腓力的威胁利诱,仍因它们的纺织业需要英国的羊毛,而不能不与英王爱德华三世结盟。在此关头,阿特威尔德作为领袖出现了。1338 年,他在比洛克修道院的一次大会上,提出了佛兰德各城镇与荷兰的布拉班特以及埃诺的城镇结盟的计划,以便在英法的王朝之争中保持武装中立。他的尝试获得成功。1338年初,根特人民在他的领导下宣布中立,布鲁日和伊普尔的主要城镇也起而效之,加入该同盟。法国只好默认,与英国的重要的羊毛贸易因而得以保全。在根特,阿特威尔德以总领的头衔,几乎享有独裁的权威,直至去世。他的第一步是准备与英国缔结商约。佛兰德伯爵想用武力推翻他的政权,完全失败后被迫于1338年6月21日在布鲁日签订承认根特、布鲁日、伊普尔结盟的条约。此后,在1339～1340年又签订了一些条约,使荷兰的许多城镇和省也逐渐加入了该同盟。但是中立政策证明是行不通的。佛兰德各城镇在他领导下,公开站在与其亲密结盟(1340-01-26)的英国一边。阿特威尔德此时已达权力顶峰,他在平等的基础上和一些国王结盟,并公开与他们交往。在他有力的管理下,根特的商业日趋繁荣,财力和地位迅速提高。他的实质上的独裁统治最终遭致同胞的妒忌和怨恨。他建议剥夺佛兰德伯爵的王权,并以爱德华三世的黑太子取而代之,引起强烈不满。1345年根特爆发群众起义,阿特威尔德被擒而遭杀害。其子菲利普(生于1340)在1382年起来反对佛兰德伯爵路易二世,终未成功。19世纪比利时的爱国史学家仍然怀念阿特威尔德,认为他是该国为争取独立的漫长斗争中的早期英雄。

artha　利　印度教名词。指对于财富或物质利益的追求,是印度教传统所列人生四目的之一。印度教认为,过度追求物质利益会导致穷奢极欲而遗害无穷,因此必须以对于法的更高尚的追求加以节制。

Artha-śāstra　《政事论》　梵语意"国王的利益手册"。有关政治艺术的一部极为重要的印度手册。作者是考底利耶(又叫毗湿奴笈多或遮那其),据说他是孔雀王朝的建立者月护王(约公元前300)的宰相。从全部正文来看,此书未必是如此早期的作品,但有些部分可以上溯到孔雀王朝时期。考底利耶谈的是国王对领土相当有限的王国的集权统治,论述国内经济的组织、选择大臣、作战及安排和分配税收等的方法。作者特别强调要建立探子、告密者和间谍的联络网,这些人在没有情报和警察部门的情况下可以成为国王身边的一批耳目,尤其用于监视外部的威胁和内部的不同意见。《政事论》的目的完全是实用的,它并未提出任何明显的哲学观点。但是在涉及人的本性和人之易于腐化堕落以及国王和他的心腹可以利用人类这些弱点的方法时,可以看出作者完全采取怀疑主义(如果不是犬儒主义)的态度。书中一个没有讲出然而又很明显的矛盾论点是:国王对于治理国家的大臣必须给予充分的信任。约5世纪的剧作家毗沙迦达多(可能是笈多王朝宫廷中的人物)在他的梵语戏剧《指环印》里就把这一论点戏剧化了。

arthāpatti　义准量　梵语指事件的影响范围。在印度哲学中,使人们能够正确认识世界的五种认识手段("量")中的第五种。义准量是通过环境的暗示而得到的认识。参阅 **pramāṇa**。

arthritis　关节炎　关节的炎症。急性关节炎的症状明显,患部红、肿、痛、热。参阅 **osteoarthritis; rheumatoid arthritis; septic arthritis**。

arthrodire　节颈鱼　盾皮鱼纲已经绝灭的一大类(节颈鱼目)身体被甲的有颌鱼类的统称,发现于泥盆纪(4.08亿年前至3.60亿年前)海水和淡水沉积中。早期的节颈鱼类,如窄鳞鱼属(*Arctolepis*),体形平扁,体甲发达。肩棘中空,向后弯曲,可能用以支持身体或在水底活动。后期的节颈鱼类,如中泥盆世的粒骨鱼属(*Coccosteus*)栖于海洋生境,体甲薄于窄鳞鱼属,骨质的头甲与体甲于两侧各以一关节彼此相连,从而使头能自由活动。掠食性,骨质颌前部具齿状突出,后部成切缘。体后部及尾裸露。肩棘短缩,有些种类肩棘已消失。节颈类绝灭于晚泥盆世,恐鱼属(*Dinichthys*,有时并入邓氏鱼属[*Dunkleosteus*])是这一时期的代表。与粒骨鱼相似,但恐鱼属的体长可达9米,而粒骨鱼的体长仅0.6米。泥盆纪中曾存在有许多节颈鱼类分支,其中叶鳞鱼属(*Phyllolepis*)是失去大部头甲的特化鱼类,以前被当做甲胄鱼类。褶齿鱼类与节颈鱼类近缘,生活于海中,可能以软体动物为食。

arthropod　节肢动物　节肢动物门(Arthropoda)的无脊椎动物。至少100万种。节肢动物门是动物界最大的门,也是差异性极大的类群之一。节肢动物门内最大的类群是昆虫,这是单肢亚门(Uniramia)的一纲。其余3个亚门是螯肢亚门(Chelicerata),如蜘蛛、蝎子、蜱、螨等;甲壳动物亚门(Crustacea),如虾、蟹、龙虾、螯虾、沙蚤等;三叶虫亚门(Trilobita),即一个早期的节肢动物类群,已于2.86亿年前至2.45亿年前的二叠纪绝灭。所有节肢动物的身体均为两侧对称,分节,每节可有一对附肢。节肢动物的主要特征为:身体和附肢表面覆以一层外骨骼,外骨骼按节形成,节间以膜相连;肌肉附着于外骨骼的内表面。头部的神经节愈合成脑,位于头部背侧。头部还有感觉器官和取食结构。不同数目的躯干体节愈合成头部,其数目因纲而异。根据头部结构即可鉴别各类群。陆栖节肢动物的呼吸气管为气管或书肺,或两者均有;水生节肢动物则有鳃。外骨骼需周期性地脱落,并更换新表皮,以免妨碍生长。某些节肢动物,尤其是甲壳动物,能再生丢失的附肢。节肢动物的取食方式各异。肉食性,草食性,以碎屑为食,滤食,或为寄生性。每个类群的节肢动物均特化其口周围的成对附肢以适应其具体的食物类型。节肢动物为雌雄异体,仅除少数例外。精子通常存在精荚内传递到雌体。一些节肢动物(尤其是蛛形纲种类)在交配前有求偶行为。甲壳动物的卵孵化后有一系列幼体阶段,而螯肢亚门的种类的幼体与成体相似。节肢动物已适应几乎所有环境,包括水体和陆地。例如,一种跳蛛可长期生活于海拔6 000米以上的珠穆朗玛峰。反之,某种盲蟹却在离厄瓜多尔海岸数百英里的加拉帕戈斯裂谷2 500米深处大量繁殖。

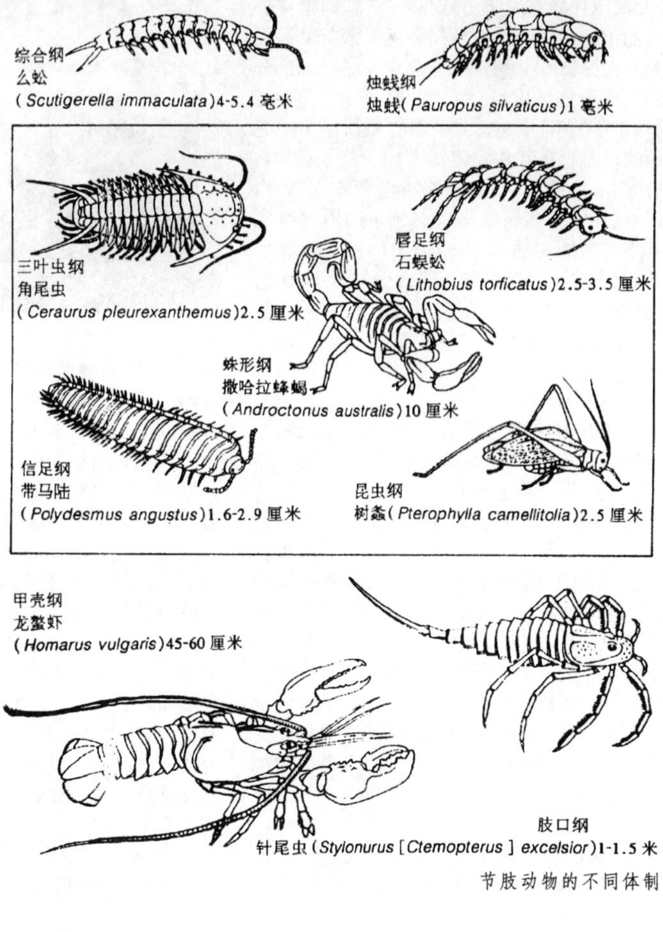

节肢动物的不同体制

Arthur 亚瑟 又译阿尔蒂尔。统治者之名，按国别分列于后，并各以●为标记。

不 列 颠

● **Arthur 亚瑟** 出现在一组中世纪传奇故事中的不列颠国王，圆桌（**Round Table**）骑士团的首领。这些传奇故事最初如何产生，源自何处，均不可考。亚瑟的形象是否以某个历史人物为基础也不能确定。有些说法假定历史上真有一个亚瑟，他领导威尔士人抵

美国不列颠百科全书公司供图

抗从泰晤士河中游入侵的西撒克逊人，这些假设是以两个早期编年史家吉尔达斯和内尼厄斯的异文合成本和10世纪后期的《坎布里纪年》中所载的故事为基础。9世纪时内尼厄斯所编《不列颠人的历史》记载了亚瑟与撒克逊人的12次战役，这些战役最后以蒙斯贝多尼克斯大捷(516)告终。该作品中有关亚瑟部分的出处未能确定，可能是出自一首诗篇。在《坎布里纪年》里也提到亚瑟在蒙斯贝多尼克斯的胜利(516)，并记述了卡姆兰战役(537)，“在这个战役中，亚瑟和梅特洛特阵亡”。由R.G.科林伍德(《罗马人占领下的不列颠和英格兰人的定居》，1936)提出的另一推测认为，亚瑟是一个为英国国王效劳的职业士兵，指挥一支按照罗马方式训练出来的骑兵队伍，驰骋于各战场以对付撒克逊人的威胁。

布列塔尼

● **Arthur I 阿尔蒂尔一世**(1187-03-29，布列塔尼南特～1203-04-03?，鲁昂或瑟堡) 布列塔尼公爵。英王亨利二世之孙。曾与叔父约翰(1199年起为英格兰国王)争夺法国的几个省。1190年10月他被另一叔父狮心王理查一世立为假定继承人，为了对他的监护权而引起理查与法国国王腓力二世(奥古斯都)之间的争执。1196年起他由腓力的宫廷抚养，理查剥夺了他的继承权，改立约翰。理查猝死后，约翰成为英格兰和诺曼底国王。但腓力仍承认阿尔蒂尔对布列塔尼、安茹、阿基坦和曼恩的统治权。1202年8月1日，他在战争中被约翰俘虏，据传约翰亲手或命人将他杀害。

● **Arthur II 阿尔蒂尔二世**(1262～1312，布列塔尼拉罗什贝尔纳附近的伊勒堡) 布列塔尼公爵(1305～1312)。英格兰约翰二世之子。在承袭爵位以前接连两次结婚，因而获得利摩日子爵领地(1275)和蒙福尔-拉莫里郡(1292)。在他统治期间，英王爱德华一世和法王腓力四世之间的战争结束，根据和约法国把布列塔尼割让给英国。但阿尔蒂尔在布列塔尼人民的有力支持下，拒不交出领地。阿尔蒂尔的继位者是好人约翰三世。

● **Arthur III 阿尔蒂尔三世** 参阅**Richemont, Arthur, constable de** 里什蒙。

Arthur 阿瑟 美国伊利诺伊州中东部村庄，位于道格拉斯和莫尔特里两县的分界线上。1873年创建，原名格拉斯哥，为一农业中心。为老派阿曼门诺会(一保守宗教团体)信徒聚居点。1877年设村。现经济以农业(玉米、大豆、家禽和牲畜)为主，亦有一些轻工业。人口2 203(2000)。

Arthur, Chester A(lan) 阿瑟(1829-10-05，美国佛蒙特北费尔菲尔德～1886-11-18，纽约市) 美国第21任总统(1881～1885)。1880年以共和党候选人资格当选为副总统，J.A.加菲尔德总统被暗杀后，他接任总统职务。1854年进入纽约律师界。热情的废奴主义者，很早即因成功地为一个争取自由的奴隶辩护而闻名。19世纪50年代加入共和党，积极参加地方政治活动，南北战争期间在纽约州任军需主任。1863年重操律师业。与纽约共和党首领参议员R.康克林关系密切。1871

美国国会图书馆供图

年，U.S.格兰特总统任命他为纽约港的税收官员。纽约海关长期以来即以公然滥用政党分赃制而著称。虽然阿瑟秉公处理海关业务，但他仍然使忠于康克林的人充斥海关。1877年，新任总统R.B.海斯锐意改革文官制度，于1878年7月将他免职，于是他又重新开业当律师。1880年为共和党全国代表大会代表，阿瑟和康克林以及“坚定派”一道，为格兰特争取第3任总统候选人提名进行活动。J.A.加菲尔德当选总统后，提出由阿瑟任副总统作为对坚定派的和解姿态。但是公众对他的提名表示冷淡；而且，在他就职的头几个月中，当康克林和加菲尔德在纽约随便任命公职人员问题上发生激烈冲突时，阿瑟竟公然站在康克林一边，因此人们普遍认为他位居国家第二最高职务，派性未免过分。经过一个时期的激烈的派系斗争后，阿瑟于1881年9月19日接任总统职务。据说，公众由于一届政府竟然掌握在一个坚持政党分赃制者的手中，而对它的前途表示担心，这种状况深深地伤害了阿瑟的感情。他确实以他自己任命的人选替换了加菲尔德内阁7名成员中的6个人，但是他所任命的人选一般来说是无可非议的。他是自南北战争以来对海军感到兴趣的第一位总统，他和他的海军部长W.E.钱德勒提出了一项拨款，着手重建美国的海军，使它的力量达到了后来和西班牙作战时的水平。1884年，阿瑟虽然已经得了不治之症，还是争得共和党的提名，但被J.G.布莱恩击败。

Arthur, Ellen 阿瑟(1837-08-30，美国弗吉尼亚库尔佩珀～1880-01-12，纽约) 婚前名Ellen Lewis Herndon。别名Nell。美国第21任总统C.A.阿瑟之妻，在丈夫就任总统之前死于肺炎。海军军官W.L.赫恩登之女，1859

美国不列颠百科全书公司供图

年10月25日与C.A.阿瑟结婚。第一个儿子生于1860年，3岁夭折。另于1864年生一子，1871年又生一女。住在纽约，家中经常宾客盈门。1880年C.A.阿瑟当选为共和党总统J.A.加菲尔德的副总统。她不久病故，葬于纽约奥尔巴尼。1881年9月加菲尔德遭暗杀，她的丈夫阿瑟继任总统。由于是鳏夫，阿瑟请他的妹妹代理白宫女主人并抚育他的子女。

Arthur, Sir George, 1st Baronet 阿瑟(1784-06-21，英国德文普利茅斯～1854-09-19，伦敦) 英国殖民官员。1825～1836年任范迪门地区(今塔斯马尼亚)总督，发展该岛经济颇见成效。1804～1814年曾在欧洲和埃及参加拿破仑战争，1814～1822年任英属洪都拉斯副总督。任范迪门地区总督后，与抢劫殖民者的土匪以及土著居民进行斗争，取得效果，但他企图以武装移民构成一条“黑线”，把土著居民封锁到东南半岛，则完全没有成功(参阅 **Black War**)。1835年他把残存的土著居民赶到塔斯马尼亚东北的弗林德斯岛。不久，这些土著居民便告消灭。1837年阿瑟被任命为上加拿大(今安大略)副总督，因促成上、下加拿大合并(1841)有功而受封准男爵，1842年被任命为孟买总督。1846年退休回国。

Arthur, J.C.　阿瑟(1850-01-11,美国纽约劳维尔～1942-04-30,印第安纳拉斐特)　全名Joseph Charles Arthur。美国植物学家,发现锈菌的生活史。1872年毕业于今艾奥瓦州立大学(位于埃姆斯);1886年获纽约州伊萨卡康奈尔大学的博士学位。1887～1915年任珀杜大学植物学教授及印第安纳农业实验站植物学教授。在此期间研究了锈菌生活史。1882～1990年任《植物学报》编辑。著有许多论述植物学的著作,如《植物解剖手册》(与C.R.巴恩斯、J.M.库尔特合著,1886)、《现存植物及其特性》(与D.T.麦克杜格尔合著,1898)、《美国和加拿大锈菌手册》(1934)等。

Arthur, Jean　阿瑟(1905-10-17,美国纽约州纽约～1991-06-19,加利福尼亚卡梅尔)　原名Gladys Georgianna Greene。美国电影女演员,以其在一些喜剧片中颇显魅力和风度的

美国不列颠百科全书公司供图

粗哑而低沉的嗓音著称。阿瑟当过模特儿,在百老汇舞台上扮演过小角色,后在无声西部片《卡姆奥·柯比》(1923)中首次登上银幕。在影片《满城风雨》(1935)中显示了喜剧表演才能。她所扮演的矜持、纯真、质朴的女主角的银幕形象受到广泛欢迎。随后主演了卡普拉执导的一系列社会喜剧片,如《第兹先生进城》(又译《富贵浮云》,1936)、《你不能夺去别人的幸福》(又译《浮生若梦》,1938)和《史密斯先生到华盛顿》(1939),还主演了走红影片《只有天使才有翅膀》(1939)、《小城传说》(1942)和《快乐无疆》(1943)等,最后一部影片使她获得奥斯卡奖最佳女演员提名。1944年她的拍片合同期满后退出影坛。后来又重返好莱坞与黛德丽共同主演描写战后柏林的喜剧片《海外恋情》(1948),以及主演了西部经典片《原野奇侠》(1953)。1966年她在自己的电视连续节目《琼·阿瑟节目》中扮演一名律师。70年代期间偶尔在百老汇登台演出。

Arthur Kill Bridge　阿瑟基尔桥　竖向升降桥,1959年建成。横跨美国新泽西州伊丽莎白和纽约州斯塔滕岛之间的阿瑟基尔河。桥的可移动部分长170米,悬吊在两座高66米的塔上,可上升至高出水面41米的位置,以便船只在其下通过。桥上有单线铁路。为当时世界上跨度最长和最高的竖向升降桥。

Arthurian legend　亚瑟王传奇　以描述传奇中的亚瑟(**Arthur**)王为中心的不列颠中世纪传奇故事的总称。中世纪作家,特别是法国作家,对亚瑟王的出生、他的骑士们的冒险,以及他的骑士朗斯洛和亚瑟的王后圭尼维尔的奸情,都有不同的描述。后者和寻找圣杯(基督在最后的晚餐时所用的器皿,后来赠给阿利马太的约瑟)这两件事引起骑士团的解体、亚瑟的死亡和他的王国的覆灭。亚瑟和他的宫廷的故事在11世纪前曾流行于威尔士,通过蒙茅斯的杰弗里所著《不列颠诸王纪》(1135～1139),遂在欧洲备享声誉。亚瑟作为世界征服者的概念显然产生于亚历山大大帝和查理大帝等伟大领袖为核心的传说。克雷蒂安·德·特罗亚(**Chrétien de Troyes**)在12世纪后期引用凯尔特人的素材,在五则冒险故事中把亚瑟塑造为一个神奇国度的统治者。他还把圣杯的故事列入亚瑟王传奇。13世纪的散文故事开始探讨如下两个主题:圣杯的获得和朗斯洛与圭尼维尔的恋爱故事。以朗斯洛为中心的一则早期散文故事似已成为散文《朗斯洛》,又称散文圣杯故事集(约1225)的核心。朗斯洛的主题是通过朗斯洛的儿子圣洁骑士加拉哈爵士而与圣杯故事联系起来的。加拉哈从圣杯中所看到的上帝显圣是尘世中所能看到最完美的,而朗斯洛爵士由于与圭尼维尔通奸,沿着神秘之途前进时受阻。散文圣杯故事集中另一个故事以最早的13世纪故事诗《墨林》为基础,罗贝尔·德·博隆所写的这个故事诗述说了亚瑟的出生、童年时代,以及如何从石头中抽出神剑(参阅**Excalibur**)而赢得王位。通俗圣杯故事集的作者把它改写成散文,增补了一些有关亚瑟的武功的伪托历史故事。散文圣杯故事集中的最后一个故事,包括亚瑟的罗马战役和他与莫德莱作战的描述,另加上一段朗斯洛与圭尼维尔再次通奸的故事,以及朗斯洛和高文爵士随后发生的一场恶战。后来的散文故事称为后散文圣杯故事(约1240),它将特里斯丹故事中的素材并入了亚瑟王传奇。

ārtī　摇灯礼　梵文作ārātrika。印度教和耆那教礼仪,即在神像或受礼人面前挥动明灯。行摇灯礼时,人们念经或唱赞歌,手执明灯按顺时针方向摇3圈。摇灯礼是家庭礼仪的一部分,印度人家庭通常行此礼欢迎贵客。普阇(**puja**)仪式中也包括摇灯礼。

Artibonite River　阿蒂博尼特河　伊斯帕尼奥拉岛上最长的河流。发源于多米尼加共

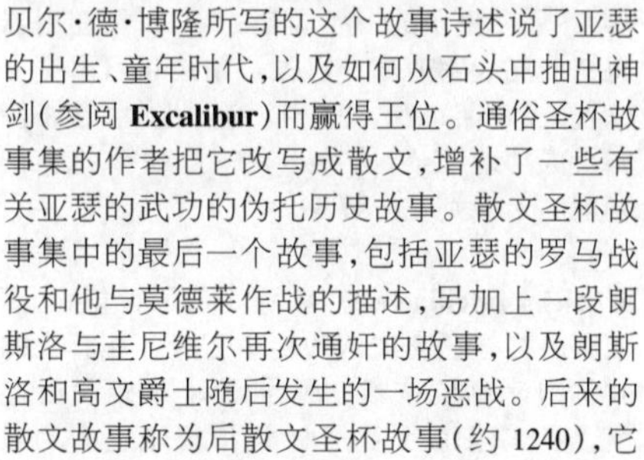

阿蒂博尼特河上的佩利格尔坝
美国不列颠百科全书公司供图

和国境内中科迪勒拉山脉,沿着与海地的边界线往西南流,然后折而向西和西北流入海地境内,穿过肥沃的阿蒂博尼特平原,流程240千米,注入戈纳伊夫湾。上游约有160千米可通行小船。作为阿蒂博尼特河流域农业工程的一部分,1930年开始修建一条控制洪水的堤坝,1956年完成后出现一个浩瀚的人工湖(佩利格尔湖)。佩利格尔水电站于1971年建成,提供海地大部分电力。

artichoke　洋蓟　又作French artichoke、globe artichoke。又称法国洋蓟、球洋蓟、菜蓟。菊科菜蓟属(*Cynara scolymus*)大型蓟状多年生草本植物。未成熟头状花序的肥厚鳞片及底

菊科菜蓟属(*Cynara scolymus*)草本植物
美国不列颠百科全书公司供图

下肉质部分是美味菜肴。地上部分每年开花后枯亡,翌年发新苗,长出莲座状基生叶丛,叶长达1米,深裂,有绒毛。其后发出强壮而分枝的花茎,花浅紫色。4～8年后从根颈生出的莲座叶挤成一团,花序变小,质量也下降。此时,将根颈切开埋植或种植其生根的分株。用种子繁殖的幼苗性状可能与母本不同。洋蓟原产地中海西部和中部地区,在古代已传到地中海东部地区。那时食用其嫩叶而非未成熟花头。其花供食用的类型最早于1400年左右见于意大利的记录。现在洋蓟广泛种植于加利福尼亚、法国、比利时、地中海附近各国及其他土壤肥沃、气候温和潮湿的地区。洋蓟味美,有核桃味。较小的花头通常最嫩。洋蓟花头经烹调浇调味汁食用或做沙拉或开胃菜。菊芋(**Jerusalem artichoke**)为块茎,与洋蓟并不相似。

Articles of Confederation　参阅**Confederation, Articles of**《邦联条例》。

Articulatae(botany)　**节叶门**　参阅**Sphenophyta**楔叶植物门。

articulation　发音　语音学术语。由声道(喉、咽、口腔、鼻腔)中活动器官(如:舌)与其他不活动器官(如:硬颚)的相对接触动作所构成的声道形状。这种形状限制气流的通过而产生语音。主要发音器官有舌、上下唇、上齿、上齿龈、硬腭、软腭、小舌、咽壁、声门。发音动作主要分为两类:主发音动作和次发音动作。主发音动作包括:①构成辅音发音的窄狭通道的位置和方式;②产生元音所需的舌部位置、唇部形状、喉部高低。主发音动作可伴有与其过程无关的其他发音器官的一些动作。例如"舌尖齿龈辅音"的发音包括舌尖动作而使两唇及舌根灵活活动,以便在声道

中进一步构成窄狭通道而发音，即为次发音动作。重要的次发音动作有：俄语或其他语言中的腭化、软腭化、唇化、喉音化和鼻音化。

artificial heart 人工心脏 能在长短不等的时间内维持人体血液循环(以及氧合过程)的机械或机械泵。人工心脏有两个主要的类型——心肺机和机械心。

心肺机 心肺机是一种机械泵，在心脏手术过程中可将血液自心脏引出，将氧气充入血中，再将血液送回体内，从而维持人体的血液循环。心肺机必须包括人工肺(氧合器)及一个替代心脏的泵两部分。从1868年开始将近一个世纪之内，科学家们一直试图设计一种机械装置，可用以补充血液流经组织过程中失去的氧，并移去在此过程中血液中积累的二氧化碳。许多人又努力设计一种能暂时取代心脏作用的泵。人们进行了几十次动物实验，到1953年5月6日，小约翰·H. 吉本终于第一次成功地将人工心肺机用于人体手术。

在一小时或更长一些的时间间隔内心肺机可以接受体重达100千克(200磅)的人的全部静脉回流血液。这血液又被泵回病人的动脉中，其量足以维持对血流量输求最大的中心器官(如脑和神经组织、肝、肾上腺、肾)的生命活动，又能满足病人身体最远端部位的需要。为了满足这个要求，每分钟必须有5 000毫升(约1.3加仑)或更多的血液在流动。心脏免除泵血功能后，可用药物或降温等措施使之停止搏动，又可用加温或电击等方法恢复心搏。同时外科医师可打开心脏修复瓣膜，用其他材料取代瓣膜，或闭合心脏内部的异常孔隙。心肺机只能维持人体的血液循环数小时，若使用时间更长，则血液可因泵的抽吸和充氧的影响而受损害。

机械心 人们一直在进行研究，希望制成可长期取代正常心脏泵血功能又不过分损害全血液体成分及细胞成分的器械。在研究过程中已设计出多种器械并将其试用于临床，这些器械设计来减轻功能受损的心脏的负担而不是完全取代心脏的功能。

一般说，这类器械分两种，一为反搏(舒张期扩充)设备，在心脏两次搏动之间的"休息"阶段该设备将血液脉动式地搏出；一为人工辅助心室，能将正常心脏搏出量的一部分泵出，从而暂时替代心室。在实验条件下使用这些设备，对血液循环，包括心脏，确已带来一定限度的好处，但这些好处的获得是以长期使用会损害健康为代价的。20世纪70年代研制成多种合成材料，可克服多数上述对健康的损害，这对永久性的人工心脏的研制有很大助益。罗伯特·K. 贾维克研制成一种此类设备，1982年12月2日，威廉·C. 德弗里斯将该设备通过外科手术植入一位病人体内。该设备以设计者的姓氏命名，称为贾维克-7号，由铝和塑料制成，用以取代天然心脏的下侧两个腔室——左右心室。该设备有两个橡皮制的隔膜板，用以模拟天然心脏的泵血作用，隔膜板通过软管与位于体外的压缩机相连，从而得以不断搏动。对使用人工心脏的病人来说，血液循环并不绕过肺脏，故血液无需充氧。第一例接受永久性人工心脏的病人存活了112日，后死于移植物造成的多种合并症。以后几个接受人工心脏的病人的情况并不比第一例更好，甚至更坏。人们一致认为，现有技术尚不足以制成功能与天然心脏一样好的永久性人工心脏，这样的人工心脏只能于需要移植天然心脏的病人在获得适合的心脏之前起暂时的替代作用。参阅 **pacemaker**。

artificial insemination 人工授精 不经性交而将精子引进雌性动物阴道或子宫颈内的方法。已广泛用于动物的繁殖和使妇女受孕(因丈夫不能生育或有阳萎)。20世纪初，动物人工授精的实际应用方法在俄国研究成功，30年代传播到其他国家。与动物的自然交配相比较，人工授精的主要优点在于一只公牛或其他雄性牲畜的合乎人类需要的属性能够更快地传给后代，而且可传给更多的后代。一只公牛通过人工授精每年能产生1万只或更多的小牛。实际操作中，从雄性动物得到的精子经过稀释被冷冻起来，可储藏很长一段时间而不失去其繁殖力。待到用时，将精子融化，然后将其引入雌性动物的生殖道。在人类，尽管人工授精的应用仍有争论，但对那些本身具有生育能力，却因丈夫无生育能力或阳萎，故而不能通过性交怀孕的妇女来讲，人工授精已成为一种行之有效的办法。新鲜的精液可从丈夫本人(假若他阳萎)或从其他男性献精者(假若丈夫不能生育)获得，然后在妻子的月经周期的中间，用注射器将精液注入阴道或子宫颈。精液也可事先冷冻起来，储存在精子库中。这项技术已能使妇女成功地怀孕，虽然还有一些棘手的道德问题尚未得到完全解决。

artificial intelligence(AI) 人工智能 研究解决某些通常被认为要用智能才能解决的问题的计算机技术。远早于计算机发展之前，数学家们就看到了计算和智能之间的联系。但是关于智能的实验研究，过去一直限于人的智能。有了电子计算机，情况就不同了，它被看做是第一个人造的能表现智能的仪器，至少从原则上讲是如此。很快就清楚地了解智能和人工智能并不相同。例如，模仿下棋是相当简单的，而要模拟鸟在落树梢时的视觉行为却极其困难。使用人工智能一词就是为了有别于人的智能的研究，尽管人工智能方面的大多数工作是与人所能解决的问题有关，而对于解决这些问题人脑是天然的模型。很多人相信通过研究计算机程序可以了解大脑是怎样工作的。目前，人工智能仍然是一门实验的科学；确实，很难说哪些东西可以形成一个关于智能的广泛的理论。大多数人工智能方面的研究工作可以分成或者是与现实世界有关领域的工作(如语言、视觉、机器人等)，或者是在抽象领域方面的工作(如定理证明、自动程序设计、问题求解、归纳推理等)。这些领域的许多问题都涉及搜索一个很大的可能的空间，这个空间是如此之大，要详尽无遗地考察它是不可能的。就以下棋为例，可能解的数目估计高达10^{120}个，这个数目远远超过了理论上能造出来的功率最大的计算机的能力。一般有两种近似的方法：比较好的是寻找一种"强"的方法——算法，这种算法利用了搜索空间的性质从而能使用有效的搜索技巧。不幸的是大多数搜索空间太不能结构化了，以致不能给出强的方法，所以人们常常必须求助于"弱"的方法，有时候也叫做启发法。启发法可以看做是一些规则，这些规则利用了(大多数是局部地利用了)有关搜索空间的知识去选择似乎更有道理的考察途径。这种启发法可以对可能考察途径指定数值的"优势"值，然后选择优势值最大的途径来进行考察。最近，数值启发法在很大程度上已被放弃，因为它要使用大量的用以识别具体情况并建议采取适当行动的规则。

人工智能的研究已经有许多成就，在下列三方面已写出了实验性的计算机程序：①在人的工作水平上解决化学、生物、地质、工程和医学中的某些疑难问题。②操纵机器人去完成一些有用的、重复的传感运动的任务。③回答用简单的英语方言提出的问题。但是，过去20年中人工智能研究方面的主要成果是在受限制的范围内(通常称为"玩具"问题)，在这些范围内取得好的结果相对说来比较容易，而所用到的技巧却不易推广到更完整的范围中去。这似乎是由于发现了有效实施所需要的信息量远远超过原来预期的信息量，从而导致意外的交互作用。一个重要的研究领域是研究以一种方便而有效的方式对大量的知识进行说明和表示的方法。一种常用的表示法叫做语义网络，是一种像图那样的结构，这种结构把目标、动作、状况和概念联系起来。问题之一是使用一种自然的表示法，当更多的信息加进去时，一个程序可能变得不那么有效了，特别是在不能利用可能的并行操作的单处理机上更是这样。过去所做的大部分研究工作是在相对说来功率较小的单处理机上完成的。日益增长的迹象表明在许多领域中要取得足够的成功，需要比现在所用的要大得多的计算能力。一个存贮量为10^8比特的计算机是否能和一个有10^{10}神经元的大脑竞争，这是不清楚的。每个神经元能存贮许多信息单元，具体数目不知道，但可能是以百万计的。即使计算机有100万个操作频率为100兆赫的晶体管(总数为每秒10^{14}个简单的运算)，而大脑的神经元以大约100赫的速度在运算(总数为每秒10^{12}个复杂运算)，计算机能否和大脑竞争，也是不清楚的。由于价格低廉的多处理结构的VLSI处理机的可用性，这种情况很可能会改变。同时，人工智能的目标也已变得更小了。许多实验家已经放弃搜索一般的智能，并决定只研究有限范围内的应用。这些有时叫做"专家"系统；他们的目标是在受限制的范围内提供有效的实施。许多人希望将会出现一些人工智能程序，它们将第一次在"计算机在我们的生活中所起的日益增长的作用中扮演一个重要的角色"。

artificial jaundice 假性黄疸 参阅 **carotenemia** 胡萝卜素血症。

artificial organ 人工器官 用来取代人体中无能的或缺失的器官、组织功能的各种机器、装置或其他材料。常见的有人工心脏(**artificial heart**)和起搏器(**pacemaker**)、人工肾即透析(**dialysis**)装置和各种假肢(参阅**prosthesis**)。

artificial respiration 人工呼吸 在自然呼吸停止或接近停止时用某种手法诱导呼吸的医疗操作。这种技术用得及时和得当,便可防止某些因淹溺、哽噎、勒颈、窒息、一氧化碳中毒和电击等造成的死亡。人工呼吸复苏术主要达到两个目的:①建立并保持整个呼吸道的通畅。②在心脏尚有功能活动时使空气和二氧化碳能在肺泡中进行交换。为取得成功,这些操作要及早并持续进行。在人工呼吸法中以口对口法用得最广。在行口对口人工呼吸时,使患者仰卧,清除其口内的异物及黏液,将其下颌向前和向上托起,以使气道通畅,接着急救者将嘴紧贴在患者嘴上并捏紧其鼻孔以防漏气,然后往患者嘴里吹气,吹完急救者即将自己的嘴移开,使患者得以呼气。对患儿可轻按其上腹部以助呼气。每分钟吹气12～15次。还有一种改良西尔维斯特压胸抬臂法:令患者仰卧,背肩垫起以使患者头能充分后仰。急救者于患者头顶位置面对患者、分腿跪姿,双手各抓患者一腕交叉向前(急救者位置),使患者双臂在前胸相交,同时压迫胸腔,然后再向外、后方向(急救者位置)伸展患者双臂。如此动作,频率保持在每分钟12次左右。

artificial selection 人工选择 选择(**selection**)的一类,人类对动物或植物进行选择育种的过程。

Artigas 阿蒂加斯 乌拉圭西北部城市。临夸雷姆河。建于1852年,名圣欧亨尼奥,后因纪念民族英雄J.G.阿蒂加斯改现名。附近农牧区的商业及制造业中心。主要出口牛、牛肉干、羊毛、谷物及水果。有铁路及公路通萨尔托。有一机场。该市位于境内人口最稀少的一个地区。四周为牧区。多石的牧场易受旱灾之害。主要农作物为甘蔗、柑橘、葡萄和玉米。19世纪废除奴隶制后,多数奴隶卖给巴西。到1850年,通婚和战争使纯血统的印第安人几乎绝迹。人口35 119(1985)。

Artigas, José Gervasio 阿蒂加斯(1764-06-19,或许为蒙得维的亚[今在乌拉圭]～1850-09-23,巴拉圭亚松森附近伊比雷) 乌拉圭军人,革命领袖,人称乌拉圭独立之父。1797年加入西班牙军队。1810年参加领导反西独立运动的布宜诺斯艾利斯执政委员会。在拉斯彼德拉斯取得辉煌胜利后,他曾一度包围西班牙人占据的蒙得维的亚。面对西班牙人从巴西调来的葡萄牙优势兵力,他出其不意地将1.6万人撤入阿根廷境内。此后,他鼓吹联邦主义,反对布宜诺斯艾利斯对整个拉普拉塔地区实行中央集权统治。1814年发生内战。他曾占有今乌拉圭和阿根廷中部约90万平方千米的地域。他抵抗葡萄牙人的入侵达3年之久,后终于被击败。自1820年起在巴拉圭过流亡生活。乌拉圭于1828年8月27日获得独立。

artillery 火炮 在军事科学中,由多人操纵的、口径大于轻武器或步兵武器的加农炮、榴弹炮和迫击炮。火箭发射器通常也归入火炮类,因为火箭弹与炮弹的功能大体相同,但是火炮一词通常限于引爆发射药、射出弹头使其沿无动力的弹道飞行的大型身管式武器。现代火炮与轻武器的分界线通常为0.60英寸或15毫米膛直径或口径,膛直径大于此值的算是火炮,小于此值的就是轻武器。加农炮一词系指炮管长,射程远,弹丸弹道比较平缓的火炮;榴弹炮则炮管较短,射程较近,弹丸弹道比较弯曲(两种功能兼备的中间类型的火炮就称为加农榴弹炮);迫击炮的炮管非常短,射程很近,由于发射角大,弹道呈U字形。

现代火炮起源于19世纪下半叶。在此之前,加农炮和迫击炮自14世纪投入使用以来没有什么根本性的变化。这些炮用铸铜或黄铜、铸铁或熟铁制成,按发射的球形弹丸的重量进行分类(如12磅火炮、24磅火炮)。火炮通常部署在马上(供骑兵使用)、战场上(支援步兵作战)和要塞里(保卫海岸及堡垒)。火炮放在由多匹马拉的两轮马车上,称为拖车的四轮马车则携载弹药、工具、零部件和炮组人员。这些武器的射程较近(敌人滑膛枪的射程也较短),这就意味着火炮要部署在目标的能见距离内。在射击时,黑火药发射药会产生巨大的烟尘云,火炮和炮架会因后坐力而后移,因而必须重新推回到发射阵位。然后用炮刷擦拭炮膛,清除火花、火药,再把火药和炮弹从炮口装进,并填至炮尾,火炮才可再次发射。到19世纪末期,液压气动活塞装置使发射后的火炮从炮架顶部后坐,然后大致恢复至射击前的位置。因此,两次射击之间,不需要重新定位(重新瞄准)。用这种方法,只要来得及再装弹就可一发连一发射击。从炮尾装弹而不是从炮口装弹的新装置进一步加快了装弹速度。此时炮管用锻钢制成,炮膛刻有膛线槽,它能使炮弹产生稳定性旋转,这就要求把炮弹做成长形,由威力更大的、以硝化纤维素为基础的无烟火药推动,射程超过了视界。火药与炮弹定装在金属弹壳里,可以迅速装入炮尾。

第二次世界大战以来,习惯上将火炮区分为轻型、中型和重型火炮。口径为105毫米以下的加农炮和榴弹炮称为轻型火炮;大于105毫米小于155毫米的火炮称为中型火炮。轻型火炮在进攻与防御中支援地面军队作战,中型火炮还要加上轰击敌方炮兵、部队集结地域以及作战地域附近后方设施的任务。重型火炮也用于突击后方目标,通常安装在轻型履带或轮式装甲车上。重型火炮以及口径较大的中型火炮用来突击25千米外直径100米的目标区域。为了提高对后方地域的破坏效果,美国和苏联设计了口径仅为155毫米的核炮弹。火炮发射的常规炮弹有高爆弹,用于突击步兵、轻型车辆和飞机;穿甲弹,用于穿透坦克、其他装甲车辆、军舰和加固设施;各类化学炮弹可用于在战场上产生烟幕或照明效果。20世纪初空中力量的出现导致了高射炮的产生,这种火炮一般分为轻型(20～40毫米),中型(40～90毫米)以及重型(100及100毫米以上)火炮。第二次世界大战以来,随着战术导弹的出现,除轻型高炮外的其他所有高炮都被淘汰了,战术导弹也使要塞炮兵实际上消声匿迹了。重型坦克的重要性越来越大,促进了第二次世界大战中无后坐力炮的发展,这些轻型火炮口径最大到105毫米,通过炮尾的喷管排除燃气消除了发射时产生的后坐力。它能发射低速爆破弹,这种炮以及它的无后坐力原理,战后已应用于步兵肩射武器。

Artin, Emil 阿丁(1898-03-03,奥地利维也纳～1962-12-20,德国汉堡) 奥地利数学家,对类域论尤其是一般互反律做出了基础性的贡献。1923年执教于汉堡大学,前此他曾在格丁根大学一年。1937年迁居美国,先后执教于圣母大学(1937～1938)、印第安纳大学(1938～1946)和普林斯顿大学(1946～1958),1958年返回汉堡大学。早期工作集中于二次数域的解析理论和算术理论。1926年,对抽象代数做出了重大进展;次年,运用形式实域理论解决了希尔伯特问题中有定函数问题。1927年,在超复数方面做出了著名贡献,扩展了结合环代数的理论。1944年,发现了具有关于右理想的极小条件的环,现称为阿丁环。为有理数域上的半单代数提供了一个新的基础,并拓展了这种代数的算术理论。他于1925年建立的辫子理论,是对三维空间中结点研究的一个重大贡献。著有《几何代数》(1957)、《类域论》(与J.T.塔特合著,1961)等书。他的大部分论文收入《阿丁文集》(1965)。

artiodactyl 偶蹄目动物 哺乳动物的一个大目,特征为具偶蹄,第3、4趾同等发育,以此支持体重,其余各趾退化;胃复杂,肠长,草食性,为草食哺乳动物的一个大类群。许多种类为人们所熟悉,一度是各大陆占优势的草食动物。食物链中重要的一环。除两极区域及澳大利亚外,各地均有原产者。其分布受气候影响。多数种分布范围广,少数种如亨特氏麋羚及索马里跳羚仅分布东非一小范围内。体中型或大型,骨骼适于奔跑。无飞翔、穴居或水栖种类。其肉、乳、皮、毛和骨均可利用,在经济和文化上具有重要意义。公元前7000年左右近东就开始驯养山羊和绵羊。公元前3000年以前已开始驯养牛和猪。但野生偶蹄类多次被大量猎杀,数目日趋减少,直至近日才开始得到一些保护。多数种类在繁殖地区及取食地区间,以及在不同的取食地间,有季节性迁徙。比起仅仅生活在一个地区来,这样可以保证更多的个体(亦即更大的生物量)得以生存。美洲黑尾鹿(*Odocoileus hemionus*)初雪后离开高海拔的高山夏季草场;冬末雪融化后几周又返回。偶蹄类虽给人以千百成群的印象,但有些单独活动,更多的仅结成家族群。集合成群的意义为便于御敌。当遇到天敌时,群体中一只逃跑,所有其他个体均随之逃跑。年老个体能引导年幼个体寻找水源、取食地或交配处。年轻雄体通常与雌体及幼体分群,但居首的雄兽可能伴随雌兽。雌麅(*Capreolus capreolus*)平时仅与仔兽及前一年所生幼兽在一起,仅在交配季节发情的雌兽才与雄兽共处。赤

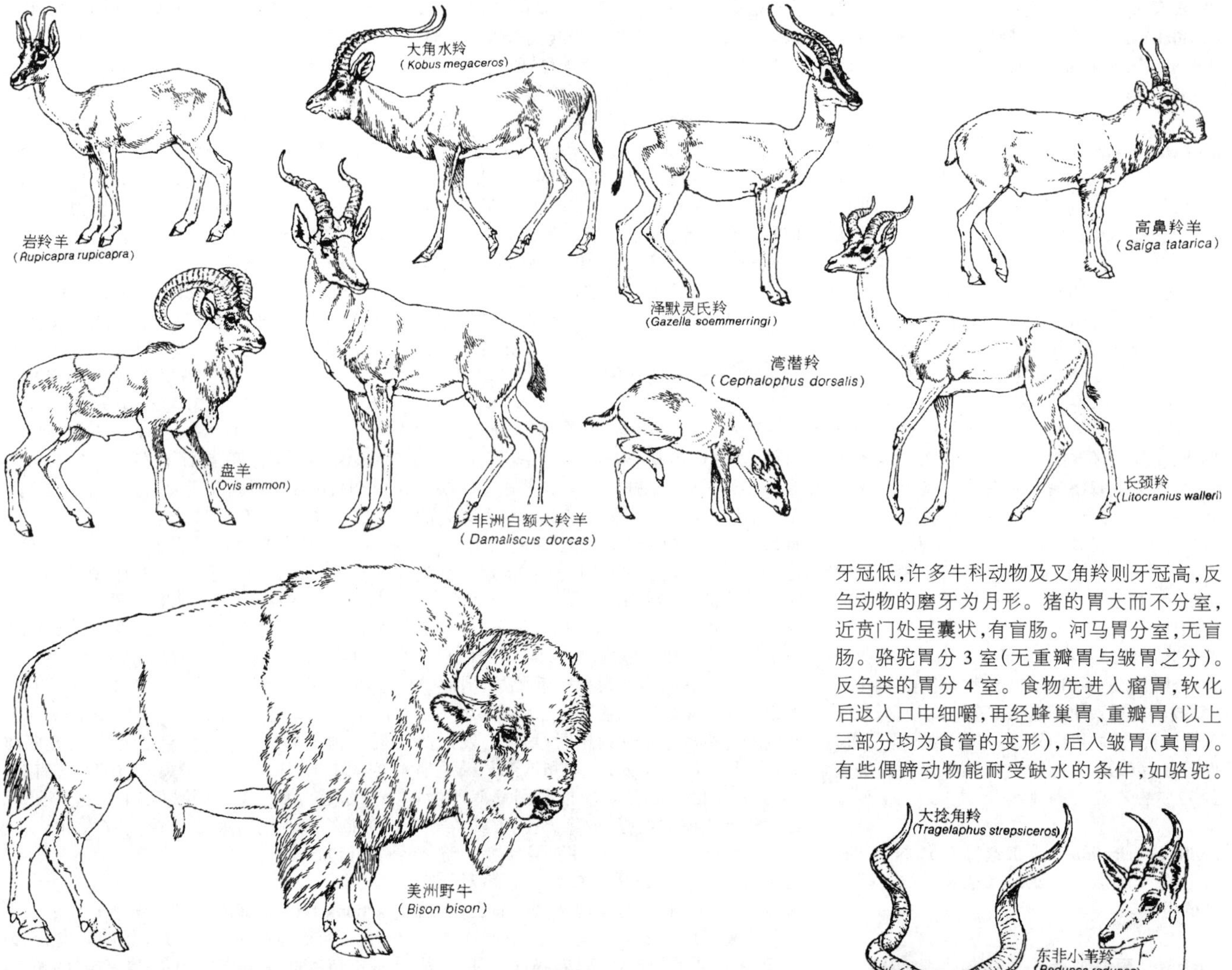

牛类偶蹄动物的体制

鹿的雌体除繁殖期外，与雄体分群。林栖种类独居，仅交配期寻偶。雌驼鹿仅带着当年的仔鹿活动，并驱赶其去年所生的幼兽和其他成体，甚至连小群也不形成。对于独居的动物，要保卫的领域仅指食源和栖居之处。但对于社群性动物，则领域与生育活动有关，且通常仅由少数特定雄兽来保卫。妊娠期随种而异，麂鹿4个月，野骆驼14个月，长颈鹿14个月以上。在温带春季或夏初产仔，在热带多在雨季或雨季后产仔。多数种类每产1仔，但麞(*Hydropotes inermis*)每产2～3仔，白尾鹿(*Odocoileus virginianus*)、麅、叉角羚(*Antilocapra americana*)、蓝牛(*Boselaphus tragocamelus*)、四角羚(*Tetracerus quadricornis*)和高鼻羚羊(*Saiga tatarica*)通常每窝产2仔。野猪几乎不照管幼仔，出生后幼仔自寻乳头。反刍偶蹄类母兽于产后常食去胎盘、胎膜及幼仔的粪尿，并舔舐其体。偶蹄类通常为早成性，初生时体重可达母体重的1/10。为逃避食肉动物捕食，偶蹄类须高速奔跑。疣猪最高时速为每小时48千米，野骆驼为14～16千米，长颈鹿超过48千米，非洲水牛(*Syncerus caffer*)为56千米，汤姆森氏羚超过80千米。偶蹄类以植物为食，无须像食肉动物那样主动地想方设法捕食猎物；但草类食物消化较困难，因此较进化的偶蹄类演化出反刍的本领。植物的营养成分并不差，如嫩草中含有5%的蛋白质、1%的脂肪、3%的矿物质、20%的糖类、71%的水；草长老后，糖类增至75%，水分大为减少。由于消化系统较食肉类为大，而又须逃避天敌追捕，故肢骨特化以求适应。腿的主要支重轴通过第3和第4趾之间，以第3、4趾支持体重，两侧的第2和第5趾退化。踝部距骨上面和下面有圆形关节面，距骨后面与跟骨间也有一个关节，三个关节近乎在互相平行的平面上，因此距骨能垂直转动。尺骨退化。肱骨大，有一个大隆起(大转子)。腓骨退化。股骨有两个隆起(大转子及小转子)，但无奇蹄目所特有的第3转子。骆驼及反刍类腿长。反刍类以趾尖行走，四肢肌远端附着点位置高，仅肌腱延伸至肢端，从而减少惯性对速度的影响。前腿第3和第4掌骨，以及后腿的第3和第4蹠骨愈合成炮骨，这些都适应于快速奔跑。肩带无锁骨。无阴茎骨。鹿类多有角，除驯鹿外，角仅见于雄体。其角连于额骨，实心，分叉；定期脱落并再生，生长期覆以一层具细毛的皮肤。其角用以于发情期争斗，及砍刮树木以标志领域。牛科动物的角两性均有，不分叉，不脱落；长颈鹿的角连于顶骨。最古老的偶蹄类和现代猪属(*Sus*)的种类，上、下颌每侧各有3枚切牙、1枚犬牙、4枚前磨牙和3枚磨牙。在演化过程中，偶蹄类前牙数减少，除野猪犬牙发达外，大多数种类犬牙退化。猪类磨牙牙冠低，许多牛科动物及叉角羚则牙冠高，反刍动物的磨牙为月形。猪的胃大而不分室，近贲门处呈囊状，有盲肠。河马胃分室，无盲肠。骆驼胃分3室(无重瓣胃与皱胃之分)。反刍类的胃分4室。食物先进入瘤胃，软化后返入口中细嚼，再经蜂巢胃、重瓣胃(以上三部分均为食管的变形)，后入皱胃(真胃)。有些偶蹄动物能耐受缺水的条件，如骆驼。

非洲羚羊的角的类型

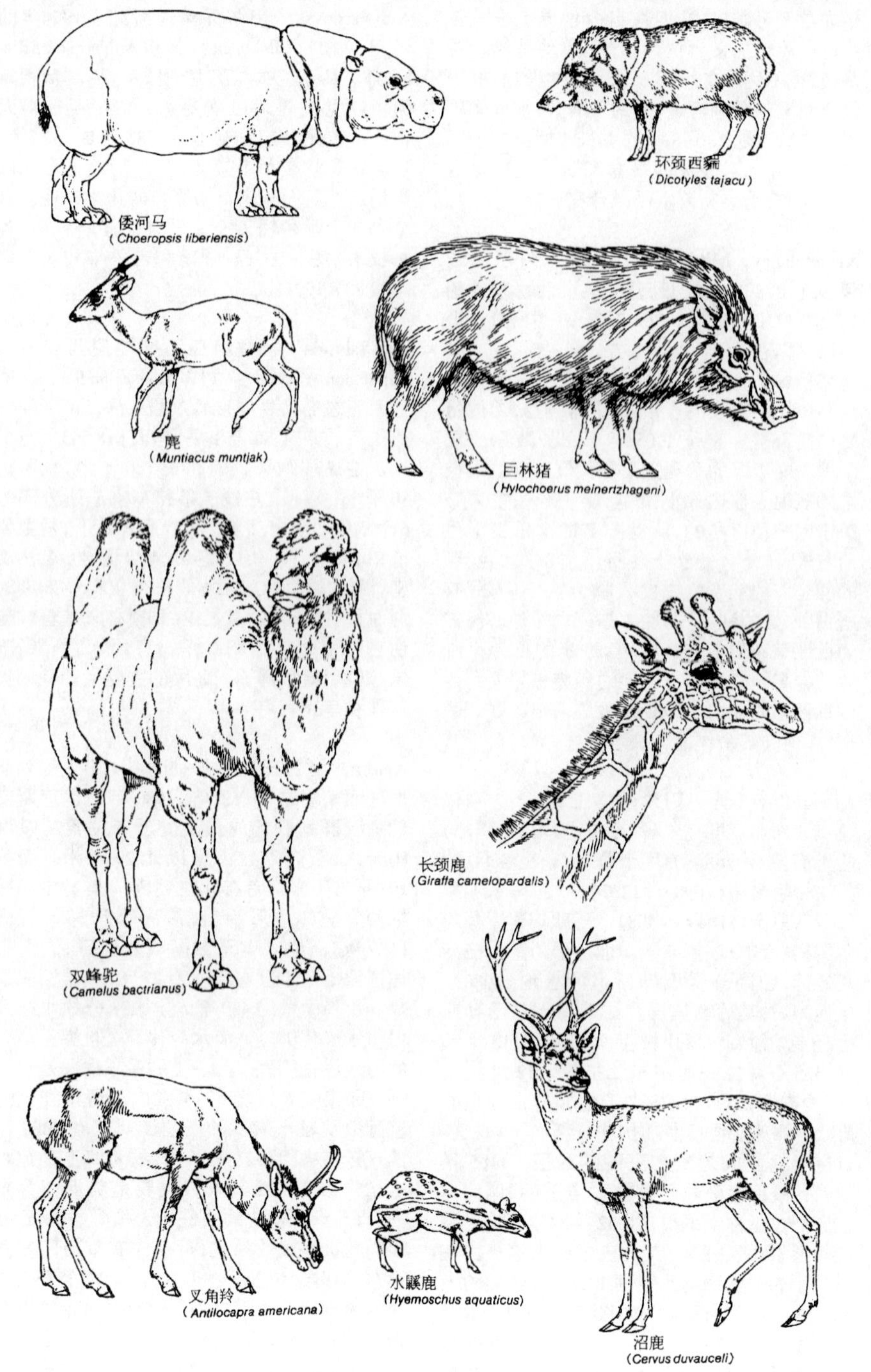

代表性的非牛偶蹄动物的体制

睾丸降至体外阴囊中，但在非繁殖季节可缩回腹腔里。母猪的乳头数较多，反刍类仅有2～4个乳头。

偶蹄类可能由在始新世已绝灭的有踝节类衍生而来。在渐新世时，一度占优势的奇蹄类衰微之后，最原始的偶蹄类一度成为优势的类群。偶蹄目约150种，分为3个亚目：1.猪亚目(Suiformes)。牙齐全，低冠牙，腿短，4趾，有4个附目：(1)古齿附目(Palaeodonta)。已绝灭，生活于始新世至中新世；最原始，脑小；下分两个总科，共8科，约30个属。(2)猪附目(Suina)。包括两个现存科：①猪科(Suidae)。分布于旧大陆，有5个现生属和22个化石属。②美洲野猪科(Tayassuidae)。比猪科少一对切牙和一对前磨牙。犬牙小，颊牙原始，后腿有炮骨。(3)弯齿附目(Ancodonta)。仅河马科(Hippopotamidae)。分布在非洲，现存2种；还有3个绝灭的科。(4)丘齿兽附目(Oreodonta)。已绝灭，2科。2.驼亚目(Tylopoda)。上切牙和前磨牙数减少，磨牙月形，有炮骨，足2趾。现存仅驼科(Camelidae)一科。分布于南美南部、亚洲和北非；红细胞卵圆形，无胆囊。另有3个绝灭科。3.反刍亚目(Ruminantia)。无上切牙，下犬牙似切牙，足2趾。下分两个附目：(1)鼷鹿附目(Tragulina)。①鼷鹿总科(Traguloidea)。仅鼷鹿科(Traguloidea)一科现存。② Amphimerycoidea 总科。均已绝灭。(2)新反刍附目(Pecora)。多有角，无上犬牙，听泡中空，胃4室。①长颈鹿总科(Giraffoidea)。a.长颈鹿科(Giraffodae)。长颈鹿、㺢㹢狓现存。b.Palaeomerycidae 科。已绝灭。②鹿总科(Cervoidea)。鹿科(Cervidae)。现存。下分麝亚科(Moschinae)、麂亚科(Muntiacinae)、白尾鹿亚科(Odocoileinae)及鹿亚科(Cervinae)。③牛总科(Bovidea)。a.叉角羚科(Antilocapridae)。现存。b.牛科(Bovidae)。现存。下分牛亚科(Bovinae，牛类及某些羚)、小羚羊亚科(Cephalophinae，羚)、马羚亚科(Hippotraginae，羚)、麋羚亚科(Alcelaphinae，羚)、羚羊亚科(Antilopinae，羚)及羊亚科(Caprinae，山羊、绵羊)。

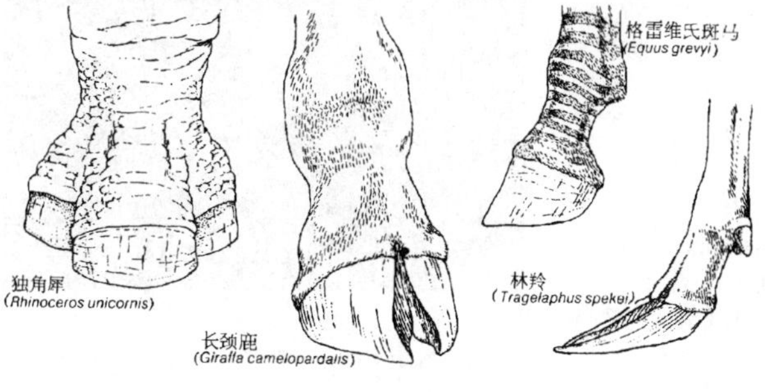

长颈鹿、林羚的偶蹄与犀、斑马的奇蹄的比较

Artis Zoological Garden 艺术动物园 皇家动物学会“自然艺术大师”基金会的别称。荷兰语作 Artis Diergaarde 或 Stichting Koninklijk Zoologisch Genootschap Natura Artis Magistra。1838年由荷兰皇家动物学会建立的动物园，占地面积10公顷，位于阿姆斯特丹，有动物约1 350余种，5 600余只。该动物园主要目的是科学研究，有研究动物行为的实验室和水族馆，并与图书馆和动物博物馆联系密切。

Artois 阿图瓦 法国历史文化区。范围包括法国北部加来海峡省大部地区，相当于前阿图瓦省。阿图瓦和首府阿拉斯由凯撒时代在此居住的阿特雷巴特人得名。9～12世纪属于弗兰德斯伯爵。1180年转属法王腓力二世。1329年起进入勃艮第统治时期。1500年后由哈布斯堡王朝统治。三十年战争(1616～1648)中被法国征服，后通过条约确认了其对此地的主权。第一次世界大战中许多城镇受到严重破坏，战后全部重建。小城镇因青年工人外流，人口进一步减少。当地宗教以天主教为主。20世纪初，一些工业城镇出现基督教小教区。1778年成立的罗萨蒂学会曾在复兴本地区文学方面发挥了作用。

Artois, Charles-Philippe, comte d' (count of) **阿图瓦伯爵** 参阅 **Charles** (France) 查理(法国)项下的 **Charles X 查理十世**。

Art'om (Russia) 参阅 **Artyom 阿尔乔姆**。

Art'omovsk (Ukraine) 参阅 **Artyomovsk 阿尔乔莫夫斯克**。

arts, Western 西方文艺 欧洲及包括美国和加拿大在内的与欧洲有着共同文化传统的地区的文学、表演和视觉艺术。欧洲各国的文艺传统有着许多共同的特点。大多数欧洲文艺都源自古希腊和古罗马的文艺作品。随着基督教的传播,这些共同的特点得到发展,并传遍欧洲。15世纪后期,欧洲文艺风格开始传到新大陆,创造出与欧洲传统盘根错节的美国和加拿大传统。不过美洲土著文艺仍保留他们独特的品质。21世纪初期,西方文艺作品的特点是常能在风格和寓意上跨越国界,尽管各国传统的诸元素还是被保留下来。

Arts and Crafts Movement 工艺美术运动 19世纪后半期英国的美学运动。它标志着整个欧洲对装饰艺术开始作出新的评价。1860年,一些人为工业革命后大量生产的装

1881年W.莫里斯设计的《啄木鸟挂毯》
美国不列颠百科全书公司供图

饰艺术品在式样、工艺和情趣方面水平大为下降而深感苦恼。他们之中有英国诗人、设计家W.莫里斯,1861年他建立了一家室内装饰工匠和制造人公司,致力于维护中世纪工艺准则。莫里斯及其伙伴生产手工制作的金属制品、珠宝饰物、壁纸、纺织品、家具和书籍装帧,许多设计至今仍为设计者和家具制作者所模仿。到19世纪80年代,由于莫里斯的努力,工艺美术运动的影响扩大至新的一代。1882年,英国建筑师、设计家A.H.麦克默多参与建立了工匠"百年行会",这一时期建立的这类组织有好几个。这些人重又采用手工印刷技术,他们拥护在美术和装饰艺术之间没有重大不同的主张。这一运动引起的主要争论是,虽然其产品的质量和美的感染力是无可非议的,但在当今世界上它是否可行。革新主义者认为,这一运动是使时钟倒转,是不可取的。另一方面,19世纪90年代它越来越受到肯定,得到发展,参加者已不限于少数专业人员。它的主张传播至其他国家,与国际上对设计的日益增长的兴趣融合在一起,特别与新艺术派融合在一起。

Artsybashev, Mikhail Petrovich 阿尔志跋绥夫(1878-11-05[旧历10-24],俄罗斯帝国乌克兰哈尔科夫省~1927-03-03,华沙) 俄国散文作家,其作品以极端悲观主义、暴力和色情著称。他的短篇小说最初发表于1901年。1907年发表的长篇小说《萨宁》,为他带来广泛声誉。它是1905年革命失败后泛滥于俄国文学界的悲观主义和犬儒主义的最极端的表现。在这部小说中,非正统派主人公萨宁以一种自私的、玩世不恭的享乐主义生活方式,作为对社会上各种不能解决的问题的回应。他笔下的主要人物否定一切,只有所谓"原始的现实"即性欲与死亡除外。保守的批评家谴责他伤风败俗,进步的批评家则认为他毫无长处可言。他的颓废思想受到苏联批评家的攻击。1923年被驱逐出苏联,《萨宁》和他的其余作品均被禁止。

Artuqid DYNASTY 阿尔图格王朝 统治伊拉克北部迪亚巴克尔省(今在土耳其东南部)的土库曼人王朝。有两个分支:一在希斯恩·凯法和阿米德(1098~1232),一在马尔丁和马亚法里金(1104~1408)。王朝创建者是阿尔图格·伊本·埃克塞卜。他由于为塞尔柱苏丹效劳,曾经分得巴勒斯坦的土地(1086)。但他死后,其后裔被埃及法蒂玛人从巴勒斯坦赶走。他们重返伊拉克北部,从1113年起又沿着幼发拉底河向东北扩展。12世纪中叶,赞吉王朝的兴起粉碎了他们扩张领土的野心。后来,他们参加抗击十字军的战争。1174年他们成为赞吉王朝的封臣。1185年埃及的统治者萨拉丁进攻赞吉王朝,他们马上向萨拉丁称臣纳贡。1232年阿尔图格王朝在希斯恩·凯法的一支被塞尔柱人消灭。在马尔丁的一支苟延残喘到1408年,最后为土库曼黑羊王朝所灭。阿尔图格王朝的艺术显然有塞尔柱风格。与西方的联系使其肖像绘画吸收了拜占廷的因素。纺织品有丝绸和锦缎。建筑遗迹很少。根据历史记载,迪亚巴克尔的王宫是富丽堂皇的。

Artvin 阿尔特温 土耳其东北部城市。临格鲁吉亚边境附近的乔鲁赫河,为当地农畜产品市场。有公路通至西北部黑海港口霍帕,南至埃尔祖鲁姆。该地区多山,森林茂密,耕地有限。主要经济活动有畜牧业、农业(主要生产谷物和经济价值很高的茶、烟草等农作物)以及采铜和炼铜业等。居民中有许多格鲁吉亚人、库尔德人和拉塞人。人口23 137(2000)。

Artyom 阿尔乔姆 又拼Art'om。俄罗斯远东滨海地区城市。1924年建居民点,1938年设市。为褐煤生产中心。有建筑材料、瓷器和钢琴厂。人口约70 100(1991)。

Artyomovsk 阿尔乔莫夫斯克 1924年前名巴赫穆特(Bakhmut)。又拼Artemovsk,Art'omovsk。乌克兰顿涅茨克州城市,临巴赫穆特河。17世纪建为边境要塞。1701年彼得大帝一世在此办起制盐业。1783年成为城镇。现为乌克兰最大产盐区,在此基础上形成以当地产石灰石和焦炭为原料的化学工业。有金属加工业和轻工业。设有盐业研究所、各种技术学院和医药、师范和音乐学校。人口约90 800(1991)。

Aru Islands 阿鲁群岛 印度尼西亚语作Kepulauan Aru,荷兰语作Aroe Eilanden。印度尼西亚东部马鲁古省最东端岛群。位于阿拉弗拉海。共有85个小岛,总面积8 563平方千米。主岛塔纳贝萨南北长180千米,东西宽80千米,实际上是被5条狭窄水道所分隔的6个岛屿。首府多波,位于瓦马岛上,是主要港口,有一小机场。各岛地势低洼,森林茂密,沿海有沼泽。居民是巴布亚与马来人的混血种,信奉万物有灵论,穆斯林和基督教徒住在群岛西部岛屿。作物有西米、稻米、玉米、烟草、糖和椰子。岛民的主要生计是采集珍珠和龟壳等海产。

Aruba 阿鲁巴岛 加勒比海中小安的列斯群岛西南端的一个岛屿,1986年前是荷属安的列斯群岛联邦成员。位于库拉索岛以西80千米,委内瑞拉海岸以北29千米。面积193平方千米。首府和主要港口是奥拉涅斯塔德。全岛地形平坦,最高峰雅马诺塔山(189米)。地表有无数闪长岩巨砾,看上去摇摇欲坠。年平均温度为27 °C,气候极端干燥。年降雨量约430毫米。大部分饮水必须由海水淡化供应。海水淡化厂是世界上最大的海水淡化厂之一。岛上的最早居民是阿拉瓦克印第安人,他们在洞穴内遗留下红色的壁画以及黏土陶器和石器工具。在1499年西班牙占有阿鲁巴岛以后,成为海上劫掠和走私的中心。目前人口主要是美洲印第安人,有非洲人血统的西班牙人和荷兰人,还有少数欧洲移民的后代;近年来有来自印度和远东的移民,以及一些从中美洲、南美洲来的政治避难者。由于过去种植园经济始终没有得到发展,所以没有运入黑奴。荷兰语是官方语言,但日常用语是帕皮亚门托语(一种主

阿鲁巴岛的内陆风光
美国不列颠百科全书公司供图

要从西班牙语、葡萄牙语和荷兰语演变而来的克里奥尔语)。主要宗教是天主教。缺水严重限制了农业的发展,但可继续出口不需要灌溉的芦荟。20世纪20年代至80年代中期经济几乎完全依靠加工冶炼和贮藏来自委内瑞拉的石油。岛上石油冶炼联合企业是世界上最大的石油企业之一,1985年关闭前为岛上居民提供了主要就业机会。炼油厂于1990～1991年重新开工。长长的白沙滩和清澈的海水吸引众多游客,旅游业已成为经济的支柱。荷兰控制着该岛的防务和外交,岛屿政府负责内政。荷兰王室指定的总督是正式的国家元首。部长会议向选举产生的一院制议会负责。1986年1月1日退出荷属安的列斯群岛联邦,这是1996年完全独立的第一步。人口约91 600(2002)。

Arum　疆南星属　又称海芋属。天南星目天南星科的一属。15种。低矮,有块茎,多年生。一些种栽以观赏其鲜艳的佛焰苞及箭形、光泽的叶。植株含苦味的液汁,可产生灼热感,故本属学名来自阿拉伯文的火(ar)。

斑叶阿若母(*A. maculatum*)
美国不列颠百科全书公司供图

这些汁液尤其是发白色的根状茎及亮红色浆果的浓缩的汁液,可能有毒。多数种类的佛焰苞外侧面为暗淡的黄绿色,但也可能为杂色,常卷曲向后露出内表面。色彩鲜艳的种类栽于多荫的野生植物园。著名种有斑叶疆南星(斑叶阿若母,*A. maculatum*),原产于欧洲南部和非洲北部。气温降至冰点以下时,本属植物往往不能耐受。

Arun　阿伦　英格兰西苏塞克斯行政郡一区。属苏塞克斯历史郡。以阿伦河命名。该河发源于西苏塞克斯郡北部边界,向南流经这一区域。区内有"诺曼征服"(1066)后不久建的阿伦德尔城堡。现该城堡为诺福克公爵的居所。该区包括南部丘陵一段和英吉利海峡海岸一部分。面积221平方千米。在英吉利海峡沿岸有许多度假胜地,诸如利特尔汉普顿和博格诺里吉斯。人口约140 787(2001)。

Arunāchal Pradesh　阿鲁纳恰尔邦　1954～1972年称东北边区。印度的一个邦(中国政府不予承认),位于印度最东北部,北邻中国西藏,东界缅甸,南连印度的那加兰及阿萨姆两邦,西界不丹。首府是伊塔纳加。《往世书》对该邦所在的地区有过叙述,据神话故事传说,哲人持斧罗摩在婆罗吸摩贡德地方用斧头辟开山口让布拉马普特拉河水流出去,这里现在成为阿鲁纳恰尔邦东部著名的朝圣中心。本地区的部分土地,16世纪被阿萨姆的阿霍姆人诸王所吞并。1826年英国将阿萨姆划归英属印度,1882年派出一名政治顾问,作为将现在的阿鲁纳恰尔邦所在地区置于英国行政控制下的第一步。1954年,这里成为东北边区,属于阿萨姆邦的一部分。1972年成为中央直辖区,改名阿鲁纳恰尔邦("太阳升起的地方"),1987年成为印度的一个邦。阿鲁纳恰尔邦南起于布拉马普特拉河(本邦境内称迪汉河)的阿萨姆平原,向北伸到东喜马拉雅山脉的主脊线,东边界线很不规则,穿过一系列高耸的山峰,第二次世界大战时称它们为"驼峰",当时许多空运物资飞越这里送往中国。该邦北面与中国西藏的边界线即麦克马洪线,长约890千米,它循着喜马拉雅山脊线走,是中国和印度长期争议之所在。该邦西北部,喜马拉雅山有许多山峰和隘道,山脉平均海拔从西向东逐渐降低,但东北部也有高峰,如达珀山4 578米。喜马拉雅山麓丘陵的主要山脉在该邦西部有米里和达夫拉丘陵(平均海拔1 981米),接近布拉马普特拉河;在该邦东北部有洛希特地区的米什米丘陵,沿着迪班河的上游延伸。阿鲁纳恰尔邦的蒂拉卜地区,在阿萨姆邦与缅甸之间,向西南延伸,也是丘陵地。由西向东邦内主要河流(都是布拉马普特拉河的支流)有卡门、苏本西里、迪班、洛希特和蒂拉卜诸河。

该邦雨量充沛,年降雨量2 000～4 000毫米,大部分集中在5～9月。山坡和丘陵上覆被着高山、温带和亚热带森林,有矮杜鹃、栎、松、槭、枞及桧,柳安(婆罗双)和柚木是主要经济树种。阿鲁纳恰尔邦居民包括许多部族,讲藏缅语族的方言。门巴人住在卡门河以西,养牛,在丘陵梯田上种庄稼。邦尼人住在卡门河以东,具有反叛的名声。阿帕塔尼人是苏本西里河地区的主要民族,他们从事定居性的自给农业,在山坡上有灌溉条件的永久性梯田上耕作。往东去,在迪汉河谷及阿包丘陵住着阿迪人,他们的主要生计是游耕。米什米人在米什米丘陵山坡梯田上种植作物,同南方阿萨姆平原的居民从事麝香、蜂蜡与蔬菜交易。蒂拉卜地区的宛乔人、诺克特人和唐萨人占人口的大多数,从事游耕。该邦人口密度从西向东递减。

阿鲁纳恰尔邦的主要作物有稻米、玉米、黍、小麦和马铃薯,也种植大麦、大豆、辣椒、棉花和水果。储量不多的低质煤、铜、石墨、白云石、石灰石、黏土和铁矿石也有开采。乡村工业有织布、银器、打铁和藤编。邦内大部分地区交通靠小路,但少数大城市有公路联系印度其他地区。由于地形崎岖,空运日益重要。阿鲁纳恰尔大学1984年创办于伊塔纳加。该邦面积83 743平方千米。人口约1 091 117(2001)。

Arundel　阿伦德尔　英格兰西苏塞克斯行政郡阿伦区的一个教区城镇。属苏塞克斯历史郡。位于阿伦河流域。"诺曼征服"(1066)后不久建镇。后为苏塞克斯郡行政区首府并建设石结构城堡。曾为河港,现为宁静的乡村城镇,夏季多游客过往。人口4 233(2001)。

Arundel, EARLS OF　阿伦德尔　英国数位封爵贵族头衔,著名的有菲查伦和霍华德家族。按年代顺序分列于后,并各以●为标记。

● Arundel, Richard Fitzalan, 4th Earl of, 10TH EARL OF SURREY　阿伦德尔伯爵(第四)(1346～1397-09-21,英格兰伦敦)　即R.菲查伦,又称萨里伯爵(第十)。英王理查二世的主要反对者之一。理查二世未成年时,他为王室会议成员,约1381年为国王的监护人之一,约1385年参加由国王的叔父格洛斯特公爵领导的贵族集团,1386年为管理王国和王室事务委员会的委员。作为西海岸和南海岸的海军司令官,他于1387年在马盖特附近的海上战胜法国及其同盟者。后来国王企图逮捕他。但格洛斯特集团很快占了上风,他再次成为王室会议成员。1394年在威斯敏斯特因与国王争吵一度入狱。1397年因参加反理查二世的阴谋而被斩首。

● Arundel, Thomas Fitzalan, 5th earl of, 11TH EARL OF SURREY　阿伦德尔伯爵(第五)(1381-10-13～1415-10-13)　即T.菲查伦,又称萨里伯爵(第十一)。第4代伯爵理查·菲查伦存世的唯一儿子,英王亨利四世和亨利五世的拥护者。理查二世国王命埃克塞特公爵约翰·霍兰监管他。约1398年,他偷偷逃走,到乌得勒支投奔叔父托马斯·阿伦德尔大主教。1399年随兰开斯特的亨利(即后来的亨利四世)一起回英格兰。次年10月重获爵位和领地。他参加博福特家族一派,并成为1411年开往法国的英格兰军队的领导者之一。亨利五世即位后,他出任财政大臣。

● Arundel, Henry Fitzalan, 12th earl of　阿伦德尔伯爵(第十二)(约1512～1580-02-25,伦敦)　即H.菲查伦。都铎王朝时期著名英格兰贵族,曾卷入罗马天主教反对伊丽莎白一世的阴谋。第11代伯爵威廉·菲查伦(1483～1544)之子,1544年继承爵位。1544年参加布洛涅包围战。1546年任宫廷大臣和枢密官。在王位继承斗争中,爱德华六世死后,他支持玛丽一世继位。在玛丽一世时代曾任王室事务总管等要职。在伊丽莎白一世时他继续担任此职。但由于他是天主教贵族的首领之一,受到怀疑,因而一再遭贬黜。1569年卷入第4代诺福克公爵托马斯·霍华德的阴谋案。虽然他似乎接受了西班牙的金钱,但因证据不足,1570年3月获释,被召回王室会议。他由于里多尔菲阴谋案再次被捕,1572年诺福克公爵被处决后方获释。

● Arundel, Philip Howard, 1st (or 13th) earl of, EARL OF SURREY　阿伦德尔伯爵(第一或第十三)(1557-06-28,伦敦～1595-10-19,伦敦)　即P.霍华德,又称萨里伯爵。英格兰贵族,霍华德家族的第1代阿伦德尔伯爵,曾参与罗马天主教反对英格兰女王伊丽莎白一世的阴谋。他是因叛国罪而于1572年被处决的第4代诺福克公爵托马斯·霍华德的长子,其母是第12代阿伦德尔伯爵亨利·菲查伦之嗣女,亨利死后他于1580年2月成为阿伦德尔伯爵。1582年其妻安妮成为天主教徒,他遂被怀疑不忠,天主教徒也把他当做反对伊丽莎白女王政府的中心人物。1583年女王怀疑他参与思罗克莫顿的阴谋活动。他准备逃往佛兰德,但伊丽莎白一世将他禁闭在伦敦的寓所。1584年9月他成为天主教徒,再次企图离开英格兰。结果,他在星法院受审,被判处罚款和终身监禁。后曾一度获释,但再度以叛国罪被捕,1589年被判死刑。判决未执行,后死于伦敦塔。1929年为他举行了天主教宣福礼。

• **Arundel, Thomas Howard, 2nd(or 14th) earl of,** EARL OF SURREY, EARL OF NORFOLK **阿伦德尔伯爵(第二或第十四)**(1585-07-07～1646-10-04,威尼斯共和国帕多瓦) 即T.霍华德,又称萨里伯爵。詹姆斯一世和查理一世时期著名英格兰贵族,以搜集大理石雕刻和手稿闻名。霍华德家族第1代伯爵菲利普·霍华德之子。受教育于威斯敏斯特学校和剑桥大学三一学院。1604年获得其父的爵位和其祖父第4代诺福克公爵托马斯的领地。在詹姆斯一世和查理一世时代几经沉浮,忽而为高官,忽而关入牢狱。1641年前往荷兰,后定居帕多瓦。他为国王的事业捐献过5.4万镑。其产业在内战中损失严重。1644年6月6日封诺福克伯爵。他以赞助艺术和收藏丰富而闻名,死后收藏品分散。大理石艺术品和雕像归牛津大学,后来称为阿伦德尔(或牛津)大理石收藏品;藏书归皇家学会和宗谱纹章院。皇家学会收藏的手稿部分于1831年转归不列颠博物馆,今称阿伦德尔藏书。

Arundel, Thomas 阿伦德尔(1353～1414-02-19) 英格兰政治家和坎特伯雷大主教。第3代阿伦德尔伯爵理查·菲查伦之子。1374年成为伊利的主教。在理查二世在位初期,他支持反对国王的贵族。这个集团迫使理查委任他为英格兰大法官(1386)和约克大主教(1388),直到1389年理查摆脱贵族集团的控制,才将他免职。理查与反对派和解后,1391年再次任命他为大法官。1396年他辞去大法官职务,就任坎特伯雷大主教。翌年国王又罢免他的大主教职务,并将他驱逐出国。他参加流亡海外的博林布鲁克的亨利一边。当博林布鲁克的亨利击败理查并成为亨利四世以后,他于1399年回国,再次就任坎特伯雷大主教,开始反对罗拉德派(约翰·威克里夫的信徒),将其中数人处以火刑。1413年他起诉罗拉德派领袖约翰·奥尔德卡斯尔,处以死刑。他于1407～1409年和1412～1413年两次出任亨利四世的大法官。

Arundinaria 青篱竹属 早熟禾科的一属。约300种,原产于亚洲和美洲。茎木质,圆柱状,叶鞘宿存,刚毛硬而粗糙,小穗状花序。大青篱竹(*A. gigantea*)在美国东南部(从得克萨斯东部和俄克拉何马至大西洋海岸,北至俄亥俄河流域)曾广泛种作饲料。其绿叶和茎可以全年生长,所以在墨西哥湾沿岸是重要的冬季饲料。大青篱竹在潮湿肥沃土壤上生长成丛,尤繁盛于河岸和洼地。其茎还可用来编织篮筐、席子,制烟管轴及钓鱼竿。

Arung Singkang 阿龙·辛康(约1700,西里伯斯～1765,西里伯斯珀尼基) 印度尼西亚布吉人贵族。早年流放婆罗洲,1737年率众回乡,夺取瓦佐的政权。后战胜另一布吉人国家波尼,创立布吉联邦。1739年他袭击驻在望加锡的荷兰军队。荷兰军队对他进行反攻,也未得逞。瓦佐保持独立达百余年之久。1754年阿龙·辛康因内讧而放弃权力。

Arunta(Australian Aborigines) 参阅 **Aranda** 阿兰达人。

arūpa-dhātu 无色界 佛教名词。指无形式存在的境界。参阅 **arūpa-loka**。

arūpa-loka 无色界 梵语和巴利语。佛学中指有生死轮回的三个生存境界之中的最高者,又称无色天。其他两个境界是色界和欲界。无色界中的生存,依据所得禅定阶段而定次第。共分四处,即空无边处,识无边处,无所有处,非想非非想处。色界中不受情欲干扰,但仍受形体的限制,为天神所住之处。色界再细分为大梵天、无量光天、福生天和广果天。欲界包括较低天神所居住的六天界和五道(即人、恶魔、饿鬼、畜生和地狱界)。

Aruqtai 阿鲁台(活动时期15世纪初) 蒙古阿兰族的酋长。他曾与蒙古瓦剌族酋长马哈木结盟,共同击败得到明朝承认的蒙古领袖乌格齐。1423年自立为蒙古大汗,侵袭中国北部。约1425年马哈木之子托欢·帖木儿造反,打败阿鲁台。

Arusha 阿鲁沙 东非坦桑尼亚北部行政区(前称北方区),1963年设置。面积86 100平方千米(包括2 460平方千米的水域面积)。全境可分为热带稀树草原、山地森林和高山区。盛产咖啡。还种植谷类作物、蔬菜、棉花、除虫菊、西沙尔麻和向日葵。开采菱镁矿和海泡石,还有盐、云母、硝石和赭石等矿藏。旅游业很发达,有塔兰基尔国家公园、恩戈罗恩戈罗火山口和恩古尔多托火山口、奥杜威峡谷和马尼亚拉湖等风景名胜。该地区的主要部族有:阿鲁沙、梅鲁、伊拉克夫和马赛人等。首府阿鲁沙城是重要商业中心。人口约1 596 000(1994)。

阿鲁沙城内标志开罗—开普敦高速公路中间点的塔楼

美国不列颠百科全书公司供图

Arvad(Syria) 参阅 **Arwād, Jazīrat** 艾尔瓦德岛。

Arval Brothers 阿尔瓦尔弟兄会 拉丁语作 Fratres Arvales。古罗马的祭司团。其本来职责主要是每年主持献祭以祈祷土地肥沃。它可能具有十分悠久的历史,在共和时代几乎绝迹,奥古斯都时代恢复,可能存留到狄奥多西时代。其成员12人,从最高阶层选出,当选后终身任职,元首政治时期,皇帝也包括在内。

Arve River 阿尔沃河 法国东部和瑞士的河流。源出萨瓦山脉,向北流经日内瓦后注入罗讷河。长100千米,流经阿尔卑斯风景区。上游汇集勃朗峰山岳西北坡溪流,富水力资源。在福西尼地区博讷维尔以下穿过阿尔沃谷地,河谷地势低洼,已高度垦殖。

Arverni 阿维尔尼人 古凯尔特部落。居住在今法国中部奥弗涅地区。其首领韦辛格托里克斯(**Vercingetorix**)公元前52年曾率众抗击凯撒的进攻。虽然当时阿维尔尼人与埃杜维人之间因争夺高卢地区霸主地位而削弱其联合力量,但举义者还是在阿维尔尼人首府戈高维亚(今热尔戈维)击败了凯撒。韦辛格托里克斯终因战败投降。在帝国统治下,此部落安居富庶,将其首邑迁往罗马新兴城市奥古斯托内梅图姆(现代的克莱蒙费朗)。

Arwād, Jazīrat 艾尔瓦德岛 腓尼基语作 Arvad。属叙利亚。在塔尔图斯镇岸外的地中海东部。公元前2 000年初叶由腓尼基人拓居,成为其进入阿西河谷、幼发拉底河腹地及埃及的贸易基地。公元前1100～前625年属亚述统治。公元前604年转归巴比伦。公元前539年隶属波斯。罗马时期其商业地位为塔尔图斯所取代。12～13世纪间被圣殿骑士团占据。1302年为阿拉伯人所攻占。岛上犹存圣殿骑士团和阿拉伯城堡。现今经济以渔业为生。与塔尔图斯有船只相通。

arya-pudgala(in Buddhism) 参阅 **ariya-puggala** 圣者。

Arya Samaj 雅利安社 梵语。现代印度教改革派组织,1875年由达耶难陀·娑罗室伐底(**Dayananda Sarasvati**)创建,其宗旨是把印度最古的经典吠陀重新确立为神启真理。该社历来在印度西部和北部势力最为雄厚。各地设社,各社成立邦社,再联合而成为全印总社。各社民主选举职员。雅利安社反对偶像崇拜、牲祭、祖先崇拜、种姓制度、种姓隔离、童婚、朝圣、祭司巫术和向寺庙奉献。该会致力于发展女子教育和种姓间通婚,建立服务机构、孤儿院和寡妇救济所,赈济饥民,提供医疗服务,并广设各级学校。雅利安社一向是促进印度民族主义发展的重要因素。

Aryabhata “阿耶波多”号卫星 印度第一颗不载人的人造地球卫星,以5世纪著名的印度天文学家和数学家的名字命名。卫星在印度组装,1975年4月19日在苏联境内发射。重360千克,装有探测地球的电离层,测量来自太阳的中子射线和γ射线,以及进行X射线天文学考察的仪器。卫星入轨后第5天,因为电源故障,全部科学仪器停止工作。在此以前卫星已搜集到一些有用的资料。

Āryabhaṭa I 阿耶波多(第一)(476,印度古苏姆布尔～约550) 印度天文学家、现代学者所知的最早的印度数学家,首先懂得运用代数的人之一。于499年用两行诗体写成《阿耶波多文集》,概述了当时的数学知识,书中大部分讨论天文学和球面三角学,也介绍算术、代数和平面三角中的33条规则。此书最大特点是用连分数处理不定方程,本质上已是现代方法。阿耶波多作出了π的近似值3.1416,并在三角学中引进了正矢函数(即1减去角的余弦)。他还认为天空的视转动起因于地球绕轴的转动。

Aryan 雅利安人 源自梵文,意为“高贵”。史前时期居住在伊朗和印度北部的一个民族。他们的语言亦名雅利安语,南亚印欧诸语言就是源自雅利安语的。19世纪,雅利安语一名被用作印欧语的同义语,从狭义上说是指*印度-伊朗诸语言*(**Indo-Iranian languages**)。现在此名在语言学中,仅用于*印度-雅利安诸语言*(**Indo-Aryan languages**)一支。在19世纪中,由于*戈宾诺*(**Gobineau, Joseph-Arthur, comte de**)及其门徒H.S.*张伯伦*(**Chamberlain, Houston Stewart**)的积极鼓吹,出现过一种“雅利安人种”的说法,认为凡是讲印欧诸语言的人们,凡是被认为对人类一切进步有关的人,以及凡是道德上高于闪米特人、黄种人以及黑种人的人,都是“雅利安人种”。北欧或日耳曼诸民族则被说成是最纯粹的雅利安人。这种说法在20世纪30～50年代已被人类学家们所抛弃,却被希特勒和纳粹分子们所利用,并以之作为德国政府政策的依据,对犹太人、吉普赛人以及其他一切非雅利安人采取灭绝措施。

Aryan local race 雅利安地域人种 参阅 **Indic local race** *印度地域人种*。

aryballos 球形瓶 一种细颈的球状的小型希腊瓶,通常用于盛装香水或油,特别是运动员在入浴时使用。其造型源出于几何图形风格(公元前9世纪)的球状酒瓶,在早期的原始科林斯风格(公元前8世纪)中演化出其独具形制。据许多已知年代为公元前8世纪末至公元前7世纪的球形瓶判断,这种器形瓶的发展是从圆形到卵形,然后发展为上部缩小的、头重的形状,最后成为圆形。科林斯类

约公元前650年原始科林斯风格的狮头嘴球形瓶

美国不列颠百科全书公司供图

型的圆瓶,器口颇宽呈圆盘形,有一小耳。后来的球形瓶器口作钟形,有两耳,平底。

Arzamas 阿尔扎马斯 俄罗斯西南部尼热哥罗德州城市。阿尔扎马斯区行政首府。临焦沙河。1366年首见记载。1578年设市。经济以农业机械和食品加工为主。有两所农业技术学院。1802～1862年间俄罗斯第一所州立绘画学校在此处建立。人口约112 000(1992)。

Arzamas society 阿尔扎马斯社 俄国文学团体(活动时期1815～1818)。该社的成立是出于一个半严肃的动机,即为嘲讽由语言学家A.S.希什科夫主持的保守团体“俄罗斯语言爱好者座谈会”而成立。希什科夫想用古教会斯拉夫语言严格约束现代俄罗斯语言。阿尔扎马斯社的成员,包括诗人V.A.茹科夫斯基、K.巴丘什科夫和普希金等,他们都主张进行语言西欧化的改革。虽然该社成员的活动限于用陈旧的斯拉夫文体,创作滑稽讽刺作品,但他们在自己后来的作品中采用的新文体对现代俄罗斯文学语言的形成具有久远的影响。

Arzawa 阿尔萨瓦 古安纳托利亚西部或西南部的王国。虽然它在长时期中是赫梯王国的劲敌,但有时被赫梯国王征服,成为赫梯人的臣藩。在赫梯王国衰落时期阿尔萨瓦的国势达到顶峰,其国王塔尔洪达拉杜曾与埃及的阿孟霍特普三世有书信往来。赫梯国王阿纽汪达斯三世在位时期(公元前1220～前1190),阿尔萨瓦为赫梯的不忠诚的藩属麦都瓦达斯所灭,从此不再属于赫梯,而且逐渐地失去了其政治地位。

Arzew 阿尔泽 阿尔及利亚奥兰省地中海沿岸港口。在梅赫贡河口附近。12世纪为穆瓦希德人的港口。16世纪被土耳其人占领。1837年归属法国。输出石油化工产品、茅草、盐、葡萄酒、粮食和牛。有商业捕鱼。有管道通哈西鲁迈勒天然气田和哈西迈斯欧德油田。有天然气液化厂、化肥厂、硫磺厂和炼油厂。人口53 327(1998)。

Arzila(Morocco) 参阅 **Asilah** *艾西拉*。

Arzner, Dorothy 阿兹纳(1897-01-03?,美国加利福尼亚旧金山～1979-10-01,加利福尼亚拉金塔) 美国电影导演,20世纪30年代在好莱坞能够导演故事片电影的唯一女性。1927～1943年间她导演了17部电影,包括《惊才绝艳》和《跳舞,姑娘》这两部极有影响的女权影片。在洛杉矶长大,1915年中学毕业后曾在南加州大学学医两年,因不喜欢医生的职业而中途退学,在派拉蒙影片公司的前身当打字员,很快提升为剪辑影片。1922年在雷拉特制片厂由R.瓦伦蒂诺主演的史诗式电影《碧血黄沙》中,她以创造性的剪辑,特别是斗牛的几个场景,给派拉蒙的经理们留下很好的印象。20世纪20年代中期为导演J.克鲁兹做剪辑和编剧;其后导演她的第一部影片《女性时尚》(1927年首映)。两年后导演了派拉蒙的第一部有声电影《疯狂派对》(1929)。在拍摄这部影片中她发明了吊杆式传声器。该片还在通常的男女爱情情节上有所创新,更加突出女性的情谊。她的影片完全打破了传统的“妇女片”类型,推出了独立自主、意志坚强的女主角。这些女主角所表现出来的刚毅果断一反过去的陈规老套。1943年在拍摄《义勇当先》一片时,突患肺炎,其后即退出商业性影片制作,而在加利福尼亚的帕萨迪纳剧院建立起第一个电影制作班。第二次世界大战期间曾为美国陆军的女兵导演军事教育片。20世纪50年代为她的好友琼·克劳馥摄制了50多部百事可乐的广告片,当时克劳馥是这家软饮料公司董事会的董事。60年代,阿兹纳在加州大学洛杉矶分校讲授4年电影课程。1975年美国电影导演协会授予她特殊荣誉。

as if, philosophy of 仿佛哲学 汉斯·费英格为其主要哲学著作《仿佛哲学》(1911)一书中的思想体系所定之名。书中提出:为了在一个非理性的世界里安宁地生活下去,人甘愿接受谎言和虚构。汉斯·费英格接受了伊曼努尔·康德的观点,即知识局限于现象而不可能达到自在之物,从而将生活看成一个矛盾的迷宫,将哲学看成是寻求使生活有价值的手段。为求生存,人必须运用意志对现象创立虚构的解释,“仿佛”相信这种反映现实的方法是有理性根据的。至于逻辑上的矛盾则干脆置之不理。这样,在物理学中,人必须认为“仿佛”有一个不依赖认识主体的物质世界;在行为方面,他必须表现得“仿佛”伦理的确实性是可能的;在宗教方面他必须相信“仿佛”存在着上帝。汉斯·费英格的仿佛哲学受到A.叔本华及F.朗格的哲学思想的影响,并因其向美国的实用主义方向发展而为人们所关注。

Asaba 阿萨巴 尼日利亚本代尔州城镇。临尼日尔河。与贝宁城通公路。初为伊博人传统集市中心。1830年英国尼日尔河探险家理查德和J.兰德在此被伊博人俘获。1886～1900年该镇成为皇家尼日尔公司属

地的行政中心。现在是棕榈产品及其他出口农产品的集散中心。位于1965年建成的1 404米长的奥尼查大桥的一端。镇内有纺织厂、师范学院、中学、私立贸易学校和公立医院。附近发现褐煤矿。人口约52 380(1991)。

asafetida 阿魏 一种树胶脂。在印度和伊朗用作咖喱食品、肉丸子和腌菜的调味品;在欧美用作香料及调味品。含有机硫化合物,发出洋葱般的强烈气味,味辛辣。主要从伞形科的臭阿魏(*Ferula foetida*)获得。植株高可达2米。全株可作新鲜蔬菜,成熟茎的中心部分被视为美味。种植4年后收获,在近根部把茎割下,即见乳白色的汁液流出,并迅速凝结成固体的树脂团,开始时半透明,色白如珍珠,但即刻变深,由淡红色而至红褐色。

Asahi shimbun 《朝日新闻》 日本的全国性报纸之一,在影响和发行量方面属日本"三大报纸"之一,在东京、大阪和其他几个地区中心印刷,并在东京发行日报的英文版。《朝日新闻》1879年创办于大阪,从1881年起为村山和上野家族所有。该报尤以其政治报道和国际新闻著称。它在欧洲、亚洲和美国的主要城市都派驻记者,并与20多家国际通讯社有订购关系。与日本的其他两大报纸《读卖新闻》和《每日新闻》一样,《朝日新闻》所刊载的国际新闻较之西方报纸通常所刊载的多得多。其编辑部人员达6 000多人,其中包括记者、摄影记者和外国稿件译员。它的晨报版和晚报版的日发行量为世界最大的发行量之一,到21世纪有1 200万以上的订户。《朝日新闻》的主要读者为上层社会和中产阶级。

Asahikawa 旭川 日本北海道城市。临石狩川,位于重要农业区上川盆地。1889年始有人居住,1893年建立村庄,现为北海道北部铁路、贸易和工业中心。生产酒、纸浆、纸张、

旭川雪节上阿伊努人在用雪堆成的殿堂前跳舞
美国不列颠百科全书公司供图

化工产品和棉纱。地当大雪山国家公园门户。有铁路通札幌。附近有阿伊努人保护地。人口约361 736(1992)。

Asaka 朝霞 日本本州埼玉县城市。位于东京西北,久留米川畔。德川时代为著名的膝折村驿站,1930年改为现名。自19世纪末为轧铜业中心。有铁路与东京联接。现为东京-横滨大都会区的市郊住宅区。设有大型军事基地。人口约106 524(1992)。

Asalluhe 阿萨卢赫 信仰美索不达米亚宗教的苏美尔人所崇奉的神灵。是美索不达米亚东部沼泽地区内埃利都附近库阿尔城的保护神。此神后来与巴比伦的马尔杜克神融合为一。

Asam, Cosmas Damian and Egid Quirin 阿萨姆兄弟 (1686-09-28,巴伐利亚贝内迪克特博伊伦～1739-05-10,慕尼黑;1692-09-01,巴伐利亚泰根塞～1750-04-29,巴拉丁领地曼海姆) 巴罗克艺术晚期的主要代表人物。曾在罗马学习意大利巴罗克传统,作品通常是两人合作完成,以富有热烈的宗教情感而著称。慕尼黑的圣约翰教堂(1733～1746)是其杰作。教堂内高而狭长,上方向下散射神秘的光线,油彩、灰泥、雕刻与镀金的装饰富丽堂皇,天顶画着升向天空的人物,仿佛延伸了建筑空间。其他主要作品还有:韦尔登堡的本笃会大隐修院(1716～1721),其中包括镀金雕刻《圣乔治与龙》(1721);施特劳宾的乌尔苏拉隐修院(1736～1741),其中E.Q.阿萨姆作建筑设计,C.D.阿萨姆作光线及室内装饰设计。

asana (tree) 参阅 **narra** 紫檀。

āsana 坐姿 在印度的瑜伽派哲学中,指身体所采取的一种不动的姿势,其目的在于使精神摆脱对身体功能的注意。这是人们为了达到等持(指精神完全集中时的那种恍惚状态)所要经历的八个规定阶段的第三阶段。实习者一旦能容易地保持身体的一种刻板的、实际上是不自然的姿势,他在某种意义上就"集中于"他的身体(这同他平时放松的状态,即无限制的动态正好相反)。各种不同的坐姿多达32种以上,其中最常见的大概要算"莲花坐"。在印度视觉艺术中,坐姿既指正襟端坐的神祇或人物,亦指其座位。

Asande (people) 参阅 **Azande** 阿赞德人。

Asaṅga 无着(活动时期4～5世纪,生于印度普鲁萨普拉) 印度佛教哲学家,创立瑜伽行派。父为婆罗门,无着兄弟三人原都是说一切有部僧人。他后来改学大乘经典,据说还曾说服其弟世亲改信大乘。无着从弥勒研习瑜伽进而发展弥勒的教义,分析藏识,并阐述修证佛果的各地(即各阶段)。无着著有《摄大乘论》。

Asano Sōichirō 浅野総一郎(1848,日本富山县～1930,东京) 日本实业家。"浅野财阀"的创立者。医生之子。1871年开始在东京经营煤炭。5年后利用煤气厂的废物焦炭生产水泥,生意兴隆起来。1883年购买官营水泥厂,成立浅野水泥公司,奠定了浅野财阀的基础。最后浅野财阀包括有航运、造船、采矿、煤气、电力、石油、钢铁、啤酒等等。迄1929年成为日本第5大联合企业,共拥有17家独资公司、26家子公司、26家分公司和6家合营企业。1947年盟国占领当局将浅野财阀解体,分成一些单独的企业。

Asansol 阿散索尔 印度东北部西孟加拉邦城市。坐落在拉尼根杰煤田中心。为迅速发展的古尔蒂-伯恩布尔工业综合体的中心。有公路大干线和铁路与加尔各答、杜尔加布

阿散索尔市附近的炼钢厂
Shostal 供图

尔及布德万相连。重要煤炭贸易与铁路中心。有大型铁路工厂。工业以纺织与钢铁为主,郊区斋凯纳加尔有大型炼铝厂。设有布德万大学的3所学院。人口:市约261 836;都会区约763 845(1991)。

Asante (people) 参阅 **Ashanti** 阿散蒂人。

Asante empire (West African history) 参阅 **Ashanti empire** 阿散蒂帝国。

āsava (Buddhist philosophy) 参阅 **āsrāva** 漏。

Asbaje, Juana Inés de 阿巴赫 参阅 **Cruz, Sor Juana Inés de la** 克鲁斯。

Asbest 阿斯别斯特 俄罗斯中西部叶卡捷琳堡州城市。位于乌拉尔山脉中段东麓。1720年建居民点。是俄国首次发现石棉之地,因而命名阿斯别斯特(意为石棉)。1933年设市。自19世纪80年代巴热诺沃石棉矿开采以来,该市一直为国内最大石棉产地(约占原苏联石棉总产量的70%)。有石棉选矿厂、医学研究所及矿业学院。人口约84 900(1991)。

Asbestos 阿斯贝斯托斯 加拿大魁北克省南部城镇。在西南尼科莱河附近,魁北克市西南153千米处。经济在传统上几乎完全依赖于石棉采矿和制造石棉产品。由加拿大的约翰斯-曼维尔公司经营的杰弗里露天矿场据说是全世界最大的石棉矿场。1899年设村,1937年设镇。人口6 487(1991)。

asbestos 石棉 可分离出柔长纤维的一种矿物。最著名的是纤蛇纹石(一种纤维状的蛇纹石矿物),约占所有商用石棉的95%。石棉是一种水合硅酸镁,其化学成分为$Mg_3Si_2O_5(OH)_4$。其他类型均属角闪石族矿物,包括纤维状的直闪石、石棉状铁闪石、青石棉(纤铁钠闪石)、透闪石和阳起石。虽然

自古以来人们就知道石棉能够防火，但直到19世纪才在商业上具有重要性。石棉的现代化生产始于1868年意大利的一个石棉矿的开采，1878年开始在魁北克进行大规模开采，20世纪后期，由于石棉有害健康，生产量下降。纤蛇纹石主要与大量的蛇纹石共生，开采出矿石后，先将矿石压碎，然后从周围的材料中分离出纤维。一般采用吹风分离法。用于纺线的纤维至少长1厘米，短纤维用于制造石棉纸、石棉板和石棉水泥建筑材料。石棉纤维性脆，表面光滑，难于纺纱，纤维之间互相打滑，必须混入棉花等表面粗糙的纤维才能纺成线。通常棉花混入量为10%～25%。纤蛇纹石纤维一般都稍带白色，角闪石纤维呈淡绿、黄或蓝色。石棉不易染色，经染色后颜色不匀，且易褪色。石棉除耐热、耐火外，还耐久，能与其他许多材料很好地混合，增加这些材料的强度和耐久性。石棉纤维以前广泛用于刹车带、垫圈和隔热材料，还用于屋瓦、地板、天花板、水泥管和其他建筑材料。石棉纤维还用于安全服和剧场幕布以及公共建筑中的防火帘。70年代，加拿大的魁北克和苏联的乌拉尔地区是石棉纤维的主要产地，美国是世界上最大的石棉制品生产国。但是，从70年代开始，有关石棉纤维对人体健康有害的报道引起了人们越来越大的关注。研究表明，长期吸入石棉短纤维会引起肺部的*石棉沉着病*(asbestosis)或间皮瘤，并迅速恶化成肺癌。70年代这些对健康的危害得到肯定的证实之后，美国和其他发达国家的管理机构开始对工人在工厂中接触石棉加以严格的限制。1989年，美国政府对大多数石棉制品的生产、使用和出口逐步加以禁止。80年代以来，开发了各种代用品替代石棉产品。

asbestosis　石棉沉着病　因吸入石棉纤维而引起的一种肺尘埃沉着病。最初发现于接触石棉的工人(如从事采矿、建筑及制造绝缘材料、耐火材料、水泥制品、汽车制动器等的工人)，后知本病亦可发生于矿区、工厂和建筑工地附近的居民。石棉纤维在肺部存留数年后，引起肺纤维化。本病不同于其他尘肺，少量的石棉即可致病。开始接触石棉数年内可不呈现症状，如第二次世界大战期间接触过石棉的造船工人到60或70年代方产生石棉沉着病症状。吸烟可加重病情。症状为呼吸短促，后期呈干咳，肺纤维化使心脏负荷增加，可继发心脏病，某些罕见的肺癌亦与石棉沉着病有关。1950年起本病发病率上升，可能与工业上广泛应用石棉有关。

Asbjørnsen, Peter Christen; and Moe, Jørgen Engebretsen　阿斯布约恩森和穆(阿斯布约恩森1812-01-15，挪威克里斯蒂安尼亚～1885-01-05，克里斯蒂安尼亚；穆1813-04-22，挪威霍尔～1882-03-27，挪威克里斯蒂安桑)　挪威民间传说搜集者。他们合编的《挪威民间故事》是挪威文学的一个里程碑，对挪威语言的发展影响很大。他们在生活上和工作上相处甚笃，很少被人单独提起，自从1827年他们相识后，即成为"盟兄弟"。阿斯布约恩森20岁时任家庭教师，在挪威东部开始收集民间故事。穆1839年从大学神学系毕业后，亦任家庭教师，假日期间在挪威南部收集民间传说。他们决定把两人所收集的资料汇集出版。当时的挪威文过于丹麦化，不适于记载民间口头文学，而各地方言又有很大的局限。两人决定采用格林兄弟的办法，用质朴平易的语言来代替方言，同时保持民间故事的传统形式。他们最早的一些故事于1837年发表在《北方》上，其他收在《挪威民间故事》(1841)中。该书在欧洲被誉为对比较神话学的重要贡献，并被广泛翻译成其他文字。在挪威它提供了一个文体的样板，大大地影响了近代挪威文学语言的发展。1856年阿斯布约恩森出版了《挪威神话故事与民间传说》(1845～1848)和达尔文《物种起源》的译本(1860)。穆的《诗集》(1850)使他进入挪威最佳浪漫主义诗人的行列。他的《在水井和池塘里》(1851)是挪威儿童文学名著。1853年他受圣职成为牧师，1857年任克里斯蒂安桑主教。

Asbury, Francis　阿斯伯里(1745-08-20，英国斯塔福德郡哈姆斯特德布里奇～1816-03-31，美国弗吉尼亚斯波西尔韦尼亚)　第一位在美国按立的美以美会主教。他虽受教育

美国不列颠百科全书公司供图

不多，却蒙批准在本地布道，21岁加入循道会，在英格兰巡回布道4年。1771年8月自愿前往北美洲工作，次年10月到达费城，不久成为J.卫斯理的主要助手。为执行卫斯理为布道员与布道团体所规定的规则，他要求布道员一律巡回布道。他赞成美国独立，因此，虽然卫斯理所任命的布道员纷纷返回英格兰，他仍留在美洲。1778年成为特拉华州公民。1784年12月，美以美会在巴尔的摩成立，当时卫斯理任命他为该会总监，阿斯伯里辞而不就，认为此职人选应由布道员选举产生。结果他当选为监督，1785年任主教。

Asbury Park　阿斯伯里帕克　美国新泽西州东部蒙茅斯县城市。濒临大西洋海岸。建于1871年，以卫理公会主教派教会第一任美国主教阿斯伯里之名命名。1874年设镇。1897年设市。因拥有4 000座位的大会议厅、供散步用的海滨木板路、沐浴亭及捕鱼设备，该市成为旅游胜地和召开各种会议的理想场所。境内有森塞特湖、迪尔湖及韦斯利湖。附近有长滩历史博物馆，专门收藏南北战争至第一次世界大战期间的历史文物。有电子设备、纺织品、家庭用品等轻工业。人口约16 930(2000)。

Ascalon(Israel)　参阅 **Ashqelon** 阿什凯隆。

Ascanian DYNASTIES　**阿斯卡尼亚王朝**　一个从12世纪至1918年有权势的德意志家族的支系。大熊阿尔贝特首先将家族的封号由伯爵升到侯爵。1134年他被授予北马尔克区，后将之扩展到易北河以东，建立勃兰登堡马尔克。这些地区属于阿斯卡尼亚家族年长的支系，直至1320年无人继承。与此同时，1180年阿尔贝特的幼子贝尔纳德得到在易北河地区的萨克森公爵亨利所属领地。1260年这些领地分成两个公国，即在德意志西北部的萨克森-劳恩堡和在中部的萨克森-维滕贝格，封给贝尔纳德之子阿尔贝特的子嗣。1356年萨克森-维滕贝格成为萨克森选侯区。1423年阿斯卡尼亚家族的这一支绝嗣，萨克森-维滕贝格转归迈森侯爵(属韦廷家族)。萨克森-劳恩堡的阿斯卡尼亚家族的后裔一直传到1689年。阿斯卡尼亚家族的另一公爵领地是安哈尔特，一直维持到1918年。

Ascanius　阿斯卡尼俄斯　古罗马传说人物，英雄埃涅阿斯之子。一说其母为特洛伊的克瑞乌萨。特洛伊陷落后，阿斯卡尼俄斯随父逃到意大利。埃涅阿斯建拉维尼乌姆城，即阿尔巴隆加和罗马的前身。埃涅阿斯死后，阿斯卡尼俄斯继位为拉维尼乌姆之王。拉维尼乌姆建城30年后，阿斯卡尼俄斯又建阿尔巴隆加城，在该地终身为王。但据罗马史学家李维所记，阿斯卡尼俄斯生于拉维尼乌姆建城之后，其母为国王拉丁努斯之女拉维尼亚。阿斯卡尼俄斯又名尤卢斯，包括凯撒家族在内的尤利乌斯氏族，都自称是他的后裔。

Ascari, Alberto　阿斯卡里(1918-07-13，意大利米兰～1955-05-26，蒙札)　意大利赛车驾驶员，1952和1953年世界冠军。原参加摩托车比赛，1940年转向汽车比赛，参加米尔·米格利亚的汽车大赛。1954年入兰奇亚队，同年获米尔·米格利亚比赛冠军。36岁时死于试车事故。

ascariasis　蛔虫病　人蛔虫(*Ascaris lumbricoides*)寄生于人和其他哺乳动物肠内所致的疾病。吞食了污染蛔虫卵的食物或土壤后，蛔虫幼虫在小肠内孵出，移行穿过肠壁，到达肺部引起宿主的过敏反应，导致肺部发炎和水肿；约10天后，幼虫再经呼吸道回到消化道，在小肠内发育成熟。成虫长约15～40厘米。幼虫移行侵犯大脑一类的敏感组织，或成虫钻入身体各部，则引起脓肿和毒性反应。这些并发症每可致命。蛔虫病广泛分布于全世界的农村，据信受染人数约达6.6亿。最主要的预防措施是加强人粪管理。治疗用化学疗法。

Ascaris　蛔虫属　线虫纲蛔虫目的一属，寄生在各类陆生动物(主要是食草类)的肠内。体大型，口周围有3个唇。人蛔虫(*A. lumbricoides*)可能是最常见的人体寄生虫。寄生于猪体内的猪蛔虫(*A. suum*)与人蛔虫大致相同，尚难确定二者有无区别。直接发育。蛔

虫卵被吞入后，幼虫穿过肠壁，由循环系到肺，经一段发育，到咽部，由咽咽下再回到肠内发育为成虫。感染幼虫可能引起肺炎，成虫使患者营养不良，甚至引起腹膜炎。成虫可用哌嗪等药物驱除。参阅 **ascariasis**。

Ascension（Caroline Islands） **阿森松** 参阅 **Pohnpei** 波纳佩。

Ascension **阿森松** 南大西洋英属岛屿，面积 88 平方千米，为东南 1 100 千米处英属殖民地圣赫勒拿岛的属地。岛上有格林山，海拔 859米。除在其山顶种有果树、蔬菜及饲

从格林山巅俯瞰阿森松岛
美国不列颠百科全书公司供图

养牲畜外，全岛几乎都是荒芜的死火山坑和熔岩流。岛上无地表河流，部分淡水由 19 世纪于格林山上建造的蓄水池供给，大部分则来源于海水淡化工厂。沙质海滩因无珊瑚礁保护，时受巨浪冲刷，是全球濒临灭绝的绿海龟仅有的栖息之所；海龟每年 1 ～ 4 月之间在岸上产卵。岛上有大量乌燕鸥，其他鸟类则被野猫捕食殆尽。阿森松于 1501 年为葡萄牙航海家若昂·达·诺瓦于耶稣升天日发现，但直到 1815 年始有人居住。当时英国舰船停泊在该处以监守囚于圣赫勒拿岛的拿破仑。1922 年始，在圣赫勒拿总督之下，设一行政官员，代表英王室治理该岛。该岛为一电信中心，其经济来源主要靠经营岛上的通信设备。这些设备属于海底电缆与无线电公司、英国广播公司、美国国家航空和航天局、美国空军、英国皇家空军以及英、美两国的情报机关等单位。居民约有半数是圣赫勒拿岛上的合同工，其中 200 人左右为美国人，其余是宗主国英国人。岛上无定居居民。由美国工程人员在第二次世界大战期间所建的怀德阿威克机场，在 1982 年福克兰群岛战役中对英国取胜起了关键作用。一夜之间，一支英国海军陆战队建起一座"帐篷城"。英国皇家空军来往于英国和福克兰群岛之间的飞机在中点站阿森松加油。美国飞机从佛罗里达州帕特里克空军基地起飞，经加勒比海的安提瓜岛到达该岛。进入阿森松岛限制很严，经岛上行政官员特准，私人游艇可停泊 3 天。人口约 1 400(1987)。

Ascension **耶稣升天** 基督教教义名词，指耶稣复活 40 天后升上天堂。《使徒行传》第 1 章载，耶稣在 40 天之内多次向使徒显现，此后，使徒目睹他升天，然后隐入云中。《圣经》多处以云象征上帝的临在。《使徒信经》有关于耶稣升天的条文。自 3、4 世纪之交，东西两派教会都规定在复活节后第 40 天为耶稣升天节，举行仪式。基督教徒认为，耶稣升天有重大意义，这是因为他们相信耶稣死而复活之后，要享荣耀并被高举，而且他已回到天父身边。从 5 世纪起耶稣升天一直是基督教绘画艺术的题材。西方 11 世纪以前流行的耶稣升天图显示耶稣从一侧爬上山顶，抓住上帝从云中伸下的手而被接上天，使徒聚集在下面观看。6 世纪叙利亚出现新的画法，后来传到拜占廷。这种画法强调基督的神性，显示基督的正面像，静立，头上有椭圆光环，由众天使承托而起；他手持经卷，作祝福状。这种画中总有圣母马利亚和圣保罗，这一细节不知何所据，因为《圣经》有关耶稣升天的记载中并没有提到马利亚，而根据史实保罗当时并不在场。到了 11 世纪，西方也采用正面表现法，但突出基督的人性：他向两侧展开双臂，显示手上伤痕，头上总有光环，但不总是由众天使承托或簇拥。于是他不再是被接上天，而是凭自己的力量升上天。在文艺复兴与巴罗克时期的绘画中，耶稣升天依然是重要的宗教题材，画中基督仍作显示伤痕之状。

asceticism **苦行主义** 宗教上为了实现精神上的理想或目的而克制自己肉体或心理上的欲望的一种实践。几乎没有任何宗教不具有苦行主义的痕迹和某些特征。

苦行主义源于人们企图达到种种最后目的或理想：如发展"完整的"人，发展人的创造力、思想、自我或熟练的专门技艺。例如，体育的训练以求身体健美为理想，这就要求运动员应保证使身体达到尽可能地高度健康。古希腊运动员在参加奥林匹克竞赛前必须放弃种种正常快乐，忍受艰苦的肉体考验；他们的战士也进行各种苦行实践。这种训练或锻炼也应用于智力、道德生活和精神（宗教）生活。智力训练，如学校教育，要经过刻苦学习；道德训练则训练意志以抵制感官快乐的生活。柏拉图主张压制肉体欲望，以便灵魂能自由寻求知识；斯多葛派认为苦行在锻炼人们控制激情、崇敬人的尊严、维持智人所需的冷静方面是必需的。历史上，苦行主义在加强人的意志及其精神力量方面的价值，使它已成为许多宗教和哲学的一部分。近代哲学家康德、叔本华等也按照斯多葛派的准则坚持苦行主义以培养德行。

对宗教苦行主义的产生和发展起作用的有下列几种因素：①对恶魔的恐惧；②认为人必须用纯洁宗教仪式才能与超自然的上帝接近；③请求上帝注意到祈求者的自我克制；④以苦行实践来求取怜悯、同情和拯救；⑤求赎罪；⑥认为苦行主义是接近超自然力量的一种手段。

苦行主义大致分为 3 种类型：①仪式苦行主义，主要盛行于古代；②锻炼苦行主义，在印度的瑜伽派、八重道、耆那教以及在基督教的修行团中均可找到；③神秘苦行主义，主张以苦行达到神人合一，这在叙利亚的基督教团和某类伊斯兰教派中可找到。

宗教苦行主义的形式主要有：①独身和摒弃世俗的物质享受，这在东方的宗教和天主教中比较普遍；②戒酒和斋戒，这是一切苦行者中最通行的规矩，有些教派还实行素食；③以痛苦为目的，例如故意造成心理上的紧张和痛苦状态，甚至包括自我伤害、阉割和鞭打。

原始的和古代的宗教采取隐居、禁食、阉割较为普遍。东方宗教，如印度的印度教，包括瑜伽派、耆那派都认为人只有从罪恶的七情六欲中解脱出来才能得到解放，因而规定了种种违反人之常情的苦行。但在中国本土的宗教和日本的神道教，苦行主义并不占重要位置。至于西方宗教，犹太教相信上帝创造的人本性是善，所以并不具有苦行主义的性质，只含有一些苦行主义的特点，如斋戒以加强祈祷的效能。琐罗亚斯德教的《波斯古经》还明文规定禁止斋戒和苦行。但在当时的波斯也并非完全没有苦行者。基督教中有各种类型的苦行主义。早期保罗在《哥林多前书》中是主张苦行的，叙利亚的基督教徒是极端的苦行主义者。天主教注重隐修院生活，耶稣会注重乞食为生，都是苦行主义的表现。尽管宗教改革的领袖们不接受苦行主义，但在加尔文宗、清教派和虔信派中，还有某些形式的苦行主义。伊斯兰教在《古兰经》中并不接受隐修制度，但他们中有的教派却曾受苦行主义的影响。

Asch, Sholem **阿施**（1880-11-01，俄罗斯帝国波兰库特诺～ 1957-07-10，伦敦） 波兰出生的美国小说家和剧作家，现代意第绪语文坛上最有争议和颇负盛名的作家之一。出

美国不列颠百科全书公司供图

身于贫寒家庭，就读于库特诺城希伯来语学校。1899 年到华沙，1900 年发表第一篇希伯来文小说，得到高度评价。后根据作家、意第绪语运动领袖佩雷茨的建议，决定只用意第绪文写作，并以《小城》(1904) 一书正式开始其写作生涯，以多产和影响深远著称。所写的大量故事、小说和剧本在欧美广大读者中很受欢迎，作品出版后往往很快就译成多种外文。其创作可分 3 个时期。第一时期是东欧时期，在此期间，他的作品描写发生在东欧犹太小村庄里的悲喜剧，人们既想效忠犹太民族传统又渴求解放。属于这一时期的作品有小说《窃贼莫特克》(1916) 和剧本《复仇之神》(1907) 等，后者于 1910 年由 M. 赖因哈特在柏林搬上舞台，但在其他地方均遭禁演。第二时期是美国时期，他于 1910 年访问美国，1914 年重访，1920 年加入美国国籍。属于这个时期的作品有《摩西叔叔》(1918)、《哈依姆·莱德勒的归来》(1927) 和《不要指责》(1926)。这些小说描写东欧犹太移民在美国所经历的文化和经济冲突。在他一生中，多半时间是在欧洲度过的，并曾对巴勒斯坦进

行过多次长时间的访问。最后一段时期是颇有争议的时期，他试图通过强调犹太教与基督教在历史上和神学伦理上的联系，使两者合而为一：《拿撒勒人》(1943)一书，将基督的一生作为犹太教基本教义的体现，予以重新塑造；《使徒》(1943)则是对圣保罗的研究；《马利亚》(1949)一书将耶稣的母亲视为“上帝的犹太侍女”；《先知》(1955)是一部关于希伯来先知、第二个以赛亚的著作。最后这个时期是悲剧性的岁月，阿施致力于维护自己1906年访问巴勒斯坦时形成的信念，即基督教实质上是犹太教的一种表现形式，“同属一类的文化和文明”。他的许多犹太同胞因他在小说中对《新约》中人物的描写而斥责他为叛徒。

Aščhabad (Turkmenistan)　　参阅**Ashkhabad** **阿什哈巴德**。

Aschaffenburg　阿沙芬堡　德国中南部拜恩州城市。在美因河右岸，近阿沙夫河河口，在施佩萨特山脚，在法兰克福东南35千米。早年为古罗马居民点。1173年设市。1814年归属巴伐利亚。市内有文艺复兴式约翰尼斯堡城堡(1605～1614)、12世纪隐修院教堂等古建筑。市博物馆藏有美术作品。有许多公园，尤以舍恩伍兹最为著名。生产机械和电子产品等。人口约68 607(2003)。

Ascham, Roger　阿谢姆(1515，英格兰约克附近的柯比威斯克～1568-12-30，伦敦)　英国人文主义者、学者、作家，因他的散文风格、提倡口语和教育理论而知名。14岁入剑桥大学，获文学硕士学位。他以对话体写的《射箭爱好者》发表于1545年，是第一部用英语写的箭术书。在序言中，他表现出人文主义者不断增长的爱国热诚，声称是在“用英国语言为英国人写英国事”。曾任伊丽莎白公主的希腊语和拉丁语教师(1548～1550)；后任英国大使莫里逊的秘书数年，周游欧洲大陆。此后任爱德华六世的拉丁文秘书及为伊丽莎白女王起草致外国统治者的信件。《校长》是他最著名的作品，用简单清晰的英语散文写成，1570年出版。

aschelminth　袋形动物　袋形动物门(Aschelminthes)的无脊椎动物，特征为具假体腔(位于体壁与消化道之间的空隙)，身体两侧对称，无体节。袋形动物已知约17000种。

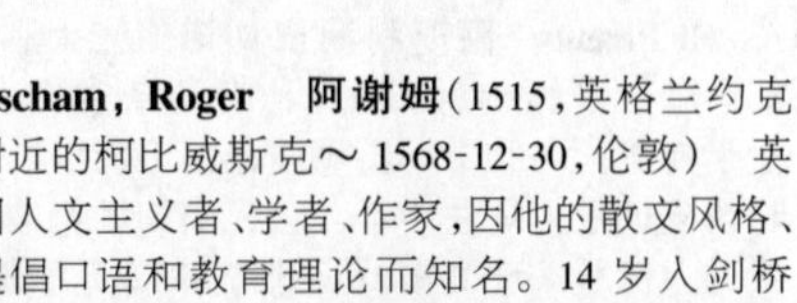

图1　轮虫(玫瑰旋轮虫，*philodina roseola*)的构造

可分为5纲：线虫纲(Nematoda)、轮虫纲(Rotifera)、腹毛纲(Gastrotricha)、动吻纲(Kinorhyncha，又称棘皮纲［Echinodera］)和线形纲(Nematomorpha)。有些动物学家认为这些纲之间差异极大，故均应升为门。①线虫纲是本门最大的纲，含约13 000种，其种类又称圆虫。有的自由生活，有的营寄生生活。分布于咸水、淡水、沙、土壤中，以及动物、植物和人体内。体长0.1～2毫米。主要的移动方式为交替收缩背部和腹部体壁的纵肌，作背腹方向的蛇行运动，但某些种可通过尾腺分

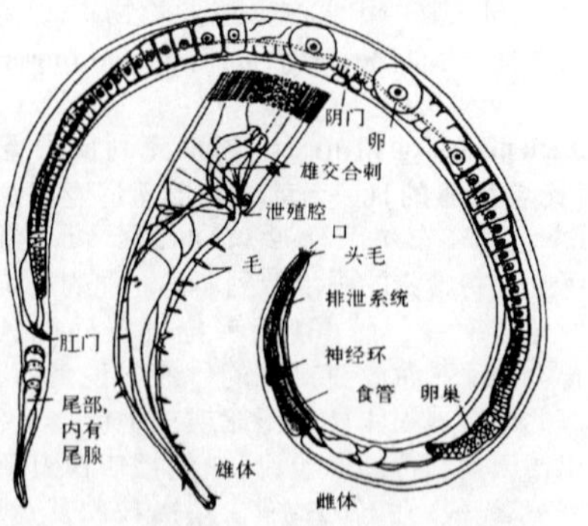

图2　线虫(*Axonolaimus Paraspinosus*)的构造，图示雌体的全貌及雄体的尾部

泌的物质营固着生活。本纲包括蛔虫、蛲虫、粪类圆线虫等。丝虫目(Filariida)的种类是重要的人体寄生虫。②轮虫纲约1 800种，主要分布于淡水，少数种类亦见于咸水。体形微小。通常以有机物质，如细菌、原虫和有机碎屑为食，但少数种类为肉食性。非附着生活类型以身体纤毛轮盘的旋转推动身体前进。③腹毛纲已知约1 800种，主要分布于淡水水体，但也有少数种类分布于咸水。体形微小，蠕虫样，如轮虫一样以微小有机物质为食，借纤毛运动在水面滑行。④动吻纲已知约100种。均分布于海中。体形微小，蠕虫样，头部可收缩，体表分为13或14个节带。与轮虫和腹毛类一样，以小型有机物质为食。其移动方式为：将头部伸展，以带钩的棘刺固着于外物表面上，然后将身体拉向前方。⑤线形纲(毛细线虫)约300种。除游线虫属(*Nectonema*)见于海水外均分布于淡水。体形长而纤细，蠕虫样，长度可达80厘米。成体自由生活，而幼体寄生于蟹、马陆、蜈蚣等节肢动物体内。**曳鳃动物(priapulid)**又称鳃成类，有时被列为一个独立的纲——曳鳃纲(鳃成纲，Priapulida)，但很可能是另一个门。体表有节。肉食性。海产，有时埋于深达500米处洋底的泥中。大部分袋形动物呈蠕虫样，但少数轮虫事实上为球形。除动吻类外其他种类均有尾或尾状构造，用以帮助移动、固着，或交配。多数袋形动物的头部不明显，但动吻类有可伸长和收缩的头部。轮虫的口部绕以一轮纤毛，而某些线形类的成体完全无口。大部分袋形动物体上有刚毛、鳞片或棘刺。袋形动物的身体由三层互相包套的管子组成，即表皮和角皮(体壁的外层和内层)、肌肉以及假体腔。线虫的角皮上有感觉毛，动吻类有节带，轮虫有兜甲。各纲的肌肉差异很大，线虫和线形类只有纵肌，而轮虫、腹毛类和动吻类通常有纵肌和环肌。多数种类的消化道与身体等长，消化道外即假体腔。袋形动物雌雄同体或雌雄异体，卵在雌性体内受精，幼体发育在成体的体外进行。线形类的雄体将精子排入雌体的泄殖腔；线虫的雄体将精子排入雌体的阴门；而一些轮虫的雄体直接将精子通过雌体的体壁注入雌体体内(皮下授精)。线形类、动吻类和线虫的幼体在发育过程中要定期脱皮。线形类的幼体孵出后先自由生活，然后钻入某些节肢动物体内，寄生数周至数月，再离开寄主，又脱皮一次，变成不活跃的成虫。

Aschersleben　阿舍斯莱本　德国萨克森-安哈尔特州城市。位于下哈茨山北缘，马格德堡西南。约初建于11世纪。1266年设市。现为一钾盐矿开采地区的中心。北部有一褐煤矿。该市以栽培良种而闻名，为德国东部提供谷类和蔬菜良种。生产机床、机械、纸张、糖和毛毯。保存有15世纪教堂和16世纪市政厅。人口约31 599(1992)。

Aschoff, Karl Albert Ludwig　阿孝夫(1866-01-10，柏林～1942-06-24，德国布赖斯高弗赖堡)　德国病理学家。1924年发现多种组织内有一些细胞具有吞噬细菌和其他物质的功能，并将这些组织命名为网状内皮系统。曾描述心肌中因风湿病而形成的特有的炎症性结节(阿孝夫氏小体或阿孝夫氏结节)。1889年在波恩获医学学位，1906年后一直任布赖斯高地区弗赖堡大学病理学教授。在该地创建了一所病理研究所，曾吸引了世界各地的学者。

ascidian (marine animal)　　参阅 **sea squirt** **海鞘**。

ASCII　ASCII码　美国信息交换标准码。American Standard Code for Information Interchange的缩写。一种标准的数据传输代码。比较小的、功能不太强的计算机用它来代表文字数据(字母、数字、标点符号等)和非输入设备的控制命令(控制字符)。像其他编码系统一样，它把信息变换成标准化的数字格式，使计算机能以这种格式互相通信及高效地处理和存储数据。ASCII码最初是为电传打字机开发的，后来却广泛地被用于个人计算机。标准ASCII码由7位二进制数字(即每位可以是“0”或“1”)组成。因为7个“0”或“1”有128种不同的排列，所以ASCII码可以代表128个不同的字符。例如，二进制序列1010000代表大写字母“P”，而1110000代表小写字母“p”。因为数字计算机使用的二进制码是按8位一组而不是7位一组(每8位叫做一个“字节”)，所以通常在ASCII码前面再加一位，即后7位是信息位，前面1位是用于检测错误的奇偶位；或者也可以用整个8位来代表特殊符号。采用8位字节后，可以代表的字符数目增加到256个。这种8位码称为扩展的ASCII码，是国际商用机器公司(IBM)在1981年推出的，用于它的第一个型号的个人计算机。扩展的ASCII码很快变成个人计算机的行业标准。ASCII码的128个代码中，第一组32个用作控制码(如“文始”、“回车”、“换页”等)；第二组32个用作数字和标点符号；第三组32个用作大写字母和另外几个标点符号；最后一组32个用作小写字母、剩下的几个标点符号和删字符。还有一种编码系统是EBCDIC(Extended Binary Coded Decimal Interchange Code的缩写)，即扩展二-十进制交换码，用于大型计算机和超小型计算机。

ascites 腹水 组织(含血液)漏出液在腹膜腔(脏层腹膜和壁层腹膜之间的腔隙)内的积聚。最常见的原因为肝硬变、心力衰竭、肿瘤侵犯腹膜及乳糜逸入腹腔。肝病患者在出现腹水之前常有下肢(尤其是踝部)水肿。腹水的典型症状是腹部膨隆、极度不适、腹肌变薄、无力。

asclepiad 阿斯克列皮阿德斯诗体 一种希腊抒情诗体,后来的卡图卢斯、贺拉斯和塞内加等拉丁语诗人都曾采用过该诗体。该诗体核心为埃奥利亚式。有4个扬抑抑扬格的称大阿斯克列皮阿德斯诗体;有3个扬抑抑扬格的称作小阿斯克列皮阿德斯诗体。名字来自公元前3世纪的希腊诗人阿斯克列皮阿德斯。

Asclepiadaceae 萝摩科 龙胆目的一科。280余属,约2 000种热带草本或灌木状攀缘植物,稀灌木或乔木。多具乳汁。花瓣5枚,合生。双蓇葖果。种子通常成簇,具毛,易被

血花马利筋(*A. curassavica*)
美国不列颠百科全书公司供图

风从果中吹出传播。花药和柱头连合成合蕊柱。花粉粒集合成花粉块,每两个花粉块以来自柱头的轭状结构相连。虫媒传粉。一些种能育性低,植株虽然多花,但结果极少。普能马利筋(叙利亚马利筋,*Asclepias syriaca*)和血花马利筋(*A. curassavica*)常栽培作为观赏植物。北美的块根马利筋(蝴蝶草,*A. tuberosa*)花鲜橙色。肉质球兰(*Hoya carnosa*)俗称蜡花,花蜡质,白色,常盆栽于室内。该科的肉质植物,如*Hoodia*属、*Huernia*属、豹皮花属(*Stapelia*)有恶臭,以吸引蝇类传粉。后

肉质球兰(蜡花,*Hoya carnosa*)
美国不列颠百科全书公司供图

两属的种类俗称臭肉花。大王花状瓜子金(拉弗尔斯氏瓜子金,*Dischidia rafflesiana*)是攀缘植物,又称瓶子草,叶瓶状,可贮藏雨水,根长入瓶状叶中吸收水分;蚁类有时从底部咬穿瓶状叶,排去其中积水,充以植物性物质,以为育幼之巢。参阅 **butterfly weed**;**carrion flower**。

Asclepiades of Bithynia 阿斯克列皮阿德斯(比希尼亚的)(公元前124,比希尼亚普鲁萨[今土耳其布尔萨]~约前40,罗马) 希腊医师。将希腊的医学带到罗马。他的影响在罗马延续到公元164年加伦到罗马行医为止。他反对希波克拉底的体液学说,认为疾病的原因是固体微粒压缩或松弛(这学说源出德谟克利特的原子论)。他相信通过新鲜空气、光线、适当的饮食、水疗、按摩及运动,可以恢复和谐。他最早用人道的态度对待精神病患者,将他们从黑屋中解放出来,并且用职业疗法、音乐、催眠药(特别是酒)及运动加以治疗。

Asclepigenia 阿斯克列皮吉尼亚(活动时期430~485) 希腊新柏拉图学派女哲学家、教师、演讲者。其父普卢塔克去世后,与其兄希罗共同阐述东部学派的柏拉图主义。在普罗克洛斯于雅典继承新柏拉图学派宗师后,她将柏拉图和亚里士多德的哲学传授给他,她并传授古老的祭酒神的秘密仪式及通神术。据普罗克洛斯说,这是她从她父亲那里学来的,她父亲从她祖父聂斯脱利那里学来后只单独传授给她。据马里努斯说,普罗克洛斯宣称他从她的讲授中得益匪浅,能在瞬间召唤医神埃斯古拉庇亚斯前来,治愈友人阿基阿达斯女儿之病。在马利努斯继承普罗克洛斯后,她仍很活跃,作为教师,她与其他几位妇女一起继续宣扬该派学说。

Asclepius 阿斯克勒庇俄斯 希腊语作Asklepios,拉丁语作Aesculapius。希腊罗马的医药神。他是阿波罗(医疗、真理和预言之神)和仙女科洛尼斯的儿子。半人半马怪喀

5世纪象牙双连板上的阿斯克勒庇俄斯浮雕像
美国不列颠百科全书公司供图

戎教给他医治的技艺,但是众神之王宙斯担心他会使所有的人长生不死,就以雷霆把他击死。荷马在《伊利亚特》中只说他是一位高明的医生,但后来他被尊崇为英雄,最后则被奉祀为神。对他的崇拜始于色萨利,后来传到希腊许多地方。由于人们认为他能在梦中治病,所以通常都睡在他的神殿里。他的形象常常被表现为一个穿着长袍袒胸站立的人,他的通常的表征是一个有蛇缠绕的手杖。这个手杖是医术的唯一真正标记。那种带双翼并有双蛇缠绕的节杖常常被用作医术的标志,但它实际上同医术并无关系,因为它是赫耳墨斯或墨丘利(神使和商业神)的魔杖。

Ascoli, Graziadio Isaia 阿斯科里(1829-07-16,奥地利帝国威尼斯戈里齐亚~1907-01-21,米兰) 米兰语言学家、方言研究的先驱。强调研究活的本地语言的重要性。曾提出意大利语方言分类模式。他未曾受过任何正规高等教育,但是1854年曾写出其第一部关于东方语言研究的著作。任米兰大学教授期间(1860~1907)研究比较语言学(包括凯尔特语),贡献突出,但其主要著作仍是关于方言学的。1873年创办《意大利语言学报》,任主编直到1907年。曾在该杂志第一卷发表一篇关于曾被忽视的拉脱-罗曼诸方言的论文,第八卷提出了意大利诸方言分类方案。

Ascoli Piceno 阿斯科利皮切诺 意大利中部马尔凯区城市,阿斯科利皮切诺省省会。位于特龙托河和卡斯特利亚诺河汇流处。古时为皮切尼人居住中心。公元前3世纪被古罗马人征服。现多古罗马遗迹,有部分城墙、两座桥、一座戏院、圆形露天竞技场和维斯太庙等。著名中世纪建筑有庄严的圣弗朗切斯科教堂(建于1262)、7世纪的大教堂(1481~1592年间扩建)和13世纪的科莫纳莱宫(由两座宫殿连成,设有美术馆)等。13世纪的民族宫现成为市博物馆。现仍存有中世纪碉堡的墙和城楼。经济以农业为主。工业有化工、纺织和电器厂。人口约53 210(1993)。

Ascomycetes 子囊菌纲 真菌门的一纲,特征为在有性生殖阶段产生囊状的子囊,内含4~8枚子囊孢子。本纲按子囊外有无包被、是否成子囊果以及子囊孢子释放的方式分类。许多子囊菌是植物或动物的病原体,少数可食,还有许多腐生。最大、最常见的子囊菌有羊肚菌(参阅 **cup fungus**)及块菌(**truffle**)。重要的植物病原体如葡萄霜菌(*Uncinula necator*)、致荷兰榆树病的榆长喙壳(*Ophiostoma ulmi*)及致栗疫病的寄生内座壳(*Endothia parasitica*)。苹果黑星菌(*Venturia inequalis*)致苹果疮痂病,亦侵染许多其他植物。或许人类生活最不可缺的子囊菌就是普通酵母菌(酿酒酵母菌,*Saccharomyces cerevisiae*),其变种能发酵面团以制面包、发酵谷粒以制啤酒、发酵麦芽浆以制酒精饮料,椭圆酿酒酵母(*S. cerevisiae* var. *ellipsoideus*)可发酵葡萄汁以制葡萄酒。脉孢菌属(*Neurospora*)约12种,广泛分布;能使焙烤食品及面包发霉;又广泛用于遗传学及生物化学的研究。鹿角菌属(*Xylaria*)约100种,广泛分布。多形鹿

(上)团炭角菌(*Xylaria hypoxylon*);(下)假地舌菌(*Geoglossum fallax*)
美国不列颠百科全书公司供图

角菌(*X. polymorpha*)的子座棒状或指状,形似烧焦的木头,生于腐木或受损伤的树上。虫草属(*Cordyceps*)约100种,属真子囊菌亚纲麦角菌目,其成员通称冬虫夏草。蛹草(*C. militaris*)寄生于昆虫,形成形小、高3～4厘米的蘑菇样结构,顶部亮橙色。麦角菌属(*Claviceps*)与之近缘。紫色麦角菌(*C. purpurea*)寄生于黑麦的子房,形成的菌核称麦角,人畜食之可致麦角中毒。真子囊菌亚纲Helotiales目的地舌菌属(*Geoglossum*)有10种,统称地舌,在土壤或腐木上形成黑至褐色、棒状的子实体。

ascorbic acid　抗坏血酸　参阅 **vitamin C** 维生素C。

Ascot　阿斯科特　英格兰伯克郡温莎-梅登黑德区一地。以其赛马场闻名。每年6月举行为期4天的皇家阿斯科特赛马会(1711年由女王安妮首倡)。另有主要赛事为阿斯科特金杯赛,创于1807年,由3岁以上的马跑4

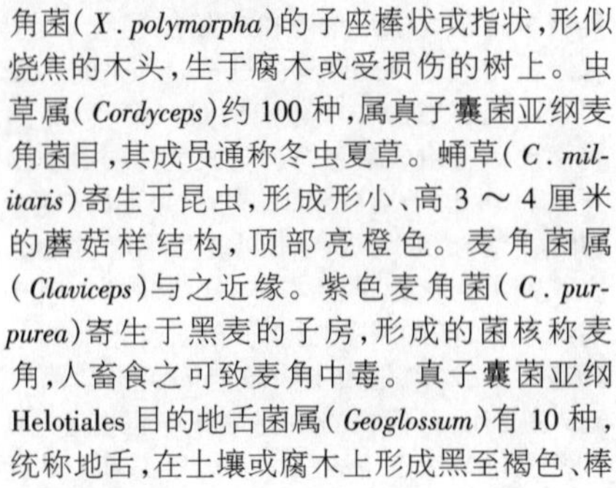

皇家阿斯科特赛马会
美国不列颠百科全书公司供图

公里。

ASEAN　东南亚国家联盟　全称 Association of Southeast Asian Nations。简称东盟。1967年印度尼西亚、马来西亚、菲律宾、新加坡和泰国政府建立的国际组织,旨在加速东南亚地区的经济增长、社会进步与文化发展、促进和平与安全。文莱于1984年加入该组织,后来越南于1995年,老挝和缅甸于1997年,柬埔寨于1999年先后加入。东南亚地区有大约5亿人口,总面积450万平方千米。该组织取代了1961年菲律宾、泰国和马来亚联邦(现为马来西亚)组成的东南亚联盟。该组织提出协作和平与共同繁荣的口号,主要目标是经济合作、促进东南亚国家联盟各国之间以及联盟成员国与世界其他国家之间的贸易、成员国政府间的共同研究和技术合作项目。成立之初的几年较为涣散,越南战争结束后,面对东南亚力量平衡的改变该组织在20世纪70年代中期有了一个新的凝聚力。该地区在20世纪70年代蓬勃的经济发展加强了该组织,使得东盟对越南1979年入侵柬埔寨采取一致立场。东盟首届峰会1976年在印度尼西亚的巴厘岛举行,拟定了多个工业项目的协议,签署了《合作友好条约》和《和睦宣言》。20世纪80年代末美苏两国间的冷战结束使东盟国家可以在该地区发挥更大的政治独立性,20世纪90年代东盟对地区贸易和安全问题有了重要发言权。例如,东盟通过了解决南中国海纠纷的宣言,通过建立东盟地区论坛促进了地区安全对话,将成员国资格扩大到朝鲜,努力解决东帝汶的冲突。1992年成员国减少了区域间的关税并通过成立东盟自由贸易区放松对外部投资的限制。东盟峰会每年举行一次,各成员国首脑均前往参加,每年还举行外长会议。在会议闭会期间东南亚国家联盟的事务由一个常务委员会(成员包括部长会议主办国的外交部长和其他各国的大使)管理。设在印度尼西亚雅加达的常务秘书处由秘书长领导,该职位每3年轮换一次。该组织由若干委员会组成,包括财政、农业、工业、贸易和运输等技术委员会。这些委员会下面有70多个由专家领导的工作组和各种私营组织。东盟每年发表一份年度报告,此外还有一个半月刊《时事通讯》。

ASEAN Regional Forum (ARF)　东盟区域论坛　就和平与安全事务进行官方磋商的首个亚太地区多边论坛。由东盟(东南亚国家联盟的简称)成员国与东盟对话伙伴国每年一度的部长级会议发展而来。提供了一个对话、交往以及针对地区性问题开展合作的场所。首届论坛于1994年7月在泰国曼谷举行,有东盟的10个成员国(文莱、缅甸、柬埔寨、印度尼西亚、老挝、马来西亚、菲律宾、新加坡、泰国和越南),以及东盟的10个对话伙伴国(澳大利亚、加拿大、中国、欧盟、印度、日本、韩国、俄罗斯、新西兰以及美国)参加。巴布亚新几内亚和蒙古于1999年加入,朝鲜则于2000年被接纳为成员。东盟区域论坛在同类的国际组织中是相当独特的,它的制度化程度相当低,只有一致赞成才能作出决定。东盟区域论坛会议由各国外交部长参加,与每年7月举行的东盟部长级以上会议前后相继。论坛主席每年轮换。

Aseb　阿萨布　又拼Assab。埃塞俄比亚厄立特里亚东北红海港口,在阿萨布湾入口处。原为横贯达纳基勒沙漠的商道终点。1882年成为意大利在非洲的第一个殖民地。1962年厄立特里亚并入埃塞俄比亚,阿萨布成为南半部的港口。有公路通德塞。现经营全国1/3的对外贸易。70年代中期以后的厄立特里亚战争使港口的货物运输严重受阻。有港口冷藏设施、盐场、机场、全国第一个炼油厂等。人口约50 000(1992)。

Asela　阿塞拉　又拼Asella、Assela。埃塞俄比亚中南部城镇。是周围牧区和林区的重要商业中心。有全天候公路通北方的纳兹雷特。人口约40 175(1989)。

Aselli, Gaspare　阿塞利(约1581,克雷莫纳[意大利]～1626?,米兰)　Aselli又拼Asellio。意大利医生。因发现乳糜管而对体液循环学说做出贡献。阿塞利在帕维亚任解剖学

美国不列颠百科全书公司供图

及外科学教授,后在米兰开业。1622年他在活体解剖一只术前饱餐过的狗时发现了乳糜管(这种管由肠道将脂肪消化的终末产物运走)。打开腹腔时,他注意到一些条索样物,上面有乳白色液体渗出。经过仔细的重复观察之后,他记述了这些管道,称之为白色乳糜静脉。在他死后出版的《乳糜小管》一书中描述了这些管道。书出版于1627年,恰在英国医生哈里的《心脏运动论》一书之前,哈里似乎不知阿塞利的工作。

Asen I (Bulgarian tsar)　**阿森一世**　参阅 **Ivan Asen I** 伊凡·阿森一世。

Aseret Yeme Teshuva　十赎罪日　英语作 Ten Days of Penitance。指犹太教历一年的最初10天。参阅 **yamim nora'im**。

Aset (Egyptian religion)　**阿塞特**　参阅 **Isis** 伊希斯。

Asfi (Morocco)　**阿斯菲**　参阅 **Safi** 萨菲。

Asgard　阿斯加尔德　在古斯堪的纳维亚神话中,指诸神的住所,相当于希腊神话中的

奥林波斯山。传说阿斯加尔德分成12个或更多的领域，其中瓦尔哈拉是奥丁的家和在尘世阵亡的英雄的住所；特鲁德海姆是托尔的领域；布莱达布利克是巴尔德尔的家。每一重要的神都有自己的殿堂。许多日耳曼民族相信，诸神邸宅的布局和他们的贵族的邸宅相似，只有通过虹桥才能从人间到达阿斯加尔德。

Ásgrímsson, Eysteinn　奥斯格里姆松（约1310～1361-03-14，挪威海尔吉西特尔隐修院）　冰岛修士，天主教时期冰岛最佳宗教诗《百合花》的作者。该诗记述从创世至最后审判的经过，附有25节忏悔诗和1篇对圣母马利亚的祈祷文。他抛弃了游吟诗人的繁复冗长的滥调，创造了一种流畅生动的叙事风格。

ash　梣　木犀科梣属（*Fraxinus*）植物。约70种，产于北半球。乔木，许多种树型优美，可材用。叶对生，复叶，小叶奇数，稀单叶，通常落叶。翅果，含种子一粒。树皮含葡萄糖苷

欧洲梣（*F. excelsior*）的果和叶
美国不列颠百科全书公司供图

梣皮精，可用作滋补药。花多不显著，无花瓣，少数种类有瓣。欧洲南部的有花梣（*F. ornus*）高达21米，花米色、芬芳，小叶7枚，树胶可提取轻泻药。香白蜡树（*F. cuspidata*）产于北美西南部，花似有花梣，小叶3～9枚，株高达8米。喜马拉雅白蜡树（多花梣，*F. floribunda*）高30米，小叶7～9枚，花有花瓣，簇生，花序长达30厘米。欧洲梣（欧洲白蜡树，*F. excelsior*）高近30米，小叶7～11枚，有一个枝条下垂的类型。白色梣（美国白蜡树，*F. americana*）稍矮，小叶5～9枚。墨西哥梣（乌德氏梣，*F. uhdei*）树冠宽广，在墨西哥城沿街普遍种植；除干旱和极冷季节外，通常为常绿；高达18米；小叶5～9枚。亚利桑那梣（毡毛白蜡树，*F. velutina*）亦产于温暖地带，乔木，高达13米，小叶窄，3～5枚。

ash cone（volcanic deposits）　**火山灰锥**　参阅 **cinder cone** 火山渣锥。

ash-leaved maple　参阅 **box elder** 梣叶槭。

Ash Wednesday　大斋首日　基督教节日。为大斋的第一天，即耶稣复活节的六个半星期以前，亦即2月4日和3月11日之间。又译作圣灰星期三。根据现代天主教惯例，把棕榈主日（即复活节前的星期日）所使用的棕榈叶烧成灰，在大斋首日用这灰在礼拜者额上划一十字。新教的安立甘宗、信义宗和其他一些派别也是在这一天举行礼拜。而东正教的大斋期则是从星期一开始，因此无此节日。

Aʿshā, al-　艾厄沙（570以前，阿拉比亚杜尔纳～约625，杜尔纳）　全名迈蒙·伊本·凯斯·艾厄沙。伊斯兰教以前时期阿拉伯诗人。他的抒情古诗《格西特》为评论家艾布·俄拜德（825卒）收入著名的《悬诗》中。《悬诗》收有7首伊斯兰教以前时期的长诗，每篇均被该诗作者认为是自己的最佳作品。根据多位汇编者的看法，诗集的内容略有不同。艾厄沙青年时期漫游美索不达米亚、叙利亚、阿拉比亚以及埃塞俄比亚等地，双目失明后，仍继续沿阿拉伯半岛西岸游历。此后，为了生计开始创作颂诗，文体重音律和浓重的外来词语，结果往往趋于矫揉造作。

aṣḥāb（Islām）　参阅 **Companions of the Prophet** 撒哈比（圣门弟子）。

Ashanti　阿散蒂人　又拼Asante。住在加纳中南部以及同多哥和科特迪瓦毗邻地区的居民。绝大多数阿散蒂人住在原独立的阿散蒂国首都库马西市周围地区。讲特维语——属尼日尔-刚果语系克瓦语支，并构成阿欠诸部落的一支。现虽有少数在城市居住和工作，但多数仍居住农村务农，种植大蕉、香蕉、木薯、薯蓣、可可薯蓣等以供应当地市场，种植可可以供出口。社会组织的基础是母系家系，氏族成员们自称来源于同一女祖先。同一氏族的成员互相帮助，如建房、农耕、扫路及丧葬等活动中都是如此。族长负责族内和睦相处及与邻族来往事宜，同时也是本族祖宗灵位之守护人，负责沟通生、死两界之间的关系。村庄的头人选自特定的家系，各村的家系不同。头人主要是在长老会议的辅助下排解内部纠纷。在传统的阿散蒂国家内，各

加纳-阿散蒂人村落的头人（左坐者）
美国不列颠百科全书公司供图

村组成地区；主村之头人即为地区之终身领袖，该村议事会即为地区议事会。首都库马西之终身领袖即是全部联盟的首领。阿散蒂人统一的象征是一金凳，据称传自上天，所有领袖对此宣誓效忠。母后（实际常是国家首领之姊妹）负责咨议国务并被奉为民族亲缘关系之权威，一旦首领空位，母后有权提名候选者。国家首领主要负责宗教及军务，但现已过问世俗事务了。虽然有些人信奉基督教和伊斯兰教，但传统的宗教信仰依然是一位至上神明、众多神灵和永存的祖先之灵。

Ashanti empire　阿散蒂帝国　Ashanti又拼Asante。18～19世纪占有今加纳南部的西非国家，其疆域西起科莫埃河，东达多哥山脉。在18世纪的奴隶贸易中很活跃。19世纪末能成功地抵抗英国入侵。在奥塞·图图即位之前，阿散蒂人民对宗主国登基腊和一些邻国所进行的斗争成效甚少。但奥塞·图图经过一系列的征战，粉碎所有的反对力量，成为新阿散蒂国的国王，建都于库马西。他以金凳作为权力的象征。18世纪起阿散蒂向英荷两国商人供应奴隶，交换用以扩张领土的武器。奥塞·夸杜沃（1764～1777在位）、奥塞·夸梅（1777～约1801在位）和奥塞·邦苏（约1801～1824在位）诸王选才任贤，建立起强大的中央集权国家。1807年奥塞·邦苏占领芳蒂族的南部领土。1863年阿散蒂王国派兵占领沿海诸省，再次打击英国势力。1869年英军占领埃尔米纳。1874年加尼特·吴士礼爵士率远征军向库马西进军。外来的入侵引发了北部省份多次分离叛乱。同年，英国将南部诸省组成黄金海岸殖民地。阿散蒂国王科菲·卡里卡里被废黜，曼萨·邦苏（1874～1883在位）执政后试图使阿散蒂政府机构适应改变了的形势，改组军队，任命欧洲人担任高级军职，增加国家的财力，防止支持北部分离势力，反对库马西中央政府的英国政治代理人复辟旧政权。后由普伦佩一世继承，阿散蒂王国依然走下坡路。1902年1月1日英国宣布阿散蒂为直辖殖民地。在英国统治下，20世纪30年代成立阿散蒂联邦会议，恢复阿散蒂国王的王位，但为挂名元首。参阅 **Akan states**。

Ashanti Region　阿散蒂地区　西非加纳的行政区，曾为阿散蒂古王国中心，该王国于1902年为英国吞并。面积24 389平方千米。夸胡高原将阿散蒂分为两个地区。森林茂密的南部高地向南倾斜，高度由300米降至150米，有普拉河支流和博苏姆推湖及一些零散的丘陵。农业发达，出产加纳大部出口作物，包括可可、玉米、油棕、生姜和稻米。当地粮食以大蕉和木薯为主。有木材加工和采矿工业，奥布阿西和科农戈开采金矿，尼纳欣产铝土矿。首府库马西（**Kumasi**）为运输和商业中心。居民多住在农村小村落中。夸胡高原北部为地势起伏的热带大草原地区。有沃尔特河流过。11月至次年3月哈马丹（干燥的内陆风）季节形成周期性干旱。产薯蓣、稻米、玉米和木薯。由于舌蝇猖獗，土壤贫瘠，缺乏交通设施，农业人口分散。在阿夫拉姆河以东设有库贾尼禁猎区。在苏米索附近的沃尔

特湖滨有迪吉亚国家公园。人口约1 996 821(1980)。

ʿĀshar min Ramaḍān, Madīnat al-　阿沙尔 埃及伊斯梅利亚省西部城市。位于下埃及尼罗河三角洲以东。1977年按规划兴建的工业中心。有塑料、制药、电器设备和医用器械以及木材加工等工厂。70年代后期市内建有住宅、学校、医院和清真寺等。从开罗去伊斯梅利亚的沙漠公路经过南郊。人口 8 509(1986)。

Ashʿarī, Abū al-Ḥasan al-　艾什尔里(873或874,伊拉克巴士拉～935或936,巴格达)阿拉伯伊斯兰教教义学家,以将思辨教义学家的唯理方法与伊斯兰教正统派教义融为一体而著名。在其早年编写的《伊斯兰教学派言论集》一书中,艾什尔里搜集了各派教义学家对伊斯兰教诸神学问题的各种观点。约从912年起,通过对《古兰经》(伊斯兰教的经典)和逊奈(伊斯兰教的习俗和行为准则的重要组成部分,它源自穆罕默德的言行)的进一步研究,他在教义学上更趋正统化。他创建了一个教义学的新流派,后世的著名作家如加扎利和伊本·赫勒敦均自称为该派信徒。艾什尔里出生于巴士拉。当时,该城是伊拉克境内知识分子极其活跃的中心之一,又是伊斯兰世界和世界文明的中心。尽管对其学说持反对态度的某些教义学家予以否认,但大多数人认为他是著名的撒哈比(圣门弟子)艾布·穆萨·艾什尔里的后裔。这使他理所当然地成为当时的阿拉伯穆斯林贵族成员,他也因此而得到良好的教育。当时的记载表明,艾什尔里家的财富足以保证他能够专心致力于研究和学习。他的著作,尤其是《伊斯兰教学派言论集》第一部分以及后期历史学家的叙述,表明艾什尔里早期属于当时主要的教义学派别——穆尔太齐赖派。他成为阿布·阿里·祖巴仪的得意门生,后者是伊斯兰教历第三世纪末(9世纪末和10世纪初)该派在巴士拉的领袖。艾什尔里在40岁之前一直是该派成员。在那段时期里,他搜集了各派对于伊斯兰教教义要点的不同意见,并将其汇编成书。这本书即《伊斯兰教学派言论集》现在版本的第一卷,它对了解穆尔太齐赖派教义是非常有价值的。它是追溯伊斯兰教义学初创期历史的最重要的资料之一。在40岁时,也就是当他成为一个教义学家并以他的善辩和著作而远近闻名时,他与老师祖巴仪决裂,并摒弃了穆尔太齐赖派学说,而转向了持更传统或更正统观点的伊斯兰教教义。他逐渐清楚地看出,在他以前的论辩中,真主的实在和人类的实在变得毫无作用和极其枯竭,以致变为与理性操纵的物质几乎没有区别。当意识到穆尔太齐赖派教义学理论的"枯竭"后,艾什尔里毫不犹豫地公开表明其新的信条,而原穆尔太齐赖派的信徒开始与其前盟友展开论战。在演讲和文章中,他甚至驳斥其年迈的老师祖巴仪的论点。可能就是在这一时期,他对自己的第一本著作即《伊斯兰教学派言论集》加以修改,补充客观的评注,使之与其新信条更为协调。在这同时,他编写了《灿烂经书》,此书清楚地表明了他与穆尔太齐赖派的决裂。艾什尔里以前的老师祖巴仪915年死于巴士拉。在这之前,艾什尔里就已决定以巴格达作为自己宣讲教旨的中心。在抵达首都后,他很快开始意识到由阿赫默德·伊本·罕百里的弟子们组成的逊奈派组织所显示出来的重要性。随即艾什尔里编写了(或许是进行最后的润色)《教义声明》。这是他最著名的文章之一,其中有些章节表现出对罕百里的崇敬。在随后几年,艾什尔里在巴格达安顿下来后,开始吸收自己的门生。通过对神秘主义者穆哈西比及其他两位教义学家伊本·库拉巴和喀拉尼西的某些见解的评述,艾什尔里着重阐述了自己的教义学观点,从而为建立一个既不同于穆尔太齐赖派,又不同于罕百里学派的新学派奠定了基础。他的3个最为著名的弟子是巴希里、苏鲁吉和伊本·穆贾希德。他们将其师的学说传授给后来兴盛起来的呼罗珊学派。在艾什尔里死后,他的弟子们逐渐理清其学说的主要脉络,最终使他的学说成为艾什尔里学派的标志。

Ashbee, Charles Robert　阿什比(1863-05-17,英国米德尔塞克斯艾尔沃思～1942-05-23,肯特塞文欧克斯戈登格林)　英国建筑师、设计师;19世纪后半期及其以后英国工艺美术运动的创导人。毕业于惠灵顿学院和剑桥王家学院后,热心从事托因比服务所的社会活动,曾被建筑师G.F.博德利收为弟子。阿什比于1887年创办手工艺学校,1904年又创办工艺学校。后者一直开展工作到第一次世界大战爆发才停顿。此外,他还在1888年创办手工艺协会,生产各种装饰工艺品,其中许多凹形银器、珠宝、家具都出自阿什比的设计。协会虽然在1908年停办,但其产品在20世纪早期曾盛行一时,在现代设计上留下不可磨灭的印记。阿什比还经办过埃塞克斯印刷厂,任过古代建筑保护学会会长。1900年阿什比在芝加哥结识了美国建筑师F.L.赖特,为赖特1911年在德国出版的建筑设计作品写了序言。手工艺协会结束后,阿什比一直从事建筑设计。第一次世界大战时期在开罗大学主讲英国文学。1918～1922年还出任巴勒斯坦当局民事和保存建筑遗址顾问。后回到英国,在戈登格林度过余生。

Ashbery, John (Lawrence)　阿什贝里(1927-07-28,美国纽约罗切斯特～　)　美国诗人。以其诗作优美新颖、诗意的朦胧性而知名。1949年,他毕业于哈佛大学,1951年获纽约哥伦比亚大学文学硕士学位。1951～1955年,曾在纽约市作撰稿工作,此后移居巴黎,为《纽约先驱论坛报》巴黎版及美国期刊《艺坛新闻》撰稿,直至1965年。回纽约后,1965～1972年期间,任《艺坛新闻》执行编辑,后在布鲁克林学院讲授诗歌与写作。他出版的第一本作品为《吐朗多及其他诗篇》(1953)。随后出版的有《一些树木》(1956)、《网球场上的誓言》(1962)、《河流与山峦》(1966)和《春天的双重梦》(1970)。他的《凸透镜中的自画像》(1975)获全国图书奖的诗歌奖、普利策奖诗歌奖及全国书评人团体奖。其后的诗集有《以船为家的日子》(1977)、《一个浪头》(1984)、《四月的古帆船》(1988)和《水流图》(1991)。阿什贝里的诗作极难理解,因此读者往往感到迷惑甚至怀有敌意。他的作品以引人入胜的形象、美妙的节奏、错综复杂的形式,以及能造成一种破碎和错乱的古怪感觉的语调和题材的倏忽转换为特点。读他的诗,与其求解其中包涵的意义,不如把它们作为极富暗示的梦一般的沉思冥想来欣赏。

Ashbourne　阿什本　英格兰德比行政、历史郡戴尔斯区的一个教区城镇。为四周农区和去附近达夫戴尔和马尼福尔德谷地的旅游者服务。有圣·渥斯沃尔德教堂(1241)和成立于1640年的最著名的古老济贫院。制造钟表和渔具为当地的小型工业。辞典编纂者S.约翰逊常来此游览。人口7 644(2001)。

Ashburton　阿什伯顿　英格兰德文行政、历史郡特格恩布里奇区的城镇("堂区"),位于达特穆尔东南边缘上。1285年成为锡矿城镇。15世纪建造了圣安德鲁斯教堂。巴克法斯特隐修院(1806～1838重建)的修士制作的阿什伯顿哔叽在16世纪名噪一时,现这座隐修院的修士属本笃会成员。人口 7 664(2001)。

阿什伯顿的巴克法斯特隐修院
美国不列颠百科全书公司供图

Ashburton, John Dunning, 1st Baron　阿什伯顿男爵(第一)(1731-10-18,英国德文郡阿什伯顿～1783-08-18,德文郡埃克斯茅斯)即J.邓宁。英国法官、政治家。曾为被控犯煽动诽谤罪的激进派J.威尔克斯进行辩护(1763～1764),并以曾起草谴责乔治三世支持诺斯勋爵政府的议会决议(1780-04-06)而著称。1768年任副检察长。同年选入议会。1770年大法官卡姆登被免职时,他以辞职表示抗议,并支持反对派。1778年他支持一项解救天主教徒的法案。1780年他所提出的应

美国不列颠百科全书公司供图

该削弱王权的提案以 233 票对 215 票获得通过。1782 年成为贵族。

Ashcan School　垃圾箱画派　20世纪初期以纽约市为基地的一群美国现实主义画家。这群画家中最主要的人物世称“八人画派”。参阅 **Eight, The**。

Ashcroft, Dame Peggy　阿什克罗夫特（1907-12-22，英国伦敦克罗伊登～1991-06-14，伦敦）　原名 Edith Margaret Emily Ashcroft。英国舞台剧女演员，以演经典剧作和现代剧作闻名。在伦敦中央戏剧艺术学校毕业后，于 1926 年在伯明翰轮演剧院上演的《亲爱的布鲁特斯》中首次登台，饰剧中的玛格丽特。1927 年她在伦敦舞台初次露面，但最早引起人们注意的是她 1929 年在《犹太人苏斯》中扮演的诺美。1932 年加入老维克剧团，逐渐享有声誉。她曾刻画萧伯纳笔下的克娄巴特拉、J.德林克沃特的玛丽·斯图亚特和莎士比亚《皆大欢喜》中的罗莎琳德。特别是她在 J.吉尔古德导演的《罗密欧与朱丽叶》（1935）中饰演的朱丽叶为她赢得声誉，被认为是 20 世纪最杰出的朱丽叶。1937 年她在美国首次登台，扮演 M.安德森《高山》中的莉丝。她在英国和在国外巡回演出中塑造过 100 多个剧目中的各种主角，包括经典剧目和现代剧目，无论饰演喜剧角色或悲剧角色都很有才能。其他特别引人注目的角色还有《海鸥》（1936）中的尼娜、《认真的重要》（1939和1942）中的

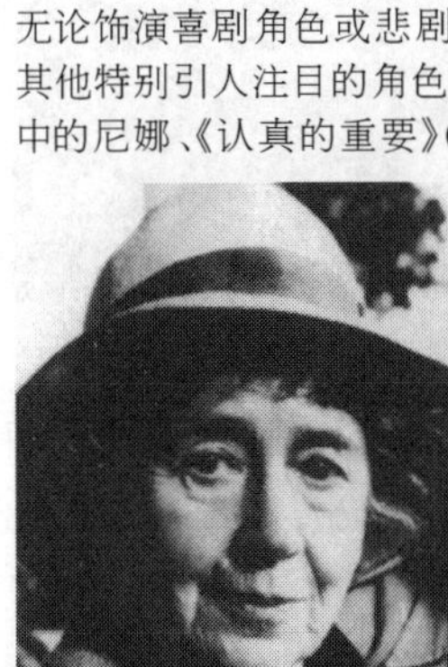

美国不列颠百科全书公司供图

塞西莉、《马尔菲女公爵》（1945 和 1960）中的主角。1933 年步入影坛，珍贵的银幕作品有：已成电影经典之作的希契科克导演的惊险片《三十九级台阶》（1935）、《星期天，流血的星期天》（1971），以及《印度之旅》（1984），并因后者获得奥斯卡最佳女配角奖。她的第一个电视剧角色是《英雄们的影像》（1959）中的朱丽娅，她一年前在舞台上创造过这个角色。她在电视剧《皇冠上的珠宝》（1984）中的演技，博得广泛的称赞。1951 年她被授予大英帝国三等女爵士勋位，1956 年又获英帝国二等女爵士勋位。1962 年在伦敦建立了一座以她名字命名的新剧院。

Ashdod　阿什杜德　巴勒斯坦南部城市。在古非利士地区的沿海平原。原为非利士人五城邦之一。公元前 8 世纪被犹大国王乌西雅攻占，不久即为亚述所据。该城在希腊化时代易名阿佐图斯。罗马时期由庞培划归叙利亚省。拜占廷时代为主教辖区，中世纪时衰落成为村庄。泰勒阿什杜德沙丘下的古城在今城南面的阿什杜德海和城内的泰勒莫尔有外港。20 世纪 50～60 年代美国与以色列考古学家在那里挖掘出了公元前 17 世纪的遗址。当地于 1948 年起划入以色列西南部。新城于 1956 年创建，1968 年设市。位于古城遗址西北偏北 7 千米的海岸上，为全国 3 个国际港口之一和大工业中心。其人工港为以色列南部通地中海的唯一口岸，国内所产柑橘多由此输出。现有合成纤维纺织厂和一些其他工业。此外，还有炼油厂和以色列主要发电厂之一。人口约 76 600（1990）。

Ashe, Arthur (Robert)　阿希（1943-07-10，美国弗吉尼亚里士满～1993-02-06，纽约州纽约）　美国网球运动员，在重大男子单打锦标赛中夺冠的第一个黑人。阿希7岁在他家附

美国不列颠百科全书公司供图

近的一个公园里开始打网球，指导他的是弗吉尼亚州林奇堡的 W.约翰逊，约翰逊曾经是网球冠军 A.吉布森的教练。后来阿希迁居密苏里州的圣路易斯，在 R.赫德林的指导下练球，然后得到一项网球奖学金，从而进入洛杉矶加利福尼亚大学。1963 年阿希获美国硬地网球单打锦标赛冠军；1965 年摘取了大学校际网球单打和双打桂冠；1967 年赢得美国沙地球场单打冠军。1968 年获美国业余网球单打冠军和单打公开赛冠军。他作为美国队的成员参加了 1963～1970、1975 和 1977～1978 年的戴维斯杯赛，并在 1968、1969 和 1970 年帮助美国队在戴维斯杯对抗赛（决赛）中取胜。1970 年他成为一名职业选手。由于他批评南非的种族隔离政策，未能获准参加南非的公开赛。后来，1970 年 3 月 23 日，南非被拒于戴维斯杯赛之外。1975 年阿希夺得温布尔登单打冠军和世界锦标赛单打冠军，名列世界网坛榜首。1980 年退出职业网球比赛，1981～1985 年担任参加戴维斯杯赛的美国队队长。1979 和 1983 年，阿希接受了冠状动脉分流手术。1992 年 4 月他透露，可能在动手术期间输了受污染的血液，从而感染了艾滋病病毒。阿希在他的余生花费了相当多的时间向公众进行有关艾滋病的教育工作。

Asheboro　阿什伯勒　美国北卡罗来纳州中部城市，兰道夫县县城。位于乌哈里山林区。1796 年创建，1843 年设市。1936 年附近发掘出一史前印第安人墓场。原为乡村贸易中心，1889 年通铁路，建起了几家木材厂，利用来自迪普河和乌哈里河的水能。伐木业及木制品业占重要地位。另建有大型袜厂、针织厂及室内装饰品制造厂。附近有北卡罗来纳动物园及著名的锡格罗夫陶器村。人口 21 672（2000）。

Asher　亚设　《圣经》时代以色列人十二支派之一，组成以色列人，后即为犹太人。亚设支派定居在巴勒斯坦北部，与腓尼基人杂居。公元前 922 年以色列所罗门王死，该国分裂，北部十个支派称以色列国，南部二个支派则称犹大国。公元前 721 年，以色列国为亚述所灭，十个支派（包括亚设派）流散，后为其他民族所同化，不再成其为独立单位。犹太人传说中称他们为失踪的以色列十支派。

Asher ben Jehiel　亚设（本·约希勒）（约 1250，莱茵区［德国］～1327-10-24，西班牙托莱多）　又名罗什。犹太教塔木德文献主要编纂家。德意志当局开始迫害犹太人时，亚设逃往法国，转赴西班牙，靠拉比阿德雷特支持任托莱多拉比，创办犹太教高级学院。亚设认为学习哲学可能会危及塔木德的权威，因此他和其他拉比签署禁令，禁止 30 岁以下的人学习这种学术。阿德雷特死后，亚设被公认为欧洲犹太人的领袖。自 1307～1314 年编纂法典《依法断案记》，立论主要以巴勒斯坦《塔木德》为依据，以严格的态度分析《塔木德》律法。亚设认为，《塔木德》是最高权威，犹太教权威学者的意见如与《塔木德》抵触，即可不必遵从。

Asherah　阿瑟拉　古代西闪米特人所崇拜的女神。是至高神厄勒的配偶，偶尔也称厄勒特。据在乌加里特（今叙利亚境内沙姆拉角）发现的古文献载，阿瑟拉为厄勒生有70

约公元前 1300 年象牙盒上的阿瑟拉浮雕像

美国不列颠百科全书公司供图

位神，叙利亚和巴勒斯坦广大地区都尊她为众神之母。但在实际崇拜中，巴力往往取代厄勒的地位，因此阿瑟拉也就被奉为巴力的配偶，称巴力拉特。

Ashes　骨灰　在英格兰与澳大利亚两个国家代表队之间每两年举行一次的国际板球比赛中获胜的象征。此种比赛始于1877年。1882年澳大利亚队在伦敦奥瓦尔板球场首次战胜英格兰队后，有人出版墓志铭，哀悼英国板球运动已经死亡，声称遗体将火化，骨灰将运往澳大利亚。翌年英格兰队到澳大利亚比赛时，人们把盛着板球门柱灰烬的罐子交给英格兰队队长带回。此罐现在保存在贵族板球场玛丽勒本板球俱乐部总部。

Asheville　阿什维尔　美国北卡罗来纳州中西部城市，班库姆县县城。位于蓝岭山脉中。为大雾山国家公园及切罗基印第安人保留地的东部入口，亦是克罗坦、楠塔哈拉、皮斯加及乌哈里等国家森林总管理处所在地。附近有密西西比河以东地区的最高峰米切尔山(2 037米)。1794年设居民点。1797年设镇。1883年设市。1880年西北卡罗来纳铁路通车至此，该城从而发展为牲畜和烟草集市。工业包括纺织业、家具及电子产品制造业。是去往蓝岭山脉度假的营地。设有北卡罗来纳大学(1927)。市内有小说家托马斯·沃尔夫故居纪念馆。河边公墓葬有短篇小说家欧·亨利。人口：市约68 889；都会统计区约225 965(2000)。

Ashfield　阿什菲尔德　英格兰诺丁汉行政、历史郡一区。面积109平方千米。柯比和萨顿两个主要城镇均为采煤中心，也为诺丁汉郡西部工业区之一部分。人口约107 900(1998)。

Ashford　阿什福德　英格兰肯特行政、历史郡的一个城镇和自治市(区)。1974年在原阿什福德市郊区，东、西阿什福德乡村区和滕特登郡级市和乡村区的基础上设置。面积581平方千米。13世纪获准建立市集。现为铁路中心，生产机车、农具、啤酒和砖。人口：城镇52 002(1991)；区约99 900(1998)。

Ashgill Series　阿什及尔统　又作Ashgillian Series。组成奥陶系的(自下而上)6个地层单元中最顶上的一个，代表在阿什及尔期(4.48亿年前至4.38亿年前)沉积的、全世界范围内分布的所有岩层。这个统的名称，来自英格兰坎布里亚湖区的科尼斯顿附近的阿什及尔板岩，科尼斯顿地区是这个时期沉积岩层的典型地区。在坎布里亚湖区，还有一个考特莱地区，是阿什及尔统岩层的另一个典型地区。大约155米厚的阿什及尔统岩层出现在南威尔士；它所有的岩层都是沉积岩，与之相对照的是下奥陶岩层含有大量火山沉积岩。对于阿什及尔统来说，还没有被国际地层委员会确定的全球层型剖面和层型点(GSSP)。在坎布里亚湖区笔石(*Dicellograptus complanatus*)化石带之底正好出现在阿什及尔统岩层的底之上，对于这个统来说，该化石带之底是可能的确定点。牙形类*Amorphognathus ordovicicus*化石带也出现在这个统里。阿什及尔统的顶可以用上覆兰多弗里统的底来确定，兰多弗里统形成志留系的底。

Ashi　阿西(约352～约427)　犹太教巴比伦系律法诠释家。任苏拉犹太教学院院长，与另外一位学者共同编订正式巴比伦版本塔木德。该学院自309年以来一直未开课，在阿西的主持下重新恢复生机，30多年间大力校勘各种注释、格言、立法意见和说教材料。阿西主持该院50余年，还使附近的马塔麦哈夏市成为犹太教律法研究中心。

ashide-e　苇手绘　日本的一种装饰性草书书法，其字体很像自然界的物体，用以装饰画卷、文具和漆器。典型的苇手绘可用以抄诗，其中风格化的字体既是本文又是插图。但是也有些苇手绘并不用以表达具体的诗，而是表达诗的感情。苇手绘是呗绘的一种，常用于莳绘(漆器上的泥金画)，如绘于砚台盒和信盒上。

砚台盒盖内部的苇手绘长寿图
美国不列颠百科全书公司供图

Ashihho(China)　**阿什河城**　参阅**Acheng**阿城。

Ashikaga　足利　日本本州栃木县城市。位于渡良濑川畔。14世纪创建足利幕府的足利尊氏在此出生。德川时代为日光公路上的驿站镇。作为印染和编织业中心达数百年。1867年国营铁路通车后，大量发展纺织业，城市繁荣，成为关东平原北部养蚕区的丝织中心。现有传统纺织业和新兴合成纤维工业。还生产金属制品和机械。市南郊种植花卉，草莓、蕃茄和黄瓜，销往大阪。为前足利学校所在地。该校建于9世纪。传说该校创始人为诗人小野篁，1432年由贵族上杉宪实重建，购入大量汉书。至今原校址的图书馆尚有不少珍藏，原址上还有17世纪的孔庙。人口167 696(1992)。

Ashikaga period(Japanese history)　**足利时代**　参阅**Muromachi period**室町时代。

Ashikaga Tadayoshi　足利直义(1306，日本～1352-03-13，日本镰仓)　日本武将。足利尊氏之弟。1333年成为后醍醐天皇军队的将领。1335年与尊氏共同背叛帝室。1338年占领京都。后醍醐天皇逃往奈良南面的吉野山区。他们拥立任命尊氏为将军的光明天皇。尊氏因不谙政务，足利直义主持政府将近10年。后来，足利直义与尊氏的近臣发生冲突，于是加入后醍醐一方。虽然足利直义的军队即将获胜，但因他的储备受到限制，终于兵败被俘。尊氏禁锢足利直义于镰仓，据说在那里将他毒死。

Ashikaga Takauji　足利尊氏(1305，日本足利～1358-06-07，京都)　日本武将和政治家。足利幕府创建者。原为镰仓幕府北条氏臣下。当1331年后醍醐天皇举兵讨幕时，北条氏派他去固守京都。但他见镰仓幕府大势已去，就反戈一击，回丹波国起兵进攻北条。不久，北条政权土崩瓦解，后醍醐天皇建立起10世纪以来第一个拥有军政大权的天皇政府。但在1335年7月，北条氏又招兵买马，重新夺取了镰仓。足利尊氏企图成为将军，就利用这个时机向镰仓进军，打败了北条氏的军队。由于他杀害囚禁在镰仓的护良皇子，并且未得天皇批准便赏赐足利家臣，后醍醐天皇就派兵进行讨伐。而足利尊氏在其弟足利直义的帮助下，一举夺取了京都。不久天皇的军队重新集结，把足利尊氏赶出京都。两个多月后，足利尊氏率领一支联军卷土重来，打败天皇军队，宣布后醍醐已丧失统治权，另从皇族别支拥立一个天皇，并自封为将军。后醍醐天皇逃往奈良南面的吉野山区，

美国不列颠百科全书公司供图

自此形成南北朝对峙的局面，一直到1392年。但足利尊氏和足利直义之间发生矛盾，未能彻底巩固政权。足利尊氏有高度文化修养，善写和歌和连歌。他推动禅宗的发展，在

全国各地为禅宗兴修佛塔和寺庙，包括京都的大庙天龙寺。

Ashikaga Yoshiaki　足利义昭(1537-12-05，日本～1597-10-19，大阪)　日本足利幕府最后一代(第15代)将军。曾出家为僧。1568年在织田信长支持下，废黜其堂兄足利义荣接任将军位。后与织田敌对，1573年被赶出京都。

Ashikaga Yoshimasa　足利义政(1436-01-20，日本京都～1490-01-27，京都)　日本足利幕府第8代将军。13岁就任。29岁时感到自己无法治理当时的乱世，就企图让位于幼弟。但其夫人适生一子，坚持要求继承他的将军职位，这便成为他手下两派军阀内讧的借口，酿成应仁之乱(1467～1477)。1473年将将军位让给儿子。他虽然在政治上无能，但却是一位伟大的艺术保护人，曾在京都东山建造著名的银阁寺，专门研究茶道。还资助过许多著名艺术家、制陶工匠和能乐演员。在日本艺术史上，东山时代是最伟大的时代之一。

Ashikaga Yoshimitsu　足利义满(1358-09-25，日本京都～1408-05-31，京都)　日本足利幕府第3代将军。1368年就任。1381年任内大臣，后升左大臣，1394年任太政大臣，完成了内政改组的工作，1392年结束了南北朝对立的状态。足利义满与南朝缔结停战协定，允诺如果把皇权标志归还京都，则天皇皇位可在两个皇家世系间轮换继承。但是足利义满从未遵守诺言。15世纪初，足利义满镇压了西南部的封建领主(他们的海盗船一直在劫掠中国沿海地区)，恢复了中断600年之久的同中国的贸易关系，从而使日本形成一个持续75年的文艺复兴的局面(始于1392)。在此期间，宫廷一片豪华气象，有些禅僧出任高官。足利义满兴修许多处宏伟的寺庙和宫殿，其中最著名的是在京都西北郊建造的金阁寺。

Āshiq Pasha　参阅**Aşık Paşa**阿舍克·帕夏。

Ashiya　芦屋　日本本州兵库县城市。该市濒临大阪湾，位于神户—大阪公路和铁路线上。平安时代，该市为宫廷贵族和文人住地，一向以风景优美而著称。1905年通铁路后，芦屋成为闻名的住宅区。芦屋的市中心区三分之一毁于第二次世界大战，现皆已修复。芦屋市今为日本最富足的城市之一。人口75 032(1995)。

Ashkelon (Israel)　参阅**Ashqelon**阿什凯隆。

Ashkenazi　德系犹太人　指原居住在莱茵河流域和法兰西而于11～13世纪历次十字军战争期间迁往波兰、立陶宛、俄罗斯等斯拉夫国家的犹太人。17世纪犹太人在欧洲东部受到迫害后，许多人迁往欧洲西部定居。后来凡采用德系犹太教礼拜仪式的犹太人通称德系犹太人，以区别于西班牙系犹太人。在讲希伯来语的口音、文化传统、礼拜祷词特别是礼拜仪礼上，两系各有特色，德系犹太人在20世纪以前广泛使用意第绪语，也是其特点。现在全世界犹太人80%以上是德系犹太人。在以色列国，两系各有大拉比，地位平等。

Ashkenazy, Vladimir　阿什肯纳齐(1937-07-06，苏联俄罗斯高尔基[今俄罗斯下诺夫哥罗德]～　)　俄语原名Vladimir Davidovich Ashkenazi。俄罗斯钢琴家和指挥家。演奏曲目广泛，包括莫扎特、贝多芬、德国浪漫派和20世纪俄罗斯作曲家的作品。6岁开始学钢琴，曾在莫斯科中央音乐学校师事孙巴提安10年之久；1955年入莫斯科音乐学院奥勃林的钢琴班。1956年在布鲁塞尔获比利时伊丽莎白女王国际比赛金奖，从此在国际上声名大振。1962年获第二届柴可夫斯基比赛并列第一名。1963年移居西方，1972年入冰岛籍。70年代中期起积极从事指挥活动，1987年在伦敦继普雷文而担任皇家爱乐乐团音乐总监。

阿波斯特尔群岛国家湖滨区景观

美国不列颠百科全书公司供图

Ashkhabad　阿什哈巴德　又拼Aščhabad，Askhabad。土库曼斯坦首都。位于科佩特山脉北麓卡拉库姆沙漠边缘一绿洲。建于1881年，原为俄国军事要塞。地处交通要冲，外里海铁路经此，吸引各方移民在此定居，到1911年人数超过45 000。俄国革命后很快以当地一革命者之名更名为波尔托拉茨克。1924～1990年它是苏联土库曼共和国的首都；在1927年又恢复阿什哈巴德原名。1948年10月毁于当地记载上最严重的一次地震，后按原布局重建。1962年卡拉库姆灌溉渠通至该市，多年缺水现象大为缓和。现为行政、工业、运输和文化中心。有玻璃厂、地毯厂、棉纺厂、金属加工厂。因有壮观的外景，成为电影制片中心。市内有土库曼国立大学(1950)、工业学院、农业学院、医学院四所高等学校。1951年建立的土库曼科学院设有沙漠研究所。并有歌剧院一所，剧院和博物馆若干所。人口约412 200(1991)。

Ashland　阿什兰　美国肯塔基州东北部博伊德县城市。濒临俄亥俄河，在大桑迪河河口之下。阿什兰市和俄亥俄州的艾恩顿市及西弗吉尼亚州的亨廷顿市合成三州工业联合体。1815年始有人拓居。1854年为纪念H.克莱在肯塔基州列克星敦的住所改现名。因靠近煤矿、林区和铁矿(现已停采)，成为肯塔基州的主要钢铁中心(连续薄板轧机生产法就是在这里形成的)。该市创建于1937年的阿什兰社区学院现为肯塔基大学分校。1856年建镇，1876年设市。人口：市约21 981；亨廷顿-阿什兰都会统计区约315 538(2000)。

Ashland　阿什兰　美国俄勒冈州西南部杰克逊县城市，临贝尔河，位于罗格河谷南段、锡斯基尤山麓、梅德福正东南。阿什兰于1852年淘金热中始有人定居。1874年设市。该市位于俄勒冈—加利福尼亚铁路(现为南太平洋铁路)线上，为木材城镇。该市毗连罗格河国有森林，主要收入来源于旅游业。市内有南俄勒冈州立学院(1826)。人口约19 522(2000)。

Ashland　阿什兰　美国威斯康星州北端城市、阿什兰县县城(1860)、苏必利尔湖希夸默根湾港口。1665年建立耶稣会传教机构。1854年始有人定居。1887年设市。同年成为该州北部第一条铁路之终点站，发展了铁矿开采和伐木业。港口外运煤炭、铁矿石和黑花岗岩，运入纸浆原料等。设有诺森兰德学院(1892)。为阿波斯特尔群岛国家湖滨区的入口。人口8 620(2000)。

Ashley, Anthony Ashley Cooper, Baron 阿什利勋爵　参阅**Shaftesbury, Anthony Ashley Cooper, 1st Earl of**沙夫茨伯里伯爵(第一)；**Shaftesbury, Anthony Ashley Cooper, 3rd Earl of**沙夫茨伯里伯爵(第三)；**Shaftesbury, Anthony Ashley Cooper, 7th Earl of**沙夫茨伯里伯爵(第七)。

Ashley, Maurice　阿什利(1966-03-06，牙买加圣安德鲁斯～　)　第一位赢得国际象棋特级大师称号的非洲裔美国人。1986年成为全国国际象棋大师，1993年获国际大师称号。1991年任哈勒姆教育活动基金会国际象棋指导，1997年致力于改进个人棋艺，全力参加国际比赛以求达到特级大师"标准"。1999年获特级大师称号后再次从事指导工作，并任哈勒姆国际象棋中心主任。经常在电视和互联网上当评论员，评述各次重要比赛，并且是若干教学光盘的作者，包括《阿什利国际象棋教程》(1996)和《阿什利初中级国际象棋教程》(1997)。

Ashley, William Henry　阿什利(约1778，美国弗吉尼亚保厄坦～1838-03-26，密苏里库珀

县） 美国国会议员、毛皮商人。以贸易集市取代传统贸易点，使毛皮贸易发生革命性的变化，并加快了美国西部探险活动的步伐。1802年后迁居密苏里州，以采矿、制造火药、勘探和买卖土地发财。1820年任密苏里州副州长。两年后与A.亨利合办落基山毛皮公司。为了大量收购皮货，他每年举办贸易集市，或在荒野地区设临时贸易市场。他在收购皮货时向猎户供应捕兽需用的物资。1827年退出商界，参加政治活动。1831年起为美国国会议员，他一直维护美国西部的利益。

Ashmolean Museum of Art and Archaeology 阿什莫尔艺术与考古博物馆 牛津大学4个博物馆之一，也是英国最古老的艺术、考古和自然历史公共博物馆。1677年，E.阿什莫尔（1617～1692）将朋友J.特拉德斯坎特（1608～1662，古文物收藏家）转给他的收藏珍品捐赠给大学，贮藏于由T.伍德设计的大楼中，1683年对外开放。初期收藏品主要是博物学方面的，在150余年间一直是牛津大学的科学研究中心。19世纪以后，该博物馆专事收藏了大量古代埃及艺术品和意大利文艺复兴的素描。1841～1845年建成新古典主义风格的新馆，原伍德大楼则成为科学史博物馆。

Ashmore and Cartier Islands 阿什莫尔-卡捷群岛 澳大利亚的海外领地。建于1934年。在西澳大利亚州西北岸外320千米的印度洋水域。阿什莫尔群岛包括中、东、西三个珊瑚岛。卡捷岛亦在一珊瑚礁内，但沙子成分较多。岛上无人定居。西岛上有一自动气象台。

Ashoka (Buddhist leader) 参阅 **Aśoka** 阿育王。

Ashqelon 阿什凯隆 又拼Ashkelon，古代拼作Ascalon或Askalon。巴勒斯坦沿海平原城市。1948年后划入以色列西南部。今城位于加沙以北19千米，古城东北偏东2千米。因地处地中海沿岸，是历来征服西南巴勒斯坦的战略要地。公元前2000年即有人拓居，城名首见于约公元前19世纪的埃及文献。约公元前12世纪中叶，成为非利士人五城邦之一。公元前701年为亚述王辛那赫里布所攻取。后被巴比伦王尼布甲尼撒攻占，大批市民被掳至巴比伦。该城于公元前332年为亚历山大大帝征服。尔后又为托勒密王朝和塞琉西王朝互争之地。公元636年被阿拉伯人夺取。1153年被十字军攻陷，成为主要港口和要塞之一。1191年复为萨拉丁攻克并毁城。一个世纪后该城沦为废墟。20世纪中叶其旧址始有居民。废墟今名泰勒阿什凯隆，1920～1922年被巴勒斯坦探险基金会发掘出来。

今城原为阿拉伯居民点，阿拉伯-以色列战争后阿拉伯人迁离，犹太移民迁入定居。1950年开始在阿拉伯居民点西面的海岸附近修建今城中心区。有纺织、塑料、手表、汽车零件和农产品加工诸业。现发展为旅游中心，其优美的海滩遍设旅馆和露营地。由红海口岸埃拉特纵贯内盖夫沙漠的输油管经此抵地中海。人口约56 800（1990）。

Ashraf DYNASTY (Turkmen family) 参阅 **Eş-ref dynasty** 埃什雷夫王朝。

ashrama 阿室罗摩 梵文作āśrama。印度教名词，指再生族教徒一生经历的4个行期：①梵行期（学生期）；②家住期；③林栖期；④遁世期。根据传统，只有处在后两个阿室罗摩的人才可以追求精神解脱。

Ashrawi, Hanan 阿什拉维（1946，巴勒斯坦拉姆安拉[今在以色列占领区]～　　）母家姓米哈伊尔。巴勒斯坦教育工作者，20世纪90年代初中东和谈中的巴勒斯坦代表团女发言人。阿什拉维在一个圣公会教徒的家庭长大，其父是一位卓越的医生，是巴勒斯坦解放组织（PLO）的创始人之一。60年代末，阿什维拉在贝鲁特的美国大学学习时，加入巴勒斯坦学生总联合会，她在该校获得硕士学位。由于以色列在1967年的“六日战争”中占领了约旦河西岸，她无法回到自己的家乡，后来在弗吉尼亚大学获得英国文学博士学位。1973年她回到家乡拉姆安拉后，随即进入比尔宰特大学任中世纪和比较文学教授，并任文学院院长。直至1987年12月在约旦河西岸巴勒斯坦人中爆发“起义”之后，以色列军队于1988年关闭该大学为止。阿什拉维是巴解组织的长期支持者，“起义”期间，常在美国电视新闻节目中作为特约评论员出现，从而在国际上享有盛誉。她在这些节目中向世界发出明确有力的呼吁，要求承认巴勒斯坦人的权利。1991年年中，美国总统布什宣布新的国际中东和平倡议，阿什拉维被任命为巴勒斯坦代表团顾问委员会委员，并任代表团正式女发言人。从1991年秋马德里首轮会谈时起，她通过发言和举行记者招待会以及幕后外交，以巴勒斯坦新务实精神代表的面目出现。

Ashta Pradhan 八头会议 印度马拉塔人酋长西瓦吉（1680卒）创立的行政和咨询会议。这一会议不但协助他对莫卧儿帝国作战成功，而且使他所占据的地区得到良好的治理。首相帕什瓦负责总的行政和掌握国玺。其他成员分管财政、外交、情报、军队、司法和宗教事务。所有成员除最后两名外均为军事指挥官，他们所负责的内政事务由其副手处理。这些副手及秘书组成了帕什瓦官僚机构的核心。西瓦吉死后，他的儿子桑布哈吉（1680～1689在位）解散了会议。18世纪马拉塔复兴，会议成员成为世袭，但除帕什瓦外，皆无实权。至此，帕什瓦成为马拉塔的真正统治者。

Ashtabula 阿什塔比拉 美国俄亥俄州东北部阿什塔比拉县城市。濒临伊利湖，位于阿什塔比拉河口、克利夫兰东北105千米处。1801年始有居民点，名为印第安语“多鱼之河”之意。1831年建村，1808年设镇，1891年设市。阿什塔比拉作为圣劳伦斯航海线上的良港，装运大量煤和铁矿石，也是伊利湖旅游区的贸易中心。生产汽车车身和锻件、玻璃纤维、塑料制品、皮革制品、农具等。阿什塔比拉设有州立肯特大学地区分校。人口约21 816（1991）。

Ashton, Sir Frederick (William Malland-aine) 阿什顿（1904-09-17，厄瓜多尔瓜亚基尔～1988-08-18，英国苏塞克斯） 英国皇家芭蕾舞团总编导和艺术指导。该团的保留剧

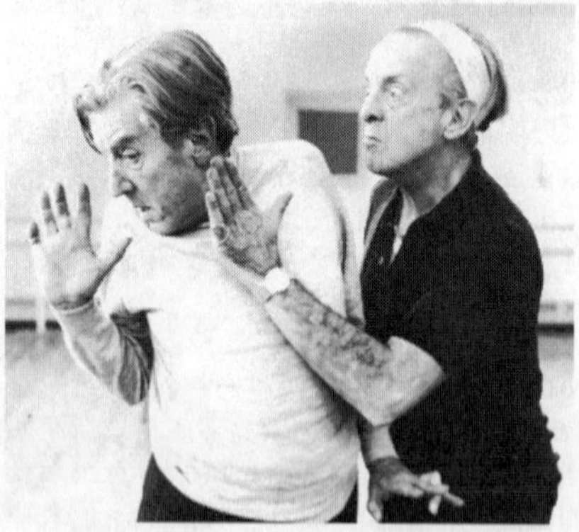

阿什顿（左）与R.赫尔普曼在排练《灰姑娘》
Pictorial Parade 供图

目中约有30部舞剧系他所编。曾在伦敦师事L.马辛、N.列加特和M.兰伯特。在兰伯特鼓励下他编出了第一批舞蹈作品，即《时髦的悲剧》（1926）和《跳跃组曲》（1930）。1933年参加维克-韦尔斯芭蕾舞团（后为萨德勒的韦尔斯芭蕾舞团，再后为皇家芭蕾舞团），以扮演哑剧角色和性格舞蹈著称，担任过《睡美人》中的卡拉博斯和《正门》中的舞男等角色。他具有多方面的编导才能，排过《灰姑娘》、《西尔薇娅》和《达甫尼斯与赫洛亚》以及舞剧影片《霍夫曼的故事》（1951）。1933～1970年任皇家芭蕾舞团总编导，1952～1963年兼任副团长，1963～1970年任团长。1970年辞去此职，集中精力从事舞蹈创作。1963年特地为M.芳廷和R.努里耶夫的初次合作编导舞剧《茶花女》。接着又创作了取材于莎士比亚《仲夏夜之梦》的独幕舞剧《梦》（1964），根据E.萨蒂的乐曲编舞的《单调》（第一部，1965；第二部，1966）以及《爵士乐一览》（1968）、《谜变奏》（1968）、《乡村一月》（1976）和根据S.拉赫玛尼诺夫的乐曲改编的《狂想》（1981）等。1970年编导电影《比阿特丽克斯·波特的故事》，并在片中表演舞蹈。他的主要作品包括一直受人欢迎的不朽之作，如《正门》（1931）、《约会》（1933）、《滑冰》（1937）、《交响变奏》（1946）、《光明》（为纽约市芭蕾舞团而作，1950）、《向女王致敬》（1953）、《罗密欧与朱丽叶》（为丹麦皇家芭蕾舞团而作，1955）、《生日献礼》（1956）、《昂代恩》（1958）和《关不住的女儿》（1960）。1962年受封爵士。

Ashton-Warner, Sylvia (Constance) 艾什顿-沃纳（1908-12-17，新西兰斯特拉特福～1984-04-28，陶朗阿） 新西兰教育家、作家、诗人。在教育方面，以把传统的英国教学法创造性地应用于毛利族儿童的教育著称。她的宗旨是使这两种根本不同的文化和平相处，互相沟通。她的大部分小说和非小说作品多取材于她在这方面的经验。她的小说

《老处女》(1958)、《膜拜偶像》(1960)、《钟声的召唤》(1964)、《绿石》(1966)、《三》(1970)等，颇得好评；有几种成为畅销书。她的自传性作品《教师》(1963)、《我自己》(1967)和《矛头："教师"在美国》(1972)却没有那么成功。她还写有短篇小说和诗歌，其中许多发表在新西兰各刊物上。英国电影《两个恋人》(1961)系以她的小说《老处女》为蓝本改编。

Ashur 阿舒尔 美索不达米亚宗教所崇奉的神灵。起初可能是亚述城的保护神，后来成为亚述的护国神。其形象缺乏特点，仅足以表明他守护强大而好战的首都。他授予统治亚述之权，保佑亚述军队克敌制胜，亚述国王出征归来要向他提出详细书面报告。他似乎只是体现作为政治实体的亚述的利益，没有自己的个性。

Ashur 亚述 古代亚述的宗教中心，即今舍尔加特堡，在今伊拉克北部底格里斯河西岸。1903～1913年德国考察队作首次系统的发掘。约公元前2500年亚述被一个大概来自叙利亚或南方的部落占领。直到公元前614年，它被巴比伦人摧毁。这里供奉伊什塔尔女神(苏美尔人称为伊南娜女神)的庙宇极为有趣。遗址还有3座宫殿的残迹。亚述虽遭劫掠，部分城市还是在安息征服美索不达米亚时(公元前140)被保留下来。

Ashur-aha-iddina(Assyrian king) 参阅**Esarhaddon** 以撒哈顿。

Ashur-uballit I 亚述乌巴立特一世 亚述国王(约公元前1365～前1330在位)。曾首创亚述帝国，开辟了中亚述时期(公元前14世纪～前12世纪)。起初在赫梯人的帮助下摧毁米坦尼人对亚述的统治，然后又联合巴比伦尼亚的喀西特人打倒赫梯人和胡里人的政权。他以和亲方式左右喀西特王朝，终于统一整个巴比伦尼亚，为新亚述的统治(公元前12世纪～前7世纪)铺平了道路。

'Āshūrā' 阿术拉节 又译阿舒拉日。伊斯兰教用语，指伊斯兰教历穆哈兰月(1月)10日，奉为伊斯兰教圣日。622年即穆罕默德自麦加迁到麦地那以后不久，可能是仿效犹太教赎罪日之制，他规定阿术拉为全天斋戒日。后来犹太教与伊斯兰教之间的关系紧张，穆罕默德便规定以赖买丹月(**Ramaḍān**)为斋月，保留阿术拉为自愿斋戒日，逊尼派现在仍是如此。什叶派以阿术拉节为哀悼阿里之子、穆罕默德之外孙侯赛因的重要节日。侯赛因于伊斯兰教历61年穆哈兰月10日(680年10月10日)死于卡尔巴拉(今在伊拉克境内)。该派信徒在这一天表示强烈悲愤，纷纷前往卡尔巴拉谒拜，上演表现侯赛因死难的戏剧。

Ashurbanipal 亚述巴尼拔(活动时期公元前7世纪) 又拼 Assurbanipal 或 Asurbanipal。亚述的末代国王(公元前668～前627)。他在尼尼微创办了古代中东第一座分类的图书馆。公元前672年封亚述亲王。由于机智勇敢而受到父王的宠爱。父王出巡时，他负责内政外交，表现出政治家的才能。他首先平定埃及国王的叛乱。公元前669年12月，其父去世后，他顺利地接管全部权力。公元前664～前663年，埃及叛乱又起，他再次进行干涉，派兵长期驻守。其次，他围攻腓尼基提尔城，使叙利亚和西利西亚再次臣服。他还向巴比伦尼亚扩展自己的势力，派异母兄弟去统治巴比伦尼亚。由于他的兄弟联合腓尼基诸部族阴谋推翻亚述王国，他采取军事行

公元前650年的亚述巴尼拔负篮石浮雕像
美国不列颠百科全书公司供图

动，进行3年战争。公元前631年后，他在位的情况，资料极少，他的死也没有记录。他是热忱的宗教徒，曾重建亚述和巴比伦尼亚的许多圣庙。

Ashurnasirpal 亚述纳西拔 亚述语拉丁字母转写作 Assur-Nasir-Apli。亚述国王之名，按年代顺序分列于后，并各以●为标记。

● Ashurnasirpal I 亚述纳西拔一世(活动时期公元前11世纪) 亚述国王(公元前1050～前1032)。在位时期由于普遍饥馑和西方游牧部落的骚扰，国势衰微，百业不振。为对付这些游牧民，他不断地进行征战。从现存亚述纳西拔的少量铭文来看，当时亚述正处于悲惨状态。

● Ashurnasirpal II 亚述纳西拔二世(活动时期公元前9世纪) 亚述国王(公元前883～前859)，主要功绩在于守业。其父开疆拓土，建成新亚述帝国。即位后6年间，他在国内到处奔跑，或是平定叛乱，或是整顿省政，或是征集贡赋。他对反抗分子施以严刑，曾将叛乱的尼什顿省督当众剥皮。在东部，经过公元前881～前880年的征伐，一直平安无事。在北方由于直捣叛乱据点基那布，洗劫亚美尼亚的纳伊里，解除了阿拉米人对亚述城市达姆达莫撒的威胁，并新设杜山省

美国不列颠百科全书公司供图

镇守边疆。在西面，征服阿拉米人的比特阿迪尼强国之后，一往无敌地向地中海进军。他使用俘虏重建卡拉城，迄公元前879年，主要宫殿、神庙和城墙已经竣工。另外创设植物园和动物园，开辟运河从大札卜河引水。公元前879年，国王从尼尼微迁来，新城举行落成典礼，欢庆10天，参加者达69 574人。

Ashvaghosa(Sanskrit poet) 参阅 **Aśvaghoṣa** 马鸣。

ashvamedha(religious rite) 参阅 **aśvamedha** 马祭。

Ashwell, Lena 阿什韦尔(1872-09-28，英格兰泰恩河航行的船上～1957-03-13，伦敦)原名莉娜·玛格丽特·波科克。英国女演员和剧院经理，以第一次世界大战期间在前线军队中组织文娱活动而著称，1917年被授予英帝国爵士勋位。她幼时在加拿大被抚养成人并在那里受教育，后在瑞士洛桑和伦敦皇家音乐学院研习音乐，因嗓音不宜从事声乐，于1892年转向舞台。1900年阿什韦尔在琼斯的《达恩太太的辩白》一剧中扮演角色，从而享有声誉。其他引人注目的成就有：1903年上演的《神化人物的宠儿》和1905年上演的《利厄·克莱奇娜》。1907～1915年在伦敦经营金斯韦剧院，接着她开始为第一次世界大战中的前线军队组织文艺团。战后阿什韦尔组建"每周一次演员团"，后改称莉娜·阿什韦尔演员团，1924～1929年在伦敦世纪剧院演出剧目。

Asia 亚洲 世界上最大的洲，也是各方面差别最大的洲，约占地球陆地总面积的30%。大陆部分位于北纬78°和北纬1°，东经26°和西经170°之间。东西长约9 700千米，南北宽6 500千米。亚洲北临北冰洋，东濒太平洋，南抵印度洋。西部与欧洲相接的边界大致是南北走向，沿东乌拉尔山、恩巴河、里海、库马河和马内奇河、黑海、爱琴海、地中海、苏伊士运河直抵红海。亚洲海岸线全长约62 750千米。斯里兰卡和台湾等岛屿以及印度尼西亚、菲律宾和日本等群岛也是亚洲的一部分。亚洲是世界人口最稠密的洲。

土地 亚洲在地质上是最年轻的洲。它由若干地台核心构成。在漫长的岁月中，这些地台周围聚积了大量的相关物质，经常发生一系列碰撞，导致地台沿碰撞边缘隆起。约5 000万年前印度地台与亚洲南部边缘发

生碰撞最为剧烈，导致喜马拉雅山和西藏高原的形成。

亚洲最高峰是海拔 8 844.43 米（2005 年新高程）的珠穆朗玛峰，最低点是低于海平面约 400 米的死海。亚洲大陆多山脉和高原，大约 2/3 的土地海拔高于 500 米，大约 1/5 的土地海拔高于3 000米。最高的山脉全都位于中亚 220 万平方千米的地区。最长的山带之一是从北部的楚科奇半岛向南延伸至西伯利亚南部的萨彦岭和阿尔泰山。喜马拉雅山带包括西亚高地、帕米尔高原、喀喇昆仑山、喜马拉雅山脉和阿拉干山脉。东部的昆仑山、南岭和秦岭以及西部的帕米尔高原、亚美尼亚高地环绕在中国西藏、伊朗和安纳托利亚等内陆高原四周。东部和东南部的一系列岛屿也有许多山脉，其中包括不少火山。

低地约占亚洲面积的 1/4，包括西西伯利亚平原、北西伯利亚平原、图兰平原、美索不达米亚平原、印度北部平原和东南亚平原。台地和高原包括西部的阿拉伯高原、南部的德干高原和东部的印度-太平洋高原。在众多的沙漠地区中，最大的沙漠包括位于印度和巴基斯坦境内的塔尔沙漠、中国的塔克拉玛干沙漠、沙特阿拉伯的鲁卜哈利沙漠以及位于中国和蒙古境内的戈壁。

亚洲的水文特点为拥有几条世界上最长的河流。包括幼发拉底河、底格里斯河、印度河、恒河、布拉马普特拉河和南部的伊洛瓦底江在内的河流，流经大陆近一半的地区，注入印度洋；长江（亚洲最长的河流，长 6 300 千米）、黄河、湄公河和其他一些河流均注入太平洋。鄂毕河、叶尼塞河、勒拿河注入北部的北冰洋。亚洲中部和西部的河流不是流入广大的内陆盆地，就是没有地表水系。最大的内陆盆地是中国的塔里木盆地（面积 951 500 平方千米）。其他盆地位于阿富汗、伊朗和约旦境内。里海是世界上最大的内陆水域，面积约386 400平方千米。亚洲其他重要的咸水湖有咸海和死海。这些湖的水平面由于周边国家大量抽取注入的河水用于灌溉而趋于下降。

亚洲的土壤可分为若干地带。北极地带的特点是早期的造土过程，现在见到的是一种泥炭质潜育土（潜育土是一种带蓝色的黏土）。再向南是冰沼土和泰加林土交替出现的过渡带。森林带占温带的绝大部分，淋溶过程为其土壤形成特色。森林-草原地区的土壤肥沃，富有腐殖质。沙漠和半沙漠地区底部是腐殖质少的土壤。地中海靠亚洲一侧的褐色含铁土壤和亚热带季风区的黄土与红土表明含有积存的铁和氧化铝。赤道地区的土壤是典型的红土（淋溶并硬化的含铁土壤）。山地的土壤类别随海拔而异。

由于广大地区缺乏高山屏障，所以亚洲北部几乎所有地区都在很大程度上受到来自北部和西部的气候影响。因此冬季寒冷，夏季温暖或炎热，很少降雨。西伯利亚冬季的寒冷更是尽人皆知。西南部气候炎热干旱，降雨很少，且大多集中在冬季。南亚（即印度次大陆）气候温暖，一年中雨季与旱季交替更迭。东南亚的气候主要受海洋和赤道的影响，因而一年中始终暖和，降雨充足。在东亚，中国的北部和西部属大陆性气候，温度变化大、降雨少。与之形成对照的是，中国的中部和南部以及日本属亚热带的湿润气候，降雨充足，温度适中。

亚洲气候的显著特征是年温差大。戈壁的冬季气温低至 -40 °C，夏季则高达 45 °C。西伯利亚大部分地区 1 月平均气温低于 -20 °C，在上扬斯克地区低至 -50 °C，而在北回归线以南则为 25 °C。7 月平均气温在西南亚部分地区达 35 °C，而在北部则低于10 °C。约 2/5 的大陆（西南部和中部）干旱少雨，年降雨量不足 250 毫米。约 1/3 的地区（东南部）则雨量充沛，年降雨量超过 1 100 毫米。南亚和东亚的沿海斜坡年降雨量达 2 000 ～3 000毫米。印度东北部地区是世界上最湿润的地区之一。

植被种类变化很大，北部海岸和西伯利亚为北极永久冻土和苔原草地，东南部则为热带雨林。介乎这两个极端之间的是生长着大量针叶树的泰加林（北部），落叶林和混合林（南部），广大的干草原（中部）和旱生植物（西南部）。亚洲北部的植物区系和欧洲相似，并大致由同种植物组成。西伯利亚的大片苔原生长着各种低花植物，如薰衣草、低矮桦树和柳树。苔原的南部是沼泽森林或泰加林，向南延伸到中西伯利亚的针叶林。再往南是西伯利亚南部和中亚的禾草草原，向东一直延伸至地中海，那里就不再有沙漠。东亚尚未开垦的地带有温带落叶林。南亚和东南亚多富于变化的热带季风，有热带雨林，但印度部分内陆地区有一些较耐旱的植物，亚洲西南部植物种类不多，且已适应了干旱的生存环境。

亚洲的动物区系也随纬度和海拔而异。北极沿岸有候鸟、驯鹿、北极狐、北极兔、海豹、海象和旅鼠；泰加林中有麋鹿、森林驯鹿、棕熊、猞猁、黑貂和野兔；羚羊、野绵羊和山羊是大平原和沙漠地区特有的动物；中亚高地有野牦牛、雪豹、土拨鼠、西伯利亚虎和西伯利亚野狗；亚洲东部有鹿、浣熊、黑熊、熊猫、虎和猴子；亚洲南部有象、犀牛、豹、长臂猿、鳄鱼、眼镜蛇和孔雀。

人民 20 世纪末期，亚洲人口约占世界总人口的 3/5。亚洲总人口的年平均增长率约为 2%。在亚洲一些国家，特别是日本和中国，计划生育和广泛采用的避孕措施都取得了显著效果。1950 ～ 1980 年，亚洲总人口的出生率下降 41%。亚洲人口死亡率显著下降，这在很大程度上归功于对疾病进行了更为有效的控制。

亚洲大陆人口分布差异明显。西伯利亚和中亚全部以及西南亚部分地区人口分布相对稀少，而印度次大陆和东亚则人口稠密，占亚洲总人口的 2/3 以上。东南亚的人口密度则介于这两个极端之间。

亚洲居民通常居住在土壤肥沃的河谷地区。约有 70% 的人口分布在农村，但在 20 世纪，农村人口迅速向城市迁移。这一人口动向已使城市各种公用设施十分紧张，并造成住房严重短缺。

按语言的使用人数计算，亚洲基本语系或语种共计有汉藏语系、印度-雅利安语支系、日本语、澳斯特罗尼西亚语族、澳斯特罗-亚细亚语族、闪米特语、突厥语、伊朗语和朝鲜语。西伯利亚中部和北部以及中亚长期居住着少数讲通古斯满语、蒙古语、古西伯利亚语和突厥语的民族，但由于苏联和中国在经济和政治上逐渐控制这些地区，许多人数较少的种族已被同化于较大的俄罗斯族和汉族。然而，蒙古、土库曼、塔吉克、乌兹别克、哈萨克、吉尔吉斯和中国西藏等地的民族仍占中亚人口的大部分。相比之下，东亚是亚洲人口最稠密的地区之一，这一地区只有 3 个主要的种族集团：中国人、日本人和朝鲜人。前者讲汉藏语系的若干种语言。另一与中亚形成对照的是印度次大陆，虽然这一地区大多数人讲印欧语系中的印度 -雅利安语支系诸语言，但该地区却生活着众多不同的种族。东南亚众多种族中大部分讲澳斯特罗-亚细亚语族或澳斯特罗尼西亚语族的各种语言。西南亚各族人民讲闪米特语、突厥语或伊朗语。

俄语和汉语分布很广，汉语是世界上使用人数最多的语言。在印度，地方语言实际上勾划出政治区域的界限。印地语和英语是当地的官方语言。讲通古斯满语和古西伯利亚语的人数在不断下降。而讲乌兹别克语和塔吉克语的人数则在不断上升。

亚洲是世界各主要宗教和数百个次要宗教的诞生地。印度教是源于南亚的几种宗教中最古老的一种。耆那教和佛教分别出现于公元前 6 世纪和前 5 世纪。西南亚是犹太教及其分支基督教和伊斯兰教诞生的摇篮。发源于公元前 6 世纪或前 5 世纪的道教和儒家学说对于华夏民族及其派生出的文化有极其深远的影响。

除日本和以色列等最发达的国家以及多数共产主义国家以外，亚洲国家大多尚未建立广泛的社会保障体系。亚洲国家和地区的卫生状况总体来说较差，但日本、以色列、塞浦路斯、新加坡、韩国、中国台湾、文莱、中国香港和俄罗斯不包括在内。而在亚洲其他部分，本已相当匮乏的卫生设施一般都集中在大城市里，许多亚洲人因此失去了接受现代医疗的机会。石油资源丰富的国家和某些共产主义国家投入了大量资金建设医疗设施、培训医护人员，已明显改进了当地公共医疗事业。亚洲大多数地区的传染性疾病和寄生性疾病的发病率很高，特别是疟疾、结核病、胃肠病、伤寒、流行性感冒、肺炎、支气管炎和儿科疾病，原因之一是这些地区的卫生条件极其恶劣。经济欠发达国家普遍存在营养不良的问题。各个国家和地区的平均预期寿命相差很大：阿富汗和不丹为 45 岁；塞浦路斯、日本、中国台湾、中国香港和俄罗斯则为 70 或 70 岁以上。婴儿死亡率也相差很大：柬埔寨、阿富汗、不丹和尼泊尔较高，每 1 000 名婴儿中的死亡数高达甚至超过 150 名；日本、新加坡、以色列、中国香港、塞浦路斯和文莱则较低，每 1 000 名婴儿中的死亡数只有 20 名，甚至更少。

经济 尽管有大片的山区、北极和沙漠荒地，亚洲仍有 15% 以上的广大土地为可耕地。至少 3/4 的可耕地主要用于生产基本谷物和根茎作物（超过半数以上的可耕地专用于种植水稻和小麦）。亚洲有 1/4 的土地是牧草地或放牧地，饲养着世界上近 1/3 的牛、1/4 以上的绵羊和马、1/2 的猪和近 3/5 的山羊。尽管有几个国家实施了造林和再造林工程，在 20 世纪下半叶，亚洲森林和树木茂盛地区的总面积已经缩减。

亚洲几乎拥有现代工业社会所需的各种矿藏，而且蕴藏量十分丰富。20世纪后期，亚洲的锑、镁、锡、铁和钨的储量估计占世界总储量的一半以上。铋、钛、锰、镍、锆的储量至少分别占每种全球总储量的1/4。这些矿藏在亚洲的分布并不均匀，每种只集中在1个或2个国家（极少分布在3个以上国家）。亚洲矿物燃料的蕴藏量也很巨大，石油和天然气储量超过全球总储量的2/3，煤的储量占全球总储量的1/2，但其分布更为集中。亚洲的石油资源约有80%分布在波斯湾沿岸，其天然气资源约有一半分布在俄罗斯。2/3具有经济价值的煤矿资源分布在中国。

亚洲以国家之间和国家内部贫富悬殊而著称。亚洲部分地区，如日本、新加坡和阿拉伯半岛石油资源丰富的国家已达到很高的生活水平，东亚地区的韩国和中国台湾工业化进程也发展迅速。然而在亚洲的其他地区，如孟加拉、印度尼西亚、越南和缅甸，人民的生活水平极低，多数居民生活在贫困之中。介于贫富两个极端之间的是俄罗斯和中亚的前苏联诸加盟共和国，这些国家较低的生活水准与之高度发达的重工业基础极不协调。中国的人均收入相对较低，但其兴旺的农业和不断扩展的消费品工业在一定程度上弥补了这一不足。印度的中产阶级人数众多，且仍在不断增加，但同时大多数人仍旧十分贫困。

亚洲大多数国家的经济尚未完全工业化，占多数的贫困大众与少数富足家庭之间的收入悬殊很大。西南亚（中东）大多数国家的经济主要依靠传统的农业及石油生产和出口，制造业仅局限于传统手工业和石化工业。南亚经济基本上以自给农业为主，除印度和巴基斯坦以外，其他各国的制造业微不足道。东南亚出口大米以及橡胶、椰干和木棉等经济作物，大多数制造业以国内原料加工和消费品组装为主。1945年以后，中国大陆、中国台湾、朝鲜、韩国和日本进行了大规模的土地改革，随即迅速工业化，东亚的市场经济主要依靠制成品的出口。中亚的工业主要是开采该地区蕴藏量极大的石油、天然气、煤和其他矿产品，但受到人力资源奇缺的影响。

亚洲有50%以上的劳动力从事农业；日本、中国香港、新加坡、黎巴嫩、以色列和科威特从事农业的人口明显较低，与欧洲工业化国家的农业人口比例相当。多数亚洲国家都有大量廉价的劳动力，因而对农业机械和化肥的投入较低。西南亚缺乏可耕地，通常由佃农在小块土地上耕种；家畜一般在长满灌木的土地上放养。在西南亚和中亚一些偏僻地区，传统的游牧方式依然存在。化肥、灌溉、品种改良和农业机械方面的高投入，已大大提高了南亚的农业产量，但生产增长的收益在很大程度上被人口的迅速增长所抵消。日本、中国台湾、韩国的土地改革的主要受益者是1945年以后分到小块私有农田的农家。朝鲜、越南、中国、蒙古和中亚（包括前苏联的诸加盟共和国）的农业在20世纪的大部分时间里实行的是集体经营。

大多数亚洲国家的农业产量能满足本国的需要，但由于农村道路维修不善，许多产品无法运到人口需要的地区。稻米是亚洲南部的主要农产品。印度西部、西南亚、中亚和中国北部广泛种植小麦。由于饲料短缺，亚洲牲畜的出栏率一般极低。

鱼是亚洲居民摄取蛋白质的主要来源，大多在沿海一带捕捞。去外海捕捞的国家主要是日本、中国、印度、韩国和泰国，这些国家都拥有大型拖网船队。中国、印度、日本、韩国、印度尼西亚、菲律宾、马来西亚、中国香港、新加坡、泰国和孟加拉的水产养殖业极其发达。只有为数不多的几个亚洲国家拥有罐装或冷藏大批鱼产品的设施。

哈萨克斯坦、吉尔吉斯斯坦、塔吉克斯坦、土库曼斯坦、乌兹别克斯坦、波斯湾诸国、中国和印度尼西亚生产的石油共占世界石油总产量的1/2，天然气为世界总产量的1/3。主要煤炭生产地有中国（世界最大的煤炭生产国）、中亚、印度和朝鲜。日本力图减少进口昂贵的石油，是世界最大的煤炭进口国。马来西亚、泰国和印度尼西亚是锡的重要生产国。中国是钨的最大生产和出口国；韩国、朝鲜和泰国也生产大量的钨。

大多数亚洲国家和地区的制造业尚不发达，均以轻工业为主。然而，日本和中亚各国已完全实现工业化，韩国和中国台湾已接近完全工业化；在中国和印度，消费品和大部分资本货物的生产能够满足国内市场的需求。日本、韩国、中国台湾、中国香港、新加坡和菲律宾以制造出口的消费品为主。尽管土耳其、伊朗和以色列大规模组装摩托车和电动机械，但西南亚各国的大部分机械设备和摩托车仍需进口。波斯湾沿岸各国的石油化学工业高度发达。

文化背景 从历史上看，亚洲文化是5个主要方面相互作用的结果，即来自中国、印度、伊斯兰教、欧洲（包括俄罗斯）和中亚的影响。

中国塑造了日本、朝鲜和越南等东亚国家的文明，并对蒙古、泰国、柬埔寨和缅甸的文明有重要影响。中国的影响所及之处，传播儒家学说，一种独特的艺术形式，尤其是汉字得到传播。

印度的影响主要通过印度教和佛教传播。随着这些宗教的传播，印度的艺术和文学，通常还有印度的字母系统，也被传到了中国西藏、印度尼西亚部分地区和柬埔寨。印度的影响还波及到中亚和东南亚各民族，佛教甚至传播到中国和日本。

伊斯兰教从其阿拉伯半岛发源地向各地广泛流传。它征服了中东和西南亚，并在印度次大陆的西北部和东北部（今巴基斯坦和孟加拉）建立了牢固的基础。除印度以外，伊斯兰教还传播到现在的印度尼西亚和马来西亚，并超过了那里原已存在的印度教的影响。伊斯兰教还渗透到中亚地区。这种宗教的传播通常伴随着阿拉伯字母的使用，在西南亚和南亚的穆斯林各族的语言中有很大一部分是阿拉伯语的词汇。

中亚地区是上述各种影响进入和传播的通道。因此，希腊的影响，其后是伊斯兰教，都经过中亚渗入印度。而佛教则从印度传入东亚和东南亚。

大多数亚洲国家已推行义务教育制，但一些国家缺乏实施义务教育所需的设备。虽然亚洲许多地区的识字率普遍较低，但亚洲东部各国的识字率往往高于西部各国，那里的伊斯兰教传统通常使妇女的识字率更低。日本、韩国和中国台湾地区的教育水准最高，中国也十分重视发展教育，入学率（包括中学）很高，特别是以其经济发展水平来衡量。

历史 根据20世纪中叶以来发现的证据，亚洲作为人类文明摇篮的地位已被撒哈拉沙漠以南的非洲所代替，至少在100万年以前，从非洲迁移来的直立原始人即出现在东亚。这些迁移者，或者也许是后来解剖学上的现代智人的迁移者，便是现代亚洲各民族的祖先。人们还普遍认为亚洲各民族在冰川时期迁移入南美和北美洲。

亚洲粮食生产的起源、发展和传播问题由于当代资料的发现而复杂化，这些资料向以中东为文化核心的传统观点提出了异议。公元前8500～前7000年，这一地区的农业和畜牧业代替了狩猎和采集。公元前9000～前6000年，在土耳其东部、伊朗、伊拉克和阿富汗，伴随着早期对野生谷物的培育进程，出现了驯化的绵羊、山羊和牛。泰国（约公元前10000）和台湾岛（约公元前9000）有以刀耕火种形式出现的园艺。到公元前2500年，从东亚到东南亚，人们开始种植黍、荞麦、豆类，很可能还种稻。

公元前3500～前3000年，最早使用文字的古代文明之一发源于底格里斯河及幼发拉底河流域，接着约在公元前2500年便有了印度河谷和叙利亚北部的文明。生活在中国南方的中国人和东南亚各国人民发展了航海技术。到大约公元前2500年，海上贸易已向西扩展到孟加拉湾。中国的城市文明始于商朝（传统上约为公元前1766～前1122），并在周朝（约公元前1122～前221）持续发展。周朝吸收了大量的商朝文化，并形成至今依然被认可的中国社会和文化模式。讲印欧语的民族（雅利安人）是最早使用马的民族。他们大约于公元前1700年由西方入侵印度，从而摧毁了印度河谷青铜时代的文明；他们还曾作为美索不达米亚的喀西特人进行过统治。他们孕育了吠陀文化，并在公元前7或前6世纪将铁器传到印度。吠陀时期之后有众多朝代和城邦，其中包括孔雀帝国（约公元前321～前185）。

到此时，城市文明已在亚洲牢固建立。当时的经济和现在一样，都以农业为主。历代帝国和带有神权色彩的部族统治者统一了各部族和城邦，以军事力量、外交手段和通婚联姻尽可能地扩展其政治影响。一些传奇人物在人类文明的画卷上留下了不可磨灭的历史丰碑或遗迹。公元前4世纪，亚历山大大帝征服波斯王国，率师穿过阿富汗，成功地进入了中亚并直捣旁遮普，由此产生了希腊文明。希腊-大夏和印度-希腊王国的统治一直持续至公元前1世纪。佛教受到希腊-罗马人文主义的影响之后，沿中国和地中海之间的丝绸之路传播起来。陆路和海上贸易于希腊和罗马控制中东时期在东亚和西亚间蓬勃发展。这一时期，基督教在巴勒斯坦兴起并广泛传播。对亚洲影响更大的是公元7世纪兴起的伊斯兰教，它对基督教拜占廷帝国的理想和权威提出了挑战。13世纪成吉思汗和他的蒙古后继者统一了亚洲大部分地区，疆域包括中国、中亚、西南亚许多地区和东欧部分地区。14世纪，帖木儿征服从蒙古到地中海的广大地区。帖木儿还促进了中亚的一次文艺复兴。中国在与长城以外的游牧民族旷日持久的冲突中受到文化上的激励。15世纪，穆斯林土耳其人摧毁了拜占廷帝国的残余部分，并建立了一直持续到20世纪的中东帝国。

动荡的政局，特别是在土耳其-蒙古的侵略之后，中断了丝绸之路的商贸活动，并使欧洲航海家绕过南非地角寻找前往东方的新路线。从19世纪起，欧洲的帝国主义不是通过建立殖民地，就是通过划分势力范围来控制这些地区，开始取代亚洲的帝国主义。沙皇俄国的势力扩展到太平洋地区，征服了西伯利亚的渔猎民族及中亚古代穆斯林可汗国家。俄国革命后，共产主义者替代沙皇成为该国的统治者。英国控制了印度次大陆；法国占领了印度支那半岛；荷兰控制了东印度群岛；而西班牙则统治着菲律宾，直到美西战争结束才由美国接管。中国由于文化和政治上的封闭，在19和20世纪时已无法抵御外国的统治。日本首先缓慢地从闭关锁国中走了出来，但很快就发展为一个帝国主义国家，最终在第二次世界大战中以军事上的失败而告终。

第二次世界大战结束后，由于前殖民地纷纷独立，欧洲帝国主义在总体上已消亡。美国在1934年开始推动菲律宾的独立，1946年该国独立。亚洲随之分为亲西方集团、共产主义集团和不结盟集团。共产主义阵营内展开了斗争，首先在中苏之间，随后是在东南亚两种不同形式的共产主义同盟之间。不结盟国家包括穆斯林和阿拉伯各国，印度和东印度群岛的大部分国家，但苏美两国（直到1990～1991）一直竞相对上述各亚洲国家施加影响。亲西方国家和地区包括经济巨人日本、韩国、中国台湾和泰国。

阿拉伯国家联盟、海湾合作委员会和东南亚国家联盟等区域性组织促进了政治和军事的合作。俄罗斯和中国是亚洲主要的军事大国。西方大国，尤其是美国，也向若干亚洲国家提供军事培训、武器和军队。亚洲面积4 461.4万平方千米。人口约3 634 000 000（1999）。

Asia　亚细亚行省　小亚细亚最西端的第一个罗马行省，其版图最大时西起爱琴海岸，东至斐罗密琉姆湖（今土耳其阿克谢希尔湖）东岸，北自马尔马拉海，南达罗得岛和大陆之间的海峡。公元前133年建立。天然资源丰富，染料和毛织品遐迩闻名。共和国时代因受商业盘剥、苛税和战争影响而衰微。帝国时代迅速恢复。它受制于元老院，省执政官在以弗所进行统治。各大城市为东罗马帝国教育文化中心。基督教重要社团和主教区在此发展起来，孟他努斯主义等异端也很活跃。3、4世纪，在经济上的重要性下降。戴克里先时期，它被分为7个更小的行省。

Asia Minor　小亚细亚　参阅**Anatolia安纳托利亚**。

Asia-Pacific Economic Cooperation（APEC）亚太经合组织　全称亚洲与太平洋地区经济合作组织，旨在推动亚洲与太平洋地区自由贸易与经济合作的地区性国际组织。由于亚太地区经济相互依赖性增强、世界其他地区出现了区域性经济集团（如欧洲联盟与北美自由贸易区），亚太经合组织于1989年成立，以便在亚太地区国家间通过经济的可持续发展来提高生活水平和教育水平，以及对共同利益的重视。至20世纪90年代末，亚太经合组织的成员包括最初的12个发起国澳大利亚、文莱、加拿大、印度尼西亚、日本、韩国、马来西亚、新西兰、菲律宾、新加坡、泰国和美国，以及后来加入的国家和地区智利、中国、中国香港、墨西哥、巴布亚新几内亚、秘鲁、俄罗斯、中国台北和越南。太平洋经济合作理事会、南太平洋论坛以及东盟秘书处则持观察员身份。在1994年的峰会上，该组织制定了一个雄心勃勃的计划，2010年要在亚太地区发达国家经济间实现自由贸易和投资，2020年则在发展中国家里实现。该组织下面有众多委员会、特别政策组、工作组以及一个商业顾问理事会。主席每年轮换，主持每年的峰会以及外交部长、经济部长和其他高官会议。秘书处成立于1993年，总部设在新加坡，为该组织提供顾问和后勤服务以及研究和分析。

Asian Development Bank（ADB）亚洲开发银行　联合国亚洲及太平洋经济社会委员会赞助建立的机构，1966年8月正式成立。在21世纪之初该行有40多个地区成员，包括有南亚、东南亚和东亚的国家。该行是联合国开发计划署的执行机构，受权监督有关国家和地区的开发项目。总部设在马尼拉。该行宗旨为通过向成员国开发项目提供贷款或技术援助促进该地区的经济发展。该行的主要贷款国是印度尼西亚、中国、印度和巴基斯坦。

Asian Games　亚洲运动会　简称亚运会。由国际田联（IAAF）为该组织所属亚洲会员国的男女运动员主办的区域性运动会。国际奥委会也给予承认。首届亚运会于1951年在新德里举行；从1954年起每4年举办一届。有11个国家的运动员参加了首届运动会，此次运动会共设置了6个运动项目（足球、田径、篮球、自行车循环赛、游泳和举重）。2002年韩国釜山亚运会有41个国家参赛，比赛项目达到了38个。与大多数体育赛事一样，亚运会也发生过多次因政治分歧产生的抵制和排斥。1963年亚洲的共产主义国家另行组织了一个"新兴力量运动会"，于1966年未经国际业余田径联合会批准举办了运动会。在总体上，新兴力量运动会的比赛水平要好于亚运会，但是仅举办了两届。20世纪70年代共产主义国家重新加入亚运会。

Asian tree mouse　亚洲树鼠　三种刺睡鼠科小型啮齿类动物的统称，仅见于印度和东南亚大陆的一些热带雨林中。马拉巴刺树鼠只生活在印度西南部古老的热带雨林中。作为夜行性树栖动物，它们在树洞里做窝并以果实和坚果为食。它们得名于扁平而有沟槽的刺和刚毛——末端是白色的，从薄而软的棕黑色下层绒毛中伸出。腹部的刺很少，而且颜色苍白。尾巴根部附近的毛很短，但朝着浓密的白色尾尖的方向，逐渐变长，使得尾巴像一把瓶刷。除略短的尾巴外，这种小鼠身长约12～14厘米。除较短的第一个脚趾外（上面覆盖着趾甲），它们的足端生有锐利而弯曲的爪子。突起的耳朵几乎光秃秃的，胡须也很长。另两种亚洲树鼠称瞎树鼠：中国瞎树鼠和沙坝瞎树鼠。它们可能也是夜行性树栖动物，分别分布在中国南部和越南北部的山林中。除了身体特征之外，人们对这些啮齿类动物知之甚少。它们的体型很像马拉巴刺树鼠，但皮毛没有刺，尾巴的毛也不浓密。第一后趾上长得不是趾甲，而是爪子。瞎树鼠较小，身长7～10厘米，但尾巴比身体长（9～14厘米）。皮毛较短，软而致密，上部灰黑色，下部较浅。亚洲树鼠最初被认为是睡鼠，但现在成为鼠科刺睡鼠亚科的唯一成员。它们现存的近亲尚未发现，但在中国南部自晚中新世（1120万年～530万年前）的沉积层中发现了已灭绝的亚洲树鼠的化石。来自欧洲和亚洲的相关属的化石则更加古老。因此，现存的鼠种是分布于古老欧亚大陆的鼠种的残余。

Asian Women United　亚洲妇女联合会　美国社会组织，致力于反映和塑造公众的亚洲文化（特别是亚洲妇女）观念。1976年成立于纽约，是支持美国亚太裔妇女的机构和重要的交流中心。80年代中期以来已经吸收美国各地的若干团体，力求产生对亚洲文化的认知，形成对亚洲妇女的看法和态度。联合会支持在亚太裔妇女中建立网络，鼓励其成员保持自己的传统和文化。通过创作和散发文学作品和录像带，暴露并消除对亚洲妇女的种族与性别偏见，并显示亚洲文化的正确形象。汇编的书籍有《兴风作浪：亚裔美国妇女作品选集》（1898）和《再兴大浪：亚裔美国妇女新作》（1997）。录像带有系列片《丝翼：工作中的亚裔妇女》（1983～1985）和记录片《屠龙》（1988）等。

Asiatic black bear（species *Selenarctos thibetanus*）**黑熊**　又作Himalayan bear、Tibetan bear、Moon bear。又称亚洲黑熊、喜马拉雅熊、西藏熊、月熊。熊科动物，分布于喜马拉雅地区、

黑熊（*Selenarctos thibetanus*）
美国不列颠百科全书公司供图

东南亚和包括日本在内的东亚部分地区。会侵害作物，偶食家养动物。日本阿伊努人认为黑熊是神兽。黑熊皮毛黑亮（有时为浅棕色），胸前有灰白色新月形斑纹。颈和肩部的粗长毛鬃毛状。生活在森林和灌丛地带。夏季栖息范围到海拔3 600米处。秋天变得肥胖。到海拔1 500米或更低处越冬，大部分时间

在冬眠。雄性成体体重 100 ～ 200 千克,雌性体重约为雄性的一半。身长平均约130 ～ 190 厘米,尾长 7 ～ 10 厘米。一窝 2 仔,妊娠期 6 个月。哺乳期过后,幼熊仍需继续与母熊生活 3 年。

Asiatic high 亚洲高压 参阅**Siberian anticyclone** 西伯利亚反气旋。

Asiatic low 亚洲低压 夏天出现在亚洲西南部的大范围低气压系统。夏季,该地区的高温使得赤道低压带向北偏移而形成亚洲低压,7 月份平均海平面气压为 999 毫巴。低压为逆时针环流,它位于印度西北部,因而使印度次大陆上空出现来自西南方向的夏季季风。

Asiatic Society of Bengal 孟加拉亚洲学会 1784 年 1 月 15 日,由英国律师及东方学者 W.琼斯爵士创立,旨在鼓励对东方的研究。学会得到孟加拉总督 W.黑斯廷斯的支持。琼斯 1794 年逝世前,学会一直是宣传琼斯思想的团体。他认为印度文化和学术十分重要,梵语在雅利安语族中起着关键的作用。

asiento de negros 贩奴合同 16世纪初到 18 世纪中叶西班牙王国政府与私人或其他国家签订的合同,规定给予后者向西属美洲殖民地供应非洲奴隶的专卖权。承包者同意为这种专卖权向王国政府付出一定数目的金钱,并按规定数量提供男女奴隶在美洲市场贩卖。第一个这样的承包者是一家热那亚公司,于 1517 年同意在 8 年内供应 1 000 名奴隶。1528 年一家德意志公司订立提供 4 000 名奴隶的合同,该公司每年向西班牙王国政府支付 2 万金币,以取得专卖权。每个奴隶售价不超过 45 金币。到 18 世纪,一些西班牙人、葡萄牙人、法国人和英国人才以个人身分订立这类合同。最后也是最著名的一次合同,是 1713 年按《乌得勒支和约》的规定与英国南海公司订立的。这一合同授权南海公司在 30 年中每年向西属美洲运送 4 800 名奴隶,另外南海公司每年可以派遣一艘船去从事一般贸易。公司发现这笔买卖无利可图,因为战争和其他不利条件往往妨碍运送奴隶去美洲市场。此外,伴随合法贸易的走私活动使英西关系恶化。1750 年后英国人放弃他们的权利,西班牙补偿其 10 万英镑。1600 ～ 1750 年根据这种贩奴合同制度,大约有 45 万非洲人被运到西属美洲。

Aşık Paşa 阿舍克·帕夏(约1272～1333,塞尔柱帝国克尔谢希尔[今在土耳其]) 又拼ʿĀshiq Pasha。全名为阿拉丁·阿里·阿舍克·帕夏。早期土耳其文学中最重要的诗人之一。生平不详。他最有名的作品《异乡流浪者的故事》是长篇神秘主义训世诗,逾 11 000联押韵诗行,分 10 章,每章 10 节。每章所写题材与其排列次序有关。例如:第五章叙述"五种官能",第七章写"七行星"等。诗歌潜在的主题是一种神秘主义哲学,有许多引自《古兰经》和圣训(先知穆罕默德的言论)中的道德箴言。尽管作品未被认为是伟大的诗作,但其重要性在于,当大量非正统的穆斯林教派盛行于安纳托利亚之际,它代表着坚定的和正统的穆斯林观点。此外,从语言角度看,这也是一份饶有趣味的文献,因为它写于土耳其语作为文学语言开始在安纳托利亚崛起之时,并被认为是奥斯曼土耳其语作品中最早期的楷模之一。《贫寒之书》也被列为诗人的作品。阿舍克·帕夏去世时已是一个受人崇敬的人物,他的墓地长期以来一直受到香客的朝拜。

Aşıkpaşazâde 阿希克帕夏扎德(1400,奥斯曼帝国阿马西亚[今在土耳其]～ 1484 后,君士坦丁堡[今伊斯坦布尔]) 早期奥斯曼历史学家。安纳托利亚神秘主义诗人阿舍克·帕夏之孙,与穆斯林神秘主义僧团有联系。早年情况不详。约 1437 年去麦加朝圣。在穆拉特二世(1421 ～ 1451)和穆罕默德二世(1451 ～ 1481)统治期间,曾参加奥斯曼人对巴尔干基督教各国的袭击。后在君士坦丁堡把他在漫长的一生中的所见所闻一一记载下来。所著《奥斯曼皇室编年史》文笔生动而朴实,是奥斯曼早期历史的宝贵资料。

Asilah 艾西拉 又作 Arzila,西班牙语作 Arcila。摩洛哥西部城市。临大西洋。原为一腓尼基和迦太基古镇所在地。1471 年被葡萄牙人占领,建为军事基地。继之而来的是西班牙人。1911 ～ 1956 年为西属摩洛哥的一部分,1956 年归还摩洛哥王国。现为渔港和农牧产品贸易中心。人口 18 781(1982)。

Asimov, Isaac 阿西莫夫(1920-01-02,俄罗斯彼得罗维奇～ 1992-04-06,美国纽约州纽约) 美国作家、生物化学家。他是一位撰写科幻小说和科学普及读物极有成就的多产作家,著书 500 多册。3 岁时被带到美国,在纽约州布鲁克林长大。1939 年毕业于哥伦比亚大学,1948 年在该校获博士学位。后在波士顿大学执教,此后一直与该校保持关系。他 1939 年开始为科幻小说杂志撰写小说,1950 年发表他的第一部著作《天上的小石子》。他的小说三部曲:《基础》、《基础与帝国》、《第二基础》(1951 ～ 1953),描述了未来宇宙中一帝国的崩溃。该书是他最有名的科幻小说。其他长、短篇小说集包括:《我是机器人》(1950, 2004 年拍成电影)、《灰尘般的星星》(1951)、《空间之流》(1952)、《钢的洞穴》(1954)、《无罩的太阳》(1957)、《地球是个够大的房间》(1957)、《地基的边》(1982)和《东方的机器人》(1983)。他的《黄昏》(1941)被许多人认为是迄今最好的科幻短篇小说。阿西莫夫以清晰和幽默的笔锋撰写的各种科学题材的著作包括:《生活中的化学药品》(1954)、《原子内部》(1956)、《氮的世界》(1958)、《生命与能》(1962)、《人的大脑》(1964)、《中微子》(1966)、《科学、数字和我》(1968)、《我们的空间世界》(1974)和《各种宇宙观》(1981)。阿西莫夫还发表过两部自传。

Asinara Island 阿西纳拉岛 地中海的岛屿。在撒丁岛西北方。面积 52 平方千米,海拔 407 米。设有意大利防卫最森严的监狱之一。人口 453(1971)。

Asinius Pollio, Gaius 阿西尼乌斯·波利奥 参阅 **Pollio, Gaius Asinius** 波利奥。

Asino 阿西诺 俄罗斯东南部托木斯克州城市。位于流放木材的重要河流丘雷姆河近旁。西西伯利亚最大的木材加工中心。有支线与西伯利亚大铁路相连。人口约 33 200(1993)。

Asir 阿西尔 沙特阿拉伯西南地区。南邻也门,面积约 10 万平方千米。古代长期为富裕的农业地区。1872 年被奥斯曼人占领。第一次世界大战中当地酋长穆罕默德·伊本·阿里·伊德里斯通过起义掌权。1923 年他死后,该酋长国受到来自也门日益增加的压力。为了挫败也门的企图,酋长哈桑·伊本·阿里于 1926 年 3 月向伊本·沙特国王交出对外主权。4 年后沙特将阿西尔并入其王国。境内有沿海平原、高山以及比舍和泰斯利斯两条季节河。为全国降雨量较多(每年 500 毫米)、气候较温和的重要农业区。农作物多种在斜陡的山坡梯田上,有小麦、咖啡、棉花、靛蓝、生姜、蔬菜和棕榈树等。除农业外,还饲养牛、绵羊、山羊、骆驼。阿西尔山区有镍、铜、锌矿,迄未开采。主要城镇有艾卜哈、海米斯穆谢特。

Asīrgarh 阿西尔格尔 印度的一个堡垒,在达布蒂河与纳巴达河之间,布尔汉布镇以北,现属马哈拉施特拉邦。这一堡垒十分险要,它控制着从北印度进入德干的唯一易于通行的道路。原为拉杰普特人要塞,13 世纪陷于德里苏丹。1600 ～ 1601 年被莫卧儿皇帝阿克巴攻占。后归印度马拉塔人。1803 和 1819 年两次被英国夺取。

asity 裸眉鸫 雀形目裸眉鸫科的两种短尾鸟,体长 15 厘米,栖居于马达加斯加森林中。丝绒裸眉鸫(*Philepitta castanea*)的雄鸟初换羽时羽尖黄色,但经磨损后全身只剩下黑色;此时眼上方长出一绿色肉垂。雌鸟浅绿色。以下层林丛中的浆果和其他果实为食。筑悬垂的巢,在侧面入口的上方有一小巢顶。施莱格尔氏裸眉鸫(*P. schlegeli*)的雄鸟换羽后除头顶黑色外,呈黄色;肉垂围绕在眼的周围。

Asiut (Egypt) 参阅 **Asyūṭ** 艾斯尤特。

Askalon (Israel) 参阅 **Ashqelon** 阿什凯隆。

ʿAskarī, Jaʿfar al- 阿斯卡里(1887,奥斯曼帝国伊拉克巴格达[今在伊拉克]～ 1936-10-30,巴格达) 军官和伊拉克政治家,在第一次世界大战期间和战后的阿拉伯民族主义运动中发挥过重要作用。阿斯卡里曾在巴格达和伊斯坦布尔受教育。1909 年在土耳其军队中服役。第一次世界大战期间,他于 1915 年在昔兰尼加参加土耳其部队作战,因受伤而被英军俘获,送往埃及开罗。当他得知奥斯曼人要镇压叙利亚的阿拉伯民族主义者时,他决定参与麦加的埃米尔侯赛因·伊本·阿里反对奥斯曼当局的反叛,担负为侯赛因组建阿拉伯新军的重任。随后他指挥这支部队在汉志和叙利亚与土耳其人作战。战后，阿斯卡里在叙利亚的一个以侯赛因之子费萨尔为首的阿拉伯国家的政府中任职。法国的军事干涉搞垮了这个国家，但在英国支持下费萨尔成为1921年新建的伊拉克民族政府的国王。阿斯卡里担任首任国防部长，被称为“伊拉克军队之父”。此后，他曾两度出任伊拉克首相，成为新的伊拉克君主政体的支柱。1936年西德基推翻伊拉克政府，并下令处决了阿斯卡里。

Askhabad（Turkmenistan）　**阿斯卡巴德**　参阅 **Ashkhabad** 阿什哈巴德。

Askia DYNASTY　**阿斯基亚王朝**　西非的穆斯林家族，1492～1591年统治西非的桑海帝国（其中心在今马里的廷巴克图）。阿斯基亚王室的主要成员有三位：穆罕默德一世阿斯基亚（**Muḥammad I Askia**）、阿斯基亚·穆萨（1528～1531在位）和阿斯基亚·伊斯梅尔（1537～1539在位）。

Askia Muhammad　**阿斯基亚·穆罕默德**　参阅 **Muḥammad**（Songhai Empire）穆罕默德（桑海帝国）项下的 **Muḥammad I Askia** 穆罕默德一世阿斯基亚。

Askja　**阿斯恰火山口**　冰岛中东部丁久火山群中的最大火山口，在岛上最大的冰原瓦特纳以北32千米。海拔1 510米。为丁久山的最高峰。其火山口面积11平方千米，蓄水成湖。周围为广阔的熔岩带（3 681平方千米）。1875年喷发后，1961年再次喷发。

Asklepios（Greek religion）　参阅 **Asclepius** 阿斯克勒庇俄斯。

Askr and Embla　**阿斯克尔和埃姆布拉**　据古斯堪的纳维亚神话，他们是第一个男人和第一个女人，即人类的始祖。他们是3位神——奥丁和他的两兄弟维利和威（有些资料称3位神是奥丁、海尼尔和洛都尔）用在海边发现的树干创造出来的。阿斯克尔和埃姆布拉从每一位创造神手中接受一份礼物：奥丁给他们呼吸或生命；维利给他们理解力；从威那里则接受了感官和外貌。

Aṣmaʿī, al-　**艾斯马伊**（约740，伊拉克巴士拉～828，巴士拉）　全名艾布·赛义德·阿卜杜勒·马立克·伊本·古莱卜·艾斯马伊。阿拉伯著名学者和文集编纂者，阿拉伯语言学巴士拉学派三巨匠之一。巴士拉学派创始人艾布·阿姆尔·伊本·阿拉厄的高足，后成为巴格达阿拔斯王朝哈里发哈伦·赖世德的宫廷文人，他精通古典阿拉伯语，现存大部分诗集均由其弟子依据他立下的原则编成。他的《艾斯马伊诗文集》表明他偏爱哀歌和祷诗。现存15篇有关动植物、习俗和语法形式的专题论文，都由他的弟子校订过。

Asmar, Tall al-（Iraq）　**泰勒艾斯迈尔**　参阅 **Eshnunna** 埃什南纳。

Asmera　**阿斯马拉**　埃塞俄比亚厄立特里亚省省会。位于埃塞俄比亚高原北端，海拔2 325米，为全国第二大城市。在厄立特里亚铁路线上，也是主要的公路枢纽。1962年在

阿斯马拉市的东正教堂
美国不列颠百科全书公司供图

城东南建国际机场，东北有濒临红海的港口米齐瓦。原为提格雷人的村庄。1900年成为意大利殖民地厄立特里亚的首府。1935年为意大利进攻埃塞俄比亚的主要基地。1941～1952年由英国管辖，1952年厄立特里亚与埃塞俄比亚结成联邦。1993年成为独立的厄立特里亚的首都。著名建筑有天主教大教堂（1922）、大清真寺（1937）、宫殿（现为政府官邸）、圣马利亚教堂等。设有阿斯马拉大学和公共图书馆。工业主要生产纺织品、鞋类、饮料等。是繁忙的农业市场和鞣革业中心。居民中基督教徒和穆斯林各占一半。人口约342 706（1989）。

Asmodeus　**亚司马提**　犹太教传说中的恶魔之王。据外典《多比传》载，他苦恋拉古埃尔的女儿撒拉。撒拉7次出嫁，新郎都在新婚之夜遭亚司马提杀害。多比之子多比亚司靠天使拉斐尔指点战胜亚司马提，娶了撒拉。据《塔木德》载，亚司马提为所罗门所擒，被强迫服苦役，建造耶路撒冷圣殿。据犹太传统传说，亚司马提是个比较仁慈的人物。

Asnam, El-（Algeria）　**阿斯南**　参阅 **Cheliff, Ech-** 谢利夫。

Asnyk, Adam　**阿斯内克**（1838-09-11，俄罗斯帝国波兰卡利什[今在波兰]～1897-08-02，奥匈帝国克拉科夫[今在波兰]）　波兰诗人、剧作家，1863年波兰革命政府的成员。反俄起义失败后，定居于当时隶属奥匈帝国的加利西亚。他是波兰浪漫主义诗人的信徒，在政治思想上墨守“实证主义”学派，被公认为19世纪80年代的重要诗人。第一本《诗集》发表于1869年。1883～1894年，发表一组收有30首十四行诗的诗集《在深渊边》，着重描写自然界的进化；揭示生存斗争不但表现于弱肉强食的原则，而且表现于人类社会的互相依存与合作。他强调波兰虽被剥夺了独立，在政治上被置于死地，但她拒绝“精神自杀”，或迟或早还会再生。他还写有社会风俗喜剧和历史悲剧。

Aso, Mount　**阿苏山**　日语拉丁字母转写作 Aso-san。日本九州熊本县境内火山。高1 592米。有世界最大活火山口，周长114千米，南北27千米，东西16千米。其破山口为一巨碗形火山凹地，标志着原火山口的所在，内有活火山中岳和许多温泉。阿苏山有居

阿苏火山的破山口
美国不列颠百科全书公司供图

民，公路和铁路交织如网。山上牧场用于养牛和生产乳品。此火山为阿苏-久住国立公园的主要景观。

Aśoka　**阿育王**（？～前238？，印度）　又拼 Ashoka。印度孔雀王朝最后一位重要皇帝（约公元前265～前238在位，一说约公元前273～前232），他征服东海岸的国家羯陵伽（今奥里萨邦）后，由于见到战争给邻国人民造成极大痛苦，他宣布从此不再征伐。阿育王开始信奉佛教，并向邻国保证他绝不从事侵略活动。他曾派遣使节到远方的宫廷传达“达摩”的启示。他尊重一切教派，允许各教派信徒自由地依照自己的信仰行事。他经常向人们说法，并把他所讲的教义镌刻在岩石和石柱上。他定期外出旅行，向农民宣讲“达摩”，设法解除他们的痛苦。他告诫官员要不断了解平民的疾苦，并且秉公执法，毫不拖拉。他任命一批“达摩监察官”，叫他们去解危济困，照顾妇女、边地居民、邻国人民和各宗教区居民的特殊需要。阿育王说，他所追求的唯一目的就是领导人民沿着“达摩”的道路前进。阿育王对佛教的贡献是永世不朽

的。他建造过许多印度塔和寺院；制止佛教内部的分裂活动；规定佛教徒所应学习的经典。据锡兰的历史记载，传说阿育王曾派自己的子女作为僧尼前往锡兰宣讲佛经。正是在他的赞助之下，佛教这个在当时还局限于某些特定地区的小教派才得以普及整个印度，随后传至国外。引用阿育王本人说过的一段话可以说明指引他的精神力量是什么。他说："世人都是我的子女，我愿自己的子女能得到今世和来世的一切幸福和快乐，因而我愿世人皆得如斯。"

asp 阿斯普蛇 拉丁文作aspis。西方古典文献中所指的毒蛇，可能就是埃及眼镜蛇（*Naja haje*，参阅 **cobra**）。在埃及是王位的象征。希腊、罗马时代被眼镜蛇咬死是对死囚的优待。据说克娄巴特拉即让阿斯普蛇咬啮而自杀。角蝰又称角阿斯普蛇，毒蝰又称阿斯普蝰蛇，参阅 **viper**。

Aspar, Flavius Ardaburius 阿斯帕尔（？～471） 罗马将军。阿兰族人。在皇帝马西安（450～457在位）和利奥一世（457～474在位）统治下的东罗马帝国时代享有极大权势。431年率东罗马舰队把汪达尔人逐出阿非利加。434年兵败回国。同年任执政官。441年战胜波斯人，443年在君士坦丁堡城下被匈奴人打败。450年马西安成为皇帝，封他为贵族。457年马西安死后，他把利奥一世拥上皇位。这位将军拥有一支忠于他的哥特人军队，权倾一时。但利奥一世并不甘于充当傀儡，而开始越来越多地依赖伊索里亚支持者与阿斯帕尔相抗。约470年，阿斯帕尔设法给自己的儿子帕特里齐乌斯取得凯撒头衔，这在君士坦丁堡激起强烈的不满。471年利奥一世密谋杀死了阿斯帕尔。从此，日耳曼人左右东罗马帝国的局面宣告结束。

asparagine 天门冬酰胺 一种与天门冬氨酸（**aspartic acid**）密切相关的氨基酸，蛋白质的重要成分。1932年首次由文竹（天门冬）分离到并因而得名。天门冬酰胺广泛存在于各种植物蛋白质中，为温血动物的非必需氨基酸之一，动物可由天门冬氨酸合成所需的天门冬酰胺。

Asparagus 天门冬属 百合科的一属，约300种，原产于西伯利亚至非洲南部。最有名的是石刁柏（芦笋、龙须菜，*A. officinalis*），栽培作蔬菜，食用其春季发出的肉质茎。几个非洲种栽培供观赏。该属植物直立或攀缘，稍呈木质。根呈根茎状（有时块茎状），出生的小枝呈叶状，真正的叶退化为鳞片。春季开黄绿色小花，秋季结红色浆果。石刁柏在本属中最有经济意义，自罗马时代就被美食家誉为高级菜。现广泛栽培于温带和亚热带地区。可烹调食用或用其尖制成罐头以及作沙拉和饰菜。石刁柏广泛栽培于法国、意大利及美国。在整年生长的地区并无商业种植园，因其地上部分会逐年细弱，故需要有休眠期。在气候适宜的地区，若管理得当，种植后10～15年乃至更长时间内都能丰产。最好选择富含有机质的松软轻黏土和轻沙壤土。在其他作物难以生长的盐碱土壤上也生长得很好，但要避免酸性土壤。采收期持续2～12周，视种植园年龄和气候而定。在法国一些地区，尤其是阿让特伊，习惯于把石刁

石刁柏（芦笋，*A. officinalis*）
美国不列颠百科全书公司供图

柏栽于地下，收获幼嫩味美、备受赞誉的黄化苗。几种有毒天门冬属植物因其枝叶美观而为人喜爱，如文竹（*A. plumosus*，其小枝羽毛状展开，常用作妇女服装的饰花或与其他花卉一同用于插花）、天冬草（羊齿竹，*A. sprengeri*）和卵叶天门冬（*A. asparagoides*，枝叶均花边状，美观）。

asparagus beetle 天门冬甲虫 鞘翅目叶甲科负泥虫亚科的负泥虫属（*Crioceris*）和合爪负泥虫属（*Lema*）两属昆虫，重要的害虫。

十二星负泥虫（*C. duodecimpunctata*）
美国不列颠百科全书公司供图

成虫黄、红、黑色相间，长约7毫米。取食并产卵于年幼天门冬属植物上。卵椭圆形，黑色。约在1862年从欧洲传入北美，因无天敌捕食，短期内广泛扩散。最常见的是三带合爪负泥虫（*L. trilineata*）、天门冬负泥虫（*C. asparagi*）、十二星负泥虫（*C. duodecimpunctata*）。

asparagus stone 黄绿磷灰石 宝石的一种，呈芦笋般绿色的磷灰石。参阅 **apatite**。

aspartic acid 天门冬氨酸 由蛋白质水解可得到的一种氨基酸（**amino acid**），1868年第一次从植物种子的豆球蛋白中分离出。为哺乳动物的一种非必需氨基酸，动物能从糖代谢生成的草酰乙酸合成天门冬氨酸而无需从食物中摄取。

Aspasia 阿斯帕西娅（活动时期公元前5世纪） 雅典政治家伯里克利的情妇、雅典社会的活跃人物。她虽然来自安纳托利亚的米利都并且不是雅典公民，但自公元前445年左右即与伯里克利同居，直到他去世为止。伯里克利在公元前451年制定一项法律，规定只有父母都是公民，儿女才能成为公民。因此，他与阿斯帕西娅所生的也叫伯里克利的儿子长期没有公民权。后来，根据一项特殊法令，这个儿子取得公民资格，并且成为将军。阿斯帕西娅私生活糜烂，常常成为公众抨击和希腊喜剧讽刺的对象。在伯罗奔尼撒战争开始前不久，她因渎神被指控，但宣告无罪。

Aspen 阿斯彭 美国科罗拉多州中西部城市，皮特基县县城。濒临罗林福克河，位于怀特河国家森林东部边缘（海拔2 410米）。1878年由勘探者初建。1881年设市。1887年已成为拥有1.5万人口的新兴银矿开采城镇，银价下跌后迅速衰落。20世纪30年代晚期重振为一游览及文化中心。附近落基山脉一些山峰高度均超过4 270米。是滑雪等冬季运动的理想场所。夏季举办阿斯彭音乐节。设有阿斯彭人文研究所、西部芭蕾舞学校、阿斯彭戏剧学院等。人口5 914（2000）。

aspen 颤杨 3种杨柳科杨属（*Populus*）乔木的通称，原产北半球，与其他杨属植物相比，分布范围较北且分布于海拔较高的山地。以

美洲颤杨（*P. tremuloides*）
美国不列颠百科全书公司供图

叶片在微风中摇摆而闻名。树皮灰绿平滑；分枝无规律；绿叶茂密，秋天转为鲜黄；雌雄异株，葇荑花序，春天单性花先叶开放。普通欧洲颤杨（欧洲山杨，*P. tremula*）与美洲颤杨（*P. tremuloides*）类似，高可达27米，惟后者叶尖较锐。大齿杨（*P. grandidentata*）又称美洲大齿杨，高18米，有较大、略圆和粗锯齿状的叶。

Aspendus　阿斯彭杜斯　即今贝尔基斯。位于土耳其西南部潘菲利亚地区的古城，以罗马人的废墟闻名。公元前5世纪后的一系列硬币证明该城的富庶。阿斯彭杜斯于公元前333年被亚历山大大帝占领，公元前133年由帕加马人交给罗马人统治。据西塞罗所述，总督威勒斯曾掠夺该城许多艺术珍品。该城山顶遗址有一座长方形会堂，一个广场和几座弗里吉亚式样的石刻陵墓。山东北侧开辟出一座堪称世界上最精致的大剧场，系罗马建筑师芝诺为纪念罗马皇帝马可·奥勒利乌斯（161～180在位）而设计的。

Aspenström，（Karl）Werner　阿斯彭斯特伦（1918-11-13，瑞典诺尔拜尔克～　　）瑞典抒情诗人和随笔作家。他的作品形象以充满力度和少有的抒情性见长。在组诗《雪的传说》（1949）、《连祷》（1952）和《狗》（1954）中，诗人通过象征手法表达他在思辨和社会方面的关注。他还写过几出诗剧。短篇小说集《小溪》（1958）再现了他童年的世界。此外，他还就当代问题写过一些随笔，如《夏》（1968）和《岔路》（1970）。

aspergillosis　曲霉病　由曲霉属（*Aspergillus*）真菌，特别是烟曲霉（*A. fumigatas*）、黄曲霉（*A. flavus*）和黑曲霉（*A. niger*）在人身造成的几种不同病态，包括由变态反应直到侵袭性疾病。曲霉属真菌广布各处，尤常见于空气中。人们常吸入曲霉属真菌，但正常免疫系统通常可抵御其感染，只偶而会发生急性但自限性的肺炎，历时数周自行消退。曲霉病几乎只见于免疫系统严重受损的人，或因用药、或因病（指免疫受抑制的人和患慢性呼吸系统疾病的人）而引起。典型症状包括：慢性咳嗽，多痰，脓性痰中偶带血或带有白色或微褐色菌丝。确诊要靠用显微镜鉴定菌落及特征性的具隔菌丝和形成孢子的结构。

Aspergillus　曲霉属　半知菌纲（半知菌形态纲）的真菌属。其中有些种的有性阶段被

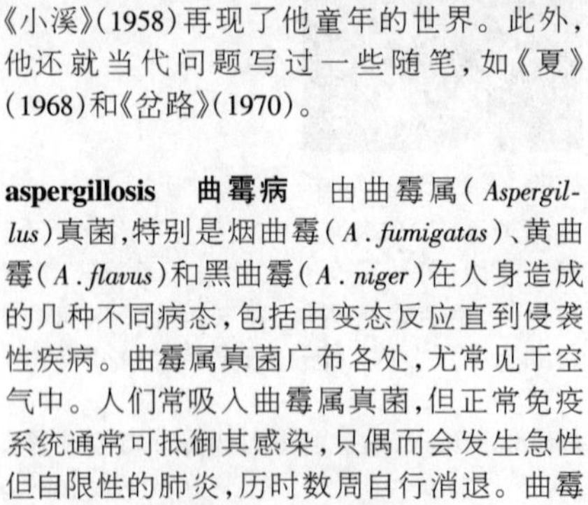

一种曲霉属（*Aspergillus*）真菌
美国不列颠百科全书公司供图

发现后划入散子囊菌目（曲霉目）。黑曲霉（*A. niger*）使食物长黑霉；黄曲霉（*A. flavus*）、黑霉（*A. niger*）、烟曲霉（*A. fumigatus*）引起人的曲霉病。米曲霉（*A. oryzae*）用于日本米酒的发酵，温特氏曲霉（*A. wentii*）用于大豆发酵。子囊菌纲具曲霉型分生孢子的尚有3属：翼孢霉属（*Emericella*）、散子囊菌属（*Eurotium*）和密丝明孢曲霉属（*Sartorya*）。

asphalt　沥青　黑色或棕色石油状物质，其稠度为黏稠液体至玻璃状固体不等。可从石油蒸馏残渣或从沥青矿中得到。沥青由碳和氢的化合物组成，含有少量氮、硫和氧。天然沥青（又称沥青砂），被认为是海底有机沉积物在分解为石油过程的初期形成的，它以含有矿物质为特征，而石油沥青则不含有矿物质。沥青的应用由来已久，早在公元前3世纪，在巴基斯坦摩亨约-达罗的贮水池的砖墙之间就已使用沥青，以防止池水渗漏。在中东，它被广泛用于铺筑路面和密封水下工程。至今，这些仍是沥青的重要用途。特立尼达岛上的沥青湖，是第一个大型工业沥青资源。但当石油工业成为沥青的主要来源之后，天然沥青的重要性就下降了。硬沥青、韧沥青和类似的矿脉沥青专用于耐热瓷漆，这些沥青质地坚硬，像煤那样被开采出来。石油沥青被加工成各种稠度，从轻质的铺路柏油到重质高黏度工业沥青。沥青受热时变软，在某些条件下具有弹性。除用作黏结剂外，沥青的力学性能并不重要。沥青主要用于铺筑路面，铺设方法有多种。路面的轻油"灰层"处理，一般需多次浇沥青，以形成坚固的路面；或在沥青路面上掺入颗粒状骨料；或用路面本身的土料和沥青拌合。其他重要应用包括作运河和水库的衬层、水坝的面层，并用于港口及海洋工程。使用时可将沥青喷成薄膜，并用土覆盖以防止风化和机械破损；也可拌有碎石筑成较厚的表层。沥青还用于屋顶覆盖层、地板贴砖、隔音、防水及其他房屋建筑构件，也用于许多工业产品如电池。为了某些用途，可使微小的沥青球悬浮在水中，制成乳化沥青。参阅 **bitumen**。

asphalt tile　沥青地砖　一种用沥青或合成树脂与石棉纤维、颜料及矿物填料制成的、表面光滑的地面覆面材料。厚度一般为3～4.8毫米，具有不渗透、不易燃、费用较低、易于维护等特点。沥青地砖适用于不宜使用油地毡的潮湿及含碱地面。它抗真菌侵蚀、抗弱酸及抗油脂，在地面温度不超过27 ℃时可以使用。

asphaltite　沥青岩　天然存在的几种硬质固体沥青的统称，其主要成分是各种沥青烯，具有很大分子量。颜色暗棕至黑。不溶解于石脑油，因此需要加热才释放出所含石油。沥青岩虽然与沥青同类，但化学性质和物理性质却同沥青有些不同。例如，沥青岩只含少量无机矿物，甚至不含，而沥青中这种物质却可能占有相当大的百分比。还有，沥青岩不像沥青那样容易熔化。沥青岩是从腐殖泥质的煤产生的，而沥青则来源于挥发物已经蒸发掉的原油。沥青岩一般分3类：硬沥青、纯沥青（或辉沥青）和脆沥青。三者的基本差别在于比重和软化时的温度。硬沥青主要产于美国科罗拉多州和犹他州的边界线上；纯沥青产于巴巴多斯岛上和哥伦比亚境内；脆沥青产于古巴和墨西哥，也产于美国西弗吉尼亚州和俄克拉何马州。

asphodel　阿福花　百合科中几种植物的俗名，常造成混淆。诗人们所指的阿福花通常是水仙花。古人所指的阿福花则是日光兰属（*Asphodeline*）或阿福花属（*Asphodelus*）植物，包含地中海地区的许多种。阿福花为耐寒的多年生草本植物，叶窄、茎长，花穗美观，花白色、粉红色或黄色。白阿福花（*A. albus*）和空管状阿福花（*A. fistulosus*）的花白至粉红色，植株高45～60厘米。沼泽阿福花（骨碎纳茜菜，*Narthecium ossifragum*）是生于英国沼泽地中的一种百合科小草，叶窄刚硬，花小，金黄色，总状花序。

asphyxia　窒息　大脑缺氧或氧气不充分引起的呼吸衰竭或紊乱。窒息造成的昏迷有时可导致死亡。呼吸道受伤或阻塞，如勒颈、吸入食物堵塞气道，或灌入大量的液体（溺水）都可引起窒息。吸入食物或液体可导致肺部皱缩和无空气的状态，这种状态称为肺不张，肺不张可加剧低氧血症。当呼吸困难，大脑缺少足够的氧气（如一氧化碳中毒时），也可出现窒息。母体血液中含有镇痛药或麻醉药、胎儿被脐带勒住、母体的血压过低或其他一些原因，都可引起新生儿窒息。紧急复苏措施要求迅速而有效。重建正常呼吸的一个办法是施行心肺复苏术，这是处理心搏停止和快要淹死者的相当有效的办法。

aspic　肉冻　一种用原汤制作的美味可口的透明凝冻食品。汤用牛骨、鸡骨或鱼骨煨成，由于腱中的天然胶质溶解在汤中，因此冷冻后可以凝固。有时加少量商品骨胶片或骨胶粉，使之更好地凝固。肉冻可用来外涂食品，如冷盆肉、鱼、蛋，煮的或烤的家禽和菜蔬等，使其表面有光泽。肉冻切碎或切成各种形状，可在冷盘中作饰菜，在花饰构型中还可同各种食品组合为一体。蛋黄酱或白汁与冻液混合可制成带色的酱汁，用以装饰凉菜。

Aspidistra　蜘蛛抱蛋属　百合科的一个观叶植物属，原产东亚。较高蜘蛛抱蛋（灰黄蜘蛛抱蛋，*A. elatior*或*A. lurida*）或称九龙盘、铸铁草，是仅有的栽培种；叶长，挺硬，顶端渐尖，常绿，能抗酷热、严寒、灰尘、烟雾及其他恶劣条件；花单生于植株基部，花钟状，通常丁香色，有时褐色或绿色。本属植物的果为小浆果。

aspirate　送气音　英语 hat（帽子）中的 *h* 音，就是送气音的一例。辅音中如英语词首的清塞音 *p*、*t*、*k*（例如，pat［轻拍］，top［顶部］，keel［龙骨］）因为发音时伴有一种有力的送气动作，也都是送气音。这类音在词尾或与某些辅音组合时则不送气，例如，在 spot（斑点），stop（停止）中。梵语和印地语中的浊塞音 *b* 和 *d*，都有送气形式，在英语中通常转

写为 *bh* 和 *dh*。

aspirin 阿司匹林 又称乙酰水杨酸。水杨酸的衍生物，一种温和的、非麻醉类镇痛药。可用来缓解头痛，肌肉和关节痛等。阿司匹林还有明显的解热、抗炎和消肿作用，故为治疗风湿热、风湿性关节炎和一些其他的轻度炎症的首选药物。不过，阿司匹林只能缓解症状，并不能缩短病程。但阿司匹林却是一种有效的抗凝剂，广泛地用于治疗心绞痛、轻度中风等由于血小板过度凝聚而导致的疾病。血小板凝聚是血栓形成的主要原因，而心、脑动脉内血栓形成的直接后果就是心、脑供血不足。阿司匹林的抗凝机制是抑制前列腺素的形成。前列腺素是凝血过程的重要环节之一，并且在激活痛觉神经末梢方面发挥着重要作用。阿司匹林的副作用主要有变态反应和胃肠道刺激症状。此外，人们普遍认为阿司匹林还和瑞氏综合征（脑病合并内脏脂肪变性综合征）有关，此病主要累及大脑和肝脏，病因未明，但似与病毒感染（如流感和水痘）和所用药物有关。本药妊娠妇女禁忌。参阅 **acetaminophen**；**ibuprofen**。

Aspiring, Mount 阿斯派灵山 在新西兰南岛中西部南阿尔卑斯山。是从博纳、沃尔塔、瑟马和伊索等小冰川耸起的金字塔形的山峰。有4个山脊高达3 027米，西坡覆盖浓密的雨林。为阿斯派灵国家公园（1964）的主要风景区。

Aspleniaceae 铁角蕨科 水龙骨目11个科中最常见、最大的一科（有的分类系统视为三叉蕨目5个科中的一个）。分布全世界。60～

图(1)

图(2)

图(3)

图(1)荷叶蕨属（*Phyllitis*）植物；图(2)铁角蕨属（*Asplenium*）植物；图(3)乌毛蕨属（*Blechnum spicant*）植物

美国不列颠百科全书公司供图

80属，约3 000种。有时分为3个亚科：鳞毛蕨亚科（Dryopteridoideae）、乌毛蕨亚科（Blechnoideae）和铁角蕨亚科（Asplenoideae）。熟知的种类有：鳞毛蕨属（*Dryopteris*）、耳蕨属（*Polystichum*）、三叉蕨属（*Tectaria*）、蹄盖蕨属（*Athyrium*）、沼泽蕨属（*Thelypteris*）、乌毛蕨属（*Blechnum*）、狗脊蕨属（*Woodwardia*）、荷叶蕨属（对开蕨属，*Phyllitis*）、铁角蕨属（*Asplenium*）和过山蕨属（*Camptosorus*）等。该科的特征是匍匐茎或根状茎生有鳞片，孢子囊有柄和一轮增厚的细胞（环带），子囊群着生在叶的下表面，具盾状、肾形、长圆形或线形的膜质囊群包盖。孢子多为豆状。

Asplund, (Erik) Gunnar 阿斯普伦德（1885-09-22，斯德哥尔摩～1940-10-20，斯德哥尔摩） 瑞典建筑师，其设计体现了从新古典主义过渡到现代建筑的重要阶段。早年在斯德哥尔摩美术学院攻读建筑，1913～1914年赴希腊、意大利游历，古典建筑给他印象深刻。早期作品有：斯德哥尔摩的伍德兰礼拜堂（1918～1920）和斯德哥尔摩市立图书馆（1924～1927），建筑具有几何图形的单纯朴素风格。他规划了1930年斯德哥尔摩博览会的总体布局，并设计了其中几座展览馆和“天国”餐厅。他提高了瑞典现代建筑在国际上的声望。他晚年的作品，特别是布雷登堡百货商店（1933～1935）、斯德哥尔摩的国家细菌研究室（1933～1935）以及哥德堡法院扩建工程，证明他始终不懈地投身于现代建筑的创作。他设计的伍德兰火葬场（1935～1940）被认为是现代建筑中的一项重要作品，但仍保持古典的、庄重肃穆的风格。

Asquith, H(erbert) H(enry) 阿斯奎斯（1852-09-12，英国约克郡莫利～1928-02-15，伯克郡萨顿科特尼） 英国自由党内阁首相（1908～1916），限制上院权力的1911年议会法案的主要促成者，第一次世界大战头两年的英国领导人。出生于一小羊毛商人家庭。1863～1870年先后就学于伦敦城公学和牛津大学贝利奥尔学院，1874年为该学院研究生。后入林肯律师学院，1876年任律师。1886年以自由党人选入议会，任议员达32年之久。1888年爱尔兰领袖帕内尔被控以纵容政治杀人罪，阿斯奎斯充当其辩护律师，蜚声政界。1892年任内务大臣，以具有行政才能和辩才而著称，至1895年已成为自由党领导人之一。南非战争（1899～1902）中，因反对自由党领袖坎贝尔-班纳曼的政策，另组自由联盟而支持帝国扩张政策。1906年任财政大臣，1908年接任首相，任职达9年之久。1909年，由财政大臣劳合·乔治编制的增加海军预算与德国抗衡，以及提高社会服务费用的“激进预算”遭上院否决，乃于1910年提出限制上院权限案，翌年促使议会通过。上院否决权由此废除。第一次世界大战爆发后，他直到德军入侵比利时而国内舆论哗然时，才宣布参战。1915年5月改组政府，与反对爱尔兰独立的保守党人成立联合内阁。1916年都柏林发生复活节起义，引起国内危机；加之西线战事失利，12月被迫辞职，继续担任自由

美国不列颠百科全书公司供图

党领袖直到1926年。1925年受封牛津和阿斯奎斯伯爵，稍后又获嘉德爵士称号。死前数年间，生活相当清贫，著书为生。撰有《战争的起源》（1923）、《国会五十年》（1926）等书。

āśrama（Hinduism） 参阅**ashrama**阿室罗摩。

āsrāva 漏 巴利文拼作āsava。又名烦恼（梵文作 kleśa，巴利文作 kilesa）。佛教哲学名词。指不断由眼、耳、鼻、舌、身、意六疮门流漏的幻觉。对未觉悟者而言，一切存在物都是幻觉的对象，否则也必然附带幻觉。这样的存在物称为“有漏”。人努力修行可以达到无漏境界。

Asroc 阿斯罗克 美国舰载反潜鱼雷，采用固体火箭推进和声响寻的，射程约6英里。通常由水面舰艇发射。Asroc系 anti-submarine rocket（反潜火箭弹）之缩写。发射后在空中飞行，待接近敌潜艇时方进入水中，完成其余行程。

ass 野驴 又作wild ass。马科两个种的统称，尤指非洲野驴（*Equus asinus*，也为 *E. africanus*）；而与之近缘的亚洲野驴（*E. hemionus*）常被称为骞驴，并依分布地区而定为多个亚种，如蒙古野驴（*E. h. hemionus*，蒙古）、骞驴（*E. h. kiang*，西藏）、北亚野驴（土库曼野驴，*E. h. onager*，伊朗和土库曼）、卡尔野驴（*E. h. khur*，印度和巴基斯坦）、叙利亚野驴（*E.*

h. hemippus，很可能已灭绝）。驴（**donkey**）是骞驴的家养后代。野驴是小型强健的动物，体高 90 ～ 150 厘米。野驴体色浅于家驴。非洲野驴淡蓝灰色至浅黄褐色。骞驴体

非洲野驴（*Equus asinus*）
美国不列颠百科全书公司供图

色较淡，为浅红色至灰黄色。两者都有带白色的吻部和腹部，短的深色直立鬃毛，缺额毛，尾毛丛生。大部分野驴有从鬃毛到尾部的深色斑纹，但仅非洲野驴的指名亚种（*E. a. africanus*，亦称努比亚野驴）和家驴一样有横过两肩的醒目斑纹。骞驴与非洲野驴的差别在于前者腿较细长，耳较短（在马与家驴之间），蹄较大。骞驴的鸣声没有非洲野驴那种"唏-呵"般的交替低调。野驴善于奔跑。蒙古野驴曾有每小时 64.4 千米的速度纪录。野驴生活于荒漠，经常栖息在很干旱的地区，那里不能养育其他的大型兽类。非洲野驴有领域行为，成年雄体在其领域内占支配地位。仅有雌体和它的幼仔之间才存在牢固的群体关系。个体在移动时才偶然成群。蒙古野驴群居，每群由一雄体和几头雌体以及一些幼体组成。这些家族群在冬季集合成大的集群。在古代，骞驴，特别是西南亚野驴曾被驯养供役使用，但后来让位于更健壮的家驴。

Assab（Ethiopia）　参阅 **Aseb** 阿萨布。

Assad, Bashar al-　阿萨德（1965-09-11，叙利亚大马士革～　）　叙利亚总统（2000 年起）。曾在大马士革大学学医，毕业后在大马士革军医院任眼科医生，1992 年到伦敦深造。1994 年，其长兄，即父亲职位的继承人巴西尔因车祸丧生，他回国接替。先到军事学院接受训练，后在总统卫队任上校。其父 2000 年 6 月 10 日逝世后，他于 6 月 18 日任阿拉伯复兴社会党总书记，两天后被提名为总统候选人。7 月 10 日举行选举，因无对手而当选，任期 7 年。他宣称不支持危及复兴党统治的政策，但对言论自由和新闻自由的限制稍予放宽。强调国家经济需要现代化。2005 年初，在西方和其他阿拉伯国家的压力下，承诺撤出叙利亚在黎巴嫩的军队和情报部门。

Assad, Ḥafiz al-　阿萨德（1930-10-06，叙利亚盖尔达哈～ 2000-06-10，大马士革）　1971 年起担任叙利亚总统。阿萨德出身穆斯林少数教派阿拉维派一个穷苦教徒家庭，1955 年从霍姆斯军事学院毕业成为空军飞行员。当叙利亚和埃及结成阿拉伯联合共和国时，他流亡埃及（1959 ～1961），与其他军官组成复兴阿拉伯复兴社会党委员会。1963 年复兴社会党夺取政权后，阿萨德成为空军司令。1966 年参加军事政变夺取政权后，成为国防部长。但在他任职期间，叙利亚在六日战争（1967-06）中失去戈兰高地，这对他的政治生涯是一个打击，后来卷入与武装力量参谋长贾迪德的权力斗争。1970 年 11 月阿萨德逮捕了贾迪德和其他政府成员。阿萨德在苏联援助下着手建立叙利亚军队，并凭借由阿拉伯资助和国际贷款机构支持的公共工程而赢得民众的忠诚。他利用逮捕、酷刑和处决来消除政治异己分子。1982 年穆斯林兄弟会在哈马市发动叛乱时，他无情地镇压，使 2 万人丧生，城市几被夷平。在外交事务上，他试图把叙利亚塑造成阿拉伯世界的领袖。他与埃及缔结的新联盟，在 1973 年 10 月对以色列的战争中达到巅峰，但埃及的突然停战导致叙利亚军事失败，使阿萨德怨愤不已。1976 年黎巴嫩为血腥的内战所摧毁。叙利亚大举出兵，并作为阿拉伯国家联盟赞助的维和部队的一部分常驻黎巴嫩。1982 ～ 1985 年以色列入侵并占领黎巴嫩南部后，阿萨德重申对黎巴嫩的控制，最终迫使黎巴嫩基督徒接受修改宪法，使穆斯林在政府中有平等的代表地位。显然，阿萨德援助以黎巴嫩、叙利亚为基地的激进的巴勒斯坦人和穆斯林恐怖主义集团。与阿拉伯复兴社会党伊拉克地区领导机构间的竞争使阿萨德持久地敌视伊拉克领导人萨达姆·侯赛因。在两伊战争（1980 ～ 1990）中他支持伊朗反对伊拉克。在海湾战争（1990 ～ 1991）中，他迅速地加入美国领导的联盟。这一合作的结果导致与过去谴责他支持恐怖主义的西方政府间建立起更亲密友好的关系。

Assam　阿萨姆　印度的一个邦，位于该国境东北部。北邻不丹王国和阿鲁纳恰尔邦，东接那加兰邦和曼尼普尔邦，南接米佐拉姆邦和特里普拉邦，西邻孟加拉国及梅加拉亚邦与西孟加拉邦。首府为迪斯波尔。早年时期，该地称为伽摩缕波。阿萨姆受过许多王朝的统治，但直到 13 世纪从缅甸来的阿霍姆部落到来之前一直没有稳定的政府。楼陀罗辛格王（1696 ～ 1714）统治时期，权势和繁荣达到了顶峰。1817 年内乱引来了缅甸的入侵，1826 年英国人驱逐缅甸人，将阿萨姆并入英属印度，到了 1842 年全部阿萨姆谷地受英国统治。随着 1947 年的印度独立，阿萨姆因一部分土地划归巴基斯坦，又因在其范围内成立了一些新邦和中央直辖区（那加兰[1963]，梅加拉亚、阿鲁纳恰尔和米佐拉姆[1972]）而缩小了范围。除了穿过本邦中部的梅加拉亚高原外，阿萨姆基本上由平原与谷地构成，计分 3 个自然区：①北部布拉马普特拉河谷，②南部的巴拉克平原，③上述两区之间的丘陵区。布拉马普特拉河谷代表了阿萨姆邦的主要自然形态。阿萨姆冬季不寒冷，夏季不炎热，在季风季节的夏季常有大范围的洪涝灾害。阿萨姆居民主要属于印度-伊朗及蒙古人种，居民约 2/3 为印度教徒，约 1/4 为穆斯林。蒙古人种大部分讲藏缅语系的多种方言。孟加拉的印度教徒在此定居已很久，近年又有从孟加拉国入境的。从 20 世纪 60 年代到 90 年代，阿萨姆邦发生许多少数民族如那加人、米佐人、特里普里人及博多人的骚乱。农业是阿萨姆邦的经济基础，2/3 以上的劳动力从事农业。稻米约占耕地面积的 2/3，茶叶与黄麻也是重要作物，二者的出售成为阿萨姆的主要收入。其他主要作物有油菜籽、豆类、甘蔗和水果。上阿萨姆发现有石油和煤。阿萨姆生产的石油和天然气约占全国产量的 1/6。工业除制茶与石油开采及提炼外，其他规模都不大。该邦因缺乏资金、远离印度其他部分和交通不便，限制了工业发展。由于位置偏僻，航空虽有几处机场，但和公路、铁路及内河航道一样皆不能满足邦内运输的需要。阿萨姆在古瓦哈蒂、焦尔哈德和迪布鲁格尔开设有大学，还有许多附属学院。面积 78 438 平方千米。人口26 638 407（2001）。

Assamese language　阿萨姆语　印度阿萨姆邦的官方语言。属印度-雅利安语族东北语支，是阿萨姆谷地唯一的印度-雅利安土著语言，其词汇、语音和结构上一直受本地区藏缅诸方言影响，语法上具有曲折变化，并以不同的代词和名词的复数形式表示敬语与非敬语，与孟加拉语也有密切关系。阿萨姆语的古代文献以其历史著作最为著名，保存至今。至 20 世纪末期操阿萨姆语者约 1 400 万人。

Assassin　阿萨辛派　在中东史和亚洲史中，指伊斯玛仪派尼查尔支派的成员，该派是 11 ～ 13 世纪伊斯兰教的一个宗教政治派别，在其早期，因以暗杀敌人为宗教义务而出名。1094 年此派首领哈桑·萨巴哈攻占伊朗的阿剌模忒城堡，他以此为大本营，指挥一群狂热的恐怖分子以及潜伏在敌人营垒和城市中的无数特务。这些人暗杀阿拔斯王朝的许多文武官员和几个哈里发。12 世纪初，他们的恐怖活动扩展到叙利亚。1256 年旭烈兀率蒙古军攻陷阿剌模忒，把阿萨辛派的巢穴捣毁。其在叙利亚的城堡亦被马木路克苏丹拜巴尔斯一世攻占。该派遂告衰落。在叙利亚、伊朗和中亚地区，现仍有该派的一些信徒。

assassin bug　猎蝽　异翅目猎蝽科（Reduviidae）昆虫，世界性分布，约4000种。头窄，头

卡罗来纳猎蝽（*Narvesus carolinensis*）
美国不列颠百科全书公司供图

后有细窄颈状构造，是为本科特征。体长10～25毫米。喙短，三节，弓形，纳入前胸腹面的纵沟内，用以吮吸其他动物的体液。体黑色或深褐色，有的色泽鲜明。大多数生活

轮背猎蝽（*Arilus cristatus*）
美国不列颠百科全书公司供图

在户外，捕食其他昆虫，但有的吸哺乳类包括人的血液，并传播疾病。接吻猎蝽（*Melanolestes picipes*）是一重要种类，常在人的嘴周围叮咬，因而得名；黑色，长约12毫米，常见于石块和树皮下，取食其他昆虫。伪装猎蝽（*Reduvius personatus*）亦称伪装猎臭虫蝽或接吻猎蝽；虫的触角、足和身体上密布黏毛，当粘住毛绒、灰尘时，整个虫体外形如一团灰尘，用以伪装；成虫黑褐色，约15～20毫米长，常见于室内，捕食臭虫和蝇类；也叮人甚痛；原产中欧，引入纽约港后，已扩展到整个北美南部。锥蝽属（*Triatoma*）是最为人熟知的猎蝽之一。锥蝽亦称接吻猎蝽、大臭虫或墨西哥臭虫；成虫黑色，腹部两侧各有6个红点，体长25毫米，吻圆锥形。吸血锥蝽（*T. sanguisuga*）常在床上吸人血，叮人甚痛，有毒，甚至引起昏厥、肿胀和呕吐。南美洲的大锥蝽（*T. megista*）是沙加什氏病和一种南美锥虫病的媒介。近缘的长红猎蝽（*Rhodnius prolixus*）分布南美，亦传播沙加什氏病。吸血性猎蝽长期用于昆虫生理研究。南亚木屋地上碎屑中的红带锥猎蝽（*T. rubrofasciata*）可能传播黑热病。食蜂猎蝽（*Pristhesancus papuensis*）在花上捕食蜜蜂等昆虫，吸其体液。北美的轮背猎蝽（*Arilus cristatus*）胸部背侧有带缺刻的新月形斑纹，成虫黑色，长约25毫米，蛹红色而带黑斑。喙内有一管道把含毒素的唾液注入捕获物，从喙内另一管道把体液吸入胃内，叮人甚痛。丝足猎蝽（*Emesa brevipennis*）见于树上或旧建筑物中；中、后足长，丝状；前足短粗，钳状，用以捕捉。东亚的浅黄猎蝽（*Ptilocerus ochraceus*）的捕食方法与众不同，腹部有红色丛毛，上有腺体，其分泌物引诱蚁类来舔食，食后随被麻痹，猎蝽即将喙刺入蚁体吸其体液。扁猎蝽属（*Platymerus*）种类能把唾液喷出30厘米远，准确射中目标，并可使人失明，这是它有效的防卫手段。

Assateague Island　阿萨蒂格岛　美国马里兰州东南部和弗吉尼亚州东部大西洋岸外的堤礁。长60千米，面积160平方千米。大约半为陆地，半为水面，与大陆隔钦科蒂格湾并有南北两座桥相连接。1965年辟为国家海滨区。南端的国家野生动物保护区多野马、鹿、水禽和鸟类。该野生动物保护区亦为大西洋候鸟飞行路线上的禁猎区。岛上的避风港盛产蛤类及牡蛎。

Assault　袭击（1943～1971）　美国赛马（英国纯血马），1946年三王冠马赛优胜者。此马毛色栗黄，身材矮小，立姿高约15掌幅。赛场驰骋夺魁时年齿为四龄。1948年受伤，1949～1950年重返赛马场，随后退为种马，但并无后代。

assault and battery　威胁罪和伤害罪　两项相互关联而又互有区别的罪行。伤害是对他人非法使用武力，而威胁则是企图进行伤害，或者采取某种行动使他人有理由担心立即受到伤害。这些概念在大部分法律制度中都可以找到，而且和杀人罪与谋杀罪一起，是用以保护个人免遭粗暴的或不情愿的身体接触或暴力，并免受因此而引起的恐惧和威胁。构成伤害罪并一定要有最低程度的暴力。仅轻轻一触就足以构成伤害罪。而且暴力并不一定要直接施加。一个人击打他人的手杖或马，施用毒药或麻醉剂或传染一种疾病均构成伤害罪。造成伤害的意外事故或一般的疏忽不能作为伤害罪而加以惩罚，除非事故或疏忽发生在另一个非法侵犯的同时。一般说来，一个人的行为如果没有伤害的意图或者具有包括重大疏忽的严重犯罪过失，并不构成伤害罪。甚至，这种行为如果是为了保卫他人或财产，或者如果是自卫（**self-defense**）也可认为无罪。在执行公务中，如警官，可以合理地使用暴力而不构成伤害罪。威胁罪是一种未遂罪，法律的目的是通过惩处即将危险地构成伤害的行为来防止可能发生的伤害罪。正如对大多数其他未遂罪一样，构成犯罪的威胁和仅仅准备进行威胁的行为之间很难划分出一条明确的界限。一定要有一种进行伤害的企图，但是如果这种企图只造成伤害的可能性或是威胁在遥远的将来发生伤害，不足以构成犯罪。相反，这种意图必须有会造成即时的危险，及明显的威胁伤害的行为的证据。因此，只有语言或意图，不构成威胁罪。英国、实行民法的国家以及美国的一些州把某些类型的威胁（如使用致命武器或具有进行抢劫或强奸的企图）认定为“严重威胁罪”，随之造成的伤害罪亦被称为是严重的。对这两种罪都要处以比一般的威胁罪和伤害罪更重的刑罚。

assault gun　自行突击炮　参阅 **tank destroyer** 自行反坦克炮。

assault rifle　突击步枪　膛内装小尺寸子弹或发射药，能在半自动和全自动射击之间转换的军用火器。由于它重量轻、便于携带，但发射的火力密度大，在现代战斗范围300～500米内有合理的精度，所以突击步枪已经替代了第二次世界大战期间的大威力枪机直动式半自动步枪，成为现代陆军的标准步兵武器。突击步枪易于使用，是拥挤在人员输送车和直升机内的机动作战突击部队以及在丛林或城市作战的游击战士的理想武器。流行的突击步枪有美国的M16、苏联的卡拉什尼科夫（AK-47及其新改型）、比利时的FAL和FNC，以及德国的G3（参阅 **AK-47**、**M-16 rifle**）。突击步枪的工作原理是利用发射药气体的膛压或子弹发射时产生的后坐力把枪机退回，把用过的弹壳退出，并把击发机构置于待发位置。然后弹簧把枪机向前推，新的子弹再上膛，枪就再次射击。子弹从弹匣出来，向枪膛供弹，弹匣内枪弹多达30发。有许多突击步枪附带枪榴弹、潜望瞄准镜和刺刀。在突击步枪可在民间市场上购买到的那些国家里，卖枪也有许多限制，如要拆除自动装置，也不准有发射高性能军用弹药的能力。

assaying　试金法　化学分析方法。测定矿石和冶金产品中的金属含量，特别是贵金属含量的方法。古代炼金术士和首饰匠企图通过将贱金属或矿物加热以寻求或创造贵金属，试金法这项非常重要的技术就是从他们的经验中发展起来并一直沿用到今天。一些较复杂的分析方法如光谱分析法不适合于分析贵金属矿石，因为贵金属往往以分散的粒状形式无规则地分布，分析时需要取用大量矿石样品。这类含有金、银和铅的大量样品用火焰法作试金分析最为经济，该法通常分6步：①取样，采集具有代表性的样品。②熔融，用适当的助熔剂和其他试剂使样品熔成含铅和贵金属的金属小球，而把废渣弃掉。③灰吹，在氧化环境中熔融金属小球，使铅和其他金属杂质氧化。银熔化并溶解其他贵金属，形成金、银和铂小珠。此小珠有时也叫金银合金。④称重，将小珠称重，确定金银总量。⑤分金，用热稀硝酸处理金属珠，将银溶出；如已知小珠的金含量超过25%，则首先可用加银的方法来缩减其浓度，这种方法也叫四分法。⑥称重，称量剩余的金，从金银小珠重量减去此重量就得到银的重量。如样品中有铂、钯或铑，则它们溶解于熔化的铅中，可按收集金银的方法收集之。它们在分金后在金中的浓度可通过光谱来测定。若有铱，就会形成黑色沉积物黏附在金银合金珠上。锇和钌则在灰吹过程中大部分散失掉，若预计有锇和钌存在，则用化学分析法而不用火焰试金法。火焰试金法也用于测定易还原的贱金属，如铅、铋、锡、锑和铜。

Assela（Ethiopia）　参阅 **Asela** 阿塞拉。

assemblage　装置艺术　在美术中指以日常生活用品拼合成的作品。如一段绳子或一块

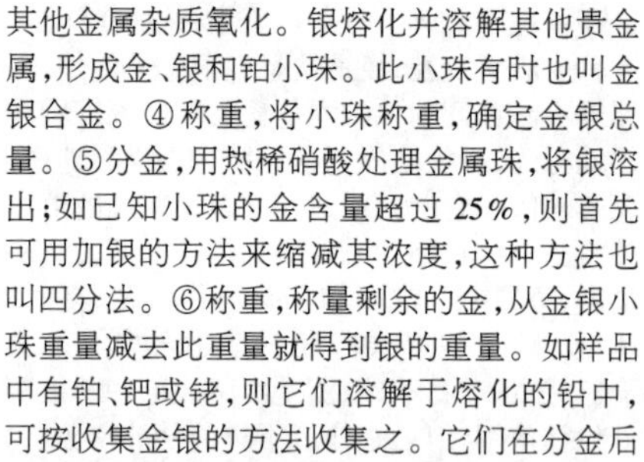

P. 毕加索的《静物与椅纹》（1911～1912）
美国不列颠百科全书公司供图

报纸之类，本非艺术素材，一经艺术家拼凑，则可以构成具有审美价值与象征意义的作品。"assemblage"一词为艺术家 J.迪比费于 20 世纪 50 年代所创，可用于二度空间和三度空间的构成。装置艺术的实践约始于1911～1912 年的毕加索与布拉克的立体主义拼贴和波丘尼与马里内蒂等未来主义者的雕塑装置手法。毕加索的《静物与椅纹》(1911～1912)是这方面最早的范例之一。画中贴了一块摹仿椅纹图案的油布，并用一根绳子构成画框。此后，**达达主义**(**Dada**)与**超现实主义**(**Surrealism**)等运动对装置艺术的可能性进行了探索。例如，杜桑用工业品与自然物品制作"现成艺术品"和"自然艺术品"仅仅加上题铭后，便公开展出而使之进入美术领域。20 世纪后期出现的装置艺术家有 L.奈佛逊与 R.劳申伯格。

assemblé　阿桑布勒　又作 pas assemblé。法语意为"并步"。古典芭蕾舞中的一种动作。双脚或两腿跳起在空中并拢，然后双脚同时落地。做时可以向前、向后移动，也可以向前收、向后收等等。基本形式的阿桑布勒是：舞蹈者将动作的腿从地面擦出踢向空中，同时支撑的腿蹬地跳起，双脚同两腿在空中并拢，然后双脚同时落地，通常成五位半蹲。阿桑布勒可有许多变化，如转身、移位，以及带有小的拍打动作。

assembled gem　组合宝石　为了提高宝石的价值，而由 2～3 块黏结在一起的宝石加工成的琢磨宝石。双拼宝石由两块材料通常在腰棱处(宝石最宽的部位)黏结在一起。如果两块材料相同，则宝石被称为真双拼宝石，如果两块材料不同，顶侧翻光面(在腰棱以上)是真正宝石，底侧翻光面(在腰棱下面)是次等宝石或玻璃，则被称为假双拼宝石。真双拼宝石可用油浸法检测，浸液的折光率与这两块宝石的折光率接近相同。黏结的层是一条黑线。假双拼宝石可用与真双拼宝石同样的方法来识别，但是当假双拼宝石放在被浸液中，宝石的两半将出现不同的外貌。金刚石的双拼宝石可以用无色玻璃、锆石、黄玉、石英或蓝宝石做它的底侧翻光面。石榴子石可作红宝石双拼宝石的底侧翻光面，带色玻璃可作绿柱石的或石榴子石的双拼宝石的底侧翻光面。三拼宝石由三块物质组成：①宝石的顶侧翻光面；②下部(不需要整个底侧翻光面)；③在顶侧翻光面与下部之间有一层衬底或其他物质，以使宝石得到美丽的颜色。

Assemblée Législative(France)　参阅**Legislative Assembly 立法议会**。

Assemblies of God　神召会　美国基督教五旬节宗最大的教会。由几个教会于 1914 年在阿肯色州霍特斯普林斯联合组成。1916 年设总部于密苏里州斯普林菲尔德，称神召会总会。根据该会的《基要真理声明》，该会相信三位一体，宗阿明尼乌主义，举行浸礼和圣餐，主张信徒逐步洗清罪孽的观点，坚持千禧年前派信仰。

assembly　议会　指审议会，通常具有立法或司法之目的和权力。古今的各种政治和宗教机构均使用这一名称。它应用于定期举行会议的常设机构，如古希腊和罗马的议会、日耳曼部落大会、法国国民议会、美国某些州称之为议会的立法两院，以及联合国大会等。它亦可应用于为特定目的而成立的有时间限制的集会机构，如 1643 年为英国国教起草新章程的威斯敏斯特会议等。

assembly, unlawful　参阅 **unlawful assembly 非法集会**。

assembly line　装配线　便于机器、设备和工人在大量生产作业中实现工件连续流动的装置。装配线是靠确定制造每个产品零件和最后产品的作业顺序而设计的。设计时，要使材料的每次移动，尽可能简单而距离短，不要有交叉流动或倒流。对工作任务、机器数量和生产率都编好顺序，使沿生产线进行的一切作业协调一致。汽车装配线是从底盘开始的。随着输送带的移动，陆续把零件一一连续装上去。零件在供料线上装配成部件，供料线与总装线交叉，以供应车身零件、发动机和其他装配件。随着装配件在面前经过，沿线的每个工人就完成特定的任务。每个零件和工具都随装配线输送到使用地点。许多不同的装配件同时在装配线上，但是复杂的程序和控制系统确保合适型号、颜色和装潢的车身以及发动机和附属装置同时到达，以完成所需的组合。自动装配线完全由一个个相互传动的机械组成。在炼油、制造化学品这样的连续加工工业部门，以及许多现代汽车发动机工厂里，装配线已完全机械化，几乎全部由自动的、自行调整的设备组成。但是，大多数产品仍然由人工装配，因为许多部件都不容易由简单的机械装置来处理。自动装配产品的种数在稳步增长，但是增长速度不快，因为必须把产品设计成适合于自动装配，并且要精确和连续稳定地制造。价格昂贵而又有些不灵活的自动装配机械，只有在效率非常高时才是经济的。然而，通用自动机械和工业机器人的发展，将增加全部自动装配操作的灵活性。

Assen　阿森　荷兰东北部德伦特省省会。位于德伦特(又名新米尔德)运河东北端。1257 年始建。1807 年国王路易·波拿巴设为省会。农业和乳制品业中心。有轻工业。为铁路交叉点并有机场。13 世纪西多会隐修院教堂已辟为古物博物馆，附近有史前石碑。人口约 50 357(1991)。

Asser　阿塞尔(?～约909)　威尔士教士，主要因为是阿尔弗烈德大王的朋友、教师、顾问和传记作者而出名。出生于威尔士。曾入彭布罗克郡圣大卫隐修院。886 年阿尔弗烈德大王想学拉丁语，把他召入宫中。他成为国王的教师和朋友。国王先后任命他为萨默塞特郡康斯伯里和班韦尔的隐修院院长，以及德文和康沃尔主教区的主教。临终前为多西特郡舍伯恩的主教。著有《阿尔弗烈德大王传》，述大王出生至 871 年即位，其在位期间事迹甚详，止于其死前 12 年的 887 年。

Asser, Tobias Michael Carel　阿塞尔(1838-04-28，阿姆斯特丹～1913-07-29，海牙)　荷兰法学家，由于他在第一次海牙和平会议(1899)建立常设仲裁法院上所起的作用，他

美国不列颠百科全书公司供图

和 A.弗里德共同获得 1911 年度的诺贝尔和平奖。1862～1893 年，阿塞尔任阿姆斯特丹大学商法和国际私法教授。1869 年，他和两位同事一起创立了《国际法和比较立法评论》。他还是 1873 年国际法学会的创立人之一。1891 年，阿塞尔敦促荷兰政府召开关于统一国际私法的海牙会议，该会于 1893 年第一次开会，后来成为常设机构，除其他任务外，负责起草 1902～1905 年有关家庭法的海牙公约。1911～1912 年，他担任统一国际汇票法委员会的主席。1893 年他成为荷兰国务委员会委员。阿塞尔是出席 1899、1907 年两次海牙和平会议的荷兰代表。

assessment　财产估价　通常是为了征税而对动产或不动产的价值进行评估的程序。在多数国家，财产估价由中央政府机构进行；但也有些国家则由地方官员办理。或许财产估价最普通的方法，像英国那样，是以财产的年出租价值作为评估的基础；而在美国、奥地利、丹麦等国，课税的基准却是财产的资本价值。确定财产价值的方法很多，其中有：一是分析市场资料以估量财产的当前市场价格；二是估价重建财产的成本费而减去自然增长的折旧费；三是财产收益的本金化(即根据现有的收益推算其本金的数值)。在实际操作当中，许多估价官员都采用由这三种方法所综合、引申出来的一种方法，但所得出的估价却往往低于财产的实际时价。因此，政府有时根据估价官员低估价值的程度，向各个税区提出增值系数，试图补足财产的实际估出的价值。

assessor　陪审推事　在法律上，指经法院约请提供法律建议和帮助的人。在许多场合下，他们是作为法官在法庭上处理实际案件的。在美国也使用这一术语，指的是为征税而对财产进行估价的官员。在 19 世纪后期和 20 世纪初期，欧洲大陆有许多地方任命了陪审推事，其目的是想限制随着法国大革命的平均主义浪潮中实行的陪审团制度的影响。非专业性的陪审团与民法法系的职业法官传统是格格不入的，由于对陪审团的权力不满，立法机关便采用与职业法官平起平坐共同处理案件的陪审推事制。这在

实际上就或多或少地打破了国家法官独立的设想。在法国,九人陪审团只出席审判最严重罪行的巡回法庭,他们实际上是一批必须与三名职业法官共同裁判的陪审推事。由于定罪必须有八票的多数,陪审团就可能制约法官,但是实际上法官总是能够影响陪审团争取到这个多数。在德国,有**舍芬型陪审官**(**Schöffe**),他们两人一组地参加刑事案件的审判。在专门法院,例如劳动法院,则设有代表雇主和雇员的非专业陪审人员。后一种陪审人员,在英国和美国的海商法院和海事法院以及一些其他的民事法庭中也都可以见到。在俄国,十月革命后以陪审员代替了陪审团。地方人民法院的陪审员由人民通过工人、雇主和农民大会选出。但在高级法院,陪审员由苏维埃选举。陪审员与法官一起开庭审判,但判决需经多数票通过。因为审判可能十分复杂,而陪审人员又未经训练,所以他们往往受职业法官的影响,在法律问题上尤其是这样。

Assia Djebar　阿西娅·杰巴尔　参阅**Djebar, Assia 杰巴尔**。

assignat　指券　法国大革命期间,1789～1796年在法国作为通货发行的纸币。原是革命政府财政上的权宜之计,由于不断增发而引起通货膨胀。1789年12月,为偿付直接债务,国民公会发行指券作为利息5%的公债券,以新近收归国有的教会地产为担保。1790年9月,国民公会规定指券为纸币,流通量从4亿利弗增至12亿。纸币发行之初,消除通货匮乏,刺激经济增长,效益显著。但由于公众对纸币极不信任,深恐不稳定的革命政府不久会垮台,致令指券贬值。1796年指券为土地票所取代,比率1土地票等于30指券。后土地票亦无法得到公众信任,督政府被迫恢复硬币(1797-02-04)。

assigned counsel　指定辩护人　指经政府指定为穷人充当诉讼代理人的律师。指定辩护人是私人律师,他们受法院的指派处理某些具体案件。在有些国家里,特别是在美国,公设辩护人是经政府终身雇用来执行此种职务的。聘请辩护人的权利,各国有很大差异。19世纪末以前,能不能请到辩护人要看你能够出多少钱。一个人若能付得起律师费用,他就能找到律师为他当辩护人;他若很穷,那么除死刑案件外,通常是没有辩护人代他辩护的。到19世纪后期,律师组织和社会福利团体联合起来为穷人提供**法律援助**(**legal aid**)。到20世纪中期,大多数欧洲国家的政府都以某种方式——或者通过行政手段,或者通过拨款,或是两者兼而有之——参加这种活动。大多数国家都已承认在刑事案件中,特别是在那些最严重的刑事案件中,穷人有权得到辩护人。尽管英国于1949年通过立法提供了政府的法律援助,但是在这方面领先的还是美国。美国最高法院从1963年起发布了一系列决定,确认被控犯有重罪的穷人在审判、上诉期间,甚至在受警察审讯期间应有辩护人的权利。虽然这种权利尚未扩大到把轻罪包括在内,但是有些司法管辖区和许多公设辩护人单位却自动地把这种权利扩大到轻罪案件。在一些民法法系国家以及在英国,这方面的进展则受到更多一些的限制。例如,在法国,有人被控犯罪若超过了较小的轻罪的界限,他在预审和正式审判时必须有辩护人出庭,但这种权利并不扩大到包括警察审讯阶段。在日本,只有刑罚超过3年有期徒刑的案件,才要求有辩护人。在俄罗斯,凡是有检察官参与的案件,或者被告人不能自行辩护的案件,都必须有辩护律师出庭。许多国家对于受指派在刑事案件中为穷人进行辩护的律师是不给报酬的。在美国,他们的薪俸往往比为私人当事人当律师的收入要低得多。因此,尽管有许多辩护人和受指派的律师都很有能力,但他们往往比较年轻和缺少经验。在英国,大部分律师都自愿为穷人的案件辩护,刑事诉讼中的被告人则有较多的机会得到一个有经验的辩护人。关于在民事诉讼中的辩护权利和辩护的质量,各国的差异更大。英国自1949年起,对离婚与其他某些诉讼案件,政府给予法律援助;而美国于1971年才开始涉及民事诉讼问题,而且范围有限,穷人有权在诉请离婚时免付起诉费和法庭费,在这类案件中穷人应有辩护人的权利也是明确规定的。但这些权利不能扩大到像破产与收回出租的土地房屋等民事诉讼案件。在一些民法法系国家,为穷人在民事案件中提供辩护律师的制度通常组织得很好,但也有雇用年轻而缺少经验的律师的倾向,这些律师常常是无偿服务的。法国和意大利就是这样。在德国,联邦宪法法院确认了穷人在民事诉讼中应有辩护律师的权利,对申请有经验的诉讼代理人的,也给予适当补偿;律师则由法院指派并由政府付给报酬。

assimilation　同化　民族传统不同的个人或群体被融入社会上占支配地位的文化的过程。通常他们是移民或至今还是孤立的少数民族,由于和主要文化进行接触并参加到主要文化所形成的生活中去,慢慢失去大部分原来的文化特点而接受新的特点,变化大到与社会上其他成员已经无法区分的程度。同化并不指种族上或其他生理上的融合,尽管这种融合可能常常与同化有关联。彻底同化是很少见的,欧洲就是例证。在那里,尽管许多世纪以来的征服及一次又一次的强制同化,仍存在种类繁多的地方文化和区域文化。然而,还是有些值得注意的同化事例,尤其是美国那个所谓种族熔炉。数以百万计的从欧洲来美国的移民,经过重新安置、学校教育的影响及美国生活中其他因素的作用,在两三代之内几乎完全被同化。

Assiniboia　阿西尼博亚　加拿大西部地区,因印第安阿西尼博因人和阿西尼博因河而得名。19世纪及20世纪初划为一区,但曾有3次不同的地界。1811年由哈得孙湾公司在此建立**雷德河移民区**(**Red River Settlement**)时开始用此正式名称。包括今马尼托巴南部及(1818以前)雷德河谷地中今北达科他和明尼苏达。1835年哈得孙湾公司在这里建立阿西尼博亚区,包括加里堡(今马尼托巴的温尼伯原址)周围50英里的地区,由公司任命地方长官管理。1870年并入新建的马尼托巴省。1882年加拿大政府建立另一个阿西尼博亚区,为旧大西北地区的一部分,东起马尼托巴边界,西至艾伯塔区,北自萨斯喀彻温区,南达加拿大与美国的边界。1905年阿西尼博亚分属艾伯塔和萨斯喀彻温两省。

Assiniboin　阿西尼博因人　又名斯通尼人。美洲平原印第安民族。操苏语语系语言。17世纪前,从扬克托奈达科他人中间分裂出来。鼎盛时期住在加拿大温尼伯湖以

阿西尼博因人
美国不列颠百科全书公司供图

西、阿西尼博因河与萨斯喀彻温河沿岸地区。其名称来源于奥吉布瓦(奇佩瓦)语,意为"以石炊爨之人"(在加拿大,其名为"斯通尼人")。同阿尔冈昆克里人关系密切,几乎经常共同对达科他人作战。杰出的野牛猎手,常在哈得孙湾及密西西比河上游,同欧洲商人进行贸易,用野牛肉干换取火器及其他商品。后由于英国人和法国人的入侵,他们不断向西移动,进入加拿大平原、蒙大拿平原及北达科他平原,与一直控制着大草原的黑脚人相互对抗。分成若干群组,各有首领和议会。各群组经常移动以追踪流动的野牛群。在18世纪引进马匹之前,专靠步行,使用狗拖橇。妇女担任与住房(圆锥形帐篷)有关的全部劳动,包括搭拆帐篷。战争中的骁勇表现为取得敌人头皮、夺取马匹和与敌人短兵相接。虽然传统上阿西尼博因人好战,但与白人特别友善。最有重要意义的宗教礼仪是太阳舞或巫医棚屋舞。19世纪20及30年代中,阿西尼博因人的势力严重衰退,主要是由于天花流行,死者数千人。1851年他们与美国政府签订第一个条约,此后被安置在保留地。20世纪后期加拿大有1 000余人,在美国据说超过4 000人。

Assiniboine River　阿西尼博因河　在加拿大萨斯喀彻温省和马尼托巴省。为雷德河主要支流之一。源出萨斯喀彻温东部,东南向流入马尼托巴省后,折向东,出马尼托巴山崖

进入由古代阿加西斯冰川湖形成的低地，在温尼伯汇入雷德河。全长1 070千米。1736年被法国人发现。后成为皮毛商来往的重要路线。此河流以印第安阿西尼博因人命名，印第安语意为"以炽热石块为炊的人"。主要支流有卡佩勒和苏里斯河(**Souris**)。流域为加拿大主要小麦产区之一。沿河城市有马尼托巴省的布兰登、波蒂奇拉普雷里和温尼伯。

Assiout（Egypt） 参阅 **Asyūṭ**艾斯尤特。

Assis 阿西斯 巴西圣保罗州中西部高原上城市。海拔563米。1915年建镇。1938年建市。可加工咖啡、棉花、玉米和稻米。家具业、酿酒业发达。有航空线、铁路和公路通圣保罗。人口约83 281(2000)。

Assisi 阿西西 意大利中部翁布里亚区佩鲁贾省城镇。位于苏巴西奥山的山嘴上，该山在佩鲁贾以东的托皮诺河谷和基亚斯乔河谷上方。以圣方济各的诞生地(1182)而闻

阿西西的圣方济各教堂和女隐修院
美国不列颠百科全书公司供图

名。1860年成为意大利王国的一部分。著名古迹有米纳尔瓦庙、圣方济各教堂及女隐修院和圣基亚拉教堂。还有圣鲁菲诺大教堂(1140)和拉罗卡马焦雷要塞(1367)等。有一些轻工业。朝圣和旅游业收入很大。人口：城市区约25 304(2001)。

assistance, writ of 援助令状 美国独立前，殖民地地方高等法院为协助英国政府执行贸易和航海法而颁发的普遍搜查证，授权海关官员查禁走私货物，他们可以搜查任何住宅，无需指明搜查的房址或货名。这一令状曾长期在英国本土和殖民地使用。1761年引起争议，波士顿商界代表J.奥蒂斯力斥其违宪。但在1762年，因英国确认其合法，仍继续使用。1767年以后，13个殖民地的所有高等法院都起来反对，其中有8个殖民地断然拒绝接受。援助令状是美国独立前殖民地民怨沸腾的主要原因之一。

assize 巡回审判 在法律上，指法院的一种开庭审判。开始时是指陪审团的审判方法，用以取代野蛮的司法格斗。在中世纪期间，这个词是指在英国各郡举行的某些法院的开庭，在法国它也指巴黎最高法院在各省举行的特别庭。这一词又用来指应属这类法院处理的法律文件。在近代，巡回审判庭则是指审理最严重犯罪的刑事法庭。开始时，英国所有巡回审判的法律文件必须是在伦敦的威斯敏斯特进行审理，或等待每隔七年由巡回法官到原地进行审理。为了补救这样的拖延和不便，《大宪章》(1215)就规定某些属巡回审判的法律文件由各郡的法官每年进行一次审理。按照随后陆续颁布的法令，巡回审判法官的民事管辖权扩大了，法官开庭的次数也增加了，一直到无须再到威斯敏斯特去出庭，巡回审判便定期在各郡开庭。在法国，巡回审判是定期在大城市开庭，由王室下级司法官即王室地方法官(prévôt)主持，并由一批当地陪审推事(非专业法官)协助。大型的巡回审判每年开庭四次，由地方贵族或伯爵，或由王室派驻当地的代表(参阅 **bailiff**)主持，他们是负责管理王室地方法官的王室高级司法官。法国巡回审判的一个重要的形式是大庭日制度，来自巴黎最高法院的地方行政官在省区集会。这种大庭日常常是在某地区有非暴力动乱时作为显示中央政府权力和威望的方法，例如在16世纪宗教战争时期以及17世纪投石党内战以后，这种大庭日集会就较经常举行。但在香槟地区，这个大庭日成为较永久性的制度，尽管在16世纪时它还只是不定期举行。在这个大庭日里处理特别重大的案件，并处理来自王室出巡官法庭的上诉案件。在近代英国，巡回审判(1971年被取消)是高等法院在各郡举行的定期庭审，审理诸如罪犯在狱中的犯罪，以及一般的叛国罪和杀人罪等一类的案件。在法国(以及1975年以前的德国)，巡回审判法院是刑事的第一审法院，审理最严重的犯罪。巡回审判的法律文件，可以用"先辈死亡"和"新近强占"两种诉讼为例。前者是一种收回合法继承地产的诉讼，该地产在继承人尚未占有之前就被他人占有了；而后者也是一种收回地产的诉讼，该地产原属原告人所有，是后来被剥夺的。

Associated Press(AP) **美联社** 合作通讯社，美国历史最悠久和最大的通讯社，长期以来也是世界最大的通讯社和卓越的通讯社之一。它的创建可追溯至1848年，当时纽约市的6家日报开始联营，以负担用电报播发由进入波士顿的船只带来的国外消息所需的经费，那时波士顿是美国停泊西行横渡大西洋船只的第一个港口。1856年取名纽约联合通讯社，为一家互助公司，将其新闻出售给不同的地区报纸集团。由于地区报纸集团的压力，迫使其改变入社成员控制方针，于1892年按照伊利诺伊州的法律建成现在的美联社。不是美联社成员的《芝加哥两洋报》于1900年提出反垄断的起诉，美联社才迁至纽约，那里关于组建会社的法律允许该集团继续对入社申请进行严格的控制，包括已入社的成员可对新入社申请者投反对票。40年代初期，创办《芝加哥太阳报》的菲尔德第三为反对其被拒于美联社门外而进行斗争。联邦反托拉斯的势力提出起诉，从而结束了美联社的限制性做法。20世纪80年代初期，美联社一年的营业预算超过170 000 000美元，在世界通讯社中遥遥领先，这一预算由于安装和维修用以进行卫星转播无线电电传打印和其他业务的电子设备而增加。美联社编辑部的约2 500名记者分布在100多个美国城市和50多个世界城市的分社，由约100多个国家采集新闻并转发给各成员报纸。各成员报纸100 000多名记者的稿件又扩大了编辑部的供稿量。80年代初期，该社拥有6 500多家报纸顾客。多年来，美联社租用超过400 000英里的电话线路进行播发，但其对无线电电传印刷机的采用——始于1952年——开始对租用线路的需要有所缓和。随着订户安装合适的天线，一种日益使用卫星播发的倾向势必继续发展。

Associated Talking Pictures, Ltd. 参阅 **Ealing Studios**伊灵影片公司。

Associated Universities, Inc.（AUI） **大学联合公司** 美国一些大学的联合组织，它负责管理受联邦资助的两个研究机关：其一研究原子核物理学，另一研究射电天文学。大学联合公司的成员是哥伦比亚大学、康奈尔大学、哈佛大学、约翰斯·霍普金斯大学、麻省理工学院、宾夕法尼亚大学、普林斯顿大学、罗切斯特大学和耶鲁大学。该公司成立于1946年，受原子能委员会委托，管理当时新成立的布鲁克黑文实验室(位于纽约州长岛阿普顿)。该实验室现由美国能源部提供资金，进行原子核物理学、化学、机械工程、生物学和医学等方面的实验。大学联合公司后来又由美国国家科学基金会指定管理国立射电天文台(NRAO)。该天文台总部设在弗吉尼亚州夏洛茨维尔，对宇宙射频辐射源进行了广泛的研究。

association 联想 主要和记忆有密切关系的心理学基本原理。指的是对任何一件往事或经历的回忆，常常会以一种或多种特定的方式连带回忆起和那件事有关的许多往事。后来，这一概念的应用范围日渐扩大，除原始感觉外，它几乎成了解释一切人类心理活动的灵丹妙药，联想主义也就成了包容整个心理学的一个理论学派。

虽然古希腊哲学家亚里士多德最早论及联想问题，并对联想进行了分类(类似联想、对比联想和相邻联想)，但联想主义却被看做是英国人的专利。"观念的联想"的概念(J.洛克《人类理解论》，1690)和类似联想、时空相邻联想、因果联想的分类概念(D.休谟《人性论》，1739)等都是英国人的贡献。著名的英国联想主义者还有18世纪的D.哈特利和19世纪的詹姆斯、J.S.穆勒、A.贝恩、H.斯宾塞等。虽然学术界对联想的分类和命名有颇多争议，但大致可分为感觉主义、机械论和原子论三派。如果人们从各种感官获取的东西能不断地得到印证，那这些感觉材料就会在人的思想中形成一种相互联系模式，并且可以再现为表征性的意象和观念。人类的知识是由无数个分散的、简单的和个别的实践经验构成的，并可被完全分解为这些经验。

19世纪80年代，哲学家F.H.布莱德利、

分析心理学家J.沃德和G.F.斯托特首先在英国开始激烈批判联想主义，他们反对"知觉是知识的唯一来源"的说法，强调一切精神活动中固有的目的因素。1890年美国哲学家W.詹姆斯主张用"中枢神经过程的联系"取代"观念的联想"的概念，而前者的成因是人体受到几乎同时出现的多种刺激的作用(《心理学原理》)。1903年，俄国心理学家I.P.巴甫洛夫用纯客观方法研究联想问题，指出一切生物行为都源于条件反射和非条件反射。几乎同时崛起的条件反射理论和很多行为主义理论同属行为的联想主义，其理论主张和所受到的批评均与观念的联想主义理论类同。曾在美国占主导地位并有多种理论学派的刺激-反应心理学的情况也大致如此。

但是，随着那些坚定的联想主义者的试验结果的不断积累，又有了新的问题。例如，美国的E.L.桑代克发现单纯的重复对刺激-反应之间联系的建立并没有多少帮助，他认为最重要的是反应的效果，所谓效果指的是愉快和痛苦(《学习的基本原理》，1932)。有些人强调获得的知识对个体的直接效益，另有些人，像美国心理学家C.赫尔，主要用需求减少或者在各种经验主义条件下把刺激和反应联系起来的驱力强度来全面解释学习(《行为的原理》，1943)。所有这些思想家都主张对联想主义原理作彻底修正，但都不否认其基本原则。而有些心理学家，包括格式塔心理学家，主张就高级心理活动而论，应该抛弃联想主义。

目前还不明确联想主义理论能否成为心理学的普遍原理。研究人类行为的心理学家中很少有人认为这个理论还有往日的辉煌。但是，绝大部分心理学家都认为联想的概念仍不失其为相当重要而且有效的原理，在学习问题上尤其如此。

association, chemical 参阅 **chemical association** 化学缔合。

association croquet 英式槌球 槌球的一种，运动员在设有6道铁环门和一个中心标竿的场地上用槌击球。流行于英国、新西兰、澳大利亚和南非(参阅 **croquet**)。比赛时，每方有1～2名运动员，用4枚压缩软木球；一方用蓝球和黑球，另一方用红球和黄球。两方运动员轮流击球，各人均须将自己的球击动，依次滚过各铁环门，再循原路线击回，最后随意从任何方向击中标竿。一球完成这一过程即得13分，两球共得26分。一方两球均已击中标竿为一局，此时败方尚待取得的分数即为胜方的得分。场地长方形，长31.95米，宽25.56米。两端界线上靠左方11.9米长的一段是开始一轮击球的发球线。白线的内侧才是真正的边界线。每一轮只能击球一次，但是如果击中其他三球之一，或者击动自己的球穿过一个铁环门，称为"乐击"，此时即可继续击球两次，第一次把自己的球贴在对方的球上击出，第二次是普通的击球。这第二次击球也可以再打成乐击，但除非此时击球穿过铁环门得分，否则只能有一次乐击。对于较弱的选手可以让他多打几轮，也可以使他多打一轮而不得得分。高尔夫式槌球是英式槌球的另一种形式，根据这种打法，各球每次要依次进一个铁环门，每一门的最先击入者得1分。

在英国，槌球的各种比赛由1896年成立的槌球协会管理，其赛事包括公开赛、男子比赛、女子比赛以及邀请赛等。在澳大利亚、新西兰、南非以及美国都先后建有不同的槌球管理机构。

association football 英式足球 又作soccer。一种球类运动。比赛分两队进行，每队11人，争相把球射对方球门可用除手、臂外身体任何部分触球。只有守门员在门前罚球区内可用手触球。以进球多者为胜。足球运动起源于英国，最初踢足球的是学生，比赛规则也是五花八门。1843年剑桥大学试图把规则统一起来，但是一直到足球协会于1863年成立时才制定出一套统一的规则。1871年开始举行足球协会杯赛，1888年出现第一个足球联赛，后来其他国家的足球运动也很快组织起来。1904年国际足球联合会成立，它至今仍是管理业余比赛的世界性组织。足球于1908年被正式列为奥运会比赛项目。自1930年以来，国际足联每4年与奥运会错开举行1次世界杯比赛。1991年开始举行女子足球世界杯比赛。在国际足联成立以前，欧洲和南美洲之间曾举行过国际比赛，但是这两大洲的规则不同，特别是对无球队员的阻挡、从背后铲球、用肩撞人等规则差异更大。这些差别后来逐步得到解决，到20世纪60年代，实现了规则的统一。其他重大比赛有：欧洲冠军杯赛(始于1956)、南美解放者杯赛(始于1960)和欧洲优胜者杯赛(始于1963)。南美和欧洲的冠军队之间也举行正式的俱乐部锦标赛。参阅 **Sporting Record**: Football: Association football (soccer); **Olympic Games**。

Association for Relations across the Taiwan Strait 海峡两岸关系协会 以促进台湾海峡两岸交往、发展海峡两岸关系、实现中国和平统一为宗旨的民间团体。1991年12月16日正式成立。会址设在北京。1991年6月7日，中国共产党中央委员会对台办公室负责人受权发表谈话指出，由海峡两岸有关部门和授权团体或人士，尽快商谈实现直接三通和双向交流的问题，扩大交往，密切联系，繁荣民族经济，造福两岸人民。海峡两岸关系协会正是为了贯彻落实上述建议而成立的。协会章程规定：协会致力于加强同赞成祖国和平统一的社会团体、各界人士的联系与合作；致力于促进海峡两岸各项交往和交流；致力于维护两岸同胞的正当权益。协会根据国务院台湾事务办公室的授权，负责与台湾海峡交流基金会和有关团体进行联系，商谈和处理海峡两岸交往中的有关问题，包括签署协议性文件。协会并为台湾岛内外各团体、各界人士提供有关来大陆投资、贸易和其他交流活动的政策、法规等咨询服务；同时也向大陆有关方面和地方提供对台湾进行文化、学术、体育、科学技术交流等咨询服务。协会首任名誉会长荣毅仁，首任会长汪道涵。协会办事机构设秘书部、协调部、综合部、咨询部。

Association Internationale Africaine 国际非洲协会 英语拼作 African International Association。1876年9月在比利时国王利奥波德二世的鼓舞下，为了"教化"中部非洲而成立的团体，由探险家、地理学家和慈善家组成。初成立时，原拟把协会的总部设在布鲁塞尔，在各国成立委员会，分别由所属国家进行组织和提供资金，比利时第一个建立了本国委员会。但此计划未能完全实现。1877年H.M.斯坦利发现刚果河以后，利奥波德二世把注意力完全集中到刚果盆地，对协会更广泛的目标失去兴趣。由于失去利奥波德的承诺，国际非洲协会乃停止活动。

Association Internationale du Congo 国际刚果协会 英语拼作 International Association of the Congo。原称"上刚果研究委员会"。在该协会主持下，刚果(与今刚果民主共和国同一版图)得到开发，并为比利时国王利奥波德二世以及一批欧洲投资者所有。英裔美国探险家H.M.斯坦利于1876～1877年探察刚果河之后，1878年利奥波德二世在一个国际银行家集团的资助下，成立上刚果研究委员会。他希望沿刚果河两岸开发刚果内陆。1879～1882年间，斯坦利在更名为国际刚果协会这一单位的赞助下，沿刚果河两岸建立了几个贸易站和行政据点，包括利奥波德维尔(今金沙萨)在内，并与各地方的首长进行了谈判。他于1882年返回欧洲，向该协会报告说，为了使刚果盆地得到有利的开发，必须在上、下刚果河之间建造一条铁路，必须要欧洲列强发给一个特许状，允许在那里修筑铁路和管理铁路通过的地区。1884年斯坦利又一次从刚果远征归来，他已与450位非洲的独立酋长签订条约，他们同意将大部分刚果盆地的宗主权让给利奥波德的协会。不仅如此，由于许多酋长均被说服将他们的领土合并，国际刚果协会宣称有权统治所有这些领土，把它作为一个独立国家。其他强国没有对此表示异议。1884年4月，美国首先承认该协会所宣称的权利。在1884～1885年的柏林西非会议上，欧洲列强共同决定有关刚果盆地的全部问题，各国几乎一致承认了该协会的权利要求。在这一会议上，利奥波德被承认为新国家的君主，这一国家定名为刚果自由邦。参阅 **Congo Free State**。

association test 联想测验 在心理学中，用于研究心理结构的测验，特别是用于研究作为知觉、意义、记忆、语言、推理和动机的基础的认知联系问题。在"自由联想"测验中，先给予受试者一个词、一个概念或其他刺激，然后要他说出在他头脑中首先反应出的词。在"控制联想测验"中，对刺激与应答之间关系作了限定(例如要求受试者对所给的刺激作出相反的应答)。测验的基本指标是反应时间。有时为了特殊目的，也可以用较为复杂的分析法。联想测验也常是精神分析的一个程序，并用于研究人格及其病理。对由某些特定实验刺激所激发的充满情绪的回忆和想法，病态人格受试者的反应会导致非典型性的或揭露性的联想，更常见的是反应时间过长或过短。